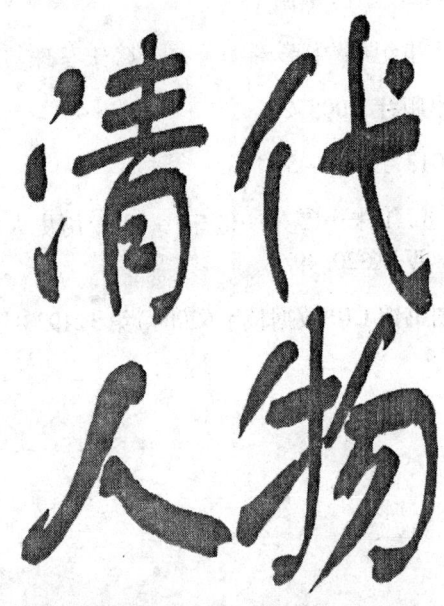

Qing Dai Ren Wu Da Shi Ji Nian

朱彭寿 编著

朱 鳌 宋苓珠 整理

北京图书馆出版社

图书在版编目（CIP）数据

清代人物大事纪年/朱彭寿编著;朱鳌,宋苓珠整理.—北京：
北京图书馆出版社,2005.2

ISBN 7 – 5013 – 2621 – 5

Ⅰ.清…　Ⅱ.①朱…②朱…③宋…　Ⅲ.历史人物—中国—
清代—年表　Ⅳ.K820.49

中国版本图书馆 CIP 数据核字（2004）第 121933 号

书名　清代人物大事纪年
著者　朱彭寿编著　朱鳌　宋苓珠整理

出版　北京图书馆出版社　　（100034　北京市西城区文津街7号）
发行　010 – 66139745,66175620,66126153
　　　　66174391（传真）,66126156（门市部）
E-mail　cbs@ nlc. gov. cn（投稿）　btsfxb@ nlc. gov. cn（邮购）
Website　www. nlcpress. com
经销　新华书店
印刷　三河弘翰印务有限公司

开本　850×1168 毫米　1/32
印张　66.375
版次　2005 年 2 月第 1 版　　2005 年 2 月第 1 次印刷

书号　ISBN 7 – 5013 – 2621 – 5/K · 960
定价　180 元

整　理　说　明

　　本书是根据先祖父朱彭寿所著《皇清纪年五表》、《皇清人物通检》及《皇清人物考略》三书整理而成。原稿于清朝末年成书，民国后又做了附录，但手稿积压了半个多世纪一直未付梓。直至二〇〇二年四月才由北京图书馆出版社以《稿本清代人物史料三编》为题影印出版。

　　原书共收集了约两万名清代自中央到地方有影响人物的个人资料（包括姓名、字、号、籍贯、生辰、科第、官职、恩遇、封爵、著述、卒年、谥号、死因等十多项内容）。依清代纪年顺序，始自清入关前的天命元年（明万历四十五年，公元一六一七年），终到宣统三年（公元一九一一年），共计二百九十四年，按编年体的形式，将有关这些人物的重大事件史料，编辑成文字精练的大事记，如把每个人的诸项资料汇集起来，即可得到一简略小传，供读者阅读参考。同时，它不仅是一部有关清代人物个人史料的工具书，而且还具有一定的时代史实特征，从书中可以了解到同年出生，同科上榜，为同一事件策封和受制裁的人物。在清代历次发生的大小事件中，如：宫廷内派系斗争，皇子们为争夺皇位的斗争，文字狱，鸦片战争，辛酉事变，太平天国，戊戌变法，八国联军入侵北京和国内各次战争等等，都在所收人物的生辰、科第、恩遇、卒岁栏目中有所反映。

　　本书收录的范围：文官以知府以上，武官以副将以上为主。包容了大部分皇室成员和二、三品以上大臣（其中大学士、军机大臣一名不缺）。同时也收录了一部分中下层官员和名儒、诗人、举人、贡生、画师、医士、孝子、布衣等。

　　总之，此书收录人员之广，考证之全，记述之精，打开书页一目了然，是了解和研究清史所不可缺少的一部参考工具书。此前尚未发现如此有系统，收录如此之多的清代人物史料的专著问世。但本书原是以表传形式为主，只是简略记录人物的个人史料，并未对其人一生所为和功过事非加以描述和评论，因

此，本书不是一本人物传。

　　《稿本清代人物史料三编》一书出版后，很受清史爱好者欢迎，但由于是毛笔字行书繁体竖排，阅读使用起来就有一定局限性，再加篇幅过于庞大，广大读者接受有一定困难。为了使此书能得到普及，我们用了两年多时间对原书进行了整理，整理后书名改为《清代人物大事纪年》。此次整理其特点如下：

　　一、因原书三编著作的内容基本一致，此次整理是以《皇清纪年五表》一书为基础，将三书中的人物资料尽量合并在一起，减少了大量篇幅，使用起来更加方便、集中。但原书有些人仅列了姓名和籍贯，缺乏其它内容，这次整理由于时间所限未能进一步考证补充，只得暂时割舍，因此，删去了一千多人，目前此书仅有一万八千多人，我们准备进一步收集资料，再版时补齐。

　　二、原书是以表传的形式，将人物的生辰、科第、恩遇、著述、卒年等五项内容并行排列成五表，但由于每一项内容文字多少不一有长有短，造成书中有大量空白页。此次整理虽仍以原五项内容为主，只是不用表格，改按先后顺序连续排列，使之文字紧凑没有空白页现象。

　　三、原书为毛笔行书繁体字竖排手稿。此次除人名中无法改为简体字的仍用繁体外，其它全部改用简体字横排以印刷体出书，更适合现代人阅读。

　　四、原书条目中有用人名打头，有用时间打头，也有职衔打头。此次全部统一用人名打头，一目了然，便于查找。

　　五、原《皇清纪年五表》书中只有人物的姓名，缺少字、号和籍贯。此次从《皇清人物考略》、《皇清人物通检》二书中查出后，分别加在每人的条目中，使其更连贯完整。这些资料首先加在生辰题下，如生辰中无此人则依次加在科第、恩遇、著述、卒年中。若各项中都有此人，则仅加在第一次出现时，不使重复。但《皇清人物通检》书中并未写明字某号某，整理时是依一般惯例，以放在前者为字后者为号处理。籍贯仍依原

书当时的行政区划，未按现今行政区划改变。

六、原书对一些重要官员获罪处斩的原因未列。此次将作者的另一部著作《旧典备征》书中的"大臣罹法"一节中一百四十五名二品以上大臣的朝廷所列罪名，分别用括号加在各人名下以作参考。一百四十五人之外的其它人员，也根据其它史书的记载考证后加以注明。

七、为了便于查阅，在书后增加了人名索引，将每个人物在本书不同年代出现的页数标明，可按索引很快找出每个人的单项和全部资料。

八、此次整理对原书文字基本未加改动，仅作了前后调整并加了标点符号，为了使文字读起来通顺，适当加了一些连接词。书中"□"为原有空格，是为存疑。

九、书中的年龄均以出生时为一岁即"虚岁"，按现在计算年龄办法应减去一岁。

十、原书中有朝鲜国王、安南国王及琉球国王的资料，因当时他们均为清政府保护国，此次整理尊重当时历史仍予收入，但均放在附录中，以区别于清代人物。

十一、此次整理在书后附录中又增加了入祀贤良祠、文庙、历代帝王庙及配享太庙人员等清代历史资料。均引自编者的《旧典备征》、《安乐康平室随笔》二书，以供参阅。

十二、本书编著于清代，书中对于"贼"、"匪"、"叛"、"逆"等词的使用，和对于各种事件的论断，均与当时清廷观点相同。整理时未作改动，请读者在阅读时明鉴。

这部著作是编者用了毕生精力所收集的清代人物的历史资料，是比较难得和珍贵的。在稿本出版后，我们又经过两年半时间的努力，终于整理出来了，整理后使资料更集中更有条理，阅读起来比稿本书更清晰更明确。我们希望它能作为历史资料保存下去，对研究清史发挥一些作用，并希望所作的努力能得到读者的欢迎。

我们深知整理人物史料是一件非常严肃的工作，如果出现

 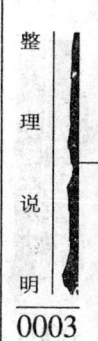

了错误，将是对前人的不尊重和不负责任，所以应该做到认真细致，有责任心。但是人物史料并不是编纂人自己写出的，都是从前人著作中转载而来，前人编者又从更早的著作中转载。本书的史料均由一百多年前甚至更早的著作中转载而来，这些原始著作经过多次转载，不免有错误之处，可能当时引用这些资料时已将错误带入本书，再加本书收录的人员很多，资料可能来自数十种甚至上百部著作中，错误总是难以避免的。此次整理，我们已无法找到作者在编纂时所引用的原始著作作为参考和校对，只能在原稿的基础上进行整理。当发现原稿中与现有书籍的资料不一致时，在没有比较确实的资料证明之前，我们没有轻易改动，仍然维持原著以避免发生谬误（有关"进士"一节，此次与《明清进士题名碑录索引》一书进行了核对，人名不同时，我们用括号加"碑录作某某"注明，以便阅读者参考和进一步考证）。在整理中我们与原稿进行了多次认真的校对，希望不出现新的错误。只是由于本人水平所限，再加篇幅比较庞大，资料有十多万条，部分原稿字迹不清书写潦草，所以难免会出错误，希见谅。各位读者如发现有错误时我们先在这里致歉，并请给以指正以便再版时纠正。

朱 鳌

二〇〇四年九月于北京

作者介绍

　　先祖父朱彭寿，字小汀，号述庵、述叟、寿鑫斋主人。清同治八年（一八六九年）六月二十二日生于浙江海盐。一九五〇年三月二十六日卒于北京，终年八十二岁。

　　朱氏原籍安徽婺源（今江西），与宋代理学家朱熹系同族。熹系婺源第九世，第十三世顺于元元贞年间任浙江嘉兴路主簿，遂由婺迁居海盐，至先祖父已二十一世。

　　海盐朱氏家族为书香世家，后代子弟们都承继前贤自幼读书入学，先后有四百多名庠、廪生，二百五十多名太学生，在历次科考中有三十五人中举人，十三名进士并出现一名状元（道光丙戌科状元朱昌颐，海盐二十世）。

　　先祖父自四岁从师识字，后随多位名师受业，十五岁入学为秀才，光绪十四年（一八八八年）二十岁浙省乡试为第三十六名举人，光绪十六年（一八九〇年）二十二岁入粟内阁中书，光绪二十年（一八九四年）二十六岁任内阁侍读，掌典校勘对，赏加四品衔。一八九五年二十七岁为光绪戊戌科二甲第十一名进士。后任职引见、练兵处文案委员、提调。光绪三十三年（一九〇七年）三十九岁任陆军部右丞、左丞，掌规章规制、奏章。当时部内上呈奏折均由作者主笔。宣统三年（一九一一年）四十三岁任典礼院直学士二品顶戴，八月阅卷官。

　　辛亥革命后一九一四年任税务处长沙关、宜昌关监督，一九一八年北洋政府秘书、秘书长帮办，一九二八年六十岁卸职在家著书，家有藏书约十万卷。

　　一九三一年应徐世昌之约与夏孙桐、杨寿枢、曹秉章、金兆蕃、闵尔昌、傅增湘等名士专事汇集清代学术、文化史料，分别编纂《清儒学案》共二百零八卷，前后历八年，粗就后由先祖父总成。该书于一九三九年出版。

　　先祖父生跨清、民国两代，久历仕途，多年从事文案工作，

对于清代的朝章典制、职勋科甲、人文掌故比较熟习，又因常与文学人士交往，所以对文学、诗词、艺术等方面兴趣广泛，并颇有造诣。自二十二岁任内阁中书起便在业余时间开始收集清代历史、文化、人物等许多方面的资料，随手写来，经过三十多年积累，到清朝末年已完成二十余部著作，计有：《旧典备征》、《丹铅琐录》、《诗学骈枝》、《常谈讨源》、《经籍属辞纂例》、《广四八目》、《皇清纪年五表》、《皇清人物通检》、《皇清人物考略》、《三国志氏族表》、《三国人生卒年月表》、《三国志校勘记》、《历代朔闰甲子考》、《古今人生日考》、《古今人书室名考》、《古今钱范》、《寿鑫斋钱话》、《钱目》、《寿鑫斋记事稿》、《述庵诗草》、《安乐康平室随笔》、《国朝百将图传》等二十三部。

为了编纂以上诸书，先祖父曾阅览了大量有关书籍，并在自己所著的一些书前注明参阅书目。这些著作内容涉及清代皇朝典章制度、科举情况、著名人物生平、书室名、名人诗词典故、三国人物、俗语追源、文字音韵、古钱币鉴别等，内容十分广泛，大都属资料、史实、工具性质。这些作品均初稿于清代末年，到二十世纪三十年代先祖父退休后，才有时间对各书整理加工、修改补充、誊清。成书后曾有民国总统徐世昌、旧国务院秘书长郭则澐及柯邵忞、夏孙桐、曹秉章、章钰、金兆蕃、邵章等多位名士阅后为其作序、跋及题辞，均评价较佳，其中虽难免有溢美之词，但从中可以了解先祖父与上述人物之关系与交往，对后人理解这些著述的内容与价值也有所助益。

直到中华人民共和国建国之前，祖父已年近八十，年老体衰，但不论炎夏和寒冬，仍每日窗前伏案著书写作不辍。为了这些著作，他老人家辛劳了大半生，正如其在《安乐康平室随笔》书中所述"余自弱冠通籍后，沉浮人海，殆无日不与书籍相亲，涉猎既久，遂随时皆有辑述，今年逾七十，笔砚已荒，然料检陈编，皆数十来耗思殆神，未忍弃置……"诚然，一个跻身仕途，整日案牍缠身的人，一生能写出二十多部书，实在是不容易的。据初步查阅，书稿总计约四百万字。

　　《安乐康平室随笔》与《旧典备征》二书相继于一九四〇年和四一年自己出资出版，并全部赠予亲朋好友。《古今人生日考》一九四一年曾交由商务印书馆排版，但不知何故未能出书。一九八四年中华书局将《安乐康平室随笔》与《旧典备征》二书合一，由何双生先生加标点，并请赵朴初先生题写书名出版。《皇清纪年五表》一书，一九八三年由台湾文海出版公司影印出版，但因用缩微胶片还原后印刷，字迹不够清晰，很多字无法辨认，并有许多缺页，阅读起来非常吃力。此前，除以上三部书外，其他诸书均未出版。

　　自一九五〇年先祖父谢世后，这些手稿经过了半个多世纪辗转保存，现今已有九部手稿遗失不知去向，尚有十四部保存完好，为了不使老人家一生心血被埋没，已将这些手稿交由北京图书馆出版社，经初步整理，有关清代人物的《皇清纪年五表》、《皇清人物通检》及《皇清人物考略》三部书稿以及《古今人生日考》等，已汇编为《稿本清代人物史料三编/外一种》共十册，于二〇〇二年四月影印出版。《古今人生日考》同时出了单行本。今后我们还将继续努力整理，以使这些文稿和读者见面。

朱 鏊

二〇〇四年九月

（注：本文曾作为《稿本清代人物史料三编》"前言"刊出，此
　　　次略有删改）

作

者

介

绍

0007

原皇清纪年五表

例　言

一，是书仿南海吴氏《历代名人年谱》例而变通之。自国朝天命元年起，迄宣统三年十二月止，举闻人事迹厘为五表：曰生辰、曰科第、曰恩遇、曰著述、曰卒岁。分类标举务详务实，以备征文考献之资。

一，表中所列诸人皆属职官及士庶，惟列圣践阼改元实为此书纪年根本，仅援历史本纪例于圣诞、受封、登极、升遐各年月敬分别载入表中以为纲领。

一，表中所列诸人，凡见于《国史本传》、《大清一统志》、《四库全书总目》、《词科掌录》、《鹤征》前后二录、《清秘述闻》、《畴人传》初二三编、《汉学师承记》、《宋学渊源记》、《从政观法录》、《文献征存录》、《国朝学案小识》、《国朝先正事略》及京员京堂以上，外官实缺知府以上，武职副将以上，如有年月可纪者悉数入录。其他以文学名，以艺术著，或敦气节或擅才能，与夫行重乡闾年臻耄耋者，亦皆于各省志乘及诸家文集中酌量采入，用昭一代文物之盛。

一，前明遗臣未仕本朝者，本可不入此书，惟其卒岁均在顺康中，且名节品望亦因易代而显，今亦按年入表，惟于所终之官特书为故字，以资区别（举贡诸生不复应试者亦同此例）。若其人明史有传或无传，而身殉国难至乾隆四十年已经追谥者仍不入录。

一，生辰表内以月日可考者列前，依所生先后为序，其由卒岁推得生年尚未详月日者则附录于后，惟次第略以官职为断，首宗室王公，次京员，次外官，皆先文后武，而举贡生监布衣殿焉，至得年若干亦即于各人名下注明，藉便检查而资互证（惟现时生存诸人外，其年岁无考者阙之）。

一，生辰表内凡嘉庆以后科第中人，其年月多据各科乡会

清代人物大事纪年

0008

试齿录载入，然生日可据而生年未足尽信，今就所知者校定录入，凡无可考者均仍齿录之旧（其卒时得年若干亦姑照生年定之）。

一，科第表内凡由进士、举人、副贡、拔贡、优贡出身，及召试赏给举人者，皆按科分及试期先后以次编载，进士依甲第名次，举贡则分省分（凡各省全录可考者亦按名次叙列，否则除榜首外余皆以官职为序）。惟出身武科者，各书纪载甚略，仅就可考者载入，未能详备。

一，博学鸿词经济特科及每届改元之岁，诏举孝廉方正皆为授官而设，论性质应入恩遇表内，第事关选举，各书例称制科，今亦列入科第中以免岐异（惟由进士、举人因召试授官者仍入恩遇表内）。

一，由科第入仕者其始授何职后官至何官，均注明于本人名下（惟顺治以前者始授何职无从悉考，今皆不书），若历职已崇后经降黜则仍记其最高之官，以此人终于某官别于卒岁表中详载之矣。至翰林留馆之员则仅书编修、检讨，于庶吉士一阶不复赘叙。

一，恩遇表内凡曾膺封爵赏赐宫衔及特赐御书匾额诗联之属，皆按年月载入，其有重筵鹿鸣恩荣等宴，及不由馆选而特赏翰林又罢官，后因特恩赏复原衔者亦入此表。

一，著述表内凡书成有年月可考，皆依原书自序或同时他人序跋为据以次列入（无月日者统列是年之末）。若其书本无自序，至身后始经刻行者，则汇记于所卒之年。惟有生前自刻而序中不著年月，又有著书之人其卒岁亦无可考者，此类无可强隶姑付阙如。

一，卒岁表内其次序一如生辰之例，所书官职凡卒于任者则曰某官，已开缺者则曰原任，候补候选人员已请假出京及离省者则曰在籍，休致者则曰致仕，降调未补官者则曰降调（已改补他官者仍注明前官）革职者则曰前，其屡起屡蹶终于罢斥者，则于最高之官及所终之官并书之（凡以前字居首而下列复授某官者皆始终罢斥者也）。又有官品相等而以繁调简者，如尚书改都统，总督改漕督之类，则于本官下注明前任某官，以免阅者误会疑为失考焉。

一，每遇军兴之时死事者甚众，除得谥及文员实缺知府以上，武员二品以上诸人外，余则酌量录入难以悉载。至殁于行间者则曰阵亡，因城陷或兵变为贼匪所戕者则曰遇害，其自缢或投水或自焚者则统曰殉难，仍各为区别以存其真。

一，因事罹法诸人本当不载，惟国史既入大臣列传谨亦录入表中，至史传而外或未仕者究心学术，或已仕者奋迹王途，在未经获罪之前固亦名闻当世，徒以言行失检身触刑章，今亦酌录其人，用示鑑戒。

一，前人年表诸书多载国家大事，此编专以人物为主，体例自是不同，然如恩遇表内所纪因功爵赏诸人，卒岁表内所纪阵亡殉难及因事获罪诸人，与时事亦可考见大略。

一，所录诸人有五表内全见者，有仅见一二表者，皆以有年可纪者入录，故繁简各有不同。

一，各表所录皆据各书详加审定，其有两书所见彼此互异者，亦参考明确方敢载入，第时阅十二朝，人数约及两万，其中疏舛之处惧亦不免，且见闻有限，凡应录未录者漏略尚多，所冀宏达之士匡其不逮，纠缪拾遗，是则幸甚。

清宣统三年岁在辛亥十二月

赐进士出身资政大夫花翎二品衔典礼院直学士海盐朱彭寿谨订

目　　录

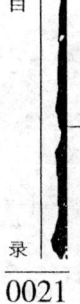

太祖天命元年丙辰

（明神宗万历四十四年　公元一六一六年）

● 生辰：

黄宗炎　七月初二日生，字晦目，号立溪。浙江余姚人。享年
　　　　七十一。

魏裔介　七月二十五日生，字石生，号贞庵、崑林。直隶柏乡
　　　　人。享年七十一。

谢文洊　八月十九日生，字秋水，号约斋、程山。江西南丰人。
　　　　享年六十七。

韩　菼　九月初五日生，字誦先。江苏长洲人。

李昌祚　十月十七日生，字文孙，号遏庐、来园、剑浦。江西
　　　　玉山人（原籍湖北汉阳）。享年五十二。

洛　讬　生，显祖皇曾孙。享年五十。

吴国对　生，字玉随，号默岩。安徽全椒人。享年六十五。

朱克简　生，字淡于。江苏宝应人。享年七十八。

王　澐　生，字楚先，号兰陔。江苏常熟人。享年七十七。

卞三元　生，字月毕。汉军镶红旗。享年八十二。

翁长庸　生，字玉于，号山愚。江苏常熟人。享年六十八。

李可汧　生，（原名李开郯），字宾侯、元仗，号处厚。江苏
　　　　昆山人。享年六十。

张光烈　生，字觐杨。直隶宣化人。享年五十一。

王克生　生，字孟桢，号半石。山西阳城人。享年四十八。

刘　埥　生，字超宗。江苏山阳人。享年七十八。

李　栋　生，陕西人。享年九十六。

徐作肃　生，字恭士。河南商邱人。享年六十九。

冯　沛　生，字云生。山东德州人。享年四十九。

柴绍炳　生，字虎臣，号省轩、翼望山人。浙江仁和人。享年
　　　　五十五。

史　标　生，浙江余姚人。享年七十八。

徐　夜　生，字长公、稽庵。山东新城人。享年七十二。

吴嘉纪　生，字宾贤，号野人。江苏泰州人。享年六十八。

◉　科第：

　　明进士：

洪承畴　字彦演，号亨九。汉军镶黄旗（原籍福建南安）。明
　　　　兵部尚书。国史院大学士。

王公弼　直隶沧州人（山西蒲州）。户部左侍郎。

张绍先　直隶钜鹿人。工部左侍郎。

刘馀祐　字中徵，号玉吾、燕香居士。顺天宛平人。户部尚书。

熊奋渭　河南商城人。刑部右侍郎。

沈维炳　湖北孝感人。吏部左侍郎。

田维嘉　直隶饶阳人。刑部尚书管左侍郎事。

　　按：丙辰以前无表可隶今汇记于此：

孙奇逢　字启泰，号锺元。直隶容城人。明庚子科举人。

张凤翔　山东堂邑人。明辛丑科进士，工部尚书。

李　嵩　山西荣河人。明甲辰科进士，湖广右布政使。

房可壮　山东益都人。明甲辰科进士，工部尚书。

谢启光　山东章邱人。明丁未科进士，户部尚书。

谢　陞　字伊吾。山东德州人。明丁未科进士，大学士。

王　点　直隶魏县人。明丁未科进士，山西左布政使。

惠世扬　陕西青涧人。明丁未科进士，左副都御史。

钱谦益　字受之，号牧斋、蒙叟、东涧遗老。江苏常熟人。明
　　　　庚戌科一甲三名进士，礼部侍郎管秘书院学士。

徐起元　字贞复，号望仁。奉天辽东人（原籍安徽合肥）。明
　　　　壬子科举人，左都御史。

李鲁生　字云许。山东沾化人。明癸丑科进士，顺天府府尹。

冯　铨　字伯衡，号振鹭。顺天涿州人。明癸丑科进士，中和
　　　　殿大学士。

潘士良　山东济宁人。明癸丑科进士，郧阳巡抚。

刘应宾　山东沂水人。明癸丑科进士，安徽池太巡抚。

杨文彩　字治文，号一水。江西宁都人。明乙卯科副榜贡生。

● 卒岁：

　　按：卒于天命纪元前者无表可隶今汇记于此：

礼　　敦　景祖皇长子卒（卒年在癸未甲申间）。追封武功郡王
　　　　　配享太庙，（追封配享在天聪十年四月）。

西喇布　满州镶红旗，完颜氏。理事大臣，于富尔佳奇阵亡（事
　　　　　在癸巳年），赠二等轻车都尉世职。追谥顺壮（追谥
　　　　　在顺治十二年十月）。

舒尔哈齐　显祖皇三子，贝勒。卒（卒年在辛亥八月），年四
　　　　　十八。追赠和硕亲王（追赠在顺治十年五月），追
　　　　　谥曰庄（追谥在顺治十一年三月）。

阿兰珠　理事大臣。于乌拉阵亡（事在壬子年），追赠三等轻
　　　　　车都尉世职，（追赠在天聪八年），追谥顺毅（追谥在
　　　　　顺治十三年七月）。

褚　　英　皇长子，广略贝勒。卒（卒年在乙卯八月），年三十
　　　　　六。

天命二年丁巳

（明万历四十五年　公元一六一七年）

● 生辰：

颜　敏　正月初八日生，字乃来，号澹叟。顺天宛平人。享年
六十八。

秦德藻　二月初四日生，字以新，号海翁。江苏无锡人。享年
八十五。

王来咸　三月初五日生，享年五十三。

杜　芥　四月初九日生，字苍略，号些山。湖北黄冈人。享年
七十七。

谢适初　四月十四日生，字士介，号怡古。江西瑞金人。享年
四十五。

李士桢　四月二十三日生，享年七十九。

陆求可　五月初四日生，字咸一，号密庵、月湄。江苏山阳人。
享年六十三。

余　缙　五月初十日生，字仲绅，号浣公。浙江诸暨人。享年
七十三。

李玉滋　七月二十日生，字树之，号西园。江苏长洲人。享年
六十三。

于成龙　八月二十七日生，字北溟，号子山。山西永宁人。享
年六十八。

李呈祥　九月初十日生，字其旋，号吉津、木斋。山东沾化人。
享年七十一。

阎修龄　九月初十日生，字再彭，号牛叟、丹荔老人。江苏山
阳人（原籍山西太原）。享年七十一。

魏象枢　九月二十日生，字环极、环溪，号庸斋、崐林、寒松
老人。山西蔚州人。享年七十一。

李如桂 十月十八日生，字月枝，号拙庵。奉天沈阳人。

刘 楗 十一月二十五日生，字公愚，号玉罍。直隶大城人。享年六十三。

王 枢 十二月初二日生，字拱如，号芝斗。山东人。享年五十七。

严 沆 生，字子餐，号颢亭。浙江余杭人。享年六十二。

熊伯龙 生，字次侯，号钟陵。湖北汉阳人。享年五十三。

曹玉珂 生，字禹疏，号陆海、缓斋。陕西富平人。享年六十一。

魏 菁 生，字明之。江西广昌人。享年七十四。

王先吉 生，字牧臣，号毅斋。浙江萧山人。享年七十二。

科尔崑 生，满洲正蓝旗，阿颜觉罗氏。享年五十三。

锡纳海 生，满洲镶蓝旗，瑚尔喀氏。享年五十七。

汪继昌 生，字徵五，号悔岸。浙江嘉兴人。享年六十七。

刘昌言 生，字禹度。江苏山阳人。享年五十六。

杨 捷 生，字元凯，号月三。直隶宣化人（原籍江苏）。享年七十四。

陈赤衷 生，字爕献。浙江鄞县人。享年七十一。

陆 堦 生，字梯霞。浙江钱塘人。享年八十三。

戴 亮 生，江苏嘉定人。享六十六。

万斯年 生，浙江鄞县人。享年七十七。

沈 育 生，江苏常熟人。享年九十四。

张 鎣 生，字太阿。河南襄城人。享年六十九。

陆元辅 生，字翼王，号菊隐。江苏嘉定人。享年七十五。

潘恬如 生，江苏长洲人。享年八十。

沈 起 生，字仲方，号墨庵。浙江秀水人。享年七十一。

天命三年戊午

（明万历四十六年　公元一六一八年）

◉　生辰：

吴正治　正月初五日生，字当世，号赓庵。湖北江夏人。享年七十四。

王孙枝　正月二十日生。

曹鼎望　二月初九日生，字冠五，号澹斋。直隶丰润人。享年七十六。

王士鹄　四月初二日生，山东新城人。享年七十六。

尤　侗　四月十四日生，字同人、展成，号悔庵、艮斋、西堂。江苏长洲人。享年八十七。

姚士升　四月十九日生，湖北江陵人。享年五十二。

王原膴　十月二十五日生，享年五十三。

王　垓　十一月初七日生，字巢云。山东胶州人。享年六十七。

陈之闇　十一月二十二日生。浙江海宁人。享年六十五。

黎士弘　十二月初八日生，字媿曾。福建长汀人。享年八十。

施闰章　十二月二十一日生，字尚白，号屺云、愚山。安徽宣城人。享年六十六。

黄　梧　生，字君宣。福建平和人。享年五十七。

宋徵舆　生，字直方，号辕文。江苏华亭人。享年五十。

赵班玺　生，字受介，号馀庵。山东益都人，享年七十。

哈　岱　生，蒙古正黄旗，乌弥氏。享年六十三。

张九徵　生，字公选，号湘晓。江苏丹徒人。享年六十七。

南鼎铉　生，号六如老人。陕西渭南人。享年六十六。

蔡含灵　生，直隶宁晋人。享年四十八。

叶　舟　生，字天木，号星槎。江苏江宁人。

陈　毅　生，字士可。河南人。享年七十二。

刘济宽　生，字公定。河南颖川人。享年六十八。

胡世英　生，享年六十三。

汪　颿　生，字魏美。浙江钱塘人。享年四十八。

侯方域　生，字朝宗。河南商邱人。享年三十七。

黄宗会　生，字泽望，号石田、藤龛。浙江余姚人。享年四十
六。

何汝霖　生，字商隐。浙江海盐人。享年七十二。

林时益　生，（原名林议霶），字确斋。江西南昌人。享年六
十一。

沈　昀　生，字朗思，号甸毕。浙江仁和人。享年六十三。

◉ 著述：

胡世安　撰《异鱼图赞补》三卷、《闰集》一卷成，见四库提
要。

天命四年己未

（明万历四十七年　公元一六一九年）

◉ 生辰：

沈　珩　二月十三日生，字昭子，号耿岩、稼村。浙江海宁人。享年七十七。

林　逊　五月十二日生，字敏子，号立轩。福建侯官人。享年八十三。

韩庭芑　六月十四日生，字燕翼。山东青城人。享年七十一。

于觉世　八月初四日生，字子先，号赤山。山东新城人。享年七十三。

王夫之　九月初一日生，字而农，号薑斋。湖南衡阳人。享年七十四。

王起芬　九月二十七日生，字芳人。浙江钱塘人。享年八十。

陆宇燝　十月二十六日生，字春明，号披云。浙江鄞县人。享年六十六。

申涵光　十一月三十日生，字孚孟、符孟，号凫盟、聪山。直隶永年人。享年五十九。

郭一鹗　十二月初六日生，字裕九。河南洛阳人。享年三十八。

和　託　生，太祖皇孙。享年二十八。

特尔祜　生，太祖皇曾孙。享年四十。

勒克德浑　生，太祖皇曾孙。享年三十四。

对哈纳　生，（一作对咯纳）。满洲正蓝旗，钮祜禄氏。

孙必振　生，字卧云。山东诸城人。享年七十。

蔡启傅　生，字硕公，号崑旸。浙江德清人。享年六十五。

章钦文　生，字君焕，号斐庵。浙江富阳人。享年七十五。

戴圣聪　生，字无聪。山东登州人。享年八十。

吴　绮　生，字园次，号丰南、听翁。江苏江都人。享年七十六。

孙　继 生，字曰可，号书台。山东德州人。享年七十九。

郭文雄 生，字鸣上。山西阳曲人。享年四十一。

王　澐 生，字胜时，号僧士。江苏华亭人。享年七十七。

王方毂 生，直隶新城人。

顾有孝 生，字茂伦，号钓叟。江苏吴江人。享年七十一。

张凝元 生，江苏丹徒人。享年六十五。

刘源渌 生，字崑石，号直斋。山东安邱人。享年八十二。

周　顗 生，字郧山，号茂山、虁翁。浙江鄞县人。享年六十一。

张　惣 生，字僧持，号南村。江苏人。享年七十六。

◉ 科第：

明进士：

陆之祺 山西布政使。

金之俊 秘书院大学士。

孙昌龄 左副都御使。

王梦尹 湖广巡抚。

曾化龙 故登莱巡抚。

仇维祯 兵部尚书。

高斗光 巡抚。

杨时化 刑科给事中。

◉ 恩遇：

费英东 封三等子。

额亦都 封一等子。

何和哩 封三等子（是否此年所封再考）。

扈尔汉 封三等子（是否此年所封再考）。

天命五年庚申

（明万历四十八年　公元一六二〇年）

◉ 生辰：

沈　谦　正月生，字去矜。浙江仁和人。享年五十一。

马　骕　正月十一日生，字骢御，号宛斯。山东邹平人。享年五十四。

高天爵　二月二十四日生，字君宠。汉军镶黄旗。享年五十七。

何　讷　二月二十六日生，字铭山，号公韩。江苏昆山人。享年八十一。

袁继梓　五月十一日生。

魏际瑞　六月二十四日生，（原名**魏祥**），字善伯，号东房。江西宁都人。享年五十八。

杨思圣　八月十二日生，字猷龙，号雪樵。直隶钜鹿人。享年四十四。

周　涟　八月十六日生，江苏宜兴人。享年六十六。

赵进美　九月二十二日生，字嶷叔，号韫退、清止。山东益都人。享年七十三。

郎永清　九月二十七日生，字定庵。汉军镶黄旗（原籍奉天广宁）。享年六十七。

丁国宝　九月二十九日生，字惟善，号菊田。江苏通州人。享年七十。

郭士璟　十月初二日生，字钦霞，号眉枢。江苏江都人。享年八十。

毛　騤　十月十五日生，（原名**毛先舒**），字稚黄、驰黄。浙江钱塘人。享年六十九。

刘芳声　十一月十二日生，字何实，号山遁、未来僧。江苏山阳人。享年四十五。

清代人物大事纪年

姚文然 十二月二十一日生，字若侯，号龙怀。安徽桐城人。享年五十九。

梁清标 生，字玉立，号蕉林、苍岩。直隶正定人。享年七十二。

杨 鼐 生，字靖调，号西岩。浙江仁和人。享年八十。

张贞生 生，字干臣，号篑山。江西庐陵人。享年五十三。

柯 耸 生，字素培，号岸初。浙江嘉善人。享年六十。

黄与坚 生，字庭表，号忍庵。江苏太仓人。享年七十口。

徐 越 生，字山琢，号存庵。江苏山阳人。享年六十八。

孙枝蔚 生，字豹人，号溉堂。陕西三原人。享年六十八。

巴 颜 生，（一作霸彦），汉军正蓝旗，李氏。享年三十三。

和尔本 生，满洲正红旗，栋鄂氏。享年二十。

王 鑅 生，山东诸城人。享年四十五。

洪 琮 生，字谷一，号瑞玉。安徽歙县人。享年六十五。

钱瑞徵 生，字鹤庵，号野鹤、髯公。浙江海宁人。享年八十三。

胡其俟 生，享年四十二。

宗元鼎 生，字定九，号梅岑、小香居士。江苏江都人。享年七十九。

吴蕃昌 生，浙江海盐人。享年三十五。

倪会鼎 生，字子新，号宅功。浙江上虞人。享年八十七。

陆嘉淑 生，字冰修，号射山、辛斋。浙江海盐人。享年七十。

董 说 生，字雨若，号俟庵、月函、漏霜。浙江乌程人。享六十七。

侯 涵 生，字研德，号掌亭。江苏嘉定人。享年四十五。

● 卒岁：

费英东 满州镶黄旗，瓜尔佳氏。左翼都统，一等大臣，三等子。三月卒年五十七。追谥直义，配享太庙（追谥配享在天聪元年四月），追封三等公（追封在顺治十六年正月），雍正九年号曰信勇，追晋一等公（追晋在乾隆四十三年正月）。

穆尔哈齐　显祖皇二子。九月卒。追赠多罗贝勒（追赠在顺
　　　　　治十年六月），追谥勇壮（追谥在顺治十一年三月）。

天命六年辛酉

（明熹宗天启元年　公元一六二一年）

◉ 生辰：

赵明徵　正月十一日生，直隶人。享年三十七。

高　琭　二月二十三日生，山东淄川人。享年六十四。

顾景星　八月初七日生，字赤方，号黄公。湖北蕲州人。享年六十七。

曹本荣　八月二十九日生，字伯安，号欣木、厚庵。湖北黄冈人。享年四十四。

朱观宾　九月初二日生，字彭龄，号秋岚、道庵。浙江海盐人。享年六十。

袁懋功　九月二十一日生，字九叙。顺天香河人。

史大成　十月十七日生，字及超，号立庵。浙江鄞县人。享年六十二。

吴　琯　十二月初七日生。享年五十八。

尚　善　生，显祖皇曾孙。享年五十八。

朱之弼　生，字右君，号幼庵。顺天大兴人。享年六十七。

田六善　生，字廉三。山西阳城人。享年七十一。

富鸿基　生，（原名富鸿业），字磐伯，号云麓。福建晋江人。享年七十二。

李仙根　生，字予盘，号南津、子静。四川遂宁人。

张　溍　生，字尚若。直隶磁州人。享年五十八。

赵良栋　生，字擎宇，号西华。甘肃宁夏人。享年七十七。

徐化成　生，字文侯。顺天昌平人。享年五十四。

王孙蔚　生，字茂衍。陕西临潼人。享年五十七。

张弘俊　生，字识之。顺天大兴人。享年四十三。

方国栋　生，字干霄，号艾贤。顺天宛平人。享年五十七。

刘　湛 生，享年七十八。

吴李芳 生，湖南邵阳人。享年八十四。

管　阁 生，字弗若。江西临川人。享年七十七。

周岱生 生，字青嶽，号雨三。江西德化人。享年五十四。

黄　熙 生，字维缉。江西南丰人。享年六十二。

宋实颖 生，字既庭，号湘尹。江苏长洲人。享年八十五。

刘汉中 生，字勃安，号拙安。江苏山阳人。享年八十一。

施　琅 生，字尊侯，号琢公。汉军镶黄旗（原籍福建晋江）。
　　　　享年七十六。

封　澯 生，字禹成，号位斋。江西南丰人。享年五十六。

何之杰 生，字伯兴，号毅斋。浙江山阴人。享年七十九。

汤之錡 生，字世调。江苏宜兴人。享年六十二。

刘　丁 生，字先庚。江西南昌人。享年七十二。

沈以庠 生，字秀之，号益园。浙江萧山人。享年七十六。

吴兴国 生，浙江德清人。享年四十九。

吴盛祖 生，字宗彦，号适情、墨舫主人。浙江钱塘人。享年
　　　　五十七。

◎ 科第：

明中式举人：

梁维本 字立甫。直隶正定人。礼科给事中。

王瑞国 字子彦，号书城。江苏太仓人。广东增城县知县。

顾　枢 字所止，号庸庵。江苏无锡人。

张次仲 字元岵，号待轩。浙江海宁人。

李　藻 字鑑明，号庆馀。山西高平人。刑部右侍郎。

杨日昇 字旭孟，号白石。陕西富平人。浙江嘉兴府同知。

丁　鑛 字九贡。浙江嘉善人。明中式副榜贡生。

◎ 恩遇：

佟养性 封二等子。

雅希禅 封三等男（七年降一等轻车都尉）。

◎ 卒岁：

额亦都 满洲镶黄旗，钮祜禄氏。左翼总兵官一等大臣，一等子。六月十四日卒年六十，追封公爵，谥宏毅，配享太庙（封谥配享在天聪元年四月）。

佟养正 汉军正蓝旗，佟佳氏（原籍抚顺）。三等轻车都尉。七月于镇江城遇害，追赠一等公，太师，谥忠烈（赠谥在雍正元年四月）。

天命七年壬戌

（明天启二年　公元一六二二年）

◉ 生辰:

王　钺　三月初二日生，字仲威，号任庵。山东诸城人。享年八十一。

徐　枋　三月二十二日生，字昭法，号俟斋。江苏长洲人。享年七十三。

李邺嗣　四月初二日生，（原名李文胤以字行），号杲堂。浙江鄞县人。享年五十九。

孙廷铎　四月十四日生，字道宣，号梦果道人。山东益都人。享年七十八。

王天鑑　六月初一日生，字近微，号毅州。直隶万全人。享年六十。

杜　漺　六月十九日生，字子濂，号湄村。山东滨州人。享年六十四。

王宏撰　八月十五日生，字山史。陕西华阴人。

李之芳　八月十八日生，字邺园。山东武定人。享年七十三。

周士俨　九月十三日生，字若思。湖南酃县人。享年六十。

龚佳育　九月二十四日生，字祖锡，号介岑。浙江仁和人。享年六十四。

金　镇　十一月初二日生，字又镳，号长真。顺天宛平人（原籍浙江山阴）。享年六十四。

满达海　生，太祖皇孙。享年三十一。

傅喇塔　生，显祖皇孙。享年五十五。

介　山　生，满洲镶蓝旗，舒舒觉罗氏。享年七十四。

梁　熙　生，字曰缉，号晳次。河南鄢陵人。享年七十一。

裴　袠　生，字九章，号芦院。河南新安人。享年八十三。

张　烈　生，字武承，号庄持。顺天大兴人（原籍浙江东阳）。享年六十四。

任　枫　生，字梦道，号木庵。河南汝州人。享年六十。

施维翰　生，字及甫，号研山。江苏华亭人。享年六十三。

佟凤彩　生，字高冈。汉军正蓝旗，佟佳氏。享年五十六。

胡在恪　生，字念蒿，号默斋。湖北荆门人。享年八十二。

张锡嶧　生，字越九，号洪轩。江苏上海人。享年七十一。

骆复旦　生，字叔夜。浙江山阴人。享年六十四。

张元镇　生，字翰白，号愚庵。山东单县人。

洪起元　生，字瑞芝。湖北应山人。享年七十五。

郁　禾　生，浙江太仓人。享年五十七。

刘首昂　生，字阆客。江西安福人。享年六十七。

朱　衮　生，字砥中，号石公。浙江海盐人。享年六十一。

郑　箎　生，江苏上元人。享年七十二。

黄　生　生，字扶孟。安徽歙县人。

王　撰　生，字端吉，号芝廛。江苏太仓人。

● 科第：

明进士：

邵名世　江苏无锡人。故山东右布政使。

王　极　湖北沔阳人。山东布政使。

张有誉　字静涵。江苏江阴人。故户部尚书。

叶廷桂　字青来，号蕃实。河南商邱人。故刑部左侍郎。

苗胙土　山西泽州人。南赣巡抚。

李元鼎　字梅公。江西永吉人。兵部左侍郎。

陈维新　浙江上虞人。广西巡抚。

王　铎　字觉斯。河南孟津人。礼部尚书。

李若琳　山东新城人。礼部尚书。

孙肇兴　字兴公。山东莘县人。工部左侍郎。

傅永淳　直隶灵寿人。吏部尚书。

张鼎延　字玉调。河南永宁人。兵部右侍郎。

刘汉儒　顺天大兴人。右副都御史。

朱之俊　字沧起。山西汾阳人。

冯　杰　字邵闇。直隶高阳人。户部右侍郎。

孙之獬　明万历二十年生。山东淄川人。礼部右侍郎。

李明睿　江西南昌人。礼部右侍郎。

张镜心　直隶磁州人。故蓟辽总督。

赵京仕　陕西城固人。户部左侍郎。

提　桥　字景如，号澹如居士。直隶河间人。刑部右侍郎。

赵继鼎　山东德州人。户部右侍郎。

乔可聘　字君徵，号圣任、柏田、遗农。江苏宝应人。故监察
　　　　御史。

● 恩遇：

石天柱　汉军正白旗。封三等男。

● 卒岁：

安费扬古　满洲镶蓝旗，觉尔察氏。一等大臣。七月初一卒
　　　　年六十四，追谥敏壮（追谥在顺治十六年三月）。

纳尔察　副都统骑都尉。于沙岭阵亡，追谥端壮（追谥在顺治
　　　　十二年十月）。

天命八年癸亥

（明天启三年　公元一六二三年）

● **生辰：**

梁钦构　四月二十三日生，字羽宸。山西介休人。

伊　阚　五月十七日生，字卢源，号翕庵。山东新城人。享年五十九。

任辰旦　五月二十日生，（初名韩灿），字千之，号待庵。浙江萧山人。享年七十。

丁　翔　八月二十四日生，浙江长兴人。享年六十一。

高斗魁　九月二十五日生，享年四十八。

郝惟讷　九月二十七日生，字敏公，号端甫。顺天霸州人。年六十一。

毛奇龄　十月初五日生，字大可、齐于，号西河、秋晴、晚晴。浙江萧山人。享年九十四。

唐赓尧　闰十月初三日生，字载歌，号寓庵。浙江会稽人。享年六十八。

耿　介　闰十月十八日生，（初名耿冲璧），字介石，号逸庵。河南登封人。享年七十一。

卫立鼎　十一月初三日生，字慎之，号苏山。山西阳城人。享年七十六。

吕　燝　十一月十七日生，字芝房，号铁庵。山东德州人。享年七十一。

叶　封　十二月十六日生，字井叔，号慕庐、退翁。湖北黄陂人（原籍浙江嘉善）。享年六十五。

罗洛浑　生，（一作**罗洛宏**）太祖皇曾孙。享年二十四。

恭　安　生，宗室。享年二十六。

王泽弘　生，字涓来，号昊庐。湖北黄陂人（原籍江西鄱阳）。

享年八十三。

王日藻 生，字印园，号却飞。江苏华亭人。享年七十口。

徐　倬 生，字方虎，号苹村。浙江德清人。享年九十。

严绳孙 生，字荪友，号藕荡渔人。江苏无锡人。享年八十。

邹忠倚 生，字于度，号海岳。江苏无锡人。享三十二。

笪重光 生，字在辛，号郁冈。江苏句容人。享年七十。

王　坰 生，字宜兄。山东沂州人。享年六十七。

绰里幔 生，享年六十六。

朱之锡 生，字孟九，号梅麓。浙江义乌人。享年四十四。

郝　浴 生，字冰涤，号雪海、复阳。直隶定州人。享年六十一。

塗应泰 生，字天交。奉天铁岭人。享年七十二。

赵作舟 生，字乘如，号浮山。山东海阳人。（一作山东东平州），享年七十三。

郤焕元 生，字凌玉、号雪岚。直隶长垣人。享年七十三。

赵启睿 生，字思伯，号思圣。山东德州人。享年六十六。

朱亮采 生，字杓文，号毅斋。浙江海盐人。享年七十一。

梅　清 生，字润公，号瞿山。安徽宣城人。享年七十五。

贾　润 生，直隶故城人。享年七十七。

费　密 生，字此度，号燕峰。四川新繁人。享年七十七。

蒋名登 生，浙江萧山人。享年七十六。

周　筼 生，字公贞，号青士、箬谷。浙江嘉兴人。享年六十五。

崇　朴 生，山西沁水人。享年八十四。

● 卒岁：

扈尔汉 满洲正白旗，佟佳氏。一等大臣，三等子。十月卒年四十八。

雅希禅 满州镶黄旗，马佳氏。副都统，一等轻车都尉，前封三等男。卒年五十一。追谥敏果，（追谥在顺治十二年十月）。

达音布（一作代音布）。满洲正白旗。前锋统领，三等轻车都尉。于轧鲁特阵亡。追赠一等子（追赠在天聪八年）。

天命九年甲子

（明天启四年　公元一六二四年）

● 生辰：

魏　禧　正月十三日生，字冰叔，号裕斋、勾庭、叔子。江西宁都人。享年五十七。

汪　琬　正月十六日生，字苕文，号钝庵、钝翁。江苏长洲人。享年六十七。

曾王孙　二月二十五日生，字道扶。浙江秀水人。享年七十六。

钱　封　三月二十四日生，字轶群，号松崖。浙江仁和人。享年七十六。

李兆元　三月二十六日生，河南人。享年七十八。

何嘉祐　六月十六日生，字子受。浙江山阴人。享年五十九。

郑成功　七月十五日生，（原名郑森），字大木。福建南安人。享年三十九。

沈　荃　九月二十四日生，字贞蕤，号绎堂、位庵、充斋。江苏华亭人。享年六十一。

张　琦　十月十一日生，山西阳城人。享年四十二。

恭　阿　生，显祖皇曾孙，宗室，享年二十六。

张士甄　生，字繡紫，号铁冶。顺天通州人（原籍浙江鄞县）。享年七十。

蒋　超　生，字绥庵，号虎臣、无瞑道人。江苏金坛人。享年五十。

范承谟　生，字觐公，号螺山。汉军镶黄旗。享年五十三。

姚启圣　生，字熙之，号忧庵。汉军镶红旗（原籍浙江会稽）。享年六十。

慕天颜　生，字拱极。甘肃静宁人。享年七十三。

谭吉璁　生，字舟石。浙江秀水人。享年五十七。

骆锺麟　生，字挺生，号涟浦。浙江临安人。享年五十三。

屈超乘　生，字迳绳。河南阌乡人。享年五十一。

伊　巘　生，字允陟，号听庵。山东新城人。享年七十一。

顾元朗　生，字开一，号雪湄。顺天大兴人（原籍江苏长洲）。
　　　　享年六十七。

徐瑞星　生，江苏无锡人。享年六十八。

周上治　生，字绥王，号六云、铁餐。浙江淳安人。享年七十
　　　　九。

宗元豫　生，字子发，号半石。江苏上元人。享年七十三。

李　柏　生，字雪木，号太白山人。陕西眉县人。享年七十一。

顾祖禹　生，字景范，号宛溪、复初。江苏常熟人。享年五十
　　　　七。

彭师度　生，字古晋，号省庐。江苏华亭人。

● 科第：

　　明中式举人：

欧阳烝　吏部员外郎。

张壮行　字心孟，河南祥符人。

● 恩遇：

恩格德尔　封三等子。

● 卒岁：

巴雅尔　显祖皇五子，贝勒。二月卒年四十三。追谥刚果（追
　　　　谥在顺治十年五月）。

何和哩　满洲正红旗，栋鄂氏。一等大臣额驸，三等子。八月
　　　　卒年六十四。追封三等公（追封在天聪二年），追谥
　　　　温顺（追谥在顺治十二年十月）。

天命十年乙丑

（明天启五年　公元一六二五年）

● 生辰：

许三礼　正月二十五日生，字典三，号酉山。河南安阳人。享年六十七。

赵之符　二月初九日生，字尔合，号怡斋。顺天武清人。享年六十二。

计　本　二月十八日生，享年四十七。

宋　宓　八月初九生，（原名宋德宸），字御之。江苏长洲人。

俞凤章　十月初六日生，字九仪，号余庵。浙江山阴人。享年六十二。

朱国彦　十月二十一日生，字公含。浙江海盐人。享年六十七。

崔尔仰　十一月二十七日生，字高山，号子高。山西闻喜人。享年四十七。

岳　乐　生，太祖皇孙。享年六十五。

苏布图　生，宗室。享年二十四。

李　霨　生，字景霱，号坦园。直隶高阳人。享年六十。

高尔位　生，享年七十七。汉军正黄旗。

郑　重　生，字威如，号山公。福建建安人。享年七十。

陈维崧　生，字其年，号迦陵。江苏宜兴人。享年五十八。

侯元棐　生，字友召，号兔园。河南杞县人。享年五十二。

朱廷璟　生，字山辉，号岚坪。陕西富平人。享年五十三。

何　楝　生，字涵斋，号与偕。江苏长洲人。享年七十口。

宁　枚　生，字卜公，号雪山。享年七十四。

刘为先　生，字予觉。江西庐陵人。享年七十七。

计　东　生，字甫草，号改亭。江苏吴江人。享年五十二。

韩纯玉　生，字子蓬，号蓬庐居士。浙江归安人。享年七十九。

张　弨　生，江苏人。

● 科第：

明进士：

李建泰　山西曲沃人。弘文院大学士。

王敬锡　直隶金坛人。浙江右布政使。

卢世㴶　字德水，号紫房、南村病叟。山东德州人。福建道御
　　　　史。

刘光斗　字訒惠。江苏武进人。工部郎中。

张士第　山东章丘人。山西右布政使。

李　昌　字振家，号坞冈。直隶河间人。故陕西西宁道。

宋　权　字雨恭。河南商丘人。国史院大学士。

王永吉　字修之，号铁山。江苏高邮人。国史院大学士。

张　忻　山东掖县人。天津巡抚。

党崇雅　陕西宝鸡人。国史院大学士。

刘　昌　字瀛洲。河南祥符人。工部尚书。

王鳌永　山东淄川人（一作临淄）。户部右侍郎。

天命十一年丙寅

（明天启六年 公元一六二六年）

● 生辰：

王士禄 三月二十五日生，字子底，号西樵。山东新城人。享年四十八

王如辰 四月二十日生，字北垫。山东胶州人。享年六十七。

崔宇广 五月生，字致彝。江西南城人。享年五十九。

刘　深 闰六月初三生，字源长，号憨蓼。山东淄川人。享年七十八。

张凤雍 七月二十四日生，享年六十八。

王九鼎 十月初十日生，字金铉，号錄庵。陕西三原人。享年五十七。

查　遗 十一月十五日生，浙江海宁人。享年五十三。

张顾行 十二月十五日生，字笃一，号莲峰。陕西韩城人。享年六十八。

宋德宜 生，字右之，号蓼天。江苏长洲人。享年六十二。

倪　灿 生，字闇公，号雁园。江苏上元人（原籍浙江钱塘）。享年六十二。

吉哈礼 生，满洲正白旗，觉罗氏。享年五十六。

刘泽霖 生，直隶人。享年四十八。

胡禹冀 生，字螭襄，号载川。江苏上元人。享年八十二。

王进宝 生，字显吾。甘肃靖远人。享年六十。

孙　旸 生，字赤崖，号蔗庵、赤霞。江苏常熟人。

李经世 生，字函子，号静庵。河南禹州人。享年七十三。

孙博雅 生，字君侨，号瓾仙。直隶容城人。享年五十五。

● 恩遇：

爱新觉罗皇太极 皇八子。九月初一嗣登大位，以明年为天聪元年。

　　按：天命中封爵而年月无考者今汇记于此：

多尼库鲁格　封一等子。

索诺穆　封二等子。

康果礼　封三等子（天聪三年削）。

巴　拜　封三等子。

李永芳　封三等子。

黑冬格　满洲正黄旗。封一等男。

巴尔巴图里尔　封三等男。

德尔格勒　封三等男。

布尔杭俄　满洲正红旗。封三等男。

图尔奇叶尔登　封三等男。

达珠瑚　封三等男。

介桑贾尔呼奇尔　封三等男。

穆克谭　封三等男。

佟镇国　封三等男。

李继学　封三等男。

● 卒岁：

爱新觉罗努尔哈赤　大行皇帝八月十一日崩。圣寿六十有八。
　　　　　　　　尊谥曰武，庙号太祖（崇上谥号在天聪十
　　　　　　　　年四月），改谥曰高（改谥在康熙元年四
　　　　　　　　月）。

　　按：卒于天命中而年分无考者今汇记于此：

额尔衮　景祖皇二子。卒。追封多罗郡王（追赠在顺治十年五
　　　　月），追谥慧哲，配享太庙（追谥配享在顺治十一年
　　　　三月）。

界　堪　景祖皇三子。卒。追封多罗郡王（追封在顺治十年五
　　　　月），追谥宣献，配享太庙（追谥配享在顺治十一年
　　　　三月）。

塔察篇古　景祖皇五子。卒。追赠多罗贝勒（追赠在顺治十

年五月），追谥恪恭（追谥在顺治十一年三月）。

雅尔哈齐 显祖皇四子。卒。追赠多罗郡王（追赠在顺治十年五月），追谥通达，配享太庙（追谥配享在顺治十一年三月）。

额尔德尼 赐号巴克什男爵。卒。追谥文成（追谥在顺治十一年四月）。

索诺穆 满洲正蓝旗。二等子。卒。追谥顺良（追谥在顺治十二年十月）。

武理堪 满洲正白旗，瓜尔佳氏。前锋统领。卒。

太宗天聪元年丁卯

（明天启七年　公元一六二七年）

● 生辰：

章钦允　四月十一日生，字恭克，号鳞长。浙江富阳人。享年
　　　　六十一。

朱用纯　四月十五日生，字致一，号柏庐。江苏昆山人。享年
　　　　七十二。

叶　燮　九月二十九日生，字星期，号己畦。浙江嘉善人（原
　　　　籍江苏吴江）。享年七十七。

王士禛　十月初二日生，字礼吉，号抡山。山东新城人。

汤　斌　十月二十日生，字孔伯、荆岘，号潜庵。河南睢州人。
　　　　享年六十一。

刘　果　十一月初一日生，字毅卿，号木斋、樵云。山东诸城
　　　　人。享年七十三。

王　樛　十一月二十六日生。

黄玉铉　十二月初六日生，字振公，号汉崖。陕西洋县人。享
　　　　年六十三。

唐梦赉　十二月初八日生，字济武，号岚亭、豹岩。山东淄川
　　　　人。享年七十二。

胡　权　十二月初八日生，字义公，号霞城。直隶任丘人。年
　　　　六十二。

胡兆龙　生，字予衮，号具茨、宛委。顺天大兴人（原籍浙江
　　　　山阴）。享年三十七。

张　鹏　生，字抟万，号南溟。江苏丹徒人。享年六十三。

缪　彤　生，字歌起，号念斋。江苏吴县人。享年七十一。

季开生　生，字天中，号冠月。江苏泰兴人。享年三十三。

王　昊　生，字惟夏，号顾园。江苏太仓人。享年五十三。

路泽淳　生，字闻符。直隶曲周人。享年三十二。

拉哈达　生，满洲镶黄旗，钮祜碌氏。享年七十七。

马如龙　生，字见五。陕西绥德人。享年七十五。

许缵曾　生，字孝修、孝逢，号悟西、鹤沙。江苏上海人。享
　　　　年七十口。

姚文燮　生，字经三，号羹湖。安徽桐城人。享年六十六。

李溉之　生，字岱元。山东长山人。享年四十六。

吴　镶　生，字天朗。浙江钱塘人。享年四十二。

林　佃　生，字同人，号来斋。福建侯官人。享年八十八。

孙思克　生，字荩臣。汉军正白旗。享年七十四。

侯袭爵　生，汉军镶红旗。享年六十二。

李　颙　生，字中孚，号二曲、土室病夫。陕西周至人。享年
　　　　七十九。

张麟昭　生，山西沁水人。享年七十八。

徐　介　生，浙江仁和人。享年七十二。

林　澜　生，字观子，号莱庵。浙江钱塘人。享年六十五。

凌克闇　生，浙江钱塘人。享年六十四。

◉　科第：

　　明中式举人：

刁　包　明万历三十一年生，字蒙吉，号用六。直隶祁州人。

郑赓唐　字而明，号宝水。浙江缙云人。

王崇铭　字心盘，号松石。山西阳城人。浙江盐运使。

◉　恩遇：

楞额礼　四月封一等子。

博尔晋　封一等男。

◉　卒岁：

拜　山　满洲，觉罗氏。三等轻车都尉。五月于宁远阵亡。追
　　　　赠三等男（追赠在八年五月）。

穆克谭　（一作慕克谭），满洲镶蓝旗。镶蓝旗副都统，三等
　　　　男。六月阵亡。追赠一等男，（追赠在八年五月），追

谥忠勇（追谥在顺治十二年十月）。

博尔晋 满洲镶红旗，完颜氏。镶红旗满洲都统，一等男。卒。
追谥忠直（追谥在康熙三年七月）。

天聪二年戊辰

（明庄烈帝崇祯元年　公元一六二八年）

● 生辰：

田兰芳　二月十七日生，字梁紫，号伍众、簑山。河南睢州人。
享年七十四。

王日高　四月初八日生，字鉴兹，号登孺、北山、槐轩。山东
茌平人。享年五十一。

王锡阐　六月二十三日生，字昭冥、寅旭，号馀不、晓庵。江
苏吴江人。享年五十五。

杨端本　六月二十三日生，字树兹，号函东。陕西潼州人。享
年六十七。

王　熙　七月初八日生，字子雍、子撰，号胥亭、慕斋。顺天
宛平人。享年七十六。

张于廷　十月二十日生，字显卿，号行谷。山西阳城人。享年
七十九。

硕　塞　生，太宗皇五子。享年二十七。

萨　弼　生，太祖皇曾孙。享年二十八。

喀尔楚浑　生，太祖皇曾孙。享年二十四。

冯　甦　生，字再来，号蒿庵。浙江临海人。享年六十五。

项景襄　生，字去浮，号眉山。浙江钱塘人（原籍秀水）。享
年五十四。

励杜讷　生，（原名杜讷）字近公。直隶静海人。

赵吉士　生，字天羽、渐岸，号恒夫、寄园。浙江仁和人（原
籍安徽休宁）。享年七十九。

李振藻　生，字天葩，号约斋。直隶蔚州人。享年六十八。

李孔嘉　生，字仲淑，号董园。直隶景州人。享年六十四。

卜陈彝　生，（榜名陈之仪），字声垓，号简庵。浙江秀水人。

享年六十二。

姜宸英　生，字西溟，号湛园。浙江慈溪人。享年七十二。

穆　占　生，满洲正黄旗，那拉氏。享年五十六。

玛　祜　生，满洲镶红旗，哲柏氏。享年四十九。

张　衡　生，字友石，号晴峰。直隶景州人。享年七十四。

刘士壮　生，字稺公，号石庵。江苏宝应人。享年六十一。

闵麟嗣　生，字宾林，号檀林。江苏江都人（原籍安徽歙县）。享年七十七。

潘柽章　生，字圣木，号力田。江苏吴江人。享年三十六。

沈　进　生，字山子，号蓝村、知退叟。浙江嘉兴人。享年六十四。

黄虞稷　生，字俞邰，号楮园。江苏上元人（原籍福建晋江）。享年六十三。

詹明章　生，字莪士，号兼山。福建海澄人。享年九十三。

冷士嵋　生，字又湄，号秋江。江苏丹徒人。享年八十三。

李延昰　生，（原名李彦曾），字我生，号辰山、寒村。浙江平湖人。享年七十。

傅　眉　生，字寿髦，号竹岭。山西阳曲人。享年五十六。

◉ 科第：

明进士：

何瑞徵　河南信阳人。一甲二名进士，礼部右侍郎。

方拱乾　字肃之，号坦庵。安徽桐城人。太仆寺卿。

刘庆蕃　直隶沧州人。河南提学道。

高斗枢　浙江鄞县人。故陕西巡抚。

谭贞默　浙江秀水人。故国子监司业。

房之琪　字澹园。顺天大兴人。山东提学道。

刘正宗　字宪石，号可宗。山东安邱人。文华殿大学士。

杨　义　字崑嶽，山西洪洞人。工部尚书。

叶初春　江苏长洲人。工部左侍郎。

薛所蕴　字子展，号行台。河南孟县人。礼部侍郎。

郝　晋　山东栖霞人。保定巡抚。

张文光　河南祥符人。口口道。

王正志　直隶静海人。延绥巡抚。

梁云构　河南兰阳人。户部左侍郎。

张　煊　山西介休人。浙江道御史。

李　鑑　四川安县人。宣大山西总督。

胡世安　字处静，号菊潭。四川井研人。秘书院大学士。

徐一范　江苏高淳人。山西大同道。

◉ 恩遇：

和硕图　封三等公。

天聪三年己巳

（明崇祯二年　公元一六二九年）

● 生辰：

瞿时行　正月二十日生，字见可，号止园。江苏江都人。享年
　　　　九十口。

吕留良　正月二十一日生，字庄生，号晚村。浙江石门人。享
　　　　年五十五。

赵士麟　四月初八日生，字麟伯，号玉峰。云南河阳人。享年
　　　　七十一。

卓麟异　闰四月三十日生，浙江仁和人。享年四十。

卢　宜　五月二十五日生，字公弼、弗庵，号函赤。浙江鄞县
　　　　人。享年八十。

蒋弘道　七月初二日生，字扶之，号裕庵。顺天大兴人（原籍
　　　　山西临汾）。享年七十五。

邱象升　七月二十二日生，字曙戒，号南斋。江苏山阳人。享
　　　　年六十一。

朱彝尊　八月二十一日生，字锡鬯、竹垞，号醧舫、小长芦、
　　　　钓师。浙江秀水人。享年八十一。

刘兆麒　十月十九日生，字瑞图。汉军镶白旗（原籍顺天宝坻）。
　　　　享年八十。

王遵训　十一月初五日生，字子循，号信初、湜庵。河南西华
　　　　人。享年六十。

茆荐馨　十一月十一日生，字楚畹，号一峰。浙江长兴人。享
　　　　年五十三。

巩　安　生，太祖皇孙。享年五十四。

徐元琪　生，字辑五，号荆山。江苏武进人。享年六十。

李澄中　生，字渭清，号雷田、渔村。山东诸城人。享年七十

二。

施何牧 生，字赞虞，号一山、稼村。江苏崇明人。享年八十
三。

梁佩兰 生，字芝五，号药亭。广东南海人。享年七十七。

朱轮裔 生，字三瞻，号洛山。四川嘉定人。享年七十。

硕　岱 生，满洲正白旗，喜塔喇氏。享年八十四。

李荫祖 生，字绳武。汉军正黄旗（原籍铁岭）。享年三十六。

任风厚 生，享年七十四。

陈丹赤 生，字献之，号真亭、津城。福建侯官人。享年四十
六。

阎文燏 生，字孕华，号季章。山西文水人。享年七十九。

伊应聚 生，字文起，号清泉。福建宁化人。享年八十三。

金　望 生，江苏嘉定人。享年七十四。

魏　礼 生，字公和，号季子。江西宁都人。享年六十六。

黄百药 生，字弃疾。浙江余姚人。享年六十六。

瞿昌文 生，字寿明。江苏常熟人。

◉ 恩遇：

喀克都哩 封二等子。

◉ 卒岁：

达珠瑚 满洲正蓝旗，兆佳氏。镶黄旗副都统，三等男。于瓦
尔喀遇害，年六十三。追谥襄敏（追谥在顺治十二年
十月）。

天聪四年庚午

（明崇祯三年　公元一六三〇年）

● 生辰：

朱宏祚　正月初五日生，字徽荫，号厚庵。山东高唐人。享年
　　　　七十一。

黄尔悟　正月十四日生。

唐　甄　二月二十八日生，字铸万，号圃亭。四川达州人。享
　　　　年七十五。

王　清　四月初八日生，字素修，号冰壶、思斋。山东海丰人。
　　　　享年四十三。

黄贞麟　八月初一日生，字方振。山东即墨人。享年六十五。

臧振荣　八月初九日生，字君仁，号岱青。山东诸诚人。享年
　　　　六十五。

屈大均　九月初五日生，字介子，号翁山。广东番禺人。

于沛霖　九月十七日生，字弘仁，号陆阿。山东人。享年六十
　　　　一。

袁时中　十月初二日生，字向若，号来庵。浙江鄞县人。享年
　　　　五十五。

朱廷采　十月十一日生，字子鲍，号诚斋。浙江海盐人。享年
　　　　八十六。

陆陇其　十月十八日生，字稼书。浙江平湖人。享年六十三。

陆　莱　十一月初二日生，（原名陆世枋），字次友，号义山、
　　　　雅坪。浙江平湖人。享年七十。

钱佳选　十一月二十一日生，河南密县人。享年五十五。

鄂齐里　十二月二十一日生，满洲镶黄旗，博尔济吉特氏。享
　　　　年四十八。

徐旭龄　生，字元文，号静庵。浙江钱塘人。享年五十八。

杨素蕴 生，字筠湄，号退庵、芳臣。陕西宜君人。享年六十。
王　𦂳 生，字晋刘。浙江秀水人。享年二十七。
杜登春 生，字九高，号九皋、让水。江苏华亭人。享年七十六。
曹辰容 生，浙江海盐人。享年九十四。
宋德宏 生，字畴三。江苏长洲人。享年三十四。
朱渐仪 生，江苏嘉定人。享年八十六。

◉ 科第：

明中式举人：

殷　岳 字宗山，号伯岩。直隶鸡泽人。江苏睢宁县知县。
吴　达 字章甫，号雪航。江苏无锡人。通政使。
彭　宾 字燕又，号穆如。江苏华亭人。河南汝宁府推官。
郑敷教 字士敬，号桐庵。江苏长洲人。
万寿祺 字年少，号介若、内景。江苏徐州人。
徐柏龄 字芦之。浙江嘉兴人。
李嵩阳 字云增。河南封邱人。江苏提学御史。
王弘祚 字懋白，号玉铭、思斋。云南保山人。明进士，兵部尚书。
张继伦 字汉萄，号学海、雪松老人。山东安邱人。明中式副榜贡生。

◉ 恩遇：

鄂本兑 封三等男。

◉ 著述：

胡世安 撰《异鱼图赞笺》四卷成，见四库提要。

天聪五年辛未

（明崇祯四年　公元一六三一年）

● 生辰：

蒋　伊　二月初二日生，字渭公，号莘田。江苏常熟人。享年五十七。

范必英　五月初三日生，（原名范云威），字秀实，号秋涛、伏庵。江苏吴县人。享年六十二。

彭孙遹　五月初四日生，字骏孙，号信弦、羡门。浙江海盐人。享年七十。

刘渭龙　五月初七日生，字戴公，号秋水。福建莆田人。享年四十六。

陈恭尹　九日二十五日生，字元孝，号罗浮布衣。广东顺德人。享年七十。

王庶善　十月十七日生，字衡麓。湖北黄陂人。享年六十三。

王之鼎　十月二十日生，字公定。汉军正红旗。享年五十。

全吾骐　十月二十四日生。

徐乾学　十一月初二日生，字原一，号健庵、澹园。江苏昆山人。享年六十四。

吴兆骞　十一月生，字汉槎。江苏吴江人。享年五十四。

杨雍建　生，字自西，号以斋。浙江海宁人。享年七十四。

徐嘉炎　生，字胜力，号华隐。浙江秀水人。享年七十三。

周金然　生，字广居，号砺岩、广庵。江苏上海人。享年七十四。

李因笃　生。字天生，号子德、孔德。陕西富平人（原籍山西洪洞）。

周　昌　生。字培公，号逢声。湖北荆门人。

徐治都　生，汉军正白旗。享年六十七。

储　欣　生，字同人，号在陆。江苏宜兴人。享年七十六。

朱与兰　生，字佩湘。浙江海盐人。享年五十六。

朱　圻　生，江苏上元人。享年七十二。

朱克生　生，字国桢，号秋厓。江苏宝应人。享年四十九。

徐　善　生，字敬可，号蕳谷。浙江秀水人。享年六十一。

◉ 科第：

　　明进士：

吴伟业　字骏公，号梅村。江苏太仓人。一甲二名进士，国子
　　　　监祭酒。

张秉贞　安徽桐城人。兵部尚书。

孙朝让　字光甫，号本芝。江苏常熟人。故江西布政使。

柳寅东　四川梓潼人。顺天巡抚。

张缙彦　河南新乡人。工部右侍郎。

霍　达　字非闻，号鲁斋。陕西武功人。工部尚书。

李于坚　浙江提学道。

任　濬　山东益都人。刑部尚书。

黄熙胤　刑部右侍郎。

孙承泽　明万历二十二年生，字耳伯、北海，号退谷、退翁。
　　　　顺天大兴人。吏部左侍郎。

姜　埰　字如农。山东莱阳人。故礼科给事中。

宗敦一　字凌霄。四川宜宾人。直隶提学御史。

张若麒　通政使。

李　清　字心水，号映碧。江苏兴化人。故大理寺寺丞。

邱茂华　河南左布政使。

王鼎镇　河南西华人。江南驿盐道。

成仲龙　陕西按察使。

熊文举　字公远，号雪堂。江西新建人。兵部左侍郎。

李犹龙　字紫函。陕西洵阳人。宣化巡抚。

杨士聪　字朝彻，号凫岫。山东济宁人。谕德。

◉ 卒岁：

康果礼 满洲正白旗，那穆都鲁氏。和硕额驸，前正白旗护军
　　　统领，三等子。卒。
阿尔岱 满洲镶黄旗，觉尔察氏。佐领骑都尉。于大凌河阵亡。
　　　赠三等轻车都尉。

天聪六年壬申

（明崇祯五年　公元一六三二年）

● **生辰：**

孙　蕙　二月十六日生，字树百，号泰岩、笠山。山东淄川人。

王　翚　二月二十一日生，字石谷，号耕烟。江苏常熟人。享年八十六。

徐之琰　八月初八日生，字玉宗。浙江归安人。享年七十一。

崔　华　九月二十日生，字连生。直隶平山人。享年六十二。

于作霖　十一月十八日生，字肖形，号潍宾。山东昌邑人。享年五十五。

甘文焜　十一月二十四日生，字炳如，号仲明。汉军正蓝旗（原籍江西丰城）。享年四十二。

王士祜　十二月初八日生，字虞山、叔子、子侧，号东亭。山东新城人。享年五十。

巴思哈　生，太祖皇曾孙。享年三十。

米恩翰　生，满洲镶黄旗，富察氏。享年四十三。

哈　占　生，满洲正黄旗，伊尔根觉罗氏。享年五十五。

玛　拉　生，满洲镶白旗，那拉氏。享年六十一。

任　玥　生，字少玉，号希庵。山东高密人。享年五十六。

吴兴祚　生，字伯成，号留村。汉军正红旗（原籍浙江山阴）。享年六十七。

兴永朝　生，汉军镶黄旗。享年七十。

金世德　生，字孟求，号衍庆。汉军正黄旗。享年四十九。

姚淳焘　生，字陟山。浙江乌程人。享年七十二。

刘继圣　生，字衍泗。山东潍县人。享年七十三。

李芳述　生，字赞芝。四川合州人。享年七十七。

吴农祥　生，字庆百，号星叟。浙江钱塘人。享年七十七。

张承烈　生，陕西武功人。享年六十二。

朱尔迈　生，字人远，号日观。浙江海盐人。享年六十二。

冯宗仪　生，字元恭，号鲁庵。浙江慈溪人。享年六十九。

凌嘉印　生，字文衡。浙江钱塘人。享年六十七。

吴　历　生，字渔山，号墨井道人。江苏常熟人。享年八十七。

● 恩遇：

石国柱　汉军正白旗。封三等男。

● 卒岁：

达　海　赐号巴克什，三等轻车都尉。七月卒年三十八。追赠
　　　　大学士（追赠年月无考），追谥文成（追谥在顺治十
　　　　一年四月）。

佟养性　都统额驸，二等子。七月卒。追谥勤惠（追谥在顺治
　　　　十三年七月）。

莽古尔察　太祖皇五子，和硕贝勒。十二月卒年四十六。追削
　　　　原封，（追削在九年十二月）。

天聪七年癸酉

（明崇祯六年　公元一六三三年）

◉ 生辰：

梅文鼎　二月初七日生，字定九，号勿庵。安徽宣城人。享年八十九。

翁叔元　三月初二日生，字宝林、静卿，号铁庵。江苏常熟人。享年六十九。

储方庆　三月初五日生，字广期，号遯庵。江苏宜兴人。享年五十一。

蔡毓荣　三月初八日生，字仁庵，号显斋。汉军正白旗。享年六十七。

阎若琛　五月二十五日生，字紫琳。山西太原人。

万斯大　六月初六日生，字充宗，号跛翁。浙江鄞县人。享年五十一。

济　度　生，圣祖皇曾孙。享年二十八。

常阿岱　生，太祖皇曾孙。享年三十三。

富尔敦　生，显祖皇曾孙。享年十九。

达哈塔　生，满洲正白旗，佟佳氏。享年五十五。

哈　山　生，满洲镶红旗，富察氏。享年八十七。

徐秉义　生，字彦和，号果亭。江苏昆山人。享年七十九。

田喜霖　生，字子湄，号望西、洼山。山西马邑人。享年六十三。

噶尔噶图　生，满洲正白旗，那拉氏。享年三十八。

靳　辅　生，字紫垣。汉军镶黄旗（原籍山东历城）。享年六十。

刘　滋　生，字霖生。直隶任邱人。享年六十五。

毛际可　生，字会侯，号鹤舫。浙江遂安人。享年七十六。

塞白理 生，汉军正黄旗，李氏。享年四十三。

张鹏翼 生，字蜚子，号警庵。福建连城人。享年八十三。

胡　渭 生，（初名胡渭生），字朏明，号东樵。浙江德清人。享年八十二。

李绳远 生，字斯年，号寻壑、樵岚山人。浙江嘉兴人。享年七十六。

梅　崧 三月二十九日生，字子翰。江西南城人。享年三十六。

文　点 生，字与也，号南云、山樵。江苏长洲人。享年七十二。

恽寿平 生，（原名恽格以字行），字正叔，号东园草衣生、白雪外史、云溪外史、南田老人。江苏武进人。享年五十八。

◉ 科第：

　　明中式举人：

黄孔昭 字含美，号石衣。江苏吴县人。云南大姚县知县。

查济佐 字伊璜，号与斋、左尹、东山。浙江海宁人，

李　确 明万历十九年九月二十八日生。（原名李天植），字因仲，号潜夫、厣园。浙江平湖人。

祝　渊 字开美。浙江海宁人。

邵泰清 字以规，号雪樵。浙江仁和人。

褚廷琯 字砚耕，号砚民。浙江嘉兴人。

李允祯 字贞浦，号修庵。山东德州人。广西左江道。

李　灌 字向若，号连璧。陕西合阳人。

恽日初 字仲升，号逊庵。江苏武进人。明中式副榜贡生。

◉ 卒岁：

和硕图 满洲正红旗，栋鄂氏。正红旗满洲都统，额驸，三等公。（雍正九年号曰勇勤），七月卒年三十八。追谥瑞恪（追谥在顺治十二年十月）。

天聪八年甲戌

（明崇祯七年　公元一六三四年）

● 生辰：

曹贞吉　正月二十二日生，字迪清，号升六、实庵。山东安邱
　　　　人。享年六十五。

宋　荦　正月二十六日生，字牧仲，号漫堂、綿津山人。河南
　　　　商邱人。享年八十。

鄂翼明　四月初九日生，字在公。满洲正白旗。

汪镐京　六月初三日生，字快士。江苏江都人。享年六十九。

曹鑑平　六月二十四日生，字掌公，号桐旸。浙江嘉善人。享
　　　　年五十六。

丁思孔　八月初六日生，字景行，号泰岩。汉军镶黄旗。享年
　　　　六十一。

王士禛　闰八月二十八日生，字子真，号贻上、阮亭、渔洋山
　　　　人。山东新城人。享年七十八。

徐元文　九月十四日生，字公肃，号立斋。江苏昆山人。享年
　　　　五十八。

陈锡嘏　十月初二日生，字介眉，号怡庭。浙江鄞县人。享年
　　　　五十四。

杜　臻　生，字肇余，号遇徐。浙江秀水人。享年七十一。

玛尔汉　生，满洲正白旗，兆佳氏。享年八十五。

高层云　生，字二鲍，号稷苑、菰村。江苏华亭人。享年五十
　　　　七。

唐孙华　生，字实君，号东江、息庐。江苏太仓人。享年九十。

莽奕禄　生，满洲正白旗，富察氏。享年七十。

郎　坦　生，满洲正白旗，瓜尔佳氏。享年六十二。

莽依图　生，满洲镶白旗，兆佳氏。享年四十七。

李　寅　生，字霞其，号东台。浙江秀水人（原籍江苏吴江）。
　　　　享年七十一。

马雄镇　生，字锡蕃，号坦公。汉军镶红旗（原籍山东蓬莱）。
　　　　享年四十四。

周象明　生，字悬著。江苏太仓人。享年五十八。

潘开甲　生，字东旸。浙江乌程人。享年七十一。

陈自舜　生，字同亮，号尧山。浙江慈溪人。享年七十八。

高　简　生，享年七十四。

杨无咎　生，字震百，号易亭。江苏吴县人。享年七十九。

浦　鸥　生，江苏嘉定人。享年六十七。

● 科第：

　　明进士：

赵开心　字灵伯，号洞门。湖南长沙人。左都御史。

戴明说　字道默，号严荦。直隶沧州人。户部尚书。

李士焜　□科给事中。

陈昌言　字禹前，号道庄、泉山。山西泽州人。安徽提学御史。

张晋徵　字恭锡，号慕蓼、菊存。浙江嘉兴人。故福建按察使。

龚鼎孳　字孝升，号芝麓。安徽合肥人。礼部尚书。

胡之彬　陕西右布政使。

陈　瑾　湖北麻城人。福建提学道。

卫周胤　山西曲沃人。兵部右侍郎。

李化熙　字五弦。山东长山人。刑部尚书。

宋祖法　字澹水。河南新蔡人。福建提学道。

　　满洲中式举人：

刚　林　字介茂。满洲正蓝旗，瓜尔佳氏。国史院大学士。

恩国泰　满洲正蓝旗，那拉氏。礼部尚书。

罗绣锦　汉军镶蓝旗。湖广四川总督。

雷　兴　汉军正黄旗。河南巡抚。

马国柱　汉军正白旗。两江总督。

王来用　汉军镶蓝旗。顺天巡抚。

王来任 汉军正黄旗。广东巡抚。

◉ 恩遇：

扬古利 五月封超品公。

武纳格 五月封三等公。

马光远 五月封一等子。

图鲁锡 五月封三等男。

昂昆杜棱 五月封三等男。

布 当 五月封三等男。

舒 赛 五月封三等男。

孙得功 五月封三等男。

德参济旺 封一等子（顺治二年降三等子）。

叶克舒 十一月封二等男（崇德元年削）。

◉ 卒岁：

楞额礼 （一作冷格里）。满洲正黄旗，舒穆禄氏。正黄旗满
　　　　洲都统，一等子。正月卒。追谥武襄（追谥在顺治十
　　　　二年十月）。

巴 拜 （一作霸拜）。满洲镶白旗。三等子。四月卒。追谥
　　　　僖顺（追谥在顺治十二年十月）。

李永芳 满洲正蓝旗。三等子。卒。

巴尔巴图里尔 满洲镶黄旗。三等男。卒。

佟镇国 汉军镶红旗。三等男。卒。

图尔奇业尔登 满洲镶白旗。三等男。卒。

李继学 汉军镶蓝旗。三等男。卒。

巴笃理 满洲正白旗，佟佳氏。礼部承政，二等轻车都尉。八
　　　　月于山西阵亡。赠三等男，追谥敏壮（追谥在顺治十
　　　　二年十月），追晋三等伯（追晋在康熙初）。

图鲁锡 满洲镶黄旗。前锋统领，三等男。闰八月于山西阵亡。
　　　　赠三等子，追谥忠宣（追谥在顺治十二年十月）。

孙德功 汉军正白旗。三等男。十一月卒。

喀克都哩 满洲正白旗，那穆都鲁氏。正白旗满洲都统，二等子。卒。

洪尼雅喀 满洲镶红旗，吴扎库氏。参领，三等轻车都尉。
卒。

德尔格勒 满洲正黄旗。三等男。卒。

天聪九年乙亥

（明崇祯八年　公元一六三五年）

◉ 生辰：

李天馥　正月二十四日生，字湘北，号容斋。河南永城人（原籍安徽合肥）。享年六十五。

颜　元　三月十一日生，字浑然，号习斋。直隶博野人。享年七十。

田　雯　五月二十三日生，字纶霞，号紫纶、漪亭。山东德州人。享年七十。

李良年　六月二十九日生，（原名李法远，又名李北漪）字武曾，号秋锦。浙江嘉兴人。享年六十。

熊赐履　十一月初五日生，字敬修、愚斋，号青岳、素九。湖北孝感人。享年七十五。

法　礼　十二月初三日生，享年六十九。

阎兴邦　十二月二十四日生，字弢仲，号梅公。汉军镶黄旗（原籍直隶宣化）。享年六十四。

明　珠　生，字端范。满洲正黄旗，那拉氏。享年七十四。

崔蔚林　生，字夏章，号玉阶、定斋。直隶新安人。享年五十三。

王又旦　生，字幼华，号黄湄。陕西合阳人。享年五十一。

曹申吉　生，字澹馀，号逸庵。山东安邱人。享年四十六。

江　皋　生，字在湄，号磊斋。安徽桐城人。享年八十一。

申　穟　生，字叔旃，号梅江、逊庵。江苏吴县人。享年五十一。

邵延龄　生，字静山，号耐轩。浙江平湖人。享年五十七。

吴　晟　生，字丽正，号梅原。享年六十一。

翁与之　生，字曰可，号屺瞻。江苏常熟人。享年五十四。

徐世沐 生，字尔瀚，号青麓、青枚。江苏江阴人。享年八十三。

刘　榛 生，字山蔚，号董园公。河南商邱人。享年五十六。

王式金 生，江苏金坛人。享年七十四。

陆繁弨 生，字拒石，号偎胡。浙江钱塘人。享年五十。

● 科第：

赵震元 字伯彦，号彦公。河南睢州人。考取拔贡生。

陈　寔 字郁文。直隶保定人。考取拔贡生。

● 恩遇：

纳穆泰 四月封三等男。

巴奇兰 满洲镶红旗，那拉氏。五月封一等男。

● 卒岁：

鄂本兑 （一作俄本代）。蒙古正黄旗，曼靖氏。右翼蒙古都统，三等男。正月卒。

武纳格 （一作吴内格）。蒙古正白旗，博尔济吉特氏。左翼都统，三等公。三月卒。

德格类 太祖皇十子，管理户部事务和硕贝勒。十月卒年四十。追削原封（追削在十二月）。

纳穆泰 （一作那木泰）。满洲正黄旗。兵部承政，三等男。十月卒。

卫　齐 满洲镶黄旗，瓜尔佳氏。盛京八门总管，三等轻车都尉。卒。追谥端勤（追谥在顺治十二年十月）。

崇德元年丙子

（明崇祯九年　公元一六三六年）

● 生辰：

王维珍　正月初四日生，字嵋谷。汉军镶蓝旗。享年六十。

赵　俞　十月初二日生，字文饶，号蒙泉。江苏嘉定人。享年
　　　　七十八。

阎若璩　十月十四日生，字百诗，号潜邱。江苏山阳人。享年
　　　　六十九。

多　尼　生，太祖皇曾孙。享年二十六。

勒　度　生，显祖皇曾孙。享年二十。

彰　泰　生，太祖皇曾孙。享年五十五。

孔兴燮　生，字起吕，号辅垣。山东曲阜人。享年三十二。

陈迁鹤　生，字声士，号介石。福建龙岩人。享年七十六。

徐　釚　生，字电发，号拙存、虹亭、枫江渔父。江苏吴江人。
　　　　享年七十三。

杨　蕴　生，字公含，号漪青、空五。山东诸城人。享年六十。

汪　楫　生，字舟次，号悔斋。江苏江都人（原籍安徽休宁）。
　　　　享年六十四。

祕丕笈　生，字仲负，号德蔺。直隶故城人。享年六十七。

毕忠吉　生，字致中，号铁岚、淄湄。山东益都人。享年五十
　　　　八。

于　琨　生，字胜斯，号瑶圃。顺天大兴人。享年七十一。

张一恒　生，字北岳，号蓬水。山东逢莱人。享年五十六。

倪我端　生，字古期，号郢客。浙江秀水人。享年六十一。

朱攀龙　生，字鳞安。浙江海盐人。享年八十一。

查　容　生，字韬荒。浙江海宁人。享年五十。

● 科第：

明中式举人：

袁生芝　顺天良乡人。陕西商雒道。

刘永锡　字钦尔，号膡庵。直隶魏县人。故江南长洲县教谕。

沈奕琛　字石友。江苏高邮人。直隶广平府知府。

阎尔梅　字调鼎，号古古。江苏沛县人。

蒋　薰　字闻大，号丹崖。浙江海宁人。缙云县训导，甘肃伏羌县知县。

朱廷璋　字长白，号如日。浙江海盐人。

万　泰　字履安，号悔庵。浙江鄞县人。

巢鸣盛　字端明，号崆峒、止园。浙江嘉兴人。

刘友光　字杜三。湖南攸县人。直隶沙河县知县。

郑与侨　字惠人，号确庵、荷泽。山东济宁人。故江南扬州府推官。

◉ **恩遇：**

代　善　四月封和硕礼亲王。

济尔哈朗　四月封和硕郑亲王。

多尔衮　四月封和硕睿亲王，（六年二月降郡王）。

多　铎　四月封和硕豫亲王，（四年五月降贝勒）。

豪　格　四月封和硕肃亲王，（六月降贝勒）。

岳　託　四月封和硕成亲王，（八月降贝勒）。

阿济格　四月封多罗武英郡王。

孔有德　四月封恭顺王。

耿仲明　四月封怀顺王。

尚可喜　四月封智顺王。

郭尔图车臣　五月封一等子。

达尔汉　五月封一等子（六年革）。

色棱布笃马　五月封三等子。

噶尔玛叶尔登　五月封三等子。

绰尔门　五月封一等男。

集雅汉瞻　五月封一等男

巴赖都尔莽鼐　五月封一等男。

色　棱　五月封一等男。

布尔喀图　六月封一等子。

毕喇希　六月封三等子。

李尚友　封一等男。

徐元勋　封二等男。

吕国宝　封二等男。

孙　龙　封二等男。

曹绍中　封三等男。

姜民望　封三等男。

陈邦选　封三等男。

● 卒岁：

巴奇兰　那拉氏。正黄旗副都统，一等男。二月卒。赠三等子。

萨哈璘　太祖皇孙，多罗贝勒。五月卒年三十三。赠和硕颖亲
　　　　王，追谥曰毅（追谥在康熙十年六月）。

恩格德尔（一作恩格德里）满洲正黄旗，博尔济吉特氏。额
　　　　驸，三等子。五月卒。追谥端顺（追谥在顺治十二
　　　　年十月），追封三等公（追封在雍正七年正月，九
　　　　年号曰奉义）。

察哈喇　满洲镶白旗，郭络罗氏。正红旗副都统。卒。

崇德二年丁丑

（明崇祯十年　公元一六三七年）

● 生辰：

佟国佐　正月十六日生，字吉臣。汉军正蓝旗，佟佳氏。享年
　　　　五十九。

李彦瑁　正月二十日生，字辑五，号华西。陕西三原人。享年
　　　　七十七。

彭　鹏　正月二十一日生，字奋斯、九峰，号无山、古愚。福
　　　　建莆田人。享年六十八。

刘荫枢　二月十六日生，字相斗，号乔南。陕西韩城人。享
　　　　年八十七。

赵苍璧　闰四月初一日生，字晋襄，号圜庵。浙江钱塘人。享
　　　　年五十八。

冉觐祖　闰四月十二日生，字永光，号蟫庵。河南中牟人。享
　　　　年八十二。

周　弘　闰四月十四日生，（榜名秦弘），字子重，号缄斋。
　　　　江苏无锡人。享年六十九。

王　洁　五月二十五日生，字汲公，号洧盘。顺天大兴人。享
　　　　年五十五。

赵士骐　五月二十七日生，享年六十九。

邵长蘅　七月初五日生，（原名邵衡），字子湘，号青门山人。
　　　　江苏武进人。享年六十八。

吴　英　十月初七日生，字为高，号槐能。福建莆田人。享年
　　　　七十六。

张　英　十二月十六日生，字敦复，号梦徵、乐圃。安徽桐城
　　　　人。享年七十二。

巴尔堪　生，显祖皇曾孙。年四十四。

韩　菼　生，字元少，号葮人、慕庐。江苏长洲人。享年六十八。
李元振　生，字贞孟，号惕园。河南柘城人。享年八十三。
秦松龄　生，字汉石、次椒，号留仙、对岩。江苏无锡人。享年七十八。
畅泰兆　生，字素庵。河南新乡人。享年七十五。
张玉裁　生，字礼存，号退密。江苏丹徒人。享年三十五。
顾贞观　生，字华封，号远平、梁汾。江苏无锡人。享年七十八。
黄性震　生，字元起，号静庵。福建漳浦人。享年六十五。
邓秉恒　生，字元固。山东东昌人。享年七十四。
丁　蕙　生，字澹园，号次兰。江西丰城人。享年六十三。
柴廷望　生，字岱云。河南罗山人。享年六十六。
乐又令　生，字允谐，号介冰、悟宾道人。江苏江都人。享年七十。
刘宗泗　生，字让一，号恭叔。河南襄城人。享年七十四。
葛　震　生，字甹之。云南人（原籍安徽定远）。享年五十七。
萧企昭　生，字文超。湖北汉阳人。享年三十三。
嵇永仁　生，字匡侯、留山，号抱犊山农。江苏无锡人。享年四十。
尹之逵　生，广东人。享年八十口。

◉ 科第：

明进士：

陈之遴　字彦升，号素庵。浙江海宁人。一甲二名进士，弘文院大学士。
闵　度　字裴卿。浙江乌程人。福建提学道。
方大猷　字欧馀。浙江乌程人。山东巡抚。
苏　铨　直隶交河人。安徽提学御史。
王正中　字仲撝。直隶保定人。故监察御史。
郝　傑　字棫清，号君万。顺天霸州人。户部右侍郎。

曹　溶　字洁躬、鉴躬，号秋岳、倦圃、锄菜翁。浙江秀水人。
　　　　户部右侍郎。

吴　铸　字鼎吾。浙江秀水人。故礼部主事。

黄　澍　字樵云。浙江钱塘人。湖南提学使。

傅景星　字梦徵。河南人。工部右侍郎。

卫周祚　字文锡，号闻石。山西曲沃人。保和殿大学士。

南洙源　湖广左布政使。

魏　琯　字昭华。山东寿光人。大理寺卿。

黄图安　宁夏巡抚。

蒋鸣玉　字楚珍。江苏金坛人。山东兖东道。

郭　充　（原名**郭九园**），字损庵。陕西人。故刑科给事中。

蒋　棻　字畹仙，号南陔。江苏常熟人。故礼部主事。

锺　鼎　浙江石门人。刑部右侍郎。

高去奢　字尔逊。直隶宁晋人。江苏提学御史。

王昌胤　字雪园，号七襄。山东淄川人。直隶提学御史。

范士楫　字箕生，号橘洲。直隶定兴人。吏部郎中。

刘昇祚　山西汾阳人。湖广辰常道。

周伯达　山东莱阳人。江宁巡抚。

黄徽胤　兵部右侍郎。

◉ 恩遇：

叶　臣　七月封一等子。

吴巴海　七月封三等子。

阿什达尔汉　七月封三等男（七年降骑都尉）。

◉ 卒岁：

扬古利　满洲正黄旗，舒穆禄氏。超品一等公（雍正九年号曰
　　　　英诚）。正月于朝鲜阵亡，年六十六。赠王爵，谥武
　　　　勋，配享太庙（配享在顺治口年）。

崇德三年戊寅

（明崇祯十一年　公元一六三八年）

◉ 生辰：

万斯同　正月二十四日生，字季野，号石园。浙江鄞县人。享年六十五。

爱新觉罗福临　世祖章皇帝。正月三十日生，享年二十四。

张登举　三月二十六日生，汉军正蓝旗。享年四十一。

谢　聘　五月十一日生，字志尹，号莘园。江西瑞金人。享年五十一。

郭　琇　六月十八日生，字华野。山东即墨人。享年七十八。

于成龙　七月初五日生，字振甲。汉军镶黄旗（原籍奉天广宁）。享年六十三。

沈　雍　七月十四日生，浙江人。享年六十五。

杨佐国　十月初八日生，字於常，号荆湖。湖北荆门人。享年五十二。

王锡韩　十月十七日生，字季侯。山西太平人。享年四十一。

金　煜　十一月初二日生，字子藏。浙江山阴人。享年五十七。

谢邦骅　十一月十七日生，字先路。江西瑞金人。享年五十七。

伊桑阿　生，满洲镶黄旗，伊尔根觉罗氏。享年六十六。

熊一潇　生，字汉若，号蔚怀。江西南昌人。享年六十九。

吴　苑　生，字楞香，号鳞潭。安徽歙县人。享年六十三。

靳　弼　生，字太垣。汉军镶黄旗（原籍山东历城）。享年四十四。

费之逵　生，字九鸿，号凤山。浙江归安人。享年七十八。

申涵盼　生，字随叔，号听山。直隶永年人。享年四十五。

席启图　生，字文舆。江苏吴县人。享年四十三。

叶映榴　生，字炳霞，号苍岩、绛岩。江苏上海人。享年五十

一。

王斗机 生，字仲璇，号雪岩。陕西华阴人。享年七十四。

翁大中 生，字林一，号静庵。江苏常熟人。享年六十九。

应 是 生，字敬非，号敬庵。江西宜黄人。享年九十。

程 浚 生，字葛人，号甫庵。浙江仁和人（原籍安徽歙县）。
享年六十七。

沈荀蔚 生，字豹文。江苏太仓人。

● 科第：

满洲中式举人：

罗 硕 满洲正白旗。户部左侍郎。

沈文奎 （初名王文奎）。汉军镶白旗（原籍浙江会稽）。漕
运总督。

苏弘祖 （一作苏宏祖）字光启。汉军正红旗。南赣巡抚。

杨方兴 字淳然。汉军镶白旗。河道总督。

丁文盛 汉军镶黄旗。山东巡抚。

● 恩遇：

萨穆什喀 七月封二等男（五年削）。

达尔汉和硕奇 八月封三等男。

● 卒岁：

吉思哈 吏部参政，一等轻车都尉。四月卒。

色棱布笃马 蒙古镶蓝旗。三等子。七月卒。

玛 瞻 辅国公，宗室。十一月卒于山东军中。

蒙阿图 满洲正白旗，佟佳氏。原任工部承政，二等轻车都尉。
卒。

崇德四年己卯

（明崇祯十二年　公元一六三九年）

● 生辰：

李　符　正月十一日生，（原名李符远），字分虎，号耕客、
　　　　桃乡。浙江嘉兴人。享年六十一。

张　玺　正月十五日生，字宝庵，号樵泾。山东邹平人。享年
　　　　五十九。

曾传炤　二月二十三日生，字丽天。江西宁都人。享年三十二。

劳之辨　三月二十五日生，字书升，号介庵。浙江石门人。享
　　　　年七十六。

阎中宽　五月二十日生，字易庵。直隶蠡县人。享年七十二。

吴一蜚　九月二十日生，字翼生，号恕庵。江苏长洲人。享年
　　　　七十五。

陈廷敬　生，（原名陈敬），字子端，号悦岩、午亭。山西泽
　　　　州人。享年七十四。

严曾榘　生，字方贻，号雙庵、柱峰。浙江余杭人。享年六十
　　　　二。

崔徵璧　生，字文宿，号纪公、方厓。直隶长垣人。享年七十
　　　　六。

张　睿　生，字涵白，号勋斋。江苏山阳人。享年七十二。

汪晋徵　生，字符尹，号涵斋。安徽休宁人。享年七十一。

仇兆鳌　生，字沧柱，号知儿。浙江鄞县人。享年八十。

张榕端　生，字子大，号朴园、兰樵。直隶磁州人。享年七十
　　　　六。

李应廌　生，字柱三，号谏臣、愚庵。山东日照人。享年六十
　　　　六。

孙岳颁　生，字云韶，号树峰。江苏吴县人。享年七十。

马体仁 生，字乾生，号瑶庵。陕西高陵人。享年六十三。

舒　恕 生，满洲正白旗，觉罗氏。享年六十五。

石　琳 生，汉军正白旗。享年六十四。

郑　端 生，字司直，号德信。直隶枣强人。享年五十四。

张　埙 生，字膊如。江苏长洲人。享年五十六。

秦　鉽 生，江苏嘉定人。享年五十九。

◉ 科第：

明中式举人：

王亮教 字弼之。直隶阳邱人。四川道御史。

宋之盛 字未有，白石先生。江西星子人。

易学实 字去浮。江西雩都人。

吴山涛 字岱观，号基翁。浙江钱塘人。甘肃成县知县。

汪　汎 字魏美。浙江钱塘人，

曾异撰 字弗人。福建侯官人。

王　岱 字山长，号了庵。湖南湘潭人。湖北隋州学正，康熙
　　　己未召试鸿博，广东澄海县知县。

中式副榜贡生：

萧云从 字尺木，无闷道人。安徽芜湖人。

杜　濬 字于皇，号西止、茶村老人、半翁。湖北黄冈人。

郭金台 （原名陈湜），字幼隗，号子原。湖南湘潭人。

于成龙 山西永宁人，两江总督。

◉ 恩遇：

沈志祥 正月封续顺公。

劳　萨 七月封二等男。

豪　格 九月复封和硕肃亲王（五年十二月降郡王）。

◉ 卒岁：

岳　託 太祖皇孙。扬威大将军，多罗贝勒，前封和硕成亲王。
　　　卒于山东军中年四十一。赠多罗克勤郡王，配享太庙
　　　（配享在乾隆四十三年正月）。

李尚友 汉军镶黄旗。一等男。卒。

和尔本　满洲正红旗，栋鄂氏。护军统领，袭三等公。二月卒
　　　　于山东军中年二十。

布　当　满洲正蓝旗。三等男。六月卒。

吴巴海　满洲镶蓝旗，瓜尔佳氏。三等子，前副都统。七月卒。

阿　岱　蒙古正黄旗，鄂尔果诺特氏。右翼蒙古都统，二等轻
　　　　车都尉。卒。

崇德五年庚辰

（明崇祯十三年　公元一六四〇年）

◉ 生辰：

颜光敏　正月生，字修来、逊甫，号乐圃。山东曲阜人。享年四十七。

王复衡　正月十八日生，字山公，号岸圃。江苏江都人。享年八十六。

耿绍忠　二月生，字信公，号在良。汉军正黄旗。享年四十七。

吴之振　五月初七日生，字孟峰，号橙斋、黄叶。浙江石门人。享年七十八。

钱　廉　六月十二日生，享年五十九。

姚　瑚　七月二十九日生，江苏吴江人。享年七十二。

许孙荃　九月二十五日生，字生洲，号四山、荪友。安徽合肥人。享年四十九。

罗科铎　生，（一作罗可铎）。宗室，享年四十三。

许汝霖　生，字时庵，号且然。浙江海宁人。享年八十一。

汪懋麟　生，字季甪，号蛟门。江苏江都人。享年四十九。

孙　泩　生，字静紫，号担峰。河南共城人（原籍直隶容城）。享年六十一。

张士埙　生，享年三十七。

尚之孝　生，汉军镶黄旗。享年五十七。

偏　图　生，汉军正白旗，李氏。享年七十七。

沃　赫　生，满洲镶黄旗，瓜尔佳氏。享年五十二。

邵方平　生，字真庵。浙江仁和人。享年五十五。

朱鸣谦　生，字允闻。浙江海盐人。享年五十二。

干　特　生，字存斋。江西星子人。享年七十六。

蔡廷治　生，字瞻岷，号润汝。江苏江都人（原籍安徽休宁）。

享年六十八。

鲍燮生 生，字子韶，号鐏斋、咄斋。江西赣县人。享年五十二。

◉ 科第：

明进士：

高尔俨 字中孚，号岱舆、钵庵。直隶静海人。一甲三名进士，弘文院大学士。

张嶙然 浙江乌程人。江西提学道。

吕 阳 字全五，号澹望。江苏无锡人。浙江布政司参议。

钱志驹 江苏丹桂人。浙江温处金衢道。

邹式金 字仲愔、木石。江苏无锡人。福建泉州府知府。

张鸣骏 福建龙溪人。直隶提学御史。

黄周星 故户部主事。

方以智 字密之，号鹿起。故检讨。

吴孳昌 宣大山西总督。

汤来贺 字佐平，号念平、惕庵。江西南丰人。故广东按察司金事。

朱朝英 字美之，号康流、嚞庵。浙江海宁人。故江南旌德县知县。

赵继鼎 字取新，号止安。江苏武进人。故兵部主事。

梁以樟 字公狄。直隶清苑人。故兵部主事

高承埏 故工部主事。

陈 轼 字静机。福建侯官人。广西苍梧道。

郜献珂 字潜庵。直隶长垣人。故吏部主事。

马之瑛 字倩若，号正谊。安徽桐城人。兵部主事。

周亮工 字元亮，号栎园、减斋。河南祥符人。户部右侍郎。

孙廷铨 明万历四十一年生，字伯度，号次道、枚先、沚亭。山东益都人。秘书院大学士。

来集之 字元成。浙江萧山人。故太常寺少卿。

李际期 字元献。河南孟津人。兵部尚书。

彭而述　字于籛，号禹峰。河南邓州人。贵州巡抚。

李　绮　江苏华亭人。广东提学道。

姜　垓　山东莱阳人。故行人司行人。

许作梅　口科给事中。

赵进美　山东益都人，福建按察使。

◉ 卒岁：

马福塔　户部承政。二月卒。

曹绍中　汉军正黄旗。三等男。四月卒。

唐古岱　太祖皇四子，三等镇国将军。九月卒。追谥克杰（追
　　　　谥在顺治十一年三月）。

阿　敏　前封贝勒。十月卒于幽所，年五十五。

康喀赉　满洲镶蓝旗，瑚尔喀氏。镶蓝旗满州副都统，前任工
　　　　部承政。十一月卒。

崇德六年辛巳

（明崇祯十四年　公元一六四一年）

◉ 生辰：

张　墉　正月二十二日生，字石宗，号西园。山东邹平人。享
　　　　年六十三。

李辉祖　六月二十六日生，字元美，号蒲阳。汉军正黄旗。享
　　　　年六十二。

吴祖修　八月二十一日生，字慎思，号柳塘。浙江乌程人。享
　　　　年五十四。

杨　崑　九月十三日生，字星源，号崑涛。江苏太仓人。享年
　　　　六十二。

金　烺　九月二十日生，字子闇，号雪岫。浙江山阴人。享年
　　　　六十二。

博穆博果尔　十二月生，皇十一子，享年十六。

察　尼　生，太祖皇孙。享年四十八。

范承勋　生，字苏公，号眉山、九松。汉军镶黄旗。享年七十
　　　　四。

帅颜保　生，满洲正黄旗，赫舍里氏。享年四十四。

叶舒崇　生，字元礼，号宗山。浙江嘉善人。享年三十九。

李国亮　生，汉军镶红旗人。享年六十六。

格尔古德　生，满洲镶蓝旗，钮祜禄氏。享年四十四。

陈光祖　生，字顺侯。顺天大兴人。享年四十五。

章世德　生，字天彝，号枫庵。安徽贵池人。享年五十二。

文　掞　生，字宾日，号古香。江苏长洲人。享年六十一。

梁万方　生，字统一，号广庵。山西绛州人。享年八十五。

◉ 科第：

　　满洲中式举人：

鄂貌图 号遇尧。张佳氏。秘书院学士。

卞三元 汉军镶红旗。云贵总督。

章于天 江西巡抚。

崔光前 湖广右布政使。

● **卒岁：**

岱松阿 满洲正红旗，佟佳氏。佐领骑都尉兼一云骑尉。四月
卒。

多尼库鲁格 蒙古镶黄旗。一等子。于锦州阵亡。追赠三等
公（追赠在七年八月），雍正九年号曰建烈。

劳　萨 满洲镶红旗，瓜尔佳氏。副都统，二等男。于锦州阵
亡。追赠三等子（追赠在七年八月），追谥忠毅（追
谥在顺治十二年十月）。

巴赖都尔莽鼐 蒙古正黄旗，乌弥氏。一等男。于锦州阵亡。
追赠三等子（追赠在七年八月）。

超哈尔 兵部参政骑都尉。于锦州阵亡，年四十一。晋二等轻
车都尉，追谥果壮（追谥在顺治十二年十月）。

舒　赛 满洲镶蓝旗，萨克达氏。镶蓝旗满洲副都统，三等男。
十月卒。追谥壮敏（追谥在顺治十二年十月）。

翁阿岱 满洲正蓝旗，兆佳氏。都察院参政兼正蓝旗满洲副都
统，袭三等男。于松山阵亡。晋赠一等男。

崇德七年壬午

（明崇祯十五年　公元一六四二年）

● 生辰：

王顼龄　正月初七日生，字颛士，号瑁瑚、松乔老人。江苏华
　　　　亭人。享年八十四。

周　纶　正月初七日生，字鹰垂。江苏华亭人。

姜寓节　正月十九日生。

乔　莱　二月初四日生，字子静，号石林、石柯。江苏宝应人。
　　　　享年五十三。

王原祁　八月十八日生，字茂京，号麓台。江苏太仓人。享年
　　　　七十四。

李光地　九月初六日生，字晋卿，号厚庵、榕村。福建安溪人。
　　　　享年七十七。

佟国聘　闰十一月二十日生，字君莘。汉军正蓝旗，佟佳氏。
　　　　享年五十八。

兰　布　生，太祖皇曾孙。享年三十七。

张玉书　生，字素存，号润浦。江苏丹徒人。享年七十。

孙致弥　生，字恺似，号松坪。江苏嘉定人。享年六十八。

韩士修　生，字琢庵，号紫山。四川泸州人。享年三十六。

王国安　生，字磐石，号康侯。汉军正白旗。享年六十八。

吴　辙　生，字嵋仲，号易庵、航洲。福建莆田人。享年五十
　　　　一。

张　彭　生，字哲如，号沁西。山西沁水人。享年六十九。

潘育龙　生，字飞天。甘肃靖远人。享年七十八。

陆演蘸　生，字裕垂，号来亭。江苏武进人。享年五十五。

程时彦　生，江苏嘉定人。享年七十二。

周　篆　生，字籀书，号草亭。江苏吴江人。享年六十五。

清代人物大事纪年

黄　垦　生，江苏嘉定人。享年七十五。

◉ 科第：

明中式举人：

金　镇　顺天宛平人（原籍浙江山阴）。江南按察使。

王任杞　顺天大兴人。广东巡海道。

魏一鳌　字莲陆，号雪亭。直隶新安人。山西忻州知州。

宋永誉　字葆耻，号汗骊。直隶永年人。陕西眉县知县。

徐孚远　字闇公，号复斋。江苏华亭人。故左都御史。

李　雯　字舒章。江苏华亭人。弘文院中书。

翁汉麐　字子安，号瘁区。江苏常熟人。江西南安府推官。

陈　瑚　字言夏，号确庵。江苏太仓人。

徐　枋　江苏长洲人。

姜希辙　字二滨，号定庵。浙江会稽人。奉天府府承。

吴百朋　字锦雯。浙江钱塘人。江苏推官，直隶南和县知县。

朱嘉徵　字岷左，号止溪。浙江海宁人。四川叙州府推官。

朱一是　字近修，号可堂。浙江嘉兴人。

郑宗圭　字圭甫，号瞻亭。福建人。浙江乌程县知县。

王夫之　湖广衡阳人。

李鸿雷　字仲默，号锦秋。山东新城人。顺天府治中。

孙廷铎　山东益都人，广东阳江县知县。

中式副榜贡生：

冒　襄　字解疆，号巢民、朴巢。江苏如皋人。

徐继恩　字世臣，号为僧。浙江仁和人。

郭金台　湖南湘潭人。故口部郎中。

江有溶　字匪伯，号谷尚。湖南长沙人。湘乡县教谕。

◉ 恩遇：

多尔衮　七月复封和硕睿亲王。

豪　格　七月复封和硕肃亲王（顺治元年四月削）。

多　铎　七月封多罗豫郡王。

额琳奇岱青（一作俄尔克奇岱青）。蒙古正白旗，博尔济吉特氏。八月封一等子。

诺木齐 九月封三等男。

◉ 卒岁：

吕国宝 汉军镶白旗。二等男。正月卒。

杜　度 多罗安平贝勒。六月卒年四十六。

达尔汉和硕奇 满洲镶蓝旗。三等男。六月卒。

伊　逊 满洲镶白旗，瓜尔佳氏。兵部承政，三等轻车都尉。
　　　　闰十一月卒。追谥襄壮（追谥在顺治十二年十月）。

安达立 满洲正红旗，那拉氏。正红旗蒙古副都统，骑都尉兼
　　　　一云骑尉。卒年六十三。

阿什达尔汉 骑都尉，前都察院承政。三等男，卒年六十三。

崇德八年癸未

（明崇祯十六年　公元一六四三年）

◉ 生辰：

靳　让　八月十六日生，字伯逊，号益庵。河南尉氏人。享年六十八。

杨名正　十月十一日生，字实先。安徽休宁人。享年四十二。

陈　诜　十二月初三日生，字叔大，号实斋。浙江海宁人。享年八十。

富　绥　生，太宗皇孙。享年二十七。

塔尔纳　生，太祖皇曾孙。享年十五。

敦　达　生，宗室。享年三十二。

李　炜　生，字峻公，号浣庐。顺天武清人。享年六十。

成康保　生，字安若，号商衡、自庵。江苏宝应人。享年六十。

牛兆捷　生，字月三，号淀洋。山西高平人。享年五十二。

王万祥　生，字瑞宇，号铁山。会宁人。享年五十九。

康乃心　生，字孟谋，号太乙。陕西合阳人。享年六十五。

萧日暄　生，字毅庵。江苏江都人。享年二十六。

科第：

明进士：

杨廷鑑　字冰如。江苏武进人。明一甲一名，江苏江宁县教授。

宋之绳　江苏溧阳人。明一甲二名进士，江西南瑞道。

陈名夏　字百史。江苏溧阳人。明一甲三名，秘书院大学士。

谭贞良　字元孩。浙江秀水人。故兵科都给事中。

吴国龙　字玉骕。安徽全椒人。兵科掌印给事中。

杨　璈　顺天宛平人。陕甘提学道。

邱俊孙　字德峻，号吁之。江苏山阳人。山西冀宁道。

李呈祥　字其旋，号吉津、木斋。山东霑化人。少詹事。

姚文然　安徽桐城人，刑部尚书。

梁清标　直隶正定人，保和殿大学士。

王　澐　江苏常熟人。刑部郎中。

赵　渔　湖南提学道。

吴国鼎　内院中书。

宋徽璧　字尚木。江苏华亭人。广东潮州府知府。

王支焘　字青芝。山东滨州人。浙江杭嘉湖道。

锺性朴　字子文。顺天大兴人。江西兵备道。

荣尔奇　山东德州人。山西冀宁道。

吕云藻　山西临晋人。陕甘提学道。

周齐曾　字唯一，号思沂。浙江鄞县人。故广东顺德县知县。

张　端　字君正。山东掖县人。国史院大学大士。

王尔禄　直隶清苑人。湖北提学道。

吕崇烈　字伯承，号见斋。山西安邑人。礼部左侍郎。

成克巩　字子固，号清坛。直隶大名人。秘书院大学士。

宫伟鏐　江苏泰州人。

李馥蒸　字云伯。山西蒲城人。江西提学道。

高　珩　号念东、紫霞道人。山东淄川人。刑部左侍郎。

林之蕃　字孔硕，号涵斋。福建闽县人。浙江嘉善县知县。

胡统虞　字孝绪。湖南武陵人。秘书院学士。

杜立德　字纯一，号敬修。直隶宝坻人。保和院大学士。

严正榘　浙江杭州府知府。

张玄锡　直隶清苑人。直隶山东河南总督。

白胤谦　字子益，号东谷。山西阳城人。刑部尚书。

李震成　字霖九。直隶沧州人。河南提学道。

朱鼎延　字嵩岩。山东平阴人。直隶提道道。

上官鉉　字三立，号松石。山西冀城人。左副都御史。

鲁　栗　故庶吉士。

田本沛　字华在。陕西富平人。福建提学道。

吴臣辅　直隶蠡县人。山东提学道。

李承尹 字符三。陕西三原人。湖北提学道。

胡全才 字体舜，号韬隐。山西文水人。湖广总督。

张　璿 山西阳城人。陕西巡抚。

王崇简 字敬哉。顺天宛平人。礼部尚书。

王泰际 江苏嘉定人。故进士。

孙启贤 河南安阳人。山西提学道。

李孔昭 字光四，号潜夫。顺天蓟州人。故进士。

◉ 恩遇：

爱新觉罗福临 皇九子。八月二十六日嗣登大位，以明年为顺治元年。

图尔格，十月封二等公。

◉ 著述：

杨士聪 撰《玉堂荟记》二卷成，见十二月自序。

◉ 卒岁：

额琳奇岱青（一作俄尔克奇岱青）。一等子。二月卒。谥勤良。

萨穆什喀 骑都尉，前工部承政，二等男。卒。

色　棱 蒙古镶红旗。一等男。五月卒。

阿尔沙瑚 蒙古镶白旗，瓦三氏。一等轻车都尉。卒。

爱新觉罗皇太极 大行皇帝。八月初九日崩，圣寿五十有二。尊谥曰文，庙号太宗。

安达理 满洲正黄旗，颜扎氏。护军参领，三等轻车都尉。八月随殉太宗自尽。赠三等男，追谥忠介（追谥在顺治十一年四月）。

敦达理 管肃亲王府事骑都尉。八月十五随殉太宗自尽。赠三等轻车都尉世职，追谥忠毅（追谥在顺治十一年四月）。

讷尔特 满洲镶黄旗，马佳氏。刑部参政兼副都统。九月于宁远阵亡，年三十八。赠三等轻车都尉。

昂昆杜棱 满洲正黄旗，索伦额苏里氏。三等男。十一月卒。

篇　古　显祖皇孙。辅国公，前封固山贝子。十二月卒。追赠
　　　　多罗贝勒，谥靖定（赠谥在顺治十年五月），追晋和
　　　　硕简亲王（追晋在乾隆十五年七月）。

　　　　按：卒于崇德中而年分无考者今汇记于此：

达尔察　显祖皇孙。卒。追赠辅国公，谥刚毅（赠谥在顺治十
　　　　年五月）。

图　伦　显祖皇孙。卒。追赠多罗贝勒，谥恪僖（赠谥在顺治
　　　　十年五月）。

色桑古　显祖皇孙。卒。追赠多罗贝勒，谥和惠（赠谥在顺治
　　　　十年五月）。

塔　拜　太祖皇六子，三等辅国将军。卒。追赠辅国公，谥悫
　　　　厚（赠谥在顺治十年四月）。

尚　建　太宗皇孙。卒。追赠固山贝子，谥贤懿（赠谥在顺治
　　　　十年五月）。

安偏我　口口都统。卒。追谥敏壮（按追谥在顺治十三年闰三
　　　　月）。

韦　徵　口口副都统。卒。追谥忠悫（追谥在顺治十三年二月）。

哈哈纳　满洲镶红旗，那穆都鲁氏。镶红旗满洲副都统。卒。

世祖顺治元年甲申

（明崇祯十七年　公元一六四四年）

● 生辰：

李予之　正月初一日生，字又何，号缓斋。山东长山人。享年五十六。

赵申乔　六月十八日生，字慎旃，号松伍。江苏武进人。享年七十七。

富尔泰　生，宗室，享年五十八。

萧永藻　生，字采臣。汉军镶白旗。享年八十六。

郭世隆　生，字昌伯，号逸斋。汉军镶红旗。享年七十三。

孙在丰　生，字峴瞻。浙江德清人。享年四十六。

吴震方　生，字右绍，号又超、青坛。浙江石门人。享年六十一。

张　集　生，字殿英，号曼园。享年六十。

裘　琏　生，字殿玉，号蔗村。浙江慈溪人。享年八十六。

石文晟　生，字公著，号絅庵。汉军正白旗。享年七十七。

王　郯　生，字文益。直隶曲周人。享年六十。

蔡　鹏　生，字鸿宾。江苏江阴人。享年七十四。

鄂克逊　生，满洲镶黄旗，富察氏。享年八十六。

吴　雯　生，字天章，号莲洋。山西蒲城人（原籍奉天）。享年六十一。

刁再濂　生，字静之。直隶祁州人。享年七十二。

廖　燕　生，字紫舟。广东曲江人。享年六十二。

朱　舜　生，字佩芳。浙江海盐人。享年四十五。

陆　潨　生，字其清。江苏吴县人。享年八十口。

● 恩遇：

夏成德　二月封三等子。

阿巴泰 四月封多罗饶馀亲王。

吴三桂 五月封平西王。

多尔衮 十月封叔父摄政王。

济尔哈朗 十月加封信义辅政郑亲王（五年三月降郡王）。

豪　格 十月复封和硕肃亲王（四年三月削）。

多　铎 十月复封和硕豫亲王。

阿济格 十月晋封和硕英亲王（二年八月降郡王）。

罗洛浑 十月封多罗衍僖郡王。

硕　塞 十月封多罗承泽郡王。

唐　通 十一月封定西侯（五年四月缴还侯印改封三等子）。

谭　泰 封一等公（二年八月削）。

0076

● 著述：

边大绶 字长白，直隶任邱人。撰《虎口余生记》一卷成，见
　　　　八月自识。

● 卒岁：

布尔喀图（一作布尔哈图）。蒙古正蓝旗，博尔济吉特氏。
　　　　一等子。二月卒。

陈邦选 汉军镶蓝旗。三等男。二月卒。

郎绍贞 镶红旗汉军副都统。二月卒。

俄莫克图 蒙古都统。四月以被诬处斩。

扬　善 满洲镶白旗，瓜尔佳氏。内大臣三等轻车都尉。四月
　　　　以被诬处斩，追复世职（追复在八年）。

罗　硕 汉军镶白旗，瓜尔佳氏。国史院学士，前锋参领兼刑
　　　　部理事官。四月以被诬处斩。

萨苏喀 满洲镶红旗，吴扎库氏。镶红旗满州副都统。四月于
　　　　山海关阵亡。予三等轻车都尉世职。

集雅汉瞻 蒙古正黄旗。一等男。五月卒。

金玉和 汉军正黄旗。署河南怀庆总兵副都统。十月于济源阵
　　　　亡。赠二等男。

王鳌永 户部侍郎。十月以招抚山东于青州遇害，年五十七。

　　　　　　赠户部尚书，予骑都尉世职。

武　善　满洲镶黄旗，伊尔根觉罗氏。工部右参政，前三等轻
　　　　　车都尉。卒。

达尔汉　满洲正蓝旗，郭绍罗氏。和硕额驸，前镶黄旗满洲都
　　　　　统，一等子。卒年五十五。

固三泰　满洲镶蓝旗，那拉氏。管佐领事，原任镶蓝旗满洲都
　　　　　统，固伦额驸。卒。

巴都哩　满洲镶蓝旗，性佳氏。镶蓝旗满洲都统，云骑尉。卒。

朱廷璋　浙江海盐故举人。卒年五十。

顺治二年乙酉（公元一六四五年）

● 生辰：

诺　敏　三月初六日生，满洲正黄旗，马佳氏。享年四十九。

沈旭初　四月初九日生，字寅生，号瞿庵。江苏吴县人。享年三十九。

彭定求　五月初九日生，字勤止，号南畇、访濂、止庵。江苏长洲人。享年七十五。

王曰温　闰六月十七日生，字子厚，号绿野。河南鄢陵人。享年四十二。

王式丹　闰六月二十日生，字方若，号楼村。江苏宝应人。享年七十四。

耿　惇　七月十九日生，字子厚。河南虞城人。享年七十三。

王鸿绪　八月初三日生，（原名王度心），字季友，号俨斋。江苏华亭人。享年七十九。

郁　耀　九月初八日生，字宣夏，号觉关。江苏华亭人。享年七十口。

潘　斑　九月生，字渊度，号盘实、芥孙、远斋。直隶沧州人。

张朝宷　十一月十六日生，字采臣，号敬斋。山东新城人。享年四十二。

傑　书　生，太祖皇曾孙。享年五十三。

王　掞　生，字藻儒，号颛庵。江苏太仓人。

卞永誉　生，字令之，号仙容。汉军镶红旗。享年六十八。

李　涛　生，字紫澜，号述斋。山东德州人。享年七十三。

高士奇　生，字澹人，号瓶庐、江村。浙江钱塘人。享年五十九。

卫既齐　生，字尔锡，号伯严。山西猗氏人。享年五十七。

章履成　生，字慧臣，号人也。浙江会稽人。享年八十。

王吉武　生，字宪尹，号冰庵。江苏太仓人。享年八十一。

杨绿绥　生，字公垂，号易轩。直隶长垣人。享年六十九。

王隆熙　生，字黾承。山东齐河人。享年六十一。

赵永吉　生，享年六十二。

黄华蕃　生，字懒采，号芳洲。顺天大兴人。享年六十一。

沈锡胙　生，河南人。享年六十六。

吴之騄　生，字耳公，号达庵。安徽歙县人。享年七十二。

朱铨达　生，字在三。浙江海盐人。享年五十一。

周　靖　生，字秌宁，号訒斋。江苏长洲人。享年六十六。

华学泉　生，字天沐，号云峰。江苏无锡人。享年七十五。

魏世杰　生，字兴士。江苏宁都人。享年三十三。

◉ 科第：

　　考取拔贡生：

白登明　字林九。汉军镶白旗。河南知县，江苏高邮县知县。

周　寀　字展臣，号蝶庵。浙江桐乡人。富口县教谕，山东诸
　　　　城县知县。

王　枢　山东人。内院中书，工部郎中。

　　中式举人：

方国栋　顺天宛平人。蠡县教谕，江苏苏松常道。

刘瑞远　字端伯，号顿斋。顺天三河人。江苏海州直隶州知州，
　　　　康熙己未召试鸿博。

王自新　字书年。江苏句容人。湖北提学道。

胡禹冀　江苏上元人。安徽太平府教授，重宴鹿鸣。

李　滢　字镜月，号镜石。江苏兴化人。

李明敖　福建人后归浙江嘉兴原藉。古田县教谕。

杨　镳　字莲峰。河南洛阳人。广东推官，奉天辽阳州知州。

杜俊彦　字筠圃。河南扶沟人。广西贺县知县。

高而明　陕西人。四川知县，山西巡抚。

刘仪恕　陕西泾阳人。山东知州，山西平阳府知府。

　　中式副榜贡生：

魏裔鲁　直隶柏乡人。山东知县，山东盐运使。

● 恩遇：

多尔济 二月封三等子。

高赫德 二月封三等男。

鄂齐尔桑 二月封三等男。

阿　山 三月封三等公（三年正月削寻授一等子）。

吴惟华 五月封恭顺侯（九年八月革）。

骆养性 左都督衔，五月加太子太师。

吴惟华 恭顺侯，闰六月加太子太保（九年八月革）。

巴赛卓尔奇泰 七月封二等子。

刘泽清 九月封三等子（五年九月革）。

多　铎 十月加封德豫亲王。

许定国 封一等子。

齐墨克图 封三等子。

昂　洪 封二等男。

● 卒岁：

谢　陞 少傅，建极殿大学士。卒。赠太傅，谥清义。

图尔格 满洲镶黄旗，钮祜禄氏。内大臣，二等公（雍正八年号曰果毅）。二月卒年五十。追谥忠义配享太庙（追谥配享在九年六月）。

车尔格 满洲镶黄旗，钮祜禄氏。原任户部承政，骑都尉兼一云骑尉。二月卒。

田维嘉 原任刑部尚书管左侍郎事。二月卒。

诺木奇 蒙古正黄旗。三等男。卒。

布颜代 满洲镶红旗，博尔济吉特氏。前锋统领，前镶红旗蒙古都统，三等男，额驸，一等轻车都尉兼一云骑尉。四月以受伤卒于江南军营，年六十一。

济　三 副都统。六月于江苏苏州阵亡，予骑都尉世职。

巴赛卓尔齐泰 蒙古正黄旗。二等子。七月卒。

葛　麟 故中书舍人。八月二十九日卒年四十四。

杜努文 辅国公，太祖皇曾孙。九月卒。谥怀愍，追赠固山贝子（追赠在康熙三十七年六月）。

托克推 满洲正红旗，瑚尔哈氏。陵寝总管，前任正红旗蒙古
副都统骑都尉。九月卒年六十三。

张继伦 山东安邱县故副贡生。十月二十八日卒年六十一。

何世元 陕西固原镇总兵。十二月遇害。

登西克 满洲，觉罗氏。散秩大臣。十二月在陕西西安之天沙
山阵亡。赠一等男。

鲍承先 汉军正红旗（原籍山西应州）。原任吏部右参政。卒。

布　善 满洲镶红旗，伊尔根觉罗氏。护军统领骑都尉。卒于
江南军营。

索　海 满洲正黄旗，瓜尔佳氏。署副都统，前刑部承政，二
等轻车都尉。卒于四川军营。

满达尔汉 满洲正黄旗，那拉氏。管佐领事前任礼部承政，
二等轻车都尉。卒。追谥敬敏（追谥在十二年十月）。

张　儁 山东掖县人。浙江绍兴府知府。殉难，赠太仆寺卿。

官抚涣 浙江会稽县知县。遇害，赠按察司金事。

宋永誉 陕西眉县知县。遇害，赠按察司金事。

伊勒慎 满洲镶黄旗，费莫氏。牛庄城守官，前三等男。卒年
七十九。

夏成德 汉军正白旗。原任山东沂州镇总兵。三等子，卒。

祝　渊 浙江海盐县故举人。卒年三十五。

严　衍 字永思。江苏嘉定县故诸生。卒年七十一。

顺治三年丙戌（公元一六四六年）

● 生辰：

崔甲默　三月生，字訒庵，号成轩。直隶新安人。享年五十一。

顾　镡　九月初三生，字诗城，号栗岩。浙江石门人。享年七十九。

陶元淳　十一月十二日生，字紫司，号子师。江苏常熟人。享年五十三。

陈时临　十二月初九日生，字二咸，号赍庵。浙江鄞县人。享年八十三。

顾　藻　生，字懿璞，号观庐。江苏长洲人。享年五十六。

顾　泲　生，字伊在，号芝岩、复庵。江苏长洲人。享年六十六。

郑惟孜　生，享年七十五。

沈三曾　生，字允斌，号怀庭。浙江归安人。

鹿　宾　生，直隶定兴人。享年六十九。

潘　耒　生，字次耕，号稼堂。江苏吴江人。享年六十三。

王　晦　生，字树百，号补亭。江苏嘉定人。享年七十四。

张克嶷　生，字伟公，号拗斋。山西闻喜人。享年七十六。

魏　坤　生，字禹平，号水村。浙江嘉善人。享年六十。

范　勰　生，字莞公，号匡谷。江苏华亭人。享年四十九。

● 科第：

　　一甲进士：

傅以渐　字干磐，号星岩，山东聊城人。状元。修撰，武英殿大学士。

吕缵祖　字修祉，号峻发。直隶沧州人。榜眼。编修，侍读学士。

李奭棠　字贰公，号黻庵。顺天大兴人。探花。编修，礼部左侍郎。

二甲进士：

梁清宽 字敷五。直隶正定人。编修，吏部左侍郎。

陈　爌 字公朗，号去炫。河南孟津人。编修，陕西布政使。

樊缵前 顺天霸州人。江西提学道。

王炳昆 字启生，号立芝。山东掖县人。编修，江西粮道。

刘景云 直隶深州人。口口道。

田厥茂 字心耕。山西蒲州人。口部主事，江西湖西道。

朱之锡 浙江义乌人。编修，河道总督。

黄志遴 字铨士，号鸥湄。福建晋江人。　编修，湖北左布政使。

李棠馥 字汉清。山西高平人。口部主事，兵部右侍郎。

法若真 字汉如，号黄石、黄山。山东胶州人。编修，安徽布政使，康熙己未召试鸿博。

梁清远 字无垢，号迩之、葵之。直隶正定人。口部主事，吏部左侍郎。

翟文贲 字去文，号于园、义图。山东益都人。口部主事，陕西驿传道。

王无咎 字藉茅。河南孟津人。编修，太常寺卿。

高丹桂 字念劬。山西寿阳人。

石维崑 字与瞻。直隶清苑人。庶吉士，陕西道御史，山西道御史。

匡兰兆 山东胶州人。贵州道御史。

胡兆龙 顺天大兴人（原籍浙江山阴）。编修，吏部左侍郎。

韦成贤 字集生，号羿念。湖北黄冈人。编修，右通政。

梁知先 字朗公。山东邹平人。口部主事，浙江盐道。

张尔素 字贲园，号东山。山西阳城人。编修，刑部左侍部。

杨宗岱 山西安邑人。口部主事，福建盐运使。

张彦珩 河南洛阳人。广东口口道。

王依书 河南柘城人。福建福宁道。

朱之弼 顺天大兴人。礼科给事中，工部尚书。

杨思圣　直隶钜鹿人。编修，四川布政使。

纪　耀　顺天大宁人。刑部主事，云南巡道。

史　载　河南兰阳人。口部主事，浙江嘉兴府知府。

赵嗣美　字济甫，号瞻淇。山西泽州人。刑部主事，福建建南道。

夏敷九　字弼五。奉天盖州人。编修，侍读学士。

赵映乘　河南祥符人。口部主事，湖北下江防道。

王　度　山西沁水人。口部主事，仓场侍郎。

官靖共　山东平度人。浙江杭嘉湖道。

阎廷谟　河南孟津人。工部主事，浙江盐道。

宁之凤　山东宁阳人。工部主事，陕西布政使。

刘　楗　户科给事中，刑部尚书。

翟凤翥　字象陆。山西闻喜人。刑部主事，福建左布政使。

李实秀　字范林。河南汲县人。内阁中书，江西湖东道。

宋牧民　直隶雄县人。内阁中书，河南汝南道。

王一骥　字念石。山东蓬莱人。编修，江南凤宿道。

袁懋功　顺天香河人。户部给事中，山东巡抚。

王荃可　山东益都人。行人，湖广道御史。

窦　蔚　山东章邱人。广东道御史，直隶口北道。

刘鸿儒　字鲁一。直隶迁西人。兵科给事中，左都御史。

孙伯龄　（碑录作孙珀龄）。山东淄川人。左通政。

傅维鳞　（初名傅维桢），字长雷、掌雷，号歉斋。直隶灵寿人。编修，工部尚书。

张文炳　字虎列，直隶沧州人。内阁中书，广东布政司参议。

王紫绶　字金章，号蓼航。河南祥符人。编修，浙江粮道，康熙己未召试鸿博。

高　桂　字南华。直隶青苑人。口科给事中，光禄寺少卿。

王　桢　字大木，号雨岚。山东长山人。中书科中书，太常寺少卿。

柴望岱　河南汝宁府知府。

董笃行 字嘉宾，号天因、瀛宾。河南洛阳人。庶吉士，吏科
　　　　给事中，左副都御史。

王天眷 字鲁源。山东济宁人。行人，工部左侍郎。

王舜年 字永祺，号孝源、潜庵。山东掖县人。编修，山西布
　　　　政使。

林起龙 顺天大兴人。吏科给事中，漕运总督。

　　三甲进士：

单若鲁 字拙庵。山东高密人。检讨，祭酒。

艾元徽 字长人，号允洽。山东济阳人。检讨，刑部尚书。

李胤嵒 字我居，号岚如。河南永城人。山东道御史，江南提
　　　　学道。

孙胤裕 河南河内人。安徽徽宁道。

乔映伍 字星文。山西阳城人。检讨，赞善。

陈　协 字念蒶。顺天文安人。内阁中书，仓场侍郎。

朱　裴 字小晋，号裴公。山西闻喜人。直隶易县知县，户部
　　　　右侍郎。

李　浃 字孔皆，号霖瞻。山东德州人。直隶延庆州知州，山
　　　　西芮城县知县。

张　嘉 字鹿野，号雪葑。浙江乌程人。庶吉士，江南道御史。

张四教 字芹沚。山东莱芜人。陕西榆林道。

郭一鹮 河南洛阳人。山东推官，浙江杭严道。

李培真 字仲儒，号侗庵。河南夏邑人。检讨，江南扬州道。

蓝　润 （原名蓝滋），字海重，号凫渚。山东即墨人。检讨，
　　　　湖广布政使。

高　景 字似斗。直隶新安人。湖广道御史，刑部尚书。

霍　炳 山东青城人。直隶通永道。

张纯熙 字晦光。直隶正定人。安徽推官，贵州提学道。

林起宗 山东文登人。直隶推官，湖广下湖南道。

徐化龙 字跃斋。浙江山阴人。福建盐运使。

侯良翰 字筠庵。河南兰阳人。广东提学道。

崔胤弘　直隶长垣人。安徽安卢道。

吕慎多　字减之，号莲舟。河南宁陵人。湖北推官，刑部员外郎。

何可化　直隶天宁人。湖北下江防道。

李　霨　检讨，保和殿大学士。

王士骥　顺天大兴人。庶吉士，口口道御史。

席教事　字觉海。山西临汾人。四川提学道。

王　甬　字允调。山西长治人。山东推官，广东海南道。

魏裔介　字石生，号贞庵、崑林。直隶柏乡人。庶吉士，工科给事中，保和殿大学士。

苏　铣　直隶交河人。河南推官，江西按察使。

王胤祚　（原名王景祚），字振公，号迁叟。顺天文安人。山西推官，大理寺卿。

鲍开茂　字夏生，号素垣。山东长山人。江西推官，陕西鄜延道。

宋　杞　字若木。顺天大兴人。检讨，陕西潼商道。

常居仁　字备之。山西乐平人。庶吉士，户科给事中。

张慎行　直隶南宫人。山东知县，云南晋宁州知州。

李世铎　江西九江道。

杨时荐　字仲升，号贤辅。直隶钜鹿人。兵部督捕侍郎。

王克生　江苏知县，山东寿光县知县。

于嗣登　字岱仙。直隶安州人。河南道御史，刑部右侍郎。

杨三知　顺天良乡人。四川川东道。

刘　澍　顺天永清人。甘南洮岷道。

潘朝佑　湖广襄阳县知县。

贾　壮　字泰华，号弱侯、止庵。安徽知县，陕西榆林道。

张笃行　字右石。山东章邱人。河南知县，福建建南道。

刘　霖　字潜夫。直隶高阳人。河南知县，浙江提学道。

毕振姬　字亮四，号颉云。山西高平人。山西平阳府教授，湖广布政使，康熙己未召试鸿博。

刘　澜　字安东。顺天霸州人。河南知县，陕西固原道。

李　源　字江馀，号星来、退庵。山东德州人。山西河津县知县。

魏象枢　庶吉士，刑科给事中，刑部尚书。

丁裕初　（碑录作丁浴初），直隶获鹿人。云南曲靖府知府。

杨运昌　字子立，号厚斋。河南河内人。检讨，工部左侍郎。

石　申　字仲生。湖北黄冈人（原籍直隶滦州）。检讨，刑部左侍郎。

赵班玺　河南道御史。

王天鑑　直隶万全人。山东知县，陕西河西道。

赵　宾　字珠履，号锦帆。陕西知县，刑部主事。

宋之屏　山西开平人。安徽池太道。

刘之屏　山西夏县知县。

侯方夏　字赤社。河南商丘人。甘肃平凉县知县，刑部主事，郎中。

刘士兰　河南罗山人。通政使。

崔　尌　字璲璩。直隶长垣人。山东蒙阴县知县。

卫绍芳　字筠咸。山西猗氏人。浙江宁台温处道。

段上彩　江苏沭阳县知县。

张文明　字深发。顺天大兴人。检讨，河南南阳府知府。

张　汧　字蕙嵘，号壶阳。庶吉士，口部主事，湖北巡抚。

刘源濬　直隶滑县人。云南知县，江西饶南九道。

沙　澄　字渊如，号会清。山东莱阳人。检讨，礼部尚书。

傅作霖　字叔甘。河南登封人。检讨，江安粮道。

谢宾王　字起东。山东临淄人。江西南康府推官。

于四裳　山东历城人。

上官鑑　山西翼城人。山西路安府教授，河南开归道，康熙己未召试鸿博。

李　溥　字雷泽。河南郾城人。陕西知县，户部郎中。

田六善　山西阳城人。河南知县，户部左侍郎。

晋淑轼　山西洪洞人。通政使。

曹叶卜　（榜名卜汝弼）。河南兰阳人。贵州道御史，甘肃宁
　　　　夏道。

宋　翔　字子飞。顺天大兴人。广西左江道。

刘三章　直隶景州人。山西知县，安徽池太道。

杨荣胤　山西阳城人。广西桂林府知府。

苏弘祖　字次公，号恪甫。河南汤阴人。山西和顺县知县。

张元镇　山东单县人。江苏知县，浙江上虞县知县。

武攀龙　山西交城人。江苏镇江道。

王同春　字世如，号石幢。山西沁水人。山东知县，四川川东
　　　　道。

梁　遂　字大吕。河南鹿邑人。内阁中书，山东提学道。

孔胤樾　字心一。山东曲阜人。口部主事，河南提学道（按：
　　　　孔胤樾未见碑录，而《清秘述闻》学政类载有此人，
　　　　今附于本科之末以备考定）。

　　武进士：

郭士衡　山东章邱人。状元。口口营参将。

武　韬　山东曹县人。榜眼。山西蒲州营游击。

梁化凤　字岐山、翀天。陕西长安人。山西守备，江南提督。

胡其偀　山东守备，四川抚标中营游击。

　　中式举人：

崔维雅　直隶新安人。河南浚县教谕，广西布政使。

李顺昌　字燮五。直隶新安人。直隶肃宁县教谕，山东济宁直
　　　　隶州知州。

吴调元　字雨苍。江苏上元人。山东知县，福建漳州府知府。

翁　需　字云将，号秋驾。江苏常熟人。安徽和州学正，福建
　　　　上杭县知县。

翁嗣圣　字克凡，号栩庵。江苏常熟人。无锡县教谕。

范　礽　字祖生，号熊岩。浙江会稽人。江西推官，江西广信
　　　　府同知。

骆锺麟 字挺生，号涟浦。浙江临安人。安吉县学正，江苏常
　　　州府知府。

南鼎铉 号六如老人。陕西渭南人。广西推官，四川松威道。

　中式副榜贡生：

顾元朗 顺天大兴人（原籍江苏长洲）。侯选知县。

朱显祖 字雪鸿。江苏江都人。

● 恩遇：

准　塔 四月封三等子。

席特库 四月封二等男。

衮楚克固英 四月封三等男。

图　赖 五月封一等公。

拜音图 五月封三等公（九年革）。

叟格都兰 封二等子。

星　讷 工部尚书，加太子少师。

张存仁 封三等子。

● 著述：

陆位时 字与偕，浙江钱塘人。撰《羲画愤参》二十五卷成，
　　　见自序。

胡世安 自编《秀严诗》二十二卷，文九卷成，见自序。

● 卒岁：

祜　塞 太祖皇孙，镇国公。二月卒。追赠多罗郡王谥忠顺（赠
　　　谥在十年五月），晋赠和硕亲王（晋赠在康熙元年三
　　　月）。

和济格尔 汉军正白旗，和氏。正白旗汉军副都统，三等轻
　　　车都尉。二月卒。

阿巴泰 太祖皇七子，多罗饶馀郡王，前任奉命大将军。二月
　　　卒年五十八。追封和硕亲王（追封在康熙元年三月），
　　　追谥曰敏（追谥在康熙十年六月）。

焦安民 汉军正红旗。宁夏巡抚。三月以兵变遇害。赠右都御
　　　史。

许定国 汉军镶白旗（原籍河南太康）。一等子。三月卒。

和　讬 满洲镶红旗，栋鄂氏。杭州驻防，镶红旗满洲副都统，三等轻车都尉。四月卒。

赖慕布 太祖皇十三子，奉恩将军。五月卒年三十六。追封辅国公，谥介直（封谥在十年五月）。

叟格都兰 蒙古镶红旗。二等子。五月卒（卒年再考）。

袁生芝 陕西商雒道。五月殉难。赠光禄寺卿。

曲良贵 陕西兴安州知州。五月遇害。赠布政司参议。

叶　玺 护军参领。七月于喀尔喀阵亡。赠护国军统领，予骑都尉世职。

罗洛浑 多罗衍禧郡王，宗室。八月卒于四川军营，年二十四。追谥曰介（追谥在康熙十年六月）。

张应泰 字佐明，号青轩。直隶景州布衣。八月二十日卒年六十六。

苗胙土 南赣巡抚。九月卒。

和　讬 （一作和度）。太祖皇孙，固山贝子。十月卒年二十八。

叶廷桂 故刑部左侍郎。十月卒。

图　赖 满洲正黄旗，瓜尔佳氏。正黄旗满洲都统，一等公。（雍正八年号曰雄勇），十口月卒于浙江金华军营中，年四十七。追谥昭勋，配享太庙（追谥配享在九年六月）。

高赫德 满洲镶黄旗。三等男。十口月卒。

毕喇希 蒙古镶红旗。三等子。十口月卒。

李鲁生 字云许。山东沾化人。前奉天府府尹。卒年七十五。

顺治四年丁亥（公元一六四七年）

● 生辰：

翁嵩年　九月十一日生，字康饴，号萝轩。浙江仁和人。享年八十二。

尤　珍　十月初四日生，字谨庸，号慧珠、沧湄。江苏长洲人。享年七十五。

高其位　十月十八日生，字宜之，号韫园。汉军镶黄旗。享年八十一。

金世鑑　十一月初七日生，字万含。汉军正黄旗。享年四十三。

洞　鄂　生（一作董额），太祖皇孙。享年六十。

法　塞　生，宗室，享年六十四。

黄芳泰　生，字和士。福建平和人。享年四十四。

徐　潮　生，字青来，号雪崖、浩轩。浙江钱塘人。享年六十九。

贝和诺　生，满洲正黄旗，富察氏。享年七十五。

姜　櫹　生，字崑麓。山西保德人。享年五十八。

耿愿鲁　生，字公望，号又朴。山东馆陶人。享年三十六。

乌达禅　生，满洲正白旗，那穆都禄氏。享年六十六。

朱天贵　生，字尊士，号达三。福建莆田人。享年三十七。

陈鸣皋　生，字兰崖，号辋川。河南禹州人。享年五十八。

朱宏械　生，字琢庵。浙江海盐人。享年七十八。

李　润　生，字静岚。山东德州人。享年三十七。

姚际恒　生，字立方，号首源、善夫。浙江仁和人（原籍安徽休宁）。

姜实节　生，字学在，号鹤涧。山东莱阳人。享年六十三。

● 科第：

　一甲进士：

吕　宫　字长音，号苍忱、金门。江苏武进人。状元。修撰，
　　　弘文院大学士。

程芳朝　字其相，号立庵。安徽桐城人。榜眼。编修，太常寺
　　　卿。

蒋　超　探花。江苏金坛人。编修，修撰。

　　二甲进士：

于明宝　字赓梅。江苏金坛人。礼部主事。

周启寯　（碑录作周启寯）　字立五，号节人。江苏宜兴人。
　　　编修，鸿胪寺少卿。

王大礽　字以介、定尔，号愿五。安徽桐城人。编修，江西粮
　　　道。

顾　镛　（榜名杨镛），字孟常，号勉斋。户部主事，广东提
　　　学道。

郝惟讷　刑部主事，吏部尚书。

刘果远　字岵陟，号千之。江苏无锡人。口部主事，湖北提学
　　　道。

张弘俊　顺天大兴人。编修，福建按察使。

冯　溥　字孔博，号易斋。　山东益都人。　编修，文华殿大学
　　　士。

方若珽　安徽桐城人。

张安茂　字匪莪，号子美。江苏青浦人。口部主事，浙江提学
　　　道。

钱朝鼎　（碑录作唐朝鼎），字禹九，号黍谷。江苏常熟人。
　　　刑部主事，·左副都御史。

宋徵舆　江苏华亭人。口部主事，左副都御史。

佘一元　字占一，号潜沧。　直隶永平人。口部主事，礼部郎
　　　中。

冯右京　字左知。山西代州人。庶吉士，福建道御史，湖广荆
　　　西道。

李昌垣　字长文。顺天宛平人。编修，侍读学士。

陈　卓　字懋修。江苏江都人。口部主事，湖广口口道。

卓　彝　字朗彝，号静岩。浙江仁和人（原籍武康）。编修，
　　　　左庶子。

冀如锡　字公冶，号镕我。　直隶永年人。刑部主事，工部尚
　　　　书。

黄　机　字次辰，号雪台、澂斋。浙江钱塘人。编修，文华殿
　　　　大学士。

诸舜发　字元升，号陶叟。江苏青浦人。陕西提学道。

宋　琬　字玉叔，号荔裳。山东莱阳人。户部主事，四川按察
　　　　使。

马光裕　字绳诒，号玉笋、止翁。山西安邑人。工部主事，吏
　　　　部郎中。

刘思敬　字纯之，号觉岸。江苏上元人。刑部主事，广西左江
　　　　道。

苏　霖　顺天宛平人。浙江温处道。

高　翔　江苏江宁人。户部主事，湖北德安府知府。

翁长庸　户部主事，河南河南道。

李　目　字腹公，号目千。河南商邱人。编修，侍讲。

刘履旋　字素隅。江苏武进人。口部主事，直隶保定府知府。

李宗孔　字书云。江苏江都人。户部主事，大理寺少卿。

赵函乙　字映三。安徽合肥人。江西提学道。

许　焕　江苏太仓人。福建兴化府知府。

窦遴奇　字德迈，号松涛。直隶大名人。户部主事，安徽徽宁
　　　　道。

秦仁管　安徽南陵人。广西苍梧道。

范朝瑛　江苏吴县人。山东济南道。

秦才管　字尾仙。安徽南陵人。陕西提学道。

谷应泰　字赓虞，号梦求。直隶丰润人。户部主事，浙江提学
　　　　道。

杨世学　安徽当涂人。大理寺评事，湖南衡永道。

薛陈伟 （榜名陈伟），河南祥符人。中书科中书，直隶蓟州道。

李　敬 字圣一，号退庵。江苏六合人。行人，刑部左侍郎。

宋学洙 字文起，号长修。湖北江陵人。庶吉士，口部主事，陕西口口道。

三甲进士：

王　埰 山东莱州人。安徽庐六凤道。

张九徵 江苏丹徒人。行人，河南提学道，康熙戊午荐应鸿博。

（按：凡曰荐应者，以荐举后其人或患病或丁忧或病故者，皆未经与试者也。今发凡于此）。

王辅运 内阁中书，湖北荆南道。

孙宗彝 明方历四十年生，字孝则，号虞桥。江苏高邮人。中书科中书，直隶蓟州道。

陈忠靖 字念共，号尔位。江苏泰州人。刑科给事中。

胡昇猷 字允大，号贞岩。浙江山阴人。行人，刑部尚书。

朱克简 字淡于。江苏宝应人。中书科中书，云南道御史。

王伯勉 字子健，号东皋。河南汤阴人。行人，山东道御史。

萧家蕙 字紫眉。河南河内人。刑部主事，刑部员外郎。

邓　旭 字元昭。安徽寿州人。检讨，甘肃洮岷道。

杜　濊 山东滨州人。直隶推官，河南盐驿道。

常若柱 字擎宇。陕西蒲城人。庶吉士，户科给事中。

史允琦 字苍航，号蒿子。江苏江宁人。福建推官，山西提学道。

顾　仁 字伯元。江苏丹徒人。口口道御史。

吴六一 安徽宣城人。福建福州府知府。

杜　果 字登圣。江苏新建人。庶吉士，江南道御史，山东济宁道。

杨毓兰 字冬始。河南新乡人。刑部主事，湖南衡永道，康熙己未召试鸿博。

何　棅　江苏长洲人。福建推官，江西提学道。

李之芳　山东武定人。浙江推官，文华殿大学士。

王之鼎　山西祁县知县。

李宗白　（碑录作李中白），字绘先。山西长治人。检讨，侍
读学士。

庄同生　字玉骢，号澹庵。江苏武进人。检讨，右庶子。

郭　亮　字卧侯。江苏上元人。甘肃知县，四川川西道。

曹垂灿　字天淇，号绿岩。江苏上海人。

傅云鹏　直隶庆都人。安徽凤阳府知府。

章云鹭　字紫仪。顺天宛平人。检讨，兵部督捕右侍郎。

方亨咸　字吉偶。安徽桐城人。刑部主事，陕西道御史。

谭希闵　江苏江都人。浙江湖州府知府。

王际有　字书年。江苏丹徒人。陕西知县，河南提学道。

蒋胤修　字纪友，号慎斋。江苏宜兴人。湖北知县，湖广提学
道。

周文爗　字穆仲，号元庞。浙江海宁人。湖南黔阳县知县。

郜焕元　字凌玉、飞虹，号雪岚。直隶长垣人。山西知县，湖
广提学道。

王　熙　顺天宛平人。检讨，保和殿大学士。

王　训　字敷彝，号念泉、悔斋。山东安邱人。直隶万全县知
县。

顾予咸　字小阮、雅园，号松交。江苏长洲人。直隶知县，吏
部员外郎。

张能鳞　字玉甲，号西山、瑞庵。河南潜县人。浙江知县，山
东青州道，康熙己未召试鸿博。

缪慧远　字子长。江苏吴县人。山西寿阳县知县。

徐可先　字声服，号梅溪。江苏武进人。直隶知县，山东提学
道。

朱之翰　字鹤门。江苏上元人。直隶知县，河南提学道。

罗　森　字约斋。顺天大兴人。四川巡抚。

钱　綎　直隶元城人。左副都御史。

王康侯　字尔锡。江苏金坛人。浙江提学道。

王象天　字文石。陕西富平人。口部主事，湖广提学道。

胥庭清　字永公。江苏上元人。浙江知县，工部员外郎。

杨藻凤　字亲玉。山西宁乡人。湖广提学道。

程汝璞　字蕉廉。安徽合肥人。浙江提学道。

汪永瑞　字崇木。江苏吴县人。河南提学道。

叶　舟　江苏江宁人。陕西知县，江西南昌府知府。

柴　望　字秩于，号云岩。浙江仁和人。广东布政使。

贾弘祚　字永锡。陕西韩城人。山东知县，广东道御史。

朱　虚　字邵斋，号可庵、介庵。山东曹州人。直隶知县，甘肃肃州道。

贺运清　湖北荆门人。福建兴泉道。

范印心　字正其。河南温县人。山西知县，山西河东道。

崔抡奇　字正谊。河南夏邑人。江苏知县，户部主事。

张祚先　江苏武进人。四川川东道。

刘缉尧　山西曲沃人。浙江绍台道。

高光国　直隶宁晋人。福建知县，广东驿盐道。

史树骏　字光庭。江苏武进人。广东肇庆府知府。

朱廷瑞　字增城。安徽歙县人。河南提学道。

李廷枢　字辰玉。江苏江宁人。检讨，浙江粮道。

李人龙　字震阳。直隶河间人。会元，内阁中书。

李世沿　直隶束鹿人。山东粮道。

蔡琼枝　字阆培。江苏无锡人。工部主事，浙江绍台道。

穆尔谟　直隶山海卫人。山东莱州府知府。

徐明弼　安徽芜湖人。陕西提学道。

冯美玉　字乐天，号玉蕤。浙江乌程人。山西知县，山西隰州直隶州知州。

郜炳元　湖北孝感县知县。

季振宜　字诜兮，号沧苇。江苏泰兴人。浙江知县，湖广道御史。

刘　裨　陕西郿州人。知县，四川顺庆府知府。

王起彪　字虎子。浙江钱塘人。江西德兴县知县。

蔡含灵　浙江知县，河南睢陈道。

刘惠恒　字子迪，号养孺。江苏无锡人。福建闽县知县。

● 恩遇：

阿济格　复封和硕英亲王（八年正月削）。

阿　桑　二月封三等男（后降世职）。

胡　琏　二月封三等男。

许天宠　二月封三等男。

孟一茂　二月封三等男。

恩格图　三月封一等男。

博　洛　六月封多罗端重郡王。

英俄尔岱　六月封二等公。

多　铎　豫亲王，七月加封辅政叔德豫亲王。

固鲁格　七月封三等子。

顾纳岱　满洲镶黄旗，觉罗氏。封二等子。

奇塔特彻尔贝　封一等子。

德参济旺　九月复封一等子。

● 著述：

冯　舒　字已苍，号默庵。江苏常熟人。编《怀旧集》二卷成，
见三月自序。

孙承泽　撰《闲者轩帖考》一卷成，见十一月自识。

周亮工　撰《自触》六卷成，见十二月自撰序例。

郑赓唐　撰《读易蒐》十二卷成，见自序。

● 卒岁：

张必科　直隶庆云县知县。正月殉难。赠按察司金事。

王德教　直隶河间府知府。二月阵亡。赠太仆寺卿。

王维新　直隶河间道。二月殉难。赠光禄寺卿。

翁　古　辅国公，太祖皇曾孙。三月卒。谥怀愍（追谥在十四

年四月）。

塔　瞻　满洲正黄旗，舒穆禄氏。内大臣袭一等公（前袭超品公）。四月卒。

杨　鑛　湖北襄阳府和府。五月遇害。赠太仆寺卿。

潘朝佑　湖北襄阳县知县。五月遇害。赠按察司金事。

刘开文　湖北荆南道副使。五月遇害。赠光禄寺卿。

甘文奎　湖北荆南道参议。五月殉难。赠光禄寺卿。

董有声　湖北郧阳府知府。五月遇害。赠太仆寺卿。

孙定辽　汉军镶红旗。湖广提督，骑都尉。五月于郧阳阵亡。赠左都督，晋三等轻车都尉世职。

阿　山　满洲正蓝旗，伊尔根觉罗氏。一等子，前正白旗满洲都统，三等公。五月卒。

傅世烈　升授安徽徽宁道（由江苏松江府知府升补）。以御贼受伤卒于松江府署，赠太仆寺卿。

吴胜兆　前苏松提督。六月以罪处斩（注：谋反属实）。

曹允吉　福建建宁协副将。七月初四日阵亡。

李应宗　福建建宁镇总兵。七月初四日阵亡。

孙之獬　前兵部尚书衔礼部右侍郎。九月于山东淄川遇害，年五十六。

高咸临　福建永安县知县。十一月初二遇害，赠按察司金事。

李可爱　山东阳谷县知县。十二月遇害，赠按察司金事。

孔衍植　山东曲阜人。太子太傅，袭衍圣公。十二月卒。

高承埏　故工部主事。卒年四十六。

准　塔　满洲正白旗，佟佳氏。都统，三等子。卒。追晋一等子（追晋在五年六月），追谥襄毅（追谥在十二年十月）。

费扬武　满洲正蓝旗，那拉氏。署护军统领护军参领，骑都尉兼一云骑尉。卒于福建军营。

康喀勒　满洲镶红旗，那拉氏。江西副都统，三等轻车都尉。卒。

按：凡书中姓氏与碑录不同而名字相同者，如顺治四年丁亥科**钱朝鼎**（碑录作唐朝鼎），顺治六年**黄元衡**（榜名姜元衡）等大约有两种情况，一种是为出嗣他姓而改，一种是为改姓应试。尚有因种种原因不改姓只改名者，如顺治三年**蓝润**（原名蓝滋），此种情况较多，未入科第的也有，书中均用括号注明。尚有括号内注明"一作某某者"，此种情况有些是与以上情况相同，或者是本身就有两种叫法（满、蒙族人用汉字注译音者为多）。再者为引用的几种原始资料说法不一，在无法确定为哪一种时使用。

顺治五年戊子（公元一六四八年）

● 生辰：

邵廷采　正月初五日生，字允斯，号念鲁。浙江余姚人。享年六十四。

蔡　璧　二月初一日生，字君弘，号武湖。福建漳浦人。享年六十四。

傅上襄　三月初八日生，河南人。享年六十八。

刘献廷　七月二十日生，字继庄，号君贤，顺天大兴人。享年四十八。

张云章　九月十四日生，字汉瞻，号朴村。江苏嘉定人。享年七十九。

王　旬　十二月生，享年五十五。

锡勒达　生，满洲镶红旗，鄂栋氏。享年五十九。

牛　钮　生，字枢臣。满洲正蓝旗，赫舍里氏。享年三十九。

陈厚耀　生，字泗源，号曙峰。江苏泰州人。享年七十五。

李　䥮　生，字长源。汉军正黄旗。享年五十六。

陈奕禧　生，字六濂、子文，号香泉。浙江海宁人。享年六十二。

蓝　理　生，字义甫，号义山。福建漳浦人。享年七十二。

帅　我　生，字备皆，号简斋。江西奉新人。享年七十八。

王　源　生，字崑绳，号或庵。顺天大兴人。享年六十三。

钱　民　生，字子仁。江苏嘉定人。享年三十九。

仝　轨　生，字车同。河南郏县人。

● 科第：

考取拔贡生：

多弘安　字君修。直隶阜城人。广东知县，江西左布政使。

张　经　江西通判，四川顺庆府知府。

刘泽霖　直隶人。河南卫经历，陕西凤翔府知府。

章金牧　字云季，号莱山。浙江德清人。直隶柏乡县知县。

陆世楷　字英一，号孝山、锢翁。浙江平湖人。山西通判，贵州思州府知府。

骆复旦　浙江山阴人。陕西知县，江西崇仁县知县。

胡魁楚　字尔大，号紫山。湖北广济人。安徽建平县知县。

黄甲云　字唱韩，号庐船。河南襄城人。山东乐安县知县。

屈有信　字逊公，号洼西。河南汝州人。江西知县，户部主事。

郭文雄　山西阳曲人。江苏昆山县知县。

中式举人：

高尔位　汉军正黄旗。直隶知县，工部尚书。

朱宏祚　安徽知县，浙闽总督。

李如桂　奉天沈阳人。陕西知县，直隶口北道。

吴　炜　顺天大兴人。江西提学道。

颜　敩　字敷五。顺天宛平人。刑部主事，四川叙州府知府。

陈增新　字子更，号除庵。浙江嘉善人。安仁县知县。

魏学渠　字子存，号青城。浙江嘉善人。四川推官，江西湖西道，康熙己未召试鸿博。

丁景鸿　浙江仁和人。

朱宗文　字迦陵。浙江海盐人。余杭县教谕。

仝廷举　河南郏县人。

焦贾亨　河南人。福建推官，江西瑞州府知府。

彭如芝　字德馨。河南南召人。汝州训导，江西石城县知县。

中式副榜贡生：

赵延先　字让卿。江苏常熟人。湖北推官，陕西鄜延道。

沈永令　字闻人，号一指。江苏吴江人。陕西知县，陕西高陵县知县。

赵廷标　字叔文，号云岑。浙江钱塘人。福建知县，陕西粮道。

胡季瀛　字子甫，号念斋。浙江海盐人。中式副榜贡生，内阁中书，江西九江府知府。

杜恒灿 字杜若，号苍舒。陕西三原人。考授州判。

● 恩遇：

济尔哈朗 闰四月复封和硕郑亲王。

布　延 七月封三等男。

左梦庚 八月封一等子。

董学礼 八月封一等子。

唐　通 八月封一等子。

刘良佐 八月封二等子。

李本深 八月封三等子，（康熙十二年十一月叛）。

刘　忠 八月封一等男。

张天福 八月封一等男。

刘进忠 八月封一等男（康熙十三年四月叛）。

张国柱 八月封二等男（康熙十三年十一月叛）。

刘麟图 八月封三等男。

赵之龙 八月封三等男。

郑嘉栋 八月封三等男。

李朝云 八月封三等男。

许得功 八月封三等男。

韩　文 八月封三等男。

勒克德浑 九月封多罗顺承郡王。

尼　堪 九月封多罗敬谨郡王。

刚　林 封三等男，（八年闰二月革）。

高　第 湖广襄阳镇总兵，加太子少保。

● 著述：

陈贞慧 撰《秋园杂佩》一卷成，见八月自识。

陆世仪 撰《论学酬答》四卷成，见许焜跋。

张万选 字举之。山东历城人。撰《太平三书》十二卷成，见
　　　　自序。

孙奇逢 撰《畿辅人物考》八卷成，见八月自序。此书至同治
　　　　己巳始为其裔孙世玟刻行，见书末记事。

● 卒岁:

董学成　巡按江西山东道监察御史。正月遇害。

迟变龙　汉军正白旗。江西布政使。正月遇害。

成大业　江西湖南道。正月遇害。

刘金柱　江西吉安府知府。殉难。

俞一鹭　江西建昌营参将，殉难。

章于天　江西巡抚。以被拘从逆，为金声桓所杀。

英俄尔岱　（一作英古尔岱）满洲正白旗，他塔拉氏。户部
　　　　　尚书，多罗额驸，二等公。二月卒年五十三。

阿　拜　太祖皇三子。二等镇国将军，前任吏部承政。二月
　　　　　卒年六十四。追赠镇国公，谥勤敏（赠谥在十年四
　　　　　月）。

鄂齐尔桑（一作俄奇尔桑）。满洲镶黄旗，博尔济吉特氏。
　　　　　内大臣，三等男。卒。

申朝纪　汉军镶蓝旗。宣大山西总督。三月卒。

恩格图　蒙古正红旗。正红旗蒙古都统，一等男。三月卒于江
　　　　　西军营。

豪　格　太宗皇长子。前封和硕肃亲王，前任靖远大将军。四
　　　　　月卒于狱。追复原封（复封在八年正月），追谥曰武
　　　　　（追谥在十三年九月），配享太庙（配享在乾隆四十
　　　　　三年正月）。

齐墨克图（一作奇墨克图）。蒙古正白旗，博尔济吉特氏。
　　　　　正白旗蒙古副都统，三等子。四月卒。

席特库　满洲镶蓝旗，萨克达氏。护军参领，二等男。四月
　　　　　卒。

顾纳岱　满洲镶黄旗，觉罗氏。护军统领，二等子。四月于江
　　　　　西南昌阵亡。追赠一等子（追赠在七年五月）。

刘良臣　都督同知，甘肃总兵，三等轻车都尉。四月于兰州殉
　　　　　难。追赠右都督（追赠在八年）。

张文衡　字聚桓。汉军镶黄旗（原籍直隶赤城）。甘肃巡抚。

四月于兰州遇害，年四十七。赠右副都御史。

林维造 福建晋江人。甘肃西宁道副使。四月于兰州遇害。赠
　　　　光禄寺卿。

张鹏翼 甘肃西宁道参议。四月于凉州遇害，赠光禄寺卿。

李絮飞 甘肃临巩道，四月殉难。赠光禄寺卿。

黎树声 浙江乌程人。署福建兴化府知府。四月十七日遇害。
　　　　赠按察司佥事。

叶　臣 满洲镶红旗，完颜氏。镶红旗满洲都统，一等子。闰
　　　　四月卒年六十三。

周伯达 江宁巡抚。闰四月二十一日卒年四十八。

黄登芳 山东兖西道。七月遇害。赠光禄寺卿。

谭贞良 故太常寺卿衔兵科给事中。七月二十八日卒于福建漳
　　　　州之琯溪军中，年五十。

0104

吴守进 汉军正红旗。定西将军，正红旗汉军都统，一等轻车
　　　　都尉。八月卒，年六十二。

德参济旺 蒙古正黄旗，博尔济吉特氏。一等子。八月卒。

博和讬 太祖皇孙，固山贝子。九月卒年三十九。追谥温良（追
　　　　谥在十一年三月）。

多尔济 满洲正黄旗，博尔济吉特氏。内大臣，前任刑部承政，
　　　　额驸，三等子。卒。

代　善 太祖皇二子，和硕礼亲王。十月卒年六十六。追谥曰
　　　　烈（追谥在康熙十年六月）。

刘泽清 字鹤洲。山东曹州人。三等子。十月以通贼谋叛处斩
　　　　（注：以私通曹县叛贼李化鲸等，谋为不轨）。

苏布图 固山贝子，太祖皇曾孙。十一月卒于湖广军营，年二
　　　　十四。追谥悼愍（追谥在十一年三月）。

恭　安 辅国公，宗室。十一月卒于湖广军营，年二十六。

佟养甲 汉军正蓝旗，佟佳氏。兵部尚书衔两广总督。十一月
　　　　以被执至肇庆遇害。赠太子少保。

郭尔图车臣 蒙古正黄旗。一等子。卒。

范　图　太祖皇孙，奉恩将军。十二月卒。追赠三等辅国将军，谥怀仪（赠谥在十年五月）。

徐一范　山西大同左卫兵备道。十二月遇害。赠光禄寺少卿。

宋子玉　山西朔州兵备道。十二月殉难。赠光禄寺卿。

徐　淳　山西岢岚道。十二月遇害。赠光禄寺少卿。

金元祥　山西宁武道。十二月遇害。赠光禄寺少卿。

王家珍　山西朔州知州。十二月遇害。赠布政司参议。

刘之屏　山西夏县知县。十二月遇害。赠按察司佥事。

沈志祥　汉军正白旗。续顺公。卒。

多积礼　满洲正红旗，栋鄂氏。原任正红旗满洲副都统。卒。

哈宁阿　满洲镶白旗，富察氏。护军统领，一等轻车都尉。卒。

苏　纳　满洲正白旗，那拉氏。管佐领事，前正白旗蒙古都统，三等轻都尉，额驸。卒，赏复世职（赏复在七年）。

陈之龙　江西宜春人。前凤阳巡抚。卒。

刘方至　山东掖县人。署浙江上虞县知县，绍兴府推官。殉难。赠按察司佥事。

祕延瑞　湖北枝江县知县。卒年三十六。

邱民瞻　字天民。江苏吴县人。吴县故诸生。卒。

顺治六年己丑（公元一六四九年）

● 生辰：

曹鑑伦 三月十九日生，字蓼怀，号彝士。浙江嘉善人。享年六十三。

杨中讷 五月生，字岍木，号晚研、耻庵。浙江海盐人。享年七十一。

沈朝初 五月生，字洪生，号东田。江苏吴县人。享年五十四。

彭宁求 七月十六日生，字文洽、瞻庭，号约斋。江苏长洲人。享年五十二。

周 俨 十月十七日生，四川涪州人。

张鹏翮 十一月十七日生，字运青，号宽宇。四川遂宁人。享年七十七。

李旭升 生，字东升，号晴崖。直隶蔚州人。享年八十。

丁卓保 生，字鹤亭。汉军正黄旗。享年九十九。

韩 竹 生，字一韩，号飞云、珠崖。安徽天长人。享年四十二。

冯廷樾 生，字大木。山东德州人。享年五十二。

刘若鼎 生，直隶沧州人。享年六十四。

高孝本 生，字大立，号青毕、戴笠。浙江嘉兴人。享年七十九。

朱士容 生，字汪千，号惕庵。浙江海盐人。享年七十六。

马 翀 生，字云翎，号蝶园。江苏无锡人。享年三十。

徐善建 生，字孝标。浙江嘉善人。享年七十七。

谢廷宾 生，浙江余姚人。享年七十一。

● 科第：

一甲进士：

刘子壮 字克猷，号稚川。湖北黄冈人。状元。修撰。

熊伯龙 榜眼。编修，侍讲学士。

张天植　字次先，号蓬林。浙江秀水人。探花。编修，兵部右侍郎。

　二甲进士：

范光文　字潞公，号甬憨。浙江鄞县人。礼部主事，吏部主事。

黄日祚　字彤木。福建晋江人。口部主事，河南提学道。

徐致觉　字先众，号莘叟。安徽六安人。

方孝标　（原名方玄成），字梅冈，号楼江。安徽桐城人。编修，侍读学士。

范　周　字挺嶽，号瑞臣。江苏吴县人。编修，河南粮道。

钱王任　（原名王应京），江苏吴县人。口部主事，广西提学道。

林云京　字士爵，号双成。福建福清人。庶吉士，工科给事中，广东盐道。

狄　敬　字文止，号陶邻。江苏溧阳人。工部主事，陕西潼商道。

孙　籀　字殿英。浙江嘉善人。口部主事，安徽庐六道。

左敬祖　字虔孙，号念源。直隶河间人。会元，编修，左副都御史。

胡　亶　字保林，号保叔。浙江仁和人。编修，右通政。

张道湜　字涣之，号子础。山西沁水人。编修，直隶天津道。

成　亮　编修，户部主事，侍讲学士。

何　采　字敬与，号涤源、芦庄。江苏江宁人。编修，侍读学士。

刘芳声　字何实，号山逋。江苏山阳人。刑部主事，山东提学道。

张习孔　号黄嶽。安徽歙县人。刑部主事，山东提学道。

袁国梓　字若遗、丹叔。江苏华亭人。刑部主事，浙江嘉兴府知府。

丁峻飞　江苏江宁人。口部主事，湖南辰州府知府。

安　焕　字复旦，号默斋。山东日照人。编修，江西湖东道。

周茂源　字宿来，号釜山。江苏华亭人。刑部主事，浙江处州府知府。

周体观　字伯衡。顺天遵化人。庶吉士，户科给事中，江西岭北道。

施闰章　刑部主事，江西湖西道，余见康熙己未词科。

姜图南　字汇思，号直源。顺天大兴人（原籍浙江钱塘）。庶吉士，河南道御史，河南睢陈道。

施肇元　口部主事，浙江绍兴府知府。

姜元衡　（榜名黄元衡），山东即墨人。编修，侍读。

黄自起　字邻直，号植云。浙江秀水人。庶吉士，刑部主事，河南提学道。

马绍曾　字觐扬。浙江平湖人。编修，户部右侍郎。

王　鏌　山东诸城人。口部主事，江西右布政使。

颜　敏　顺天宛平人。刑部主事，广西布政使。

刘国钦　口部主事，广东惠州府知府。

吴之纪　字天章，号小修。江苏吴县人。工部主事，湖北荆西道。

焦毓瑞　字辑五，号石虹。山东章邱人。庶吉士，广东道御史，户部左侍郎。

何承都　刑部主事，甘肃关内道。

戴京曾　（榜名曾子京），字型远。浙江钱塘人。口部主事，顺天府府承。

吴正治　编修，武英殿大学士。

郝　浴　直隶定州人。刑部主事，广西巡抚。

曹本荣　湖北黄冈人。编修，侍读学士。

李本晟　湖北蕲州人。口部主事，浙江巡抚。

周曾发　字世培，号苣榖、勉斋。浙江慈溪人。庶吉士，户科给事中，山东兖东道。

郭一鹗　字汉冲、立庵，号快庵。河南洛阳人。庶吉士，吏科给事中，广东布政使。

戴　玑 福建长泰人。户部主事，广西右江道。

孔自洙 字文在，号行湄。浙江桐乡人。刑部主事，湖广荆西道。

王广心 字伊人，号农山。江苏华亭人。行人，口口道御史。

翁祖望 字渭公。浙江钱塘人。内阁中书，吏部员外郎。

王　清 编修，吏部左侍郎。

张新标 江苏山阳人。内阁中书，吏部主事，康熙戊午荐应鸿博。

许熙宇 江苏金坛人。直隶大顺广道。

孙允恭 字尧表。江苏丹徒人。浙江按察使。

马之驶 （碑录作马之骏），字通闻，直隶东光人。行人，陕西提学道。

张士甄 顺天通州人（原籍浙江鄞县）。编修，吏部尚书。

祝　昌 字九如，号山公。河南固始人。内阁中书，湖南辰沅道。

潘瀛选 字仙客，号梅庵。江苏宜兴人。内阁中书，长芦盐运使。

高光夔 字得一，号念侣。顺天永安人。编修，江南扬州道。

王　垓 行人，浙江宁绍道。

诸　豫 字震坤。江苏昆山人。编修，侍读。

张　璕 字在兹。河南永宁人。庶吉士，兵科给事中，安徽庐凤道。

寿以仁 字静肯。浙江余杭人。云南提学道。

匡兰馨 字石江。山东胶州人。太常寺少卿。

三甲进士：

曹　琪 字玉度，号淮湄。行人，礼部主事。

徐必远 字致公，号宁庵。贵州贵阳人（原籍江苏江宁）。检讨，广西桂平道。

锺明进 字子佳，号伟弢。浙江长兴人。行人，广东廉州府知府。

董文骥　字玉虬，号易农。江苏武进人。行人，甘肃陇右道。

叶树德　字太立，号辅长。顺天大兴人。庶吉士，口部主事，福建泉州府知府。

邬景从　（榜名周景从），字静岳。浙江余姚人。兵部主事，河南提学道。

季开生　江苏泰兴人，庶吉士，礼科给事中。

沈　鼐　字止岳，号香山。浙江嘉善人。安徽徽宁道。

相有度　山东堂邑人。广东口口道。
　　　　（按：顺治八年以两广初定，凡广东广西道府各缺，即以榜下进士补授今记于此）。

王绍隆　字圣则，号绥山、峄桐。浙江海宁人。检讨，江南江宁道。

王庆章　浙江山阴人。广东口口道。

赵　焘　字露湄。山东胶州人。广东口口道。

李光座　字彦升，号东园。河南祥符人。甘肃知县，江西按察使。

方于光　顺天大兴人。湖北蕲州知州，浙江台州府同知。

陆振芬　字令远。江苏华亭人。广东惠潮道。

郭之培　直隶任邱人。陕西固原州知州，浙江按察使。

冯　偀　浙江慈溪人。广东口口道。

徐　炟　江苏兴化人。广东布政使。

刘元琬　字石芝。河南汝阳人。浙江提学道。

王介锡　字振岳。山东临清人。

陈嘉善　字伯敬。江苏上元人。山东青州道。

林嗣环　字铁厓。福建安溪人。广东琼州道。

邬象鼎　浙江仁和人。广东罗定道。

史　燧　江苏溧阳人。广东口口道。

薛信辰　字侯执。江苏无锡人。广东潮州府知府，浙江右布政使。

郑龙光　字两为，号韬生。浙江平湖人。甘肃西宁道。

杨模圣　安徽怀远人。广东廉州府知府。

周　礼　湖北麻城人。广东高州府知府。

王　庭　浙江嘉兴人。广东广州府知府，山西右布政使。

陆　彪　浙江乌程人。广东韶州府知府，广东雷州府知府。

张之璧　江苏通州人。广东肇庆府知府。

任克溥　字海眉。山东聊城人。河南推官，刑部左侍郎。

彭舜龄　字容园。河南夏邑人。浙江推官，山东登州府推官。

胡应潘　浙江临安人。广西桂林道。

彭　爌　安徽桐城人。广西苍梧道。

陈上年　字祺公，号松庵。直隶清苑人。陕西推官，广西梧州道。

赵胤翰　字述阳。江苏兴化人。广西提学道。

汪继昌　广东琼州府知府，湖北江防道。

陈　舒　字鸣谦。浙江嘉善人。广西提学道。

周永绪　字纯武。安徽盱眙人。广西左江道。

金汉蕙　字公树，号湘隣。浙江义乌人。广西右江道。

赵霖吉　河南睢州人。广东韶州府知府。

杨行健　字乾行。直隶新安人。陕西蓝田县知县。

王嗣皋　浙江慈溪人。广西桂林府知府。

姚延著　字象愨，号榕似。浙江归安人。广西柳州府知府，河南右布政使。

郑　名　直隶临晋人。福建知县，掌河南道御史。

尹明廷　江苏吴县人。广西平乐府知府。

黄中通　福建晋江人。广西按察使。

沈　伦　湖北景陵人。广西梧州府知府。

葛天骅　安徽芜湖人。广西南宁府知府。

盛　治　字允康。江苏江都人。湖北知县，河南口口道。

吴道煌　字瑶如。顺天宛平人（原籍浙江钱塘）。浙江知县，江苏苏州府知府。

谢　观　字叔宾。江苏上元人。户部主事，山西冀宁道。

谢　宸　江苏武进人。广东口口道。

尹　衡　江西乐平县知县。

朱廷璟　陕西富平人。检讨，广西左江道。

刘广国　字宝生。湖北潜江人。甘肃洮岷道。

尚金章　字子云。河南仪封人。广西提学道。

董朱衮　字绣章。山东青城人。山西提学道。

孙大儒　山东莱阳人。浙江处州府知府。

吉允迪　字太邱。陕西洋县人。贵州提学道。

王廷议　山西翼城人。浙江绍兴府知府。

钱　江　字珥信，号容山。浙江秀水人。江西知县，甘肃洮岷道。

范光遇　字逢年，号会斋。浙江鄞县人。陕西知县，山东兖州府知府。

牛天宿　字觐薇。山东章邱人。　广东琼州府知府。

董　襄　河南汤阴人。江西知县，陕西雒南县知县。

张三异　湖北汉阳人。知县，浙江绍兴府知府。

储　曾　字留日。江苏宜兴人。江西永丰县知县。

席　式　陕西咸宁人。广东按察使。

范廷元　字调垣，号抡三。　浙江鄞县人。　检讨，广东右布政使。

许缵曾　江苏上海人。检讨，云南按察使。

蔡祖庚　字廉犀、莲西，号抑庵。江苏上元人。陕西知县，河南按察使。

方跃龙　浙江於潜人。湖南知县，陕西兵备道。

吴宗孟　字孟长，号汝澜。大营人。知县，工部主事。

徐　惺　字子星，号龠元。江苏江宁人。内阁中书，湖北布政使。

柯　耸　浙江嘉善人。湖北知县，通政司参议。

朱挟鏃　字四如，号树庵。浙江海盐人。湖南临湘县知县。

李仪古　字淑复。直隶任邱人。检讨，侍读学士。

朱　绂　字五任。江西进贤人。庶吉士，浙江道御史，左佥都
　　　　卿史。

刘汉卿　字依思。　江苏武进人。　江西铅山、　陕西襄城等县
　　　　知县。

宗　彝　顺天大兴人。福建漳南道。

范正脉　字介子，号龙图。河南修武人。检讨，浙江盐运使。

刘　纮　字子远。陕西洛川人。口部主事，长芦盐运使。

卢　纮　字元度，号澹岩。湖北蕲州人。　江苏苏松粮道。

高尔修　字正庵。直隶静海人。浙江知县，云南道御史。

顾如华　字质夫，号西巘。湖北汉川人。直隶知县，浙江温处
　　　　道。

沈令式　字云中。浙江海宁人。口部主事，广东粮道。

陈天清　字如水。河南柘城人。直隶知县，工部主事。

宋可发　山东胶州人。广东布政使。

侯　杲　字仙蓓，号霓峰。　江苏无锡人。浙江知县，刑部郎
　　　　中。

夏　霖　江苏江阴人。四川保宁府知府。

李可乔　字斗岩。陕西城固人。湖广提学道。

刘嗣美　字心周，号尔涵。河南陈留人。庶吉士，山东道御史，
　　　　湖北荆西道。

王功成　字允大。山东博平人。江南盐道。

邓秉恒　江苏知县，湖北荆南道。

费国瑄　字子复。江苏无锡人。浙江知县，兵部主事。

宋文运　字开之。直隶南宫人。山东知县，刑部左侍部。

成肇毅　字而卓，号愚中。浙江仁和人。直隶知县，礼科给事
　　　　中。

吴汝为　（碑录作李汝为），字伯寅。山东霑化人。　陕西知
　　　　县，安徽庐江县知县。

于朋举　字襄于，号念旸。江苏金坛人。检讨，湖南布政使。

成　性　字耐微。安徽和州人。口科给事中。

顾　煜　字铭伯，号双丸。江苏无锡人。浙江象山县知县。

朱绍凤　字仪圣，号蒿庵。江苏上海人。户科给事中。

白惺涵　直隶河间人。吏部郎中。

雷一龙　字伯复。顺天通州人。山东知县，吏科给事中。

童钦承　字在公，号靖庵。浙江会稽人。湖南知县，兵部主事。

姚延启　字季迪，号敬舆。浙江归安人。山西知县，工科给事中。

汤家相　山西赵城人。江苏知县，湖北南漳县知县。

张光祖　字峋嶂，号大光。河南新郑人。四川提学道。

唐梦赍　山东淄川人，检讨。

庄朝生　字玉笥。江苏武进人。检讨，河南提学道。

许士璜　浙江海盐人。湖南武陵县知县。

龙纳铭　（一作龙讷铭），湖北汉川人。贵州都匀府知府。

武进士：

金抱一　状元。口口营参将。

李圣祥　榜眼。浙江杭州营游击。

茹　罴　浙江山阴人。探花。口口营都司。

李成功　口口守备，广东潮州镇中军参将。

◉　恩遇：

硕　塞　三月晋封和硕承泽亲王（七年八月降郡王）。

尼　堪　晋封和硕敬谨亲王（七年八月降郡王）。

博　洛　晋封和硕端重亲王（七年八月降郡王）。

冯　铨　大学士。晋少傅。

宋　权　大学士。加太子太保。

陈名夏　吏部尚书。加太子太保。

谢启光　户部尚书。加太子太保（八年革）。

李若琳　礼部尚书。加太子太保（八年革）。

党崇雅　刑部尚书。加太子太保。

金之俊　工部尚书。加太子太保。

徐起元　左都御史。加太子太保。

王　铎　礼部侍郎。加太子太保。

刘馀祐　工部侍郎。加太子太保。

　　（按：以上诸人所加官衔，有作三月者，有作十月者，有
　　　　无月可考者，今汇记于此）。

孔有德　五月恭顺王改封定南王。

耿仲明　五月怀顺王改封靖南王。

尚可喜　五月智顺王改封平南王。

鄂罗塞臣　封二等子。

何洛会　封三等子（八年二月革）。

◉ 著述：

金之俊　撰《文集》成，见正月自序（自序未详卷数，今刻行
　　　　者为康熙二十五年刻本，名《金文通集》共二十五
　　　　卷）。

宋之绳　自编《柴雪年谱》一卷成，见十月自跋。

姜绍书　字二酉。撰《韵石斋笔谈》二卷成，见蒋清序。

◉ 卒岁：

王昌龄　山西冀宁道。正月于代州之原平驿遇贼被害。赠光禄
　　　　寺卿。

巴特玛费扬古　奉恩将军，太祖皇孙。正月卒。追赠三等辅
　　　　　　　国将军，谥悼殇（赠谥在十年五月）。

锦　柱　太祖皇曾孙。辅国公。正月卒。追谥怀仪（追谥在十
　　　　四年四月）。

金声桓　前江西提督。正月十九日以叛后兵败投水死。

介桑贾尔呼奇尔　满洲正蓝旗。三等男。卒。

李成栋　山西人。前左都督衔广东提督。二月以叛逆后于江西
　　　　信丰堕水死。

夏时芳　陕西榆林道，前两淮盐运使。二月于怀远途中遇贼被
　　　　害。赠太仆寺卿。

王正志 延绥巡抚。二月于榆林被拘遇害。赠右都御史。

夏廷印 陕西神木道。二月遇害。赠光禄寺卿。

王希舜 陕西河西道。于鄜州殉难。赠光禄寺卿。

宋从心 陕西延安府知府。殉难。赠太仆寺卿。

多　铎 太祖皇十五子，辅政叔和硕德豫亲王，前任定国大将军，扬威大将军。三月卒年三十六。追降多罗郡王（追降在九年三月），追谥曰通（追谥在康熙十年五月），追复亲王，配享太庙（追复配享在乾隆四十三年正月）。

喇都海 太祖皇孙，奉恩将军。三月卒。追谥怀仪（追谥在十四年四月）。

涂　廓 字容宁。奉天铁岭人。河南河北道。四月于小店村剿贼阵亡。赠光禄寺卿。

精　济 多罗郡王，太祖皇曾孙。五月卒年十六。追谥怀愍（追谥在康熙十年六月）。

刘泽溥 山西冀宁道。阵亡。赠光禄寺卿。

杨致祥 山西潞安府知府。六月遇害。赠太仆寺卿。

司九诏 河南内黄人。山西潞安府推官。六月遇害。赠按察司金事。

武　韬 山西蒲州营游击。六月遇害。赠参将。

王来觐 山西霍州知州，降调河南口口道。六月遇害。

李三元 山西大同府阳和卫通判，降调山东登莱道。六月遇害。赠按察司金事。

李因之 山西河东盐运通判。六月以途中遇贼赴水自尽。赠布政司右参议。

郑宏图 河东盐运使。六月遇害。赠布政司右参政。

周文爆 湖南黔阳县知县。七月于金桥御贼被害，年四十五。追封灵佑伯（追封在道光二年）。

穆尔察 太祖皇孙，二等镇国将军。七月卒。追谥恪恭（追谥在十四年十月）。

荣尔奇 山西浑源州知州，前山西冀南道。八月遇害。赠布政
　　　司参议。
周世科 福建巡抚。八月以罪处斩（注：以贪婪无忌，屡用非
　　　刑杀人罪）。
孙昌龄 字念劬。直隶宁晋人。都察院左副都御史。十月卒。
　　　赠右都御史，追谥恭宪（追谥在十年十二月）。
梁云构 户部右侍郎。十月卒。赠右都御史，追谥康僖（追谥
　　　在十一年四月）。
恭　阿 镇国公，宗室。十一月卒于湖南军营，年二十六。
耿仲明 字云台。汉军正黄旗（原籍辽东辽阳）。靖南王。十
　　　一月以从征广东，于江西吉安自尽。
富喇克塔 满洲镶白旗。郭络罗氏。正蓝旗蒙古都统，三等
　　　　轻车都尉。卒于江西军营。晋一等轻车都尉世职。
库尔阐 满洲正蓝旗，赫舍里氏。正蓝旗蒙古副都统，都察院
　　　参政，三等轻车都尉。卒于江西军营。晋一等轻车都
　　　尉世职。
袞楚克固英 （一作袞出克古英）。蒙古正红旗。三等男。于
　　　　　土默特阵亡。追晋二等男（追晋在八年正月）。
线　缙 汉军正黄旗。前偏沅巡抚。卒。
王起彪 江西德兴县知县。以城陷遇害。
杨　佐 福建漳州镇总兵。于新亭寨阵亡。
包泰兴 福建云霄镇副将。于莆尾堡殉难。
骆养性 字太和。顺天大兴人（原籍湖北嘉鱼）。浙江掌印都
　　　司，前太子太师，天津总督。卒。

顺治七年庚寅（公元一六五〇年）

● 生辰：

石曰琼　正月二十六日生，字宗玉。 山东长山人。享年六十一。

严虞惇　五月初二日生，字宝成，号思庵。江苏常熟人。享年六十四。

查慎行　五月初七日生，（原名查嗣琏），字夏重、他山，号初白、悔馀。享年七十八。

臧　琳　字玉林。江苏武进人。七月二十一日生，享年六十四。

博果铎　生，太祖皇孙。享年七十四。

诺罗布　生，宗室。享年六十八。

齐克新　生，太祖皇曾孙。享年十二。

逊　柱　生，满洲镶红旗。栋鄂氏。享年八十四。

查　昇　生，字仲韦，号声山、汉中。浙江海宁人。享年五十八。

陆肯堂　生，字邃升，号澹成。江苏长洲人。享年四十七。

刘起振　生，字颖之，号拔庵。广东海阳人。享年一百□岁。

席启寓　生，字文夏。江苏常熟人（原籍吴县）。 享年五十三。

汪文桂　生，字周士，号欧亭。浙江铜乡人（原籍安徽休宁）。享年八十二。

于宗尧　生，汉军正白旗。享年二十三。

佟世思　生，字俨若，号葭芷、退庵。汉军正蓝旗，佟佳氏。享年四十二。

陈　訏　生，字言扬，号宗斋。浙江海宁人。享年八十三。

蔡祚熹　生，字在朱，号君晦。福建漳浦人。享年七十七。

李　实　生，江苏嘉定人。享年四十八。

繆　燧　生，江苏江阴人。享年六十七。

● 恩遇：

阿济格尼堪　正月封三等伯。

色　勒　满洲镶黄旗，觉罗氏。三月封二等子。

阿郁实　三月封二等子。

夏　璞　三月封二等子。

王世选　三月封二等子。

西喇巴雅尔　三月封三等子（九年降一等轻车都尉）。

祖可法　三月封三等子。

博思希　三月封一等男。

桑　格　三月封一等男。

金维廷　三月封一等男。

褚　禄　汉军镶黄旗，博尔济吉特氏。二月封二等男。

谭　拜　二月封二等男。

吴巴什　二月封二等男。

俄尔介图　二月封二等男。

甘　都　二月封二等男。

陈奇谟　二月封二等男。

星　讷　二月封二等男（八年削）。

绰尔吉　蒙古正黄旗。二月封二等男（后降三等男）。

阿拉密　二月封二等男（后降三等男）。

喀喀木　三月封三等男。

杨方兴　河道总督。三月加太子太保。

马国柱　江南总督。七月加太子少保。

古尔布什　九月封一等子（寻削）。

冷僧机　封一等伯（九年三月革）。

洪承畴　大学士。晋少傅。

● 卒岁：

祝世昌　汉军镶红旗。山西巡抚。正月卒年六十八。追赠兵部
　　　　右侍郎，谥僖靖（赠谥在十三年五月）。

谢泰阶　浙江定海县故诸生。二月初十日卒年四十四。

李建泰　前弘文院大学士。　二月以通贼谋叛处斩（注：以勾结曲沃土贼负恩倡乱，并援应叛镇姜瓖等据守太平罪）。

谭　拜　满洲镶白旗，他塔喇氏。　吏部尚书，二等男。三月卒。

丁文盛　福建布政使，降调山东巡抚，三月卒。

褚　禄　（一作楚禄）。三等男。三月卒（卒年再考）。

绰尔门　蒙古镶黄旗。一等男。三月卒。

俄尔介图　蒙古正黄旗。二等男。三月卒。

甘　都　蒙古镶黄旗，巴林氏。　署前锋统领，二等男。三月卒于江西军营。

段上彩　江苏沭阳县知县。三月十九日遇害。赠按察司佥事。

刘　城　安徽贵池县故诸生。三月二十五日卒年五十三。

阿济格尼堪　满洲正白旗，他塔喇氏。正白旗满州都统，三等伯。（康熙十四年号曰襄宁），四月卒。谥武敏（一作勇敏）。

曾化龙　故山东登莱巡抚。六月初一卒年六十三。

阿郁实　满洲镶白旗。二等子。卒。

柯汝极　汉军镶红旗。驻防杭州，镶红旗汉军副都统，一等轻车都尉。卒。

朱延庆　汉军镶蓝旗。江西巡抚。九月卒。

金维廷　汉军正黄旗。一等男。卒。

努　赛　固山贝子，显祖皇孙。十一月卒。追谥悼哀（追谥在十一年三月）。

多尔衮　太祖皇十四子，叔父摄政王，和硕睿亲王，前任奉命大将军。十二月初九卒于喀喇城年三十九。追削王爵（削爵在八年二月），追复原封，谥曰忠，配享太庙（封谥配享在乾隆四十三年正月）。

库　礼　满洲正白旗，喜塔腊氏。原任户部侍郎。卒。追谥僖恪（追谥在十二年闰五月）。

卢登科　汉军镶白旗。工部右侍郎，三等轻车都尉。卒。

梁维本　礼科给事中。卒。

邝　露　故中书舍人。卒年四十七。

玛　沁　满洲镶红旗，完颜氏。镶红旗蒙古副都统，骑都尉兼一云骑尉。卒于湖南衡州。

昂　洪　满洲正黄旗，博尔济吉特氏。赐号达尔汉和硕齐，三等男。卒。

西　兰　满洲镶蓝旗，萨克达氏。护军参领，三等轻车都尉。卒。

赵嗣美　福建建南道。卒。

李懋祖　山东兰山人。升授陕西布政司右参议，湖南衡永道。于永州遇害。赠光禄寺卿。

周元懋　字砫础，号德林。浙江鄞县人。故贵州思南府知府。卒年四十。

尹　衡　江西乐平县知县。遇害。

汪基远　江西东乡县知县。遇害。

武达禅　满洲镶白旗，兆佳氏。太原城守尉，骑都尉兼一云骑尉。卒。

吴国柄　满洲正红旗。副都统，袭一等轻车都尉加一云骑尉世职。卒。

顺治八年辛卯（公元一六五一年）

● 生辰：

范　绩　正月初四日生，字武功，号笏溪。江苏娄县人。

曹泰曾　三月二十四日生，字汇初，号茹庵。江苏上海人。享年六十三。

张泰交　四月十二日生，字公孚，号泊谷。山西阳城人。享年五十六。

郑　恂　八月十五日生，字懔庵，顺天丰润人。享年八十。

沈　涵　八月二十五日生，字度汪，号心斋。浙江归安人。享年六十九。

张伯行　十二月初五日生，字孝先，号恕斋、敬庵。河南仪封人。享年七十五。

克　齐　生，宗室。享年七十二。

瓦　三　生，宗室。享年三十五。

尼斯哈　生，太祖皇曾孙。享年十岁。

田从典　生，字克五，号晓山。山西阳城人。享年七十八。

李先复　生，字子来。四川南部人。享年七十八。

王度昭　生，字带河，号玉其。山东诸城人。享年七十四。

吕履恒　生，字元素，号坦庵、月岩。河南新安人。

布　泰　生，享年六十。

完颜和　生，字纯德。满洲镶黄旗。享年六十七。

王奂曾　生，字元亮、思显，号诚轩。山西太平人。享年八十五。

黄芳度　生，字寿岩。福建平和人。享年二十五。

高承爵　生，字子懋，号一庵。汉军镶黄旗。享年五十九。

王全臣　生，字仲山，号清渠。湖北钟祥人。享年七十三。

汤传榘　生，字子方，号磊轩。江苏长洲人。享年五十八。

李光坡　生，字耜卿，号茂夫。福建安溪人。享年七十三。

汤　溥　生，字元博。河南睢州人。享年四十二。

萧维箕　生，字诚宇，号稚云。江西庐陵人。享年六十五。

严延瓒　生，浙江乌程人。享年二十九。

● 科第：

考取拔贡生：

李如乔　直隶人。广东通判，福建延平道。

邓廷罗　字叔奇，号偶樵。江苏江宁人。内阁中书，湖北荆南道。

杜登春　翰林院孔目，浙江处州府同知。

朱奇颖　字九愚。江苏嘉定人。山西平遥县知县。

郑为旭　字方旦，号晓斋。江苏江都人。内阁中书，江南道御史。

毛万龄　字大千，号东壶。浙江萧山人。仁和县教谕。

李　䎖　字泊若，号濎澜。湖北孝感人。福建将乐县知县。

龚之怡　字云石。湖南澧州人。福建知县，江苏江阴县知县。

耿应斗　字枢宸，号卧月。河南襄城人。浙江青田县知县。

周邦彬　字雅生，号起三。江苏吴江人。直隶大名府知府。

中式举人：

王家启　字诚庵。顺天蔚县人。广东新会县知县。

崔九围　直隶长垣人。直隶东明县教谕，陕西白水县知县。

宋实颖　江苏长洲人。康熙己未召试鸿博，江苏兴化县教谕。

宋德宏　江苏长洲人。

姚文烈　安徽桐诚人。推官，云南楚雄府知府。

赵　澐　字山子。江苏吴江人。江阴县教谕。

施敬先　字尔慕。江苏长洲人。

管　阁　江西临川人。直隶安平县知县。

胡亦堂　字二齐。浙江慈溪人。江西知县，口部主事。

赵吉士　浙江仁和人。原籍安徽休宁，山西知县，户科给事中。

劳大舆　字宜斋，号会三。浙江石门人。海盐县教谕。

陈丹赤 福建人。 四川推官，浙江温处道。

徐作肃 河南商邱人。

冯 沛 字云生。山东德州人。

简 上 字谦居，号石湖。四川巴县人。直隶知县，广西左江道。

副榜贡生：

孙光煬 字丹扶。浙江余姚人。

侯方域 河南商邱人。

中式武举：

宣德仁 直隶人。江南千总，湖广掌印都同。

◉ 恩遇：

尼 堪 正月复封和硕敬谨亲王（三月降郡王，五月复晋亲王）。

博 洛 正月复封和硕端重亲王（三月降郡王，五月复封亲王）。

吴 拜 正月封三等侯（二月革）。

苏 拜 正月封一等子（二月革）。

罗 什 正月封一等子（二月革）。

博尔惠 正月封二等子（二月革）。

瓦克达 二月封多罗谦郡王。

满达海 袭礼亲王，二月改封巽亲王。

多 尼 袭豫亲王，二月改封信亲王（九年三月降郡王）。

富 绶 袭肃亲王，二月改封显亲王。

罗科铎（一作罗可铎）袭衍禧郡王，二月改封平郡王。

岳 乐 袭饶馀郡王，改封安郡王。

硕 塞 闰二月复封和硕承泽亲王。

济 度 闰二月封多罗简郡王。

勒 度 闰二月封多罗敏郡王。

谭 泰 闰二月复封一等公（八月革）。

噶尔玛苏索诺木 闰二月封一等子。

张天禄　五月封三等子（十二年降三等轻车都尉）。

陈名夏　大学士。八月晋少保（十一年三月革）。

党崇雅　户部尚书。八月晋少保。

金之俊　兵部尚书。八月晋少保。

刘馀祐　工部尚书。八月晋少保（十年二月革）。

王　铎　礼部侍郎。八月晋少保。

高尔俨　吏部尚书。加太子太保。

陈之遴　礼部尚书。加太子太保。

张凤翔　工部尚书。加太子太保。

房可壮　刑部侍郎。加太子太保。

李化熙　工部侍郎。加太子太保。

刘　昌　加太子太保。

任　珍　陕西兴汉镇总兵。加太子太保（十年四月革）。

任　珍　封三等子，（十年二月降一等轻车都尉）。

卢崇俊　封三等男。

◉ 著述：

孙廷铨　撰《南征纪略》二卷成，见自序。

徐世溥　撰《江变纪略》一卷成，见康熙壬寅杨春华识语。

徐孚远　撰《交行摘稿》一卷成（此稿为至交好所作，今系于
　　　　　是年）。

孙　爽　字子度，号容庵。浙江钱塘人。撰《辛卯集》一卷成，
　　　　　见四库别集存目。

◉ 卒岁：

冯　杰　户部右侍郎。正月卒。

布　延（一作布颜他不能）。满洲正黄旗，郭尔罗特氏。内
　　　　　大臣，三等男。正月卒。

罗　什　前内大臣，一等子。二月初五日以罪处斩（注：以摇
　　　　　动国事，蛊惑人心）。

博而惠　前内大臣，二等子。二月初五日以罪处斩（注：以摇
　　　　　动国事，蛊惑人心）。

何洛会 前内大臣，镶白旗满洲都统，前任定西大将军，三等子。二月十五日以罪凌迟处死（注：以党附睿王同与密谋）。

栋阿赉 满洲镶白旗，蒙郭氏。都察院参政兼正黄旗满洲副都统，一等轻车都尉。二月卒。

明阿图 满洲镶蓝旗，那拉氏。镶蓝旗蒙古副都统，三等轻车都尉。二月卒。

吴巴什 满洲镶蓝旗。二等男。卒。

刚　林 前国史院大学士，三等男。闰二月二十八日以罪处斩（注：以党附睿王，预谋悖逆）。

祁充格 满洲镶白旗，乌苏氏。前弘文院大学士。闰二月二十八日以罪处斩（注：以党附睿王，予谋悖逆）。

富尔敦 郑亲王世子。四月卒年十九。追谥愨厚（追谥在十四年十月）。

张　煊 浙江道监察御史。五月二十八日以被诬处绞，追赠太常寺卿（追赠在九年二月）。

喀尔楚浑 镶红旗满洲都统，多罗贝勒，太祖皇曾孙。八月卒年二十四。谥显荣。

谭　泰 满洲正黄旗，舒穆禄氏。前吏部尚书，一等公，前任征南大将军。八月十七日以罪处斩（注：以营私狂悖）。年五十八。

席布锡伦 （一作实卜实伦）。辅国公，太祖皇曾孙。卒。追谥悼愍（追谥在十四年十月）。

郝效忠 汉军正白旗。都督金事，湖南右路总兵，三等轻车都尉。九月于靖州被拘遇害。赠都督同知。

张存仁 汉军镶蓝旗。直隶山东河南总督，三等子兼一云骑尉。十月卒。赠太子太保晋一等子（晋封在九年正月）追谥忠勤（追谥在十年十二月）。

雅　泰 （一作雅泰）。满洲正蓝旗，觉尔察氏。国史院大学士，三等男。十月卒。

强　度　太祖皇曾孙，固山贝子。十月卒。谥介洁。

果　赖　镇国公，显祖皇曾孙。十月卒。

阿济格　太祖皇十二子，前封和硕英亲王，前任靖远大将军，平西大将军。十月十六日以罪令自尽（注：以获罪幽禁，复烧毁监房，出语悖乱）。

李　鑑　宁夏巡抚，前宣大总督。十二月卒。赠兵部右侍郎。

阿哈尼堪　满洲镶黄旗，富尔察氏。礼部尚书。十二月卒。追封一等男（追封在九年正月）。

土国宝　山西大同人。前江宁巡抚。十二月以闻严讯之，畏罪自尽。

嵩固图（一作舒翁古图）。显祖皇曾孙。辅国公。十二月卒。追谥怀思（追谥在十一年三月）。

杜　兰　镇国公，前封多罗贝勒，太祖皇曾孙。卒。

李若琳　山东新城人。前太子太保，礼部尚书。卒

噶尔玛叶尔登　满洲正黄旗。三等子。卒。

沈士逸　字逸真，号廷献，浙江仁和人。仁和县医士。卒年六十六。

顺治九年壬辰（公元一六五二年）

◉ 生辰：

查嗣琛　二月十九日生，字德尹，号查浦。浙江海宁人。享年八十二。

朱昆田　八月生，字文盎，号西峻。浙江秀水人。享年四十八。

王庭灿　十月初二日生，字孝先，号似斋。浙江钱塘人。享年七十七。

王　燕　十月初七日生，字子喜，号个庵。顺天宛平人。享年五十七。

陈元龙　十月二十九日生，字广陵，号乾斋。浙江海宁人。享年八十五。

蒋陈锡　十月三十日生，字文孙，号雨亭。江苏常熟人。享年七十。

德　塞　生，宗室。享年十九。

巴　鼐　生，宗室。享年三十三。

马　齐　生，满洲镶黄旗，富察氏。享年八十八。

蔡升元　生，字徵元，号方麓。浙江德清人。享年七十一。

音　泰　生，满州镶红旗，瓜尔佳氏。享年六十三。

顾用霖　生，字雨若，号岩卜。江苏长洲人。享年六十四。

张英奇　生，字子千。直隶深州人。

潘　麟　生，字喜曾，号仁庵。浙江海宁人（原籍乌程）。享年七十二。

冯　景　生，字山公，号少渠。浙江钱塘人。享年六十四。

景星杓　生，字亭北，号拗堂、菊公。浙江仁和人。享年六十九。

◉ 科第：

一甲进士，

程可则 字用量、彦揆，号湟溱、后癯。广东南海人。中式会
元。以磨勘除名，内阁中书，广西桂林府知府。

邹中倚 江苏无锡人。状元。修撰。

张永祺 字尔成，号尔程。顺天大兴人（原籍江苏宜兴）。榜
眼。编修，大理寺少卿。

沈 荃 江苏华亭人。探花。编修，詹事。

　二甲进士：

李 愫 字愫心。江苏华亭人。口部主事，河南提学道。

陈 焯 字默公，号越楼。安徽桐城人。兵部主事。

钱受祺 浙江钱塘人。口部主事，山西提学道。

吴 颖 字见末，号茧雪。江苏溧阳人。刑部主事，广东湖州
府知府。

顾大申 字震雉，号见山、鹤巢。江苏华亭人。工部主事，甘
肃洮岷道。

李来泰 字仲章，号石台、莲龛。江西临川人。工部主事，江
苏苏松常道，余见康熙己未词科。

唐赓尧 浙江会稽人。工部主事，山东提学道。

王 纲 字燕友，号思龄。安徽合肥人。刑部主事，通政司参
议。

迟 煌 字东生。汉军正白旗。编修，兵部督捕副理事官。

庄 鏻 字玉侯，号起嶽、巨观。浙江嘉兴人。口部主事，河
南口口道。

汪炼南 字冶夫，号千顷。湖北黄冈人。编修，侍读学士。

曹尔堪 字子顾，号顾庵。浙江嘉善人。编修，侍讲学士。

唐德亮 字采臣。江苏无锡人。户部主事，户部员外郎。

杨兆鲁 字泗生，号青岩。江苏武进人。刑部主事，福建延平
道。

笪重光 江苏句容人。刑部主事，湖广道御史。

许 瑶 字文玉，号兰陵、竹广。江苏常熟人。工部主事，四
川川北道。

张　潽　直隶磁州人。庶吉士。

范承谟　汉军镶黄旗，编修，福建总督，

李文煌　字包闇。河南颍川人。庶吉士，吏科给事中，湖北下荆南道。

耿拱极　河南西平人。口部主事，湖北荆州府知府。

费　达　字于章，号古心。江苏溧阳人。户部郎中。

胡尚衡　字阶平。安徽泾县人。口部主事，浙江提学道。

王孙蔚　陕西临潼人。刑部主事，福建左布政使。

王廷璧　字昆石，河南祥符人。刑部主事，甘肃凉庄道，康熙己未召试鸿博。

张　苗　字文葭。浙江嘉善人。刑部主事，安徽安庆府知府。

杨西狩　字华觏。江西进贤人。户部主事，陕西提学道。

杨绍先　字继美，号甝生。湖北安陆人。编修，四川建昌道。

吴愈圣　口科给事中。

祖泽阔　汉军正黄旗。口部主事，福建盐运使。

俞　铎　字天木，号瞻人。江苏泰州人。庶吉士，江南道御史，直隶口北道。

孙养翼　河南孟津人。四川川北道。

郭　础　字石公，号横山。江苏江都人。直隶顺德府知府。

周起岐　字文山。江苏武进人。湖广提学道。

周而淳　字黎同，号古村。江苏江宁人。户部主事。

王震生　字去非，号寅东。河南杞县人。户部主事，江南提学道。

解几贞　字兰石，陕西韩城人。江南提学道。

祝文震　浙江海盐人。江苏淮海道。

蔺挺达　字金芝，号东岸。河南偃师人。吏科给事中。

陈　彩　字叔亮，号美公。广东顺德人。编修，江西岭北道。

金　镜　字陟三。福建闽县人。口部主事，浙江提学道。

侯于唐　字莲岳，号广明。陕西三原人。庶吉士，贵州道御史。

孙期昌 字大受。河南叶县人。福建提学道。

金　鋐 字冶公，号赤庵。顺天宛平人。编修，浙江巡抚。

邵　灯 字无尽，号薪传、陶庵。江苏常熟人。内阁中书，河南河道。

郑　秀 （榜名艾秀），字信从。江西金溪人。刑部主事，湖南衡永道。

　　三甲进士：

徐　越 江苏山阳人。行人，兵部督捕理事官。

冯　标 字右文，号苍心。江苏金坛人。行人，广东提学道。

张瑞徵 字卿旦，号华苹。山东莱阳人。检讨，河南汝南道，康熙己未召试鸿博。

刘必显 字微之，号西水。山东诸城人。行人，户部员外郎。

刘大谟 直隶沧州人。吏科给事中。

陈子达 字念黎。福建闽县人。检讨，陕西按察使。

耿应张 字觐宸。河南襄城人。湖北推官，广东道御史。

洪　琮 安徽歙县人，陕西推官，陕西提学道。

程　邑 字翼苍。江苏上元人。庶吉士，苏州府教授，国子监助教。

王　鯤 浙江秀水人。检讨，河南提学道。

施维翰 江苏华亭人，江西推官，福建总督。

周龙甲 字霖公。江苏山阳人。山东提学道。

许重华 汉军正白旗。浙江温处道。

赵曰冕 字章弄。江西新建人。庶吉士，口部主事，湖南按察使。

傅感丁 字雨臣，号约斋。浙江钱塘人。湖北推官，左副都御史。

何　澄 字诞登。直隶正定人。广东推官，四川川西道。

周明新 字菊人。浙江象山人。工科给事中。

龚廷历 字玉成，号震西。江苏武进人。浙江湖州府推官。

薛　澐 字子大，号弱园。福建侯官人。检讨，山东登莱道。

吴雯清 （原名吴元石），字方涟，号鱼山。浙江仁和人（原籍安徽休宁）。广西推官，江南道御史。

胡文学 字道南，号卜言。浙江鄞县人。直隶推官，太仆寺少卿。

沈贞亨 浙江海宁人。山西推官，山西汾州府知府。

吕祖望 字培址。直隶沧州人。庶吉士，陕西道御史，鸿胪寺少卿。

萧 震 福建人。直隶推官，山西道御史。

方 犹 字壮其，浙江遂安人。检讨，侍讲。

张可前 字箬汉。湖北江陵人。兵部左侍郎。

苏汝霖 字鹤洲，安徽石埭人。广西提学道。

蔡而烷 字邦璧。福建漳浦人。山东东昌府推官。

孙 鲁 字孝若。江苏常熟人。浙江推官，山西大同府知府。

钱 捷 字月三，号陶云。浙江象山人。湖南推官，江苏粮道。

王仕云 字望如，号过客。江苏江宁人。福建推官，广东潮州府知府。

贺 宽 字瞻度，号柘庵、岑居。江苏丹阳人。大理寺评事。

余国柱 字佺庐。湖北大冶人。四川推官，武英殿大学士。

叶先登 字昊庵。福建长泰人。检讨，山西冀南道。

郭 棻 字快圃，号芝仙。直隶清苑人。检讨，内阁学士。

张含辉 字蕴邻，号澜柱。山东掖县人。四川提学道，康熙己未召试鸿博。

窦可权 字云明。河南河内人。山西汾州府推官。

余 恂 字孺子，号岫云、还庵。浙江龙游人。检讨，左谕德。

刘景荣 汉军正白旗。湖北盐驿道。

钱开宗 字绳庵，号亢子。浙江仁和人。检讨，赞善。

耿 介 （原名耿冲壁）河南登封人。检讨，少詹事。

陆光旭 字始旦，号鹤田、屈亭。浙江平湖人。直隶知县，江南粮道。

詹惟圣　字乃庸，号尼庵。浙江建德人。山东知县，江西提学道。

崔谊之　山东平度人。直隶通永道。

周季琬　字文夏。江苏宜兴人。庶吉士，福建道御史，浙江道御史。

余　缙　浙江诸暨人。河南知县，河南道御史。

崔之瑛　字仰庵。顺天霸州人。检讨，云南布政使。

王　纪　字若朴，号子鲁。山西沁水人。庶吉士，礼科给事中，山东济南道。

魏开禧　字公锡，号弁苍。浙江嘉兴人。魏县知县。

汤　斌　河南睢州人。检讨，江西岭北道，余见康熙己未词科。

杨永宁　字地一，号起斋。山西闻喜人。检讨，吏部左侍郎。

陈维国　湖南武陵人。山东阳信县知县。

丁思孔　汉军镶黄旗。检讨，云贵总督。

查培继　字王望，号勉斋。浙江海宁人。广东知县，江西饶九南道。

陆寿名　字芝庭。江苏长洲人。宁国府教授。

张　晋　字康侯，甘肃狄道人。庶吉士，江苏丹徒县知县。

龚荣遇　字素若，号适安。湖北监利人。陕西知县，陕西按察使。

张先基　字开有，号鞠庵。湖北广济人。直隶枣强县知县。

李奇生　字梅阴。湖北汉阳人。

单国玉　江西临川人。浙江绍兴府知府。

陈永命　（一作陈用命），汉军镶蓝旗。检讨，陕西同州府知府。

白乃贞　字廉叔、蘗渊。陕西清涧人。检讨。

杨素蕴　直隶知县，湖北巡抚。

胡献瑶　汉军正黄旗。福建漳州府知府。

萧　恒　字月庵。陕西三原人。

田绪宗　字仿文，号文起。山东德州人。浙江丽水县知县。

饶宇栻　字型万。江西进贤人。庶吉士，刑科给事中，湖南盐驿道。

李昌祚　检讨，大理寺卿。

王元士　陕西临潼人。广东琼州府知府。

吴国缙　字玉林。安徽全椒人。江苏江宁府教授。

尹惟日　字冬如。湖南茶陵人。广东知县，江西岭北道。

叶矫然　字子肃，号思庵。福建闽县人。工部主事，直隶乐亭县知县，康熙辛卯重宴鹿鸣。

张好奇　字知天，号平子。陕西朝邑人。口部主事，河南提学道。

王彦宾　汉军镶黄旗。福建邵武府知府。

温如玉　字公喻。直隶成安人。安徽池太道。

张文韬　直隶新城人。福建提学道。

陈　璜　字元卿。浙江临海人。

徐谓第　字篡友。直隶长垣人。口部主事，山西提学道。

卢　高　字远心，号济庵。湖北兴国人。检讨，浙江盐驿道。

韩庭苣　山东青城人。庶吉士，工科给事中，直隶天津海防道。

潘飓言　山东章邱人。吏部主事，康熙已未召试鸿博。

田起龙　字云从。河南襄城人。浙江松阳县知县。

　满洲一甲进士：

麻勒吉　字谦六。汉军正黄旗，瓜尔佳氏。会元。状元。修撰，两江总督。

哲库纳　满洲镶黄旗，那拉氏。榜眼。编修，兵部督捕左侍郎。

巴　海　满洲镶蓝旗。探花。编修，侍讲学士。

　满洲二甲进士：

玛　祜　满洲镶红旗，哲柏氏。王府教习，江宁巡抚。

阿什坦　刑科给事中。

何　託　满洲镶白旗。翰林院侍读学士。

　满洲三甲进士：

额库里　满洲正白旗。户部左侍郎。

达哈塔　编修，吏部尚书。

祁通格　（榜名吉通额）。工科给事中，工部右侍郎。

纳　布　满洲镶蓝旗。兵部左侍郎。

　武进士：

王玉璧　字楚珩。浙江仁和人。会元。状元。福建都同司书，
　　　　直隶天津镇总兵。

　　　（按：自本年起凡一甲三名武进士均授都司金书掌管印
　　　都司，今记于此，后不备列）。

◉ 恩遇：

　　正月以累遇恩诏：

遏必隆、衮　布　等俱封一等公。

索　尼、巴世泰、莽古尔岱、穆赫林、宜里布（一作伊里布）、
　　　　程　尼、班　肫、巴　颜等俱封一等伯。

石廷柱　封一等伯（十四年八月降三等）。

伊尔登、明　安、都　赖等俱封二等伯。

阿喇密、噶尔玛僧额、马思文、六　十等俱封三等伯。

沃　赫、卓　罗、赍图库、拜　山、阿尔津、多尔机达尔汉
　　　　诺颜、塔什盖护鲁格、色楞车臣、多尔济、祖泽洪、
　　　　范文程、祖泽润、祖永烈等俱封一等子。

绰尔济　封一等子（十五年削，十八年袭二等子）。

喀　山、都尔玛、达　运、多尔吉、光　泰等俱封二等子。

明安达礼　封二等子（十年降一等轻车都尉）。

佟图赖、觉　善、马喇希、固　鲁、克什图、张大猷、曹恭
　　　　诚、胡有陞、孙有光等俱封三等子。

吴应熊　封三等子（康熙十三年革）。

哈什屯、瓦尔玛、多　诺、阿禄哈、诺孟达赖、庄机达、

巴　哈、希尔根、诺木奇、雅　赖、瓦尔喀珠玛喇、
硕　詹、王国光、富喀禅、鄂莫克图、和尔浑、
贾　柱、席特库、图　霸、沙尔虎达、拉什哈布、
图　美、绰　拜、巴尔赛、都尔德、邓长春、
李思忠、张仲第、金　砺、佟一鹏、杨正泰等俱封
一等男。

坤　　　封一等男（康熙二十三年削）。

鄂齐尔　封一等男（十一年正月降二等）。

索尔和　封一等男，寻降二等。

巴特玛　封一等男（十六年降世职）。

色尔格克　封一等男（十六年闰三月降三等）。

武　赖、努　山、萨弼图、景固勒岱、韩　机、格巴库、孙
达哩、永　顺、霸　兰、蓝　拜、阿玉玺、阿　赖、
阿慕古朗、果尔沁、刘泽洪等俱封二等男。

卓布泰　封二等男（十七年革）。

瑚　沙、谭　布、伊勒都齐等俱封二等男，后俱降三等。

吴国正　封二等男，削。

张所养　封二等男，后降世职。

绰尔奇、科尔昆、额尔格图、齐尔格申、真柱恩、吴尔哲、
雅尔纳、赖达哈、艾　图、苏鲁迈、舒　赫、伊　拜、
巴　本、新　泰、苏班岱、额　对、折尔门、邬布
格德、苏　朗、额参侯亨、博尔合兑、马光辉、马
光先、代　都、金声遥、线应琦、吴世俊、鲍　敬、
王元忠、孟乔芳等俱封三等男。

济席哈　封三等男（十七年降世职）。

叶克舒　复封三等男（十四年削）。

绰克图　满洲正蓝旗。封三等男，寻削。

科尔科　封三等男，后削。

柯永蓁　封三等男（十四年降世职）。

济尔哈朗　二月加封叔和硕郑亲王。

鳌　拜　满洲镶黄旗，瓜尔佳氏。二月封二等公。

希　福　四月封三等子。

额尔克戴青　七月封一等公（十一年降二等，十六年削）。

徐　勇　十月封二等男。

班秩福　十月封三等男。

古尔布什　十一月复封一等子。

刘之源　十一月封三等子。

根　图　十一月封一等男。

◉ 著述：

黄　鼎　字玉耳。安徽六安人。撰《天文大成管窥辑要》六十
　　　卷成，见四月自序。

郭宗昌　撰《金石史》二卷成，（按：此书于宗昌卒后至康熙
　　　癸卯始刻，见王宏撰序，今系于卒年）。

徐世溥　撰《夏小正解》一卷，《榆溪文集》□卷，《榆溪诗钞》
　　　二卷，《榆溪诗话》一卷成。（按：诸书皆无自序，世
　　　溥卒后其稿始出，今系于此年）。

陈　瑚　撰《圣学入门书》三卷成，（按：自序无年月惟序中
　　　有云年方四十，当成于此年）。

◉ 卒岁：

巴　颜　（一作霸彦）。汉军正蓝旗，李氏。正蓝旗汉军都统，
　　　一等伯。（乾隆十四年号曰昭信），正月卒年三十三。

张大猷　汉军镶黄旗（原籍辽阳）。江南提督，三等子。正月
　　　卒。

塔什盖护鲁格　蒙古镶黄旗。一等子。正月卒。

霸　兰　满洲正蓝旗。二等男。正月卒。

夏一鹗　汉军正白旗。江西巡抚。二月卒。

满达海　太祖皇孙，袭和硕礼亲王，改号巽亲王，前任征西大
　　　将军。二月初六日卒年三十一。追谥曰简（追谥在十
　　　二年八月），追夺爵谥（追夺在十六年十月）。

朱明镐　字艺昭。江苏太仓人。太仓州故诸生。三月初八日卒

年四十六。

博　洛　太祖皇孙，和硕端重亲王，前任征南大将军，定西大
　　　　将军。三月十六日卒年四十。谥曰定，追降贝勒并夺
　　　　谥（追降夺谥在十六年十月）。

王　铎　少保，礼部尚书。三月十八日卒年六十一。赠太保追
　　　　谥文安（追谥在十年十二月）。

巩阿岱　前封固山贝子，宗室。三月二十二日以罪处斩（注：
　　　　以迎合睿王，扰乱国政）。

锡　翰　前封固山贝子，宗室。三月二十二日以罪处斩（注：
　　　　以迎合睿王，扰乱国政）。

席纳布库　前内大臣。三月二十二日以罪处斩（注：以迎合
　　　　睿王，扰乱国政）。

冷僧机　前内大臣，一等伯。三月二十二日以罪处斩（注：以
　　　　迎合睿王，扰乱国政）。

巴世泰　（一作巴什泰）。满洲镶黄旗。一等伯。二月二十日
　　　　日遇刺受伤卒，赠三等侯。

勒克德浑　多罗顺承郡王，前任平南大将军，宗室。三月二
　　　　十七日卒年三十四。追谥恭惠（追谥在康熙十年六
　　　　月）。

永　顺　（一作雍舜）。满洲镶红旗，栋鄂氏。二等男，前镶
　　　　红旗满州副都统。三月卒。

多尔吉　蒙古镶红旗。二等子。卒。

王元忠　汉军镶白旗。三等男。卒。

吴尔哲　满洲正红旗。三等男。卒。

万寿祺　江苏铜山县故举人。五月初三日卒年五十。

祜里布　（一作呼实布）。多罗贝勒，太宗皇曾孙。五月卒。
　　　　追谥刚毅（追谥在十四年十月）。

沈一恒　湖南靖州知州。五月殉难。赠布政司参议。

罗锈锦　湖广四川总督。五月卒年六十三。赠兵部尚书。

宋　权　太子太保，原任国史院大学士。六月卒年五十五。赠

少保追谥文康（追谥在十六年三月）。

孔有德　汉军正红旗。定南王，前任平西大将军。于广西桂林殉难。追谥武壮（追谥在十年五月）。

孙　龙　汉军正红旗。二等男。七月于桂林遇害。予加一云骑尉世职。

王荃可　巡按广西湖广道监察御史。七月于桂林遇害。赠太仆寺少卿。

尹明廷　广西平乐府知府。七月十八日遇害年四十三。赠太仆寺卿。

周永绪　广西左江道。七月十八日于平乐遇害。赠光禄寺卿。

陈　锦　字天章。汉军正白旗（原籍锦州）。闽浙总督。七月于漳州灌口被刺伤亡。赠兵部尚书。

刘光斗　工部屯田司郎中，广西正考官。七月卒于江西南昌行馆。

瓦克达　太祖皇孙。多罗谦郡王，前任征西大将军。八月初七日卒年四十七。追谥曰襄（追谥在康熙十年六月）。

沈　伦　广西梧州府知府。八月殉难。

阿济拜　蒙古正蓝旗，卓特氏。原任正蓝旗蒙古副都统，一等轻车都尉兼一云骑尉。八月卒。追谥勤僖（追谥在十三年二月）。

武　赖　满洲镶黄旗，瓜尔佳氏。原任正蓝旗满洲都统，二等男。卒年六十四。谥康毅。

希　福　满洲正黄旗，赫舍里氏。弘文院大学士，三等子。十一月卒年六十四。赠太保，谥文简。

徐　勇　奉天辽东人。左都督衔湖南辰常镇总兵，二等男。十一月二十二日于辰州阵亡。追赠太子太保，晋一等男，谥忠节（赠谥在十三年正月）。

刘昇祚　湖南辰常道。十一月二十二日于辰州殉难。赠光禄寺卿。

王任杞　升授广东巡海道（由湖南辰州府知府升补）。十一月二十二日于辰州遇害。赠太仆寺少卿。

尼　堪　太祖皇孙，定远大将军，和硕敬谨亲王，前任定西大
　　　　将军。十一月二十三日于湖南衡州阵亡，年四十三。
　　　　谥曰庄。

程　尼　满洲镶红旗，瓜尔佳氏。一等伯。十一月二十三日于
　　　　湖南衡州阵亡。追谥诚介（追谥在十三年正月）。

喀尔塔喇　满洲镶白旗，章佳氏。护军统领，一等轻车都尉。
　　　　十一月二十三日于湖南衡州阵亡。 赠三等男，追
　　　　谥忠壮（追谥在十三年正月）。

武　京　副都统，二等轻车都尉。十一月二十三日于湖南衡州
　　　　阵亡。晋一等轻车都尉世职。

阿拉密　满洲正黄旗。前封二等男。十一月二十三日于湖南衡
　　　　州阵亡。赠三等男。

金汉惠　广西右江道。十一月二十三日以被拘至湖南衡州遇
　　　　害，年四十六。赠光禄寺卿。

胡统虞　秘书院侍读学士，前秘书院学士。十一月二十八日卒
　　　　年四十九。

绰　拜　蒙古镶白旗，巴林氏。原任镶白旗蒙古都统兼工部侍
　　　　郎，一等男。十二月卒。

噶尔玛僧额　三等伯，卒。

瑚什布　满洲镶蓝旗，那拉氏。理藩院副理事官，前镶蓝旗蒙
　　　　古都统，二等轻车都尉。卒。

德穆图　蒙古正白旗，博尔济吉特氏。正白旗蒙古副都统，一
　　　　等轻车都尉。卒。

周基昌　陕西城固人。四川叙州府知府。殉难。

潘应龙　四川重庆协副将。以被执遇害。

徐世溥　字巨源。江西新建县故诸生。遇害。入国史文苑传。

郭宗昌　字嗣伯。陕西人。陕西口口县。卒。

包秉德　字饮和，号即山。浙江萧山人。萧山县故诸生。卒。

陈洪绶　字章侯，号老莲、老迟、悔迟。浙江诸暨人。浙江诸

暨县监生。卒年五十六。入国史文苑传。

顺治十年癸巳（公元一六五三年）

● 生辰：

汪　森　正月二十九日生，字晋贤，号碧巢。浙江桐乡人（原籍安徽休宁）。享年七十四。

潘应宾　字雪石。山东济宁人。二月十二日生。

林企俊　字宫声，号莲轩。江苏娄县人。三月初一日生，享年八十二。

戴名世　字田有，号忧庵、褐夫。安徽桐城人。三月初八日生，享年六十一。

王　繻　六月十八日生，字慎夫。河南睢州人。享年六十八。

高　裔　六月二十五日生，字素侯。顺天宛平人。享年四十八。

福　全　七月生，世祖皇二子。享年五十一。

窦克勤　十一月初六日生，字敏修，号遁斋、艮斋、静斋。河南柘城人。享年五十六。

鄂　斐　生，宗室。享年六十一。

固　鼐　生，宗室。享年六岁。

舒　兰　生，满洲正红旗，那拉氏。享年六十八。

王材任　生，字子重，号西碉、素山。湖北黄冈人。享年八十八。

吕谦恒　生，字天益，号六吉、涧樵。河南新安人。享年七十六。

刘国黻　生，字禹美，号横浦、后斋。江苏宝应人。享年四十八。

梁　鼐　生，字公调。陕西长安人。享年六十一。

龚　嵘　生，字澹岩，号岱生。福建闽县人。享年六十七。

蔡秉公　生，字雨田，号云石。江西南昌人。享年七十一。

钱元功　生，字硕斋。江苏武进人。享年八十五。

陈　昂　生，字英士。福建同安人。享年六十八。

清代人物大事纪年

毛乾乾　生，（初名毛惕），字心易，号用九。江西南康人。
　　　　享年五十七。

◉ 恩遇：

锦　布　三月封二等子。

汤若望　太常寺卿管钦天监事。三月赐号通玄教师。

尼　堪　理藩院尚书。五月以老辞职，封二等子。

郑芝龙　（郑成功父）五月封同安侯（十四年四月革）。

郑成功　五月封海澄公（十四年四月革）。

郑鸿逵　（郑芝龙弟）五月封奉化伯（十四年四月革）。

洪承畴　大学士。五月晋太保。

李国翰　定西将军，都统。闰六月封三等侯。

刘武元　南赣巡抚。七月加太子太保。

胡有陞　江西南赣镇总兵。七月加太子少保。

郑成功　海澄公。十一月授靖海将军。

刘正宗　大学士，调管吏部尚书。十一月加太子太保。

孙承泽　吏部侍郎。十一月加太子太保。

孟乔芳　川陕总督。十二月以病乞假回京调理，晋少保。

◉ 著述：

薛所蕴　撰《桴庵诗集》四卷成，见彭志古跋。

钱　斅　撰《甲申传信录》十卷成，见秋日自序。

瞿昌文　撰《粤行纪事》三卷成，见十月自识。

◉ 卒岁：

瓦尔喀珠玛喇　满洲正白旗，那木都鲁氏。正白旗满洲副都
　　　　　　　统，一等男。三月卒年五十三。

杨国勋　湖南靖州协副将。三月以被拘至衡州遇害。赠都督同
　　　　知。

欧阳烝　字宪文。湖北潜江人。吏部文选司员外郎。四月十四
　　　　日卒年六十四。

王　翃　字介人，号二槐。浙江嘉兴人。浙江嘉兴县布衣。四
　　　　月卒年五十一。入国史文苑传。

线应琦 汉军正白旗。三等男。卒。

伊尔格德 满洲正黄旗。一等轻车都尉。六月于湖南宝庆之岔路口阵亡。追赠三等男（追赠在十二年六月）。

鄂克绰特巴 一等轻车都尉。六月于湖南衡州阵亡。赠三等男。

王成义 广东德庆协副将。殉难，予云骑尉世职。

邬象鼎 广东罗定道。八月以被拘至连滩遇害。赠光禄寺卿。

徐大用 山东莱州道。于胶州遇害。赠光禄寺卿。

匡兰兆 贵州道监察御史。以回籍省亲于山东胶州殉难。

雷　兴 新授河南巡抚，原陕西巡抚。以赴任卒于途中。赠兵部右侍郎。

海时行 前山东胶州镇总兵。十月于叛后复降。处斩。

房可壮 太子太保，原任都察院左都御史。十月卒年七十。赠少保，谥安恪。

顾梦麟 字麟士。江苏太仓人。江苏太仓县故副贡生。十一月二十日卒年六十九。

刘馀佑 前少保，户部尚书。卒。

刘子壮 原任国史院修撰。卒年四十四。入国史文苑传。

卢世㴲 原福建道监察御史。卒年六十六。

姜　垓 山东莱阳人。故行人司行人。卒年四十。

李犹龙 前天津巡抚。卒。

孔希贵 奉天开原人。都督同知，原任河南怀庆镇总兵。卒。

顺治十一年甲午（公元一六五四年）

● 生辰：

爱新觉罗玄烨　二月十八日生，·圣祖仁皇帝，享年六十九。

沈锺彦　十月十一日生，江苏长洲人。享年六十六。

郝　林　十二月生，字仲美，号筠亭、中云。直隶定州人。享年七十九。

李　菁　十二月二十一日生，四川中江人。享年八十四。

喇　布　生，宗室。享年二十八。

登　塞　生，宗室。享年七十一。

张廷枢　生，字景峰，号息园。陕西韩城人。享年七十六。

李来章　生，（原名李灼然以字行），号礼山。河南襄阳人。享年六十八。

黄秉中　生，字惟一，号虞庵。汉军镶红。享年六十五。

赵　珣　生，字仲琳。顺天武清人。享年六十二。

张曾禔　生，字洵安，号冰唯。浙江海宁人。享年七十八。

张自超　生，字彝叹，号沧溪。江苏高淳人。享年六十四。

许廷佐　生，字廉伊。安徽歙县人。享年五十七。

胡　隆　生，字景初，号岫斋。山东海丰人。享年七十三。

潘天成　生，字锡畴，号铁庐。安徽桐城人（原籍江苏溧阳）。享年七十四。

郭彭龄　生，字商山。江苏江都人。享年六十九。

陈　佩　生，河南新安人。享年四十七。

● 科第：

　考取拔贡生：

刘永祺　直隶人。内阁中书，，贵州铜仁府知府。

吴　绮　江苏江都人。内阁中书，浙江湖州府知府。

周岱生　江西德化人。贵州知县，广西平南县知县。

何嘉祐　浙江山阴人。江西知县，湖广道御史。

中式举人：

玛尔汉　满洲正白旗，兆佳氏。工部笔帖士，吏部尚书。

戴明安　内阁侍读学士。

黎士弘　福建长汀人。江西推官，甘肃洮岷道。

张大本　口口道。

顾鼎铨　山西蒲城县知县，康熙己未召试鸿博。

卓麟异　浙江仁和人。

王芝藻　字淇瞻，号荇友。江苏溧水人。安徽婺源教谕，湖南
　　　　邵阳知县。

梅　清　安徽宣城人。

姚　夑　字胄师，号成庵。浙江山阴人。湖南安化县知县。

查诗继　浙江海宁人。安徽霍邱县知县。

林尧华　字闻泊，号浣亭。福建莆田人。山西榆次县知县。

刘济宽　河南颖川人。浙江宣平县知县。

刘　伟　山东潍县人。莱阳县教谕，直隶南宫县知县。

于作霖　江南安远县知县。

阎文燡　山西文水人。四川知县，四川安边军民府知府。

曹续祖　字子成。山西乡宁人。

中式副榜贡生：

许定升　字升年。江苏长洲人，山东禹城知县。

郁　禾　江苏太仓人。

沈峻曾　字窳庵。浙江仁和人。又见庚子科。

陈　忱　字用亶，号遐心。浙江秀水人。

卓天寅　字火传，号亮庵。浙江仁和人。

林　逊　福建侯官人。陕西知县，四川达州直隶州知州。

马　珇　字奉章。陕西武功人。浙江永嘉县知县。

◉　恩遇：

绰世禧　正月封一等男。

马国柱　江南总督。二月晋太子太保。

马光辉　直隶山东河南总督。二月加太子少保。

祖泽远　二月加太子少保。

线国安　广西提督。二月加太子太保。

谢启光　前工部尚书。三月召用入京，因年老命以原官致仕，加太子太保。

费扬古、巴　山　三月俱封二等男。

噶达浑　三月封二等男（八月降一等轻车都尉）。

俄莫克图　八月封二等男。

范文程　大学士。加少保。

额色赫（一作额色黑）大学士。八月加太子太保。

宁完我　大学士。八月加太子太保。

车　克　户部尚书。八月加太子太保。

郎　球　礼部尚书。八月加太子太保。

巴哈纳　刑部尚书。八月加太子太保。

祝世胤　户部侍郎。八月加太子太保。

巴　哈　内大臣。八月加太子太保。

篇　古　八月加太子太保。

范文程　大学士。九月以病辞职，晋太傅。

线国安　广西提督。九月封三等伯。

全　节　左翼总兵。九月封三等子。

马　雄　右翼总兵。九月封二等男（康熙十三年九月叛）。

耿昭忠　封一等子。

● 著述：

梁维枢　直隶正定人。撰《玉剑尊闻》十卷成，见夏日自序。

吴　乔（原名吴殳乔），字修龄。江苏昆山人。撰《西昆发微》三卷成，见夏日自序。

李之芳　撰《棘听草》二十卷成，见七月自序，（按：此书后经其子重刻并为十二卷）。

● 卒岁：

孟乔芳　字心亭。汉军镶红旗（原籍直隶永平）。少保，兵部尚书衔川陕总督，三等男。　正月初一日卒年六十。

赠少保， 谥忠毅，入贤良祠，（入祠在雍正十年十月）。

赵之龙 汉军镶黄旗（原籍安徽虹县）。三等男。正月卒。

左梦庚 汉军正黄旗（原籍山东临清）。正黄旗汉军都统，一等子。卒。谥庄敏。

陈名夏 前少保，秘书院大学士。三月十日以罪处绞（注：以结党怀奸），年五十。

杨时化 字季雨，号沁湄。 山西阳城人。原任浙江按察司照磨，降调刑科左给事中。三月十四日卒年七十。

明　安 满洲正黄旗，博尔济吉特氏。二等伯。四月卒。谥忠顺，追封一等侯（追封在雍正七年二月，乾隆十四年号曰恭诚）。

博思希 满洲镶蓝旗。一等男。卒。

张　端 国史院大学士。五月卒。赠太子太保，谥文安。

折尔门 （一作拆尔门）。蒙古镶黄旗。三等男。卒。

哈　喇 满洲正白旗，札库塔氏。二等轻车都尉，乳公。卒。谥恭襄。

景固勒岱（一作荆古尔达）。满洲正白旗，札库塔氏。护军参领，二等男。八月卒。追谥忠直（追谥在十三年正月）。

刘仲锦 汉军正蓝旗（原籍辽宁东宁卫）。左都督衔原任福建右路总兵，前任兵部侍郎，一等轻车都尉兼一云骑尉。卒。

刘永锡 故江苏长洲县教谕。卒。

苏班岱 蒙古镶黄旗。三等男。卒。追谥顺僖（追谥在十三年正月）。

塞克图 三等辅国将军，宗室。十月卒。追谥怀仪（追谥在十四年十月）。

布　丹 满洲正红旗，富察氏。正红旗蒙古副都统，一等轻车都尉。十月卒。谥毅勤。

王一品　前广西巡抚。十月以罪处绞（注：以规避远缺，贿属吏科）。

塞勒伯　三等辅国将军，宗室。十一月卒。追谥怀仪，（追谥在十四年十月）。

刘武元　字镇藩。汉军镶红旗。太子太保，兵部尚书衔原任南赣巡抚，一等轻车都尉兼一云骑尉。十一月卒。赠少保，追谥明靖（追谥在十三年正月），追晋二等男（晋爵在康熙三年）。

硕　塞　太宗皇五子。宗人府宗令，和硕承泽亲王。十二月卒年二十七。追谥曰裕（追谥在康熙十年六月）。

高尔俨　太子太保，原任弘文院大学士。十二月初七卒。追赠少保，谥文端（赠谥在十三年七月）。

侯方域　河南商邱县副榜贡生。十二月卒年三十七。入国史文苑传。

邹忠倚　翰林院修撰。卒年三十二。

耿应张　字觐宸。河南襄城人。升授广东道监察御史，湖北荆州府推官。卒。

马喇希　满洲镶红旗，完颜氏。口口旗蒙古都统，三等子。卒。追谥忠僖（追谥在十三年正月）。

萧起元　汉军镶黄旗。降调浙江巡抚。卒。

蒋鸣玉　降调山东兖州道。卒年五十五。

刚阿泰　汉军正蓝旗，李氏。前都督同知，直隶宣化镇总兵。卒。

顺治十二年乙未（公元一六五五年）

◉ 生辰：

孟缵祖　六月二十七日生，享年三十二。

白　畿　八月十六日生，字彦京，号默岩、易阁。山西阳城人。
　　　　享年六十七。

劳　史　九月初四日生，字麟书，号馀山。浙江余姚人。享年
　　　　五十九。

桑天显　十月十四日生，字文侯。浙江钱塘人。享年七十九。

朱天章　十月十五日生，字依云。湖南长沙人。享年八十七。

钱纶光　十月十七日生，字廉江，号珠渊。浙江海盐人。享年
　　　　六十四。

性　德　十二月十二日生，（原名成德），字容若。满洲正黄旗，
　　　　那拉氏。享年三十一。

鄂　札　生，太祖皇曾孙。享年四十八。

徐元梦　生，字善长，号蝶园。满洲正白旗，舒穆禄氏。享年
　　　　八十七。

胡　煦　生，字沧晓，号紫弦。河南光山人。享年八十二。

汪　份　生，字武曹。江苏长洲人。享年六十七。

顾图河　生，字书宣，号砚颖。江苏江都人。享年五十二。

邓基哲　生，字骞之，号峰亭。山东聊城人。享年四十七。

高荫爵　生，字子和。汉军镶黄旗。享年五十八。

朱宏模　生，字奕苑。浙江海盐人。享年六十四。

魏世俲　生，字昭士，号耕庞。江西宁都人。入国史文苑传。

◉ 科第：

　　一甲进士：

史大成　状元。浙江鄞县人。修撰，礼部左侍郎。

戴王纶　字彝极，号经碧。直隶沧州人。榜眼。编修，江西粮
　　　　道，康熙戊午荐应鸿博。

秦　鉽　字克绳，号补念。江苏长洲人（原籍无锡）。会元。
　　　探花。编修，江西按察使。

　　二甲进士：

王益朋　字莘民、元之，号石农、鹤山。浙江仁和人。庶吉士，
　　　吏科给事中，太仆寺少卿

王命岳　字伯咨，号耻古。福建晋江人。庶吉士，工科给事中，
　　　刑科都给事中。

宋德宜　江苏长洲人。编修，文华殿大学士。

严　沆　庶吉士，兵科给事中，仓场侍郎。

黄　鼎　字浤涛。江苏吴县人。广西提学道。

孙光祀　字祚庭，号溯玉。山东历城人。庶吉士，礼科给事中，
　　　兵部右侍郎。

郭世纯　福建晋江人。安徽池州府知府。

周宸藻　（碑录作周震藻），字端臣，号质庵。浙江嘉善人。
　　　庶吉士，陕西道御史。

徐元琪　江苏武进人。刑部主事，左副都御史。

王泽弘　湖北黄陂人（原籍江西鄱阳）。编修，礼部尚书。

丁　澎　字飞涛，号药园。浙江仁和人。礼部主事，礼部郎
　　　中。

杨志远　字尔宁。江苏丹阳人。刑部主事，河南汝南道。

刘芳躅　字锺宛，号增美。顺天宛平人。编修，山东巡抚。

郭曰燧　江西南昌人。浙江台州府知府。

杨廷锦　江苏武进人。直隶天津道。

胡在恪　湖北荆门人。刑部主事，江西驿盐道。

徐旭龄　刑部主事，漕运总督。

田逢吉　字凝只，号碧庵、沛苍。山西高平人。编修，浙江巡
　　　抚。

孙胤骥　字清溪。福建南安人。江南提学道。

吕和锺　字大吕。山西长治人。陕西提学道。

王发祥　字长源。江苏太仓人。湖广提学道。

洪士铭 字日新。汉军镶黄旗（原籍福建南安）。口部主事，
太常寺少卿。

邱象升 （碑录作丘象升），江苏山阳人。编修，侍讲。

任　埈 安徽怀宁人。广东口口道。

张有光 字星灿，号揆原。江苏青浦人。山东河道。

王日藻 江苏华亭人。户部尚书。

许之渐 字青屿。江苏武进人。户部主事，江西道御史。

刘体仁 字公㦤，号蒲庵。河南颍川人。吏部主事，吏部郎
中。

洪若皋 字叔叙，号虞邻。浙江临海人。户部主事，福建福宁
道。

冯源济 字胎仙，号縠园、贻山。顺天涿州人。编修，祭酒。

翁　佶 直隶青苑人。四川龙安府知府。

汪　琬 江苏长洲人。户部主事，余见康熙己未词科。

王　鷟 字辰嶽。山东福山人。户部主事，户部尚书。

刘昌臣 字又昌，号山瘤。湖南武陵人。刑部主事，浙江粮
道。

闵　叙 字鹤瘤。江苏江都人（原籍浙江乌程）。广西提学道。

杜宸辅 （原名杜皇甫）。直隶长垣人。甘肃洮岷道。

黄　永 字云孙。江苏武进人。刑部员外郎。

曹申吉 编修，贵州巡抚。

刘祚远 字子延，号石水。山东安邱人。庶吉士，吏科给事中，
保定巡抚。

张惟赤 （原名张恒），字桐孩，号罗浮。浙江海宁人（原籍
海盐）。户部主事，工科掌印给事中。

沈世奕 字韩倬，号青城、竹斋。江苏吴县人。编修。

巢震林 字五一。江苏武进人。礼部郎中。

陈必成 字诚斋，号德予。顺天宛平人。口部主事，云南提学
道。

陆廷福 江苏常熟人。浙江温州府知府。

戴　斌　汉军镶黄旗。安徽凤阳府知府。

陈祚昌　字复安。浙江仁和人。内阁中书，江苏扬州府知府。

张登举　湖北推官，浙江杭严道。

胡简敬　字又弓。江苏沭阳人。编修，吏科左侍郎。

　三甲进士：

张松龄　字鹤生，号赤庵。福建莆田人。庶吉士，礼科给事中，
　　　　四川川南道。

史逸裘　字省庵。浙江仁和人。河南提学道。

蒋龙光　江苏宜兴人。浙江驿传道。

朱张铭　浙江嘉善人。

何元英　字龚音。行人，通政司参议。

李可沔　（碑录作李开邺待考），行人，湖广提学道。

綦汝楫　字松友，号胶厓。山东高密人（顺天宛平）。检讨，
　　　　侍读学士。

袁州佐　明万历四十四年生，字左之，号秋水、蓼庵。浙江会
　　　　稽人。陕西知州，直隶口北道。

张锡峄　（碑录作张锡怿），江苏上海人。山东泰安州知州。

陆求可　江苏山阳人。河南知县，福建提学道。

贾廷兰　字瑶林。直隶正定人。江西铙南九道。

宋国荣　口口府知府。

田种玉　字公琭，号逊庵。顺天宛平人。检讨，礼部右侍郎。

周令树　字计百。河南延津人。江西推官，山西太原府知府。

傅　宸　字彤臣，号兰生、丽农。山东新城人。直隶推官，山
　　　　西道御史，康熙己未召试鸿博。

王　阶　直隶景州人。浙江推官，浙江湖州府知府。

朱　霞　字石年。浙江石门人。福建汀州府推官。

孙际昌　字名卿。直隶河间人。户科给事中，甘肃临洮道。

宁心祖　口口学士。

陈敳永　字雕期，号学山。浙江海宁人。检讨，工部尚书。

胡景曾　广东顺德人。湖北武昌府知府。

于可託　字阿辅。山东文登人。江西推官，户部左侍郎。

纪　元　顺天文安人。浙江推官，甘肃巩昌府知府。

杨　鼐　浙江仁和人。直隶推官，通政使。

王　揆　字端吉，号芝廛。江苏太仓人。归班知县。

嵇永福　字尔遐，号漪园。江苏无锡人。浙江严州府推官，康
　　　　熙己未召试鸿博。

钱　黯　字长孺，号书巢、洁园。浙江嘉善人。安徽池州府推
　　　　官。

何　讷　江苏昆山人。山西推官，刑部主事。

张鼎彝　直隶束鹿人。通政使。

顾豹文　字季蔚，号且庵。浙江钱塘人。河南知县，江西道御
　　　　史，康熙戊午荐应鸿博。

党以让　字克公，号蓼怀。陕西城固人。检讨，侍讲。

张恩斌　汉军正黄旗。四川龙安府知府。

姚启盛　汉军镶红旗。浙江嘉湖道。

冯云骧　字纳生。山西代州人。山西大同府教授，四川提学道，
　　　　康熙己未召试鸿博。

万　泰　河南封邱人。刑部主事，浙江粮道。

杨雍建　广东知县，兵部左侍郎。

桑开运　字雨岚。顺天玉田人。口部主事，山东提学道。

熊光裕　湖北黄冈人。浙江杭严道。

陈圣泰　字思庵。福建侯官人。

龚　鲲　湖北钟祥人。安徽宁国府知府。

洪启槐　安徽宁国人。贵州提学道。

吴子云　字霞蒸，号五崖。安徽桐城人。安徽庐州府教授，河
　　　　南提学道。

张　苹　字正甫。直隶蠡县人。户部主事，四川提学道。

梁　鋐　字子远，号仲琳。陕西三原人。庶吉士，刑科给事中，
　　　　仓场侍郎。

秦松龄　检讨，余见康熙己未词科。

汪　观　字顒若。安徽宣城人。湖南湘乡县知县。

杨端本　山东临淄县知县。

竹绿漪　陕西泾阳人。广东口口道。

卢　易　字瑞峰。福建惠安人。口部主事，广西提学道。

张有傑　字英石。江西临川人。浙江温处道。

张为仁　字致堂，号沧粟。山东海丰人。河南知县，广东提学道。

郭士璟　江苏江都人。江苏常州府教授，工部主事。

程必昇　陕西韩城人。山东栖霞县知县，康熙己未召试鸿博。

侯抒愫　（碑录作侯抒愦），字尔谟，号古渠。河南襄城人。河南河南府教授，户部主事。

王震起　山东潍县人。河南知县，福建提学道。

李赞元　（原名李立），字望石。山东海阳人。庶吉士，山东道御史，兵部督捕侍郎。

伊　闉　山东新城人。庶吉士，广西道御史，云南巡抚。

蒋　寅　字敬公，号亮夫。江苏丹徒人。太朴寺卿。

项景襄　浙江钱塘人。原籍秀水，检讨，兵部右侍郎。

黄维祺　字五先。山东济宁人。直隶故城县知县。

王如辰　山东胶州人。山西知县，广西提学道。

吕正音　字五正。浙江新昌人。户部主事，安徽徽宁道。

丁其誉　字蜚公。江苏如皋人。行人。

张　苾　字献彤，号拙庵。河南舞阳县知县。

迟　煊　号默生。汉军正白旗。评事，江西盐驿道。

刘维桢　山东知县，贵州贵西道。

陆鸣珂　字天藻，号曾庵、次山。江苏上海人。江苏扬州府教授，山东提学道。

戚　藩　字价人，号蓬庵。江苏江阴人。陕西安定县知县。

沈　棻　字子佩，号藕庵。浙江平湖人。河南西平县知县。

孔　迈　河南汝阳人。浙江金华府知府。

慕天颜　甘肃静宁人。浙江知县，漕运总督。

周敏政　口口县知县。

蒋中和　字本达，号位公、眉三。江苏靖江人。河南兰阳县知
　　　　县，直隶沧州州判。

李丕则　字龙岩山人。山西曲沃人。江西金溪县知县。

戴锡纶　字丝如，号缄三。浙江余姚人。口部主事，广东罗定
　　　　道。

张吾瑾　字石仙。四川金堂人。山东知县，行人。

吴　翾　字松岩。浙江乌程人。湖北汉川县知县。

王士禄　山东新城人。山东莱州府教授，吏部员外郎。

罗文瑜　汉军正白旗。两淮盐运使。

张完臣　字良哉。顺天宛平人（原籍山东平原）。归班知县。

范廷魁　字介五，号珠岩。浙江鄞县人。

梁　熙　河南鄢陵人。陕西知县，云南道御史。

张可立　汉军镶黄旗。刑部左侍郎。

黄虞再　字泰升。陕西伏羌人。江西提学道。

梁　儒　字宗洙。汉军镶白旗。江南提学道。

吴允升　奉天人。山西蒲州学正，河南临颍县知县。

沈自南　字留侯，号恒斋。江苏吴江人。山东蓬莱县知县。

章　贞　浙江会稽人。山东知县，湖北枣阳县知县，康熙己未
　　　　召试鸿博。

陈韩遴　（碑录作韩遴），福建晋江人。江西饶南九道。

鄂翼明　字在公。满洲正白旗。直隶知县，福建汀州府知府。

张登选　字秀升。汉军正蓝旗。浙江按察使。

邵嘉胤　字令如，号全儒。兵部主事，鸿胪寺少卿。

张光烈　山西知县，山西平阳府同知。

孟述绪　汉军正白旗。云南提学道。

张怀德　汉军镶白旗。福建福州府知府。

陈年毅　口部主事，江西驿盐道。

张应瑞　字受庵。汉军正白旗。两淮盐运使。

焦　荣　河南新野人。江西知县，山西冀宁道。

高　瑜　字质庵。汉军镶黄旗。湖广提学道。

祖泽潜　字亮渊。汉军镶黄旗。浙江提学道。

满州一甲进士：

图尔宸　字自中。满洲正白旗。状元。修撰，工部左侍郎。

贾　勤　满洲正红旗。会元。榜眼。编修。

索　泰　满洲正白旗。探花。编修，兵科给事中。

满洲三甲进士：

达尔布　满洲镶蓝旗。检讨，山西巡抚。

伊桑阿　礼部主事，文华殿大学士。

萨穆哈　满洲正黄旗，吴雅氏。户部主事，工部尚书。

噶尔噶图　满洲正白旗，那拉氏。兵部主事，户部员外郎。

拉　色　（碑录作拉自）。　副都统。

色楞额　（原名色冷），字碧山。蒙古正黄旗。刑部左侍郎。

武进士：

于国柱　状元。浙江台州协副将。

单登龙　山东高密人。榜眼。江南提督。

卢廷简　字子闲。江苏江都人。会元。守备。

周　球　安徽来安人。广东守备，直隶正定镇总兵。

◉　恩遇：

党崇雅　大学士。二月以老辞职晋太保。

宁完我　大学士。二月进少保。

额色赫　大学士。二月进少保。

车　克　大学士。二月进少保。

巴　哈　内大臣。二月进少保。

篇　古　内大臣。二月进少保。

巴哈纳　户部尚书。二月进少保。

郎　球　礼部尚书。二月晋少保（十三年五月削）。

图　海　二月加太子太保。

成克巩　二月加太子太保。

蒋赫德　二月加太子太保。

傅以渐　二月加太子太保。

吕　宫　二月加太子太保。

哈什屯　内大臣。二月加太子太保。

韩　岱　（一作汉岱），满洲镶黄旗，觉罗氏。吏部尚书。加
　　　　太子太保（十三年四月削）。

王永吉　大学士。三月调管吏部尚书事，加太子太保。

丹　代　三月封三等子。

冯　铨　大学士。四月晋少师。

金之俊　晋少傅。

刘正宗　四月晋少保。

陈之遴　四月晋少保（十五年四月革）。

刘　昌　刑部尚书。四月晋少保。

巴哈纳　户部尚书。五月晋少傅。

博果铎　袭承泽亲王。六月改封庄亲王。

陈　泰　宁南靖寇大将军。六月封一等子。

胡世安　礼部尚书。七月加太子太保（十三年四月削）。

罗　壁　七月封二等公。

李日芃　操江巡抚。八月加太子太保。

额赫里　八月封一等男（十七年三月降三等）。

胡茂祯　总兵。十月加太子少保。

李本深　十月加太子少保。

纳　海　十一月封二等伯。

博穆博果尔　十二月封和硕襄亲王。

田　雄　浙江提督。晋少傅。

● 著述：

御制《资政要览》成，见正月御序。

御制《劝善要言》成，见正月御序。

黄向坚　《寻亲纪程》《滇还纪程》各一卷成，见春日胡周鼐
　　　　序。

● 卒岁：

巴尔楚浑　多罗贝勒，太祖皇孙。正月卒。追谥和惠（追谥在
　　　　十四年十月）。

额克亲　太祖皇孙，内大臣，前封固山贝子。正月卒年四十
　　　　七。

巴布泰　太祖皇九子，镇国公。正月卒年六十四。追谥克僖（追
　　　　谥在十四年十月）。

林德馨　刑部右侍郎。正月卒。

萨　弼　太祖皇曾孙，固山贝子。二月卒年二十八。追谥怀愍
　　　　（追谥在十四年十月）。

杜尔祐　（一作都尔呼）。袭多罗贝勒，太祖皇曾孙。二月卒
　　　　年四十一。追谥悫厚（追谥在十四年十月）。

图　霸　满洲镶蓝旗。一等男。二月卒。

海　兰　辅国公，显祖皇曾孙。二月卒，谥悫厚。

尼　谌　理藩院侍郎，一等男。二月卒。谥勤悫。

索尔和　满洲正黄旗。二等男，前封一等男。卒。

苏　赫　三等镇国将军，显祖皇曾孙。三月卒。谥怀思（追谥
　　　　在十四年十月）。

济尔哈朗　显祖皇孙。和硕郑亲王，前任定远大将军。五月初
　　　　　八日卒年五十七。追谥曰献（追谥在康熙十年六月）
　　　　　配享太庙（配享在乾隆四十三年正月）。

务达海　显祖皇孙。宗人府右宗正，固山贝子。五月十八日卒
　　　　年五十五。追谥襄敏（追谥在十四年四月）。

张秉贞　兵部尚书。五月卒。谥僖和。

艾　图　满洲正蓝旗。二等男。卒。

马光辉　汉军镶黄旗（原籍顺天大兴）。太子太保，原任直隶
　　　　山东河南总督。七月卒。谥忠靖。

董宗孟　原任延绥巡抚。七月卒。赠兵部右侍郎。

陈　泰　满洲镶黄旗，钮祜禄氏。宁南靖寇大将军，前国史院
　　　　大学士，一等子兼一云骑尉。七月卒于湖广军营，谥
　　　　忠襄。

诺木奇　满洲正黄旗。一等男。卒。

孟明元　湖南龙阳县知县。八月初一日卒年四十四。

陈有明　原任工部右侍部。八月卒。

多尔济　蒙古镶蓝旗。一等子。卒。

韩国玺　前湖北潜江县知县。九月卒年六十九。

喀　山　（一作哈山）满洲镶蓝旗，那拉氏。二等子，原任
　　　　佐领。十月卒。谥敏壮。

张绍先　原任工部左侍郎。十月卒。

李际期　兵部尚书。十月卒。赠太子少保，谥僖平。

色　冷　驻防京口刑部左侍郎，袭三等男。十月卒。

陈昌言　原任浙江道监察御史。十月十八日卒年五十八。

李日芃　字培原。汉军正蓝旗。太子太保，兵部尚书衔操江巡
　　　　抚。十一月卒。谥忠敏。

顾　仁　前巡按顺天口口道监察御史。十月初五日以罪处斩。

佟养量　汉军正蓝旗，佟佳氏。原任宣大山西总督。十一月卒。
　　　　赠右都御史。

勒　度　多罗敏郡王。十二月十九日卒年二十。追谥曰简（追
　　　　谥在康熙十年六月）。

阿喇善　满洲镶黄旗，博尔济吉特氏。镶黄旗蒙古都统，前刑
　　　　部尚书，一等男兼一云骑尉。卒。

陈逢泰　汉军镶红旗。副都统管佐领事，前任兵部右侍郎，骑
　　　　都尉兼一云骑尉。卒于湖南军营，谥康僖。

阿积赖　满洲正红旗，那拉氏。护军参领兼刑部理事官，一等
　　　　轻车都尉兼一云骑尉。卒。

杨名高　汉军镶黄旗（原籍辽东）。二等轻车都尉，前福建漳
　　　　州提督。卒。

0160

顺治十三年丙申（公元一六五六年）

● 生辰：

刘子章　正月十二日生，字道闇，号豹南。贵州贵筑人。享年五十二。

汤右曾　正月生，字西淮。浙江仁和人。享年六十七。

赵弘燮　三月二十日生，字公亮。甘肃宁夏人。享年六十七。

张韶闻　五月二十一日生，浙江钱塘人。享年八十三。

王沛憻　六月初六日生，字汝存，号念庵。山东诸城人。享年七十七。

宋　至　七月生，字山言，号方庵。河南商邱人。享年七十。

徐仁彝　八月生，字云若，号晓石。江苏人。享年四十三。

徐用锡　十二月三十日生，字坛长，号昼堂、鲁南。江苏宿迁人。享年八十口。

宫鸿历　生，字友鹿，号恕堂。直隶静海人。

陈　瑸　生，字文焕，号眉川。广东海康人。享年六十三。

刘殿衡　生，字玉伯。汉军镶白旗（原籍顺天宝坻）。享年六十二。

费　俊　生，字慧先、鹊峰。浙江归安人。享年六十八。

王心敬　生，字尔辑，号沣川。陕西户县人。享年八十三。

王启浑　生，山东新城人。享年十七。

李　崧　生，字静山，号芥轩。江苏无锡人。享年八十一。

● 恩遇：

金　砺　川陕总督。二月以老辞职，加太子太保。

李率泰　闽浙总督。二月加太子太保。

王国光　两广总督。二月加太子太保。

冯　铨　大学士。二月以病辞职，晋太保。

洪承畴　大学士。三月晋太傅。

宁完我 、额色赫 三月俱晋少傅。

刘正宗　三月晋少傅（十七年十一月革）。

车　克　户部尚书。三月晋少傅。

刘　昌　刑部尚书。三月晋少傅（四月削）。

图　海　大学士。三月晋少保（十五年十二月削）。

卫周祚　工部尚书。三月加太子太保。

蓝　拜　都统。四月以老辞职，加太子太保。

敦　拜、爱音塔穆　闰五月俱封一等子。

珠玛喇、隆　古　闰五月俱封三等子。

巴　朗　闰五月封二等男。

赉　塔、雅　喇、满　韬　闰五月俱封三等男。

毕力克图　闰五月封三等男（后降二等轻车都尉）。

苏克萨哈　八月封二等子。

拜　赛　八月封二等男。

佟图赖　都统。八月以老辞职，加太子太保。

黄　梧　八月以率众投诚，封海澄公。

李国英　四川巡抚。加太子太保。

敦　拜　护军统领。以病辞职，加太子太保。

苏　明　汉军正白旗。封一等子，后削。

苏克萨哈　领侍卫内大臣。加太子太保。

● 著述：

朱之俊（一作周之俊），撰《周易纂》六卷成，见正月自序。

御注《孝经》一卷成，见二月御序。

御制《内则衍义》成，见八月御序。

季　婴　字虎溪。江苏常熟人。撰《西湖手镜》一卷成，见自
　　　　序。

● 卒岁：

任　濬　原任刑部尚书。二月卒年七十口。

吴景道　汉军正黄旗。兵部尚书衔原任河南巡抚。三月卒年七
　　　　十五。赠太子太保，谥悫僖。

穆彻纳　满洲镶蓝旗，那拉氏。护军参领，三等轻车都尉。闰

三月卒。

雅尔纳 满洲镶白旗。三等男。卒。

沙济达喇 （一作**沙思塔里**）蒙古正黄旗。理藩院尚书。五月卒。赠一等子，谥正直。

祖大寿 汉军正黄旗。锦州总兵。卒。

陈贞慧 字定生。江苏宜兴故诸生。五月十九日卒年五十三。

周文烨 汉军。兵部尚书衔甘肃巡抚。六月卒。谥僖敬。

博穆博果尔 太宗皇十一子，和硕襄亲王。七月初三日卒年十六。追谥曰昭（追溢在康熙十年六月）。

徐尚介 广东灵山县知县。七月遇害（一作十五年七月）。赠按察司佥事。

郭一鹍 浙江杭严道。八月初九日卒年三十八。

胡全才 湖广总督。十一月十二日卒年五十二。赠兵部尚书，谥勤毅。

胡 瑍 汉军镶黄旗。三等男。十一月卒。

谈 迁 字孺木，号仲木。浙江海宁人。浙江海宁故诸生。十一月卒年六十四。

玛 鲁 秘书院学士。卒。谥忠勤。

都 赖 （一作**都雷**，又作**都类**）满洲正红旗，栋鄂氏。正红旗满洲都统，和硕额驸，二等伯。卒。

巴 朗 蒙古正黄旗，鄂尔果诺特氏。护军参领，二等男。卒。

刘 忠 汉军正黄旗。一等男。卒。

柳寅东 巡抚衔致仕，前顺天巡抚。卒。

李 昌 故陕西西宁道。卒。

王 翻 河南提学道。卒年二十七。

翁汉麐 江苏常熟人。江西南安府推官。卒年五十三。

祖可法 汉军正黄旗。左都督衔，原任湖广武昌镇总兵，三等子。卒，谥顺僖。

卢光祖 汉军镶黄旗（原籍辽东海城）。都督佥事，四川川北镇总兵，一等轻车都尉。卒。

沈国模 字求九，号叔则。浙江余姚人。余姚县故诸生。卒年
八十二。入国史儒林传。

吴蕃昌 浙江海盐县故诸生。卒年三十五。

吴允升 山西蒲州学正，选授河南临颍县知县。（选补时允升
卒已数年）。

顺治十四年丁酉（公元一六五七年）

● 生辰：

邵　瑸　五月十五日生，（原名邵弘魁），字殿先，号柯亭。顺天大兴人（原籍浙江余姚）。享年五十三。

吴　璟　六月十一日生，享年四十五。

魏学诚　九月二十六日生，字无伪，号一斋。山西蔚州人。享年六十五。

陈士鑛　十月初三日生，字屺庭，号山贡、宿峰。浙江秀水人。享年六十二。

王元复　十月十三日生，字能愚，号醒斋。湖南邵阳人。享年六十五。

常　宁　十一月生，世祖皇五子。享年四十七。

孔毓圻　生，字锺在，号翊宸、蔺堂。山东曲阜人。享年六十七。

嵩　祝　生，满洲镶白旗，赫舍哩氏。享年七十九。

魏方泰　生，字日乾，号鲁峰。江西广昌人。享年七十二。

朱　书　生，字字绿，号杜溪。安徽宿松人。享年五十一。

潘宗洛　生，字书原，号巢云、根谷。顺天大兴人（原籍江苏宜兴）。享年六十。

刘　棨　生，字弢子。山东诸城人。享年六十二。

李发枝　生，字培园，号鹿友。浙江山阴人。享年八十。

白　斑　生，字玫玉。陕西清涧人。享年六十六。

李　钦　生，字式唐，号陶庵。汉军正黄旗（原籍铁岭）。享年二十九。

万襄辅　生，（原名万伯安）。江苏宜兴人。享年七十七。

吴允嘉　生，字志上，号石仓。浙江仁和人。享年七十三。

范　鲲　生，浙江人。享年五十五。

● 科第：

考取拔贡生：

周士俨 湖南酃县人，国子监典籍，工部司务。

中式举人：

吴一清 字太易。江苏山阳人。

周　肇（原名周迪吉），字子俶。江苏太仓人，青浦县教谕，
　　　江西新淦县知县。

田茂遇 字楫公，号鬃渊、乐饥居士。江苏华亭（青浦）人。
　　　山东新城县知县，康熙己未召试鸿博。

钱陆灿 字湘灵、尔弢，号圆沙。江苏常熟人。侯选通判。

任绳隈 字青际。江苏宜兴人。

计　东 江苏吴江人。

吴兆骞 字汉槎。江苏吴江人。

孙　旸 江苏常熟人。

曾　畹（初名曾传灯），字楚田，号庭闻。江西宁都人。

崔宇广 江西南城人。

朱亮采 浙江海盐人。慈溪县教谕，山西岳阳县知县。

李　藩 字锡徽，号懒庵。四川通江人。山东黄县知县。

尹之逵 广东人。　重宴鹿鸣。

中式副榜贡生：

章在兹 字素文。江苏吴县人。

萧企昭 湖北汉阳人。

◉　恩遇：

猛　峩 正月封多罗温郡王。

鄂　硕 内大臣。二月封三等伯。

车　克 大学士。三月晋少师（十八年削）。

巴　哈 内大臣。三月晋少傅（康熙八年革）。

卫周祚 工部尚书。三月晋少保。

额尔克戴青 领侍卫内大臣。三月加少保（十六年削）。

遏必隆 三月加少保。

鳌　拜 三月加少保。

济　度　原封简郡王，袭郑亲王。改封简亲王。

李率泰　浙闽总督。五月封一等男（十六年削）。

杨方兴　河道总督。五月以老辞职，加太子太保。

吕应学　八月封三等子。

曹仁先　八月封二等男。

　　　九月以平定舟山：

伊尔德，宁海大将军。封一等侯。

车尔布　都统。封一等伯（康熙三年闰六月降三等）。

哈　岱　封一等子。

班惕思希布　封三等子。

武拉禅　封一等男。

根　特　封一等男。

徐大贵　封二等男。

柯永蓁　复封三等男（十七年革）。

岳　乐　十一月晋封和硕安亲王。

李荫祖　湖广总督。十二月加太子太保。

孙可望　十二月封义王。

遏必隆　领侍卫内大臣。晋少傅。

鳌　拜　晋少傅。

李率泰　浙闽总督。晋少保。

石廷柱　汉军正白旗。镇海将军。以老辞职加少保。

班际盛　汉军镶蓝旗。封一等男。

◉　著述：

顾有孝　编《唐诗英华》二十二卷成，见春日金俊明序。

沈　荍　撰《七音韵准》一卷成，见八月自序。

郁文初　字郁溪。湖北蕲州人。撰《郁溪易记》二十一卷成，
　　　　见自述。

吴调元　撰《同归集》十六卷成，见胡世安序。

◉　卒岁：

阿克偦　满洲，觉罗氏。正黄旗满洲副都统，骑都尉兼一云骑

尉。正月于福建罗源阵亡。晋三等轻车都尉世职。

穆成格 满洲，觉罗氏。一等男。正月卒。

姜民望 汉军正红旗。三等子。卒。

塔尔纳 太祖皇曾孙，多罗郡王。三月卒年十五。谥敏思，追夺爵谥（追夺在十六年十月）。

曹恭诚 汉军正白旗。三等子。卒。

噶达浑 满洲正红旗，那拉氏。兵部尚书一等轻车都尉，前封二等男。四月卒。赠太子太保，谥敏壮。

赵明徵 选授直隶容城县教谕。四月十六日卒年三十七。

玛　三 镇国公，宗室。五月卒。谥怀仪。

李　祒 前兵科给事中。五月十八日卒于尚阳堡戍所，年五十九。

色　勒 （一作塞勒）领侍卫内大臣。六月卒。谥勤慤。

李思忠 字葵阳。汉军正黄旗（原籍铁岭）。原任陕西提督，一等男兼一云骑尉。七月卒年六十三。

班秩福 汉军镶黄旗。三等男。七月卒。赠二等男。

马之先 字勉吾。汉军镶蓝旗（原籍辽东金州）。兵部尚书衔川陕总督。八月卒。谥勤僖。

鄂齐尔 满洲正黄旗，博尔济吉特氏。领侍卫内大臣，袭二等男，前封一等男。八月卒。谥勤恪。

阿慕古朗 蒙古正红旗。二等男。卒。

佟一鹏 汉军镶红旗。一等男。卒。

鄂　硕 满洲正白旗，栋鄂氏。内大臣，三等伯。九月卒，赠侯爵，谥刚毅。

翁　武 辅国公，宗室。九月卒。谥悼愍。

王崇铭 福建盐运使。十月二十八日卒年五十八。

李　藻 刑部右侍郎。十二月二十三日卒。

佛克齐库 袭固山贝子，太祖皇曾孙。十二月卒，谥介洁。

喇世塔 （一作喇实塔）。显祖皇孙，辅国公。卒。追谥恪僖（追谥在十八年五月）。

张凤翔　太子太保，原任工部尚书。卒年七十口。

杨麒祥　汉军镶红旗。镶白旗汉军都统。卒。

布克沙　满洲镶黄旗，瓜尔佳氏。原任镶黄旗蒙古副都统，户部侍部，一等轻车都尉。卒。

敖　德　护军参领，二等轻车都尉。卒。

秦世祯　汉军正黄旗（原籍奉天广宁）。前操江巡抚，卒。

王来用　河南大梁道，降调顺天巡抚，卒。

万　泰　字履安，号悔庵。浙江鄞县故举人。卒年六十。

杨　补　字无补，号古农。江苏长洲县布衣。卒年六十。

顺治十五年戊戌（公元一六五八年）

◉ 生辰：

蓝　斌　四月二十六日生，字郁人，号文庵。福建漳浦人。享年三十二。

陈汝咸　八月初五日生，字莘学，号心斋、悔庐。浙江鄞县人。享年五十七。

曹　寅　九月初七日生，字子清，号楝庭、荔轩。汉军正白旗。享年五十五。

宜思恭　九月初十日生，字允肃，号省庵。汉军正白旗。享年六十三。

蒋文源　十一月十四日生，字骞友，号坦庵。江苏吴县人。享年八十九。

雅　布　生，宗室。享年四十四。

屯　珠　生，（一作香珠）。正蓝旗宗室，享年六十一。

汪士鋐　生，字文升，号秋泉、退谷。江苏长洲人。享年六十六。

秦道然　生，字雒生，号南河。江苏无锡人。享年九十。

龚翔麟　生，字天石，号蘅圃。浙江仁和人。享年七十六。

素　丹　生，满州正黄旗，富察氏。享年七十二。

朱　瑛　生，浙江海盐人。字卓伦，号脊塘。享年五十二。

王汝楫　生，字若济，号思庵。福建宁化人。享年七十四。

蒋　瑛　生，字懋旃，号文河。江苏吴县人。享年三十九。

刘　捷　生，字古塘，号月三。江苏上元人。享六十九。

王　睿　生，字元哲。陕西西华人。享年七十三。

刘　清　生，广东香山人。享年九十九。

◉ 科第：

一甲进士：

孙承恩　字扶桑。江苏常熟人。状元。修撰。

孙一致 字惟一，号止澜。江苏盐城人。榜眼。编修，侍读学士。

吴国对 探花。编修，侍读。

二甲进士：

王遵训 河南西华人。庶吉士，云南道御史，户部右侍郎。

富鸿基 （原名富鸿业）。福建晋江人。编修，礼部右侍郎。

俞之琰 字以除。浙江桐乡人。庶吉士，吏科给事中，广西桂林道。

马晋胤 （碑录作马晋允），字谦箴。浙江余姚人。编修，侍读。

吴珂鸣 字新方，号耕芳、蕊渊。江苏武进人。编修，侍读。

顾耿臣 字奕闻。浙江嘉善人。口部主事，直隶大名府知府。

黄贞麟 安徽推官，户部主事。

崔尔仰 山西闻喜人。直隶知县，浙江提学道。

王 埌 山东沂州人。内阁中书。

郭 谏 字献丹，号怀苍。山东齐东人。庶吉士，工部主事。

王日高 山东茌平人。庶吉士，工科给事中，礼科掌印给事中。

田 麟 字西薇。直隶永平人。编修，侍读。

石 鲸 字浪秋，号横海。湖南武陵人。直隶滦州知州。

俞 灝 字可庵。浙江仁和人。江苏扬州府同知。

林云铭 字西仲，福建侯官人。知县，安徽徽州府通判。

冯萼舒 浙江长兴人。安徽太平府知府。

黄如瑾 字劢云，号昆瞻。江苏溧阳人。福建推官，浙江金华府知府。

萧惟豫 字介石，号韩坡。山东德州人。编修，侍读。

姚士升 湖北江陵人。广东推官，江苏江宁府同知。

许 虬 字竹隐。江苏长洲人。贵州推官，湖南永州府知府。

王士祯 江南推官，户部郎中，康熙戊午特授侍讲，刑部尚书。

毛　遂　江西新昌人。广口知县，吏部郎中。

徐之凯　字子强，号若谷。 浙江西安人。云南推官，甘肃真
　　　　宁县知县， 康熙己未召试鸿博，四川茂州直隶州知
　　　　州。

郑长青　福建晋江人。广西思恩府知府。

江殷道　湖北汉阳人。江西按察使。

徐嗜凤　字鸣岐，号竹逸。江苏宜兴人。云南永昌府推官。

张一鹄　字友鸿。江苏华亭人。推官。

李念慈　字屺瞻，号劬庵。陕西泾阳人。直隶推官，湖北天门
　　　　县知县，康熙己未召试鸿博。入国史文苑传。

郭　昌　字介繁。河南太康人。云南提学道。

叶方恒　字嵋初，号学亭、敬然、敬默。江苏昆山人。贵州推
　　　　官，山东济宁道。

曾王孙　浙江秀水人。陕西推官，四川提学道。

张贞生　江西庐陵人。会元。编修，侍讲学士。

杨正中　字尔茂。顺天通州人。编修，礼部左侍郎。

顾　岱　字泰瞻。江苏无锡人（原籍嘉定）。云南知县，浙江
　　　　杭州府知府。

杜　臻　浙江秀水人。编修，礼部尚书。

伊　巘　山东新城人。贵州推官，安徽望江县知县。

毛际可　河南推官，河南祥符县知县，康熙己未召试鸿博。

　　三甲进士：

钱中谐　字宫声，号庸亭。顺天昌平人（原籍江苏吴县）。归
　　　　班知县，湖南泸溪县知县，余见康熙己未词科。

吴　淇　字伯其，号冉渠。河南睢州人。广西推官，江苏镇江
　　　　府同知。

毕忠吉　江南推官，云南永昌道。

冯　甦　浙江临海人。云南推官，刑部左侍郎。

顾　鹏　字翎先。浙江秀水人。江西安福县知县。

吴　镳　浙江钱塘人，广西平乐府推官。

邹度琪　号西顿。江西新建人。检讨。

王飏昌　字子言。山东高密人。检讨，礼部左侍郎。

邹祗谟　字訏士，号程村。江苏武进人。归班知县。

张　沐　字仲诚，号起庵。河南上蔡人。直隶知县，四川资县
　　　　知县。

屠粹忠　字纯甫，号芝岩。　浙江鄞县人。河南知县，兵部尚
　　　　书。

祁文友　字珊洲，号兰尚。广东东莞人。工部主事。

王封溁　（碑录作王封溁），字玉书，号慎庵。湖北黄冈人。
　　　　检讨，礼部左侍郎。

彭之凤　字宜生，号横山、北海。湖南龙阳人。庶吉士，刑科
　　　　给事中，光禄寺少卿。

谭　篆　字灌湘，号灌村。湖北景陵人。检讨，侍讲。

翁世庸　字公用，号东山。浙江钱塘人。广西知县，福建台湾
　　　　府知府。

卢元培　字鲲飏，浙江仁和人。口部主事，山西提学道。

王锺灵　字龙洲（渊）。山西闻喜人。检讨，侍读。

黄开运　四川内江人。直隶知县，刑部郎中。

许延邵　浙江武康人。湖南知县，福建泉州府知府。

石之玫　陕西甘泉人。福建福州府知府。

蔡而煊　字邦鄂。福建漳浦人。河南桐柏县知县。

毛漪秀　字公卫。山东掖县人。口部主事，云南提学道。

李含春　字梅谷。顺天通州人。吏部主事，鸿胪寺卿。

陈觐圣　号幼以。湖南武陵人。山西知县，四川简州知州。

侯七乘　字仲辂。山西汾阳人。福建知县，江西广信府同知。
　　　　康熙己未召试鸿博。

李天馥　检讨，武英殿大学士。

崔蔚林　检讨，少詹事。

杜　镇　字子静。直隶南宫人。山东知县，刑部主事；康熙庚
　　　　申特授编修，侍读。

金　煜　山东郯城县知县。

阎若琛　兵部主事，浙江嘉兴府知府。

赵　崙　字阆仙。山东莱阳人。礼部主事，太常寺少卿。

李培初　字念白。顺天宁晋人。

徐文烜　字文章。江南青阳人。

郑崑璧　字澹庵。山西文水人。兵部主事，湖广提学道。

虞二球　字天玉。浙江定海人。湖南知县，江南提学道。

熊赐履　检讨，东阁大学士。

刘　梅　字训夫。直隶故城人。行人，江南常镇道。

陈肇昌　字省斋。湖北江夏人。工部主事，顺天府府尹。

陈廷敬　（原名陈敬奉旨改现名），字子端，号悦岩、午亭。
　　　　山西泽州人。检讨，文渊阁大学士。

吴本植　字笃生。直隶安平人。检讨，侍讲学士。

郑　重　福建建安人。江苏知县，刑部左侍郎。

杨引祚　（榜名吴引祚），字湄崧。湖北枝江人。口部主事，
　　　　浙江提学道。

丁　泰　字来公，号洛湄、汲亭。山东日照人。河南知县，工
　　　　科给事中。

黄　熙　江西南丰人。归班知县，江西临川县教谕。

顾高嘉　字静昭。浙江秀水人。庶吉士，知县，贵州都匀府知
　　　　府。

魏双凤　字雕伯，直隶获鹿人。江西知县，宗人府府丞。

熊赐玙　字宗玉，号云峰。湖北孝感人。检讨，侍读学士。

何玉如　河南洛阳人。浙江知县，山西太原府知府。

杜允中　字仲用。河南阌乡人。安徽知县，山东海丰县知县。

　　武进士：

刘　炎　浙江山阴人。状元。口口镇总兵。

◉　恩遇：

傅以渐　大学士。四月晋少保。

孙廷铨　吏部尚书。六月加太子太保。

王弘祚 户部尚书。六月加太子少保。

沙理岱 五月封二等子。

黄 梧 海澄公。加太子太保。

徐大贵 杭州左翼副都统。以病辞职加太子少保。

　　十月以前随孙可望归顺：

孟尚志、周文盛、石 玺、刘 武、王 月、张承召、杨惺
　　先、程万里等八人俱封一等男。

郑 国 封三等男。

◉ 著述：

毛奇龄 撰《天问补注》一卷成，见春日自识。

傅以渐 等奉敕撰《易经通注》九卷成，见十月进书表。

谷应泰 撰《明史纪事本末》八十卷成，见十月自序。

◉ 卒岁：

皇四子 正月卒，二岁，追封和硕荣亲王（追封在三月）。

丹 代 满洲镶黄旗，觉察氏。三等子。正月卒。

谢启光 太子太保，致仕工部尚书。二月卒年八十二。谥僖
　　敏。

特尔祜 固山贝子，宗室。二月卒年四十。谥恪僖。

僧 额 镇国公，宗室。二月卒。谥怀愍。

温齐喀 镇国公，宗室。二月卒。谥怀思。

琶 珀 三等辅国公，宗室。二月卒。谥怀愍。

固 鼐 镇国公，宗室。三月卒年六十。谥悼愍。

度尔伯 （一作都尔巴）。三等辅国将军，宗室。三月卒。谥
　　愍厚。

路泽淳 故中书舍人。三月十八日卒年三十二。

巴 喀 三等辅国将军，宗室。四月卒，谥怀思。

阿尔津 满洲正蓝旗，伊尔根觉罗氏。正蓝旗满洲都统，前任
　　宁南靖寇大将军，一等子兼一云骑尉。五月以进征云
　　南卒于军营。赠太子太保，谥端果。

伊 拜 （一作宜拜）。满洲正蓝旗，赫舍里氏。原任正蓝旗

蒙古都统，三等男。五月卒年六十五。赠太子太保，谥勤直。

多　诺 满洲镶黄旗。一等男。卒。

玛尔图 镇国公，宗室。六月卒。谥怀思。

彭之灿 直隶蠡县诸生。六月卒。

张玄锡 降调直隶山东河南总督。七月十二日于京师圣安寺自缢。

李国翰 字伯藩。汉军镶蓝旗。定西将军，镶蓝旗汉军都统，赐号墨尔根侍卫，三等侯（雍正中其裔孙降袭三等伯，乾隆十四年号曰懋烈）。七月卒于贵州遵义军营。赠太子太保，谥敏壮，入祀贤良祠（入祠在雍正十年十月）。

徐起元 太子太保，原任都察院左都御史。九月初五卒年七十四。谥僖靖。

努　山 满洲正黄旗，扎库塔氏。内大臣，二等男。九月卒。

翁　爱 蒙古镶黄旗，卓尔古特氏。镶黄旗蒙古副都统，一等轻车都尉。十月卒。

方　犹 前翰林院侍讲，江南正考官。十一月二十八日以罪处斩。

钱开宗 前翰林院检讨，江南副考官。十一月二十八日以罪处斩。

孔廷训 定南王孔有德子。被执至云南遇害追赐口葬（追赐在十六年七月）。

王亮教 降调四川道监察御史。十二月二十一日卒年四十八。

郑鸿逵 汉军正红旗（原籍福建南安）。前封奉化伯。卒。

佟图赖 汉军正蓝旗，佟佳氏。太子太保，原任正蓝旗汉军都统兼礼部侍郎，三等子，前任定南将军。卒年五十三。谥勤襄，追赠少保（追赠在康熙元年），追封一等公（追封在康熙十六年），加赠太师（加赠在雍正元年）。

金维城 字振寰。汉军正黄旗。三等轻车都尉，前兵部左侍郎，一等轻车都尉。卒。

叶克舒 满洲正红旗，辉和氏。前正红旗满洲都统，三等男，复授盛京总管。卒。

张　忻 降调天津巡抚。卒。

王之纲 顺天宛平人。前都督同知，福建云霄镇总兵。以遣戍尚阳堡卒于途。

项圣谟 明万历二十五年生。字孔彰，号易庵、胥山樵。浙江秀水人。秀水县布衣。卒年六十二。

顺治十六年己亥（公元一六五九年）

◉ 生辰：

万　经　正月十三日生，字授一，号九沙。浙江鄞县人。享年八十三。

李　塨　闰三月二十四日生，字刚主，号恕谷。直隶蠡县人。享年七十五。

李茹旻　九月初二日生，字覆如，号鹭州。江西临川人。享年七十六。

王世芳　九月初九日生，字徽德。号芝圃、南亭。浙江临海人。享年一百一十七。

王　鈇　十月一初三日生，字声远。浙江萧山人。享年二十六。

颜光敩　生，字学山，号怀轩。山东曲阜人。享年四十。

张　霆　生，享年四十六。

施世纶　生，（施琅子）。字文贤，号浔江。汉军镶黄旗（原籍福建晋江）。享年六十四。

吴陈琰　生，字宝崖，号芋町。浙江钱塘人。

王　苹　生，字秋史。山东历城人。享年六十二。

朱雕模　生，字皋亭，号南庐。浙江钱塘人。享年九十六。

顾　鳌　生，字隽生，号恒惺。江苏无锡人。享年五十八。

◉ 科第：

一甲进士：

徐元文　状元。修撰，文华殿大学士。

华亦祥　字缵长，号惕中、鹅湖。江苏无锡人。榜眼。编修，侍读。

叶方蔼　字子吉，号讱庵。江苏昆山人。探花。编修，刑部右侍郎。

二甲进士：

王　勋　字次重，号灌亭。顺天大兴人。编修。

郑为光　字晦中，号次岩。　江苏江都人。庶吉士，广东道御史。

周训成　字方更。山西安邑人。　庶吉士，口部主事，江安粮道。

许　玮　字存岩。浙江秀水人。庶吉士，礼科给事中。

苏宣化　字亮公、亮功。顺天大兴人。编修，少詹事。

彭孙遹　内阁中书，侯选主事，余见康熙己未词科。

方象璜　字雪岷。浙江遂安人。湖北推官，安徽合肥县知县，康熙己未荐应鸿博。

王追骐　字锦之，号雪洲。湖北黄冈人。庶吉士，理科给事中，山东武临道，康熙戊午荐应鸿博。

周之麟　字石公，号简斋、静斋。　浙江萧山人。编修，通政使。

李为霖　（原名李渌），字次辑，号木庵、雨公。江苏兴化人。庶吉士，刑部主事，云南按察使。

邱元武　（碑录作丘元武），字龙标，号慎清。山东诸城人。江西推官，工部主事。

龚在升　字闻园。浙江嘉善人。江苏苏州府推官。

姚缔虞　字历升，号岱农。　湖北黄陂人。四川推官，四川巡抚。

郑日奎　字次公，号静庵。江西贵溪人。庶吉士，礼部主事，礼部郎中。

锺　朗　字玉行，号广汉。浙江石门人。庶吉士，口部主事，陕西提学道。

叶　封　福建推官，兵马司指挥。康熙己未召试鸿博。

井　在　字存士。顺天文安人。山西推官，山西兴县知县。

廖应召　字幼奭。湖南永兴人。浙江推官，山东临驹县知县。

姚文燮　安徽桐城人。福建推官，云南开化府同知。

黄与坚　江苏太仓人。归班知县，余见康熙己未词科。

华章志 字逊来，号惟贞。江苏无锡人。户部主事，贵州提学道。

刘　果 山东诸城人。山西推官，江南提学道。

洪之傑 湖北江陵人。江苏巡抚。

朱训诰 字秀多，号讷庵。山东聊城人。庶吉士，户科给事中，江西盐驿道。

霍之琯 字玉官。山西马邑人。广西推官，内阁中书。

马　骦 （碑录作马繡），江苏推官，安徽灵壁县知县。

彭　珑 字云客，号一庵、信好老人。江苏长洲人。广东长宁县知县。

朱　锦 字天襄，号岵思。江苏上海人。会元。庶吉士，户部主事。

高龙光 字紫虹。福建长乐人。口部主事，山西提学道。

周　灿 字绀林，号星公。陕西临潼人。庶吉士，口部主事，四川提学道。

于觉世 山东新城人。河南推官，广东提学道。

管　恺 字旗山。江西临川人。编修。

刘　崐 字隐之，号西来。江西南昌人。直隶知县，湖南常德府知府。

徐孺芳 字兰皋。浙江仁和人。山西知县，福建提学道，康熙己未召试鸿博。

周　渔 字大西，号素庵、恕庵。江苏兴化人。编修。

孙必振 山东诸城人。河南推官，掌陕西道御史。

王又旦 湖北知县，户部掌印给事中。

翟延初 字岱麓，号质庵。山东益都人。编修。

段　藻 山西泽州人。广东口口道。

三甲进士：

邹象雍 字宫爽，号抑斋。江苏无锡人。河南知县，行人司行人。

王　钺 山东诸城人。广东西宁县知县，康熙己未召试鸿博。

马大士 字徵庵。直隶浚县人。庶吉士，四川道御史，掌京畿
　　　　道御史。

项一经 字韦庵。湖北汉阳人。安徽知县，贵州按察使。

乔　楠 字仲梗，山西阳城人。四川隆武县知县。

曹玉珂 山东知县，中书科中书。

曹鼎望 庶吉士，刑部主事，陕西凤翔府知府。

李　模 字洪范，号阙庵。河南郏县人。直隶知县，广西提学
　　　　道。

赵之符 顺天武清人。庶吉士，吏科给事中，左佥都御史。

黄玉铉 陕西洋县人。湖北广济县知县。

李成栋 湖北蕲水人。四川雅州府知府。

蒋弘道 顺天大兴人（原籍山西临汾）。检讨，左都御史。

朱之佐 字左人。顺天大兴人。检讨，侍读学士。

杨维乔 字岱桢，号午台。山东宁海人。庶吉士，广西道御史，
　　　　直隶口北道。

赵　增 山东汶上人。山西知县，兵部督捕主事。

李如澂 字仲渊，号澹庵。直隶高阳人。四川酆都县知县。

卢　俟 字鸿士，湖北天门人。陕西商南知县。

杨大鲲 字陶云，号天池、秋屏。江苏武进人。庶吉士，江西
　　　　知县，山东按察使。

陈景仁 字静山，号子安。浙江山阴人。庶吉士，吏部主事，
　　　　甘肃临洮府知府。

谷资生 字效坤，号雪塘、念园。山东乐陵人。四川知县，江
　　　　苏淮安府同知。

杨柱朝 字石林，号秋堂。湖南临湘人。四川平武县知县。

陶作楫 浙江会稽人。江南盐道。

吴　瑛 字伯美，号铜川。山西沁州人。河南知县，保和殿大
　　　　学士。

赵继美 （碑录作赵济美），字锺秀。山东蒲台人。庶吉士，
　　　　□部主事，河南河北道。

刘昌言　广西知县，顺天宛平县知县。

康霖生　直隶磁州人。广东知县，山东即墨县知县。

郑　端　庶吉士，工部主事，江苏巡抚。

戈　英　字育仲。直隶献县人。庶吉士，山东道御史。

刘元勋　字汉臣，号介庵。陕西咸宁人。庶吉士，口部主事，广东按察使。

王　赞　字懒仙。河南睢州人。

刘如汉　字倬章，号双山、卓如。四川巴县人。庶吉士，吏科给事中，江西巡抚。

赵光耀　字闇公，号云麓、安塞子。河南郏县人。湖南湘潭县知县。

李焕然　字大章。直隶浚县人。甘肃平凉县知县。

张于廷　山西阳城人。贵州永从县知县。

陈洪谏　字宪宸，号觉庵。山东德州人。四川知县，陕西神木道。

李　遥　字迤斋，号襄水。河南睢州人。江西知县，湖北当阳县知县。

詹养沉　字无机，号心渊。安徽婺源人。检村。

崔　华　浙江知县，甘肃凉庄道。

刘泽厚　字籹安。直隶吴桥人。四川江安县知县。

屈超乘　（碑录作屈起乘），河南阌乡人。湖北松滋县知县。

苏　镰　直隶交河人。内阁中书，湖北粮驿道。

边大义　字伯康，号桂丛。直隶任邱人。山西知县，广西永康州知州。

李绍闻　（榜名李见龙），字德中。山东蒙阴人。浙江知县，太常寺卿。

廖联翼　字云升。湖南衡阳人。河南知县，内阁中书。

● 恩遇：

沃　赫　一等子。二月晋袭其祖费英东三等公。

金之俊　大学士。二月晋太保。

陶　岱　二月封一等男。

吴　拜　三月复封一等子。

苏　拜　三月复封一等男。

额色赫　大学士。三月晋少师。

卫周祚　三月晋少傅。

成克巩　三月晋少傅。

蒋赫德　三月晋少保。

孙廷铨　吏部尚书。三月晋少保。

李　霨　大学士。三月加太子太保。

胡世安　三月复加太子太保。

王弘祚　户部尚书。三月晋太子太保。

霍　达　兵部尚书。三月加太子太保。

魏裔介　左都御史。三月加太子太保（十七年二月削）。

杜笃祜　户部侍郎。三月加太子少保。

傅维麟　三月加太子少保。

林起龙　仓场侍郎。三月加太子少保。

苏纳海　礼部侍郎。三月加太子少保。

杜立德　刑部侍郎。三月加太子少保（寻削）。

谭　洪　四月以率众投诚封慕义侯（康熙十三年正月叛）。

谭　诣　四月以率众投诚，封向化侯。

胡世安　大学士。六月晋少傅。

南一魁　总兵。九月加太子少保。

梁化凤　苏松水师总兵。十二月加太子太保。

傑　书　袭巽亲王。十二月改封康亲王。

杨　捷　江南提督。加太子太保。

贾汉复　河南巡抚，复加太子太保。

张长庚　汉军镶黄旗。湖广巡抚。加太子少保（康熙十二年二月削）。

李本深　贵州提督。晋太子太保（康熙十二年十一月叛）。

狄三品　伪德安侯。七月以擒献冯双礼投诚，封抒诚侯。

● 著述：
　　朱鹤龄 撰《李义山诗集笺注》二卷成，见二月自序。
　　毛　晋 撰《虞乡杂志》三卷成，（按：自序无年月今系于七
　　　　　月之前）。
　　汪　琬 撰《说铃》一卷成，见十月自序。
　　顾炎武 撰《营平二州史事》六卷成，见自序。
　　孙承泽 撰《己亥存稿》一卷成，见四库存目。
● 卒岁：
　　郝　杰 原任户部右侍郎。正月卒。
　　拉什哈布 蒙古正黄旗。一等男。正月卒。
　　王永吉 都察院左副都御史，太子太保，前国史院大学士。二
　　　　　月卒年六十一。赠少保吏部尚书，谥文通。
　　干　图 太祖皇孙，辅国公。二月卒。谥介直。
　　郑嘉栋 汉军镶白旗。三等男。卒。
　　郭文雄 江苏昆山县知县。三月二十三日卒年四十一。
　　札喀纳 辅国公品级，前封固山贝子，显祖皇曾孙。闰三月于
　　　　　云南军营卒年四十九。
　　沙尔虎达 满洲镶蓝旗，瓜尔佳氏。驻防宁古塔，镶蓝旗满州
　　　　　　都统，一等男。四月卒年六十一。赠太子太保，谥
　　　　　　襄壮。
　　沙理布 蒙古镶白旗，博尔济吉特氏。镶白旗蒙古都统，四月
　　　　　于云南磨盘山阵亡，谥襄壮，予骑都尉世职。
　　珲　锦 蒙古镶蓝旗，萨尔图氏。镶蓝旗蒙古副都统，一等轻
　　　　　车都尉兼一云骑尉。四月于云南磨盘山阵亡。谥壮
　　　　　勤。
　　多颇罗 满洲镶黄旗，瓜尔佳氏。口口旗蒙古副都统，一等轻
　　　　　车都尉。四月于云南磨盘山阵亡。
　　拜　赛 （一作拜察）。蒙古正蓝旗。二等男。四月于云南磨
　　　　　盘山阵亡。追赠一等男（按追赠在十八年）。
　　巴　本 满洲镶蓝旗。三等男。卒。

刘麟图 蒙古镶白旗。一等侍卫，三等男。卒。谥僖顺。

亢得时 漕运总督。七月于高邮落水卒。

瑚伸布禄 （一作胡申布鲁）满洲正蓝旗。江宁驻防协领，一等轻车都尉兼一云骑尉。于江苏瓜洲阵亡。赠三等男（追赠在十八年正月）。

毛　晋 （原名毛凤苞），字子晋，号潜在。江苏常熟县诸生。七月二十七日卒年六十一。入国史文苑传。

杨行健 陕西蓝田县知县。八月卒年四十五。

金声遥 汉军正白旗。三等男。卒。

刘进忠 汉军正红旗。一等男。卒。

卢慎言 前江苏按察使。十月十六日。以罪凌迟处死。

邵曾可 字子唯，号鲁公。浙江余姚人。浙江余姚县故诸生。十一月卒年五十一。

曹仁先 汉军正黄旗。二等男。十一月卒。

王　月 汉军正白旗。一等男。十一月卒。

祝世胤 汉军镶红旗。太子太保，都统衔原任户部侍郎。卒年六十九。

赵继鼎 山东德州人。原任户部右侍郎。卒。

张鼎延 原任兵部右侍郎。卒。

季开生 前礼科给事中。卒于戍所，年三十三。赏复原官。

祖泽润 汉军正黄旗。一等子兼一云骑尉，前正黄旗汉军都统。卒于湖南长沙军营。

董　俄 蒙古正白旗。口口旗蒙古副都统，一等轻车都尉兼一云骑尉。卒，谥勤僖。

黄图安 降调宁夏巡抚。卒。

方大猷 前河南管河道，降调山东巡抚。卒于狱。

张天禄 汉军正黄旗（原籍陕西榆林）。三等轻车都尉，前江南提督，三等子。卒。

刘国宰 四川抚标中军副将。于新宁阵亡。

朱廷珪 字大彰。浙江海盐故廪生。卒年六十七。

史孝咸 字子虚。浙江余姚县故诸生。卒年七十八。入国史儒
　　林传。

顺治十七年庚子（公元一六六〇年）

◉ 生辰：

周振业 正月初五生，江苏吴江人。享年七十一。

黄　鼎 二月初九日生，字尊古，号旷亭、独往客、净垢老人。江苏常熟人。享年七十一。

隆　禧 四月生，世祖皇七子。享年二十。

韩　蕃 五月十七日生，字蔚原。直隶武强人。享年五十五。

胡德迈 九月二十二日生，字卓人，号鹿亭。浙江鄞县人。享年五十六。

杨名时 十二月二十四日生，字宾时，号凝斋。江苏江阴人。享年七十七。

张大受 生，字日容，号匠门。江苏嘉定人。享年六十四。

吴启昆 生，字宥函，号佑咸、新亭。江苏江宁人。享年七十四。

翁振翼 生，字迂伯。江苏常熟人。享年五十九。

盛际斯 生，字咸十。江苏武宁人。享年七十。

焦袁熹 生，字广期。江苏金山人。享年七十六。

陈　熊 生，江苏人。享年七十九。

林　佶 生，字吉人，号鹿原。福建侯官人。享年六十□。

郑元庆 生，字子馀，号芷畦。浙江归安人。享年六十□。

郭　远 生，字来倩，号青来。湖南桂阳人。年五十五。

◉ 科第：

　　武进士：（按：上年己亥科武殿试，于本年五月举行）

林本直 字育长，号燧庵。江苏上元人。状元。都司佥书，湖广提督。

　　中式举人：

成克大 字子来。直隶大名人。内阁中书，贵州镇远府知府。

杨之柄 山西知县，浙江宁波府知府。

陈　澎　字半千。直隶安州人。

唐　甄　四川达州人。山西长子县知县。

朱　英　字辰望。江苏上元人。山东肥城县知县，重宴鹿鸣。

董　俞　字苍水，号樗亭、钓客。江苏华亭人。康熙己未召试
　　　　鸿博。

崔　华　字不雕。江苏太仓（巢县）人。

李梦兰　字郑公。江西建昌人，云南楚雄知县。

钱　珏　字朗亭。浙江长兴人，陕西知县，山东巡抚。

彭　鹏　福建人，顺天知县，广东巡抚。

苏金铉　字耳鼎。山东濮州人，寿光县教谕，兵部主事。

孔贞瑄　字璧六，号历洲、聊园。山东曲阜人。泰安州学正，
　　　　云南大姚县知县。

　　中式副榜贡生：

沈峻曾　浙江仁和人。

徐瑞星　江苏无锡人。

高熊徵　字渭南。广西岑溪人（一作宜山）。桂林县教谕，浙
　　　　江盐运使。

0188

◉　恩遇：

金之俊　大学士。晋太傅（康熙八年正月削）。

李栖凤　两广总督。加太子少保。

林起龙　凤阳巡抚。晋太子太保。

吴六奇　广东潮州镇总兵。加太子太保。

色靖寇　五月封二等男。

马尔赛　七月封一等子。

路　什　七月封二等男。

吴学礼　七月封三等男。

特　锦　八月封二等男。

胡宏先　汉军正白旗。十月封二等男。

夏景梅　十月封三等男。

卫周祚　大学士。十一月晋少师。

阿什岱 十二月封三等男。

朱之锡 封太子少保。

舒里浑 封三等男。

● 著述：

孙承泽 撰《庚子销夏记》八卷成，见六月自序。

汪　价 字介人。江苏人。撰《中州杂俎》三十五卷成，见自序。

王　晫 字丹麓，号木庵。浙江仁和人。撰《遂生集》十二卷成，见自序。

顾梦游 撰《茂绿轩集》四卷成，（按：此集乃卒后为施闰章所定，今系于九月之前）。

● 卒岁：

敦　拜 满洲正黄旗，富察氏。太子太保，盛京总兵，前任护军统领，一等子。正月卒，谥襄壮。

瓦尔玛 满洲觉罗氏，镶蓝旗满洲副都统，一等男。正月卒。

李孔昭 顺天蓟州故进士。正月卒。

纳　海 满洲镶蓝旗，那拉氏。署前锋统领，二等伯。二月卒。

多尔济达尔汉诺颜 蒙古镶黄旗，博尔济锦氏。内大臣，前任都察院承政，一等子兼一云骑尉。四月卒。谥顺僖。

傅勒赫 太祖皇孙。四月卒。追赠镇国公（追赠在康熙元年二月）。

拔都海 太祖皇孙。宗人府右宗人，辅国公。四月卒。谥恪僖。

徐元勋 汉军镶黄旗。二等男。卒。

六　十 汉军正蓝旗，佟佳氏。正蓝旗汉军都统，三等伯。五月卒。

莫洛浑 满洲镶黄旗，觉罗氏。护军参领，袭一等子。五月于福建厦门阵亡。追赠三等伯，谥刚勇（赠谥在康熙二年二月）。

纳穆生格　满洲正黄旗，博尔济吉特氏。袭三等子。于福建阵亡。追谥直勇（追谥在康熙二年五月）。

纳都瑚　满洲镶白旗，瓜尔佳氏。都察院左副都御史，一等男兼一云骑尉。卒。

代　都　汉军正黄旗，姓李氏。原任工部侍郎，三等男。卒。

济　度　袭和硕郑亲王改号简亲王，前任定远大将军。七月初一日卒年二十八。追谥曰纯（追谥在康熙十年六月）。

曹　琪　丁忧礼部精膳司主事。八月初六日卒年五十七。

满　度　辅国公，宗室。八月卒。谥怀思。

顾梦游　字与冶。江苏江宁县故诸生。九月初二日卒年六十二。

刘芳名　汉军正白旗（原籍甘肃宁夏）。左都督衔宁夏镇总兵，前任四川提督，定西将军，二等轻车都尉。九月卒于江南军营。赠太子太保，谥忠肃。

桑　芸　广东左布政使。九月卒。

额参侯亨　蒙古正白旗。三等男。卒。

额尔格图　满洲镶黄旗。三等男。卒。

拉世塔　宗人府左宗人，辅国公，宗室。十一月卒。

尼思哈　袭和硕敬谨亲王，宗室。十一月十四日卒年十岁。追谥曰悼（追谥在康熙六年三月）。

孙可望　汉军正白旗。义王。十一月二十日卒。谥恪顺。

韩　机　满洲正红旗。二等男。卒。

果　盖　显祖皇曾孙。镇国公。十二月卒。谥端纯。

喇笃祜　（一作拉都呼）。镇国公，宗室。十二月卒。谥端纯。

萨　赛　满洲，觉罗氏。三等男。十二月卒。

马逢知　（原名马进宝）。汉军正蓝旗（原籍山西隰州）。前左都督衔苏松提督骑都尉。十二月以通贼谋叛处斩（注：以交通海贼书信往来）。

朱士稚 字伯虎，号朗诣。浙江山阴人。浙江山阴县布衣。十二月卒年四十七。

尼　堪 满洲镶白旗，那拉氏。二等子，致仕理藩院尚书。卒年六十六。

卫周胤 降调兵部右侍郎。卒。

戴明说 前太仆寺卿，降调户部尚书。卒。

沈文奎 汉军镶白旗（原籍浙江会稽）。陕西粮道，降调漕运总督。卒。

徐时勉 故澄城县知县。卒年七十六。

汪　观 丁忧湖南湘乡县知县。卒年五十三。

朱学聚 字乾如。浙江海盐县故诸生。卒年五十六。

顺治十八年辛丑（公元一六六一年）

● 生辰：

何　焯　二月二十七日生，字润千，号屺瞻、茶仙、义门。江苏长洲（崇明）人。享年六十二。

沈恺曾　四月二十八日生，字虞士，号乐存。浙江归安人。享年四十九。

冯协一　八月初十日生，字躬暨，号退庵。山东益都人。享年七十七。

沈　澈　八月十三日生，字奕清，号留耕。浙江归安人。享年四十一。

吴　襄　生，字七云，号辑耘、悬本。安徽青阳人。享年七十五。

陆绍琦　生，字景韩，号傲岩。浙江嘉兴人。享年七十七。

史申义　生，字叔时，号蕉饮。江苏江都人。

杨宗仁　生，字天爵。汉军正白旗（原籍山东沂水）。享年六十五。

张孟球　生，字夔石，号钧庭。江苏长洲人。享年八十。

陶文彬　生，字仲玉，字月山。浙江会稽人。享年八十五。

盛　枫　生，字黼宸，号丹山。浙江秀水人。享年四十七。

费锡琮　生，字厚藩。四川新繁人。

朱永嘉　生，字元湄，号松洲。浙江海盐人。享年四十六。

● 科第：

　一甲进士：

马世俊　字章民，号甸丞、匡庵。江苏溧阳人。状元。修撰，侍读。

李仙根　四川遂宁人。榜眼。编修，户部右侍郎。

吴　光　字迪前，号长庚。浙江归安人。探花。编修。

　二甲进士：

孙　銕　字古喤，号徽庵。浙江嘉善人。福建知县，广东潮
　　　　州府通判。

董　含　字阆石，号榕庵。江苏华亭人。归班知县。

米汉雯　字紫来，号秀岩。直隶安化人。江西推官，江西建昌
　　　　县知县行取主事，余见康熙己未词科。

邵延龄　内阁中书，江西提学道。

周庆曾　字燕孙，号屺瞻。江苏常熟人。内阁中书，候补主事，
　　　　余见康熙己未词科。

张玉书　编修，文华殿大学士。

刘芳喆　字宣人。直隶宛平人。编修，司业。

严胤肇　字修人，号石樵。浙江归安人。山东寿光县知县。

申　稌　（碑录作甲稌），江苏吴县人。内阁中书，广西提学
　　　　道。

吴源起　字准庵。浙江秀水人。河南知县，礼科给事中。

岳宏誉　字蔼亭。江苏武进人。湖广提学道。

郑开极　字肇修，号儿亭。福建侯官人。编修，谕德，康熙丁
　　　　酉重宴鹿鸣。

潘见龙　字云从。江苏吴江人。河南知县，云南曲靖府知府。

盛民誉　字来初，号仲来。浙江秀水人。湖南推官，湖南桂阳
　　　　县知县。

刘元慧　字子潧。直隶正定人。山东知县，左副都御史。

李时谦　字吉爻，号苏庵。顺天大兴人（原籍江苏山阳）。山
　　　　西推官，陕西粮道。

武之亨　字双峰。湖北孝感人。陕西提学道。

朱世熙　字克咸，号瑶岑。顺天宛平人。编修，谕德。

孙　蕙　江苏知县，户科掌印给事中。

李质素　字丹麓。山西翼城人。广西提学道。

魏裔讷　直隶柏乡人。江苏桃源县知县。

周根郇　直隶南宫人。江西知县，兵科给事中。

刘钦邻　字江屏。江苏仪征人。广西富川县知县。

江　皋　江西知县，福建兴泉道。

徐淑嘉　口口县知县。

王维坤　字卿舆。直隶长垣人。

　三甲进士：

张　鹏　江苏丹徒人。内阁中书，吏部左侍郎。

罗人琼　字宗玉，号紫萝。湖南桃源人。浙江推官，四川道御
　　　　史。

程甲化　字季白。福建莆田人。太仆寺少卿。

孙　奏　字赓伯，号兹庵。江苏高淳人。湖北知县，浙江台州
　　　　府知府。

任　玥　山西知县，掌京畿道御史。

田喜霱　检讨，内阁学士。

周斯盛　字屺公，号铁耕。浙江鄞县人。山东即墨县知县。

卫执蒲　字禹涛。陕西韩城人。直隶知县，左副都御史。

侯元棐　河南杞县人。浙江知县，中书科中书。

牛　枢　直隶元氏人。湖北知县，浙江嘉兴府知府。

申涵盼　检讨。

张　衡　直隶景州人。内阁中书，陕西输林道。

成其範　字愚崑。山东乐安人。直隶知县，兵部右侍郎。

宋庆远　字源馀，号原裕。江苏华亭人。口口县知县。

林尧英　字蜚伯，号澹亭。福建莆田人。直隶知县，户部主事，
　　　　康熙己未召试鸿博，河南提学道。

叶映榴　庶吉士，国子监博士，湖北粮道。

胥　琬　字麓庵。山东潍县人。山西提学道。

吕兆麟　字敬芝。河南新安人。陕西知县，福建道御史。

杨　蕴　陕西知县，内阁中书。

陆费锡　号梧冈。浙江桐乡人。山东平原县知县。

王临元　山东聊城人。江西浮梁县知县。

朱射斗　字颖滨。浙江归安人。内阁中书，贵州思州府知府。

崔鸣鷟　直隶内丘人。河南知县，江西广信府知府。

陈常夏　字长宾，号铁山。福建南靖人。会元，陕西米脂县知县。

邱园卜　字枚先。江苏睢宁人。口部主事，湖广提学道。

张都甫　（榜名都甫无张姓），河南祥符人。山西知县，都政司参议。

陈　宏　顺天大兴人。口部主事，康熙己未召试鸿博。

李　铠　字公凯，号惺庵、艮庵。江苏山阳人。奉天盖平县知县，余见康熙己未词科。

乔甲观　字升庵。山西翼城人。

刘　滋　安徽知县，山西提学道。

王又汧　字少西。江苏华亭人。湖北德安府知府。

王九鼎　陕西三原人。直隶知县，吏部郎中。

朱约淳　字博成。浙江余姚人。山东泰安县知县。

王豫嘉　字九清，号建侯。陕西扶风人。检讨，侍讲。

汤　聘　字祖之，号止庵。江苏溧水人（原籍上元）。平山县知县。

杨佐国　陕西知县，太仆寺少卿。

臧振荣　（碑录作臧振荥），广西知县，江西宁州知州。

郑之谋　字野谋。湖北咸宁人。检讨，侍讲。

张鸿猷　字匡鼎。顺天通州人。内阁中书，广西提学道。

许三礼　河南安阳人。浙江知县，兵部督捕侍郎。

裴宪度　字二华。陕西高陵人。广东提学道。

赵廷锡　（碑录作赵锡胤是否为同一人待考），陕西肤施人。浙江知县，顺天良乡县知县，康熙己未召试鸿博。

宋必达　字其在。湖北黄冈人。江西宁都县知县。

韩荩光　字笃臣。直隶高阳人。河南知县，刑部主事。

徐诰武　字孟枢，号简庵。江苏金坛人。庶吉士，河南道御史，户部右侍郎。

　　武进士：

霍维鼎　山东济宁人。状元。都司金书。

◉ 恩遇：

爱新觉罗玄烨　皇三子。正月初九嗣登大位，明年为康熙元
　　　　　　　年。

田　雄　浙江提督。三月封二等侯。

马得功　汉军镶黄旗（原籍福建）。福建提督。封三等侯。

莫敬耀　安南都统。五月以投诚，封归化将军。

梁化凤　苏松提督。七月封三等男。

祁三升　伪咸阳侯。七月以投诚加少保。

郭　义　九月以率众投诚封三等男，加太子太保（康熙十三年
　　　　九月叛）。

蔡　禄　九月以率众投诚封三等男，加太子太保（康熙十三年
　　　　四月叛）。

胡世安　大学士。十一月以病辞职，晋少师。

布　祜　满洲觉罗氏。封三等男。

郎　图　封三等男。

朱之锡　河道总督。加太子少保。

赵廷臣　浙江总督。加太子少保。

◉ 著述：

闵齐伋　字寓五。浙江乌程人。撰《六书通》十卷成，见十一
　　　　月自序（按：此书原稿阙，至康熙庚子始为毕弘述增
　　　　订刻行）。

顾炎武　撰《山东考古录》一卷成，见十二月自序。

张习孔　撰《云古卧余》二十卷续八卷成，见十二月自序。

秦云爽　字开地，号定叟。浙江钱塘人。撰《紫阳大旨》八卷
　　　　成，见自序。

白胤谦　撰《东谷诗文集》二十八卷，续集六卷成，见七月成
　　　　克巩序。

◉ 卒岁：

多　尼　太祖皇孙。降袭多罗豫郡王，改号信郡王，前任安远
　　　　靖寇大将军。正月初四日卒年二十六。谥宣和。

爱新觉罗福临 大行皇帝顺治。正月初七崩于养心殿，圣寿二十有四。尊谥曰章，庙号世祖。

傅达理 三等侍卫。正月随殉世祖，赠一等轻车都尉，谥忠烈（一作忠贞）。

齐克新 多罗贝勒，前袭和硕端重亲王。正月卒年十二。谥怀思。

古尔布什（一作顾尔布锡）。满洲镶黄旗人。和硕额驸，一等子。正月卒年六十五。谥敏襄。

胡其佽 署四川松潘协副将，抚标中军游击。正月二十八日于雅安阵亡年四十三。赠参将。

巴思哈 镶红旗满洲都统，镇国将军，前封多罗贝勒，宗室。二月卒年三十。

石廷柱 少保，原任镇海将军，镶红旗汉军都统，三等伯，前封一等伯。二月卒年六十三。赠少傅，谥忠勇。

巴进泰 工部右侍郎，正蓝旗宗室。三月卒。

霍　达 太子太保，以工部尚书管都察院左都御史，前任兵部尚书。四月卒年六十二。

禅　代 字静斋。满洲人。降调吏部左侍郎。四月卒。

克什图 蒙古正红旗。三等子。卒。

果　科（一作郭科），满洲镶白旗，觉罗氏。工部尚书，二等轻车都尉。五月卒。追削尚书衔留云骑尉，后赏复骑都尉世职（复职在康熙八年）。

额尔克戴青 满洲正黄旗，博尔济吉特氏。内大臣衔，前少保领侍卫内大臣，二等公。六月卒。谥勤良。

吴世俊 （一作吴士俊）。汉军正红旗（原籍开原）。原任正红旗汉军副都统，三等男。六月卒。

赵福星 原任凤阳巡抚。七月卒。

段国璋 原任工部□侍郎。七月卒。

翁　需 原任福建上杭县知县。八月初六日卒年四十七。

舒里浑 满洲正黄旗，栋鄂氏。正黄旗满洲副都统，三等男。

七月卒。

刘宏遇 汉军正蓝旗。福建粮道，降调山西巡抚。九月卒。

华允谊 字汝正，号龙超、复庵。江苏无锡人。江苏无锡县贡生。九月二十四日卒年八十四。

固　鲁 满洲镶白旗。三等子。卒。

庄机达 满洲镶黄旗。一等男。卒。

根　图 满洲镶红旗，栋鄂氏。一等男。卒。

额色赫（一作**额色黑**）。满洲镶白旗，富察氏。少师，保和殿大学士，一等轻车都尉。十月卒。谥文恪，入贤良祠（入祠在雍正十年十月）。

郑芝龙 汉军正红旗（原籍福建南安）。郑成功之父。前封同安侯。十月以其子郑成功叛逆处斩。

谢适初 江西瑞金县廪生。十月十七日卒年四十五。

贾开宗 字静子，野鹿居士。河南商邱人。河南商邱县贡生。十月二十五日卒年六十七。

伊尔德 满洲正黄旗，舒穆禄氏。正黄旗蒙古都统，前任宁海大将军，一等侯（雍正中其裔孙降袭二等伯，乾隆十四年号曰宣义）。十一月卒于云南军营，年五十六。谥襄敏。

鄂茂图 秘书院学士，骑都尉兼一云骑尉。十二月初二日卒年四十八。

张缙彦 前工部右侍郎，复授江南徽宁道。卒于宁古塔戍所。

王世选 汉军正红旗（原籍陕西榆林）。原任正红旗汉军都统，二等子。卒。

萨弼图 满洲正白旗，他塔喇氏。原任正白旗满洲副都统，二等男。卒。

西喇巴雅尔 蒙古镶黄旗，布库特氏。原任镶黄旗蒙古副都统，一等轻车都尉兼一云骑尉，前封三等子。卒。

阿纳海 满洲正红旗，佟佳氏。工部理事官兼护军参领，一等轻车都尉。于山东连山阵亡。赠三等男。

鲁国男 顺天大兴人。前都督金事，直隶正定镇总兵。卒。

杨　彝 字子常。江苏常熟人。故原授江西都昌县知县。由江苏松江府训导补以病未任，卒年七十九。

朱宗文 浙江余杭县教谕。卒年六十。

姚延著 原任河南右布政使。卒。

圣祖康熙元年壬寅（公元一六六二年）

◉ 生辰：

蒋锡震 九月十九日生，字岂潜，号平川、渔者。江苏宜兴人。
享年七十八。

赵执信 十月二十一日生，字伸符，号秋谷、饴山。山东益都
人。享年八十三。

赖　士 生，宗室。享年七十一。

钱以垲 生，字朗行，号蔗山。浙江嘉善人。享年七十一。

俞兆岳 生，字岱祯，号五峰。浙江海宁人。享七十七。

刘　灏 生，字西谷、若千，号波千。陕西泾阳人。享年五十
一。

黄　秀 生，字君实，号实庵。湖南巴陵人。享年九十。

李　馥 生，字汝嘉，号鹿山。福建福清人。享年八十四。

田呈瑞 生，享年五十九。

陈鹤龄 生，字鸣九，号莲窗。直隶安州人。享年六十五。

朱宸枚 生，浙江海盐人。享年六十。

吴　曝 生，字元朗。江苏太仓人。享年四十五。

王文雄 生，顺天大兴人。享年六十二。

游崇功 生，享年六十。

李　暾 生，字寅伯，号东门。浙江鄞县人。享年七十五。

◉ 恩遇：

爱星阿 定西将军，领侍卫内大臣。二月加少保。

博通鄂 袭三等子。二月封一等子。

吴三桂 平西王。五月晋封平西亲王（十二年十二月革）。

白文选 十一月以投诚封承恩公。

杨学皋 十一月以投诚封三等男加太子少保。

费雅思哈 护军统领。封三等男。

◉ 著述：

冯　甦　撰《滇考》二卷成，见二月自序。

高　兆　字云客，号固斋。福建侯官人。撰《续高士传》五卷成，（按：此书成于二月）见陶徵序。

张学礼　撰《使琉球记》一卷成，见自序。

梅文鼎　撰《历学骈枝》五卷成，见七月自序。

● 卒岁：

孙肇兴　山东莘县人。原任工部左侍郎。卒。

珠玛喇　满洲镶白旗，碧鲁氏。原任正白旗蒙古都统，靖南将军，前吏部尚书，三等子。卒年五十八。追谥襄敏（追谥在八年十一月）。

索　浑　满洲镶白旗，瓜尔佳氏。前镶白旗满洲都统，一等轻车都尉。四月卒。

郑成功　字大木。福建南安人。故延平王，前授靖海将军，封海澄公。五月初八日卒年三十九。

陈应泰　原任浙江巡抚。五月卒。

金　砺　汉军镶红旗。太子太保，原任陕西四川总督，一等男加一云骑尉，前任平南将军。七月卒。

济席哈　满洲正黄旗，富察氏。靖东将军，正红旗满洲都统，前任刑部尚书，一等轻车都尉，前封三等男。七月卒。追谥勇壮（追谥在六十一年十一月）。

李允祯　原授广西左江道。由工部郎中升补，未任乞归，九月二十六日卒年六十三。入国史循吏传。

苏鲁迈　满洲正蓝旗，嵩佳氏。三等男，原任佐领。十一月卒。谥勤勇。

刘正宗　前少傅，文华殿大学士。卒年六十九。

罗　璧　满洲镶红旗，瓜尔佳氏。二等公。卒。

沙里岱　（一作沙尔代）。蒙古正黄旗。散秩大臣，二等子。卒。

额尔德赫　满洲镶红旗，那拉氏。敬谨亲王府长史，前署广东镇海将军。卒。追谥果毅（追谥在雍正四年八月）。

马之驶 原任陕西提学道。卒年五十五。

王猷定 字于一，号轸石。江西南昌人。南昌县故贡生。卒于
　　　杭州年六十五。入国史文苑传。

朱学章 字穉弢，浙江海盐人。海盐故诸生。卒年七十四。

康熙二年癸卯（公元一六六三年）

● **生辰：**

郎廷极 四月初十日生，字紫衡，号北轩。汉军正黄旗（原籍奉天广宁）。享年五十三。

冯景夏 四月二十二日生，字树臣，号伯阳。浙江桐乡人。享年七十九。

陈允恭 十一月十二日生，字无逸，号六观、南麓。广西平乐人（原籍浙江山阴）。享年六十二。

陈鹏年 十二月十三日生，字北溟，号沧洲。湖南湘潭人。享年六十一。

玛尔珲 生，太祖皇曾孙。享年四十七。

巴　赛 生，镶蓝旗宗室。享年六十九。

范时崇 生，字自牧，号苍崖。汉军镶黄旗。享年五十八。

马　喇 生，享年六十三。

陆奎勋 生，字聚侯，号星坡、陆堂。浙江平湖人。享年七十六。

孙濩孙 生，字邃人，号沛村。江苏高邮人。

蔡　琦 生，字魏公。汉军正白旗。享年五十四。

李锺伦 生，字世德。福建安溪人。享年四十四。

王闻远 生，字莲泾、灌家村翁。江苏太仓人。

张觐光 生，江苏嘉定人。享年五十七。

● **科第：**

　中式举人：

姚启圣 汉军镶红旗（原籍浙江会稽）。广东知县，福建总督。

阎兴邦 广西知县，贵州巡抚。

朱衣客（原名朱衣贵）。汉军正蓝旗。甘肃西宁镇总兵。

白启明 汉军镶白旗。江西赣南道。

李　炜 字峻公，号浣庐。顺天武清人。内阁中书，山东巡抚。

陈光祖　内阁中书，浙江宁绍道。

江　阊　字辰六。安徽歙县人。湖南知县，山西解州直隶州知
　　　　州，己未召试鸿博。

陈　菁　字幼木，号梅巢。江苏江宁人。苏州府教授，陕西道
　　　　御史。

张　瑾　字去瑕，号涤园、子瑜。江苏江都人。云南昆明县知
　　　　县。

刘为先　江西庐陵人。安远县教谕。

谢　聘　江西瑞金人。

钱瑞徵　浙江海盐人。西安县教谕。

王庶善　湖北人。浙江仁和县知县。

陈　毅　河南人。陕州学正，直隶静海县知县。

卫立鼎　山西阳城人。直隶知县，福建福州府知府。

陈嘉绩　陕西人。广东知县，大理寺卿。

萧象韶　字虞九，号西台。广东连山县知县。

　　　中式武举人：

白　斌　直隶沧州人。口口镇总兵。

● 恩遇：

陈　豹　二月以投诚封慕化伯。

诺尔逊　满洲觉罗氏。三月封三等男，后削。

魏裔介　左都御史。三月复加太子太保。

杜立德　户部尚书。五月复加太子少保。

郑缵绪　八月以率众投诚封二等伯（十二月改慕恩伯）。

郑鸣俊　封遵义侯。

卓　罗　都统，一等子。晋封二等伯。

穆里玛　靖西将军，都统。封一等男（八年五月革）。

达理善　封三等男。

● 著述：

王锡阐　撰《晓庵新法》六卷成，见九月自序。

黄宗羲　撰《明夷待访录》一卷成，见十月自序。

卢崇兴　撰《治禾纪略》五卷成，见自序。

陈祚明　编《采菽堂古诗选》三十八卷补遗四卷成，见自撰凡
　　　　例。

崔　冕　撰《千家姓文》一卷成，见自序。

潘柽章　撰《松陵文献》十五卷成，（按：此书于癸酉年始刻）
　　　　见潘来序，今系于五月之前。

白胤谦　撰《学言》二卷成，见十月吕崇烈序（按：书成后有
　　　　续卷一卷）。

● 卒岁：

宁古哩　满洲正蓝旗，托和洛氏。户部尚书，云骑尉，前授骑
　　　　都尉。二月卒。谥勤敏。

班　肫　蒙古正黄旗。一等伯，卒。

宋德宏　江苏长洲县举人。四月卒年三十四。

陆宇燝　字周明，号懋庵。浙江鄞县人。故监军按察司副使。
　　　　四月十二日卒年五十六。

王克生　前山东寿光县知县。五月卒年四十八。

田　雄　汉军镶黄旗（原籍直隶宣化）。少傅，浙江提督，二
　　　　等侯。（乾隆五十四年号曰顺义），五月卒。赠太傅，
　　　　谥毅勇。

吴　炎　江苏吴江县故诸生。五月二十六日以罪处斩。

潘柽章　江苏吴江县故诸生。五月二十六日以罪处斩，年三十
　　　　六。

杨思圣　四川左布政使。六月十四日以入觐回任卒于河内清化
　　　　镇旅次，年四十四。入国史文苑传。

伊尔登　满洲镶白旗，钮祜禄氏。内大臣，二等伯。六月卒年
　　　　六十八。谥忠直。

屯　齐　显祖皇曾孙。镇国公，前封多罗贝勒，任定远大将军。
　　　　六月卒年五十。

胡文华　原任南赣巡抚。六月卒。

郝尔德　都督佥事，湖北九溪副将，袭三等轻车都尉世职。七月于郧西黄龙山阵亡。赠右都督。

黄宗会　浙江余姚县拔贡生。八月初八日卒年四十六。入国史儒林传。

马光远　汉军镶黄旗（原籍顺天大兴）。原任正黄旗汉军都统，一等子。八月卒。谥诚顺。

陈　协　原任仓场侍郎。八月卒。

李朝云　汉军镶白旗。三等男。卒。

胡世安　少师，原任秘书院大学士。卒。

于时跃　字龙舟。汉军正白旗（原籍奉天广宁）。右都御史衔广西提督。十月卒。

吴学礼　汉军镶红旗。三等男。卒。

噶尔哈图　镇国公，宗室。十一月卒。

胡兆龙　太子太保，原任吏部左侍郎。十二月卒年三十七。

蒋　棻　故礼部主事。卒年六十六。

哈什屯（一作洽世屯）。满洲镶黄旗，富察氏。太子太保，原任内大臣，一等男加一云骑尉。卒年六十六。入祀贤良祠（入祠在乾隆二年），追封一等承恩公（追封在乾隆十三年五月）。

硕　詹　满洲正红旗，富察氏。一等男，前任户部左侍郎。卒年六十四。谥胡敏。

佟　岱　满洲正蓝旗，佟佳氏。三等轻车都尉，前任闽浙总督。卒。

张弘俊　福建按察使。卒年四十三。

马得功　汉军镶黄旗（原籍福建）。福建提督，三等侯。于厦门洋面阵亡。赠一等侯，（乾隆十四年号曰顺勤），谥襄武。

徐　波　江苏吴县故诸生。卒年七十四。入国史文苑传。

顾天锡　湖北蕲州监生。卒年七十五。

康熙三年甲辰（公元一六六四年）

● 生辰：

韩孝基　正月十九日生，字祖昭，号东篱。江苏长洲人。享年
　　　　九十。

查嗣庭　正月二十一日生，字润木，号横浦、查溪。浙江海宁
　　　　人。享年六十四。

高　玢　生，字芸斋。河南柘城人。享年八十一。

李孚青　生，字丹壑。河南永城人。享年三十口。

刘青藜　生，字太乙，号卧庐、啸月。河南襄城人。享年四十
　　　　六。

程　佶　生，字自闲。江苏江都人（原籍安徽歙县）。享年七
　　　　十二。

杜于藩　生，享年六十五。

董　懿　生，字千美，号劝之。年八十六。

魏　嶟　生，字陛原。直隶南乐人。享年六十八。

张德纯　生，字能一，号天农、松南。江苏长洲人（原籍青浦）。
　　　　享年六十九。

蓝廷珍　生，字荆璞。福建漳浦人。享年六十六。

林　亮　生，字汉侯。福建漳浦人。享年六十四。

费锡璜　生，字滋衡。四川新繁人。

● 科第：

　一甲进士：

严我斯　字就思，号存庵。浙江归安人。状元。修撰，礼部左
　　　　侍郎。

李元振　榜眼。编修，工部左侍郎。

周　弘　（榜名秦弘）探花。江苏无锡人。编修，侍讲学士。

　二甲进士：

沈　珩　浙江海宁人。会元。候选内阁中书，余见己未词科。

李芳广 河南柘城人。山东知县，内阁中书，康熙己未召试鸿博。

李鸿霖 字厚馀，号季霖。山东新城人。内阁中书，湖南沅江府知府。

田　雯 内阁中书，工部郎中，己未召试鸿博，户部左侍郎。

陆　舜 字元升，号吴州。江苏泰州人。刑部主事，浙江提学道，戊午荐应鸿博。

严曾榘 庶吉士，广西道御史，兵部右侍郎。

翁与之 广东澄海县知县。

吴元龙 字长人，号卧山。江苏华亭人。庶吉士，工部主事，工部郎中，余见己未词科。

王连瑛 字戒顽，号廉夫。河南永城人。礼科掌印给事中。

方殿元 字蒙章，号九谷。广东番禺人。山东知县，江苏江宁县知县。

卜陈彝 （榜名陈之仪），浙江秀水人。陕西知县，吏部员外郎。

朱　雯 字乔山，号复思。浙江石门人。湖北知县，山东济东道。

李　迥 字奉倩。山东寿光人。内阁中书，刑部右侍郎。

吴自肃 字在公，号克庵。山东海丰人。江西知县，山西河东道。

诸定远 字西侯，号白洲。江苏昆山人。庶吉士，口部主事，四川川东道。

三甲进士：

杨锺岳 字大山，广东揭阳人。庶吉士，户部主事，福建提学道。

柯　愿 字又邹。福建龙溪人。口部主事。

徐懋昭 字晋公。浙江鄞县人。江苏沛县知县，己未召试鸿博，河南开封府同知。

秦敬传 字公麟。顺天宛平人。内阁中书，内阁侍读。

蒋弘绪　字懒庵。山西临汾人。广东提学道。

邹　峰　字桐崖。江苏山阳人。云南提学道。

胡士著　字璞匡，号綱文。江苏江宁人。检讨，庶子。

熊一潇　庶吉士，浙江道御史，工部尚书。

邵远平　（初名吴远），字戒三、戒庵，字吕璜、蓬观子。浙江仁和人。庶吉士，户部主事，侯补京堂。余见己未词科。

李孔嘉　直隶景州人。内阁中书，礼部郎中。

程文彝　字铭仲，号桦园。安徽休宁人（原籍江苏娄县）。庶吉士，刑部主事，工部右侍郎。

孙若群　山东淄川人。山西知县，四川口州知州。

劳之辨　庶吉士，户部主事，左副都御史。

师若琪　字左珣。直隶安肃人。内阁中书，湖北襄阳府知府。

刘谦吉　字六皆，号訒庵。江苏山阳人。内阁中书，山东提学道。

刘　深　山东淄川人。顺天知县，福建粮道。

陈　论　字谢浮，号丙斋。浙江海盐人。检讨，刑部右侍郎。

王锡韩　顺天固安县知县。

张国城　字宗子，号怀五。安徽舒城人。广东高明县知县。

曹贞吉　礼部主事，礼部郎中。

车万育　字与三、敏州，号云崖、鹤田。湖南邵阳人。庶吉士，户科给事中，兵科掌印给事中。

曹　禾　字颂嘉，号莪眉。江苏江阴人。内阁中书，详见己未词科。

李　棠　字召林。广西临桂人。庶吉士，福建道御史，四译馆少卿。

刘　恂　字让子。湖南辰溪人。归班知县。

孙闳达　字逊庵。江苏通州人。山西太原县知县。

徐　勋　字汉帜。浙江鄞县人。陕西知县，山西道御史。

锺仪傑　字华峰。陕西洵阳人。□部主事，广东广州府知府。

常翼圣 字百子。河南鄢陵人。工部郎中，大理寺卿。

周爱访 字裕斋，号求卓。江苏吴江人。知县，江西提学道。

王承露 字毅庵。山东益都人。广西提学道。

卫既齐 检讨，贵州巡抚。

盛符升 字珍示，号诚斋。江苏昆山人。内阁中书，广西道御
史。

李观光 字崧阳。山东堂邑人。山西提学道。

陈　㟍 字元熙。河南新安人。山西马邑县知县。

裴　裒（碑录作裴裘）河南新安人。广西知县，兵部员外郎。

吴李芳 湖南邵阳人。江西知县，甘肃固原州知州。

赵士麟 云南河阳人。贵州推官，吏部左侍郎。

　武进士：

吴三畏 状元。都司佥书。

邱　湛 会元。口口守备。

卜世俨 字若思。江苏上元人。贵州镇远卫守备。

● 恩遇：

陈　辉 正月以投诚封慕仁伯。

白尔赫图 二月封一等男。

逊　塔 二月封一等男。

色尔格克 四月封二等男。

周全斌 四月以投诚封三等伯（五月改承恩伯）。

黄　廷 六月以投诚封慕义伯。

张国柱 云南提督。六月加太子少保（十二年十一月叛）。

张　勇 甘肃提督。闰六月加太子太保。

李国英 四川总督。七月加太子少保。

胡有陞 三等子。十月晋封一等子。

巴　泰 大学士。封三等男。

明安达礼 兵部尚书。加太子太保。

吴六奇 广东潮州镇总兵。晋少傅。

卓布泰 复封二等男（八年革）。

果尔沁 晋一等男。

● **著述：**

施闰章 撰《砚林拾遗》一卷成，见正月自序。

黄宗羲 撰《今水经》一卷成，见十二月自序。

朱潮远 字卓月。江苏江都人。撰《四本堂座右编》二十四卷成，见伯序。

钱肃润 字础日。江苏无锡人。撰《史论》一卷成，见三月董閟序。

白胤谦 撰《归庸斋集》八卷成，见冬月方拱乾序。

● **卒岁：**

赵开心 工部尚书衔仓场侍郎，降调左都御史。正月卒。

李栖凤 字瑞梧。汉军镶红旗。太子少保，兵部尚书衔原任广东总督。正月卒。

觉 善 满洲正红旗，李佳氏。原任正红旗满州都统，前任左都御史，三等子。正月卒年六十六，谥敏勇。

唐 通 汉军镶蓝旗（原籍陕西泾阳）。一等子，原封定西侯。卒。

爱星阿 满洲正黄旗，舒穆禄氏。少保，领侍卫内大臣，前任定西将军，袭一等公加三等轻车都尉。二月卒。谥敬康，入祀贤良祠（入祠在雍正十年十月）。

马国柱 太子太保，原任江南江西河南总督。二月卒。

刘 偶 陕西三水人。云南义勇前营总兵。三月于贵州水西倚喇噶阵亡。赠右都督，追谥直勇（追谥在八年四月）。

都尔玛（一作杜鲁麻占）。蒙古镶黄旗，西纳明安氏。内大臣，二等子。三月卒，谥愻直。

席达礼 满洲正白旗，纳蓝氏。太子少保，原任理藩院左侍郎，二等轻车都尉。三月卒。谥僖敬。

史纪功 原任浙江巡抚。三月卒。

汤祖契 河南睢州人。河南睢州诸生。四月初五日卒年六十一。

奇塔特撒尔贝　蒙古正蓝旗，哈尔图特氏。一等子。四月卒。

雅　赖　满洲正白旗，佟佳氏。一等男兼一云骑尉，前户部尚
　　　书。四月卒。

苏弘祖　字光启。汉军正红旗。原任南赣巡抚。四月卒。

储　曾　江西永丰县知县。四月十六日卒年五十。

吕　宫　太子太保，原任弘文院大学士。四月十八日卒年六十
　　　一。

刘芳声　山东提学道。五月初八日卒年四十五。

钱谦益　原任秘书院学士兼礼部侍郎。五月二十四日卒年八十
　　　三。入国史文苑传。

李荫祖　太子太保，原任湖广总督。六月卒年三十六。

杨文彩　江西宁都县故副贡生。六月二十三日卒年八十。

李鲁杰　字尊汉，号汉许。山东沾化人。沾化县贡生。闰六月
　　　二十六日卒年七十三。

都尔德　满洲镶蓝旗，觉尔察氏。护军统领，一等男。七月卒。
　　　谥忠襄。

吕师著　字谪居，号客星。浙江山阴人。原任浙江衢州府教授。
　　　七月三十日卒年六十六。

冯　沛　山东德州举人。八月十六日卒年四十九。

鄂罗塞臣　满洲正蓝旗，郭络罗氏。　正黄旗蒙古都统，前任
　　　左都御史，二等子。　八月卒。赠太子太保，谥果
　　　敏。

沈遴奇　字子常，号观侯、章溪。浙江慈溪人。慈溪县故诸生。
　　　八月卒年六十二。

刘　汋　字伯绳。浙江山阴人。山阴县布衣。九月初八日卒年
　　　五十二。入国史儒林传。

兴　鼐　满洲镶白旗，那拉氏。工部侍郎，一等轻车都尉兼一
　　　云骑尉，前封二等男。九月卒。

李翔凤　汉军正红旗。江西巡抚。十月卒。赠兵部右侍郎。

瑚　沙　满洲镶黄旗，钮祜禄氏。镶黄旗蒙古都统，三等男。十一月卒。

曹本荣　原任国史院侍读学士。十一月二十三日卒年四十四。入国史儒林传。

锺性朴　江西兵备道。十一月二十九日卒。

苏　拜　满洲正白旗，瓜尔佳氏。领侍卫内大臣，一等男，前封一等子加一云骑尉。十二月卒。追谥勤僖（追谥在八年七月）。

董守谕　故户部贵州司主事。十二月二十日卒年六十九。

谭贞默　故国子监司业。卒年七十五。

穆赫林　满洲正黄旗。一等伯。卒。

噶尔玛苏索诺木　满洲正黄旗。一等子。卒。

法　谭　满洲正红旗，他塔喇氏。原任右翼步军统领，一等轻车都尉兼一云骑尉。卒。

王　鏌　江西右布政使。卒年四十五。

李　皭　原任福建将乐县知县。卒年六十六。入国史循吏传。

刘泽厚　四川江安县知县。遇害，赠按察司金事。

侯　涵　江苏嘉定县故诸生。卒年四十五。

康熙四年乙巳（公元一六六五年）

● 生辰：

顾楷仁　正月二十四日生，字晋裴，号见南。顺天大兴人。享年七十一。

顾嗣立　五月二十九日生，字侠君，号闾邱。江苏长洲人。享年五十八。

朱　轼　八月十一日生，字若瞻，号可亭。江西高安人。享年七十二。

郑　性　十一月二十六日生，字义门，号南溪、五嶽游人。享年七十九。

丹　臻　生，太祖皇曾孙。享年三十八。

福　存　生，镶蓝旗宗室。享年三十六。

吴士玉　生，字荆山，号曨庵。江苏吴县人。享年六十九。

杨汝穀　生，字令贻，号石湖。安徽怀宁人。享年七十六。

王奕清　生，字幼芬，号拙园。江苏太仓人。享年七十三。

周起渭　生，字渔璜，号桐野。贵州新贵人。享年五十。

储大文　生，字六雅，号昼山。江苏宜兴人。享年七十九。

李师白　生，字欲仙，号恕亭。江西峡江人。享年七十五。

郎廷拣　生，字朴斋。汉军镶黄旗。享年四十六。

张士捷　生，享年六十。

方　舟　生，字百川。安徽桐城人。享年三十七。

上官周　生，字竹庄。福建人。享年八十口。

● 恩遇：

博翁果诺　正月封多罗惠郡王，（二十三年五月削）。

富喀禅　一等男。二月晋封三等子。

阿哈泰　三月封一等男。

王光兴　六月以率众投诚加太子太保。

刘之源　镶黄旗汉军都统。七月以老乞休加太子太保（八年

革)。

硕色纳 八月封二等子。

● 著述:

沈荀蔚 撰《蜀难叙略》一卷成,见七月自识。

王崇简 撰《冬夜笺记》一卷成,见十一月自序。

宋 荦 撰《怪石赞》一卷成。

● 卒岁:

洪承畴(明兵部尚书)。太傅,原任武英殿大学士,三等轻车
都尉。二月十八日卒年七十三。谥文襄。

博尔合兑 蒙古镶红旗。三等男,卒。

陈弘绪 故浙江湖州府经历,降调直隶晋州知州。三月初五日
卒年六十九。入国史文苑传。

王支焘 降调浙江杭嘉湖道。三月初五日卒年六十八。

常阿岱 多罗贝勒,前袭和硕巽亲王,太祖皇孙。四月卒年三
十三。谥怀愍。

张晋徵 故福建按察使。三月十三日卒年六十五。

洛 讬 (一作罗讬),显祖皇曾孙。镶蓝旗满洲都统,前任
宁南靖寇大将军,安南将军,一等镇国将军,前封固
山贝子。四月卒年五十。

宁完我 字万涵。汉军正红旗。少傅,致仕国史院大学士,二
等轻车都尉。四月卒。谥文毅,入祀贤良祠(入祠在
雍正十年十月)。

傅以渐 少保,原任武英殿大学士,四月卒,年五十七。

谭 布 满洲正黄旗,舒穆禄氏。三等男,(前工部尚书,二
等男)。四月卒。

吴 拜 (一作武拜)。满洲正白旗,瓜尔佳氏。一等子,前
内大臣,三等侯。四月卒年七十。追谥果壮(追谥在
八年七月)。

乌库礼 满洲镶白旗,扎库培氏。盛京将军,一等轻车都尉兼
一云骑尉。四月卒。

真柱恳 满洲正白旗。三等男。四月卒。

吴六奇 字葛如，号鑑伯。广东丰顺人（原籍浙江海宁）。少
傅，左都督，广东潮州镇总兵。五月卒。赠少师，谥
顺恪。

徐孚远 故少师，左都御史。五月二十七日卒于饶平，年六十
七。

蓝 拜 满洲镶蓝旗，佟佳氏。太子太保，原任镶蓝旗满洲都
统，前任刑部尚书，二等男。七月卒。

梁以樟 故兵部职方司主事。七月十五日卒年五十八。

汪 汎 浙江钱塘县故举人。七月三十日卒年四十八。

刘清泰 汉军正红旗。兵部尚书衔原任河道总督。八月卒。

张 琦 福建粮道，降调陕西巡抚。十月二十日卒年四十二。

逊 塔 （一作孙塔）满洲镶蓝旗，觉尔察氏。镶篮旗满洲
都统，前任工部尚书。十二月卒。谥忠襄。

顾 隐 （原名顾柔谦），字刚中、耕石。江苏常熟人（原籍
无锡）。常熟县故诸生。十二月初十日卒年六十一。
入国史文苑传。

刘汉儒 原任都察院左副都御史。卒。

罗 硕 满洲正白旗，栋鄂氏。大理寺卿，一等轻车都尉，前
工部左侍郎。卒。

陆鸣时 字毖中。浙江钱塘人。故兵部郎中。卒年七十。

杨方兴 汉军镶白旗（奉天广宁籍）。太子太保，兵部尚书衔
原任河道总督。卒。

刘应宾 前安徽池太巡抚。卒。

蔡含灵 河南睢陈道。卒年四十八。

杜俊彦 前广西贺县知县。卒年五十二。

高进库 都督佥事，原任广东高雷镇总兵。卒。

史以慎 字真帘。直隶任邱人。任邱县故举人。卒年五十二。

郑敷教 江苏长洲县故举人。卒年七十。

邵 潜 字潜夫，号五岳外臣。江苏通州人。通州故诸生。卒

年八十五。

邵儒荣 字仲木，号惧叟。江苏元锡人。无锡县故诸生。卒年
五十二。

叶　奕 字林宗。江苏吴县人。吴县故诸生。卒。

康熙五年丙午（公元一六六六年）

● 生辰：

何世璂 二月初九日生，字坦园，号澹庵、桐叔。山东新城人。
享年六十四。

乔崇让 二月十九日生，字致能，号楮堂。江苏宝应人。享年
二十九。

朱泽澐 三月初十日生，字湘陶，号止泉。江苏宝应人。享年
六十七。

王承烈 三月二十日生，字逊公，号复庵。陕西泾阳人。享年
六十四。

沈元沧 四月初五日生，字麟洲，号东隅、晚闻翁。浙江仁和
人。享年六十八。

谢起龙 十一月初九日生，字天愚。 浙江余姚人。享年六十
九。

朱大龄 十二月十九日生，字摺九，号竹岩。浙江海盐人。享
年六十九。

陈守创 生，字木斋。江西高安人。享年八十二。

张丙厚 生，字尔载，号腹庵。直隶滋州人。享年五十九。

孔毓珣 生，字东美，号璞岩、松庵。山东曲阜人。享年六十
五。

纳齐喀 生，满洲镶白旗，布赛氏。享年六十。

李玉鋐 生，字贡南，号但山。江苏通州人。享年八十一。

姜兆锡 生，字上均。江苏丹阳人。享年八十。

柯 煜 生，字南陔，号实庵。浙江嘉善人。享年七十一。

梁缵素 生，享年五十六。

吴 瑷 生，江西高安人。享年四十八。

● 科第：

中式举人：

师人淑 陕西榆林道。

李开泰 己未召试鸿博。

钱芳标 字宝汾，号葆酚。江苏华亭人。戊午荐应鸿博，内阁中书。

陆在新 字蔚文。江苏长洲人。 松江府教授，江西庐陵县知县。

陶 敬 字肃公。号雪樵。江苏江宁人。泰兴县教谕，广东博罗县知县。

张问达 字天民。江苏江都人。山西赵城县知县。

金维宁 字德藩，号淇瞻。江苏娄县人。寿州学正。

卢 宜 浙江鄞县人。嘉兴县教谕，贵州镇远县知县。

吕夏音 字大昭。浙江新昌人。湖北潜江县知县。

虞黄昊 字景明，号景铭。浙江石门人（原籍钱塘）。临安县教谕。

刘渭龙 福建莆田人。

何 鼎 字夏九，号晴山。湖南靖江人（原籍浙江山阴）。河南知县，浙江嘉兴府知府。

杨 岱 字东子，号村山。四川彭县人。福建上杭县知县。

缪以贞 字凝元。云南南宁人。直隶南和县知县。

葛 震 懋勤殿行走。

　　中式武举：

安跃拔 山东人。湖北守备，广东潮州镇总兵。

● 恩遇：

阿南达 袭一等男，六月晋封一等子。

● 著述：

归 庄 撰《观梅日记》一卷成，见三月自记。

许之獬 字直庐，号莲峰。江苏长洲人。撰《春秋或辩》一卷成，见夏日蒋深序。

顾炎武 撰《韵补正》一卷成，见十月自序。

孙廷铨 撰《颜山杂记》四卷成。

潘永因 字大生。江苏金坛人。撰《读史津逮》四卷成。

钱肃润 自编《十峰诗选》七卷成,见九月钱陆灿序。

陈之遴 自编《浮云集》十一卷成,见自序。

● 卒岁:

李率泰 (初名李延龄)字叔达,号寿涛。汉军正蓝旗。少保,福建总督,前弘文院大学士,一等男。正月卒。赠兵部尚书,谥忠襄,追赠一等男(追赠在六年)。

马鸣佩 字润甫。汉军镶红旗(原籍山东蓬莱)。原任江南江西总督,三等轻车都尉。正月卒。

靳彦选 字美吾。汉军镶黄旗(原籍山东历城)。前陕西榆林道。二月初二日卒年七十一。

郎 球 满洲正黄旗,觉罗氏。原任户部尚书,前少保,三等轻车都尉。二月卒年七十三。

朱之锡 太子少保,兵部尚书衔河道总督。二月卒年四十四。追封助顺永宁侯(追封在乾隆四十五年)。

朱统鍌 字雪曜,江西南昌人。故奉国中尉。二月二十二日卒年七十。

构 挈 辅国公,太祖皇曾孙。三月卒。

席特库 满洲镶蓝旗,佟佳氏。前锋参领,一等男。三月卒年七十。

徐开法 字兹念,号坦斋。江苏昆山人。昆山县诸生。三月二十日卒年五十三。

党崇雅 太保,原任国史院大学士。四月卒年八十口。

都 敏 满洲镶红旗。他塔喇氏。西安右翼副都统,二等轻车都尉。五月卒。

杨时荐 原任兵部督捕右侍郎。五月卒年六十九。

翟文贲 陕西驿传道。五月二十日卒,年五十四。

张 荩 降调河南舞阳县知县。五月二十二日卒年五十八。

雅布兰 满洲觉罗氏。都察院左督御史。七月卒。

吕崇烈 原任礼部左侍郎兼秘书院侍读学士。七月二十三日卒

年七十二。

范文程 字宪斗，号辉嶽。汉军镶黄旗。太傅，原任秘书院大学士，一等子。八月初二日卒年七十。谥文肃，入祀贤良祠（入祠在雍正十年十月）。

王辅运 湖广荆南道。八月二十一日卒年六十。

吴茂华 字毓和，号朴庵。山东沾化人。汉军镶黄旗。沾化县岁贡生。九月十四日卒年八十七。

祖良栋 镶黄旗汉军副都统，袭一等子。十一月卒。

李国英 汉军正红旗。太子太保，兵部尚书衔川陕总督，二等轻车都尉。十一月卒。谥勤襄，追赠二等男（追赠在七年），入祀贤良祠（入祠在雍正十年十月）。

巴哈纳 满洲镶蓝旗，觉罗氏。少傅，秘书院大学士。十二月卒。追赠少师，谥敏壮（赠谥在八年二月）。

苏纳海 满洲正白旗，他塔喇氏。太子少保，管户部尚书事，前任国史院大学士。十二月以被诬处斩（注：以奏请仃止圈换镶黄、正白两旗土地事，忤鳌拜意），追谥襄愍（追谥在八年八月）。

朱昌祚 字懋功，号云门。汉军镶白旗（原籍山东高唐）。前直隶山西河南总督。十二月以被诬处绞（注：事同苏纳海），追复原官，谥勤愍。（复官予谥在八年八月）。

王登联 汉军镶红旗。前工部尚书衔保定巡抚。十二月以被诬处绞（注：事同苏纳海），追复原官，谥愨愍（复官予谥在八年八月）。

拜　山 （一作拜三）。满洲镶红旗，那拉氏。镶红旗蒙古都统，一等子。十二月卒。

张光烈 山西平阳府同知。十二月卒年五十一。

董学礼 汉军正黄旗。湖广提督，一等子。卒。

吴一清 江苏山阳县举人。卒。

林古度 字茂之，号那子。福建福清人。福清县故诸生。卒年八十七。入国史文苑传。

康熙六年丁未（公元一六六七年）

◉ 生辰：

王　箊　七月二十七日生，字徵远，号溟波。山东福山人。享年七十六。

杜　诏　十二月初二日生，字紫纶，号云川。江苏无锡人。享年七十。

李周望　生，字渭湄，号南屏。直隶蔚州人。享年六十四。

图理琛　生，满洲正黄旗。阿赖觉罗氏。享年七十四。

陈万策　生，字对初，号谦季。福建晋江人。享年六十八。

叶长扬　生，字尔祥，号定湖。江苏吴县人。

徐文靖　生，字位山，号禺尊。安徽当涂人。享年九十口。

陆　师　生，字中吉，号麟度。浙江归安人。享年五十六。

冯　蘧　生，字敬南。山西代州人。享年三十八。

阮蔡文　生，字子章、鹤石。江西新喻人（原籍福建漳浦人）。享年五十。

张祖年　生，字申伯。浙江金华（汤溪）人。

王为垣　生，字东注，号丰川。湖南龙阳人。享年六十五。

◉ 科第：

一甲进士：

缪　彤　江苏吴县人。状元。修撰，侍讲。

张玉裁　榜眼。编修。

董　讷　字兹重，号默庵。山东平原人。探花。编修，左都御史。

二甲进士：

夏　沅　字邻湘。江苏丹徒人。编修。

魏麐徵　（碑录作魏麟徵），字苍石。江苏溧阳人。福建邵武府知府。

宋师祁　直隶枣强人。河南知县，云南开化府同知。

张　英　编修，文华殿大学士。

史鹤龄　字子修，号菊裳。江苏溧阳人。编修。

沈胤范　字康臣，号肯斋。浙江山阴人。内阁中书，刑部郎中。

任　塾　字鹤峰。安徽怀宁人。山东提学道。

储方庆　山西清源知县，己未召试鸿博。

汪懋麟　内阁中书，戊午荐应鸿博，刑部主事。

颜光敏　内阁中书，吏部郎中。

陆　菜　内阁中书，内阁典籍，余见己未词科。

纪　愈　字孟起，号鲁斋。顺天文安人。内阁中书，工科掌印给事中。

卢　琦　字景韩，号西宁。浙江余姚人（原籍仁和）。编修，内阁学士。

郑侨生　字惠庵。江苏邳州人。湖广提学道。

谢兆昌　字瞻在。浙江定海人。庶吉士，河南道御史。

乔　莱　内阁中书，余见己未词科。

何　觐　山东曹州人。内阁中书。

姚淳焘　内阁中书，湖南岳常道。

贾鸣玺　字荆生。山西曲沃人。

何天宠　号素园。顺天宛平人（原籍浙江山阴）。户部主事，吏部员外郎。

方象瑛　字渭仁，号霞庄。浙江遂安人。侯选中行评博，余见己未词科。

戚令畹　字郎园。浙江海盐人。内阁中书，口部主事。

唐朝彝　字偕藻。福建平和人。庶吉士，广西道御史，宗人府府丞。

黄初绪　字成伯，号继武、晴筠。江苏崇明人。会元。内阁中书。

　三甲进士：

赵　随　字雷闻。浙江嘉兴人。内阁中书，福建提学道。

朱翰春 字鹰上，号雪匡。福建莆田人。山东知县，云南临安
府知府。

陈玉瑊 字赓明，号椒峰。江苏武进人。内阁中书，己未召试
鸿博。

吴一蜚 山西知县，吏部尚书。

丁 蕙 庶吉士，户部主事，山东登莱道。

潘翘生 字起代。江西南城人。庶吉士，刑科给事中。

邹度镛 字奎庵。江西新建人。

王家栋 字云牖。江苏金坛人。广西按察使。

李彦瑁 内阁中书，湖北黄州府知府。

黄士焕 字秋玉。湖北江陵人。

张 楷 字芳传，号阜樵。江苏江都人。内阁中书，福建延平
府知府。

梅 铜 字尔炽，号铜崖。 安徽宣城人。四川知县，左都御
史。

吴甫及 字维申，浙江海盐人。户部主事。

储 振 字玉依。江苏宜兴人。检讨，右庶子。

袁时中 内阁中书，贵州提学道。

乔士容 字德元。山西猗氏人。内阁中书，江西提学道。

王鸣球 河南鄢陵人。内阁中书。

高向台 山西翼城人。内阁中书，康熙己未召试鸿博，江苏江
宁府知府。

任 枫 河南汝州人。山西知县，内阁中书。

王纪昭 河南祥符人。

赵之鼎 （碑录作黄之鼎）。直隶元城人。浙江知县，刑部左
侍部。

任辰旦 （初名韩灿，碑录作韩辰旦）。浙江萧山人。江苏知
县，己未召试鸿博，工科掌印给事中。

王 谦 字㧑斋。直隶永年人。户部主事，江苏淮扬道。

王曰温 庶吉士，兵科给事中，太常寺少卿。

张顾行　安徽知县，江安粮道。

张润民　字膏之。山西夏县人。河南提学道。

臧眉锡　字介祉，号喟亭。浙江长兴人。河南知县，福建道御
　　　　史。

宋嗣京　字禹玉，号定山。浙江仁和人。江西饶州府知府。

刘　迪　字梅潭。四川阆中人。口部主事，吏部郎中。

王祚兴　字遇午。山西永宁人。广东知县，湖广提学道，己未
　　　　召试鸿博。

范鄗鼎　字彪西。山西洪洞人。归班知县，戊午荐应鸿博。

梁钦构　山西介休人。直隶知县，吏部郎中。

　　武进士：

秦蕃信　顺天宛平人。会元。状元。直隶蔚州营参将。

张善继　江苏徐州人。榜眼。广东潮州城守营游击。

穆廷栻　字符公。直隶临榆人。直隶守备，福建陆路提督。

李　默　口口守备，广东肇庆镇总兵。

● 恩遇：

福　全　正月封和硕裕亲王。

绰尔济　正月封三等子。

索　尼　辅政大臣，一等伯。闰四月加封一等公。

黄　梧　海澄公。五月封为一等公。

遏必隆　辅政大臣，一等公。七月加封一等公（八年五月革）。

鳌　拜　二等公。七月加封一等公（八年五月革）。

● 著述：

赵俊烈　字润川。江苏华亭人。撰《纪元汇考》四卷成，见十
　　　　月自序。

陈芳绩　字亮工。江苏常熟人。撰《历代地理沿革志》四十七
　　　　卷成，见十二月自序。

顾炎武　撰《音学五书》三十八卷成，见自序（按：此书至庚
　　　　申年刻成）。

王命岳　撰《耻躬堂文集》二十卷成，（按：此书卒后始刻，

见甲子李光第序，今系于卒年）。

刘体仁　撰《七颂堂识小录》一卷成，见庚子九月刘凡后跋。

朱彝尊　等撰《静志居琴趣》成。

白胤谦　撰《归庸集》四卷成。

● 卒岁：

罗维善　江西泰和县故诸生。正月初六日卒年八十二。

李顺昌　山东济宁直隶州知州。正月卒。

固鲁格　蒙古正白旗。三等子。卒。

顾如华　原授浙江温处道，由掌京畿道升补以病未任。三月初
　　　　三日卒年六十三。

薛所蕴　致仕礼部左侍郎。三月初六日卒年六十八。

李昌祚　原任大理寺卿。三月二十四日卒年五十二。

阿什岱　蒙古镶黄旗。三等男。卒。

张天福　汉军正黄旗。正黄旗汉军都统，一等男。四月卒。

李永和　山西人。左都督衔，福建右路水师总兵。闰四月卒。

郑缵绪　汉军正白旗。慕思伯。卒。

傅维鳞　丁忧太子少保，工部尚书。五月卒。

李奭棠　原任礼部右侍郎，五月卒。

索　尼　满洲正黄旗，赫舍里氏。辅政大臣，领侍卫内大臣，
　　　　一等公加一等伯（乾隆十四年号曰翊烈）。七月卒。
　　　　谥文忠。

札木素　蒙古正白旗，博尔济吉特氏。内大臣，袭一等子。七
　　　　月卒。

苏克萨哈　满洲正白旗，那拉氏。辅政大臣，太子太保，领侍
　　　　卫内大臣，二等子。七月以被诬处绞（注：以陈请
　　　　守陵，忤鳌拜意），追复官爵（追复在八年七月）。

查克旦　内大臣。七月以被诬凌迟处死（注：以苏克萨哈之子
　　　　被诬），追复原官（追复在八年七月）。

白尔赫图　（一作白尔墨图）满洲正白旗，那拉氏。前锋统
　　　　领一等男。七月以被诬处斩（注：以苏克萨哈弟被

诬）。追复官爵（追复在八年七月）晋三等子，谥
忠勇（晋爵予谥在十年四月）。

宋徵舆 都察院左副都御史。七月卒年五十。

王正中 故监察御史。八月十九日卒年六十九。

季来之（原名季应甲），字大来，号绮里。江苏泰州人。江
苏泰州府举人。八月十九日卒年七十六。

王鼎镇 原任江南驿传道。八月二十三日卒。

武拉禅（一作吴喇禅）。满洲镶红旗，吴扎库氏。原任刑部
侍郎，一等男。十月卒。

翟凤翥 福建驿盐道，前福建左布政使。十月二十九日卒年六
十一。

舒　赫 满洲正蓝旗。三等男。卒。

宜永贵 汉军正白旗。原任安徽巡抚，一等轻车都尉。十一月
卒。追晋三等男（追晋在十年）。

卢兴祖 汉军镶白旗。前两广总督。十一月卒。

孔兴燮 太子太保，袭衍圣公。十一月卒年三十二。

邬布格德 蒙古正黄旗。三等男。十一月卒。

王命岳 降调刑科都给事中。卒年五十九。入国史文苑传。

周季琬 浙江道监察御史。卒。

林起龙 降调太子太保，兵部尚书衔漕运总督。卒。

台瞻斗 江西萍乡县知县。卒。

刘良佐 汉军镶黄旗（原籍直隶）。左都督衔致仕直隶提督，
二等子。卒。

朱载黄 字侯毅，浙江海盐人。海盐县故诸生。卒年七十四。

文　枏 字端文，号曲辕、溉庵。江苏长洲人。长洲县布衣。
卒年七十二。

蒋之翘 字楚稺，号石林。浙江秀水人。秀水县布衣。卒年六
十四。

康熙七年戊申（公元一六六八年）

● **生辰：**

王遵岱　二月十三日生，字箴六，号秋崖。江苏太仓人。享年六十七。

方　苞　四月十五日生，字凤九，号灵皋、望溪。安徽桐城人。享年八十二。

查克建　四月二十二日生，字求雯，号用民。浙江海宁人。享年四十八。

杨增瑛　六月二十三日生，江西清江人。享年八十一。

吴　锐　七月十二日生，字颖长，号钝人。安徽当涂人。

王　澍　九月十六日生，字若霖、篛林，号良常。江苏金坛人。享年七十二。

黄之隽　九月二十日生，字石牧，号唐堂。江苏华亭人。享年八十一。

赵殿最　生，字奏功，号铁岩。浙江仁和人。年七十七。

裴倖度　生，字晋武、香山，号行庵，一元道人。山西曲沃人。享年七十三。

王敬铭　生，字丹思，号味闲。江苏嘉定人。享年五十四。

蒋继轼　生，字蜀瞻，号西圃。江苏江都人。享年七十一。

王懋竑　生，字予中，号白田。享年七十四。

蒋　深　生，字树存，号绣谷、苏斋。江苏长洲人。享年七十。

沈庆曾　生，浙江归安人。享年五十四。

钱王炯　生，字青文，号陈人。江苏嘉定人。享年九十二。

● **恩遇：**

鳌　拜　正月加太师，（八年五月革）。

遏必隆　辅政大臣。正月加太师，（八年五月革）。

颇尔盆　加太子少师。

法　保　加太子少师。

朋　春　加太子少师。

戴　寿　加太子少师。

沃　赫　加太子少师。

那摩佛　加太子少师（八年五月革）。

吴应熊　吴三桂之子。额驸。晋少傅（十三年四月绞）。

耿聚忠　加太子少师。

尚之隆　加太子少师。

耿昭忠　加太子少师。

白文选　加太子少师。

柯永盛　山西提督。加太子少保。

◉ 著述：

曹申吉　撰《南行日记》成，（按：此书记至三月止，今系于
　　　　四月之前）。

彭孙贻　撰《客舍偶闻》一卷成，见九月自序。

李仙根　撰《南安使事记》一卷成，见自序。

高　兆　撰《观石录》一卷成，见自撰后跋。

◉ 卒岁：

王来任　前广东巡抚。卒。

车尔布　满洲镶红旗，完颜氏。三等伯（乾隆十四年号曰威靖）
　　　　原任镶红旗蒙古都统，前封一等伯兼一云骑尉。三月
　　　　卒。

潘瀛选　长芦盐运使。三月卒。

吴　镶　裁缺广西平乐府推官。三月卒年四十二。

朱尔邺　字子长。浙江海盐人。海盐县贡生。四月初三日卒年
　　　　六十五。

萧日暄　江苏江都县布衣。六月以割肝疗母受伤卒，年二十六。
　　　　旌表孝子。

全　节　汉军镶黄旗。都督衔广西左江镇总兵，三等子。七月
　　　　卒，赠太子太保。

喀喀木 满洲镶黄旗，萨哈尔察氏。江宁将军，前任靖南将军，三等男。八月卒。

卓　罗 满洲正白旗，佟佳氏。镶白旗满洲都统，前任吏部尚书，靖南将军，二等伯。（乾隆十四年号曰昭毅）八月卒。谥忠襄。

乔　楠 四川隆武县知县。九月二十七日卒。

梅　崧 江西南城县诸生。十月初七日卒年三十六。

和尔浑 满洲正蓝旗。一等男。十口月卒。

郑　国 汉军正白旗。三等男。十口月卒。

卓麟异 浙江仁和县举人。十二月初二日卒年四十。

蒋国柱 汉军镶白旗。工部尚书衔浙江巡抚。十二月卒。

胡　亮 三等男。卒。谥忠敏。

吴惟华 顺天人。前太子太保，漕运总督，恭顺侯。卒。

邵名世 故山东右布政使。卒年八十口。

范印心 丁忧山西河东道。卒年六十。

顾　枢 江苏无锡县故举人。卒年六十七。入国史儒林传。

宋之盛 江西星子县故举人。卒。入国史儒林传。

康熙八年己酉（公元一六六九年）

◉ 生辰：

唐执玉　三月十三日生，字益功，号蓟门。江苏武进人。享年六十五。

王　元　三月二十二日生。（一作康熙七年生）。

靳治青　十月二十五日生，字东表。汉军镶黄旗。享年三十七。

励廷仪　十二月生，字令式，号南湖。直隶静海人。享年六十四。

蒋廷锡　生，字扬孙，号西谷、酉君、南沙。江苏常熟人。享年六十四。

魏廷珍　生，字君壁。直隶景州人。享年八十八。

王图炳　生，字麟照，号澄川。江苏华亭人。享年七十六。

沈宗敬　生，字恪庭。号南季、狮峰。江苏华亭（娄县）人。

甘国璧　生，字惟弼。汉军正蓝旗。享年七十九。

白　洵　生，字直侯，号又苏。汉军镶白旗。享年六十三。

唐绍祖　生，字次衣。号改堂。江苏江都人。享年八十一。

杨守知　生，字次也，号稼亭、致轩。浙江海盐人（原籍海宁）。享年六十二。

席大霁　生，字作舟，号未亭。福建建宁人。享年七十四。

沈世楷　生，浙江仁和人。享年六十九。

马元驭　生，江苏常熟人。享年五十四。

蓝　祥　生，广西宜山人。享年一百。

◉ 科第：

中式举人：

谭　瑄　字左羽，号蘐城。浙江秀水人。江西知县，工科掌印给事中。

冯　骏　江南人。己未召试鸿博。

应　是　江西宜黄人。

赵骅渊　字积生。浙江仁和人。东阳县教谕，己未召试鸿博。

廖腾煃　字占五，号莲山。福建将乐人。江苏知县，户部右侍
郎。

陈学夔　字解人，号解庵。福建侯官人。戊午荐应鸿博，山东
知县，兵部主事。

简　斑　字中文。湖南邵阳人，内阁中书。

傅上襄　河南人，嵩县教谕。

朱轸裔　四川嘉定人，浙江知县，南城兵马司指挥。

林世榕　字可亭。广东海阳人，陕西蓝田县知县。

　　中式武举：

朱铨达　浙江人，左都督管湖北均房营参将。

● 恩遇：

对哈纳　大学士。加太子太保。

席特库　满洲觉罗氏。袭二等子。封一等子。

施　浪　福建水师提督。十一月加伯衔。

● 著述：

王　钺　撰《粤游日记》一卷成，见四月自序。

钱　曾　字遵王，号也是翁。江苏常熟人。撰《述古堂藏书目》
四卷成，见四月自序。

潘永因　撰《宋稗类钞》八卷成，见四月李渔序。

胡　亶　撰《中星谱》一卷成，见四库提要。

杨　庆　字宪伯。江苏泰州人。撰《大成通志》十八卷成，见
自序。

华庆远　字子嘉。江苏无锡人。撰《论世八编》十二卷成，见
自序。

钱肃润　自编《十峰诗选二集》七卷成，见冬日周龙甲序。

熊伯龙　自编《文集》三卷成，（按：此集刻于九年二月）见
熊光浚跋。

● 卒岁：

姚士升　江苏江宁府同知。正月初五日卒年五十二。

吴兴国　浙江德清县布衣。正月卒年四十九。

王来咸　故都督金事浙江副将。二月初九日卒年五十三。

赵廷臣　字君邻。汉军镶黄旗。太子少保，兵部尚书衔浙江总
　　　　督。二月十七日以巡阅海疆卒于奉化县马家墺，谥清
　　　　献。

戴　寿　太子少师，内大臣。二月卒。

明安达礼　蒙古正白旗，西鲁特氏。太子太保，原任吏部尚书，
　　　　一等轻车都尉兼一云骑尉，前封二等子。二月卒。
　　　　谥敏果。

张自德　工部尚书衔河南巡抚。三月卒年六十。

马尔赛　满洲正白旗，他塔喇氏。户部尚书，一等子。三月卒。
　　　　谥忠敏，寻夺官谥。

富喀禅　（一作傅夸禅）。满洲镶红旗，那木都鲁氏。原任西
　　　　安将军，三等子。三月二十七日卒年六十三。

班布尔善　（一作巴穆布尔善）。太祖皇孙。前秘书院大学士，
　　　　辅国公。五月以罪处绞（注：以附和鳌拜，结党营
　　　　私）。

阿思哈　前吏部尚书。五月以罪处斩（注：以助恶结党）。

噶楚哈　前兵部尚书。五月以罪处斩（注：以助恶结党）。

穆里玛　满洲镶黄旗，瓜尔佳氏。前镶黄旗满洲都统，一等
　　　　男，前任工部尚书，靖西将军。五月以罪处斩（注：
　　　　以助恶结党）。

泰璧图　前吏部口侍郎。五月以罪处斩（注：以助恶结党）。

诺孟达赖，满洲镶黄旗。一等男。六月卒。

金维垣　汉军正黄旗。正黄旗汉军副都统，袭一等男。八月
　　　　卒。

胡有陞　汉军镶白旗（原籍锦州）。太子少保，左都督衔原任
　　　　江西南赣总兵，一等子。九月卒。

济　锡　前工部尚书。九月以罪处绞（注：以助恶结党）。

吴机塞　前秘书院学士。九月以罪处绞（注：以助恶结党）。

王　纲　通政使司左参议。九月二十七日卒年五十七。

光　泰　蒙古正黄旗。二等子，前袭三等公。十月卒。

熊文举　原任兵部左侍郎。十月卒。

余增远　字谦贞，号若水。浙江会稽人。明崇祯十六年进士，故礼部仪制司郎中。十月十三日卒年六十五。

硕色纳　满洲镶红旗。二等子。卒。

科尔崑　护军统领，云骑尉，前一等轻车都尉。十一月二十日卒年五十三。

熊伯龙　翰林院侍讲学士。卒年五十三。

富　绶　太宗皇孙。袭和硕肃亲王，改号显亲王。十二月卒年二十七，谥曰懿。

宋之绳　字其武，号柴雪。江苏溧阳人。原任江西南瑞道。十二月十一日卒年五十八。

张有誉　故太子太保，户部尚书。卒年八十口。

李化熙　太子太保，原任刑部尚书。卒年七十六。

尼　满　满洲镶黄旗，富察氏。原任都察院左都御史，前任刑部尚书。卒。

傅景星　原任工部右侍郎。卒。

顾予咸　前吏部考工司员外郎。卒。

马之瑛　升授兵部督捕主事，由山东定淘县知县升补。卒于定陶。

巴　哈　满洲镶黄旗，瓜尔佳氏。前少傅领侍卫内大臣，一等男。卒。

那尔孙　（一作诺尔逊）。内大臣。卒。谥襄敏。

刘之源　汉军镶黄旗。前太子太保，镇海大将军，镶黄旗汉军都统，三等子。卒。追复原衔世爵（追复在二十年）。

屈尽美　汉军镶白旗。降调漕运总督。卒。

丁耀亢　字西生，号野鹤。山东诸城人。原任福建惠安县知县。卒。

刁　包　直隶祁州故举人。卒年六十七。入国史儒林传。

萧企昭　湖北汉阳县副贡生。卒年三十三。入国史儒林传。

康熙九年庚戌（公元一六七〇年）

● 生辰：

张　楷　正月十七日生，字高亭。汉军正蓝旗。享年七十五。

郑长庆　二月初六日生，字慕莪，号匏园。江西贵溪人。

方　职　四月二十四日生，字苾思。江苏江都人（原籍安徽歙
　　　　县）。享年五十六。

朱　缃　五月初七日生，字子青，号橡村。山东高唐人。享年
　　　　三十八。

杨永斌　七月初七日生，字寿延。云南昆明人。享年七十一。

任启运　八月初五日生，字翼圣，号乾若、钓台。江苏宜兴人。
　　　　享年七十五。

嵇曾筠　十一月二十六日生，字礼斋，号松友。江苏无锡人。
　　　　享年六十九。

鲁　宾　生，宗室。享年七十四

迈　柱　生，满洲镶蓝旗。喜塔拉氏。享年六十九。

陈　仪　生，字子翔，号一吾、兰雪。顺天文安人。享年七十
　　　　三。

杨三炯　生，字干木。浙江诸暨人。享年六十七。

许　恒　生，字贞思，号北山。江苏江宁人。享年六十八。

万承勋　生，字开远，号西郭。浙江鄞县人。享年六十口。

许良彬　生，字质卿。福建海澄人。享年六十三。

陈景云　生，字少章。江苏吴县人（原籍长洲）。享年七十八。

● 科第：

　一甲进士：

蔡启僔　浙江德清人。状元。修撰，赞善。

孙在丰　榜眼。编修，工部左侍郎。

徐乾学　探花。编修，刑部尚书。

　二甲进士：

何金蔺　字相如。江苏丹徒人。浙江知县，户科掌印给事中。

李光地　编修，文渊阁大学士。

王　俟　山东长山人。四川重庆府知府。

耿愿鲁　编修。

俞陈琛　字梦符。浙江钱塘人。庶吉士，口部主事，陕西提学道。

赵申乔　河南知县，户部尚书。

陆陇其　江苏知县，戊午荐应鸿博，四川道御史。

李录予　字山公，号恒簏。山西介修人。编修，吏部侍郎。

王　宽　字碧台。湖北安陆人。

王士祜　侯选中行评博。

王　揆　编修，文渊阁大学士。

王毅韦　江苏太仓人。内阁中书，戊午荐应鸿博，江苏淮安府知府。

屠友良　（碑录作屠又良），字尹和。浙江秀水人。扶沟县知县，口口府同知。

黄　斐　字云襄，号菉园。浙江鄞县人。庶吉士，山东道御史，左副都御史。

王原祁　直隶知县，户部左侍郎。

叶　燮　江苏宝应县知县。

孟亮揆　字绎来，号端士。编修，侍读学士。

陈梦雷　字则震，号省斋、天一道人。福建侯官人。编修。

陆荣登　字广鸣，号揆哉。浙江嘉善人。四川提学道。

张　烈　顺天大兴人。（原籍浙江东阳），内阁中书，余见己未词科。

崔徵璧　内阁中书，工部右侍郎。

俞云来　字钧声，浙江海盐人。江西知县，兵马司指挥。

赵廷珪　字禹玉，号正修。江苏常熟人。河南知县，河南道御史。

祝弘坊　浙江山阴人。陕西会宁县知县，戊午荐应鸿博。

庄　揩　江苏武进人。湖北武昌道。

赵文㷱 字铁源，号玉藻。山东胶州人。编修，侍读。

高　璜 字渭师。汉军正黄旗。庶吉士，工部主事，江西提学
　　道。

王维珍 编修，浙江巡抚。

李予之 内阁中书，贵州镇远府知府。

许孙荃 庶吉士，刑部主事，己未召试鸿博，陕西提学道。

　三甲进士：

祖文谟 字显之，号效庵。顺天大兴人。检讨，侍读学士。

邵嗣尧 字子昆，号九缄。山西猗氏人。山东知县，江南道御
　　史。

朱　阜 字即山。浙江山阴人。检讨，少詹事。

朱　典 字天叙。江苏吴县人。检讨，侍读学士。

陈见智 字体元，号力庵。山东曲阜人。浙江金华府知府。

齐祖望 字望于，号勉庵。直隶鸡泽人。湖北知县，甘肃临洮
　　府知府。

李振裕 字维饶，号醒斋。江西吉水人。检讨，礼部尚书。

张　琦 安徽颖州人。福建建宁府知府。

陈义晖 字裕庵。浙江乌程人。河南提学道。

高尔公 字嵩侣。河南祥符人。户部主事，陕西提学道。

王愈扩 字若先。江西泰和人。归班知县。

吴本立 字意辅，号菽原。江苏武进人。庶吉士，口部主事，
　　浙江台州府知府。

于栋如 字隆九。江苏金坛人。浙江道御史。

李振世 字卧衡。直隶长垣人。河南知县，陕西凉庄道。

黄云企 字丹锺，号予望。江苏娄县人。口部主事，广东提学
　　道。

沈　宁 浙江石门人。山西汾州府知府。

王　綜 字孝斋。陕西蒲城人。江西提学道。

陈　正 字端伯。直隶清苑人。口部主事，贵州提学道。

赛　璋 字青崖。山东文登人。礼科主事，山西提学道。

曹燕怀　字石闾，号二社。浙江海盐人。庶吉士，江南靖江县知县。

朱大任　字淑庵。湖北大冶人。广西提学道。

万　嵩　字维岳。顺天大兴人。

刘超凡　直隶永年人。奉天知县，左佥都御史。

王无忝　河南孟津人。浙江金华府知府。

白梦鼐　字仲调，号蝶庵。江苏江宁人。大理寺评事，己未召试鸿博。

杨　昶　浙江龙游人。四川叙州府知府。

贾其音　字叶六，号澹庵。江苏高邮人。陕西知县，浙江丽水县知县。

杨士炌　江苏通州人。

卢道悦　字喜臣，号梦山。陕西知县，河南偃师县知县。

王　郧　内阁中书，广东雷州府知府。

孙起纶　字逊庵。山东安邱人。云南提学道。

张鹏翮　庶吉士，刑部主事，武英殿大学士。

李竑邺　四川渠县人。

郭　琇　江南知县，湖广总督。

孔兴钎　字绍先，号霁轩。山东曲阜人。庶吉士，江南道御史，陕西潼商道。

德格勒　满洲镶蓝旗。庶吉士，口部主事，侍读学士。

张　倬　字静轩。直隶安平人。福建知县，山西口口道。

袁定远　字静公。浙江秀水人。四川顺庆府知府。

刘麟趾　河南商邱人。广西桂林府知府。

鹿廷瑄　山东福山人。直隶知县，奉天承德县知县。

秦　恪　直隶曲周人。福建同安县知县。

胡　权　河南知县，河南祥符县知县。

鹿廷瑛　山东福山人。湖北知县，四川道御史。

郑　昱　湖北黄冈人。安徽布政使。

于沛霖　内阁中书，工部员外郎。

王先吉　内阁中书。

王承祥　贵州新贵人。福建兴泉道。

林麟焻　字石来，号紫峰、玉岩。福建莆田人。内阁中书，贵州提学道。

左　峴　字襄南，号我庵。浙江鄞县人。□部主事，广东提学道。

王永清　字敷五。山西安邑人。编修。

牛　钮　检讨，内阁学士。

李　玠　字周锡。汉军正白旗。庶吉士，□部主事，直隶天津道。

博　极　满洲正蓝旗。庶吉士，□部主事，兵部督捕左侍郎。

刘元福　字慧生。直隶大名人。

许自俊　字子位。江西嘉定人。归班知县，己未召试鸿博，山西闻喜县知县。

李梦庚　字仙庵。汉军镶白旗。庶吉士，□部主事，山东东兖道。

厉士贞　字烈士。江苏仪征人。归班知县。

陈　瑄　字仲宣，号修六。江苏高邮人。四川知县，户部郎中。

武进士：

张英奇　直隶深州人。状元。一等侍卫，广东高廉镇总兵。

张学纯　浙江杭州人。探花。都司金书。

刘官统　字宇一。河南夏邑人。直隶守备，西安副都统。

殷化行　（初名王化行），字熙如。陕西咸阳人。陕西守备，广西提督。

● 恩遇：

王之鼎　福建总兵，袭二等子。三月晋封三等伯。

巴　泰　大学士。十一月晋封一等子。

● 著述：

张仁熙　字表仁，号长人。湖北广济人。撰《雪堂墨品》一卷成，见正月自序。

张尔岐　撰《蒿庵闲活》二卷成，见二月自序。

诸九鼎　字骏男，号惕庵。浙江钱塘人。撰《石谱》一卷成，
　　　　见六月纪映锺序。

邵　灯　撰《天中景行集》成，见自序。

马　骕　撰《绎史》一百六十卷成，见李清序。

白胤谦　撰《桑榆集》四卷成，见自序。

◉ 卒岁：

王国光　汉军正红旗。太子太保，原任正红旗汉军都统，前任
　　　　两广总督，一等男。正月卒。谥襄壮。

金之俊　字孝升、彦章，号岂凡。江苏吴江人。原任秘书院大
　　　　学士，前加太傅。正月卒年七十八。谥文通。

李廷立　字亭立，号华海、蓉怀。山西蒲州人。蒲城故贡生。
　　　　正月卒年六十六。

柴绍炳　字虎臣，号省轩、翼望山人。浙江仁和人。仁和县故
　　　　诸生。正月卒年五十五。入国史文苑传。

隆　古　蒙古镶黄旗。三等子。卒。

果尔沁　（一作葛尔沁）。蒙古镶白旗，瓦三氏。镶白旗满州
　　　　都统，一等男兼一云骑尉。二月卒。谥襄敏。

黄熙胤　原任刑部右侍郎。二月卒。

吴百朋　直隶南和县知县。二月卒。入国史文苑传。

沈　谦　浙江仁和县故诸生。二月十三日卒年五十一。入国史
　　　　文苑传。

朱朝瑛　故安徽旌德县知县。三月卒年六十六。

德　塞　袭和硕简亲王，宗室。三月卒年十九。谥曰慧。

白清额　汉军正黄旗。陕西巡抚。四月卒。谥清献。

王原膴　裁缺广西右布政使。四月十六日卒年五十三。

高斗魁　浙江鄞县医士。五月十六日卒年四十八。

高斗枢　故陕西巡抚。五月二十一日卒年七十七。

刘　昌　少傅，原任工部尚书。六月卒年七十七。谥勤禧。

石　图　降调兵部左侍郎。六月卒。

殷　岳　原任江西睢宁县知县。六月二十二日卒年六十八。入
国史文苑传。

噶尔噶图　户部贵州司员外郎。七月卒年三十八。

高　塞　字敬一。太宗皇六子，镇国公。七月卒。谥悫厚。

阿玉玺　蒙古镶黄旗。二等男。卒。

赵震元　河南睢州故拔贡生。八月三十日卒年七十三。

蒋赫德　（原名蒋元恒）。汉军镶白旗（原籍直隶遵化）。少保，
国史院大学士。九月卒年五十六。谥文端。

卞焕文　字孕灵。江苏武进人。武进县故诸生。九月卒年五十
六。

曾传炤　江西宁都县诸生。以入京赴国子监试，卒于徐州年三
十二。

周全斌　汉军正黄旗。散秩大臣，承恩伯。十口月卒。谥恪慎。

廖　玉　字田生，号简斋。山西文水人。前礼部仪制司主事。
十二月十七日卒年六十四。

侯抒愫　户部主事。卒。

费扬古　满洲镶黄旗。二等男。卒。

和　讬　满洲镶红旗，那拉氏。前锋参领，骑都尉兼一云骑尉。
卒。

托波克　归化城都统。卒。谥壮果。

尚之廉　汉军。满洲镶蓝旗。左都督衔平南王藩下右翼总兵。
卒。赠太子少保，谥勤恪。

徐　缄　字伯调。浙江山阳人。山阴县故诸生。卒。

康熙十年辛亥（公元一六七一年）

● 生辰：

沈近思　正月十四日生，字位山、闇斋，号侯轩。浙江钱塘人。享年五十七。

曹源郁　二月二十九日生，字锦含，号朴存。浙江嘉善人。享年五十七。

郭永麟　三月二十日生，浙江鄞县人。年八十三。

朱世标　八月初五日生，字存斋，号勉庵。浙江海盐人。享年七十七。

惠士奇　八月生，字天牧，号仲孺、半农。江苏吴县人。享年七十一。

讷尔福　生，宗室。享年三十一。

法　海　生，满洲镶黄旗，佟佳氏。享年六十七。

汪　绎　生，字玉轮，号东山。江苏常熟人。享年三十六。

赵方观　生，字用宾，号松庐。顺天武清人。享年六十六。

唐继祖　生，字序皇。江苏江都人。享年六十三。

郑世元　生，字黛参，号亦亭。浙江秀水人。享年五十八。

汤　准　生，字稗平，河南睢州人。享年六十五。

聂继模　生，字乐山。湖南衡山人。享年九十口。

● 恩遇：

常　宁　正月封和硕恭亲王。

喀兰图　理藩院尚书。五月以老辞职，加太子太保。

和　善　袭三等男。晋封一等子。

● 著述：

吴之振　编《宋诗钞》一百零六卷成，见八月自序。

吴伟业　撰《复社记事》一卷成，（按：此书无自序今系于十二月之前）。

计六奇　撰《明季南略》十八卷成，见十二月自序。

徐　彬　字忠可。浙江嘉兴人。撰《金匮要略论注》二十四卷成。

● 卒岁：

周齐曾　故广东顺德县知县。三月二十日卒年六十九。

耿继茂　汉军正白旗。袭靖南王。四月卒。谥忠敏。

额赫里　（一作额黑里）满洲镶黄旗，钮祜禄氏。原任工部尚书，三等男，前封一等男。四月卒。

额　对　蒙古镶黄旗。三等男。卒。

阿　桑　蒙古正黄旗。轻车都尉，前封三等男。卒。

崔尔仰　浙江提学道。六月初一卒年四十七。

车　克　满洲镶白旗，瓜尔佳氏。致仕秘书院大学士，一等轻车都尉，前少师。六月卒。谥文端。

夸　代　满洲，觉罗氏。镶蓝旗满洲都统。六月卒。

郎　赛　汉军正红旗，刘氏。前宁海将军，正红旗汉军都统，一等轻车都尉。六月卒。

张玉裁　翰林院编修。七月十四日卒年三十五。

邵　灯　河南道。七月十五日卒。

王同春　裁缺四川川东道。八月初七日卒年七十一。

达　运　蒙古正黄旗。二等子。卒。

黄礽绪　内阁中书。九月初四日卒。

额尔德　满洲镶黄旗，觉罗氏。镶黄旗蒙古副都统，前户部侍郎，袭二等子。九月卒。

李显贵　前京口将军。十月以罪处斩（注：以侵克兵饷）。

袁懋功　山东巡抚。十月卒年五十一。谥清献。

马光裕　原任吏部考功司郎中。十月卒年六十一。入国史儒林传。

计　本　浙江嘉兴县诸生。十月二十六日卒年四十七。

叶成额　原任工部尚书。十一月卒。

梁化凤　太子太保，左都督衔江南提督，三等男，十一月卒，赠少保，谥敏壮。

黄徽胤　原任兵部左侍部。十一月卒。

吴伟业　原任国子监祭酒。十二月二十四日卒年六十三。入国史文苑传。

吴国龙　原任兵科掌印给事中。卒。

李恒忠　汉军正黄旗。正黄旗汉军副都统，一等轻车都尉。卒。

张纯熙　贵州提学道。卒。

朱挟鍭　前湖南临湘县知县，卒年六十一。

高　第　太子少保，左都督衔原任河南开归镇总兵，三等轻车都尉。卒。

韩孔当　明万历二十七年生，字仁文。浙江余姚人。余姚县故诸生。卒年七十三。入国史儒林传。

康熙十一年壬子（公元一六七二年）

● 生辰：

允 禔 二月生，圣祖皇长子。享年六十三。

方 畯 二月十五日生，字子雅，号竹圃。安徽桐城人。享年
　　　 七十九。

沈裔云 三月二十一日生。

缪 沅 三月二十四日生，字湘芷、澧南，号永思、馀园。江
　　　 苏泰州人。享年五十八。

李文炤 六月初十日生，字元朗，号朗轩、恒轩。湖南善化人。
　　　 享年六十四。

刁承祖 闰七月初二日生，字岁武。　直隶祁州人。享年六十
　　　 八。

蒋 衡 闰七月二十八日生，字湘帆，号拙存、江南拙老。江
　　　 苏无锡人（原籍金坛）。享年七十二。

黄叔琳 九月生，字宏献，号昆圃。　顺天大兴人。享年八十
　　　 五。

张廷玉 九月初九日生，字衡臣，号砚斋。安徽桐城人。享年
　　　 八十四。

王步青 九月二十五日生，字汉阶、罕皆，号后村、已山。江
　　　 苏金坛人。享年八十。

邱 迥 十月二十二日生，字迩求，号翼堂、拙村。江苏山阳
　　　 人。

董 玘 生，字玉崖，号文山。云南通海人（原籍安徽定远）。
　　　 享年五十八。

李开叶 生，字奕夫，号磁林。福建福清人。享年七十二。

纪遆宜 生，字肖鲁，号可亭。顺天文安人。享年六十口。

高其佩 生，字韦之，号且园。汉军镶黄旗。享年六十三。

莽鹄立 生，字树本，号卓然。汉军镶黄旗，伊尔根觉罗氏。

享年六十五。

徐湛恩　生，字沛皇。汉军正蓝旗。享年八十四。

程侯本　生，享年七十二。

杨熊飞　生，字谓夫。江苏山阴人。享年七十七。

方粲如　生，字若文、文輈，号朴山、药房。浙江淳安人。享年八十口。

徐　斑　生，字子常，号紫长、南台。江苏无锡人。享年六十七。

蒋汾功　生，江苏人。享年八十二。

梁文濂　生，字次园，号莲峰、溪父。浙江钱塘人。享年八十七。

华希闵　生，字豫园。江苏无锡人。享年八十。

王辅铭　生，字翊思，号如斋。江苏嘉定人。享年八十三。

袁　潢　生，字永蕃，号直哉。江苏吴江人。享年七十三。

张朝晋　生，字莘皋，号北湖。浙江海宁人。享年八十三。

游士端　生，字楷如。湖南善化人。享年四十八。

● 科第：

考取拔贡生：

宋广业　字性存，号澄溪。江苏崇明人（原籍长洲）。山东知县，山东济东道。

钮　琇　字书成，号玉樵。江苏吴江人。河南知县，广东高明县知县。

陈鸣皋　河南禹州人。

赵光显　字韫公。河南郏县人。临漳县教谕，直隶临城县知县。

张　贞　字起元，号杞园。山东安邱人。戊午荐应鸿博，翰林院待诏。

张　塘　直隶雄县知县。

张　彭　山西人。湖南知县，福建光泽县知县。

中式举人：

朱都纳　满洲正红旗。兵部侍郎。

李国亮　陕西知县，河南巡抚。

刘若鼏　新城县教谕，安徽布政使。

蒋兴苊　字岐岩，号南麓。汉军镶红旗（原籍江苏丹徒）。内阁中书，湖北下荆南道。

张　胙　字小白，号皞亭、雪渠。浙江海盐人。内阁中书，刑部主事。

曹鑑平　内阁中书。

姚淳熙　浙江乌程人。浙江平湖县教谕。

顾贞观　江苏无锡人。内阁中书，内阁典籍。

吴之騄　安徽英山县教谕，江苏镇江府教授。

周象明　江苏太仓人。

马　翀　江苏无锡人。

陈　诜　浙江海宁人。中书科中书，礼部尚书。

官朝京　字子孟。福建安溪人。莆田县教谕。直隶武强县知县。

李兆元　河南人。鲁山县教谕。

马如龙　陕西绥德人。直隶滦州知州，江西巡抚。

李先复　四川人。山东知县，工部尚书。

宁　枚　浙江龙泉县知县。

　　　中式副榜贡生：

裘充佩　字次章。浙江钱塘人。光禄寺卿。

朱　约　字博原，号守亭、艮斋。江苏宝应人。福建知县，直隶晋州知州。

柯崇朴　字寓匏。浙江嘉善人。戊午荐应鸿博，内阁中书。

● 恩遇：

　　　以恭纂《太祖实录》告成：

巴　泰　大学士。加太子太傅；

索额图　满洲正黄旗，赫舍里氏。加太子太傅（二十二年三月革）；

李　霨　晋太子太傅；

杜立德　晋太子太傅；

魏裔介　原任大学士。晋太子太傅。

● 著述：

宋　荦　撰《筠廊偶笔》二卷成，（按：此书成于正月）见漫
　　　　堂年谱。

白胤谦　撰《桑榆集》三卷成。

杨素蕴　撰《见山楼诗集》成，见四库别集存目。

嵇宗孟　字淑子。江苏山阳人。撰《立命堂二集》十三卷成，
　　　　见沈珩序。

● 卒岁：

佟宏器　工部右侍郎。正月卒。

陆世仪　字道成，号桴亭。江苏太仓人。江苏太仓州诸生。正
　　　　月二十日卒年六十三。从祀孔庙（从祀在光绪元年）
　　　　入国史儒林传。

李　确　（原名李天植）。浙江平湖县故举人。二月初九日卒
　　　　年八十二。

特　锦　满洲镶红旗，完颜氏。镶红旗满洲都统，二等男。二
　　　　月卒。谥襄壮。

黄子锡　字复仲，号丽农。浙江嘉兴人。嘉兴县故贡生。三月
　　　　二十一日卒年六十一。

吕应学　汉军镶白旗。三等子。卒。

佟国印　汉军正蓝旗，佟佳氏。原任工部右侍郎，三等男。四
　　　　月卒。

姜晋珪　浙江慈溪人。慈溪县故岁贡生。五月卒年六十三。

费雅思哈　（一作斐雅思哈）。满洲正黄旗，富察氏。护军统
　　　　　领，三等男。五月卒。谥僖恪。

巴特玛　满洲镶蓝旗，博尔济吉特氏。内大臣，一等轻车都尉
　　　　兼一云骑尉，前封一等男。六月卒。

王启浑　山东新城县诸生。六月卒年十七。

姜天枢　故工部郎中。六月二十七日卒年七十五。

雅　喇　满洲正白旗。三等男。卒。

沃　赫　原礼部尚书。七月卒。

周茂源　降调浙江处州府知府。七月十五日卒年六十。

孙徵淳　汉军正白旗。袭义王。闰七月卒。谥顺愍。

黄祖颛　字子颛。江苏太仓人。太仓州附监生。八月二十二日
　　　　卒于京师，年四十口。

王　清　吏都左侍郎。十月卒年四十三。

色楞车臣　蒙古镶白旗，克勒尔氏。一等子。卒。

冯　铨　太保，原任中和殿大学士。十一月卒年七十八。谥文
　　　　敏，寻夺谥。

刘龙光　字蓼萧。江苏长洲人。长洲县诸生。十一月卒年六十
　　　　四。

袁州佐　直隶口北道。十一月十四日卒年六十七。

多尔博　多罗贝勒，太祖皇孙。十二月卒。

白胤谦　原任通政使司通政使，降调刑部尚书。十二月卒年六
　　　　十七。

周亮工　前户部右侍郎，复授江安粮道。卒年六十一。

张贞生　降调翰林院侍讲学士，以原官起用。卒于京师年五十
　　　　三。

李溉之　前直隶濠州知州。卒年四十六。

刘昌言　升授顺天宛平县知县，由广西岑溪县知县升补。卒于
　　　　苍梧署任年五十六。

于宗尧　江苏常熟县知县。卒年二十三。入国史循吏传。

康霖生　山东即墨县知县。卒。

吴汝玠　汉军镶黄旗。致仕杭州副都统，二等轻车都尉，前任
　　　　礼部侍郎。卒。

朱匡维　字仔蓼。浙江海盐人。海盐故诸生。卒年六十八。

邵文炜　江苏武进人。武进县布衣。卒年六十六。

朱　锦　户部主事。卒。

康熙十二年癸丑（公元一六七三年）

◉ 生辰：

阎廷俌　正月初三日生，字倜斯、澹亭，号思庵。山东昌乐人。享年七十六。

李　绂　三月十一日生，字巨来，号穆堂、小山。江西临川人。享年七十八。

金门诏　五月十二日生，字轶东、东山，号蓼堂。江苏江都人。

沈德潜　十一月十七日生，字确士，号归愚、岘山。江苏长洲人。享年九十七。

福　敏　生，字龙翰，号湘邻。满洲镶白旗，富察氏。享年八十四

满　保　生，字凫山，号九如。满洲正黄旗，觉罗氏。享年五十三。

张　钺　生，字左黄。江苏淮阴人。享年六十六。

万邦荣　生，字仁伯，号西田。河南襄城人。享年六十七。

朱　璜　生，字渭师，号待滨、昊庐、槎亭。福建建宁人。享年六十四。

◉ 科第：

一甲进士：

韩　菼　会元。状元。修撰，礼部尚书。

王鸿绪　（原名王度心）。榜眼。编修，户部尚书。

徐秉义　探花。编修，吏部右侍郎。

二甲进士：

顾　汧　编修，河南巡抚。

黄士埛　字伯和，号瀛山。浙江石门人。编修。

陆祚蕃　字子振，号武园。浙江平湖人。庶吉士，云南道御史，贵州粮驿道。

宫梦仁 字宗衮，号定山、定庵。直隶定海人（原籍江苏泰州）。庚戌科会元。庶吉士，贵州道御史，福建巡抚。

蒋　伊 庶吉士，陕西道御史，河南提学道。

丁廷楗 字骏公。山西安邑人。编修，安徽凤阳府知府。

高曰聪 字作谋。山东胶州人。内阁中书，福建提学道。

颜光猷 字秋宗，号澹园。山东曲阜人。庶吉士，行人，山西河东道。

王　琯 字锡相。直隶交河人。云南永昌道。

谢于道 字敏公，号存义。浙江鄞县人。庶吉士，刑部主事，云南提学道。

程大昌 湖北孝感人。归班知县，己未召试鸿博。

祝翼权 字端宸，号斗岩。浙江海宁人。福建知县，工部员外郎。

顾祖荣 字山谷，号复斋、培园。顺天宛平人（原籍浙江仁和）。编修，内阁学士。

周　昌 字文望。汉军镶蓝旗。庶吉士，口部主事，福建汀漳道。

徐　倬 浙江德清人。编修，侍读。

王曰曾 字伟度，号省庵。江苏溧阳人。内阁中书，直隶大顺广道。

韩　竹 编修。

罗秉伦 字振彝，号继峰。江苏江宁人。庶吉士，江西道御史，通政史。

冯遵祖 浙江归安人。　内阁中书，山西平陆县知县。

　　三甲进士：

祕丕笈 内阁中书，陕西提学道。

钱绍隆 字仲扶，号澹居散人。浙江海盐人。四川知县，刑科给事中。

钱之焘 字幼日，号鲁山。浙江海盐人。内阁中书。

沈上墉 （原名沈允城），字宗子，号维庵。浙江归安人。检讨，侍读学士。

马天选 内阁中书，湖北武昌府知府。

李基和 字协万，号梅崖。汉军镶红旗。庶吉士，礼部主事，
江西巡抚。

高以永 字子修。浙江嘉兴人。河南知县，户部员外郎。

徐　潮 检讨，吏部尚书。

柴廷望 湖南知县，贵州提学道。

周士皇 湖北武昌人。通政司参议。

汪鹤孙 字雯远，号梅坡。浙江钱塘人。

张　英 字仲张，号沧岩。浙江海宁人。内阁中书，己未召试
鸿博，广东提学道。

董　閭 字方南，号如斋。江苏吴江人。检讨，司业。

张朝寀 河南偃师县知县。

徐元梦 庶吉士，户部主事，户部尚书。

靳文谟 直隶开州人。新安县知县，福建道御史。

韩士修 检讨。

谈允诚 （一作屠允诚），字孚上。浙江平湖人。江苏镇江府
知府。

王鼎冕 字甲先。山东滨州人。检讨。

王尹方 字鹤汀。山西安邑人。检讨，内阁学士。

曾　寅 字以人，号章山。江西清江人。庶吉士，山西道御史，
山西冀宁道。

李　栴 （原名李叶），字倚江，号木庵。江苏兴化人。检讨，
左都御史。

王　邮 字子儦。陕西户县人。广东提学道。

岳　崱 直隶曲周人。江西雩都县知县。

张志栋 字青樵。山东昌邑人。庶吉士，陕西道御史，刑部右
侍郎。

井　睦 顺天文安人。内阁中书，河南河南府知府。

欧阳旭 字汉曦。江苏丹徒人。口部主事，云南提学道。

清代人物大事纪年

徐达乾 （碑录作余达乾），字跻庵。云南楚雄人。山东知县，吏科掌印给事中。

马希爵 河南辉县人。直隶知县，左佥都御史。

白硕色 （榜名白小子）。满洲镶红旗人。工部右侍郎。

武进士：

郎天祚 浙江山阴人。状元。口口协副将。

李世威 山东莘县人。榜眼。广东提标中军参将。

赵文璧 字润园。浙江萧山人。探花。福建漳州镇总兵。

王廷瑚 口口守备，湖北荆州协副将。

◉ 恩遇：

吕　宫 大学士。正月以病回籍加太子太保。

梁　鼎 袭三等男。四月晋封二等男。

希尔根 内大臣。五月加太子太保。

阿　赖 原任都统。五月加太子太保。

坤　　内大臣。五月加太子太保（二十三年削）。

毕力克图 都统。加太子少师。

瑚里布 前锋统领。加太子少师。

伊勒都齐 原任副都统。加太子少师。

道　喇 原任都统。加太子少傅。

孙达哩 护军统领。加太子少傅。

锡卜臣 都统。加太子少傅（二十二年革）。

色尔格克 内大臣。加太子少保。

赉图库 加太子少保。

察哈泰 护军统领。加太子少保。

◉ 著述：

申涵光 撰《荆园小语》一卷成，见五月自识。

孙承泽 撰《五经翼》二十卷成（按：自序无年月朱彝尊序诏公年八十故系于此年）。

张　潝 撰《读书堂杜诗注解》成。

叶　封 撰《嵩阳石刻集纪》二卷成，见自序。

彭孙贻 撰《茗斋诗余》二卷成（按：是书卒后始刻，今系于
　　　卒年）。

● 卒岁：

蒋　超　在籍翰林院修撰。正月卒年五十（一作四十九疑误）。

讬克讬慧　显祖皇曾孙，镇国公。宗人府左宗正，二月卒。谥
　　　纯和。

穆　青　（一作穆琛）。显祖皇曾孙。辅国公。二月卒。谥愍
　　　厚。

顾巴西　礼部右侍郎。二月卒。

鄂莫克图　满洲正蓝旗，那拉氏。原任正蓝旗满洲副都统，一
　　　等男。三月卒年七十八。谥襄壮。

锡纳海　原任镶蓝旗满洲副都统，三等轻车都尉。三月卒年五
　　　十七。

齐尔格申　满洲镶黄旗，宁古塔氏。福陵总管，三等男。三月
　　　卒。

喀兰图　蒙古正黄旗，博尔济吉特氏。太子太保，内大臣，前
　　　任理藩院尚书，二等轻车都尉。三月卒。谥敏壮。

王　枢　原任工部虞衡司郎中。四月初六日卒年五十七。

阿哈硕塞　刑部左侍郎。四月卒。

班惕思希布　蒙古镶红旗。三等子。卒。

胡密达　盛京礼部侍郎。五月卒。

华　珑　字龙叔，华坡居士。江苏无锡人。无锡县布衣。六月
　　　初六日卒年六十二。

姜　垛　字如农。山东莱阳人。故礼科给事中。六月初八日卒
　　　年六十七。

巴　山　满洲镶黄旗，瓜尔佳氏。二等男，原任江宁副都统。
　　　卒。

马　骦　安徽灵壁县知县。七月初四日卒年五十八。入国史儒
　　　林传。

王士禄　丁忧吏部考功司员外郎。七月二十二日卒年四十八。

入国史文苑传。

谭诣 四川万县人。太子少保，贵州安笼镇总兵，向化侯。八月卒。

左敬祖 原任都察院左副都御史。八月卒。

赵继鼎 故兵部主事。八月二十四日卒年六十八。

恩国泰 致仕礼部尚书。九月卒。

龚鼎孳 原任礼部尚书。九月十二日卒年五十九。谥端毅。

朱国治 汉军正黄旗。云南巡抚。十一月二十一日遇害。追赠户部右侍郎（追赠在二十一年五月）。

高显辰 云南云南府知府。十一月殉难。

韩文 汉军镶蓝旗。三等男。十一月卒。

甘文焜 云贵总督 十二月初八日于镇远殉难年四十二。追赠兵部尚书，谥忠果（赠谥在二十年四月）。

遏必隆 满洲镶黄旗，钮祜禄氏。一等公，前太师辅政大臣。十二月卒。谥恪僖。

杨彭龄 顺天宛平人。宛平县布衣。十二月卒年六十三。

杜笃祜 字振门。山西蒲城人。太子少保，原任都察院左都御史。卒（一作十年卒）。

刘鸿儒 降调都察院左都御史。卒。

石申 前刑部左侍郎。卒。

王勖 翰林院编修。卒年六十五。

刘芳躅 降调山东巡抚。卒。

宋琬 四川按察使。 以入觐卒于京师年六十。诗人，与施闰章齐名，入国史文苑传。

刘泽霖 原任陕西凤翔府知府。卒年四十八。

阿穆尔图 满洲镶白旗，那拉氏。盛京将军。卒。谥襄壮。

刘光弼 汉军镶蓝旗。原任江西提督，一等轻车都尉。卒。

萧云从 安徽芜湖县副贡生。卒年七十八。

彭孙贻 字羿仁，号仲谋。浙江海盐人。海盐县故拔贡生。卒年五十九。入国史文苑传。

金俊明　字九章，号孝章、耿庵。江苏吴江人。江苏吴县故诸生。卒年七十三。入国史文苑传。

归　庄　（原名归祚明），字玄恭，号恒轩。江苏昆山人。昆山县故诸生。卒年六十一。入国史文苑传。

黄向坚　字端木，号存庵。江苏吴县人，吴县孝子。卒年六十五。

陈祚明　字允倩，稽留山人。浙江钱塘县布衣。卒。

康熙十三年甲寅（公元一六七四年）

● **生辰：**

龚　正　二月初六日生，字慎修，号松文。江西南昌人。

允　礽　五月生，圣祖皇二子。享年五十一。

崔谓源　八月初二日生，字清夫，号肖玉。直隶长垣人。享年五十七。

巴尔图　生，宗室。享年八十。

玛　拉　生，满洲正黄旗，富察氏。享年六十三。

阎尧熙　生，字涑阳。山西夏县人。享年六十九。

何师俭　生，享年六十五。

● **恩遇：**

隆　禧　正月封和硕纯亲王。

王辅臣　陕西提督。二月封三等子（十二月革）。

马　宁　山东提督。加太子太保。

噶布喇　十二月封一等公（雍正八年号曰承恩）。

● **著述：**

胡文学、李邺嗣　同编《甬上耆旧诗》四十卷成，见正月胡文学自序（按：此书仅刻行三十卷）。

王士祯　编《感旧集》八卷成，见孟夏自序（按：此书后经卢见曾加以补传，分为十六卷，见乾隆壬申六月序）。

梅文鼎　撰《方程论》六卷成，见夏日自序。

曹尔成　字得忍。江苏无锡人。撰《禹贡正义》三卷成，见自序。

● **卒岁：**

蔡士英　字伯彦，号魁吾。汉军正白旗。原任漕运总督。正月卒。谥襄敏。

施端教　字匪莪。安徽泗州人。前东城兵马司指挥。二月初七日卒年七十二。

王永年 定南王藩下都统。二月二十七日于桂林遇害。

孟一茂 汉军镶黄旗。定南王藩下副都统。二月二十七日于桂林遇害。

陈启泰 汉军镶红旗（原籍盖州）。福建巡海道。三月于漳州殉难，追赠通政使（追赠在十九年七月），加赠工部右侍郎（加赠在二十年），追谥忠毅（追谥在三十三年七月）。

王之仪 福建福州府知府。三月遇害。赠太仆寺卿。

萧　震 原任山西道监察御史。三月于福州原籍遇害。

马喇希 原任吏部尚书。三月卒。

布叶锡礼 太子少傅，内大臣。三月卒。谥果壮。

黄　梧 太子太保，一等海澄公。三月二十六日卒年五十七。追赠太保，谥忠恪（赠谥在十六年六月）。

刘遇奇 四川保宁府知府。以被拘至成都殉难。

吴应熊 原籍江苏高邮。吴三桂之子。少傅，和硕额驸，三等子。四月以其父三桂叛逆处绞。

吴万福 汉军镶红旗（原籍辽阳）。右都督，福建福宁镇总兵，二等轻车都尉。四月殉难，赠太子少保左都督，谥忠愍（赠谥在十九年五月）。

蔡　禄 福建海澄人。前太子太保，左都督，河南河北镇总兵，三等男。四月于怀庆叛逆就擒处斩。

李成功 奉天铁岭人。广东潮州镇中军参将。四月二十一日遇害。赠副将。

张善继 广州潮州城守营游击。四月二十一日遇害。赠参将。

张履祥 字考夫，号念慈。浙江桐乡人。桐乡县故诸生。五月二十八日卒年六十四。从祀文庙（从祀在同治十年十二月）入国史儒林传。

谷资生 升授江苏淮安府同知，由河南荥阳县知县升补。五月三十日卒于荥阳年六十七。

马　玶 浙江永嘉县知县。六月初一日殉难。赠布政司参政，追谥忠勤（追谥在四十二年四月）。

陈丹赤　浙江温处道。六月初一于温州遇害年四十六。追赠通政使（追赠在十六年），追谥忠毅（追谥在三十三年七月）。

杨春芳　浙江温州协副将。六月遇害。追赠太子少保左都督（追赠在十六年四月）。

猛　峩　（一作孟峩）。多罗温郡王，太宗皇孙。七月卒。谥曰良。

王临元　江西浮梁县知县。七月殉难。赠按察司佥事。

王应魁　江西南丰县知县。七月殉难。赠按察司佥事。

星　讷　满洲正白旗，觉尔察氏。太子少师，原任工部尚书，一等轻车都尉兼一云骑尉，前封二等男。卒。谥敏襄。

额默克图　盛京副都统，三等轻车都尉。卒。谥壮勤（一作勤壮）。注：此条再考。

周岱生　广西平南县知县。八月初二于浔州遇害年五十四。赠按察司佥事。

硕博会　满洲，觉罗氏。都察院左副都御史。八月卒。（一作十六年八月卒）。

根　特　满洲正黄旗，那拉氏。平寇将军，副都统，一等轻车都尉。八月卒于江西军营。

瓦尔喀　满洲镶红旗，完颜氏。西安将军，一等轻车都尉。八月卒。谥襄敏，追夺官谥（追夺在十六年三月）。

南一魁　汉军镶红旗（原籍陕西肤施）。太子少保，左都督衔三等轻车都尉，裁缺湖南衡州镇总兵。八月卒。

孙廷铨　少保，原任秘书院大学士，九月初八日卒年六十二。谥文定。

王弘祚　太子太保，赏食原俸，原任兵部尚书。九月二十二日卒年七十二。谥端简。

敦　达　袭固山贝子，宗室。九月卒年三十二。谥恪恭。

图　喇　满洲正黄旗，舒穆氏。原任杭州将军，骑都尉兼一云
　　　骑尉。十月卒。

祁彻白　原任礼部尚书。十一月卒。

刘秉权　字持平。汉军正红旗。广东巡抚。十一月卒。谥端勤。

莫　洛　满洲正红旗，伊尔根觉罗氏。武英殿大学士衔刑部尚
　　　书，经略陕西军务。十二月初四日于宁羌州遇害。追
　　　谥忠愍，予骑都尉兼一云骑尉世职（追谥在二十二年
　　　十月）。

米思翰　户部尚书，袭一等男兼一云骑尉世职。十二月卒年四
　　　十三。谥敏果，入祀贤良祠（入祠在乾隆元年），追
　　　封一等承恩公（追封在乾隆十三年五月）。

图尔特　满洲正蓝旗，赫舍里氏。工部左侍郎。卒。

爱音查　满洲正蓝旗。袭三等男。于江西萍乡阵亡。追赠二等
　　　男（追赠在二十五年四月）。

傑　都　满洲正红旗，韩氏。护军参领。于四川保宁阵亡。予
　　　骑都尉加一云骑尉世职。

索诺穆　一等轻车都尉兼一云骑尉。于湖南岳州阵亡。赠三等
　　　男。

祖泽远　满洲镶白旗。降调太子少保，湖广总督。卒。

徐化成　降调湖广巡抚。卒年五十四。

祝　昌　湖南辰沅道。于长沙殉难。

张松龄　载缺四川川南道。于福建莆田原籍殉难。

刘钦邻　广西富川县知县。以被拘至桂林遇害。赠太仆寺少卿，
　　　追谥忠节（追谥在四十二年十二月）。

屈超乘　丁忧前湖北松滋县知县。卒年五十一。

邵元长　浙江余姚人。卒年七十二。

康熙十四年乙卯（公元一六七五年）

李春耀 二月二十八日生，字东谷，号舫村。湖北孝感人。

邵　琮 三月二十九日生，字虞廷，号鑑湖。顺天大兴人。享年六十六。

方　鼎 五月初三日生，享年七十二。

张廷璐 五月二十七日生，字宝臣，号药斋。安徽桐城人。享年七十一。

姜颖新 六月初十日生，字通皋。江苏如皋人。享年六十二。

傅　涵 八月十五日生，字圣涯。江西临川人。

汪　祚 九月初八日生，字惇士，号菊田。江苏江都人。

赵国麟 生，字仁圃。山东泰安人。享年七十七。

刘於义 生，字喻旃，号蔚冈。江苏武进人。享年七十四。

刘青芝 生，字实夫，号芳草、江村山人。河南襄城人。

王之锐 生，字仲颖，号退庵。直隶河间人。享年七十九。

王时翔 生，字皋谟，号抱翼、小山。江苏镇江人。享年七十。

童　华 生，字心朴，号赤城。浙江山阴人。享年六十五。

何经文 生，字友三，号无墨。湖南靖州人。享年八十四。

张　錔 生，字子容。山西蒲州人。享年五十六。

陈　麟 生，江苏人。享年七十八。

方世举 生，字扶南，号息翁。安徽桐城人。享年八十五。

● 科第：

中式举人：

张永茂 顺天人。福建布政使。

梁文科 汉军正白旗。左副都御史。

张士伋 云南粮道。

邵　瑛 新河县教谕，山东昌邑县知县。

康熙十四年乙卯　公元一六七五年

0263

柯维桢 字翰周，号缄三。浙江嘉善人。戊午荐应鸿博。

陈黄永 字叔嗣。浙江海宁人。湖南安仁县知县，工科掌印给事中。

李来章 河南人。广东知县，兵部主事。

中式副榜贡生：

宋骏业 字声求。江苏长洲人。翰林院待诏，兵部右侍郎。

张士伦 河南南阳府知府。

闵嗣同 字来之，号双溪。浙江乌程人。景宁县教谕。

中式武举：

程　功 字幼鸿，号柯亭。安徽休宁人。

● 恩遇：

尚可喜 平南王。正月晋封平南亲王。

许　贞 江西屯垦都督。三月加太子太保。

张　勇 甘肃提督。四月封靖逆侯，（十五年八月定为一等）。

陈　福 陕西提督。八月封三等男。

方　格 满洲正蓝旗。八月封三等男。

图　海 大学士。十月封一等男。

允　礽 圣祖皇二子。十二月立为皇太子（四十七年九月废）。

● 著述：

魏裔介 撰《鉴语经世编》二十七卷成，见自序。

朱董祥 字熊占。江苏长洲人。撰《读礼纪略》六卷附《婚礼广义》一卷成。

周　召 字公右，号拙庵。浙江西安人。撰《双桥随笔》十二卷成，见自序。

● 卒岁：

王　札 直隶平谷人。甘肃宁静州知州。正月遇害。赠按察司副使。

查布海 原任礼部右侍郎。正月卒。

王怀忠 陕西兴安镇总兵。正月以兵变遇害。

柯永盛 汉军镶红旗。太子少保，左都督衔原任山西提督，三等轻车都尉。正月卒。

阿尔泰 汉军正红旗，刘氏。浙江黄岩镇总兵。正月以被拘至福州遇害。谥忠武。

李可汧 在籍侯补布政司参议，原任湖广提学道。二月十六日卒年六十。

王宋臣 都督金事，湖北黄州镇总兵。二月二十二日卒。

吴　淇 降调江苏镇江府同知。二月二十五日卒年六十一。

白文选 汉军正白旗（原籍陕西吴堡）。太子少师，三等承恩公。二月卒。

卫周祚 少师，赏食原俸，原任保和殿大学士。三月卒年六十四。谥文清。

迈　堪 散秩大臣　一等轻车都尉，乳公。卒。谥勤僖（一作勤慎）。

孙达哩 满洲镶白旗，鲁布哩氏。太子少傅，护军统领，二等男。四月卒年七十三。谥果壮。

达理善 满洲正黄旗，那木都鲁氏。署副都统，三等男。四月卒于甘肃秦州军营，追谥武毅（追谥在十七年二月），追晋二等男（追晋在二十五年）。

褚　库 满洲正红旗，萨尔图氏。原任正红旗蒙古副都统，一等轻车都尉。四月卒年六十一。谥襄壮，入祀贤良祠（入祠在雍正十年十月）。

孙奇逢 明万历十二年生，字启泰，号锺元。万历二十八年举人。直隶容城县征士。四月二十一日卒年九十二。从祀文庙（从祀在道光八年二月），入国史儒林传。

沈寿民 字眉生，号耕岩。安徽宣城人。宣城县故诸生。五月初三日卒年六十九。

郭万图 江西饶州府知府。五月阵亡。赠光禄寺卿。

杨三知 陕西神木道。遇害年六十五。追赠光禄寺卿（追赠在十五年八月）。

乔可聘 字君徵，号圣任、柘田、遗农。江苏宝应人。故监察御史。闰五月初七日卒年八十七。

岳诺惠　礼部右侍郎。闰五月卒。

图尔博绅　原任杭州将军，二等轻车都尉。卒。谥敏果。

爱松古　满洲镶白旗，那拉氏。原任镶白旗蒙古副都统，骑都尉兼一云骑尉。六月卒年七十。

阿纳达　护军统领，袭一等子。六月于江西泚堰阵亡。予加一云骑尉世职。

雅　赉　满洲正蓝旗，那拉氏。署副都统。六月二十五日于江西广信之石峡阵亡。追谥襄壮（追谥在十七年九月），予骑都尉世职。

刘醇骥　字千里，号廓庵。湖北广济人。湖北广济县故岁贡生。七月初八日卒年六十九。入国史文苑传。

扩尔坤　满洲镶红旗，萨克达氏。镶红旗蒙古副都统，袭二等轻车都尉。七月于陕西洋县阵亡。赠三等男。

博尔济　领侍卫内大臣。八月卒。

金世爵　广东合浦县知县。八月殉难。赠布政司参议。

塞白理　浙江提督，袭一等男兼一云骑尉世职。九月卒年四十三。

对哈纳（一作对喀纳）。太子太保，文华殿大学士。九月卒年五十七。谥文端。

鲁　栗　故翰林院庶吉士。九月二十六日卒年六十九。

白色纯　汉军镶白旗。江西巡抚。十月卒。谥勤僖。

陈　瑚　江苏太仓州故举人。十月二十日卒年六十三。入国史儒林传。

黄芳度　袭一等海澄公。十一月二十日于漳州殉难，年二十五。赠王爵，谥忠勇。

蔡　隆　海澄公标下副将。十一月二十日于漳州遇害。赠右都督。

陈　福　甘肃人。陕西提督，一等男。十二月二十二日，以兵变于惠安堡遇害。赠三等公，予三等子世爵，谥忠愍。

傅达礼 满洲正黄旗,吴雅氏。前翰林院掌院学士兼礼部侍部。卒。

祖泽洪 汉军镶黄旗。一等子,原任镶黄旗汉军副都统。卒。

阿什图 汉军镶黄旗,周氏。杭州副都统。于台州阵亡。予骑都尉世职。

张国彦 陕西波罗营副将。殉难。赠太子太保左都督,予骑都尉世职。

台弼图 陕西副将。于白虎台阵亡。予云骑尉世职。

王秉仁 委署参将佐领,降调仓场侍郎。于湖北均州阵亡。予云骑尉世职。

王泰际 江苏嘉定县故进士。卒年七十七。

康熙十五年丙辰（公元一六七六年）

◉ 生辰：

李图南 二月二十八日生，字开士，号简庵。福建连城人。享年五十七。

李光型 五月初一日生，字仪卿。福建安溪人。享年七十九。

陈祖范 五月二十日生，字见复，号亦韩。江苏常熟人。享年七十九。

高其倬 九月九日生，字章之，号芙沼、种筠。汉军镶黄旗。享年六十三。

杨　椿 生，字农先，号雪溪。江苏武进人。享年七十八。

黎致远 生，字宁先，号抑堂。福建长汀人。享年五十六。

谢　晋 生，字日三，号勉庐。江苏常熟人。享年九十。

韩　海 生，字伟五，号桥村。广东番禺人。享年六十。

吴　焯 生，字尺凫，号绣谷。浙江钱塘人。享年五十八。

◉ 科第：

一甲进士：

彭定求 会元。状元。修撰，侍讲。

胡会恩 字孟纶，号苕山、南苕。浙江德清人。榜眼。编修，刑部尚书。

翁叔元 探花。编修，刑部尚书。

二甲进士：

魏希徵 字子相。山东郓城人。编修。

沈三曾 编修，右赞善。

沈　涵 编修，内阁学士。

顾　藻 编修，工部左侍郎。

彭会淇 字四如，号菉洲、琢庵。江苏溧阳人。编修，工部右侍郎。

熊赐瓒 字逊修，号恕斋。湖北孝感人。编修，兵部督捕理事官。

性　德 （原名成德）。三等侍卫，头等侍卫。

王顼龄 太常寺博士，余见己未词科。

沈旭初 编修。

王吉武 内阁中书，浙江绍兴府知府。

李应鹓 编修，内阁学士。

杨　瑄 字玉符，号楷庵。江苏娄县人。编修，内阁学士。

汪　霦 字朝采。浙江钱塘人。行人，余见己未词科。

任弘嘉 字葵尊，号丹菽。江苏宜兴人。行人，通政司参议。

张仕可 字惕存。江苏丹徒人。刑部主事，湖南衡永郴道。

高层云 大理寺评事，己未召试鸿博，太常寺少卿。

高　裔 编修，大理寺卿。

何裔云 字令名，号曾园。浙江钱塘人。内阁中书，湖南桂东
　　　　县知县。

冯云骦 字懿生。山西代州人。编修，礼科给事中。

张　集 行人，兵部左侍郎。

吴　晟 福建宁化县知县。

刘　凡 字元叹。安徽颖州人。口部主事，陕甘提学道。

许承宣 字力臣。号筠庵。江苏江都人（原籍安徽歙县）。庶
　　　　吉士，工科给事中。

李　涛 编修，刑部右侍郎。

张榕端 编修，内阁学士。

陈齐永 字大年，号勿斋。浙江海宁人。山东知县，太常寺少
　　　　卿。

陈锡嘏 编修。

王化鹤 编修，谕德。

史　珥 字彤右。山西武乡人。庶吉士。

费之逵 编修。

杨作桢 字端斋，号薪庵。山西绛州人。编修。

叶舒崇 内阁中书，戊午荐应鸿博。

三甲进士：

钱三锡 字宸安，号葭湄。 江苏太仓人。广西知县，户部侍郎。

高联璧 字东斗。山西清源人。礼部主事，广西提学道。

范 飀 江苏镇江府教授。

阎世绳 字宝贻，号丹崖。山东昌乐人。检讨，左谕德。

苏 俊 字用宾。山东武城人。内阁中书，兵科给事中。

彭开祜 字孝绪，号椒岩。江苏娄县人。直隶知县，湖南武冈州知州。

刘 谦 字益侯，号思庵。 直隶武强人。内阁中书，左都御史。

陈 勋 浙江海宁人。刑部主事，京畿道御史。

魏 飀 直隶柏乡人。内阁中书，广西浔州府知府。

卞永宁 字芝亭。汉军正白旗。庶吉士，口部主事，山西河东道。

0270

王含真 山西猗氏人。归班知县，己未召试鸿博。

顾 焯 江苏嘉定人。福建福州府知府

刘体元 字德先。山东寿光人。口部主事，广西提学道。

沈一揆 字在田，奉天宁远人（原籍浙江乌程）。庶吉士，刑部主事，通政司参议。

文超灵 字挺叔，号诚斋。广东东莞人。江苏宜兴县知县。

刘荫枢 （碑录作刘应枢）。河南知县，贵州巡抚。

杨尔淑 字湛予，号敬庵。直隶新安人。庶吉士，吏科给事中，通政使。

胡世藻 字掞庵，山东章邱人。河南提学道。

石文桂 汉军正白旗。中书科中书 仓场侍郎。

臧大受 字君可。山东寿张人。广东提学道。

罗衍嗣 字庆馀。奉天金州人。户部主事，福建盐运使。

陆德元 字益孙。江苏长洲人。口部主事，陕西提学道。

荆元实 江苏丹阳人。

谢之洪 （碑录作谢公洪）。直隶保定人。内阁中书，甘肃临洮府知府。

方　韩 字若韩，号佐平。浙江遂安人。检讨，左中允。

王奂曾 行人，湖广道御史。

万　懔 字兆文，直隶南乐人。口部主事，四川提学道。

裘充美 字大文。顺天昌平人。内阁中书，口口道御史。

司百职 字元亮。河南通许人。刑部主事，福建提学道。

王吉相 字天相。陕西邠州人。检讨。

赵之随 字和千。山东长山人。口部主事，云南提学道。

高遐昌 字振声。河南淇县人。广东知县，兵科掌印给事中。

李瑞徵 直隶容城人。归班知县，己未召试鸿博。

王斗机 广西知县，广西藤县知县。

李华之 字秀实。山东诸城人。内阁中书，刑部左侍郎。

　　武进士：

荀国樑 状元。都司金书。

● **恩遇：**

朋　春 副都统袭一等公。正月晋太子太保。

沃　赫 署副都统袭三等公。正月晋太子太保。

张　勇 甘肃提督。四月加少保。

王辅臣 前陕西提督八月赏复官爵，加太子太保授靖寇将军。

图　海 抚远大将军，大学士。八月以平定关陇晋封三等公。

张　勇 甘肃提督。八月封一等侯。

王进宝 陕西提督。八月封一等男加授奋武将军。

黄芳世 袭海澄公。十一月加太子太保。

● **著述：**

孙承泽 撰《思陵典礼记》四卷、《烈皇勤政记》一卷成，（按：二书均无自序，今系于五月之前）。

俞汝言 撰《春秋四传纠正》一卷成，见五月自序。

俞汝言 撰《春秋平议》十二卷成，见十一月自序。

施闰章 撰《施氏家风述略》一卷成，见十二月自识。

徐　善　撰《易论》成，见沈廷励序。

李之素　字定庵。湖北麻城人。撰《孝经正文》一卷、《内传》一卷、《外传》三卷成，见自序。

陈维崧　撰《西晋南北集珍》六卷成，见自序。

王日高　自编《槐轩集》十卷成，见书末冬杪自记。

王崇简　自编《青箱堂文集》七卷成，见叶方蔼序（按：书成后又有续刻遗稿一卷）。

● 卒岁：

穆　福　太子太保，内大臣。正月卒。谥襄壮。

哲库纳　兵部督捕左侍郎。正月卒。

查济佐　浙江海宁县故举人。正月二十日卒年七十六。

金　光　字公绚。浙江义乌人。鸿胪寺卿衔平南王幕客。二月为尚之信所害。

李　溥　原任户部江西司郎中。三月初六日卒。

博通鄂　满洲镶白旗，碧鲁氏。一等子。卒。

郎廷佐　字一柱。汉军镶黄旗。福建总督。四月卒于浙江金华军营。

张次仲　浙江海宁县故举人。四月卒年八十八。

李　灌　陕西部阳县故举人。五月初八日卒年七十六。

孙承泽　太子太保，左都御史衔致仕吏部左侍郎。五月卒年八十三。

玛　祜　江宁巡抚。六月卒年四十九。谥清恪。

新　泰　满洲镶蓝旗。三等男。卒。

察哈泰　满洲镶红旗，萨克达氏。太子少保，护军统领，前任镇东将军，三等轻车都尉。七月卒于湖北江陵军营。

艾元徵　刑部尚书。七月卒。

封　濬　南丰县岁贡生。八月初一卒年五十六。入国史儒林传。

张尔素　原任刑部左侍郎。八月卒。

郭金台 故兵部郎中（授官后末经任职），湖南湘潭县举人。卒年六十七。

高天爵 字君宠，汉军镶黄旗。升授两淮盐运使（由江西建昌府知府升任）。九月初四日以被拘至福建遇害年五十七。追赠太仆寺卿（追赠在十九年），追谥忠烈（追谥在四十六年五月），加赠礼部尚书衔（加赠在雍正四年六月）。

张端午 汉军镶蓝旗。福建邵武府知府。九月遇害。赠太仆寺卿。

范承谟 福建总督。九月十六日遇害年五十三。追赠太子少保兵部尚书，谥忠贞，（赠谥在计九年七月）。

嵇永仁 江苏无锡县廪生。九月十七日于福建福州殉难年四十。追赠国子监助教（追赠在四十七年十二月）。

王龙光 字幼誉，浙江会稽人。会稽县诸生。九月十七日于福州殉难。追赠国子监助教（追赠在四十七年十二月）。

尚可喜 字元吉，号震阳。汉军镶蓝旗（原籍辽东海州）。平南亲王。十月二十九日卒年七十三。谥曰敬。

刘源长 字介祉。江苏山阳人。山阳县布衣。十一月初一日卒年八十四。

史鹤龄 翰林院编修。十一月卒。

傅喇塔 宁海将军，固山贝子，显祖皇曾孙。十一月卒于福建福州军营年五十五。追谥惠献（追谥在十七年六月），追赠和硕简亲王（追赠在乾隆十五年七月）。

刘渭龙 福建莆田县举人。十一月二十日卒年四十六。

张惟赤 工科掌印给事中。卒。

侯元棐 丁忧中书科中书，前任浙江德清县知县。卒年五十二。

张士埙 候补行人。卒年三十七。

莽吉图 三等轻车都尉，原任正蓝旗满洲副都统。卒。

邓长春　汉军镶黄旗。致仕镶黄旗汉军参领，一等男，前户部左侍郎。卒。

巴雅思虎朗　署副都统。于湖北荆州之太平街阵亡。予骑都尉世职。

阿尔虎（一作阿尔护）。镶红旗蒙古副都统。于湖南长沙之老虎坡阵亡。予三等骑都尉世职，谥敏壮（追谥在十七年九月）。

罗布西　一等轻车都尉。于湖南长沙之老虎坡阵亡。赠三等男。

张仲第　汉军正黄旗。原任陕西巡抚，一等男。卒。

刘秉政　汉军正红旗。前福建巡抚。卒。

骆锺麟　丁忧江苏常州府知府。卒年五十三。入国史循吏传。

卢　俣　陕西商南县知县。遇害。赠按察司佥事。

线国安　汉军正红旗。前太子太保，征蛮将军，广西都统，三等伯。于从逆后死于桂林。

许得功　汉军镶蓝旗。云南提督，三等男。卒。

卦　喇　满洲正黄旗，伊尔根觉罗氏。原任驻防太原副都统，二等轻车都尉。卒。

鲍　虎　字云楼，山西应州人。右都督衔浙江黄岩镇总兵。卒。

计　东　前江苏吴江县举人。卒年五十二。入国史文苑传。

康熙十六年丁巳（公元一六七七年）

● 生辰：

允　祉　二月生，圣祖皇三子。享年五十六。

瞿　骏　三月初一生，字云堮。江苏常热人。

易宗瀛　三月二十七日生，字公仙，号岛庵、岛民。湖南湘乡
　　　　人。

徐允年　四月初十日生，享年六十五。

翁　照　四月十一日生，字朗夫，号霁堂。江苏江阴人。享年
　　　　七十九。

吴作霖　五月二十七日生，字雨来，号可园。浙江淳安人。享
　　　　年七十。

汪继燷　十二月初四日生，字倬云，号恬村。浙江秀水人（原
　　　　籍桐乡）。享年五十二。

塞尔赫　生，字慓庵，号晓亭。宗室。享年七十一。

鄂尔泰　生，字毅庵。满洲镶蓝旗，西林觉罗氏。享年六十
　　　　九。

任兰枝　生，字香谷，号随斋。江苏溧阳人。享年七十。

傅　鼐　生，字阁峰。满洲镶白旗，富察氏。享年六十二。

周　京　生，字西穆，号穆门、少穆。浙江钱塘人。享年七十
　　　　三。

黄商衡　生，（原名黄师宪），字景淑。江苏长洲人。享年六
　　　　十五。

顾臣赤　生，江苏昆山人，享年六十七。

周徐綵　生，字粹存。浙江山阴人。享年五十二。

周　钺　生，字汝盘，号晚菘。浙江山阴人。享年六十五。

吴元音　生，字律安，号立安、逊牧。浙江海盐人。享年八十
　　　　五。

● 科第：

　　中式举人：

陈世安　字傅岩。浙江海宁人。行人，直隶大名道。

蒋文澜　字葭友，号紫峰。江苏吴县人，中书科中书，侯补按
　　　　察司副使。

储右文　字素田，号宁德。江苏宜兴人。湖北知县，福建宁德
　　　　州知州。

宋　宓　江苏长洲人。

祝　增　字喻存，号任庵。浙江海宁人。直隶知县，山西平阳
　　　　府知府。

胡德迈　中书科中书，顺天府府丞。

戴梦麟　字蓼园。山东掖县人。大理寺评事，奉天府府尹。

◉　恩遇：

傅弘烈　广西巡抚。加太子太保。

慕天颜　江宁巡抚。加太子少保（二十年削）。

孙思克　凉州提督。四月封三等男（二十二年四月削）。

佟国瑶　郧阳提督。七月加太子少保。

张　勇　甘肃提督。八月晋少傅。

图　海　抚远大将军。九月赐御制诗。

多尔吉　十二月封三等男。

卓布泰　复封二等男。

◉　著述：

申涵光　撰《荆园进语》一卷成（按：此书卒后始刻见冀如锡
　　　　序，今系于六月之前）。

赵　宾　撰《学易庵诗集》八卷成，（按：此书卒后始刻，见
　　　　乙丑邰焕元序，今系于六月之前）。

喇沙里　奉敕撰《日讲四书解义》二十六卷成，见十二月御
　　　　序。

成克巩　撰《伦史》五十卷成，见自序。

方象瑛　撰《封长白山记》一卷成。

孙　默　合编《十五家词》三十七卷成，见邓汉仪序。

◉　卒岁：

徐桂生　字贞侯。浙江嘉兴人。嘉兴县故荫生。正月初五卒年六十四。

穆诚额　内阁学士。正月卒。

赵时脼　字介庵。浙江钱塘人。钱塘县诸生。正月二十三日卒年七十。

额司泰　满洲镶白旗，富察氏。　护军统领。二月卒于岳州军营。

杨运昌　原任工部左侍郎。二月卒。

敖　色　原任盛京工部侍郎，骑都尉兼一云骑尉。三月初八日卒年七十四。

徐必远　前广西桂平道。三月卒年六十七。

曹玉珂　中书科中书。三月二十六日卒年六十一。

伊勒都齐　（一作宜尔都齐）。蒙古正黄旗，莽努氏。太子少师，护军统领，（前刑部右侍郎，二等男），三等男。四月卒于湖北军营。追降封爵为云骑尉世职（追降在十九年）。

韩士修　翰林院捡讨。四月二十六日卒年三十六。

夏景梅　汉军正白旗。三等男。卒。

杨日昇　前浙江嘉兴府同知。五月初六日卒年八十八。

弼礼克　辅国公，宗室。五月卒。

申涵光　直隶广平县恩贡生。六月初六日卒年五十九。入国史文苑传。

吴盛祖　浙江钱塘县布衣。六月十二日卒年五十七。

伊　图　满洲镶红旗，觉罗氏。掌王府事，前任弘文院大学士，三等轻车都尉。六月卒。谥文僖。

华　善　甘肃巡抚。六月卒。

赵　宾　前刑部主事。六月二十四日卒年六十九。

孙延龄　汉军正红旗。前抚蛮将军，袭二等男兼一云骑尉世职。以叛逆后于桂林为吴世琮所杀。

佟凤彩　河南巡抚。七月十日卒年五十六。谥勤僖。

贾汉复　汉军正蓝（原籍山西曲沃）。太子太保，兵部尚书衔原任陕西巡抚。七月十五日卒年七十二。

朱廷璟　裁缺广西左江道。七月十六日卒年五十三。

陈　确　（原名陈道永），字乾初，号非元。浙江海宁人。海宁县故廪生。七月二十四日卒年七十四。入国史儒林传。

满　韬　蒙古镶白旗。三等男。卒。

王瑞国　原任广东增城县知县。九月卒年七十八。

马雄镇　广西巡抚。十月十二日以被拘至乌金铺遇害，年四十四。追赠太子少保兵部尚书，谥文毅（赠谥在十九年七月）。

魏际瑞　江西宁都县故诸生。十月十四日遇害年五十八。入国史文苑传。

魏世杰　丁忧宁都县诸生。十一月初五日卒年三十三。

方国栋　江苏苏松常道。十一月初七日卒年五十七。入国史循吏传。

噶布喇　辅国公，太祖皇孙。十一月卒。

彭有德　汉军正黄旗。都督同知，原任山西大同镇总兵。十一月卒。

石　玺　汉军正白旗。一等男。卒。

许占魁　字文元。陕西蒲城人。升授銮仪卫銮仪使，以病未任，左都督衔原任陕西延绥镇总兵骑都尉。十二月卒年七十二。赠太子少保，谥恪敏。

鄂齐里　护军统领。十二月二十二日卒于秦州军营年四十八。

张尔岐　字稷若，号蒿庵。山东济阳人。济阳县贡生。十二月二十八日卒年六十六。入国史儒林传。

王伯勉　原任山东道监察御史。卒。

瑚里布　满洲正红旗，赫舍里氏。太子少师，护军统领，三等轻车都尉。卒于平凉军营。

海　都　满洲镶蓝旗，性佳氏。署护军统领，骑都尉兼一云骑

尉。卒于湖南军营。晋三等轻车都尉世职（按晋职在二十五年）。

王孙蔚　湖广提学道，降调福建左布政使。卒年五十七。

陈上年　广西右江道。卒。

王　鑑　字元照，号圆照。江苏太仓人。故广东广州府知府。名画师，与王时敏、王原祁、王　翚、吴　历、恽寿平等齐名，被誉为清初六大画家。卒年八十。

张先基　前直隶枣强县知县。卒。

李魁春　字元英，号筠叟。江苏吴县人。故诸生。卒年八十。

康熙十七年戊午（公元一六七八年）

● 生辰：

梁　机　二月二十日生，字仙来，号慎斋。江西泰和人。

巫近汉　七月初七日生，享年七十二。

顾之琁　十月十一日生，浙江仁和人。享年六十八。

曹一士　十月十六日生，字谔庭，号济寰。江苏上海人。享年
　　　　五十九。

爱新觉罗胤禛　世宗宪皇帝生。享年五十八。

勒尔贝　生，宗室。五岁。

陈邦彦　生，字世南，号春晖、匏庐。浙江海宁人。享年七十
　　　　五。

魏定国　生，字步于，号慎斋。江西广昌人。享年七十八。

金　鉷　生，字震方，号德山。汉军镶白旗。享年六十三。

何宗韩　生，字桐藩，号对溪。陕西文县人。享年六十七。

傅王露　生，字良木，号五笥、阆林、信天翁。浙江会稽人。
　　　　享年八十口。

顾陈垿　生，字玉停，号宾阳子。江苏镇洋人。享年七十。

高不骞　生，字槎客，号小湖、纯乡、钓师。江苏华亭人。享
　　　　年八十七。

马长海　生，字汇川，号清痴、雷溪居士。满洲人，那兰氏。
　　　　享年六十七。

窦容恂　生；字葵林。河南柘城人。享年八十。

王　玨　生，字天游，号甘泉。浙江太仓人。享年七十二。

黄叔琪　生，字果斋。顺天大兴人。享年六十一。

梁　择　生，字珩白，号采山。广东人。享年八十口。

王忠武　生，字珍序，号暨门。江苏宜兴人。享年七十九。

方宣试　生，字可斋，号耀四。湖南巴灵人。享年六十八。

茅星来　生，享年七十一。

费元杰 生，字渭英。湖南巴陵人。享年七十二。

◉ 科第：

中式举人：

曹泰曾 上海人。福建莆田县知县。

张曾禔 浙江人。诸暨县教谕，江苏溧阳县知县。

毕世持 字公权。山东淄川人。

◉ 恩遇：

王士禛 户部郎中。正月特授翰林院侍讲，余见顺治戊戌科。

林兴珠 汉军镶黄旗。闰三月以投诚封侯，授兴义将军。

敖 塞 四月封二等男。

杨 捷 福建提督。五月晋少保。

杨 捷 福建提督加授昭武将军。

◉ 著述：

梁清标 撰《蕉林诗集》成，见三月徐釚序。

性 德 撰《纳兰词》五卷成，见闰三月顾贞观序。

吴 乔 撰《手臂录》四卷，《附录》二卷成，见八月自序。

梅文鼎 撰《筹算》二卷成，见九月自序。

黄 中 撰《朱子年谱》二卷，《附录》一卷成，见自序。

张 坦 字方平，号一庵。山东泰安人。撰《南华评注》成，
见自序。

朱彝尊 编《词综》三十六卷成，见汪森序。

茅兆儒 字子鸿，号雪鸿。浙江钱塘人。撰《粤行日记》一卷
成，见四库提要。

◉ 卒岁：

王锡韩 顺天府固安县知县。正月初十日卒年四十一。

马 雄 陕西固原人。前右都督衔广西提督，二等男。正月于
叛逆后死于雒容。

佛永辉 袭多罗温郡王，皇曾孙。二月初一日卒。谥曰哀。

吴 颖 前广东潮州府知府。二月初六日卒年七十九。

查 遗 浙江海宁县诸生。三月初一卒年五十三。

绰尔济　蒙古正白旗。内大臣，三等子。三月卒。

王可臣　字凤山。汉军正白旗（原籍陕西凤翔）。都督同知，
　　　　广东提督骑都尉。三月二十四日卒。谥襄敏。

窦可权　前山西汾州府推官。闰三月初五卒年六十九。

严　沆　仓场侍郎。四月卒年六十二。入国史文苑传。

卓布泰　满洲镶黄旗，瓜尔佳氏。二等男，前征南将军，内大
　　　　臣镶黄旗满洲都统。四月卒。谥武襄。

黄芳世　太子太保，袭一等海澄公。　四月卒。赠少保，谥忠
　　　　襄。

翁嗣圣　原任江苏无锡县教谕。五月二十七日卒年六十六。

许天宠　汉军镶黄旗。三等男。卒。

豁　特　满洲正蓝旗，觉罗氏。镶蓝旗蒙古都统，二等轻车都
　　　　尉。六月卒于江西军营。追夺官职（追夺在二十二
　　　　年）。

0282

姚文然　刑部尚书。六月卒年五十九。谥端恪，入祀贤良祠（入
　　　　祠在雍正十年十月）。

穆赫林　满洲正蓝旗。正蓝旗满洲副都统，袭三等伯。六月于
　　　　福建海澄殉难。

段应举　汉军镶蓝旗。福建提督，一等轻车都尉。六月于海澄
　　　　殉难。

宜里布　（一作伊里布）满洲正白旗，他塔喇氏。正白旗满
　　　　洲州都统，一等伯。六月于湖南永兴阵亡。追谥武壮
　　　　（追谥在十九年八月）。

哈克三　正蓝旗护军统领，三等轻车都尉。六月于湖南永兴阵
　　　　亡。追谥武毅，晋一等轻车都尉兼一云骑尉世职（追
　　　　谥在十九年八月）。

张　溍　在籍翰林院庶吉士。七月初七日卒年五十八。入国史
　　　　儒林传。

王日高　原礼科掌印给事中。七月卒年五十一。

武穆笃　满洲镶黄旗，富察氏。署前锋统领云骑尉。七月以受

伤卒于福建军营。追晋骑都尉世职，谥襄壮（晋职予谥在十九年八月）。

张登举 升授浙江严杭道（由安徽徽州府知府升补，以迥避未任）。以改补谒选卒于京师年四十一。

路 什 满洲镶黄旗，那拉氏。副都统，二等男。七月二十八日于湖南湘阴之九马嘴阵亡，年六十九。追赠一等男（追赠在二十五年四月）。

穆 舒 满洲正红旗，鄂卓氏。正红旗蒙古副都统。七月二十八日于湖南湘阴之九马嘴阵亡。予骑都尉世职。

尚 善 安远靖寇大将军，多勒贝勒，显祖皇曾孙。八月初四日卒于湖南军营年五十八。追削封爵（削爵在十九年十一月）。

吴三桂 原籍江苏高邮。僭号昭武，伪周王（前封平西亲王，前任平南大将军）。八月十七日卒于湖南衡州年六十七。

诸允遴 浙江余姚县布衣。八月十九日卒年八十三。

阿 赖 蒙古正黄旗，莽努特氏。太子太保，原任正黄旗蒙古都统，二等男。八月卒年七十口。谥襄武。

马 翀 江苏无锡县举人。卒年三十。

陆元年 字叔因。浙江平湖县故诸生。九月二十一日卒年七十。

陈 寔 原任陕西延安府靖边同知。九月二十三日卒年七十三。

张多学 字西园。山西阳城人。阳城县故诸生。九月二十八日卒年八十三。

兰 布 镇国公，前袭和硕敬谨亲王，宗室。十月卒于湖南军营年三十七。追削封爵（追削爵在十九年十一月）。

李赞元 兵部督捕右侍郎。十月卒。

吴 琯 原任直隶内邱县知县。十月二十五日卒年五十八。

王崇简 太子太保，原任礼部尚书。十一月十七日卒年七十七，谥文贞。

严自明　陕西凤翔人。銮仪卫銮仪使，前左都督衔广东提督，三等轻车都尉。卒。

黄孔昭　故云南大姚县知县。卒年九十。

恽日初　江苏武进县故副贡生。卒年七十八。入国史儒林传。

郁　禾　前江苏太仓县副贡生。卒年五十七。

张鸿磐　江苏嘉定县故诸生。卒年八十六。

林时益　本明宗室。江西南昌县故诸生。卒年六十一。入国史文苑传。

孙　默　字无言，号栩庵。安徽休宁人。休宁县布衣。卒年六十六。

康熙十八年己未（公元一六七九年）

● **生辰：**

王兰生　正月初六日生，字振声，号信芳、坦斋。直隶交河人。
　　　　享年五十九。

沈炳震　正月十四日生，字寅驭，号东甫。浙江归安人。享年
　　　　五十九。

彭正乾　二月初八日生，江苏长洲人。享年六十七。

王　系　二月初十日生，字世甫，号念修。山西榆次人。

张兴宗　三月初二日生，字肯堂。浙江鄞县人。享年七十二。

曹源郊　五月十五日生，字尹东，号石麟、东牧。浙江嘉善人。
　　　　享年四十八。

吕耀曾　九月十七日生，字宗华，号朴岩。河南新安人。享年
　　　　六十五。

浦起龙　十月初三日生，字二田。江苏金匮人。享年七十口。

允　祺　十二月生，圣祖皇五子，享年五十四。

兰　鼐　生，宗室，享年四十一。

顾栋高　生，字震沧，号复初、左畲。江苏无锡人。享年八十
　　　　一。

程梦星　生，字伍乔，号午桥、香溪。江苏江都人。享年七十
　　　　七。

李厚望　生，字培园，宁澹园、愚山。直隶蔚州人。享年七十
　　　　一。

秦　休　生，字又休，号岵瞻、匪莪。陕西部阳人。享年六十
　　　　四。

黄师琼　生，字愿宏，号位思。江苏吴县人。享年六十四。

吴进义　生，字子衡，号宜庵。甘肃宁夏人。享年八十四。

任时懋　生，字又新。江苏吴江人。享年六十一。

方贞观　生，（原名方世泰），字履安，号南堂。安徽桐城人。

享年六十九。

李　果　生，字实夫，号硕夫、容山、在亭。江苏吴县人。享年七十三。

● 科第：

一甲进士：

归允肃　字孝仪，号星厓。江苏常熟人。状元。修撰，少詹事。

孙　卓　字予立，号襄子。安徽宣城人。榜眼。编修。

茆荐馨　字楚畹，号一峰。安徽宣城人。探花。编修。

二甲进士：

吴震方　庶吉士，陕西道御史。

张廷瓒　字卣臣，号随斋。安徽桐城人。**编修**，少詹事。

秦宗游　字慎斋。浙江山阴人。**编修**，侍讲。

田　需　字雨来。山东德州人。**编修**。

陈　捷　字颖侯。浙江新昌人。**编修**。

赵执信　**编修**，善赞。

曹鑑伦　**编修**，吏部左侍郎。

马教思　字临公，号严沖、檀石。安徽桐城人。会元，**编修**。

沈朝初　**编修**，侍读学士。

阎中宽　口部主事，户部郎中。

钱金甫　字越江。江苏上海人。侯选知县，余见本年词科。

蔡维寅　浙江德清人。四川保宁府知府。

沈　筼　侯选知县，余见本年词科。

靳　让　浙江知县，山西道御史。

王材任　口部主事，左副都御史。

吕　爁　字蓼怀，号柏庵。浙江新昌人。山西知县，**吏科给事中**。

杨大鹤　字九皋，号芝田。江苏武进人。**编修**，左谕德。

方　伸　字佐平，号石潮。安徽南陵人。庶吉士，口部主事，福建汀州府知府。

刘　楷　字子端。安徽南陵人。内阁中书，光禄寺卿。

郝士銗　字思皇，字子希。顺天霸州人。直隶顺德府教授，云南提学道。

史陆舆　字亦右。江苏宜兴人。庶吉士，口部主事，福建提学道。

李孚青　编修。

法　橪　山东胶州人。

张　睿　刑部右侍郎。

佘志贞　字湄州。广东澄海人。编修，侍讲学士。

王沛思　字汝敬。山东诸城人。编修，左中允。

　　三甲进士：

丁　暐　字桐云，号雁水。山东沾化人。检讨，江西吉南赣宁道。

房　嵩　字申公。山东东阿人。内阁中书。

孙子昶　字主一。山西闻喜人。山西垣曲县知县。

汪晋徵　庶吉士，户科给事中，户部左侍郎。

成康保　内阁中书，浙江台州府同知。

郑惟孜　直隶南宫人。行人，河南道御史。

王承祜　字雪园。贵州新贵人。庶吉士，口口道御史，顺天府府丞。

丁　玥　浙江长兴人。归班知县。

宋敏求　字毅怀，号勉斋。湖北黄冈人。检讨。

潘应宾　检讨，侍讲学士。

顾　镡　庶吉士，山东道御史，大理寺寺丞。

耿　惇　河南汝宁府教授，太常寺少卿。

陈紫芝　字非园。浙江鄞县人。庶吉士，陕西道御史，大理寺少卿。

张克巇　庶吉士，刑部主事，广东潮州府知府。

张光豸　字影绣，号抑庵。直隶南宫人。庶吉士，礼部主事，福建粮道。

朱　振　字嗣宣，号千仞。浙江秀水人。安徽舒城县知县。

马体仁　直隶知县，刑部主事。

畅泰兆　安徽知县，工科给事中。

郭遇熙　字骏臣。河南新乡人。广东知县，刑部主事。

任观瀜　字子登，号紫登。江苏萧县人。浙江知县，陕西潼商道。

丁　易　河南永城人。广东高廉罗道。

任　璿　字政七，号兴茨。河南新乡人。庶吉士，户部主事，山东登州府知府。

卜景超　字其旋。直隶固安人。云南永昌道。

赵作舟　字乘如，号浮山。山东东平人（一作山东海阳）。庶吉士，户部主事，湖南辰沅靖道。

杨　雍　字西泾。顺天宝坻人。检讨。

召试博学鸿词：

一等二十人：（括弧内为召试前官职，括弧后为以后官职）

彭孙遹（侯选主事，浙江进士）。编修，吏部右侍郎。

倪　灿　江苏上元人（原籍浙江钱塘，江苏举人）。检讨。

张　烈（侯选中书，顺天进士）。编修，右赞善。

汪　霦（行人，浙江进士）。编修，户部右侍郎。

乔　莱（内阁中书，江苏进士）。编修，侍读。

王顼龄（太常寺博士，江苏进士）。编修，武英殿大学士，雍正癸卯重宴鹿鸣。

李因笃（陕西布衣）。检讨。

秦松龄（前检讨，江苏进士）。检讨，谕德。

周清源　字浣初，号稚辑、蓉湖、且朴。江苏武进人。（江苏监生）。检讨，工部右侍郎。

陈维崧　江苏宜兴人。（江苏生员）。检讨。

徐嘉炎（侯选州同，浙江监生）。检讨，内阁学士。

陆　菜（内阁典籍，浙江进士）。编修，内阁学士。

冯　勖　字方寅、勉曾，号蔚东、逸史。江苏长洲人。（江苏布衣）。检讨。

钱中谐（选授湖广泸溪县知县，顺天进士），编修。

汪　楫（赣谕县教谕，江苏岁贡生）。检讨，福建布政使。

袁　佑　字杜少，号霁轩。直隶东明人。（内阁中书，直隶拔贡生）。编修，左中允。

朱彝尊　浙江秀水人。（浙江布衣）。检讨。

汤　斌（降调江西岭北道，河南进士）。侍讲，工部尚书。

汪　琬　江苏长洲人。（原任户部主事，江苏进士）。编修。

邱象随　字季曾、季正，号西轩。江苏山阳人。（江苏拔贡生）。检讨，洗马。

二等三十人：（括弧内为召试前官职，括弧后为以后官职）

李来泰（原任江苏苏松常道，江西进士）。侍讲，侍讲学士。

潘　耒（江苏布衣）。检讨。

沈　珩　浙江海宁人。（侯选中书，浙江进士）。编修。

施闰章（裁缺江西湖西道，安徽进士）。侍讲，侍读。

米汉雯（侯补主事，直隶进士）。编修，侍读。

黄与坚　江苏太仓人。（侯选知县，江苏进士）。编修，赞善。

李　鎧（奉天盖平县知县，江苏进士）。编修，内阁学士。

徐　釚（江苏监生）。检讨。

沈　筠　字开平，号晴岩。浙江仁和人。（侯选知县，浙江进士）。编修。

周庆曾（侯补主事，江苏进士）。编修。

尤　侗　江苏长洲人。（降调直隶永平府推官，江苏拔贡生）。检讨。

范必英（江苏举人）。检讨。

崔如岳　字宗五、岱斋，号青峙、雷峰。直隶获鹿人。（直隶举人）。检讨。

张鸿烈　字毅文，号泾原、岸斋。江苏山阳人。（江苏廪监生）。检讨，大理寺副。

方象瑛（侯选中行评博，浙江进士）。编修，侍讲。

李澄中 山东诸城人。（山东拔贡生）。检讨，侍读。

吴元龙 （原任工部郎中，江苏进士）。侍讲。

庞　垲 字霁公，号云崖。直隶任邱人。（直隶举人）。检讨，内阁中书，福建福宁府知府。

毛奇龄 浙江萧山人。（浙江廪监生）。检讨。

钱金甫 （侯选知县，浙江进士）。编修，侍读学士。

吴任臣 字志伊、尔器，号征鸿、託园。浙江仁和人（原籍福建莆田）。（浙江生员）。检讨。

陈鸿绩 字子逊。浙江鄞县人。（前江苏睢宁县知县，浙江举人）。检讨。

曹宜溥 字子仁，号凤冈。湖北黄冈人。（湖北荫监生）。翰林院检讨。

毛升芳 字允大，号乳雪、质庵。浙江遂安人。（浙江拔贡生）。检讨。

曹　禾 （内阁中书，江苏进士）。编修，国子监祭酒。

黎　骞 字子鸿，号潇僧、潇云。江西清江人。（江西拔贡生）。检讨。

高　咏 字阮怀，号遗山。安徽宣城人。（侯选知县，安徽贡生）。检讨。入国史文苑传。

龙　燮 字理侯，号政庵、雪楼。安徽望江人。（侯选州同，安徽监生）。检讨，右中允。

邵远平 （侯补京堂，浙江进士）。侍读，少詹事。

严绳孙 江苏无锡人。（江苏布衣）。检讨，右中允。

　年老及未试诸人：均授内阁中书衔。

王方毅 直隶新城人，（直隶岁贡生）。

邱锺仁 （江苏增生）。

申维翰 江苏江都人。（江苏廪监生）。

王嗣槐 字仲昭，号桂山。浙江钱塘人。（浙江生员）。

邓汉仪 字孝威，号钵叟。江苏泰州人。（江苏布衣）。

王　昊 （江苏布衣）。

孙枝蔚　陕西三原人，（陕西布衣）。

傅　山　字青主、青竹，号侨山、啬庐。山西阳曲人。（山西
　　　　布衣）。

杜　越　（直隶生员）。

　武进士：

罗　淇　状元。广东香山协副将。

储　埙　探花。陕西口口营参将。

周维城　会元。口口守备，口口营都司。

陈王路　口口守备，贵州口口协副将。

● 恩遇：

班达尔沙　袭一等男。三月晋一等子。

万正色　福建水师总兵。四月加太子少保（二十六年削）。

马承荫　八月封伯爵（十九年二月叛）。

赵良栋　宁夏提督。十二月加授勇略将军。

● 著述：

喇沙里　等奉敕撰《皇舆表》十六卷成，见五月进书表。

林　佶　撰《来斋金石刻考略》成，见九月自序。

王　槩　浙江秀水人。编《芥子园画传》六卷成，见十一月李
　　　　渔序。

王寺龄　撰《白鹭洲主客说诗》一卷成，见自序。

张问达　撰《易经辨疑》七卷成，见冀如锡序。

蒲松龄　字留仙，号柳泉。山东淄川人。撰《聊斋志异》十六
　　　　卷成，见自序。

● 卒岁：

施　誉　字次仲，号砥园。安徽宣城人。宣城县故诸生。正月
　　　　十四日卒年七十八。

叶舒崇　内阁中书。卒年三十九。

贾　柱　满洲正蓝旗。一等男。卒。

柯　耸　原任通政司参议。二月卒年六十。

色靖寇　满洲正红旗。袭二等男。于江西阵亡。追晋一等男（追

晋在二十五年闰四月)。

李玉滋　江苏长洲县诸生。四月初四日卒年六十三。

张为仁　原任广东提学道。五月初三日卒年六十六。

刘　楗　原任刑部尚书。五月十三日卒。谥端敏。

希尔根　满洲正黄旗，觉尔察氏。太子太保，内大臣，前授定南将军，一等男。五月卒。

阿哈泰　蒙古正白旗。一等男。卒。

宋　煜　福建长泰县知县。六月十五日殉难。赠按察司佥事。

戴　玑　裁缺广西右江道。六月十五日于福建长泰原籍殉难年七十四。

陆求可　在籍候补布政司参议，原任福建提学道。七月初三日卒，年六十三。见国史儒林传及循吏传。

隆　禧　世祖皇七子，和硕纯亲王。七月卒年二十。谥曰靖。

俞汝吉　字右吉，号潮川、遗民。浙江秀水人。秀水县故诸生，七月卒年六十六。入国史儒林传。

科尔科代　平寇将军，前任兵部尚书。七月卒。

穆　成　都察院左副都御史。八月卒。

邱维屏　字邦士。江西宁都人。宁都县故廪生。九月卒年六十六。入国史文苑传。

吕慎多　原任刑部员外郎。十月初九日卒年八十。

徐大贵　太子少保，二等男，原任杭州左冀副都统。十一月卒。谥勤果。

喇沙里　满洲镶黄旗。翰林院掌院学士兼礼部侍郎。十一月卒。赠礼部尚书，谥文敏。

阎尔梅　江苏沛县故举人。十一月二十六日卒年七十七。

曹尔堪　前翰林院侍讲学士。十一月二十七日卒年六十三。入国史文苑传。

鄂　泰　(一作额泰)。满洲正白旗，瓜尔佳氏。建威将军，盛京副都统，前二等轻车都尉。卒于陕西西安军营。谥襄壮，追予骑都尉兼一云骑尉世职，(追予世职在

二十五年）。

陈奇谟 汉军镶蓝旗。二等男。卒。

张德地 汉军镶蓝旗（原籍直隶宣化）。四川巡抚。十二月卒。

王　昊 内阁中书衔。卒年五十三。入国史文苑传。

赖达哈 满洲镶白旗。三等男。卒。

祖泽溥 汉军正黄旗。原任福建总督。卒。

鄂　善 满洲镶黄旗，那拉氏。前甘肃巡抚，前任云贵总督。
　　　　卒。

毕振姬 原任湖广布政使。卒。入国史循吏传。

张登选 浙江按察使。卒。

宋牧民 降调河南汝南道。卒年七十三。

胡茂祯 陕西榆林人。太子太保，致仕湖广提督。卒。

张尔温 字君玉，号鸳庵。江苏吴县人。吴县故诸生。卒年六
　　　　十九。

周　顒 浙江鄞县故诸生。卒年六十一。入国史文苑传。

朱克生 江苏宝应县诸生。卒年四十九。入国史文苑传。

严廷瓒 浙江乌程县布衣。卒于狱年二十九。旌表孝子。

康熙十九年庚申（公元一六八０年）

● **生辰：**

吴象宽　正月二十日生，字居之，号芝园。山东海丰人。享年六十三。

允　祐　七月生，圣祖皇七子。享年五十一。

蓝鼎元　八月二十七日生，字玉霖、任庵，号鹿州。福建漳浦人。享年五十四。

陈世倌　九月二十五日生，字秉之，号莲宇。浙江海宁人。享年七十九。

范　璨　生，字电文，号约轩、松岩。浙江秀水人（原籍吴江）。享年八十七。

朱伦瀚　生，字涵斋、亦轩，号一三。汉军正红旗（原籍山东历城）。享年八十一。

周中鉉　生，字子振。浙江山阴人。享年四十九。

龚　镜　生，字颖江。江苏江宁人。享年九十一。

张锡爵　生，字僖伯，号中岩。江苏嘉定人。享年八十二。

徐正谊　生，浙江嘉善人。年六十三。

● **恩遇：**

高士奇　南书房行走，食六品俸内阁中书。四月特授翰林院额外侍讲。

励杜纳　选授福建建宁州州同。特授翰林院编修，（二十一年五月杜纳请复励姓）。

索额图（大学士）、勒德浑（大学士）、明　珠（大学士）、李　霨（大学士）、杜立德（大学士）、冯　溥（大学士）、库勒纳（内阁学士）、叶方蔼（内阁学士）、格尔古德（詹事）、沈　荃（詹事）、牛　钮（侍读学士）、常　书（侍读学士）、崔蔚林（侍读学士）、蒋弘道（侍读学士）、张玉书（侍讲学士）、严我斯

（侍讲学士）、董 讷（侍讲）、王鸿绪（侍讲）。

以上诸人六月俱赐御书卷轴。

达都虎 蒙古正蓝旗。八月封三等男。

姚启圣 福建总督。封太子少保。

王进宝 陕西提督。十二月晋封三等子。

● 著述：

库勒纳 等奉敕撰《日讲书经解义》十三卷成，见四月御序。

黄宗羲 撰《南雷文案》十卷成，见七月郑梁序。

万斯大 撰《仪礼商》二卷，附录二卷成，见七月应撝谦序。

唐梦赉 自编《志壑堂诗集》十二卷、文集十二卷成，见八月
施维翰序。

万斯同 撰《新乐府》二卷成，见秋日陆嘉淑序。

叶奕包 字九来。江苏昆山人。撰《金石录补》二十七卷成，
见秋日魏禧序（按：书成后又撰有金石录补序跋七卷
附记于此）。

戴兆柞 字永锡。江苏常熟人。撰《于公德政录》一卷成，见
十月自识。

杜 濬 撰《湄湖吟》十一卷成，见十二月郜焕元序。

孙宗彝 撰《易宗集注》十二卷成。

张 沐 撰《周易疏略》四卷成，见赵御众序。

笪重光 撰《画筌》一卷成，见自识。

蒋胤修 撰《莅楚学记》一卷成，见四库别集存目。

● 卒岁：

周有德 字彝初。汉军镶红旗。云贵总督。正月卒于湖南常德
军营。

爱音塔穆（一作艾音塔睦）。满洲镶蓝旗，戴佳氏。世管佐
领，一等子加一云骑尉。正月卒。

王屏藩 奉天人。前左都督，云南左营总兵。正月以叛后兵败，
于四川保宁自尽。

李光座 江西按察使。正月二十日卒年七十一。

祖泽清　前都督同知，广东高雷镇总兵，调补銮仪卫銮仪使。二月初一以叛后就擒凌迟处死。

金世德　直隶巡抚。二月初三日卒年四十九。谥清惠。

阿南达　满洲镶蓝旗。一等子。二月卒。

陆敷树　浙江嘉善人。嘉善县故诸生。三月二十五日卒年七十。

王化泰　山西蒲州人。蒲州布衣。三月卒年七十五。

张国城　原任广东高明县知县。三月十一日卒年七十一。

闵　声　字毅夫，号雪蓑。浙江乌程人。乌程县布衣。三月十七日卒年八十二（一作八十四）。

张朝珍　字玉笋。汉军正蓝旗。湖广巡抚。四月卒。

靳应选　字魁吾。汉军镶黄旗（原籍山东历城）。原任工部营缮司员外郎，前任通政司右参议。四月二十五日卒年七十四。

黄周星　故户部主事。五月初五日于江宁自投水卒年七十。

佟世德　汉军正蓝旗，佟佳氏。正蓝旗汉军副都统，袭三等男。五月卒于陕西军营。

胡世英　湖北彝陵镇总兵。五月二十五日卒年六十三。

王时敏　字逊之，号烟客。江苏太仓人。故尚宝寺丞。清初六大画师之一。六月十七日卒年八十九。

哈　岱　内大臣，一等子。六月卒年六十三。谥勤壮。

祖永烈　汉军正黄旗。正黄旗汉军都统，一等子。七月卒。

布舒库　满洲正黄旗，吴鲁氏。正黄旗满洲副都统，云骑尉。七月卒于广西军营。追谥刚壮（追谥在二十二年十二月）。

席启图　在籍候补内阁中书。七月卒年四十三。

王国栋　平南王藩下都统。七月遇害。谥恪愍，予骑都尉兼一云骑尉世职。

绰尔济　满洲正黄旗，博尔济吉特氏。袭二等子，前封一等子。卒。

莽依图 满洲镶白旗，兆佳氏。镇南将军，护军统领，三等轻车都尉。八月卒于广西军营年四十七。追削世职（追削在二十二年），入祀贤良祠（入祠在雍正十年十月），追谥襄壮（追谥在乾隆元年正月）。

巴尔堪 前署副都统，三等辅国将军，宗室。八月卒于广西军营年四十四。追复原封（追复在二十二年四月）晋封辅国公，谥武襄（封谥在雍正元年正月），追赠和硕简亲王（追赠在乾隆十七年二月）。

喀　代 原任兵部尚书。八月卒。

尚之信 汉军镶蓝旗（原籍辽东海州）。前袭平南亲王，前任奋武大将军。八月二十八日（一作十七日），于叛逆就逮后命于广州自尽。

狄　敬 原任陕西潼商道。闰八月卒年六十六。

阿禄哈 （一作阿鲁哈）。满洲镶黄旗。领侍卫内大臣，一等男。闰八月卒。谥勤僖。

禅　布 副都统衔一等侍卫。卒于福建军营。谥勇恪。

费雅达 汉军正白旗。都督同知，陕西汉中镇总兵。九月初九于四川永宁殉难。赠太子少保左都督，谥忠勇，予骑都尉世职。

高克临 浙江仁和人。仁和县故诸生。九月初十日卒年八十。

马　宁 汉军镶白旗（原籍甘肃宁夏）。太子太保，右都督衔原任山东提督。九月卒。

胡成德 四川随征总兵。九月于贵州贵阳遇害。赠都督同知。

杨三虎 甘肃秦州副将。九月于四川永宁阵亡。赠左都督。

王之鼎 四川提督，三等伯（乾隆十四年号曰诚武）。九月二十七日以被拘至贵州贵阳遇害年五十。赠太子少保，谥忠毅。

傅弘烈 字仲谋，号竹西。江西进贤人。太子太保，抚蛮灭寇将军，广西巡抚。十月初六以被拘至贵州贵阳遇害。赠太子太师，谥忠毅，入祀贤良祠（入祠在乾隆五十七年三月）。

李兴元 汉军镶黄旗（原籍直隶遵化）。云南按察使。十月以被拘至蒙化遇害。追赠太常寺卿（追赠在二十一年）。

丁　泰 原任吏科给事中。十月卒。

李邺嗣 浙江鄞县诸生。十一月初八日卒年五十九。入国史文苑传。

吴国对 原任翰林院侍读。十一月十一日卒年六十五。

魏　禧 江西宁都县征士。十一月十七日于仪征舟次卒年五十七。入国史文苑传。

富尔祜伦 袭和硕纯亲王，世祖皇孙。十一月卒。

曹申吉 前贵州巡抚。十二月初五以被拘至云南昆明之双塔寺遇害年四十六。

谭　洪 四川万县人。前四川川北镇总兵，慕义侯。十二月十一日于叛后死于夔州。

章钦承 原任兵部职方司主事。卒年七十。

邱锺仁 内阁中书衔。以自京南归卒于河间舟次。

傑　殷 满洲正红旗，韩氏。护军统领。卒于四川成都军营。予骑都尉世职。

满达理 二等轻车都尉，乳公。卒。谥良僖。

马承荫 陕西固原人。前授将军封伯爵。以叛后复降处斩。

谭吉璁 降调山东登州府知府。卒年五十七。入国史文苑传。

周　寀 前山东诸城县知县。卒。

孙博雅 直隶容城县征士。卒年五十五。入国史儒林传。

巢鸣盛 浙江嘉兴县故举人。卒年七十。

朱观宾 浙江海盐县贡生。卒年六十。

于　琳 浙江平湖县故诸生。卒年八十五。

沈　昀 浙江仁和县故诸生。卒年六十三。入国史儒林传。

顾祖禹 江苏无锡县布衣。卒年五十七。入国史文苑传。

康熙二十年辛酉（公元一六八一年）

● 生辰：

允 禩 二月初十日生，圣祖皇八子。享年四十六。

来 保 三月生，字学圃。满洲正白旗，喜塔喇氏。享年八十四。

江 永 七月十七日生，字慎修。安徽婺源人。享年八十二。

王兆符 八月二十八日生，字龙篆，号隆川。顺天大兴人。享年四十三。

扬 奇 生，宗室。七岁。

梅毂成 生，字玉汝，号循斋、柳下居士。安徽宣城人。享年八十三。

张廷璪 生，字桓臣，号思斋。安徽桐城人。享年八十四。

习 寯 生，字载展。江苏吴县人。享年八十五。

杨 馝 生，字静山。汉军正黄旗。享年八十四。

宋 筠 生，字兰晖。河南商邱人。享年八十。

方 觐 生，字近文，号蓉汀、石川。享年五十。

王又朴 生，字从先，号介山。直隶天津人。享年八十。

王 琛 生，字匪石。江苏常熟人。享年八十二。

张陈典 生，享年六十二。

谢元阳 生，（榜名沈元阳），字宪南，号用九。江苏常熟人。年五十六。

何 勉 生，字尚敏，号止庵。福建侯官人。年七十二。

朱 霖 生，字雨苍，号韬真。福建建宁人。享年五十一。

薛 雪 生，字生白。江苏吴县人。

郭锺岳 生，福建人。

王士毅 生，江苏青甫人。享年六十四。

● 科第：

中式举人：

梅　庚　字耦长、子长，号雪坪。安徽宣城人。浙江泰顺县
　　　　知县。

盛　枫　浙江人。安吉州学正。

王庭灿　内阁中书，江苏崇明县知县。

陈　书　福建长乐人。掌浙江道御史。

李鼎徵　字安卿。福建安溪人。湖北知县，户部主事。

唐崇勋　字志斋。湖南衡山人。湖北兴国州学正，户部员外
　　　　郎。

彭祖训　字佩荪。湖南澧州人。郧西县教谕，浙江奉化县知
　　　　县。

左必蕃　字界园。广东顺德人。直隶知县，左副都御史。

俞　卿　字恕庵。云南陆凉人。浙江绍兴府知府。

张应诏　贵州开泰人。直隶知县，鸿胪寺少卿。

刘子章　镇远府教授，山西道御史。

江朝宗　字汇川，号公达。口口知府。

　　　中式副榜贡生：

龚翔麟　字天石，号蘅园、田居。浙江仁和人。兵部主事，
　　　　陕西道御史。

0300

● 恩遇：

于成龙　直隶巡抚。三月赐御制诗。

施　琅　福建水师提督。七月加太子太保。

● 著述：

高士奇　撰《松亭行记》二卷成，见四月自序。

凌铭麟　字天石。浙江人。撰《文武金镜律例指南》。

梁佩兰　自编《六莹堂诗集》九卷成，见冬月朱茂晭序。

冯　班　撰《钝吟杂录十种》成，（按：此书于卒后为兄子付
　　　　刻今系于卒年）。

周　纶　自编（不确）《云山楼稿》二十四卷成，见十月王鸿
　　　　绪序。

● 卒岁：

图　美　蒙古正黄旗。一等男。卒。

郑　锦　袭故延平王。正月二十七日卒于福建台湾。

王承业　安徽庐江人。援剿中营总兵，官管副将事。二月于
　　　　云南归化寺阵亡。赠右都督。

王忠孝　署广东左翼总兵。二月于云南归化寺阵亡。赠都督
　　　　同知。

恩克布　三等辅国将军，太宗皇孙。二月卒。谥温僖。

海尔图　满洲镶蓝旗，李氏。镶蓝旗汉军都统，袭三等侯。
　　　　四月卒于云南军营。

吴达礼　满洲正蓝旗，纳喇氏。原任吏部尚书。四月卒。

伊　阔　字庐源，号翁庵。山东新城人。云南巡抚。五月初
　　　　八日卒年五十九。

茆荐馨　翰林院编修。五月十一日卒年五十三。

陈敱永　字雕期，号学山。浙江海盐人。原任工部尚书。五
　　　　月卒。谥文和。

毕力克图　（一作毕理格图）。蒙古正蓝旗，博尔济吉特氏。
　　　　　太子少师，正蓝旗蒙古都统，前任平逆将军，一等
　　　　　轻车都尉兼一云骑尉，前封三等男。六月卒年七十
　　　　　三谥恪僖，追晋二等男（追晋在二十五年）。

王天鑑　字近微，号毅州。直隶万全人。原任陕西河西道。
　　　　六月二十日卒年六十。入国史循吏传。

李如桂　前直隶口北道。七月二十五日卒年六十五。

靳　弼　兵部职方司郎中。八月十二日卒年四十四。

周士俨　工部司务。八月二十五日卒年六十。

王辅臣　太子太保，靖寇将军，陕西提督，三等子。八月二
　　　　十九日自汉中入觐卒于西安。

王士祜　候选中行评博，山东新城县进士。九月初二日卒年
　　　　五十。入国史文苑传。

孙学稼　字君实，号圣湖。福建侯官人。福建侯官县诸生。
　　　　九月初九日卒于河南怀庆僧舍。

吉哈礼　宣威将军，镶黄旗蒙古都统，二等轻车都尉。九月卒于云南武定军营，年五十六。

马　宝　前右都督，云南曲靖镇总兵。九月二十四日以叛后复降罪凌迟处死。

喇　布　袭和硕简亲王，前任扬威大将军。十月卒年二十八。追削袭爵（追削在二十二年三月）。

额　楚　满洲镶黄旗，乌扎拉氏。江宁将军，二等轻车都尉。十月卒。

色尔格克　蒙古正白旗，博尔济吉特氏。太子少保，内大臣，二等男，前封一等男。十月卒。谥勤敏。

固尔玛珲　固山贝子，显祖皇曾孙。十月卒年六十七。谥温简。

项景襄　兵部右侍郎。十月卒年五十四。

达哈塔　原任理藩院左侍郎。十月卒。

噶布喇　满洲正黄旗。内大臣，一等公（雍正八年号曰承恩）。十月卒，谥恪僖。

吴世璠　江苏高邮人。吴三桂孙。伪周王。十月二十八日于云南自尽。

桑　格　满洲镶蓝旗，萨克达氏。一等男。卒。

任　枫　候选内阁中书，前任山西灵石县知县。十一月初一日卒年六十。

阿喇密　满洲正白旗，佟佳氏。内大臣，三等伯。十一月卒。

沈　瑞　满军正白旗。袭续顺公。十一月于福建台湾被拘遇害。

马长春　山东安邱人。候选知县，安邱县举人。十一月二十五日卒年七十六。

杜　越　字君异，号紫峰。直隶容城人。内阁中书衔。十一月二十六日卒年八十六。入国史儒林传。

图　海　字麟洲。满洲正黄旗。马佳氏。太子太傅，中和殿大学士，前任抚远大将军，三等公。十二月卒。谥文襄，追赠少保（追赠在二十一年），晋封一等公（晋封在六十一年十一月，雍正八年号曰忠达），加赠太师，配享太庙，（加赠配享在雍正元年二月），入祀贤良祠（入祠在雍正八年七月）。

高　景　致仕刑部尚书。卒年七十。

吴　铸　故礼部主事。卒年八十五。

勒　贝　满洲正蓝旗，郭络罗氏。镇南将军，正蓝旗满洲都统。自云南班师，卒于途中。

阿席熙　满洲镶红旗，瓜尔佳氏。降调兵部尚书衔两江总督。卒。

冯　班　字定远，号钝吟居士。江苏常熟人。常熟县故诸生。诗人，卒年六十八。

马负图　字伯河，号肇易、一庵。江苏武进人。武进县故诸生。卒年六十八。

刘公言　字德白。山东青州人。青州口口。卒年七十。

康熙二十一年壬戌（公元一六八二年）

● 生辰：

史贻直 正月二十日生，字儆弦，号铁崖。江苏溧阳人。享年八十二。

郑　江 二月二十六日生，字玑尺，号筠谷、荃若。浙江钱塘人。享年六十四。

苏宏遇 三月初八日生，（榜名叶宏遇）。江苏吴江人。享年六十六。

蔡世远 三月十一日生，字闻之，号梁村。福建漳浦人。享年五十二。

芮复传 四月初二日生，字宗一，号衣亭。顺天宝坻人。享年九十四。

汪振甲 四月初四日生，字昆鲸，号紫峦、毅亭。浙江钱塘人。享年五十八。

李　旼 四月初六日生，云南昆阳人。享年八十二。

易宗涒 四月十四日生，字公申，号实庵。湖南湘乡人。

陶正靖 五月二十六日生，字筼衷，号晚闻、稺袋。江苏常熟人。享年六十四。

王　恕 六月二十四日生，字中安，号楼山、瑟斋。四川铜梁人。享年六十一。

陈世爵 六月二十六日生，享年七十一。

冯汉炜 十二月二十三日生，字曙云，号素园。江苏金坛人。享年五十七。

朱稻孙 十二月二十六日生，字稼翁，号竽陂、娱邨。浙江秀水人。享年七十九。

窦容邃 十二月二十九日生，字闻子，号樗村。河南柘城人。享年七十三。

凌如焕 生，字琢成，号榆山、新斋。江苏上海人。享年六

十八。

缪曰藻 生，字文子，号文山、南有居士。江苏吴县人。享年八十。

李重华 生，字实君，号玉洲。江苏吴江人。享年七十四。

杨文乾 生，字元统，号霖宰。汉军镶白旗。享年四十七。

王叶滋 生，字槐青，号我亭。江苏华亭人。享年五十五。

吴廷华 生，（原名吴兰芳），字中林，号东壁。浙江钱塘人。享年七十四。

赛枝大 生，字云根，号可园。山东文登人。享年四十九。

向　璿 生，字荆山，号惕斋。浙江山阴人。享年五十。

秦有伦 生，字天彝。江苏江宁人。享年八十七。

华　岛 生，字德崧、秋月，号新罗山人。浙江钱塘人（原籍福建上杭）。享七十口。

● 科第：

一甲进士：

蔡升元 状元。修撰，礼部尚书。

吴　涵 字容大，号匪庵。浙江石门人。榜眼。编修，左都御史。

彭宁求 字文洽、瞻庭，号约斋。探花。编修，侍读。

二甲进士：

史　夔 字胄司，号耕岩。江苏溧阳人。编修，詹事。

王九龄 字子武，号薛淀。江苏华亭人。编修，左都御史。

吴一蜚 字汉章，号腾南。福建长泰人。编修，行人。

郝　林 中书科中书，礼部左侍郎。

徐　炯 字章仲。江苏昆山人。行人，直隶通永道。

王喆生 字醇叔，号素岩。江苏青浦人。编修。

孙岳颁 编修，礼部侍郎。

赵　珣 内阁中书，河南提学道。

顾用霖 四川知县，湖南宝庆府知府。

吴　晟 编修，左中允。

陆经远　顺天宛平人。河南知县，通政使。

蒋德昌　字聿修，号澹园、海门。浙江海宁人。内阁中书，
　　　　湖广提学道。

冯廷榹　内阁中书。

孙缵功　字鞠思。顺天昌平人。云南提学道。

吴元臣　江苏宜兴人。广西桂林府知府。

沈恺曾　庶吉士，山东道御史，掌山西道御史。

许汝霖　编修，礼部尚书。

余泰来　字素堂。浙江山阴人。庶吉士，广西道御史，奉天
　　　　府府丞。

徐汝峄　字泗澹。浙江乌程人。户部主事，河南提学道。

周金然　编修，洗马。

尤　珍　编修，赞善。

刘国黻　庶吉士，户部给事中，鸿胪寺卿。

张廷枢　编修，刑部尚书。

鹿　宾　湖南知县，掌浙江道御史。

阮尔询　字于岳，号澄江。安徽宣城人。庶吉士，广东道御
　　　　史，工部左侍郎。

朱　珊　字镜湖。江西高安人。庶吉士，河南归德府知府。

储　抡　江苏宜兴人。

庄际盛　字茂伦。浙江桐乡人。吏部郎中。

　　三甲进士：

金德嘉　字会公，号蔚斋。湖北广济人。会元，检讨。

吴　苑　检讨，国子监祭酒。

卜峻超　顺天固安人。户部主事，江西道御史。

周蒲璧　字四峰。陕西商城人。检讨。

孙　淦　内阁中书。

魏学诚　内阁中书，癸未特授检讨，谕德。

于汉翔　字章云，号岸斋。江苏金坛人。内阁中书，山西提
　　　　学道。

曾　炳　字旭园。福建晋江（漳平）人。庶吉士，口部主事。

鹿　祐　字有上，号兰皋。　安徽阜阳人。浙江知县，河南巡抚。

刘　愈　字文起。江苏山阳人。行人，工部主事。

李旭升　内阁中书，吏部左侍郎。

潘麒生　字一韩。江苏溧阳人。检讨，浙江湖州府知府。

韩日煐　直隶深州人。湖南永州府知府。

袁　拱　字金城，号菉园、紫宸。河南洛阳人。庶吉士，口部主事，广西左江道。

赵苍璧　湖北知县，掌山西道御史。

吴　辙　河南通许县知县。

崔甲默　内阁中书。

张泰交　云南知县，浙江巡抚。

冯佩实　字持庵。浙江慈溪人。云南提学道。

章世德　福建南屏县知县。

吕　琨　山东文登人。云南知县，左通政。

王思轼　字眉长，号小坡。江西兴国人。检讨，礼部左侍郎。

陈朝君　字象山。陕西韩城人。河南提学道。

张　愫　字子丹。陕西富平人。检讨。

胡作梅　字修予，号抑斋。湖北荆门人。检讨，礼部右侍郎。

董佩笈　字岵瞻。江苏武进人。口部主事，四川川东道。

许嗣隆　字山涛。江苏如皋人。检讨，侍讲。

朱廷铉　江苏江阴人。工部主事，大理寺少卿。

王　绅　字公垂，号愚轩、矩斋。河南睢州人。庶吉士，户科给事中，户部左侍部。

姚文光　字枢章，号映垣。直隶前卫人。庶吉士，口部主事，云南盐驿道。

张一恒　江苏沭阳县知县。

陈　虬　江苏吴县人。浙江温州府知府。

　　武进士：

王继先 状元。都司佥书。

许廷佐 传胪。陕西守备，河南河北镇左营游击。

胡芳世 会元。甘肃守备。

　　中式举人：

余心孺 字孝庵，号慕斋。广西宜山人。（广西补行辛酉科），
　　　　河南延津县知县。

● 恩遇：

经　希 正月封多罗僖郡王（三十九年二月降镇国公）。

杜立德 原任大学士。八月以病回籍，赐御制诗及"怡情洛
　　　　社"篆章。

冯　溥 原任大学士。八月以老回籍，赐御制诗及"适志东
　　　　山"篆章。

李　霨 大学士。十一月晋太子太师。

杜立德 原任大学士。十一月晋太子太师。

明　珠 大学士。十一月晋太子太傅。

冯　溥 原任大学士。晋太子太傅。

● 著述：

顾炎武 撰《日知录》三十二卷、《补遗》四卷、《五经同异》
　　　　三卷、《左传杜解补正》三卷、《九经误字》一卷、《石
　　　　经考》一卷、《求古录》一卷、《金石文字记》六卷、
　　　　《昌平山水记》二卷、《历代帝王宅京记》二十卷、
　　　　《天下郡国利病书》一百卷、《京东考古录》一卷、
　　　　《菰中随笔》三卷、《谲觚》一卷、《文集》六卷、《诗
　　　　集》五卷成，（按：以上诸书皆于卒后始刻，今统系
　　　　于正月之前）。

张　英 撰《书经衷论》四卷成，见正月自序。

万斯大 撰《礼记偶笺》三卷成，见三月陆嘉淑序。

卞永誉 撰《式古堂书画汇考》六十卷成，见八月自序。

王梦白、陈　曾 同撰《诗经广大全》二十卷成，见八月韩
　　　　葵序。

张　夏　字秋绍，号菰川。江苏无锡人。撰《雒闽源流录》
　　　　十九卷成，见自序。

卢元昌　字子文。江苏华亭人。撰《杜诗阐》三十三卷成，
　　　　见自序。

茅兆儒　撰《岭南方物记》一卷成，见四库提要。

● 卒岁：

顾炎武　（原名顾绛），字宁人，号亭林、蒋山佣。江苏昆山
　　　　人。昆山县征士。正月初九日卒于山西曲沃年七十。
　　　　从祀文庙（从祀在光绪三十四年九月），入国史儒林
　　　　传。

耿精忠　汉军正黄旗（原籍辽东辽阳），耿仲明孙。前袭靖南
　　　　王和硕额附。正月二十日以叛后复降，凌迟处死。

耿显祚　汉军正黄旗（原籍辽东辽阳），前散秩大臣。正月二
　　　　十日以其父耿精忠叛逆处斩。

曾养性　前福建左翼总兵。正月二十日以叛后复降，凌迟处
　　　　死。

刘进忠　前征逆将军，广东潮州镇总兵，一等男。正月二十
　　　　日以叛后复降，凌迟处死。

祖弘勋　前浙江温州镇总兵。正月二十日以叛后复降处斩。

李本深　前太子太保右都督，贵州提督，三等子。正月二十
　　　　一日以叛后复降凌迟处死。

王九鼎　吏部稽勋司郎中。正月三十日卒年五十七。

申涵盼　在籍翰林院检讨。正月三十日卒年四十五。

勒尔贝　袭多罗顺承郡王，宗室。二月卒年五岁。

成　额　前甘肃布政使。二月十三日以从逆处绞。

陈之闇　候选兵马司指挥。三月十三日卒年六十五。

叶方蔼　礼部尚书衔刑部右侍郎。四月卒。谥文敏。

杨永宁　吏部左侍郎。四月卒。

海潮龙　满洲镶蓝旗。升授贵州大定镇总兵（升授在七月），
　　　　怀忠将军，署云南鹤丽镇总兵。五月卒于署任。

巩　安　辅国公，太祖皇孙。五月卒年五十四。

陈维崧　翰林院检讨。五月卒年五十八。入国史文苑传。

锦　布　满洲正蓝旗。二等子。卒。

耿愿鲁　翰林院编修。六月初九日卒年三十六。

李本晟　浙江巡抚。六月卒。

刘如汉　丁忧江西巡抚。六月卒。

阿尔赛　护军参领。卒。谥壮悫。

达　都　满洲正白旗，那木都鲁氏。都察院左都御史。七月卒。

罗科铎　（一作罗可铎）袭多罗衍禧郡王，改号平郡王，宗室。七月卒年四十三。谥曰比。

史大成　原任礼部左侍郎。八月初二日卒年六十二。

誇　扎　满洲镶红旗，伊尔根觉罗氏。镶红旗蒙古都统，三等轻车都尉。八月卒。追晋一等轻车都尉世职（晋职在二十五年）。

赵应奎　河南商邱人。左都督衔以提督充广西左江总兵，二等轻车都尉。八月卒。赠太子少保，谥襄壮。

哲尔肯　满洲正白旗，鄂济氏。兵部尚书。九月卒于西宁差次。

佛尼埒　满洲镶红旗，科奇哩氏。西安将军，前任振武将军，建威将军，骑都尉，前二等轻车都尉。九月卒。入祀贤良祠（入祀在雍正十年十月）追谥恭靖（追谥在乾隆元年正月）。

何嘉佑　湖广道监察御史。十月二十八日卒年五十九。

郭四海　满洲正红旗，纳喇氏。礼部尚书管刑部尚书事。十二月卒。谥文敏。

来集之　故太常寺少卿。卒年七十口。

赵　珽　镶黄旗汉军都统，一等男。卒于军。追谥襄勤（追谥在四十四年五月）。

蒋胤修　原任湖广提学道。卒。

黄　熙 原任江西临川县教谕。卒年六十二。入国史儒林传。

王锡阐 江苏吴江县诸生。卒年五十五。入国史儒林传。

朱之瑜 浙江余姚人。余姚县故恩贡生。卒于日本年八十三。

戴　亮 江苏嘉定县故诸生。卒年六十六。

朱　衮 浙江海盐县恩贡生。卒年六十一。

谢文洊 字秋水，号约斋、程山。江西南丰人。南丰县故诸
　　　 生。卒年六十七。入国史儒林传。

汤之錡 字世调。江苏宜兴人。宜兴县故诸生。卒年六十二。
　　　 入国史儒林传。

康熙二十二年癸亥（公元一六八三年）

● 生辰：

裘思芹　正月初三日生。

孙嘉淦　二月十七日生，字锡公，号懿斋、静轩。山西兴县
　　　　人。享年七十一。

何玉梁　六月十八日生，字苇江，号樟亭、虹台。浙江钱塘
　　　　人。享年六十九。

吴　麟　七月初九日生，字子端，号晚亭、黍谷山樵。满洲
　　　　镶黄旗，吴查拉氏。

允　禟　八月生，圣祖皇九子。享年四十四。

徐　本　八月二十三日生，字立人，号是斋、荷山。浙江钱
　　　　塘人。享年六十五。

孙　镇　七月二十二日生，字藩臣，号朴斋。陕西武功人。

允　䄉　十月生，圣祖皇十子。享年五十九。

范　炳　十二月二十三日生，浙江钱塘人。享年七十四。

椿　泰　生，宗室。享年二十七。

德　普　生，字子元，号修庵、香松道人。镶蓝旗宗室。

汪德容　生，（原名汪抡甲）。字云天，号重闾、蔚亭。浙江
　　　　钱塘人。享年五十七。

赵殿成　生，字武韩，号松谷。浙江仁和人。享年七十四。

蒋　杲　生，字子尊，号篁亭。江苏长洲人（原籍吴县）。享
　　　　年四十九。

屈成霖　生，字起商。江苏常熟人。享年八十四。

黄　任　生，字干莘，号莘田、十砚老人。福建永福人。享
　　　　年八十八。

高凤翰　生，字西园，号南村、南阜老人。山东胶州人。享
　　　　年六十一。

童能灵　生，字龙俦，号寒泉。福建连江人。享年六十三。

陈　梓　生，字俯恭，号古铭、古民、一斋。浙江余姚人。
　　　　享年七十七。

汪　纯　生，安徽休宁人。享年四十五。

郭兆奎　生，浙江平湖人。

◉ 恩遇：

施　琅　福建水师提督。九月以平定台湾，加授靖海将军，
　　　　封靖海侯，后定为三等。

◉ 著述：

王　晫　撰《今世说》八卷成，见二月自序。

高士奇　撰《扈从西巡日录》一卷成，见三月自序。

施闰章　撰《蠖斋诗话》二卷、《矩斋杂记》二卷成，（按：
　　　　此二书于卒后始刻，今系于闰六月之前）。

高士奇　撰《塞北小钞》一卷成，见闰六月自序。

万斯大　撰《学春秋随笔》十卷成（按：此书于卒后始刻，
　　　　系于七月之前）。

惠周惕　撰《诗说》三卷成，见七月田雯序。

谭　瑄　撰《弋阳县志》八卷成，见九月自序。

牛　钮　等奉敕撰《日讲易经解义》十八卷成，见十二月御
　　　　序。

郑　端　撰《朱子学归》二十三卷成，见自序。

◉ 卒岁：

张国柱　奉天铁岭人。前太子少保，云南提督，三等轻车都
　　　　尉。二月以叛后复降处斩。

傅　眉　山西阳曲县布衣。二月卒年五十六。

储方庆　原任山西清源县知县。三月二十九日卒年五十一。

蔡启僔　字硕公，号崑暘。浙江德清人。原任詹事府右赞善。
　　　　四月二十日卒年六十五。

李　润　山东德州廪生。五月初十日卒年三十七。

周　球　左都督衔直隶真定镇总兵。五月卒。赠太子少保。

哈尔松阿　满洲正蓝旗，鄂卓氏。盛京礼部侍郎。五月卒。

达　岱　内阁学士。五月卒。

朱天贵　左都督衔浙江平阳镇总兵。六月于福建澎湖阵亡年
　　　　三十七。赠太子少保，谥忠壮。

丁　镳　浙江嘉善县副贡生。六月卒。

翁长庸　裁缺河南河南道。六月十六日卒年六十八。

王　训　前山西万泉县知县。闰六月卒年七十。

施闰章　翰林院侍读。闰六月十三日卒年六十六。入国史文
　　　　苑传。

郝惟讷　原任吏部尚书。七月初九日以服阕入都候简，卒于
　　　　京师年六十一。谥恭定。

郝　浴　广西巡抚。七月十五日卒年六十一。以事夺职追复
　　　　原官，（追复在二十五年六月）。

万斯大　浙江鄞县布衣。七月二十六日卒年五十一。入国史
　　　　儒林传。

英额理　太祖皇曾孙。辅国公。七月卒。

杭　爱　满洲镶白旗，章佳氏。四川巡抚。七月卒。谥勤襄。

简　上　前广西左江道。七月于狱中自尽。

应㧑谦　字嗣寅，号潜斋。浙江钱塘人。浙江仁和县诸生。
　　　　七月卒年六十九。入国史儒林传。

陶　岱　满洲正黄旗，札库塔氏。一等男。卒。

吕留良　字庄生，号晚村。浙江石门人。石门县诸生。八月
　　　　十三日卒年五十五。以罪戮尸（戮尸在雍正十年十二
　　　　月）。

白　济　正白旗满洲副都统。八月卒。

道　喇　满洲正红旗，辉和氏。太子少傅，原任正红旗蒙古
　　　　都统，一等轻车都尉。九月卒年八十一。谥勤襄。

孙宗彝　前升授直隶蓟州道隶部考功司郎中。九月初七日卒
　　　　于扬州狱中年七十二。

李明性　字洞初，号晦夫。直隶蠡县人。蠡县诸生。九月十
　　　　九日卒年六十九。

沈旭初　翰林院编修，十月初七日卒年三十九。

丁　翊　归班候选知县，浙江长兴县进士。十月十九日卒年
　　　　六十一。

赉图库　（一作赖达库）。满洲正黄旗，颜扎氏。太子少保，
　　　　内大臣，一等子。十月卒。

宝　柱　镶黄旗满州副都统。十月卒。

汪继昌　前湖北江防道。十月卒。年六十七。

姚启圣　太子少保，兵部尚书衔福建总督，骑都尉兼一云骑
　　　　尉。十一月卒年六十。

南鼎铉　原任四川松威道。十一月十九日卒年六十六。

杨正中　字尔茂。顺天通州人。礼部左侍郎。卒。

董卫国　字佑若。汉军正白旗。兵部尚书衔湖广总督。十二
　　　　月卒。

上官鉝　降调太常寺少卿。前都察院左副都御史。卒。

阿什坦　满洲镶黄旗。完颜氏。前刑科给事中。卒。

李　清　故大理寺左寺丞。卒年八十二。

锡卜臣　满洲镶白旗，瓜尔佳氏。前太子少傅，镇西将军，
　　　　镶白旗蒙古都统，二等轻车都尉。卒。

穆　占　前征南将军，正黄旗蒙古都统，三等轻车都尉。卒
　　　　年五十六。

吴国正　汉军正红旗。正红旗汉军副都统，前封二等男。卒。

宜廷辅　汉军正白旗。参领，袭三等男。卒。追晋二等男（追
　　　　晋在二十五年）。

哲尔肯　汉军镶红旗，周氏。左都督衔广西提督。卒。

朱鹤龄　字长孺，号愚庵。江苏吴江人。吴江县故诸生。卒
　　　　年七十八。入国史儒林传。

彭士望　字公安、躬庵，号树庐。江西南昌人。南昌县故诸
　　　　生。卒年七十四。入国史儒林传。

张凝元　江苏嘉定县故诸生。卒年六十五。

吴嘉纪　江苏泰州布衣。卒年六十八。入国史文苑传。

康熙二十三年甲子（公元一六八四年）

● **生辰：**

闵德裕 二月十六日生，字瑞玉，号崑冈。湖北广济人。享年五十八。

陶崇雅 四月二十九日生，湖南安化人。享年五十。

盛支焯 八月二十九日生，享年七十九。

甘汝来 九月初十日生，字耕道，号遁斋。江西奉新人。享年五十六。

饶一辛 十一月初八日生，字冶人，号近韩、趾斋。江西广昌人。

李如兰 十二月十五日生，字长芳。山西榆次人。享年六十四。

伊尔登 生，宗室。享年六十六。

周　霱 生，字雨村，号甘村、西坪。浙江钱塘人。

徐士林 生，字式儒、两峰。山东文登人。享年五十八。

冯光裕 生，字叔益，号损庵。山西代州人。享年五十七。

丁元正 生，字少微，号湘亭、一峰。湖南清泉人。享年七十。

周　珙 生，四川涪州人。享年六十四。

吕瀍曾 生，字宗则。河南新安人。享年六十七。

任德成 生，字象元。江苏长洲人（原籍吴江）。享年八十九。

王应奎 生，字东溆，号柳南。江苏常熟人。享年七十口。

● **第科：**

　　中式举人：

陈鹤龄 直隶安州人。正定县教谕，顺天府教授。

陈学洙 字左原。江苏长洲人。

李国宋 字汤孙，号大村。江苏兴化人。

李　馥 福建福清人。工部员外郎，浙江巡抚，重宴鹿鸣。

王**汝揖** 浙江丽水县知县。

蔡**祖楔** 字菊潭。湖南攸县人。浙江知县，江苏淮扬道。

简 **能** 字坤若。湖南湘乡人。河南扶沟县知县。

王**沛憻** 山东人。福建同知，吏部右侍郎。

傅**和鼎** 字盐公。陕西泾阳人。福建盐运使。

李 **谟** 字采臣。四川富顺人。河南太康县知县。

李**发甲** 字瀛仙。云南河阳人。直隶知县，湖南巡抚。

● 恩遇：

岳 **端**（初名蕴端），字正子，号兼山、红兰主人。太祖皇
　　　曾孙。正月封多罗勤郡王（二十九年二月降贝子）。

宋**文运** 刑部左传郎。四月以病辞职，加太子少保。

魏**象枢** 刑部尚书。八月以病辞职，赐御书"寒松"堂额。

　　十月以南巡迎銮（下二条同）：

熊**赐履** 前大学士。赐御书"经义"斋额；

汪 **琬** 在籍翰林院编修。十月赐御书卷轴；

杨 **捷** 江南提督。十一月赐御书"丹诚"额。

郑**克塽** 郑成功之孙。以上年纳土归诚，十二月加公衔。

刘国轩、冯锡范。俱加伯衔。

● 著述：

宋 **荦** 撰《漫堂墨品》一卷成，见正月自记。

吴**曰慎** 字徽仲，号敬斋。安徽歙县人。撰《周易本义爻征》
　　　二卷成，见三月月序。

屠**粹忠** 撰《三才藻异》三十三卷成，见春日自序。

梅**文鼎** 撰《弧三角举要》五卷成，见长至自序。

杜 **臻** 撰《闽粤巡视纪略》六卷成，见自序。

杜 **臻** 撰《海防述略》一卷成，见自序。

张 **夏**、**胡永褆** 同撰《锡山宦贤考略》三卷成。

王**士祯** 撰《南来志》一卷成。

高**士奇** 撰《金鳌退食笔记》二卷成。

曹 **溶** 撰《倦圃莳植记》三卷成，见自序。

王士祯 撰《皇华纪闻》四卷成。

◉ 卒岁：

王　垓 浙江宁绍道。正月十二日卒年六十七。

巴　鼐 镇国公，宗室。正月卒年三十三。

王馀佑 字申之，号介祺、五公山人。直隶新城人。新城县布衣。正月卒年七十。

陆繁弨 浙江钱塘县布衣。二月初二卒年五十。入国史文苑传。

朱嘉徵 原任四川叙州府推官。二月十八日卒。年八十三。

佟康年 字晋公。汉军正蓝旗，佟佳氏。江西巡抚。三月卒。

鲍开茂 裁缺陕西鄜延道。四月初九日卒。年七十。

于成龙 两江总督。四月十八日卒年六十八。谥清端，追赠太子太保，（追赠在十二月）入祀贤良祠（入祠在雍正十年十月）。

颜　敏 广西布政使。四月二十六日卒年六十八。

施维翰 福建总督。四月卒年六十三。谥清惠。

张　勇 字非熊。陕西咸宁人。少傅，靖逆将军，甘肃提督，一等靖逆侯。四月卒年七十口。赠少师，谥襄壮，入祀贤良祠（入祀在雍正十年十月）。

雅思哈 都察院左副都御史。四月卒。

李　霨 太子太师，保和殿大学士。六月十一日卒年六十。谥文勤。

傅　山 内阁中书。六月十二日卒年七十八。入国史文苑传。

陆宇燝 浙江鄞县故诸生。六月十四日卒年六十六。

格尔古德 直隶巡抚。六月卒年四十四。谥文清。

喻明简 汉军正蓝旗。陕西兴安镇总兵。六月卒。

宋文运 太子少保，原任刑部左侍郎。七月卒。谥端悫。

焦贲亨 原任江西瑞州府同知。七月卒。

苏　朗 蒙古正黄旗。三等男。八月卒。

王　鉽 浙江萧山县布衣。八月初三卒年二十六。旌表孝子。

周庆曾　翰林院编修，浙江正考官。八月初未入闱卒。

麻　齐　镶白旗满洲都统。八月卒。

白奂彩　字含章，号泊如。陕西华州人。华州故岁贡生。九月初四日卒年七十八。入国史儒林传。

徐继恩　浙江仁和县故副贡生。九月二十四日卒年七十。

傅　辰　原任掌山西道监察御史。九月二十六日卒年七十一，入国史文苑传。

崔宇广　江西南城县举人。九月二十八日卒年五十九。

张九徵　原河南提学道。九月卒年六十七。

杨名正　安徽休宁县廪生。十月初三日卒年四十二。

吴兆骞　前江苏吴江县举人。十月卒年五十四。入国史文苑传。

徐作肃　河南商邱县举人。十月二十三日卒年六十九。

袁时中　贵州提学道。十月二十七日卒年五十五。

喇祜塔　满洲镶黄旗，觉罗氏。袭二等子，十一月卒。

沈　荃　礼部侍郎衔詹事府詹事。十一月初七卒年六十一。谥文恪。

高　珑　山东淄川县进士。十一月十五日卒年六十四。

钱佳选　河南密县拔贡生。十二月初十卒年五十五。入国史儒林传。

赉　塔　（一作赖塔）。满洲正白旗，那穆都鲁氏。正白旗满洲都统，前任平南大将军。十二月卒。谥襄敏，追封一等男（追封在二十五年六月），晋封一等公（晋封在雍正五年八月，九年号曰褒绩），入祀贤良词（入祠在雍正八年七月）。

帅颜保　原任礼部尚书。十二月卒年四十四。

沙　济　内大臣。十二月卒。

洪　琮　原任陕西提学道。十二月卒年六十五。

焦毓瑞　户部左侍郎。十二月卒。

李来泰　翰林院侍读。卒。入国史文苑传。

阿　淑　散秩大臣。卒。谥勤僖。

朱景肃　字子于，号竹声。浙江海盐人。原任浙江常山县教
　　　　谕。卒年七十。

康熙二十四年乙丑（公元一六八五年）

◉ **生辰：**

俞鸿德　二月初六日生，字说岩，号说飓、长懂。浙江海盐人。

阿克敦　四月初二日生，满洲正蓝旗，章佳氏。享年七十二。

郑其储　七月十七日生，字又梁。湖北石首人。享年七十。

张　庚　九月二十六日生，字浦山，号瓜田。浙江秀水人。享年七十六。

黑　噶　十月十六日生，字石夫。满洲，叶赫觉罗氏。

沈炳谦　十一月初十日生，字幼牧，号劳山。浙江归安人。

李　纮　十一月二十二日生，字巨州。江西临川人。

允祹　十二月生，圣祖皇十二子。享年七十九。

刘　琴　十二月初十日生，字松雪。直隶任邱人。享年七十九。

华　玘　生，宗室。享年三十五。

充　保　生，宗室。享年十四。

陈学海　生，字二登，号志澄。江西永丰人。享年四十九，

顾　琮　生，字用方。满洲镶黄旗，伊尔根觉罗氏。享年七十。

徐　杞　生，字集功，号静谷。浙江钱塘人。享年八十一。

沈起元　生，字子大，号敬亭。江苏太仓人。享年七十九。

李　渭　生，字菉涯，号素园。山西高邑人。享年七十。

彭朝佐　生，字曰泉，号中行。享年六十五。

蔡　珑　生，字文舟。江苏昆山人。享年八十二。

程志洛　生，字书原。江苏江都人。享年六十九。

陈万盛　生，广东海阳人。享年六十七。

秦　熙　生，字予宁，号鹤汀。江苏江都人。享年六十九。

周　颢　生，字晋瞻，号芷巗、髯痴。江苏嘉定人。享年八十九。

● **科第：**

一甲进士：

陆肯堂 会元。状元。修撰，侍读。

陈元龙 榜眼。编修，大学士。

黄梦麟 字砚芝，号匏斋。江苏溧阳人。探花。编修，左中
允。

二甲进士：

张希良 字石虹。湖北黄安人。编修，侍讲。

蒋陈锡 陕西知县，云贵总督。

许承家 字师六，号来庵。江苏江都人。编修。

沈辰垣 字紫翰，号芷岸。浙江嘉善人。编修，侍读学士。

仇兆鳌 编修，吏部右侍郎。

宋大业 字念功，号药洲。江苏长洲人。编修，内阁学士。

余兆曾 浙江海盐人。直隶元城县知县。

汪　煜 字寓昭，号道百。浙江钱塘人。贵州知县，吏科给
事中。

徐树毅 字艺初。江苏昆山人。中书科中书，山东道御史。

徐元正 字子贞，号静园。浙江德清人。编修，工部尚书。

汪　灏 字文漪，号天泉、畏庵。山东临清人。编修，河南
巡抚。

宋　衡 字崧南。安徽庐江人。编修，侍读学士。

张孟球 山东知县，河南按察使。

刘　棨 湖南知县，四川布政使。

汪　薇 字知白，号棣园。安徽歙县人。庶吉士，部主事，
福建提学道。

许贺来 字燕公，号秀山。云南石屏人。编修，侍讲。

陈迁鹤 编修，左庶子。

魏　男 字虞洲。直隶柏乡人。庶吉士，口部主事，浙江金
华府知府。

三甲进士：

张　玺　河南新野县知县。

俞长城　字宁世、硕园，号桐川。浙江桐川人。检讨。

樊泽远　（一作樊泽达），字崑来。四川宜宾人。检讨，侍读。

金居敬　江苏长洲人。己未召试鸿博，山西灵邱县知县。

王之枢　字恒麓，号雪岩、云麓。直隶定州人。检讨，吏部右侍郎。

吴　垣　字云岩，号云嶷。河南宝丰人。检讨，侍读学士。

王企靖　字芯远。直隶雄县人。内阁中书，江西巡抚。

李永绍　字绳其。山东宁海人。浙江知县，工部尚书。

鲁　瑗　字廷玉，号白峰。江西新城人。检讨，左通政。

杨绿绶　山东知县，湖北安陆府知府。

宋如辰　字斗凝、雪书，号震怀、鲁斋。湖北黄安人。检讨，左中允。

牛兆捷　广西灌阳县知县。

姜　樇　湖北知县，吏部左侍郎。

梅之珩　字左白，号月川。江西南城人。检讨，少詹事。

马之鹏　（榜名王之鹏），字文渊。湖北蕲州人。户科给事中。

王度昭　云南知县，兵部右侍部。

葛长祚　字燕翼，号苍岩。江苏高淳人。浙江新城县知县，户部主事。

章振萼　字范山。浙江遂安人。江西知县，礼科给事中。

张明先　字雪书。湖南安乡人。检讨，中允。

江鼎金　字惺斋，号紫九。湖北荆州人。口部主事，直隶口北道。

张召华　字君实。湖南华容人。福建知县，江西金溪县知县。

刘　涵　字海观。陕西泾阳人。检讨，福建盐运使。

张伯行　内阁中书，礼部尚书。

刘　伟　字介庵。直隶滦州人。庶吉士，江南道御史。

郑　恂　四川知县，河南道御史。

孙　勷　字子未、予未，号峩山、诚斋。山东德州人。检讨，大理寺少卿。

杨笃生　字介庵。河南洧川人。口部主事，右通政。

袁乃湔　字镜池。山西翼城人。湖广提学道。

鱼鸾翔　号僵驺。陕西高陵人。江西提学道。

黄鼎楫　字巨公。直隶宣化人。陕西知县，吏科掌印给事中。

　　武进士：

徐宪武　直隶人。状元。贵州口口协副将。

● 著述：

毛奇龄　撰《古今通韵》十卷成，见三月进书疏。

周金然　自编《砺严续文部》二十卷成，见春日王熙序。

王士祯　撰《广州游览小志》成，见四月自序。

性　德　撰《饮水诗集》一卷、《饮水词集》一卷成（按：二
　　　　书皆卒后始刻，今系于五月之前）。

施世纶　撰《南堂诗钞》口卷成，见九月自序（按：自序未
　　　　详卷数，至卒后始刻为十二卷，附词赋一卷，见雍正
　　　　丙午其子廷翰跋）。

徐乾学　等奉敕编注《古文渊鉴》六十四卷成，见十二月御
　　　　序。

王喆生　撰《礼闱分校日记》一卷成。

徐乾学　撰《教习堂条约》一卷成。

熊赐履　撰《下学堂札记》三卷成，见自序。

王士祯　撰《北归志》一卷成。

毛奇龄　撰《北郊配位议》一卷成，见自序。

曹　溶　撰·《刘豫事迹》一卷、《砚录》一卷成（按：二书均
　　　　无自序，今系于本年）。

曹　溶　撰《静惕堂诗集》四十四卷成（按：此集至雍正乙
　　　　巳始刻，见李维钧序，今系于卒年）。

毛　骧　撰《思古堂集》四卷成，见潘来序。

● 卒岁：

周　涟　江苏宜兴县举人。正月初二日卒年六十六。

陈光祖 浙江宁绍道。正月二十一日卒年四十五。

瓦 三 镶蓝旗满洲都统，前宗人府右宗人，辅国公，宗室。正月卒年三十五。谥襄敏。

李 钦 字式唐，号陶庵。汉军正黄旗。湖南桂东县知县。三月卒年二十九。

王又旦 户科掌印给事中。三月卒年五十一。入国史循吏传。

敖 塞 （一作额色）。满洲正红旗。内大臣，二等男。四月卒。谥勤僖。

性 德 一等侍卫。五月卒年三十一。入国史文苑传。

龚佳育 光禄寺卿，前任江南布政使。七月二十八日卒年六十四。

翁 晋 字康侯，号康成。江苏常熟人。候选训导。八月初六日卒年七十二。

王进宝 左都督衔奋威将军，陕西提督，三等子。八月卒年六十。赠太子太保，谥忠勇，入祀贤良祠（入祀在雍正十年十月），追晋一等子（追晋在乾隆四十七年五月）。

俄莫克图 满洲正黄旗。二等男。卒。

刘济宽 原任浙江宣平县知县。九月卒年六十八。

王与敕 山东新城县贡生。九月二十八日卒年七十七。

胡魁楚 原任安徽建平县知县。十月初五日卒年八十四。

高辛传 原任工部右侍郎。十月初六日卒年七十三。

金 镇 原任江南按察使。十月十二日卒年六十四。入国史循吏传。

杜 濬 原任河南盐驿道。十一月初八卒年六十四。入国史文苑传。

张 烈 詹事府右春坊，右赞善。十一月卒年六十四。入国史儒林传。

巴 图 正白旗蒙古副都统。十一月卒。谥恪敏。

沈世奕 在籍翰林院编修。卒。

达克萨哈　满洲镶白旗，赛密勒氏。原任镶白旗满洲副都统。
　　　　　三等轻车都尉，卒。

恭　图　满洲正蓝旗，兆佳氏。原任正白旗满洲副都统。卒。

通　嘉　满洲镶红旗，纳喇氏。镶红旗蒙古副都统，袭三等
　　　　轻车都尉世职。卒。

曹　溶　裁缺山西阳和道，降调户部右侍郎。卒年七十三。
　　　　入国史文苑传。

林尧英　河南提学道。卒。

申　穟　丁忧广西提学道。卒年五十一。

骆复旦　前江西崇仁县知县。卒年六十四。

柯永蓁　汉军镶红旗。前京口将军，三等男，复起署山东提
　　　　督。卒。

查　容　浙江海宁县口口。卒年五十。

张　鋆　河南襄城县口口。卒年六十九。

康熙二十五年丙寅（公元一六八六年）

● 生辰：

马荣祖　三月十二日生，字力本，号石莲。江苏江都人。享年七十六。

孙见龙　闰四月十四日生，字叶飞，号潜庵、秋田、脊斋。浙江乌程人。

钱陈群　五月二十九日生，字主敬、集斋，号柘南、修亭。浙江嘉兴人（原籍海盐）。享年八十九。

邹一桂　六月二十一日生，字元褒，号小山、让乡。江苏无锡人。享年八十七。

蒋　祝　九月十三日生，字赓三，号省斋。浙江仁和人。享年八十三。

允　祥　十月初一生，圣祖皇十三子。享年四十五。

苏大捷　十月初二生，广东东莞人。享年六十二。

李　锴　十月二十日生，字铁君，号眉山、豸青山人。汉军正黄旗。享年七十。

田荃生　十一月二十九日生，字季宜，号省斋。陕西富平人。

唐绥祖　十二月十五日生，字孺怀，号莪村。江苏江都人。享年六十九。

乔世臣　生，字丹葵，号蓼圃。山东滋阳人。享年五十。

赵大鲸　生，字横山，号学川、跃斋。浙江仁和人。享年六十四。

诸　锦　生，字襄七，号字文、草庐。浙江秀水人。享年八十四。

张宗苍　生，字默存，号墨存、篁村。江苏吴县人。享年七十□。

李　卫　生，字又玠。江苏铜山人。享年五十三。

岳锺琪　生，字东美，号容斋。四川成都人（原籍甘肃临兆）。享年六十九。

庄亨阳 生，字元仲，号复斋。福建南靖人。享年六十一。

李　暲 生，字间成。山西静乐人。享年六十九。

王承曾 字嗣徽，号梅川。陕西醴泉人。生，享年六十七。

陆　培 生，字翼凤，号南杳。浙江平湖人。享年六十七。

施　淇 生，安徽人。享年九十二。

赵永孝 生，字汉忠，号谨凡。江苏常熟人。

许良极 生，享年六十二。

◉ 科第：

考取拔贡生：

蒋　瑛 江苏人。候选知县。

张兆凤 浙江人。福建知县，广东高州府知府。

张笃庆 字历友，号厚斋、崑崙外史。山东淄川人。

田　霡 字子益，号乐园、香城居士。山东德州人。堂邑县
　　　教谕。

张在辛 字邓君，号伯庭。山东安邱人。观城县教谕。

◉ 恩遇：

二月以重修太祖实录告成：

明　珠 大学士。晋太子太师（二十七年二月削）；

宋德宜、王　熙、吴正治 等三人俱加太子太傅。

阿里浑 二月晋封一等子。

托　班 二月晋封一等男。

伊　三 三月封三等男。

马锡泰 六月晋封一等子。

田象坤 七月晋封一等侯。

班　岱、巴　汉、喇布介、舒　恕 等四人七月俱封一等男。

吴云龙 七月晋封二等男。

◉ 著述：

朱彝尊 撰《腾笑集》成，见春日自序。

陆陇其 撰《灵寿县志》十卷成。

曹贞吉 撰《朝天集》一卷成，见五月靳治荆跋。

蔡方炳 字九霞。江苏昆山人。撰《增订广舆记》二十四卷成，见秋日自序。

陆 莱 编《历朝赋格》十五卷成，见十月自序。

勒德浑（一作勒德洪）等奉敕撰《平定三逆方略》六十卷成。

邓志谟 字景南。饶安人。撰《古事苑》十二卷成。

吴 乔 撰《围炉诗话》六卷成，见自序。

秦云爽 撰《秦氏闺训新编》十二卷成，见自序。

● 卒岁：

耿昭忠 字信公，号在良。汉军正黄旗（原籍辽东辽阳）。耿仲明孙。太子太保，和硕额驸，一等子，前授镇平将军。正月卒年四十七。照内大臣赐恤，谥勤僖。

布 祜 三等男。卒。

黄 机 原任文华殿大学士。二月卒年七十五。谥文僖。

喀尔图 满洲正白旗，纳穆都禄氏。原任刑部尚书，云骑尉。二月卒。

桑 额 汉军镶蓝旗，李氏。左都督衔云南提督。三月卒。

俞凤章 字九仪，号余庵。浙江山阴人。原任胶莱分司运判。四月初四日卒年六十二。

魏裔介 太子太傅，原任保和殿大学士。四月初九日卒年七十一。入祀贤良祠（入祠在雍正十年十月），追谥文毅（追谥在乾隆元年正月）。

王曰温 太常寺少卿。闰四月十七日以回籍省亲，卒于临清舟次年四十二。

王定国 湖北布政使。五月卒。

马思文 汉军镶黄旗。镶黄旗汉军副都统，三等伯。五月卒。

赵之符 前都察院左佥都御史。六月十一日卒年六十二。

牛 钮 内阁学士。六月卒年三十九。

杭 奇 口口旗护军统领。七月卒。

塔勒岱 满洲镶白旗，博和哩氏。镶白旗蒙古都统，骑都尉兼一云骑尉。七月卒。谥勇壮。

哈　占　满洲正蓝旗，伊尔根觉罗氏。礼部尚书。八月卒年五十五。

冀如锡　降调工部尚书。八月十六日卒年七十四。

俞　维　字尔章。浙江山阴人。山阴县布衣。九月初六日卒年七十八。

李世熊　字元仲，号魁庵。福建宁化人。宁化县故诸生。九月二十八日卒年八十五。入国史文苑传。

颜光敏　吏部考功司郎中。九月三十日卒年四十七。入国史文苑传，

邱俊孙　降调山西冀宁道。十月初六日卒年八十一。

孟缵祖　大理寺右评事。十月初八日卒年三十二。

伊志可　字得庵，号有之。福建宁化人。宁化县故诸生。十月十二日卒年八十六（一作八十九误）。

陈秉直　满洲镶黄旗，栋佳氏。降调兵部右侍郎衔浙江巡抚。十二月卒。

于作霖　丁忧江西安远县知县。十二月十二日卒于县署，年五十五。

郎永清　字定庵。汉军镶黄旗（原籍奉天广宁）。山东巡抚。十二月二十八日卒年六十七。

祁通格　满洲正白旗，翟尔德氏。致仕工部右侍郎。卒。

伊巴罕　满洲正白旗，格济勒氏。原任前锋统领，一等轻车都尉兼一云骑尉，前任盛京将军。卒。

钱　墇　字韦亭。江苏昆山人。安徽贵池县教谕。卒。

常进功　汉军正黄旗。致仕浙江水师提督。卒。

朱与兰　候选州同，浙江海盐县恩贡生。卒年五十六。

黄宗炎　浙江余姚县廪贡生。卒年七十一。

周茂兰　字子佩，号芸斋。江苏长洲人。长洲县故诸生。卒年八十二。入国史文苑传。

董　说　浙江乌程县诸生。卒年六十七。

钱　民　江苏嘉定县布衣。卒年三十九。入国史儒林传。

康熙二十六年丁卯（公元一六八七年）

● 生辰：

刘自洁　正月二十九日生，字恒叔，号南村。直隶武强人。

硕　色　五月二十一日生，字静庵。满洲正黄旗，乌雅氏。享年七十三。

邵　基　生，字学址，号岳岊、思蓼。浙江鄞县人。享年五十一。

宋华金　生，字西弪。河南商邱人。享年六十三。

金洪铨　生，字学山。江苏嘉定人。享年七十四。

马日炳　生，享年五十九。

赵彪诏　生，江苏武进人。享年八十三。

金　农　生，字寿门，号冬心、司农、稽留。享年七十四。

黄　慎　生，字恭懋，号瘿瓢。福建人。

刘贯一　生，直隶博野人。享年五十九。

● 科第：

考取拔贡生：

张芳湄　字葭士。浙江海盐人。户部主事，刑部郎中。

中式举人：

高成龄　字古愚。顺天人。云南知县，山西布政使。

刘　汶。

伍涵芬　字芝轩。浙江于潜人。内阁中书。

朱永嘉　浙江海盐人。

项惟贞　字端伯。浙江秀水人。江苏江浦县知县。

陈尚古　字云瞻。浙江德清人。

周天相　浙江钱塘人。重宴鹿鸣。

黎大观　字三湘。湖南华容人。江西知县，刑部主事。

张文炳　字质夫，号南麓。湖南湘潭人。浙江知县，山东文登县知县。

王沛恂 字书岩。山东诸城人。兵部主事。

张懋诚 字存庵。四川遂宁人。户部员外郎，通政使。

傅作楫 字济庵。四川奉节人。顺天知县，左副都御史。

李锺璧 字鹿岚。四川通江人。广西平南县知县。

中式副榜贡生：

乔崇让 江苏宝应人。

沈季友 字客子，号南疑。浙江平湖人。

● 恩遇：

于成龙 直隶巡抚。加太子少保（二十七年十月削）。

● 著述：

万　树 江苏宜兴人。撰《词律》二卷成，见正月自序。

蒋　伊 撰《蒋氏家训》一卷成，（按：此书无自序今系于二月之前）。

李　塨 撰《阅史郄视》成，见三月自序。

李呈祥 撰《东村集》十卷成（按：此集至五十八年始刻，今系于六月之前）。

曹贞吉 撰《鸿爪集》一卷成，见七月靳治荆序。

叶　燮 撰《山清全书》二十卷成，见八月自序。

徐乾学 撰《读礼通考》一百二十卷成（按：此书于丙子年始刻成，见徐树谷识语，以书中所列官名为礼部侍郎，今系于九月之前）。

朱彝尊 撰《日下旧闻》四十二卷成，见秋日徐乾学序。

高士奇 撰《春秋地名考略》十四卷成，见十月徐乾学序。

陈启源 字长发。江苏吴江人。撰《毛诗稽古编》三十卷成，见自记。

陆陇其 撰《松阳钞存》二卷成，（按：原书无自序，此据杨开基重编本所撰例言，系于是年）。

王士祯 撰《十种唐诗选》成。

● 卒岁：

蒋　伊 河南提学道。二月初一卒年五十七。入国史文苑传。

倪　灿　翰林院检讨。　二月十五日卒年六十二。入国史文苑
传。

耿聚忠　汉军正黄旗（原籍辽东辽阳）。耿仲明孙。太子太保，
和硕额驸。二月卒。谥愨敏。

徐旭龄　漕运总督。三月卒年五十八。谥清献。

章钦允　兵部督捕主事。三月初一日卒年六十一。

陈锡嘏　翰林院编修。三月二十一日卒年五十四。

瑚　图　（一作呼图）。满洲镶白旗，洪鄂氏。杭州将军。三
月卒谥敏恪。

沙纳哈　满洲正黄旗，伊尔根觉罗氏。原任正黄旗蒙古都统，
骑都尉。四月卒。

扬　奇　袭多罗顺承郡王，宗室。四月卒年七岁。

陈赤衷　浙江鄞县岁贡生。四月初六日卒年七十一。入国史
儒林传。

任　玥　掌京畿道监察御史。四月二十六日卒年五十六。

叶　封　升授工部虞衡司主事（选授时封己先卒），原任西城
兵马司指挥。　五月初一日卒年六十五。入国史文苑
传。

黄士坦　翰林院编修。卒。

胡承诺　字君信，号右庄。湖北天门人。天门县故举人。六
月十三日卒年七十五。入国史儒林传。

茹　珍　字君辅。直隶宛平人。原任陕西西安府通判。六月
二十四日以病回京卒于山西平阳旅舍年七十一。

宋德宜　太子太傅，文华殿大学士。　六月卒年六十二。谥文
恪。

杜　濬　湖北黄冈县故副贡生。六月卒年七十七。入国史文
苑传。

马之俊　通政使衔太医院院使。六月卒。赠礼部侍郎。

李呈祥　前詹事府少詹事。六月三十日卒年七十一。

沈　起　浙江口口县故诸生。七月十六日卒年七十一。

魏象枢 原任刑部尚书。七月二十九日卒年七十一。谥敏果，入祀贤良祠（入祀在雍正十年十月）。

徐芳声 字徽之。浙江萧山人。萧山县征士。七月三十日卒年八十四。

达哈塔 吏部尚书。八月卒年五十五。

程　湛 字止水。河南永宁人。原任兵部武库司郎中。八月卒。

张朝寀 河南偃师县知县。九月十二日卒年四十二。

顾景星 湖北蕲州征士。十月初七日卒年六十七。入国史文苑传。

汤　斌 工部尚书。十月十一日卒年六十一。入祀贤良祠（入祀在雍正十年十月），追谥文正（追谥乾隆元年正月），从祀文庙（从祀在道光三年）。

朱之弼 字右君，号幼庵。顺天大兴人。降调工部尚书。十月卒年六十七。

赵班玺 原任河南道监察御史。十月卒年七十。

徐　越 原任兵部督捕理事官。十月卒年六十八。

崔蔚林 前詹事衔詹事府少詹事兼翰林院侍读学士。十二月十三日卒年五十三，入国史儒林传。

董笃行 致仕都察院左副都御史。十二月二十三日卒年七十六。

希　福 满洲镶白旗，纳喇氏。前刑部尚书。卒。

于可讬 前户部左侍部。卒。

孙枝蔚 内阁中书衔。卒年六十八。入国史文苑传。

坤　　满洲正黄旗，那木都鲁氏。赐号巴图鲁，散秩大臣，一等轻车都尉，前太子太保，振武将军，内大臣，一等男。卒。

秦　鈘 裁缺湖南粮道，降调江西按察使。卒年六十七。

萧象韶 广东连山县知县。卒。

陆在新 江西庐陵县知县。卒。入国史循吏传。

阎修龄 江苏山阳县故诸生。卒年七十一。

周 篔 浙江嘉兴县布衣。卒年六十五。入国史文苑传。

徐 夜 山东新城县故诸生。卒年七十二。入国史文苑传。

康熙二十七年戊辰（公元一六八八年）

◉ 生辰：

允　禵　正月生，圣祖皇十四子。享年六十八。

符　曾　二月十八日生，字幼鲁，号药林。浙江钱塘人。享年七十三。

张鹏翀　五月二十六日生，字天扉、天飞，号抑斋、南华。浙江嘉定人。享年五十八。

许儒龙　七月十五日生。

袁良谟　九月十九日生，字叔文，号倚少。河南洛阳人。享年六十三。

沈　彤　十月十三日生，字冠云，号果堂。江苏吴江人。享年六十五。

程嗣立　十月二十日生，享年五十七。

王文请　十二月初十日生，字廷鑑，号九溪。湖南宁乡人。享年九十二。

德　沛　生，宗室，享年六十五。

武绍周　生，字梦卜。河南偃师人。享年七十四。

马曰琯　生，字秋玉，号山解谷。江苏江都人（原籍安徽祁门）。享年六十八。

宫尔劝　生，字九叙，号怡云。山东高密人。享年七十八。

朱　陵　生，字子冈，号纪堂、石鼓山翁。安徽歙县人。享年八十一。

游明纯　生，字元素。湖南善化人。享年五十三。

◉ 科第：

一甲进士：

沈廷文　字元衡，号元洲。浙江秀水人。状元。修撰。

查嗣韩　字荆州，号墨亭。浙江海宁人。榜眼。编修。

张豫章　字寄亭，号南帆、九峰散人。江苏青浦人。探花。

清代人物大事纪年

编修，冼马。

二甲进士：

范光阳 字国雯，号笔山。浙江鄞县人。会元。庶吉士，户
部主事，福建延平府知府。

查 昇 字仲韦，号声山、汉中。 浙江海宁人。编修，少詹
事。

吴世焘 字幼日。江苏高邮人。编修，左中允。

沈宗敬 江苏华亭（娄县）人。编修，四译馆少卿。

汤右曾 编修，吏部右侍郎。

徐 宾 字虞门。江苏华亭人。直隶知县，吏科给事中。

杨 崙 陕西知县，河南道御史。

王 原 字仲深、今贻，号学庵、西亭。江苏青浦人。广东
知县，工科给事中。

陶元淳 己未召试鸿博。（凡前曾召试或被荐未试而后登甲乙
科者均于名下注明今记于此）。广东昌化县知县。

姚士藟 字绥仲，号华曾。安徽桐城人。编修，赞善。

吴 曙 户部主事，兵科给事中。

刘 灏 编修，掌河南道御史。

翁嵩年 户部主事，广东提学道。

张尚瑗 字宏蘧，号损持。江苏吴江人。庶吉士，江西兴国
县知县。

王 懿 字文子，号巨峰。山东胶州人。编修，工部右侍郎。

张恕可 字韦存，号硠庵。江苏丹徒人。户部主事，浙江杭
州府知府。

王 傑 字士先，号莲洲。江苏高淳人。山西平遥县知县，
礼科给事中。

张 复 字来庵。直隶保定人。编修，侍读学士。

史申义 编修，礼科给事中。

赵凤诏 江苏武进人。山西太原府知府。

冯 壅 内阁中书，广西南宁府同知。

彭殿元　字上虎。江西庐陵人。编修，吏科给事中。

宋元徵　字式虞，号鹤岑。安徽庐江人。河南知县，刑部郎中。

汤传榘　福建清流县知县。

郝士钧　字子权。直隶霸州人。编修。

孙致弥　编修，侍读学士。

陆　寅　字冠周。浙江钱塘人。归班知县。

戴振河　字开文。浙江德清人。福建台湾道。

梁佩兰　广东南海人，庶吉士，归班知县。

凌绍雯　字子文，号北堂。浙江仁和人。编修，内阁学士。

　　三甲进士：

钱以垲　广东知县，礼部尚书。

窦克勤　检讨。

陈大章　字仲夔，号雨山。湖北黄冈人。庶吉士。

彭始抟　字直上，号方洲。河南邓州人。检讨，内阁学士。

李绅文　字牧痴。安徽颖州人。四川知县，直隶保定府知府。

丁棠发　字燕公，号卓峰、一餐居士。浙江嘉善人。新安县知县，山东道御史。

谢乃果　山东福山人。河南知县，吏部主事。

陈　元　字浒山。浙江余姚人。刑部主事，刑部郎中。

沈　佳　字昭嗣，号复斋。浙江仁和人。湖北知县，湖南安化县知县。

石为崧　字五中，号樊山。江苏如皋人。灵邱县知县，户部员外郎。

陆　毅　字匪莪。江苏太仓人。江西知县，陕西道御史。

刘以贵　字沧岚。山东潍县人。广西知县，广西武缘县知县。

唐孙华　陕西知县，吏部主事。

蔡秉公　河南知县，浙江台州府知府。

李斯义　字质君，号静庵。山东长山人。庶吉士，河南道御史，福建巡抚。

王　俊　山东齐河人。礼部主事，四川提学道。

颜光敦　检讨。

王　炜　广西苍梧道。

施何牧　江苏崇明人，吏部主事，吏部员外郎。

邹士璁　字石瞻。湖北麻城人。检讨，内阁学士。

林文英　字碧山。福建侯官人。庶吉士，口部主事，广东琼
　　　　州府知府。

王式毂　字诲存。河南太康人。江西提学道。

卢　炳　字子阳。云南石屏人。吏部主事，吏科给事中。

郑　梁　字半人，号禹楣、禹梅、寒村。浙江慈溪人。庶吉
　　　　士，户部主事，广东高州府知府。

潘宗洛　检讨，湖南巡抚。

宋朝楠　字于蕃，号敬斋。陕西陇西人。检讨，左金都御史。

赵　俞　山东定陶县知县。

谢乃实　字华函，号岙岭山人。　山东福山人。湖南兴宁县知
　　　　县。

白　畿　贵州新贵县知县。

董思凝　字养帆，号石帆。山东平原人。口部主事，直隶口
　　　　北道。

徐日暄　（一作徐日晅），字敬斋，号润友。江西高安人。检
　　　　讨，祭酒。

范光宗　字谈一。陕西邰阳人。检讨，左赞善。

田从典　广东知县，户部尚书，兵部尚书，大学士。

卢锡晋　字子弓，号韵斋。山东单县人。礼部主事，直隶正
　　　　定府知府。

郭徽祚　字彦卿。直隶武强人。湖北知县，大理寺少卿。

　　武进士：

王应统　状元。都司金书。

费　俊　浙江归安人。福建建宁镇总兵。

● 著述：

孙　鋐　字思九。江苏华亭人。编《皇清诗选盛集初编》三
　　　　十卷成，见六月陆庆臻序。

王士禛　编《唐贤三昧集》三卷成，见七月自序。

钱良择　字木庵，号玉友。江苏常熟人。撰《出塞纪略》一
　　　　卷成，见八月自序。

张鹏翮　撰《使俄罗斯行程录》一卷成，（按所录至八月止故
　　　　系于九月之前）。

林云铭　撰《庄子因》六卷成，见九月自序。

黄宗羲　自编《南雷文定前集》十一卷成，见十一月靳治荆
　　　　序（按：书成后又有后集四卷附记于此）。

王士禛　撰《北征日记》成。

王建常　字仲复。陕西朝邑人。撰《律吕图说》九卷成，见
　　　　自序。

孔尚任　字季重，号东塘、云亭山人。山东曲阜人。撰《人
　　　　瑞录》一卷成。

潘鼎珪　撰《安南纪游》一卷成，见自序。

王　庭　撰《漫余草》一卷成，见自序。

● 卒岁：

宏世禄　满洲镶红旗，瓜尔佳氏。原任镶红旗满洲副都统，
　　　　三等轻车都尉。正月卒。

南怀仁　工部侍郎衔钦天监监正。二月卒。谥勤敏。

孙必振　原任掌陕西道监察御史。二月二十四日卒年七十。

胡　权　河南祥符县知县。三月初一日卒年六十二。

徐元琪　丁忧都察院左副都御史。三月卒年六十。

姚缔虞　四川巡抚。四月卒。

汪懋麟　前刑部江西司主事。四月十八日卒年四十九。入国
　　　　史文苑传。

赛喀纳　满洲镶白旗，布赛氏。镶白旗满洲副都统，云骑尉。
　　　　五月卒。

赵启睿　原任顺天府通判。五月卒年六十六。

谢　聘　江西瑞金县举人。五月十四日卒年五十一。

柯永昇　汉军镶红旗。湖广巡抚，五月二十二日以裁兵作罪
　　　　受伤自尽。

刘士壮　候选训导，江苏宝应县岁贡生。五月二十三日卒年
　　　　六十一。

叶映榴　署湖广布政使，湖北粮道。五月二十六日殉难，年
　　　　五十一。赠工部右侍郎，追谥忠节（追谥在口十八年
　　　　二月）。

宣德仁　直隶人。署游击事湖广掌印都司。五月二十六日殉
　　　　难。赠副将。

翁与之　前广东澄海县知县。七月十二日卒年五十四。

王遵训　前户部右侍郎。八月初九日卒年六十。

韩　泳　明万历三十六年生，字文潜，号恕斋。山东安邱人。
　　　　安邱县故诸生。八月十九日卒年八十一。

察　尼　太祖皇孙。奉天将军，前封多罗贝勒，授安远靖寇
　　　　大将军。九月卒年四十八。谥恪僖。

赵国祚　汉军镶黄旗。原任江西提督，前山西总督，二等轻
　　　　车都尉。九月卒年八十。谥敏壮。

许孙荃　原任陕西提学道。九月二十日卒年四十九。

毛　骙　（原名毛先舒）。浙江仁和县诸生。十月初五日卒年
　　　　六十九，入国史文苑传。

王　祯　原任太常寺少卿。十月二十九日卒年八十。

王先吉　原任内阁中书。十一月十二日卒年七十二。

侯袭爵　贵州提督。十二月卒年六十二。

刘翼明　字子羽。山东诸城人。原任山东利津县训导。十二
　　　　月卒年八十二。

绰里幔　参领。卒年六十六。

郜献珂　故吏部主事。卒年八十口。

郎廷相　字钧衡。汉军镶黄旗。管理奉天船厂事务，前任福
　　　　建总督。卒。

刘崇文　湖北兴国县知县。卒年七十五。
王含真　归班候选知县，山西猗氏县进士。卒。
石调声　汉军镶黄旗。前浙江提督云骑尉。卒。
刘首昂　江西安福县岁贡生。卒年六十七。
朱　舜　浙江海盐县诸生。卒年四十五。

康熙二十八年己巳（公元一六八九年）

● 生辰：

陈悳荣　正月十六日生，字廷彦，号密山。直隶安州人。享年五十九。

沈廷棪　闰三月初九日生，字位三，号孟公、宝田。浙江仁和人。

邓　牧　闰三月二十四日生，字乃梦。江西南丰人。

邓士锦　四月二十三日生，字太初。江西南城人。

赵　昱　五月初三日生，（初名赵殿昂），字功千，号谷林。浙江仁和人。享年五十九。

邵之旭　九月初九日生，字菊人，号秋圃。顺天大兴人。享年八十一。

蒋　蔚　十二月十三日生，（原名蒋万襈），字永年。河南睢州人。享年六十六。

裕　绶　生，镶蓝旗宗室。享年五十二。

杨廷璋　生，字奉莪，号玉亭。汉军镶黄旗。享年八十三。

张泰开　生，字履安，号有堂、药泉。江苏金匮人。享年八十六。

许王猷　生，字宾穆，号竹君。浙江嘉善人。享年八十。

李锺侨　生，字世邠，号抑亭。福建安溪人。享年四十四。

谢济世　生，字石霖，号梅庄。广西全州人。享年六十八。

叶士宽　生，字映庭。江苏长洲人。享年六十七。

顾　涛　生，字学山，号宝田。江苏昆山人。享年七十八。

陈洪範　生，字禹书。顺天通州人。享年七十五。

姜　震　生，字念劬，号野鹤。山东莱阳人。享年八十二。

胡　浚　生，字希张，号竹岩。浙江会稽人。享年七十。

秦　倬　生，字天采。江苏宝山人。享年七十六。

滕　纲　生，字建三。山东昌乐人。享年七十。

● 恩遇：

高士奇　原任詹事府少詹事。以随驾至杭州上幸其西溪山庄，赐御书"竹窗"额。

佟国维　都统。以孝懿仁皇后父封一等公（雍正八年号曰承恩）。

● 著述：

车万育　撰《集杜诗》八卷成，见三月自序。

张　贞　自编《渠亭山人半部稿》成，见四月自序。

李因笃　撰《古今韵考》四卷成，见八月自序。

吴　非　字山宾。安徽贵池人。撰《楚汉帝月表》一卷成，见冬月赵衍序。

钱澄之　撰《田间诗学》十二卷成，见自序。

李嶟瑞　字苍存，号后圃。安徽盱眙人。自编《焚余稿》六卷成，见自序。

● 卒岁：

0344

彭　珑　前广东长宁县知县。正月十一日卒年七十七。入国史儒林传。

伊　三　满洲正蓝旗。三等男。卒。

岳　乐　太祖皇孙，和硕安亲王，前任宣威大将军，定远平寇大将军。二月卒年六十五。谥曰和，追降多罗郡王并夺谥（追降夺谥在三十九年十二月）。

陆嘉淑　浙江海宁县诸生。二月卒年七十。

麻勒吉　步军统领，降调两江总督。三月卒追夺原官（追夺在三十七年）。

杜允中　致仕山东海丰县知县。三月二十二日卒年七十八。

曹鑑平　内阁中书。三月二十二日卒年五十六。

彭行先　字务敏，号贻令、竺里。江苏长洲人。长洲县故诸生。闰三月十七日卒年九十二。

黄晋良　字朗伯，号处安。福建人。故工部营缮司主事。四月卒年七十五。

佟嘉年　西安副都统。四月卒。

杨佐国　原任太仆寺少卿。四月二十六日以病回籍卒于途中，年五十二。

夸　代　满洲觉罗氏。口口旗护军统领。五月卒。

金世鑑　奉天府府尹，前工部右侍部。五月二十六日卒年四十三。

黄玉铉　字振公，号汉崖。陕西洋县人。前湖北广济县知县。六月初五日卒年六十三。

张　鹏　原任吏部左侍郎。六月初六卒年六十三。

韩庭芭　原任直隶天津海防道。七月二十一日卒年七十一。

佟国瑶　汉军正蓝旗，佟佳氏。太子少保，福建将军，袭三等伯。八月卒。谥忠愨。

孙在丰　内阁学士，降调工部左侍郎。八月卒年四十六。

丁国宝　江苏通州廪生。八月十四日卒年七十。

蓝　斌　福建漳浦县诸生。八月十八日卒年三十二。

陈天清　降调光碌寺署正，前任工部都水司主事。卒年七十五。

玛哈达　满洲正白旗，佟佳氏。前正白旗满洲都统，三等轻车都尉。九月卒。

杨素蕴　前湖北巡抚。十月卒年六十。

邱象升　原任大理寺左寺副，前任翰林院侍讲。十一月初三日卒年六十一。入国史文苑传。

赵廷标　原任陕西粮道。十一月初七日卒年七十七。入国史循史传。

卜陈彝　吏部验封司员外郎。十一月十八日卒年六十二。

余　缙　原任河南道监察御史。十一月二十六日卒年七十三。

陈世凯　字赞伯。湖北恩施人。左都督衔浙江提督，骑都尉。十二月以入觐卒于京师。赠太子少保，谥襄壮。

洪尼喀　仓场侍郎。十二月卒。

萧徽声　明万历四十三年生，字美士，号媿三。福建人。原任福建侯官县教谕。十二月十一日卒年七十五。

黄大来 左都督衔浙江定海镇总兵。十二月卒。赠太子少保，谥壮勇。

王　埙 原任内阁中书。卒年六十七。

徐可先 前山东提学道。卒年七十五。

陈　毅 直隶静海县知县。卒年七十二。

噶尔汉 满洲正红旗，纳喇氏。前荆州将军，调补正红旗蒙古都统，袭一等轻车都尉世职。卒。

何汝霖 浙江海盐县诸生。卒年七十二。入国史儒林传。

顾有孝 江苏吴江县诸生。卒年七十一。入国史文苑传。

康熙二十九年庚午（公元一六九０年）

王　师　正月二十日生，字贞圃，号莪园。山西临汾人。年
　　　　六十二。

袁　灏　正月二十二日生。

刘世澍　正月二十五日生，字应时，号麓伧、霁亭。湖北善
　　　　化人。

蔡正笏　二月二十日生，江西南昌人。

卢存心　四月二十二日生，（原名卢琨），字玉岩，号敬甫。
　　　　浙江钱塘人。享年六十九。

张　叙　六月二十九日生，字冰璜，号凤冈。江苏镇洋人。

胡鸣玉　九月十九日生，字廷佩，号吟鸥。江苏青浦人。享
　　　　年八十二。

沈宗湘　九月二十七日生，字六如，号莼村。江苏吴江人。
　　　　享年八十二。

潘安礼　十月初一日生，字立夫，号东山。江西南城人。

李清植　十月二十日生，字立侯，号穆亭。福建安溪人。享
　　　　年五十五。

蒋恭棐　十月二十三日生，字维御，号迪甫、西原。江苏长
　　　　洲人。享年六十五。

尤秉元　十二月十三日生，字昭嗣，号贻孙、梅坡。江苏长
　　　　洲人。享年六十。

刘吴龙　十二月十四日生，字绍闻，号平田。江西南昌人。
　　　　享年五十三。

衍　潢　生，宗室。享年八十二。

邵　泰　生，字峙东，号北崖。顺天大兴人。享年六十九。

卢见曾　生，字抱孙，号澹园、雅雨。山东德州人。享年七
　　　　十九。

庄　柱　生，字书石。江苏武进人。享年七十。

陈士璠　生，字鲁璋，号鲁斋、泉亭。浙江钱塘人。享年六
十七。

翁是揆　生，字叙百，号雨麓。江苏常熟人。享年六十。

翁运标　生，享年六十，字晋公、隽上，号蓼墅。浙江余姚
人。

朱谟烈　生，字丕尖，号洒亭、翰沙。浙江海盐人。享年三
十四。

顾我錡　生，字湘南，号帆川。江苏吴江人。享年四十六。

赛　玙　生，字笔山，云南石屏人。享年一百口岁。

鲍　鉁　生，字冠亭，号西冈、辛浦。汉军正红旗。享年五
十九。

● 科第：

中式举人：

王　铨　字东发，号耳溪。江苏长洲人。内阁中书，礼科给
事中。

沈名荪　字涧芳，号碉房。浙江钱塘人。湖南攸县知县。

李　墭　通州学正。

刘辉祖　字北固，号藕浦。江苏江宁人。

姜兆锡　湖北蒲圻县知县。

蒋家驹　字千里。江苏丹阳人。怀集县知县。

汤　伟　字鹏乎。安徽宣城人。江宁县教谕，国子监典籍。

储　欣　江苏宜兴人。

阮蔡文　江西人。云南知州，福建城守协副将。

郑善述　字孚世，号蕉溪。福建建安人，顺天固安知县。

廖冀亨　字瀛海。福建永定人。江苏吴县知县。

刘宗泗　河南人。候选内阁中书。

周　俋　四川涪州人。

陈遇夫　字廷际。广东新宁人。

尹　秦　字西民。云南蒙自人。山东知县，太仆寺少卿。

贺有章　贵州黔西人。户部主事，山东粮道。

　　中式副榜贡生：

陆祖禹　字淳未，号损庵。江苏太仓人。

● **恩遇：**

徐乾学　原任刑部尚书。二月以陛辞回籍，赐御书"光焰万
　　　　丈"额。

● **著述：**

韩　菼　奉敕撰《孝经衍义》一百卷成，见四月御序。

高士奇　撰《左传纪事本末》五十三卷成，见五月韩菼序。

吴孟坚　字子班，号小山。安徽贵池人。撰《一草亭读史漫
　　　　笔》二卷成，见五月序。

田　雯　撰《黔书》四卷成，见九月徐家菼序。

赵灿英　字殿飏，江苏武进人。撰《诗经集成》三十卷成。

李澄中　撰《滇行日记》二卷成。

黄宗羲　撰《南雷诗厤》四卷成（按：自序无年月，以所录
　　　　诗至庚午止，故系于此年）。

高士奇　撰《北墅抱瓮录》一卷成，见自序。

俞　森　字汇嘉，号存斋。浙江仁和人。辑《荒政丛书》十
　　　　卷成。

曹贞吉　撰《黄山纪游诗》一卷成，见汪士鋐序。

李嶟瑞　自编《北游稿》二卷成，见姜宸英序。

熊赐覆　撰《经义斋集》十八卷成，见四库别集存目。

● **卒岁：**

彰　泰　袭固山贝子，前任宗人府左宗正，定远平寇大将军，
　　　　宗室。正月卒年五十五。

穆成额　正蓝旗满洲副都统。正月卒。

顾元朗　候选知县。二月卒年六十七。

李仙根　降调光禄寺少卿，前户部右侍郎。三月初二日卒年
　　　　七十。

韩　竹　在籍翰林院编修。三月初二日卒年四十二。

黄芳泰　袭一等海澄公。三月卒年四十四。追赠太子少保（追
　　　　赠在四十九年十二月），加赠太子太保，谥襄愍（赠
　　　　谥在乾隆三年五月）。

巴　汉　满洲正红旗，佟佳氏。护军参领，一等男。三月卒。

于沛霖　工部屯田司员外郎。三月二十二日卒年六十一。

吴什巴　盛京刑部侍郎。四月卒。

高层云　太常寺少卿。　四月二十日卒年五十七。入国史文苑
　　　　传。

彭大寿　字松友，号鲁冈。湖北孝感人。孝感县故诸生。四
　　　　月二十日卒年七十九。入国史儒林传。

徐咸清　字仲山。浙江上虞人。上虞县征士。七月初七日卒。
　　　　入国史文苑传。

武默纳　满洲正黄旗，觉罗氏。内大臣，三等轻车都尉。七
　　　　月卒。

乌　丹　满洲正黄旗，那拉氏。三等侍卫，前建威将军，正
　　　　黄旗护军统领。七月于乌兰布通途中遇贼被害。予云
　　　　骑尉世职，追赠内大臣，（追赠在三十一年）。

佟国纲　由汉军正蓝旗改入满洲镶黄旗，佟佳氏。内大臣，
　　　　镶黄旗汉军都统，袭一等公。八月初一日于乌兰布通
　　　　阵亡。谥忠勇，予骑都尉兼一云骑尉世职，追赠太傅
　　　　（追赠在雍正元年二月）。

迈　图　满洲正白旗，佟佳氏。正白旗蒙古副都统云骑尉。
　　　　八月于乌兰布通阵亡。谥忠毅，追晋三等轻车都尉世
　　　　职·（追晋在三十年）。

格斯泰　满洲镶白旗，瓜尔佳氏。前锋参领。八月于乌兰布
　　　　通阵亡。予骑都尉世职。

唐赓尧　原任山东提学道。九月初八日卒年六十八。

叶布舒　太宗皇四子，辅国公。九月卒。

杨　捷　少保，左都督衔昭武将军，江南提督，三等轻车都
　　　　尉。十月二十七日卒年七十四。赠少傅，谥敏壮。

巴　泰　汉军镶蓝旗，金氏。太子太傅，内大臣衔致仕中和殿大学士，一等子。十月卒。谥文恪。

凌克閭　浙江钱塘县布衣。十一月卒年六十四。

赛弼翰　满洲镶蓝旗，那拉氏。镶蓝旗满洲副都统，骑都尉。十一月卒。

汪　琬　在籍翰林院编修。十二月初十日卒年六十七。入国史文苑传。

冯宗仪　浙江慈溪县诸生。十二月卒年五十九。

魏　菁　故中书舍人。卒年七十四。

金光祖　汉军正白旗。前两广总督。卒。

博尔和岱　察哈尔总管，一等轻车都尉。于噶尔丹阵亡。谥襄愍。

吴　翶　前湖北汉川县知县。卒。

黄虞稷　江苏上元县征士。卒年六十三。入国史文苑传。

刘　榛　河南商邱县诸生。卒年五十六。入国史文苑传。

恽寿平　（原名恽　格以字行）江苏武进县布衣。名画师，与王　翚、王　鉴、王时敏、王原祁、吴　历等齐名，被誉为清初六大画家。卒年五十八。

康熙三十年辛未（公元一六九一年）

● 生辰：

程廷祚 三月初二日生，（原名程默），字启生，号绵庄、青溪居士。江苏上元人（原籍安徽歙县）。享年七十七。

尹会一 三月初五日生，字元孚，号健馀。直隶博野人。享年五十八。

张　照 三月二十日生，字得天，号泾南、天瓶居士。江苏娄县人。享年五十五。

纪蔼宜 闰七月初一日生，字幼槃，号硕亭。顺天永安人。享年七十四。

吴士端 闰七月二十八日生，字季方，号槼亭。江苏长洲人。享年八十三。

迮云龙 十一月二十一日生，字赓若，号耕石。江苏吴江人。享年七十。

黄廷桂 生，字丹崖。汉军镶红旗。享年六十九。

归宣光 生，字念祖，号岊怀。江苏常熟人。享年七十二。

李学裕 生，字馀三，号周南。河南洛阳人。享年五十五。

钱　界 生，字主恒，号晓村。浙江嘉兴人（原籍海盐）。享年六十七。

李遐龄 生，字尧眉，河南密县人。享年六十七。

乔　汲 生，（一作乔伋），江苏人。享年八十六。

郑宗尧 生，福建连江人。享年四十六。

陈　鋐 生，字宏猷。江苏嘉定人。享年七十三。

吴　麐 生，字栗原，号尧圃。安徽歙县人。享年八十二。

● 科第：

一甲进士：

戴有祺 字丙章，号珑岩。江苏金山人。状元。修撰，降知县。

清代人物大事纪年

吴　昺　字永年，号颛山。安徽全椒人。榜眼。编修，侍读。

黄叔琳　探花。编修，浙江巡抚，重宴恩荣。

二甲进士：

杨中讷　编修，右中允。

姚弘绪　字起陶，号听岩。江苏娄县人。编修。

陈汝咸　庶吉士，福建知县，大理寺少卿。

张　瑗　字蘧若，号静斋、松岩。安徽祁门人。会元，编修，
　　　　　江南道御史。

惠周惕（原名惠恕），字元龙，号砚溪。江苏吴县人。戊午
　　　　　荐应鸿博，庶吉士，直隶密云县知县。

王奕清　编修，詹事。

狄　亿　字立人，号向涛。江苏溧阳人。庶吉士，归班知县。

潘从律　字云岫。江苏溧阳人。编修，侍读。

陈鹏年　浙江知县，河道总督。

任奕璽　字蘅皋。安徽怀宁人。口部主事，大理寺少卿。

高孝本　安徽知县，安徽绩溪县知县。

钱肇修　奉天铁岭人。河南知县，陕西道御史。

董之燧　字正谊。安徽天长人。工部主事，福建兴泉道。

胡　润　字河九，号京蒙。湖北通山人。编修，庶子。

戴　绂　字道园。浙江乌程人。编修，侍讲。

俞化鹏　字扶九，号青岳。安徽寿州人。陕西知县，顺天府
　　　　　府尹。

叶弘绶　字茧园，号惠叔。江苏昆山人。口部主事，四川叙
　　　　　州府知府。

邹汝鲁　山东历城人。吏部主事，太常寺卿。

江　球　字宜笏。江西金溪人。庶吉士，山西道御史，左副
　　　　　都御史。

三甲进士：

徐树庸　字去矜。江苏昆山人。河南知县，河南道御史。

杨名时　检讨，礼部尚书。

王　传　字绍薪，号约斋。江西鄱阳人。检讨，祭酒。

冉觐祖　检讨。

卫　璠　直隶沧州人。陕西神木道。

璩廷祐　河南济源人。安徽知县，鸿胪寺卿。

冷宗昱　字理亭。湖北黄陂人。口部主事，鸿胪寺卿。

阎锡爵　字荆州。河南固始人。检讨，庶子。

林洪烈　字念亭，福建晋江人。太常寺少卿。

邵　观　江苏长洲人。山东知县，奉天府府尹。

景日昣　字东阳，号嵩厂。河南登封人。广东知县，礼部右
　　　　侍部。

阿　金　字云举。满洲镶白旗，郭络罗氏。检讨。

蒋兆龙　字御六。浙江鄞县人。云南知县，甘肃平凉府知府。

张曾庆　字昆诏，号崖湖。陕西华州人。检讨。

毛　鹏　字紫庵。河南孟县人。庶吉士，江南靖江县知县。

张联元　字捷之，号觉庵。湖北钟祥人。浙江台州府知府。

宋徵烈　奉天辽阳人。广东韶州府知府。

蒋　敩　直隶蠡县人。浙江宁波府知府。

胡麟徵　庶吉士，口口知县，口口知府。

张为经　字涵六。山东济宁人。口部主事，福建提学道。

张翔凤　字召山，号南野。四川富顺人。庶吉士，口部主事，
　　　　福建建宁府知府。

朱文卿　陕西知县，礼部郎中。

李其昌　字澹庵。山东长山人。礼部主事，云南提学道。

石曰琮　河南知县，福建福州府知府。

文志鲸　字元澜，号石涛。湖南桃源人。检讨，奉天府府尹。

刘　琰　字介庵。山东阳谷人。检讨，江西提学道。

高　玢　字芸斋。河南柘城人。知县，广东道御史。

樊绍祚　字茂先。顺天文安人。山东知县，太常寺少卿。

张步瀛　字翰仙。河南新安人。归班知县。

何龙文　字信周，号凤庵。福建晋江人。庶吉士，知县。

武进士：

张文焕　甘肃宁夏人。状元。头等侍卫。

韩良辅　四川重庆人（原籍陕西甘州）。探花。二等侍卫，广
　　　　西提督。

马见伯　字衡闻。甘肃宁夏人。直隶守备，固原提督。

● 著述：

王士祯　撰《池北偶谈》二十六卷成，见秋日自序。

姜宸英　撰《湛园札记》四卷成，见八月自序。

毛奇龄　撰《韵学要指》十一卷成，见九月李天馥序。

张泰来　江西人。撰《江西诗社宗派图录》一卷成，见九月
　　　　宋荦序。

梅　清　编《梅氏诗略前集》十二卷成，见长至堂跋。

钱肃润　撰《道南正学编》三卷成，见自序。

王士祯　撰《蜀道驿程记》二卷成。

仲弘道　字开一。浙江桐乡人。撰《增定史韵》四卷附《读
　　　　史小论》一卷成，见自序。

王毓贤　字星聚。汉军镶江旗。撰《绘事备考》八卷成，见
　　　　自序。

汪　森　编《词综补遗》二卷成，见自序。

梅文鼎　撰《历学答问》一卷成（按：此书无自序，惟书中
　　　　言闰七月云云，当是成于此年）。

● 卒岁：

许三礼　原任兵部督捕右侍郎。正月初九日卒年六十七。

刘为先　江西安远县教谕。正月十七日卒年六十七。

李孔嘉　原任礼部郎中。正月卒年六十四。

胡昇猷　都察院左副都御史，降调刑部尚书。正月卒。

康喀喇　满洲镶红旗，完颜氏。镶红旗满洲副都统，二等轻
　　　　车都尉。二月卒。

周象明　江苏太仓县举人。二月二十三日卒年五十八。入国
　　　　史儒林传。

于觉世 候选布政司参议，前任广东提学道。二月二十九日卒年七十三。

鲍燮生 字子韶，号鐏斋，咄斋。江西赣县人。赣县布衣。三月卒年五十二。

万正色 字惟高，号中庵。福建晋江人。骑都尉，前太子少保，左都督衔云南提督。四月卒。

田六善 致仕户部左侍郎。四月卒年七十一。

林　澜 浙江钱塘县诸生。四月二十三日卒年六十五。

沃　申 满洲正红旗，钮祜禄氏。前杭州副都统，骑都尉兼一云骑尉。五月卒。

成克巩 少傅，原任内秘书院大学士。五月卒年八十四。

杜立德 太子太师，原任保和殿大学士。六月初八日卒年八十一，谥文端。

王　洁 顺天大兴县诸生。六月十九日卒年五十五。

党古礼 西安副都统。六月卒。

沃　赫 （一作倭黑）。镶黄旗蒙古都统，袭三等公，前加太子太保。六月卒年五十二。

阴长庚 字列白，号梦庵。福建宁化人。原任福建长泰县训导。七月初十日卒。

阿尔多 （一作鄂尔多）。满洲正白旗，栋鄂氏。吏部尚书。七月卒，谥敏恪。

赛弼汉 户部左侍郎。七月卒。

邵延龄 原任江西提学道。闰七月十九日卒年五十七。

吴正治 太子太傅，原任武英殿大学士。闰七月二十五日卒年七十四。谥文僖。

徐元文 致仕文华殿大学士。闰七月二十七日卒年五十八。

梁清标 保和殿大学士。八月初一日卒年七十二。

徐瑞星 江苏无锡县副贡生。八月初二日卒年六十八。

陆元辅 江苏嘉定县征士。九月十四日卒年七十四。入国史儒林传。

张一恒　江苏沭阳县知县。九月二十一日卒年五十六。

夏　璞　汉军正白旗。二等子。卒。

徐　善　浙江秀水县故诸生。卒年六十一。入国史儒林传。

马锡泰　满洲镶蓝旗，觉尔察氏。致仕镶蓝旗满洲副都统，一等子。卒。

冯　溥　太子太傅，原任文华殿大学士。十二月十一日卒年八十三。谥文毅。

张问政　汉军镶白旗。原任工部右侍郎。卒。

张　怡　（初名张鹿徵），字自怡，号瑶星。江苏上元人。故锦衣卫千户。卒年八十八。入国史儒林传。

王原直　福建福州府知府。卒。

佟世思　广西思恩县知县。卒年四十二。

朱鸣谦　字允闻。浙江海盐人。浙江义乌县训导。卒年五十二。

沃　内　满洲正黄旗，性佳氏。原任盛京将军，一等轻车都尉兼一云骑尉。卒。

王玉璺　原任直隶天津镇总兵。卒年九十。

朱国彦　浙江海盐县诸生。卒年六十七。

沈　进　浙江嘉兴县诸生。卒年六十四。入国史文苑传。

康熙三十一年壬申（公元一六九二年）

● 生辰：

厉　鹗　五月初二日生，字太鸿，号樊榭。浙江钱塘人。享年六十一。

汪　绂　七月初九日生，字灿人、重生，号双池。安徽婺源人。享年六十八。

朱亨衍　八月初七日生，字濬伯，号清江。广西临桂人。享年六十八。

叶荣梓　九月十六日生，字孝常，号木君、容斋。江苏青浦人。

峻　德　十二月二十七日生，字克明，号慎斋。满洲正白旗，纳喇氏。

周玉章　十二月二十九日生，字叔大，号药栏。浙江仁和人。享年七十。

汪由敦　生，字师茗，号谨堂、松泉。浙江钱塘人（原籍安徽休宁）。享年六十七。

周吉士　生，字蔼公，号渔山。江苏娄县人。享年六十。

冯祖悦　生，字锺冀。号敏斋。山西代州人。享年六十四。

徐绳甲　生，字烝哉，号鄮城。浙江乌程人。享年六十四。

方士庶　生，字洵远，循远，号镮山。江苏江都人。享年六十。

汤自铭　生，江苏武进人。享年八十五。

吉曦曜　生，江苏丹阳人。享年六十九。

● 恩遇：

巴　锡　三月晋封一等男。

孙思克　甘肃提督。三月加太子少保。

孙思克　甘肃提督。十一日加授振武将军。

● 著述：

瞿世寿 字修龄，字玉璜。江苏常熟人。撰《春秋管见》十三卷成，见二月自序。

杜登春 撰《社事始末》一卷成，见三月自序。

万斯同 撰《历代史表》五十九卷成，见三月朱彝尊序。

梅文鼎 撰《几何补编》一卷成，见春日自序。

毛奇龄 撰《圣谕乐本解说》二卷、《皇言定声录》八卷、《竟山乐录》四卷成，见五月进书疏。

陆陇其 撰《战国策去毒》二卷成，见九月自记。

陆陇其 撰《三鱼堂日记》若干卷止。（按：此书于卒后传钞其卷数多寡不一，至道光中，经柳树芳搜录定为十卷最为完备，见甲辰冬日识语，今系于十二月之前）。

范承勋 撰《鸡足山志》十卷成，见自序。

王　隼 字蒲衣。广东番禺人。编《岭南三大家诗选》二十四卷成，见王煐序。

梅文鼎 撰《少广拾遗》一卷成，见自序。

● 卒岁：

王夫之 湖南衡阳县故举人。正月初二日卒年七十四。从祀文庙（从祀在光绪三十四年九月），入国史儒林传。

王如辰 原任广西提学道。正月初九日卒年六十七。

苏　赫 吏部尚书。正月卒。

杨长世 原授江西兴安县训导。（选授后以病未任），三月二十一日卒年八十七。

绰世禧 蒙古正白旗。一等男。卒。

郑　端 字司直，号德信。直隶枣强人。江苏巡抚。五月卒年五十四。

汤　溥 河南睢州廪生。六月十二日卒年四十二。

朱　振 安徽舒城县知县。六月卒。入国史循吏传。

赵　赖 汉军正蓝旗。原任正蓝旗汉军都统，一等轻车都尉兼一云骑尉。六月卒。

素　严 辅国公，宗室。七月卒。

刘　丁　江西南昌县诸生。七月十一日卒年七十二。

陈昌期　山西泽州人。泽州廪生。七月二十五日卒年八十五。

徐诰武　户部右侍郎。八月卒。

范必英　在籍翰林院检讨。八月十三日卒年六十二。

党　成　字宪公，号冰壑。山西绛州人。绛州布衣。八月十九日卒年七十八。入国史儒林传。

刘必显　原任户部广西司郎中。八月二十七日卒年九十三。

玛　拉　西安将军，前工部尚书，袭三等轻车都尉世职。九月卒年六十一。谥敏恪。

任辰旦　前大理寺寺丞，前任兵科掌印给事中。十月初一日卒年七十。入国史文苑传及循吏传。

葛思泰　川陕总督。十月卒。

王飏昌　原任礼部左侍郎。十月卒。

富鸿基　原任礼部右侍郎。十一月卒年七十二。

冯　甦　原任刑部左侍郎。十一月卒年六十五。

靳　辅　字紫垣。汉军镶黄旗（原籍山东历城）。河道总督。十一月十九日卒年六十。谥文襄，追赠太子太保，予骑都尉世职（追赠在四十六年五月），加赠工部尚书（加赠在雍正五年），入祀贤良祠（入祀在雍正八年七月）。

多尔吉　蒙古镶红旗。三等男。卒。

赵进美　原任福建按察使。十二月初五卒年七十三。

陆陇其　原任四川道监察御史。十二月二十七日卒年六十三，从祀文庙（从祀在雍正二年），追谥清献，追赠内阁学士兼礼部侍郎（谥赠在乾隆元年六月）。

纪　愈　工科掌印给事中。卒。

梁　熙　原任云南道监察御史。卒年七十一。

笪重光　前湖广道监察御史。卒年七十。

王　澧　原任刑部云南司郎中。卒年七十七。

吴一蜚　行人司行人，前翰林院编修。卒年五十一。

瓦　岱　满洲镶黄旗，钮祜禄氏。降调镶黄旗满洲都统，前
　　　　任振武将军，定北将军，前云骑尉。卒。

姚文燮　原任云南开化府同知。卒年六十六。入国史循吏传。

张锡峤　（一作张锡怿）。前山东泰安州知州。卒年七十一。

魏一鳌　原任山西忻州知州。卒。入国史儒林传。

吴　辙　河南通许县知县。卒年五十一。

章世德　福建南平县知县。卒年五十二。

素　严　辅国公，宗室，七月卒。

康熙三十二年癸酉（公元一六九三年）

● 生辰：

任　瑗　二月二十日生，字恕庵，号东涧。江苏山阳人。享
　　　　年八十二。

韩　曾　三月十九日生，字续古。江苏长洲人。

高　斌　五月初四日生，字右文，号东轩。满洲镶黄旗，高
　　　　佳氏。享年六十三。

邵　岷　六月十一日生，字百峰，号毅斋。江苏元和人（原
　　　　籍浙江龙游）。

郭大址　六月十三日生，字肯构。山西平遥人。享年七十二。

是　镜　六月二十三日生，字仲明。江苏江阴人。享年七十
　　　　七。

王裕疆　九月十四日生，字胥来，号玉亭。浙江余姚人。享
　　　　年七十。

任应烈　九月二十二日生，字武承，号夏泉。浙江钱塘人。
　　　　享年七十六。

崔　纪　十月初二日生，（原名崔珺），字君玉，号南有、虞
　　　　村。山西永济人。享年五十八。

卢　焯　十月十三日生，字光植，号汉亭。汉军镶黄旗。享
　　　　年七十五。

王　藻　十月二十一日生，字载扬，号梅沜。江苏吴江人。

允　禑　十一月生，圣祖皇十五子，享年三十九。

迮云龙　十一月二十二日生。

王起鹏　十二月初一日生，字翾如，号溪堂。浙江归安人。

周　琰　十二月初九日生，浙江仁和人。

张振义　十二月二十五日生，字麟趾，号省堂。山西龙泉人。

张允随　生，字觐臣，号时斋。汉军镶黄旗。享年五十九。

讬　庸　生，字师健，号瞻园。满洲镶黄旗，富察氏。享年

八十一。

杨超曾 生，字骏骧，号孟班。湖南武陵人。享年五十。

徐　铎 生，字令民，号枫亭。江苏盐城人。享年六十六。

陈履中 生，字执夫，号雁桥。河南商邱人（原籍江苏宜兴人）。享年六十八。

马维翰 生，字默临、墨麟，号侣僊。浙江海盐人。享年四十八。

张广居 生，字万涵，号黄麓山樵。江苏铜山人。享年六十三。

郑　燮 生，字克柔，号板桥。江苏兴化人。享年七十三。

吴　开 生，字来儒。安徽蠡县人。享年五十四。

刘大宾 生，字奉之，号螺峰。安徽桐城人。享年六十六。

王大昌 生，字谐六。湖南澧州人。享年七十八。

查为仁 生，字心穀，号莲坡。顺天宛平人。享年五十七。

王尔达 生，字通侯，号虚亭。江苏嘉定人。享年七十六。

董大鲲 生，字北溟。安徽婺源人。享年七十八。

刘　琪 生，贵州人。享年八十二。

徐大椿 生，字灵胎，号洄溪。江苏吴江人。享年七十九。

● 科第：

中式举人：

常　安 字履坦。满洲镶红旗，叶赫纳兰氏。刑部笔帖式，浙江巡抚。

连肖先 字武似。汉军正黄旗。布政使。

王　源 顺天大兴人。

梅以燕 字正谋。安徽宣城人。

冯景夏 浙江人。陕西知县，刑部左侍郎。

费金吾 字晓亭。浙江归安人（一作浙江乌程）。广西同知，湖北巡抚。

蔡仕舢 字诒霞，号苹仙。福建晋江人。山东知县，浙江布政使。

李锺伦　福建安溪人。

吴文炜　字山带。广东南海人。

张永铨　字宾门。江苏华亭人。

姚士陛　字别峰。安徽桐城人。

中式副榜贡生：

查　旭　字咸斋。浙江海宁人。

曹源郁　庆元县教谕。

中式武举：

陈　经　福建侯官人。广东潮州镇总兵。

● 恩遇：

科尔坤　前吏部尚书。十月复尚书原衔。

塞克森　满洲觉罗氏。十一月晋封二等男。

范承勋　云贵总督。十一月赐御书"世济其美"额。

李天馥　大学士。其母瞿氏，赐御书"贞松"堂额。

● 著述：

梅文鼎　撰《笔算》五卷成，见二月自序。

陈　訏　编《宋十五家诗选》十六卷成，见三月自序。

梅文鼎　撰《历学疑问》三卷成，见四月李光地序，（按：书
　　　　成后又有疑问补二卷成）。

高士奇　撰《江村销夏录》三卷成，见六月自序。

邵远平　撰《元史类编》四十二卷成，见秋日自撰凡例。

黄　晟　重刻《太平广记》五百卷成，见八月自序。

仇兆鳌　撰《杜诗详注》二十三卷、《杜赋详注》一卷、《杜
　　　　文集注》一卷首一卷成，见十一月进书表（按：书成
　　　　后又另附二卷系壬午至癸巳间所编，在今汇刻此书之
　　　　后附纪于此）。

程师恭　撰《陈检讨四六注》二十卷成，见十二月张英序。

顾嗣立　编《元诗选初集》成，见十二月宋荦序。

毛奇龄　撰《庙制折衷》二卷成，见自序。

张　贞　自编《或语》成，见七夕自序。

许嗣隆 撰《奉使滇南集》成，见四库提要。

怀应聘 字莘皋，号冰斋。浙江秀水人。自编《冰斋文集》
　　　　四卷成，见四库提要。

● 卒岁：

曹鼎望 原任陕西凤翔府知府。正月初三日卒年七十六。

叶穆济 原任山西巡抚。二月卒。

张凤雍 口口县诸生。二月初九日卒年六十八。

耿　介 （原名耿冲壁）以道员致仕，原任詹事府少詹事。二
　　　　月二十六日卒年七十一。入国史儒林传。

诺　敏 正红旗蒙古都统，前任礼部尚书，袭三等公。四月
　　　　初三日卒年四十九。

文　达 理藩院左侍郎。四月卒。

王士鹄 山东新城县诸生。五月初二日卒年七十六。

朱尔迈 浙江海宁县诸生。五月初八日卒年六十二。

朗　图 满洲正蓝旗，觉罗氏。三等男。五月卒。

崔　华 字连生，号西嶽。直隶平山人。调授甘肃凉庄道，
　　　　由两淮盐运使调补。六月十四日卒于扬州运署年六十
　　　　二。入国史循吏传。

赵祥星 汉军正白旗。前兵部尚书衔山东巡抚。六月卒。

杜　岕 湖北黄冈县故诸生。七月十九日卒年七十七。入国
　　　　史文苑传。

葛　震 懋勤殿行走，云南举人。七月二十一日卒年五十七。

伊　图 仓场侍郎。七月卒。

刘　埏 原任安徽青阳县训导。七月卒年七十八。

张顾行 原任江安粮道。八月二十八日卒年六十八。

王庶善 浙江仁和县知县。八月二十八日卒年六十三。

钱澄之 （原名钱秉镫），字幼光、饮光，号西顽。安徽桐城
　　　　人。故翰林院编修（授官后未经任职），桐城县诸生。
　　　　九月初一日卒年八十二。入国史儒林传。

房　嵩 内阁中书，河南副考官。九月以试毕卒于开封行馆。

吕　燝　山东德州岁贡生。九月二十九日卒年七十一。

勒德浑　（一作勒德洪）。满洲镶黄旗，觉罗氏。二等男，武英殿大学士。十月卒。

史　标　浙江余姚县口口。十一月卒年七十八。

达宁阿　镶红旗满洲副都统。十一月卒。

刘国轩　汉军。伯衔直隶天津镇总兵。十一月卒。赠太子少保。

莽　色　原任盛京户部侍郎。十二月卒。

冒　襄　江苏如皋县故副贡生。十二月卒年八十三。入国史文苑传。

张承烈　陕西武功县诸生。十二月卒年六十二。

张士甄　降调吏部尚书。卒年七十。

朱克简　原任云南道监察御史。卒年七十八。入国史循吏传。

苏金铉　原任兵部职方司主事。卒。

屈有信　升授户部主事（升授时有信已卒），原任行人司行人。卒。

根　特　满洲镶蓝旗，瓜尔佳氏。原任镶蓝旗满洲都统，一等男。卒。谥襄壮，入祀贤良祠（入祀在雍正十年十月）。

杨茂勋　汉军镶红旗。原任兵部尚书衔四川总督。卒。

章钦文　前河南巡抚。卒年七十五。

王　庭　字言远，号迈人。浙江嘉善人。原任山西右布政使。卒年八十七。入国史文苑传。

毕忠吉　云南永昌道。卒年五十八。

朱亮采　原任山西岳阳县知县。卒年七十一。

张　瑾　云南昆明县知县。卒。入国史循吏传。

朱　懋　字常伯，号鹿岩。浙江海盐人。海盐县廪生。卒年九十三。

任大任　字钧衡，号坦斋。江苏吴江人。吴江县诸生。卒年八十九。

徐树丕 字武子。号墙东居士。江苏长洲人。长洲县诸生。卒年八十八。

吴永胤 字绳甫，号耐翁。山东海丰人。海丰县诸生。卒年八十六。

万斯年 浙江鄞县故诸生。卒年七十七。

郑　簠 江苏上元县口口，卒年七十二。

杨湛露 字燕侯。江苏宜兴人。宜兴县故诸生。卒年九十。

康熙三十三年甲戌（公元一六九四年）

◉ 生辰：

严有禧　正月二十日生，字原载，号韦川。江苏常熟人。享年七十三。

王安国　闰五月初三日生，字书臣，号春圃、复斋。江苏高邮人。享年六十四。

刘　埥　七月初九日生，字畅亭。河南新郑人。

吴龙见　七月二十四日生，字恂士，号薛帷。江苏武进人。享年八十。

孟周祚　十二月初一日生，字廉夫，号素臣。山西太谷人。享年七十八。

胡宝瑔　十二月初五日生，（初名胡金兰），字泰舒。江苏青浦人（原籍安徽歙县）。享年七十。

阎介年　十二月二十日生，字葆和，号静存。直隶蔚县人。

法尔善　生，宗室。享年四十七。

王　峻　生，字次山，号艮斋。江苏常熟人。享年五十八。

翁是平　生，字寿天，号秋允、寄村。江苏常熟人。享年六十二。

锺　晼　生，字励暇。顺天宛平人。享年七十九。

谢启祚　生，享年一百口岁。

蒋　林　生，字元楚，元素、号介亭。广西全州人。享年五十四。

朱士琪　生，字宝亭，号怗庵。福建建宁人。享年六十九。

赵　莘　生，字东野。山东莱阳人。享年四十三。

李　椅　生，字楚材。山东海阳人。享年四十四。

徐云捷　生，江苏嘉定人。享年六十三。

◉ 科第：

　一甲进士：

胡任舆 字孟行，号芝山。江苏上元人。状元。修撰，侍讲。

顾图河 榜眼。编修。

顾悦履 字丹宸，号秋崖。浙江海宁人。探花。编修，内阁学士。

　　二甲进士：

汪　佽 字安公，号愚谷。江苏长洲人。编修。

汪　灏 字岵怀，号荇洲。湖北江夏人（原籍安徽休宁）。编修，户部右侍郎。

李喧亨 字丽生，号澄园。直隶蔚州人。庶吉士，内阁中书。

裴之先 （一作裴之仙），字又航，号致庵。江苏丹徒人。会元，编修。

龚　铎 字于路。顺天大兴人（原籍江苏江宁）。编修，少詹事。

王　桢 字薇士。江苏华亭人。编修。

熊　苇 字澄山，号敏思。顺天涿州人。编修，侍讲学士。

陈成永 字元期，号仪山。浙江海宁人。庶吉士。

陈　璋 字临湘，号锺庭。江苏长洲人。编修，侍读学士。

张逸少 字天门。江苏丹徒人。庶吉士，山西知县，陕西秦州知州，特授编修，侍读学士。

周道新 字郁叔，号澹庵。顺天大兴人。编修，刑部右侍部。

陈豫朋 字尧恺，号濂村。山东泽州人。庶吉士，知县，福建粮道。

丛　澍 字汝霖。江苏江宁人。编修。

张大有 字书登，号慕莘。陕西郃阳人。编修，礼部尚书。

纪遴宜 字毅亭。号公选。顺天文安人。浙江知县，吏部给事中。

黄龙眉 字公翔，号海门。浙江海盐人。编修，侍读学士。

杨　顒 （一作杨容）。字孚若，号英山。编修，口口道御史。

陈　恂 字相宜，号缄庵。编修，侍讲学士。

张丙厚 山西知县，刑部郎中。

吕履恒 湖南知县，户部右侍郎。

郑　晃 字二瞻。福建浦城人。礼部郎中。

王全臣 河南知县，陕西安西道。

屠　沂 字艾山。湖北孝感人。直隶直县，浙江巡抚。

范长发 字廷舒。浙江秀水人。江西知县，广西道御史。

方　迈 字子向。福建闽县人。浙江知县，浙江兰溪县知县。

　三甲进士：

陈允恭 检讨，左佥都御史。

张德桂 字梅麓。广东从化人。检讨，左佥都御史。

曹彦栻 浙江秀水人。顺天大兴县知县。

廖长龄 字维庚，号西躔。福建将乐人。　内阁中书，广东粮
　　　　道。

拉都立 字倬人，号云庵。满洲镶黄旗。庶吉士，刑部主事，
　　　　侍读学士。

高　怡 字仲友，号鹤洲。浙江武康人。江苏知县，山西道
　　　　御史。

黄中理 字文在，号碧村。河南善化人。庶吉士。

周起渭 检讨，詹事。

陈廷桂 字赍予，号丹亭。江西临川人。河南长宁县知县。

陈　瑸 福建知县，福建巡抚。

吴隆元 字炳仪，号易斋。浙江归安人。庶吉士，直隶知县，
　　　　太常寺少卿。

冀　霖 字雨亭。山东临清人。口部主事，江西提学道。

曹辰容 湖南宁乡县知县。

满　保 检讨，闽浙总督。

徐凤池 字柽冈。浙江秀水人。御史。

苏　琬 直隶交河人。吏部主事，贵州思南府知府。

海　宝 字天植。满洲镶白旗。检讨。

陈守创 庶吉士，直隶知县，仓场侍郎。

管　灏 字若梁。云南新兴人。检讨，吏科给事中。

牟　恒　山东栖霞人。内阁中书，陕西道御史。

吴甫生　字宣臣。湖北兴国人。庶吉士，广东道御史。

谭尚箴　字克飞，号丹麓。　湖南衡山人。直隶知县，吏部郎中。

吴时谦　山西沁州人。

高其倬　检讨，户部尚书。

朱　轼　庶吉士，湖北知县，大学士。

邹世任　字太冲，号宗山。　湖南酃县人。陕西知县，吏部郎中。

法　海　检讨，兵部尚书。

陈　珣　字特庵。贵州施秉人。礼部主事，太常寺少卿。

杨万春　字松年。山东淄川人。口部主事，河南提学道。

殷元福　字梦五，号永城。河南新乡人。庶吉士，广西知县，江苏武进县知县。

金肇桢　浙江嘉兴人。直隶正定府知府。

　　武进士：

曹曰玮　京卫人。状元。

丁　爽　陕西人。榜眼。

石　钧　湖南武陵人。探花。

蔡　廷　口口守备，湖北郧阳协副将。

倪　锦　浙江萧山人。会元。口口守备。

● 恩遇：

桑　格　山东巡抚。正月赐御书"政尚清简"额。

郭世隆　直隶巡抚。正月赐御书"端方"额。

阿喇尼　管佐领事前理藩院尚书。三月以老病辞职，赏复尚书原衔。

伊桑阿　大学士。六月赐御书"光赞"堂额。

阿兰泰　六月赐御书"容德"堂额。

王　熙　六月赐御书"曲江风度"额。

张玉书　六月赐御书"光辅"额。

库勒纳　吏部尚书。六月赐御书"冰鉴"堂额。

马　齐　户部尚书。六月赐御书"九式经邦"额。

索诺和　兵部尚书。六月赐御书"崇志"堂额。

图　纳　刑部尚书。六月赐御书"详慎"额。

萨穆哈　工部尚书。六月赐"存诚"额。

常　书　吏部左侍郎。六月赐御书"掌丝纶"额。

徐治都　湖广提督。六月加授镇平将军。

● 著述：

段仔文、张懋赏　同撰《拟瑟谱》一卷成，见五月邵嗣尧序。

林　侗　撰《唐昭陵石迹考略》五卷成，见八月林佶后序。

汪　昂　字訒庵。安徽怀宁人。撰《医方集解》三卷、《本草
　　　备要》三卷成，见十月自序。

范鄗鼎　撰《理学备考》三十四卷成。

邵嗣尧　撰《周易定本》一卷成，见自序。

陈梦雷　撰《周易浅述》八卷成。

吴之振　自编《黄叶村庄诗集》八卷成，见冬日自识。

车万育　撰《集李诗》八卷成，见四月吴嵩序。

李嶟瑞　自编《归来稿》二卷成，见俞化鹏序。

徐乾学　撰《憺园集》三十八卷成（按：是集刻于丁丑，见
　　　宋荦序今系于七月之前）。

● 卒岁：

诺　迈　镶蓝旗汉军都统。正月卒。赠太子少保，谥襄恪。

范　鄹　江苏镇江府教授。正月十五日卒年四十九。

杨端本　前山东临淄县知县。正月二十三日卒年六十七。

班达尔沙　满洲镶蓝旗。一等子。卒。

伊　巘　原任安徽望江县知县。二月初一日卒年七十一。

塗应泰　前江西按察使，降调广西右布政使。三月初十日卒
　　　年七十二。

来　祜　太祖皇孙。前封辅国公。三月卒。

赫硕塞　镶白旗蒙古都统。三月卒。谥敏恪。

王尹方　原任内阁学士。三月卒。

王朝钦　字纶若。汉军正白旗（原籍陕西凤翔）。左都督衔福建延平协副将，袭骑都尉兼一云骑尉。三月卒。

喇布介　一等男。五月卒。

牛兆捷　广西灌阳县知县。五月卒年五十二。

臧振荣　丁忧江西宁州知州，五月十五日卒，年六十五。

傅拉塔　满洲镶黄旗。伊尔根觉罗氏。两江总督。闰五月卒。赠太子太保，谥清端，予骑都尉世职，入祀贤良祠（入祀在雍正十年十月）。

托　班　（一作佗泮）。蒙古正黄旗，鄂尔果诺特氏。护军参领，一等男。六月卒。

乔崇让　江苏宝应县副贡生。六月二十八日卒年二十九。

佟徽年　广州副都统。七月卒。

张　埙　原任广西南宁府通判。七月十四日以赴部谒选，卒于京师年五十六。入国史循吏传。

徐乾学　前刑部尚书。七月十七日卒年六十四。赏复原衔。

乔　莱　前翰林院侍读。七月二十一日卒年五十三。入国史文苑传。

丁思孔　云贵总督。八月初五日卒年六十一。

索罗西　杭州副都统。八月卒。

札　山　散秩大臣，三等辅国将军，宗室。九月卒。谥敏恪。

李良年　浙江嘉兴县征士。九月十三日卒年六十一。入国史文苑传。

吴祖修　浙江乌程县诸生。九月十五日卒年五十四。

徐　枋　江苏长洲县故举人。九月二十日卒年七十三。

赵苍璧　掌山西道监察御史。十月初九日卒年五十八。

刘超凡　都察院左佥都御史。十月卒。

邵嗣尧　江南道监察御史，江苏学政。十月卒。入国史循吏传。

邵方平　候选知县，官学教习。十月卒年五十五。

张　惚　江苏口口县布衣。卒年七十六。

李之芳　致仕文华殿大学士，云骑尉。十一月初二日卒年七
　　　　十三，谥文襄，入祀贤良祠（入祀在雍正十年十月）。

郑　重　刑部左侍郎。十一月十五日卒年七十。

谢邦骅　江西瑞金县诸生。十一月二十九日卒年五十七。

严　泰　甘肃巡抚。十二月卒。

黄贞麟　前户部山西司主事。十二月初四日卒年六十五。入
　　　　国史循吏传。

金　煜　前山东郯城县知县。十二月二十一日卒，年五十七。

华章志　贵州提学道。卒。

吴　绮　前浙江湖州府知府。卒年七十六。入国史文苑传。

师帝宾　甘肃宁夏人。甘肃凉州镇总兵。卒。追谥恪僖（追
　　　　谥在五十二年四月）。

刘　诏　山西朔州人。广东顺德镇总兵。三等轻车都尉。卒。

李　柏　陕西眉县诸生。卒年七十一。入国史儒林传。

魏　礼　江西宁都县诸生。卒年六十六。入国史文苑传。

黄百药　浙江余姚县监生。卒年六十六。

康熙三十四年乙亥（公元一六九五年）

● **生辰：**

潘思榘　正月十九日生，字絜方，号补堂。江苏阳湖人。享年五十八。

尹继善　四月初八日生，字元长，号望山。满洲镶黄旗，章佳氏。享年七十七。

阮玉堂　六月初五日生，字履廷，号琢庵。江苏仪征人。享年六十五。

瑟尔臣　生，镶红旗宗室。享年五十六。

陈　浩　生，字紫澜，号未斋。顺天昌平人。享年七十八。

陈　俅　生，字定先，号爱川。江苏仪征人。享年四十五。

梁启心　生，（原名梁诗南），字首存，号蔎林。浙江仁和人。享年六十四。

吴震生　生，字长公，号可堂。浙江仁和人。享年七十五。

桑调元　生，字伊佐，号弢甫。浙江钱塘人。享年七十七。

张师载　生，字又渠，号愚斋，西铭。河南仪封人。享年六十九。

蔡时豫　生，字立斋。四川崇宁人。享年五十二。

钱家垫　生，字惟若，号第五。浙江嘉善人。享年八十一。

李方膺　生，字虬仲，号晴江。江苏通州人。享年六十。

董淑昌　生，字景伯，号蓬斋。山东滋阳人。享年四十八。

陈鸣夏　生，字雷若。福建惠安人。享年六十四。

丁　敬　生，字敬身，号纯丁，龙泓山人。浙江钱塘人。享年七十一。

● **恩遇：**

陈元龙　詹事府右庶子。赐御书"凤池良彦"额。

赵良栋　四月赏复勇略将军、云贵总督原衔，封一等子。

高士奇　原任少詹事。六月赐御书"清吟"堂额。

孙岳颁　国子监祭酒。赐御书"墨云"堂额。

范承谟　已故福建总督。七月赐御书"忠贞炳日"祠额。

陈启泰　已故福建巡海道。赐御书"忠毅流芳"祠额。

◉　著述：

黄宗羲　撰《深衣考》一卷成（按：此书无自序，今系于七月之前）。

刘献庭　撰《广阳杂记》五卷成，（按：此书于卒后始刻，今系于七月之前）。

邵长蘅　撰《王氏渔阳诗钞》十二卷、《宋氏绵津诗钞》八卷成，见七月自序。

王士祯　自编《渔阳文略》十四卷成，见十月张云章序。

王士祯　撰《国朝谥法考》一卷成。

徐怀祖　字燕公。江苏华亭人。撰《台湾随笔》一卷成，见自序。

王　澐　撰《云间第宅志》一卷、《辋川诗钞》六卷成（按：二书均卒后始刻，今系于卒年）。

吕履恒　撰《梦月岩诗集》十四卷成，见七月张希良序（按：书成后尚有续撰，在今刻本共十四卷）。

孙元衡　安徽桐城人。编刻《张实居萧亭诗选》六卷成，见王启涞后记。

魏　坤　撰《倚晴阁诗钞》六卷成，见立秋李兴祖序。

◉　卒岁：

韬　塞　太宗皇十子。辅国公。二月卒。

噶世图　原任刑部左侍部。二月卒。

沙哈礼　都察院左副都御史。二月卒。

范承斌　汉军镶黄旗。袭一等子。卒。

许　贞　字莐臣。福建海澄人。太子少保，左都督衔广东提督，骑都尉兼一云骑尉。三月卒赠少傅。

李士祯　原任广东巡抚。三月二十二日卒年七十九。

英格宜　太祖皇曾孙。辅国公。四月卒。

周复兴　山西太原镇总兵。四月初六以地震受伤卒。

王　骘　致仕户部尚书。五月卒。

田喜霁　原任内阁学士。五月卒年六十三。

伊玛喇　满洲正白旗，那木都鲁氏。原任前锋参领，袭一等
　　　　男。五月卒。

郎　坦　（一作郎坛，又作郎谈）。领侍卫内大臣，前任西北
　　　　将军，昭武将军，袭一等子。六月以巡视边隘，卒于
　　　　杀虎口行次年六十二。

李　迥　原任刑部右侍郎。六月卒。

李振藻　原任刑部山西司郎中。六月二十日卒年六十八。

黄宗羲　字太冲，号南雷、梨洲。浙江余姚人。余姚县征士。
　　　　七月初三日卒年八十六。从祀文庙（从祀在光诸三十
　　　　四年九月）入国史儒林传。

刘献廷　顺天大兴县布衣。七月初六日卒年四十八。入国史
　　　　文苑传。

沈　珩　在籍翰林院编修。七月二十一日卒年七十七。入国
　　　　史文苑传。

佟国佐　安徽巡抚。八月二十二日卒年五十九。

杨　蕴　原任内阁中书。九月初七日卒年六十。

介　山　原任礼部尚书。九月卒年七十四。

塞克森　满洲觉罗氏。二等男。十月卒。

戴　通　蒙古镶红旗。兵部督捕侍郎，袭三等男。十月卒。

姚　仪　姚启圣子。汉军镶红旗（原籍浙江会稽）。镶红旗汉
　　　　军副都统，骑都尉兼一云骑尉世职。十月卒。

伍应长　字引之，号慎庵。福建宁化人。宁化县岁贡生。卒。
　　　　（一作康熙四年卒，再考）。

和　善　蒙古正黄旗。一等子。卒。

王维珍　浙江巡抚。十二月卒年六十。谥敏悫。

李鸿雷　前浙江盐运司运副，降调顺天府治中。十二月十五
　　　　日卒年八十二。

刘泽洪 汉军镶黄旗。二等男。卒。

赵作舟 致仕湖南辰远靖道。卒年七十三。

郜焕元 前湖广提学道。卒年七十三。

吴　晟 候选主事，原任福建宁化县知县。卒年六十一。

惠周惕 顺天密云县知县。卒年五十口。入国史儒林传。

朱铨达 左都督衔湖广均房营参将。卒年五十一。

王　澐 江苏华亭县故贡生。卒年七十七。

康熙三十五年丙子（公元一六九六年）

◉ **生辰：**

胡天游　二月二十六日生，字稚威，号云持。浙江山阴人。享年六十三。

周长发　三月二十八日生，字兰坡，号石帆。浙江会稽人。

朱文炳　四月十七日生。

杭世骏　四月二十八日生，字大宗，号堇甫、秦亭老民。浙江仁和人。享年七十八。

允　禄　六月生，圣祖皇十六子。享年七十二。

李继圣　七月二十九日生，字希天，号振南。湖南长宁人。

郑之乭　九月十三日生，江苏武进人。享年七十八。

陈宏谋　九月十五日生，字汝咨，号榕门。广西临桂人。享年七十六。

廖　理　十月初八日生，字绪五，号悔园。江西南城人。

李清藻　十月二十四日生，字信侯，福建安溪人。

张锦传　十一月二十一日生，字舆辉。江南临川人。

宋　枏　生，字丹林，号崒山。浙江建德人。享年五十二。

陈象枢　生，字驭南，号复斋。江西崇仁人。享年五十八。

周人骥　生，字紫昂，号芷囊、莲峰。直隶天津人。享年六十八。

谢王生　生，享年五十五。

缪　櫄　生，字晓岩，号海峰。江苏泰州人。享年八十二。

邱仰文　生，字襄周，号省庵。山东滋阳人。享年八十二。

秦春田　生，江苏无锡人。享年八十八。

◉ **科第：**

　中式举人：

石　芳　汉军。佐领。

鲍　钤　汉军正红旗。安徽庐凤道。

邵　琮　四川大足县知县。

张　棠　字南映，号吟樵。江苏华亭人。口部主事，广西桂
　　　　林府知府。

焦袁熹　山阳县知县。

翁振翼　江苏常熟人。

裘若宏　字任远。江西新建人。

吴大纬　浙江钱塘人。东阳县教谕，重宴鹿鸣。

鲍　楹　字觉庭，号损庵。浙江余杭人。江苏宜兴县知县。

王之鎬　字王池。湖南湘阴人。山东知县，安徽大通兵备道。

雷　铎　字伯觉。陕西蒲城人。

薛景珏　字玉佩，号东湖。四川苍溪人。浙江知县，河南光
　　　　山县知县。

许　遂　字扬云。广东番禺人。江苏清河县知县。雍正乙卯
　　　　荐应鸿博。
　　　　（按：凡曰荐应者以荐举后其人或患病或丁忧，或
　　　　部驳，或病故，或已得馆选皆未经试者也，今发凡于
　　　　此）。

苏霖泓　字湛若，号雨苍。云南赵州人。两淮盐运使。

黄世发　字成宪。贵州印江人。直隶知县，直隶营田观察使。

　　　中式副榜贡生：

宋师曾　江苏人。直隶口口道。

周士彬　字介文，号山舟。江苏娄县人。

◉　恩遇：

富　善　领侍卫内大臣。加太子太保。

孙思克　甘肃提督。以入觐赐御书"绥怀"堂额。

扎　什　八月晋封一等男。

◉　著述：

张榕端　撰《海岱日记》一卷成。

邵长蘅　撰《古今韵略》五卷成，见五月宋荦序。

汪镐京　撰《红术轩紫泥清定本》一卷成，见五月自序。

郑元庆　撰《廿一史约编》八卷成，见十月自序。

王士禛　撰《秦蜀驿程后记》二卷成，见年谱。

王士禛　撰《陇蜀余闻》二卷成，见年谱。

熊士伯　字西牧。江西南昌人。撰《古音正义》一卷成。

阎若璩　撰《四书释地》一卷成，见戊寅九月宋荦补序。

彭　鹏　自编《古愚心言》八卷成，见自序。

顾人龙　自编《诗集》八卷成（按：此书卒后始刻）见朱彝
　　　　尊序。

● 卒岁：

尚之孝　前内大臣，前任平南大将军，宣义将军。正月卒年
　　　　五十七。

傅　德　盛京工部侍郎。三月卒。

施　琅　太子少保，右都督，靖海将军，福建水师提督，三
　　　　等靖海侯。三月二十一日卒年七十六。赠太子少傅，
　　　　谥襄壮，入祀贤良祠（入祀在雍正十年十月）。

普　昌　辅国公，宗室。四月卒。

阿尔迪　内大臣。四月卒。谥勤僖。

倪我端　候选训导，浙江秀水县岁贡生。六月初八日卒年六
　　　　十一。

阿尔法　护军统领。六月卒。

沈以庠　浙江萧山县布衣。六月卒年七十六。

蒋懋勋　左都督衔浙江温州镇总兵，一等轻车都尉。卒。赠
　　　　太子少保，谥襄僖。

柏天郁　京口副都统。八月卒。

陆肯堂　翰林院侍读。八月二十六日卒年四十七。入国史文
　　　　苑传。

毫　济　（一作博济）内阁学士。九月卒。

陆演藉　候选训导。十月初九日卒年五十五。

舒　书　（一作舒树，又作舒淑）。甘肃巡抚。十月卒。

黄　斐　都察院左副都御史。十一月卒。

宗元豫　江苏上元县故诸生。十一月二十三日卒年七十三。

崔甲默　内阁中书。十二月卒年五十一。

玛　奇　满洲镶白旗，纳喇氏。前镶白旗满州都统。卒。

巴　海　满洲镶蓝旗，瓜尔佳氏。镶蓝旗蒙古都统，前宁古塔将军，袭一等男，三等轻车都尉。卒。

巴尔赛　蒙古镶蓝旗。一等男。卒。

慕天颜　前太子少保，兵部尚书衔漕运总督。卒年七十三。

法若真　原任安徽布政使。卒年八十四。

蒋　瑛　字懋旃，号文河。江苏吴县人。丁忧候选知县，吴县拔贡生。卒年三十九。

顾人龙　字云驭。浙江平湖人。原任浙江太平县教谕。卒年八十七。

王用予　甘肃靖远人。左都督衔甘肃口口镇总兵，二等子。卒。

洪起元　左都督衔原任浙江严州协副将。卒年七十五。

吴文炜　广东南海县举人。卒。入国史文苑传。

潘恬如　江苏长洲县故诸生。卒年八十。

李　琪　字蒲臣，号耐庵、谷叟。湖南湘潭人。湘潭县故诸生。卒年八十四。

康熙三十六年丁丑（公元一六九七年）

● 生辰：

徐时作　正月初一日生，字邺侯，号筠亭。福建建宁人。享年八十一。

梁诗正　二月初四日生，字养仲，号芗林。浙江仁和人。享年六十七。

钱桂发　三月初二日生，字芳五，号芳壶、小山。江苏太仓人。享年七十九。

祝维诰　三月十一日生，字豫堂，号宣臣。浙江秀水人（原籍海宁）。

允　礼　三月生，圣祖皇十七子。享年四十二。

袁　栋　闰三月初二日生，字国柱，号漫恬。江苏吴江人。享年六十五。

程　密　六月二十日生，字用详，号退於。安徽六安人。享年五十六。

夏之蓉　七月二十三日生，字芙裳，号醴谷。江苏高邮人。享年八十八。

朱秀文　八月二十一日生，字炳斋。江苏娄县人。享年八十二。

惠　栋　十月初五日生，字定宇，号松崖。江苏吴县人。享年六十二。

陈悥华　生，字云倬，号月溪。直隶安州人。享年八十三。

雷　鋐　生，字贯一。福建宁化人。享年六十四。

柏　谦　生，字蕴皋、东皋，号撝庵。江苏崇明人。享年六十九。

宋寿图　生，字南衡，号恺亭。江苏长洲人。享年五十一。

鲍志周　生，字景濂。浙江余杭人。享年四十八。

杨理范　生，享年五十四。

曹学诗 生，字以南，号震亭。安徽歙县人。享年七十七。

沈　凤 生，字凡民，号补萝、芙蓉江上渔郎。江苏江阴人。
　　　　享年七十一。

李国柱 生，直隶天津人。享年八十二。

方　泽 生，字苧川，号待庐。安徽桐城人。享年七十一。

沈　铨 生，江苏青浦人。享年七十。

● 科第：

　一甲进士：

李　蟠 字仙李，号根大。江苏徐州人。状元。修撰。

严虞惇 榜眼。编修，太仆寺少卿。

姜宸英 探花。浙江慈溪人，编修。

　二甲进士：

汪士鋐 （碑录作汪士竑）。会元，编修，左中允。

徐树本 字道积，号忍庵。江苏昆山人。编修。

车鼎晋 字丽上，号平嶽。湖南邵阳人。编修。

陈　苌 字玉文，号雪川。江苏吴江人。浙江桐庐县知县。

陈壮履 字礼叔，号幼安、潜安。山西泽州人。编修，侍读
　　　　学士。

李发枝 江苏知县，直隶深州知州。

王　诰 字楚士。江苏江都人。编修，洗马。

王嗣衍 字芷园。贵州修文人（原籍四川长寿）。直隶广平府
　　　　知府。

徐　容 字颢中，号个臣。浙江海盐人。直隶知县，陕西西
　　　　安府知府。

李凤翥 字云麓，号荷山、云湖。江西建昌人。编修，工部
　　　　右侍郎。

周　彝 字策铭，号寒溪。江苏娄县人（一作上海）。编修。

陈至言 字山堂，号青崖。浙江萧山人。编修。

王一导 字惕斋。湖北黄冈人。吏部主事，浙江宁台道。

余正健 字乾行，号惕斋。福建古田人。编修，左副都御史。

徐　发　字衮侯。江苏长洲人。户部主事。

段　曦　字晴川，号罗青。云南安宁人。广东知县，河南道
　　　　御史。

赵申季　字行瞻，号蔚仲。江苏武进人。广西迁江县知县，
　　　　乙酉特授编修。

翁大中　福建上杭县知县。

宋聚业　字嘉升。江苏长洲人。兵部主事，吏部郎中。

单畴书　字惟访。山东高密人。江苏知县，户部右侍郎。

　　三甲进士：

康五瑞　字毓宣，号芬洲。江西安福人。工科给事中，雍正
　　　　丙午特授侍读，侍读学士。

张元臣　字懋斋。贵州铜仁人。检讨，谕德。

查克建　直隶知县，陕西凤翔府知府。

吴文炎　字勤庵，号麟章。顺天大兴人。检讨，云南开化府
　　　　知县。

阿尔赛　字弼臣，号云谷。满洲镶蓝旗。检讨，光禄寺卿。

孔尚先　字念庵。山东宁海人。检讨。

甄　昭　字子布。山西平定人。庶吉士，江西玉山县知县。

张王典　字尧若。浙江嘉善人。吏科给事中。

曹家甲　江西新建人。福建知县，湖广道御史。

蔡　斑　字若璞，号玉躬、禹功、无动。汉军正白旗。检讨，
　　　　吏部尚书。

裘君弼　字宸臣，江西新建。安徽知县，户科给事中。

李周望　检讨，礼部尚书。

李甡麟　字丹书，号畏斋。山东武定人。庶吉士。

任尔琼　四川富顺人。

福　敏　庶吉士，归班知县，壬寅特授内阁学士，武英殿大
　　　　学士。

成文运　号在翁。四川忠州人。兵部主事，大理寺卿。

　　武进士：

缴煜章　京卫人。状元。山西口口营参将。

胡　琨　江苏江都人。探花。四川重庆镇总兵。

◉　恩遇：

张鹏翮　左都御史。七月御赐书"怀冰雪"额。

高士奇　直南书房前任少詹事。七月以养母乞归，授詹事衔。

　　七月以平定葛尔丹：（以下七条）

费扬古　抚远大将军，领侍卫内大臣。晋封一等公；

公　图　晋封三等伯；

多尔机　晋封二等子；

讬克塔哈尔、布纳海　等二人俱封三等子；

龚　额　晋封一等男；

黑　色、英　素、毛奇塔　等三人俱晋封二等男；

杜　喀　封三等男。

锡勒达　兵部尚书。九月赐御书"居贞素"额。

◉　著述：

顾嗣立　撰《温飞卿诗集笺注》九卷成，见正月自序。

张　贞　自编《潜州集》成，见二月自序。

翁叔元　自订《铁庵年谱》一卷成，见三月自序。

郁永河　撰《采硫日记》三卷成，见十月自序。

沈季友　编《樵李诗系》四十二卷成，见十二月自撰凡例。

朱　江　江苏江都人。撰《读易约编》四卷成，见自撰凡例。

王芝藻　撰《周礼订释古本》成，见自序。

朱　搴　字良一。湖北黄陂人。撰《尊道集》四卷成。

王喆生　撰《懿言日录》一卷成。

张　英　撰《听训斋语》二卷成，见张廷缵识语。

李嶟瑞　自编《北游续稿》四卷成，见朱元英序。

◉　卒岁：

吉勒塔布　（一作纪尔他布）。正红旗满洲都统，前兵部尚书。
　　　　　正月卒。

孙　继　前江苏长洲县知县。正月卒年七十九。

西　拉　理藩院右侍郎。正月卒。

裴洋古　满洲镶红旗，那穆都禄氏。镶红旗汉军副都统。二月卒。

苏勒达　（一作苏尔达）。满洲镶黄旗，瓜尔佳氏。领侍卫内大臣。正月卒。谥恪僖。

赵良栋　字擎宇，号西华。甘肃宁夏人。赏复勇略将军云贵总督原衔，原任銮仪卫銮仪使，一等子。三月初四日卒年七十七。谥襄忠，入祀贤良祠（入祀在雍正十年十月），追封一等伯（追封在乾隆四十七年）。

卞三元　兵部尚书衔原任云贵总督。三月卒年八十二。谥恪敏，追夺官谥（追夺在乾隆四十六年二月）。

徐治都　左都督衔镇平将军，湖广提督，云骑尉。闰三月初七日卒年六十七。赠太子少保，谥襄毅。

傑　书　袭和硕巽亲王改号康亲王，前任奉命大将军，太祖皇曾孙。闰三月卒年五十三。谥曰良。

黎士弘　原任甘肃宁夏道。闰三月十八日卒年八十。入国史循史传及文苑传。

图　纳　字谨堂。刑部尚书。四月卒。谥文恪。

舒　恕　（一作舒书）。满洲镶黄旗，瓜尔佳氏。伯都纳副都统，一等男。四月卒。

扎　什　蒙古镶白旗。一等男。卒。

塔　达　满洲，觉罗氏。领侍卫内大臣。八月卒。

张　玺　行取御史，原任河南新野县知县。八月初九日以入京卒于邹平原籍年五十九。

郭　布　镶白旗满洲都统。九月卒。

查士标　明万历四十三年生，字二瞻，号梅壑。浙江海宁人。海宁县故诸生。十月二十八日卒年八十三。

李延昰　浙江平湖县布衣。十一月卒年七十。

高　珩　原任刑部左侍郎。十一月二十一日卒年八十六。

缪　彤　原任翰林院侍讲，卒年七十一。

鲍　敬　汉军正红旗。原任銮仪卫銮仪使，三等男。卒。

刘　滋　山西提学道。卒年六十五。

管　阁　原任直隶安平县知县。卒年七十七。

钱陆灿　候选通判，江苏常熟县举人。卒年八十七。

梅　清　安徽宣城县举人。卒年七十五。入国史文苑传。

李　实　江苏嘉定县廪生。卒年四十八。

秦　銈　江苏嘉定县医士。卒年五十九。

康熙三十七年戊寅（公元一六九八年）

● 生辰：

郑　培　正月初四生，字树滋。福建侯官人。享年六十九。

刘士铭　三月十三日生，字鼎彝。顺天宛平人。享年六十八。

刘大櫆　五月十五日生，字耕南，号才甫、海峰。安徽桐城
　　　　人。享年八十二。

方观承　八月初十日生，字遐毂，号问亭、宜田。安徽桐城
　　　　人。享年七十一。

杨述曾　九月二十八日生，字二思，号企山、南圃。江苏武
　　　　进人。享年七十。

沈树德　十月初六日生，字申培，号畏堂。浙江归安人。

陈大复　十月二十二日生，字敦来，号玉盟。江苏宝应人。

三　和　生，享年七十六。

蒋　炳　生，字晓沧，号晴崖。江苏阳湖人。享年六十七。

吕　炽　生，字克昌，号东亭、闇斋。广西临桂人。享年八
　　　　十一。

沈　淑　生，字季和，号立夫、颐斋。浙江常熟人。享年三
　　　　十三。

赛　玙　生，字笔山。云南石屏人。享年九十口。

王瀛洲　生，浙江人。享年八十二。

吴玉揞　生，字藉五，号山夫。江苏山阳人。享年七十六。

邓元昌　生，字慕濂。江西赣州人。享年六十八。

● 恩遇：

允　禔　三月封多罗直郡王（四十七年十一月削）。

张玉书　丁忧大学士。七月赐御书"松荫"堂额。

韩　菼　礼部右侍郎。七月赐御书"笃志经学"额。

王之鼎　已故四川提督。七月赐御书"忠节垂芳"词额。

● 著述：

阎若璩　撰《困学纪闻笺》成，见六月阎咏跋。

熊士伯　撰《古音正义重订》一卷成。

冯　景　自编《解春集诗钞》三卷成，见自序。

● 卒岁：

宁　枚　浙江龙泉县知县。正月卒年七十四。

阎兴邦　贵州巡抚。正月十六日卒年六十四。

喀　住　镶白旗满洲副都统。二月卒。

吴兴祚　赏复大同副都统原衔，（降调两广总督），骑都尉兼
　　　　一云骑尉。二月十八日卒年六十七。

颜光敩　降调翰林院检讨。三月二十二日卒年四十。

朱用纯　江苏昆山县故诸生。四月初七日卒年七十二。入国
　　　　史儒林传。

钱　廉　浙江口口县征士。五月初八日卒年五十九。

姜希辙　原任奉天府府丞。五月十二日卒年七十口。

拜音达哩　汉军正白旗，和氏。广州将军，一等轻车都尉。
　　　　　六月卒。

严我斯　原任礼部左侍郎。六月卒。

蒋名登　浙江萧山县布衣。六月卒年七十六。

唐梦赉　前秘书院检讨。六月十六日卒年七十二。入国史文
　　　　苑传。

席特库　满洲镶黄旗，觉罗氏。镶黄旗满洲都统，一等子。
　　　　七月卒。

戴圣聪　降调江南淮徐道。七月卒年八十。

卫立鼎　致仕福建福州府知府，原任户部浙江司郎中（立鼎
　　　　由郎中擢知府引见时以老休致）。九月初六日卒年七
　　　　十六。入国史循吏传。

陶元淳　广东昌化县知县。九月十三日卒年五十三。入国史
　　　　循吏传。

充　保　袭多罗顺丞郡王，宗室。九月卒年十四。

李经世　河南禹州诸生。十月卒年七十三。入国史儒林传。

曹贞吉 原授湖广提学道（由礼部郎中升补以病罢职）。十一月初四日卒年六十五。入国史文苑传。

王起芬 原署江西浮梁县教谕，浙江钱塘县诸生。十一月初七日卒年八十。

海喇逊 内务府总管。十一月卒。

朱轸裔 原任南城兵马司指挥（前任浙江景宁县知县）。卒年七十。

龚其裕 字容溪。福建闽县人。前两淮盐运使。卒。入国史循史传。

刘　湛 原任湖南辰州府通判。卒年七十八。

邹允飏 字彦康，号南园。江苏武进人。以主事同知升用，原任湖北当阳县知县。卒。

宗元鼎 候选州同，江苏江都县贡生。卒年七十九。入国史文苑传。

贾　润 直隶故城县口口。卒年七十七。

徐　介 浙江仁和县故诸生。卒年七十二。

凌嘉印 浙江钱塘县布衣。卒年六十七。入国史儒林传。

徐仁彝 江苏口口县医士。卒年四十三。

康熙三十八年己卯（公元一六九九年）

● 生辰：

吴士功 正月初五日生，字惟亮，号凌云、湛山。河南光州人。享年六十七。

陈世贤 闰七月十一日生，字希鲁，号鲁斋。湖南祁阳人。

法坤宏 十月十四日生，字直方，号镜野、迂斋。山东胶州人。享年八十七。

曹庭栋 十一月二十五日生，字楷人，号六圃、慈山。浙江嘉善人。享年八十七。

刘统勋 十二月生，字尔钝，号延清。山东诸城人。享年七十五。

蕴　著 生，宗室。享年八十。

董邦达 生。字孚存，号东山、非闻。浙江富阳人。享年七十一。

吴绍诗 生，字二南，号蚁园。山东海丰人。享年七十八。

陈履平 生，字勉夫，号坦斋。河南商丘人。享年五十一。

储晋观 生，字宽夫，号恕斋。江苏宜兴人。享年四十四。

蒋应焻 生，字元揆。江苏长洲人。享年五十六。

黄永年 生，字静山，号崧甫。江西广昌人。享年五十三。

朱　煐 生，字临川，号龙坡。云南石屏人。享年七十六。

汪　郊 生，享年四十三。

陈偁仪 生，字夏绂。山西忻县人（一作山西猗氏）。享年五十四。

戚蓂言 生，字魏亭，号研斋。浙江德清人。享年四十四。

史芳湄 生，字莲溪，号鹭塘。江苏江都人。享年九十。

张大受 生，字若谷，号可之、蔚园。江苏常熟人。享年七十一。

顾诒禄 生，字禄百，号花桥、缓堂。江苏长洲人。享年七

十。

沈执中 生，字立方。江苏长洲人。享年八十。

◉ 科第：

考取拔贡生：

王之锐 直隶人。广东知县，国子监助教。

中式举人：

鄂尔泰 满洲镶黄旗。三等侍卫，保和殿大学士。

伊都立 字学庭。满洲正黄旗，伊尔根觉罗氏。内务府笔帖
士，云贵总督。

朱大龄 西安县教谕。

朱　樟 字亦纯、鹿田，号慕巢、灌畦叟。浙江钱塘人。四
川知县，山西泽州府知府。

魏　坤 浙江嘉善人。

顾之斑 陕西知县，广东电白县知县。

许惟模 字立岩，号念伦。浙江海宁人。兵部员外郎，四译
馆少卿。

张　远 字超然。福建侯官人。云南禄丰县知县。

林　源 字奕逢，号学川。福建莆田人。直隶知县，太仆寺
卿。

夏策谦 湖北人。湖南宝庆府教授，雍正己卯荐应鸿博。

李　珣 河南人。湖北知县，山东按察使。

陈　佩 河南人。

康乃心 陕西合阳人。

李昭治 字虞臣。四川西充人。江苏仪征县知县。

梁　择 广东人。浙江知县，浙江余姚县知县，重宴鹿鸣。

杨永斌 云南人。广西知县，吏部右侍郎。

何其伟 字石民，号我堂。云南石屏人。浙江遂昌县知县。

时亮工 云南赵州人。

刘应鼎 贵州人。四川知县，四川布政使。

中式武举：

周　瑛　字奇育。四川人。四川提督。

● 恩遇：

二月以南巡迎銮（下四条同）：

任克溥　前刑部左侍郎。赏复原衔，赐御书"玉壶朗映"额；

邵远平　原任少詹事。以进呈《元史类编》赐御书"蓬观"额；

于成龙　河道总督。三月赐御书"澄请方岳"额；

宋　荦　江苏巡抚。三月赐御书"怀抱清朗"及"仁惠誠民"额；

马如龙　江西巡抚。三月赐御书"老成清望"额。

郭世隆　闽浙总督。三月赐御书"岳牧之任"额。

熊一潇　原任工部尚书。三月赐御书"怡清泉石"额。

彭逊遹　原任吏部右侍郎。三月赐御书"松桂"堂额。

杨雍建　降调兵部左侍郎。三月赐卿书"松乔"堂额。

徐嘉炎　原任内阁学士。三月赐御书额及联。

尤　侗　在籍翰林院检讨。三月赐御书"鹤栖"堂额。

盛符升　降调广西道御史。三月赐御书"年登耄耋"额。

郭士璟　工部主事。三月赐御书"泉石怡情"额。

褚　篆　江苏长洲县诸生。三月以年谕九旬赐御书"海鹤风姿"。

陈丹赤　已故浙江温处道。三月赐御书"石垂青史"祠额。

马进良　古北口总兵。闰七月赐御书"骁勇飞将"额。

李林盛　固原提督。赐御书"明信敦义"额。

● 著述：

李　塨　撰《李氏学乐录》一卷成，见二月自识。

顾嗣立　撰《昌黎诗集注》十一卷成，见三月自序。

余心孺　自编《詝痴梦草》十二卷成，见春日自序。

阎若璩　撰《孟子生卒年月考》一卷成，见四月顾嗣立序。

潘　耒　撰《救□狂□砭语》二卷成，见九月自序。

姚际恒　撰《好古堂家藏书画记》二卷成，见卷首自记，（按：

书成后又有续记数则）。

朱彝尊 撰《曝书亭著录》成，见自序。

张榕端 撰《宝嵩堂诗稿》四卷成，见四库提要。

朱　泾 字恭亭。江苏宝应人。自编《燕堂诗钞》八卷成，见四库提要。

● 卒岁：

科尔坤 正月卒。赏复吏部尚书原衔。

席特纳 原任工部右侍郎。正月卒。

蔡毓荣 前绥远将军，云贵总督（复授兵部左侍郎）。正月二十二日卒年六十七。

桑　格 满洲正白旗，喜塔喇氏。赏复护军统领原衔，袭一等轻车都尉兼一云骑尉。二月卒。

钱　封 浙江仁和县诸生。三月二十二日卒年七十六。

陆　莱 原任内阁学士。四月初一日卒年七十。入国史文苑传。

佟国聘 山东济宁道。五月初五日卒年五十八。

赵士麟 吏部左侍郎。五月初八日卒年七十一。

丁　蕙 原任山东登莱道。卒年六十三。

色楞格 （一作塞楞额）。护军统领，三等辅国将军，宗室。七月卒。

李予之 原任贵州镇远府知府。七月十二日卒年五十六。

曾王孙 原任四川提学道。七月二十六日卒年七十六。

汪　楫 原任福建布政使。闰七月十四日卒年六十四。入国史文苑传。

刘　果 原任江南提学道。八月初八日卒年七十三。

郭士璟 原任工部屯田司主事。八月十六日卒年八十。

杨　鼐 致仕通政使司通政使。九月初七日卒年八十。

阿兰泰 满洲镶黄旗，富察氏。武英殿大学士。九月卒，谥文清，追赠少保（追赠在四十年九月）入祀贤良祠（入祀在雍正十年十月）。

钱三锡　户部左侍郎。九月卒。

札木阳　杭州将军，一等轻车都尉。三月卒。谥敏恪。

孙廷铎　候选中书行人，前任广东阳江县知县。十月十四日
　　　　卒，年七十八。

李天馥　武英殿大学士。十月十五日卒年六十五。谥文定。

朱昆田　浙江秀水县监生。十月二十一日卒年四十八。入国
　　　　史文苑传。

喀齐兰　满洲正黄旗，伊尔根觉罗氏。致仕正黄旗满洲副都
　　　　统。十月卒。

常　舒　太宗皇七子。辅国公品级。十二月卒。

姜宸英　前翰林院编修。十二月卒于狱中，年七十二。入国
　　　　史文苑传。

希　福　满洲正红旗，他塔喇氏。前建威将军，正红旗满洲
　　　　都统，一等骑都尉兼一云骑尉。卒。

徐国相　字行清。汉军。原任湖广总督。卒。

鄂克济哈　满洲正黄旗，纳喇氏。驻守宁夏护军统领，前振
　　　　武将军。卒。

陈洪谦　原任陕西神木道。卒年八十六。入国史循吏传。

陆　堦　浙江钱塘县故诸生。卒年八十三。入国史文苑传。

何之杰　浙江山阴县故诸生。卒年七十九。

费　密　四川新繁县布衣。卒于江苏泰州年七十七。入国史
　　　　儒林传。

李　符　浙江嘉兴县布衣。卒年六十一。入国史文苑良年传。

贾　润　直隶故城县口口。卒年七十七。（一作康熙四十七年
　　　　卒）。

康熙三十九年庚辰（公元一七〇〇年）

● 生辰：

魏　绾　二月十六日生。

查为义　七月初二日生，字履方，号集堂。顺天宛平人。享年六十四。

沈大成　十月二十五日生，字学子，号沃田。江苏华亭人。享年七十二。

陈兆崙　字星斋，号勾山。浙江钱塘人。十二月初六日生，享年七十二。

陈景忠　十月二十六日生，字丰之。汉军正红旗。

德　昭　生，宗室，享年六十三。

素尔纳　生，满洲正红旗，钮祜禄氏。享年八十四。

孙　灏　生，字载黄，号虚船、竹所。浙江钱塘人。享年六十七。

沈昌宇　生，字泰叔，号定严。浙江秀水人。享年四十五。

刘　涛　生，字鼎文，号象山。广东香山人。享年六十九。

朱仕琇　生，字璧谐，号默轩。福建建宁人。享年七十二。

● 科第：

一甲进士：

汪　绎　状元。修撰。

季　愈　字退如，号秋浦。江苏宝应人。榜眼。编修，庶子。

王　露　字戒三，号天波。河南柘城人。会元。探花。编修。

二甲进士：

张成遇　字德士，号阿一。广东番禺人。庶吉士。

徐昂发　字大临，号畏垒。江苏长洲人。编修。

杨守知　内阁中书，甘肃平凉府知府。

许　毅　字诒孙。江苏常熟人。庶吉士，山西垣曲县知县。

王守烈　字大武。江苏常熟人。司经局正字，江西赣州府知府。

高　舆　字巽亭，号谷兰。浙江钱塘人。编修。

沈李楷　（榜名李楷），字元礼，号范亭。浙江桐乡人。庶吉士，四川知县，江西饶州府知府。

查嗣琛　编修，侍讲。

顾楷仁　行人，广东道御史。

汪升英　安徽休宁人。口部主事，贵州粮道。

江为龙　字我一，号砚崖。安徽桐城人。江西知县，吏部员外郎。

蔡　彬　字以端。浙江德清人。庶吉士，福建知县，吏部郎中。

励廷仪　编修，吏部尚书。

张德纯　内阁中书，浙江常山县知县。

李梦昺　字震为，号和村。山西大同人。庶吉士，知县，贵州镇远府知府。

吴卜雄　字震一。浙江德清人。河南提学道。

许惟讷　（碑录作顾惟讷），字省文。浙江海宁人。山西大同府知府。

金　樟　字匡秀，号南庐。浙江桐乡人。内阁中书，工部主事。

沈近思　河南知县，左都御史。

许迎年　字毂士，号荔生。江苏江都人。内阁中书。

胡承谋　安徽泾县人。福建福州府知府。

杨汝毅　浙江知县，左都御史。

江　苪　字燕斋，号采伯、翼庵。湖北汉阳人。刑部主事，云南按察使。

文　岱　字震青。满洲镶白（黄）旗。编修，少詹事。

陈沂震　字起雷，号狷亭。江苏吴江人。工部主事，刑科给事中。

　　三甲进士：

史贻直　检讨，大学士。

钱兆沆　字蓼清。浙江长兴人。知县，湖北上荆南道。

沈庆曾　山东知县，四川会理州知州。

介孝瑹　字荆蕴。山西解州人。检讨。

赵友夔　字尔谐。江苏常熟人。知县，甘肃巩昌府知府。

秦国龙　字孙峦。山东日照人。户部主事，福建布政使。

陈聂恒　字尚夫，号秋田。江苏武进人。四川知县，刑部主
　　　　事，雍正癸卯特授编修。

蓝启延　字延陵。山东即墨人。广东知县，甘肃西和县知县。

王允猷　字济夫。汉军正红旗。直隶清苑县知县。

许　湄　字凌洲。浙江嘉善人。湖南石门县知县。

张　谦　字子吉，号酉山。　湖北武昌人。四川知县，贵州巡
　　　　抚。

董新策　字嘉三，号樗斋、雪崖。四川合江人。庶吉士，甘
　　　　肃宁夏道，甘肃平庆道。

董　玘　检讨。

沈曾懋　字子勉，号敏斋。浙江海盐人。直隶知县，吏部员
　　　　外郎。

阎　愉　字敬生，号箓园。山东昌乐人。庶吉士，浙江长兴
　　　　县知县。

魏锡祚　字长麓。山东莱芜人。江西盐驿道。

乔于瀛　字元登。山西猗氏人。广西右江道。

魏方泰　检讨，礼部右侍郎。

范允锴　浙江钱塘人。直隶知县，山东道御史。

汪与恒　直隶卢龙人。福建知县，鸿胪寺卿。

陆张烈　（碑录作张烈），字昂千，号愚亭。浙江海盐人。山
　　　　西知县，广东盐运使。

郭晋熙　字少峰，号省斋。河南新郑人。口部主事，安徽徽
　　　　州府知府。

陈廷纶　字韶斋，号诞江。广西平乐人（原籍浙江山阴）。吏

部主事，安徽庐州府知府。

于之辐 四川营山人。湖南宝庆府知府。

文 明 字文止，号鲁斋。满洲人。光禄寺卿。

韩孝基 庶吉士。

李士瑜 字子佩，顺天大兴人。刑部主事，广东惠州府知府。

吴之錡 浙江钱塘人。山西知县，礼部主事。

韩 蕃 江西贵溪县知县。

刘师恕 字艾堂，号秘书、补堂。江苏宝应人。检讨，吏部右侍郎。

王溯维 河南嵩县人。浙江绍台道。

陆 师 河南知县，山东兖沂曹道。

王 纮 字经千。山东胶州人。安徽巡抚。

盛 度 字惟贞，号一峰。江苏靖江人。庶吉士，散馆革退。

朱 潘 江苏江都人。湖北武汉黄德道。

陈鹗荐 字飞仲。广东程乡人。庶吉士。

逄 泰 字赓飚。满洲正黄旗，觉罗氏。检讨，通政使。

叶思华 山西闻喜人。广东雷州府知府。

段 昕 字玉川，云南安宁人。福建知县，户部主事。

张廷玉 检讨，大学士。

王景曾 字岵瞻，号雾岩、枚孙。顺天宛平人。检讨，吏部左侍郎。

郭 杞 字鑑云。陕西耀州人。

朱兰泰 字庸伯，号会侯。满洲正白旗，舒穆鲁氏。侍讲学士。

干建邦 字庐阳，江西星子人。河南舞阳县知县。

夏熙泽 字为霖，号存斋。江西新建人。广东增城县知县。

高其伟 字轶之，号沁园。汉军镶白旗。庶吉士，知县，河南汝宁府知府。

年羹尧 字亮工。号双峰。汉军镶黄旗。检讨，川陕总督。

蔡 望 字铉升，号甘泉。江苏上元人。内阁中书，福建瓯宁县知县。

武进士：

马会伯 甘肃宁夏人。状元。头等侍卫，兵部尚书。

林　潜 江苏江宁人。榜眼。二等侍卫。

朱士植 甘肃灵州人。探花。二等侍卫。

严廷训 甘肃宁夏人。传胪。三等侍卫。

周卜昌 湖北彝陵人。会元。三等侍卫。

袁立相 字文弼。直隶宣化人。三等侍卫，山西提督。

● **恩遇：**

徐秉义 詹事府詹事。六月以御试第一，赐御书"擢秀清流"额。

吴　琠 大学士。六月赐御书"凤度端凝"额。

陈廷敬 吏部尚书。六月赐御书"典翰"堂额。

王泽弘 礼部尚书。六月赐御书"夙夜惟寅"额。

玛尔祜 兵部尚书。六月赐御书"中台之秩"额。

王士祯 刑部尚书。六月赐御书"带经"堂额。

李　柟 左都御史。六月赐御书"台阁生风"额。

孙岳颁 国子监祭酒。六月赐御书"笔端垂露"额。

杜立德 已故大学士。七月上驾经宝坻，赐御书"永怀惟旧"额旌其墓门。

徐　潮 河南巡抚。十月赐御书匾额。

梅　鋗 福建巡抚。十一月赐御书匾额。

● **著述：**

郎廷极 撰《胜饮编》十八卷成，见三月查升序。

张　潮 字山来，号心斋。安徽歙县人。编《虞初新志》二十卷成，见四月自序。

阎若璩 撰《四书释地续》一卷成，见八月宋荦序（按：书成后又有又续一卷三续一卷，其自序均无年月，附记于此）。

王士祯 撰《古懽录》八卷成，见九月自序。

梅文鼎 撰《环中黍尺》五卷成，见九月自序。

汪洪度 字于鼎。安徽歙县人。撰《黄山领要录》二卷成，见十一月王士祯序。

曹　荃 撰《四言史征》十二卷成，见自序。

朱　襄 字赞皇。江苏无锡人。撰《易韦》二卷成，见自序。

刘源渌 撰《近思录续》四卷成，见辛巳陈舜锡序。

黄　容 字叙九，号圭庵。江苏吴江人。撰《卓行录》四卷成，见自序。

◉ 卒岁：

孙思克 太子少保，振武将军，甘肃提督，骑都尉兼一云骑尉，前封三等男。二月卒年七十四。赠太子太保，谥襄武，赏还世爵并为一等男加一云骑尉，入祀贤良祠（入祀在雍正十年十月）。

高　裔 丁忧大理寺卿。二月二十三日卒年四十八。

于成龙 河道总督，（前加太子少保）骑都尉。二月二十七日卒年六十三。谥襄勤，入祀贤良祠（入祀在雍正十年十月）。

彭宁求 翰林院侍读。三月初五日卒年五十二。

陈恭尹 广东南海县布衣。四月十二日卒年七十。入国史文苑传。

朱　裴 致仕户部右侍郎。五月卒年七十口。

吴　苑 原任国子监祭酒。五月卒年六十三。入国史文苑传。

李澄中 降调翰林院侍读。卒年七十二。入国史文苑传。

尼雅汉 袭三等子。六月卒。

严曾榘 兵部右侍郎。七月卒年六十二。

何　讷 原任刑部浙江司主事。八月初四日卒年八十一。

周之麟 通政使司通政使。卒。

朱宏祚 降调闽浙总督。九月初九卒于江苏淮安之高良涧工次，年七十一。

冯廷櫆 内阁中书。九月十七日卒年五十二。入国史文苑传。

福　存　袭固山贝子，宗室。九月卒年三十六。追赠和硕简
　　　　亲王（追赠在乾隆十五年七月）。

彭孙遹　原任吏部右侍郎。九月卒年七十。

罗秉伦　通政使司通政使。卒。

孙　诠　原任内阁中书。十一月初八日卒年六十一。

石文炳　汉军正白旗。调授正白旗汉军都统（由福州将军调
　　　　补），袭三等伯。十一月以自闽回京卒于途中。

盛符升　降调广西道监察御史。十一月卒年八十六。

公　图　满洲镶黄旗，戴佳氏。三等伯。卒。

刘国黻　鸿胪寺卿。卒年四十八。

董元卿　原任镇海将军。卒。

高　鼎　原任四川松潘镇总兵。卒。

陈　佩　河南新安县举人。卒年四十七。

褚　篆　字苍书。江苏长洲人。长洲县诸生。卒年九十四。

刘源渌　山东安邱县布衣。卒年八十二。入国史儒林传。

浦　鸥　江苏嘉定县布衣。卒年六十七。

康熙四十年辛巳（公元一七〇一年）

◉ 生辰：

蒋宏任　正月初十日生，字担斯，号东湖。浙江海宁人。享年四十二。

吴敬梓　六月十九日生，字敏轩，号文木。安徽全椒人。享年五十四。

赵　信　七月二十七日生，字意林，号辰垣。浙江仁和人。

刘嶽泽　八月十五日生，字方九，号渔吟。湖南长沙人。

金德瑛　九月初二日生，字汝白，号慕斋、桧门。浙江仁和人。享年六十二。

杨锡绂　十月初一日生，字方来，号兰畹。江西清江人。享年六十八。

项　樟　十月二十日生，字景贻，号芝庭。江苏阜宁人。享年六十二。

商　盘　十月二十四日生，字苍雨，号宝意、质园。浙江会稽人。享年六十六。

朱履亨　十月二十六日生，字天衢，号东铭。浙江海盐人。享年八十一。朱崇荫填讳

奇通阿　生，镶蓝旗宗室，享年六十三。

宗　智　生，宗室。享年四十三。

彭启丰　生，字翰文，号芝庭。江苏长洲人。享年八十四。

傅为詝　生，字嘉言，号谨斋、岩溪。云南建水人（一作云南元江）。享年七十。

葛德润　生，字述斋。山西安邑人。享年七十一。

刘　藻　生，（原名刘玉麟）字麐兆，号素存、苏村。山东荷泽人。享年六十六。

范廷楷　生，字怡云。山东诸城人。享年五十八。

张冲之　生，字道渊，号退园。顺天宛平人。享年七十七。

黄　祐　生，字启彬，号宁拙、素堂。江西新城人。享年六
　　　　十四。

刘元燮　生，字孟调，号理斋、梅垞。湖南湘潭人。享年六
　　　　十八。

鲁　淑　生，字静陶，号耘庄。江西新城人。享年三十八。

黄树毂　生，字松石，号癭斋。浙江钱塘人。享年五十一。

金　启　生，字奕山。浙江会稽人。享年三十。

◉ 恩遇：
　王　熙　原任大学士。九月晋少傅。

◉ 著述：
　王士祯　撰《浯溪考》二卷成，见二月自序。

　王士祯　撰《居易录》三十四卷成，见四月自序及复记。

　胡　渭　撰《禹贡锥指》三十卷成，见五月自序。

　郑元庆　撰《石柱记笺释》五卷成，见七月自识。

　王　槩　编《芥子园画传二集》九卷成，见八月自序。

　王　槩　编《芥子园画传三集》五卷成，见九月王蓍序。

　焦袁熹　撰《潜虚解》一卷成，见十月自序。

　劳之辨　自编《静观堂诗集》十九卷成，见十二月自序（按：
　　　　书成后又增刻二卷）。

　朱彝尊　撰《经义考》三百卷成，见毛奇龄序。

◉ 卒岁：
　马体仁　刑部主事。正月初十日卒年六十三。

　李兆元　河南鲁山县教谕。正月二十一日卒年七十八。

　苏尔发　镇国公（前袭固山贝子），宗室。四月卒。追赠多罗
　　　　信郡王（追赠在乾隆二十七年八月）。

　朋　春　满洲正红旗，栋鄂氏。太子太保，原任正红旗蒙古
　　　　都统，袭一等公。四月卒。

　周卜世　汉军正黄旗。致仕正红旗汉军都统。四月卒。

　雷继尊　镶白旗汉军都统，署甘肃提督。四月卒。谥敏愨。

　秦德藻　江苏无锡县贡生。五月初七日卒年八十五。

兴永朝　原任镶白旗汉军副都统，前任漕运总督。五月卒年
　　　　七十。

阿南达　蒙古正黄旗，乌弥氏。正黄旗蒙古副都统，云骑尉。
　　　　六月卒于西宁防营。追谥恪敏（追谥在雍正三年三
　　　　月）。

富尔泰　宗人府右宗人，袭三等镇国将军品级，宗室。六月
　　　　卒年五十八。

顾　藻　原任工部左传郎。七月十四日卒年五十六。

费扬古　满洲正白旗，栋鄂氏。领侍卫内大臣（前任抚远大
　　　　将军），一等公，（雍正中其子降袭一等侯，九年号曰
　　　　昭武）。七月卒年五十七。谥襄壮，入祀贤良祠（入
　　　　祀在雍正十年十月）。

讷尔福　袭多罗平郡王，宗室。七月卒年三十一。谥曰悼。

颜　龄　镇国公，宗室。八月卒。

田兰芳　河南睢州诸生。八月十二日卒年七十四。入国史儒
　　　　林传。

林　逊　原任四川达州知州。九月初六日卒年八十三。

沈士则　字志可。浙江仁和人。仁和县诸生。九月初九日卒。
　　　　入国史儒林传。

卫既齐　前贵州巡抚。九月十七日卒于江苏淮安南河工次，
　　　　年五十七。

雅　布　宗人府宗令，袭和硕简亲王，宗室。九月以随扈塞
　　　　外卒于喇嘛洞年四十四。谥曰修。

邓基哲　原任国子监学录。十月卒年四十七。

瓦尔达　镶白旗满洲副都统。十月卒。

方　舟　安徽桐城县诸生。十月二十一日卒年三十七。

董　讷　前都察院左都御史。十一月卒。

林　芳　广东韶州协副将。十一月以搜捕瑶人于八排遇害。

翁叔元　致仕刑部尚书。十一月十九日卒年六十九。

黄性震　太常寺卿，前任湖南布政使。卒年六十五。

马如龙　江西巡抚。十二月卒年七十五。

高尔位　致仕通政司参议，降调工部尚书。十二月卒年七十七。

佛　伦　满洲正白旗，舒穆禄氏。致仕文渊阁大学士。卒。

陶　岱　满洲正蓝旗，瓜尔佳氏。降调仓场侍郎，前署两江总督。卒。

吴　璟　候补中书科中书。卒年四十五。

萨布素　满洲镶黄旗，富察氏。散秩大臣，前黑龙江将军，一等轻车都尉。卒。

卢崇峻　汉军镶黄旗。火器营协领（前兵部尚书衔山陕总督）三等男。卒。

张　衡　原任陕西榆林道。卒年七十四。

刘汉中　原授安徽东流县训导，选授后以老未任。卒年八十一。

王万祥　左都督，福建陆路提督。卒年五十九。赠太子少保，谥敏壮。

文　掞　江苏长洲县口口。卒年六十一。

沈　澈　浙江归安县口口。卒年四十一。

康熙四十一年壬午（公元一七〇二年）

◉ 生辰：

曹云昇 正月十九日生，字履平，号雨干。顺天大兴人。享年五十四。

吴颖芳 二月初二日生，字西林，号临江乡人。浙江仁和人。享年八十。

尹 辰 二月初四日生，字人龙，号瑶枢。湖南湘潭人。享年六十七。

徐以烜 二月生，字养资，号润亭。浙江钱塘人。享年七十。

张懋建 三月初四日生，字介石，号石痴。浙江镇海人。

黄建中 六月初一日生，字懋德。陕西咸宁人。享年四十八。

曹绳柱 六月初三日生，字介岩。江西新建人。享年六十二。

陈兆崶 闰六月初八日生，浙江钱塘人。享年六十五。

朱一蜚 闰六月十一日生，字建冲，号浣桐。浙江嘉善人。享年五十四。

陈大受 闰六月二十日生，字占咸，号可斋。湖南祁阳人。享年五十。

刘五教 八月初十日生，字敬敷，号蓬峰。山西临汾人。

王祖庚 八月十四日生，字孙同，号砺斋、南汀。江苏华亭人。

金 甡 八月十五日生，字雨叔，号海柱。浙江仁和人。享年八十一。

姚 範 八月十八日生，字南青，号姜坞、己铜。安徽桐城人。享年七十。

沈廷芳 八月十九日生，字畹叔，号荻林、椒园。浙江仁和人。享年七十一。

毛一骢 八月生，字天选，号杏山。湖北东湖人。

卢明楷 九月初八日生，字端臣，号钝斋、纯安。江西宁都人。享年六十五。

汪上埼 九月十九日生，字绮岩。浙江秀水人。享年四十五。

邵大生 十月初一日生，字乾伯、默庵，号蕙圃。顺天大兴
人。享年四十三。

秦蕙田 十月十九日生，字树峰，号味经。江苏无锡人。享
年六十三。

卫哲治 生，字我愚，号鑑泉。河南济源人。享年五十五。

冯成修 生，字逊求，号潜斋、达天。广东南海人。享年九
十五。

孙绍武 生，字纬文，号莲渚。汉军。享年四十七。

黄兴仁 生，字元长，号蔼堂。安徽休宁人。享年五十五。

郑大纶 生，字言丝，号掌之、补之。江苏如皋人。享年六
十五。

李　法 生，甘肃人。享年七十二。

祝　洤 生，（原名祝游龙），字贻孙，号人斋。浙江海宁人。
享年五十八。

◉ 科第：

中式举人：

张　楷 汉军正蓝旗。户部尚书。

赵方观 候选主事。

蒋观光 江苏吴县人。

潘　麟 浙江人。

黄　任 福建人。广东四会县知县，重宴鹿鸣。

邱嘉穗 字秀瑞，号实亭。福建上杭人。广东归善县知县。

周郜生 字自稷，号西畇。湖南邵阳人。湖北知县，刑部主
事。

中式副榜贡生：

钱元昌 浙江人。广东知县，贵州粮驿道。

中式武举：

朱　翯 福建人。

◎ 恩遇：

王　熙　原任大学士。四月赐御书"耆老旧德"额及联。

田　雯　原任户部左侍郎。十月以在德州迎銮，赐御书"寒
　　　　绿"堂额。

王士禛　刑部尚书。四月赐御书"信古"斋额。

◎ 著述：

顾嗣立　编《元诗选》二卷成，见正月自序。

查慎行　撰《补注东坡编年诗》五十卷成，见二月自撰凡例。

万斯同　撰《昆仑河源考》一卷成，（按：此书无自序，今系
　　　　于四月前）。

程光祖　浙江杭州人。编《李文襄年谱》一卷成。

汪　份　《增订四书大全》成，见五月自序。

钮　琇　撰《觚賸续编》四卷成，见闰六月自序。

戴虞皋　字遯轩。江苏昆山人。撰《周易阐理》四卷成，见
　　　　戴孙贻序。

江　蘩　湖北汉阳人。撰《太常纪要》十五卷成，见自序。

王建衡　字月萝。直隶威县人。撰《读史辨惑》见自序。

梅文鼎　撰《勿庵历算书目》一卷成，见自序。

汪立名　字西亭。安徽婺源人。编订《白香山诗集》四十卷
　　　　附《年谱》一卷成，见朱彝尊序。

李崝瑞　自编《归来续稿》二卷成，见朱书序。

◎ 卒岁：

严绳孙　原任詹事府右春坊右中允。正月卒年八十。入国史
　　　　文苑传。

徐之瑞　浙江归安县诸生。二月十四日卒年七十一。

钱瑞徵　原任浙江西安县教谕。三月卒年八十三。

任风厚　湖北布政使。三月十六日卒年七十四。

李辉祖　四品顶带前湖广总督，调补刑部右侍部。三月十七
　　　　日卒年六十二。

沈　雍　浙江平阳县教谕。三月二十三日卒年六十五。

汪镐京　江苏江都县布衣。四月初七日卒年六十九。

万斯同　浙江鄞县布衣。四月初八日卒年六十五，入国史儒
　　　　林传。

丹　臻　袭和硕显亲王，宗室。五月卒年三十八。谥曰密。

开音布　满洲正白旗，西林觉罗氏。步军统领，前任兵部尚
　　　　书。五月卒年七十口。谥肃敏。

萨　海　原任都察院左都御史。五月卒。

孟　额　原任刑部右侍郎。六月卒。

杨　崙　字星源，号昆涛。江苏太仓人。河南道监察御史。
　　　　七月十二日卒年六十二。

卢崇耀　汉军镶黄旗。镶白旗汉军副都统。九月卒。

鄂　札　袭多罗信郡王，前任抚远大将军，太祖皇曾孙。十
　　　　月卒年四十八。

石　琳　两广总督。十月卒年六十四。

金　烺　浙江湖州府训导。十一月初八卒年六十二。

王　钺　致仕广东西宁县知县。十二月初四日卒年八十一。
　　　　入国史文苑传。

沈朝初　丁忧翰林院侍读学士。十二月卒年五十四。

张廷瓒　詹事府少詹事。卒。

席启寓　原任工部主事。卒年五十三。

李　炜　前山东巡抚。卒年六十。

祕丕笈　陕西提学道。卒年六十七。

柴廷望　贵州提学道。卒年六十六。

成康保　原任浙江台州府同知。卒年六十。入国史循吏传。

周上治　浙江淳安县岁贡生。卒年七十九。

朱　圻　江苏上元县口口。卒年七十二。

金　望　江苏嘉定县诸生。卒年七十四。

沈岸登　字覃九，号惰耕。浙江平湖人。平湖县口口。卒。

康熙四十二年癸未（公元一七〇三年）

◉ 生辰：

齐召南　正月十一日生，字次风，号一乾、琼崖、息园。浙江天台人。享年六十六。

许伯政　四月十八日生，字惠棠，号石云。湖南巴陵人。

龚元玠　九月十一日生，字鸣玉，号畏斋。江西南昌人。享年八十二。

南昌龄　九月十四日生，字念贻，号兰田。湖北蕲水人。

姜顺蛟　十一月二十八日生，字雨飞，号禹门。直隶元城人（原籍浙江山阴）。享年六十五。

张若湉　生，字树毅，号墨庄。安徽桐城人。享年八十五。

宋　弼　生，字仲良，号蒙泉。山东德州人。享年六十六。

方　浩　生，字孟亭。安徽桐城人。享年五十二。

董达存　生，字华星，号丙斋。江苏武进人。享年八十一。

顾　楗　生，字肇声。江苏元和人。享年六十五。

纪　晋　生，字企瞻，号宽夫。顺天文安人。享年五十二。

朱以诚　生，字陟岊，号望亭。浙江海盐人。享年四十。

方道章　生，字用安，号定思。江苏上元人（原籍安徽桐城）。享年四十六。

◉ 科第：

　一甲进士，

王式丹　会元。状元。修撰。

赵　晋　字昼三，号二今。福建闽县人。榜眼。编修。

钱名世　字亮工，号聚庵。江苏武进人。探花。编修，侍讲学士。

　二甲进士：

汪　灏　字紫沧，号沅亭。安徽休宁人。编修。

查慎行　编修。

蒋廷锡 编修，大学士。

吴廷桢 字山抡，号南村。江苏长洲人。编修，左谕德。

陈邦彦 编修，礼部右侍郎。

薄有德 字聿修，号勺庭。顺天大兴人（原籍江苏江宁）。编
修，侍读学士。

陈世倌 编修，大学士。

吴瞻淇 字漪堂，号卫漪。安徽歙县人。庶吉士。

宫懋言 直隶静海人。江西袁州府知府

归　鸿 字阮垣。江苏常熟人。陕西西华县知县。

唐执玉 浙江知县，兵部尚书。

汪　份 编修。

廖赓谟 字虞箴，号若村。江苏华亭人。编修，侍讲。

查嗣珣 字阁字，号东亭。浙江海宁人。浙江太和县知县，
吏部主事。

涂天相 字宏亮，号燮庵、存斋、迂叟。湖北孝感人。编修，
工部尚书。

万　经 编修，雍正乙卯荐应鸿博。

王澄慧 字勇循。河南睢州人。户部主事，江苏苏松太道。

徐树敏 字师鲁。江苏昆山人。河南知县，户部郎中。

朱　书 庶吉士。

许　田 字莘野。浙江钱塘人。四川知县。

俞　梅 字太羹，号师岩。江苏泰州人。编修。

宋　至 编修。

杨存理 字天根。浙江海宁人。刑部主事，兵科给事中。

章藻功 字岂绩，号绮堂。浙江钱塘人。庶吉士。

刘　岩 （原名刘桂枝），字大山，号月舟。江苏江浦人。编
修。

赵殿最 内阁中书，工部尚书。

张自超 归班知县。

　　三甲进士：

李陈常 字时夏，号嵝山。 浙江嘉兴人。刑部主事，两淮盐政。

龚廷飏 湖北景陵人。山西蒲州府知府。

王一元 字逸其。江苏无锡人。甘肃灵台县知县。

靳治岐 汉军镶黄旗（原籍山东历城）。安徽五河县知县。

马汝为 字宣臣，号玉冈。云南元江人。检讨，贵州铜仁府知府。

王居建 庶子，知府。

詹嗣禄 字允绳，号蓼亭。浙江建德人。工科掌印给事中。

阮应商 字次赓，号越轩。江苏山阳人。内阁中书，吏科给事中。

谢履忠 字一侯，号卤臣、方山、昆皋。云南昆明人。检讨，谕德。

柯乔年 字松龄，号橿龄。河南固始人。检讨，奉天府府丞。

刘祖任 字志尹，号本庵。陕西绥德人。检讨，顺天府府丞。

胡忠本 浙江山阴人。中书科中书，湖南常德府知府。

葛斗南 山东单县人。刑部主事，四川按察使。

丁腹松 字木公，号廷夫、左山。江苏通州人。内阁中书，陕西扶风县知县。

牛天宿 直隶静海人。吏部主事。

赵泰临 字敬亭。山东胶州人。检讨。

杨万程 字扶九，号南溪。汉军正黄旗。检讨，洗马。

李天祥 字希文， 号娄山。 直隶永年人。 检讨， 贵州贵西道。

蒋　肇 字明五，号石塘。广西永宁人。检讨，侍讲学士。

吴　相 字麟山，号长梅。福建宁祥人。检讨，侍讲。

李　堂 字仲升。顺天大兴人。庶吉士。

郑为龙 山西文水人。庶吉士，知县，湖南粮道。

王汉周 字会山。湖北黄冈人。知县，甘肃巩昌府知府。

　武进士：

曹维城　状元。头等侍卫，云南口口协副将。

侯　溁　陕西兴安人。探花。二等侍卫，口口提督。

马巍伯　甘肃宁夏人。三等侍卫，山西大同镇总兵。

李　涟　直隶南宫人。江西守备，镶白旗汉军副都统。

尚　溁　江西新建人（原籍陕西兴安）。浙江提督。

● 恩遇：

　　正月以南巡迎銮（下八条同）：

田种玉　降调礼部右侍郎。赏复原衔；

刘芳喆　降调国子监司业。赏复原衔；

戈　英　前山东道御史。赏复原衔；

徐　潮　河南巡抚。赐御书"口矢清风"额；

赵申乔　偏沅巡抚。二月赐御书"绥辑抚安"额；

熊一潇　原任工部尚书。二月赐御书"浦云"堂额；

宋　荦　江宁巡抚。二月赐御书"西陂"额，又赐"清德"
　　　　堂额及联；

王顼龄　礼部左侍郎。二月以随驾至松江上率其秀甲园，赐
　　　　御书"蒸霞"额。

尤　侗　在籍翰林院检讨。二月加侍讲衔。

泰松龄　前詹事府左谕德。二月赏复原衔。

潘　耒、徐　釚、冯　勖　等前翰林院检讨。二月俱赏复原
　　　　衔。

靳　让　浙江学政、山西道御史。赐其母御书"萱庭春永"
　　　　额。

卢　琦　前内阁学士。二月赏复原衔。

吴震方　前陕西道御史。二月赏复原衔。

胡　渭　浙江德清县诸生。二月以进呈所著"禹贡锥指"，赐
　　　　御书"耆年笃学"额。

任克溥　三月赏复刑部左侍郎原衔，以南巡回銮上过东昌临
　　　　幸其园，赐御书"松桂"堂额及联。

汪　灏、何　焯、蒋廷锡　等内廷供奉，江南举人。三月俱

以会试未经中式准于一体殿试。

任克溥　赏复刑部左侍郎原衔，四月以年将九十加刑部尚书衔。

施世骠　浙江定海镇总兵。四月赐御书"彰信敦礼"额。

菲奕禄　原任荆州将军。六月赐御书"引年老将"额。

　　十月以西巡迎銮（下条同）：

马见伯　山西太原镇总兵。赐御书"三军挟纩"额。

潘育龙　陕西提督。赐御书"输忠闽外"额。

岳昇龙　四川提督。赐御书"威信著闻"额，并赐其母"重闱锡类"额。

华　显　川陕总督。赐御书"宣猷远迩"及"凝清"堂额。

范鄗鼎　候选知县，山西洪洞县进士。十月赐御书"山林云鹤"额。

李　顒　陕西周至县处士。十一月赐御书"操志清洁"额。

◉ 著述：

臧　琳　撰《经义杂记》三十卷成，见正月自识，（按：此书至嘉庆己未始刻行）。

毛奇龄　撰《曾子问讲录》四卷成，见五月毛远宗识。

宋　荦　编《江左十五子诗选》十五卷成，见六月自序。

陈景云　撰《纲目订误》四卷成，见秋日自序。

王　澍　撰《白鹿洞规条目》二十卷成，见十月自序。

韩　菼　自编《有怀堂诗文稿》二十八卷成，见十一月自序。

熊士伯　撰《等切元声》十卷成，见自序。

梅文鼎　撰《方圆幂积》一卷成，见自序。

熊赐履　撰《澡修堂集》十六卷成，见四库提要。

张榕端　撰《河上草》一卷成，见四库提要。

姚之駰　编《类林新詠》三十六卷成，见四月进书摺。

◉ 卒岁：

王　熙　少傅，原任保和殿大学士。正月二十七日卒年七十六。谥文靖，入祀贤良祠（入祀在雍正十年十月）。

法　礼　信郡王府长史。三月十六日卒年六十九

蒋弘道　原任都察院左都御史。四月初八日卒年七十五。

李　鈵　原任安徽巡抚。四月卒于山东赈所，年五十六。

胡在恪　原任江西驿盐道。五月初四日卒年八十二。

舒　恕　致仕正蓝旗满洲都统，前镇南将军，安南将军，云
　　　　骑尉。五月卒年六十五。

王继文　字在兹。汉军镶黄旗。兵部尚书衔原任云贵总督。
　　　　五月卒年七十口。

顾祖荣　原任内阁学士。五月卒。

常　宁　世祖皇五子。和硕恭亲王，前授安北大将军。六月
　　　　初七日卒年四十七。

福　全　世祖皇二子。和硕裕亲王，前授抚远大将军。六月
　　　　二十六日卒年五十一。谥曰宪。

华　善　汉军正黄旗，石氏。和硕额驸，前内大臣授定南大
　　　　将军。六月卒。

王封濚　（一作王封漤）礼部左侍郎。六月卒。

高士奇　升授礼部右侍郎，由在籍詹事府詹事升补，以母老
　　　　未任。六月卒年五十九，追谥文恪（追谥在四十四年
　　　　三月）。

伊桑阿　原任文华殿大学士。七月卒年六十六。谥文端，入
　　　　祀贤良祠（入祀在乾隆十二年）。

拉哈达　致仕镶黄旗满洲都统，（前授镇东将军）一等轻车都
　　　　尉。七月卒年七十七。

莽奕禄　内大臣（前任荆州将军），一等轻车都尉。八月卒年
　　　　七十。谥敏肃。

图克善　正蓝旗满洲副都统。八月卒。

任克溥　刑部尚书衔，赏复刑部左侍郎。八月卒年八十九。

张　墉　直隶雄县知县。八月十六日遇害年六十三。

励杜讷　（原名杜讷）刑部右侍郎。九月卒年七十六。追谥
　　　　文恪（追谥在四十四年二月），追赠礼部尚书（追赠

在六十一年），入祀贤良祠（入祀在雍正十年十月），
加赠太子太傅（加赠在雍正十三年九月）。

张　集　原任兵部左侍部。九月卒年六十。

华　显　满洲正红旗，觉罗氏。川陕总督。十二月卒。赠兵
　　　　部尚书，太子太保，谥文襄。

刘　深　原任福建粮道。十二月二十九日卒年七十八。

徐嘉炎　原任内阁学士。卒年七十三。入国史文苑传。

刘芳喆　赏复国子监司业原衔。卒。

钱　珏　前山东巡抚。卒。

姚淳焘　原任湖南岳常道。卒年七十二。

王　郇　原任雷州府知府。卒年六十。

叶　燮　前江苏宝应县知县。卒年七十七。入国史文苑传。

韩纯玉　浙江归安县诸生。卒年七十九。

金　侃　字亦陶。江苏吴县人。吴县布衣。卒。

康熙四十三年甲申（公元一七〇四年）

◉ **生辰：**

李宗潮　八月十八日生，字坤四，号蕉窗。浙江嘉兴人。

张星景　八月二十八日生，字映薇，号岱厓。江西奉新人。

严　璲　十月初五日生，（榜名程璲），字十区。浙江仁和人。
　　　　享年三十一。

汪　沆　十月十二日生，字师李，号西灏、槐堂。浙江钱塘
　　　　人。享年八十一。

徐　良　十月二十六日生，（初名徐观光），字邻哉。江苏娄
　　　　县人。享年七十一。

张宗楠　十一月二十二日生，字汝栋，号含广。浙江海盐人。
　　　　享年六十二。

颜懋伦　十二月二十四日生，字乐清，号清谷。山东曲阜人。

王进泰　生，字雨苍。汉军镶白旗。享年八十四。

何达善　生，字子兼，号凤池。河南济原人。享年六十六。

周守一　生，字季和，号分狱。山东莱阳人。享年五十八。

程文植　生，江苏嘉定人。享年五十八。

张　熠　生，字曦亮，号南漪。浙江仁和人。享年四十七。

陈黄中　生，字和叔，号介岩、东庄谷叟。江苏吴县人。享
　　　　年五十九。

叶矗凤　生，字鸣周，号桐君。江苏宜兴人。享年三十三。

鱼元傅　生，字虞岩，号东川。江苏昭文人。享年六十五。

黄知彰　生，字秋圃。江苏人。享年六十五。

翟詠参　生，字星文，号复川。安徽泾县人。享年六十二。

◉ **恩遇：**

熊赐履　原任大学士。以陛辞回籍赐御书"寿耆"额。

马　齐　大学士。七月赐御书"永世翼戴"额。

张鹏翮　河道总督。以河工告成，十二月加太子太保（四十

六年五月削）。

范承勋　原任兵部尚书。加太子太保。

锡勒达　吏部尚书。赐御书"凝重刚方"额。

● 著述：

揆　叙　等奉敕增修《皇舆表》十六卷成，见五月进书表。

朱元英　撰《左传博议拾遗》二卷成，见九月自序。

李　寅　字露真，号东崖。浙江秀水人（原籍江苏吴江）。撰
　　　　《易说要指》二卷成，见自序。

吴震方　撰《晚树楼诗稿》四卷成，见四库提要。

● 卒岁：

彭　鹏　广东巡抚。正月卒年六十八。

冯　壅　原任广西南宁府同知。正月卒年三十八。

王永誉　字孝扬。汉军正红旗。正红旗汉军都统，袭一等男。
　　　　二月卒。

唐　甄　前山西长子县知县。二月十五日卒年七十五。入国
　　　　史文苑传。

田　雯　原任户部左侍郎。二月二十三日卒年七十。

文　点　江苏长洲县布衣。四月卒年七十二。

梁钦构　原任吏部郎中。四月二十一日卒年八十二。

杨雍建　原任兵部左侍郎。五月卒年七十四（一作七十八误）。

萨穆哈　前工部尚书。五月卒于狱年七十囗。

吴　雯　山西蒲州征士。五月二十七日卒年六十一。入国史
　　　　文苑传。

洪　昇　字昉思，号稗畦。浙江钱塘人。前钱塘县监生。六
　　　　月初一于乌镇坠水卒年五十囗。入国史文苑传。

张　霨　候选内阁中书。六月初二日卒年四十六。

阎若璩　江苏山阳县征士。六月初八日卒年六十九。入国史
　　　　儒林传。

马斯喀　满洲镶黄旗，富察氏。镶白旗蒙古都统，前授平北
　　　　大将军。六月卒，谥襄贞。

石元声 汉军正白旗。杭州副都统。六月卒。

尤　侗 侍讲衔在籍翰林院检讨。六月卒年八十七。入国史文苑传。

闵麟嗣 江苏江都县诸生。六月二十七日（一作初五日），卒年七十七。

李应廌 赏复内阁学士原衔。七月卒年六十六。

巴　图 满洲正黄旗，博尔济吉特氏。内大臣，右翼前锋统领，袭二等伯。七月卒。

哈　鼐 满洲正黄旗，苏完瓜尔佳氏。原任工部右侍郎。七月卒。

陈鸣皋 河南禹州拔贡生。七月卒年五十八。

张麟昭 山西沁水县诸生。七月二十二日卒年七十八。

韩　菼 礼部尚书。八月卒年六十八。追谥文懿（追谥在乾隆十七年二月）。

颜　元 直隶博野县布衣。九月初二日卒年七十。入国史儒林传。

胡任舆 翰林院侍讲。九月卒。

钮　琇 广东高明县知县。九月卒。入国史文苑传。

裴　褎 原任兵部武选司员外郎。九月十七日卒年八十三。

姜　橚 吏部左侍郎。十月卒年五十八。

程　浚 安徽歙县岁贡生。十月卒年六十七。

刘继圣 原任湖南慈利县知县。十月十八日卒年七十三。入国史循吏传。

杜　臻 原任礼部尚书。十一月卒年七十一。

邵长蘅 江苏武进县监生，前诸生。十一月二十二日卒年六十八，入国史文苑传。

李　枏 致仕都察院左都御史。十一月二十四日卒。

周金然 原任詹事府司经局洗马。卒年七十四。

吴震方 开复陕西道监察御史原衔。卒年六十一。

穆诚额 满洲正红旗，萨哈尔察氏。原任正红旗蒙古副都统，骑都尉。卒。

潘开甲 候选训导，浙江乌程县岁贡生。卒年七十一。

吴李芳 原任甘肃固原州知州。卒年八十四。

文　赤 江苏长洲人。长洲县口口。卒。

李　寅 江苏吴江县口口。卒年七十一。

康熙四十四年乙酉（公元一七〇五年）

● 生辰：

全祖望　正月初六日生，字绍（绍）衣，号谢山。浙江鄞县
　　　　人。享年五十一。

项林皋　正月十七日生。

袁守定　二月二十四日生，字叔论，号易斋。江西丰城人。
　　　　享年七十八。

姚汝金　三月初一日生，（原名姚世铼），字念慈，号改之、
　　　　贞庵。浙江归安人。

王　元　三月二十二日生，字璋五，号潜轩。湖南华容人。

戴永植　六月初十日生，字于庭，号闇斋、农南。浙江归安
　　　　人。享年六十三。

杨仲兴　八月十四日生，字直庭，号訒庵、闇安。广东嘉应
　　　　人。

李清时　十二月二十四日生，字授侯，号蕙圃。福建安溪人。
　　　　享年六十四。

熙　良　生，宗室。享年四十。

崇　安　生，宗室。享年二十九。

励宗万　生，字滋大，号衣园。直隶静海人。享年五十五。

王　棠　生，享年四十四。

鹿迈祖　生，字绍闻。号绍文。直隶定兴人。享年六十。

金　溶　生，字广蕴。顺天大兴人。享年七十三。

陈　材　生，字克任。福建连江人。享年九十二。

李　炯　生，字澹成，号小樊。浙江元和人。

朱光亨　生，字次元，号西铭。浙江海盐人。享年五十二。

赵燨明　生，字敬夫，号瞰江山人。江苏江阴人。

朱士瓒　生，字绥白，号恒庵。福建建宁人。享年六十七。

过临汾　生，字钦颐，号东冈。江苏无锡人。享年七十一。

● 科第：

中式举人：

阿　琳　字玉方。满洲镶白旗。詹事。

黄叔琪　内阁中书，安徽宁国府知府。

倪　璠　字鲁玉。浙江钱塘人。内阁中书。

温睿临　字邻翼，号晒园。浙江乌程人。

张　钺　江苏淮阴人。行人，广西布政使。

顾陈坼　行人，雍正乙卯荐应鸿博。

汪　越　字师退，号季超。安徽南陵人。

徐　振　字白眉，号沙村。江苏华亭人。

鲁　亭　字懋田。江西新城人。

王　霖　字雨丰，号雨枫、弇山。浙江山阴人。乾隆丙辰召
　　　　试鸿博，直隶南宫县知县。

邵向荣　字邠樗，号东葵、东馀。浙江余姚人。内阁中书，
　　　　镇海县教谕。

杨三炯　南河知县，山东济宁道。

胡期恒　字元方，号复斋。湖南武陵人。翰林院典簿，甘肃
　　　　巡抚。

张　月　字涵大。湖南安乡人。刑部主事，直隶正定府知府。

刘青震　字方来，号啸云。河南襄城人，内阁中书。

窦容邃　内阁中书，山西忻州直隶州知州。

仝　轨。

倪象恺　四川泸州人。福建知县，长芦盐运使。

李　菁　湖北长阳县知县。

中式副榜贡生：

崔渭源　直隶长垣人。

沈元沧　浙江人。又见丁酉科。

中式武举：

南天章　字汉雯。云南昆明人。湖广提督。

● 恩遇：

陈廷敬　大学士。正月赐御制诗。

二月以南巡迎銮（以下十五条并同）：

张伯行　山东济宁道。赐御书"布泽安流"额；

张　英　原任大学士。赐御书"谦益"堂及"葆静"额；

张云翼　江南提督。赐御书"世勤阃职"额及联，并赐其父
　　　　已故甘肃提督张　勇"克昌厥后"祠额；

徐秉义　原任内阁学士。赐御书"恭谨老成"额；

顾图河　在籍翰林院编修。赐御书"尊训"堂额及联；

张泰交　浙江巡抚。四月赐御书"受祜"堂额及联；

施世骠　浙江定海镇总兵。四月赐御书"秩德"堂额；

徐　潮　户部尚书。四月赐御书堂额；

陈　诜　左副都御史。四月赐御书"五箴"堂额；

陈元龙　詹事府詹事。其父陈之闿，四月赐御书"南陔日永"
　　　　额，故母陆氏，赐御书"慈教贻休"额；

徐　倬　原任翰林院侍读。四月以进呈全唐诗录，授礼部侍
　　　　郎衔并赐御书"寿祺雅正"额；

徐元正　翰林院侍读学士。赐御书"修吉"堂额；

朱彝尊　翰林院在籍检讨。四月赐御书"经研博物"额；

杜　臻　已故礼部尚书。四月赐御书"眷怀旧德"额旌其墓
　　　　门；

金世荣　福建总督。四月赐御书"钦训"堂额及联。

李斯义　福建巡抚。四月赐御书"湛恩"堂额。

吴　英　福建水师提督。四月赐御书"作万人敌"额并赐其
　　　　祖祠"燕翼贻谋"额及联。

梁　鼐　福建陆路提督。赐御书"世恩"堂额及联，赐其父
　　　　已故江南提督梁化凤"奕世承休"祠额，其母"萱
　　　　庭燕喜"额。

阿　山　两江总督。四月赐御书"承恩"额。

鄂洛顺　江宁将军。四月赐御书"秉正"堂额。

宋　荦　江宁巡抚。四月赐御书"鱼麦"额及联，又赐御书

"世有令仪"旌其家祠。

刘光美 安徽巡抚。四月赐御书"赤敬"堂额。

张廷枢 江南学政，内阁学士。四月赐御书"崇素"堂额。

穆廷栻 苏松水师总兵。四月赐御书"精肆"堂额。

王万祥 已故福建提督。四月赐御书"荩远致果"祠额。

王泽弘 致仕礼部尚书。四月赐御书"尊道"堂额。

熊一潇 原任工部尚书。四月赐御书"训忠"堂额。

郑侨柱 原任四川重庆镇总兵，四月赐御书"慎静永年"
额。

梅文鼎 安徽宣城县处士。四月赐御书"绩学参微"额。

赵弘燮 河南巡抚。五月赐御书"世恩"堂额及联，并赐其
父已故云贵总督赵良栋"勇略邦屏"祠额及联。

蒋　伊 已故河南提学道。五月赐御书"怀荩兴文"祠额及
联。

胡禹翼 原任安徽太平府教授。九月以本年为乙酉科乡举周
甲之岁重赴鹿鸣筵宴。

丁思孔 已故云贵总督。赐御书"绩著南邦"祠额。

● 著述：

朱彝尊 编《明诗综》一百卷成，见正月自序。

梁佩兰 撰《六莹堂二集》八卷成，（按：此集于卒后始刻，
今系于三月之前）。

王士禛 撰《香祖笔记》十二卷成，见春日宋荦序。

陈景云 撰《纪要要略》二卷成，见夏日自序。

顾嗣立 编《诗林韶濩》二十卷成，见八月自序。

臧　琳 撰《尚书集解》一百二十卷，附《序目释文》四卷
成，见十一月自序。

毛奇龄 撰《读诗传鸟名》三卷成，见自序。

梅文鼎 撰《交食》四卷成，见自序。

吴瞻泰 字东岩。安徽歙县人。撰《陶诗汇注》四卷成。

● 卒岁：

诺　尼　多罗贝勒，宗室。正月卒。

赵士骐　河南永城县诸生。正月二十九日卒年六十九。

梁佩兰　候选知县，原任翰林院庶吉士。三月三十日卒年七十七。诗人，"岭南七子"之一，入国史文苑传。

李　颙　陕西周至县征士。四月十五日卒年七十九。入国史儒林传。

邹嘉琳　安徽按察使。四月二十二日卒。

吴　琠　保和殿大学士。闰四月卒。谥文端，入祀贤良祠（入祀在雍正十年十月）。

程文彝　工部右侍郎。六月卒。

周　弘　原任翰林院侍讲学士。六月二十七日卒年六十九。

鄂洛顺　（一作鄂罗逊）。满洲正黄旗，嵩佳氏。江宁将军。七月卒。

黄华蕃　原任直隶大城县教谕。十月卒年六十一。

靳治青　原任山西交城县知县。十一月初三日卒年三十七。

祖建极　福州副都统。十二月卒。

魏　坤　浙江嘉兴县举人。以入京应试，十二月二十九日卒于正定旅舍年六十。

王泽弘　致仕礼部尚书。卒年八十三。

额赫纳　满洲镶蓝旗，纳喇氏。原任镶蓝旗满洲都统。卒年七十口。

王隆熙　丁忧山西汾州府知府。卒年六十一。

杜登春　浙江处州府同知。卒年七十六。

宋实颖　原任江苏兴化县教谕。卒年八十五。入国史文苑传。

廖　燕　广东西江县诸生。卒年六十二。

康熙四十五年丙戌（公元一七〇六年）

◉ 生辰：

陆祖锡　正月十六日生，字念劬，号学箕。浙江平湖人。享年三十八。

符之恒　三月初一日生，字圣儿，号南竹。浙江钱塘人。享年三十三。

陆秉笏　六月十一日生，字长卿，号葵霭、松南老人。江苏上海人。享年七十八。

赵宁静　六月二十九日生，字芳白，号黎村。江西南丰人。

孙贻年　七月初八日生，字縠仁，号寿门。浙江德清人。

允　祎　七月生，圣祖皇二十子。享年五十。

孙景烈　八月十二日生，字孟扬，号酉峰。陕西武功人。享年七十七。

陈桂洲　八月十八日生，字文馥，号修堂。福建南安人。享年六十五。

陆广霖　十月初二日生，字用宾，号补山。江苏武进人。享年七十五。

曹庭枢　十一月初三日生，字古谦，号谦斋、六艻。浙江嘉善人。享年三十六。

张凤孙　十二月十六日生，字少仪，号息圃。江苏长洲人。享年七十八。

申　甫　十二月二十四日生，字及甫，号笏山。江苏江都人。享年七十三。

邱云锦　十二月二十七日生，字絅思，号玉林。顺天宛平人。享年六十九。

逢　信　生，正蓝旗宗室。享年四十二。

高　晋　生，字昭德。满洲镶黄旗，高佳氏。享年七十三。

周元理　生，字秉中，号燮堂。浙江仁和人。享年七十七。

孙梦逵　生，字庄九，号中伯。江苏常熟人。享年五十八。

王又曾　生，字受铭，号毂原。浙江秀水人。享年五十七。

田　震　生，字又起，号文湖。山东德州人。享年四十五。

张瞻洛　生，字文江，号晴沙。江苏太仓人。享年八十一。

吴　炳　生，字蔚昭，号弢园。江西南丰人。享年七十一。

牛运震　生，字阶平，号真谷、空山。　山东滋阳人。享五十三。

畅于熊　生，河南新乡人。享年三十。

朱中理　生，字恪亭，号燮臣、鹤汀。浙江海盐人。享年八十三。

杨　敦　生，字念斋，号学山。陕西府谷人。享年五十七。

张　镠　生，字紫峰。山东乐陵人。享年七十七。

纪　晫　生，字晴湖。直隶献县人。享年七十二。

江　昱　生，字宾谷，号松泉。江苏仪征人。享年七十。

章通翰　生，字尊怀，号淳庵。浙江归安人。享年八十一。

吕祖辉　生，江苏武进人。享年八十一。

陈　皋　生，字江皋，号对沤。浙江钱塘人。享年六十九。

吴燽文　生，字璞存，号标庭。浙江山阴人。享年六十四。

陈树莱　生，字瑶田，号散樗。湖南湘潭人。享年二十七。

◉ 科第：

　　中式贡士：

方　苞　雍正辛亥特授中允，礼部右侍郎。

　　一甲进士：

王云锦　字宏骏，号海文。江苏无锡人。状元。修撰。

吕葆中　字无党，号冰蘧。浙江石门人。榜眼。编修。

贾国维　字奠坤，号千仞、毅庵。江苏高邮人。探花。编修。

　　二甲进士：

俞兆晟　字叔音，号颖园。浙江海盐人。编修，户部左侍郎。

吴士玉　编修，礼部尚书。

彭廷训　字伊作，号补堂。江西南昌人。编修，赞善。

乔崇烈　字无功，号学斋。江苏宝应人。庶吉士。

蔡学洙　字心涵。江苏江宁人。编修。

邹奕凤　字舜威，号环西。江苏无锡人。编修。

林之濬　字象湖。福建惠安人。编修，中允。

赵士英　字鼎望。云南昆明人。庶吉士。

沈翼机　字西园，号澹初、须研。浙江海宁人。编修，侍读
　　　　学士。

俞长策　字驭世，号檀溪。浙江桐乡人。编修。

吴关杰　字见山。浙江石门人。编修，鸿胪寺少卿。

嵇曾筠　编修，大学士。

熊　本　字艺成，号涤斋。江西南昌人。编修，重宴恩荣。

杨开沅　字用九，号芷畹、禹江。江苏山阳人。编修。

宫鸿历　编修。

庄令舆　字荪服，号阮尊。江苏武进人。编修。

陆赐书　字宣颖，号愚真。江苏长洲人。礼部主事，四川川
　　　　东道。

何　煜　字汉章。江苏长洲人。□部主事，河南南阳府知府。

查嗣庭　编修，礼部左侍郎。

清　泽　（原名索泰），字介山。满洲镶白旗。编修。

陈大辇　湖北江夏人。福建台湾□□。

陈世俨　浙江海宁人。刑部主事，江西建昌府知府。

李玉鋐　知县，福建按察使。

郑任钥　字惟启，号鱼门。福建侯官人。编修，湖北巡抚。

王　蕈　字孝微，号梅冶。江苏太仓人。编修，广东巡抚。

汤之旭　字孟升，号凝斋。河南睢州人。编修，通政司副使。

　　三甲进士：

卫昌绩　字子久，号铁峰，缄之。山西阳城人。检讨，江南
　　　　道御史。

陈时夏　字建长。云南昆明人。内阁中书，江苏巡抚。

王　霖　字澄斋，号嶷夫。浙江上元人。湖南漳县知县，礼

部员外郎。

贾兆凤　字九仪，号图云。江苏高邮人。检讨。

余　旬　（碑录作余祖训），字田生，号仲敏。福建福清人。
　　　　四川知县，顺天府府丞。

陈　均　字秉侯，号一泓。江苏江阴人。检讨。

刘青藜　庶吉士。

彭维新　字肇周，号石源。湖南茶陵人。检讨，户部尚书，
　　　　协办大学士。

李锺峩　字西源，号芝麓。四川通江人。检讨，太常寺少卿。

闵　佩　字玉苍，号雪岩。浙江钱塘人（原籍乌程）。四川知
　　　　县，山东道御史。

马　豫　字观我，号文湘。陕西绥德人。检讨，侍讲。

阎尧熙　直隶知县，四川布政使。

张暿枢　字光辰。山西曲沃人。江南盐道。

魏定国　湖北知县，吏部右侍郎。

诸起新　字卓山。浙江余姚人。检讨。

张懋能　江西奉新人。检讨，行人司司副。

方楘如　顺天丰润县知县，雍正乙卯荐应鸿博。

浦文焯　字凤巢。浙江嘉善人。直隶知县，直隶按察使。

窦容恂　内阁中书，四川嘉定府知府。

王思训　字畴五，号永斋。云南昆明人。检讨，侍读。

杜　滨　字砥峰。山西平陆人。安徽知县，陕西粮道。

李掌圆　字仙庵。山东阳信人。检讨。

丁士一　字河峰。山东日照人。户部主事，江西布政使。

王　苹　归班知县，山东成山卫教授。

卢生甫　浙江平湖人。贵州遵义府知府。

魏　嶰　浙江钱塘县知县。

王　旬　归班知县。

李日更　字皆仰，号再熙。山东栖霞人。检讨，贵州粮道。

郭　伟　字靖园。云南新兴人。吏部主事，吏部员外郎。

吕耀曾　内阁中书，仓场侍郎。

尚居易　字坦然。陕西临潼人。会元。

徐　琳　江苏按察使。

魏　壮　字正庵。直隶获鹿人。山东知县，鸿胪寺卿。

赵　资　山东宁海人。云南知县，浙江台州府知府。

陈厚耀　归班知县，江苏苏州府教授，内阁中书，癸巳特授
　　　　编修，左谕德。

吕文樱　字西园。山西汾阳人。江西知县，奉天府府丞。

王　玿　字石和，号韫辉。检讨。

包　括　浙江钱塘人。四川知县，山东布政使。

魏　观　直隶获鹿人。江苏苏松太道。

寿致润　字雨六，号南湖、于陆。浙江诸暨人。检讨。

谢王宠　字宾于，号愚斋、观斋。甘肃宁夏人。检讨，左副
　　　　都御史。

罗其贞　（一作罗其昌）贵州遵义人。河南知县，光禄寺卿。

赵世勋　知府。

段嶙生　字相山。湖南常宁人。内阁中书，广东新安县知县。

誇　喀　翰林院侍读。

臧　琮　山东诸城人。广东知县，福建建宁府知府。

沈一葵　福建诏安人。安徽徽州府知府。

郝　潚　直隶正定人。

　　武进士：

杨　谦　江苏仪征人。状元。头等侍卫，直隶天津镇总兵。

石云倬　山东德州人。三等侍卫，福建陆路提督。

张　溥　口口镇总兵。

◉　恩遇：

贾国维　江苏举人。三月以会试未经中式，准于一体殿试。

李芳述　贵州提督。四月加太子少保，授镇远将军。

蓝　理　福建陆路提督。其母苏氏，六月赐御书"昼锦萱荣"
　　　　额。

◉ 著述：

胡　渭　撰《易图明辨》十卷成，见三月自序。

宋　荤　撰《筠廊二笔》二卷成，（按：此书成于四月见漫堂
　　　　年谱）。

陈元龙　奉敕编《历代赋汇》一百四十卷、《外集》二十卷《逸
　　　　句》二卷、《目录》三卷成，见五月御序（按：书成
　　　　后又编口卷附记于此）。

陈廷敬　等奉敕编《佩文高斋詠物诗选》六十四册成，见六
　　　　月御序。

张　贞　撰《杞纪》二十二卷成，见九月自序。

曹　寅　等奉敕校刻《全唐诗》九百卷成，见十月进书表。

吴德信　字成友。江西九江人。撰《周易篆象合参》十二卷
　　　　成，见自序。

储　欣　撰《在陆草堂文集》六卷成，（按：此集于欣卒后为
　　　　吴之彦等编定付梓，见雍正癸卯六月其孙掌文所记，
　　　　今系于是年）。

◉ 卒岁：

张泰交　浙江巡抚。正月二十六日卒年五十六。

赵吉士　原任国子监学正，前户科给事中。二月卒年七十九，
　　　　入国史循吏传。

白尔克　盛京工部侍郎。二月卒。

李锺伦　福建安溪县举人。三月卒年四十四。入国史儒林传。

翁大中　福建上杭县知县。二月二十四日卒年六十九。

南塔海　内阁学士。四月卒。

张于廷　原任贵州永从县知县。四月三十日卒年七十九。

汪　绎　在籍翰林院修撰。五月十二日卒年三十六。

灏　善　太祖皇孙。辅国公。五月卒。

屠粹忠　兵部尚书。五月卒。

达　佳　江宁将军。五月卒。

洞　鄂　（一作董额）。太祖皇孙。正蓝旗满洲都统，袭多罗

信郡王，前授定西大将军。六月卒年六十。

赵永吉　左都督衔陕西花马池副将。七月初六日卒年六十二。

崇　朴　山西沁水县增贡生。八月初八日卒年八十四。

保　绶　世祖皇孙，辅国公。九月卒。追赠和硕裕亲王，谥曰悼（赠谥在雍正三年三月）。

张仕可　湖南衡永郴道。卒。

熊一潇　原任工部尚书。十一月十五日卒年六十九。

布尔赛　盛京刑部侍郎。十一月卒。

锡勒达　（一作席尔达）。吏部尚书管礼部事。十二月卒年五十九。

顾图河　翰林院编修，湖北学政。卒年五十二。入国史文苑传。

李国亮　致仕河南巡抚。卒年六十六。

于　琨　原任江苏常州府知府。卒年七十一。

乐又令　原授江苏萧县训导（选授后以老未任），江都县岁贡生。卒年七十。

储　欣　江苏宜兴县举人。卒年七十六。入国史文苑传。

倪会鼎　浙江上虞故诸生。卒年八十七。

周　篆　江苏吴江县口口。卒年六十五。

朱永嘉　浙江海盐县举人。卒年四十六。

康熙四十六年丁亥（公元一七〇七年）

◉ **生辰：**

陈　道　五月十八日生，字绍洙，号凝斋。江西新城人。享年五十四。

魏允迪　五月十八日生，字功夏，号懋堂。江西广昌人。

张惟寅　六月十七日生，字子畏，号惺夫。直隶南皮人。享年五十五。

阿思哈　六月生，字补堂。满洲正黄旗，萨克达氏。享年七十。

陈世烈　七月初二日生，字允文，号啸庐。云南建水人。享年八十三。

朱昌龄　九月十八日生，字开周，号怡轩。浙江海盐人。享年七十二。

赵宗堡　十月初八日生，字林存，号瓶守。江苏吴江人。享年七十四。

英　廉　十一月生，字计六，号梦堂。汉军镶黄旗，冯氏。享年七十七。

玛商阿　生，宗室。享年四十三。

蔡　新　生，字次明、缉斋，号葛山。福建漳浦人。享年九十三。

吴嗣爵　生，字尊一，号树屏。浙江钱塘人。享年七十三。

万年茂　生，字少槐，号南泉。湖北黄冈人。享年九十。

汪师韩　生，字抒怀，号韩门、上湖。浙江钱塘人。

赵　森　生，（原名赵贵朴），字再白，号素存。江苏昭文人。享年五十。

刘　恺　生，字君顾，号介亭。云南永北人。享年六十一。

陈中龙　生，字汉楼，号白兆。湖北安陆人。享年九十口。

陈兆瑜　生，字发奇，号祗园。浙江钱塘人。享年八十九。

谭昌明　生，字存斋。湖南衡山人。享年八十口。

范泰恒　生，字无厓，号松年。河南河内人。享年六十九。

周翼洙　生，字迪文，号松岩。浙江嘉善人。享年五十。

李　远　生，享年四十一。

沈荣儁　生，字谦之，号檆师。浙江归安人。享年四十。

朱以发　生，字学颜，号省如。享年七十一。

● 恩遇：

二月以南巡迎銮（下四条同）：

张　英　原任大学士。赐御书"世恩"堂额及联；

祖良璧　福州将军。赐御书"兵民协辑"额及联；

蓝　理　陆路提督。赐御书"勇壮简易"额；

玛尔祜　兵部尚书。三月赐御书"睢鸠之职"额；

张伯行　江苏按察使。三月赐御书"廉惠宣猷"额。

梁　鼐　闽浙总督。四月赐并书"旗常世美"额。

彭始抟（一作彭斯抟）浙江学政。翰林院侍讲，赐御书，"公明尽职"额。

吴　英　福建水师提督。四月加授威略将军，赐御书"世锦"堂额。

王文雄　山东登州镇总兵。五月赐御书"辑和东土"额。

著述：

陈邦彦　奉敕编《历代题画诗类》一百二十卷成，见四月御序。

宫梦仁　撰《读书纪数略》五十四卷成，见正月自撰凡例。

张伯行　撰《学规类编》二十七卷成，见九月自序。

施彦恪　字随村。安徽宣城人。撰《施氏家风述略续编》一卷成，见十二月自跋。

王复礼　字雷人，号草堂。浙江钱塘人。撰《家礼辨定》十卷成。

端木缙　字仪标。安徽当涂人。撰《医学汇纂指南》八卷成，见四库提要。

熊赐履　撰《闲道堂集》九卷成，见中秋刘然序。

张祖年　撰《道驿集》四卷成，见四月自序。

张光祖　字灿垣，号默斋。浙江嘉兴人。撰《默斋杂咏》一
　　　　卷成，见冬日沈良治序。

● 卒岁：

朱　绅　在籍口部候补主事。二月初三日卒年三十八。

张可元　字曾如，号沂公。浙江汤溪人。浙江瑞安县教谕。
　　　　二月卒年六十口。

珠　满　满洲正红旗，瓜尔佳氏。江宁将军，骑都尉兼一云
　　　　骑尉。三月卒。追晋三等轻车都尉世职（追晋在四十
　　　　七年）。

吴　洪　甘肃提督。四月卒。

蔡廷治　江苏江都县诸生。五月十三日卒年六十八。

布纳海　满洲镶黄旗，纳喇氏。三等子。卒。

阎文煟　原任四川安边军民府知府。六月初三日卒年七十九。

康乃心　陕西合阳县举人。六月卒年六十五。入国史儒林传。

刘子章　原任山西道监察御史。十二月初四日卒年五十二。

胡禹翼　原任安徽太平府教授。十二月卒年八十二。

查　昇　詹事府少詹事。卒年五十八。入国史文苑传。

吕葆中　（吕留良之子）翰林院编修。卒。以罪戮尸（戮尸在
　　　　雍正十年十二月）。

朱　书　在籍翰林院庶吉士。卒年五十一。

佟国桢　汉军正蓝旗，佟佳氏。降调兵部尚书衔江西巡抚。
　　　　卒。

盛　枫　浙江安吉县学正。卒年四十七。

高　简　口口县画士。卒年七十四。

陆安国　字康侯。江苏太仓人。太仓县增生。卒年八十口。

康熙四十七年戊子（公元一七〇八年）

◉ **生辰：**

王　镗　正月二十六日生，字春融。　山西凤台人。享年五十
　　　　四。

朱廷抡　闰三月初一生，字建常，号默亭、纯斋。浙江海盐
　　　　人。享年六十。

曹秀先　四月二十三日生，字冰持，号芝田、地山。江西新
　　　　建人。享年七十七。

钱　载　九月初八日生，字坤一，号箨石、瓠尊、万松居士。
　　　　浙江秀水人。享年八十六。

福　彭　生，宗室。享年四十一。

蒋　溥　生，字质甫，号恒轩。江苏常熟人。享年五十四。

兆　惠　生，字和甫。满洲正黄旗，乌雅氏。享年五十七。

罗源汉　生，字方城，号南川、静轩。湖南长沙人。享年七
　　　　十五。

单　烺　生，字曜灵，号青俟。山东高密人。享年六十九。

梅士仁　生，享年八十六。

吕　辙　生，字天衢。山西凤台人。

左　基　生，字永图，直隶沧州人。享年六十一。

陆名时　生，字景雍，号松园。江苏青浦人。享年六十九。

王聿修　生，字念祖，号孝山。河南禹城人。享年八十一。

蔡韶清　生，号穆如。江西南康人。享年五十四。

杨　芳　生，江西人。享年八十。

鲍皋　生，字步江，号海门。江苏丹徒人。享年五十八。

鲍倚云　生，字薇省，号苏亭。安徽歙县人。享年七十一。

汪一元　生，江苏江都人。享年四十二。

蒋重光　生，字子宣，号芋斋。江苏吴县人。享年六十一。

徐　珩　生，字楚白，号昌眉。浙江海盐人。享年八十五。

● 科第：

中式举人：

福什宝　满洲正白旗。少詹事。

朱　琰　字琬次。汉军镶红旗。湖南知县，贵州贵西道。

杨熊飞　山西知县，山西汾州府同知。

吴　麟　内阁中书，乾隆丙辰召试鸿博。

张若霈　字云峰。安徽桐城人。内阁中书，广西苍梧道。

恽鹤生　字皋闻。江苏武进人。金坛县教谕。

朱宏模　浙江海盐人。

陈克隆　浙江海宁人。直隶河间府知府。

汪继燝　内阁中书，吏科给事中。

李锺旺　字世赍。福建安溪人。内阁中书。

张　璨　字岂石，号湘门。湖南湘潭人。江苏知县，大理寺
　　　　少卿。

李光北　字上卿。福建安溪人。福建福清、大田县教谕。

中式副榜贡生：

王　戬　字孟毅。湖北汉阳人。

中式武举：

成元震　字东泉。山西文水人。甘肃提督。

● 恩遇：

宋　荦　原吏部尚书。闰三月以陛辞回籍，赐御制诗。

● 著述：

孙岳颁　等奉敕撰《佩文斋书画谱》一百卷成，见二月御序。

汪　灏　等奉敕撰《佩文斋广群芳谱》　一百卷成，见五月御
　　　　序。

温　达　等奉敕撰《亲征朔漠方略》四十八卷成，见御序。

杨　宾　字可师，号耕夫。浙江山阴人。撰《铁函斋书跋》
　　　　六卷成，见八月自序。

张伯行　撰《朱子语类辑略》八卷成，见九月自序。

舒顺方　浙江人、董彦琦　同编《剡川诗钞》十二卷成，见九

月彭祖训序。

朱彝尊　自编《曝书亭集》八十卷成，见潘耒序。

王士禛　编《唐人万首绝句选》七卷成，见自序。

李光坡　撰《礼记述注》二十八卷成，见自序。

李来章　撰《连阳八口风土记》八卷成，见自序。

毛奇龄　撰《四书改错》二十二卷成，见自序。

陈　訏　自编《时用集正编》成，见四库提要。

汪晋徵　自编《双溪草堂诗集》一卷、附《游西山诗》一卷
　　　　成，见四库提要。

◉　卒岁：

赵　玥　汉军镶黄旗。正红旗汉军都统，袭二等轻车都尉。
　　　　二月卒。

博　霁　满洲镶白旗，巴雅拉氏。川陕总督，云骑尉。闰三
　　　　月卒。

窦克勤　在籍翰林院检讨。闰三月二十五日卒年五十六。入
　　　　国史儒林传。

富　善　满洲正黄旗，舒穆禄氏。太子太保，领侍卫内大臣，
　　　　袭一等公。四月卒。入祀贤良祠（入祠在雍正十年）
　　　　追谥恭懿（追谥在乾隆元年正月）。

明　珠　内大臣，前太子太师，武英殿大学士。四月卒年七
　　　　十四。

李林隆　汉军正黄旗。镶红旗汉军都统，袭三等男。四月卒。

桑阿里　护军都统。四月卒。

拜察礼　三等辅国将军，太宗皇曾孙。六月卒。追赠和硕显
　　　　亲王（追赠在乾隆三十七年四月）。

卢　宜　原任贵州镇远县知县。六月初四日卒年八十。

刘兆麒　赏复兵部尚书闽浙总督原衔，原任黑龙江总管。六
　　　　月十二日卒年八十。

王　燕　原任贵州巡抚。七月十二日卒年五十七。入国史文
　　　　苑传。

吴农祥　浙江钱塘县征士。七月十六日卒年七十七。入国史
　　　　文苑传。

唐希顺　甘肃武威人。左都督衔，原任四川总督，云骑尉。
　　　　七月卒。

王式金　江苏金坛县布衣。七月卒年七十四。

姚士蕌　前詹事府右春坊，右赞善。卒。

张　英　原任文华殿大学士。九月十七日卒年七十二。谥文
　　　　端，追赠太子太傅（追赠在六十一年），入祀贤良祠
　　　　（入祀在雍正八年七月），加赠太傅（加赠在雍正十
　　　　年）。

潘　耒　赏复翰林院检讨。九月二十九日卒年六十三。入国
　　　　史文苑传。

孙岳颁　礼部侍郎管国子监祭酒。十月卒年七十。

汤传楶　原任福建清流县知县。十一月卒年五十八。

李芳述　太子少保，左都督衔镇远将军，贵州提督。十二月
　　　　卒年七十七。赠太子少傅，谥壮敏。

顾八代　字文起。满洲镶黄旗，伊尔根觉罗氏。袭一等轻车
　　　　都尉，前礼部尚书。十二月卒。追复原衔赠太傅，谥
　　　　文端（复官赠谥在雍正三年八月），入祀贤良祠（入
　　　　祀在雍正八年八月），加赠太师（加赠在雍正十三年
　　　　九月）。

彰　库　满洲镶白旗，瓜尔佳氏。原任镶黄旗满州副都统，
　　　　一等轻车都尉。十二月卒。

赵申季　翰林院编修，山东学政。卒。

徐　釚　赏复翰林院检讨。卒年七十三。入国史文苑传。

库勒纳　满洲镶蓝旗，瓜尔佳氏。佐领处行走，前任吏部尚
　　　　书。卒。

王新命　字纯嘏。汉军镶蓝旗（原籍四川三台）。前江南道总
　　　　督。卒。

毛际可　前河南祥符县知县。卒年七十六。入国史文苑传。

蔡毓茂　汉军正白旗。京口副都统。卒。

王　戬　湖北汉阳县副贡生。卒。入国史文苑传。

李绳远　浙江嘉兴县诸生。卒年七十六。入国史文苑传。

纪　炅　字胐庵，号仲霁。顺天文安人。文安县口口。卒。

陆祖禹　丁忧江苏太仓县副贡生。卒。

康熙四十八年己丑（公元一七〇九年）

◉ 生辰：

王千仞 正月二十二日生，字启丹，号涵斋。江苏无锡人。
享年八十九。

涂 瑞 二月二十七日生，字荣诏，号訒庵。江西新城人。
享年六十六。

甘 禾 九月初二日生，字周书，号晴村、爱庐。江西丰新
人。享年六十八。

长 住 九月十八日生，字松侪， 号兰谷。汉军正白旗，王
氏。

邓献璋 九月二十三日生，字方侯。湖南祁阳人。

黄登贤 生，字云门、笃盟，号忍庐。顺天大兴人。享年六
十八。

张若需 生，字树彤，号中峻。安徽桐城人。享年四十五。

蒋和宁 生，字用安，号蓉龛。江苏阳湖人。享年七十八。

周 沣 生，字岂东，号东皋。浙江嘉善人。享年四十五。

钱 琦 生，字相人，号述堂、玙沙、耕石老人。浙江仁和
人。享年八十二。

徐观孙 生，字用宾，号雪岩。顺天宛平人。享年八十。

邢复诚 生，享年八十二。

葛 恒 生，江苏人。享年六十五。

崔元森 生，字灿若，号闇斋。直隶大名人。享年六十三。

范世勋 生，字西屏。浙江海宁人。

林 元 生，字阮林，号莲山。浙江海宁人。享年五十八。

◉ 科第：

一甲进士：

赵熊诏 字侯赤，号裘萼。江苏武进人。状元。修撰，侍读。

戴名世 会元。榜眼。编修。

缪　沅　探花。编修，刑部右侍郎。

二甲进士：

朱元英　字师晦、师亭，号荔衣。江苏上元人。编修。

储在文　字礼执、理质，号中子。江苏宜兴仁。编修。

戚麟祥　字圣来，号瓶谷。浙江德清人。编修，侍讲学士。

阿克敦　编修，刑部尚书，协办大学士。

须　洲　字凤羽，号韦绅。江苏武进人。编修，宗人府府丞。

张麟书　（原名张起麟）字趾肇，号承斋。江苏华亭人。编修。

黄叔璥　字玉圃，号笃斋。顺天大兴人。太常寺博士，江南常镇道。

李　绂　编修，直隶总督。

朱一凤　字仪庭，号丹崖、诏廷。顺天琢州人。编修，两淮盐运使。

惠士奇　编修，侍读学士。

路仍起　字介繁，号讷庵。江苏宜兴人。庶吉士。

徐用锡　编修，侍读。

李　中　字牟山。河南睢州人。庶吉士，内阁中书，四川叙永厅同知。

秦道然　编修，礼科给事中。

黄叔琬　顺天大兴人。户部主事，广西布政使。

方　觐　编修，陕西布政使。

蔡世远　编修，礼部左侍郎。

唐绍祖　庶吉士，刑部主事，浙江湖州府知府。

蒋锡震　直隶庆云县知县。

蒋　涟　字檀人，号省庵、锦峰。江苏常熟人。编修，太仆寺卿。

于　广　字天如。山东胶州人。编修，大理寺少卿。

阎　詠　字元木，号复申、左汾。江苏山阳人。内阁中书。

方式济　字渥源，号沃园。安徽桐城人。内阁中书。

吕谦恒 编修，光禄寺卿。

　三甲进士：

史　随 字欧湖，江苏溧阳人。江西瑞州府知府。

周人龙 字云上，号跃沧。　直隶天津人。山西知县，江西粮
　　　　道。

顾　芝 字谢庭。浙江仁和人。礼部主事，福建延建邵道。

蒋文淳 字虞友，号怀民。江苏吴县人。吏部主事。

宋　筠 检讨，奉天府府尹。

黎致远 检讨，奉天府府尹。

王奕鸿 字树光，号勖斋。江苏太仓人。户部主事，四川川
　　　　东道。

张　照 检讨，刑部尚书。

马　益 字惠我，号文屏。陕西绥德人。检讨，直隶永平府
　　　　知府。

潘寀鼎 字对溪。江苏溧阳人。陕西西安府知府。

卢　轩 字素功，号巽行、六巨。浙江海宁人。检讨，司业。

徐文驹 字子文，浙江鄞县人。山西怀仁县知县。

塞楞额 （碑录作色楞阁），字允恭，满洲正白旗。内阁中书，
　　　　湖广总督。

陆绍琦 检讨，太常寺少卿。

侯　瑜 号潍生。河南襄城人。江西石城县知县。

张　玢 字蔚石、雪汀。　湖南湘潭人。检讨，河南汝宁府知
　　　　府。

谢履厚 字坤侯。云南昆明人。检讨。

陈世倕 字公佐，号存斋、鹿岩。浙江海宁人。户部主事，
　　　　左副都御史。

张淑郿 直隶正定人。湖北武昌府知府。

张绍贤 江苏长洲人。四川保宁府知府。

何世璂 检讨，吏部左侍郎。

王时宪 字若千，号禊亭。江苏太仓人。检讨。

张学庠　字师序。江苏长洲人。云南提学道。

赵国麟　直隶知县，大学士。

芮复传　浙江知县，浙江温处道。

樊钱倬　（碑录作钱倬是否同一人待考），字骏天。江苏吴江人。山西平阳府知府。

詹铨吉　字卜臣，号念山。浙江遂安人。检讨。

李厚望　内阁中书，四川重庆府知府。

哈尔泰　字敬存，满洲镶蓝旗。口部主事，翰林院侍读。

黄承祖　字兰起，湖南湘潭人。内阁中书。

龙为霖　字雨苍。四川成都人。广东潮州府知府。

严思位　字西武，号山邻。浙江平湖人。检讨。

陶　成　字存轩，号吾庐。江西南城人。检讨。

汤豫城　河南兰封人。山东知县，直隶口北道。

黄　越　字际飞，号退谷。江苏上元（长洲）人。检讨。

赵　音　（原名黄音），字翰思，号秩斋。江苏无锡人。检讨。

管凤苞　字桐南，号长耐老人。浙江海宁人。直隶高阳县知县。

王承烈　检讨，刑部右侍郎。

周凤来　字启辉。广东海阳人。庶吉士，教授。

杨　绍　字心斋。湖南武陵人。直隶布政使。

高维新　字雨岚。直隶宁晋人。检讨，四川布政使。

张令璜　字心友。山东东阿人。兵部主事，吏部右侍郎。

邵之旭　江苏金坛县知县。

曾世琮　字虹受。湖南湘潭人。内阁中书，刑部主事。

朱　纶　字言如。顺天通州人。庶吉士。

陈　会　字远岚，号远斋。四川营山人。检讨。

张大受　检讨。

曹抡彬　字炳庵。贵州黄平人。检讨，浙江湖州府知府。

黑天池　直隶赤城人。广西苍梧道。

积　善　满洲镶蓝旗。江西按察使。

武进士：

田　峻　字耕野。直隶献县人。状元。头等侍卫，广西提督。

阎文绣　字素公。直隶大名人。三等侍卫，河南河北镇总兵。

● 恩遇：

允　礽　三月复立为皇太子。五十一年十月废。

允　祉　三月封和硕诚亲王。雍正六年五月削为郡王。

允　祺　封和硕恒亲王。

潘育龙　陕西提督。加授镇绥将军。

音　泰　川陕总督。以入觐赐御书"揽辔澄清"额。

世　宗　十月封和硕雍亲王。

允　禩　十月封多罗敦郡王，雍正二年四月削。

桑　额　漕运总督。十一月加太子太保。

● 著述：

赵执信　撰《谈龙录》一卷成，见六月自序。

王士祯　撰《分甘余话》四卷成，见二月自序。

● 卒岁：

椿　泰　袭和硕康亲王。宗室。五月卒年二十七。谥曰悼。

阿密达　满洲正白旗，他塔喇氏。原任领侍卫内大臣，前任
　　　　扬威将军。五月卒年七十□。

王国安　兵部左侍郎（前任福建总督）。以致祭历代帝王陵寝，
　　　　六月卒于陕西泾阳行馆年六十八。

务　友　辅国公，宗室。七月卒。

博　鼎　领侍卫内大臣。八月卒。

沈恺曾　前掌山西道监察御史。八月二十七日卒年四十九。

吴　涵　原任都察院左都御史。九月卒。

熊赐履　原任东阁大学士。十月卒年七十五。赠太子太保，
　　　　谥文端。

朱彝尊　在籍翰林院检讨。文学家，诗人。十月十三日卒年
　　　　八十一。入国史文苑传。

玛尔珲　太祖皇曾孙。多罗安郡王，宗室。十一月卒年四十

七。谥曰愨。

吴云龙　汉军正红旗（原籍开原）。二等男。十一月卒。

张云翼　字又南。陕西咸阳人。江南提督，袭一等靖逆侯。
　　　　十一月卒。赠太子太保兵部尚书，谥恪定。

邵　瑛　开复山东昌邑县知县。十一月二十四日卒年五十三。

王九龄　都察院左都御史。十二月卒。

汪晋徵　户部左侍郎。十二月卒年七十一。

宋朝楠　都察院左佥都御史。十二月卒。

孙致弥　翰林院侍读学士。卒年六十八。入国史文苑传。

刘青藜　在籍翰林院庶吉士。卒年四十六。

高承爵　前安徽巡抚。卒年五十九。

陈奕禧　江西南安府知府。卒年六十二。入国史文苑传。

毛乾乾　汪西南康县诸生。卒年五十七。入国史文苑传。

姜实节　山东莱阳县布衣。卒年六十三。

朱　瑛　广西西陇州知州。卒年五十二。

康熙四十九年庚寅（公元一七一〇年）

● 生辰：

范棫士　正月初四日生，字思皇，号祖年、尤野。江苏华亭
　　　　人。享年六十。

秦锡淳　正月二十九日生，字执戕、即瞿，号沐云。浙江临
　　　　海人。享年七十七。

邵大业　五月十六日生，字在中，号厚庵、思馀。顺天大兴
　　　　人。享年六十二。

项九皋　六月二十七日生。

阎循琦　七月生，字景韩，号景庭。　山东昌乐人。享年六十
　　　　六。

邵嗣宗　八月二十六日生，字鸿箴，号蔚田。江苏太仓人。
　　　　享年五十八。

彭树葵　九月二十七日生，字觐之。　河南夏邑人。享年六十
　　　　六。

蔡长澐　九月二十八日生，字巨源，号克斋。福建漳浦人。
　　　　享年五十四。

周既济　十月二十四日生，浙江人。享年七十三。

郑象占　十一月初一日生，浙江秀水人。享年六十一。

冯秉彝　十一月二十四日生，字德嘉，号慎斋。江苏金坛人。
　　　　享年七十一。

舒赫德　十二月初二日生，字伯容，号明亭。满洲正白旗，
　　　　舒穆禄氏。享年六十八。

伍弥泰　生，蒙古正黄旗，伍弥氏。享年七十七。

朱　椿　生，字大年，号性斋。江苏娄县人。享年七十五。

穆精阿　生，满洲正黄旗，伊尔根觉罗氏。享年八十三。

李治运　生，字宁人，号漪亭。江苏吴江人。享年六十二。

邱理德　生，福建人。享年八十口。

朱士玠　生，字璧封，号筠园。福建建宁人。享年六十二。

甘国宝　生，字继赵，号和庵。福建古田人。享年六十八。

段世续　生，字莘约，号洁斋。江苏金坛人。享年九十四。

吴　阆　生，字崙上，号悔堂。安徽歙县人。享年六十四。

吴兆松　生，字敬堂，号苍虬。江苏江都人。享年八十一。

施绍闇　生，字襄夏，号定安。浙江海宁人。享年六十一。

◉ 恩遇：

刘　棨　直隶天津道。以在淀津迎銮，赐御书"清爱"堂额。

陈廷敬　大学士。十一月以病辞职，赐御书"午亭山庄"额。

十二月以顺治间进士罢职诸人年臻耄耋俱赏原官职衔：

王士祯　前刑部尚书，见戊戌科；

江　皋　降调福建兴泉道，见辛丑科；

周敏政（按：敏政乙未进士，原官无考）；

叶矫然　前直隶乐亭县知县，见壬辰科；

徐淑嘉、宋庆远（按：淑嘉、庆远俱辛丑进士，原官无考）。

◉ 著述：

袁仁林　字振千。陕西三原人。撰《虚字说》一卷成，见七
　　　　月自序。

胡　煦　撰《周易函书约存》十八卷、《约注》十八卷成，见
　　　　八月自序。

顾　汧　自编《凤池园诗集》八卷成，见十月自序。

陈遇夫　撰《迂言百则》一卷成，见长至日自序。

王士祯　撰《渔洋诗话》三卷成，贝黄叔琳序。

宋　荦　撰《漫堂续墨品》一卷成，见自序。

梅文鼎　撰《二仪铭补注》一卷成，见自序。

◉ 卒岁：

法　塞　辅国公，宗室。正月卒年六十四。

张　睿　刑部右侍郎。正月卒年七十二。

阎中宽　前户部郎中。二月初七日卒年七十二。

石曰琮　福建福州府知府。二月十一日卒年六十一。

周　靖　江苏吴县诸生。三月十五日卒年六十六。

许廷佐　河南河北镇标左营游击。四月十六日卒年五十七。

王　然　顺天宛平人。原任浙江巡抚。五月卒。

邓秉恒　原任湖北郧襄荆南道。六月初一日卒年七十四。

荐　良　理藩院右侍郎。六月卒。

刘宗泗　候选内阁中书，河南襄阳县举人。六月二十四日卒年七十四。入国史儒林传。

海　青　满洲镶黄旗，戴佳氏。一等侍卫。七月卒。赠副都统衔，追谥果毅（追谥在五十一年四月），追赠一品大臣（追赠在六十一年），加赠太子太保（加赠在雍正十三年九月）。

刘汝霖　京口副都统。八月卒。

靳　让　原任山西道监察御史，浙江学政。九月十三日卒年六十八。入国史循吏传。

阿什坛　满洲正白旗，他塔拉氏。内大臣，袭一等伯。十月卒。

龚　额　蒙古正红旗。一等男。十月卒。

图尔海　护军统领。十月卒。

布　泰　察哈尔总管，前盛京刑部侍郎。十一月十三日卒年六十。

郎廷栋　湖南按察使。十一月十六日卒年四十六。

张　彭　开复福建光泽县知县。十二月初五日卒年六十九。

吴　昺　翰林院侍读，湖广学政。卒。

陈廷桂　行取主事，原任湖南常宁县知县。卒于京师。

沈锡胙　河南商邱县训导。卒年六十六。

殷化行　致仕广东提督，云骑尉。卒。

王　源　顺天大兴县举人。卒年六十三。入国史儒林传。

冷士嵋　江苏丹徒县布衣。卒年八十三。入国史文苑传。

沈　育　江苏常熟县孝子。卒年九十四。

康熙五十年辛卯（公元一七一一年）

◉ 生辰：

允　禧　正月生，圣祖皇二十一子。享年四十八。

尹嘉铨　四月初五日生，直隶博野人。

王　瑾　五月二十一日生，云南罗次人。享年七十四。

嵇　璜　六月初六日生，字尚佐、黼庭，号拙修。江苏无锡
　　　　人。享年八十四。

赵秋泽　七月二十四日生，江苏武进人。享年八十。

程志铨　七月二十七日生，享年五十八。

爱新觉罗弘历　高宗纯皇帝生，享年八十九。

冯　钤　十月初六日生，字咸六，号梧堂。浙江桐乡人。享
　　　　年六十。

周於智　十二月初九日生，字明远，号愚溪。云南嵋峨人。
　　　　享年六十九。

弘　昼　生，世宗皇五子。享年六十。

刘　纶　生，字如叔，字眘涵，号绳庵。江苏武进人。享年
　　　　六十三。

贾延泰　生，字开之，号怪堂。直隶故城人。享年七十四。

杨景素　生，字朴园。江苏人。享年六十九。

李　瀚　生，字受川。汉军镶黄旗。享年六十五。

陶绍景　生，字京山，号慕庭。江苏上元人。享年九十一。

王光燮　生，字丽三，号艺山。江苏武进人。享年六十九。

李梦�璁　生，字蓼园。江苏嘉定人。享年六十。

林正辉　生，字德云，号斗南。福建闽县人。享年七十一。

◉ 科第：

　　中式举人：

查为仁　顺天宛平人。

养　善　字心斋。满洲镶白旗。泰宁镇总兵。

世　贵　字守之。满洲正黄旗。内阁学士。

陈鸿熙　字赓载。江苏长洲人。广东知县，广东盐运使。

塞尔登　字紫峰。满洲。光禄寺丞，侍讲学士。

岳　礼　字蕉园。满洲正白旗，那木都鲁氏。口部笔帖士，
　　　　陕西汉兴道。

陈履中　内阁中书，甘肃宁夏道。

郑　勋　直隶迁安人。浙江处州府知府。

赫达色　满洲镶红旗。侍讲。

刘　捷　江苏上元人。

王　瞻　字恕斋。江苏太仓人。四川成都府知府。

李　䱺　字宗扬，号复堂。江苏兴化人。山东知县，山东滕
　　　　县知县。

吴　锐　江都府教谕，乾隆丙辰召试鸿博。

帅　我　江西奉新人。

仇廷模　字宏远，号季亭。浙江鄞县人。湖南临湘县知县。

李荣芳　福建人。

胡良显　字忠遂。号得岑。湖北汉阳人。山东武城县知县。

郭　远　湖南桂阳人。

许　容　字季伟。河南虞城人。陕西知县，湖南巡抚。

宋韦金　河南商丘人。刑部主事，直隶清河道。

宫尔劝　山东人。云南知县，云南布政使。

张坦熊　山东人。浙江知县，云南按察使。

冯光裕　云南知县，湖南巡抚。

李　暲　福建同知，江苏淮安府知府。

尹　诰　字紫来，号铁堂。甘肃武威人。四川渠县知县。

周　琪　四川人。湖北知县，湖北天门县知县。

朱亨衍　广西人。直隶知县，甘肃平凉府同知。

　　中式副榜贡生：

张　渠　字潏川，号韶庵。直隶武强人。太常寺博士，湖南
　　　　巡抚。

张宗栻　字敬贻，号南垞。浙江海盐人。瑞安县教谕，广东
　　　　徐闻县知县。
　　　中式武举：
康华龄　顺天人。广东雷州协副将。

◉　恩遇：
穆和伦　户部尚书。其母以年届九十，赐御书"北堂眉寿"
　　　　额。
叶矫然　赏复直隶乐亭县知县，以本年为顺治辛丑科乡举周
　　　　甲之岁，九月重赴鹿鸣筵宴。

◉　著述：
孔毓圻　编刻《幸鲁盛典》四十卷成，见三月进书表。
许汝霖　撰《德星堂家训》一卷成，见五月自序。
刘　淇　撰《助学辨略》五卷成，见九月卢成炎序。
陈廷敬　等奉敕撰《佩文韵府》四百四十四卷成，见十月御
　　　　序。
御订《全金诗》七十卷成，见冬日御序。
沈名荪　自编《梵夹集》五卷成，见赵昱序（按：编定后又
　　　　续成三卷）。
顾　沂　自编《凤池园文集》八卷成，见五十一年七月徐潮
　　　　序。

◉　卒岁：
诺穆图　原任镶蓝旗汉军都统，和硕额附。正月卒。谥悫僖。
曹鑑伦　吏部左侍郎。三月初一日卒年六十三。
畅泰兆　原任工科给事中。三月十七日卒年七十五。
徐秉义　原任内阁学士，降调吏部右侍郎。四月卒年七十九。
王士祯　赏复刑部尚书原衔。五月十一日卒年七十八。追谥
　　　　文简（追谥在乾隆三十年四月）。
张玉书　文华殿大学士。五月以随扈卒于热河年七十。赠太
　　　　子太保，谥文贞，入祀贤良祠（入祀在雍正十年十
　　　　月）。

邵廷采　浙江余姚县诸生。六月卒年六十四，入国史儒林传。

张世爵　户部左侍郎。六月卒。

蔡　璧　原任福建罗源县教谕。七月初一日卒年六十四。

范　鲲　浙江口口县诸生。八月卒年五十五。

陈　苌　原任浙江桐庐县知县。八月十七日卒。

顾　汧　原任宗人府府丞，降调河南巡抚。卒年六十六。

杨廷望　（初名杨廷锦），字竞如。江苏武进人。前浙江衢州
　　　　府知府。九月卒。

伊应聚　原任福建顺昌县训导。十月二十六日卒年八十三。

姚　瑚　江苏吴江县布衣。十一月二十二日卒年七十二。

陈迁鹤　原任詹事府左春坊左庶子。卒年七十六。入国史儒
　　　　林传。

施何牧　原任吏部员外郎。卒年八十三。

王斗机　原任广西滕县知县。卒年七十四。

李　栋　原任陕西麟游县训导。卒年九十六。

陈自舜　浙江慈溪县布衣。卒年七十八。

康熙五十一年壬辰（公元一七一二年）

◉ 生辰：

张映辰 正月初二日生，字星指，号藻川。浙江仁和人。享年五十二。

杨　鸾 正月二十一日生，字子安，号迁谷。陕西华阴人。享年六十七。

尚廷枫 四月初二日生，字嶽师。江西新建人。

史奕昂 八月生，字吉甫，号抑堂。江苏溧阳人。享年八十。

倪承宽 十月初五日生，字馀疆，号敬堂。浙江钱塘人。享年七十二。

裘曰修 十月二十九日生，字叔度、漫士，号诺皋。江西新建人。享年六十二。

程　树 十一月十八日生，江苏长洲人。享年二十二。

允　祐 生，圣祖皇二十二子。享年三十二。

诚　保 生，宗室。享生四十三。

王　荃 生，字景芳，号介磐。江苏新阳人。享年五十一。

裴宗锡 生，字默堂，号二知、午桥。山西曲沃人。享年六十八。

唐宸衡 生，字南屏，号伊肩。江苏江都人。享年七十九。

袁德达 生，字性三、信吾，号近斋。浙江鄞县人。享年四十九。

石鹏翥 生，字北起。湖南湘潭人。享年八十九。

李道南 生，字景山，号晴山。江苏江都人。享年七十六。

张书绅 生，享年五十九。

董天弼 生，字霖苍，顺天大兴人。享年六十二。

万光泰 生，字循初，号柘坡。浙江秀水人。享年三十九。

朱丕基 生，字受之，号标榭。浙江海盐人。享年四十三。

祝廷献 生，字继修。福建将乐人。享年五十八。

邵佳銑　生，浙江余姚人。享年七十二。

徐　坚　生，字孝先，号友竹。江苏吴县人。享年八十七。

● **科第：**

一甲进士：

王世琛　字宝传。江苏长洲人。状元。修撰，少詹事。

沈树本　字厚馀，号树堂、舲翁。浙江归安人。榜眼。编修。

徐葆光　字亮直，号澄斋。江苏长洲人。探花。编修，侍讲。

二甲进士：

卜俊民　字方嘉，号衣言。江苏武进人。会元。庶吉士，内
　　　　阁中书。

李锺侨　编修，国子监监丞。

陶贞一　字骏文，号改之、退庵。江苏常熟人。编修。

刘於义　编修，吏部尚书，协办大学士。

潘允敏　字颖少，号苇村。江苏溧阳人。编修，云南广南府
　　　　知府。

王图炳　编修，礼部右侍郎。

鄂尔奇　字季正，号复斋。满洲镶蓝旗，西林觉罗氏。编修，
　　　　户部尚书。

何国宗　字翰如，号约斋。顺天大兴人。编修，礼部尚书。

秦靖然　字药师，号宝华。江苏无锡人。编修。

田嘉毂　字树滋，号芹村。山西阳城人。编修，云南道御史。

徐云瑞　字卿生、庆生，号鹿溪，卿叔。浙江上虞人。编修。

许　镇　字天倚，浙江德清人。编修，江西南昌府知府。

林　佶　内阁中书。

俞鸿图　字麈一，号则堂。浙江海盐人。编修，侍讲。

杜　诏　庶吉士，雍正乙卯荐应鸿博。

李慎修　字思永。山东章邱人。内阁中书，湖南衡永郴桂道。

林　昂　字嘉超，号若亭。福建侯官人。编修。

顾嗣立　庶吉士，归班知县。

卜兆龙　江苏武进人。内阁中书。

汪泰来　字陛交。浙江钱塘人（原籍安徽歙县）。内阁中书，广东潮州府同知。

王　澍　（碑录作汪澍）。编修，户科掌印给事中。

狄贻孙　字宗维，号翼亭。江苏溧阳人。编修。

徐　杞　编修，陕西巡抚。

易　简　字易仲，号半山。四川丰都人。编修。

漆绍文　字馥来。江西新昌人。编修，江苏布政使。

王箴舆　字敬倚，号孟亭。江苏宝应人。河南知县，河南卫辉府知府。

周天祜（一作周天适）字笃丰，号承吉。湖北江夏人。编修，四川重庆府知府。

程梦星　庶吉士。

薄　海　字图南，号隅谷。顺天大兴人（原籍江苏江宁）。编修，太仆寺少卿。

春　山　字长人，号丹崖。满洲镶黄旗，伊尔根觉罗氏。庶吉士，内阁中书，盛京兵部侍郎。

秦　休　编修，广西浔州府知府。

黄师琼　安徽徽州府教授，云南广通县知县。

　　三甲进士：

周　彬　字文若，号潜庵。云南昆明人。检讨，甘肃平庆道。

钱廷献　字我持，号南塘。浙江仁和人。检讨，口口道御史。

沈世屏　字锡侯，号带河。浙江海宁人。检讨，湖南长沙府知府。

夏慎枢　字用修，号晓堂。江苏丹徒人。检讨。

陈王谟　字虞佐，号东溪。浙江吴县人。庶吉士，刑部主事。

舒大成　字子展。顺天大兴人。检讨。

胡　煦　检讨，礼部左侍郎。

李如璐　字佩五，号清园。直隶新安人。检讨，陕西延绥郿道。

陈蕙荣　湖北知县，安徽布政使。

张　淳　字号怀，号遬公。山东武定人。检讨。

张谦宜　字稚松。山东胶州人。归班知县。

甄之璜　字峄山。顺天大兴人。中书科中书，陕西道御史。

陈以刚　字烛门。安徽天长人。归班知县，安徽池州府教授，
　　　　乾隆丙辰召试鸿博。

王遵宸　检讨。

谢济世　检讨，湖南驿盐道。

吴　拜　字昌言。满洲正红旗，觉罗氏。盛京工部侍郎。

虞景星　字东皋。江苏金坛人。浙江知县，江苏吴县教谕。

徐树屏　字敬思。江苏昆山人。刑部主事，广西提学道。

张　旭　字明廷，号渔村。云南呈贡人。检讨。

刘正远　山东临朐人。广东雷州府知府。

孙　诏　字凤书，号友石。甘肃武威人。庶吉士，直隶知县，
　　　　湖北布政使。

徐永祜　湖南武陵人。

郑其储　字又梁，号虚斋。湖北石首人。检讨，左佥都御史。

潘　祥　检讨，四川顺庆府知府。

王　晦　庶吉士。

戈懋伦　字兴三，号勉斋。直隶献县人。检讨。

张　坦　字易庵。直隶磁州人。归班知县，陕西潼商道。

　　武进士：

李显光　状元。头等侍卫。

朱伦瀚　三等侍卫，刑部郎中，正红旗汉军副都统。

崔起潜　字际云。直隶正定人。三等侍卫，湖南衡州协副将。

王无党　字履坦。直隶万全人。蓝翎侍卫，浙江提督。

● 恩遇：

黄秉中　前福建巡抚。赏还原衔。

杜　诏、陈王谟　江苏举人。四月均以会试未经中式，准予
　　　　一体殿试。

● 著述：

冯　辰　撰《李恕谷年谱》四卷成，见四月自序。

王之枢　奉敕撰《历代纪事年表》一百卷成，见七月进书表。

刘元龙　字凝焉。直隶饶阳人。撰《先天易贯》三卷成，见自序。

徐文靖　撰《禹贡会笺》十二卷成，见赵弁序。

王史直　江苏无锡人。编《锡山文集》二十卷成，见自序。

高懋功　撰《云中纪程》二卷成，（按：此书记至十月止今系于此）。

◉ 卒岁：

高荫爵　直隶口北道。二月初四日卒年五十八。入国史循吏传。

陈廷敬　入阁办事原任文渊阁大学士。四月卒年七十四，谥文贞。

马际伯　字逸闻。甘肃宁夏人。四川提督。六月卒。赠右都督，谥襄毅。

吴　英　左都督衔威略将军，福建水师提督，三等轻车都尉。七月二十四日卒年七十六。赠太子少保。

卜永誉　致仕刑部左侍郎。九月卒年六十八。

穆　丹　都察院左都御史。十月卒。

乌达禅　致仕正蓝旗满洲都统。十月卒年六十六，谥襄敏。

颇尔盆　满洲正黄旗，瓜尔佳氏。领侍卫内大臣，一等公。十二月卒。

硕　鼐　正红旗满洲都统。十二月卒。

李仲极　汉军镶蓝旗。前户部右侍郎。卒。

徐　倬　礼部侍郎衔，原任翰林院侍读。卒年九十。入国史文苑传。

刘　灏　前掌河南道监察御史。卒年五十一。

硕　岱　满洲正白旗，喜塔喇氏。内大臣，三等轻车都尉。卒年八十四。

唐之汾　汉军镶蓝旗（原籍陕西泾阳）。镶红旗汉军都统，袭

　　　　一等子。卒。

刘若鼐　安徽布政使。卒年六十四。

曹　寅　通政使衔巡视两淮盐政。卒年五十五。

杨无咎　江苏吴县布衣。卒年七十九。入国史文苑传。

康熙五十二年癸巳（公元一七一三年）

● 生辰：

刘林青　正月十三日生，湖南攸县人。享年七十。

胡绍鼎　二月初二日生，字雨方，号牧堂。湖北孝感人。享年六十四。

陈　益　二月十八日生，字丽亭，号荔汀。江苏长洲人。享年五十四。

李　绶　四月二十九日生，字佩廷，号杏浦、竹溪。顺天宛平人。享年七十九。

王萦绪　五月初三日生，山东诸城人。享年七十二。

张　本　七月二十三日生，字稼善，号敦源。安徽望江人。享年六十二。

张若霭　七月初九日生，字景采，号万泉、晴岚。安徽桐城人。享年三十四。

凌存淳　九月十二日生，字鲲游，号竹轩。江苏上海人。享年六十八。

潘　相　十月十六日生，字润章，号经峰。享年七十八。

允　祁　十一月生，圣祖皇二十三子。享年七十三。

恒　仁　生，字育万，号月山。宗室。享年三十五。

孔广棨　生，字京立，号石门。山东曲阜人。享年三十一。

常　青　生，字凌斋。满洲正蓝旗，佟佳氏。享年八十一。

庄有恭　生，字容可，号滋圃。广东番禺人。享年五十五。

孔传炯　生，字振斗，号曜南、南溪。山东曲阜人。享年六十七。

卢　谦　生，字㧑之，号蕴斋。山东德州人。享年七十三。

陶敦和　生，字鲁直，号叔载。江苏常熟人。享年七十七。

庄纶渭　生，字对樵，号苇塘。江苏武进人。享年六十二。

张甄陶　生，字希周，号惕庵。福建闽县人。享年六十八。

朱　琰　生，字桐川，号笠亭、樊桐山人。浙江海盐人。享年六十八。

朱　坤　生，字中黄，号正甫。浙江秀水人。享年五十九。

陶兆麐　生，字拱之，号春溪。浙江会稽人。享年八十五。

许成麟　生，字瑞符，号庆堂。直隶易县。享年六十一。

蒋　德　生，字敬持。浙江秀水。享年五十四。

杨履基　生，（原名杨开基），字履德。江苏金山人。享年六十三。

刘绍錡　生，字继信，号浴花主人。陕西三原人。享年二十三。

◉ 科第：

中式举人：

纪容舒　字竹崖，号迟叟。直隶献县人（原籍文安）。刑部主事，云南桃安府知府。

李宗渭　字秦川，号稔卿。浙江嘉兴人。云南永昌府知府。

陈洪範　广东知县，浙江宁波府同知。

褚菊书　字荣九。浙江嘉兴人。江苏知县，雍正乙卯荐应鸿博，安徽滁洲直隶州知州。

锺　彝　湖北黄安县知县。

王士陵　字阿瞻。直隶武邑人。广东翁源县知县。

傅米石　字立元。山东钜野人。

凌　燽　字剑山。安徽定远人。内阁中书，河南布政使。

苏本洁　字幼清。江苏常熟人。福建知县，福建兴化府知府。

魏涵辉　字谦谷。江西广昌人。国子监博士，山东登州府知府。

丁　凝　字琴山，号静者。浙江长兴人。国子监学正，乾隆丙辰召试鸿博，礼部司务。

钱家墍　湖北知县，直隶保安州知州，重宴鹿鸣。

郭　雍　字仲穆，号书禅、约园。福建福清人。

李文焻　湖南人。湖北谷城县教谕。

吕澧曾　河南人。祥符县教谕。

朱定元　字奎山。贵州黄平人。南河知县，山东巡抚。

中式副榜贡生：

明　鼐　字子器，号远村。满洲镶红旗人。翰林院侍读学士。

白映棠　汉军镶白旗。山西汾州府知府。

孙兰芬　字芳谷。湖北人。河南开封府知府。

一甲进士：

王敬铭　状元。修撰。

任兰枝　榜眼。编修，礼部尚书。

魏廷珍　探花。编修，工部尚书。

二甲进士：

杨绳武　字文叔，号皋思。江苏吴县人。编修。

刘自洁　编修，乾隆丙辰召试鸿博。

孙见龙　会元，庶吉士，归班知县，乾隆丙辰召试鸿博，山
　　　　西洪洞县知县。

许王猷　编修，内阁学士。

万承苍　字宇光，号宇兆、孺庐。江西南昌人。编修，侍讲
　　　　学士。

吴廷揆　字宾门，号湄州。江苏华亭人。户部主事，四译馆
　　　　少卿。

吴　襄　编修，礼部尚书。

徐　骏　字观卿，号坚蕉。江苏昆山人。编修。

蔡　嵩　字宣问，号中峰（中岩）。江苏上海人。编修，宗人
　　　　府府丞。

蒋　洞　字恺思。江苏常熟人。工部主事，山西布政使。

陈治滋　字以树，号德泉。福建闽县人。编修，奉天府府丞。

景考祥　字履斋。河南汲县人。编修，福建盐运使。

刘嵩龄　字山祝，号向南。汉军镶白旗（原籍顺天宝坻）。庶
　　　　吉士，山东道御史，四川永宁道。

王奕仁　字志山。江苏娄县人。编修，赞善。

蒋洽秀 字道周，号虚斋。广西永宁人。编修，福建汀州府知府。

李元直 字象山，号愚村。山东高密人。编修，福建道御史。

于本宏 顺天大兴人。江苏苏州府知府。

乔学尹 字莘庐。山西猗氏人。编修，署福建布政使。

庄　楷 字书田，号鹿原。江苏武进人。编修，司业。

蒋继轼 编修。

张　梁 字大木，号奕山。江苏华亭人。行人，侯选知县。

徐　鼎 字仲实。河南遂平人。内阁中书，湖北布政使。

王希曾 字孝先，号惺岩。江苏崇明人。编修，谕德。

陈学海 山东知县，口口道御史，雍正己酉特授检讨。

唐建中 字赤子，号怍人。湖北江陵人。庶吉士。

屠　洵 字少泉，号退山。湖北孝感人。编修，河南彰德府知府。

厉　煌 字子嘉，号思晦、皓然。浙江会稽人。编修。

徐士林 内阁中书，江苏巡抚。

张　缙 字绅公，号省斋。陕西韩城人。编修，中允。

　　三甲进士：

姚培和 江苏金山人。陕西汉兴道。

蒋　杲 户部主事，广东广州府知府。

世　禄 字际可，号汉阁。满洲正黄旗。检讨，侍读学士。

姚三辰 字舜扬，号圣湖。浙江仁和人。检讨，吏部右侍郎。

梅廷对 字以茂，号素若、策三。江西南城人。检讨，山东盐运使。

孙嘉淦 检讨，吏部尚书，协办大学士。

李茹旻 内阁中书。

何春英 （碑录作陈春英）字友兹。广东澄海人。

何人龙 字雨民。江西广昌人。检讨，礼部郎中。

陈世侃 字行之，号闇斋。检讨。

史在甲 字牷忠，号慎斋。浙江鄞县人。检讨，礼部右侍郎。

吴孝登　字夒修。满洲正黄旗。检讨，侍读学士。

朱曙荪　字景先。四川嘉定人。检讨，右通政。

管式龙　字刚中。浙江海盐人。内阁中书，吏部郎中。

陈　法　字世垂，号圣泉、定斋。贵州安平人。检讨，直隶
　　　　大名道。

向日贞　字一存，号乙斋。四川成都人。检讨，广东道御史。

甘汝来　直隶知县，吏部尚书。

张　汉　字月搓，号蛰存。云南石屏人。检讨，河南河南府
　　　　知府，余见乾隆丁巳词科。

朱天保　字九如，号鹤田。满洲正红旗。检讨。

王　游　湖北武昌人。广东惠州府知府。

庄　论　广东海阳人。庶吉士。

贾　牲　字泰生，号昆阳、鹿湄。河南叶阳人。检讨，侍读
　　　　学士。

张元怀　字田莘，号向甘、免翁。直隶宣化人。检讨，浙江
　　　　布政使。

春　台　字锡旗，号顾斋。满洲正黄旗。内阁中书，翰林院
　　　　侍读学士。

巩建丰　字子文，号渭川、介亭。陕西伏羌人。检讨，侍读
　　　　学士。

臧尔心　字子端。山西太平人。检讨。

僧格勒　字致中。满洲正黄旗。口部主事，翰林院侍读学士。

王国栋　字左吾。汉军镶红旗。检讨，刑部右侍郎。

胡　安　字静庵，号云铭、雪铭、拙翁。河南襄城人。庶吉
　　　　士。

王　凝　山西平定人。四川成都府知府。

　武进士：

李如柏　字兰峰。甘肃宁夏人。状元。头等侍卫，云南临元
　　　　镇总兵。

丁士傑　字汉三。顺天大兴人。榜眼。二等侍卫，贵州提督。

金　崑　浙江仁和人。会元。口口侍卫。

黄正元　字泰一。福建罗源人。口口侍卫，浙江处州镇总兵。

顾国泰　字秋亭。江苏上元人。口口侍卫，光禄寺少卿。

● 恩遇：

三月以恭祝六旬万寿：（以下三条同）

宋　荦　原任吏部尚书。加太子少师；

田种玉　原任吏部右侍郎。加工部尚书衔太子少傅；

郭世隆　前刑部尚书。赏复原衔；

阿　山　前刑部尚书。赏复原衔；

石文晟　前湖广总督。赏复原衔。

赵申乔　左都御史。以年届七十，赐御书"匪懈"堂额。

达尔占　袭三等男。十二月晋封一等男。

温　达　大学士。赐御制诗。

陈厚耀　归班知县。特授编修，余见前丙戌科。

● 著述：

姚之骃　辑《后汉书补遗》二十一卷成，见五月自序。

李光地　等奉敕编《朱子全书》六十六卷成，见六月御序。

曹培廉　字敬之，号松滨。江苏上海人。重刻《松雪斋全集》
　　　　十卷、并辑《外集》一卷、《续集》一卷成，见九月
　　　　自序。

查慎行　撰《人海记》二卷成，见冬日自序。

戴天恩　字福承。浙江萧山人。撰《心易》一卷成。

陈大章　撰《诗传名物集览》十二卷成，见邱良骥序。

王维德　字洪绪，号林屋山人。江苏吴县人。撰《林屋民风》
　　　　十二卷成，见自序。

蒋　骥　字赤霄，号勉斋。江苏吴县人。撰《山带阁楚辞注》
　　　　六卷、《余论》二卷、《说韵》一卷成。

卢　轩　撰《韩笔酌蠡》三十卷成，见雍正庚戌九月程崟识
　　　　语。

曹培廉　校订《清閟阁集诗》八卷、文二卷、《外纪》二卷成，

见自序。

● 卒岁：

凌绍雯　内阁学士。正月卒。

桑　额　太子太保，吏部尚书。正月卒。

劳　史　浙江余姚县布衣。正月三十日卒年五十九。入国史儒林传。

李彦瑁　湖北黄州府知府。二月初十日卒年七十七。

戴名世　前翰林院编修。二月初十日以罪处斩，年六十一。

讬合齐　满洲正蓝旗，兆佳氏。前步军统领。二月以罪卒于狱（注：以恣意贪婪，肆行悖逆），仍命戮尸。

弘　晋　圣祖皇孙。三月卒。赠辅国公品级。

严虞淳　太仆寺少卿，湖北正考官。以试毕卒于武昌行馆，年六十四。入国史文范传。

宋骏业　兵部右侍郎，四月卒。

吴一蜚　吏部尚书。四月二十六日卒年七十五。

曹泰曾　前福建莆田县知县。五月十四日卒年六十三。

史　夔　詹事府詹事。闰五月卒。

岳昇龙　字见之。四川成都人（原籍甘肃临洮）。原任四川提督。六月卒。追谥敏肃（追谥在雍正四年三月）。

杨绿绥　在籍候补按察司副使，原任湖北安陆府知府。六月卒年六十九。

鄂　斐　宗人府左宗人，领侍卫内大臣，袭辅国公，宗室。八月卒年六十一。

宋　荦　太子少师，原任吏部尚书。九月十六日卒年八十。

讬克塔哈尔　蒙古正黄旗。三等子。十月卒。

臧　琳　江苏武进县诸生。十月初十日卒年六十四。入国史儒林传。

赵　俞　原任山东定陶县知县。十月二十日卒年七十八。入国史循吏传。

吴尔德黑　正白旗满洲副都统。十月卒。

梁　鼐　原任闽浙总督。十一月卒年六十一。

赵　山　正白旗蒙古都统。十一月卒。

郝惟谔　顺天霸州人。都察院左副都御史。十一月卒。

满　丕　满洲正蓝旗，伊尔根觉罗氏。致仕镶蓝旗蒙古都统，
　　　　云骑尉。卒。

吴　瑷　江西高安县诸生。卒年四十八。

程时彦　候选州同，江苏嘉定县贡生。卒年七十二。

康熙五十三年甲午（公元一七一四年）

● 生辰：

郑虎文　正月生，字炳也，号诚斋。浙江秀水人。享年七十一。

汤大宾　正月二十七日生，字名书，号蓉溪。江苏武进人。享年八十三。

郑鑑元　二月初十日生，字允明，号澂江、馀圃。江苏江都人。享卒九十一。

程　岩　五月初十日生，字巨山，号恕斋、海苍。江西铅山人。享年五十五。

王元启　七月十一日生，字宋贤，号惺斋。浙江嘉兴人。享年七十三。

陈梦说　七月十二日生，字象臣，号晓岩、枕泉居士。山西绛县人。享年七十一。

李应虞　八月初一日生，字咸五，号莲亭。山东东平人。享年八十六。

徐世佐　十月初十日生，字辅卿，号石亭、遁翁。湖南湘阴人。享年八十三。

汪汝淮　十一月初九日生。

叶　信　十一月十六日生，字师权，号可亭。江西零都人。享年六十一。

郭　焌　生，字昆甫，号壶庄。湖南善化人。享年四十二。

毛颖士　生，江苏武进人。享年六十六。

黄　冈　生，福建建宁人。享年七十三。

贾田祖　生，字稻孙，号礼耕。江苏高邮人。享年六十四。

施廷枢　生，字北亭，号慎甫。浙江钱塘人。享年四十五。

● 科第：

中式举人：

朝　琦　字定侯，号笏斋。满洲镶黄旗。甘肃布政使。

萨哈谅　满洲镶蓝旗。口口布政使。

菩萨保　粮道。

王　珏　刑部主事，江西临江府知府。

孟　琇　顺天霸州人。内阁中书，福建邵武府同知，重宴鹿
　　　　鸣。

纪迈宜　字傀亭。顺天文安人。山东泰安县知县。

彭朝佐　云南知县，国子监学录。

邵世泰　字季醇。江苏常熟人。内阁中书，贵州平越府知府。

唐德盛　（一作唐德咸）字佑一，号纯斋。江苏昆山人。和州
　　　　学正，四川泸溪县知县。

张宏敏　字纳夫，号红州。江苏丹徒人。湖北孝感县知县，
　　　　雍正乙卯荐应鸿博。

尤秉元　四川乐至县知县。

于　杕　江苏人。通州直隶州学正，乾隆丙辰召试鸿博。

郭彭龄　江苏江都人。

严宗嘉　江西分宜人。河北知县，直隶开州知州。

张文�　字凤林，号树声。浙江萧山人。四川知县，云南澂
　　　　江府知府。

杨宏俊　浙江人。安徽知县，山东盐运使。

吴廷华　内阁中书，福建兴化府同知。

范承式　浙江鄞县人。重宴鹿鸣。

郑　基　字葆真。福建侯官人。内阁中书，浙江盐道。

车敏来　字逊公。湖南邵阳人。广东知县，山西隰州直隶州
　　　　知州。

王为垣　湖南龙阳人。

郜　煜　字光庭。河南登封人。国子监学正，山西道御史。

高崇徽　甘肃人。江西知县，浙江安吉州知州。

毛元铬　字翊衢，号兰峰。江苏丹徒人。

● 著述：

郁　荪　撰《醒世述编》二卷成，见二月自序。

汪士鋐　撰《瘗鹤铭考》一卷成，见六月自序。

允　祉　诚亲王等奉敕撰《律吕正义》五卷成，见十一月进书表。

毛德琦　字心斋。浙江鄱县人。撰《白鹿书院志》十九卷成，见自序。

尤　珍　自编《沧湄类稿》四十五卷成，见十月彭定求序。

张榕端　撰《兰樵归田稿》一卷成，见四库提要。

帅仍祖　字宗道，号介亭。江西奉新人。自编《嗜退山房稿》五卷成，见四库提要。

◉　卒岁：

胡　渭　浙江德清县征士。正月初九日卒年八十二。入国史儒林传。

赵　晋　前江南副考官，翰林院编修。正月于狱中自尽。

范承勋　太子太保，原任兵部尚书。二月初一日卒年七十四。

讷默孙　辅国公，宗室。三月卒。

音　泰　原任川陕总督，云骑尉。四月卒年六十三。谥清端。

阿尔筴　都察院左副都御史。四月卒。

噶　礼　满洲正红旗，栋鄂氏。前两江总督。四月十九日以罪赐令自尽（注：以任意贪婪，谋杀亲母）。

韩　蕃　江西贵溪县知县。四月二十二日卒年五十五。

陈汝咸　大理寺少卿。四月二十五日，以查勘陕西荒歉，卒于固原之海喇都年五十七。入国史循吏传。

乐　拜　甘肃巡抚。五月卒。

佛济保　正蓝旗满洲副都统。五月卒。

阿兰图　镶黄旗蒙古副都统。五月卒。

郭　远　湖南桂阳县举人。七月卒年五十五。

劳之辨　前都察院左副都御史。九月十三日卒年七十六。

毛奇塔　满洲正黄旗，郭尔罗特氏。一等男。卒。

崔徵璧　工部右侍郎。十二月卒年七十六。

阿　山　满洲镶蓝旗，伊拉哩氏。赏复刑部尚书原衔。卒。

张榕端　原任内阁学士。卒年七十六。

周起渭　詹事府詹事。卒年五十。入国史文苑传。

秦松龄　赏复詹事府谕德原衔。卒年七十八。入国史文苑传。

鹿　宾　赏复掌浙江道监察御史原衔。卒年六十九。

顾贞观　原任内阁典籍。卒年七十八。入国史文苑传。

李林盛　汉军正黄旗。左都督衔镶红旗汉军都统，（前任甘肃
　　　　总督），骑都尉兼一云骑尉。卒年七十口。

喻成龙　字武功。汉军正蓝旗。赏复湖广总督原衔。卒。

林　侗　原任福建龙溪县训导。卒年八十八。入国史文苑传。

吴　郡　字云士。福建浦城人。浙江水师提督。卒。赠太子
　　　　太保。

康熙五十四年乙未（公元一七一五年）

● 生辰：

朱仕琇　三月十七日生，字斐瞻，号梅崖。福建建宁人。享年六十六。

熊为霖　五月初五日生，字浣青，号鹤峤。江西新建人。

尹　均　八月十六日生，字佐平，号松林、松皋居士。云南蒙自人。享年七十三。

刘　吉　十月初五日生，字方咨，号让庵、雪厓。直隶南皮人。享年六十五。

龚一发　十月初七日生，字天礌，号厚斋。福建闽县人。享年五十九。

侯宗岘　十一月生，享年五十三。

陈孝泳　生，江苏人。享年六十五。

秦大士　生，字鲁一，号涧泉、秋田。江苏江宁人。享年六十三。

蔡观澜　生，字季澄，号瞻亭。福建漳浦人。享年七十一。

褚寅亮　生，字搢升、宗郑，号鹤侣。江苏长洲人。享年七十六。

钱受毅　生，字黄与，号冲斋。浙江秀水人。享年五十八。

翁缵祖　生，字依言，号彦和、逸巢。江苏常熟人。享年七十五。

宋元俊　生，字甸芳。安徽怀远人。享年五十八。

唐黼廷　生，字庄园，号八绣。江苏常熟人。享年四十一。

● 科第：

　一甲进士：

徐陶璋　字端揆，号达夫、衡圃。江苏长洲人（原籍昆山）。状元。编修。

缪曰藻　榜眼。编修，洗马。

傅王露　探花。编修，雍正乙卯荐应鸿博，中允。

二甲进士：

李文锐　字鼎臣，号北苑、敬斋。江苏长洲人。编修，洗马。

吴应棻　字小眉，号眉庵。浙江归安人。编修，兵部左侍郎。

蔡衍淐　福建漳浦人。庶吉士。

陈　仪　编修，鸿胪寺少卿。

李　锦　字聚文，号芦州。江苏长洲人。会元。编修，侍读。

梅毂成　编修，左都御史。

胡彦颖　字秋垂。浙江德清人。编修。

怀渊中　字蓉江。浙江嘉兴人。编修。

陈邦直　字方大，号愚亭。浙江海宁人。编修。

杨超曾　编修，吏部尚书。

曹友夏　字次辰，号介庵。江苏金坛人。编修，福建邵武府
　　　　知府。

汤　俟　字以安，号漫湖。江西南丰人。编修，河南道御史。

张鸣钧　字双南，号笠宾、绛溪。浙江乌程人。编修，顺天
　　　　府府尹。

施昭庭　字筠瞻，号寄篁。浙江嘉善人（原籍江苏吴县）。江
　　　　西万载县知县。

张　銷　湖北知县，广东广州府知府。

张鳞甲　字千子，号天池。直隶新安人。编修，湖广道御史。

石　杰　字裕昆，号虹村。浙江秀水人。江西知县，四川按
　　　　察使。

赵　城　字艮舆。云南通海人。编修，湖南布政使。

凌如焕　编修，兵部左侍郎。

王世睿　字道存。山东章邱人。庶吉士，江苏知县，江苏江
　　　　浦县知县。

李天宠　字世来，号鑑堂。福建安溪人。编修。

三甲进士：

裘　琏　庶吉士。

栗尔璋 字珏如，号兰溪。甘肃宁夏人。检讨，兵部主事，广东道御史。

德　龄 字松如，号栌村。满洲镶黄旗，钮祜禄氏。检讨，盛京礼部侍郎。

蒋　蔚 （原名蒋万禩）。中书科中书，礼部郎中。

窦启瑛 字修五，号亦亭。汉军正白旗。检讨，四川布政使。

许日炽 广东程乡人。刑部主事，广西左江道。

路　衡 江苏宜兴人。福建顺昌县知县。

宋怀金 庶吉士，山东运同。

沈　竹 检讨，中允，改参领。

萨纶锡 字凤诏，号言如。云南楚雄人。检讨。

黄鹤鸣 云南建水人。安徽布政使。

蒋　林 检讨，长芦盐运使。

姜朝俊 江苏丹徒人。福建延建邵道。

陈世仁 字元之，号焕吾。浙江海宁人。检讨。

冀　栋 字隆吉。直隶永年人。检讨，左副都御史。

杨枝建 字利侯，号鹤湖。湖南湘阴人。山东知县，山东海丰县知县。

刁承祖 江苏知县，广东布政使。

德　新 字惺之，号冶亭。满洲镶黄旗。检讨，内阁学士。

牛思任 直隶静海人。江西南城县知县。

索　柱 字海峰。满洲人。口部主事，工部侍郎。

　武进士：

赛　都 字蓉洲，号石田。汉军正红旗，刘氏。状元。头等侍卫，云南开化镇总兵。

李　椅 口等侍卫，湖北襄阳镇总兵。

徐湛恩 口等侍卫，兵部员外郎，直隶副河督。

阮玉堂 蓝翎侍卫，河南卫辉营参将。

孙绍昌 字韬光，号鹭峰。汉军。川陕督标左营游击。

◎ 恩遇：

穆廷栻　福建陆路提督。二月赐御书"八闽邦屏"额。

赵弘燮　直隶巡抚。二月以在任十年加总督衔管巡抚事。

梅毂成　安徽举人。三月供奉口廷以会试未经中式准予一体殿试。

李光地　大学士。八月以回籍葬亲，赐御制诗。

● 著述：

冯　景　撰《解春集》成，（按：此集原刻早毁，至乾隆中经彭绍升选定为《解春集文钞》十二卷、补遗二卷，见壬子卢文绍序，今系于六月之前）。

口口口　等奉敕撰《月令辑要》二十四卷、《图说》一卷成。

图理琛　撰《异域录》二卷成，见自序。

陈文在　字新我。福建将乐人。撰《玉华洞志》六卷成，见自序。

● 卒岁：

郎廷极　曹运总督。正月二十二日卒年五十三。谥温勤。

徐　潮　原任吏部尚书。正月二十七日卒年六十九。入祀贤良祠（入祀在雍正十年十月），追谥文敬（追谥在乾隆元年正月）。

费之逵　降调翰林院编修。二月二十日卒年七十八。

郭　琇　前湖广总督。三月初七日卒年七十八。

干　特　江西星子县岁贡生。四月十四日卒年七十六。

发福礼　镶红旗满洲副都统。四月卒。

扬　福　黑龙江将军，袭镇国公，正蓝旗宗室。四月卒。谥襄毅。

温　达　满洲镶黄旗，费莫氏。文华殿大学士。五月十五日卒。谥文简。

孙徵灏　汉军正白旗。兵部尚书，袭慕义公。六月卒。谥清端。

冯　景　浙江钱塘县监生。六月二十九日卒年六十四。入国史儒林传。

顾用霖　原任湖南宝庆府知府。七月十二日卒年六十四。

胡德迈　顺天府府丞。九月十一日卒年五十六。

朱廷采　浙江海盐县诸生。九月十七日卒年八十六。钦赐孝
　　　　子。

梁　鋐　致仕仓场侍郎。九月卒年八十。

刁再濂　直隶祁州诸生。九月卒年七十二。

延　绶　太宗皇曾孙。多罗贝勒。九月卒。

胡会恩　原任刑部尚书。九月卒。

傅上襄　河南嵩县教谕。九月二十五日卒年六十八。

王原祁　户部左侍郎。著名画师，与王　翚、王时敏、王　鑑、
　　　　吴　历、恽　格（恽寿平）等齐名，被誉为清初六
　　　　大画家。十月十二日卒年七十四。

萧维箕　江西庐陵县贡生。十月卒年六十五。

安布禄　原任刑部尚书。十一月卒。

武文衡　字商平。江苏溧水人。溧水县贡生。十一月卒年六
　　　　十口。

吴廷桢　詹事府左春坊，左谕德。卒。入国史文苑传。

江　皋　赏复福建兴泉道原衔。卒年八十一。入国史循吏传。

赵　珣　原任河南提学道。卒年六十二。

查克建　陕西凤翔府知府。卒年四十八。

张鹏翼　福建连城县岁贡生。卒年八十三。入国史儒林传。

朱渐仪　江苏嘉定县孝子。卒年八十六。

康熙五十五年丙申（公元一七一六年）

◉ **生辰：**

李世傑 正月初九日生，字汉三，号云岩。贵州黔西人。享年七十九。

袁 枚 三月初二日生，字子材，号简斋。浙江钱塘人。享年八十二。

允 祕 五月生，圣祖皇二十四子。享年五十八。

周 珵 六月二十七日生。

邵陛陛 十一月十八日生，浙江余姚人。享年七十一。

陶元藻 十二月初六日生，字龙溪，号篁村、凫亭。浙江会稽人。享年八十六。

姚成烈 生，字申甫，号云岫。浙江钱塘人。享年七十一。

查 礼 生，字恂叔、俭堂，号铁桥。顺天宛平人。享年六十八。

李 集 生，字绎初，号敬堂。浙江嘉兴人。享年七十九。

朱裕观 生，字顗若，号孚堂。安徽当涂人。享年六十八。

瞿连璧 生，字璞存，号学南。江苏嘉定人。享年七十一。

顾 熙 生，江苏无锡人。享年七十五。

◉ **恩遇：**

赵弘灿 两广总督。正月以入觐，赐御制诗。

◉ **著述：**

张玉书 等奉敕撰《康熙字典》四十二卷成，见闰三月御序。

汪立名 撰《钟鼎字源》五卷成，见自序。

张天柱 字孟高，号擎庵。浙江秀水人。撰《进善集》成，见自序。

毛奇龄 撰《舜典补亡》一卷、《大小宗通绎》一卷、《郊社禘袷问》一卷、《昏礼辨正》一卷、《学校问》一卷、《武宗外记》一卷、《胜朝彤史拾遗记》六卷、《辨定嘉定大礼议》二卷成，（按：诸书均无自序年月，今统系于今年）。

陈　撰　字楞山，玉几山人。浙江钱塘人（原籍鄞县）。自编《陈玉几诗集》三卷成，见四库提要。

王心敬　撰《丰川全集》二十八卷成，见四库提要。

◉ 卒岁：

阮尔询　工部左侍郎。正月卒。

雍　泰　原任陕西巡抚。正月卒。

缪　燧　调署浙江镇海县知县，正任定海县知县。三月卒年六十七。

明　安　满洲正白旗。刑部右侍郎。闰三月卒。

觉和讬　满洲镶蓝旗。兵部左侍郎。四月卒。

苏　赫　正蓝旗满洲副都统。四月卒。

蔡衍诰　翰林院庶吉士。七月初七日卒。

善　丹　镶黄旗蒙古都统。七月卒。谥敏壮。

吴之騄　江苏镇江府教授。七月卒年七十二。

郭　琭　字子灿。满洲镶红旗，费莫氏。云贵总督。九月卒。谥勤恪。

郭世隆　字昌伯，号逸斋。汉军镶红旗。赏复刑部尚书原衔。九月卒年七十三。

偏　图　左都督衔镶白旗汉军都统，前任云南提督。九月卒年七十七。谥襄敏，予骑都尉世职。

阿灵阿　满洲镶黄旗，钮祜禄氏。理藩院尚书，袭一等公。十月卒。

潘宗洛　前湖南巡抚。十二月卒。年六十。

刘　岩　前翰林院编修。卒。入国史儒林传。

毛奇龄　在籍翰林院检讨。卒年九十四。入国史儒林传。

蔡　琦　山西按察使。卒年五十四。

阮蔡文　升授福建城守协副将（由厦门水师中营参将升补）。以入京引见卒于宿迁年五十。

朱攀龙 候补州同，浙江海盐县诸生。卒年八十一。

黄　坚 江苏嘉定县布衣。卒年七十五。

顾　鳌 江苏无锡县布衣。卒年五十八。

康熙五十六年丁酉（公元一七一七年）

◉ **生辰：**

谢　鋈　正月二十六日生，字文三，号云峰。甘肃镇蕃人。享年八十四。

顾成志　三月初八日生，字心勿，号治斋。江苏太仓人。享年六十七。

顾　光　四月十四日生，字彦清，号涑园、野翁、梅东老人。浙江仁和人。享年八十四。

卢文弨　六月初三日生，（原名卢嗣宗），字绍弓、抱经，号矶渔、檠斋。浙江余姚人（原籍钱塘）。享年七十九。

王际华　七月二十五日生，字秋瑞，号白斋。浙江钱塘人。享年六十。

阿　桂　八月初三日生，字广庭，号云岩。满洲正白旗，章佳氏。享年八十一。

庄绳祖　十月初八日生，字蜇英，号乐闲居士。江苏武进人。享年七十五。

苏凌阿　生，字紫翔。满洲正白旗。享年八十三。

梁肯堂　生，字构亭，号春淙、晚香。浙江钱塘人。享年八十五。

张绍渠　生，字皇士、篁墅，号素村。江西铅山人。享年四十一。

杨　愚　生，字大智，号北峰。山西兴县人。享年五十七。

赖　晋　生，字昼人。江西石城人。享年五十六。

徐士龙　生，字荀若，号星槎。浙江德请人。享年五十九。

沈齐义　生，字立人。浙江乌程人。享年五十八。

寿同春　生，享年七十一。

安　泉　生，江苏无锡人。享年六十三。

◉ **科第：**

《中式举人》

刘士铭　顺天人。山西知县，湖北盐驿道。

胡永龄　浙江山阴人。重宴鹿鸣。

唐绥祖　江苏江都人。河南知县，湖北巡抚。

储掌文　字曰虞，号越渔。江苏宜兴人。四川纳溪县知县。

王忠武　云南知县，四川巴县知县。

张光裕　江苏丹徒人。湖北知县，湖北兴口县县知县，重宴鹿鸣。

陆　纶　字渔乡。浙江平湖人。广西梧州府知府。

赵世玉　（原名赵清），浙江仁和人。重宴鹿鸣。

李清藻　福建人。乾隆丙辰召试鸿博，湖北兴国县知县。

胡　格　字寿平。湖北江夏人。知县，安徽颍州府知府。

李春耀　乾隆丙辰召试鸿博。

张师载　河南人。户部员外郎，河东河道总督。

倪国珍　字懋功。四川成都人。广西义宁县知县。

杨高士　广东人。湖北松滋县知县。

中式副榜贡生：

沈元沧　浙江仁和人。广东文昌县知县。

谭　旭　字东白。江西新建人。

　　中式武举：

范毓琦　（一作范毓稿）。山西介休人。拣选千千总，直隶正
　　　　定镇总兵。

● **恩遇：**

白　潢　江西巡抚。八月赐御书"诚信开府"额及联。

郑开极　原任詹事府谕德。

尹之逵　广东举人。

　　以上三人俱以本年为顺治丁酉科乡举周甲之岁，九月重
赴鹿鸣筵宴。

● **著述：**

王　掞　等奉敕撰《万寿盛典初集》一百二十卷成。见正月
　　　　马齐等进书表。

杨陆荣　字采南，号潭西。江苏青浦人。撰《三藩纪事本末》四卷成，见二月自序。

章大来　撰《后甲集》二卷成，见五月仇兆鳌序。

梅文鼎　撰《度算释例》二卷成，见十一月自序。

姜日章　字旦童。江苏如皋人。撰《天然穷源字韵》九卷成。

王　棠　字勿翦。安徽歙县人。撰《知新录》三十二卷成。

陈元龙　撰《格致镜原》一百卷成，见自撰凡例。

◉ 卒岁：

揆　叙　字恺功，号惟实居士。满洲正黄旗，纳喇氏。都察院左都御史。正月卒。谥文端，追夺官谥（追夺在雍正二年十月）。

诺罗布　袭多罗顺承郡王，前任杭州将军，宗室。二月卒年六十八。谥曰思。

吴之振　候选中书科中书。二月二十九日卒年七十八。入国史文苑传。

荆　山　字子含。满洲正白旗，费莫氏。礼部尚书。三月卒。谥端简。

赵弘灿　字密庵。甘肃宁夏人。升授兵部尚书（由两广总督升任）。三月以入京供职卒于武昌途次。谥敏恪。

马进良　字栋宇。甘肃西宁人。原任直隶提督。四月卒。谥襄毅。

阿尔图　满洲，觉罗氏。镶白旗蒙古都统。四月卒。

阿里浑　蒙古镶红旗。一等子。卒。

顾悦履　内阁学士。五月卒。

李　涛　原任刑部右侍郎。六月十一日卒年七十三。

经　希　（初名岳希）太祖皇曾孙。宗人府右宗正，镇国公，前封多罗僖郡王。八月卒。

蔡　鹏　前湖南长沙县知县。八月卒，年七十四。

耿　惇　原任太常寺少卿。九月二十四日卒年七十三。

王　翚　江苏常熟县画师。十月十三日卒年八十六。与王原

祁、王时敏、王　鑑、吴　历、恽　格同被誉为清初六大名画家。

李发甲　偏沅巡抚。十一月卒。

刘殿衡　湖广巡抚。十二月卒年六十二。

完颜和　原任内阁侍读学士。卒年六十七。

张朝午　汉军镶黄旗。广西提督，袭一等子兼一云骑尉世职。卒。赠太子少保，谥襄毅。

张自超　归班候选知县，江苏高淳县进士。以应荐入都，卒于山东茌平道中年六十四，入国史儒林传。

徐世沐　江苏江阴县诸生。卒年八十三。入国史儒林传。

康熙五十七年戊戌（公元一七一八年）

● 生辰：

金德寅 五月初二日生，字协恭。浙江钱塘人。享年四十九。

彭　礼 七月二十七日生，宁行之，号兰阶。江苏镇洋人。
享年七十六。

邵自镇 八月初八日生，（原名邵自达），字达夫、尹东，号
笠塘、椿巢。顺天大兴人。享年七十二。

汪廷玙 八月十七日生，字衡玉，号持斋。江苏镇洋人。享
年六十六。

干从濂 闰八月初九日生，字静专，号希周。江西星子人。
享年五十八。

刘星炜 九月十三日生，字映榆，号圃三。江苏武进人。享
年五十五。

程晋芳 十月二十四日生，（原名程廷鐄），字鱼门，号蕺园。
安徽歙县人（寄居江苏江都）。享年六十七。

康绍衣 十二月初九日生，陕西人。享年八十四。

邵齐焘 十二月十六日生，字开生、荀慈，号叔山。江苏昭
文人。享年五十二。

金兆燕 十二月三十日生，字棕亭，号锺越。安徽全椒人。

吴志鸿 生，字沁可。安徽休宁人。享年四十。

汪　坦 生，字原庵，号笠园。江苏人。享年五十九。

庄　映 生，字兼讷，号学晦。江苏武进人。享年八十四。

奚　寅 生，字曰宗，号鹤溪。江苏阳湖人。享年六十一。

吴懋政 生，字淮风，号兰陔。浙江海盐人。享年七十六。

甘运源 生，字道源，号啸岩。汉军正蓝旗（原籍江西丰城）。
享年七十七。

梁　泉 生，字崇简、佩韦，号栀蜡道人。广东顺德人。享
年五十五。

徐金霖　生，江苏长洲人。享年六十九。

朱　赟　生，字二亭，号市人。江苏江都人。享年八十。

陈　璘　生，字昆玉。浙江海宁人。享年七十。

● 科第：

一甲进士：

汪应铨　字杜林，号梅林。江苏常熟人。状元。修撰，左赞
　　　　善。

张廷璐　榜眼。编修，礼部左侍郎。

沈锡辂　字南指，号南沚。浙江仁和人。探花。编修。

二甲进士：

金以成　字素臣，号补山。浙江会稽人。编修，山东兖州府
　　　　知府。

查　祥　字存畏，号星南，毂斋。浙江秀水人（原籍海宁）。
　　　　编修，乾隆丁巳补试鸿博。

陈万策　编修，詹事。

崔　纪　编修，湖北巡抚。

叶长扬　编修，雍正乙卯荐应鸿博。

庄亨阳　山东知县，国子监助教，江苏淮徐海道。

王懋竑　归班知县，安徽安庆府教授，雍正癸卯特授编修。

徐　本　编修，大学士。

习　寯　编修，少詹事。

吴家骐　字骏起、晋绮，号晚枫。江苏吴江人（原籍浙江桐
　　　　乡）。编修，礼部右侍郎。

顾　仔　字子肩。江苏安东人。编修，侍读学士。

冯汉炜　内阁中书，工部郎中。

曹源郊　翰林院编修。

许　均　字叔调，号雪村。福建闽县人。庶吉士，礼部主事，
　　　　礼部郎中。

伊尔敦　字学实。汉军镶红旗。编修，内阁学士。

邹升恒　字泰和，号慎斋。江苏无锡人。编修，侍讲学士。

宋　照　字谨涵。江苏长洲人。庶吉士，雍正乙卯荐应鸿博。

曾元迈　字循逸。湖北天门人。编修，广西道御史。

张　钺　字南昌。江苏上海人。内阁中书，吏科给事中。

徐大枚　字惟吉。汉军正蓝旗。庶吉士，拣选同知，两淮盐
　　　　运使。

顾祖镇　字景范。江苏吴县人。编修，工部左侍郎。

毕　谊　字元复，号咸正。江苏娄县人。户部主事，安徽庐
　　　　凤道。

杨尔德　字质为，号升闻。浙江嘉善人。会元，编修，吏科
　　　　给事中。

黄鸿中　字仲宣，号海群。山东即墨人。编修，侍读学士。

　　三甲进士：

吴　涛　字柱中。浙江仁和人。检讨，贵州道御史。

杨　椿　检讨，侍讲学士。

李天龙　字云阶。湖南湘潭人。检讨，兵部郎中。

吴士进　字书登。顺天大兴人。知县，浙江严州府知府。

李　兰　字汀倩，号西园。直隶乐亭人。检讨，安徽布政使。

郑　江　检讨，侍读。

王　瓒　字尔爵。贵州贵筑人。检讨，刑科给事中。

康　忱　字子丹。山西兴县人。庶吉士，吏部主事，湖北黄
　　　　州府知府。

胡　瀛　字一山。四川宜宾人。检讨，山西布政使。

严文在　字聚东。安徽建平人。检讨。

徐聚伦　字容斋，号寰峰。浙江山阴人。检讨，河南布政使。

刘运鲋　字西临。安徽南陵人。检讨，广东惠潮道。

李治国　山东历城人。福建漳州府知府。

张　璨　字阁公。陕西绥德人。检讨，湖南布政使。

蔡日逢　字方朴。甘肃秦安人。检讨，山东登州府知府。

卿　悦　字嵩年。广西灌阳人。检讨。

王梦尧　字起唐。贵州平越人。检讨，广西太平府知府。

李根云 字仙蟠，号玉成、亦人。云南赵州人。检讨，江西
　　　驿盐道。

严瑞龙 字凌云。四川阆中人。检讨，湖北巡抚。

刘　灿 字韬士。江西盂县人。检讨，福建汀漳龙道。

高元崑 江苏江都人。福建福州府知府。

国　琔 （原名**郭操**）。字夏陈。满洲镶白旗。光禄寺卿。

郑　嵝 字乐士。山西五台人。检讨，安徽徽州府知府。

任际虞 字唐臣。江西上高人。检讨。

　武进士：

封荣九 状元。头等侍卫。

林祖成 字庆维，号曲泉。福建霞浦人。蓝翎侍卫，江南狼
　　　山镇总兵。

李　维 汉军镶白旗。会元。一等护卫。

◉ 著述：

陈遇夫 撰《正学续》四卷成，见五月陈士偫序。

顾蔼吉 字畹先，号天山。江苏吴县人。撰《隶辨》八卷成，
　　　见九月自序。

惠　栋 撰《左传补注》六卷成，见冬日自序。

姜兆锡 撰《周礼辑义》十二卷成，见十二月王揆序。

任启运 撰《礼记章句》十卷成，见自序。

徐昂发 撰《畏垒笔记》四卷成，见二月自序。

方　鲲 字羽南。安徽桐城人。撰《易盪》二卷成，见自序。

◉ 卒岁：

艾芳曾 字次畹。满洲镶黄旗（原籍陕西米脂）。刑部左侍郎。
　　　正月卒。

祝　增 山西平阳府知府。正月卒。

黄秉中 赏复福建巡抚原衔。正月十五日卒年六十五。

赵凤诏 前山西太原府知府。二月二十三日以罪处斩。

朱天保 前翰林院检讨。二月二十六日以罪处斩。

仇兆鳌 原任吏部右侍郎。四月卒年八十。

刘　棨　四川布政使。五月卒年六十二，入国史循吏传。

李光地　文渊阁大学士。五月二十八日卒年七十七。谥文贞，
　　　追赠太子太傅（追赠在雍正元年正月），入祀贤良祠
　　　（入祀在雍正十年十月）。

王式丹　前翰林院修撰。八月初六日卒年七十四。入国史文
　　　苑传。

屯　珠　宗人府左宗正，礼部尚书，袭镇国公，宗室。八月
　　　卒，年六十一。赠国山贝子，谥恪敏。

仇　机　字沧园。江苏泰州人。前浙江黄岩镇总兵。八月十
　　　九日以罪处斩（注：以讹诈官民，罪款昭著）。

额棱特　满洲镶红旗，科奇哩氏。调署西安将军，正任湖广
　　　总督。九月于喀喇乌苏阵亡。予三等轻车都尉世职，
　　　追谥忠勇（追谥在雍正二年正月）。

康　泰　甘肃张掖人。前四川提督。九月于喀喇乌苏阵亡。
　　　予云骑尉世职，追赠都督同知，谥壮勇（赠谥在雍正
　　　元年十二月）。

康　海　甘肃张掖人。甘肃凉州镇总兵。九月于喀喇乌苏阵
　　　亡。予云骑尉世职。

陈纪范　陕西西凤协副将。九月于喀喇乌苏阵亡。

额尔图　宗人府右宗人，镇国公，宗室。十月卒。

穆和伦　满洲镶蓝旗，喜塔喇氏。降调户部尚书。十月卒。

冯国相　正黄旗汉军都统，二等轻车都尉。十月卒。入祀贤
　　　良祠（入祀在雍正十年十月），追谥桓僖（追谥在乾
　　　隆元年正月）。

陈　瑸　福建巡抚。十月卒年六十三。赠礼部尚书，谥清端，
　　　入祀贤良祠（入祀在雍正八年八月）。

胡作梅　礼部右侍郎。十月卒。

阮应商　原任吏部给事中。十月卒。

陈士镳　江苏镇江府知府。十月十五日卒年六十二。

冉觐祖　在籍翰林院检讨。十一月卒年八十二。入国史儒林传。

鹿　祐　原任河南巡抚。十一月卒。

玛尔汉　原任吏部尚书。十二月卒年八十五。追赠太子太傅
　　　　（追赠在雍正八年六月），入祀贤良祠（入祀在雍正
　　　　八年八月，追谥恭勤（追谥在乾隆元年正月）。

翁振翼　内阁中书。十二月二十五日卒年五十九。

祖良璧　汉军镶黄旗。福州将军，袭一等子。卒。

司九经　字圣典。甘肃宁夏人。前直隶宣化镇总兵。以随征
　　　　西藏于西海阵亡。赠都督同知。

朱宏模　浙江海盐县举人。卒年六十四。

钱纶光　浙江海盐县口口。卒年六十四。

吴　历　江苏常熟县画师。卒年八十七。与恽　格（恽寿平）、
　　　　王　翚、王　鑑、王时敏、王原祁等齐名，被誉为
　　　　清初六大画家。

康熙五十八年己亥（公元一七一九年）

● 生辰：

德　保　五月十七日生，字仲容，号润亭、定圃、庞村。满洲正白旗，索卓络氏。享年七十一。

谢　墉　九月初九日生，字昆城，号金圃、东墅。浙江嘉善人。享年七十七。

曹锡宝　十一月初三日生，字鸿书，号剑亭、容圃。江苏上海人。享年七十四。

秦鸿钧　十一月初三日生，字心陶，号世莱。享年六十六。

冯　浩　十二月初二日生，字养吾，号孟亭。浙江桐乡人。享年八十三。

曹学闵　十二月十三日生，字孝如，号慕堂。山西汾阳人。享年六十九。

罗　典　十二月十九日生，字徽五，号慎斋。湖南湘潭人。享年九十。

庄存与　生，字方耕，号养恬。江苏武进人。享年七十。

戚朝桂　生，字弁亭，号约斋、苎园。浙江德清人。享年七十四。

赵王槐　生，（一作赵三槐）字器梅、渚庭。顺天宛平人（原籍江苏常熟）。

黄绳先　生，字正木。浙江鄞县。享年四十七。

宫增祐　生，字笃周，号茆溪。江苏泰州人。享年九十三。

朱　夏　生，字焕文，号梅友。浙江遂昌人。享年五十九。

闻　斑　生，（原名朱椝），字种怀，号书严。江苏镇洋人。享年七十一。

胡廷森　生，字衡之，号西梦。江苏江都人。享年八十五。

● 著述：

汪士鋐　编《近光集》二十八卷成，见五月自序。

沈德潜　编《古诗源》十四卷成，见五月自序。

胡作柄　湖北荆门人。撰《荆门耆旧纪略》三卷成，见自序。

朱　轼　撰《仪礼节要》二十卷成。

◉ 卒岁：

沈　涵　前内阁学士。正月初六日卒年六十九。

佟国维　满洲镶黄旗，佟佳氏。原任领侍卫内大臣，一等公
　　　　（雍正八年号曰承恩）。正月卒年七十口。追赠太傅，
　　　　谥端纯（赠谥在雍正元年四月）。

游士端　湖南善化县廪生。卒年四十八。

彭定求　原任翰林院侍讲。四月初九日卒年七十五。入国史
　　　　儒林传。

潘育龙　镇绥将军，陕西提督，云骑尉，五月二十八日卒年
　　　　七十八。赠太子少保，谥襄勇。

沈锺彦　江苏长洲县布衣。八月初一日卒年六十六。

杨中讷　前詹事府右春坊右中允。八月卒年七十一。

赫　寿　满洲正黄旗，舒穆禄氏。理藩院尚书。九月卒。

华　玘　袭多罗安郡王，宗室。九月卒年三十五，谥曰节。

李元振　致仕工部左侍郎。九月十九日卒年八十三。

沙　喀　伯都讷副都统。十二月卒。

哈　山　满洲镶红旗，富察氏。前刑部尚书。卒年八十七。

王　晦　前翰林院庶吉士。卒年七十四。

龚　嵘　原任江西饶九南道。卒年六十七。入国史循吏传。

张士琦　字天申。江苏嘉定人。前江西永新县知县。卒于京
　　　　师年五十六。入国史循吏传。

蓝　理　总兵衔，前左都督衔福建陆路提督。卒年七十二。

谢廷宾　浙江余姚县监生。卒年七十一。

张觐光　江苏嘉定县监生。卒年五十七。

华学泉　无锡县布衣。卒年七十五。入国史儒林传。

康熙五十九年庚子（公元一七二0年）

◉ 生辰：

蒋雍植　正月十六日生，字秦树，号渔村、侍园。安徽怀宁人。享年五十一。

图鞅布　二月初六日生，字德裕，号裕轩。满洲镶红旗，佟氏。享年六十六。

饶学曙　七月初十日生，字霁南，号云浦。江西广昌人。享年五十一。

窦光鼐　十月初二日生，字元调，号东皋。山东诸城人。享年七十六。

吴翼行　十月二十九日生，字恒若，号玉山。湖南湘阴人。享年五十四。

汪　棣　十二月生，字韡怀，号对琴、碧溪。江苏仪征人。享年八十二。

刘　墉　生，（刘统勋之子）。字崇如，号穆庵、石庵。山东诸城人。享年八十五。

孙士毅　生，字智冶，号补山。浙江仁和人。享年七十七。

钱维城　生，字宗磐、幼安，号稼轩、茶山。江苏武进人。享年五十三。

赵觐男　生，享年六十五。

闵鹗元　生，字少仪，号峙庭。浙江归安人。享年七十八。

刘世宁　生，字匡宇，号翰斋。江西新淦人。享年八十一。

成　城　生，字卫宗，号成山、天放。浙江仁和人。享年七十四。

锺光豫　生，字刚志，号南村。顺天宛平人。享年七十。

王　宸　生，字紫凝，号蓬心、抑谷居士、潇湘翁。江苏太仓人。享年七十八。

茹敦和　生，字逊来，号三樵。浙江会稽人。享年七十二。

解秉智 生，字月川。直隶天津人。享年七十九。

路学宏 生，字宏劭，号慕堂。江苏宜兴人。享年八十二。

苏汝砺 生，字商弼，号漱亭。江苏人。享年四十三。

戈守智 生，字达夫，号汉溪。浙江平湖人。享年六十七。

孙泰溶 生，字学成，号霞岑。江苏长洲人。享年六十六。

◉ 科第：

中式举人：

魏 绎 顺天人。工部员外郎，通政司参议。

叶士宽 内阁中书，山西知县，浙江宁绍台道。

叶 新 字惟一。浙江金华人。四川知县，江西赣州府知府。

许廷鑅 字子逊。江苏长洲人。福建武平县知县。

王 燧 字晋三。浙江仁和人。乾隆丙辰召试鸿博。

王 照 雍正乙卯荐应鸿博。

张泽珹 字虚受，号实甫。江苏青浦人。

归宣光 江南人。内阁中书，工部尚书。

方正瑗 字引徐，号方斋。安徽桐城人。内阁中书 陕西潼商道。

华希闵 泾县教谕，雍正乙卯荐应鸿博。

任时懋 候选内阁中书。

王允浩 字正伯。江西鄱阳人。贵州古州道。

胡 浚 浙江会稽人。河南洧川县知县，雍正乙卯荐应鸿博。

沈光邦 字廷飏，号皆山。浙江临海人。内阁中书，福建漳州府知府。

俞敦仁 字聚之，号易斋。浙江海宁人。内阁中书，山西冀宁道。

金 虞 湖北知县，雍正乙卯荐应鸿博，山西蒲县知县。

周徐綵 浙江山阴人。

俞鸿德 乾隆丙辰召试鸿博。

汪援甲 字麟先，号沤亭、朴庐。浙江钱塘人。乾隆丙辰召试鸿博，山西绛县知县。

徐绳甲　河南知县，诸暨县教谕。

厉　鹗　乾隆丙辰召试鸿博。

李图南　福建人。户部主事。

鲁之裕　字亮侪。湖北人。直隶清河道。

屠用中　湖北孝感人。陕西榆林府知府。

徐本偓　湖北人。云南云龙州知州，乾隆丙辰召试鸿博。

周硕勋　字元复，号容斋。湖南宁乡人。浙江盐大使，广东潮州府知府。

刘世澍　乾隆丙辰召试鸿博，直隶沙河县知县，湖南衡州府教授。

万邦荣　河南人。乾隆丙辰召试鸿博，山东莘县知县。

胡具庆　字馀也。河南杞县人（原籍直隶容城）。陕西石泉县知县。

王　棠　字酉山。山东人。光禄寺卿。

安洪德　山东聊城人。湖北知县，四川雅州府知府。

田同之　字彦威，号在田、砚山、西圃。山东德州人。国子监助教。

景士凤　字苞九。山西安邑人。知县，湖南永顺府知府。

车腾芳　字图南，号蓼洲。广东番禺人。乾隆丙辰召试鸿博，海丰县教谕。

　中式副榜贡生：

阿尔泰　满洲正黄旗，果佳氏。宗人府笔帖士，大学士。

瞿　骏　雍正乙卯荐应鸿博。

汪　祚　乾隆丙辰召试鸿博。

郑相如　字汉林，号愿廷。安徽泾县人。

● 恩遇：

刘阴枢　前贵州巡抚赏复原衔。

朱　英　原任山东肥城县知县。以本年为顺治庚子科周甲之岁，九月重赴鹿鸣筵宴。

● 著述：

清代人物大事纪年

汪　灏　等奉敕撰《韵府拾遗》一百十二卷成，见七月王掞
　　　　序。

顾嗣立　编《元诗选》三集成，见六月自序。

莫弘勋　字诚斋。浙江钱塘人。撰《类字本意》成，见自序。

杨陆荣　撰《五代史志疑》四卷成。

胡作柄　撰《荆门列女纪略》一卷成，见自序。

方　苞　撰《周官集注》十二卷成。

● 卒岁：

沈熊昭　镶黄旗汉军副都统。正月卒。

耿公忠　汉军正黄旗（原籍辽东辽阳）。镶黄旗汉军副都统。
　　　　二月卒。

常　鼐　正红旗汉军都统。四月卒。

苏尔法　正红旗汉军都统。四月卒。

道　保　镶白旗满洲副都统。四月卒。

詹明章　福建海澄县布衣。四月卒年九十三。入国史儒林传。

王　纁　原任江苏按察使。五月初九日卒年六十八。入国史
　　　　循吏传。

海　金　满洲正黄旗，舒穆禄氏。领侍卫内大臣，袭一等公。
　　　　五月卒。

许　湄　湖南石门县知县。五月二十四日以入京引见，卒于
　　　　荆州途中。

达尔占　满洲镶黄旗。一等男。卒。

宜思恭　广西巡抚。六月二十四日卒，年六十三。

石文晟　赏复湖广总督原衔。八月初四日卒年七十七。

许汝霖　原任礼部尚书。八月卒年八十一。

景星杓　浙江仁和县布衣。九月初九日卒年六十九。

马见伯　固原提督。十月自西藏凯旋，卒于打箭炉营次。

赵申乔　户部尚书。十月二十二日卒年七十七。谥恭毅，追
　　　　赠太子太保（追谥在雍正元年正月），入祀贤良祠（入
　　　　祀在雍正八年八月）。

徐元正　原任工部尚书。十一月卒。

田呈瑞　浙江金衢严道。十月卒年五十九。

范时崇　原任兵部尚书。十二月卒年五十八。

舒　兰　降调工部左侍郎。卒年六十八。

郑惟孜　原任河南道监察御史。卒年七十五。

许嗣兴　汉军镶蓝旗。前福建巡抚。卒。

王　苹　原任山东成山卫教授。卒年六十二。入国史文苑传。

陈　昂　广东右翼副都统。卒年六十八。

康熙六十年辛丑（公元一七二一年）

● 生辰：

傅　恒　正月二十一日生，字春和。满洲镶黄旗，富察氏。享年五十。

郑　基　二月生，字筑年。广东香山人。享年五十六。

吴　霖　七月二十七日生 字西台，号拙巢。浙江海宁人。享年七十一。

张九钺　八月三十日生，字度西，号紫岘。湖南湘潭人。享年八十三。

汪孟鋗　九月十四日生，字康古，号厚石。浙江秀水人。享年五十。

黄仕简　十二月初八日生，字立斋。福建平和人。享年六十九。

汤萼联　生，字继芳，号徽仙、水南。浙江仁和人。享年三十一。

汪　宪　生，字千陂，号鱼亭。浙江钱塘人。享年五十一。

江　春　生，字颖长，号鹤亭。江苏江都人。享年六十九。

沈之燮　生，字汝枚，号荫园。江苏吴县人。享年七十八。

秦兆雷　生，享年六十。

陆遵书　生，江苏人。享年六十七。

江　声　生，字叔澐，号鲸涛、艮庭。江苏元和人。享年七十九。

童　钰　生，字二如，号二树、朴岩。浙江会稽人。享年六十二。

● 科第：

　一甲进士：

邓锺岳　字东长，号晦庐。山东聊城人。状元。修撰，礼部左侍郎。

吴文焕　字观侯，号剑虹。福建长乐人。榜眼。编修，刑部员外郎，湖广道御史。

程元章　字冠文，号垣斋。河南上蔡人。探花。编修，吏部左侍郎。

二甲进士：

王兰生　编修，刑部右侍郎。

黄之隽　编修，左中允，乾隆丙辰召试鸿博。

俞鸿馨　字尹思。浙江海盐人。庶吉士，直隶知县，直隶磁州知州。

姚世荣　字公垣，号蒔塘、复堂。浙江仁和人。编修，江西道御史。

邵　基　编修，江苏巡抚。

姜邵湘　字赋山。浙江钱塘人。庶吉士，知县，湖北上荆南道。

鲁曾煜　字启人，号秋塍。浙江会稽人。庶吉士。

姚之骃　字鲁斯。浙江钱塘人。编修，陕西道御史。

靖道谟　字诚合，号果园。湖北汉阳人。庶吉士，云南姚州知州，雍正己卯荐应鸿博，江西饶州府知府。

　　（按：是科庶吉士多有未经散馆即拣补吏部员外郎及各省知州者，今记于此）

邵　泰　编修。

杨廷勤　（原名杨廷选），字仲卿，号瀛洲。福建同安人。编修。

李　缄　字含奇。江苏吴县人。庶吉士。

王敛福　字凝斋，号凝其、石翁。山东诸城人。庶吉士，吏部员外郎，浙江海防道（杭嘉湖）。

钱陈群　编修，刑部左侍郎。

沈起元　庶吉士，吏部员外郎，直隶布政使。

蒋恭棐　编修。

励宗万　编修，刑部右侍郎。

留　保　字松裔，号恤纬老人。满洲镶黄旗，完颜氏。编修，
　　　　吏部右侍郎。

谢道承　字又绍，号古梅。福建闽县人。编修，内阁学士。

王兆符　归班知县。

卢见曾　四川知县，两淮盐使。

杨汝梗　浙江仁和人。甘肃西宁道。

顾栋高　内阁中书，乾隆丙辰召试鸿博，辛未特授国子监司
　　　　业衔。

夏力恕　字观川，号濩农。湖北孝感人。编修。

恩　寿　字如山。满州镶红旗，觉罗氏。编修，侍读。

吴　毅　浙江乌程人。直隶宣化府知府。

姜任修　（原名姜耕），字自芸，号白蒲、退耕。江苏如皋人。
　　　　庶吉士，直隶清苑县知县。

梁　机　庶吉士，归班知县，候补教授，乾隆丙辰召试鸿博。

储大文　会元，庶吉士。

吴启昆　编修，江西道御史。

　　三甲进士：

李光壂　字广卿，号识都。福建安溪人。检讨，司业。

王　植　字槐三，号戆思。直隶深泽人。广东知县，山东郯
　　　　城县知县。

宋华金　吏部主事，湖北襄阳府知府。

冯　詠　字夔扬。江西金溪人。庶吉士，贵州开州知州。

杨梦琰　字玉行。江苏丹徒人。庶吉士，知县，河南盐驿道。

何　溥　字渊若，号谦斋。满洲正黄旗。刑部主事。

吴冯栻　（原名吴栻），字届于，号青城。江苏武进人。检讨，
　　　　中允。

崔乃镛　字伯敖，号遁斋。陕西同官人。庶吉士，云南寻甸
　　　　州知州，湖北粮道。

唐继祖　检讨，河南按察使。

储郁文　字从吾。江苏宜兴人。归班知县，安徽徽州府教授。

储雄文 字汜云。江苏宜兴人。归班知县。

宋在诗 字雅伯。山西安邑人。庶吉士，口部主事，鸿胪寺少卿。

马维翰 吏部主事，江苏常镇道。

张符骧 字良御，号海房。江苏泰州人。庶吉士。

牛天申 字令宜。江苏上元人。贵州大定府知府。

陆奎勋 检讨。

介锡周 字鼎卜。山西解州人。贵州知县，太仆寺少卿。

杨缵绪 字式光。广东澄海人。庶吉士，吏部员外郎，陕西按察使。

彭家屏 字乐君，号青源。河南夏邑人。刑部主事，江苏布政使。

梅　枚 字功升。江西南城人。河南知县，乾隆丙辰召试鸿博，山东泰安府知府。

程仁圻 字方浦，号羡野。贵州广顺人。庶吉士，吏部员外郎，广东布政使。

蒋大成 字展亭。浙江仁和人。安徽宁国府知府。

王士俊 字灼三，号犀川。贵州平越人。庶吉士，河南许州知州，河南山东总督。

乔世臣 检讨，工部右侍郎。

徐士俊 湖北江夏人。福建福宁府知府。

何　浩 字天然，号广庵。满洲正黄旗。口部主事，翰林院侍读学士。

彭人瑛 字山公，号铁庵。山西安邑人。广东知县，湖南按察使。

黄　秀 检讨，山西道御史。

邓　牧 归班知县，江西抚州府教授，乾隆丙辰召试鸿博。

屠用谦 字益受，号畏庵。湖北孝感人。庶吉士，河南汝州知州，河南口口府同知。

李梅宾 广西临桂人。庶吉士，四川忠州知州，山东盐运使。

王　恕　庶吉士，吏部员外郎，福建巡抚。

李　渭　中书科中书，山东布政使。

黄焕彰　字槐洲。福建晋江人。检讨，云南澂江府知府。

董思恭　字礼堂，号桂川。山东寿光人。庶吉士，四川剑州知州，湖南粮道。

李开叶　庶吉士，吏部员外郎。

杨弘绪　四川新繁人。浙江按察使。

戴　亨　奉天辽阳人。

孙国玺　字辉川。汉军正白旗。河南知县，安徽巡抚。

彭士商　字克家，号衡陬。湖南衡山人。黄州府教授。

晏斯盛　字虞际，号一斋。江西新喻人。检讨，湖北巡抚。

边　果　直隶任邱人。侯选知县。

武进士：

林德镛　状元。头等侍卫。

杨大立　山东历城人。榜眼。二等侍卫，陕西河州镇总兵。

高　瀚　字汇安。山西朔州人。探花。二等侍卫，湖南永州镇总兵。

袁士傑　直隶宣化人。口等侍卫，陕西西河洲镇总兵。

● 恩遇：

王兰生、留　保　举人。三月以会试未经中式准予一体殿试。

● 著述：

江　永　撰《礼书纲目》八十八卷成，见九月自序。

茅星来　撰《近思录集注》十四卷成，见自序。

徐葆光　撰《中山传信录》六卷成，见自序。

梅文鼎　撰《勾股举隅》一卷、《几何通解》一卷、《平三角举要》五卷、《堑堵测量》二卷、《七政》二卷、《五星管见》一卷、《揆日纪要》一卷、《恒星纪要》一卷、《杂著》一卷成，（按：以上诸书无自序，或有序而无年月，今录记于所卒之年）。

孙濩孙　撰《枮弓论文》二卷成，见十月林居仁跋。

● 卒岁：

萨布素　内大臣。正月卒。

魏学诚　原任詹事府谕德。二月二十日卒年六十五。

贝和诺　礼部尚书。二月卒年七十五。

梁缵素　直隶文安县知县。三月卒年五十六。

欧阳凯　福建漳浦人。左都督衔福建台湾镇总兵。五月初一
　　　　日于春牛埔阵亡。追赠太子少保（追赠在雍正元年八
　　　　月）。

许　云　福建台湾副将。五月初一日于春牛埔阵亡。

游崇功　福建台湾水师左营游击。五月初一日于春牛埔阵亡。
　　　　年六十。予云骑尉世职。

李来章　原任兵部武选司主事。五月初八日卒年六十八。入
　　　　国史儒林传。

杜业礼　满洲，觉罗氏。镶红旗汉军副都统。六月卒。

张克嶷　原任广东潮州府知府。六月卒年七十六，入国史循
　　　　吏传。

王元复　湖南邵阳县诸生。七月十六日卒年六十五。入国史
　　　　儒林传。

赵熊诏　丁忧前翰林院侍读。八月卒赏复原官。

蒋陈锡　前云南总督。以管理粮运，八月二十三日卒于西藏
　　　　之雪山行次年七十。

穆廷栻　福建陆路提督。九月卒年七十□。赠左都督，谥清
　　　　恪。

施世骠　（施琅子）。字文秉，号怡园。汉军镶黄旗（原籍福
　　　　建晋江）。左都督衔福建水师提督。九月十五日卒于
　　　　台湾军营。赠太子太保，谥勇果，追予一等轻车都尉
　　　　世职（追予在雍正元年八月）。

尤　珍　原任詹事府赞善。九月十七日卒年七十五。入国史
　　　　文苑传。

汪　份　翰林院编修，云南学政。未之任卒年六十七。入国

清代人物大事纪年

史文苑传。

沈庆曾　原任四川会理州知州。十二月初五日卒年五十四。
　　　　入国史循吏传。

白　畿　原任贵州新贵县知县。十二月初十日卒年六十七。

王敬铭　丁忧翰林院修撰。卒年五十四。

增　寿　前镶蓝旗满洲副都统，袭三等公。卒。

朱宸枚　浙江嵊县教谕。卒年六十。

梅文鼎　安徽宣城征士。卒年八十九。入国史儒林传。

康熙六十一年壬寅（公元一七二二年）

● **生辰：**

徐以坤 三月初五日生，字毅函，号根苑、茗花。浙江德清
人。享年七十一。

黄叔灿 三月十六日生，字金台，号牧村。浙江常熟人。享
年八十五。

沈敦慤 三月二十一日生，字理存。浙江秀水人。享年二十
四。

钱汝诚 三月生，字立之，号东麓、清怡居士。浙江嘉兴人。
享年五十八。

鲁成龙 六月初三日生，字在田，号云崖。江西新城人。享
年四十六。

王士棻 十月十二日生，字检斋，号兰圃。陕西华州人。享
年七十五。

恒 鲁 生，镶蓝旗宗室。享年五十一。

王鸣盛 生，字凤喈，号礼堂、西庄、西沚。江苏嘉定人。
享年七十六。

秦大成 生，字澄叙，号簪园。江苏嘉定人。享年六十二。

姚晋锡 生，字安伯，号芦泾。浙江嘉兴人。享年六十五。

陈朝书 生，享年六十六。

林适中 生，字权先，号敬亭。广东和平人。享年七十五。

吉兰泰 生，蒙古镶蓝旗，依拉哩氏。享年九十四。

汪肇龙 生，字稚川。号松麓。安徽歙县人。享年五十九。

丁 传 生，字希曾，号鲁斋。浙江钱塘人。享年七十八。

● **恩遇：**

法 喀 前镶白旗蒙古都统。正月以恭与千叟宴，赏复原衔。

爱新觉罗胤禛 皇四子，和硕雍亲王。十一月二十日嗣登大
位，以明年为雍正元年。

清代人物大事纪年

允　禩　十一月封和硕廉亲王（雍正三年十二月削）。

允　祥　十一月封和硕怡亲王。

萧永藻　大学士。十二月加太子太傅衔。

马　齐　大学士。十二月封二等伯。

嵩　祝　大学士。十二月加太子太傅（雍正五年革）。

马　齐　大学士。十二月加太子太傅。

张鹏翮　吏部尚书。十二月加太子太傅。

◉　著述：

冯嗣京　撰《增寿千字文》一卷成，见五月自序。

黄叔璥　撰《南征纪程》一卷成，见六月自序。

黄叔璥　撰《南台旧闻》十六卷成，见七月自序。

蓝鼎元　撰《东征集》六卷成，见十月蓝廷珍序。

黄叔璥　撰《台海使槎录》八卷成。

陈　訏　撰《勾股引蒙》五卷成，见自序。

王喆生　撰《懿言二录》一卷成，见自序。

◉　卒岁：

汤右曾　翰林院掌院学士，前任吏部右侍郎。正月二十六日
　　　　卒年六十七。

陈厚耀　原任詹事府左春坊左谕德。卒年七十五。入国史儒
　　　　林传。

勒特浑　右翼前锋统领。宗室。三月卒。

徐　昌　伯都讷副都统。三月卒。

陆　师　升授山东兖沂曹道（由广西道监察御吏升补）。三月
　　　　十七日卒于京师年五十六。入国史循吏传。

施世纶　漕运总督。五月卒年六十四。

何　焯　前翰林院编修。六月初九日卒年六十二。赏复原官，
　　　　赠侍讲学士，入国史文苑传。

赵弘燮　字公亮。甘肃宁夏人。总督衔管直隶巡抚事，袭一
　　　　等子。六月十八日卒年六十七。谥肃敏。

克　齐　袭多罗贝勒，宗室。六月卒年七十二。

郭彭龄　江苏江都县举人。六月卒年六十九。

晏　布　正红旗蒙古都统。七月卒于巴尔库军营。追夺原官。

常　鼐　满洲正白旗，赫舍里氏。两江总督。八月卒。

吕犹龙　字两村。汉军正红旗。浙江巡抚。九月卒。

阿尔纳　镶黄旗满洲都统。九月卒。

蔡升元　原任礼部尚书。十月卒年七十一。

爱新觉罗玄烨　大行皇帝康熙。十一月十三日崩于畅春园，圣寿六十有九。尊谥曰仁，庙号圣祖。

陈　诜　原任礼部尚书。十一月十三日卒年八十。谥清恪。

三官保　袭镇国公，正蓝旗宗室。十一月卒。

白　斑　原任陕西高陵县知县。卒年六十六。

顾嗣立　候选知县，原任翰林院庶吉士。卒年五十八。入国史文苑传。

马元驭　江苏常熟县画士。卒年五十四。

世宗雍正元年癸卯（公元一七二三年）

● 生辰：

赵绳男　正月初六日生，字来武，号缄斋。江苏武进人。享年八十一。

陆　耀　正月二十四日生，字朗夫，号青来。江苏吴江人。享年六十三。

陈玉万　五月二十日生。

邓梦琴　六月二十九日生，字虞挥，号箕山。江西浮梁人。享年八十六。

严　果　七月初六日生，字敏中。浙江仁和人。享年五十八。

林明伦　七月十一日生，字敬熙，号穆庵。广东始兴人。享年三十五。

梁同书　九月二十八日生，字元颖，号山舟、不翁、新吾、长翁。浙江钱塘人。享年九十三。

朱　垣　九月二十九日生，字维丰，号仲君，东泉居士。顺天大兴人。享年五十一。

梁国治　十月二十一日生，字阶平，号瑶峰、丰山、梅塘。浙江会稽人。享年六十四。

袁守侗　十月二十三日生，字执冲，号愚谷。山东长山人。享年六十一。

李　封　十一月十四日生，字紫绶，号松园。山东寿光人。享年七十四。

戴　震　十二月二十四日生，字慎修，号东原。安徽休宁人。享年五十五。

丰讷亨　生，镶蓝旗宗室。享年五十三。

刘　ퟁ　生，字先资，号宜轩。山东单县人。享年七十三。

邱　永　生，字星河，号云泾。浙江仁和人。享年四十六。

段中律　生，字叶六，号溯伊。河南偃师人。享年七十九。

朱大勋　生，字巽峰，号南棱。浙江海盐人。享年四十一。

吴　峻　生，字黼仙，号一峰、蠹子。江苏无锡人。享年五十六。

庄勇成　生，字勉馀，号复斋。江苏武进人。享年七十八。

朱以宽　生，浙江仁和人。享年五十八。

单德棻　生，江苏常熟人。享年三十四。

● 科第：

中式举人：（按：是年春乡秋会）

方　泰　字次山，满洲镶白旗。太仆寺卿。

傅泽布　字子元，号悦庵。满州镶白旗。口部主事，翰林院侍读学士。

馨　泰　（原名三泰），字和庵。满洲正蓝旗。翰林院侍读。

金志章　（初名金士奇），字绘卣，号江声。浙江仁和人。内阁中书，直隶口北道。

沈青崖　字艮思，号寓舟。浙江秀水人。河南开归陈许道。

陈克镐　字苣丰，号柳塘。浙江海宁人。甘肃华亭县知县，重宴鹿鸣。

胡宝瑮　江苏青浦人。内阁中书，河南巡抚。

张若震　字楞阿，号岳廷。　安徽桐城人。浙江知县，湖北巡抚。

王廷诤　字紫泉。安徽全椒人。江西驿盐道。

宋　祐　字慎斋。安徽芜湖人。陕西汉中府知府。

陆尹耀　江苏人。内阁中书，户科给事中。

袁　铣　江苏人。内阁中书，掌河南道御史。

徐文靖　乾隆丙辰召试鸿博，壬申特授检讨。

蔡　谨　字经山，号南亩。江苏上元人。贵州知县，贵州大定府通判。

孙漤孙　内阁中书，刑部主事。

赵贵斯　字协恭。江苏常熟人。

杨方达　字符苍，号扶沧。江苏武进人。

胡与高　字岱瞻。安徽黟县。

魏允迪　江西人。乾隆丙辰召试鸿博，内阁中书，内阁侍读。

饶一辛　新建县教谕，乾隆丙辰召试鸿博。

郑长庆　乾隆丙辰召试鸿博。

锺秉用　字上铨，号帽山。江西瑞金。

闻元晟　字茗崖，号竹洲。浙江嘉善人。乾隆丙辰荐应鸿博。

吴作霖　四川定远县知县。

盛支焯　广西知县，河南叶县知县。

王瀛州　鄞县教谕。

郑世元　浙江秀水人。

朱谟烈　浙江海盐人。

许　鼎　字伯调。福建闽县人。浙江遂昌县知县。

朱士琪　福建建宁人。

李遐龄　河南人。陕西吴堡县知县。

袁良谟　河南洛阳人。

朱续经　山东人。内阁中书，鸿胪寺卿。

谢仲坈　字耳溪。广东阳春人。湖南知县，湖南常德府同知。

康定遇　知县，重宴鹿鸣。

　中式副榜贡生：

周振业　江苏吴江人。

曹庭枢　浙江人。乾隆丙辰召试鸿博，宗学教习。

曹　瑸　字万为。广东保昌人。乾隆丙辰召试鸿博。

　中式武举：

龚明远　字澹宁。湖南沅州人。

　中式贡士：

陈祖范　乾隆辛未特授国子监司业衔。

　一甲进士：

于　振　字鹤泉，号秋田、连漪。江苏金坛人。状元。修撰，
　　　　行人司司副。余见丙辰词科。

戴　瀚　字巨川、逢源，号镇东、雪村。江苏上元人。榜眼。

编修，侍讲学士。

杨　炳　字蔚友，号月川。湖北钟祥人。会元。探花。编修，
　　　　侍读学士。

二甲进士：

张廷珩　字璿闻，号凝斋。安徽桐城人。未散馆特授检讨。

沈　淑　编修。

焦祁年　字穀诒，号田祖。山东章邱人。编修，顺天府府尹。

李　桐　字东爽，号笏坪。山东天嵩人。庶吉士，吏部主事，
　　　　甘肃平庆道。

倪师孟　（一作沈师孟）字南琛，号绎堂。浙江归安人。

周学健　字勿逸，号力堂。江西新建人。编修，江南河道总
　　　　督。

万承苍　字鸣嘉，号湛庐。江西南昌人。庶吉士，直隶卢龙
　　　　县知县，乙卯荐应鸿博。

席　钊　字对扬，号仲子。江苏常熟人。编修。

陶正中　字殿延，号未堂、田见。江苏无锡人。编修，山西
　　　　布政使。

胡蛟龄　字凌九。安徽泾县人。庶吉士，中行评博，户科掌
　　　　印给事中。

邹光涛　（榜名胡光涛），字器山，号琢其。江苏武进人。编
　　　　修，福建道御史。

张廷璩　编修，工部左侍郎。

许　焞　字纯也、醇夫，号慕迂。浙江海宁人。编修。

马金门　字倩仙，号二竹。山东蓬莱人。编修，陕西按察使。

帅念祖　字宗德，号兰皋。江西奉新人。编修，陕西布政使。

缪曰芑　字武子。江苏吴县人。编修。

嵩　寿　字茂承，号云依。满洲正黄旗，赫舍哩氏。编修，
　　　　礼部右侍郎。

尹继善　编修，文华殿大学士。

周绍龙　字允乾，号瑞峰。福建闽县人。编修，顺天府府丞。

戴永椿　字翼皇，号卯君。浙江归安人。编修，江苏按察使。

马翼赞　字叔静，号寒将。浙江海宁人。山东观城县知县。

何玉梁　编修。

来谦鸣　浙江萧山人。福建按察使。

严民法　字仪一，号养云。浙江归安人。编修，兵部员外郎。

崔　琳　字元圃。山西永济人。刑部主事，河南南汝光道。

夏之方　字荔园，号筠庄。江苏高邮人。景山官学教习，乙
　　　　巳特授编修，浙江道御史。

沈荣仁　字勉之，号篛师。浙江归安人。编修。

张仕遇　（榜名朱仕遇），字秉钧，号有为。江苏华亭人。庶
　　　　吉士，吏部主事，广西道御史，四川学政。

游绍安　字心水。福建福清人。江西南安府知府。

胡香山　字梦白，号成村。江苏九皋人。河南道御史。

张　考　字尔微，号松鹤。山西夏县人。庶吉士，刑部主事，
　　　　浙江金衢严道。

刘吴龙　庶吉士，吏部主事，刑部尚书。

高　山　字居东，号鲁瞻、峙江。山东历城人。庶吉士，刑
　　　　部主事，福建布政使。

徐以升　字阶五，号恕斋。浙江德清人。编修，江西按察使。

张　江　字百川，号晓楼、晴川。江西南城人。编修。

卫廷璞　字岳占。广东番禺人。礼部主事，太仆寺少卿。

　三甲进士：

吴大受　字子登、子惇，号牧园、益公。浙江归安人。检讨。

范　咸　字贞吉，号九池、浣甫。浙江仁和人。检讨，云南
　　　　道御史。

纪遼宜　湖北知县，刑部员外郎。

陈宏谋　（碑录作陈弘谋）。检讨，东阁大学士。

黄岳牧　字瑞伯，号韧斋。福建晋江人。景山官学教习，乙
　　　　巳特授检讨，江西按察使。

周　琰　吏部主事，大理寺少卿。

王士任　字咸一。山东文登人。福建知县，福建布政使。

魏元枢　直隶丰润人。山西汾州府知府。

蒋　祝　直隶知县，云南永昌府同知。

林天木　字毓子，号荔山。广东潮阳人。兵部主事，口口道御史。

保　良　字留村，号拙庵。满洲镶蓝旗。检讨，侍读学士。

张振义　直隶宁晋县知县，乾隆丙辰召试鸿博，安徽祁门县知县。

武绍周　山西知县，吏部郎中。

王乔林　字文河，号退思。浙江钱塘人。庶吉士，江苏知县，山西平阳府知府。

张　涵　（原名张若涵），字履绥，号定存。安徽桐城人。检讨，侍读。

罗凤彩　字苞仪，号桐冈、竹园。云南石屏人。刑部主事，宗人府府丞。

明　晟　（碑录作胡晟），字宋声，号恕斋。湖北应山人。直隶知县，江西广绕九南道。

王　辂　山东诸城人。安徽池州府知府。

郑方坤　字则厚，号荔乡。福建建安人。直隶知县，山东兖州府知府。

翁运标　河南知县，湖南道州知州。

牧可登　字华亭，号芝园。蒙古正白旗。检讨，刑部左侍郎。

翁　藻　字朴存，号荻洲。浙江仁和人。户部主事，江苏按察使。

陆宗楷　字建先，号凫川。浙江仁和人。景山官学教习，乙巳特授检讨，礼部尚书。

柯　煜　湖北知县，浙江衢州府教授，乙卯荐应鸿博。

罗廷仪　字易门，号二峰，浙江山阴人。山东青州府知府。

蒋汾功　归班知县，江苏松江府教授。

吴象宽　湖北知县，湖北黄梅县知县。

王步青　检讨。

何梦篆　字赓墀、耕迟，号退夫。江苏江宁人。广东新安县知县，乾隆丙辰召试鸿博。

吴王坦　字衷平，号梭平。江苏华亭人。庶吉士，广西永福县知县，乾隆丙辰召试鸿博，广西平乐府同知。

史昌孟　陕西华县人。

黄施锷　（榜名施锷），字虞村。江苏太仓人（一作无锡）。归班知县，江苏淮安府教授，国子监博士。

李　徽　字元纶。山西崞县人。庶吉士，刑部主事，左佥都御史。

沈懋华　字芝光，号容艿。江苏太仓人。检讨，福建道御史。

喀尔钦　字亮功。满洲镶黄旗。检讨，侍读学士。

薄履青　字以阶，号登云。顺天大兴人（原籍江苏江宁）。检讨，江西袁州府知府。

苏霖渤　字海门。云南赵州人。贵州知县，江南道御史。

黄元铎　字振鹭，号徽庵、觉山。顺天大兴人。庶吉士，中行评博，兵科掌印给事中。

严有禧　（碑录为复姓戴有禧）。河南知县，湖南按察使。

姜颖新　景山官学教习，乙巳特授检讨，直隶按察使。

陶士僙　字伦宰，号稽山。湖南宁乡人。庶吉士，河南知县，河南南阳府知府。

昌　龄　字晋衡，号谨斋。满洲镶白旗，富察氏。检讨，侍讲学士。

赵　温　直隶盐山人。四川知县，山东登莱青道。

黄　祐　检讨，山西冀宁道。

邵大生　直隶大名府教授，奉天锦州府教授。

王又朴　庶吉士，吏部主事，安徽徽州府知府。

孙　昭　陕西安定人。

朱宏仁　（一作朱弘仁），字完一。直隶清丰人。山东景乐县知县。

武进士：

李　琰　状元。头等侍卫。

宋　爱　甘肃靖远人。三等侍卫，贵州提督。

杨大凯　山东历城人。口等侍卫，甘肃宁夏镇总兵。

查勒扈　满洲正白旗。口口侍卫，荆州副都统。

和　明　字蕴光，号诚斋。满洲人。守备，广东右翼镇总兵。

保举孝廉方正：

印光任　字黼昌，号炳岩。江苏宝山人。广东知县，广西太
　　　　平府知府。

万承勋　浙江人。直隶磁州知州。

王麟瑞　福建南靖人。直隶永平府知府。

李光坡　福建安溪人。

刘朝佑　字公贶。河南祥符人。湖南鄮县知县。

考取拔贡生：

刘贯一　直隶博野人。

周宗濂　字简庵。江苏华亭人。安徽潜山县教谕。

张　埴　字贡五，号香泉。湖南湘潭人。口县教谕。

◉ 恩遇：

张鹏翮　大学士。二月赐御书"嘉谟伟量"额。

李旭升　吏部口侍郎。二月以老辞职，加尚书衔，赐御书"衡
　　　　平耆硕"额。

朱　轼　左都御史。三月加太子太保。

马　齐　大学士。三月晋太保。

隆科多　吏部尚书。加太保（三年七月削）。

年羹尧　川陕总督。三月以平定西藏功加太保，（三年六月削）
　　　　封三等公。

允　祐　四月封和硕淳亲王。

王顼龄　大学士。五月以本年为康熙癸卯科乡举周甲之岁，
　　　　重赴鹿鸣筵宴，加太子太傅。

白　潢　大学士。五月赐御书"国之辅佐"额。

朱　轼　左都御史。六月晋太子太保。

张廷玉　礼部尚书。六月加太子太保。

田从典　吏部尚书。九月赐御书"清谨公方"额及御制诗。

张伯行　礼部尚书。九月赐御书"礼乐名臣"额。

逊　柱　十月赐御书"老成戎府"额。

年羹尧　抚远大将军，川陕总督。十月以平定郭罗克功晋封
　　　　二等公。

吴　襄　翰林院侍讲。十月赐御书"老诚端亮"额。

马会伯　云南永北镇总兵。十一月以入觐赐御书"有儒将风"
　　　　额。

逊札齐　袭三等男。晋封二等男。

◉ 著述：

蓝鼎元　撰《平台纪略》一卷成，见五月自序。

徐文靖　撰《天下山河两戒考》十四卷成，见十月自序。

刘元龙　续撰《先天易贯》二卷成，见自序。

顾成天　撰《帝京赋》一卷成，见四库提要。

◉ 卒岁：

陈鹏年　河道总督。正月初五日卒年六十一。谥恪勤。

博果铎　袭和硕承泽亲王，改号庄亲王，太宗皇孙。正月十
　　　　一日卒年七十四。谥曰靖。

二　格　满洲镶白旗，富察氏。礼部左侍郎。三月卒。

英　素　满洲镶黄旗，钮祜禄氏。二等男。五月卒。

朱谟烈　浙江海盐县举人。五月卒年三十四。

杜　喀　蒙古正白旗。三等男。卒。

巴珲岱　满洲正黄旗，舒穆禄氏。领侍卫内大臣，袭一等侯，
　　　　兼一云骑尉世职。八月卒年七十口。谥恪恭。

张国樑　（初名张谷贞），甘肃宁朔人。都督同知管云南提督
　　　　事。八月卒。赠右都督，谥勤果。

王鸿绪　承修省方盛典馆总裁，致仕户部尚书。八月十五日
　　　　卒年七十九。

刘荫枢　赏复贵州巡抚职衔。九月二十三日卒年八十七。

冯　毅　广东提督，袭二等轻车都尉世职。八月卒。

王　懿　工部右侍郎。卒。

孔毓圻　太子少师，袭衍圣公。十一月卒年六十七。谥恭悫。

王兆符　归班候选知县，顺天大兴县进士。十二月初四日卒年四十三。

成　孚　太宗皇孙。前封辅国公。十二月卒。

蔡秉公　原任浙江台州府知府。十二月三十日卒年七十一。

凯音布　满洲正黄旗。伊尔根觉罗氏。致仕礼部尚书，袭三等轻车都尉世职。卒年七十口。

汪士鋐　原任詹士府左春坊左中允。卒年六十六入国史文苑传。

张大受　翰林院检讨，四川学政。卒年六十四。入国史文苑传。

唐孙华　前吏部考功司主事。卒年九十。入国史文苑传。

王全臣　前陕西安西道。卒年七十三。

曹辰容　原任湖南宁乡县知县，卒年九十四。

王文雄　原任左都督衔广东提督。卒年六十三。

费　俊　福建福宁镇总兵。卒年六十八。赠左都督。

王　治　字自修。汉军正白旗（原籍陕西凤翔）。陕西波罗协副将，袭骑都尉兼一云骑尉世职。卒。

李光坡　福建安溪县孝廉方正。卒年七十三。入国史儒林传。

潘　麟　浙江海宁州举人。卒年七十二。

雍正二年甲辰（公元一七二四年）

● 生辰：

邵齐熊　正月初一日生，（初名邵炳），字方虎，号耐亭、松阿。江苏昭文人。享年七十七。

何逢僖　正月二十二日生，字敬儒，号念修。福建侯官人。享年四十六。

金　洁　四月二十五日生，字进与，号鲁斋。浙江仁和人。享年六十一。

康　杰　六月初九日生，字超群，号双峰。河南涉县人。享年七十二。

纪　昀　六月十五日生，字晓岚，号春帆、石云、观奕道人。直隶献县人。享年八十二。

白云上　六月十九日生，字凌苍，号秋斋。河南河内人。享年六十七。

元克中　七月初一日生，直隶静海人。

余　珝　七月二十五日生，河南人。享年七十六。

凌西峰　九月二十五日生，河南人。享年六十一。

余庆长　十月三十日生，字耕耦，号元亭。湖北安陆人。享年七十七。

余元遴　十一月十五日生，字秀书，号药斋。安徽婺源人。享年五十四。

王　昶　十一月二十二日生，字德甫、琴德，号述庵、兰泉。江苏青浦人。享年八十三。

王　模　十二月十五日生，字纶宣，号鲁堂。浙江萧山人。享年五十一。

陈起龙　十二月二十日生，字武桓，号云田。福建闽县人。享年八十一。

嵩　椿　生，宗室。享年七十二。

谭尚忠 生，字希夏，号会文、古愚、荟亭、纫芳居士。江西南丰人。享年七十四。

吴元念 生，字在宫。安徽桐城人。享年八十。

阎循观 生，字怀庭，号伊蒿。山东昌乐人。享年四十五。

朱 澜 生，字问源，江苏上元人。享年七十三。

周克开 生，字乾三，号梅圃、退谷。湖南长沙人。享年六十一。

汪仲鈖 生，字丰玉，号桐石。浙江秀水人。享年三十。

袁景辂 生，字质中，号朴村。江苏吴江人。享年四十四。

陆时化 生，字润之，号听松。江苏太仓人。享年六十六。

● 科第：

中式举人：（按：是年春乡秋会）

鄂 昌 满洲镶蓝旗，西林觉罗氏。户部主事，甘肃巡抚。

李锡秦 字瞻仲，号砚农。江苏宝山人。广西知县，广西巡抚。

寿 长 （原名寿昌），字嵩年。满洲正黄旗。口口旗副都统。

霍 备 直隶东光人。户部主事，奉天府府尹。

刘 柏 字友松。汉军镶白旗。山东按察使。

纪蔼宜 知县，湖南长澧道。

徐元肃 字梦符，号括庵。江苏上元人。浙江知县，浙江玉环厅同知。

姚 焜 字伯鸾。安徽桐城人。兴化县教谕，乾隆丙辰召试鸿博。

刘始兴 江苏人。乾隆丙辰召试鸿博，安徽霍邱县教谕。

周 钦 江苏人。乾隆丙辰召试鸿博。

孙天寅 字云含。江苏常熟人。乙卯荐应鸿博。

顾 昺 字虚庄。江苏南汇人。

刘斯组 字斗田。江西新建人。乾隆丙辰荐应鸿博，广西知县，河南杞县知县。

徐志遴 字抡英。江西新城人。

柴潮生 字禹门，号屿青。浙江仁和人。内阁中书，户科掌印给事中。

江　源 浙江人。直隶保定府知府。

李继圣 湖南人。江西知县，江西广丰县知县。

李肖筼 字苞畬。河南夏邑人。江苏按察使。

李文驹 山东人。户部主事，户科给事中。

梁锡玽 字确轩。山西介休人。乾隆辛未特授司业，少詹事。

王承曾 陕西人，岐山县教谕，甘肃崇信县知县。

中式翻译举人：

雅尔哈善 字蔚文。满洲正红旗。觉罗氏。兵部尚书。

赫　庆 字馀庵。满洲正蓝旗。太仆寺卿。

中式武举：

张元林 山西阳曲人，陕西知县，河南开封府知府。

一甲进士：

陈惪华 状元。修撰，礼部尚书。

王安国 会元。榜眼。编修，吏部尚书。

汪德容 探花。编修。

二甲进士：

汪由敦 编修，刑部尚书，协办大学士。

王　峻 编修，江西道御史。

赵大鲸 编修，右副都御史。

李重华 编修。

徐天骐 （一作徐天麒），字上符，号纪堂。浙江秀水人。庶吉士，口部主事，甘肃庆阳府知府。

吴延熙 （榜名徐延熙），字鸣佩，号敬斋。浙江乌程人。编修，云南道御史。

熊晖吉 字孚有，号梅亭。江西新昌人。编修，大理寺卿。

周廷燮 江苏吴县人。庶吉士，归班知县，陕西延绥道。

于　枋 字小榭，号午晴。江苏金坛人。编修。

吴龙应 字飞渊，号葵斋。江苏武进人。编修，山西布政使。

李清植 编修，礼部左侍郎。

吴应枚 字小颖，号颖庵。浙江归安人。编修，奉天府府尹。

开　泰 字兆新，号敬庵、静庵。满洲正黄旗，乌雅氏。编修，四川总督。

刘统勋 编修，东阁大学士。

严源焘 字济之，号桐峰。新江归安人。编修，吏科掌印给事中。

诸　锦 庶吉士，归班知县，浙江金华府教授，余见乾隆丙辰词科。

储龙光 字子夏。江苏宜兴人。福建按察使。

王廷琬 字完璞。顺天宛平人。编修，贵州粮道。

陈　浩 编修，詹事。

朱　陵 庶吉士，刑部主事，湖南辰沅永靖道。

周吉士 庶吉士，刑部主事，刑部员外郎。

尹会一 吏部主事，吏部右侍郎。

蒋振鹭 字子羽。浙江平湖人。编修。

吕守曾 字松坪。河南新安人。直隶知县，浙江布政使。

范　璨 庶吉士，顺天知县，工部右侍郎。

顾　赟 字敬舆，号稼轩、萼亭。江苏无锡人。编修，四川盐驿道。

徐焕然 （榜名羊焕然），字晋叔，号桐村。浙江海盐人（原籍海宁）。编修。

陈大玠 字筍湄。福建惠安人（晋江）。礼部主事，太常寺少卿。

冯元方 山西代州人。广东广州府知府。

屠嘉正 字时若，号恂斋。浙江桐乡人（原籍秀水）。刑部主事，贵州按察使。

史　茂 陕西华州人。刑部主事，顺天府府丞。

杨士鑑 字宝千，号仲献。编修，贵州思州府知府。

高景蕃 字崧瞻，号怡园。浙江仁和人。山西知县，鸿胪寺少卿。

王泰牲　字鹿宾，号芸圃。江西新淦人。编修。

包　涛　字春和，号梅屿。浙江钱塘人。刑部主事，甘肃庆
　　　　阳府知府。

顾维铸　字小范，号叶舟。江苏无锡人。云南澂江府知府。

刘良璧　字省庵。湖南清泉人。福建知县，福建兴泉永道。

石去浮　河南陈留人。湖北按察使。

俞　荔　字硕卿。福建莆田人。

朱良裘　字冶子，号补园。江苏上海人。编修，少詹事。

朱　煐　直隶知县，湖南永州府知府。

贵　昌　字禹恭，号涵斋、松庄。满洲正黄旗。翰林院侍讲
　　　　学士。

李国相　陕西咸阳人。安徽颖州府知府。

周长发　庶吉士，江西知县，浙江乐清县教谕，余见乾隆丙
　　　　辰词科。

　　三甲进士：

徐立御　湖北蕲水人。

冯祖悦　户部主事，甘肃洮岷道。

程开业　字敬一，号五峰。户部主事　山东兖沂曹道。

杨云服　（榜名饶云服），江西南昌人。安徽徽州府知府。

程　恂　字慄也，号燕侯。安徽休宁人。庶吉士，知县，北
　　　　运河同知，余见乾隆丙辰词科。

傅　聚　知县，广西镇安府知府。

王文清　湖南九溪卫学正，岳州府教授，乾隆丙辰召试鸿博，
　　　　宗人府主事。

胡南藩　字植堂。江西南康人。广西浔州府知府。

周大璋　安徽桐城人。河南知县，江苏华亭县教谕。

潘思榘　庶吉士，刑部主事，福建巡抚。

陈凤友　兵部主事，广东肇庆府知府。

严遂成　字崧瞻，号海珊。浙江乌程人。山西知县，乙卯荐

应鸿博，云南镇雄府知府。

陆　培　安徽东流县知县。

李　纮　归班知县，乾隆丙辰召试鸿博。

陈庆门　字容驷，号渭川。陕西周至人。安徽知县，四川达州直隶州知州。

祕象震　字省存。直隶故城人。刑部主事，左副都御史。

王德纯　汉军镶白旗。福建邵武府知府。

朱　檠　字危成。浙江海宁人。顺天永清县知县。北岸同知。

和其衷　（原名何其忠），字敬庵。满洲正红旗。陕西巡抚。

张忠震　字虎臣，号涪亭。顺天宛平人（原籍江苏华亭）。江西抚州府知府。

赵　晃　字朗存，号约堂。顺天武清人。检讨，山东登莱青道。

李士傑　湖北安陆人。江苏镇江府知府。

廖必琦　字师韩，号愧荆、荔庄。福建莆田人。检讨，浙江道御史。

色　诚　蒙古正黄旗。左中允。

张士琏　山西安邑人。广东惠潮嘉道。

谢锺龄　福建建宁人。广东廉州府知府。

程光钜　字二至。号蔚亭。湖北孝感人。检讨，江南苏松粮道。

阎廷佶　字汝贞，号方垞。山东昌乐人。

阮维诚　贵州毕节人。

何宗韩　礼部主事，大理寺少卿。

罗　经　四川阆中人。工部主事，陕西凤翔府知府。

陈　沆　云南石屏人。浙江处州府知府。

郝　霖　顺天霸州人。福建知县，福建福宁府知府。

杨如松　云南保山人。兵部主事，右通政。

文　保　字定轩。满洲镶蓝旗。翰林院侍讲学士。

赵锡孝　字宝文。江苏常熟人。松江府教授。

孔传堂 字振升，号升庵。山东曲阜人。礼部主事 贵州思南
　　　府知府。

黄光岳 字硕庐。江西上高人。浙江金华县知县。

安修德 贵州安化人。礼部主事，顺天府府丞。

牟曰笏 山东栖霞人。河南光山县知县。

吴谦鋕 （原名吴天鋕），浙江建德人。知县，福建盐法道。

畅于熊 湖北黄冈县知县。

　　武进士：

苗国琮 字膺崇。汉军镶白旗。状元。头等侍卫，直隶天津
　　　镇总兵。

张斌授 传胪。三等侍卫。

李寿演 字斌亭。山东惠民人。蓝翎侍卫，浙江平阳协副将。

王　澄 字清漪。山东曲阜人。王府护卫，甘肃提督。

任　举 山西大同人。陕西守备，四川重庆镇总兵。

刘文灿 字用晦。直隶献县人。山东兖州镇总兵。

◎ 恩遇：

年羹尧 抚远大将军，川陕总督。三月以平定青海功晋封一
　　　等公再加给一等子。

岳锺琪 奋威将军，四川提督。封三等公（十年二月降三等
　　　侯，十月削）。

年遐龄 原任湖广巡抚。三月封一等公加太傅衔（三年十二
　　　月削）。

高其位 江南总督。七月赠御制诗。

年羹尧 抚远大将军，川陕总督。十一月以擒获卓子山基子
　　　山番贼功加封一等男（三年九月前封各爵俱革）。

明　宝 袭一等男。十二月封三等子。

朱之琏 十二月封一等侯。

◉ 著述：

沈炳震 撰《唐诗金粉》十卷成，见闰四月自序。

胡　煦 撰《周易函书别集》十九卷成，见七月自序（按：

此书后改编为十六卷）。

周　模　撰《律吕新书注》三卷成，见自序。

张伯行　撰《困学录集粹》八卷成，见自序。

● 卒岁：

朱廷桂　正蓝旗汉军副都统。正月卒。

陈允恭　都察院左佥都御史。二月初八日卒年六十二。

杨　琳　字玉峰。汉军正红旗。广东总督。二月卒。

锺世臣　浙江提督。六月卒。

章履成　前江西赣南道。六月初九日卒年八十。

张士捷　福建顺昌县教谕。六月初九日卒年六十。

阿喇纳　蒙古正黄旗，乌尔氏。副将军镶红旗蒙古都统，袭一等子。七月卒于布隆吉尔军营。谥僖恪，晋赠三等伯（乾隆十四年号曰诚毅），入祀贤良祠（入祀在十年十月）。

顾　镡　致仕大理寺丞，前任京畿道监察御史。八月初三日卒年七十九。

登　塞　宗人府右宗人，镇国公，宗室。九月卒年七十一。谥恪恭。

普　照　辅国公，前任西安将军，宗室。九月卒。追削原封（追削在十年六月）。

管　色　盛京礼部侍郎。十月卒。

允　礽　圣祖皇二子　前立为皇太子。十二月卒年五十一。追封和硕理亲王，谥曰密。

齐世武　满洲正白旗。佟佳氏。前刑部尚书。卒。

王度昭　原任兵部右侍郎。卒年七十四。

吴廷揆　会同四译馆少卿。卒。

张丙厚　原任刑部郎中。卒年五十九。

赵之鹤　新授山东棠邑县知县（由济宁直隶州知州降补）。由济赴任卒于阿城旅次。入国史循吏传。

李昭治　江苏仪征县知县。卒。

朱士容 原任浙江安吉州学正。卒年七十六。

朱宏械 候选训导，浙江海盐县岁贡生。卒年七十六。

雍正三年乙巳（公元一七二五年）

⬤ **生辰：**

赵由仪　四月二十二日生，字山南，号渐堂。江西南丰人。享年二十三。

吕元龙　四月二十三日生，字鳞洲，号慕堂。顺天大兴人。享年三十一。

刘世黉　五月初十日生，字仿魏，号蓼野。江苏宝应人。

张熙纯　六月十六日生，字策时，号少华。江苏上海人。享年四十三。

檀　萃　六月二十六日生，字岂田，号默斋。安徽望江人。享年七十口。

程瑶田　八月二十五日生，（初名程易，以字行），字易田，号易畴。安徽歙县人。享年九十。

冯达文　八月二十九日生，字学海，号天岩。广东钦州人。享年七十一。

赵文哲　九月二十九日生，字升之，号璞园。江苏上海人。享年四十九。

张　模　十月初五日生，字元礼，号晴溪、丽廷。顺天宛平人。享年六十一。

曹　焕　十月二十日生，字乃文，号瘦山。浙江嘉善人。享年八十一。

李师敏　十月二十三日生，（原名李本杞），字仲坚，号允堂。山东武定人。享年五十。

王　杰　十月二十七日生，字伟人，号惺园、畏堂、葆淳。陕西韩城人。享年八十一。

蒋士铨　十月二十八日生，字心馀、心愚，号苕生、清容。江西铅山人。享年六十一。

戴祖启　十二月二十一日生，字敬咸，号东田、未堂。江苏上元人。享年五十九。

王廷言　生，字寓之。江苏长洲人。享年八十三。

朱　煦　生，字育资，号涵斋。江苏靖江人。享年五十三。

喻宝忠　生，享年八十二。

吴焕彩　生，字蕴之，号屺来。福建南安人。享年八十二。

李　策　生，字仲方，号秋圃。山东安邱人。享年七十二。

汪　缙　生，字大绅，号爱庐。江苏吴县人。享年六十八。

彭绍谦　生，字济光。江苏长洲人。享年五十一。

◉ 恩遇：

多尔机　四月晋封一等子。

岳钟琪　署川陕总督。六月加太子少傅衔。

高其倬　云贵总督。六月加太子少傅衔。

杨宗仁　湖广总督。六月加太子少傅衔。

黄　陛　福建提督。六月加太子少傅衔。

魏经国　湖广提督。六月加太子少傅衔（五年口月削）。

高其位　大学士。九月加太子少傅衔。

于　准　前江苏巡抚赏复原衔。

◉ 著述：

徐文靖　撰《语助七字诗》一卷成，见八月自序。

沈　淑　撰《春秋左传土地名》二卷成，见九月自识。

鄂尔泰　编《南邦黎献集》十六卷成，见十月自序。

沈　淑　撰《左传列国职官》一卷成，见十月自识，（按：淑
　　　　又撰《左传器物宫室》一卷无自序年月附记于此）。

蔡世远　编《古文雅正》十四卷成，见十二月自序。

傅泽洪　撰《行水金鉴》一百七十五卷成。

程　川　字郦渠，号春昙。浙江钱塘人。编《朱子五经语类》
　　　　八十卷成，见正月自序。

张伯行　撰《正谊堂文集》四十卷成（按：此书卒后始刻，
　　　　见甲寅仲春王士俊序，今系于二月之前）。

◉ 卒岁：

张鹏翮　太子太傅，武英殿大学士。二月卒年七十七，赠少
　　　　保，谥文端，入祀贤良祠（入祀在十年十月）。

张伯行　礼部尚书。二月十六日卒年七十五。赠太子太保，
　　　　谥清恪，从祀文庙（从祀在光绪四年九月）。

鄂　海　满洲镶白旗，温都氏。管理吐鲁番种地事务，致仕
　　　　川陕总督。四月卒。

纳齐喀　湖北巡抚。五月初三日卒年六十，谥勤恪。

舒　禄　满洲镶黄旗，觉罗氏。袭一等子。五月卒。

普　贵　原袭镇国公，宗室。六月卒。

吴　光　汉军。镶白旗蒙古副都统。六月卒。

方　职　候选教谕，江苏江都县岁贡生。六月二十四日卒年
　　　　五十六。

杨宗仁　太子少傅衔湖广总督。七月十八日卒年六十五。赠
　　　　少保，予骑都尉世职，谥清端，入祀贤良祠（入祀在
　　　　八年口月）。

王顼龄　太子太傅，武英殿大学士。八月卒年八十四。赠太
　　　　傅，谥文恭。

满　保　兵部尚书衔闽浙总督。九月初六日卒年五十三。

纳　泰　满洲觉罗氏。前袭二等男。九月卒。

张　谦　贵州巡抚。十一月卒。

年羹尧　前太保，川陕总督，抚远大将军，一等公，调补杭
　　　　州将军，复降闲散章京。十二月十一日以罪令自尽
　　　　（注：以欺罔贪残，悖逆不道）。

年　富　年羹尧子。汉军镶黄旗。袭一等男。十二月十一日
　　　　以罪处斩。

王复衡　原任内阁中书。十二月十七日卒年八十六。

宋　至　在籍翰林院编修。十二月十八日卒年七十。

汪景祺　字星堂。浙江钱塘县人。钱塘县诸生。十二月十八
　　　　日以罪处斩（文字狱）。

武士宜　总管内务府大臣。十二月卒。追赠三等承恩公（追

赠在嘉庆四年四月）。

沈宗敬 会同四译馆少卿。卒年六十二（一作雍正八年卒）。

屠　沂 原任浙江巡抚。卒。

王吉武 前浙江绍兴府知府。卒年八十一。

帅　我 江西奉新县举人。卒年七十八。

徐善建 考授州同，浙江嘉兴县贡生。卒年七十七。

梁万方 山西绛县监生。卒年八十五。

雍正四年丙午（公元一七二六年）

● 生辰：

金忠济 正月二十一日生，字见清，号石台。浙江仁和人。享年四十九。

陶其惀 正月二十二日生，字孚中，号简夫。江西南城人。享年四十一。

陈玉敦 三月初十日生。

靳荣藩 三月二十五日生，字价人，号绿溪。山西黎城人。享年五十九。

何裕城 八月生，浙江山阴人。享年六十五。

张佩芳 九月二十五日生，字荪圃，号卜山。山西平定人。享年六十二。

张　铎 十一月十七日生，直隶南皮人。享年七十。

汪　新 生，字又新，号芍陂。浙江仁和人。享年七十三。

陈奉兹 生，字时若，号东圃。江西德化人。享年七十四。

李世望 生，字兰台，号玉樵。江苏新阳人。享年七十八。

陈守诚 生，字伯常，号恕常。江西新城人。享年四十。

雷汪度 生，字饶九，号莲客。浙江钱塘人。享年五十七。

李光甲 生，字东晓，号石浦、阳谷。湖南湘潭人。享年八十四。

洪腾蛟 生，字鳞雨，号寿山。安徽婺源人。享年六十六。

汪梧凤 生，字在湘，号松溪。安徽歙县人。享年四十六。

孔继涑 生，字信夫，号体实、谷园、葭古居士。山东曲阜人。享年六十五。

林大中 生，字协君。江苏嘉定人。享年六十四。

朱维鱼 生，字梅洲，号牧人。浙江海盐人。享年六十二。

● 科第：

中式举人：

富廷贤 字霖庵。满洲镶蓝旗。翰林院侍读学士。

王延年 字来堂，号介眉。浙江钱塘人。乾隆丙辰召试鸿博，
　　　　国子监学正，壬申特授司业，翰林院侍读。

谢　晋 江苏砀山县教谕。

蒋　炳 江南人。内阁中书，仓场侍郎。

吴　琰 字企美。江苏阳湖人。贵州平越府知府。

吴元安 字静山，号芝江。江苏上元人。内阁中书，兵科掌
　　　　印给事中。

蔡德晋 字仁锡，号敬斋。江苏无锡人。国子监学正，工部
　　　　司务。

韩　曾 乾隆丙辰召试鸿博，安徽泗州直隶州学正。

沈　虹 字渭梁。江苏长洲人。句容县教谕，乾隆丙辰召试
　　　　鸿博。

朱振玉 字汇九，号拊成。江苏太仓人。

高为阜 江西人。云南姚安府知府。

甘　禾 乾隆丙辰召试鸿博，兵部主事。

宋士宗 字司秋。江西星子人。南丰县教谕，乙卯荐应鸿博。

王云廷 浙江人。国子监学录。

陈　镳 字勇南。浙江海盐人。内阁中书，云南云南府知府。

沈世枫 字甫草，号拗堂、东田。浙江归安人。内阁中书，
　　　　贵州布政使。

林赞龙 字云泽。福建侯官人。

段汝霖 字时斋，号梅亭。湖北汉阳人。云南楚雄府知府。

张呈祥 字墨村，号露岩。湖南华容人。广东信宜县知县。

张　元 字殿传，号榆村。山东淄川人。鱼台县教谕。

　　中式副榜贡生：

秦懋绅 江苏人。乾隆丙辰召试鸿博。

　　中式翻译举人：

常　钧 满洲镶红旗，叶赫纳拉氏。内阁中书，湖南巡抚。

　　中式武举：

陈廷桂　直隶庆云人。河南南阳镇总兵。

◉ 恩遇：

五　格　（一作武格）三月封一等侯。

允　祥　怡亲王。七月赐御书"忠敬诚直勤慎廉明"额。

高其位　大学士。以八十生辰，十月赐御书及联。

郝　林　礼部左侍郎。十一月以老辞职，加尚书衔。

富宁安　靖逆将军，大学士。十一月封三等侯（十二月以世
　　　　职并为一等侯，六年五月削）。

齐苏勒　河道总督。十二月加太子太傅。

◉ 著述：

御定《骈字类编》二百四十卷成，见五月御序。

王兰生　奉敕撰《音韵阐微》十八卷成，见五月御序。

饶一辛　撰《经义管见》一卷成，见自序。

施廷翰　字棠村。满洲镶黄旗。撰《棠村诗草》一卷成，见
　　　　四月柯王诰序。

高孝本　自编《固哉叟诗钞》八卷成，见四库提要（按：书
　　　　成后又续著《维摩集》今附记于此）。

◉ 卒岁：

济　星　满洲正蓝旗，兆佳氏。镶白旗护军统领。正月卒。

刘　捷　江苏上元县解元。四月二十五日卒年六十九。入国
　　　　史儒林传。

鄂伦岱　前领侍卫内大臣，袭一等公。五月初二日以罪处斩
　　　　（注：以固结死党，怙恶不悛）。

阿尔松阿　满洲镶黄旗，钮祜禄氏。前刑部尚书，袭二等公。
　　　　五月初二日以罪处斩。

汪　森　原任户部江西司郎中。五月初三日卒年七十四。入
　　　　国史文苑传。

陈鹤龄　顺天府教授。六月卒年六十五。

准　达　镇国公，前封固山贝子，宗室。六月卒。赏复原封，
　　　　谥温恪。

杨长春　汉军镶黄旗。浙江提督。六月卒。谥勤恪。

张云章　议叙知县,江苏嘉定县监生。七月初四日卒年七十九。入国史儒林传。

允　禟　(改名塞思黑)。圣祖皇九子,前封固山贝子。八月二十四日卒年四十四。追复原名(追复在乾隆四十三年正月)。

曹源郊　翰林院编修,广东副考官。八月二十八日卒于广州闱中年四十八。

允　禩　(改名阿其那)。圣祖皇八子,前封和硕廉亲王。九月初十日卒年四十六。追复原名(追复在乾隆四十三年正月)。

胡　隆　原任浙江奉化县县丞。卒年七十三。旌表孝子。

蔡祚熹　原任福建安溪县训导。十月卒年七十七。

黄　陛　(以吴姓入伍卒后始请复黄姓),字泽源。福建海澄人。太子少傅衔致仕福建陆路提督。卒。赠太子太保,谥勤恪。

马　武　满洲镶黄旗,富察氏。领侍卫内大臣。十二月卒年七十口。谥勤恪,予三等轻车都尉世职。

苏　保　袭辅国公,宗室。十二月卒。

张　江　翰林院编修。卒。

许国桂　满洲镶蓝旗。前正红旗汉军都统,云骑尉。卒。

雍正五年丁未（公元一七二七年）

● 生辰：

张远览　正月二十九日生，字伟瞻，号梧冈。河南西华人。
　　　　享年七十七。

杨世淦　二月初一日生。

阮葵生　二月初二日生，字宝诚，号唐山。江苏山阳人。享
　　　　年六十三。

陶金谐　五月十三日生，江西南城人。享年五十五。

赵　佑　六月初五日生，字启人，号鹿泉。浙江仁和人。享
　　　　年七十四。

蒋瞻岵　八月二十一日生，字蓼庭。江苏常熟人。享年六十。

赵　翼　十月二十二日生，字云松，号瓯北。江苏阳湖人。
　　　　享年八十八。

钱汝恭　十二月生，字雨时，号莰斋。浙江嘉兴人。享年四
　　　　十八。

永　恩　生，宗室，享年七十九。

初之朴　生，字懋堂。山东莱阳人。享年八十一。

叶　藩　生，字敦南，号古渠。浙江仁和人。享年八十。

吴　宽　生，字禥芍，号二匏。安徽歙县人。

吴　璜　生，字芳甸，号鑑南。浙江山阴人。享年四十七。

朱正蒙　生，字育泉，号青樵。浙江海盐人。享年六十。

王世勋　生，字凌衢，号䏮枢。浙江镇海人。享年五十三。

范永祺　生，字凤颔，号莪亭。浙江鄞县人。享年六十九。

游　晟　生，字若李，字旭轩。福建霞浦人。享年七十九。

● 科第：

一甲进士：

彭启丰　会元。状元。修撰，兵部尚书。

邓启元　字幼季。福建德化人。榜眼。编修。

清代人物大事纪年

马宏琦 字景韩，号逊渚。江苏通州人。探花。编修，刑科给
　　　事中。

二甲进士：

邹一桂 编修，礼部左侍郎。

庄　柱 庶吉士，顺天知县，浙江海防道。

于　辰 字向之，号北野。江苏金坛人。编修，侍读。

金　相 字琢章，号勉斋。直隶天津人。编修，内阁侍读学
　　　士。

原衷戴 字念圣，号简斋。陕西蒲城人。编修，广东高廉道。

王丕烈 字述文，号木斋、东麓。江苏华亭人。编修，河南按
　　　察使。

刘　复 字无咎，号补亭。江苏武进人。编修，浙江粮道。

王叶滋 （碑录作叶滋）。湖南常德府知府，湖南粮道。

王祖庚 山西知县，乾隆丙辰召试鸿博，安徽宁国府知府。

余　栋 字东木，号双池、确山。江西宜黄人。编修，四译馆
　　　少卿。

杨嗣璟 字营阳，号星亭。广西临桂人。编修，礼部右侍郎。

王云铭 字宝文，号敬亭、西史。山东武定人。编修，陕西汉
　　　兴道。

奚　源 字溯崙，安徽当涂人。刑部主事，刑部员外郎，乙卯
　　　荐应鸿博。

邹士随 江苏无锡人。广东肇庆府知府。

钱本诚 字胄伊，号敬耘。江苏太仓人。编修，赞善。

周人骥 礼部主事，广东巡抚。

王兴吾 字宗之，号慎斋。江苏华亭人。编修，吏部右侍郎。

江　皋 字眉瞻。江西贵溪人。吏部主事，河南道御史。

刘方蔼 （碑录作刘芳蔼），字济美。安徽宣城人。吏部主事，
　　　湖北按察使。

包祚永 字美存，号存斋。贵州贵筑人。编修，广东道御史。

潘安礼 刑部主事，刑部员外郎，太常寺典薄，余见乾隆丙辰

词科。

张　灏　字卓人，号凤麓。顺天宛平人（原籍浙江钱塘）。编修，侍读学士。

三甲进士：

王承尧　字勋文，号挹山。山西沁水人。检讨，兵部右侍郎。

缪　焕　字星南，号衡山。云南昆明人。庶吉士，运同，山东曹州府知府。

李锺偉　字世万。福建安溪人。直隶知县，延庆州知州。

张鹏翀　检讨，詹事。

杨锡绂　吏部主事，漕运总督。

李学裕　检讨，安徽布政使。

曹梦龙　字卧云。直隶景州人。刑部主事，四川川北道。

张受长　字兼山。直隶南皮人。河南知县，江西粮道。

伍泽荣　字惺斋。湖南祁阳人。顺天宝坻县知县。

秦　甸　字中驭。江苏金匮人。山东知县，刑部主事。

夏　冕　云南昆明人。

周祖荣　字仁先，号心斋。汉军镶红旗。检讨，礼科主事，户科掌印给事中。

刘青芝　庶吉士。

陈师俭　字汝贤，号鹤皋。山西泽州人。庶吉士，同知，广西泗城府知府。

瓦尔达　字孚尹。满洲正黄旗。户部主事，盛京户部侍郎。

世　臣　字松乔，号木天。满洲正白旗。检讨，盛京礼部侍郎。

郭石渠　字文渊，号介发。贵州安化人。检讨，户部郎中。

徐时作　直隶知县，直隶沧州知州。

单德谟　字充甫，号充符。山东高密人。吏部主事，福建汀漳龙道。

王　系　归班知县，山西大同府教授，乾隆丙辰召试鸿博。

陈高翔　（碑录作杨高翔），字子抟，号巽园。福建惠安人。

兵部主事，广东按察使。

陈其嵩　字峙南，号漪园。湖南衡山人。检讨，山东道御史。

琳　朝　（碑录作林朝是否同一人待考），字晓峰。满洲正蓝旗。知县，山东莱州府知府。

张乾元　字纯一，号敬亭。四川营山人。检讨，江南道御史。

奈　曼　字又倩，号东山。蒙古族。户部主事，口口旗副都统。

隋人鹏　字扶九，号芸阁。山东莱阳人。检讨，河南按察使。

常保住　字畏公，号乐天。满洲正红旗。检讨，侍读。

吕　炽　检讨，礼部左侍郎。

王　植　字绳木，号芸轩。山东诸城人。庶吉士，归班知县，福建泉州府同知。

锺　晼　归班知县，助教，礼部员外郎。

祝仁元　河南固始人。江西高安县知县。

边　楖　直隶任邱人。

　　武进士：

王元浩　山东胶州人。状元。头等侍卫，湖南镇箪镇总兵。

谭五格　汉军镶黄旗。榜眼。二等侍卫，云南鹤丽镇总兵。

马大用　字敬斋。安徽怀宁人。探花。二等侍卫，福建台湾镇总兵。

观音保　满洲镶白旗。传胪。三等侍卫，口口营游击。

陈鸣夏　三等侍卫，贵州提督。

瑚　宝　满洲镶白旗，伊尔库勒氏。三等侍卫，漕运总督。

张发生　字柱石，号筑江。江苏江都人。口口侍卫，直隶定州营参将。

刘　顺　顺天宛平人。蓝翎侍卫，安西提督。

丁大业　字宏谟。江苏吴江人。直隶宣镇总兵。

唐开中　云南平彝人。贵州提督。

● 恩遇：

王沛憻　吏部右侍郎。三月以老病辞职，加左都御史衔。

富宁安　大学士。四月加太子太傅。

● 著述：

陈景云　撰《韩集点勘》四卷成，见春日自序。

徐大椿　撰《难经经释》二卷成，见三月自序。

吴士玉　等奉敕撰《子史精华》三十卷成，

汪　绂　撰《六礼或问》十二卷成，见十月自序。

上官章　字闇然。湖南乾州人。撰《周易解翼》十卷成，见自序。

王喆生　撰《懿言续录》一卷成，见自序。

康伟然　撰《黉祀纪绩》十卷成，见自序。

沈　淑　撰《周官翼疏》三十卷成，见自撰条例。

● 卒岁：

高其位　太子少傅，原任文渊阁大学士，袭二等骑车都尉世职。正月卒年八十一。谥文恪，入祀贤良祠（入祀在十二年十月）。

曹源郁　浙江庆元县教谕。二月初四日卒年五十七。

噶尔弼　满洲镶红旗，纳喇氏。奉天将军。二月卒。

查嗣庭　前礼部左侍郎。五月以罪卒于狱，年六十四。仍命戮尸（注：以所著日记悖逆不道，并科场作弊，请托关节）。

殷　德　正蓝旗满洲都统。五月卒。

年遐龄　汉军镶黄旗。前太傅，尚书衔一等公，原任湖广巡抚。六月卒年七十口。赏还原职。

本　锡　理藩院额外侍郎。七月卒。

查慎行　前翰林院编修。八月三十日卒年七十八。入国史文苑传。

音　德　满洲镶黄旗，钮祜禄氏。原任领侍卫内大臣，袭二等公。十一月卒。谥悫敬，入祀贤良祠（入祀在十年十月），追晋一等公（追晋在乾隆元年）。

沈近思　都察院左都御史。十二月十三日卒年五十七。赠礼部

尚书，太子少傅衔，谥端恪。

高孝本 前安徽绩溪县知县。卒年七十九。

林　亮 浙江定海镇总兵。卒年六十四。

应　是 江西宜黄县举人。卒年九十。

潘天成 安徽桐城县诸生。卒年七十四。

汪　纯 安徽休宁县诸生。卒年四十五。

雍正六年戊申（公元一七二八年）

● 生辰：

钱大昕　正月初七日生，字及之、晓徵，号辛楣、竹汀。江苏嘉定人。享年七十七。

邹奕孝　二月二十日生，字念乔，号锡麓。江苏无锡人。享年六十六。

汤大奎　三月十一日生，字曾辂，号纬堂。江苏武进人。享年五十九。

戴第元　六月初五日生，字正宇，号簀圃。江西大庾人。享年六十二。

德　瑛　七月生，满洲镶黄旗，伊尔根觉罗氏。享年八十八。

常　纪　七月二十七日生，享年四十六。

诸世器　八月十六日生，江苏昆山人。享年四十九。

毛　士　九月初八日生，直隶静海人。享年七十二。

冯廷丞　九月生，字均弼，号康斋。山西代州人。享年五十七。

张　洲　九月生，字莱峰，号南林。陕西武功人。享年六十。

来起峻　十月生，字鲁登，号江皋。浙江萧山人。享年五十七。

丁传甲　十一月初四日生，江苏武进人。享年六十。

泰斐英阿　生，宗室。享年二十九。

梦　麟　生，字瑞占，号文子、午塘、喜堂、柳塘。蒙古正白旗，西鲁特氏。享年三十一。

杜玉林　生，字凝台，号曲江、宝树。江苏金匮人。享年六十。

马　润　生，字季荀。山东齐河人。享年六十二。

袁　知　生，字纾亭，号雪卢。浙江钱塘人。享年七十三。

周际清　生，字斯威，号思顺、抑亭。江苏金匮人。享年六十

六。

苏去疾　生，字显之，号园公、献之。江苏常熟人。享年七十八。

叶文麟　生，享年七十五。

冯履谦　生，字令闻。山西代州人。享年六十八。

王元勋　生，字季峰、叔华，号东溪。江苏嘉定人。享年八十。

邹麟书　生，字鲁瞻，号此山。江苏无锡人。享年八十五。

丁朝雄　生，字维邦，号伯宜。江苏通州人。享年六十七。

鲍廷博　生，字以文，号渌饮、通介叟。安徽歙县人。享年八十七。

吕　嶽　生，字怡白，号雪庄。江苏阳湖人。享年七十四。

陈莱孝　生，浙江海宁人。享年六十。

臧继宏　生，江苏武进人。享年六十九。

◉　**恩遇：**

田从典　大学士。三月以老病辞职，加太子太师衔。

允　礼　二月封和硕果亲王。

◉　**著述：**

厉　鹗　撰《东城杂记》二卷成，见三月自序。

蒋宏任　撰《硖石山水志》一卷成，见五月自序。

汪　绂　撰《乐礼或问》三卷成，见六月自序。

金　檀　浙江桐城人。撰《青邱高季迪先生诗集辑注》十八卷成，见七月自序。

吴光西　重订《陆清献公年谱》二卷成，见七月自序。

胡　煦　撰《卜法详考》四卷成，见八月自序。

蓝鼎元　撰《修史试笔》二卷成，见二月旷敏本序。

朱　轼　撰《史传三编》五十六卷成，见自序。

费　宏　撰《读史评论》六卷成，见自序。

张　庚　撰《古诗十九首解》一卷成，见自序。

◉　**卒岁：**

翁嵩年　原任广东提学道。正月初十日卒年八十二。

周徐綵　浙江山阴县举人。三月十八日卒年五十二。

魏方泰　原任礼部右侍郎。四月卒年七十二。

汪继燨　丁忧吏科给事中。四月初八日卒年五十二。

田从典　太子太师衔，历任户部尚书，原任文华殿大学士。四月十六日以回籍卒于良乡行馆，年七十八。谥文端，入祀贤良祠（入祀在十二年十月）。

吕谦恒　致仕光禄寺卿。四月二十一日卒年七十六。

杜于藩　前长芦盐运分司。五月卒年六十五。

王庭灿　前崇明县知县。五月二十七日卒年七十七。

富宁安　满洲镶蓝旗，富察氏。太子太傅，署西安将军，武英殿大学士，前封一等侯。六月卒。谥文恭，入祀贤良祠（入祀在十年十月）。

隆科多　满洲镶黄旗，佟佳氏。前太保，吏部尚书，一等轻车都尉，袭一等公。六月卒于禁所。

弘暾　圣祖皇孙，怡亲王子。十月卒。赠多罗贝勒品级。

杨文乾　广东巡抚。八月卒年四十七。

朱　纲　字子骢。山东高唐人。福建巡抚。九月卒。赠兵部尚书衔，谥勤恪。

李旭升　尚书衔原任吏部左侍郎。九月卒年八十。

陈时临　原任兵部职方司主事。十月十八日卒年八十三。

郑世元　浙江秀水县举人。卒年五十八。

王　掞　致仕文渊阁大学士。卒年八十四（一作八十六）。追赐祭葬（追赐在乾隆二年）。

李先复　原任工部尚书。卒年七十八。

李锺旺　内阁中书。卒。

李　麟　字振公。陕西咸阳人。右都督衔致仕銮仪卫銮仪使，（前任固原提督），骑都尉。卒。

周中鋐　江苏松江府知府。以舟覆殁于吴淞江工次，年四十九。赠太仆寺卿，入国史循吏传。

雍正七年己酉（公元一七二九年）

● 生辰：

王启绪　正月初三日生，字德圃，号绍衣。山东福山人。享年
　　　　五十三。

王庭筠　正月生　字养吾，号无党。江苏常熟人。享年六十九。

钱汝懿　二月二十一日生，浙江嘉兴人。

陈桂森　四月初七日生，字和叔，号粹庵、耕岩、玉台。江苏
　　　　常熟人。享年六十二。

朱　筠　六月初六日生，字竹君，号美叔、笥河。顺天大兴人。
　　　　享年五十三。

韩梦周　七月初五日生，字公复，号理堂。山东潍县人。享年
　　　　七十。

曹　焜　闰七月十七日生，字素为，号小牧、秋渔。浙江嘉善
　　　　人。享年六十五。

俞昌言　十一月生，字范甄，号枬园。江苏嘉定人。享年五十
　　　　四。

沈　初　十二月生，字景初，号萃岩、云椒。浙江平湖人。享
　　　　年七十一。

吴省钦　十二月十四日生，字冲之，号白华。江苏南汇人。享
　　　　年七十五。

金士松　生，字亭立，号听涛。江苏吴江人。享年七十二。

蒋曰纶　生，字金门，号雾园。河南睢州人。享年七十五。

伊朝栋　生，（原名伊恒瓒），字用侯，号云林。福建宁化人。
　　　　享年七十九。

沈　琳　生，字澜辉，号华坪。浙江秀水人。享年五十八。

余廷灿　生，字卿雯，号存吾。湖南长沙人。享年七十。

吉梦兰　生，字会亭，号香畹。江苏丹阳人。享年三十二。

董　潮　生，字晓沧，号东亭。浙江海盐人（原籍江苏武进）。

享年三十六。

侍　朝　生，字潞川。江苏仪征人。享年四十九。

胡季堂　生，字升夫。河南光山人。享年七十二。

司马騊　生，字云皋，号溶川。江苏江宁人。享年七十一。

周　玑　生，字玉圃。湖南桂阳人。享年九十口。

符兆熊　生，河南宁陵人。享年六十七。

康基渊　生，字静溪，号南圃。山西兴县人。享年五十二。

鲁华祝　生，（原名鲁河）。江西新城人。享年七十五。

瞿侪鹤　生，字敦文。福建连江人。享年八十六。

周　春　生，字松霭，号苫兮、黍谷居士。浙江海宁人。享
　　　　年八十七。

徐振甲　生，字解时，号东麓。浙江德清人。享年七十五。

印　照　生，字汇淙。江苏嘉定人。享年六十七。

方　矩　生，字晞原，号以斋。江苏人。享年六十一。

汪　炤　生，（原名汪景龙）。字绉青，号少山。江苏嘉定人。
　　　　享年五十八。

龚显祖　生，江苏武进人。享年七十七。

李　炳　生，字振声，号西垣。江苏仪征人。享年七十七。

◉　科第：

　　考取拔贡生：

吴其琰　字恒叔。江苏震泽人。陕西青涧县知县。

施念曾　字得仍，号蘖斋。安徽宣城人。广东知县，乾隆丁
　　　　巳补试鸿博，河南禹州知州。

吴　开　山西知县，山西临晋县知县。

程　密　山东淄川县知县，改用教职。

龚　正　江西人。乾隆丙辰召试鸿博。

徐　玺　字雷溪，江西进贤人。

龚　鑑　字龄上，号硕杲、明水。浙江钱塘人。甘泉县知县。

汪惟宪　字子宜，号积山、水莲。浙江仁和（钱塘）人。

鲍志周　陕西知县，河南开封府同知。

陆祖锡　乾隆丙辰召试鸿博。

王起鹏　陕西知县，乾隆丙辰召试鸿博，陕西绥德直隶州知
　　　　州。

邱天民　字次衡。湖北宜城人。山东知县，山东滕县知县。

张奎祥　字星五。湖南华容人。直隶知县，河南开归陈许道。

丁元正　江苏知县，江苏吴江县知县。

易宗瀛　浙江盐大使，乾隆丙辰召试鸿博，浙江东江场大使。

卫哲治　河南人。江苏知县，工部尚书。

颜懋伦　山东人。乾隆丙辰召试鸿博。

劳孝舆　字巨峰，号阮斋。广东南海人。乾隆丙辰召试鸿博，
　　　　贵州知县，贵州镇远县知县。

刘　涛　内阁中书。

　中式举人：

姜顺龙　直隶元城人（原籍浙江山阳）。户部员外郎，四川按
　　　　察使。

左　基　广西知县，山东莒州知州。

纪　昉　直隶人。候选布政司理问，重宴鹿鸣。

沈戌开　江苏人。

曹洛砼　字麟书。安徽当涂人。国子监学政，乾隆癸酉特授司
　　　　业。

史凤辉　字南如。江苏宜兴人。内阁中书，乾隆丙辰召试鸿博，
　　　　浙江严州府同知。

席　鏊　字宝筬，号景溪。江苏常熟人。内阁中书。

华希闳　字文友。江苏无锡人。内阁中书。

龚　镜　浙江金山场大使。

袁芳松　江西宜春人。内阁中书，大理寺卿。

马　燧　江西人。内阁中书，顺天府府丞。

孙陈典　浙江仁和人。刑部员外郎，陕西盐驿道。

周景柱　字西擎。浙江遂安人。内阁中书，内阁侍读学士。

陈兆媚　内阁中书。

郭起元　福建人。安徽知县，安徽宿虹同知。

陈世俊　字惕庵。湖南祁阳人。福建盐大使，福建建安县知县。

李芳华　字实庵。湖南善化人。

赛　玙　四川珙县知县，重宴鹿鸣。

中式副榜贡生：

王梦弼　字代言，号惕若。河南商丘人。浙江知县，云南姚州知州。

刘大櫆　安徽桐城人。又见壬子科。

董承勋　字对扬，号芭堂。浙江乌程人。长芦盐运使。

胡天游　乾隆丁巳补试鸿博，又见戊午科。

中式翻译举人：

富　起　字鸿举。满洲镶蓝（正红）旗。知县，奉天锦州府知府。

● 恩遇：

鄂尔泰　云贵广西总督。正月封三等男。

马兰泰　袭二等伯。二月晋一等侯。

佟　镕　袭二等子。五月晋封一等子（十二年五月削）。

张廷玉　大学士。七月赐御书"调梅良弼"额。

蒋廷锡　大学士。七月赐御书"钧衡硕辅"额。

十月以大员子孙乡试未经中式均赏给举人：

蒋　溥　大学士蒋廷锡子。余见庚戌科；

嵇　璜　吏部尚书嵇曾筠子。余见庚戌科；

唐少游　左都御史唐执玉子；

史奕簮　吏部左侍郎史贻直子。余见乾隆戊辰科；

王　缪　户部右侍郎王廷扬子；

钱　鋈　礼部左侍郎钱以垲子；

鄂　伦　礼部左侍郎鄂尔奇子。余见癸丑科；

杨　绥　兵部左侍郎杨汝谷子；

缪　樗　刑部左侍郎缪沅子；

张鸿运　广西左州知州，工部右侍郎张大有子；

涂士炳　署仓场侍郎涂天相子；

谢　升　左副都御史谢王宠子。余见庚戌科；

刘俊邦　户部左侍郎刘芳声子。（九年正月革）。

励廷仪　刑部尚书。十月赐御书"矜慎平恕"额。

张廷玉　大学士。十月晋少保。

蒋廷锡　大学士。十月加太子太傅。

励廷仪　刑部尚书。十月加太子少傅。

傅尔丹　靖边大将军。十月加少保（十年八月削）。

岳锺琪　宁远大将军，川陕总督。十月晋少保（十年三月削）。

鄂尔泰　云贵广西总督。十月加少保。

田文镜　河南山东总督。加太子太保。

李　卫　浙江总督。十月加太子少保。

查郎阿　署陕甘总督，吏部尚书。十月加太子少保。

锡　伯（一作席伯）宁夏将军。十月加太子少保。

◉ 著述：

蓝鼎元　撰《鹿洲公案偶记》二卷成，见春日旷敏本序。

沈　淑　撰《陆氏经典异文辑》六卷、《陆氏经典异文补》六
　　　　卷、《十三经注疏琐语》四卷成，见六月自序。

蓝鼎元　撰《棉阳学准》五卷成，见七月陈华国序。

李光映　浙江人。撰《观妙斋金石文考略》十六卷成，见金介
　　　　缵序。

冯　詠　自编《桐村诗》九卷成，见四库提要。

◉ 卒岁：

鄂克逊　致仕江宁将军，三等轻车都尉。正月卒年八十六。谥
　　　　武襄。

常　保　正白旗汉军副都统。正月卒。

何世璂　署直隶总督，吏部左侍郎。正月二十六日卒年六十四。
　　　　赠礼部尚书衔，谥简端。

董　玘　赏复翰林院检讨。二月初四日卒年五十八。

齐苏勒 字笃之。满洲正白旗，纳喇氏。太子太傅，河道总督，骑都尉。二月卒。晋三等轻车都尉世职，谥勤恪，入祀贤良祠（入祀在八年七月）。

弘　吟 圣祖皇孙，怡亲王。二月卒。赠多罗贝勒品级。

吴允嘉 浙江仁和县布衣。四月卒年七十三。

德　普 宗人府左宗人，正黄旗满洲都统，宗室。五月卒年四十七。

单畴书 管理察哈托辉渠工，户部右侍郎。五月卒于宁夏工所。

塞　勒 辅国公，宗室。五月卒。追赠多罗信郡王，（追赠在乾隆二十七年八月）。

素　丹 正红旗满洲都统，三等轻车都尉，原袭三等男。七月卒于甘肃凉州军营年七十二。谥勤僖。

夸　岱 字桐轩。满洲镶黄旗，姓佟氏。内大臣工部尚书，袭一等公。七月卒。

蔡　良 汉军正白旗。福州将军。九月卒。谥勤恪。

蓝廷珍 左都督衔福建水师提督，三等轻车都尉。十一月二十七日卒年六十六。赠太子少保，谥襄毅。

王承烈 刑部右侍郎。十二月十四日卒年六十四。

陆生枏 广西人。军营效力，前工部试用主事。十二月二十二日以罪命于北路军前正法。

缪　沅 刑部左侍郎。十二月二十九日卒年五十八。

萧永藻 前太子太傅，文华殿大学士。卒年八十六。

张廷枢 前刑部尚书。以拿问入京卒于中途，年七十六。

德　音 字孔昭。满洲正白旗，费莫氏。降调内阁学士，前山西巡抚。卒。

王世琛 詹事府少詹事，山东学政。卒。

裘　琏 在籍翰林院庶吉士，卒年八十六，入国史文苑传。

韩良辅 前广西巡抚，前任广西提督。卒。

盛际斯 原任江西吉安府教授。卒年七十。入国史文苑传。

杨　鲲　山西宁武人。前都督佥事，古北口提督。卒。

雍正八年庚戌（公元一七三〇年）

◉ 生辰：

姜　晟　正月初五日生，字光宇，号杜芎、度香。浙江仁和人。（原籍山东莱阳）。享年八十一。

王启焜　四月十二日生，字东白，号秋汀、南明。浙江嘉善人。享年六十九。

张松孙　五月初四日生，字稚赤，号鹤坪。江苏长洲人。享年六十六。

黄　堂　七月初四日生，字雨椽，号秋水。江西芦溪人。享年六十六。

张庆源　七月十六日生，享年六十八。

毕　沅　八月十八日生，字纕蘅，号秋帆、灵岩山人。江苏镇洋人。享年六十八。

周广业　十一月十二日生，字勤补，号耕厓。浙江海宁人。享年六十九。

汪辉祖　十二月十四日生，字焕曾，号龙庄、归庐。浙江萧山人。享年七十八。

周永年　生，字书昌。山东历城人（原籍浙江余姚）。享年六十二。

陈步瀛　生，字凌州，号勤斋、晴川、晴溪。江苏江宁人。享年六十。

宋思仁　生，字蔼若，号汝和。江苏长洲人。享年七十八。

王文治　生，字禹卿，号梦楼。江苏丹徒人。享年七十三。

王绍曾　生，字衣闻，号纯香。江苏金山人。享年四十。

徐联奎　生，字璧堂，号讷斋。浙江山阴人。享年九十三。

周震荣　生，字青在，号篑谷。浙江嘉善人。享年六十三。

陈树华　生，字芳林，号冶泉。江苏长洲（元和）人。享年七十二。

李文藻　生，字素伯，号芭畹、南硐。山东益都人。享年四十九。

刘大成　生，江西新昌人。享年六十七。

郑　环　生，字清如，号梦旸、东里居士。江苏武进人。享年七十七。

吴兰庭　生，字胥石。浙江归安人。享七十二。

顾汝敬　生，字配京，号蔚云。江苏吴江人。享年七十七。

俞大谟　生，字安国，号耦生。江苏江都人。享年七十八。

陈善诒　生，享年四十六。

● 科第：

一甲进士：

周　霭　状元。修撰。

沈昌宇　会元。榜眼。编修。

梁诗正　探花。编修，东阁大学士。

二甲进士：

蒋　溥　编修，东阁大学士。

吴华孙　字冠山，号翼堂。安徽歙县人。编修。

锺　衡　字仲恒，号岱峰、损斋。浙江长兴人。编修，太常寺少卿。

倪国琏　字穟畴，号紫珍。浙江仁和人。编修，刑科掌印给事中。

孙人龙　字端人，号药亭、颐斋。浙江乌程人。编修，左中允。

周箓莲　字效白，号莘君。江苏长洲人。编修，浙江严州府知府。

陶正靖　编修，太常寺卿。

王文潜　字星望，号诚斋。浙江海宁人（原籍钱塘）。编修，湖广道御史。

顾成天　字良哉，号小厓。江苏娄县人。编修，少詹事。

沈慰祖　字学周，号砺斋。江苏吴县人。编修，左赞善。

杨廷栋　字大宇，号樗园。安徽宣城人。编修。

浦起龙　归班知县，江苏苏州府教授。

戚振鹭　字我雎，号晴川。浙江德清人。安徽知县，江西抚州
　　　　府知府。

林蒲封　字桓次，号鳌洲。广东东莞人。编修，侍读学士。

刘暐泽　四川宜宾县知县，乾隆丙辰召试鸿博。

张之浚　字治斋。顺天大兴人。知县，四川松茂道。

鹿迈祖　编修，四川川北道。

毛之玉　字用两，号约亭、裴山。江苏太仓人。编修，河南道
　　　　御史。

商　盘　编修　云南元江府知府。

徐景曾　字师鲁，号省庵。江苏武进人。庶吉士，湖北郧阳府
　　　　知府，直隶河间府知府。

裘肇煦　字沧晓。浙江仁和人。编修。

李治运　刑部主事，浙江按察使。

鄂乐舜　（原名鄂敏），字钝夫，号笃亭。满洲镶蓝旗。编修，
　　　　安徽巡抚。

许道基　（原名许开基），字勋宗，号霍斋。浙江海盐（海宁）
　　　　人。户部主事，刑部郎中。

曹绳柱　刑部主事，福建布政使。

沈昌寅　字升伯。浙江秀水人。刑部主事，盛京工部主事。

章有大　字容谷，号祐庵。浙江归安人。工部主事，礼科掌印
　　　　给事中。

孙　灏　编修，左副都御史。

沈孟坚　字研圃。浙江德清人。江苏知县，江苏江宁府知府。

王以昌　字禹言，号俣岩。江苏江宁人。检讨。

朱凤英　字翔羽。江西南昌人。编修，云南迤西道。

柏　谦　编修。

佟　保　字峰山，号行亭。满洲正蓝旗。编修，侍讲。

胡宗绪　字袭参。安徽桐城人。编修，司业。

杨仲兴 （碑录作杨中兴）。福建知县，湖北按察使。

徐以烜 编修，礼部左侍郎。

汪弘禧 浙江钱塘人。江西知县，江西赣州府知府。

王宗灿 字泰符，号冶亭。汉军正红旗。编修，杭州副都统。

刘弘绪 字善夫。汉军镶红旗。兵部主事，甘肃西宁道。

嵇　璜 编修，文渊阁大学士，重宴恩荣。

陈其凝 字秋崖。江苏上元人。编修，太仆寺少卿。

林令旭 字豫仲，号晴江。江苏娄县人。编修，太常寺卿。

李敏第 字瀛少，号牧岩。河南夏邑人。庶吉士，刑部主事，
　　　　山西布政使。

刘元燮 编修，广西苍梧道。

张若潨 兵部主事，左都御史。

汪振甲 安徽知县，安徽桐城县知县。

侯嗣达 字尔瑞。江苏金匮人。刑部主事，浙江宁绍台道。

王应綵 字天章、湘亭，号莱堂。浙江桐乡人。吏部主事，礼
　　　　科掌印给事中。

吴云从 字耕心。浙江石门人。河东盐运使。

曹一士 编修，工科给事中。

任应烈 编修，河南南阳府知府。

陈兆崙 福建知县，余见乾隆丙辰词科。

刘暐潭 字湘客。湖南长沙人。户部主事，广西梧州府知府。

胡彦昇片 字国贤，号竹轩。浙江德清人。刑部主事，山东定
　　　　陶县知县。

程盛修 字枫仪，号风沂。江苏泰州人。编修，顺天府府尹。

吴履泰 字文岸、君安，号茹原、少筹。福建晋江人。编修，
　　　　侍讲学士。

　　三甲进士：

王绳曾 字武沂。江苏无锡（金匮）人。归班知县，江苏扬州
　　　　府教授。

李时宪 字敬亭。福建福清人。吏部主事。直隶平乡县知县。

西　成　字有年，号樗园。满洲镶黄旗。归班知县，乾隆丙辰召试鸿博，礼部主事，太常寺卿。

陈象枢　吏部主事，礼部郎中。

富　德　（碑录作付德），字隄瞻。满洲正蓝旗。侍讲学士。

谢元阳　（一作沈元阳）。江苏即用知县。

敷　文　（原名富敏），字逊修，号霖岩。满洲镶黄旗，富察氏。检讨，盛京兵部侍郎。

冯大山　字绍嶽；号五峰。浙江海宁人。江苏知县，安徽婺源县知县。

戴章甫　字黼臣。浙江仁和人。吏部主事，掌河南道御史。

李　瑜　广东大埔人。广西左江道。

方邦基　浙江仁和人。福建知县，福建台湾府知府。

薄　岱　字启东，号漱园。顺天大兴人（原籍江苏江宁）。山西知县，山西宁武府知府。

熊学鹏　字云亭，号廉村。江西南昌人。兵部主事，广东巡抚。

黄师範　字任箕，号吾冈。江西金溪人。礼部主事，礼部郎中。

魏　枢　字又弼，号慎斋。奉天承德人。归班知县，直隶永平府教授，乙卯荐应鸿博。

徐　琰　汉军正蓝旗。吏部郎中。

乔履信　河南商水人。陕西知县，礼部主事。

王　师　直隶知县，江苏巡抚。

卢秉纯　字义肥，号性香。山西襄陵人。检讨，刑科给事中。

李清载　字有侯，号积斋。福建安溪人。兵部主事，广西顺宁府知府。

戚弢言　福建连江县知县。

郭孙俊　字旬方。湖北当阳人。

宋　枏　检讨，赞善。

鲁　淑　浙江知县，浙江黄岩县知县。

金　溶　刑部主事，浙江粮道。

阮学浩　字裴园，号缓堂、瞻宁。江苏山阳人。检讨。

严　璓　（榜名程璓）。庶吉士。

吴嗣爵　吏部主事，吏部右侍郎。

吴　炜　字觐扬。浙江仁和人。工部主事，光禄寺少卿。

韩彦曾　字沥芳，号溧舫。江苏长洲人。检讨，洗马。

许希孔　字集成，号瞻鲁、念斋、克斋。云南昆明人。检讨，
　　　　工部右侍郎。

薛　韫　字淑芳，号尺庵。陕西雒南人。检讨，广东南韶连
　　　　道。

张志奇　字鸿儒。山东利津人。知县，直隶宣化府知府。

卢伯蕃　广东连州人。

陈惪正　字醇叔，号葛城。直隶安州人。吏部主事，陕西按察
　　　　使。

赵锡礼　浙江兰溪人。江苏知县，江苏淮徐海道。

杨　秀　字抢升，号素庵。直隶固安人。检讨，侍讲。

徐廷槐　字立三，号笠山、墨汀。浙江会稽人。归班知县，候
　　　　补教授，乾隆丙辰召试鸿博。

何梦瑶　字报之，号西池。广东南海人。广西知县，奉天辽阳
　　　　州知州。

陈玉友　顺天文安人。户部主事，福建台湾府知府。

李盛唐　云南马龙人。四川松茂道。

伊福讷　字兼五，号抑堂。满洲镶红旗。户部主事，口口道御
　　　　史。

朱佐汤　字莱泰。山西临汾人。陕西延绥道。

方　浩　山西知县，江西吉南赣宁道。

常　琬　字英怀。湖南长沙人。河南洧川县知县。

甄汝翼　字鹤溪。山西平定人。甘肃中卫县知县。

袁守定　湖南知县，礼部主事。

明　善　（原名明山），字元复，号惺斋。满洲正蓝（正白）旗。

兵部主事，中允。

马长淑 字汉荀。山东安邱人。直隶知县，直隶磁州知州。

孙龙竹 陕西韩城人。

李贤经 字济安，号醒斋。贵州南笼人。检讨，陕西道御史。

谢 升 字允公，甘肃宁夏人。云南广南府知府。

刘文诰 直隶枣强人。四川永宁道。

陈偁仪 （原名陈两仪）。直隶知县，安徽黟县知县。

　武进士：

齐大勇 字养浩，号凤岩。直隶昌黎人。会元。状元。头等侍
　　　　卫，湖广提督。

张 照 （原名张四儿）。汉军正黄旗。榜眼。二等侍卫。

冯 汇 字海若。甘肃宁夏人。三等侍卫，福建建宁镇总兵。

吴必达 福建水师提督。又见乾隆五十五年。

刘士宏 江苏通州人。湖南守备，湖北宜昌镇总兵。

● 恩遇：

允 祉 二月复封和硕诚亲王（五月革）。

允 祸 二月封多罗愉郡王。

高其倬 闽浙总督。二月晋太子太保。

顾成天、卢伯蕃 举人。四月以会试未经中式准予一体殿试。

弘 晈 八月封多罗宁郡王。

高其倬 两江总督。九月封三等男。

● 著述：

舞 格 撰《清文启蒙》四卷成，见正月程明远序。

杜 诏 撰《读史论略》一卷成，见冬日自序。

王 澍 撰《淳化秘阁法帖考正》十卷成，见十一月自序。

陈伦炯 撰《海国闻见录》二卷成，见十一月自序。

汪 绂 撰《瑟谱》二卷成，见十一月自序。

弘 昼 撰《稽古斋集》成，见高宗御序。

许培荣 撰《丁卯集笺注》八卷成，见许锺德后跋。

● 卒岁：

朱之琏　汉军正白旗。正蓝旗汉军都统，一等侯。乾隆十四年号曰延恩，正月卒。

金　启　浙江会稽县布衣。正月十七日卒于陕西三原，年三十。

方　觐　陕西布政使。二月初八日卒，年五十。

偏　图　杭州副都统。三月卒。

允　祐　圣祖皇七子。和硕淳亲王。四月卒年五十一。谥曰度。

孔毓珣　江南河道总督。四月卒年六十五。谥温僖。

费金吾　湖北巡抚。四月卒。

黄　鼎　江苏常熟县画士。四月二十五日卒年七十一。

允　祥　圣祖皇十三子，和硕怡亲王。三月初四日卒年四十五。谥曰贤，配享太庙，入祀贤良祠。

巴　锡　满洲正黄旗。一等男。卒。

李周望　丁优礼部尚书。六月卒年六十四。

崔谓源　直隶长垣县副贡生，六月二十二日卒年五十七。

噶尔泰　户部右侍郎。八月卒。

张曾禔　原任江苏溧阳县知县。八月卒年七十八。（一作雍正九年卒）。

刘镇宝　（一作刘鎮宝）云南乌蒙通判。八月以招抚逆苗遇害，赠按察司佥事。

刘　琨　云南东乌营游击。八月殉难，赠总兵。

赛枝大　云南候补知县。八月三十日于乌蒙遇害，年四十九。赠按察司佥事。

常德寿　满洲镶红旗，瓜尔佳氏。户部左侍郎。九月以承办西路军需，卒于甘肃平番县之红城堡。

徐　骏　前翰林院庶吉士。十月初四日以罪处斩（文字狱）。

锡　伯　满洲正蓝旗，瓜尔佳氏。太子少保，宁夏将军。十月卒。谥襄壮。

魏经国　满洲正白旗。署古北口提督，镶红旗汉军都统，前太

子少傅，兵部尚书衔江南提督，骑都尉。十月卒。谥
僖恪。

苏大有　湖北襄阳人。贵州古州镇总兵。十月卒。

周振业　江苏吴江县副贡生。十月十八日卒年七十一。

郑　恂　前河南道监察御史。十一月初九日卒年八十。

逊札齐　满洲镶红旗，萨克达氏。前工部尚书，二等男。十一
月卒。

沈　淑　在籍翰林院编修。卒年三十三。

杨守知　原任甘肃平凉府知府。卒年六十二。

张　銷　赏复广东广州府知府原衔。卒年五十六。

黄应缵　福建平和人。袭一等海澄公。卒。追谥温简（追谥在
乾隆六年五月）。

魏国翕　云南昆明人。云南临安镇总兵。卒。

王　睿　陕西华县岁贡生。卒年七十三。

雍正九年辛亥（公元一七三一年）

● 生辰：

陈守诒 正月初十日生，字仲牧，号种木、约堂。江西新城
　　　人。享年七十八。

朱　珪 正月十二日生，字石君，号南崖、盘陀老人。顺天
　　　大兴人。享年七十六。

叶佩荪 四月二十九日生，字丹颖，号辛麓。浙江归安人。
　　　享年五十四。

曹仁虎 五月初五日生，字来殷，号习庵。江苏嘉定人。享
　　　年五十七。

李腾蛟 六月十六日生，字鼎北，号辛峰。山西芮城人。享
　　　年七十。

孟超然 十月二十三日生，字朝举，号瓶庵。福建闽县人。
　　　享年六十七。

周鼎枢 十一月二十二日生，字凝甫，号榆所。浙江嘉善人。
　　　享年五十一。

刘成玑 十二月初六日生，字启後。陕西咸宁人。

许宝善 十二月十四日生，字敩虞，号绮堂。江苏青浦人。
　　　享年七十三。

姚　鼐 十二月二十日生，字抵传、梦穀，号惜抱。安徽桐
　　　城人。享年八十五。

永　璜 生，高宗皇长子。享年二十。

彭元瑞 生，字掌仍，号辑五、云楣。江西南昌人。享年七
　　　十三。

张曾敞 生，字廓原，号开士、垲似、樨亭。安徽桐城人。
　　　享年四十七。

恒　裕 生，字益亭，号惇夫。满洲正黄旗。享年五十二。

严长明 生，字用晦，号东友、冬有、道甫。江苏江宁人。享

年五十七。

荆道乾 生，字健中，号南溪。山西临晋人。享年七十二。

顾光旭 生，字华阳，号晴沙、响泉。江苏无锡人。享年六十七。

刘文徽 生，字予受，号荷池、淑庵。湖南武冈人。享年六十七。

阮　和 生，字煦初，号融轩。江西新建人。享年七十四。

宗超海 生，字骏庵，号云峰。江西赣县人。享年六十九。

卢凤起 生，字矞堂，号孚尹。浙江仁和人。享年五十一。

孙维龙 生，顺天宛平人。享年四十三。

朱　彭 生，字六饯，号青湖。浙江钱塘人。享年七十三。

冯　浯 生，字虞伯，号秋鹤。浙江桐乡人。享年八十九。

● 恩遇：

张廷玉 大学士。正月赐御书"赞猷硕辅"额。

蒋廷锡 太学士。正月赐御书"万机贤辅"额。

唐执玉 署直隶总督，兵部尚书。　二月赐御书"恪恭首牧"额。

钱以垲 礼部尚书。九月以老辞职，加太子少保衔。

杨天纵 贵州提督。以老辞职，加太子太保。

方　苞 武英殿修书总裁，前安徽贡生。特授中允，余见前康熙丙戌科。

陈世倕 河南按察使。以其父訢年逾八十，赐御书《松柏》堂额。

● 著述：

沈德潜 撰《说诗晬语》三卷成，见春日自序。

万　经 撰《分隶偶存》二卷成，见春日万福跋。

郝玉麟 等监修《广东通志》六十四卷成，见五月进书表。

刘青芝 撰《学诗阙疑》二卷成，见八月自序。

汪　绂 撰《四书诠义》三十八卷成，见十月自序。

周　城 撰《东京考》二十卷成，见王珝序

● 卒岁：

永　寿　兵部左侍郎。正月卒。

允　祸　圣祖皇十五子。多罗愉郡王。二月卒年三十九。谥曰
　　　　恪。

常　寿　满洲镶黄旗。礼部尚书。三月卒。

袁立相　原任山西提督。三月卒。谥勤毅。

满都护　世祖皇孙。镇国公。五月卒。

白　洵　原任广西按察使。五月二十三日卒年六十三。

王为垣　湖南龙阳县举人。六月初四日卒年六十五。

定　寿　（一作丁寿）。满洲正黄旗，赫舍哩氏。都统衔前锋统
　　　　领，（前任镶蓝旗蒙古都统），一等轻车都尉。六月二
　　　　十二日于和通呼尔哈诺殉难。赠三等男。

素　图　（一作苏图）。满洲正黄旗，富察氏。参赞大臣，宁夏
　　　　左翼副都统，二等轻车都尉世职。六月二十二日于和
　　　　通呼尔哈诺殉难。赠三等男。

玛尔奇　（一作马尔齐）。归化城副都统。六月二十二日于和通
　　　　呼尔哈诺殉难。予骑都尉世职。

常　禄　口口旗蒙古副都统。六月二十二日于和通呼尔哈诺阵
　　　　亡。予二等轻车都尉世职。

西弥赉　副都统。六月二十二日于和通呼尔哈诺殉难，予骑都
　　　　尉世职（乾隆二十年裁革世职）。

魏　麟　直隶正定总兵。六月二十二日于和通呼尔哈诺阵亡。
　　　　赠都督同知。

永　图　盛京礼部侍郎。六月二十四日于和通呼尔哈诺殉难。
　　　　予骑都尉世职（乾隆二十年裁革世职）。

海　兰　满洲，觉罗氏。参赞大臣，副都统。六月二十四日于
　　　　和通呼尔哈诺殉难。予二等轻车都尉世职（乾隆二十
　　　　年裁削世职）。

岱　豪　满洲镶黄旗，戴佳氏。参赞大臣，正白旗满洲副都统。
　　　　六月二十四日于和通呼尔哈诺殉难。予骑都尉世职

（乾隆二十年裁削世职）。

达　福　满洲镶黄旗，瓜尔佳氏。参赞大臣，左翼前锋统领，袭一等超武公。六月二十七日於和通呼尔哈诺阵亡。予骑都尉世职。

查弼纳　字敏夫。满洲正黄旗，元颜氏。靖达副将军，兵部尚书。六月二十八日於哈尔噶纳河阵亡。予骑都尉兼一云骑尉世职。

巴　赛　副将军，袭辅国公，镶蓝旗宗室。六月二十八日於哈尔噶纳河阵亡年六十九。追谥襄愍（追谥在乾隆元年五月），追赠和硕简亲王（追赠在乾隆十七年十二月）。

玛尔萨　内大臣，满洲正黄旗都统。六月二十八日於哈尔噶纳河阵亡。予骑都尉兼一云骑尉世职。

舒楞额　正红旗汉军副都统。六月二十八日於哈尔噶纳河阵亡。予骑都尉世职。

于　准　字莱公。山西永宁人。赏复江苏巡抚原衔。九月卒。

张起云　山西大宁人。署福建陆路提督，福建金门镇总兵。十一月卒。谥恪毅。

克什图　蒙古正白旗。博尔济吉特氏。领侍卫内大臣，骑都尉。十口月卒於青海防次，谥勤恪。

永　喜　多罗贝勒，圣祖皇曾孙。十二月卒。

魏　嶙　前浙江钱塘县知县。十二月十四日卒，年六十八，入国史循吏传。

宜兆熊　汉军正白旗。前吏部尚书，署直隶总督，袭二等男。卒。

汪文桂　原任内阁中书。卒年八十二。

黎致远　奉天府府尹。卒年五十六。

蒋　杲　前广东廉州府知府。卒年四十九。

王汝骧　字云衢，号云劬、耘渠。江苏金坛人。原任四川通江县知县。卒。

王汝楫 前浙江丽水县知县。卒年七十四。

向　璿 浙江山阴县诸生。卒年五十。入国史儒林传。

任裕德 江苏昆山人。昆山县孝子。卒。

雍正十年壬子（公元一七三二年）

◉ **生辰：**

战效曾 正月十六日生，享年六十五。

马　全 三月二十九日生，（原名马瑸）字具堂，号纯斋。山西阳曲人。享年四十二。

李　彤 四月十八日生，享年七十一。

沈业富 五月二十二日生，字方穀，号既堂。江苏高邮人。享年七十六。

刘　湄 闰五月十八日生，字正林，号岸淮。山东清平人。享年七十一。

王若常 七月十九日生，字心如，号惺如。浙江钱塘人（原籍江苏昆山）。享年六十三。

许祖京 七月二十日生，字依之，号春岩。浙江德清人。享年七十四。

孙永清 七月二十一日生，字宏度，号春台。江苏无锡人。享年五十九。

钱九韶 九月十三日生，字太和，号南澶。河南密县人。享年六十五。

吴玉纶 十一月三十日生，（原名吴琦），字廷五，号香亭。河南光山人。享年七十一。

孙曰秉 十二月初八日生，字德元，号葆年。奉天承德人。享年七十一。

汪立本 十二月初八日生，字其渊。号蔗田。浙江钱塘人。享年六十二

庆　宁 生，宗室。享年十九。

郭仪长 生，字震元，号豫堂。广东清远人。享年七十八。

曹　锐 生，字又裝。安徽歙县人。享年六十二。

叶树滋 生，字升德，号樗侬。江苏长洲人。享年七十。

鲁九皋　生，（原名鲁士骥），字絜非。江西新城人。享年六十三。

朱休度　生，字介裴，号梓庐、小木子。浙江秀水人。享年八十一。

周　荣　生，字肄三。江苏常熟人。享年五十七。

夏锡畴　生，字用九。河南河内人。享年六十七。

梅　鋐　生，字二如，号式堂。江苏上元人。享年四十六。

罗有高　生，字台山。江西瑞金人。享年四十八。

王鸣韶　生，（原名王廷谔），字鹗起，号夔律。江苏嘉定人。享年五十七。

吴宗元　生，字大始，号岱芝。浙江石门人。享年六十九。

余萧客　生，字仲林，号古农。江苏长洲（吴县）人。享年四十七。

● 科第：

考取拔贡生：

刘绍攽　字继贡，号九畹。陕西三原人。四川知县，山西太原县知县。

中式举人：

英　廉　汉军镶黄旗。内务府主事，东阁大学士。

李　瀚　山东知县，云南巡抚。

万裕昆　字启咸，号旭斋。顺天文安人。福建台湾道。

贾延泰　内阁中书。

徐　良　江苏娄县人。内阁中书，四川夔州府知府。

马朴臣　字春迟，号相如。安徽桐城人。内阁中书，乾隆丙辰召试鸿博。

马荣祖　乾隆丙辰召试鸿博，河南知县，河南鹿邑县知县。

张　叙　乾隆丙辰召试鸿博。

金　鑑　江苏江阴人。乾隆丙辰召试鸿博，刑部主事。

夏之翰　字知畏。江西新建人。乾隆丙辰召试鸿博，湖南布库大使。

戴永植　浙江人。乾隆丙辰召试鸿博，余姚县教谕。

沈廷荐　字尚友，号上猷、澄怀。浙江海宁人。

邱理德　福建人。知县，重宴鹿鸣。

方　桂　字友兰，号云轩。湖南巴陵人。广东知县，浙江宁绍
　　　　台道。

石鹏翥　武陵县教谕，甘肃华亭县知县，重宴鹿鸣。

谭昌明　山西山阴县知县，重宴鹿鸣。

　　中式副榜贡生：

连云龙　江苏吴江人。乾隆丙辰召试鸿博。

嵇　瑛　江苏无锡人。顺天府治中，云南普洱府知府。

刘大櫆　乾隆丙辰召试鸿博，安徽黟县教谕。

张凤孙　乾隆丙辰召试鸿博，余见甲子科。

王士让　字尚乡。福建安溪人。乾隆丙辰召试鸿博，湖北蕲州
　　　　知州。

郑宗尧　福建连江人。

　　中式翻译举人：

托恩多　字湛堂。满洲镶红旗，孙佳氏。　内阁中书，吏部尚
　　　　书。

永　宁　字善长。满洲正红旗。口部笔帖式，盛京礼部侍郎。

　　中式武举：

董天弼　顺天大兴人。四川守备，四川提督。

● 恩遇：

鄂尔泰　大学士。二月晋封一等伯（十三年五月削，仍留三等
　　　　男）。

田文镜　河东总督。十月加太子太保。

谯　衿　湖南沅江县生员。以七世同居，十一月赐御书"世笃
　　　　仁风"额。

嵇曾筠　吏部尚书，江南河道总督。十一月加太子太保。

鄂尔泰　大学士。十二月赐御书"公忠弼亮"额。

● 著述：

蒋廷锡　撰《尚书地理今释》一卷成，今系闰五月之前。

王尧衢　撰《古唐诗合解》十六卷成，见三月自序。

蓝鼎元　撰《鹿洲诗集》二十卷成，见四月旷敏本提语。

汪　绂　撰《诗经诠义》十二卷又卷末二卷成，见十一月自
　　　　序。

杭世骏　撰《榕城诗话》三卷成，见十月自序。

袁仁林　撰《古文周易参同契注》八卷成，见十二月自序。

陈　訏　自编《时用集续编》成，见四库提要。

◉　卒岁：

德　成　满洲镶红旗，兆佳氏。办理青海事务，正红旗满洲都
　　　　统。正月卒于西宁。谥勤僖。

王沛憻　都察院左都御史衔，原任吏部右侍郎。二月初二日卒
　　　　年七十七。

田象坤　汉军镶黄旗（原籍直隶宣化）。一等侯。卒。

德　明　满洲镶黄旗，卦尔察氏。户部尚书。四月卒。赠太子
　　　　少保，谥端勤。

励廷仪　太子少傅，吏部尚书。五月十五日卒年六十四。谥文
　　　　恭。

允　祺　圣祖皇五子，和硕恒亲王。闰五月卒年五十四。谥曰
　　　　温。

允　祉　圣祖皇三子，前封和硕诚亲王。闰五月卒年五十六。
　　　　追赠多罗郡王，谥曰隐（赠谥在乾隆二年十二月）。

赖　士　辅国公，宗室。闰五月卒，年七十一。

沈廷正　汉军镶白旗。原任直隶河道总督。闰五月卒。

蒋廷锡　太子太傅，文华殿大学士，一等轻车都尉。闰五月卒
　　　　年六十四。谥文肃。

朱泽沄　江苏宝应县诸生。六月十九日卒年六十七。入国史儒
　　　　林传。

杨天纵　四川成都人（原籍陕西渭南）。太子太保，原任贵州
　　　　提督，云骑尉。七月卒。谥襄壮。

文　昭　字子晋，号芗婴居士、紫幢道人。四品宗室。九月卒年五十三。

郝　林　尚书衔原任礼部左侍郎。九月二十一日卒年七十九。

钱以垲　太子少保衔，原任礼部尚书。十月卒年七十一。谥恭恪。

傅　德　礼部左侍郎。十月卒。

杨　馥　贵州大定协副将。十月于甘翁岭阵亡。赠右都督。

李锺侨　国子监监丞，降调翰林院编修。十月卒年四十四。

陈　泰　（一作辰泰）。满洲正白旗，栋鄂氏。前参赞大臣，镶黄旗满洲都统，袭一等侯。十月以罪命于军前处斩（注：以驻兵科布多河岸，屡奉催调，推诿不前）。

田文镜　汉军正黄旗。太子太保，原任河南山东总督。十一月卒于开封。谥端肃。

马礼善　镶红旗满洲都统。十一月卒。

许良彬　太子少保，福建提督。十口月卒年六十三。赠太子太保，谥敏壮。

孙　镇　陕西武功县布衣。十二月初三日卒年五十。

张大有　礼部尚书。十二月卒。谥文敬。

马尔赛　满洲正黄旗，马佳氏。前武英殿大学士，抚远大将军，袭一等忠达公。十二月十四日以罪命于札克拜达里克军前处斩（注：以负恩纵寇，贻误军机）。

李　林　汉军镶蓝旗。前正红旗汉军都统，袭三等伯。十二月十四日以罪命于札克拜达里克军前处斩（注：以庸懦贪狡，与马尔赛奸恶相济）。

李图南　原任户部主事。十二月二十九日卒年五十七。入国史儒林传。

张德纯　前浙江常山县知县。卒年六十九。

杨　稷　字事可。江苏武进人。甘肃会宁县知县。卒。

陈　訏　原任浙江温州府教授。卒年八十三。

岳超龙　（原名刘曰傑）。四川成都人（原籍甘肃临洮）。湖广提督。卒。

杨长泰　字太来。汉军镶黄旗。原任杭州副都统。卒。

黄艮辅　浙江山阴人。山阴县布衣。卒。

陈树莱　湖南湘潭县口口。卒年二十七。

雍正十一年癸丑（公元一七三三年）

◉ 生辰：

罗　聘　正月初七日生，字遯夫，号两峰。江苏江都人（原籍安徽歙县）。享年六十七。

温常绶　三月十一日生，字印侯、力古，号少华、补山。山西太谷人。享年六十五。

张德巽　三月十一日生，贵州人。享年七十。

金忠淳　四月二十六日生，字古还，号完璞、砚云。浙江仁和人。享年六十五。

弘　瞻　六月生，号经畲道人。世宗皇六子。享年三十三。

翁方纲　八月十六日生，字正三，号忠叙、覃溪。顺天大兴人。享年八十六。

周升桓　八月二十二日生，字稦圭，号山茨、晓沧。浙江嘉善人。享年六十九。

彭绍咸　九月初二日生，字应山。江苏长洲人。享年四十。

吴　骞　十月二十一日生，字槎客、葵里，号愚谷、兔床。浙江海宁人。享年八十一。

陈圣修　十月生，广西人。享年六十一。

庆　恒　生，宗室。享年四十七。

雅朗阿　生，宗室。享年六十二。

钱世锡　生，字慈伯、嗣伯，号百泉。浙江秀水人。享年六十三。

孙嘉乐　生，字令宜，号春岩。浙江钱塘人。享年六十八。

李调元　生，字羹堂，号雨村、醒园。四川罗江人。享年七十二。

唐侍陛　生，字赞辰，号悔庵、芝田。江苏江都人。享年七十二。

梁群英　生，河南鹿邑人。享年六十五。

舒其绅 生，字佩斯，号兰圃。直隶任邱人。享年五十五。

赵同翩 生，字振六。江苏昭文人。享年六十三。

王　瑶 生，字玉池，号琴斋。陕西渭南人。享年六十三。

朱鸿绪 生，字学闽，号省庵。浙江海盐人。享年六十四。

陈　焯 生，字映之，号元轩。浙江乌程人。

承　选 生，享年八十四。

李僎枝 生，安徽桐城人。享年六十四。

● 科第：

一甲进士：

陈　倓 会元。状元。修撰。

田志勤 字崇广，号平圃。顺天大兴人。榜眼。编修，侍讲。

沈文镐 字绍岐，号诚斋。江苏崇明人。探花。编修。

二甲进士：

张若霭 编修，内阁学士。

张九钧 字陶万。湖南湘潭人。刑部主事，江南盐驿道。

张映辰 编修，兵部右侍郎。

褚　禄 江苏青浦人。福建台湾府知府。

赵　瓒 字以邑，号虚斋。汉军镶黄旗。编修，四川盐茶道。

张　湄 字鹭洲，号柳渔。浙江钱塘人。编修，兵科给事中。

鄂容安 字休如，号虚亭。满洲镶蓝旗，西林觉罗氏。编修，
　　　　两江总督。

雷　鋐 编修，左副都御史。

王　洛 字仲涵，号怀坡、慕庵。安徽桐城人。吏部主事，吏
　　　　部郎中。

朱　桓 字勖威，号浯村。江苏宜兴人。编修。

鄂　伦 满洲镶蓝旗。编修，笔帖式。

储晋观 编修。

储　燧 江苏宜兴人。刑部主事，山东道御史。

邵大业 湖北知县，江苏徐州府知府。

陈大受 编修，两广总督，协办大学士。

董邦达 编修，礼部尚书。

沈　澜 归班知县，乾隆丙辰召试鸿博，江西瑞州府知府。

姚孔鋠 字范冶，号三崧。安徽桐城人。编修。

张为仪 字可仪，号存中、竟筠。浙江海宁人。编修。

阮学濬 编修。

范从律 字希声，号西屏。浙江鄞县人。庶吉士，山东商河县
　　　　知县。

陆嘉颖 字大田，号心斋、恂斋。　浙江仁和人。编修，左中
　　　　允。

汪师韩 编修，侍读。

夏之蓉 江苏盐城县教谕，余见乾隆丙辰词科。

夏廷芝 字茹紫，号啸门。江苏高邮人。编修，侍读学士。

张廷槐 江苏江阴人。归班知县，乾隆丙辰召试鸿博。

葛德润 礼部主事，掌陕西道御史。

肇　敏 字逊思，号石村、云溪。满洲正黄旗。编修，侍讲。

沈景澜 字尚宾，号溶溪、苹洲。江苏元和人。编修，掌广东
　　　　道御史。

朱续晫 字明远，号近堂。山东平阴人。编修，两淮盐运使。

张映斗 字雪为，号苏潭、雪子。浙江乌程人。编修。

时钧辙 字若彬，号西岩、中嵒。江苏嘉定人。庶吉士，户部
　　　　主事，甘肃巩昌府知府。

任启运 编修，宗人府府丞。

杨二酉 字学山，号西园、恕堂。山西太原人。编修，兵科掌
　　　　印给事中。

陈　仁 字元若，号寿山、休斋。广西武宣人。编修，四川建
　　　　昌道。

李本樟 字文木。山东武定人。刑部主事，安徽池州府知府。

王　检 字思及，号若斋、西园。山东福山人。编修，广东巡
　　　　抚。

梁文山 字望东，号静斋。山西介休人。编修，左谕德。

诸徐孙　字舒庵。浙江会稽人。户部主事，河南道御史。

沈　彬　内阁中书，江西瑞州府知府。

程锺彦　字骥超，号芥亭。浙江嘉善人。编修，太常寺少卿。

双　庆　字咸中、有亭，号西峰、云樵。满洲正白旗，瓜尔佳
　　　　氏。编修，礼部左侍郎。

宫焕文　字朴庵，号朴若。江苏泰州人。工部主事，通政使。

罗源汉　编修，工部尚书。

王文充　字墨涛。江苏仪征人。浙江处州府知府。

冯元钦　字载睿。江苏长洲人。编修，户科给事中。

李天秀　字子俊。陕西华阴人。庶吉士。

章佑昌　江苏吴县人。吏部主事，山东道御史。

　　三甲进士：

博通阿　字充一。满洲镶黄旗。

蓝钦奎　字牧洲。广东程乡人。广西镇安府知府。

杨廷英　江西新建人。归班知县，乾隆丙辰召试鸿博，河南尉
　　　　氏县知县。

邱玖华　字陶圃，号石卿。广东海阳人。检讨，四川保宁府知
　　　　府。

金洪铨　吏部主事，浙江温州府知府。

郑方城　字则望。福建建安人（原籍福清）。四川新繁县知县。

张宗说　字蓬宰，号筑岩。河南夏邑人。庶吉士。

介　福　字受兹、野园，号景庵。满洲镶黄旗，佟佳氏。检讨，
　　　　礼部左侍部。

毛旭旦　江苏宜兴人。吏部主事，安徽庐凤颖道。

章　楹　字柱天，号苎田。浙江新城人。归班知县，浙江青田
　　　　县教谕。

许汝盛　字林圃。山东莱芜人。

阎介年　归班知县，陕西丙辰荐应鸿博，陕西盐驿道。

董淑昌　贵州锦屏县知县。

吴士功　庶吉士，吏部主事，福建巡抚。

雍正十一年癸五　公元一七三三年

桑调元 工部主事，乾隆丙辰召试鸿博。

王芥园 字言敷，号春田。江苏丹徒人。检讨，山东布政使。

彭肇洙 字仲尹，号丹林。四川丹棱人。刑部主事，河南道御史。

丁廷让 （碑录作张廷让）。江苏武进人。吏部主事，江西按察使。

牛运震 归班知县，乾隆丙辰召试鸿博，甘肃知县，甘肃平番县知县。

俞文漪 字简中。福建长汀人。浙江知县，浙江温州府知府。

杨名扬 字燕山。云南石屏人。

王　组 字鸾佩。奉天辽阳人。甘肃凉州府知府。

杜　谧 字宁庵。贵州遵义人。检讨，吏部郎中。

李光型 河南知县，署彰德府同知，乾隆丙辰召试鸿博，刑部主事。

刘元炳 字叔文，号碧崖、垣园。湖南湘潭人。检讨。

胡　定 字登贤，号静园。广东保昌人。检讨，兵科给事中。

邱仰文 四川知县，陕西保安县知县。

周宣猷 字嘉谟、辰远，号雪舫。湖南长沙人。浙江知县，浙江嘉松盐运判。

项　樟 四川知县，安徽凤阳府知府。

鲁　游 江西新城人。直隶密云县知县。

宋楚望 字恒斋。湖北当阳人。江苏常州府知府。

傅为訏 （碑录作傅为竔）。检讨，右副都御史。

饶鸣镐 字苞九，号凤轩。广东大埔人。庶吉士，口部主事，广西南宁府知府。

彭端淑 字仪一，号乐斋。四川丹棱人。吏部主事，广东肇罗道。

葛峻起 （碑录作葛俊起），字伯峰，号眉峰。河南虞城人。工部主事，顺天府府尹。

张　曾 字孝亭。河南太康人。知县，广东粮道。

辛昌五 （一作刘昌五），广东顺德人。庶吉士。

欧阳瑾 字予石。江西分宜人。刑部主事，顺天府府尹。

陈中荣 字孟仁，号竹里。贵州绥阳人。检讨，河南南阳府知府。

郑时庆 山西文水人。安徽知县，安徽安庆府知府。

时　馀 云南赵州人。归班知县。

何　琇 字君琢，号励庵。顺天宛平人。内阁中书，宗人府主事。

薛　澂 字清轩。陕西韩城人。刑部主事，礼科给事中。

韩　海 归班知县，广东封川县教谕。

　武进士：

孙宗夏 字图山。陕西镇安人（原籍浙江）。会元。状元。头等侍卫，广东龙门协副将。

特格慎 蒙古正蓝旗。探花。二等侍卫。

甘国宝 三等侍卫，福建陆路提督。

袁秉诚 直隶宣化人。蓝翎侍卫，浙江温州镇总兵。

巴陵阿 满洲正白旗。

● 恩遇：

允　祕 正月封和硕諴亲王。

弘　昼 正月封和硕和亲王。

弘　历 世宗皇四子。二月封和硕宝亲王。

陈元龙 大学士。七月以老辞职加太子太傅衔。

● 著述：

御制《拣魔辨异录》八卷成，见卷首四月上谕。

劳孝舆 撰《春秋诗话》五卷成，见六月盛逢润序。

缪曰藻 撰《寓意录》四卷成，见六月自序。

汪　绂 撰《书经诠义》十二卷成，见九月自序。

谢启龙（一作谢起龙）撰《毛诗订韵》五卷成，见自序。

迈　柱 等监修《湖广通志》一百二十卷成。

王士俊 等监修《河南通志》八十卷成，见进书表。

金　鉷　等监修《广西通志》一百二十八卷成。

◉ 卒岁：

李　塨　原任顺天府通州学正。正月初一日卒年七十五，入国史儒林传。

蔡世远　赏复礼部左侍郎职衔。正月初九日卒年五十二。追赠礼部尚书，谥文勤（赠谥在十三年十月），入祀贤良祠（入祀在乾隆四年），加赠太傅（加赠在乾隆六十年）。

陈学海　丁忧翰林院检讨，前口口道监察御史。正月初九日卒年四十九。

沈元沧　前广东文昌县知县。正月十七日卒于宁夏戍所，年六十八。入国史文苑传。

桑天显　浙江钱塘县布衣。正月二十八日卒年七十九。旌表孝子。

程　树　江苏长洲县诸生。二月十一日卒年二十二。

阿　三　前右卫副都统。二月二十四日以罪命于军前处斩（注：遇贼奔北，贻误军机）。

吴士玉　礼部尚书。三月卒年六十九。谥文恪。

唐执玉　署直隶总督，前任兵部尚书。三月十六日卒年六十五。

永　齐　袭奉恩辅国公，宗室。闰三月卒。追削原封。

岳尔岱　仓场侍郎。四月卒。

万夔辅　江苏宜兴县贡生。四月十八日卒年七十七。

潘之善　甘肃靖远人。原任陕西西安镇总兵。五月卒。

纪成斌　前四川提督，复授陕西沙州协副将。五月二十九日以罪命于军前处斩（注：以驻防搜济卡伦失机纵贼，玩法负恩）。

蓝鼎元　署广东广州府知府。六月二十二日卒年五十四。入国史循吏传。

逊　柱　原任文渊阁大学士。八月卒年八十四。

清代人物大事纪年

0578

那　敏　满洲正蓝旗，那拉氏。镶黄旗满洲都统。八月卒。

曹　勷　前陕西兴汉镇总兵。九月初三日以罪命于军前处斩
　　　　（注：以驻兵哈密纵贼失机，饰词捏报）。

崇　安　袭和硕康亲王，宗室。九月卒年二十九。追谥曰修（追
　　　　谥在乾隆三年四月）。

吴　焯　浙江钱塘县贡生。九月二十五日卒年五十八。

唐继祖　原任湖北按察使。十一月初六日卒年六十三。

多尔机　蒙古镶红旗。一等子。十一月卒。

拉　锡　蒙古正白旗，图伯特氏。领侍卫内大臣，前骑都尉兼
　　　　一云骑尉。十二月卒。

舒　喜　礼部左侍郎。十二月卒。

查嗣瑮　浙江海宁人。前翰林院侍讲。卒于戍所年八十二。入
　　　　国史文苑传。

龚翔麟　原任陕西道监察御史。卒年七十六。入国史文苑传。

吴启昆　原任江西道监察御史。卒年七十四。

孙　诏　升授湖北布政使（由江西按察使升补）。卒于南昌县
　　　　署。

沈嘉辙　浙江钱塘人。钱塘县县诸生。卒。入国史文苑传。

陶崇雅　湖南安化县布衣。卒年五十。

雍正十二年甲寅（公元一七三四年）

◉ 生辰：

胡 涛 正月二十五日生，浙江仁和人。享年五十六。

查 淳 四月初一日生，字厚之，号篆仙、梅舫。顺天宛平人。享年八十口。

曾廷枚 十月十三日生，字升三，号修吉、香墅。江西南城人。享年八十三。

莫 蕃 十一月初十日生，字次典，号乳泉。广东定安人。享年七十三。

管幹贞 十一月二十二日生，（原名管幹珍）字阳复，号松崖。江苏阳湖人。享年六十五。

陆锡熊 字健南，号耳山。江苏上海人。十二月初二日生，享年五十九。

蒋赐棨 生，字戟门。江苏常熟人。享年六十九。

罗国俊 生，字宾初，号九峰。湖南湘乡人。享年六十六。

徵 瑞 生，满洲正白旗，富察氏。享年八十二。

刘亨地 生，字载人，号厚庵、寅桥。湖南湘潭人。享年四十四。

徐天柱 生，字擎士、衡甫，号西湾。 浙江德清人。享年六十。

彭如幹 生，字立庵。广东陆丰人。享年七十。

江濬源 生，字孟宰。安徽怀宁人。享年七十五。

张玉树 生，字德润，号荫堂。陕西周至人。享年六十。

李岐生 生，享年五十五。

李 惇 生，字成裕，号孝臣。江苏高邮人。享年五十一。

朱 果 生，字庭椿，号补庵。江苏无锡人。享年六十。

薛起凤 生，字家三，号香闻。江苏长洲人。享年四十一。

张 敔 生，字虎人，号雪鸿。山东历城人。享年七十。

严树萼 生，字茂先，号半庵。浙江归安人。享年六十七。

徐文範　生，江苏嘉定人。享年七十。

◉ 恩遇：

弘　春　圣祖皇孙。二月封多罗泰郡王，八月降贝子。

◉ 著述：

王世业　撰《周易象意》三十卷成，见二月自序。

徐逢吉　浙江人。撰《清波小志》二卷成，见二月自序。

姜兆锡　撰《书经蔡传参义》六卷成，见三月自序。

郜　煜　撰《易经理解》一卷成，见立夏前一日自序。

姚弘绪　编《松风余韵》五十一卷成，见九月自序。

周二学　字药坡。浙江钱塘人。撰《赏延素心录》一卷成，见
　　　　十一月丁敬序。

汪　绂　撰《周易诠义》十四卷成，见长至自序。

御制《宗镜大纲》二十卷成，见十二月御序。

华玉淳　字师道。江苏无锡人。撰《孝经通义》一卷成，见自
　　　　序。

魏廷珍　撰《伐蛟说》一卷成，见乾隆丁未何裕城识语。

◉ 卒岁：

马世傑　正红旗汉军副都统。二月卒。

陈万策　翰林院侍讲学士，前詹事府詹事。二月卒年六十八，
　　　　入国史儒林传。

俞鸿图　前翰林院侍讲，河南学政。三月初八日以罪处斩。

严　璲　在籍翰林院庶吉士。五月初一日卒年三十一。

法　喀　（一作法喇）。满洲正白旗。那木都鲁氏。正黄旗满
　　　　洲都统。六月卒年七十口。谥勤恪。

林企俊　江苏娄县诸生。九月初八日卒年八十二。

诺　岷　字庆源，号迁亭。满洲正蓝旗，纳喇氏。前山西巡抚。
　　　　九月卒。

高其佩　前正红旗汉军都统兼刑部右侍郎。九月卒年六十三。

允　禔　圣祖皇长子，前封多罗直郡王。十月二十九日卒年六
　　　　十三。赠固山贝子品级。

朱大龄　浙江西安县教谕。十一月初九日卒年六十九。

图克善　正白旗蒙古副都统。十一月卒。

李茹旻　原任内阁中书。十二月卒年七十六。

谢起龙　浙江余姚县岁贡生。十二月十九日卒年六十九。

王遵辰　在籍翰林院检讨。卒年六十七。

师懿德　甘肃宁夏人。原任銮仪卫銮仪使，前任甘肃提督。卒。

雍正十三年乙卯（公元一七三五年）

● 生辰：

秦震钧　正月初三日生，字酉经，蓉庄。江苏无锡人。享年七十三。

龚敬身　七月初三日生，字屺怀，号匏伯。浙江仁和人。享年六十六。

李颐学　七月二十日生，云南昆阳人。享年四十四。

戴殿江　八月二十日生，浙江浦江人。享年八十五。

吴锺峤　九月十四日生，（一作吴锺侨），字惠叔，号荔香。江苏人。享年三十九。

庆　桂　十一月生，字依之。号丹岩。满洲镶黄旗，章佳氏。享年八十二。

吴　镇　十一月十六日生，浙江嘉兴人。享年六十。

庄　炘　十二月十七日生，字景炎，号拟撰。江苏武进人。享年八十四。

金　榜　生，字辅之，号蘖中、檠斋。安徽歙县人。享年六十七。

蒋泰来　生，字天麒，号寅谷。浙江海盐人。享年四十三。

朱孝纯　生，字子颖，号思堂、海愚。汉军正红旗（原籍山东历城）。享年六十七。

鹿　荃　生，字君服，号馥园。直隶定兴人。享年五十八。

龚国榜　生，享年七十。

段玉裁　生，字若膺，号懋堂。江苏金坛人。享年八十一。

钱　塘　生，字学渊，号禹美、溉亭。江苏嘉定人。享年五十六。

宋华国　生，江西人。享年六十九。

珠尔素　生，满洲正蓝旗，西纳楚特氏。享年七十六。

韩是升　生，字东升，号旭亭、乐馀。江苏元和人。享年八十二。

何纪堂 生，字山甫，号桐荪。浙江钱塘人。享年六十。

顾应昌 生，字桐井，号五痴。江苏吴县人。享年六十二。

张若筠 生，字竹邻。江苏丹徒人。享年六十四。

吴绍泽 生，字蕙川。安徽歙县人。享年五十三。

◉ 科第：

考取拔贡生：

姜顺蛟 直隶人。江苏知县，江苏淮安府知府。

边连宝 字赵珍，号肇畛、随园。直隶任邱人。乾隆丙辰召试鸿博。

李永书 字绥远，号芳园。安徽盱眙人。福建知县，江苏按察使。

饶允坡 字右苏。江西进贤人。乾隆丙辰召试鸿博。

邵昂霄 字丽寰，号晟甫。浙江余姚人。乾隆丙辰召试鸿博。

毛一骢 湖北人。乾隆丙辰召试鸿博。

张　坊 字和五，号湘帆。湖南湘潭人。广西知县，山西保德直隶州知州。

张邦柱 字蔚斋。湖南醴陵人。 永明县教谕，贵州思州府知府。

周思仁 字怒三，号訒庵。湖南邵阳人。

刘五教 山西临汾人。乾隆丙辰召试鸿博。

中式举人：

尹嘉铨 直隶博野人。刑部主事，山东布政使。

钱　鍪 字贡金。号检亭。江苏常熟人。直隶知县，四川布政使。

王恺伯 字叙揆。江苏长洲人。长芦盐运使。

徐观孙 广东盐大使，山东武定府知府。

李大本 字立斋。山东安邱人。湖南知县，湖南长沙府知府。

张懋建 乾隆丙辰召试鸿博，福建长泰县知县。

金　焜 字以宁，号赤泉。浙江仁和人。乾隆丙辰召试鸿博，

礼部司务。

张学举 字乾夫，号雪舫。江苏如皋人。福建福州府知府。

赵　森 内阁中书。

刘大宾 山西知县，贵州普定县知县。

王世枢 江苏人。乾隆丙辰召试鸿博，昆山县教谕。

冯元溥 江苏人。乾隆丙辰召试鸿博。

赵贵朴 字再白。江苏常熟人。

徐绍洵 江西人。内阁中书，河南汝宁府知府。

蔡朱澄 浙江钱塘人。内阁中书，四川保宁府知府。

蒋　德 浙江秀水人。

陈世隆 字眉湖。湖南祁阳人。 华容县教谕，广西西宁县知
　　　　县。

王光国 字文载。湖南清泉人。国子监学录。

徐世佐 直隶岩镇场大使，重宴鹿鸣。

黄建中 陕西咸宁人。江苏知县，江苏海州直隶州知州。

　　中式副榜贡生：

姚汝金 乾隆丁巳补试鸿博，湖南长沙县县丞。

　　中式翻译举人：

弁塔哈 阿克苏办事大臣。

宝　宁 字和斋。满洲正红旗。安徽知县，安徽池州府知府。

● 恩遇：

爱新觉罗弘历 皇四子和硕宝亲王。九月初三嗣登大位，以明
　　　　　　　年为乾隆元年。

张廷玉 大学士。十月封三等子。

鄂尔泰 大学士。十月晋封一等子。

　　十月已故旗员：

透纳巴图鲁、布克查、费扬古 俱追封一等承恩公。

五　格 （一作武格），十月晋封一等承恩公。

　　十一月已故旗员：

额宜腾、吴　旗 俱追封一等承恩公。

凌　柱　十一月封一等承恩公。

允　祹　十一月封和硕履亲王。

允　禧　十一月封多罗慎郡王。

◉ 著述：

御录《经海一滴》六卷成，见二月御序。

刘於义　等监修《陕西通志》一百卷成，见二月进书表。

杭世俊　撰《石经考异》二卷成，见二月自序。

张　庚　撰《国朝画征录》三卷成，见八月自序（按：书成后又撰有《画征续录》二卷附记于此）。

沈炳震　撰《历代世系纪年编》一卷成，见十月自序。

嵇曾筠　等监修《浙江通志》二百八十卷成，见丙辰八月序及进书表。

李　卫　等监修《畿辅通志》一百二十卷成。

金　荣　江苏人。撰《渔洋精华录笺注》十二卷成。

沈炳震　撰《廿一史四谱》五十四卷成（按：此书无自序年月，汪由敦序中言沈子来京师，当是应试词科之上年，今系于此）。

焦袁熹　撰《小国春秋》一卷《儒林谱》一卷《太玄解》一卷成（按：诸书均无自序今系于卒年）。

◉ 卒岁：

乔世臣　字丹葵，号蓼圃。山东滋阳人。工部右侍郎。正月初三日卒年五十。

吴　襄　礼部尚书。正月初九日卒年七十五。谥文简。

石文焯　汉军。总理三陵事务，前礼部尚书。正月卒。

顾楷仁　原任广东道监察御史。二月二十一日卒年七十一。

金通宝　镶红旗汉军副都统。三月卒。

刘绍锜　陕西三原县诸生。四月初四日卒年二十三。

额纳布　袭三等男，宗室。四月卒。

孔传铎　字振路，号珊民、静远、红萼主人。山东曲阜人。原袭衍圣公。四月卒。

罗鸣序 兼署贵州黄平州知州、麻哈州知州。四月二十六日殉难。赠道衔。

汤　准 河南睢州征士。六月二十七日卒年六十五。入国史儒林传。

刘世明 河南河内人。前福建总督，复起署甘肃提督。七月十八日以罪处斩（注：以纵兵为盗，劫夺横行，并冒饷侵拿）。

畅于熊 湖北黄冈县知县。八月卒年三十。

爱新觉罗胤禛 八月二十三日，大行皇帝雍正崩于圆明园。圣寿五十有八。尊谥曰宪，庙号世宗。

李文炤 原授湖北谷县教谕（选授后未经赴任）。湖南安化县举人。九月十三日卒年六十四。入国史儒林传。

王奂曾 原任湖广道监察御史。十月二十三日卒年八十五。

王国栋 署刑部右侍郎，前湖南巡抚。十一月卒。

程　估 候选中书科中书，安徽歙县贡生。十二月二十七日卒年七十二。

嵩　祝 前太子太傅，文华殿大学士，袭骑都尉世职。卒年七十九。

鄂尔奇 前户部尚书。卒。

李　涟 镶白旗汉军副都统。卒。

赵　坤 甘肃宁夏人。致仕銮仪卫銮仪使，前任湖广提督。卒。

焦袁熹 原授江苏山阳县教谕（选授后以告养未任）。卒年七十六，入国史儒林传。

韩　海 广东封川县教谕。卒年六十。入国史文苑传。

孙天寅 江苏常熟县举人。卒。

顾我錡 江苏吴江县诸生。卒年四十六。入国史文苑传。

高宗乾隆元年丙辰（公元一七三六年）

● 生辰：

毛大瀛　正月初六日生，字又苌，号又长、海客。江苏宝山人。享年六十五。

黄文暘　正月十六日生，字时若，号秋平。江苏甘泉人。享年七十□。

王懿修　二月生，字勖嘉，号仲美、春圃。安徽青阳人。享年八十一。

王　崌　九月初六日生，字次瑶，号南湖、退思。浙江德清人。享年七十一。

路元锡　九月二十一日生，陕西周至人。享年八十。

王仲愚　十月生，字拙安，号荫台。山东济宁人。享年四十七。

邵自昌　十月二十日生，字蕃孙，号楚帆。顺天大兴人。享年七十八。

沈叔埏　十一月二十六日生，字埴为，号双湖。浙江秀水人。享年六十八。

孙希旦　十二月二十日生，字绍周，号敬轩。浙江瑞安人。享年四十九。

刘跃云　十二月二十二日生，字服先，号青垣。江苏武进人。享年七十三。

奇　昆　生，宗室。享年四十四。

明　亮　生，满洲镶黄旗，富察氏。享年八十七。

孙辰东　生，字枫培，号迟舟。浙江归安人。享年四十五。

兰第锡　生，字宠章，号素亭。山西吉州人。享年六十二。

袁守诚　生，字孝本，号曙海。山东长山人。享年四十六。

陈三辰　生，字北枢。浙江萧山人。享年七十七。

章攀桂　生，字华国。号淮树。安徽桐城人。享年六十八。

熊恩绂　生，字隆甫。广西永康人。享年五十一。

清代人物大事纪年

桂　馥　生，字冬卉，号未谷。山东曲阜人。享年七十。

高光启　生，享年六十五。

汪　轫　生，字莘云，号鱼亭。江西武宁人。享年五十七。

周大纶　生，享年五十一。

蓝元枚　生，字卜臣，号简侯、苌溪。福建漳浦人。享年五十二。

朱文藻　生，字朗斋，号映漘。浙江仁和人。享年七十一。

朱　焜　生，字南谐。浙江海盐人。享年八十三。

方　薰　生，字兰坻，号兰士、樗庵。浙江石门人。享年六十四。

吴一谔　生，字二安，号毅庵。江苏阳湖人。享年七十五。

翁　春　生，字辨堂，号澹生、石瓠。江苏华亭人。享年六十二。

◉ 科第：

　一甲进士：

金德瑛　状元。荐应鸿博，（凡被荐后以已成进士或馆选或授他官至试时不复再应者今皆注明以备考证）。修撰，左都御史。

黄孙懋　字训昭，号忝斋。山东曲阜人。榜眼。编修，内阁学士。

秦蕙田　探花。编修，刑部尚书。

　二甲进士：

蔡　新　编修，文华殿大学士，壬子重宴鹿鸣。

曹秀先　荐应鸿博，编修，礼部尚书。

黄永年　荐应鸿博，刑部主事，江苏常州府知府。

葛祖亮　字弢仁、超人，号雨亭、闻桥。江苏上元人。礼部主事。

李玉鸣　字靖亭，福建安溪人。礼部主事，湖广道御使。

赵青藜　字然乙，号生校、星阁。安徽泾县人。会元。编修，山东道御史。

陈九龄　字希江。福建福清人。四川知县，安徽铜陵县知县。
叶　昱　字炳南。江苏嘉定人。长芦盐运使。
何达善　庶吉士，广东知县，江苏淮徐海道。
旷敏本　字鲁之，号克甫。湖南衡山人。庶吉士。
张必刚　字继夫。安徽潜山人。归班知县。
范廷楷　户部主事，江西按察使。
徐　铎　编修，山东布政使。
屈成霖　直隶知县，直隶景州知州。
万年茂　编修，广西道御史，壬子重宴鹿鸣。
周承勃　字绛侯。陕西咸宁人。 江苏淮徐河务道。
张陈典　（碑录作张陈兴）。江苏嘉定人。贵州铜仁县知县。
李为栋　字灿辰。号郢夫。四川巴县人。编修，山西蒲州府知府。
周资陈　字厘东，号敬斋。陕西高陵人。编修，左庶子。
金门诏　荐应鸿博，归班知县，山西寿阳县知县。
顾之麟　字大振，号寸田。浙江仁和人。庶吉士，山西知县，顺天通州知州。
张　尹　字无咎，号莘农。安徽桐城人。庶吉士，福建长乐县知县。
黄世成　字培山。江西南丰人。荐应鸿博，礼部主事。
吴　鼐　字大年，号岱岩。江苏无锡人。工部主事。
张孝捏　字焦升，号容木。山西沁州人。编修，四川道御史。
吴龙见　户部主事，召试鸿博，掌山西道御史。
黄登贤　户部主事，漕运总督。
钱　度　字希裴，号晋斋。江苏武进人。吏部主事，云南巡抚。
闻　棠　字静儒，号云枚。江苏镇洋人。编修。
苏宏遇　（榜名叶弘遇）。山东泗水县知县。
王秉和　字公泰。号凤山。浙江会稽人。庶吉士，部主事，甘肃洮岷道。
史　调　字匀五，号复斋。陕西华阴人。福建仙游县知县。

伍泽梁　字更斋。湖南祁阳人。吏部主事，江苏淮安府知府。

罗源浩　字立斋。湖南长沙人。户部主事，浙江金衢岩道。

史积琦　字德章、栗斋。浙江会稽人。庶吉士，刑部主事，掌
河南道御史。

沈宗湘　山东知县，江西新淦县知县。

李清芳　字同侯，号韦园。福建安溪人。编修，兵部左侍郎。

费元龙　字云轩。浙江归安人。四川知县，广东按察使。

乌尔登额　满洲镶黄旗，完颜氏。编修，侍读学士。

李　果　字鹤村。山东大嵩卫。知县，山西太同府知府。

壮　德　字敬之，号峻庵。满洲正红（黄）旗，乌雅氏。庶吉
士，兵部主事，广西右江道。

彭树葵　编修，礼部左侍郎。

潘乙震　字明山，号筠轩。广西东兰人。编修，侍讲学士。

汤　聘　字莘来，号稼堂。浙江诸暨人（原籍仁和）。吏部主事，
湖北巡抚。

郑　燮　山东知县，山东潍县知县。

邓时敏　字逊斋，号梦岩。四川广安人。编修，大理寺卿。

三甲进士：

兴　泰　字孚山，号静庵。满洲正黄旗，格济勒氏。检讨，詹
事。

林其茂　字文竹，号培根。福建侯官人。浙江山阴县知县。

郑廷楫　山西文水人。工部主事，吏科掌印给事中。

陈　策　直隶安州人。江苏宜兴县知县，广东清远县知县。

李　珌　甘肃灵州人。知县，湖北黄州府知府。

周　雷　字雨坪，号补云居士。浙江钱塘人。兵部主事。

胡中藻　字翰千，号坚山。江西新建人。检讨，少詹事。

王显绪　字芝岩。山东福山人。吏部主事，安徽布政使。

仲永檀　字襄溪，号东园、乐园。山东济宁人。检讨，左副都
御史。

朱　瑮　字聚五，号碧斋。江西高安人。检讨，侍讲学士。

王云焕 江西新淦人。礼部主事，山东青州府知府。

顾锡鬯 字孝威，号瓒园。浙江仁和人。江西广饶九南道。

全祖望 荐应鸿博，庶吉士，归班知县。

李师中 字正甫，号蝶园。山东高密人。庶吉士，吏部主事，
　　　　掌京畿道御史。

鹤　年 字芝仙，号鸣皋。满洲镶蓝旗，伊尔根觉罗氏。检讨，
　　　　两广总督。

双　顶 字锡爵，号敬亭。满洲正白旗。检讨，侍读。

龚　渤 字遂可，号学耕。云南丽江人。检讨，侍读学士。

唐若时 陕西渭南人。

张惟寅 户部主事，福建汀漳龙道。

张若潭 字紫潭，号澄中。安徽桐城人。检讨。

锺　音 字魏庄，号闻轩。满洲镶蓝旗，觉罗禅氏。检讨，礼
　　　　部尚书。

温必联 字鲁存。江西石城人。安徽安庆府知府。

七十四 字希馀。满洲镶黄旗。知县，直隶永平府知府。

张汝润 字栗夫。湖南善化人。刑部主事，吏部郎中。

吴乔龄 字大春，号松客。江苏吴县人。庶吉士，河南知县，
　　　　山西泽州府知府。

吴　泰 字方岳，号静斋。江苏山阳人。检讨，甘肃巩昌府知
　　　　府。

李宜青 字荆川。江西宁都人。户部主事，光禄寺少卿。

叶一栋 字庭干，号墨庄。江西新建人。检讨，内阁学士。

郭　擢 字秀升，号勖亭。河南洛阳人。庶吉士，知县。

窦需书 河南河内人。

胡邦盛 浙江汤溪人。四川知县，贵州贵东道。

甄汝舟 字敏庵。顺天大兴人。知县，河南怀庆府知府。

黄岗竹 字华国。江西庐陵人。

李兆钰 字式如，号北楼。湖北钟祥人。检讨，湖广道御史。

熊郢宣 字文光，号华甫。云南石屏人。检讨，侍讲学士。

吴达善 字雨民。满洲正红旗，瓜尔佳氏。户部主事，陕甘总督。

周应宿 字宗为，号葆山。浙江山阴人。庶吉士，江苏句容县知县。

怀荫布 满洲正黄旗，格济勒氏。直隶知县，福建泉州府知府。

詹 易 字经源。江西安义人。山东知县，福建建宁府知府。

胡 淳 字厚庵。直隶庆云人。云南蒙自县知县。

王曰仁 字依于。四川阆中人。湖北知县，贵州镇远府知府。

路元升 贵州毕节人。福建上杭县知县。

原承猷 字允升，号慕斋。陕西蒲城人。河南临漳县知县。

蒋 偀 字敷五。广西临桂人。

邹锡彤 字德文。四川忠州人。湖南知县，云南迤东道。

胡在甪 直隶永年人。湖北松滋县知县。

郑大进 字谦基。广东揭阳人。直隶知县，直隶总督。

张足法 汉军镶蓝旗。河南知县，云南大理府知府。

徐 衡 字咸一。江苏昆山人。徐州府教授。

陈 材 口部主事，江西知县，江西余干县知县，重宴鹿鸣。

凌之调 字惕园。江西新建人。工部主事，召试鸿博。

刘起振 检讨。

中式举人：

商思敬 顺天宛平人。广西桂林府知府。

钱之青 字恭李。江苏震泽人。山西知县，山西保德直隶州知州。

李宗潮 召试鸿博，广西灌阳县知县。

刘 琴 顺天顺义县教谕。

万光泰 召试鸿博。

王 荃 江苏新阳人。内阁中书，福建道御史。

赵宗堡 安徽庐江县知县。

潘遇莘 字继耕。号乐轩。江苏宝应人。召试鸿博，吴江县教谕。

吴　直　字景良，号井迁、生甫。安徽桐城人。

俞调元　字燮斋。浙江海宁人。山东盐大使，山西汾州府知府。

祝　淦　浙江海宁人。

沈荣傿　浙江归安人。

孙汝馨　字沅亭。浙江归安人。

陈　琪　浙江海宁人。湖北知县。广西庆远府知府。

郭赵璧　字名瑾，号瑜斋。福建闽县人。

陈文远　字自迩，号行斋。湖南长沙人。

王聿修　河南人。确山县教谕，四川珙县知县。

郭善邻　字畏斋。河南商丘人。

戴汝槐　山东莱州人。知县，广东惠州府知府。

李　本　字森然。汉军正蓝旗。江西新城县知县，贵州巡抚。

罗天尺　字履先。广东顺德人。

沈　詠　字半霞。云南通海人。甘肃知县，口口州知州，重宴
　　　　鹿鸣。

孙似莟　云南人。福建宁祥县知县，重宴鹿鸣。

李　旼　云南昆阳人。

周清原　字沅初。江苏武进人。

　　中式副榜贡生：

郑道明　字希濂，号松冈。安徽怀宁人。

　　召试博学鸿词一等五人：（括号内为召试前职务）

刘　纶　（江苏廪生）。编修，文渊阁大学士。

潘安礼　（太常寺典薄，江西进士）。编修，左谕德。

诸　锦　（浙江金华府教谕，进士）。编修，左赞善。

于　振　（行人司司副，江苏进士）。编修，侍读学士。

杭世骏　（浙江举人）。编修。

　　二等十人：（括号内为召试前职务）

杨度汪　字若千，号勣斋。（江苏无锡人，拔贡生）。庶吉士，
　　　　江西德兴县知县。

陈兆崙　（福建学习知县，浙江进士）。检讨，太仆寺卿。

刘　藻（山东观城县教谕，举人）。检讨，云贵总督。

沈廷芳（浙江监生）。庶吉士，编修，浙江按察使。

夏之蓉（江苏盐城县教谕，进士）。检讨。

汪士鍠（安徽副贡生）。庶吉士，编修。

陈士璠（浙江生员）。庶吉士，户部主事，江西瑞州府知府。

齐召南（浙江副贡生）。庶吉士，检讨，礼部右侍郎。

周长发（浙江乐清县教谕，进士）。检讨，侍读学士。

程　恂（原任北运河同知，安徽进士）。检讨，中允。

　　武进士：

马负书　汉军镶黄旗。状元。头等侍卫，福建陆路提督。

韩　錡　字柯亭。直隶天津人。会元。榜眼。二等侍卫，甘肃
　　　　凉州镇总兵。

李星垣　字象枢。江苏铜山人。探花。二等侍卫，广西右江镇
　　　　总兵。

许成麟　三等侍卫，广西提督。

左　秀　山东历城人。口口侍卫，云南鹤丽镇总兵。

郭　璞　字玉亭。湖南桃源人。甘肃都司，甘肃凉州镇总兵。

宋元俊　四川守备，四川松潘镇总兵。

　　保举孝廉方正：

唐德宜　字天中，江苏昆山人。

史芳湄　江苏江都人。

曹庭栋　浙江嘉善人。

王心敬　字尔缉，号沣川。陕西户县人。

● 恩遇：

黄叔琳　山东按察使。其母吴氏，以年近九十，二月赐御书"德
　　　　门寿母"额。

胡　煦　前礼部左侍郎。八月赏复原衔。

嵇曾筠　大学士。十一月晋太子太傅。

夏　冕　袭三等子。晋封一等子。

● 著述：

赵殿成　撰《王右丞集笺注》二十八卷附卷首卷末二卷成，见正月自序。

汪　绂　撰《礼记章句》十卷成，见正月自序。

徐大椿　撰《神农本草经百种录》一卷成，见四月自序。

吕耀曾　等监修《盛京通志》四十八卷成，见十月王河序。

吴玉搢　撰《说文引经考》二卷成，见十一月自序。

杨名时　撰《解雍讲义》一卷成，《均讲义》一卷成。

褚　峻　字千峰。山东部阳人。撰《金石经眼录》一卷成，见自序。

赵宏恩　等监修《江南通志》二百卷成，见进书表。

岳　濬　等监修《山东通志》三十六卷成，见清敏进书表。

许　容　等监修《甘肃通志》五十卷成，见查郎阿进书表。

鄂尔泰　等监修《云南通志》三十卷成，见尹继善进书表。

陈宏谋　撰《吕子节录》成，见十月自序。

● 卒岁：

姜颖新　原任直隶按察使。正月十八日卒年六十二。

杜　诏　致仕翰林院庶吉士。七月十二日卒年七十。入国史文苑传。

郑宗尧　福建连江县副贡生。八月初一日卒年四十六。

叶燾凤　江苏荆溪县征士。八月初二日卒年三十三。

谢元阳　在籍河南即用知县。八月初六日卒年五十六。

陈元龙　太子太傅，原任文渊阁大学士。八月卒年八十五。谥文简。

玛　拉　（一作马喇）。满洲正黄旗，富察氏。副都统衔驻藏办事，前工部尚书。八月卒年六十三。

杨名时　礼部尚书衔领国子监事，前吏部尚书管云南巡抚事。九月初一卒年七十七。赠太子太傅，入祀贤良祠，谥文定。

胡　煦　赏复礼部左侍郎原衔。九月十三日卒年八十二。追赠尚书，谥文良（赠谥在五十九年十一月）。

朱　轼　太子太傅，文华阁大学士，骑都尉。九月十八日卒年七十二，赠太傅，入祀贤良祠，谥文端。

莽鹄立　正蓝旗满州都统，兼理藩院左侍郎。九月卒年六十五，谥勤敏。

曹一士　工科给事中。十月二十一日卒年五十九。

王叶滋　湖南粮道。十一月初三日卒于绥宁行馆，年五十五。

路振扬　字维公。陕西长安人。銮仪卫銮仪使，降调兵部尚书。十一月卒。

李　崧　江苏无锡县布衣。十一月卒年八十一。

朱　璜　福建建宁县贡生。十一月卒年六十四。

蒋振鹭　翰林院编修。十口月卒。

佛宁额　满洲，觉罗氏。袭一等男。十二月卒。

赵　莘　丁忧前浙江昌化县知县。十二月十三日卒年四十三。

杨三炯　前山东济宁道。十二月二十一日卒年六十七。

李发枝　原任浙江临海县教谕，前直隶深州知州。十二月二十二日卒年八十，入国史循吏传。

徐葆光　记名御史，原任翰林院侍讲。卒。入国史文苑传。

赵方观　候补主事。卒年六十六。

阿必达　蒙古正白旗，阿拉克特奇氏。食副都统俸，（前护军参领）骑都尉。卒年七十口。

柯　煜　字南陔，号实庵。浙江嘉善人。原任浙江衢州府教授，前任湖北宜都县知县。卒年七十一。入国史文苑传。

马会伯　署甘肃肃州镇总兵，前兵部尚书。卒。

马觌伯　管辖鄂尔坤图拉屯田兵丁，前山西大同镇总兵。卒。

李　暾　浙江觐县监生。卒年七十五。

乾隆二年丁巳（公元一七三七年）

● 生辰：

永　瑞　生，圣祖皇曾孙，宗室。享年五十二。

如　松　生，字素心。宗室。享年三十四。

孙志祖　生，字贻毂、颐谷，号约斋。浙江仁和人。享年六十
　　　　　五。

谢启昆　生，字良璧，号蕴山、苏潭。江西南康人。享年六十
　　　　　六。

陈初哲　生，字在初，号永斋。江苏元和人。享年五十一。

归朝煦　生，字升旭。江苏常熟人。享年七十四。

张华甫　生，字松浴，号实园。江西武宁人。享年五十七。

沈可培　生，字向斋。浙江嘉兴人。享年六十三。

周士孝　生，字资敬。四川南川人。享年六十。

金曰追　生，字璞园。江苏嘉定人。享年四十四。

时起荃　生，江苏嘉定人。享年七十二。

● 科第：

　一甲进士：

于敏中　字仲常，号叔子、耐圃。江苏金坛人。状元。修撰，
　　　　文华殿大学士。

林枝春　字继仁，号青圃。福建福清人。榜眼。编修，通政司
　　　　副使。

任端书　字进思，号念斋。江苏溧阳人。探花。编修。

　二甲进士：

孙宗溥　字守愚，号牧堂。浙江仁和人。编修，礼科给事中。

冯　祁　字昭馀，号孔瞻。山西代州人。编修。

何其睿　字克思，号慎庵。江西赣州人。会元。编修。

宋邦绥　字逸才，号况梅、晓岩。江苏长洲人。编修，户部右
　　　　侍郎。

观　保　字伯容，号蕴玉、补亭。满洲正白旗，索绰络氏。编修，礼部尚书。

张若需　编修，侍讲。

龚学海　字务来，号醇斋、慕庵。湖北天门人。编修，通政司副使。

张九镒　字权万，号橘洲、湘山、退谷。湖南湘潭人。编修，四川川东道。

卢宪观　字宾王，号石林。浙江钱塘人。庶吉士，部主事，山东按察使。

冯秉仁　字体元，号静山。山东历城人（原籍浙江仁和）。编修，刑科掌印给事中。

陆树本　字豫立，号根堂。浙江嘉兴人。编修。

朱以诚　福建知县，福建漳浦县知县。

黄明懿　字秉直，号晋斋。广西临桂人。编修。

庄经畬　字井五，号念农。江苏阳湖人。安徽知县，安徽宁国府知府。

冯秉彝　庶吉士。

钱　琦　编修，福建布政使。

蔡应彪　字炳侯，号嵩霞。浙江仁和人。山东知县，贵州布政使。

李龙官　字渭英，号月轩。江西宁都人。编修。

周玉章　丙辰召试鸿博（注：凡曾经召试或被荐未试，而其后复登甲乙科者皆于名下注明，今记于此）。编修，侍讲学士。

程廷栋　字殿中，号松溪。湖北汉川人。庶吉士，刑部主事，户科掌印给事中。

王会汾　字荪服，号晋川。江苏无锡人。丙辰召试鸿博，编修，吏部右侍郎。

潘汝诚　字笠亭，号榕堂、朴村。浙江归安人。广西知县，江西抚州府知府。

白　瀛　字寰九，号素庵。山西兴县人。编修，刑部右侍郎。

周　煌　字景垣，号海山。四川涪州人。编修，左都御史。

王嘉会　字履安，号坦斋。江苏上元人。四川知县，陕西西安府知府。

路斯道　字云子。山东诸城人。编修，赞善。

刘　恺　编修，山西布政使。

李质颖　字公哲。汉军正白旗。编修，浙江巡抚。

苏霖润　字泽生，号云石。云南赵州人。

欧堪善　字韶文，号眉庵。广东乐昌人。编修，太仆寺少卿。

吴　纹　字方来，号伯云、泊村。江苏宜兴人。编修。

高继光　字熙载，号棠溪。四川巴县人。庶吉士，口部主事，甘肃甘州府知府。

潘汝龙　字健君，号散畦。浙江归安人。福建永定、龙逻县知县。

缪遵义　字方彦。江苏吴县人。归班知县。

陈克绳　浙江归安人。四川川东道。

　三甲进士：

谢庭瑜　庶吉士，知县，知府。

国　梁　（原名纳国栋），字隆吉，号丹中、笠民。满洲正黄旗，哈达那拉氏。庶吉士，吏部主事，贵州粮道。

王光燮　广东知县，福建连江县知县。

黄登毂　字约存。顺天大兴人。知县，山西平阳府知府。

郭肇镇　字凤池，号韵清。安徽全椒人。检讨，侍讲。

旷敩本　字逊之。湖南衡山人。湖南宝庆府教授。

纪虚中　字牧崖。顺天文安人。陕西知县，湖南岳常澧道。

郑之侨　字东里。广东潮阳人。湖南宝庆府知府。

廖鸿章　字瑀鸿，号羽明、南厓。福建永定人。检讨。

余文仪　字叔子。浙江诸暨人。刑部主事，刑部尚书。

郑肇奎　字光星，号璧斋。广东潮阳人。庶吉士，户部主事，浙江绍兴府知府。

张日誉 字泉修，号括度。河南商丘人。检讨，广西左江道。

乔光烈 字敬亭，号润斋。江苏上海人。陕西知县，湖南巡抚。

陈世烈 检讨，内阁学士。

黄元宽 字栗夫。福建福清人。

王　炎 （一作王琰）。陕西渭南人。

王　寓 字秋千，号南溪。山东胶州人。庶吉士，知县，四川
　　　　顺庆府知府。

曹云昇 湖南知县，湖南宝靖县知县。

史震林 字公度，号梧冈。江苏金坛人。归班知县，江苏淮安
　　　　府教授。

诺　敏 字学时，号逊斋。满洲正白旗。庶吉士，口部主事，
　　　　侍读学士。

刘　灼 字慧庵。山西太原人。

吴　炳 陕西知县，山西平定州知州。

廖　瑛 字璞完。福建永定人。刑部主事，江西按察使。

锺　狮 字作韶。广东番禺人。丙辰召试鸿博，归班知县。

周　礼 字典三，号和冈。直隶大名人。检讨，贵州道御史。

帅家相 字伯子、伯起，号卓山、璞山。江西奉新人。庶吉士，
　　　　吏部主事，广西浔州府知府。

蒋允焄 字荐光，号霞峰、金竹。贵州贵筑人。庶吉士，甘肃
　　　　知县，福建按察使。

德　保 检讨，礼部尚书。

时　远 云南赵州人。归班知县。

李际隆 字鲁传，福建归化人。广东琼州府知府。

朱若炳 字彤章、桐庄，号云亭。广西临桂人。检讨，江西南
　　　　昌府知府。

胡承墅 字廷扬。安徽泾县人。山东知县，湖南辰州府知府。

龚士模 四川营山人。云南迤西道。

杜　鼏 字羹臣，号毅亭。山东滨州人。湖北知县，广西上思
　　　　州知州。

彭遵泗 字磬泉，号石甫。四川丹棱人。庶吉士，口部主事，甘肃凉州府同知。

德成格 字抚远，号松亭。满洲镶黄旗，觉罗氏。庶吉士，户部主事，侍讲。

冯　钤 吏部主事，安徽巡抚。

　补试博学鸿词一等一人：（括弧内为补试前职务）

万松龄 字星锤，号葆青。江苏宜兴人。（内阁中书，江苏举人）。检讨。

　二等三人：（括弧内为补试前职务）

朱　荃 字子年，号香南、蔗田。浙江桐乡人。（浙江生员）。庶吉士，编修。

洪世泽 字叔时。福建南安人。（福建生员）。庶吉士，检讨。

张　汉 （河南河南府知府，云南进士）。检讨，山东道御史。

　武进士：

哈攀龙 字博山。直隶任邱人。状元。头等侍卫，贵州提督。

张凌霞 字紫翔。山西太谷人。榜眼。二等侍卫，云南开化镇总兵。

冯　哲 直隶丰润人。探花。二等侍卫，贵州提督。

蔡卜年 字松斋。湖北兴国人。侍卫，广西左江镇总兵。

汪腾龙 顺天昌平人。蓝翎侍卫，陕西提督。

欧阳临 陕西咸宁镇总兵。

乔　照 浙江提督。

◉ **恩遇：**

李荣保 已故察哈尔总管，前袭一等男。十二月追封一等承恩公，十四年四月追谥庄愨。

鄂尔泰 大学士。十二月晋封三等伯。

张廷玉 大学士。十二月晋封三等伯（十四年号曰勤宣，十四年十二月削）。

◉ **著述：**

汪　绂 撰《孝经章句》一卷成，见二月自序。

汪师韩　撰《金丝录》一卷成，见十月自序。

史震林　撰《西清散记》八卷成，见十二月自序。

郝玉麟　等监修《福建通志》七十八卷成，见进书表。

王孝詠　字慧音。江苏吴县人。撰《岭南杂录》二卷成，见自
　　　　序。

程嗣章　字元朴，号南耕。江苏上元人。撰《明宫词》一卷成，
　　　　见自识。

朱如日　江西莲花人。撰《大易理数观察》一卷成，见自序。

● 卒岁：

李　菁　湖北长阳县知县。正月卒年八十四。

王兰生　刑部右侍郎管礼部侍郎事。二月二十三日以随扈卒于
　　　　良乡途中，年五十九。

法　海　满洲镶黄旗，佟佳氏。字渊若，号陶庵、悔翁。副都
　　　　统衔协理咸安宫事务，前兵部尚书。五月卒年六十七。

吴纳哈　江宁将军。五月卒。谥简悫。

丹　津　蒙古正白旗。归化城都统，袭三等子。六月卒。谥壮
　　　　敏。

李　椅　湖北襄阳镇总兵。七月初一卒于湖南城步军营，年四
　　　　十四。

姚三辰　原任吏部右侍郎。七月卒。

牛　钮　字天义。满洲正白旗，他塔拉氏。前礼部右侍郎。七
　　　　月卒。

邵　基　江苏巡抚。八月卒年五十一。

讷　图　袭奉恩辅国公，宗室。八月卒。谥敦敏。

张　溥　广东提督。八月卒。赠左都督，谥敦恪。

沈世楷　浙江仁和县诸生。八月二十二日卒年六十九。

钱元功　前福建惠安县知县。九月二十七日卒年八十五。

冯协一　原任福建台湾府知府。十月初二日卒年七十七。

沈炳震　浙江归安县征士。十二月初三日卒年五十九。入国史
　　　　儒林传。

白　潢　字近微。汉军镶黄旗。前文华殿大学士。卒年七十口。
　　　　赏复原衔（赏复在三年九月）。
王奕清　詹事府詹事。卒年七十三。
陆绍琦　原任太常寺少卿。卒年七十七。
杨国声　字广誉，号西崖。直隶万全人。致仕刑部湖广司郎中。
　　　　卒。
蒋　深　原任山西朔州知州。卒年七十。
许　恒　前顺天涿州知州。卒年六十八。

乾隆三年戊午（公元一七三八年）

● 生辰：

管世铭　二月二十二日生，字缄若，号韫山。江苏阳湖人。享年六十一。

李殿图　三月二十六日生，字桓符，号石渠、御左。直隶高阳人。享年七十五。

费振勋　四月二十九日生，字策云，号鹤江、蒙士。江苏震泽人。享年七十九。

吴省兰　五月初七日生，字泉之，号稷堂。江苏南汇人。享年七十三

朱菼恭　八月十四日生，字肃微，号桂泉。江苏长洲人。

严　福　九月十二日生，字景仁，号爱亭。江苏吴县人。

尹壮图　十一月十八日生，字孟起，号楚珍。云南蒙自人。享年七十一。

余　集　十二月二十日生，字蓉裳，号秋室。浙江仁和人。享年八十六。

戈　源　生，字仙舟，号橘圃。直隶献县人。享年六十三。

任大椿　生，字幼植，号子田。江苏兴化人。享年五十二。

程世淳　生，字端立，号澄江。安徽歙县人。享年八十六。

周发春　生，字卉含，号青原。江苏上元人。享年七十四。

喜布禅　生，满洲镶黄旗，瓜尔佳氏。享年七十四。

刘世栋　生，享年七十八。

刘玉麐　生，字又徐，号春浦。江苏宝应人。享年六十。

丁　杰　生，字升衢，号小山、小雅。浙江归安人。享年七十。

章学城　生，字实斋。浙江会稽人。享年六十四。

宋光国　生，江西雩都人。享年二十九。

张燕昌　生，字妃堂。浙江海盐人。享年七十七。

钱伯坰　生，宁鲁斯。江苏阳湖人。享年七十五。

姚斟元　生，字仪匡。号春树。安徽桐城人。享年五十七。

江廷灿　生，字英三。号莲峰。安徽歙县人。享年八十二。

● 科第：

中式举人：

阿　桂　满洲正白旗。兵部主事，武英殿大学士。

宋宗元　字鲁如。江苏元和人。光禄寺卿。

福　安　字仁山。满洲。河南河陕汝道。

张永贵　字乐斋。汉军。山东兖沂曹济道。

舒希忠　字蔗堂。顺天大兴人。江西粮道，重宴鹿鸣。

蒋希宗　字恪庭。江苏长洲人。知县，河南归德府知府。

谢锡佐　字观我。顺天通州人（原籍浙江会稽）。知县，湖南辰
　　　　州府知府。

祝维诰　丙辰荐试鸿博，内阁中书。

纪　晋　祁州学正，江苏甘泉县知县。

高书勋　字继亭，号芸功。满洲镶黄旗。

陶绍景　江苏上元人。云南知县，福建台湾县知县，重宴鹿鸣。

邹云城　字拥书。江苏无锡人。直隶知县，直隶河间府知府。

戴之泰　字连茹。江苏六合人。内阁中书。

陈　益　安徽英山县教谕，河南陈留县知县。

屈曾发　字鲁传，号省园。江苏常熟人。贵州毕节县知县。

倪承茂　字稼咸，号顿塘。江苏吴县人。丙辰召试鸿博。

沈作朋　字鲁三，浙江德清人。内阁中书，湖北布政使。

朱光亨　景山官学教习。

陆天锡　字畏苍，号青棠、涤斋。浙江平湖人。

朱　坤　萧山县教谕，山东博平县知县。

许　钺　浙江钱塘人。甘肃知县，甘肃平凉府同知。

顾　光　直隶知县，广东广州府知府，重宴鹿鸣。

周元理　直隶知县，工部尚书。

范崇荣　浙江仁和人。山西宁乡县知县，重宴鹿鸣。

程　焘　字九峰，号云轩。浙江仁和人。内阁中书，陕西巡抚。

陈兆瑜　知县，广东大埔县知县。

姚之琅　字树西。湖北黄陂人。

张九键　字天门，号石园。湖南湘潭人。麻阳县教谕，直隶隆平县知县。

王衍绪　字元昌，号闰溪。山东福山人。内阁中书，直隶大名府知府，重宴鹿鸣。

张祖武　陕西长安人。

罗文思　字曰睿。四川合江人。陕西知县，贵州石阡府知府。

曾受一　字正万，号静庵。广东东安人。四川知县，四川长寿县知县。

苏　珥　字瑞一。广东顺德人。雍正乙卯荐应鸿博。

　　中式副榜贡生：

胡天游　浙江山阴人。

宋宾鸿　字原一。湖南宁乡人。贵州州判，德庆州知州。

　　中式翻译举人：

索　琳　满洲正蓝旗，完颜氏。兵部主事，理藩院尚书。

● 恩遇：

张永祚　浙江钱塘县生员。特授钦天监八品博士。

● 著述：

陈邦彦　撰《乌衣香牒》四卷成，见正月自序。

屈　复　字见心。陕西蒲城人。撰《楚辞新集注》八卷成，见三月自序。

陈邦彦　撰《春驹小谱》二卷成，见四月自序。

赵执信　撰《声调谱》三卷成，见七月仲是保序。

尹会一　撰《吕语集粹》四卷成，见七月自序。

沈德潜　编《明诗别裁集》十二卷成，见七月自序。

张　照　等奉敕编《唐宋文醇》五十八卷成，见九月御序。

黄叔琳　撰《文心雕龙辑注》十卷成，见九月自序。

陈景锺　撰《清波小志补》一卷成，见十月自跋。

吴玉搢　撰《金石存》十五卷成，见十一月自序。

乾隆三年戊午　公元一七三八年

0607

王心敬　撰《堂川续集》六卷成（按：此书为其子勋编刻今系于卒年）。

◉ 卒岁：

张　钺　原任广西布政使。正月卒年六十六。

迈　柱　原任武英殿大学士。正月卒。谥文恭。

允　礼　圣祖皇十七子，和硕果亲王。正月卒年四十二。谥曰毅。

哈元生　字天章。直隶河间人。副将衔西路军营效力，前扬威将军贵州提督。正月卒于哈密军营，赠总兵衔。

黄叔琪　字果斋。顺天大兴人。前安徽宁国府知府。二月初八日卒年六十一。

何师俭　原任陕西按察使。二月十一日卒年六十五。

鲁　淑　浙江黄岩县知县。二月卒年三十八。入国史循吏传。

樊　廷　甘肃武威人。都督金事，固原提督，一等轻车都尉。三月卒于哈密军营。赠都督同知，谥勇毅。

范时捷　字子上，号敬存。汉军镶黄旗。散秩大臣，前镶白旗汉军都统，袭一等子。四月卒。

陈　熊　原任江苏溧水县训导。五月二十六日卒年七十九。

佟国珑　字信侯。汉军正蓝旗，佟佳氏。前山西泽州知州。六月卒年七十八。入国史循吏传。

张韶闻　浙江钱塘县诸生。六月二十一日卒年八十三。

额腾义　（一作额腾依）。领侍卫内大臣，宗室。卒。谥勤恪。

尹　泰　字子登。满洲镶黄旗，章佳氏。原任东阁大学士。九月卒年八十。赠太子太傅，谥文恪。

符之恒　浙江钱塘县诸生。九月二十六日卒年三十三。

高其倬　太子太保，新授户郎尚书（由湖南巡抚升补），三等男。十月以入京供职，卒于江苏宝应舟次年六十三。谥文良。

李　卫　太子少傅，兵部尚书衔直隶总督。十月卒年五十三。谥敏达，入祀贤良祠（入祠在五年）。

永　琏　高宗皇二子。十月十二日卒。谥端慧。

蒋继轼　在籍翰林院编修。十月二十四日卒年七十一。

龙尚御　湖南安乡人。安乡县恩贡生。十一月初一卒。

陈时夏　内阁学士，降调江苏巡抚。十一日卒。

嵇曾筠　太子太傅，文华殿大学士，总理浙江海塘工程。十二
　　　　月十七日以回籍就医，卒于江苏无锡年六十九。赠少
　　　　保，谥文敏。

冯汉炜　原任工部屯田司郎中。十二月二十一日卒年五十七。

傅　鼐　前刑部尚书，复授正蓝旗满洲都统。卒年六十三。

俞兆岳　前吏部左侍郎。卒年七十七。

年希尧　字允恭。汉军镶黄旗。前工部右侍郎，复授内务府总
　　　　管，管理淮关税务加左都御史衔。卒。

陆奎勋　在籍翰林院检讨。卒年七十六。入国史儒林传。

徐　斑　前浙江德清县知县，前任光禄寺署正。卒年六十七。

王心敬　陕西户县征士。卒年八十三。入国史儒林传。

乾隆四年己未（公元一七三九年）

◉ **生辰：**

孔继涵　正月初二日生，字体生，号诵孟、荭谷、南洲。山东曲阜人。享年四十五。

陈庭学　正月二十三日生，字景鱼，号莲东、逸叟。顺天宛平人（原籍江苏吴江）。享年六十五。

永　珹　正月生，高宗皇四子。

李　芀　六月二十三日生。

刘权之　九月初七日生，字德舆，号云房。湖南长沙人。享年八十。

史鸿义　十月十三日生，字乙山，号炯斋。顺天宛平人（原籍浙江会稽）。享年六十四。

朱星炜　十一月二十九日生，字垂青，号乙青、竹友。浙江海盐人。享年五十七。

费　淳　生，字筠浦。浙江钱塘人。享年七十三。

戴　璐　生，字敏夫。号蒇塘。浙江归安人。享年六十八。

刘谨之　生，字朴夫，号退谷。江苏武进人。享年四十九。

钱维乔　生，字竹初。江苏武进人。享年六十八。

朱光暄　生，字蓉湖，号晴岚、健初。浙江海盐人。享年八十一。

龚　沦　生，字长蘅。江苏长洲人。享年六十一。

陈本礼　生，字嘉会，号素村。江苏江都人。享年八十。

◉ **科第：**

　　一甲进士：

庄有恭　状元。修撰，刑部尚书，协办大学士。

涂逢震　字京伯，号石溪。江西南昌人。榜眼。编修，工部左侍郎。

秦勇均　字健资，号柱川。江苏金匮人。探花。编修，陕西按察使。

二甲进士：

陆　秩　字宾之，号抑斋。浙江钱塘人。编修，兵科给事中。

官献瑶　字瑜卿。福建安溪人。编修，洗马。

陈　鄂　字白崖。浙江钱塘人。内阁中书，湖北襄阳府知府。

袁　枚　丙辰召试鸿傅，庶吉士，江苏知县，陕西候补知县。

陈大晭　字紫山。江苏溧阳人。编修，侍读学士。

裘曰修　丙辰召试鸿博，编修，工部尚书。

沈德潜　丙辰召试鸿博，编修，礼部右侍郎。

蒋麟昌　字静存，号菱溪。江苏阳湖人。编修。

杨开鼎　字峙塘，号玉波。江苏甘泉人。编修，湖南衡永郴桂
　　　　道。

储麟趾　字剑复，号梅夫。江苏宜兴人。编修，宗人府府丞。

程景伊　字聘三，号莘田、雪堂。江苏武进人。编修，大学士。

徐景熹　字参两，号璞斋。浙江钱塘人。编修，福建盐道。

曹　经　字与经，号原山。江西新建人。编修。

梁启心　编修，侍讲。

徐　垣　字紫庭，号芷汀。浙江会稽人。庶吉士，户部主事，
　　　　湖北布政使。

金文淳　字质夫，号金门。浙江仁和人。丙辰召试鸿博。编修，
　　　　直隶顺德府知府。

轩辕诰　字谋野。山东汶上人。会元，庶吉士，广东知县，广
　　　　东长宁县知县。

陆广霖　福建知县，广西恭城县知县。

刘纯炜　山东诸城人。顺天府府尹。

徐文煜　字亮采，号兰谷。顺天大兴人。编修，左中允。

方世儁　字苏永，号毓川、竹溪。江苏上元人（原籍安徽桐城）。
　　　　庶吉士，户部主事，湖南巡抚。

蔡扬宗　字赓堂，号湘南。湖南湘潭人。编修，少詹事。

许　朝　字光庭，号红桥。江苏常熟人。广西知县，山东德州

通判。

王觉莲 字梦白，号醒斋。贵州贵筑人。编修，右庶子。

孙良贵 字邻初，号鹿门。湖南善化人。湖南常德府教授，甘肃庆阳府知府。

叶　酉 字书山，号花南。安徽桐城人。丙辰召试鸿博，编修，右庶子。

冯成修 庶吉士，吏部主事，礼部郎中，乙卯重宴鹿鸣。

钮汝骐 字驾仙，号西斋。浙江桐乡人。编修。

管一清 字配宁，号穆轩、半塘。江苏江都人。庶吉士，浙江知县，浙江海宁州知州。

周世纪 河南祥符人（原籍浙江山阴）。福建知县，贵州安顺府知府。

缪敦仁 字羲元，号梅涧、熔庄。江苏吴县人。

王　锦 字宸章，号絅斋。顺天大兴人。编修，广西右江道。

邱　柱 字底澜，号天峰。江苏山阳人。编修，河南知县。

叶有词 字屺李。福建福清人。

王化南 字荫堂，号雪崖。甘肃武威人。庶吉士，直隶知县，山东莒州知州。

卜宁一 字中三，号念亭、五峰。山东日照人。庶吉士，工部主事，顺天府府丞。

朱　櫄 字文木，号槐亭。陕西长安人。庶吉士，口部主事，江西饶州府知府。

杨　勋 字绍奇。广东嘉应人。刑部主事，鸿胪寺卿。

吴嗣富 字郑公，号昆田。浙江钱塘人。编修，己酉重宴鹿鸣。

呼延华国 陕西长安人。云南罗茨县知县。广东化州知州。

陈中龙 编修，山西平阳府知府，乙卯重宴鹿鸣。

聂　焘 字环溪。湖南衡山人。陕西知县，陕西凤翔县知县。

詹肯构 字华堂，号竹村。广东饶平人。编修，福建道御史。

　　三甲进士：

陈正勋 字晋斋。湖北江夏人。山西知县，四川潼川府知府。

何　畴　字叙轩。广西融县人。检讨，侍读。

蔡正笏　江西南昌人。

周　焘　字迪循，号桐圃。湖南茶陵人。检讨，吏科给事中。

许　治　湖北云梦人。江苏苏州府同知。

孔传炯　直隶知县，江宁布政使。

李　湖　字又川。江西南昌人。山东知县，广东巡抚。

单　烺　直隶知县，贵州铜仁府知府。

郭伟人　字晋卿。山西文水人。

初元方　字瑞匡。顺天宛平人（原籍山东莱阳）河南灵宝、四
　　　　川宜宾知县，侯补同知。

杨　愚　福建知县，广西柳州府知府。

梁善长　字崇一，号燮庵。广东顺德人。陕西知县，福建建宁
　　　　府同知。

孙景烈　检讨。

杨　鸾　四川知县，湖南邵阳县知县。

彭　侣　字石芝。江西南昌人。检讨，内阁中书。

舒　瞻　字雪亭。满洲正白旗，他塔喇氏。浙江知县，浙江海
　　　　盐县知县。

程　岩　检讨，礼部左侍郎。

文兆奭　字季堂。广西灵川人。河南辉县知县。

赵永孝　丙辰召试鸿博，归班知县，江苏常州府教授。

孙庆槐　山西兴县人。礼部主事，广东雷州府知府。

王　琮　河南河内人。湖北施南府知府。

蒋应焻　内阁中书。

任陈晋　（碑录作陈晋），字似武，号复山、以斋。江苏兴化人。
　　　　归班知县，安徽徽州府教授。

周人麒　字次游，号晴嶽、衣亭。直隶天津人。检讨。

赵金简　字玉书，号石函、赤绣。浙江上虞人（原籍嘉善）。河
　　　　南知县，浙江杭州府教授。

凌树屏　字保厓，号缄亭。浙江乌程人。陕西知县，浙江嘉兴

府教授。

翻译进士：

三　宝　字树庭。满洲正红旗，伊尔根觉罗氏。内阁中书，东
　　　　阁大学士。

武进士：

朱秋魁　浙江金华人。状元。头等侍卫，广东督标中军副将。

罗英笏　字撎抡。福建沙县人。三等侍卫，浙江定海镇总兵。

李文英　口口侍卫，湖南衡永镇总兵。

吴抡元　字悌岑。浙江归安人。口口侍卫，江西南赣镇总兵。

顾　鋐　江苏上元人。口口侍卫，广东口口副将。

李　煦　直隶天津。蓝翎侍卫，贵州提督。

叶相德　字殿擎。浙江归安人。福建水师提督。

章　绅　直隶天津人。广东提督。

朱光斗　湖北江陵人。江西九江协副将。

● 恩遇：

鄂尔泰　大学士。五月晋太保。

张廷玉　大学士。五月晋太保。

福　敏　五月加太保。

徐　本　、查郎阿　俱加太子太保。

讷　亲　吏部尚书。加太子太保（十三年九月革）。

甘汝来　吏部尚书。加太子少保。

海　望　户部尚书。加太子少保。

鄂　善　兵部尚书。加太子少保（六年革）。

尹继善　刑部尚书。加太子少保。

徐元梦　尚书衔。加太子少保。

孙嘉淦　直隶总督。加太子少保（八年九月革）。

庆　复　（一作庆福）。云南总督。加太子少保。

蒋　衡　江苏金坛县贡生。八月以呈进手书十三经全部，赐国
　　　　子监学正衔。

张廷玉　大学士。九月以七十生辰，赐御制诗。

◉ 著述：

许昂霄 字蒿庐。浙江海宁人。撰《词韵考略》一卷成，见二月自识。

傅岩野 撰《撮要录》四卷成，见五月许王猷序。

陈宏谋 编《养正遗规》三卷成，见三月自序（按：书成后又有补编一卷见壬戌八月自识）。

尤 怡 字在京，号北田。江苏元和人。撰《医学读书记》三卷成，见三月徐大椿序（按：书成后又有《医学续记》一卷）。

张廷玉 等奉敕撰《明史》三百三十六卷成，见七月进书表。

胡鸣玉 撰《订讹杂录》十卷成，见十一月自识。

◉ 卒岁：

苏尔禅 袭奉恩辅国公，宗室。二月卒。谥简恪。

陈 俅 翰林院修撰。三月二十二日卒年四十五。

马 齐 太保，原任保和殿大学士，二等伯（十四年号曰敦惠）。五月卒年八十八。赠太傅，谥文穆，入祀贤良祠（入祀在十二年）。

魏 拉 满洲正蓝，兆佳氏。前正白旗蒙古都统。五月卒。

汪振甲 安徽桐城县知县。六月卒年五十八。

刁承祖 广东布政使。七月十三日卒年六十八。

甘汝来 太子少保，吏部尚书。七月二十一日卒年五十六。谥庄恪。

诺音讬和 袭镇国公，宗室。九月卒。谥恪顺。

汪德容 前翰林院编修。九月卒年五十七。

蒋锡震 原任直隶庆云县知县。十月初八日卒年七十八。

童 华 前福建漳州府知府。十月卒年六十五。入国史循吏传。

孙国玺 安徽巡抚。十一月卒。

李师白 原任行人司行人，前任山东历城县知县。十一月初十日卒年七十五。

王 澍 原任吏部验封司员外郎，降调户科掌印给事中。十一月二十二日卒年七十二。入国史文苑传。

王进昌 四川提督。十口月卒。谥勤恪。

任时懋 江苏长洲县举人。卒年六十一。

涂天相 原任工部尚书。卒。

吕守曾 浙江布政使。卒。

万邦荣 山东莘县知县。卒年六十七。

乾隆五年庚申（公元一七四〇年）

◎ **生辰：**

董 诰 三月生，字雅伦，号蔗林。浙江富阳人。享年七十九。

潘奕隽 三月初七日生，字守愚，号榕皋、三松。江苏吴县人。
享年九十一。

钱 沣 四月初一日生，字东柱，号南园。云南昆明人。享年
五十六。

勒 保 四月生，字宜轩。满洲镶红旗，费莫氏。享年八十。

方 昂 五月十四日生，字叔驹，号訒庵、坳堂。山东历城人。
享年六十一。

阿迪斯 六月生，满洲正白旗，章佳氏。享年七十六。

崔 述 七月二十九日生，字武承，号东璧。直隶大名人。享
年七十七。

蒋骐昌 八月初七日生，享年七十一。

冯应榴 九月十八日生，字贻曾，号星实、踵息居士。浙江桐
乡人。享年六十一。

讷穆金 生，宗室。享年四十四。

谷际岐 生，字西阿，号凤来。云南赵州人。享年七十六。

龚士煃 生，享年六十。

陈万里 生，云南人。享年七十四。

彭绍升 生，字允初，号尺木。江苏长洲人。享年五十七。

侯 坤 生，字磻石，安徽无为人。享年六十二。

何安邦 生，享年五十四。

毕星海 生，浙江海盐人。享年六十二。

◎ **恩遇：**

徐 本 大学士。赐御书"清德镇俗"额。

梁诗正 户部右侍郎。其父梁文濂，六月以七十生辰，赐御书
"传经介祉"额（按：是年应六十九）。

● **著述:**

王维德　撰《外科证治全生集》二卷成，见二月自序。

倪　涛　字山友，号昆渠。浙江钱塘人。撰《六艺之一录》四百六卷成，见二月自序。

蒋兆锡　撰《春秋公羊谷梁诸传汇义》十二卷成，见三月自序。

江　永　撰《翼梅》八卷成，见闰六月自序。

王应奎　撰《柳南随笔》六卷成，见七月顾士荣序。

常　安　自编《潘水三春集》十二卷成，见七月自序。

朱　缵　撰《周易辑要》五卷成，见自序。

姚培谦　字平山。江苏华亭人。自编《松桂读书集》八卷成，见自序。

● **卒岁:**

杨汝榖　原任都察院左都御史。正月卒年七十六。谥勒恪。

金　鉽　起授河南布政使，（起授在是年七月），前刑部左侍郎。四月卒年六十三。

吴应棻　兵部左侍郎。四月卒。

福　苍　太宗皇曾孙。多罗惠郡王子。四月卒。赠多罗贝勒（追赠在十五年七月）。

马维翰　原任江苏常镇道。五月初四日卒年四十八。入国史文苑传。

阿　鲁　宁夏将军。五月卒。谥果敏。

邵　琼　前四川大足县知县。六月初四日卒年六十六。

冯光裕　湖南巡抚。闰六月初五日卒年五十七。

法尔善　袭奉恩辅国公，宗室。闰六月卒年四十七，谥和愨。

杨国华　云南嶍峨人。左都督衔，原任湖广镇筸镇总兵。八月卒。

讷尔苏　前袭多罗平郡王，宗室。九月卒。

裕　绶　宗人府左宗正，袭辅国公，宗室。十月卒年五十二，谥敏恪。

韩良卿　字省月。四川重庆人（原籍陕西甘州）。甘肃提督。十

一月卒。谥勤毅。

张　渠　湖北巡抚。十一月卒。

宪　德　字殿公。蒙古正白旗，西鲁特氏。原任刑部尚书。十一月卒年六十三。

王　钧　字云峰。山西凤台人。户部左侍郎。十一月卒。

张孟球　原任河南按察使。十一月十四日卒年八十。

杨永斌　致仕吏部右侍郎。十一月十八日卒。年七十一。

戚麟祥　前翰林院侍讲学士。十口月卒于福建连江县署。

瞻　岱　甘肃提督。十二月卒。赠左都督，谥恭勤。

裴倬度　前升授都察院左都御史（由江西巡抚升补未任革）。卒年七十三。

图理琛　原任内阁学士，前兵部右侍郎。卒年七十四。

王材任　前都察院左副都御史。卒年八十八。

冯大山　安徽婺源县知县。卒。

余　京　字文垎，号江千。江苏丹徒人。江苏丹徒县布衣。卒年七十口。入国史文苑传。

游明纯　湖南善化县布衣。卒年五十三。

乾隆六年辛酉（公元一七四一年）

● 生辰：

邵庚曾 四月十一日生，字南俶，号相之、湘芷、象芝。顺天大兴人。享年四十六。

夏家瑜 五月生，字伯彩，号润堂。江西新建人。享年五十五。

崔龙见 八月初八日生，字翘英，号幔亭。山西永济人。享年七十七。

汪 霭 九月十一日生，安徽黟县人。享年三十六。

邹炳泰 十月生，字仲文，号晓屏。江苏无锡人。享年八十。

盛 昌 生，正蓝旗宗室。享年四十七。

洞 福 生，宗室。享年五十二。

台斐音阿 生，满洲正白旗，库雅拉氏。享年五十二。

曹锡龄 生，字受之，号定轩。山西汾阳人。享年七十口。

刘种之 生，字存子，号莲匀、檀桥。江苏武进人。享年七十。

钱 坫 生，字献之，号十兰。江苏嘉定人。享年六十六。

许承志 生，字继士，号朴斋。江苏武进人。享年六十三。

文泰运 生，云南人。享年四十四。

陆 恭 生，字谨庭。江苏吴县人。享年七十八。

汪大经 生，字书年，号西村。浙江秀水人。享年六十九。

李文渊 生，字静叔。山东益都人。享年二十六。

潘恭寿 生，字握笈，号莲巢。江苏丹徒人。享年五十四。

● 科第：

考取拔贡生：

张 本 安徽人。山东州同，西城兵马司副指挥。

黄天策 江西人。丙辰荐试鸿博，口口县教谕。

朱中理 浙江人。湖南州判，河南温县知县。

郑王臣 字慎人，号兰陔。福建莆田人。甘肃兰州府知府。

张懋延 字东贤，号双山。浙江镇海人。

中式举人：

苏凌阿　内阁中书，东阁大学士。

锡　福　满洲镶白旗。甘肃平庆泾道。

元克中　福建延建邵道。

赵王槐（一作赵三槐）山东知县，山东陵县知县。

申　甫　江南人。丙辰召试鸿博，内阁中书，左副都御史。

嵇　珊　字韫辉。江苏无锡人。安徽知县，湖北武汉黄道。

江　炎　字景韩，号补堂。江苏江都人。内阁中书，内阁侍读。

翁缵祖　四川知县，浙江慈溪县知县。

王希伊　江苏宝应人。陕西知县，青浦县教谕。

赵继序　字易门，号芝山。安徽休宁人。

徐　灿　字朗亭，号玉峰。江苏昆山人。

陆秉笏　江苏上海人。

赵由仪　江西南丰人。

陈景锺　浙江人。

齐周南　字首风，号河洲。浙江天台人。慈溪县教谕。

叶观澜　福建人。刑部主事，江西道御史。

邓　浩　字星澜，号畸人。福建侯官人。

李兆锦　湖北钟祥人，知县，太常寺少卿。

唐　焕　字尧章，号石岭。湖南善化人，山东知县，山东平度
　　　　州知州。

张雄图　字砺山。河南洛阳人，丙辰召试鸿博。

汤　然　字岊南。河南睢州人。大挑教谕。

法坤宏　字直方，号镜野、迂斋。山东胶州人，大理寺评事。

张九鑑　湖南湘潭人。

　　　中式副榜贡生：

刘　益　字洁亭。江苏武进人。刑部员外郎，四川布政使。

　　　中式翻译举人：

傅　显　字令宜。满洲镶红旗，富察氏。漕运总督。

◉ 恩遇：

蔡观澜　已故礼部左侍郎蔡世远之子。赏给举人，刑部主事，江西道御史。

● 著述：

徐大椿　撰《医贯砭》二卷成，见二月自序。

黄叔璥　撰《中州金石考》八卷成，见三月自序。

曹庭栋　编《宋百家诗存》二十卷成，见三月自序。

尹会一　撰《健余札记》四卷成，见六月自序。

王懋竑　撰《朱子年谱》四卷、《考异》四卷、《附录》二卷成，见秋日王箴传跋。

钱　佳　字平衡，号临谷。浙江嘉善人。丁廷烺　字闇臣，号易东。浙江嘉善人。同编《魏塘文陈》十三卷成，见秋日丁廷烺序。

蒋　衡　撰《易卦私笺》二卷成，见八月高斌序。

鄂尔泰　等监修《贵州通志》四十六卷成，见张广泗进书表。

崔　纪　撰《成均课讲周易》成。

顾成天　撰《离骚解》一卷成。

张锡爵　撰《吾友于斋诗钞》八卷成，见朱稻孙序。

● 卒岁：

万　经　前翰林院编修。正月二十四日卒年八十三。入国史儒林传。

曹庭枢　宗学教习，浙江嘉善县副贡生。二月二十一日卒年三十六。

朱天章　湖南长沙县岁贡生。二月二十九日卒年八十七。

璐　达　袭辅国公，宗室。三月卒。谥恭简。

惠士奇　原任翰林院侍读，前侍读学士。三月卒年七十一。入国史儒林传。

闵德裕　湖北广济县地师。四月初八日卒年五十八。

鄂　善　前太子少保，兵部尚书，步军统领。四月十五日以罪令自尽（注：收受俞长庚贿赂）。

倪国珍　广西义宁县知县。四月于双江被戕。赠按察司佥事。

清代人物大事纪年

徐允年　前广东永安县知县。五月十一日卒年六十五。

冯景夏　前刑部左侍郎。五月二十八日卒年七十九。

徐士林　原任江苏巡抚。九月以养母回籍卒于淮安舟次，年五十八，入祀贤良祠。

允　䄉　圣祖皇十子，奉恩辅国公，前封多罗敦郡王。九月卒年五十九。赠固山贝子品级。

王懋竑　致仕翰林院编修。十月初一日卒年七十四。入国史儒林传。

徐元梦　字善长，号蝶园。满洲正白旗，舒穆禄氏。太子少保，尚书衔内廷行走，原任礼部左侍郎，前户部尚书，协办大学士。十一月卒年八十七。赠太傅，入祀贤良祠，谥文定。

爱音图　袭辅国公，宗室。十二月卒。谥敦敏。

方　显　字周谟，号敬斋。湖南巴陵人。原任广西巡抚。十二月卒。

汪　郊　丁忧福建汀州府同知。十二月二十八日卒年四十三。

范时绎　汉军镶黄旗。前工部尚书。卒。

南天祥　云南昆明人。致仕江南提督。卒。

周　铖　浙江山阴县岁贡生。卒年六十五。

黄商衡　江苏长洲县诸生。卒年六十五。入国史儒林传。

乾隆七年壬戌（公元一七四二年）

● 生辰：

李　坚　五月初二日生，字敬堂，号琴浦。河南祥符人。享年四十二。

陆伯焜　九月初三日生，字重晖，号璞堂。江苏青浦人。享年六十一。

吴槐炳　十月十三日生，字耀垣，号植亭。广东鹤山人。享年七十六。

汪　龙　十一月生，字蛰泉，号辰叔。安徽歙县人。享年八十二。

钱　棨　生，字振威，号湘舲。江苏长洲人。享年五十八。

王友亮　生，字葑亭，号景南、君节。江苏上元人（原籍安徽婺源）。享年五十六。

张姚成　生，（榜名姚天成），字自东。浙江仁和人。享年五十七。

蒋励宣　生，字德昭，号云亭。广西全州人。享年七十七。

朱鸣凤　生，字赓初，号桐雨。浙江海盐人。享年七十四。

沈振鹏　生，字子万，号云溟。浙江嘉兴人。享年六十。

张　黼　生，享年五十。

刘　清　生，字天一，号朗渠、松斋。贵州广顺人。享年八十六。

谢恩诏　生，字紫斋。福建永春人。享年七十四。

黄　标　生，字殿豪。广东潮阳人。享年六十二。

吴翊凤　生，字伊仲，号枚庵、梅莙。江苏吴县人。享年七十八。

秦凤辉　生，江苏嘉定人。享年四十二。

彭　绩　生，字其凝，号秋士。江苏长洲人。享年四十四。

沈鹤龄　生，字海筹，号银槎。浙江德清人。享年五十六。

● 科第：

一甲进士：

金　姝　会元。状元。修撰，礼部左侍郎。

杨述曾　榜眼。丙辰召试鸿博，编修，侍读。

汤大绅　字孙书，号药冈、药圃。江苏阳湖人。探花。编修。

二甲进士：

张　进　字翼亭，号石湖。江苏吴县人。庶吉士。

张泰开　编修，左都御史。

陈大复　礼部主事，河南河陕汝道。

蔡云从　字亦飞，号敏斋。福建漳浦人。庶吉士。

邵齐焘　编修。

姚　範　编修。

刘　炳　字殿虎，号啸谷。直隶任邱人。编修，江西九江府知
　　　　府。

李清时　编修，山东巡抚。

张开士　浙江钱塘人。安徽知县，湖南常德府知府。

陈作梅　字燮原，号雪原。浙江嘉善人。刑部主事，云南迤西
　　　　道。

窦光鼐　编修，左都御史。

孙廷槐　字右阶，号芥舟。浙江仁和人。编修，山东按察使。

郭　植　字子岸，号月坡。福建古田人。归班知县。

朱佩莲　字玉阶，号蒻塘、东江。浙江海盐人。编修，侍讲。

庄有信　字任可，号来庵。广东番禺人。编修，山西冀宁道。

郑虎文　编修，左赞善。

德　保　字乾和，号慎斋。满洲正蓝旗。编修，侍讲。

蔡时田　字修来，号雪南。四川崇宁人。编修，山东道御史。

许伯政　丙辰召试鸿博，四川知县，山东道御史。

李　堂　字也升。湖北沔阳人。浙江湖州府知府。

张端木　字昆乔，号林长。江苏上海人。浙江知县，浙江诸暨
　　　　县知县。

章宝传　字习之，号砚屏、雺山。浙江归安人。内阁中书，鸿胪寺少卿。

李　棠　直隶河间人。江苏知县，广东惠州府知府。

王　铤　字紫长。山东莱阳人。庶吉士，户部主事，通政使。

管　乐　字卧村。江西雩都人。湖南知县，湖北黄州府知府。

顾汝修　字息存，号旭存、密斋。四川华阳人。编修，顺天府府尹。

戈　岱　字东长，号叔麓。直隶献县人。编修，福建道御史。

吴鹏南　字省旃，号芝冈。福建连江人。编修，吏科给事中。

罗暹春　字泰初，号旭庄。江西吉水人。编修，山东盐运使。

阎循琦　庶吉士，工部主事，工部尚书。

　三甲进士：

周世紫　字芝山，号芳亭。河南祥符人（原籍浙江山阴）。检讨，山西宁武县知县。

奉　宽　字彰民，号硕亭、栗斋。满洲正蓝旗，觉罗氏。检讨，兵部右侍郎。

潘　恂　安徽桐城人。江苏知县，浙江杭嘉湖道。

庄纶渭　浙江知县，甘肃宁州知州。

眭朝栋　（碑录作睦朝栋），字晓章，号树人、翘林。江苏丹阳人。内阁中书，湖南永郴桂道。

亢　保　字子佑。蒙古正蓝旗。江西按察使。

刘　圻　顺天通州人。兵部主事，四川永宁道。

胡泽潢　字中咸、仲垣，号星冈。湖南宁乡人。检讨，户科给事中。

卫学诗　字闻一。陕西韩城人。

良　卿　字赓亭。满洲正白旗。直隶口北道。

李梦瑢　江西信丰县知县。

国　栋　字云浦，号时斋。满洲镶黄旗，博尔济吉特氏。四川知县，安徽布政使。

李化楠　字廷节，号石亭。四川罗江人。浙江知县　顺天府北路同知。

王世仕 字惠仲，号紫泉。贵州贵筑人。检讨，赞善。

毛永燮 字理斋。顺天大兴人。户部主事，江西道御史。

蔡韶清 湖北知县，湖北黄冈县知县。

李　缙 字碧斋。顺天宛平人。湖北知县，广东粮道。

李其昌 字莲溪。四川成都人。江西知县，贵州兴义府知府。

王　宬 字辑青。江苏镇洋人。兵部主事，安徽庐州府知府。

袁德达 刑部主事，广西庆远府知府。

苌士周 字穆亭。河南氾水人。山东知县，陕西宜川县知县。

陈桂洲 检讨，顺天府府丞。

周於智 山东知县，河南开归陈许道。

熊为霖 检讨 侍读。

王锡命 字对山。奉天海城人。顺天知县，江西吉南赣宁道。

孙梦逵 归班知县，辛未召试授内阁中书，宗人府主事。

周宣武 字燮轩。湖南长沙人。贵州知县，贵州铜仁县知县。

黄遇隆 字介三。湖南宁乡人。庶吉士，知县。

马元烈 字觐光。四川营山人。云南知县，云南大理府知府。

王太岳 字基平，号芥子。直隶定兴人。检讨，云南布政使。

刘其旋 字川南。山东安邱人。

　　武进士：

贾廷诏 状元，头等侍卫。

李世崧 湖南桃源人。榜眼，二等侍卫，江西宁都营参将。

白锺镶 山西太谷人。探花，二等侍卫。

俞金鳌 字厚庵。直隶天津人（原籍浙江山阴）。蓝翎传卫，湖
　　　　南提督。

牛天畀 山西太谷人。蓝翎侍卫，四川川北镇总兵。

窦　瑸 字文贻。山西平定人。蓝翎侍卫，广东提督，重宴会
　　　　武。

陈　杰 字双峰。汉军正白旗。步军营守备，浙江提督。

● 恩遇：

福　敏　大学士。以七十生辰赐御制诗。

● 著述：

田同之　撰《西圃丛辨》三十二卷成，见六月自序。

彭遵泗　撰《蜀碧》四卷成，见八月自序。

吴玉搢　撰《别雅》五卷成，见程嗣立序，（按：是书刻于是年九月故系于九月之前）。

陈宏谋　编《教女遗规》三卷成，见九月自序。

江　永　撰《近思录集注》十四卷成，见九月自序。

吴自高　字若山，安徽桐城人。撰《善卷堂四六注》十卷成，见秋日自序。

弘　昼　和亲王等奉敕撰《医宗金鉴》九十卷成，见十月进书表。

陈宏谋　编《训俗遗规》四卷成，见十月自序（按：书成后华希闵复辑有第五卷附刻于后，见丙寅冬日后跋）。

陈宏谋　编《从政遗规》二卷成，见长至月自序。

● 卒岁：

秦　休　前户部云南司郎中，降调广西浔州府知府。三月二十日卒年六十四。

刘吴龙　刑部尚书。四月卒年五十三，谥清悫。

黄师琼　云南广通县知县。五月二十九日卒年六十四。

朱以诚　福建漳浦县知县。六月初三日以被刺受伤卒年四十。

吴象宽　原任湖北黄梅县知县。七月初九日卒年六十三。

锡　保　前袭和硕顺亲王，宗室。八月卒。赠多罗郡王。

汪　漋　致仕大理寺卿，前户部右侍郎。八月卒年七十□。

蒋宏任　浙江海宁州监生。九月初四日卒年四十二。

阎尧熙　四川布政使。九月十三日卒年六十九。入国史循吏传。

戚弢言　丁忧福建连江县知县。九月二十二日卒年四十四。

石云倬　前西路副将军，福建陆路提督。九月卒。

邹升恒　翰林院侍讲学士。九月卒。

常　明　领侍卫内大臣。卒。赠太子太保，谥悫勤。

岱　奇　陕西巡抚。十月卒。

董淑昌　贵州锦屏县知县。十月卒年四十八。

王　恕　浙江布政使，降调福建巡抚。十月十六日卒年六十一。

王　㴶　前太常寺卿。十月十七日卒年七十六。

杨超曾　丁忧吏部尚书。十一月卒年五十。谥文敏。

法　敏　满洲镶蓝旗，伊拉哩氏。原任盛京工部侍郎。卒。

陈　仪　降调鸿胪寺少卿，前任翰林院侍读学士。卒年七十三。入国史文苑传。

储晋观　翰林院编修。卒年四十四。

张陈典　贵州铜仁县知县。卒年六十二。

席大霁　福建建宁县岁贡生。卒年七十四。

徐正谊　浙江嘉兴县诸生。卒年六十三。

乾隆八年癸亥（公元一七四三年）

● 生辰：

汪志伊　正月生，字莘农，号稼门。安徽桐城人。享年七十六。

秦　瀛　正月二十八日生，字凌沧、小岘，号遂庵。江苏无锡
人。享年七十九。

鲍志道　三月十八日生，字诚一，号肯园。安徽歙县人。享年
五十九。

范　鏊　七月十四日生，字叔度，号摄生。顺天大兴人（原籍
江苏上元）。享年六十。

吴蔚光　八月十五日生，字悉甫、执虚，号竹桥。江苏昭文人。
享年六十一。

李徵兰　九月二十二日生，字黻亭。江苏阳湖人。享年七十二。

永　璐　十二月生，高宗皇六子。享年四十八。

胡匡宪　十二月二十五日生，字懋中，号绳轩。安徽绩溪人。
享年六十。

穆克登额　生，满洲镶黄旗，瓜尔佳氏。享年八十七。

钱　樾　生，字抚堂，号黼堂。浙江嘉善人。享年七十三。

胡时显　生，字行偕，号晴溪。江苏武进人。享年五十九。

邵晋涵　生，字与桐，号二云、南江。浙江余姚人。享年五十
四。

陈昌齐　生，字宾臣，号观楼。广东海康人。享年七十八。

胡　锺　生；字震川，号山音。江苏江宁人。享年七十七。

李　荃　生，字佩玉，号竹轩。江苏宜兴人。享年五十九。

赵大淮　生，字瀛洲，号南庄。江苏太仓人。享年五十三

朱射斗　生，字文光，号辉亭。贵州贵筑人。享年五十八。

胡亦常　生，字同谦，号豸甫。广东顺德人。享年三十一。

邓石如　生，（原名邓琰以字行），号顽伯、完白山人。安徽怀
宁人。享年六十三。

张崇俅 生，江苏嘉定人。享年七十六。

● 著述：

厉　鹗　撰《辽史拾遗》二十四卷成，见正月自序。

上官周　撰《晚笑堂画传》二卷成，见三月自序。

邵嗣宗　撰《旧乡行纪》一卷成（按：所记至三月中旬止，今
　　　　系于四月之前）。

胡　浚　自编《绿罗山庄文集》二十四卷成，见四月李绂序。

陈宏谋　编《在官法戒录》四卷成，见四月自序。

汪　绂　撰《理学逢原》十二卷成，见四月自序。

吴元音　撰《葬经笺注》一卷附《图说》一卷成，见四月自序。

褚　峻　撰《金石图》一卷成，见六月自序。

王辅铭　编《国朝练音初集》十二卷成，见长至自识（按：前
　　　　序作于雍正甲辰，因续有增补至是年始定）。

陈　道　撰《癸亥记事》一卷成，见陈用光跋语。

● 卒岁：

孔广棨　袭衍圣公。正月卒年三十一。

海　善　（一作海山）。多罗贝勒，世祖皇孙。二月卒。谥僖敏。

弘　普　圣祖皇孙，镇国公。二月卒。赠世子，谥恭勤，追赠
　　　　和硕庄亲王（追赠在三十二年六月）。

李开叶　原任吏部员外郎。闰四月二十一日卒年七十二。

甄汝翼　原任甘肃中卫县知县。五月二十三日卒。

鲁　宾　辅国公，前封固山贝子，宗人府左宗正，宗室。六月
　　　　卒年七十四。谥恪思。

郑　性　浙江慈溪县贡生。七月初十日卒年七十九。

吕耀曾　仓场侍郎。七月十八日卒年六十五。

秦　布　蒙古镶蓝旗，乌朗罕济勒门氏。前西安将军，袭三等
　　　　轻车都尉世职。八月卒。

陆祖锡　浙江平湖县征士。九月卒年三十八。

顾臣赤　江苏昆山县布衣。九月卒年六十七。

蒋　衡　国子监学正衔原授安徽英山县教谕（选授后未经赴

任）。卒年七十二。入国史文苑传。

宗　智　口口旗副都统，袭奉恩将军品级，宗室。十月卒年四十三。

韩　勋　四川重庆人。贵州提督。卒。赠右都督，谥果壮。

允　祐　圣祖皇二十二子，多罗贝勒。十二月卒年三十二。谥恭勤。

蔡　斑　前吏部尚书，复授奉天府府尹。卒。

仲永檀　前都察院左副都御史。卒。

倪国琏　安徽宣谕化导使，刑科掌印给事中。卒于太和。

储大文　在籍翰林院庶吉士。卒年七十九。入国史文苑传。

程侯本　安徽宁国府知府。卒年七十二。

高凤翰　前安徽歙县县丞。卒年六十一。

仲是保　字友梅、羹梅，号翰村。江苏常熟人。常熟县布衣。卒于山东博山。

乾隆九年甲子（公元一七四四年）

◉ 生辰：

沈　峻　正月二十四日生，直隶天津人。享年七十五

王念孙　三月十三日生，字怀祖，号石臞。江苏高邮人。享年
　　　　八十九。

阿必达　六月生，满洲正白旗，李佳氏。享年四十八。

王坦修　十月初三日生，字仲履，号正亭。湖南宁乡人。享年
　　　　六十六。

汪　中　十二月二十日生，字容甫。江苏江都人。享年五十一。

穆克登布　生，字少谷。满洲正白旗，穆尔札氏。享年八十一。

周兴岱　生，字冠三，号长五、东屏。四川涪州人。享年六十
　　　　六。

吴绍澯　生，字澄垫，号苏泉。安徽歙县人。享年五十五。

缪炳泰　生，字象宾，号霁堂。江苏江阴人。享年六十四。

黄　易　生，字小松。浙江钱塘人。享年五十八。

卞　谟　生，江苏人。享年五十九。

宋　准　生，山东人。享年七十三。

孙全谋　生，字澮亭。福建龙溪人。享年七十三。

唐光茂　生，享年六十三。

彭希韩　生，字玉擎，号守约、退密。江苏长洲人。享年六十
　　　　三。

冯　伟　生，字伟人，号仲廉。江苏太仓人。享年四十八。

钱大昭　生，字晦之，号竹庐。江苏嘉定人。享年七十。

吴　定　生，字殿麟，号澹泉。安徽歙县人。享年六十六。

梁玉绳　生，字曜北，号谏庵。浙江钱塘人。享年七十六。

庄有可　生，字子久。江苏武进人。享年七十九。

巴慰祖　生，字予藉。安徽歙县人。享年五十。

◉ 科第：

中式举人：

常　喜　满洲镶白旗，彦佳氏。河南布政使。

孔兴桂　太常寺博士，内阁侍读学士。

娄　杰　直隶天津人。陕西潼商道。

法　良　字宸谟，号可庵。汉军正黄旗，张氏。山西知县，河
　　　　南陈州府知府。

黄鹤龄　字介堂。顺天大兴人（原籍江西都昌）。广西知县，山
　　　　西太原府知府。

永　亮　字苹州，号卧冈。满洲。口口州知州。

张　垣　字前五。湖南湖潭人。湖南桂阳州学正，云南河西县
　　　　知县。

顾邦英　字洛耆，号云川。汉军。

吴　鼎　字尊彝，号易堂。江苏无锡人。辛未特授司业，翰林
　　　　院特授学士。

韩莱曾　江苏人。四川顺庆府知府。

汪嘉济　江苏人。贵州大定府知府。

王铭宗　字肃堂。江苏上元人。知县，江西吉安府知府。

钱文梓　字泗良，号朴园。江苏太仓人。山西天镇县知县。

刘寅宾　字杲溪。江苏武进人。华亭县教谕。

张世荦　字寓春、寓椿，号无夜、妙峰。浙江钱塘人。

沈齐义　山东知县，山东寿张县知县。

沈树德　丙辰荐试鸿博。

高　显　浙江人。广东琼州府知府。

孙宗濂　字栗忱，号隐谷。浙江仁和人。

郭　焌　国子监学录，助教。

贵中孚　字嵩岩。湖南武陵人。安徽知县，广东南绍连道。

吴翼行　山东知县，河南固始县知县。

周宣智　字镜亭。湖南长沙人。溆浦县教谕。

张　缪　山东人。临清直隶州学正。

袁守侗　内阁中书，直隶总督。

清代人物大事纪年

阎循霈　山东昌乐人。江苏阜宁县知县。

李永祺　山西榆次人。四川成都府知府。

　　中式副榜贡生：

张凤孙　江苏长洲人。直隶州州判，四川永宁道。

秅　璸　州判，广州韶州府知府。

江有龙　字若度，号涵斋。安徽桐城人。丙辰召试鸿博，江宁
　　　　县教谕。

◉　恩遇：

徐　本　大学士。六月以病辞职，晋太子太傅。

梁诗正　吏部左侍郎。六月赐御书"清勤"堂额。

徐　本　原任大学士。八月以病回籍赐御制诗。

李　馥　前浙江巡抚。九月以本年为康熙甲子科乡举周甲之岁，
　　　　重赴鹿鸣筵宴。

◉　著述：

徐文靖　撰《管城硕记》三十卷成，见正月自序。

程梦星　重订《李义山诗集笺注》二卷成，见七月自序。

徐大椿　撰《乐府传声》成，见八月自序。

六十七　汉军正蓝旗，佟佳氏。撰《番社采风图考》一卷成，
　　　　见冬日范咸序。

厉　鹗　撰《云林寺志》八卷成，见自序。

惠　栋　撰《易汉学》八卷成，见自序。

夏大霖　撰《屈骚心印》五卷成，见自序。

张用天　字用六，号诚斋。江苏娄县人。撰《懒真初集诗选》
　　　　八卷成，见自序。

◉　卒岁：

沈昌宇　翰林院编修。二月卒年四十五。

程嗣立　字风衣，号水男、篁村。江苏安东县人（原籍安徽歙
　　　　县）。安东县岁贡生。二月卒年五十七。

张　楷　户部尚书。二月二十七日卒年七十五。

李清植　礼部左侍郎。三月十八日卒年五十五。

马长海　原授库使（按：补授后未任）。三月卒年六十七。

萨穆哈　领侍卫内大臣。卒。谥勤恪。

熙　良　袭多罗顺承郡王，宗室。四月卒年四十。谥曰恪。

赵殿最　降调工部尚书。五月十二日卒年七十七。

王时翔　四川成都府知府。五月十八日卒年七十。入国史循吏
　　　　传。

邵大生　原授奉天锦州府教授。由服阕直隶大名府教授选授未
　　　　赴任，六月初四日卒年四十三。

任启运　宗人府府丞。七月卒年七十五。入国史儒林传。

齐努浑　袭奉恩辅国公，宗室。八月卒。谥简僖。

王士毅　江苏青浦县布衣。八月二十二日卒年六十四。

袁　潢　江苏吴江县岁贡生。十月初十日卒年七十三。

赵执信　前詹事府赞善。十一月二十四日卒年八十三。入国史
　　　　文苑传。

高　玢　前广东道监察御史。卒年八十一。

包　括　候补三品京堂，前任山东布政使。卒。

王图炳　詹事衔原任翰林院侍读，降调礼部右侍郎。卒年七十
　　　　六。

何宗韩　原任大理寺少卿。卒年六十七。

张为仪　翰林院编修，云南学政。以赴任卒于途中。

阿　山　满洲正蓝旗。盛京兵部侍郎。卒。

元展成　字允修，号芝亭。直隶静海人。前甘肃巡抚。卒。

鲍志周　河南开封府同知。卒年四十八。

孙之𫘦　字子骏，号晴川。浙江仁和人。浙江庆元县教谕。卒。
　　　　入国史儒林传。

清代人物大事纪年

乾隆十年乙丑（公元一七四五年）

杨于果　正月初一日生，字硕亭。甘肃秦安人。享年六十七。

沈赤然　六月十三日生，字韫山。浙江德清人。享年七十二。

吴鼎雯　八月初五日生，字朴园，号秀亭、云圃。河南光州人。

赵式训　九月初二日生，字行敷。贵州桐梓人。享年八十□。

德楞泰　十一月初十日生。蒙古正黄旗，伍弥特氏。

武　亿　十一月二十二日生，字虚谷。河南偃师人。享年五十
　　　　五。

章　煦　生，字曜青，号桐门。浙江钱塘人。享年八十。

秦承业　生，字补之，号易堂、绎堂。江苏江宁人。享年八十
　　　　四。

许学范　生，字希六，号小范、芋园。浙江钱塘人。享年七十
　　　　二。

奇丰额　生，字丽川。满洲正白旗，黄氏。享年六十二。

诸以谦　生，字撝堂，号讱庵。浙江仁和人。享年七十七。

朱尔汉　生，字丽江。顺天大兴人（原籍浙江余姚）。

李　翩　生，字逸翰。山东金乡人。享年六十六。

沈　琨　生，享年六十四。

沈　麟　生，字绣甫。浙江归安人。享年五十七。

谢葆霭　生，字雨甘，号连湖。甘肃镇番人。享年六十六。

樊雄楚　生，字翼南。湖北襄阳人。享年七十六。

陈　京　生，字次冯，号稚峰。浙江钱塘人。享年五十八。

陈　惠　生，湖南攸县人。享年三十。

◉ 科第：

　　一甲进士：

钱维城　状元。修撰，刑部左侍郎。

庄存与　榜眼。编修，礼部左侍郎。

王际华　探花。编修，户部尚书。

二甲进士：

章　恺　字惇虞，号虞仲。浙江嘉善人。编修。

姚成烈　吏部主事，礼部尚书。

沈荣昌　字永之。浙江归安人。山西知县，江西盐道。

欧阳正焕　字淑之、瑶冈，号尧章、竹泩。湖南衡山人。编修，
　　　　江南道御史。

蒋元益　字希元，号时庵。江苏长洲人。会元。编修，兵部右
　　　　侍郎。

李因培　字其材，号鹤峰。云南晋宁人。编修，福建巡抚。

史贻谟　字酉山，号阜南、怵堂。江苏溧阳人。编修，洗马。

吴　檠　字青然，号岑华。安徽全椒人。丙辰召试鸿博，刑部
　　　　主事。

顾奎光　字星五，号双溪。江苏无锡人。湖南知县，湖南桑植
　　　　县知县。

徐开厚　字周基，号恭寿、芑泉。浙江德清人。编修。

张甄陶　丁巳补试鸿博，编修，广东知县，云南昆明县知县。

张若澄　字镜壑，号默畔、錬雪。安徽桐城人。编修，内阁学
　　　　士。

徐光文　字亭涵，号莛预。安徽歙县人。编修，侍读学士。

赵秉忠　字景光，号秋墅。江苏兴化人。庶吉士。

秦　鐄　字震远，号果亭。江苏金匮人。编修，广东盐运使。

李友棠　字茗伯，号西华。江西临川人。编修，工部右侍郎。

励守谦　字自牧，号检之。直隶静海人。编修，洗马。

邓锡礼　江西萍乡人。吏部主事，口口按察使。

国　柱　字石民，号石堂、鹤珊。满洲正黄旗，哈达那拉氏。
　　　　编修，太仆寺卿。

王协和　字监唐，号熙台、即川。安徽天长人。庶吉士，口部
　　　　主事，湖北宜昌府知府。

宋　弼　编修，甘肃按察使。

刘元熙 字缉之，号宾门。湖南湘潭人。编修。

毛辉祖 字乃行、敬园，号镜圃。山东历城人。编修，太常寺
少卿。

周　渼 字少湘。江苏溧阳人。刑部主事。

陈顾渶 字又声，号藕田、栋波。编修，户科给事中。

钱士云 字昆浦，号鹤皋。云南昆明人。编修，兵部左侍郎。

温　敏 字允怀，号铁崖。满洲正蓝旗。编修，盛京礼部左侍
郎。

汪　宪 刑部主事，刑部员外郎。

蔡　湉 字视侯，号青岩。福建漳浦人。翰林院庶吉士。

盛　纲 字纪堂。江苏武进人。山西知县，湖南永州府知府。

张绍渠 编修，直隶天津道。

周守一 四川南部县知县，山东济南府教授。

耿贤举 山东馆陶人。丙辰召试鸿博，归班知县。

谢溶生 字未堂，号容川。江苏仪征人。编修，礼部左侍郎。

朱若东 字元晖，号晓园。广西临桂人。编修，河南粮道。

积　善 字宗韩，号构山、粹斋。满洲镶白旗，胡氏。编修，
山东道御史。

邵齐烈 字宣承，号屺园。江苏昭文人。庶吉士。

张星景 丙辰召试鸿博，河南鲁山县知县。

杨　瑝 字元春，号玉峰。湖南湘阴人。庶吉士。

汤莘联 编修。

单　铎 字振斯，号木庵。顺天宝坻人。庶吉士，吏部主事，
江南道御史。

孙　汉 字楚地，号云倬。湖北汉阳人。吏部主事，吏部员外
郎。

王　楷 字端木，号苏门、梅溪。河南辉县人。编修，湖北盐
驿道。

冀文锦 山西平陆人。庶吉士，山西新城县知县。

刘世宁 浙江知县，广东惠潮嘉道。

梁济瀍　字我东。甘肃皋兰人。庶吉士，口部主事，刑部郎中。

　　三甲进士：

李　英　字蒇圃，号御左。江苏宜兴人。检讨。

温如玉　字以栗，号尹亭、廉圃。直隶抚宁人。检讨，刑科掌
　　　　印给事中。

闵鹗元　刑部主事，江苏巡抚。

赵春福　江西奉新人。湖北武汉黄德道。

梦　麟　检讨，工部右侍郎。

何德新　字西岚。贵州贵筑人。检讨，河南永州府知府。

赵　颐　字伯期，号蠖庵。江苏青浦人。江西分宜县知县。

石之珂　汉军正白旗。山东知县，四川潼川府知府。

俞　成　字亚田，号云客。浙江临安人。工部主事，福建台湾
　　　　道。

杨　敦　浙江新城县知县。

吴一嵩　字仰亭。江西新建人。河南知县，四川重庆府知府。

劳宗发　浙江钱塘人。直隶知县，江苏苏松太道。

张梦杨　字苏山。湖北黄安人。

刘龙光　字前川。湖北黄陂人。户部主事，工科给事中

曹　槐　字立斋。广西临桂人。户部主事，广东高廉道。

吴镇兖　字斋平。安徽休宁人。

达麟图　字玉书。号羲文、毓川。正蓝旗宗室，检讨，侍读。

哈靖阿　（一作哈达翰）。满洲镶白旗，穆尔察氏。口部主事，
　　　　广西按察使。

杜官德　字霍麓。湖北竹山人。吏部主事，浙江布政使。

余腾蛟　江西武宁人。丙辰召试鸿博，刑部主事。

张拜赓　字球渚。浙江长兴人。检讨，刑部员外郎。

张　馨　字琢闻，号秋芷、荔门。检讨，户科掌印给事中。

范泰恒　庶吉士，江西知县，江西广丰县知县。

李凌云　山西榆次人。

齐建中　字懋先。山西定襄人。

龚绩溪　（碑录作龚奏绩待考），字源峰。江西临川人。

观　文　字仁山。满洲镶白旗。刑部主事，侍讲学士。（按：碑录未见此人待考）。

　翻译进士：

勒尔谨　满洲镶白旗，宜特墨氏。刑部主事，陕甘总督。

舒宁安　字履坦。满洲镶白旗。浙江绍兴府知府。

依兰泰　满洲镶红旗，瓜尔佳氏。礼部主事，内阁学士。

　武进士：

董　孟　汉军正黄旗。状元。头等侍卫，陕西提督。

李经世　字槐圃。直隶天津人。榜眼。二等侍卫，广西左江镇总兵。

胡经纶　字醇斋。广东顺德人。探花。二等侍卫。

乔冲构　山西交城人。三等侍卫，湖北宜昌镇总兵。

李杰龙　山东汶上人。三等侍卫，浙江提督。

张　和　字履中。江苏江都人。口口侍卫，陕西固原镇总兵。

郑国卿　字位一。云南阿迷人。贵州守备，福建建宁镇总兵。

白　璇　浙江乐清协副将。

● **恩遇：**

鄂尔泰　大学士。三月晋太傅。

三　泰　协办大学士，礼部尚书。三月以老辞职，加太子太保。

史贻直　大学士。三月加太子太保。

陈世倌　三月加太子太保（十三年十二月革）。

来　保　礼部尚书。加太子太保。

高　斌　直隶总督。加太子太保（十三年十二月削）。

刘於义　吏部尚书。加太子少保。

张允随　云南总督。加太子少保。

张广泗　贵州总督。加太子少保。

福　敏　大学士。十二月以老病辞职，晋太傅。

● **著述：**

郜　坦　撰《春秋集古传注》二十六卷成，见三月自序。

鱼　翼　字振南。江苏昭文人。撰《海虞画苑录》一卷成，见三月自序（按：书成后又撰补遗一卷）。

陶正靖　撰《诗说》一卷、《春秋说》一卷成，（按：二书卒后始刻，今系于五月之前）。

褚　峻　撰《金石图下卷》成，见六月自序。

张师载　辑《课子随笔》十卷成，见七月自序。

李　锴　撰《尚史》七十卷成，见十月自序。

戴　震　撰《六书论》三卷成，见十月自序。

林锺龄　撰《周易审鹄要解》三卷成，见十一日自序。

◉　卒岁：

福尔善　三等辅国将军，宗室。正月卒，谥温僖。

方宣试　新授湖南常德县训导。未赴任，正月十五日卒。

张　照　丁忧刑部尚书。正月十九日以奔丧回籍，卒于徐州途次年五十五。名书法家。赠太子太保，吏部尚书，谥文敏。

郑　江　原任翰林院侍读。二月二十九日卒年六十四，入国史儒林传。

马日炳　直隶永定河北岸同知。三月初七日卒年五十九。

郝玉麟　汉军镶白旗。前刑部右侍郎，降调吏部尚书。三月卒。

鄂尔泰　太傅，保和殿大学士，军机大臣，三等伯（十四年号曰襄勤）。四月卒年六十九。配享太庙，入祀贤良祠（二十年撤祀），谥文端。

张鹏翀　詹事府詹事。四月十四日以省墓回籍，卒于山东临清舟次年五十八。入国史文苑传。

阿尔赛　户部尚书。五月卒。

陶正靖　降调太常寺卿。五月二十三日卒年六十四。

张廷璐　致仕礼部左侍郎。八月二十二日卒年七十一。

童能灵　福建连城县诸生。八月二十五日卒年六十三。入国史儒林传。

顾之琈　前行人司行人，管理广东电白县知县。八月二十七日

卒年六十八。

沈敦恧 丁忧浙江秀水县诸生。九月二十五日以母棺被火扑救受伤，卒于河南辉县之卓水庄年二十四。

李学裕 安徽布政使。十二月二十一日卒年五十五。

陶文彬 原任福建漳州府同知。十一月初十卒年八十五。

彭正乾 江苏长洲县布衣。十一月二十六日卒年六十七。

广　龄 袭奉恩辅国公，宗室。十二月卒。谥敦僖。

李凤翥 致仕内阁学士，降调工部右侍郎。卒。

李　馥 前浙江巡抚。卒年八十四。

姜兆锡 江苏丹阳县举人。原授湖北蒲圻县知县，（按：选授后未经赴任），卒年八十。入国史儒林传。

刘贯一 直隶博野县拔贡生。卒年五十九。

乾隆十一年丙寅（公元一七四六年）

● 生辰：

陈鹤书　正月十二日生，字锡三，号东麓。福建闽县人。享年六十五。

刘召扬　二月十二日生，字卣于。江苏武进人、享年五十八。

永　琮　四月生，高宗皇七子。三岁。

永　璇　七月生，高宗皇八子。享年八十七。

吴锡麒　七月二十八日生，字圣徵，号穀人。浙江钱塘人。享年七十三。

阮　湖　八月二十五日生，字少川，号浦亭。江西新建人。享年六十。

洪亮吉　九月初三日生，字君直，号稚存、北江。江苏阳湖人。享年六十四。

0644

戴均元　十一月十六日生，字恒泰，号修原、可亭。江西大庾人。享年九十五。

毛燧传　十二月十二日生，字阳明，号洋溪。江苏阳湖人。享年五十六。

马履泰　生，字叔安、升安，号秋药、药阶。浙江仁和人。享年八十四。

严士鉉　生，字震叔，号筼亭。江苏丹徒人。享年八十三。

瞿　塘　生，江苏嘉定人。享年六十。

王锡康　生；江苏人。享年八十二。

周汝珍　生，浙江人。享年八十五。

赵德俶　生，字复初，号善亭。直隶深州人。享年六十九。

武登额　生，满洲正蓝旗，瓜尔佳氏。享年八十四。

赵　魏　生，字洛生，号菉森、晋斋。浙江仁和人。享年八十。

汪　淮　生，字小海，号兰皋、菊侬、柏岩。浙江秀水（桐乡）人。享年七十二。

奚　冈 生，字纯章、铁生，号蒙泉、外史。浙江钱塘人。享年五十八。

朱　泰 生，字秋岳，号声韶。浙江海盐人。享年七十八。

朱　栋 生，字东臣，号听泉。安徽休宁人。

廖奇珍 生，字庸之，号含虚。湖南郴州人。享年七十五。

● 恩遇：

庆　复 大学士，川陕总督。五月晋太子太保（十二年十二月革）。

那苏图 直隶总督。七月加太子少傅。

策　楞 两广总督。七月加太子少傅。

陈大受 江苏巡抚。七月加太子少保。

周学健 福建巡抚。七月加太子少保（十三年闰八月革）。

王　郡 福建水师提督。以老辞职加太子少保。

● 著述：

桑调元 撰《洞庭集》二卷成，见三月自序。

厉　鹗 编《宋诗纪事》一百卷成，见十月自序。

方　苞 撰《仪礼析疑》十七卷成，见十一月程崟序。

向德星 字云路。湖南溆浦人。撰《易义便览》三卷成，见自序。

● 卒岁：

庄亨阳 江苏淮徐海道。正月十六日卒年六十一。入国史循吏传。

任兰枝 致仕礼部尚书。正月十八日卒年七十。

吴作霖 原任四川定远县知县。二月初一日卒年七十。

功宜布 袭辅国公，宗室。二月卒。谥恪勤，追赠多罗信郡王（追赠在二十七年八月）。

吴　开 山西临晋县知县。闰三月十七日卒年五十四。

方　鼎 候选州同。五月初六日卒年七十二。

蒋文源 候选训导，江苏吴县岁贡生。五月十三日卒年八十九。

常　赉 满洲镶白旗，那拉氏。致仕内大臣，前任西路副将军。

八月卒。

汪上堉 云南大理府知府。六月十九日卒年四十五。

查克丹 满洲正黄旗，博克济吉特氏。致仕内大臣，正红旗蒙
　　　　古都统，二等轻车都尉。九月卒。谥敏恪。

张若蔼 内阁学士。十一月十七日卒年三十四。

邵齐烈 在籍翰林院庶吉士。卒。

王士任 字咸一。山东文登人。前署福建巡抚，福建布政使。
　　　　卒。

李玉鋐 原任福建按察使。卒年八十一。

蔡时豫 丁忧贵州古州厅同知。卒年五十二。

郑文焕 陕西咸宁人。云南开化镇总兵，降调四川提督。卒。

沈荣偁 浙江归安县举人。卒年四十。

乾隆十二年丁卯（公元一七四七年）

● **生辰：**

周　琢　正月初九日生，字方玉，号净溪。广西临桂人。享年五十七。

吴　璥　二月生，字式如，号菘圃。浙江钱塘人。享年七十六。

张云璈　二月二十七日生，字仲雅。浙江钱塘人。享年八十三。

杨　伦　三月十二日生，字敦五，号西和。江苏武进人。享年五十七。

緜　德　七月生，高宗皇孙。享年四十。

冯敏昌　八月十一日生，字伯求、伯子，号鱼山。广东钦州人。享年六十。

伯　麟　生，字玉亭，号梅坪。满洲正黄旗，瑚锡哈哩氏。享年七十八。

金光悌　生，字汝恭，号兰畦。安徽英山人。享年六十六。

陈万全　生，字轶群，号悦琴、梅垞。浙江石门人。享年五十六。

额勒布　生，字履丰，号约斋。满洲正红旗，索佳氏。享年八十四。

牟昌裕　生，字启昆，号雪岩、松山。山东栖霞人。享年六十二。

李以健　生，字健行。江苏新阳人。享年六十一。

龚景瀚　生，字惟广，号海峰。福建闽县人。享年五十六。

徐大榕　生，字向之，号惕庵。江苏武进人。享年五十七。

尹英图　生，字毓锺，号北窗。云南蒙自人。享年七十八。

赵怀玉　生，字亿孙，号味辛、收庵。江苏武进人。享年七十七。

王　复　生，字敦初，号秋塍。浙江秀水人。享年五十一。

刘大绅　生，字寄庵。云南宁州人。享年八十二。

彭　淑　生，字秋潭。湖北长阳人。享年六十一。

杨复吉　生，字列鸥，号慧楼。江苏震泽人。享年七十四。

刘方璿　生，字芸庄。湖南零陵人。

龚元燮　生，字梅岑。湖南沅陵人。享年八十口。

吴东发　生，字侃叔，号耘庐、芸父。浙江海盐人。享年五十
　　　　七。

吴凌云　生，字得青。江苏嘉定人。享年五十七。

戴宫桂　生，浙江嘉兴人。享年五十六。

张应举　生，字春嵒。甘肃武威人。享年七十三。

● 科第：

　　考取优贡生：

方　泽　安徽人。教习，知县。

　　中式举人：

徐　绩　汉军正蓝旗。东河通判，正黄旗汉军都统。

鄂　宁　满洲镶蓝旗，西林觉罗氏。户部笔帖式，云贵总督。

王秉韬　字含溪。汉军镶黄旗。陕西知县，河东河道总督。

梁敦书　字幼循，号冲泉、铁幢。浙江钱塘人。工部主事，工
　　　　部右侍郎。

穆和蔺　满洲正黄旗，乌雅氏。奉天知县，河南巡抚。

王站住　字晓苍，号桂舟。汉军。四川布政使。

韩锡胙　字介圭，号湘岩。浙江青田人。山东知县，江苏松江
　　　　府知府。

席　液　四川成都府知府。

钱汝恭　江苏知县，安徽安庆府同知。

王腾蛟　丙辰召试鸿博。

王凤仪　字廷和，号审渊。江苏太仓人。知县，陕西盐道。

钱　泌　江苏阳湖人。贵州知县，贵州南笼府知府。

彭绍谦　山东知县，山东曹州府同知。

邵齐熊　内阁中书。

胡二乐　江苏人。丙辰召试鸿博，国子监学正。

蔡寅斗　字方三。江苏江阴人。乙卯荐应鸿博，国子监学正，助教。
姜恭寿　字静宰。号香岩。江苏如皋人。
涂　瑞　江西新城人。
徐德元　浙江人。四川知县，四川汉州知州。
朱丕基　浙江海盐人。
冯光熊　字太占，号鲁岩。浙江嘉兴人。内阁中书，左都御史。
周　昱　浙江人。四川铜梁县知县。
张　熷　浙江仁和人。
许家驹　浙江德清人。西安县教谕。
周克开　湖南人。甘肃知县，浙江杭嘉湖道。
申大年　字鹤圃。湖南祁阳人。翰林院待诏，福建邵武府知府。
康　杰　河南人。江苏知县，江苏邳州知州。
孔继汾　字体仪，号止堂。山东曲阜人。内阁中书，户部主事。
林适中　广东和平人。
郭联奎　云南河阳人。广西梧州府知府。

中式副榜贡生：

赵由俶　江西南丰人。又见壬申科。
吴　峻　江苏无锡人。

中式翻译举人：

萨　载　字厚庵。满洲正黄旗，伊尔根觉罗氏。理藩院笔帖式，两江总督。
彰　宝　满洲镶黄旗，鄂谟託氏。内阁中书，云贵总督。

中式武举：

马定鼐　陕西长安人。陕西千总，湖北宜昌镇总兵。

◉ 恩遇：

丁皁保　原任内务府大臣。二月以年届百龄赐御书匾额。
周天相　浙江钱塘县举人。九月以本年为康熙丁卯科乡举周甲之岁，重赴鹿鸣筵宴。

◉ 著述：

齐召南　撰《历代帝王年表》三卷成，见中和茆自序（按：今刻本作丁酉年误）。

戴　震　撰《转语》二十章成，见二月自序。

曹庭栋　撰《逸语》十卷成，见三月自撰例说。

张廷玉　等奉敕编《皇清文颖》一百二十四卷、《目录》六卷成，见七月进书表。

施念曾　撰《愚山先生年谱》四卷成，见七月杭世骏序。

常　安　编《二十二史文钞》一百二十九卷成，见九月自序。

陈景云　撰《通鉴胡注举正》十卷成（按：此书原稿散佚，经其子黄中辑存一卷，见甲戌夏日后识，今系于十月之前）。

盛世佐　撰《仪礼集编》四十卷成，见自序。

● 卒岁：

赵　昱　浙江仁和县征士。正月卒年五十九。入国史文苑传。

许良极　候选州判。二月十三日卒年六十二。

颇罗鼐　西藏郡王。三月卒。

吉　存　袭辅国公，宗室。四月卒。谥勤僖。

保　祝　字松岩。满洲镶黄旗，富察氏。正红旗蒙古都统，袭三等轻车都尉世职。四月卒。谥恭简。

苏宏遇　原任山东泗水县知县。四月十三日卒年六十六。

恒　仁　前袭辅国公，宗室。五月十一日卒年三十五。

顾陈垿　原任行人司行人。六月二十八日卒年七十。入国史儒林传。

甘国璧　前正黄旗汉军都统，复授绥远城右翼都统。七月二十日卒年七十九。

逄　信　袭奉恩辅国公，宗室。八月卒年四十二。谥恭恪。

性　桂　满洲正蓝旗，王氏。致仕吏部尚书。八月卒。谥恭简。

朱世标　浙江海盐县诸生。八月初七日卒年七十七。

赵由仪　江南南丰县举人。八月十六日卒年二十三。入国史文苑传。

陈悳荣 安徽布政使。八月二十七日卒年五十九。入国史循吏
　　　传。

李如兰 四川布政使。九月初五日卒年六十四。

查郎阿 字松庄。满洲镶白旗，那拉氏。致仕太子太保，文华
　　　殿大学士，袭一等轻车都尉。九月卒。

塞尔赫 兵部右侍郎，三等奉国将军，宗室。十月卒年七十一。

陈景云 江苏吴江县诸生。十月十三日卒年七十八。入国史文
　　　苑传。

李　远 候选州判。十月十八日卒年四十一。

苏大捷 广州东莞县监生。十月二十四日卒年六十二。

徐　本 太子太傅，原任东阁大学士，云骑尉。卒年六十五。
　　　赠少傅，谥文穆，入祀贤良祠（入祀在五十一年）。

钦　拜 满洲镶红旗，瓜尔佳氏。内大臣，袭一等伯。卒。谥
　　　肃敏。

凌　柱 满洲镶黄旗。内大臣，一等承恩公。卒。谥良荣。

周　琪 前湖北天门县知县。十二月初八日卒年六十四。

蒋　林 前长芦盐运使。十二月十六日卒年五十四。

丁阜保 一品衔内务府总管。卒年九十九。追谥温悫（追谥在
　　　十六年十二月）。

陈守创 原任都察院左副都御史，前仓场侍郎。卒年八十二。

秦道然 前礼科给事中。卒年九十。

宋　柟 原任詹事府赞善。卒年五十二。

赵秉忠 翰林院庶吉士。卒。

石礼哈 汉军正白旗。前镶红旗汉军都统。卒。

石　麟 满洲正红旗，觉罗氏。降调镶蓝旗汉军副都统，前山
　　　西巡抚。卒。

宋寿图 升授云南按察使，由迤东道升补。命下时已先卒，卒
　　　年五十一。

郑方城 降调四川新繁县知县。卒。入国史循吏传及文苑传。

方贞观 安徽桐城县诸生。卒年六十九。

乾隆十三年戊辰（公元一七四八年）

◉ 生辰：

百　龄　四月初一日生，字子颐，号菊溪。汉军正黄旗，张氏。享年六十九。

史积容　闰七月初四日生，字柘溪。顺天宛平人（原籍浙江山阴）。享年六十八。

汪学金　九月初二日生，字敬箴，号杏江、静崖。江苏镇洋人。享年五十七。

额勒登保　生，满洲正黄旗。瓜尔佳氏。享年五十八。

宋　镕　生，字奕岩，号亦陶。江苏长洲人。享年七十九。

梁上国　生，字斯仪，号九山。福建长乐人。享年六十八。

蔡之定　生，字麟昭，号生甫、榖山。浙江德清人。享年八十七。

汪德钺　生，字崇义，号锐斋、三药。安徽怀宁人。享年六十一。

陈守誉　生，字季章，号果堂。江西新城人。享年七十一。

宋葆淳　生，字帅初，号芝山、缲陬。山西安邑人。享年七十口。

吴　云　生，字润之。江苏长洲人。享年九十一。

严守田　生，字榖园。浙江仁和人。享年五十二。

成　文　生，满洲镶黄旗，钮祜禄氏。享年七十六。

韩嘉业　生；字健安。甘肃武威人。享年五十二。

梁履绳　生，字夏素。浙江钱塘人。享年四十六。

黎　简　生，享年五十二。

胡正基　生，字岫青，号巽泉。浙江平湖人。享年六十八。

卿　彬　生，字雅林。广西灌阳人。享年六十六。

汤文隽　生，江苏嘉定人。享年五十四。

◉ 科第：

一甲进士：

梁国治 状元。修撰，东阁大学士。

陈　枬 字慎斋，号东麓。浙江仁和人。榜眼。编修。

汪廷玙 （碑录作汪廷屿）。探花。编修，工部右侍郎。

二甲进士：

刘星炜 编修，工部左侍郎。

魏梦龙 字卧匡。浙江仁和人。工部主事，工部郎中。

方懋禄 江苏元和人。江西知县，湖北襄阳府知府。

蔡鸿业 字广勤，号西斋。江苏华亭人。刑部主事，刑部右侍郎。

徐　堂 字允升，号栗园。河南祥符人。编修，湖南知县，贵州贵西道。

郑　忬 字义民，号前村。江苏靖江人。会元。庶吉士，口部主事，湖南永顺府知府。

陈长镇 字宗五，号延溪。湖南武陵人。丙辰召试鸿博，庶吉士。

张裕莘 字幼穆，号樊村。安徽桐城人。编修，祭酒。

吴绶诏 字澹人，号韦斋、菊如、青行。安徽歙县人。编修，通政使。

李中简 字廉衣，号文园、子静。直隶任邱人。编修，侍读学士。

钱汝诚 编修，刑部右侍郎。

周　照 字捧斋。江苏金匮人。户部主事，掌贵州道御史。

李宗文 字延彬，号郁斋、竹人。福建安溪人。编修，礼部左侍郎。

周学伋 字位能，号定汉。江西新建人。编修。

曹学诗 湖北崇阳县知县。

高观鲤 字禹门，号孝泉、憺云。浙江仁和人。甘肃知县，福建泉州府厦门同知。

邵树本 字立人，号苹村。浙江钱塘人。编修，江南道御史。

王　鸣　字桐冈。江苏溧阳人。安徽知县，湖南辰沅永靖道。

史奕簪　字朋九，号蔗园。江苏溧阳人。编修，赞善。

陈科捷　字瀛可，号又绳。福建晋江人。编修，鸿胪寺少卿。

毛绍睿　字念轩。浙江遂安人。刑部主事，江南道御史。

陈　淦　字扬对，号铁岩、养素居士。浙江海宁人。编修，侍读。

刘定逌　字叙臣。广西武缘人。

陈大化　字鳌四，号莳池。安徽庐江人。编修，江苏常镇道。

朱　珪　编修，体仁阁大学士。

杨方立　号中甫，号念中、默堂。江西瑞金人。编修，鸿胪寺卿。

秦朝釪　字大樽，号峌斋。江苏无锡人。礼部主事，云南楚雄府知府。

冯　浩　编修，山东道御史，乙卯重宴鹿鸣。

黄捷山　江西宜黄人。河南陈州府知府。

朱丕烈　字正威，号振岩、绣叔。浙江海盐人。礼部主事，工科掌印给事中。

邵齐然　字光人，号闇谷。江苏昭文人。庶吉士，刑部主事，浙江杭州府知府。

锺兰枝　字露皋，号芬斋。浙江海宁人。编修，内阁学士。

林明伦　编修，浙江衢州府知府。

胡绍南　字衣庵，号仲遹、祗闻。河南汝阳人。刑部主事，山西冀宁道。

金长溥　安徽歙县人。

刘宗魏　字友韩，号云门、柚航。江西赣县人。编修，湖广道御史。

宋　鉴　字元衡，号半塘。山西安邑人。浙江知县，广东南雄府通判。

　三甲进士：

寅　保　字虎侯，号东宾、芝圃。汉军正白旗，唐氏。检讨，安徽庐凤道。

陶金谐　湖南知县，湖南江华县知县。

虞鸣球　字拊时，号锦亭。江苏金匮人。吏部主事，顺天府府尹。

福明安　字钦文，号在亭。蒙古镶红旗。庶吉士，工部主事，左庶子。

赖　晋　江苏知县，山东滨州知州。

盛世佐　字庸三。浙江秀水人。贵州龙里县知县。

刘　湘　字荆三。顺天涿州人。户部主事，礼科掌印给事中。

边继祖　字佩文，号秋厓、绍甫。直隶任邱人。检讨，侍读学士。

陈炎宗　号云麓。广东南海人。庶吉士。

叶启丰　字旅亭。顺天大兴人。刑部主事，浙江道御史。

鲁成龙　直隶知县，河南永宁县知县。

潘思光　字亚卿。福建安溪人。丙辰召试鸿博，归班知县。

黄元圮　字长儒。广西临桂人。直隶知县，甘肃甘凉道。

良　诚　（一作良成）。字瑶圃。正蓝旗宗室。检讨，通政使。

陈　道　归班知县。

干从濂　（碑录作于从濂）。江西星子人。福建知县，甘肃宁夏道。

胡梦桧　广东知县，广东惠州府知府。

刘　吉　安徽知县，陕西武功县知县。

刘致中　河南尉氏人。直隶大顺广道。

潘时选　（碑录有谢时选是否同一人待考）。浙江会稽人。陕西知县，甘肃巩昌府知府。

秦　偉　云南江川县知县。

傅　清　字穆如，号熙庵。满洲镶白旗。检讨，云南布政使。

靳荣藩　河南知县，直隶大名府知府。

李敏行　字顾庵。河南夏邑人。吏部主事，光禄寺少卿。

程英铭　字新三。湖北兴国人。

刘秉钺　字骏声。山西平定人。

荆如棠　山西平陆人。庶吉士，归班知县，江苏淮扬道。

李兆鹏　字翔远，号西轩。山东蒙阴人。检讨，江西道御史。

朱仕琇　庶吉士，山东知县，福建建宁府教授。

陈梦说　刑部主事，浙江粮道。

孙如璧　字南英。贵州定蕃（贵筑）人。直隶清河县知县。

陈庆升　字来章，号一括。贵州安平人。检讨，大理寺少卿。

李应虞　直隶知县，贵州台拱厅同知。

图翰布　检讨，侍讲学士。

孙　岩　字警斋。河南汝阳人。

牟曰篸　山东栖霞县知县，陕西泾阳县知县。

博清额　（原名纶音惠），字虚宥。满洲镶红旗，兵部主事，奉
　　　　天府府尹。

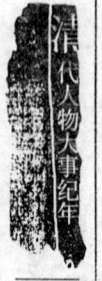

　　翻译进士：

旌额理　字均成。满洲正白旗，伊拉理氏。吏部主事，吏部口
　　　　侍郎。

　　武进士：

张兆璠　字夌屿。江苏泰兴人。状元。头等侍卫，江西南赣镇
　　　　总兵。

温有哲　字明廷。山西太谷人。榜眼。二等侍卫。

孙仪汤　字继武。直隶赵州人。探花。二等侍卫。

叶　信　传胪。三等侍卫，山东临清协副将。

杨德润　直隶滦州人。会元。三等侍卫。

陈大绂　字赤章。陕西南郑人。三等侍卫，云南临元镇总兵。

刘纡青　直隶晋州人。三等侍卫，贵州黔西协副将。

金蟾桂　福建台湾镇总兵。

马　琳　福建永定人。广东南澳镇总兵。

◉ 恩遇：

允　禵　正月封多罗恂郡王。

魏廷珍　前工部尚书。二月以东巡迎銮因年届八旬给还原职，

赐御书"林泉耆旧"并御制诗。

傅　恒　户部尚书。四月加太子太保。

班　第　兵部尚书。四月加太子太保。

那苏图　直隶总督。四月晋太子太保。

张广泗　川陕总督。四月晋太子太保（九月革）。

喀尔吉善　闽浙总督。四月加太子少保。

刘起振　在籍翰林院检讨。四月以年届百龄，赏侍讲衔。

固宁阿　袭三等子。五月晋封二等子。

富　文　五月封一等承恩公。

傅　恒　经略大学士。十二月晋太保。

◉ 著述：

郑方坤　撰《五代诗话》十二卷成，见五月自序。

尹会一　撰《君鉴录》四卷、《臣鉴录》四卷、《士鉴录》四卷、
　　　　《女鉴录》四卷成，见六月自序。

尹会一　撰《抚豫条教》四卷、《读书笔记》六卷成（按：此二
　　　　书均于会一卒后始刻，今系于七月之前）。

顾栋高　撰《春秋大事表》五十卷、《舆图》一卷成，见八月自
　　　　序。

沈　彤　撰《周官禄田考》三卷成，见九月自序。

汪有典　撰《史外》八卷、《附录》一卷成，见九月王又朴序。

马曰琯　等撰《焦山纪游集》一卷成，见十一月厉鹗序。

张仁浃　字观旟。浙江秀水人。撰《周易集解增释》八十卷成，
　　　　见自序。

唐一麟　江苏宜兴人。撰《周易晓义》九卷成，见自序。

夏力恕　撰《莱根堂札记》十二卷成，见自序。

来　保　等奉敕撰《平定金川方略》三十二卷成。

◉ 卒岁：

永　琮　高宗皇七子。正月初一卒年三岁。谥悼敏，追赠和硕
　　　　哲亲王（追赠在嘉庆四年三月）。

黄之隽　前詹事府中允。正月卒年八十一。

刘於义　太子太保，协办大学士，吏部尚书。三月卒年七十四。谥文恪。

孙绍武　贵州巡抚。三月卒年四十七。

杨熊飞　赏复山西汾州府同知原衔。五月卒年七十七。

完颜伟　字卓亭。满洲镶黄旗。都察院左副都御史，前任江南河道总督。六月卒。

任　举　四川重庆镇总兵。六月十六日于昔岭阵亡。赠都督同知，谥勇烈。

杭奕禄　字靖公。满洲镶红旗，完颜氏。原任都察院左都御史，袭三等轻车都尉世职。七月卒。

尹会一　吏部右侍郎，江苏学正。七月十五日卒年五十八。

常　安　前浙江巡抚。七月二十五日以罪处绞（注：以婪贼纳贿）。

伊勒慎　满洲正白旗。领侍卫内大臣，袭二等伯。卒。谥肃靖。

鲍　鉁　浙江杭州府通判。闰七月十九日卒年五十九。

塞楞额　前湖广总督。九月初七以罪令自尽（注：身为满洲大臣，违制剃头，蔑礼犯法）。

杨增瑛　江西清江县岁贡生。九月初十日卒年八十一。

高　起　汉军镶黄旗。前兵部尚书。十月卒。

福　彭　宗人府右宗正，正黄旗满洲都统（前任定边大将军），袭多罗平郡王，宗室。十一月卒年四十一。谥曰敏。

周学健　前太子少保，江南河道总督。十一月十八日以罪令自尽（注：违制剃头，并徇私纳贿）。

张广泗　汉军镶红旗。前太子太保　川陕总督，十二月十二日以罪处斩（注：办理金川军务狡诈欺罔，有心误国）。

马尔泰　满洲正黄旗，苏完瓜尔佳氏。署热河都统，前领侍卫内大臣。卒。

王　棠　以云南道府用，前光禄寺卿，复授直隶口北道。卒年四十四。

方道章　江苏上元县举人。卒年四十六。

鲁　亭　江西新城县举人。卒。

茅星来　字岂宿，号钝叟。浙江归安人。归安县诸生。卒年七
　　　　十一。入国史儒林传。

乾隆十四年己巳（公元一七四九年）

◉ **生辰：**

黄景仁　正月初四日生，字汉镛，号仲则。江苏武进人。享年三十五。

关　槐　正月生，字柱生、曙笙，号晋轩、云岩。浙江仁和人。享年五十八。

林宾日　字孟养，号旸谷。福建侯官人。六月十三日生，享年七十九。

杨　炜　八月初四日生，字槐占，号星园。江苏武进人。享年六十六。

龚治安　十一月初六日生，字澜若，号梅岩。江苏阳湖人。享年七十四。

戚云生　十一月初七日生，字修洁，号馥林、馀斋。浙江临清人。享年七十。

林树蕃　十二月十一日生，字于宣，号香海。福建侯官人。享年二十八。

修　龄　生，宗室。享年三十八。

富　俊　生，字松崖。蒙古正黄旗，卓特氏。享年八十六。

初彭龄　生，字绍祖，号颐园。山东莱阳人。享年七十七。

岳　起　生，字小瀛。满洲镶白旗，鄂济氏。享年五十五。

周有声　生，字希甫，号云樵、东冈。湖南长沙人。享年六十六。

左观澜　生，字绣泉，号画舫。江西永新人。享年五十。

朱履中　生，字在青，号玉堂。浙江海盐人。享年七十七。

高　腾　生，字鹤年，号九皋、海樵。福建光译人。享年五十九。

王文雄　生，字殿宣，号叔师。贵州玉屏人。享年五十二。

刘锡瑜　生，江苏仪征人。享年九十二。

莫际曙　生，号松村。湖南善化人。享年七十七。

◉ 恩遇：

傅　恒　经略大学士。正月封一等忠勇公。

来　保　大学士。二月晋太子太傅。

陈大受　协办大学士，吏部尚书。二月晋太子太保。

舒赫德　户部尚书。二月加太子太保（十九年七月革）。

策　楞　川陕总督。二月晋太子太保（十九年七月革）。

尹继善　陕甘总督。二月晋太子太保。

梁诗正　兵部尚书。二月加太子少师。

汪由敦　刑部尚书。二月加太子少师。

达尔党阿　吏部尚书。二月加太子少保（二十二年二月革）。

阿克敦　协办大学士，刑部尚书。二月加太子少保。

纳延泰　理藩院尚书。二月加太子少保。

哈达哈　工部尚书。加太子少保（二十二年二月削）。

岳锺琪　四川提督。二月加太子少保。

岳锺琪　四川提督。三月复封三等公号威信。

沈德潜　致仕礼部右侍郎。以陛辞回籍赐御书"诗坛耆硕"额。

舒赫德　户部尚书。十二月赐御书"均式宣猷"额。

梁诗正　兵部尚书。赐御书"宣赞枢衡"额。

阿克敦　刑部尚书。赐御书"协中辅治"额。

◉ 著述：

彭廷梅　编《国朝诗选》成，见春日自序。

吕　炽　编《尹健馀先生年谱》三卷成，见四月自序。

厉　鹗、查为仁　同撰《绝妙好词笺》七卷成，（按：此书于为
　　　仁卒后始刻，见查善长跋，今系于六月之前）。

周　京　撰《无悔斋诗集》十五卷成，（按：此集于卒后为舒瞻
　　　编定付梓，见辛未九月序，今系于六月之前）。

惠　栋　撰《太上感应篇注》二卷成，见冬日自序。

张兰皋　撰《周易析疑》十五卷成，见自序。

◉ 卒岁：

讷　亲　满州镶黄旗，钮祜禄氏。前太子太保，保和殿大学士，袭一等公。正月二十九日以罪于班栏山处斩（注：以经略金川军务乖张退缩，老师糜饷，误国负恩。命用其祖遏必隆之刀将其斩于军前）。

黄建中　升授江苏海州直隶州知州（由阳湖县知县升补）。四月初三日卒于阳湖县署年四十八。

李厚望　原任四川重庆府知府。四月十六日卒年七十一。

伊尔登　正黄旗蒙古都统，袭辅国公，宗室。四月卒年六十六，谥简恪。

玛商阿　护军参领，袭三等奉国将军品级，宗室。四月卒年四十三。

汪一元　江苏江都县增生。四月卒年四十二。

宋华金　原任刑部督捕司郎中，前任湖北襄阳府知府。五月卒，年六十三。

查为仁　顺天宛平县解元。六月卒年五十七。

周　京　浙江钱塘县征士。六月十七日卒年七十三。入国史文苑传。

巫近汉　原任广东乐昌县知县。六月二十一日卒年七十二。

那苏图　字羲文。满洲镶黄旗，戴佳氏。太子太保，直隶总督。七月卒。赠太子太傅，入祀贤良祠，谥懿勤。

凌如焕　原任兵部左侍郎。七月二十三日卒年六十八。

王　玔　原授江西临江府知府（由工部虞衡司郎中升补未任以老乞归）。卒年七十二。

龙秉元　原任四川乐至县知县。八月初八日卒年六十。

方　苞　翰林院侍讲衔，前礼部右侍郎。八月十八日卒年八十二。

赵大鲸　原任都察院左副都御史。九月卒年六十四。

费元杰　湖南巴陵县诸生。九月十七日卒年七十二。

翁是揆　原任山东沂州直隶州知州。九月十八日卒年六十。

庆　复　（一作庆福）。字邵亭。满洲镶黄旗。佟佳氏。前太子太保，文华殿大学士，川陕总督，袭一等公。九月二十一日以罪令自尽（注：以瞻对用兵捏报焚毙贼首班滚，欺蒙了局）。

许应虎　前四川建昌镇总兵。十月二十九日以罪处斩（注：以临阵退缩，失陷城寨，畏贼如虎，密请让地撤营）。

董　懿　原任浙江平湖县知县。十一月二十六日卒年八十六。

富　文　满洲镶黄旗。富察氏。一等承恩公。卒。

陈履平　原任通政司右通政。卒年五十一。

唐绍祖　原任刑部员外郎，前任浙江湖州府知府。卒年八十一。

陈长镇　丁忧翰林院庶吉士。卒。入国史文苑传。

彭朝佐　国子监学录，前湖北罗田县知县。卒年六十五。

翁运标　湖南道州知州。卒年六十。入国史循吏传。

乾隆十五年庚午（公元一七五〇年）

● 生辰：

金德舆　正月十九日生，字云庄，号少权、鹤年、鄂岩。浙江桐乡人。享年五十一。

张宗泰　三月三十日生，字登封，号筠岩。江苏甘泉人。享年八十三。

翁咸封　四月初五日生，字子晋，号紫书、潜虚。江苏常熟人。享年六十一。

李长庚　四月二十五日生，字超人，号西岩。福建同安人。享年五十八。

张桂林　七月三十日生，字一山，号丹崖。山东峄县人。享年六十五。

鳌　图　八月初一日生，字沧来。汉军镶红旗，于氏。享年六十二。

黄　钺　八月初五日生，字左君，号左田。安徽当涂人。享年九十二。

倪　模　十一月二十六日生，字预抢，号迂存、迂村。安徽望江人。享年七十六。

庄述祖　十二月十三日生，字葆深。江苏武进人。享年六十七。

庆　春　生，宗室，享年二十四。

钱豫章　生，字培生，号渔庄、艮斋。浙江嘉兴人。享年六十二。

杨梦符　生，字西躔，号与岑、六士。浙江山阴人。享年四十四。

吴熊光　生，字望昆，号槐江。江苏昭文人。享年八十四。

董教增　生，字观斋，号益甫。江苏上元人。享年七十三。

张丙震　生，字乾辉，号鉴庵。直隶南皮人。享年五十七。

赵　均　生，广东人。

庄关和　生，江苏武进人。享年六十九。

● 科第：

中式举人：

辅　德　字惟馨，号弼甫。满洲镶红旗，富察氏。内阁中书，
　　　　　江西巡抚。

李浚原　福建福州府知府。

那　霖　字雨苍。满洲。户部郎中。

庄绳祖　山西交城县知县。

吕元龙　顺天大兴人。

顾　圻　江苏人。云南按察使。

黄文莲　字庭芳，号星槎。江苏上海人。河南泌阳县知县。

洪腾蛟　安徽婺源人。

应　麟　字囿呈。江西宜黄人。

汪仲鈖　浙江秀水人。

龚一发　福建人。河南知县，云南镇南州知州。

余庆长　湖北人。云南知县，广西候补同知。

段中律　河南人。安徽青阳县知县。

袁守诚　山东人。刑部郎中，山西按察使。

焦尔厚　山东章邱人。商河县教谕，贵州遵义府知府。

兰第锡　山西吉州人。凤台县教谕，江南河道总督。

王亶望　山西人。甘肃知县，浙江巡抚。

施奕学　知县，湖北安陆府知府，重宴鹿鸣。

林培田　知县，重宴鹿鸣。

周鸣岐　（一作赵鸣岐）。广东知县，重宴鹿鸣。

中式副榜贡生：

梅　鉁　江苏上元人。

戚朝桂　浙江人，河南知县，湖北广济县知县。

中式翻译举人：

赵　鏌　汉军正黄旗。户部笔帖式，兵部左侍郎。

中式武举人：

刘　淳　字虚白。汉军。銮仪卫冠军使。

林　云　浙江定海镇总兵。

彭之年　字鹤龄。湖南浏阳人。陕西守备，湖北襄阳镇总兵。

蔺廷荐　陕西朝邑人。重宴鹰扬。

◉ 恩遇：

张允随　大学士。三月晋太子太保。

高　斌　河道总督。三月复加太子太保（十八年八月革）。

蒋　溥　户部尚书，三月加太子少保。

方观承　直隶总督，三月加太子少保。

黄廷桂　两江总督，三月加太子少保。

来　保　大学士。三月以七十生辰，赐御制诗。

张廷玉　致仕大学士。以陛辞回籍，赐御制诗。

讷布尔　已故。八月追封一等公。

　　　　八月以恭祝四旬万寿：

赵国麟　前礼部尚书。赏复原衔；

程元章　前吏部左侍郎。赏侍郎衔。

◉ 著述：

戈守智　撰《汉溪书法通解》八卷成，见正月金志章序。

陶南望　撰《草韵汇编》二十六卷成，见二月自序。

梁诗正　等奉敕撰《唐宋诗醇》四十七卷成，见六月御序。

奉敕撰《叶韵汇辑》五十八卷成，见六月御序。

曹庭栋　撰《琴学》二卷成，见八月自序。

金　农　撰《冬心画竹题记》一卷成，见九月自序。

张　庚　撰《通鉴纲目释地纠谬》六卷、《释地补注》六卷成，
　　　　见十月自序。

徐文靖　撰《竹书统笺》十二卷成，见十一月马阳序。

纪　昀　撰《玉溪生诗说》二卷成，见十一月自序。

奉敕撰《同文韵统》六卷成，见十二月御序。

黄宫绣　江西宜黄人。撰《医学求真录总编》五卷成，见四库
　　　　提要。

● 卒岁：

张兴宗　前山东堂邑县知县。正月初五日卒年七十二。

李质粹　汉军正白旗。前四川提督。正月二十九日以罪处斩（注：以焚毙班滚一案，附和庆复，扶同捏饰）。

宋宗璋　前四川松潘镇总兵。正月二十九日以罪处斩（注：以明知班滚逃亡下落，不复搜擒，致令远遁，种种欺饰）。

策　凌　定边左副将军，固伦额驸，蒙古喀尔喀札萨克和硕超勇亲王。二月初五日卒。溢曰襄，入祀贤良祠，配享太庙。

袁良谟　河南洛阳县举人。二月初五日卒年六十三。

朱　荃　丁忧翰院编修，四川学政。三月初九日以奔丧回籍，于巴东县落水卒。

永　璜　皇长子。三月十五日卒年二十。追赠和硕定亲王，谥曰安。

方　畯　安徽桐城县布衣。三月十五日卒年七十九。

弘　昆　圣祖皇孙，履亲王子。三月卒赠世子品级。

谢王生　广东惠州府知府。三月卒年五十五。

王能爱　安西提督。三月卒。谥恭恪。

弘　曣　圣祖皇孙，奉恩辅国公。四月卒。谥恪僖。

崔　纪　都察院左副都御史，江苏学政，降调湖北巡抚。八月初十卒年五十八。

瑟尔臣　宗人府左宗人，袭奉恩辅国公，镶红旗宗室。八月卒年五十六，追谥温僖（追谥在十八年二月）。

朱定元　致仕都察院左副都御史，前任山东巡抚。八月卒。

庆　宁　袭多罗平郡王。九月卒年十九，谥曰僖。

傅　清　满洲镶黄旗，富察氏。驻藏都统，前任固原提督。十月十三日遇害。赠一等伯，入祀贤良祠，谥襄烈。

拉布敦　满洲正黄（镶红）旗，栋鄂氏。都察院左都御史。十月十三日于西藏遇害。赠一等伯，入祀贤良祠，谥壮果。

李　绂　原任内阁学士，前直隶总督。卒年七十八。

林蒲封　翰林院侍讲学士，江西学政（尚未到任）。卒。入国史文苑传。

史积琦　掌河南道监察御史。卒。

田　震　湖北驿盐道。卒年四十五。

杨理范　直隶定州知州。卒年五十四。

吕瀗曾　原任河南祥符县教谕。卒年六十七。

蔡成贵　湖北襄城人。都督衔原任云南提督。卒年七十口。

布颜图　字竹蹊，号啸山。满洲镶白旗，乌亮海氏。绥远城副都统。卒。

万光泰　浙江秀水举人。卒年三十九。入国史文苑传。

张　熷　浙江仁和县举人。卒年四十七。

乾隆十六年辛未（公元一七五一年）

◉ 生辰：

黎安理　正月初十日生，贵州遵义人。享年六十九。

何有焕　正月二十五日生，字星田，号梅庄。湖南宁乡人。享年六十九。

刘台拱　闰五月初二日生，字端临，号江岭。江苏宝应人。享年五十五。

程卓樑　闰五月十七日生，字肩宇，号任斋、兼山老人。江西宜黄人。享年八十。

李　坦　十一月初四日生，山西介休人。享年六十四。

龚　烈　十一月初六日生，江苏武进人。享年六十一。

阿那保　生，满洲正白旗，郭贝尔氏。享年八十七。

翁元圻　生，字载青，号凤西。浙江余姚人。享年七十六。

祁韵士　生，字谐庭，号筠渌、鹤皋。山西寿阳人。享年六十五。

曹悳华　生，字迪谐，号山甫。江西新建人。享年五十七。

左　辅　生，字仲甫，号杏庄、蘅友。江苏阳湖人。享年八十三。

李赓芸　生，字书田、生甫，号鄮斋。江苏嘉定人。享年六十七。

徐汝澜　生，字镜秋。顺天宛平人。享年五十八。

陆费墀　生，字舟若。浙江桐乡人。享年六十三。

陈柄德　生，字伯谦，号吉甫。江苏江阴人。享年七十六。

龙　翔　生，字凤翽，号云岚。湖南桃源人。享年八十五。

周嘉猷　生，字慕馥。浙江海宁人。享年四十六。

朱兰珍　生，字聘贤，号秦溪。浙江海盐人。享年五十七。

徐春和　生，江苏嘉定人。享年五十八。

◉ 科第：

三月以召试一等特赐举人并授内阁中书：

谢　墉　余见壬申科。

陈鸿宝　字卫叔，号宝所。浙江仁和人。工科掌印给事中。

王又曾　余见甲戌科。

蒋雍植　余见辛巳科。

钱大昕　余见甲戌科。

吴　烺　字荀叔，号杉亭。安徽全椒人。山西宁武府同知。

褚寅亮　刑部员外郎。

吴志鸿　内阁中书。

中式岁贡生：

李士通　汉军正白旗。

一甲进士：

吴　鸿　字颉云，号云岩。浙江仁和人。状元。修撰，侍读。

饶学曙　榜眼。编修，侍讲。

周　沣　会元。探花，编修。

二甲进士：

沈　杖　字钦伯。江苏常熟人。编修，河东盐运使。

刘　墉　编修，体仁阁大学士。

叶　藩　庶吉士，江西知县，广西思恩府知府。

吴肇元　字会照，号百药。顺天大兴人。内阁中书，内阁侍读。

汤世昌　字其五，号对松。浙江仁和人。编修，工科给事中。

汤先甲　字莘南，号莘斋。江苏宜兴人。编修，内阁侍读学士。

王应瑜　字韫斋。安徽婺源人。编修，甘肃凉州府知府。

卢明楷　编修，詹事。

戈　涛　字芥舟，号蓬园、坳堂。直隶献县人。编修，刑科掌
　　　　印给事中。

邹应元　（榜名王应元），字清源，号宝松。江苏金匮人（原籍
　　　　顺天良乡）。江西知县，福建台湾府知府。

丁田澍　字芷溪，号镜山。安徽怀宁人。编修，礼科给事中。

蒋　楺　字伯钦，号作梅。江苏常熟人。编修，兵部右侍郎。

吕光亨　字嘉仲，号守一、礼斋。安徽旌德人。兵部主事，甘
　　　　肃庆阳府知府。

李承瑞　字班牧，号玉典。山东海阳人。编修，甘肃西宁府知
　　　　府。

叶观国　字家光，号毅斋。福建闽县人。编修，少詹事。

狄咏篪　字思恭，号薪斋。江苏溧阳人。庶吉士，直隶知县，
　　　　安徽凤阳府知府。

徐　恕　字心如，号玉川。江苏青浦人。浙江知县，浙江按察
　　　　使。

陈　笃　字秀岩。直隶安州人。江苏金坛县知县。

何逢僖　户部主事，吏部左侍郎。

叶　棠　字惠南，号香国。浙江石门人。工部主事，山东兖州
　　　　府知府。

李　绥　编修，左都御史。

张孝泉　字蒙川。顺天宛平人（原籍江苏娄县）。户部主事，广
　　　　东南雄府知府。

史鸣皋　字荀鹤，号笠亭。江苏如皋人。庶吉士，浙江知县，
　　　　广西柳州府知府。

罗　典　编修，鸿胪寺少卿，嘉庆丁卯重宴鹿鸣。

戴天溥　字兆师，号孟岑。安徽休宁人。庶吉士，刑部主事，
　　　　福建道御史。

姚晋锡　庶吉士，礼部主事，福建道御史。

王　绂　字来朱，号紫佩。河南延津人。编修，湖广道御史。

周於礼　字绥远、坊斋，号立崖、亦园。云南嵩峨人。编修，
　　　　大理寺少卿。

周曰赞　字上襄，号醇斋。江苏金匮人。庶吉士，户部主事，
　　　　户部员外郎。

温葆初　字屏山。顺天大兴人。江苏知县，广西左江道。

王启绪　编修，河南开归陈许道。

朱　垣　山东知县，山东长清县知县。

王采珍 字昆岩。山东滨洲人。四川知县，湖北郧阳府知府。

朱　秫 字又康，号竹坪。山东单县人。编修，吏科给事中。

柴景高 字行之，号鹿柴。浙江仁和人。

蒋良骐 字千之。广西全州人。编修，通政使。

秦百里 字宛来，号复堂。山西凤台人。编修，江苏粮道。

　　三甲进士：

印宪曾 字昭服，号松亭。江苏宝山人。广东知县，浙江宁绍
　　　台道。

黄元吉 福建侯官人。庶吉士。

梁兆榜 字尺坡，号玉圃、鹤圃。广东鹤山人（原籍顺德）。庶
　　　吉士，直隶知县，湖南盐法道。

王元启 福建知县，署将乐县知县。

刘梦鹏 字云翼。湖北蕲水人。直隶饶阳县知县。

张庆长 直隶南皮人。广东定安、高要、南海诸县知县。员外
　　　郎候选。

穆　丹 字史云，号荔惟、晚拙居士。满洲正黄旗。庶吉士，
　　　口部主事，四川嘉定府知府。

李　拔 字青翘。四川犍为人。湖北知县，湖北上荆南道。

谭尚忠 江西南丰人。户部主事，吏部左侍郎。

范思皇 字斗斋。湖北蕲水人。吏部员外郎。

刘宗琪 字载侯。湖南衡阳人。庶吉士，工部主事，陕西盐驿
　　　道。

张曾敞 检讨，少詹事。

宋五仁 江西奉新人。九江府教授。

全　魁 字斗南，号穆斋。满洲镶白旗，尼奇哩氏。检讨，盛
　　　京户部侍郎。

艾　茂 字凤岩。贵州麻哈人。检讨。

巴彦学 字缉之。满洲镶白旗，觉罗氏。兵部主事，左副都御
　　　史。

徐步蟾 字同三。江苏兴化人。

王　勋　山东淄川人。浙江金衢严道。

高　辰　字景衡、白云，号元石。四川金堂人。庶吉士，江苏知县，安徽凤阳府同知。

邱恩荣　湖北黄冈人。湖南衡州府知府。

林愈蕃　字洞松，号青山。四川中江人。湖南酃县知县。

董丰垣　字菊町。浙江乌程人。安徽知县，河南扶沟县知县。

李天培　字因其。山西榆次人。工部主事，广西左江道。

　　翻译进士：

富勒赫　字立亭。满洲正黄旗。□部主事，署南河河道总督。

　　武进士：

张大经　字建常。山西凤台人。状元。头等侍卫，陕西兴汉镇总兵。

卜永泰　字敬思。山东蒲台人。榜眼。二等侍卫。

安廷召　字聘之。直隶乐亭人。探花。二等侍卫。

王万邦　山西阳高人。三等侍卫，贵州威宁镇总兵。

张景烈　云南建水人。三等侍卫，江西南昌镇总兵。

王万里　山西阳高人。蓝翎侍卫，福建延平协副将。

唐述先　福建漳浦人。蓝翎侍卫，广东碣石镇总兵。

刘　鑑　字惠轩。汉军正黄旗。蓝翎侍卫，浙江提督。

白云上　蓝翎侍卫，漕标中军副将。

◉　**恩遇：**

　　正月以南巡迎銮：（下五条俱同）

刘师恕　前吏部右侍郎。赏翰林院侍读学士衔；

卫哲治　安徽巡抚。二月赐御书"化洽皖江"额；

王　师　江苏巡抚。二月赐御书"吴会风清"额；

王　暮　前广东巡抚。二月赏三品衔；

王　玑　浙江人。前江苏巡抚。二月赏鸿胪寺卿衔。

韩孝基　原任翰林院庶吉士。二月赐御书"家学耆儒"额。

梁诗正　协办大学士吏部尚书。其父梁文濂以年届八旬，二月赠御书"湖山养福"额及御制诗，并赐梁诗正"台阶爱日"额。

刘起振　侍讲衔原任翰林院检讨。三月以年逾百龄赐御书匾额
　　　　及御制诗。

孙梦逵　江苏进士。三月以召试一等授内阁中书，余见前壬戌
　　　　科。

吴　鼎　江苏无锡人，举人。六月授国子监司业，

梁锡玙　山西举人，见雍正甲辰科。保举经学，六月授国子监
　　　　司业，

陈祖范　江苏进士，见雍正癸卯科。保举经学，因年老不克来
　　　　京，八月授国子监司业衔。

顾栋高　江苏无锡人，见康熙辛丑科。保举经学，因年老不克
　　　　来京，八月授国子监司业衔。

黄叔琳　前詹事府詹事。九月以本年为康熙辛未科登第周甲之
　　　　岁，重赴恩荣筵宴，加吏部侍郎衔。

◉ 著述：

黄叔琳　撰《砚北杂录》成，见五月卢文弨序。

梁诗正　等奉敕撰《钱录》十六卷成，见五月序。

桑调元　撰《嵩山集》二卷成，见五月自序。

李　杝、黄　晟　同撰《至圣编年世纪》二十四卷成。

夏秉衡　编《清绮轩词选》十一卷成，见七月自序。

◉ 卒岁：

色　贝　（一作赛贝）。正蓝旗蒙古都统，奉恩将军，正蓝旗宗
　　　　室。正月卒。谥敏僖。

王步青　在籍翰林院检讨。正月十四日卒年八十。入国史儒林
　　　　传。

王　峻　原任河南道监察御史。二月十七日卒年五十八。入国
　　　　史文苑传。

罗　山　口州将军。卒。谥恭恪。

张允随　太子太保，东阁大学士。三月十四日卒年五十九。谥
　　　　文和。

纪　山　前四川巡抚，复授驻藏副都统。三月二十八日以罪令自尽（注：以事事顺从珠尔默特那木札勒纵令恣肆妄行，致珠逆被诛后都统傅清为乱党所害）。

方士庶　江苏江都诸生。四月初六日卒年六十。

五　格　（一作武格）。满洲正黄旗。一等承恩公。卒。

周吉士　原任刑部广东司郎中。六月初四日卒年六十。

黄永年　前江苏常州府知府。六月二十二日卒年五十三。入国史儒林传。

王　师　江苏巡抚。八月十五日卒年六十二。

陈大受　太子太保，两广总督，前任吏部尚书，协办大学士。八月二十一日卒年五十。入祀贤良祠，谥文肃。

黄树毅　浙江钱塘县布衣。九月二十七日卒年五十一。

赵国麟　赏复礼部尚书原衔，降调文华殿大学士。十一月卒年七十七。

谢　旻　江苏武进人。前工部右侍郎。卒。

黄　秀　原任山东道监察御史。卒年九十。

何玉梁　在籍翰林院编修。卒年六十九。

汤聘联　记名御史，翰林院编修。卒年三十一。

谷　确　字隅侯。直隶丰润人。云南普洱府知府，前直隶口北道。卒。

华希闵　知县衔原任安徽泾县训导。卒年八十。入国史儒林传。

黄有才　广东提督。卒。赠左都督，谥恪慎。

陈伦炯　降调浙江提督。卒年六十囗。

范毓琦　（一作范毓𪄔）。　致仕直隶正定镇总兵。卒

李士通　汉军正白旗贡士。卒。

陈万盛　广东海阳县增生。卒年六十七。

李　果　江苏吴县布衣。卒年七十三。

乾隆十七年壬申（公元一七五二年）

● **生辰：**

赵绍祖 正月初三日生，字绳伯，号琴士。安徽泾县人。享年八十二。

铁　保 正月初四日生，字冶亭，号梅庵。满洲正红旗。栋鄂氏。享年七十三。

秦　濂 正月二十日生，江苏无锡人。享年三十三。

永　瑆 二月生，高宗皇十一子。享年七十二。

松　筠 二月生，字湘溥。蒙古正蓝旗，玛拉特氏。享年八十四。

卢元珠 二月二十三日生，享年六十九。

永　璂 四月生，高宗皇十二子。享年二十五。

廖　寅 四月十九日生，字亮工，号复堂。四川邻水人。享年七十三。

唐仁埴 五月二十日生，字凝厚，号柘田。江苏江都人。享年六十九。

方　绩 七月初五日生，字展青，号牧青。安徽泽县人。享年六十五。

冯集梧 七月初八日生，字轩圃，号鹭亭。浙江桐乡人。享年五十六。

刘济川 十月初二日生。

叶世倬 十一月初六日生，字子云，号健庵。浙江上元人。享年七十二。

蒋知廉 十一月初十日生，字修隅，号用耻。江西铅山人。享年四十。

孙玉庭 十二月十一日生，字佳树，号寄圃。山东济宁人。享年八十三。

江德量 生，字量殊、成嘉，号秋史。江苏仪征人。享年四十

二。

孔广森 生，字众仲，号撝约。山东曲阜人。享年三十五。

萨龙光 生，字肇藻，号露萧。福建闽县。享年六十七。

蒋廷恩 生，江苏元和人。享年七十一。

徐　端 生，字肇之。浙江德清人。享年六十一。

萧　瑾 生，享年七十八。

邵希曾 生，字角云。浙江钱塘人。享年七十七。

闻星杰 生，字羽仪。江西万载人。享年五十五。

王　灼 生，字明甫、悔生，号滨麓、晴园。安徽桐城人。享
　　　　年六十八。

金慰祖 生，字绳武，号兰崿。江苏嘉定人。享年二十九。

朱兰枝 生，字以三，号玉溪。浙江海盐人。享年八十九。

鲍嘉命 生，字鸾书，号镜湖。安徽歙县人。享年四十四。

何世仁 生，字元长，号福泉山人。江苏青浦人。享年五十五。

● 科第：

　　中式举人：（按：是年春乡秋会）

永　慧 字睿林。蒙古镶黄旗。江西按察使。

德　隆 字野溪，号季野。满洲正白旗，索卓络氏。内务府笔
　　　　帖式，贵州粮道。

秦廷堃 字复山，号石公。汉军镶黄旗。 浙江杭州府知府。

庄　映 陕西知县，陕西商州直隶州知州。

周大枢 字元木，号元牧、存吾。浙江山阴人。丙辰召试鸿博，
　　　　浙江平湖县教谕。

阮葵生 江南人。内阁中书，刑部右侍郎。

陆　燿 内阁中书，湖南巡抚。

陈孝泳 户部主事，光禄寺卿。

郭廷赞 江苏吴县人。浙江粮道。

闻　斑 江宁县教谕。

张　鹏 字纪常。江苏吴县人。

冯祚泰 字粹中。安徽滁州人。

张三宾　浙江人。内阁中书，吏科掌印给事中。

周震荣　安徽知县，永定河南岸同知。

吴　墉　浙江人。福建泉州府知府。

费孝昌　浙江乌程人。刑部主事，江南道御史。

徐士龙　署直隶衡水县知县。

瞿侪鹤　福建人。直隶知县，顺天府南路同知，重宴鹿鸣。

杨　健　字任庵。湖南武陵人。石门县教谕。

曹亨时　字敏斋。湖南兴宁人。

周世绪　河南祥符人。湖北知县，湖南常德府知府。

凌西峰　江西上高县知县。

吴　垣　字薇次，号树堂。山东海丰人。刑部郎中，湖北巡抚。

陶　易　山东文登人。江宁布政使。

冯廷丞　山西人。光禄寺署正，湖北按察使。

谌克慎　贵州人。四川知县，浙江衢州府同知，重宴鹿鸣。

中式副榜贡生：

赵由俶　江西南丰人。山西州判，贵州安顺府知府。

顾学潮　江苏人。浙江布政使。

蔡以封　字桐川。浙江嘉善人。武义县教谕。

中式翻译举人：

巴尼珲　字韫辉。满洲。贵州按察使。

一甲进士：

秦大士　状元。修撰，侍讲学士。

范棫士　榜眼。编修，工科掌印给事中。

卢文弨　探花。编修，侍读学士。

二甲进士：

钱　载　丙辰召试鸿博，编修，礼部左侍郎，壬子重宴鹿鸣。

张　霁　字砚庐。浙江钱塘人。内阁中书，礼科掌印给事中。

郑步云　字升揆，号养田。浙江归安人。内阁中书，宗人府主事。

周天度　字心罗，号让谷、西�。浙江钱塘人。直隶知县，河南许州直隶州知州。

吉梦熊 字毅扬，号渭贤、渭厓。江苏丹阳人。编修，通政使。

蒋和宁 编修，湖广道御史。

景　福 字介之，号仰亭。满洲镶白旗。编修，兵部右侍郎。

邵嗣宗 会元。编修，侍读。

赵　佑 编修，左都御史。

张　模 庶吉士，刑部主事，吏郎郎中。

郑鸿撰 字晴湖。安徽歙县人。礼部主事，兵科掌印给事中。

梅　理 字生谷。安徽宣城人。

梁同书 编修，侍讲，嘉庆丁卯重宴鹿鸣。

秦　黉 字序唐，号西岩、石翁。江苏江都人。编修，湖南岳常澧道。

沈清任 字莱友，号澹园、莘田。浙江仁和人。礼部主事，四川川东道。

翁方纲 编修，内阁学士，重宴恩荣。

董达存 归班知县，国子监学正。

鞠　恺 字廷和，号吟江、梧甫。山东海洋人。编修。

谢　墉 编修，吏部左侍郎。

陈齐绅 字念斋，号芗祖、香林。广西平乐人。编修。

甘立功 字惟叙，号淡泉。江西奉新人。编修。

胡德琳 广西临桂人。

李　炯 字澹成，号小樊。江苏元和人。广东茂名县知县。

吴懋政 广东知县，浙江处州府教授。

马腾蛟 字静斋。山西忻州人。庶吉士，口部主事，贵州贵东道。

万廷兰 字芝堂，号梅皋。江西南昌人。庶吉士，顺天知县，顺天通州知州。

杨有涵 字养斋。江西清江人。户部主事，云南盐法道。

博　明 字希哲，号晰斋、西斋。满洲镶蓝旗，博尔济吉特氏。编修，云南迤西道。

赵　瑗　字蘧叔，号检斋。云南昆明人。庶吉士，工部主事，
　　　　河南陕汝道。

纪复亨　字元稣，号心斋。浙江乌程人。编修，太仆寺少卿。

陈　筌　字渔湖，号兆璜。直隶安州人。编修，侍讲。

王懿德　字良宰，号岑晖、艮斋。汉军正白旗。编修，浙江布
　　　　政使。

蒋宗海　字春岩，号春农。江苏丹徒人。内阁中书。

吴　泰　浙江钱塘人。山西知县，甘肃巩昌府知府。

顾光旭　户部主事，甘肃凉庄道。

　　三甲进士：

林有席　字儒林。江西分宜人。知县。

尼堪富什浑　（一作觉罗喜崇福）。满洲镶黄旗，觉罗氏。湖北
　　　　　　按察使。

沈祖惠　（榜名李祖惠），字屺望，号虹舟。浙江嘉兴人，江西
　　　　高安县知县。

金维岱　字紫峰。湖北钟祥人。检讨，江苏淮徐海道。

林守鹿　福建闽县人。河南南汝光道。

李振文　山西榆次人。福建福州府知府。

杨本仁　陕西武功人。广东知县，广东高廉道。

郑岱锺　字东侯。山西文水人。检讨。

王　猷　字元亭。奉天义州人。检讨，大理寺少卿。

左　衢　字廥唐，号耕堂。安徽桐城人。内阁中书，宗人府主
　　　　事。

邓梦琴　四川知县，陕西汉中府知府。

吴　汧　湖北黄安人。

汪　涛　字春江，号亦山。江苏上元人。甘肃知县，河南卫辉
　　　　府知府。

贾　煜　山东黄县人。庶吉士，广西博白县知县。

陶其愫　刑部主事，河南彰德府知府。

卢　毅　字琢轩。贵州贵阳人。检讨，洗马。

郑天锦　字有章，号艽舟。福建瓯宁人（原籍建安）。广东知县，广东琼州府同知。

熊恩绂　庶吉士，直隶知县，直隶大顺广道。

刘秉钧　江西南丰人。福建知县，福建延平府知府。

李承邺　（原名李邺），字永亭。山西榆次人。刑部主事，湖北粮道。

德　风　字巽斋。满洲正白旗，索卓络氏。吏部主事，盛京户部侍郎。

多隆武　字建夫。满洲镶黄旗。兵部主事，侍讲学士。

马锦文　字梅阿。云南云龙人。检讨，户部掌印给事中。

康基渊　河南知县，江西广信府知府。

董元度　字曲江，号寄庐。山东平原人。庶吉士，归班知县，山东东昌府教授。

朱能恕　字唯斋。江西鄱阳人。

郭　柯　山东黄县人。

杜首瀛　字登长。山西太谷人。

　　翻译进士：

博清额　满洲镶黄旗，富察氏。兵部主事，理藩院尚书。

诺穆亲　字肇仁。满州正蓝旗，那拉氏。户部主事，镶蓝旗蒙古都统。

　　武进士：

哈廷樑　直隶献县人。状元。头等侍卫。

林建鼎　字玉川。福建福清人。榜眼。二等侍卫。

马　全　山西阳曲人。探花。二等侍卫，福建提标游击，（此科用名马瑢，后改名马全），见庚辰科。

田允中　字继唐。直隶任邱人。三等侍卫，云南永顺镇总兵。

哈国兴　直隶任邱人。三等侍卫，西安提督。

弓斯发　浙江黄岩镇总兵。

● 恩遇：

沈德潜　致仕礼部右侍郎。正月以年届八十赐御书"鹤性松身"

额。

高　斌　大学士衔管江南河道总督。三月以六十生辰赐御制诗。

福　敏　原任大学士。以八十生辰赐御制诗。

徐文靖　安徽举人。九月以年逾八十赏翰林院检讨职衔。

● 著述：

金　农　撰《三体诗》一卷成，见春日自序。

张　庚　自编《强恕斋诗钞》四卷成，见五月自序。

严有禧　撰《漱华随笔》四卷成，见五月陈法序。

马曰琯　等撰《林屋唱酬录》一卷成，见秋日沈德潜序。

吴　鼎　撰《阳宅撮要》二卷成，见冬日自序。

马荣祖　自编《力本文集》十三卷成，见十月自序。

桑调元　撰《华山集》三卷成，见十月自序。

朱象贤　字清溪。江苏吴县人。辑《回文续编》十卷成，见十
　　　　二月朱珹识。

浦起龙　撰《史通通释》二十卷成，见自序。

顾栋高　撰《毛诗类释》二十一卷成，见自序。

● 卒岁：

舒　辂　满洲正白旗，他塔喇氏。陕西巡抚。正月卒。

潘思榘　福建巡抚。二月十七日卒年五十八。入祀贤良祠，谥
　　　　敏惠。

晏斯盛　原授户部右侍郎。由湖北巡抚调补未任以养母乞归，
　　　　四月卒。

德　沛　袭和硕简亲王，前任吏部尚书，宗室。六月卒年六十
　　　　五。谥曰仪。

积　德　都察院左副都御史。卒。

王承曾　原任甘肃崇信县知县。七月初九日卒年六十七。

蔡寅斗　国子监助教。八月于会试场中自缢。

何　勉　致仕闽粤南澳镇总兵，云骑尉。八月卒年七十二。

历　鹗　浙江钱塘县举人。九月十一日卒年六十一。入国史文
　　　　苑传。

程　密　以教职改用原授山东淄川县知县。十月初十日卒年五十六。

陈　麟　江苏口口县岁贡生。十月十七日卒年七十八。

沈　彤　江苏吴江县征士。十月二十五日卒年六十五。入国史儒林传。

陈世爵　候选州同。十月二十七日卒年七十一。

陆　培　前安徽东流县知县。十一月卒年六十七。

陶南望　字逊亭。江苏上海人。上海县诸生。十二月卒。

韩光基　汉军镶蓝旗。前工部尚书。卒。

陈邦彦　前礼部右侍郎。卒年七十五。

敷　文　原任盛京兵部侍郎。卒。

赵侗敦　前浙江驿盐道。卒。

朱　琰　贵州贵西道。卒。

陈偁仪　安徽黟县知县。卒年五十四。

侯嘉繙　字元经，号虎门。浙江临海人。江苏金山县县丞。卒。

傅尔丹　满洲镶黄旗，瓜尔佳氏。黑龙江将军，前少保领侍卫内大臣，靖边大将军，袭三等信勇公。卒年七十口。谥温愨。

布兰泰　字訒关。满洲正白旗，拜都氏。古北口提督，袭云骑尉世职，前江西巡抚。卒。谥愨僖。

乾隆十八年癸酉（公元一七五三年）

◉ 生辰：

法式善　正月十七日生，（原名法运昌），字开文，号时帆、梧门。蒙古正黄旗，乌尔吉氏。享年六十一。

杨凤苞　二月十五日生，字傅九，号秋水。浙江归安人。享年六十四。

杨瑛昶　二月二十九日生，享年五十六。

谢振定　五月初四日生，字一斋，号芗泉。湖南湘乡人。享年五十七。

恭阿拉　六月生，（原名恭照）。满洲镶蓝旗，钮祜禄氏。享年六十。

田均随　七月十八日生，字鑑川，号玉洲。贵州玉屏人。享年六十六。

孙星衍　九月初二日生，字伯渊、渊如，号季述。江苏阳湖人。享年六十六。

唐仲冕　九月初八日生，字六枳，号陶山。湖南善化人。享年七十五。

朱　彬　九月十六日生，字武曾，号郁甫。江苏宝应人。享年八十二。

叶元符　十月初六日生，江苏长洲人。享年五十二。

张炳文　十一月十三日生，享年七十四。

杨芳灿　十二月十八日生，字才叔，号容裳。江苏金匮人。享年六十三。

武　肃　十二月二十七日生，字敬伯，号卷阿、晓岩。陕西岐山人。享年七十六。

恒　昌　生，正红旗宗室，享年二十六。

戴联奎　生，字紫垣，号静生。顺天大兴人（原籍江苏如皋）。享年七十。

陈　观　生，字宾我，号鑑轩、仁山。江西新城人。享年六十四。

万承风　生，字卜东，号和圃。江西义宁人。享年六十一。

程昌期　生，字阶年，号兰翘。安徽歙县人。享年四十三。

郑士超　生，字卓仁，号贯廷。广东阳山人。享年五十四。

赛冲阿　生，满洲正黄旗，赫舍里氏。享年七十六。

李尧栋　生，字伯和、东采，号松云。浙江山阴人。

刘大观　生，字松岚。山东邱县人。

刘佳琦　生，字步韩，号相州。江西新淦人。享年六十七。

柳迈祖　生，字振绪，号宜斋。甘肃会宁人。享年六十八。

贺贤智　生，字濬明，号虚斋。直隶迁安人。

刘廷楠　生，字让木，号云冈。直隶献县人。享年六十八。

许绍锦　生，江苏武进人。享年五十九。

李符清　生，字仲节，号载园。广东合浦人。

陈　鱣　生，字仲鱼，号简庄。浙江海宁人。享年六十五。

薛传源　生，江苏江阴人。享年六十九。（可能有误，按道光九年卒应是乾隆二十六年生）。

程开丰　生，江苏元和人。享年七十五。

杨嵋谷　生，字丽中，号随安。江苏武进人。享年六十一。

顾之逵　生，字抱冲。江苏元和人。享年四十五。

◉ 科第：

考取优贡生：

周人傑　字泰交，号潢涯。浙江海宁人。甘肃知县，广东高州府知府。

考取拔贡生：

张金城　直隶南皮人。山东知县，甘肃宁夏府知府。

苏汝砺　江苏人。湖北远安县知县。

江　恂　字于九，号蔗畦。江苏仪征人。湖南知县，安徽徽州府知府。

杨　屋　字子载，号耻夫。江西南昌人。

董秉纯　浙江人。广西土州判，甘肃秦安县知县。

朱士玠　福建人。德化县教谕，河南内黄县知县。

黄立隆　湖南宁乡人。直隶天津府知府。

陈　淮　字望之。河南商丘人。巡抚。

王德屏　广东吴川人。贵州平远州知州。

中式举人：

成　策　字警斋。满洲镶黄旗。工部左侍郎。

嵩　濂　驻藏大臣。

庄肇奎　字星堂，号胥园。浙江秀水人。湖北知县，广东布政
　　　　使。

纪淑曾　直隶文安人。湖北知县，湖南盐法道。

赵贵栻　字可法。江苏常熟人。内阁中书，福建福宁府知府。

德　元　字仁圃。满洲正白旗，索绰络氏。内务府主事，内务
　　　　府郎中，重宴鹿鸣。

陈　枚　署山东堂邑县知县。

莫廷魁　浙江山阴人。浙江口口县教谕，江苏泰兴县知县，重
　　　　宴鹿鸣。

贾虞龙　字云臣。汉军。

胡　溶　字安公。江苏镇洋人。萧县教谕。

王日杏　字丹宸，号漱田。江苏无锡人。内阁中书，四川重庆
　　　　府知府。

朱裕观　安徽广德州学正。

夏秉衡　字平千。江苏华亭人。陕西周至县知县。

郑寅谷　浙江仁和人。安徽凤阳府知府。

田尹衡　浙江石门人。福建福州府知府。

朱休度　嵊县训导，山西广灵县知县。

周既济　慈溪县教谕。

周鼎枢　孝丰县训导，陕西武功县知县。

张凤鸣　字虞溪。湖北黄冈人。直隶知县，山东兖州府知府。

王时亮　山东人。河南卫辉府知府。

乔大凯 字颐斋。山东济宁人。

　　中式副榜贡生：

卢　崧 字存斋。汉军镶黄旗。江西知县，浙江盐法道。

丁　鳌 字云衢。江苏上元人。

宫增祜 安徽东流县教谕。

● 恩遇：

曹洛禋 国子监助教。正月以年逾大耋特授额外司业。

张宗苍 内廷行走县丞。特授户部主事。

徐　扬（监生）、杨瑞莲（监生）。均赏给举人。

● 著述：

黄元御 字玉揪。撰《长沙药解》四卷成，见二月自序。

汪仲鈖 撰《桐石草堂集》八卷、《怀新词》一卷毕（按：此集
　　　　于卒后为其兄孟鋗所编，见乙亥九月序，今系于卒年
　　　　之春）。

汪　绂 撰《策略》六卷成，见四月余元遴序。

沈德潜 编《七子诗选》十四卷成，见七月自序。

徐文靖 撰《禹贡会笺》十二卷附图一卷成，见十一月自序。

诸　锦 撰《飨礼补亡》一卷成，见十月朱兰泰序。

董　潮 撰《东皋杂钞》三卷成，见十一月自序。

范凝鼎 撰《四书句读释义》十九卷成。

梁诗正 等重编《西湖志纂》十二卷成，见十二月进书表。

● 卒岁：

韩孝基 在籍翰林院庶吉士。正月初八日卒年九十。

汪仲鈖 浙江桐乡县举人。卒年三十。

巴尔图 袭和硕康亲王，宗室。三月卒年八十。谥曰简。

补　熙 满洲正黄旗，佟佳氏。原任绥远将军，袭骑都尉世职。
　　　　三月卒。谥温僖。

明　宝 满洲正红旗，富察氏。三等子。卒。

班　第 内大臣，右翼前锋统领，固伦额驸，和硕达尔汉亲王。
　　　　卒。谥恭勤。

增寿保　都察院左副都御史。卒。

秦　熙　江苏江都县监生。五月初七日卒年六十九。

兴　宁　袭辅国公，宗室。七月卒。谥勤僖。

张若需　翰林院侍讲。八月二十二日卒年四十五。

谭行义　原任福建陆路提督。九月卒。谥恭愨。

陈象枢　户部山西司员外郎，降调礼部郎中。九月卒年五十八，
入国史儒林传。

郭永麟　浙江鄞县举人。九月二十三日卒年八十三。

程志洛　安徽歙县岁贡生。十月初三卒年六十九。

岳　濬　字厚川，号星源。四川成都人（原籍甘肃临洮）。通政
使司参议，降调云南巡抚。十月卒。

蒋汾功　原任江苏松江府教授。卒年八十二。

孙嘉淦　协办大学士，吏部尚书，前加太子少保。十二月初六
日卒年七十一。谥文定。

杨　椿　致仕翰林院侍讲学士。十二月初十日卒年七十八。入
国史文苑传。

周　沣　翰林院编修。十二月初十日回籍省亲卒于镇江舟次，
年四十五。

王之锐　原任国子监助教。卒年七十九。入国史儒林传。

博　启　袭一等承恩公。卒。

严宗嘉　字二猷，号孚亭。江西分宜人。直隶开州知州。卒。

丁元正　原任江苏吴江县知县，卒年七十。

潘绍周　陕西西安人（原籍甘肃靖远）。原任古北口提督，袭云
骑尉世职。卒。

乾隆十九年甲戌（公元一七五四年）

● 生辰：

伊秉绶 正月十一日生，字组似，号墨卿。福建宁化人。享年六十二。

蒋继勋 二月二十五日生，字绳武，号培元。江苏常熟人。享年七十六。

钱　复 三月二十四日生，字景颜、象缘，号蓉裳。浙江嘉兴人。享年五十二。

朱春炬 四月初四日生，字升岩，号华初。浙江海盐人。享年五十四。

朱锡经 五月初九日生，字习之，号古华。顺天大兴人。享年五十七。

查　柟 十月二十八日生，字春山。浙江钱塘人。

庄选辰 生，江苏武进人。享年三十二。

裘行简 生，字敬之。江西新建人。享年五十三。

钱　臻 生，字润斋。浙江嘉兴人。享年八十六。

姚令仪 生，字心嘉，号一如。江苏娄县人。享年五十六。

张敦仁 生，字古馀。山西阳城人。享年八十一。

周　镐 生，字怀西，号犊山。江苏金匮人。享年七十。

陈廷庆 生，字兆同，号桂堂。江苏奉贤人。享年六十。

方联聚 生，字树星，号友槎。顺天大兴人。享年六十七。

师　範 生，字端人，号荔扉、金华山樵。云南赵州人。

孙大刚 生，字镇陵。浙江镇海人。享年六十八。

王学浩 生，字孟养。江苏昆山人。享年七十九。

叶廷甲 生，字宝堂，号云礁。江苏江阴人。享年七十九。

莫廷翰 生，字奇勋，号之屏。广东番禺人。享年七十三。

● 科第：

　　一甲进士：

庄培因 字仲淳，号本醇。江苏武进人。状元。修撰，侍讲学士。

王鸣盛 榜眼。编修，内阁学士。

倪承宽 探花。编修，仓场侍郎。

二甲进士：

汪永锡 字孝传，号晓园。浙江钱塘人（原籍安徽歙县）。编修，内阁学士。

周翼洙 归班知县，浙江严州府教授。

纪　昀 编修，礼部尚书，协办大学士。

叶佩荪 兵部主事，湖南布政使。

汪存宽 字经耘，号香泉。安徽休宁人。编修，工科给事中。

王　昶 归班知县，丁丑召试授内阁中书，刑部右侍郎。

平圣台 字瑶圃，号确斋、火莲居士。浙江山阴人。庶吉士，江西知县，广东广州府同知。

倪高甲 云南昆明人。吏部主事，广东粮道。

姜炳璋 字石贞、席珍，号白岩。浙江象山人。归班知县，陕西石泉县知县。

顾　镇 字备九，号古湫、虞东。江苏常熟人。国子监助教，宗人府主事。

范家相 字左南，号蘅洲。浙江会稽人。刑部主事，广西柳州府知府。

卫　肃 字允泰。河南济源人。编修。

胡绍鼎 会元。编修，河南道御史。

刘　銮 字殿传。云南保山人。

袁文观 字海门。江西崇仁人。湖北施南府知府。

朱　筠 编修，侍读学士。

张　湘 直隶天津人。江西知县，直隶新城县训导。

沈业富 编修，河东盐运使。

张宗崑 湖北咸宁人。

王士棻 庶吉士 刑部主事，江苏按察使。

朱棻元 字春浦，号雨森。浙江钱塘人。编修，司业。

周　春 广西岑溪县知县，嘉庆庚午重宴鹿鸣。

钱大昕 编修，少詹事。

闵　鑑 江西南昌人。广东肇罗道。

杜玉林 江苏金匮人。刑部主事，刑部右侍郎。

金忠济 河南知县，广东增城县知县。

秦雄飞 字旦初，号晓林、心伽。江苏金匮人。户部主事，江
　　　　西布政使。

仲鹤庆 字松岚。江苏泰州人。四川大邑县知县。

薛田玉 字凤翼，号璞庵。顺天大兴人（原籍江苏无锡）。庶吉
　　　　士，湖北知县，直隶保定府同知。

吕　滥 江苏阳湖人（原籍武进）。 山西知县，山西汾州府同
　　　　知。

于雯峻 字次公，号小涪。江苏金坛人。户部主事。

柯　瑾 字醇清，号禺峰。湖北大冶人。编修，礼科掌印给事
　　　　中。

秦泰钧 字时夏，号静轩。江苏金匮人。编修。

查虞昌 字凤喈。浙江海宁人。户部主事，安徽池州府知府。

茹敦和 （碑录作李敦和是否同一人待考）。浙江会稽人。直隶
　　　　知县，湖北德安府同知。

　　三甲进士：

周升桓 检讨 广西桂平梧郁道。

富炎泰 字竹轩。满洲镶蓝旗。顺天府教授，大理寺卿。

萧郎阿 字玉调，号羹臣。满洲正红旗。检讨。

李昌昱 浙江鄞县人。工部主事，江西临江府知府。

孔毓文 字肩吾。江苏句容人。吏部主事，太仆寺少卿。

王又曾 礼部主事，刑部主事。

孙荣前 山西太原人。

苏　綖 字其度。山东武城人。检讨。

曾承唐 字际之，号端莫、鹤峰。贵州遵义人。庶吉士。

周际清 江苏金匮人，刑部主事，云南永昌府知府。（碑录有周鼎是否同一人待考）。

七十一 满洲正蓝旗。

李　封 庶吉士 刑部主事，刑部左侍郎。

狄咏宜 江苏溧阳人。四川知县，礼部郎中。（碑录无此人）。

翟　灏 字大川，号晴江。浙江仁和人。归班知县，浙江金华府教授。

查善长 字树初，号笛槎。顺天宛平人。礼部主事，刑科掌印给事中。

陈梦元 字涵一，号体斋。湖南攸县人。检讨。

戈　源 户部主事，太仆寺少卿。

钱　策 字万言，号葵园。江苏长洲人。户部主事，江西吉南赣宁道。

杜　宪 山西太谷人。江西盐法道。

陈圣诗 字师孔，号裕斋。广西平乐人。检讨，山东道御史。

林学易 湖南衡山人。检讨。

史　珥 字汇东，号师戬。江西鄱阳人。庶吉士，吏部主事。

龚元玠 丙辰召试鸿博，贵州知县，江西抚州府教授。

尹　均 庶吉士，归班知县，内阁中书，内阁典籍。

史　班 江西鄱阳人。

曹学闵 检讨，宗人府府丞。

阿　肃 字敬之，号雨斋。满洲镶白旗，伊尔根觉罗氏。检讨，吏部侍郎。

蒋良翊 广西全州人。江西知县。

于宗瑛 字英玉，号紫亭。汉军镶红旗（原籍广宁）。检讨，江南道御史。

杨士玑 江苏娄县人。甘肃兰州府知府。

赵本嶓 （榜名王本嶓）。字子厚。江苏常熟人。河南知县，广东潮州府知府。

刘天成 字含元，号乙斋。四川大足人。检讨，大理寺少卿。

张映台 山东海丰人。河南知县，兵部员外郎。

武进士：

顾　麟 状元。头等侍卫。

徐　渭 山东胶州人。榜眼。二等侍卫，湖南长沙协副将。

陈　标 江苏人。探花。二等侍卫，广东龙门协副将。

刘国楔 直隶任邱人。三等侍卫，云南开化镇总兵。

莫　淳 三等侍卫，云南东昌营参将。

刘明智 口口侍卫，贵州遵义协副将。

黄大谋 字圣筹，号石庵。浙江江山人。蓝翎侍卫，广东右翼
　　　镇总兵。

常怀义 字念亭。四川崇宁人。湖广守备，江南提督。

刘乘龙 字时可。直隶定兴人，广东高州镇总兵。

詹文炳 字有孚。甘肃张掖人。浙江抚标中军参将。

● 恩遇：

刘统勋 刑部尚书。四月加太子太傅（二十年九月革）。

汪由敦 工部尚书。四月晋太子太傅。

方观承 直隶总督。四月晋太子太保。

喀尔吉善 闽浙总督。四月晋太子太保。

黄廷桂 四川总督。四月晋太子太保。

鄂容安 两江总督。四月加太子少傅。

开　泰 湖广总督。四月加太子少傅。

永　常 陕甘总督。四月加太子少保（二十年九月革）。

硕　色 云贵总督。四月加太子少保。

阿克敦 协办大学士，刑部尚书。四月以七十生辰，赐御书"赞
　　　元锡嘏"额。

班　第 定边左副将军，兵部尚书。十月封子爵。

萨喇尔 内大臣。十月封子爵。

沈廷芳 河南按察使。其母查氏，以年届九十赐御书"壶范遐
　　　龄"额。

● 著述：

郭　伦　撰《晋记》六十八卷成，见正月自序。

惠　栋　撰《后汉书补注》二十四卷成，见六月顾栋高序。

陈黄中　撰《纪元要略补辑》一卷成，见秋日自序。

郑方坤　撰《全闽诗话》十二卷成，见八月刘星炜序。

桑调元　撰《泰山集》三卷成，见良月自序。

赵一清　字诚夫，号东潜。浙江仁和人。撰《水经注释》四十
　　　　卷、《卷首》一卷、《附录》二卷、《朱笺刊误》十二卷
　　　　成，见十一月自序。

蒋　溥　等奉敕撰《盘山志》十六卷卷首五卷成，见十二月进
　　　　书表。

赵学敏　撰《医林集腋》十六卷、《养素图传信方》六卷成，见
　　　　利济十二种自序。

● 卒岁：

郑其储　原任太常寺少卿，降调都察院左佥都御史。二月二十
　　　　八日卒年七十。

岳锺琪　太子少保，兵部尚书衔四川提督，三等威信公，前少
　　　　保，川陕总督，宁远大将军。三月卒年六十九。谥襄
　　　　勤，追加一等轻车都尉世职（追加在二十年）。

弘　昇　圣祖皇孙。领侍卫内大臣，前封世子。四月卒。赠多
　　　　罗贝勒品级，谥恭恪。

张朝晋　浙江海盐县诸生。四月十九日卒年八十三。

窦容邃　原任山西忻州直隶州知州。四月二十六日卒年七十三。
　　　　入国史儒林传及循吏传。

蒋　蔚　原任礼部精膳司郎中。四月初六日卒年六十六。

蒋恭棐　致仕翰林院编修。六月初四日卒年六十五。入国史文
　　　　苑传。

李　渭　山东布政使。六月十五日卒年七十。

方　浩　候选道，前江西吉南赣道。七月十八日卒于京师，年
　　　　五十二。

唐绥祖　陕西布政使，前湖北巡抚。九月初三日卒年六十九。

李方膺　前安徽合肥县知县。九月初三日卒年六十。

诚　保　袭奉恩辅国公，宗室。九月卒年四十三。谥温僖。

吴三傑　贵州镇远镇总兵。卒。

宋　爰　贵州提督。十月卒。

吴敬梓　安徽全椒县征士。十月十四日卒于扬州年五十四。

李锡秦　原任广西巡抚。卒。

顾　琮　前河东河道总督。十二月卒年七十。

陈祖范　国子监司业衔。卒年七十九。入国史儒林传。

李光型　原任刑部主事。卒年七十九。入国史儒林传。

蒋应焻　原任内阁中书。卒年五十六。

安　图　满洲正蓝旗，佟佳氏。降调湖北布政使。卒。

李　暲　原任两淮南仪所监掣同知。前江苏淮安府知府。卒年
　　　　六十九。

纪　晋　留办赈务，前江苏甘泉县知县。卒于县署年五十二。

朱丕基　浙江海盐县举人。卒年四十三。

王辅铭　江苏嘉定县岁贡生。卒年八十三。

朱雕模　浙江钱塘县画士。卒年九十六。

乾隆二十年乙亥（公元一七五五年）

◉ 生辰：

温汝适　正月初四日生，字步容，号笠坡、景莱。广东顺德人。
　　　　享年六十七。

朱兰馨　正月二十八日生，字芬若，号松乔。浙江海盐人。享
　　　　年六十，朱崇荫填讳。

邬　皋　二月初二日生，字商珍，号尚斋。浙江镇海人。享年
　　　　五十八。

张诲鹏　二月十六日生，字若云，号子瑜。江苏昭文人。享年
　　　　六十二。

言朝标　四月二十九日生，字皋云，号起霞。江苏常熟人。享
　　　　年八十囗。

陶必铨　五月初九日生，湖南安化人。享年五十一。

孔广栻　七月生，字伯诚，号一斋。山东曲阜人。享年四十五。

王宗炎　九月生，（原名王琼琰），字以除，号毂塍、晚闻居士。
　　　　浙江萧山人。享年七十二。

吴　鼐　九月初十日生，字及之、山尊，号抑庵、达园、南禺
　　　　山樵。安徽全椒人。享年六十七。

曹振铺　十月十六日生，字怿嘉，号俪笙。安徽歙县人。享年
　　　　八十一。

辛绍业　十一月二十七日生，江西万载人。

戴衢亨　生，字荷之，号莲士。江西大庾人。享年五十七。

托　津　生，字雨若，号知亭。满洲镶黄旗，富察氏。享年八
　　　　十一。

祖之望　生，字载璜、子久。号舫斋。福建浦城人。享年六十。

茹　棻　生，字古香，号穉葵。浙江会稽人。享年六十七。

蒋予蒲　生，字长人、沅庭，号南樵、爱堂。河南睢州人。享
　　　　年六十五。

李骥元 生，字其德，号冀兆、凫塘。四川罗江人。享年四十五。

汪如洋 生，字润民，号云壑。浙江秀水人。享年四十。

钱开仕 生，字补之，号漆林。浙江嘉兴人。享年四十四。

温承惠 生，字景侨，号慎馀、愚叟。山西太谷人。享年七十八。

罗光炤 生，字映寰，号朗亭。广东饶平人。享年八十。

王如金 生，字式二，号善香。江苏华亭人。享年五十七。

盛惇大 生，字甫山，号南墅。江苏武进人。享年七十二。

薛 淇 生，字应霖，号愚溪。江苏江阴人。享年八十一。

牟贞相 生，字含章，号鹤厓、松轩。山东栖霞人。享年三十八。

王岂孙 生，字念丰，号铁夫、惕甫、楞迦仙人。江苏长洲人。享年六十三。

张士元 生，字翰宣，号鲈江。江苏震泽人。享年七十。

印鸿纬 生，字庚实。江苏宝山人。享年五十四。

朱昂之 生，安徽休宁人。享年七十口。

● 恩遇：

班 第 定北将军，兵部尚书。五月以平定准噶尔晋封一等公，号诚勇。

萨喇尔 领侍卫内大臣。晋封一等公，号超勇（二十一年口月革）。

玛木特 内大臣，封三等公，号信勇。

阿兰泰 参赞大臣，奉天将军。七月以擒获达瓦齐封三等男（二十一年三月削）。

● 著述：

桑调元 撰《闵峤集》二卷成，见二月自序。

钱大昕 撰《三统术衍》三卷附《三统术钤》一卷成，见五月自序。

汪 绂 撰《易经如话》十二卷成，见十一月自序。

郭兆奎　撰《心圆书经知新》八卷成，见自序。

桑调元　撰《衡山集》五卷成，见十二月自序。

赵学敏　撰《祝由录验》四卷成，见利济十二种自序。

范　炳　自编《蔗翁诗稿》四卷成，见三月傅王露序。

● 卒岁：

允　禵　圣祖皇十四子，多罗恂郡王。正月卒年六十八。谥曰勤。

允　祎　圣祖皇二十子，多罗贝勒。正月卒年五十。谥简靖。

郭　焌　国子监助教。二月卒年四十二。

高　斌　革职留工效力，江南河道总督，前太子太保，文渊阁大学士。三月初九日卒于铜山工次，年六十三。赠内大臣职衔，追谥文定（追谥在二十三年六月）入祀贤良祠（入祀在五十一年）。

张廷玉　致仕保和殿大学士，前太保三等勤宣伯。三月二十日卒年八十四。配享太庙，谥文和。

翁是平　原任刑部浙江司员外郎。四月十八日卒年六十二。

林君陞　字云跻，号敬亭。福建同安人。江南提督。五月卒。谥温僖。

鄂　昌　前甘肃巡抚。五月十七日以罪令自尽（注：以前署广西巡抚任内，与胡中藻唱和党逆负恩）。

冯祖悦　广东雷州府知府，前甘肃洮岷道。六月十九日卒年六十四。

马曰琯　道衔候选主事。六月二十一日卒年六十八。入国史文苑传。

朱一蜚　前湖北布政使。六月二十七日卒年五十七。

叶士宽　原任浙江宁绍台道。六月卒年六十七。入国史循吏传。

全祖望　归班候选知县，前任翰林院庶吉士。七月初二日卒年五十一。入国史儒林传。

福　秀　多罗平郡王子，宗室。七月卒。赠固山贝子品级。

嵩　寿　礼部右侍郎，袭三等子。七月卒。

额尔经阿　袭奉恩辅国公，宗室。八月卒。

李重华　赏复翰林院编修原衔。八月二十日卒年七十四。入国
　　　　史文苑传。

吴廷华　致仕福建兴化府同知。八月二十日卒年七十四。入国
　　　　史儒林传。

班　第　蒙古镶黄旗，博尔济吉特氏。太子太保，定北将军，
　　　　领侍卫内大臣，兵部尚书，一等诚勇公。八月二十四
　　　　日于乌兰库图勒殉难。追谥襄烈（追谥在二十一年七
　　　　月）。

鄂容安　太子少傅，西路参赞大臣，前任两江总督，袭三等襄
　　　　勤伯。八月二十四日于乌兰库图勒殉难。追谥刚烈（追
　　　　谥在二十一年七月）。

傅泽布　翰林院侍读学士。八月二十四日于乌兰库图勒殉难。
　　　　予云骑尉世职。

唐黼廷　江苏常熟县诸生。九月初六日卒年四十一。

海　望　满洲正黄旗，乌雅氏。太子少保，内大臣，户部尚书，
　　　　云骑尉。九月卒。谥勤恪。

刘青芝　在籍翰林院庶吉士。十二月初三日卒年八十一。

张广居　山西泽州府知府。十二月初四日卒年六十三。

魏定国　致仕吏部右侍郎。卒年七十八。

程梦星　在籍翰林院编修。卒年七十七。

李　锴　原任官库笔帖式。卒年七十。入国史文苑传。

永　常　字雍谦，号恒斋。满洲正白旗，栋鄂氏。前太子少保，
　　　　定西将军，陕甘总督。以挐问入京卒于陕西临潼县境。

王　暮　三品衔，前署广东巡抚，原任山东布政使。卒。

徐湛恩　赏复直隶副总河原衔，前任内阁学士。卒年八十四。

曹云昇　湖南保靖县知县。卒年五十四。

徐绳甲　浙江诸暨县教谕，前任山东阳信县知县。卒年六十四。

苗国琼　直隶天津镇总兵。卒。赏提督衔。

吕元龙　顺天大兴县举人。卒年三十一。

翁　照　江苏江阴县征士。卒年七十九。入国史文苑传。

乾隆二十一年丙子（公元一七五六年）

● 生辰：

马文辉 二月初三日生，浙江人。享年七十□。

吴兆麟 二月初六日生。

景　谦 二月初八日生，字福泉。浙江仁和人。

程鸿绪 二月十七日生，字岂堂，号石琴。安徽休宁人。享年
　　　 五十九。

何　愚 二月生，字补园。广西平乐人。享年七十□。

黄　泰 四月二十二日生，享年八十□。

魏成宪 九月二十六日生，字宝臣，号春松。浙江仁和人。享
　　　 年七十□。

汪　桂 生，字一山，号芗林。安徽婺源人。享年六十六。

郑宗汝 生，江苏江都人。享年四十六。

王育琼 生，字秉玉。江苏武进人。享年四十一。

石韫玉 生，字执如，号琢堂。江苏吴县人。享年八十二。

刘大懿 生，字坚雅。山西洪洞人。享年六十八。

庄　振 生，字龙见，号修塍。直隶清苑人（原籍江苏武进）。
　　　 享年五十六。

宋　湘 生，字焕襄，号芷湾。广东嘉应人。享年七十一。

韩　煇 生，字虚舟。浙江会稽人。享年六十六。

刘遵陆 生，字涧楠。江苏武进人。享年七十六。

沈品莲 生，浙江人。享年五十四。

陶文烝 生，江苏长洲人。享年六十六。

邵志纯 生，字怀粹，号右庵。浙江仁和人。享年四十四。

王　润 生，字沛堂。浙江嘉兴人。享年七十七。

钱　馥 生，字广伯，号幔亭。浙江海宁人。享年四十一。

● 科第：

　　中式举人：

梁肯堂 浙江钱塘人。直隶知县，刑部尚书。

富森布 满洲镶黄旗，戴佳氏。少詹事。

庆　玉 字两峰。满洲。口口布政使。

郭世玉 直隶天津人。广西梧州府知府。

兴　德 满洲正蓝旗，博尔济吉特氏。浙江湖州府同知，追封
　　　　一等承恩公。

秦锡淳 江西瑞金县知县。

吴锺崃（一作吴锺侨）。四川营山县知县。

成　桂 字雪田。满洲，觉罗氏。

孙　霈 字涵斋。汉军。

赵　濂 字竹漪。汉军。

于时兆 江苏金坛人。知县，甘肃甘州府知府。

沈联芳 字蒇山。江苏元和人。

邵晋之 字叙阶，号檀波。浙江仁和人。

盛百二 字秦川，号柚堂。浙江秀水人。山东淄川县知县。

郭　伦 字凝初，号酉山、幼山。浙江萧山人。

邵陛陛。

杨　灿 字镜村，号质亭。福建邵武人。江苏知县，江苏苏州
　　　　府知府。

郑际熙 字大纯，号浩波。福建侯官人。

李光甲 湖南人。溆浦县教谕，四川黔江县知县。

刘秉恬 字德引，号竹轩。山西洪洞人。内阁中书，四川总督。

张士範 陕西蒲城人。安徽池太广道。

钱汝霖 云南昆明人。山西知县，陕西榆林府知府。

陈国敕 云南永昌人。山西知县，江西袁州府知府。

徐承庆 江苏元和人。

　　中式副榜贡生：

陈　琮 字蕴山。四川南部人。直隶永定河道。

　　中式翻译举人：

珠鲁讷 满洲镶白旗，那尔氏。吏部笔帖式，工部右侍郎。

◉ 恩遇：

策　楞　定西将军。二月以奏报叛贼阿睦尔撒讷就擒，封一等公（四月削）。

玉　保　内大臣。封三等男（四月削）。

舒　明　吏部侍郎兼护军统领。三月以擒获讷默库功封三等男。

吴大纬　浙江钱塘县举人。以本年为康熙丙子科乡举周甲之岁，九月重赴鹿鸣筵宴。

纳穆札尔　参赞大臣，户部侍郎。十二月以擒获青衮杂卜功封一等伯，号勤襄。

● 著述：

徐文靖　撰《周易拾遗》十四卷成，见三月自序。

华　纲　江苏无锡人。撰《字类标韵》六卷成，见五月自序。

邹一桂　撰《小山画谱》二卷成，（按：原书无序跋，以卷末有承诏画洋菊三十六种四库提要诏画谱已刊成，因附于末云云，事在丙子闰九月因系于此年）。

桑调元　撰《恒山集》七卷成，见十一月自序。

诸　锦　撰《毛诗说》二卷成，见十二月自序。

戴　震　撰《考工记图》二卷成，见纪昀序（按：自序在丙寅，因续加补注故系于此年）。

赵学敏　撰《囊露集》四卷成，见利济十二种自序。

● 卒岁：

黄叔琳　吏部侍郎衔赏复詹事府詹事，前浙江巡抚。正月卒年八十五。

刁戴高　字共辰，号约山。江苏常熟人。常熟县诸生。正月卒。

玛木特　内大臣，三等信勇公。正月于回疆为阿睦尔撒纳所害。

阿克敦　太子太保，原任协办大学士，刑部尚书。正月二十三日卒年七十二。谥文勤。

吕　辙　安徽颍州府通判。正月三十日卒年四十九。

刘　清　广东香山县乡饮大宾。二月二十日卒年九十九。

魏廷珍　赏复工部尚书原衔。三月卒年八十八。谥文简。

鄂乐舜　前山东巡抚。二月二十八日以罪令自尽（注：以前在
　　　　浙江巡抚任内勒派商捐）。

冶大雄　四川成都人。前左都督衔云南提督，骑都尉，复起署
　　　　西安提督。四月卒。

俞　斑　字君仪，号笏斋。安徽婺源人。婺源县诸生。卒年五
　　　　十□。

王　郡　字建侯。陕西乾县人。太子少保，左都督衔，原任福
　　　　建水师提督。六月卒年七十□。谥勤慤。

瑚　宝　漕运总督，前任兵部尚书。七月卒。谥恭恪。

泰斐英阿　宗人府左宗正，正黄旗汉军都统，多罗顺承郡王，
　　　　宗室。七月卒年二十九。谥曰恭。

赵殿成　候选主事。七月二十七日卒年七十四。入国史文苑传。

范　炳　浙江钱塘县布衣。八月十七日卒年七十四。

单德棻　江苏常熟县布衣。八月卒年三十四。

陈士璠　江西瑞州府知府。闰九月初六日卒年六十七。入国史
　　　　文苑传。

福　敏　太傅，原任武英殿大学士。十月卒年八十四。入祀贤
　　　　良祠，谥文端，追赠太师（追赠在六十年二月）。

和　起　满洲镶蓝旗，马佳氏。巴里坤办事大臣，宁夏将军。
　　　　十一月于阙展阵亡。赠一等伯，入祀贤良祠，谥武烈。

张若震　湖北巡抚。十一月卒。

策　楞　满洲镶黄旗，钮祜禄氏。前太子太保，定西将军，一
　　　　等公。十二月以挐问解京，于哈萨克途中遇贼被害。

玉　保　蒙古镶白旗，乌朗罕济勒门氏。前参赞大臣，内大臣，
　　　　三等男。十二月以挐问解京，于哈萨克途中遇贼被害。

卫哲治　升授工部尚书（由广西巡抚升补）。以病回河南济源调
　　　　理，卒于原籍，年五十五。

刘师恕　翰林院侍读学士衔，前吏部右侍郎。卒。

赵　森　内阁中书。卒年五十。

王士俊　前河东总督，调署四川巡抚。卒。

谢济世　致仕湖南驿盐道。卒年六十八。入国史循吏传。

黄兴仁　前湖南衡州府知府。卒年五十五。

王忠武　原任四川巴县知县，卒年七十九。

周翼洙　浙江衢州府教授。卒年五十。

朱光亨　景山官学教习，浙江海盐县举人。卒年五十二。

徐云捷　江苏嘉定县廪生，卒年六十三。

马翮飞　字震卿。安徽桐城人。桐城县诸生。卒。入国史儒林
　　　　传。

周　准　字钦莱，号迁村。江苏长洲人。长洲县诸生。卒。入
　　　　国史文苑传。

盛　锦　字庭坚，号青嵝。江苏吴县人。吴县诸生。卒。

朱受新　字念新，号木鸢。江苏吴县人。吴县诸生。卒。

乾隆二十二年丁丑（公元一七五七年）

◉ 生辰：

恽　敬　二月初一日生，字子居，号简堂。江苏阳湖人。享年
六十一。

朱　栋　四月初三日生，字木东，号二垳。江苏金山人。享年
六十六。

王翼孙　四月初九日生，字以燕，号听夫。江苏长洲人。享年
四十。

凌廷堪　八月二十日生，字次仲，号仲子。安徽歙县人。享年
五十三。

丁履端　十一月初三日生，字希吕。号郁兹。江苏武进人。享
年四十八。

汪廷珍　十一月生，字玉粲，号瑟庵。江苏山阳人。

凤　文　生，宗室。享年四十八。

周兆基　生，字廉堂，号莲塘。湖北江夏人（原籍江苏吴县）。
享年六十一。

彭希濂　生，字溯周，号修田。江苏长洲人。享年六十三。

卢　浙　生，字容庵，号蓉荇。江西武宁人。享年七十四。

吴应咸　生，字修之，号悔堂。江西南丰人。享年五十三。

郝懿行　生，字恂九，号兰皋。山东栖霞人。享年六十九。

陈　鹤　生，字鹤龄，号馥初、稽亭。江苏元和人。享年五十
五。

沈　烜　生，字午亭。浙江鄞县人。享年六十六。

薛玉堂　生，字又洲。江苏无锡人（原籍四川苍溪）。享年七十
九。

吴　塏　生，字次升，号礼石。江苏武进人。享年六十五。

郑云龙　生，享年七十六。

毕继曾　生，字承业，号研山。江苏镇洋人。享年五十四。

张希吕　生，广西人。享年八十五。

谢金銮　生，字巨廷，号退谷。福建侯官人。享年六十四。

吴应和　生，（原名吴宁）。浙江海盐人。享年七十口。

朱　玮　生，江苏嘉定人。享年五十六。

黄湘南　生，字一吾，号石橹。湖南宁乡人。享年二十九。

● 科第：

三月以召试一等特赐举人并授内阁中书：

童凤三　字鹤皆，号梧冈。浙江山阴人。余见庚辰科。

陈文组　浙江嵊县人。

顾　震　字敬斋、苇田，号苇杭。浙江钱塘人。余见辛巳科。

钱受毅　余见庚辰科。

曹仁虎　余见辛巳科。

韦谦恒　字慎占，号约轩。安徽芜湖人。余见癸未科。

吴省钦　余见癸未科。

褚廷璋　字左莪，号筼心。江苏长洲人。余见癸未科。

吴　宽　福建汀州府同知。

徐曰璇　。

一甲进士：

蔡以台　字季实，号兰园。浙江嘉善人。会元。状元。修撰。

梅立本　字秋溪。安徽宣城人。榜眼。编修。

邹奕孝　探花。编修，工部左侍郎。

二甲进士：

李汪度　字受之，号宝幢。浙江仁和人。编修，侍读学士。

钱大经　字虞惇，号敦堂。浙江平湖人。编修。

戴文灯　字经农，号匏斋。浙江归安人。礼部主事，礼部员外
　　　　郎。

刘亨地　编修，侍讲。

曹锡宝　庶吉士，刑部主事，山东粮道。

汪　新　编修，湖北巡抚。

袁　鉴　字澍甘，号春圃。浙江钱塘人。编修，江宁布政使。

彭元瑞 编修，吏部尚书，协办大学士。

王绍曾 编修，浙江宁波府知府。

梁英佐 广东嘉应人。户部主事，太常寺卿。

蒋士铨 编修。

王大鹤 字子野，号露仲。顺天通州人。编修，詹事。

刘 芬 字湘畹。江西新建人。礼部主事，吏科给事中。

吉梦兰 庶吉士。

戴第元 编修，太仆寺少卿。

吴 岩 字怀峰。浙江乌程人。口部主事，刑部郎中。

李宗宝 字璞庵，号瑛园。福建闽县人。编修。

陈兰森 字松山，号鈇卿。广西临桂人。编修，湖北荆宜施道。

熊之福 江西南昌人。广东高庆道。

纪 昭 字懋园，号怡园。直隶献县人（原籍文安）。内阁中书。

彭 冠 字六一。河南夏邑人。编修，侍讲学士。

郑 燨 字西桥。安徽歙县人。编修，山东道御史。

薛宁廷 字退思，号补园。陕西雒南人。编修。

那穆齐礼 字鲤庭，号立亭。满洲镶红旗。庶吉士，口部主事，詹事。

韩梦周 安徽来安县知县。

彭绍观 字颙若，号镜澜。江苏长洲人。编修，侍读学士。

鲁赞元 湖北江陵人。吏部主事，户科给事中。

李敬跻 字翼兹。云南马龙人。福建将乐县知县。

陆允镇 甘肃灵州人。浙江粮道。

三甲进士：

周嘉猷 字辰告，号两塍。浙江钱塘人。山东知县，山东益都县知县。

何曰佩 字苍水，号缙华。广东德庆人。检讨，大理寺少卿。

康基田 字茂园。山西兴县人。江苏知县，河东河道总督，嘉庆癸酉重宴鹿鸣。

臧荣青　字理谷，号黎阁。浙江长兴人。湖南岳常澧道。

洪世伶　福建南安人。山西知县，湖北襄阳府知府。

杨廷桦　福建布政使。

卫　诣　字玉亭。河南济源人。工部主事，广东肇罗道。

阮芝生　字紫坪。江苏山阳人。直隶永定河同知。

吴　湘　字篁村，号素卿。山东沾化人。检讨，户科掌印给事中。

袠以埧　江西南昌人。广西知县，云南曲靖府知府。重宴恩荣。

李师敏　刑部主事，福建台湾府知府。

翁　燿　（一作翁耀），字明远。湖南湘潭人。直隶知县，陕西粮道。

冯履谦　广东知县，广东顺德县知县。

简昌璘　字玉亭。湖南邵阳人。吏部主事，署贵州贵阳府同知。

黄绳先　江西知县，江西浮梁县知县。

边廷抡　字霁峰。直隶任邱人。兵部主事，两淮盐运使。

解秉智　甘肃知县，甘肃安化县知县。

谢清问　云南河阳人。户部主事，江南道御史。

张佩芳　安徽知县，安徽泗州直隶州知州。

程大中　字养时，号是庵。湖北应城人。湖北蕲州学正，四川清溪县知县。

富森泰　字东岳，号秋浦。满洲镶红旗。检讨。

常　纪　四川知县，四川崇庆州知州。

张宏仁　四川新繁人。安徽颖州府知府。

梁尚秉　广东顺德人。

李漱芳　字艺圃。四川渠县人。口部主事，工科给事中。

黄道恩　字藏皋。湖南宁乡人。江苏知县，安徽虹县知县。

朱芫会　安徽歙县人，内阁中书，福建粮道。

王萦绪　四川知县，四川石柱直隶厅同知。

杨如溥　字少南。贵州定番人。

张　洲　广西知县，浙江德清县知县。

武进士：

李国梁　直隶丰润人。会元。状元。头等传卫，直隶提督。

植　璋　广东东莞人。榜眼。二等侍卫。

曹龙骧　汉军镶红旗。探花。二等侍卫。

彭廷栋　甘肃宁夏人。三等侍卫，贵州提督。

安廷赞　直隶乐亭人。三等侍卫，广东香山协副将。

任学周　口口侍卫，甘肃肃州镇总兵。

赵邦诏　河南汝州人。口口侍卫，广东广州镇总兵。

龚学盛　湖北监利人。四川守备，四川松潘镇总兵。

● 恩遇：

　　正月以南巡迎銮（下五条俱同）：

梁诗正　原任协办大学士，吏部尚书。赐御书"莱衣昼永"额；

兆　惠　定边右副将军。二月封一等伯，号武毅；

沈德潜　致仕礼部右侍郎。二月加礼部尚书衔；

顾栋高　国子监司业衔。三月加祭酒衔，赐御书"传经耆硕"
　　　　额；

爱必达　江苏巡抚。三月赐御书"宣绩三吴"额。

王　昶　江苏进士。三月召试一等授内阁中书，余见前甲戌科。

史贻直　大学士，十二月加太子太傅。

陈士倌　原任大学士。十二月加太子太傅。

鄂弥达　协办大学士，刑部尚书。十二月加太子太保。

刘统勋　刑部尚书。复加太子太保。

● 著述：

张　庚　自编《强恕斋文钞》五卷成，见夏日自序。

王应奎　撰《柳南续笔》四卷成，见七月自序。

徐大椿　撰《医学源流论》二卷成，见七月自序。

杨锡绂　撰《节妇传》十五卷成，见冬月自序。

惠　栋　撰《渔洋精华录训纂补》二十卷成，见卢见曾序。

● 卒岁：

王安国　原任吏部尚书。正月初八日卒年六十四。谥文肃。

清代人物大事纪年

窦容恂 原任四川嘉定府知府。三月初三日卒年八十。

尚建宝 荆州将军，袭二等奉国将军，宗室。三月卒。谥勤僖。

傅　魁 浙江淳安人。前署口口提督，江南狼山镇总兵。四月
　　　初二日以罪处斩（注：以擅杀率众来投之贼首莽噶里
　　　克，欺诳邀功）。

奇彻布 头等侍卫。五月于塔尔巴哈台阵亡。予一等轻车都尉
　　　世职。

忒　库 内大臣。卒。谥勤僖。

喀尔吉善 字澹园。满洲正黄旗，伊尔根觉罗氏。太子太保，
　　　兵部尚书衔闽浙总督，袭骑都尉世职。七月卒。入
　　　祀贤良祠，谥庄恪。

彭家屏 前江苏布政使。七月十三日以罪令自尽（注：以收藏
　　　逆书，并刻《大彭统记》命名狂悖）。

巴灵阿 巴里坤领队大臣。八月于博罗奇阵亡。予云骑尉世职。
　　　（一作乾隆三十二年卒）

杨　灏 前湖南布政使。九月初九日以罪命于湖南处斩（注：
　　　以侵吞谷价，贪黩败检）。

恒　文 满洲正黄旗。前云贵总督。九月十二日以罪命于押解
　　　来京行抵所在令自尽（注：以借贡献为名短发金价，
　　　并纵容家人勒索门礼）。

李绳武 汉军正黄旗。镇海将军，袭骑都尉兼一云骑尉世职。
　　　九月卒。

莫托和尔 委署营总，头等侍卫。九月于肯色岭阵亡。予云骑
　　　尉世职。

林明伦 降调浙江衢州府知府，十月十五日以引见卒于京师，
　　　年三十五。入国史循吏传。

满　福 满洲镶蓝旗，瓜尔佳氏。领队大臣，驻巴里坤都统，
　　　前任古北口提督。十月于哈喇和落阵亡。谥武毅。

蒋　洲 字履轩。江苏常熟人。前山东巡抚。十一月初五日以
　　　罪命于山西省城处斩（注：以前在山西藩司任内，亏

短库项恣意勒派）。

杨龙文　字百斛。山东历城人。前山西布政使。十一月初五日以罪命于山西省城处斩（注：以亏短库项，任意勒派）。

额尔登　吉林将军。卒，谥恭简。

鹤　年　升授两广总督，留任山东巡抚。十二月初三日卒。赠太子太保，兵部尚书衔，入祀贤良祠，谥文勤。

通　智　满洲正黄旗，马佳氏。前兵部尚书。卒。

吴志鸿　内阁中书。卒年四十。

阿敏道　蒙古镶红旗，图尔格氏。镶蓝旗蒙古副都统。于库车为霍集占所害。予骑都尉兼一云骑尉世职。

张绍渠　山东补用同知，前直隶天津道。卒年四十一。

钱　界　湖北补用同知，前湖北施南府同知。卒年六十七。

李遐龄　原任陕西吴堡县知县。卒年六十七。

董　芳　陕西咸宁人。左都督衔贵州提督。卒。

乾隆二十三年戊寅（公元一七五八年）

◉ 生辰：

朱瑞椿　正月生，字春伯，号春山、鹤癯。浙江海盐人。

缪　璟　二月初三日生，江苏吴县人。享年二十七。

姚景崇　四月初六日生，字絜青，号赤诚。浙江钱塘人。

龚镇海　五月二十九日生，享年七十五。

戴三锡　七月生，字晋蕃，号羡门。顺天大兴人（原籍江苏丹
　　　　徒）。享年七十三。

姚文田　七月二十六日生，字秋农，号梅漪老人。浙江归安人。
　　　　享年七十。

彭希洛　九月二十七日生，字景川，号简缘、瑶园。江苏长洲
　　　　人。享年四十九。

长　龄　十一月十八日生，字懋亭。蒙古正白旗，萨尔图克氏。
　　　　享年八十一。

积哈纳　生，镶蓝旗宗室。享年二十七。

韩　崶　生，字禹三，号桂舲。江苏元和人。享年七十七。

方维甸　生，字南耦，号葆岩。安徽桐城人。享年五十八。

胡克家　生，字占蒙，号果泉。江西鄱阳人。享年六十。

傅　鼐　生，字重庵。顺天宛平人（原籍浙江山阴）。享年五十
　　　　四。

郑兼才　生，福建人。享年六十五。

张腾蛟　生，字孟词。福建宁化人。享年三十八。

徐养原　生，字心田，号饴庵。浙江德清人。享年六十八。

阙　岚　生，字文山，号晴峰。安徽桐城人。享年八十七。

◉ 恩遇：

陈世倌　原任大学士。二月以陛辞回籍，赐御制诗。

嵇　璜　南河副总河。三月赐御书"奕世宣勤"额。

黄廷桂　大学士，陕甘总督。七月晋少保。

杨应琚　闽浙总督。七月加太子太保。

开　泰　四川总督。七月晋太子太保（二十八年削）。

爱必达　云贵总督。加太子太保（二十八年五月革）。

白锺山　江南河道总督。加太子少保。

杨锡绂　漕运总督。加太子少师。

陈宏谋　江苏巡抚。加太子少保。

高　晋　安徽巡抚。加太子少保。

胡宝瑔　河南巡抚。加太子少保。

吴达善　甘肃巡抚。加太子少保。

吴进义　古北口提督。以年届八旬加太子少保。

兆　惠　定边将军。十一月晋封一等公，号武毅谋勇。

黄廷桂　大学士陕甘总督。十二月封三等伯，号忠勤。

● 著述：

王　琦　字载庵，号琢崖。浙江钱塘人。撰《李太白文集辑注》
　　　　三十卷、《附录》六卷成，见正月自序。

钱王炯　撰《字学海珠》二卷成，见二月自序。

江　永　撰《春秋地名考实》四卷成，见五月自序。

方世举　撰《韩昌黎诗集编年笺注》十二卷成，见六月卢见曾
　　　　序。

胡　浚　自编《绿萝山庄诗集》三十二卷成，见七月齐召南序
　　　　（按：书成后又有补遗一卷）。

余萧客　撰《文选音义》八卷成，见七月自序。

口口口　等奉敕撰《春秋直解》十五卷成，见八月御序。

卢见曾　编《国朝山左诗钞》六十卷成，见八月自序。

汪　绂　撰《医林探源》十卷成，见十一月自序。

● 卒岁：

胡天游　浙江山阴县副贡生。正月十二日卒于蒲州，年六十三。
　　　　入国史文苑传。

汪由敦　太子太傅，吏部尚书，前协办大学士。正月二十二日
　　　　卒年六十七。赠太子太师，入祀贤良祠，谥文端。

牛运震　前甘肃平番县知县。正月二十二日卒年五十三。入国
　　　　史循吏传。

滕　纲　候选训导，山东昌乐县岁贡生。正月二十二日卒年七
　　　　十。

陈士倌　太子太傅　原任文渊阁大学士。四月十五日卒于京邸，
　　　　年七十九。谥文勤。

唐喀禄　蒙古正蓝旗，他塔喇氏。蓝翎侍卫，前理藩院左侍郎。
　　　　四月于布回图河阵亡。照副都统例赐恤，予骑都尉世
　　　　职。

梁文濂　原授浙江诸暨县训导（选授后未经赴任）。四月卒年八
　　　　十七。

允　禧　圣祖皇二十一子，多罗慎郡王。五月卒年四十八。谥
　　　　曰靖。

惠　栋　江苏元和县征士。五月二十二日卒年六十二。入国史
　　　　儒林传。

徐　铎　山东布政使。六月二十七日卒年六十六。

刘大宾　贵州普定县知县。八月初四日卒年六十六。

梦　麟　工部右侍郎。八月卒年三十一。

陈鸣夏　广东提督。八月卒年六十四。谥恭毅。

何经文　赏复贵州黎平府知府原衔。八月卒年八十四。

顺德讷　前领队大臣副都统。九月以罪于阿克苏军前处斩（注：
　　　　以从征回部疏防霍集占等逃脱）。

赵宏恩　字芸书。汉军镶红旗。都察院左都御史，前任工部尚
　　　　书。九月卒。

纳穆札尔　（一作那木札尔）蒙古正白旗，图伯特氏。靖逆将
　　　　军，工部尚书，一等勤襄伯。十月十三日于叶尔羌
　　　　途中遇贼阵亡。赠三等义烈公，谥武毅。

三　泰　满洲正黄旗，瓜尔佳氏。参赞大臣，户部左侍郎。十
　　　　月十三日于叶尔羌途中遇贼阵亡。赠三等子，谥果勇。

高天喜　甘肃西宁人。领队大臣，甘肃西宁镇总兵。十月十三

日于黑水桥阵亡。谥果义，予骑都尉兼一云骑尉世职。

鄂　实　满洲镶蓝旗，西林觉罗氏。三等侍卫，前参赞大臣左翼前锋。十月十三日于黑水桥阵亡。谥果壮，予骑都尉兼一云骑尉世职。

三　格　满洲正白旗，栋鄂氏。留营效力，前正白旗蒙古副都统，三等轻车都尉。十月十三日于黑水桥阵亡。谥刚勇，予骑都尉兼一云骑尉世职。

张凌霞　署守备，前云南开化镇总兵。十月十三日于黑水桥阵亡。

石　柱　满洲正红旗。吏部右侍郎。十一月卒。

邵　泰　在籍翰林院编修。十一月十七日卒年六十九。

卢存心　浙江征士，余姚县贡生。十二月十六日卒年六十九。

梁启心　丁忧翰林院编修。卒年六十四。

于　枋　在籍翰林院编修。卒。

冯　祁　翰林院编修。卒。

范廷楷　直隶遵化州知州，前江西按察使。卒年五十八。

胡　浚　前河南淯川县知县。卒年七十。

施廷枢　浙江钱塘县监生。卒年四十五。

乾隆二十四年己卯（公元一七五九年）

◉ 生辰：

陈若霖 四月十五日生，字宗觐，号望坡、雨亭。福建闽县人。享年七十四。

赵　铭 六月初九日生，字篠珊。浙江仁和人。

刑　澍 六月二十八日生，字雨民，号佺山。甘肃阶州人。

严如煜 八月二十四日生，字炳文，号乐园。湖南溆浦人。享年六十八。

朱程奎 十二月初九日生，字匡六，号文宿、丹香。浙江海盐人。享年三十九。

玉　保 生，字德符，号阆峰。满洲正黄旗，栋鄂氏。享年四十。

辛从益 生，字谦受，号筠谷。江西万载人。享年六十九。

陈廷桂 生，字犀林、子犀，号梦瑚。安徽和州人。

吴光悦 生，（原名吴廷燮），字星一，号见楼。江苏阳湖人。享年七十三。

倭星额 生，字厚畬。汉军正黄旗，蒋氏。享年六十四。

何熊光 生，享年六十。

杨嗣沅 生，享年六十三。

黄　屿 生，享年七十七。

张吉安 生，字迪民，号树堂、莳塘。江苏吴县人。享年七十一。

钱　泳 生，江苏无锡人。享年八十六。

彭希口 生，字秋嶽。江苏长洲人。

饶廷訒 生，字陶南。江西彭泽人。享年五十。

初尚龄 生，字渭源。山东莱阳人。享年七十口。

刘　泽 生，山东历城人。享年七十五。

许懋昭 生，字苍辅，号东山。安徽桐城人。享年八十三。

● 科第：

中式举人：

虞礼宝 字席珍，号律斋、古愚。汉军正黄旗，杨氏。山西知县，刑部右侍郎。

吉　善 字竹坪。满洲，觉罗氏。祭酒。

章　棠 江苏上海人。内阁中书，山东盐运使。

边学海 直隶任邱人。江西知县，江西吉南赣宁道。

有　德 字拙存。满洲正黄旗，觉罗氏。广西浔州府知府。

许祖武 国子监学正，甘肃庆阳府知府。

战效曾 浙江知县，浙江海宁州知州。

卢凤起 广西知县，广西天保县知县。

吴　灏 字仰颢，号洛坡、退庵。浙江钱塘人。浙江遂昌县训导。

蒋元枢 字仲升。江苏常熟人。福建知县，福建台湾府知府。

刘谨之 户部主事，礼科掌印给事中。

陆遵书 湖南会同知县。

杜　琼 江西新建人。广西按察使。

张　铭 江西人。江苏苏松太道。

王文湧 浙江会稽人。内阁中书，甘肃布政使。

周　玑 湖南人。河南知县，江西粮道，重宴鹿鸣。

袁明器 字大受。湖南宁乡人。广东知县，刑部员外郎。

张远览 河南人。正阳县教谕，贵州镇远县知县。

梁群英 广西知县，江苏常镇扬通道。

荆道乾 山西人。湖南知县，安徽巡抚。

何明礼 字希颜。四川崇庆人。

张邦伸 字石臣，号云谷。四川三台人。河南州判，河南固始县知县。

黄绍统 字燕勋，号翼堂。广东香山人。石城县训导，琼州府教授。

陈锺琛 字紫岱，号石鍼。广西临桂人。直隶知县，山东布政

使。

周　樽　字寿南，号眉亭。云南昆明人。知县，安徽布政使。

文泰运　南安县训导，元江直隶州学正。

何如钟　贵州平远人。河南知县，广东廉州府知府。

柴　桢　字木斋。贵州思南人。两淮盐运使。

陈嗣虞　字会中。贵州龙里人。永从县教谕，四川新繁县知县。

● 恩遇：

富　德　副将军。二月封三等伯。

富　德　副将军。二月晋封一等伯，号成勇。

明　瑞　参赞大臣，户部侍郎，袭一等承恩公。三月加赏毅勇
　　　　字号。

宁尔强　陕西乾州寿民。三月以八世同居，赐御书匾额及御制
　　　　诗。

梁　择　前浙江余姚县知县。九月以本年为康熙己卯科乡举周
　　　　甲之岁，重赴鹿鸣筵宴。

兆　惠　定边将军，一等公，十一月以回部平定，加赏宗室公
　　　　品级。

富　德　副将军。十一月以回部平定，晋封一等侯。

杨应琚　陕甘总督。十一月晋太子太师（三十二年二月削）。

萨喇尔　散秩大臣。十一月封二等伯，号超勇。

裘曰修　户部右侍郎。其继母郝氏十一月赐御书"八旬衍庆"
　　　　额，生母王氏赐御书"七秩连祺"额。

● 著述：

江　永　撰《音学辨微》一卷成，见二月自序。

纪　昀　撰《沈氏四声考》二卷成，见二月自序。

沈德潜　编《国朝诗别裁集》三十口卷成，见三月自序。

张仁美　字静谷。江苏昭文人。撰《西湖纪游》一卷成（按：
　　　　此书作于四月，见壬午后记）。

曹庭栋　撰《易准》四卷成，见五月自撰例略说。

李因培　编《唐诗观澜集》二十四卷成，见闰六月自序。

纪　昀　撰《唐人试律说》成，见七月自序。

汪　绂　撰《春秋集传》十六卷、《卷末》二卷、《礼记或问》
　　　　八卷、《山海经存》九卷、《读近思录》十四卷《读困
　　　　知记》三卷、《读读书录》二卷、《读问学录》一卷、
　　　　《儒先晤语》二卷、《读阴符经》一卷、《读参同契》
　　　　一卷、《戊笈谈兵》十卷、《大风集》四卷成，（按：以
　　　　上各书均于卒后陆读刻行，今列于九月之前）。

徐大椿　撰《伤寒类方》一卷成，见十月自序。

江　永　撰《古韵标准》四卷、《四声切韵表》四卷成，（按：
　　　　自序无年月，此据王昶所撰墓志）。

赵学敏　撰《串雅》八卷成，见利济十二种自序。

● 卒岁：

三都布　头等侍卫。正月初十于呼尔璊阵亡。予云骑尉世职。

雅尔哈善　字蔚文。满洲正红旗，觉罗氏。前靖逆将军，兵部
　　　　尚书。正月十一日以罪处斩（注：从征讨回部玩物乖
　　　　张，失机偾事）。

三　泰　满洲镶黄旗。太子太保，原任协办大学士，礼部尚书。
　　　　正月卒。谥文恭。

豆　斌　陕西固原人。领队大臣，安西提督。正月以受伤卒于
　　　　呼尔璊军营。谥壮节，予骑都尉兼一云骑尉世职。

黄廷桂　少保，武英殿大学士管陕甘总督，三等忠勤伯。正月
　　　　卒于凉州年六十九。入祀贤良祠，谥文襄。

涂逢震　原任通政使司副使，前工郎左侍郎。三月初三日卒。

达青阿　满洲正黄旗，颜扎氏。镶红旗满洲副都统，前正蓝旗
　　　　蒙古都统。卒。

庄　柱　原任浙江海防道。六月初八日卒年七十。

盛　安　满洲镶黄旗，那拉氏。前刑部尚书，袭一等轻车都尉
　　　　兼一云骑尉。六月卒。

保　德　前绥远城将军。六月以罪处斩（注：以贪黩败检）。

朱亨衍　原任甘肃平凉府同知。六月二十八日卒年六十八。

达瓦齐 回部亲王。七月卒。

庄培因 丁忧翰林院侍讲学士。七月卒。

德　舒 字静庵。满洲镶红旗。原任福建布政使。八月于巴里坤和硕阵亡。予骑都尉世职。

汪　绂 安徽婺源县诸生。九月初八卒年六十八。入国史儒林传。

王兴吾 吏部右侍郎。九月卒。

励宗万 光禄寺卿，前刑部右侍郎。九月卒年五十五。

硕　色 太子少保，湖广总督。九月卒年七十三。谥恭勤。

马大用 福建水师提督。九月卒。谥慎悫。

萨尔哈岱 字鲁望，号樗亭。满洲正蓝旗。杭州将军。九月卒。谥温穆。

哈宁阿 满洲镶黄旗，瓜尔佳氏。前参赞大臣，镶黄旗汉军都统，袭三等信勇公。十月初十日以罪令自尽（注：从征回部玩物失机）。

哈达哈 满洲镶黄旗，瓜尔佳氏。二等侍卫，前太子少保，领侍卫内大臣，工部尚书，袭三等信勇公。十月卒于西路军营。

塔永宁 满洲正红旗，他塔喇氏。山西巡抚。十月卒。

阮玉堂 广东钦州营游击，前河南卫辉营参将。十月卒年六十五。

钱王炯 江苏嘉定县诸生。十月卒年九十二。

彭维新 前协办大学士，户部尚书，复授左都御史。卒。

杨嗣璟 宗人府府丞，降调礼部右侍郎。卒。

顾栋高 国子监祭酒衔。卒年八十一。入国史儒林传。

祝　洤 浙江海宁县举人。卒年五十八。入国史儒林传。

方世举 安徽桐城县贡生。卒年八十五。

陈　梓 浙江征士，余姚县布衣。卒年七十七。入国史儒林传。

乾隆二十五年庚辰（公元一七六〇年）

◉ **生辰：**

杨　揆　正月初四日生，字同叔，号荔裳。江苏金匮人。享年四十五。

赵　曾　正月二十三日生，字庆孙，号北岚。山东莱阳人。享年五十七。

夏　銮　二月初七日生，字德音。安徽当涂人。享年七十。

王绍兰　二月十七日生，字畹馨，号南陔、思惟居士。浙江萧山人。享年七十六。

成　书　四月初八日生，字倬云。满洲镶白旗，穆尔察氏。享年六十二。

曾　燠　六月二十三日生，字庶蕃，号宾谷。江西南城人。享年七十二。

卢荫溥　九月三十日生，字霖生，号南石。山东德州人。享年八十。

秦恩复　九月三十日生，字敦夫，号近光、澹生。江苏江都人。享年八十四。

朱鹤年　九月三十日生，字野云。江苏泰州人。享年七十五。

爱新觉罗顒琰　十月初六日生，仁宗睿皇帝。享年六十一。

孙源湘　十一月十一日生，字子潇、长真，号心青。江苏昭文人。享年七十。

杨遇春　十二月二十五日生，字时斋。四川崇庆人。享年七十八。

史致俨　生，字容庄，号望之、向山，樗翁、榕庄老人。江苏江都人。享年七十九。

韩鼎晋　生，字树屏，号崎霍，四川长寿人。享年七十二。

钱　楷　生，字宗范，号裴山。浙江嘉兴人。享年五十三。

崔景仪　生，字云客，号一士。山西永济人。享年五十六。

钱　俊 生，字益斋。浙江嘉兴人。享年七十六。

庄逵吉 生，字伯鸿。江苏武进人。享年五十四。

杨迦怿 生，字闻甫，号未禅。直隶新城人。享年八十二。

白守廉 生，享年六十九。

刘思敬 生，甘肃人。享年六十九。

岳　炯 生，字秋增。四川中江人。享年六十。

陈诗庭 生，江苏嘉定人。享年四十七。

陈梦熊 生，字章如。福建侯官人。享年六十九。

王　昙 生，字仲瞿，号良士、瓶山。浙江秀水人。享年五十
　　　　八。

翁广平 生，字海深，号叔均。江苏吴江人。享年八十三。

俞宝华 生，字莲石。浙江海宁人。享年五十七。

凌扬藻 生，字誉钊，号药洲。广东番禺人。享年八十六。

金捧阊 生，字玠堂，江苏江阴人。享年五十一。

朱春生 生，江苏吴江人。

钮树玉 生，字蓝田，号匪石。江苏吴县人。享年六十八。

钱　枚 生，字枚叔，号谢庵。浙江仁和人。享年四十三。

● 科第：

一甲进士：

毕　沅 状元。修撰，湖广总督。

诸重光 字申之，号桐屿。浙江余姚人。榜眼。编修，湖南辰
　　　　州府知府。

王文治 探花。编修，云南临安府知府。

　二甲进士：

曹文埴 字竹虚，号近薇。安徽歙县人。编修，户部尚书。

王燕绪 字贻堂，号翼子。山东福山人。编修，侍讲。

王显曾 字周谟，号文园。江苏金山人。庶吉士，礼部主事，
　　　　礼科掌印给事中。

刘权之 编修，大学士。

沈咸熙 字熙人，号兰陔。浙江归安人。庶吉士，刑部主事，

内阁侍读学士。

童凤三　编修，吏部左侍郎。

唐　淮　字晴川，号西园。浙江秀水人。编修，京畿道御史。

钱受毅　庶吉士，户部主事，云南迤东道。

金士松　编修，兵部尚书。

孟超然　庶吉士，兵部主事，吏部郎中。

李廷扬　字随轩。直隶沧州人。口部主事，广东按察使。

赵　升　字书三，号昉林。浙江仁和人。庶吉士，口部主事，
　　　　湖南沅州府知府。

熊启谟　江西安义人。兵部主事，四川川北道。

裘　麟　字超然，号青溪。江西新建人。编修。

汪献芝　浙江仁和人。礼部主事，湖广道御史。

宋　铣　字小岩，号舜音。江苏吴县人。编修，湖南衡州府知
　　　　府。

张世禄　字醴泉，号湘南。湖南湘潭人。编修，四川知县，四
　　　　川威远县知县。

程之章　浙江仁和人。云南东川府同知。

刘　壿　字松崦。山东诸城人。庶吉士，口部主事，江宁布政
　　　　使。

王曾翼　字敬之，号芍坡。江苏吴江人。户部主事，甘肃兰州
　　　　道。

姚　翀　字米山。浙江仁和人。江苏镇江府知府。

张敦均　字二闻。江苏常熟人。刑部主事，山西道御史。

李孔阳　字蔚堂，号子含。直隶清苑人。编修，掌四川道御史。

孙维龙　安徽知县，安徽凤阳县知县。

张光宪　字健堂，号成之。福建晋江人。编修，广西右江道。

陈用敷　字正谊，号体斋、已水。浙江海宁人。吏部主事，安
　　　　徽巡抚。

蒋一璁　字岂石。湖南清泉人。江西即用知县。

陈奉兹　四川知县，江苏布政使。

吴泰来 字企晋，号竹屿。江苏长洲人。归班知县，壬午召试授内阁中书。

许宝善 户部主事，浙江道御史。

陆　爆 字补梅，号悳辉。浙江仁和人。吏部主事，广西浔州府知府。

王中孚 字木舟，号沐州、蓼溪。山东诸城人。会元，编修。

三甲进士：

朱宗洛 字绍川，号苓泉。江苏无锡人。山西天镇县知县。

张廷桂 字丹植，号月峰。陕西三原人。检讨，甘肃巩秦阶道。

折遇兰 字佩湘。山西阳曲人。广东揭阳县知县。

吴焕彩 山东知县，湖北鹤峰州知州。

萧　芝 字昆田，号俨斋。湖北汉阳人。检讨，吏科给事中。

朱　岐 字鸣山。直隶清苑人。河南河北道。

冯晋祚 字介宁。山西代州人。庶吉士，口部主事，左副都御史。

刘经传 字石渠。云南石屏人。检讨，江西道御史。

李　策 湖北知县，直隶安肃县知县。

姜锡嘏 字尔常，号松亭。四川内江人。庶吉士，礼部主事，礼部员外郎。

蓝应元 字资仲，号古萝。福建漳浦人。检讨，礼部左侍郎。

成　城 归班知县，福建知县，福建台湾道（府）同知。

李　台 字南有，号笠山。贵州黄平人。检讨，通政使。

蒋曰纶 检讨，工部右侍郎。

潘经驭 浙江仁和人。湖南长沙府知府。

芮永肩 字铁崖，号后庚。顺天宝坻人。检讨，左庶子。

达　椿 字香圃。满洲镶白旗，乌苏氏。庶吉士，户部主事，礼部尚书。

吴　璜 户部主事，湖南澧州直隶州知州。

孟　邵 字鹭洲。四川中江人。庶吉士，刑部主事，左副都御史。

侍　朝　江苏仪征人，归班知县，国子监学正，乙未特改庶吉士。

刘人睿　顺天宁河人。礼部主事，户科给事中。

王　瑶　福建光泽县知县。

刘雁题　字仙圃。河南光山人。广西南宁府知府。

董之铭　河南洛阳人。工部主事，福建道御史。

陈本敬　字仲思。顺天昌平人。检讨。

　　武进士：

马　全　（原名马瑔）。壬申科武探花，（本科更名马全再中状元）。状元。头等侍卫，四川提督。

邵应郊　广东电白人。榜眼。二等侍卫，云南提标后营游击。

孙廷璧　顺天大兴人。探花。二等侍卫，湖北提督。

颜鸣汉　字济川。广东嘉应人。口口侍卫，福建提督。

李化龙　山东齐东人。蓝翎侍卫，广东口口镇总兵。

彭承尧　字继勋。湖北松滋人。蓝翎侍卫，广西提督。

蔡　鹏　江苏丹徒人。蓝翎侍卫，云南开化镇总兵。

何道深　山西灵石人。蓝翎侍卫，贵州遵义协副将。

刘允桂　直隶庆云人。直隶宣化镇总兵。

　　中式举人：

哈福纳　字睿畴。满洲正蓝旗。左副都御史。

林　隽　顺天大兴人。四川布政使。

吴　沂　直隶沧州人。广东知县，甘肃按察使。

陈基德　直隶河间府知府。

蒋曾炘　湖南长沙府知府。

广　顺　字熙若，号秀峰。蒙古正黄旗，乌尔吉氏。内务部笔帖士，织染局司库。

郑制锦　江南人。直隶布政使。

王　宸　内阁中书，湖南永州府知府。

王笃祐　安徽全椒人。甘肃甘州府知府。

段玉裁　贵州知县，四川巫山县知县。

薛起凤　江苏长洲人。

袁纯德　字松皋。江西泰和人。贵州思南府知府。

宗超海　广昌县训导，竹溪县知县。

雷汪度　浙江人，河南知县，山西汾州府知府。

朱大勋　寿昌县教谕。

楼卜廛　字西滨，号虚白。浙江诸暨人。国子监典薄。

祝　矗　字明甫，号西涧。浙江秀水人。

沈承业　浙江会稽人。直隶知县，直隶天河道。

沈启震　字位东，号青斋。浙江桐乡人。内阁中书，山东运河道。

林　荔　字丹亭。福建莆田人。云南丽江府知府。

张继辛　字椿庭。湖北东湖人。贵州贵西道。

蔡宗建　字立斋。湖北监利人。贵州镇远府知府。

张宗文　山西人。四川知县，湖南永州府同知。

申兆定　字铁蟾。山西阳曲人。陕西试用知县。

周士孝　四川人。山东知县，直隶文安县知县。

莫　瞢　直隶知县，直隶滦州知州。

陈圣修　广西人。湖南知县，云南云南府通判。

◉ 恩遇：

来　保　大学士。三月以八十生辰，赐御制诗。

史贻直　大学士。八月以本年为康熙庚辰科登第周甲之岁，重赴恩荣筵宴。

彭树葵　前礼部左侍郎。八月以恭祝五旬万寿，赏三品顶带。

成　德　袭三等男。十二月封二等男。

◉ 著述：

张宗柟　辑《王士禛带经堂诗话》三十卷成，见三月自识。

徐大椿　撰《道德经注》二卷成，见二月自序。

徐大椿　撰《阴符经注》一卷成，见二月自序。

姚世锡　撰《前徽录》一卷成，见春日自识。

范家相　撰《三家诗拾遗》十卷成，见四月自序。

江　永　撰《礼记训义择言》八卷成，见五月自序。

朱　琰　编《明人诗钞正集》十四卷、《续集》十四卷成，见七月自序。

汪大任　撰《诗序辩正》八卷附卷首一卷成，见九月自序。

许　灿　字衡紫，号晦堂。浙江嘉兴人。撰《楚尾集》一卷成，见秋日闵鉴序。

王　琦　撰《李长吉歌诗汇解》四卷附《卷首》一卷《外集》一卷成，见十一月自序。

叶抱崧　撰《说卬》一卷成，见十二月自序。

江　昱　撰《韵岐》五卷成，见冬日江恂序。

江　永　撰《周礼疑义举要》六卷、《深衣考误》一卷成，（按：自序均无年月，此据王昶所撰墓志）。

赵学敏　撰《升降秘要》二卷、《药性元解》四卷成，见利济十二种自序。

● 卒岁：

袁德达　新授广西庆远府知府。由服阕云南永北府知府起补，正月二十二日卒于京师年四十九。

达尔党阿　满洲镶黄旗。钮祜禄氏。二等侍卫，前太子少保，协办大学士，吏部尚书，袭二等果毅公。二月卒于阿克苏军营。

吉梦兰　翰林院庶吉士。四月十七日以病回籍卒于山东济宁舟次年三十二。

萨喇尔　（一作萨喇勒）。蒙古正黄旗。内大臣，二等超勇伯，前领侍卫内大臣，一等公。四月卒。

永　璋　高宗皇三子。七月卒。追赠多罗循郡王。

陈　道　归班候选知县，江西新建县进士。八月卒年五十四，入国史儒林传。

吉曦曜　江苏丹阳县布衣。八月初五日卒年六十九。

董　孟　陕西固原提督。八月卒。谥勤愨。

张　庚　浙江秀水县征士。九月十一日卒年七十六。入国史文苑传。

金　农　浙江钱塘县布衣。九月十五日卒年七十四。入国史文
　　　苑传。

雷　鋐　丁忧都察院左副都御史。十月二十五日卒年六十四。

宋　筠　降调奉天府府尹。十一月卒年八十。

符　曾　原任户部郎中。卒年七十三。入国史文苑传。

朱伦瀚　原任正红旗汉军副都统。卒年八十一。

塔勒玛善　满洲正白旗，萨克达氏。护军统领。卒。

托　时　满洲正黄旗，佟佳氏。原任盛京刑部侍郎，袭骑都尉
　　　世职。卒年七十口。

陈履中　前甘肃宁夏道。卒年六十八。

王又朴　原任安徽徽州府知府。卒年八十。入国史儒林传。

金洪铨　前浙江温州府知府。卒年七十四。

阿兰泰　蒙古正白旗，博尔济吉特氏。归化城都统，袭骑都尉
　　　世职，前封三等男。卒。

胡　贵　字尔恒。福建同安人。广东提督。卒。谥勤愨。

哈攀龙　贵州提督。以陛见卒于京师。

朱稻孙　浙江秀水县征士。卒年七十九。入国史文苑传。

迮云龙　江苏吴江县征士。卒年七十。

乾隆二十六年辛巳（公元一七六一年）

● 生辰：

沈　琪　正月二十日生，享年六十。

戴　雄　正月三十日生，享年七十六。

江　藩　三月二十二日生，字子屏，号郑堂、节甫老人。江苏甘泉人。享年七十一。

莫　晋　五月初五日生，字锡三，号裴舟、宝斋。浙江会稽人。享年六十六。

李鸿瑞　五月二十五日生，字道升，号砚云。福建侯官人。享年五十八。

彭希涑　六月十一日生，字兰台，号乐园。江苏长洲人。享年三十三。

朱　理　六月十二日生，字燮臣，号静斋。安徽泾县人。享年五十九。

刘启元　八月二十六日生，广西人。享年六十六。

王以衔　十一月初二日生，字署冰，号勿庵。浙江归安人。

淳　颖　生，宗室。享年四十。

乔远煐　生，字贲山，号笔珊。湖北孝感人。享年六十三。

张惠言　生，字皋文。江苏阳湖人。享年四十二。

钱　杜　生，字叔美，号松壶。浙江仁和人。享年八十四。

何学林　生，字昌森，号茂轩。贵州贵筑人。享年五十七。

何元烺　生，字良卿，号砚农、伯用。山西灵石人。享年六十三。

许作屏　生，字子锦，号画山。福建侯官人。享年五十九。

陈　新　生，浙江人。享年七十六。

齐正谊　生，直隶高阳人。享年七十四。

锺　怀　生，字保岐，号葕崖。江苏甘泉人。享年四十五。

饶　彝　生，字砥修，号徽轩。江西临川人。

朱　本　生，江苏甘泉人。享年五十九。

● 科第：

　　一甲进士：

王　杰　状元。修撰，大学士。

胡高望　字希吕，号昆圃、豫堂。浙江仁和人。榜眼。编修，
　　　　左都御史。

赵　翼　探花。编修，贵州贵西道，嘉庆庚午重宴鹿鸣。

　　二甲进士：

蒋雍植　编修。

嵇承谦　字受之，号晴轩。江苏无锡人。编修，侍读。

顾　震　庶吉士，刑部主事，刑部员外郎。

孙士毅　归班知县，壬午召试授内阁中书，文渊阁大学士。

冯秉忠　字二知，号砚斋、春田。江苏金坛人。国子监学正。

姚　棻　字铁松。安徽桐城人。甘肃知县，福建巡抚。

陈步瀛　会元。庶吉士，兵部主事，贵州巡抚。

蔡　封　字铜封，号蛟门。浙江桐乡人。四川知县，直隶正定
　　　　府知府。

李文藻　广东知县，广西桂林府同知。

秦承恩　字慎之，号芝轩。江苏江宁人。编修，刑部尚书。

葛正华　字彬若，号临溪。山西吉州人。编修，山东粮道。

彭绍升　归班知县。

胡翘元　字羽尧，号澹园。江西乐平人。编修，鸿胪寺卿。

项　淳　字任田。安徽歙县人。口部主事，口部郎中。

刘　焯　字芬浦，号清渠。江西南丰人。编修，河南知县，云
　　　　南马龙州知州。

吴　坛　字紫庭，号椒堂。山东海丰人。刑部主事，江苏巡抚。

谢启昆　编修，广西巡抚。

冯应榴　归班知县，乙酉召试授内阁中书，江西布政使。

陈嵩年　浙江钱塘人。山东沂州府（一作曹州）知府。

储秘书　字玉函。江苏宜兴人。庶吉士，户部主事，湖北郧阳

府知府。

孙景燧　浙江海盐人。河南知县，福建台湾府知府。

陈嘉谟　浙江钱塘人。知县，福建延建邵道。

沈士骏　字文声，号朗峰。江苏元和人。编修，中允。

卜祚光　字筠圃。山东日照人。编修，陕西潼商道。

嵩　贵　字抚棠，号补山。蒙古正黄旗，石氏。编修，内阁学士。

张应曾　字祖祁。浙江萧山人。庶吉士，工部主事，山东道御史。

张六行　字孝先。河南长葛人。

崔龙见　陕西知县，湖北荆宜施道。

曹仁虎　编修，侍读学士。

陆锡熊　归班知县，壬午召试授内阁中书，刑部郎中，癸巳特授翰林院侍读，左副都御史。

　　三甲进士：

沈　琳　兵部主事，光禄寺少卿。

邵庚曾　检讨，山西雁平道。

马俊良　字兼三，号嵊山、约堂。浙江石门人。内阁中书。

金云槐　字蒔庭，号养泉。安徽歙县人。检讨，浙江粮道。

黄　堂　安徽宿松县知县。

李松龄　字芳远，号鹤亭。云南宁州人。检讨。

郭元潍　字峚山。安徽全椒人。归班知县，壬午召试授内阁中书，兵部员外郎。

史传选　字壮猷。山西武乡人。

余廷灿　检讨。

吴玉纶　检讨，兵部右侍郎

孙嘉乐　户部主事，四川按察使。

檀　萃　贵州知县，云南武定直隶州知州。

刘作垣　字星五。甘肃武威人。安徽知县，安徽泗州直隶州知州。

刘校之　字中垒，号书堂。湖南长沙人。检讨，户部郎中，侍
　　　　读。

邓大林　字筠斋。广东东莞人。庶吉士，礼部主事，广西道御
　　　　史。

黄腾达　字云衢，号斗槎。安徽休宁人。庶吉士，礼部主事，
　　　　礼科给事中。

邵自镇　归班知县，直隶大名府教授。

齐世南　字英风，号荪圃。浙江天台人。归班知县，浙江宁波
　　　　府教授。

周卜政　安徽桐城人。归班知县。

孙曰秉　字德元，号葆年。奉天承德人。河南知县，云南巡抚。

马人龙　字友夔。山东齐河人。庶吉士，刑部主事，福建道御
　　　　史。

杨中选　字宣霖，号晴轩。云南寻甸人。庶吉士，直隶怀柔县
　　　　知县。

卫　谋　河南济源人。礼部主事，礼科给事中。

张玉树　山东知县，云南临安府知府。

曹　坦　河南确山人。礼部主事，浙江道御史。

马曾鲁　字惟抑。直隶灵寿人。庶吉士，口部主事，贵州思南
　　　　府知府。

　　武进士：

段飞龙　直隶永年人。状元。头等侍卫，广东提标参将。

李　铨　河南虞县人。榜眼。二等侍卫，广东雷琼镇总兵。

董　果　直隶丰润人。三等侍卫，福建海坛镇总兵。

刘辉祖　汉军镶白旗。蓝翎侍卫，署甘肃宁夏镇总兵。

魏大斌　字渭扬。广东长乐人。福建守备，广东南澳镇总兵。

谢　斌　字定国。直隶定州人。江南守备，浙江定海镇总兵。

吴虎臣　广东黄岗协副将。

李　拔　广西守备，广西右江镇总兵。

岳寿渊　江南徐州镇总兵。

● 恩遇：

史贻直 大学士。正月以八十生辰，赐御制诗。

丁士傑 前广西左江镇总兵。五月以恭祝皇太后万寿，赏总兵
衔。

田　懋 原任吏部左侍郎。其母以年届八旬，赐御书"锦悦增
禧"额。

钱陈群 原任刑部左侍郎。十一月加尚书衔。

傅王露 原任翰林院编修。加中允衔。

● 著述：

齐召南 撰《水道提纲》二十八卷成，见正月自序。

梅毂成 撰《赤水遗珠》一卷成、《操缦卮言》一卷成，（按：
二书均无自序，以刻于梅氏丛书辑要之末有辛巳七月
序，今即列于七月之前）。

罗天尺 撰《五山志林》八卷成，见八月自序。

孙景烈 校正《武功县志》三卷成，见九月自序。

秦蕙田 撰《五礼通考》二百六十二卷成，见冬日自序。

钦定 《国朝诗别裁集》三十二卷成，见十一月御序（按：是
书系据沈德潜原选本命词臣重加订正）。

周世金 撰《易解拾遗》七卷附《周易句读读本》二卷成，见
自序。

马曰璐 字佩兮，号半查。江苏江都人。撰《南斋集》六卷、
《南斋词》二卷成，见杭世骏序。

傅　显 自编《卧云堂诗稿》一卷成，见自序。

● 卒岁：

白锺山 字毓秀，号玉峰。汉军正白旗。太子少保，江南河道
总督。三月卒。赠太子太保，谥庄恪。

王　镗 陕西延榆绥道。二月二十七日卒年五十七。

蒋　溥 太子少保，东阁大学士，袭一等轻车都尉世职。四月
卒年五十四。赠太子太保，入祀贤良祠，谥文恪。

端济布 满洲镶黄旗，瓜尔佳氏。镶红旗满洲副都统，三等轻

车都尉。四月卒。赠都统，谥壮节。

武绍周 致仕吏部验封司郎中。五月十七日年七十四。

李元亮 字寅工。汉军正蓝旗。原任户部尚书。五月卒。赠太子太保，谥勤恪，寻入祀贤良祠。

伊　禄 刑部左侍郎。五月卒。

袁　栋 江苏吴江县诸生。七月初七日卒年六十五。

鄂弥达 满洲正白旗，鄂济氏。太子太保，协办大学士，刑部尚书。七月卒。谥文恭。

周守一 山东济南府教授，降调四川南部县知县。八月二十九日卒年五十八。

李大本 原任湖南宝庆府同知。十月十五日卒年七十口。入国史循吏传。

马荣祖 原任河南鹿邑县知县。十一月卒年七十六。入国史文苑传。

夏　晃 汉军正白旗。一等子。卒。

张惟寅 福建汀漳龙道。十二月初二日卒年五十五。

刘　顺 安西提督。十二月卒。赠太子少保，谥壮靖。

德尔敏 满洲镶蓝旗，鄂卓氏。督办黄河北岸堤工，都察院左副都御史，前任盛京兵部侍郎。卒于工次。

周玉章 翰林院侍讲学士。卒年七十。

缪曰藻 原任詹事府司经局洗马。卒年八十。

博　第 满洲正蓝旗，完颜氏。散秩大臣，前任正白旗蒙古都统。卒年七十口。

蔡韶清 前湖北黄冈县知县。卒年五十四。

纪　龙 陕西灵州人。致仕云南楚姚镇总兵。卒年七十口。

吴元音 浙江海盐县岁贡生。卒年八十五。

张锡爵 江苏吴江县诸生。卒年八十二。

程文植 考授州同，江苏嘉定县监生。卒年五十八。

乾隆二十七年壬午（公元一七六二年）

● 生辰：

曹应毂　正月初八日生，字似之，号式堂、也农。浙江嘉善人。享年八十一。

黄中傑　三月初四日生，字谦之，号嵊芝、俊民。江西南昌人。

张兴铺　三月二十一日生。

汪继坊　四月十九日生，（原名汪光诰）。浙江萧山人。

昇　寅　六月十五日生，字宾旭，号晋斋。满洲镶黄旗，马佳氏。享年七十三。

赵文楷　七月十一日生，字介山，号逸书。安徽太湖人。

徐熊飞　七月二十三日生，字渭扬，号雪庐。浙江武康人。享年七十四。

张师诚　七月二十四日生，字心友，号兰渚。浙江归安人。享年六十九。

那彦宝　八月生，满洲正白旗，章佳氏。享年八十二。

罗鉴龟　九月十一日生，湖南长沙人。享年六十七。

赵慎畛　十月初四日生，字遵路、怗瞻，号篆楼、蓼生。湖南武陵人。享年六十五。

李文耕　十一月三十日生，字心田，号复斋、垦石。云南昆阳人。享年七十七。

蒋祥墀　生，字盈阶，号丹林。湖北天门人。享年七十九。

钱　林　生；字东生、志枚。号金粟、叔雅。浙江仁和人。享年六十七。

刘嗣绾　生，字醇甫，号芙初。江苏武进人。享年五十九。

张述燕　生，享年六十一。

程含章　生，字月川。云南景东人。享年七十一。

姚祖同　生，字君甫。浙江钱塘人。享年八十一。

王家相　生，字宗旦，号艺斋。江苏常熟人。享年七十七。

熊方受　生，字介兹，号定峰、焚庵。广西永康人。享年六十
　　　　四。
尤维熊　生，字祖望，号二娱。江苏元和人。享年四十八。
王应辰　生，享年五十六。
严可均　生，字景文。号铁桥。浙江乌程人。享年八十二。
张　鼎　生，江苏人。享年六十三。
罗江泰　生，字静波。浙江黄岩人。享年四十四。
顾凤毛　生，字超宗，号小谢。江苏兴化人。享年二十七。
戴　清　生，江苏仪征人。享年六十六。
葛大宾　生，字兴森，号寅轩。湖南湘乡人。享年七十一。
黄廷鑑　生，字琴六，号拙经叟。江苏常熟人。享年七十九。
庄东旸　生，江苏嘉定人。享年五十九。
朱丞陛　生，字陞墀，号香海。浙江海盐人。享年五十九。
徐　樟　生，浙江嘉定人。享年五十九。

● 科第：

三月以召试一等特赐举人并授内阁中书：

沈　初　余见癸未科；
王　銮　浙江归安人。河南河陕汝道；
程晋芳　余见辛卯科；
赵文哲　户部主事；
严长明　内阁侍读；
徐步云　江苏兴化人；
钱　襄。

中式举人：

朱孝纯　汉军正红旗。四川知县，两淮盐运使。
孙思庭　直隶蔚州人。福建盐道。
袁　知　江苏知县，山西大同府知府。
邱庭澍　字孟直，号醒兰。顺天宛平人。内阁中书，工科给事
　　　　中。
崔　述　福建罗源县知县。

雷　鑽　字宗彝，号西庵。顺天通州人。江西崇仁县知县，重
　　　　宴鹿鸣。

刘鸣鹤　。

郑　澐　字晴波，号枫人。江苏仪征人。乙酉召试授内阁中书，
　　　　浙江粮道。

张熙纯　乙酉召试授内阁中书。

梁　巘　字闻山，号松斋。安徽亳州人。湖北巴东县知县。

钱维乔　浙江鄞县知县。

金学诗　字韵言，号梦馀道人。江苏吴江人。国子监学正。

江　筠　字震沧。江苏长洲人。

汪元亮　字明之，号竹香。江苏长洲人。

涂跃龙　江西新城人。江苏知县，湖南岳阳府知府。

龚禔身　字深甫，号吟㠇。浙江仁和人。内阁中书。

邱　永　国子监学正。

林正辉　福建闽县人。

褚　华　字秋岳（文洲）。湖北应城人。武昌府教授。

丁　甡　湖南清泉人。

石鸿翥　字石泉。湖南湘潭人。内阁中书，刑部郎中。

张九钺　江西知县，广东海阳县知县。

罗士聪　广西人。马平县教谕，重宴鹿鸣。

李颐学　云南昆阳人。

　　　中式副榜贡生：

汪肇龙　安徽歙县人。

◉　恩遇：

　　　二月以南巡迎銮下同：

梅毂成　致仕左都御史。二月以年逾八秩赏其子举人并赐御制
　　　　诗；

沈德潜　尚书衔致仕礼部右侍郎。二月赐御书"九衮诗仙"额。

　　　三月以召试一等以下五人特授内阁中书：

孙士毅　浙江进士。余见前辛巳科；

汪孟鍠 举人。余见丙戌科；

吴泰来 江苏进士。余见前庚辰科；

陆锡熊 进士。余见前辛巳科；

郭元潍 进士。余见前辛巳科。

鄂尔奇达 侍卫。以拿获乾清门叩阍人犯，赏三等伯，号曰敬
　　　　勤。

黄　任 前广东四会县知县。九月以本年为康熙壬午科乡举周
　　　　甲之岁，重赴鹿鸣筵宴。

◉ 著述：

黄汝琳 字砥崖，号古愚。湖北江夏人。重订《世说新语补》
　　　　二十卷成，见正月自序。

何梦瑶 撰《赓和录》二卷成，见清明福增格序。

夏封泰 撰《尚书宗要》成，见四月自撰凡例，（按：是书不分
　　　　卷数）。

孔继汾 撰《阙里文献考》一百卷成，见五月孔昭焕序。

余萧客 撰《古经解钩沈》三十卷成，见九月自撰后序。

周　春 撰《志县奥论》三卷成，见九月自序。

◉ 卒岁：

盛安焯 原任河南叶县知县。正月初八日卒年七十九。

金德瑛 都察院左都御史。正月十一日卒年六十二。

纳延泰 理藩院侍郎，前理藩院尚书。正月卒。

阎相师 甘肃高台人。赏食全俸，原任甘肃提督。正月卒。赠
　　　　太子太保，谥桓肃。

舒　明 蒙古正黄旗，乌梁海济勒莫特氏。绥远城将军，三等
　　　　男。卒。

德　昭 宗人府左宗正，袭多罗信郡王，宗室。二月卒，年六
　　　　十三，谥曰愨。

项　璋 安徽凤阳府知府。二月十八日卒年六十二。

江　永 安徽婺源县岁贡生。三月十三日卒年八十二。入国史
　　　　儒林传。

吴进义　太子少保，古北口提督。三月卒年八十四。赠太子太保，谥壮悫。

禄　庆　三等镇国将军，前袭奉恩辅国公，宗室。四月卒年四十三。

杨　敉　原任浙江新城县知县。四月十九日卒年五十七。

旺札尔　蒙古正白旗，图伯特氏。领侍卫内大臣，理藩院左侍郎，袭骑都尉兼一云骑尉世职。五月卒。谥恪慎。

安　宁　江苏布政使。五月卒。

介　福　礼部左侍郎。闰五月卒。

多尔济　口口旗蒙古都统，兼理藩院左侍郎。八月卒。谥勤恪。

陈黄中　江苏吴县征士。八月二十六日卒年五十九。入国史文苑传。

苏汝砺　湖北远安县知县。九月初八日卒年四十三。

朱士琪　原任山东新城县知县。九月卒年六十九。

绰尔多　满洲正黄旗。黑龙江将军。九月卒。谥质悫。

王裕疆　原任四川嘉定府知府。十月十一日卒年七十口。

归宣光　工部尚书。十二月卒年七十二。谥昭简。

裘　麟　翰林院编修。卒。

王又曾　原任刑部广西司主事。卒年五十七。入国史文苑传。

王　荃　都察院候补经历，降调福建道监察御史。卒年五十一。

王　琛　原任广西永康州知州。卒年八十二。

德　敏　满洲正白旗。荆州将军，前任都督院左都御史。卒。谥温悫。

马良柱　字耀武。四川成都人（原籍甘肃张掖）。原任四川松潘镇总兵。卒。

浦　镗　号声之、秋稼。浙江嘉善人。嘉善县廪贡生。以应试卒于京师。

乾隆二十八年癸未（公元一七六三年）

● 生辰：

唐　晟　正月二十一日生。

焦　循　二月初三日生，字理堂，号里堂。江苏甘泉人。享年
　　　　五十八。

朱文佩　三月二十四日生，字婴玉，号小珊、迟农。浙江海盐
　　　　人。享年六十。

黄丕烈　五月十一日生，字荛圃。江苏吴县人。享年六十三。

周孝埙　七月初六日生，字愚初，号通楼。江苏吴县人。享年
　　　　七十一。

杨怿曾　七月十一日生，字成夫，号介坪。安徽六安人。享年
　　　　七十一。

徐学健　七月十八日生，江苏震泽人。享年八十一。

严　杰　十二月二十七日生，字厚民，号鸥盟。浙江余杭人。
　　　　享年八十一。

顾　皋　生，字缄若，号欸斋、晴芬。江苏金匮人。享年七十。

钱福祚　生，字尔受，号云岩、訒堂、嘉锡。浙江嘉兴人。享
　　　　年四十。

孔继墣　生，字阜村，号叔方、昌平。山东曲阜人。享年五十
　　　　一。

韩文绮　生，字蔚林，号山桥。浙江仁和人。享年七十九。

郎葆辰　生，字苏词，号苏门、文台。浙江安吉人。享年七十
　　　　七。

陆成本　生，字画村。浙江萧山人。享年八十六。

莫与俦　生，字超士，号猷人、杰夫。贵州独山人。享年七十
　　　　九。

温承恭　生，字靖闻，号庄亭。广东德庆人。享年五十八。

朱　筼　生，字达叔，号青萼。浙江海盐人。享年七十四。

顾日新　生，字剑峰。江苏吴江人。享年六十一。

◉ 科第：

一甲进士：

秦大成　状元。修撰。

沈　初　榜眼。编修，户部尚书。

韦谦恒　探花。编修，贵州布政使。

二甲进士：

董　诰　编修，大学士。

孙效曾　字心莳、恂士，号蘧庵。浙江仁和人。会元。编修，侍讲。

费南英　字希文，号道峰。浙江乌程人。工部主事，内阁侍读学士。

祝德麟　字止堂，号芷塘。浙江秀水人。编修，礼科给事中。

曹　焜　四川知县，户部员外郎。

褚廷璋　编修，侍读学士。

蔡履元　字梵珠、万贤，号梓南。浙江石门人。户部主事，湖广道御史。

李调元　庶吉士，吏部主事，直隶通永道。

董　潮　庶吉士。

张秉愚　字葆灵，号梯南。陕西绥德人。编修，奉天府府丞。

吴　珏　字稺玉。安徽歙县人。

汤荨棠　字轊斋，号谏堂。浙江仁和人。刑部主事，江西南昌府知府。

张　焘　字慕清，号涵斋。安徽宣城人。编修，侍读。

徐嗣曾　（原名杨嗣曾出嗣徐氏），字宛东，号雨松。江苏丹徒人（原籍浙江海宁），户部主事，福建巡抚。

费　淳　刑部主事，大学士。

张　培　字守田，号蓉沚。浙江钱塘人。归班知县，乙酉召试授内阁中书，吏部郎中。

戴　璐　兵部主事，太仆寺卿。

苏去疾　庶吉士，刑部主事，贵州都匀府八寨同知。

施朝幹　字培叔，号铁如、小铁。江苏仪征人。礼部主事，太
　　　　仆寺卿。

吴省钦　编修，左都御史。

王嵩高　字少林，号海山、慕堂。江苏宝应人。湖北知县，广
　　　　西平乐府知府。

姚　彲　庶吉士，礼部主事，刑部郎中。嘉庆庚午重宴鹿鸣。

蒋熊昌　江苏阳湖人。安徽颖州府知府。

邱日荣　字向辰，号木亭。江西玉山人。庶吉士，刑部主事，
　　　　福建道御史。

王家宾　顺天昌平人。内阁中书，广西按察使。

祥　庆　字厚斋，号素云。汉军正黄旗。编修，福建兴化府知
　　　　府。

李廷钦　字惕若，号敬堂。福建侯官人。庶吉士，兵部主事，
　　　　光禄寺卿。

孟生蕙　字鹤亭，号兰舟。山西太谷人。编修，通政司参议。

陈其煜　字介炎，号琬同。广东新会人。庶吉士，礼部主事，
　　　　户科掌印给事中。

徐天骥　字德士，号松坞。浙江德清人。户部主事。

　　三甲进士：

鲁华祝　（原名鲁河）。江西新城人，四川知县，四川潼川府知
　　　　府。

李　集　湖北郧县知县。

鲁　鸿　字厚畲。江西新城人。河南知县，河南宁县知县。

白　麟　字应雍，号西崖。满洲正白旗。庶吉士，口部主事，
　　　　侍讲学士。

沈世焘　浙江仁和人。湖北荆宜施道。

李　铎　字振文，号琪园。山东寿光人。检讨，知县。山西宁
　　　　武府同知。

吕元亮　字靖亦，号潜斋、陶村。山西凤台人。庶吉士，口部

主事，四川川东道。

张世法　字鹤泉。湖南湘潭人。直隶知县，甘肃华亭县知县。

易文基　字占履，号芝田。湖南长沙人。检讨，甘肃知县，湖南永顺府教授。

潘　相　山东知县，云南昆阳州知州。

李荣陛　字奠基，号厚冈。江西万载人。湖南知县，云南嶍峨县知县。

孙含中　字象渊，号西林。山东昌邑人。庶吉士，户部主事，浙江布政使。

哲成额　满洲正白旗，佟佳氏。直隶霸昌道。

汤大奎　福建凤山县知县。

吕尔昌　江苏阳湖人。刑部主事，安徽按察使。

龚骖文　字熙上，号简庵。广东高要人。检讨，宗人府府丞。

周肃文　字潜溪。江西金溪人。

袁　树　字香亭。浙江钱塘人。知县，广东肇庆府知府。

周位庚　字廷岐，号介亭。广西临桂人。检讨，山西泽州府知府。

赵来章　河南鹿邑人。

黄义尊　湖北江陵人。检讨，陕西道御史。

沈　翰　字周屏。江苏吴江人。直隶保定县知县。

卢圣存　广东东莞人。

　武进士：

德　灏　满洲正黄旗。状元。头等侍卫，广西郁林营参将。

郭元凯　榜眼。二等侍卫，河南南阳镇总兵。

叶时茂　福建同安人。会元。探花。二等侍卫。

乌大经　字朔南。陕西长安人。三等侍卫，云南提督。

田永桐　字子盛，山西阳曲人。口口侍卫，江南提督。

柴大记　浙江人。福建守备，福建水师提督。

张文奇　字蔚田，号晴峰。陕西榆林人。江西九江协副将。

● 恩遇：

梁诗正　大学士。十月晋太子太傅。

兆　惠　协办大学士，户部尚书。十月加太子太保。

刘　纶　十月加太子太保。

陈宏谋　吏部尚书。晋太子太保。

阿里衮　兵部尚书。加太子太保。

舒赫德　刑部尚书。复加太子太保（三十三年四月革）。

秦蕙田　刑部尚书。加太子太保。

阿　桂　工部尚书。加太子太保（三十年十月革）。

高　晋　江南河道总督。晋太子太傅。

杨锡绂　漕运总督。晋太子太保。

杨廷璋　闽浙总督。加太子太保。

李侍尧　湖广总督。加太子太保（四十五年四月革）。

苏　昌　两广总督。加太子太保。

阿尔泰　四川总督。加太子太保（三十六年十一月革）。

庄有恭　江苏巡抚。加太子少保（后削）。

刘　藻　云南巡抚。加太子少保（三十一年二月革）。

● 著述：

冯　浩　撰《玉溪生诗详注》三卷附卷首一卷成，见春日自序。

口口口　等奉敕撰《西域同文志》二十四卷成，见口月御序。

刘　纶　等奉敕撰《音韵述微》三十卷成。

董丰垣　撰《识小编》二卷成，见自序。

● 卒岁：

胡宝瑔　太子少傅，河南巡抚。正月十八日卒年七十。赠太子
　　　　太保，兵部尚书，谥恪靖。

孙梦逵　宗人府主事。三月初五日卒年五十八。

斐　苏　袭多罗贝勒，正蓝旗宗室。三月卒。

王无党　原任浙江提督。三月卒年七十口。谥悫庄。

刘　琴　直隶顺义县教谕。三月二十日卒年七十九。

史贻直　太子太傅，文渊阁大学士。五月十三日卒年八十二。
　　　　赠太保，入祀贤良祠，谥文靖。

奇通阿　领侍卫内大臣，袭和硕简亲王，镶蓝旗宗室。六月卒
　　　　年六十三。谥曰勤。

鄂　弻　满洲镶蓝旗，西林觉罗氏。升授四川总督（由陕西巡
　　　　抚升补）。六月卒于西安。赠尚书衔，入祀贤良祠，谥
　　　　勤肃。

沈作朋　前湖北布政使。七月初八日以罪处斩（注：前在湖北
　　　　臬司任内纵盗冤良）。

允　祹　圣祖皇十二子，和硕履亲王。七月卒年七十九。谥曰
　　　　懿。

李　旼　云南昆阳县举人。八月初一日卒年八十二。

额尔格图　字晓峰。满洲镶蓝旗。云南提督。八月卒。谥勤恪。

查为义　原任淮南仪所监掣通判。九月初十日卒年六十四。

沈起元　降调光禄寺卿，前任直隶布政使。九月卒年七十九。
　　　　入国史循吏传。

曹绳柱　福建布政使。十月初六日卒年六十二。

开　泰　头等侍卫，伊犁办事（前太子太保，四川总督）。十月
　　　　卒。

陈洪範　前浙江宁波府同知。十月二十日卒年七十五。

陈　鋐　江苏嘉定县布衣。十月二十九日卒年七十三。

张师载　河东河道总督。十一月卒年六十九。赠太子太保，谥
　　　　慤敬。

梁诗正　太子太傅，东阁大学士。十一月十四日卒年六十七。
　　　　赠太保，入祀贤良祠，谥文庄。

张映辰　都察院左副都御史，降调兵部右侍郎。十一月十七日
　　　　卒年五十二。

蔡长澐　兵部右侍郎。十一月二十九日卒年五十四（一作五十
　　　　三）。

梅毅成　赏食全俸，致仕都察院左都御史。十二月卒年八十三。
　　　　谥文穆。

吴　鸿　翰林院侍读。卒。

周人骥　前贵州巡抚。卒年六十八。

朱大勋　候选知县，浙江寿昌县教谕。以卓异引见，卒于京师
　　　　年四十一。

乾隆二十九年甲申（公元一七六四年）

◉ 生辰：

李在青 正月初一日生，字贯时，号白桥、柏乔。湖南湘潭人。
享年五十。

阮 元 正月二十日生，字伯元，号良伯、芸台。江苏仪征人。
享年八十六。

王宗诚 四月二十六日生，字中孚，号廉甫、莲府。安徽青阳
人。享年七十四。

罗思举 五月初八日生，字天鹏。四川东乡人。享年七十七。

程赞清 七月初一日生，（原名程赞宁），字定甫，号静轩。江
苏仪征人。

章大泽 七月初三日生，安徽绩溪人。享年七十一。

鲍桂星 七月初五日生，字双五，号觉生。安徽歙县人。享年
六十二。

李富孙 八月初九日生，字既方，号芗沚。浙江嘉兴人。享年
八十。

蒋云容 八月二十一日生，字瑞章，号敬亭。湖南永明人。享
年五十四。

易元善 九月二十一日生，字允臣，号石坪。湖北汉阳人。

吕 清 十月初四日生，字镜泉，号时山。陕西长安人。享年
五十八。

周培之 十月十三日生，字义培，号耐泉。湖南善化人。享年
四十六。

那彦成 十一月十六日生，字韶九，号东甫、绎堂。满洲正白
旗，章佳氏。享年七十。

林培厚 十二月初五日生，字辉山，号敏斋。浙江瑞安人。享
年六十七。

翁树培 十二月十三日生，字宜泉。顺天大兴人。享年四十八。

张　琦　十二月十四日生，字翰风，号宛邻。江苏阳湖人。享年七十。

杜　堮　生，字次厓，号石樵。山东滨洲人。享年九十五。

潘世璜　生，字黼堂，号理斋。江苏吴县人。享年六十六。

程国仁　生，字济棠，号霁塘、鹤巢。河南商城人。享年六十一。

彭希郑　生，字会英，号苇间。江苏长洲人。享年六十八。

张问陶　生，字乐祖、仲冶，号柳门、船山、老船。四川遂宁人。享年五十一。

吴廷煇　生，字振行，号蝠山。安徽桐城人。享年八十四。

毛会抡　生，享年六十五。

吴经世　生，享年六十六。

许　镐　生，字孚庵，号西麓。浙江嘉兴人。享年七十四。

庄隽甲　生，字经饶。江苏武进人。享年四十五。

苏兆熊　生，字渭占，号磻溪。江西鄱阳人。享年七十二。

朱宗城　生，字沁园，号翼君。浙江海盐人。享年四十三。

周　崑　生，字华隐。浙江山阴人。享年六十八。

张彦曾　生，江苏嘉定人。享年四十三。

袁廷寿　生，（原名袁廷梼），字又恺，号寿阶、绥阶。江苏吴县人。享年四十七。

王文诰　生，浙江人。

吴　修　生，字子修，号思亭。浙江海盐人。享年六十四。

毛际盛　生，江苏嘉定人。享年二十九。

梁元翀　生，字章远，号侪石。广东顺德人。享年六十九。

● 恩遇：

允　禄　庄亲王。六月以七十生辰，赐御制诗，（按：是年应是六十九）。

● 著述：

徐大椿　《兰台轨范》八卷成，见四月自序。

靳荣藩　撰《吴诗谈薮》二卷成，见八月自序，（按：此书附刻

《吴诗集览》之后）。

王孝詠　撰《后海堂杂录》二卷成，见自序。

◉ 卒岁：

张廷瑑　原任内阁学士，降调工部左侍郎。正月卒年八十四。

来　保　太子太傅，武英殿大学士。三月卒年八十四。赠太保，入祀贤良祠，谥文端。

郭大址　山西平遥县诸生。三月十六日卒年七十二。

叶存仁　字心一。湖北江夏人。河东河道总督。六月卒。

纪蕑宜　候选知县，直隶文安县举人。七月卒年七十四。

纪容舒　原任云南姚安府知府。八月卒。

弘　晈　圣祖皇孙。多罗宁郡王。八月卒。谥曰良。

广　成　满洲镶黄旗，富察氏。口口旗蒙古都统。卒。谥温勤。

秦蕙田　太子太保，刑部尚书。九月初九日以回籍就医，卒于直隶沧州舟次，年六十三。谥文恭。

兆　惠　太子太保，协办大学士，户部尚书，一等武毅谋勇公。十一月卒年五十七。赠太保，入祀贤良祠，谥文襄，配享太庙（配享在嘉庆元年十一月）。

黄　祐　原任山西冀宁道。十二月初三日卒年六十四。

鹿迈祖　前四川川北道。十二月十四日卒年六十。

蒋　炳　仓场侍郎。十二月十九日卒年六十七。

杨　秘　致仕光禄寺卿，前四川巡抚。十二月卒年八十四。

顾奎光　湖南桑植县知县。十二月卒。入国史文苑传。

董　潮　在籍翰林院庶吉士。卒年三十六。

高不骞　原任翰林院待诏。卒年八十七。入国史文苑传。

秦　倬　前云南江川县知县。卒年七十六。

丁士傑　总兵衔，前广西左江镇总兵，降调贵州提督。卒。

乾隆三十年乙酉（公元一七六五年）

◉ 生辰：

周系英 二月二十五日生，字孟才，号石芳。湖南湘潭人。享年六十。

蒋云宽 闰二月十一日生，字台鼎、退吾，号牧叔、锦桥。湖南永明人。享年五十八。

顾 莼 七月二十四日生，字希翰，号吴羹、南雅、息庐。江苏吴县人。享年六十八。

任郿祐 十月初七日生，（一作任郿祐）字礼斋，号渠淑、炳田。山东聊城人。享年七十一。

祝百十 十一月初四日生，字子常。江苏江阴人。享年六十三。

陈 琪 生，字琪玉，号花农。浙江仁和人。

陈希祖 生，字玉方。江西新城人。享年五十六。

潘兰生 生，享年四十二。

杨 健 生，字刚亭，号鳝堂。湖南清泉人。享年七十九。

李于培 生，字因甫，号滋园。山东安邱人。享年五十三。

洪颐煊 生，字旌贤，号筠轩、倦舫老人。浙江临海人。享年七十三。

谢 震 生，（原名谢在震），字甸南。福建侯官人。享年四十。

朱瑞榕 生，字容叔，号荫山。浙江海盐人。享年六十三。

李遇孙 生，字庆伯，号金澜。浙江嘉兴人。享年七十口。

常 德 生，满洲正红旗，索栾乌扎氏。享年七十五。

陈广宁 生，字静侯，号默庵、雪樵。浙江山阴人。享年五十。

舒 位 生，字立人、犀禅，号铁云。顺天大兴人。享年五十一。

赵 坦 生，字宽夫。浙江仁和人。享年六十四。

李 毅 生，字中玉，号介石。浙江嘉兴人。享年七十六。

汪光燨 生，字晋蕃，号芝泉。江苏仪征人。享年四十三。

金光烈　生，享年三十五。

戈宙襄　生，字小莲。江苏元和人。享年六十三。

孟　麟　生，字玉书，号逸冈。浙江会稽人。享年六十囗。

◉ 科第：

闰二月以召试一等特赐举人并授内阁中书：

陆费墀　字丹叔，号颐斋。浙江桐乡人。余见丙戌科。

三月以召试一等特赐举人并授内阁中书：

鲍之锺　字雅堂，号论山、礼凫。江苏丹徒人。余见己丑科。

金　榜　余见壬辰科。

秦　潮　字步皋，号端崖。江苏无锡人。余见丙戌科。

周发春　江苏上元人。

吴　楷　江苏仪征人（原籍安徽歙县）。

洪　朴　字起元，号伯初、素人。安徽歙县人。余见辛卯科。

陈希哲　江苏元和人。

蒋　宽　安徽宣城人。

刘种之　江苏武进人。余见丙戌科。

0752

考取拔贡生：

鹿　荃　直隶人。山西知县，两淮盐运使。

潘望龄　字璜溪。江苏无锡人。

夏大观　字继临，号枫江。湖南湘潭人。衡州府训导，岳州府
　　　　教授。

欧阳基文　字同园。湖南新化人。

万锺傑　字汝兴，号荔村。云南昆明人。湖北知县，福建按察
　　　　使。

中式举人：

汪日章　字倬云，号首禾、迟云。浙江钱塘人。内阁中书，江
　　　　苏巡抚。

舒　聘　满洲镶白旗，西林觉罗氏。吏部主事，左副都御史。

谷廷珍　字竹村。直隶丰润人。江苏淮扬道。

牛稔文　字用馀，号师竹。顺天大兴人。内阁中书，湖南粮道。

蓝嘉瓒 浙江定海人。内阁中书，湖南辰沅永靖道。

刘锡信 山东知县，户部员外郎。

张　坝 字商言，号瘦桐。江苏吴县人。内阁中书。

许承志 山东知县，广东番禺县知县。

倪鼎铨 字晋阶。江苏无锡人。四川知县，四川雅州府知府。

赵同翮 甘肃知县，甘肃张掖县知县。

俞　堉 字容万，号蘅皋。江苏泰州人。安徽舒城县知县。

彭希韩 江苏常州人。

罗有高 江西瑞金人。

翟均廉 字春沚。浙江仁和人。国子监学正。

陈　稆 浙江人。

周　莲 字予同，号予井。浙江海宁人。内阁中书。

林乔荫 字育万，号樾亭。福建侯官人。四川江津县知县。

乔人傑 山西徐沟人。直隶知县，湖北按察使。

路元锡 陕西人。甘肃成县训导，直隶藁城县知县。

曲阜昌 四川人。知县，江西饶州府知府。

王正常 字方山。四川泸州人。湖北安襄郧荆道。

梁　泉 广东顺德人。

劳　潼 字润之，号羲野。广东南海人。

朱应荣 广西临桂人。直隶知县，直隶永定河道。

● 恩遇：

　　闰二月以南巡迎銮（下二条相同）：

邹一桂 原任内阁学士。赐御书"画禅颐寿"额；

彭树葵 三品顶带，前礼部左侍郎。赐御书"椿庭莱舞"额。

王世芳 原任浙江遂昌县训导。以年届一百七岁，赐御书匾额。

沈德潜 礼部尚书衔。闰二月加太子太傅。

钱陈群 刑部尚书衔。闰二月加太子太傅。

　　闰二月以召试一等特授内阁中书：

张　培 浙江进士。余见前癸未科；

冯应榴 余见前辛巳科；

吴寿昌　举人。余见己丑科。

　　三月以召试一等特授以下二人内阁中书：

郑　澐　江苏举人。余见前壬午科；

张熙纯　余见前壬午科。

尹继善　大学士。四月以七十生辰，赐御书"韦平介祉"额（按：
　　　　是年应七十一岁）。

永　琪　十一月封和硕荣亲王。

● 著述：

翟　灏　撰《湖山便览》十二卷成，见五月钱维城序。

朱　瑶　自编《萤窗草集》成，见六月自序。

赵之璧　撰《平山堂图志》十卷、卷首一卷成，见七月自序。

赵学敏　撰《本草纲目拾遗》十卷成，见八月自序。

冯　浩　撰《樊南文集详注》八卷成，见长至钱维城序。

黄叔灿　撰《唐诗笺注》十卷成，见十一月沈德潜序。

王　琰　陕西渭南人。撰《周易集注》十一卷、《图说》一卷成，
　　　　见自序。

清代人物大事纪年

0754

● 卒岁：

刘士铭　五品衔，前湖北盐驿道。正月初一卒年六十八。入国
　　　　史循吏传。

翟詠参　安徽泾县布衣。正月十四日卒年六十二。

素　诚　满洲正黄旗，苏完瓜尔佳氏。正蓝旗汉军副都统。二
　　　　月于乌什自尽。

邓元昌　江西赣县诸生。闰二月初四日卒年六十八。入国史儒
　　　　林传。

谢　晋　原任江苏砀山县教谕。闰二月初九日卒年九十。

辅　德　江西巡抚。闰二月卒。

武进陞　字允大。江苏江宁人。浙江提督。闰二月卒年七十口。
　　　　谥良毅。

恒　斌　二等侍卫，宗室。三月初一日于乌什阵亡。予云骑尉
　　　　世职。

图尔炳阿 满洲正白旗，佟佳氏。湖南巡抚。三月卒。

乔光烈 甘肃布政使，前湖南巡抚。三月卒。

弘 曕 世宗皇六子。多罗果郡王，前袭封果亲王。三月卒年
　　　三十三，谥曰恭。

徐 杞 致仕宗人府府丞，降调陕西巡抚。四月十三日卒年八
　　　十一。

纳世通 字亨伯。满洲镶蓝旗，觉罗氏。喀什噶尔办事大臣，
　　　工部侍郎。五月以罪于乌什军前处斩（注：以妄自尊
　　　大，凌辱回众，于乌什叛变，复办理种种悖谬）。

弁塔哈 （一作弁塔海）。阿克苏办事大臣，副都统。五月以罪
　　　于乌什军前处斩（注：以妄自尊大，凌辱回众，于乌
　　　什叛变，复办理种种悖谬）。

勒尔森 字蔚章，号树之。满洲镶蓝旗，觉罗氏。都察院左都
　　　御史。七月卒。

和 诚 前和阗办事大臣。七月二十二日以罪命于和阗处斩
　　　（注：以重利盘剥回人，贪婪败检）。

柏 谦 在籍翰林院编修。八月初六日卒年六十九。

张宗柟 浙江海盐县监生。八月二十七日卒年六十二。

黄绳先 原任江西浮梁县知县。九月初九日卒年四十七。

吴士功 前福建巡抚。九月二十三日卒年六十七。

宫尔劝 原任云南布政使。十一月卒年七十八。

鲍 皋 江苏征士，丹徒县监生。十二月卒年五十八。入国史
　　　文苑传。

习 寯 原任詹事府少詹事。卒年八十五。

介锡周 原任太仆寺少卿，前任贵州按察使。卒。

固宁阿 满洲镶红旗。二等子。卒。

陈守诚 原任浙江宁绍台道。卒年四十。

郑 燮 原任山东潍县知县。书画名家，"扬州八怪" 之一。
　　　卒年七十三。入国史文苑传。

李旦华 浙江嘉兴人。嘉兴县优贡生。卒年二十口岁。

叶抱崧 字方宣，号丽农、书农。江苏南汇人。南汇县廪生。
　　　　卒。

丁　敬　浙江钱塘县布衣。卒年七十一。入国史文苑传。

乾隆三十一年丙戌（公元一七六六年）

● 生辰：

朱绪曾　二月十五日生，字乔斯，号若衡。浙江海盐人。享年
　　　　六十七。

王引之　三月十一日生，字伯申，号曼卿。江苏高邮人。享年
　　　　六十九。

蒋攸銛　三月三十日生，字颖芳，号砺堂。汉军镶蓝旗。享年
　　　　六十五。

陈希曾　四月二十三日生，字集正，号锺溪、雪香。江西新城
　　　　人。享年五十一。

朱　菁　五月初六日生。

陈阶平　五月初九日生，字雨峰，号鹿岑、奎五。安徽泗州人。
　　　　享年七十九。

永　璘　五月生，高宗皇十七子。享年五十五。

邵葆醇　七月二十一日生，字睦民，号松畴。顺天大兴人。

余霈元　七月二十三日生，字蔚农，号鹭门。江西德化人。享
　　　　年六十六。

顾广圻　八月生，字千里，号涧苹、一云散人。江苏元和人。
　　　　享年七十。

曹应旭　九月初九日生，字晋之，号米庵。浙江嘉善人。享年
　　　　七十七。

朱　鸿　十月初八日生，字仪可，号筠簏、云陆、少梁。浙江
　　　　秀水人。

玉　麟　十一月生，字振之、子振，号砚农、厚斋。满洲正黄
　　　　旗，哈达那拉氏。享年六十八。

欧阳厚均　生，字坦斋。湖南安仁人。享年八十。

姚　堃　生，字子方，号廉山。陕西澄城人。享年五十七。

姚学塽　生，字晋堂，号镜塘。浙江归安人。享年六十一。

傅　淦 生，浙江萧山人。享年三十六。

吴邦庆 生，字景唐，号霁峰。顺天霸州人。享年八十三。

韩克均 生，字德嶷，号芸舫、复堂。山西汾阳人。享年七十五。

王庭华 生，字小村。陕西大荔人。享年六十二。

何道生 生，字立之，号兰士、菊人。山西灵石人。享年四十一。

吴嵩梁 生，字子山，号兰雪。江西东乡人。享年六十九。

朱向隆 生，字吉堂。江苏阳湖人。享年五十。

申汝慧 生，字定甫，号南峰。山西灵石人。享年五十九。

陆　文 生，字少游。江苏吴县人。享年六十一。

何元锡 生，字敬祉，号梦华。浙江钱塘人。享年六十四。

◉ 科第：

一甲进士：

张书勋 字在常，号酉峰。江苏吴县人。状元。修撰，右中允。

姚　颐 榜眼。编修，甘肃按察使。

刘跃云 探花。编修，兵部左侍郎。

二甲进士：

陆费墀 编修，礼部右侍郎。

刘种之 编修，赞善。

陈桂森 编修，大理寺少卿。

秦　潮 编修，司业。

陈昌图 字南琴，号玉台。浙江仁和人。编修，直隶天河道。

喻升阶 字允吉，号镜湖。江西新建人。庶吉士，吏部主事，江南道御史。

沈世炜 字南雷，号吉甫、沈楼、香圃。浙江仁和人。礼部主事，礼部郎中。

韩朝衡 字开云，号复堂、春湖。浙江钱塘人。庶吉士，口部主事，广东惠潮嘉道。

王　宽 字栗人。江苏无锡人。兵部主事，浙江道御史。

范　杙 字朴亭。浙江钱塘人。户部主事，户部员外郎。

姜　晟 刑部主事，工部尚书。

孙登标 字在冈。江苏昆山人。

雷翀霄 字桐轩，号雷峰。四川井研人。编修。

顾声雷 字震苍，号晋庄。江苏元和人。陕西知县 广东惠州府
　　　 知府。

王嘉曾 字汉仪，号宁甫、宁叔、史亭。江苏华亭人。编修。

杨锺嶽 福建连江人。湖北荆宜施道，（一作山东运河道）。

浦　霖 字苏亭。浙江嘉善人。知县，福建巡抚。

查　莹 字韫辉，号映山。山东海丰人（原籍浙江海宁）。编修，
　　　 吏科给事中。

王汝璧 字镇之。四川铜梁人。吏部主事，刑部右侍郎。

福　保 字嘉申，号景堂。满洲正白旗，陈氏。编修，奉天府
　　　 府尹。

陈　濂 字澄之，号春田。河南商丘人。编修。

邹玉藻 字位元，号清渠、西麓。江西奉新人。编修，浙江道
　　　 御史。

管幹贞 编修，漕运总督。

尹壮图 庶吉士，礼部主事，内阁学士。

孙志祖 刑部主事，江南道御史。

甘立德 江西奉新人。礼部主事，直隶口北道。

余　集 归班知县，壬辰特授庶吉士，编修，侍讲学士，道光
　　　 壬午重宴鹿鸣。

范永澄 字志瞥，号半村。浙江鄞县人。归班知县 浙江嘉兴府
　　　 教授，山西朔州知州。

朱　琰 浙江海盐人，归班知县，直隶阜平县知县。

庄承籛 字小彭，号羹堂、古香。陕西咸宁人（原籍江苏武进）。
　　　 编修，侍读。

蒋兆奎 陕西渭南人。甘肃张掖县教谕，山东巡抚。

施学濂 字大醇，号耦堂。浙江钱塘人。礼部主事，兵科给事

中。

王懿修　编修，礼部尚书。

孙银槎　浙江嘉善人。归班知县。

李殿图　编修，福建巡抚。

汪孟鋗　内阁中书，吏部主事。

黄良栋　字翼安，号罦函、芝芸。顺天大兴人。编修，江西南昌府知府。

黄符綵　字望屺。顺天大兴人。广西桂平梧郁道。

金　洁　礼部主事。

谢　垣　字再东，号东君。浙江嘉善人。刑部主事，刑部员外郎。

阎循观　吏部主事。

王世勋　归班知县，广东永安县知县。

胡　珊　字佩绅，号含川。安徽歙县人。会元，编修。

彭如幹　河南开归陈许道。

0760

　　三甲进士：

袁秉义　直隶宣化人。知县，福建台湾府知府。

冯鼎高　福建长乐人。江苏苏州府知府。

奊　寅　湖南知县，湖北利川县知县。

金兆燕　归班知县，江苏扬州府教授，国子监博士。

李　蔚　字青岑，号小园。顺天大兴人。户部主事，广东潮州府知府。

彭　礼　（碑录未见彭礼）。江苏镇洋人，山西知县，安徽颖州府教授。

徐联奎　江西知县，湖北郧阳府知府。

吴人骥　直隶天津人。山东知县，山东莱州府知府。

唐乐宇　四川绵竹人。贵州兴义府知府。

邓文洋　字泽士，号笔山。湖南湘潭（湘乡）人。检讨，云南布政使。

尹文炳　江西玉山人。知县，山东沂州府知府。

王锺健　字仲范，号静亭。山西文水人。检讨，浙江金衢严道。

祥　鼐　（原名祥奈），字仲调，号药圃。满洲正黄旗，觉罗氏。工部主事，直隶布政使。

吴　濂　广东东莞人。吏部主事，江南道御史。

李　炤　字星渠。河南汝阳人。吏部主事，山东济南府知府。

戴翼子　字燕贻，号苣泉、上公山人。江苏上元人。工部主事，山东道御史。

宋仁溥　字体之，号梅堂。贵州天柱人。庶吉士改知县。

吴延瑞　字履丰，号云亭。河南固始人。户部主事，广东粮道。

秦　清　字秀峰。陕西华州人。礼部主事，通政使。

　　武进士：

白成龙　状元。头等侍卫。

黄宗傑　汉军镶白旗。榜眼。二等侍卫。

彭先龙　字云翼。湖北松滋人。会元。探花。二等侍卫，口口营参将。

许世昌　直隶天津人。传胪。三等侍卫，湖南常德营参将。

何　俊　字鲁阶。浙江上虞人。三等侍卫，福建福宁镇总兵。

李芳园　广东海阳人。口口侍卫，福建金门镇总兵。

● 恩遇：

赵　资　陕西三水县民。以八世同居，十一月赐御制诗及额。

熊　本　原任翰林院编修。以本年为康熙丙戌科登第周甲之岁，重赴恩荣筵宴。

● 著述：

闻人倓　撰《渔洋古诗选笺》三十二卷成，见四月自序。

华南田　辑刻《临证指南医案》十卷成，（一作叶桂撰）。见十二月自序。

钦定　《大清会典》一百卷成，见十二月御序。

汪师韩　自订《上湖纪岁诗编》四卷成，见十二月自序。

李文渊　撰《左传评》三卷毕，（按：自序作于乙酉九月然全书未成，文渊卒后其兄文藻以残稿三卷付刻，故系于是年）。

● 卒岁：

陈兆嵋　原任内阁中书。正月卒年六十五。

陶其愫　河南彰德府知府。正月十一日卒年四十一。

刘　藻　留滇效力，前太子少保，云贵总督降补湖北巡抚。三月初三日（一作二月二十三日）于督署自刎，年六十六。

永　琪　高宗皇五子，和硕荣亲王。三月卒，谥曰纯。

蔡　珑　原任安徽含山县训导。三月初九日卒年八十二。

宋光国　江西雩都县副贡生。三月卒年二十九。

严有禧　降调湖南按察使。四月初五日卒年七十三。

商　盘　云南元江府知府。四月二十七日卒年六十六。入国史文苑传。

林　元　浙江海宁县医士。六月初七日卒年五十八。

永　泰　满洲镶黄旗，觉罗氏。宁夏将军。六月卒。谥恪靖。

蒋　德　浙江秀水县举人。六月卒于常熟虞山书院，年五十四。

陈　益　原任河南陈留县知县。七月初九日卒年五十四。

郑　培　福建侯官县诸生。七月十四日卒年六十九。

李　勋　字元臣。贵州镇远人。云南提督。八月卒。赠太子太保，谥壮毅。

卢明楷　詹事府詹事。八月十五日卒年六十五。

沈　铨　江苏青浦县布衣。八月二十二日卒年七十。

岳锺璜　字吕瑞，号筠圃。四川成都人（原籍甘肃临兆）。四川提督。十月卒谥庄恪。

和其衷　（原名何其忠），字敬庵，满洲正红旗。前陕西巡抚。十月以罪处斩（注：以前在山西巡抚任内，于升任阳曲令段成功弥补亏空一案徇纵营私）。

孙　灏　通政使司通政使，降调都察院左副都御史，前湖南布政使。卒年六十七。

范　璨　致仕工部右侍郎。卒年八十七。

金德寅　浙江钱塘县诸生。十二月十九日卒年四十九。

玉　素　哈密郡王品级贝勒。十二月卒于山西灵石县行次。

何国宗　致仕礼部右侍郎，前礼部尚书。卒年七十口。

顾　涛　原授湖南岳州府同知。由贵州普定县知县升补以病未
　　　　任，卒年七十八。

屈成霖　原任直隶景州知州。卒年八十四。

郑大纶　原任陕西陇州知州。卒年六十五。

爱隆阿　满洲正黄旗，觉尔察氏。伊犁参赞大臣，一等轻车都
　　　　尉兼一云骑尉。卒。

李文渊　山东益都县诸生。卒年二十六。

乾隆三十二年丁亥（公元一七六七年）

◉ 生辰：

郭　麔　正月二十日生，字频伽，号祥伯、蘧庵、复庵。江苏吴江人。享年六十五。

金锡鬯　二月三十日生，字秬和、伯卣，号蒨毂。浙江桐乡人。享年七十二。

尹佩珩　四月初一日生，字实夫、玉山，号集虚。云南蒙自人。

贾彦槐　四月初四日生。

许松年　闰七月二十八日生，字蓉裔。号乐山。浙江瑞安人。享年六十一。

陈桂生　生，字云柯，号香谷。浙江钱塘人。享年七十四。

程邦宪　生，字穆甫，号竹庵。江苏吴江人。享年六十六。

李宗传　生，字孝曾，号海帆。安徽庐江人。享年七十四。

龚丽正　生，字暘谷，号赐泉、闇斋。浙江仁和人。享年七十五。

张　曾　生，字沂元，号怡园。江苏江宁人。

吴名凤　生，字竹庵。直隶宁津人。享年八十八。

季　麟　生，字绣绂，号晴郊。江苏江阴人。享年四十八。

李以谦　生，享年五十。

时　铭　生，江苏嘉定人。享年六十一。

欧阳辂　生，（原名欧阳绍洛），字念祖，号碉东。湖南新化人。享年七十五。

江　沅　生，字铁君，号子兰。江苏吴县人。享年七十二。

曹言纯　生，字种水。浙江嘉兴人。享年七十一。

臧　庸　（原名臧庸堂），字西成，号在东。江苏武进人。享年四十五。

◉ 著述：

李稻塍　浙江人。编《梅会诗选》十二卷成，见正月自序。

口口口 等奉敕撰《续文献通考》二百五十二卷成。

程廷祚 撰《春秋职官考略》三卷、《春秋地名辨异》二卷附录
　　　 一卷、《左传人名辨异》二卷成,（按：诸书自序均无
　　　 年月,以卒后始刻今系于三月之前）。

王鸣盛 编《苔岑集》二十卷成,见三月自序。

顾　镇 撰《虞东学诗》十二卷成,见五月自序。

徐大椿 撰《慎疾刍言》一卷成,见七月自序。

袁景辂 编《国朝松陵诗征》二十卷成,见七月自序。

邵嗣宗 撰《洗心录》一卷、《筮仕金鉴》二卷、《葬考》一卷
　　　 成,（按：诸书均无自序,至道光癸巳其曾孙廷烈始刻,
　　　 入《娄东杂著》中,今系于闰七月前。

钱人龙 辑刻《竹云题跋》四卷成,见八月沈德潜序。

口口口 等奉敕撰《续通志》五百二十七卷成。

刘执玉 撰《国朝六家诗钞》八卷成,见沈德潜序。

朱　琰 撰《陶说》六卷成,见鲍廷博跋。

程穆衡 校定《蒋氏水龙经》五卷成,见自序。

◉ 卒岁:

弘　明 多罗贝勒,圣祖皇孙。正月卒,谥恭勤。

侯宗岘 国子监助教。正月二十八日卒年五十三。

允　禄 圣祖皇十六子。正黄旗满洲都统,（前理藩院尚书),
　　　 袭和硕庄亲王。二月卒年七十二。谥曰恪。

戴永植 浙江余杭县教谕,前湖南龙阳县知县。二月二十六日
　　　 卒年六十三。

程廷祚 江苏上元县征士。三月二十二日卒年七十七。入国史
　　　 儒林传。

姜顺蛟 降调江苏淮安府知府,四月二十八日卒年六十五。

蒋　楯 兵部右侍郎。五月卒。

福灵安 满洲镶黄旗,富察氏。署云南永北镇总兵,正白旗满
　　　 洲副都统,多罗额附,云骑尉。六月卒于永昌。

庄有恭 福建巡抚,前太子少保,协办大学士,刑部尚书。七

月初二日卒年五十五。

傅　森　（一作富森）。内大臣，一等轻车都尉。卒。谥恪慎。

那　亲　满洲镶黄旗。口口旗蒙古都统。卒。谥恪勤。

邵嗣宗　原任翰林院侍读。闰七月初三日卒年五十八。

袁景辂　江苏吴江县诸生。闰七月初七日卒年四十四。

卢　焯　前湖北巡抚。闰七月十三日卒年七十五。

书　敏　新授云南口口镇总兵。闰七月二十日以赴任卒于云南
　　　　九叠地方。

杨述曾　翰林院侍读。闰七月二十一日卒年七十。赠四品衔，
　　　　入国史文苑传。

杨应琚　字佩之，号松门。汉军正白旗。前太子太师，东阁大
　　　　学士，云贵总督。闰七月二十三日以罪命于京师自尽
　　　　（注：以办理缅匪失机偾事）。

马负书　福建陆路提督。九日卒，谥昭毅。

张熙纯　内阁中书。九月二十五日卒年四十三。

顾　楗　候选内阁中书，前任陕西蒲城县知县。九月二十七日
　　　　卒，年六十五。

李因培　前福建巡抚。十月初二日以罪令自尽（注：以在湖南
　　　　巡抚任内，于武陵令冯其柘亏空钱粮，扶同绚隐）。

国　柱　字天峰。满洲镶黄旗，博尔济吉特氏。云南楚雄镇总
　　　　兵。十月卒。

鲁成龙　河南永宁县知县。十月十八日卒年四十六。

朱廷抡　候选同知，浙江海盐县附贡生。十月二十七日卒年六
　　　　十。

额尔景额　参赞大臣，礼部左侍郎。十一月卒于缅甸军营。赠
　　　　都统职衔，予骑都尉世职，谥勤毅。

邵应郊　云南提标，后营游击。十一月于蛮结阵亡。予云骑尉
　　　　世职。

王玉廷　甘肃武威人。云南临元镇总兵。十二月以受伤卒于缅
　　　　甸军营。谥勤实，予骑都尉兼一云骑尉世职。

清代人物大事纪年

蒙　德　贵州大定协副将。十二月于猛密阵亡。

李化楠　顺天府北路同知。十二月卒。

程元章　侍郎衔，前吏部左侍郎。卒。

雅尔图　蒙古镶黄旗。原任仓场侍郎。卒。

赫　赫　满洲正黄旗，宁古塔氏。内阁学士，前任盛京户部侍
　　　　郎。卒年七十口。

刘　慥　原任山西布政使。卒年六十一。

叶　新　前江西赣州府知府。卒。入国史循吏传。

沈　凤　在籍安徽候补知县，原署泾县知县。卒年七十一。

方　泽　侯选知县，安徽桐城县优贡生。卒年七十一。

乾隆三十三年戊子（公元一七六八年）

● 生辰:

许宗彦 正月初一日生，（原名许庆宗），字积卿，号周生。浙江德清人。享年五十一。

果齐思欢 正月二十七日生，镶蓝旗宗室。字友三，号益亭。

张　鑑 正月二十七日生，字春冶，号秋水。浙江乌程人。享年八十三。

夏鸿时 二月初一日生，贵州人。享年八十五。

王　鼎 二月初三日生，字定九，号省崖、幼赵。陕西蒲城人。享年七十五。

张　鉴 四月二十一日生，字星朗，号静轩。浙江仁和人。享年八十一。

善　庆 四月二十八日生，字兴元，号乐斋。满洲正蓝旗，博尔济吉特氏。

0768

郭继昌 五月初七日生，直隶正定人。享年七十四。

汪　莱 七月初七日生，字孝婴，号衡斋。安徽歙县人。享年四十六。

杨景仁 七月十二日生，字静岩，号静闲。江苏常熟人。享年六十一。

张廷济 七月二十三日生，字叔未、说舟，号竹田、海岳。浙江嘉兴人。享年八十一。

杨兆杏 八月初二日生，字春晖，号晴园。湖南黔阳人（原籍云南昆明）。享年七十二。

王　铸 十月十八日生，字凌川，号铜士。安徽全椒人。

李庆来 十月二十六日生，字章有、鹿籽，号肯堂、北山。江苏阳湖人。享年五十。

沈　鑅 十一月十一日生，（原名沈鑅彪），字蔚堂，号听篁。浙江仁和人。

屈　轶　十二月二十五日生，字侃庭。江苏常熟人。享年六十八。

戴敦元　生，字士旋，号金溪。浙江开化人。享年六十七。

陈用光　生，字硕士，号实思、瘦石。江西新城人。享年六十八。

萨秉阿　生，满洲正黄旗，成都驻防，额苏里氏。享年六十五。

王松年　生，享年六十。

刘　沅　生，字止唐。四川双流人。享年八十八。

朱桂桢　生，字干臣，号朴庵。江苏上元人。享年七十二。

查崇华　生，字九峰，号实庵。安徽泾县人。享年七十四。

汪彦博　生，字潞勋，号厚夫、文轩、愚生。江苏镇洋人。享年五十七。

李光里　生，字恂若，号勉莘。顺天宝坻人。

盖方泌　生，字季源，号碧轩。山东蒲台人。享年七十一。

陈　熙　生，云南人。享年七十二。

陈鸿寿　生，字子恭，号曼生。浙江钱塘人。享年五十五。

史善长　生，字涌芬，号赤崖。江苏吴江人。享年六十三。

蒋因培　生，字伯生。江苏常熟人。享年七十一。

杨兆煜　生，字炳南，号熙崖。山东聊城人。享年七十一。

鲁　缤　生，字宾之。江西新城人。享年五十一。

鲁嗣光　生，字习之。江西新城人。享年三十二。

周中孚　生，字信之，号郑堂。浙江乌程人。享年六十四。

吴德旋　生，字仲伦。江苏宜兴人。享年七十四。

邹汝翼　生，江苏无锡人。享年七十九。

● 科第：

中式举人：

图萨布　满洲正红旗，瓜尔佳氏。兵部主事，广东巡抚。

慧　林　字鑑堂。满洲镶黄旗。广西左江道。

修　仁　字西亭。汉军镶蓝旗。江西赣州府知府。

胡纪谟　甘肃巩昌府知府。

施光辂 浙江钱塘人。内阁中书，四川叙州府知府。

全　柱 字石堂。满洲正蓝旗，郑佳氏。礼部司务，左庶子。

杜兆基 字稷山。浙江会稽人。癸巳召试授内阁中书，山西道御史。

德　瑞 字树庵。汉军，王氏。口口府同知。

张曾敩 安徽桐城人。云南知县，贵州贵西道。

吴熊光 内阁中书，两广总督，重宴鹿鸣。

孙永清 内阁中书，广西巡抚。

杨世纶 江苏通州人。内阁中书，广东廉州府知府。

陶敦和 福建知县，四川叙永厅同知。

洪　榜 字汝登，号初堂。安徽歙县人。丙辰召试授内阁中书。

瞿　颉 字孚若。江苏昭文人。四川郫都县知县。

沈起凤 字桐威，号宾渔。江苏长洲人。安徽全椒县教谕。

陈锡路 字玉田。浙江归安人。

沈赤然 直隶丰润县知县。

徐以坤 国子监博士。

徐秉敬 浙江人。内阁中书，广西柳州府知府。

徐学采 山东人。甘肃宁夏府知府。

孔继涑 内阁中书。

王赐均 陕西人。甘肃宁夏府知府。

吴　镇 字信辰。甘肃狄道人。山东知县，湖南沅州府知府。

张锦麟 字瑞光。广东顺德人。

窦　晟 云南罗平人。山西洪洞县知县。

杨　曷 云南人。口口县教谕，临安府教授，重宴鹿鸣。

赵式训 贵州人。知县，浙江台州府同知，重宴鹿鸣。

朱亦栋 字献公。浙江上虞人。平阳教谕。

中式副榜贡生：

庄　炘 江苏武进人。陕西直州判，陕西邠州直隶州知州。

中式武举：

陈　书 广东人。浙江水师游击，重宴鹰扬。

● 恩遇：

明　端　将军管云南总督事。正月封一等公，号诚嘉毅勇。

杨廷璋　刑部尚书。正月以八十生辰，赐御书"协中延庆"额
　　　　及联。

张泰开　左都御史。六月以老病辞职，加太子少傅礼部尚书衔。

托恩多　吏部尚书。八月加太子太保。

于敏中　户部尚书。八月加太子太保。

崔应阶　闽浙总督。八月加太子太保。

讬　庸　兵部尚书。八月加太子少保。

杨廷璋　直隶总督。八月加太子少保。

刘统勋　大学士。十二月以七十生辰，赐御书"赞元介景"额。

● 著述：

傅　恒　等奉敕撰《御批通鉴辑贤》一百十六卷、附《明唐桂
　　　　二王本末》三卷成，见正月进书表。

汪师韩　撰《文选理学权舆》八卷成，见二月自序。

姜炳璋　撰《读左补义》五十卷成，见四月自序。

翁方纲　撰《石洲诗话》五卷成，见九月自序。

杨锡绂　撰《四知堂文集》三十六卷成，（按：此书于卒后为子
　　　　有涵等编定付梓，今系于十二月之前）。

● 卒岁：

李清时　山东巡抚，前任河东河道总督。正月初七日卒年六十
　　　　四。

秦有伦　江苏江宁县监生。正月十四日卒年八十七。

朱　陵　原任湖南辰沅永靖道。正月十五日卒年八十一。

珠鲁讷　参赞大臣，工部右侍郎兼正黄旗满州副都统。正月十
　　　　八日于木邦殉难。予云骑尉世职。

何道深　贵州遵义协副将。正月十八日于木邦殉难。

胡大猷　前口口镇总兵。正月十八日于木邦阵亡。赏还总兵原
　　　　衔。

胡邦佑　字锡甫。山东昌邑人。云南永北府同知，前庆阳府知

府。正月十九日于木邦殉难。赠道衔。

苏　昌　满洲正蓝旗，伊尔根觉罗氏。太子太保，闽浙总督。正月以陛见卒于京师。谥愍勤。

李　全　山西阳曲人。云南永昌镇总兵。以受伤卒于萤化军营。予骑都尉兼一云骑尉世职。

明　瑞　字筠亭。满洲镶黄旗，富察氏。将军管云南总督事，一等诚嘉毅勇公。二月初十于小猛育阵亡。谥果烈。

观音保　满洲正黄旗，瓜尔佳氏。领队大臣，镶蓝旗护军统领，骑都尉。二月于小猛育阵亡。晋二等轻车都尉世职。

新　柱　满洲镶黄旗，富察氏。盛京将军，袭骑都尉世职。二月卒。谥勤肃。

左　基　山东莒州知州。三月初七日卒年六十一。

尹　辰　湖南湘潭县岁贡生。三月十三日卒年六十七。

刘元燮　前广西南丹州州同，降调广西苍梧道。四月初十日卒年六十八。

蒋重光　江苏长洲县岁贡生。四月二十四日卒年六十一。

额勒登额　前参赞大臣副都统。四月二十七日以罪凌迟处斩（注：以有心退缩，贻误军机，致将军明瑞等阵亡）。

谭五格　字用九。汉军镶黄旗。前云南提督。四月二十七日以罪处斩（注：以有心退缩，贻误军机，致将军明瑞等阵亡）。

齐召南　前礼部右侍郎。五月二十三日卒年六十六。入国史文苑传。

王尔达　江苏新阳县廪生。五月二十八日卒年七十六。

程志铨　候选主事。六月十一日卒年五十八。

蒋　祝　原任云南永昌府同知。六月十六日卒年八十三。入国史循吏传。

阎循观　原任吏部考工司主事。六月二十九日卒年四十五。入国史儒林传。

程　岩　原任礼部左侍郎。七月十八日卒年五十五。

邱　永　国子监学正。七月二十二日卒年四十六。

顾诒禄　江苏长洲县贡生。七月二十四日卒年七十。

方观承　太子太保，直隶总督。八月卒年七十一，谥恪敏，入
　　　　祀贤良祠（入祀在五十一年）。

黄知彰　江苏口口县画士。卒年六十五。

额僧格　满洲镶蓝旗。杭州将军，袭云骑尉世职。九月卒。

任应烈　原任河南南阳府知府。九月十六日卒年七十六。

卢见曾　前两淮盐运使。九月二十八日卒于江苏狱中，年七十
　　　　九。

高　恒　满洲镶黄旗，高佳氏。前正白旗满洲副都统。十月二
　　　　十七日以罪处斩（注：以前在两淮盐政任内侵蚀官帑）。

普　福　满洲正黄旗。前两淮盐政。十月二十七日以罪处斩。

宋　弼　甘肃按察使。十月二十九日以入京陛见，卒于河南洛
　　　　阳年六十六。

鱼元傅　江苏昭文县布衣。十一月初四日卒年六十五。

杨锡绂　太子太保，漕运总督，前任礼部尚书。十二月初一日
　　　　卒年六十八。谥勤悫。

定　长　字兰宾。满洲正黄旗，伊尔根觉罗氏。湖广总督。十
　　　　二月卒。

许王猷　原任内阁学士。卒年八十。

刘　涛　原任中书科中书。卒年六十九。

伊　柱　满洲正白旗，萨克达氏。镶黄旗蒙古副都统。卒于缅
　　　　甸军营。晋三等轻车都尉世职。

郭一裕　致仕河南按察使，前云南巡抚。卒。

赵之璧　甘肃宁夏人。前两淮盐运使，袭一等子。卒。

乾隆三十四年己丑（公元一七六九年）

◉ 生辰：

谭联升　正月二十三日生，字履丰，号裕济。湖南酃县人。享年六十。

殷树柏　三月初六日生，浙江嘉兴人。享年七十九。

瞿中溶　五月十八日生，字木夫。浙江嘉定人。享年七十四。

汪　阜　九月初四日生，字觉所，号至山。浙江钱塘人。享年七十七。

沈钦霖　九月十六日生，（原名**沈钦临**），字仲亨，号芝堂。江苏吴江人。享年六十五。

李兆洛　九月二十四日生，字申耆。江苏阳湖人。享年七十三。

朱　琦　十月初一日生，字玉存，号兰坡。安徽泾县人。享年八十二。

胡　敬　十月十八日生。字以庄，号书农。浙江仁和人。享年七十七。

潘世恩　十二月二十一日生，字槐堂，号芝轩。江苏吴县人。享年八十六。

徐　炘　十二月二十三日生，字乘辉，号晴圃。直隶天津人。享年六十六。

白　镕　生，字治源，号小山。顺天通州人。享年七十四。

成　格　生，字果亭。满洲正黄旗，伊尔根觉罗氏。

李宗瀚　生，字公博，号春湖、北溟。江西临川人。享年六十三。

彭永思　生，字位存，号两峰。湖南长沙人。享年七十四。

乔履信　生，享年三十八。

刘体重　生，字子厚，号梅坪、青溪。山西赵城人。享年七十四。

乐　善　生，满洲正黄旗，博尔济吉特氏。享年七十一。

李元春　生，字时斋。陕西朝邑人。享年八十六。

赵同春　生，字咸溪，号杏南。江苏昭文人。

丁授经　生，字相士，号莲庄。浙江归安人。享年三十三。

彭兆荪　生，字湘涵，号甘亭。江苏镇洋人。享年五十三。

邹文苏　生，字望之，号景山。湖南新化人。享年六十三。

孔昭孔　生，（一作孔昭）字微明。江苏江阴人。

◉ 科第：

　　一甲进士：

陈初哲　状元。修撰，湖北荆宜施道。

徐天柱　榜眼。编修。

陈嗣龙　字绍元、劭园，号春淑。浙江平湖人。探花。编修，
　　　　左副都御史。

　　二甲进士：

任大椿　礼部主事，陕西道御史。

杨寿楠　字培山。江西清江人。编修，陕西延榆绥道。

鲍之锺　户部主事，户部郎中。

萧际韶　字玉亭，号鸣球。安徽合肥人。编修，礼科给事中。

金　蓉　字衡一，号采江。浙江秀水人。编修。

徐　烺　字昆衡，号溉馀。浙江钱塘人。会元。庶吉士，工部
　　　　主事，直隶广平府知府。

刘锡嘏　字纯斋，号拙存。顺天通州人。编修，江南河库道。

吴寿昌　字泰交，号蓉塘。浙江山阴人。编修，侍讲。

任基振　字领从，号松斋。江苏高邮人。内阁中书，吏部员外
　　　　郎。

刘　湄　编修，左副都御史。

鲁荣恩　（碑录作鲁用恩）。顺天大兴人。吏部主事，刑科掌印
　　　　给事中。

张虎拜　字啸崖。直隶天津人。内阁中书，宗人府主事。

鲍　锟　字微庵。浙江仁和人。刑部主事，广东雷琼道。

姚　梁　字甸之，号佃芝。浙江庆元人。内阁中书，广西按察

使。

刘　斌 字城甫。江西南丰人。刑部主事，刑部右侍郎。

秦　泉 字继贤，号漪圆。江苏无锡人。编修，吏部主事。

郑际唐 字大章，号云门。福建侯官人。编修，内阁学士。

许祖京 内阁中书，广东布政使。

王禄朋 直隶天津人。兵部主事，云南迤东道。

陈庭学 刑部主事，陕西汉兴道。

龚敬身（碑录作金敬身）。浙江仁和人。内阁中书，云南迤南道。

雷　轮 字绍堂。四川井研人。编修，江西赣南道。

丁云锦 字琴泉。江苏吴江人。工部主事，湖北武昌府知府。

史梦琦 字仲翰，号卓峰。江苏阳湖人。内阁中书，福建汀漳龙道。

陆有仁（碑录作汪有仁），字乐山，号静岩。浙江钱塘人，刑部主事，陕西巡抚。

尹文麒 字绍湲，号伯石。山东肥城人。刑部主事，江南道御史。

吴　典 字学斋。广东琼山人。编修。

梦　吉 字鑑溪。满洲正蓝旗。编修，通政使。

张诚基（原名张隆基）。山东金乡人。户部主事，江西巡抚。

三甲进士：

戴求仁 顺天宛平人。福建延建邵道。

孙　梅 字松友，号春浦。浙江乌程人。内阁中书，安徽太平府同知。

刘绍锦 江西南丰人。吏部主事，顺天府府丞。

周道隆 陕西泾阳人。工部主事，广西南宁府知府。

郭　寅 字菱川。浙江仁和人。检讨。

张运暹 字丽瀛。河南祥符人。检讨，侍讲学士。

张　翔 甘肃武威人。湖北荆州府知府。

鲁兰枝 字南畹。江西新城人。吏部主事，兵科掌印给事中。

陈　朗 字泰晖，号琴思、青柯。浙江平湖人。刑部主事，江西抚州府知府。

戚蓼生 字念功，号晓塘。浙江德清人。户部主事，福建按察使。

奇丰额 刑部主事，江苏巡抚。

张有年 山东济宁人。工部主事，河南河陕汝道。

萧广运 字允熙，号省斋。湖北黄陂人。检讨，江南道御史

陈本忠 字伯恩。顺天昌平人。户部主事，工部郎中。

盛嘉祐 安徽铜陵人。户部主事，掌云南道御史。

伊朝栋 （原名伊恒瓒）。福建宁化人。刑部主事，光禄寺卿。

嵩　庆 字寿廷。汉军。江苏常州府知府。

罗国俊 检讨，礼部左侍郎。

王应遇 字璜洲。广东东莞人。

鲁仕骧 江西新城人。归班知县。

温常绶 检讨，户科掌印给事中。

顾长绂 字修浦。江西建昌人。陕西盐法道。

王仲愚 检讨，侍讲。

刘诏陞 字研庄。湖南衡山人。贵州遵义府知府。

左　周 字逸澴，号问庄。安徽桐城人。检讨，浙江宁绍台道。

梁景阳 字梧冈。湖北麻城人。吏部主事，光禄寺少卿。

闻嘉言 （原名闻韵），字鹤林。河南祥符人。四川按察使。

莫异兰 字馨山。广西临桂人。庶吉士，口部主事，湖南长沙府知府。

俞廷垣 （原名俞之琰），字抑斋。直隶清苑人。广东雷琼道。

柳　蓁 字幡若，号春亭。江苏丹徒人。广东和平县知县。

孙家贤 浙江山阴人。吏部主事，工科给事中。

潘奕隽 内阁中书，户部主事，重宴恩荣。

季学锦 字近思，号絅斋，江苏昭文人。检讨，河东盐运使。

　　武进士：

钱治平 顺天霸州人。状元。头等侍卫。

金富宁 汉军镶蓝旗。榜眼。二等侍卫，甘肃哈密协副将。

林天洛 字凤台。浙江江山人。会元。探花。二等侍卫，直隶
保定城守营参将。

刘文忠 直隶献县人。口口侍卫，贵州口口协参将。

李正勇 广东长乐人。蓝翎侍卫，湖南临武营参将。

李南馨 字薰亭，号青崖。广东长乐人。山东守备，福建水师
提督。

● 恩遇：

哈国兴 云南提督。十二月加太子少保衔

● 著述：

翟　灏 撰《四书考异》七十二卷成，见六月杭世骏序。

陈兰森 撰《四书考辑要》二十卷成，见夏月陈宏谋序。

李调元 撰《井蛙杂记》十卷成，见十月自序。

蒋维钧 江苏人。编《义门读书记》五十八卷成，见长至蒋元
益序。

汪　炤、姚　填 同编《宋诗略》十八卷成，见十二月自序。

周　裕 浙江钱塘人。撰《从征缅甸日记》一卷成，见五十五
年八月后记。

潘士权 字龙庵。湖南黔阳人。撰《大乐元音》七卷成，见自
序。

汪师韩 自订《上湖分类文编》十卷成，见自序。

戴　震 撰《汾州府志》三十四卷成。

● 卒岁：

汤　聘 前贵州巡抚。三月卒于狱。

范棫士 工科给事中。四月十三日卒年六十。

祝廷献 福建将乐县贡生。四月十四日卒年五十八。

王　巍 前福建台湾镇总兵。五月初七日以罪处斩（注：以贼
匪黄教竖旗焚杀一案，措施乖张）。

吴燫文 浙江山阴县诸生。五月初九日卒年六十四。

赵彪诏 原任山西临汾县县丞。五月卒年八十三。

本进忠 甘肃西宁人。云南提督。七月卒于腾越军营。赠太子
　　　太保，谥勤毅。

董邦达 礼部尚书。七月卒年七十一。谥文恪，入祀贤良祠（入
　　　祀在嘉庆十二年三月）。

傅　显 升授漕运总督，总理粮运事务大臣。七月卒于缅甸军
　　　营，谥襄勤。

张大受 江苏常熟县岁贡生。八月初十日卒年七十一。

张汝霖 字芸墅。安徽宣城人。降调广东广州府澳门同知。七
　　　月卒年六十一。

吴震生 原任刑部贵州司主事。九月初五日卒年七十五。

沈德潜 太子太傅，礼部尚书衔致仕礼部右侍郎。九月初七日
　　　卒年九十七。赠太子太师，入祀贤良祠，谥文悫，追
　　　夺官谥并撤祀（追夺在四十三年十一月）。

是　镜 江苏江阴县布衣。九月二十四日卒年七十七。

緅　康 领队大臣。十月初三日卒于龙陵军营。

阿里衮 字松崖，号补堂。满洲镶黄旗，钮祜禄氏。太子太保，
　　　副将军，协办大学士，户部尚书，云骑尉，袭一等果
　　　毅公。十月十九日卒于缅甸军营。入祀贤良祠，谥襄
　　　壮。

何达善 原任安徽凤阳府知府，降调江苏淮徐海道。十月二十
　　　日卒年六十六。

德　福 蒙古正蓝旗，巴鲁特氏。云南鹤丽镇总兵，云骑尉。
　　　十月二十二日于老官屯阵亡。

邵之旭 前江苏金坛县知县。十月二十九日卒年八十一。

叶相德 福建水师提督。十月三十日卒于缅甸军营。赠太子少
　　　保，谥壮果，追夺官谥。

特通额 袭辅国公，宗室。十月卒。

瑚尔起 满洲镶蓝旗，瓜勒佳氏。黑龙江副都统，云骑尉。十
　　　一月卒于缅甸军营。晋一等轻车都尉。

乌三泰 护军统领。十一月卒。

永　瑞　三等侍卫，前口口将军。十一月以从征缅甸卒于归途。赠副都统衔。

五　福　三等侍卫，十一月以从征缅甸卒于归途。赠副都统衔。

王绍曾　前浙江宁波府知府。十一月二十一日卒于云南腾越军营。年四十。

丰　安　满洲正黄旗，舒穆禄氏。镶红旗蒙古副都统，（前领侍卫内大臣）袭一等英诚公。十一月三十日以从征缅甸卒于章风街途中。

何逢僖　吏部左侍郎。十二月初八日卒年四十六。

弘　庆　圣祖皇孙，袭多罗愉郡王。十二月卒。谥曰恭。

诸　锦　原任詹事府左春坊左赞善。卒年八十四。入国史儒林传。

邵齐焘　赏复翰林院编修。卒年五十二。入国史文苑传。

乾隆三十五年庚寅（公元一七七〇年）

● **生辰：**

王楚堂 三月初三日生，字授方，号云榭。浙江仁和人。享年七十。

吴　椿 三月十六日生，字荫华，号退旃。安徽歙县人。享年七十六。

孙尔准 闰五月二十六日生，字平叔，号莱甫。江苏金匮人（原籍无锡）。享年六十三。

梁祖恩 七月十九日生，字眉子，号久竹。浙江钱塘人。享年六十四。

查　揆 七月二十二日生，字伯葵，号梅史。浙江海宁人。享年六十五。

诸嘉乐 七月二十四日生，字令之，号秋士。浙江仁和人。

祝廷彪 九月初一日生，字虎臣，号毅斋。四川双流人。享年七十三。

鄂　山 生，字润泉。满洲正蓝旗，博尔济吉特氏。享年六十九。

石　纶 生，字纬昭，号愚泉、如轩。安徽宿松人。

李秉灏 生，享年五十。

康绍镛 生，字鏓南，号兰皋。山西兴县人。享年六十五。

周寿椿 生，字荫长，号六泉。直隶河间人。

李黼平 生，字绣子，号贞甫。广东嘉应人。享年六十三。

沈应彤 生，享年五十九。

丁履恒 生，字道久，号若士。江苏武进人。享年六十三。

杨　芳 生，字诚斋。贵州松桃人。享年七十七。

倪起蛟 生，字安澜。浙江镇海人。享年五十八。

施绍武 生，字树之，号石礁。浙江钱塘人。

洪震煊 生，字百里。浙江临海人。享年四十六。

骆腾凤　生，字鸣冈。江苏山阳人。享年七十二。

戴道峻　生，字升甫，浙江钱塘人。享年七十三。

高　垲　生，字子才，号爽泉。浙江钱塘人。享年七十。

许治邦　生，享年一百十口岁。

● 科第：

中式举人：

周光裕　字启人，号衣谷。直隶天津人。陕西知县，山西布政
　　　　使，重宴鹿鸣。

鳌　图　江苏按察使。

保　麟　满洲镶黄旗，高佳氏。翰林院侍读学士。

恒　裕　右中允。

赵　洵　汉军正蓝旗。安徽知县，陕西延安府知府。

杜安诗　山西平阳府知府。

吴玉墀　字蓝陵，号小谷。浙江钱塘人。贵州贵阳府知府。

玉　栋　字筠圃。汉军。山东临邑县知县。

朱正蒙　山东平阴县知县。

郑奇树　江苏人。山东济南府知府

李　荃　内阁中书，山西宁武府同知。

程瑶田　嘉定县教谕，嘉庆元年孝廉方正。

嵇承志　字簹甫。江苏无锡人。

印　照　江苏嘉定人。

周　昂　江苏昭文人。

张云璈　□□人。湖南知县，湖南湘潭县知县。

严　果　浙江仁和人。

郭廷筠　字有堂。福建闽县人。南安县教谕，广东惠州府知府。

郑洛英　字耆仲，号西潩。福建侯官人。

颜崇槼　字运生，号心斋。山东曲阜人。口口县教谕，江苏兴
　　　　化县知县。

潘有为　广东人。内阁中书。

吴槐炳　福建知县，广东新会县教谕。

冯　经　字世则。广东南海人。曲江县教谕。

◉ 恩遇：

彰　宝　署云贵总督。正月加太子太保。

冯　铨　前安徽巡抚。八月以恭祝六旬万寿，赏按察使衔。

王世芳　原浙江遂昌县训导。八月以恭祝六旬万寿，赏国子监司业。

永　璧　袭多罗和郡王。十月晋封和硕和亲王。

◉ 著述：

段玉裁　撰《诗经韵谱》成。

赵学敏　撰《奇药备考》六卷、《本草话》三十二卷、《花药小名录》四卷、《摄生闲览》四卷成，见二月利济十二种自序。

桑调元、沈廷芳　同撰《切近编》一卷成，见四月沈廷芳序。

钱大昕　自编《潜研堂诗集》十卷成，见五月自序。

余庆远　撰《维西见闻记》一卷成，见七月自序。

洪亮吉　撰《两晋南北史乐府》二卷成，见长至自序。

黄叔灿　撰《参谱》一卷成，见自序。

靳荣藩　撰《吴诗集览》二十卷成，见自序。

高其名、郑师成　同撰《四书左国汇纂》四卷成，见魏之柱序。

◉ 卒岁：

龚　镜　原任安徽霍邱县知县。正月十三日卒年九十一。

饶学曙　詹事府右春坊右中允，降调翰林院侍读。正月十三日卒年五十一。

宋邦绥　户部右侍郎。正月卒。

良　卿　前署贵州巡抚，二月初二以罪命于贵州省城处斩（注：以威宁牧刘标亏空一案骫法贪赃）。

蒋雍植　翰林院编修。二月十七日卒年五十一。

张书绅　候选直隶州州判。三月初十日卒年五十九。

傅为詝　致仕都察院左副都御史。四月初七日卒年七十。

汪孟鋗　吏部文选司主事。闰五月二十八日卒年五十。

王大昌　原任山西永济县知县。七月初九日卒年七十八。

傅　恒　太保，保和殿大学士，一等忠勇公。七月卒年五十，
　　　　入祀贤良祠，谥文忠，追赠郡王（追赠在嘉庆元年五
　　　　月），配享太庙（配享在嘉庆元年十一月）。

弘　昼　世宗皇五子，和硕和亲王。七月卒年六十。谥曰恭。

明　德　字峻庵，号实斋。满洲正红旗，辉和氏。署云南巡抚，
　　　　降调云贵总督。七月卒。

鄂　宁　蓝翎侍卫，前云贵总督降补福建巡抚。七月卒。

陈树蓍　字学田。湖南湘潭人。鸿胪寺卿。八月卒。

方世儁　前湖南巡抚，十月以罪处绞（注：以前在贵州巡抚任
　　　　内婪索刘标货物，并于开矿受贿盈千）。

陈桂洲　顺天府府丞。十月十四日卒年六十五。

郑象占　浙江秀水县廪贡生。十月十五日卒年六十一。

如　松　宗人府右宗正，正蓝旗蒙古都统，袭多罗信郡王，宗
　　　　室。十一月卒年三十四。谥曰恪，追赠和硕亲王（追
　　　　赠在三十四年）。

冯　钤　按察使衔，前安徽巡抚。十一月二十一日卒年六十。

姜　震　原任湖北施南府通判。十二月初六日卒年八十二。

乌尔登　满洲正白旗，乌里苏氏。散秩大臣，前任镶蓝旗蒙古
　　　　都统。十二月卒。

田　懋　山西阳城人。原任吏部左侍郎。卒。

张若澄　内阁学士。卒。

德　龄　原任盛京礼部侍郎，袭骑都尉世职。卒年七十口。

高　积　贵州按察使。卒。

黄　任　前广东四会县知县。卒年八十八。入国史文苑传。

李梦�璁　选授湖北安陆县知县，前江西赣县知县。卒于京师年
　　　　六十。

巴　禄　蒙古镶黄旗，博尔济吉特氏。察哈尔都统，袭一等诚
　　　　勇公。卒。

董大鲲　安徽婺源县诸生。卒年七十八。

施绍闿 浙江海宁县弈师。卒年六十一。

乾隆三十六年辛卯（公元一七七一年）

◉ 生辰：

邵葆祺　正月初九日生，字寿民，号屿村。顺天大兴人。

胡启荣　正月十一日生，字洗东，号橘洲。湖南乾州人。享年六十八。

李恩绥　二月初三日生，字米轩，号烺斋。汉军正白旗。

汪兆柯　二月十四日生，字继良，号则亭。湖北黄冈人。享年八十口。

金　鹗　三月初三日生，字诚斋，号秋史、风荐。浙江临海人。享年四十九。

英　和　四月十四日生，字树琴，号煦斋。满洲正白旗，索绰络氏。享年七十。

孙善宝　四月二十五日生，字楚珍，号筠谷。山东济宁人。享年八十三。

奚　疑　七月初一日生，浙江乌程人。享年八十四。

邱树棠　八月二十日生，字景召，号南屏、憩园。湖北汉阳人。享年六十一。

胡元杲　八月二十二日生，字应元，号秋白。浙江钱塘人。

陈文述　八月二十七日生，字云伯，号隽甫、退庵。浙江钱塘人。享年七十五。

黄士珣　九月初九日生，字芗泉，号扣翁。浙江钱塘人。

丁宗洛　十月初二日生，字正叔，号育甫、瑶泉、梅里。广东海康人。

冯俊焯　十月十四日生，字心贤，号吉哉。浙江桐乡人。享年五十一。

吴衡照　十一月初五日生，字夏治，号子律。浙江海宁人。享年五十九。

朱士彦　十一月初七日生，字休承，号詠斋。浙江宝应人。享

年六十八。

黄承吉 十一月十七日生，字谦牧，号春谷。江苏江都人。享
　　　年七十二。

孙同元 十一月十八日生，字与人，号雨人。浙江仁和人。享
　　　年七十九。

孔庆镕 生，字陶甫，号冶山。山东曲阜人。享年五十五。

陈寿祺 生，字恭甫，号左海。福建闽县人。享年六十四。

朱为弼 生，字右甫，号椒堂。浙江平湖人。享年七十。

钱宝甫 生，（原名钱昌龄），字子寿，号榆庭、恬斋。浙江秀
　　　水人。享年五十七。

鲁垂绅 生，字佩书，号服斋。江西南丰人。

魏　瀚 生，字南崖。湖南衡阳人。享年四十六。

陆耀遹 生，字劭文。江苏武进人。享年六十六。

盛大士 生，字子履。江苏镇洋人。

黄乙生 生，字小仲。江苏武进人。享年五十三。

吕飞鹏 生，字云里。安徽旌德人。享年七十三。

李锺泗 生，字滨石。江苏甘泉人。享年三十九。

潘　眉 生。江苏吴江人。

◉ 科第：

　　二月以召试一等赏给举人：

初彭龄 余见庚子科。

窦汝翼 字右民，号芝轩。山东诸城人。余见戊戌科。

　　一甲进士：

黄　轩 字曰驾，号小华、蔚塍。安徽休宁人。状元。修撰，
　　　四川川东道。

王　增 字方川，号西霞、芳洲。浙江会稽人。榜眼。编修，
　　　河南知县，河南德庆府通判。

范　衷 字士恒，号恭亭。浙江上虞人。探花。编修，江南道
　　　御使。

　　二甲进士：

王尔烈 字尧峰，号仲方、君武。奉天辽阳人。编修，通政司副使。

黄瀛元 字葭塘，号汝调、洲侣。浙江於潜人。编修，礼科给事中。

林树藩 编修。

周兴岱 编修，右都御史。

张明谦 字振谷，号啸坡。江苏丹徒人。庶吉士，户部主事，江西吉安府知府。

周厚辕 字驭远，号载轩、驾堂。江西湖口人。编修，户科掌印给事中。

马启泰 字泰初，号雪峤。陕西泾阳人。编修，詹事。

李 潢 字又潢，号云门。湖北钟祥人。编修，兵部左侍郎。

侯学诗 字起叔，号苇园。江苏上元人。广东知县，江西抚州府知府。

杨以溉 江西新城人。户部主事，云南迤西道。

吴树本 （原名吴昕，又名吴敬舆），字楚颂。江苏娄县人。编修 侍读学士。

钱伯埛 字叶筬，号谡山。浙江嘉善人。

熊 枚 字谦山，号蔚亭。江西铅山人。刑部主事，工部尚书。

曹 城 字仲宣，号固崖。安徽歙县人。编修，吏部左侍郎。

程世淳 礼部主事，福建道御史。

郑源焘 （榜名陈源焘），字奕堂，号鑑堂。顺天宛平人。庶吉士，礼部主事，江南道御史。

程晋芳 吏部主事，丁酉特授编修。

项家达 字仲兼，号豫斋。江西星子人。编修，太常寺少卿。

张华甫 刑部主事 安徽卢州府知府。

鲁九皋 （原名鲁士骧）。江西新城人。山西夏县知县。

史积容 礼部主事 广西布政使。

吴俊升 字宅三，号允阶、芷泉。湖南沅江人。编修。

邵晋涵 会元。归班知县，壬辰特改庶吉士，编修，侍讲学士。

周永年　归班知县，壬辰特改庶吉士，编修。

杨芳春　福建闽县人。湖北汉黄德道。

仓圣脉　字辉先，号黻斋。河南中牟人。编修。

姜开阳　字星六。湖北黄陂人。刑部主事，福建布政使。

李光云　字成瞻，号剑溪。福建闽侯人。编修，太常寺卿。

孔继涵　户部主事。

蒋泰来　吏部主事。

祝云栋　（碑录作祝昂），字柳村。河南固始人。刑部主事，山
　　　　东莱州府知府。

陈昌齐　编修，浙江温处道。

闵思诚　字中孚，号义亭、读山。浙江归安人。编修，刑部主
　　　　事。

冯　堉　字体中。江苏无锡人。礼部主事，广东雷州府知府。

朱依鲁　字学曾，号筱亭。广西临桂人。编修，鸿胪寺卿。

　　三甲进士：

顾　葵　字景园、荆茂，号敬轩。江苏元和人。庶吉士，口部
　　　　主事，广西左江道。

邱文恺　顺天大兴人。工部主事，山西道御史。

郑　澂　顺天丰润人。户部主事，掌四川道御史。

洪　朴　刑部主事，直隶顺德府知府。

崔修绅　字沧亭。浙江归安人。四川顺庆府知府。

徐长发　字玉厓。江苏娄县人。四川建昌道。

孔广森　检讨。

钱　沣　检讨，通政司副使。

周元鼎　字象九，号勉斋。陕西三原人。兵部主事，兵部郎中。

李镜图　直隶高阳人。吏部主事，广西浔州府知府。

包　愫　字素心。号诚斋。顺天大兴人。庶吉士，户部主事，
　　　　广东盐运使。

田凤仪　河南安阳人。刑部主事，福建巡抚。

胡世铨　河南夏邑人。刑部主事，福建兴泉永道。

方　昂　刑部主事，江苏布政使。

邵　洪　字海度，号双桥。浙江鄞县人。吏部主事，礼部右侍郎。

刘文徽　户部主事，河南粮道。

龚大万　字体六，号怀青、荻甫。湖南武陵人。检讨，内阁中书。

江　琅　字亚卿，号君淑。江苏元和人。庶吉士，兵部主事，福建福宁府知府。

马慧裕　字朝曦，号朗山。汉军正黄旗。庶吉士，吏部主事，礼部尚书。

杨九思　直隶交河人。兵部主事，山东道御史。

沈荣嘉　浙江归安人。户部主事，湖北按察使。

曾力行　字浦亭。河南固始人。

龚景瀚　甘肃知县，甘肃兰州府知府。

李道南　归班知县。

林其宴　字春园。福建闽县人。江西南昌府知府。

陆苍霖　广东三水人。广西右江道。

章　铨　字树庭，号湖庄。浙江归安人。庶吉士，口部主事，广东粮道。

墙见羹　湖北江陵人。刑部主事，浙江宁绍台道。

周景益　江苏武进人。贵州平远州知州。

郎若伊　字耕莘，号醒石。山西代州人。刑部主事，直隶按察使。

佛尔卿额　字孟昭，号黼庭。满洲正红旗。检讨。

谢肇渚　顺天通州人。四川嘉定府知府。

吴思树　字尚松，号建轩。湖南新化人。归班知县，湖南岳州府教授，山东新泰县知县。

吴元琪　广西平乐人。知县，河南归德府知府。

和　瑛　（原名和宁），字泰庵。蒙古镶黄旗，额尔德特氏。户部主事，刑部尚书。

武进士：

林天瀓　字浸田。浙江江山人。会元。状元。头等侍卫，江西
　　　　抚标右营游击。

薛殿元　直隶容城人。榜眼。二等侍卫。

郑　敏　汉军镶蓝旗。探花。二等侍卫，漕标中军副将。

李　坦　口口侍卫，广东潮州镇总兵。

林大茂　（一作林天茂）福建晋江人。侍卫，福建福宁镇总兵。

李长庚　蓝翎侍卫，浙江提督。

马玉魁　山东东阿人。江南守备，广东右翼镇总兵。

蒋观涛　直隶宝坻人。福建守备，云南昭通镇总兵。

中式举人：

伯　麟　满洲正黄旗。兵部笔帖式，体仁阁大学士。

岳　起　昭西陵笔帖式，江苏巡抚。

伊汤安　字小尹。满洲正白旗，拜都氏。奉天知县，内阁学士。

张方理　直隶清苑人。山东知县，湖南岳常澧道。

刘　坤　顺天通州人。户部员外郎，湖北郧阳府知府。

沈　琨　内阁中书，山东泰安府知府。

汪志伊　安徽桐城人。山西知县，闽浙总督。

汪端光　字剑潭，号碉崑、岩睦。江苏仪征人。国子监学正，
　　　　广西柳州府知府。

张　护　江苏人。安徽知县，江西赣州府知府。

路学宏　陕西宜川县知县。

邹麟书　直隶知县，江苏淮安府教授。

刘台拱　丹徒县训导。

汪廷榜　江苏人。安徽旌德县训导。

冯　伟　江苏太仓人。

陈守誉　江西人。候选内阁中书。

陶廷珍　浙江会稽人。甘肃肃州州同。

汪立本　山东馆陶县知县。

蒋学铺　浙江人。

陈廷献　浙江海盐人。遂昌县教谕，国子监典籍，重宴鹿鸣。

郭文铣　字可兴，号书屏。福建闽县人。浙江鄞县知县。

彭　淑　江西吉水县知县。

吕燕昭　河南人。江苏江宁府知府。

王庆长　山东福山人。内阁中书，福建按察使。

严守田　改归浙江原籍。广东知县，江苏候补同知。

谢葆霭　甘肃人。山东安邱县知县。

胡亦常　广东顺德人。

庄莅民　云南鹤庆人。河南知县，河南开封府知府。

李华国　贵州人。广东知县，福建漳州府知府。

　　中式武举人：

李景曾　江南人。浙江温州镇总兵，重宴鹰扬。

● 恩遇：

陈宏谋　大学士。二月以病辞职，晋太子太傅。

邹一桂　原任内阁学士。加礼部侍郎衔。

锺　音　闽浙总督。五月加太子少保。

　　十一月以恭祝皇太后八旬万寿：

衍　潢　显亲王；

弘　旽　恒亲王；

刘统勋　大学士；

官　保　协办大学士刑部尚书；

讬　庸　吏部尚书；

杨廷璋　刑部尚书；

素尔讷　理藩院尚书；

吴绍诗　刑部右侍郎；

三　和　工部左侍郎。

以上为文职九老。

四　格　都统；

曹　瑞　汉军镶红旗。都统；

国多欢　散秩大臣；

甘　都　散秩大臣衔；

伊松阿　副都统；

萨哈岱　副都统；

李生辉　副都统；

福僧阿　副都统；

色端察　副都统。

以上为武职九老。

钱陈群　刑部尚书衔；

福　禄　内大臣；

陈悳华　礼部尚书；

彭启丰　兵部侍郎；

邹一桂　礼部侍郎衔；

吕　炽　左副都御史；

陆宗楷　内阁学士；

陈　浩　詹事府詹事；

王世芳　国子监司业衔。

以上为致仕九老。

命于香山游宴图形禁中。

◉ 著述：

姚　範　撰《援鹑堂笔记》五十卷成，（按：是书原稿丛杂，至道光乙未始经方东树校订刊行，今系于正月）。

纪　昀　撰《乌鲁木齐杂诗》一卷成，见三月自序。

洪亮吉　撰《唐宋小乐府》一卷成，见夏日管干珍序。

丁有美　撰《童蒙观鉴》六卷成，见九月陈辉祖序。

翁方纲　撰《粤东金石略》十二卷成，见十月自序。

徐　鼎　字峙东，号实夫、雪桥。江苏吴县人。撰《老诗名物图说》九卷成，见十一月自序。

口口口　等奉敕撰《清文鉴》三十二卷、《补编》四卷、《总纲》八卷、《补总纲》二卷成，见十二月御序。

◉ 卒岁：

姚　範　致仕翰林院编修。正月初八日卒年七十。入国史文苑传。

陈兆崙　太仆寺卿。正月二十六日卒年七十二。入国史文苑传。

徐以烜　原任太常寺少卿，降调礼部左侍郎。正月二十八日卒年七十。

朱士玠　原任河南内黄县知县。闰三月初三日卒年六十二。入国史文苑传。

邵大业　前江苏徐州府知府。四月初九日卒于戍所年六十二。入国史循吏传。

尹继善　太子太保，文华殿大学士。四月卒年七十七，赠太保，入祀贤良祠，谥文端。

孟周祚　原任贵州平越府知府。五月十九日卒年七十八。

陈宏谋　太子太傅，原任东阁大学士。六月初三日以回籍，卒于山东兖州之韩庄舟次，年七十六。入祀贤良祠，谥文恭。

朱士瓒　福建建宁县诸生。六月卒年六十七。

旌额理　驻扎乌什办事吏部左侍郎。七月卒。赠都统衔。

李　宏　字济夫，号用兹、湛亭。汉军正蓝旗。江南河道总督。八月卒。

成衮札布　定边左副将军，袭札萨克和硕亲王。八月卒。

李治运　致仕浙江按察使。八月卒年六十二。

沈宗湘　前江西新淦县知县。九月初六日卒年八十二。

吴达善　太子少保，陕甘总督。十月卒。赠太子太保，入祀贤良祠，谥勤毅。

朱士珏　福建建宁县监生。十月卒年七十二。

葛德润　原任掌陕西道监察御史。十月二十四日卒年七十一。

沈大成　江苏华亭县诸生。十月二十九日卒年七十二。入国史文苑传。

朱　坤　原任山东博平县知县。十二月初三日卒年五十九。

衍　潢　袭和硕显亲王。十二月卒年八十二。谥曰谨。

杨廷璋　太子少保，刑部尚书，前体仁阁大学士。十二月卒年
　　　　八十三。赠太子太保，谥勤慤。

福　禄　蒙古正白旗，旺察氏。致仕领侍卫内大臣，云骑尉，
　　　　十二月卒。年八十口。

占阙纳　头等侍卫，十二月于巴朗拉山阵亡。予骑都尉世职。

汪梧凤　安徽歙县岁贡生，十二月二十八日卒年四十六。

双　庆　太仆寺少卿，降调礼部左侍郎。卒。

汪　宪　原任刑部员外郎。卒年五十一。入国史文苑传。

桑调元　原任工部主事。卒年七十七，入国史儒林传。

爱必达　字善川。满洲镶黄旗，钮祜禄氏。前太子太保，湖广
　　　　总督。卒。

岳　礼　原任陕西汉兴道。卒年八十四。

胡鸣玉　江苏青浦县征士。卒年八十二。

徐大椿　吴江县岁贡生。江苏著名医士，有许多医学著作问世。
　　　　以奉召入都卒于京师，年七十九。

崔元森　直隶大名县岁贡生。卒年六十三。

乾隆三十七年壬辰（公元一七七二年）

◉ **生辰：**

方观旭　正月十八日生，字升卿。浙江钱塘人。

武穆淳　正月二十七日生，字敬斯，号穆伯、小谷、愚溪。河南偃师人。享年六十一。

江之纪　六月二十五日生，字修甫，号石生。安徽婺源人。

钱师曾　七月十一日生。字唯传，号蕙窗。浙江钱塘人。

方东树　九月初八日生，字植之，号仪卫老人。安徽桐城人。享年八十。

徐　颋　九月十一日生，字直卿，号少鹤。江苏长洲人。享年五十二。

李　堂　九月十一日生，字允升，号西斋。浙江仁和人。

蔡鸿儒　九月二十九日生。

汤金钊　十一月二十三日生，字勋兹，号敦甫。浙江萧山人。享年八十五。

陆继辂　十一月二十六日生，字祁孙，号修平。江苏武进人。享年六十三。

张敦颐　十一月二十八日生，字复之，号晓沂。山西平定人。享年四十七。

何凌汉　生，字云门，号仙搓。湖南道州人。享年六十九。

陶　樑　生，字宁求，号凫芗。江苏长洲人。享年八十六。

廉志勋　生，字立三，号云阶。江苏金匮人。

卢　坤　生，字静之，号厚山。顺天涿州人。享年六十四。

周天爵　生，字敬修。山东东阿人。享年八十二。

朱　煌　生，直隶青县人。

孙升长　生，字允甫，号荆溪。山东蓬莱人。

郑鹏程　生，字登衢，号松谷。福建闽县人。享年五十。

廷　鏴　生，满洲镶黄旗，完颜氏。享年四十九。

谭光祜　生，字受一，号铁箫。江西南丰人。享年六十。

沈道宽　生，字栗仲。顺天大兴人。享年八十二。

瞿绍基　生，字荫堂。江苏常熟人。享年六十五。

瑚松额　生，满洲正黄旗，西安驻防，巴岳忒氏。享年七十六。

王　仁　生，字春畬，号爱吾。浙江钱塘人。

归　衔　生，江苏常熟人。享年六十六。

王琼林　生，享年五十二。

毛国翰　生，字大宗，号青垣。湖南长沙人。享年七十五。

◉ 科第：

一甲进士：

金　榜　状元。修撰。

孙辰东　会元。榜眼。编修。

俞大猷　字升于，号鹤云。顺天大兴人（原籍浙江山阴）。探花。
　　　　编修，湖北荆州府知府。

二甲进士：

平　恕　字宽夫。浙江山阴人。编修，户部左侍郎。

李尧栋　字伯和，号东采。浙江山阴人。编修，湖南巡抚。

沈孙琏　字芦士，号大云、乐人。浙江仁和人。编修，掌山东
　　　　道御史。

朱　绂　字辑五，号章浦。江西新建人。编修，湖广道御史。

潘曾起　字文开，号容斋。江苏荆溪人。编修，掌福建道御史。

茅元铭　字赓廷，号耕亭。江苏丹徒人。编修，内阁学士。

李　桑　字文翰，号沧云。江苏长洲人。内阁中书，顺天府府
　　　　丞。

裴　谦　字子光。山西阳曲人。编修　侍讲学士。

许兆椿　字茂堂，号秋厓、秋岩。湖北云梦人。编修，浙江巡
　　　　抚。

邹炳泰　编修，吏部尚书，协办大学士。

钱　樾　编修，吏部右侍郎。

吕云栋　（一作吕云从），字孚远。安徽旌德人。内阁中书，贵

州贵西道。

景江锦 浙江仁和人。吏部主事，广东潮州府知府。

方 炜 字燮和，号碧岑。安徽定远人。编修，江南河库道。

黄寿龄 字筠庄，号挺山。江西新城人。编修，司业。

宋 镕 内阁中书，刑部左侍郎。

郑宗彝 字毳五。江苏上元人（原籍安徽歙县）。刑部主事，浙
江道御史。

陆 湘 字楚青。直隶清苑人。内阁中书，四川道御史。

吴 俊 字奕千，号蠡涛。江苏吴县人。内阁中书，山东布政
使。

章 煦 内阁中书，文渊阁大学士。

庄通敏 字际盛，号澹迁、亭叔。江苏武进人。编修，中允。

张晖吉 （原名张能照），字梦巢，号若吟。江苏仪征人。归班
知县，乙未特改庶吉士，编修，贵州布政使。

来起峻 户部主事。

王 基 江西金溪人。工部主事，福建道御史。

邱庭瀍 字叔大，号芝房。顺天宛平人。编修，山东布政使。

王巡泰 （原名王兆泰），字岱宗。陕西三原（临潼）人。山西
知县，吏部主事。

毛上炱 字罗照，号宿亭。江苏镇洋人。内阁中书，户部主事。

徐大榕 户部主事，山东济南府知府。

罗正墀 字莲舫。湖北汉川人。礼部主事，河南开归道。

朱 攸 字好德，号渊亭。山东历城人。编修，江西吉安府知
府。

莫瞻菉 字青友，号韵亭。河南卢氏人。编修，工部左侍郎。

李世望 刑部主事，长芦盐运使。

刘大绅 山东知县，山东口口县知县。

朱 钤 字韬六。浙江长兴人。归班知县，戊戌特改庶吉士，
编修。

百 龄 编修，两江总督，协办大学士。

闵惇大　字宏中，号裕仲。浙江归安（乌程）人。编修。

　　三甲进士：

萧九成　字韶亭。山东日照人。检讨。

图　敏　字熙文，号时泉。满洲镶黄旗，他塔喇氏。检讨，内
　　　　阁学士。

陈大文　字简亭。浙江会稽人。吏部主事，兵部尚书。

许学范　云南知县，顺天府治中。

金汝珪　字同侯。浙江嘉善人。江苏按察使。

沈可培　江西知县，直隶安肃县知县。

陈化龙　福建长乐人。兵部主事，江西道御史。

张潮普　字庶瞻。江苏丹徒人。四川名山县知县。

彭元琥　字石芝。江西南昌人。检讨，内阁中书。

王坦修　检讨，侍讲学士。

周　琢　甘肃知县，陕西长武县知县。

贵逢甲　字香岩。湖南武陵人。四川铜梁县知县，重宴恩荣。

凌　浩　字沧洲，号花农。河南中牟人。知县，贵州大定府知
　　　　府。

王汝嘉　字士会，号榕轩。四川铜梁人。检讨。

李阳械　四川新都人。户部主事，湖南常德府知府。

杨复吉　归班知县。

李　坚　刑部主事，刑部员外郎。

阎泰和　字竹轩，号墨园。山西平遥人。礼部主事，太仆寺卿。

铁　保　吏部主事，吏部尚书。

萧凤翔　字翼白。贵州贵阳人。

李　翩　礼部主事，浙江杭嘉湖道。

周廷栋　（原名周元良），字松轩。顺天大兴人。刑部主事，左
　　　　都御史。

蔡泰均　（碑录作蔡大均）。江西上犹人。工部主事，浙江道御
　　　　史。

陈科銅　字器一，号受川。广西郁林人。庶吉士，户部主事，

云南昭通府知府。

武进士：

李威光 字韬亭。广东长乐人。状元。头等侍卫，福建澎湖协
中军游击。

左　瑛 直隶清苑人。榜眼。二等侍卫，福建福州城守协副将。

赵士魁 顺天宛平人。探花。二等侍卫。

高人傑 甘肃西宁人。蓝翎侍卫，甘肃肃州城守营参将。

李文蔚 广西临桂人。陕西守备，甘肃哈密协副将。

● 恩遇：

以承修四库全书：

余　集 归班候选知县，进士，见前丙戌科。

邵晋涵 归班候选知县，进士，见前辛卯科。

周永年 归班候选知县，进士，见前辛卯科。

以上三人俱授庶吉士。余详各本科。

● 著述：

徐　昆 撰《古诗十九首说》一卷成，见十一月自序。

屈曾发 撰《九数通考》十三卷成，见十二月自序。

口口口 等奉敕撰《平定准噶尔方略》前编五十五卷、正编八
十五卷、续编三十三卷成。

陈锡路 撰《黄嬭余话》八卷成，见曾光先序。

● 卒岁：

色楞泰 甘肃河州协副将。正月十七日于色尔滚阵亡。

刘星炜 工部左侍郎。正月二十四日卒年五十五。

罗凤彩 原任宗人府府丞。二月初六日卒。

沈廷芳 致仕山东按察使。二月十九日卒年七十一，入国史文
苑传。

莽喀察 满洲镶白旗，纳喀察氏。领队大臣，候补蒙古副都统，
头等侍卫，骑都尉兼一云骑尉。二月以受伤卒于卧龙
关军营。晋二等轻车都尉世职。

永　璧 世祖皇孙，袭和硕和亲王。三月卒。谥曰勤。

邹一桂　礼部侍郎衔，原任内阁学士，降调礼部左侍郎。三月二十七日以祝嘏回籍，卒于山东东昌道中年八十七。赠尚书。

松　德　贵州黔西协副将。四月于逊克尔宗阵亡。

富明安　字师樊，号仁轩。满洲镶红旗，富察氏。湖广总督。五月卒。赠太子太保，谥恭恪。

富勒浑　字迪庵。满洲镶黄旗。副都统。五月卒于金川军营。

彭绍咸　江苏长洲县增贡生。五月二十四日卒年四十。

恒　鲁　内大臣，前任盛京将军，袭奉恩辅国公，镶蓝旗宗室。六月卒年五十一。谥恭愨。

海　明　满洲正蓝旗，汪佳氏。湖广总督。六月卒。

梁　泉　广东顺德县解元。六月自京回籍，卒于运河南旺闸舟次年五十五。

钱　度　前广西巡抚，降补云南布政使。七月二十五日以罪处斩（注：以支放库款，克扣平余，贪赃数万）。

宋元俊　以总兵留营效力，前四川松藩镇总兵。八月卒于金川卡了军营。年五十八。

钱受毅　调署云南迤东道正任迤西道。十月十一日卒于永昌，年五十八。

任德成　江苏长洲县诸生。十月卒，年八十九。

钱维城　丁忧刑部左侍郎。十月卒年五十三。赠尚书衔，谥文敏。

锺　晼　原任礼部祠祭司员外郎。十一月初四日卒年七十九。

吴　麐　安徽歙县画师。十一月卒年八十二。

弘　昉　圣祖皇孙。镇国公。十二月卒。

哈国兴　太子少保，参赞大臣，西安提督。十二月卒于底木达军营。赠太子太保，谥壮武。

陈　浩　致仕詹事府詹事。卒年七十八。

巴图济尔噶勒　蒙古正黄旗，额尔特肯氏。内大臣，骑都尉兼一云骑尉。卒。

赖　晋　选授山东滨州知州，由开复贵州永宁州知州选补。卒
　　　　于京师年五十六。

乾隆三十八年癸巳（公元一七七三年）

◉ 生辰：

吴廷琛　二月十八日生，字震南，号棣华。江苏元和人。享年七十二。

张岳崧　二月二十八日生，字子骏，号翰山。广东定安人。享年七十。

凌泰交　三月初九日生，字谦斋，号同野。安徽定远人。

端木国瑚　二月初十日生，字子彝，号鹤田、井伯、太鹤山人。浙江青田人。享年六十五。

黎世序　字景和，号湛溪。河南罗山人。三月二十三日生，享年五十二。

严元照　三月二十四日生，字久能。浙江归安人。享年四十五。

叶维庚　三月二十五日生，字贡三，号两垞。浙江秀水人。享年五十六。

童　槐　闰三月初十日生，字晋三，号树眉、萼君。浙江鄞县人。享年八十五。

洪饴孙　闰三月十六日生，字孟慈，号祐甫。江苏阳湖人。享年四十四。

金菁莪　四月初七日生，字艺圃，号萝香、械朋。广东番禺人。

李振翥　五月十三日生，字云轩，号竹醉。安徽太湖人。

杨名飏　七月初四日生，字实伯，号崇峰。云南云龙人。

郭承恩　八月十五日生，字望轩。山西潞城人。

宫　焕　九月二十三日生，字辛楣，号星如。安徽怀远人。享年五十二。

朱　浩　十月十二日生，字厚斋。江苏人。享年六十六。

王协梦　十二月初一日生，字渭畋，号竹漪、松庐。江西新建人。享年七十六。

阎学海　生，字星持，号馀凡、雨帆。山东昌乐人。享年七十四。

董桂新　生，字茂文，号柳江。安徽婺源人。享年三十二。

吴荣光　生，字伯荣、殿垣，号荷台。广东南海人。享年七十一。

王开云　生，字湘友。贵州玉屏人。享年六十九。

叶申万　生，字维千，号芷汀。福建闽县人。享年五十九。

齐正训　生，直隶高阳人。享年五十二。

李光庭　生，字朴园。顺天宝坻人。享年八十口。

周际华　生，（原名周际歧），字石藩。贵州贵筑人。享年七十四。

连鹤寿　生，字兰宫，号青崖。江苏吴江人。享年六十口。

李　锐　生，字尚之，号四香。江苏元和人。享年四十五。

改　琦　生，字七芗。江苏华亭人。享年五十六。

姚洙楷　生，号鲁培。浙江庆元人。享年十九。

◉ 科第：

　三月以召试一等赏给举人：

顾　墾　字思亭，号尧峻。江苏长洲人。江苏常州府教授。

李廷敬　字敬止，号宁圃、味庄。直隶沧州人。余见乙未科。

闵思毅　字雅山。浙江归安人。内阁中书。

陆伯焜　余见庚子科。

◉ 恩遇：

杜兆基　浙江举人，三月以召试一等授内阁中书，余见前戊子科。

温　福　大学士。四月加太子太保。

福隆安　工部尚书。四月加太子太保。

舒赫德　户部尚书。四月复加太子太保。

王际华　礼部尚书。四月加太子少傅。

裘曰修　工部尚书。四月加太子少傅。

阿　桂　礼部尚书。四月加太子少保。

丰昇额　署兵部尚书。四月加太子少保。

周元理　直隶总督。四月加太子少保（四十四年削）。

锺　音　闽浙总督。四月加太子少保。

刘秉恬　四川总督。四月加太子少保（六月革）。

陆锡熊　刑部郎中。八月特授翰林院侍读，余见前辛巳科。

讬　庸　吏部尚书。九月以老辞职，晋太子太保。

● 著述：

王元启　校正《朝邑志》一卷成，见之春日自识。

江　声　撰《尚书集注音疏》十二卷成，见六月自序。

陆　昶　编《历朝名媛诗词》十二卷成，见八月自序。

聂　鈫　山东人。撰《泰山道里记》一卷成，见九月高怡序。

口口口　等奉敕撰《音韵述微》三十卷成，见御序。

潘遂先　字景初。江苏句容人。撰《声音发源图解》一卷成，
　　　　见卢文弨序。

蒋　澜　撰《艺苑名言》八卷成，见丙申年自序。

杭世骏　撰　《续方言》二卷成，（按：此书无自序，今系于本
　　　　年）。

● 卒岁：

吴锺峤（一作吴锺侨）。四川营山县知县。正月初八日卒年三
　　　　十九。

阿尔泰　前太子太保，武英殿大学士，四川总督。正月十四日
　　　　以罪命于川省自尽（注：以贻误军机，并勒属派买，
　　　　短发价值，克扣养廉）。

龚一发　云南镇南州知州。正月十九日卒年五十九。入国史循
　　　　吏传。

马　虎　甘肃武威人。湖北襄阳镇总兵。正月于达尔图阵亡。
　　　　予骑都尉兼一云骑尉世职。

吴　阆　安徽歙县贡生。二月二十九日卒年六十四。

博灵阿　蒙古正白旗，图伯特氏。领队大臣，正蓝旗蒙古副都
　　　　统，袭骑都尉兼一云骑尉世职。三月以进攻当噶尔拉
　　　　受伤卒。赠都统，晋一等轻车都尉世职。

胡亦常　广东顺德县举人。三月二十四日卒年三十一。入国史
　　　　文苑传。

裘曰修　太子少傅，工部尚书。五月初一日卒年六十二。谥文
　　　　达。

郑之玠　江苏武进县诸生。五月初六日卒年七十八。

增　海　盛京将军，宗室。五月卒。赠太子太保，谥勤果。

杨　愚　广西柳州府知府。五月卒年五十七。

董天弼　前四川提督（按：阵亡时尚未奉夺职之命）六月初一
　　　　日于美诺时阵亡，年六十二，追予恩骑尉世职，（追恤
　　　　在嘉庆二年）。

温　福　字履绥。满洲镶红旗，费莫氏。太子太保，定边将军，
　　　　武英殿大学士，云骑尉。六月初十日于木果木阵亡。
　　　　赠一等伯（七月撤消），改三等轻车都尉世职（四十一
　　　　年三月复撤）。

赵文哲　户部主事。六月初十日于木果木殉难，年四十九。赠
　　　　光禄寺少卿，入国史文苑传。

王日杏　刑部主事，前贵州铜仁府知府。六月初十日于未果木
　　　　殉难。赠光禄寺少卿。

常　纪　四川崇庆州知州。六月初十日于木果木阵亡，年四十
　　　　六。赠道衔。

牛天畀　署贵州提督　四川川北镇总兵。于木果木阵亡。谥毅节，
　　　　予骑都尉兼一云骑尉世职。

巴　朗　蒙古正黄旗，噶里雅氏。领队大臣，镶蓝旗蒙古副都
　　　　统。六月初十日于木果木阵亡。赠都统予骑都尉兼一
　　　　云骑尉世职。

多隆武　甘肃河州协副将。六月初十日于木果木阵亡。

二达色　陕西靖边协副将。六月初十日于木果木阵亡。

吴一嵩　四川重庆府知府。六月初十日于木果木殉难。赠太仆
　　　　寺少卿。

孙维龙　知县用，降调安徽凤阳县知县。六月初十日于木果木

松林沟殉难，年四十三。赠道衔。

锺邦任　四川候补同知，降调贵州大定府知府。六月初十日于八卦碉遇贼被害。赠道衔。

王汝玉　降调贵州贵西道。六月于牛厂遇贼被害。赠太仆寺卿。

吴　璜　四川候补知州，前任湖南澧州知州。六月初十日于崇德山受伤坠崖卒，年四十七。赠道衔。

马　全　（原名马瑢）领队大臣，四川提督。六月十一日于昔岭阵亡，谥壮节，予骑都尉兼一云骑尉世职。

阿尔素纳　满洲镶黄旗，禄叶勒氏。镶白旗蒙古副都统。六月于大坝沟阵亡。赠都统，予骑都尉兼一云骑尉世职。

张大经　陕西兴汉镇总兵。六月于乾海子阵亡。予骑都尉世职。

刘　纶　太子太保，文渊阁大学士。六月二十三日卒年六十三。赠太子太傅，入祀贤良祠，谥文定。

庆　春　袭奉恩辅国公，宗室。六月卒年二十四。

吴翼行　河南固始县知县。八月十三日以引见回省，卒于卫辉年五十四。

三　和　满洲镶白旗，那拉氏。内大臣，工部左侍郎，降调工部尚书，袭骑都尉世职。八月卒年七十六，谥恪勤。

王　检　广东巡抚。八月卒。

王万邦　贵州威宁镇总兵。十月卒于金川军营。

讬　庸　太子太保，原任吏部尚书，袭云骑尉世职。十月卒年八十一。谥诚毅。

允　祕　圣祖皇二十四子，和硕諴亲王。十月卒年五十八。谥曰恪。

吴士端　降调四川布政使。十月二十一日卒年八十三。

刘统勋　太子太保，东阁大学士。十一月卒年七十五。赠太傅，入祀贤良祠，谥文正。

陆宗楷　致仕内阁学士，降调礼部尚书。卒年七十口。

吴龙见　原任掌山西道监察御史。卒年八十。

杭世骏　赏复翰林院编修。卒年七十八。入国史文苑传。

萨喇善 三等侍卫，前吉林将军，复授库尔喀喇乌苏办事大臣，正白旗宗室。卒，赠副都统衔。

曹学诗 前湖北崇阳县知县。卒年七十七。

朱　垣 原任山东长清县知县。卒年五十一。

吴玉揸 原任安徽凤阳县训导。卒年七十六。入国史儒林传。

李　法 甘肃狄道州训导。卒年七十二。

哈尚德 直隶河间人。前贵州古州镇总兵。卒。

许成麟 江南狼山镇总兵，降调广西提督。卒年六十一。

华南田 字岫云。江苏无锡人。无锡县布衣。卒年七十口。

周　颢 江苏嘉定县画士。卒年八十九。

乾隆三十九年甲午（公元一七七四年）

◉ 生辰：

李湘芷 二月初四日生，字子佩，号春畹。山东安邱人。

王维诚 三月初二日生，字孚远，号弗园、远斋。山东海丰人。

严 烺 三月生，字小农。浙江仁和人。享年六十七。

胡开益 五月二十六日生，字仲谦，号牧堂。顺天大兴人（原籍浙江会稽）。

陈运镇 九月二十八日生，字中纬，号其山。湖北孝感人。享年六十一。

庄绶甲 九月二十八日生，字卿珊。江苏武进人。享年五十五。

齐彦槐 十月十二日生，字荫三，号梦树、梅麓。安徽婺源人。享年六十八。

何 煊 十一月初五日生，（原名何炳），字允彪，号寅士。浙江萧山人。享年六十四。

孙锡麐 十二月二十七日生，字云塈。浙江仁和人。

成 刚 生，字毅斋。镶蓝旗宗室。享年七十六。

周 彦 生，字单文，号鹤阴、涧东。江西鄱阳人。

余观和 生，四川泸州人。享年六十八。

张庆成 生，字嵩山，号秋樵。浙江平湖人。享年六十。

侯云松 生，安青甫。江苏上元人。享年八十。

陈步云 生，字锡镳，号锦堂。浙江瑞安人。享年七十七。

裘安邦 生，字古愚，号梅林。浙江会稽人。享年五十九。

吴懋清 生，字澄观，号迥溪。广东吴川人。享年七十二。

张 铎 生，字椒卿，号春庐。江苏太仓人。享年四十九。

朱埏之 生，字彝上，号椒雨。浙江海盐人。享年四十九。

◉ 科第：

中式举人：

叶元符 江苏长洲人。内阁中书，河南卫辉府知府。

李维寅 字钦伯，号春旭。顺天大兴人。国子监学录，广西太平府龙州同知。

秦　瀛 江苏无锡人。丙申召试授内阁中书，刑部右侍郎。

叶世倬 四川知县，福建巡抚。

吴承绪 江苏仪征人。江西吉南赣宁道。

宗圣垣 浙江人。广东雷州府知府。

吴兰庭 浙江归安人。

王　崿 浙江德清人。直隶成安县知县。

蒋奏平 字松冈。浙江海宁人。

高文照 字润中。浙江武康人。

马纬云 字依櫑。浙江海盐人。

陈登龙 字寿朋，号秋坪。福建侯官人。四川知县，江西建昌府同知。

温　恭 字荔坡。福建永定人。江苏青浦县知县。

孙文焕 四川绵州人。贵州粮道。

董　诏 字驭臣。四川安康人。

莫景瑞 广东人。直隶大名府知府。

师　範 云南人。剑川县教谕，安徽望江县知县。

李华封 贵州人。口口知州，广东盐运使。

徐　午 安徽歙县人。江西知县，口口同知。

中式副榜贡生：

沈　峻 直隶人，广东吴川县知县。

钱　坫 陕西乾州直隶州州判。

葛鸣阳 字云溪。山西安邑人。刑部主事，福建道御史。

◉ **恩遇：**

阿　桂 定西将军，户部尚书。三月晋太子太保。

舒赫德 大学士；

于敏中 大学士；

刘　墉 已故大学士刘统勋之子。

以上三人四月各赏给《古今图书集成》一部。

鲍士恭（浙江人）、范懋柱（浙江鄞县人）、汪启淑（浙江人）、马　裕（江苏江都人）。以进呈书籍最多，以上四人五月各赏给《古今图书集成》一部。

黄登贤、纪　昀、励守谦、汪如藻、周厚堉（江苏娄县人）、蒋增莹、吴玉墀、孙仰曾（浙江仁和人）、汪汝瑮（浙江人）。以上九人五月各赏给《佩文韵府》一部。

钱家坠　原山东博山县知县，降调直隶保安州知州。九月以上年为康熙癸巳恩科乡举周甲之岁，于本年正科重赴鹿鸣筵宴。

孟　琇　原任福建邵武府同知；

范承式　浙江鄞县举人。

　　以上二人九月俱以本年为康熙甲午科乡举周甲之岁，重赴鹿鸣筵宴。

◎ 著述：

楼卜廛　撰《铁崖乐府注》十卷、《铁崖咏史注》八卷成，见正月自序。

沈　初　等撰《浙江系集遗书总录》十集成，见四月王宣望序。

程瑶田　撰《九谷考》一卷成，见夏日自序。

楼卜廛　撰《铁崖逸编注》八卷成，见十月自序。

程际盛　重订《玉台新咏笺注》十卷成，见冬日自序。

汪师韩　自订《上湖诗记续编》一卷成。

◎ 卒岁：

陈　皋　浙江钱塘县布衣。正月初四日卒年六十九。入国史文苑传。

钱陈群　太子太傅，刑部尚书衔赏食全俸，原任刑部左侍郎。正月初七日卒年八十九。赠太傅，入祀贤良祠，谥文端。

王　模　浙江萧山县诸生。正月二十二日卒于山东曹州府，幕年五十一。

金忠济　广东增城县知县。正月二十五日卒年四十九。

扎拉芬　满洲正蓝旗，乌朗哈特氏。湖南永州镇总兵。正月于拉科阵亡。

朱　煐　前湖南永州府知府。二月十四日卒年七十六。

奉　宽　兵部右侍郎。三月卒。追赠太师，礼部尚书，谥文勤（追谥在嘉庆四年五月）。

诚　泰　字淳斋。满洲正黄旗，栋鄂氏。直隶泰宁镇总兵。三月卒。

徐　良　原任四川夔州府知府。四月初三日卒年七十一。

邱云锦　前江西宁州州同。六月初二日卒，年六十九。

钱汝恭　丁忧安徽安庆府同知。七月初六日卒年四十八。

汪腾龙　参将衔前陕西提督。七月以从征金川，卒于纳木觉尔宗军营。

张　本　西城兵马司副指挥，前任山东宁海州州同。八月十五日卒年六十二。

沈齐义　山东寿张县知县。八月二十八日以城陷遇害，年五十八。赠道衔。

陈　枚　署山东棠邑县知县。九月初四日以城陷遇害。

何　煟　字谦之。浙江山阴人。兵部尚书，总督衔管河南巡抚。九月卒年七十口。赠太子太保，入祀贤良祠，谥恭惠。

张泰开　太子少傅，礼部尚书衔致仕都察院左都御史。九月卒年八十六。谥文恪。

毛辉祖　太常寺少卿。九月卒。

音济图　副都统衔头等侍卫。九月二十口日以受伤卒于山东临清军营。予骑都尉世职。

任　瑗　江苏山阳县征士。九月二十八日卒年八十二。入国史儒林传。

李师敏　福建台湾府知府。十月十二日卒年五十。

叶　信　总兵衔山东临清协副将。十月十二日卒年六十一。

五　福　御前侍卫口口旗口口都统。十一月卒年八十口。

敦　住　满洲正黄旗，瓜尔佳氏。署福建建宁镇总兵，袭骑都

　　　　尉世职。十一月于木克什阵亡。晋三等轻车都尉世职。

涂　瑞　江西新城县举人。十一月十八日卒年六十六。

縣　伦　袭多罗和郡王，世宗皇曾孙。十二月卒。谥曰谨。

玛尔占　副都统衔头等侍卫。十二月于康萨尔阵亡。予骑都尉
　　　　世职。

庄纶谓　降调浙江定海县知县，前甘肃宁州知州。卒年六十二。

袁秉诚　浙江温州镇总兵。卒。

薛起凤　江苏长洲县举人。卒年四十一。

陈　惠　湖南攸县诸生，卒年三十。

刘　琪　贵州人。卒年八十二，旌表孝子。

乾隆四十年乙未（公元一七七五年）

◎ 生辰：

施彦士 三月二十日生，字容之，号楚珍、朴斋。江苏崇明人。

武忠额 三月二十二日生，字允元，号愚亭。满洲正白旗，佟佳氏。

陈化成 四月初一日生，字蓬峰。福建同安人。享年六十八。

俞正燮 六月十八日生，字理初。安徽黟县人。享年六十六。

梁章钜 七月初六日生，字闳中，号紫林、蓝邻、退庵。福建长乐人。享年七十五。

汪继培 七月十四日生，字叔因，号厚叔、苏潭。浙江萧山人。

包世臣 七月十五日生，字慎伯。安徽泾县人。享年七十九。

胡世琦 八月初二日生，字玮臣，号玉樵。安徽泾县人。享年五十五。

张学尹 八月初八日生，字子任，号少衡、听翁。湖南湘阴人。享年七十七。

廖文锦 八月二十九日生，字襄云，号邵庵。江苏嘉定人（原籍福建永定）。享年六十。

许乔林 闰十月生，字石华。江苏海州人。

林春溥 十一月初五日生，字立源，号鑑堂、蓼怀。福建闽县人。享年八十七。

邓廷桢 十二月初五日生，享年七十二。

徐同柏 十二月三十日生，字寿臧。浙江嘉兴人。享年八十。

吴敬恒 生，字爱廷，号梦亭。安徽泾县人。享年五十九。

陈兰祥 生，字室如，号伯芝、芙江。江西新城人。享年五十七。

金式玉 生，字朗甫，号竹邻。安徽歙县人。享年二十八。

李宣范 生，字萼村。安徽宣城人。享年六十八。

陈　煦 生，字晴初，号晓峰。四川涪州人。享年六十七。

何长敦 生，字厚勉，号礼堂。福建光泽人。享年六十一。

林柏桐 生，字桐君，号月亭。广东番禺人。享年七十。

沈钦韩 生，字文起，号小宛。江苏吴县人。享年五十七。

齐　慎 生，字三企，号礼堂。河南新野人。享年七十。

何治运 生，福建闽县人。享年四十七。

钱之鼎 生，字伯调，号鹤山。江苏丹徒人。享年五十。

汪家禧 生，字汉郊。浙江仁和人。享年四十二。

凌　曙 生，字晓搂，号子升。江苏江都人。享年五十五。

◉ 科第：

一甲进士：

吴锡龄 字纯甫。安徽休宁人。状元。修撰。

汪　镛 字东序。山东历城人。榜眼。编修，顺天府府丞。

沈清藻 字鲁田，号鲁泉。浙江仁和人。探花。编修。

二甲进士：

王春煦 字子宇，号紫宇、冶山。江苏娄县人。编修，湖北宜
　　　　昌府知府。

戴心亨 字习之，号石士。江西大庾人。编修。

翟　槐 字公树，号立斋。安徽泾县人。编修，云南楚雄府知
　　　　府。

张慎和 字达甫，号莪园。福建晋江人。庶吉士，口部主事，
　　　　浙江盐运使。

严　福 会元。编修。

徐如澍 字郇南，号春帆。贵州铜仁人。编修，通政司副使。

王念孙 江苏高邮人。庶吉士，工部主事，直隶永定河道。

曾廷樑 字春俦，号文麓。江西南城人。庶吉士，刑部主事，
　　　　山东济南府知府。

于　鼎 字镜兆。江苏金坛人。编修。

吴绍溄 内阁中书，戊戌特改庶吉士，编修。

戴联奎 编修，兵部尚书。

陈崇本 字伯恭。河南商丘人。编修，宗人府府丞。

顾宗泰 字景嶽，号星桥。江苏元和人。内阁中书，广东高州府知府。

李廷敬 庶吉士，户部主事，江苏苏松太道。

章宗瀛 字登之，号仙洲。浙江会稽人。编修。

梁上国 编修，太常寺卿。

罗修源 字碧泉，号星来。湖南湘潭人。编修，少詹事。

戴均元 编修，大学士，道光戊子重宴鹿鸣。

徐立纲 浙江上虞人。编修。

缪　晋 字省薇，号申浦。江苏江阴人。编修，山西平阳府知府。

汪辉祖 归班知县，湖南宁远县知县。

吴锡麒 编修，祭酒。

方　林 字云溪。直隶吴桥人。刑部主事，浙江嘉兴府知府。

恽　燮 江苏阳湖人。兵部主事，云南开化府知府。

毛凤仪 字宇春，号羽香。江苏吴县人。庶吉士，归班知县，内阁中书，山东道御史。

胡文铨 顺天大兴人。户部主事，湖南常德府知府。

周　琼 字芝田。广西临桂人。编修，洗马。

胡　荣 字尊才，号淇崖、安止。江西新建人。归班知县，戊戌特改庶吉士，编修，陕西榆林府知府。

曹锡龄 编修，吏科掌印给事中。

周宗岐 字封岩。四川涪州人。编修。

汪如藻 字彦孙，号鹿园。浙江秀水人。编修，山东粮道。

范来宗 字翰尊，号芝岩、洽园。江苏吴县人。编修。

李　蘐 河南宝丰人。吏部主事，江西粮道。

张敦培 字叔因。号息园。江苏昭文人。内阁中书，福建道御史。

　　三甲进士：

谷际岐 检讨，礼科给事中。

王允中 字敬一。陕西长安人。检讨。

张姚成 （榜名姚天成）。浙江仁和人。内阁中书，江西粮道。

孙玉庭 检讨，体仁阁大学士，道光甲午重宴鹿鸣。

诸以谦 河南知县，河南布政使。

石养源 字蒙泉。湖南湘潭人。河南洛川县知县。

邱桂山 字衣千。顺天宛平人。归班知县，丙辰召试授内阁中
书，广东潮州府同知。

蒋　基 江苏长洲人。乾州知州。

五　泰 字东瞻，号坦园。汉军镶白旗。检讨，江苏苏州府知
府。

周世繁 河南祥符人。直隶知县，福建汀州府知府。

德　昌 字客伯，号树堂。满洲镶黄旗。检讨，侍讲学士。

周锡溥 字半帆。湖南湘阴（一作湘潭）人。知县。

沈　丙 字吉堂。浙江钱塘人。户部主事，贵州石阡府知府。

戴　震 庶吉士。

瑞　保 字执垣。满洲镶黄旗，钮祜禄氏。检讨，内阁学士。

长　麟 字牧庵。满洲正蓝旗，觉罗氏。刑部主事，刑部尚书，
协办大学士。

史　藻 陕西华州人。广东肇庆府知府。

朱鸿绪 归班知县，浙江台州府教授。

杨于果 归班知县，湖北知县，湖北荆州府通判。

俞昌言 归班知县，江苏苏州府教授。

何思钧 字季甄，号双溪。山西灵石人。检讨。

申允恭 河南延津人。直隶知县，山西雁平道。

费振勋 内阁中书，刑科掌印给事中。

邓汝功 （碑录作邓汝勤），字谦持。山东聊城人。归班知县。

　武进士：

王懋赏 字建伯。山东福山人。状元。头等侍卫，湖南永州镇
总兵。

彭朝龙 字廷翼。湖北松滋人。会元。榜眼。二等侍卫，福建
汀州营游击。

德　明　满洲正黄旗。探花。二等侍卫。

王清弼　直隶雄县人。陕西守备，贵州大定协副将。

◉ 恩遇：

丰昇额　副将军，袭一等果毅公。五月以攻克逊克尔功，加赏
　　　　继勇字号。

周元理　直隶总督。以七十生辰赐御书"甸封绥寿"额。

高　晋　大学士，两江总督。以七十生辰赐御书"钧节延禧"
　　　　额。

裴行简　已故工部尚书裴曰修子，闰十月赏给举人，授内阁中
　　　　书。署直隶总督。

钱中铣　已故刑部侍郎钱维城子，十一月赏给举人，授内阁中
　　　　书。

　　　　以承修《四库全书》：

侍　朝　国子监学正，进士，见前庚辰科；

张晖吉　归班候选知县，进士，见前壬辰科。

　　　　以上二人俱授庶吉士，余详各本科。

0818

◉ 著述：

黄景仁　自订《两当轩诗钞》成，见三月自序。

唐秉钧　撰《文房肆考图说》八卷成，见八月自撰发凡。

陆费墀　撰《帝王庙谥年讳谱》一卷成，见十月自序。

钱　坫　撰《论语后录》五卷成，见十一月自记。

彭元瑞　撰《宋四六选》二十四卷成，见曹振镛跋。

张宗橚　辑《词林纪事》二十二卷成，见己亥十月其孙嘉毅后
　　　　跋。

◉ 卒岁：

富僧阿　满洲正黄旗，舒穆禄氏。西安将军。三月卒。

色布腾巴勒珠尔　参赞大臣，袭达尔汉和硕亲王，固伦额驸。
　　　　　　　　三月卒于金川军营，谥曰毅。

江　昱　江苏江都县贡生。三月二十日卒年七十。入国史文苑
　　　　传。

科　玛　副都统衔领队大臣。四月于基木斯丹当噶阵亡。予骑
都尉世职。

佛伦泰　副都统衔领队大臣。四月于荣噶尔博阵亡。予骑都尉
世职。

期成额　满洲镶黄旗，完颜氏。兵部左侍郎。四月卒。

彭树葵　三品顶带，前礼部左侍郎。四月二十三日卒年六十六。

钱桂发　江苏嘉定县诸生。四月二十三日卒年七十九。

李　瀚　升授云南巡抚，由江西布政使升补。以赴任五月初二
日卒于贵州贵定行次，年六十五。

弘　晥　（一作弘睕）。圣祖皇孙。奉恩辅国公。五月卒。

弘　晭　圣祖皇孙。袭和硕恒亲王。六月卒年七十口。谥曰恪。

刘辉祖　署甘肃宁夏镇总兵，湖南长沙协副将。七月以随征金
川，卒于穆谷军营。

徐士龙　直隶大挑知县，署衡水县知县。七月二十五日卒年五
十九。

陈善诒　正二品荫生。八月十八日卒年四十六。

明　仁　字素仁。满洲镶黄旗。头等侍卫，袭一等子。九月卒
于金川军营，赠副都统衔。

干从濂　原任甘肃宁夏道。十月二十七日卒年五十八。

曹　顺　四川阆中人。甘肃肃州镇总兵。闰十月于黄草坪阵亡。
予骑都尉兼一云骑尉世职。

杨履基　候选训导，江苏金山县优贡生。闰十月十九日卒年六
十三。入国史儒林传。

常禄保　满洲镶蓝旗，赫舍里氏。广东高廉镇总兵。十一月于
科布曲阵亡。予骑都尉世职。

经讷亨　袭奉恩辅国公，镶蓝旗宗室。十一月卒年三十三。

阎循琦　工部尚书。十二月初三日卒年六十六。赠太子太保，
谥恭定。

丰讷亨　领侍卫内大臣，正黄旗汉军都统，袭和硕简亲王，宗
室。十二月卒年五十三。谥曰恪。

李　炯　以教职选用前广东茂名县知县。十二月卒年七十一。入国史循吏传。

噶岱默特　公品级。卒。

王世芳　翰林院侍讲衔，原任国子监司业。卒年一百十七。

彭绍谦　山东曹州府同知。卒年五十一。

钱家塈　原任山东博山县知县，降调直隶保安州知州。卒年八十一。

范泰恒　前授江西广丰县知县，由崇义县调补未任夺职。卒年六十九。

富当阿　满洲正蓝旗，颜札氏。前天津水师营都统。卒。

书　山　字南峰，号秋岑。满洲镶黄旗，钮祜禄氏。原任福州副都统，前任刑部右侍郎，袭骑都尉世职。卒。

张宗橚　字詠川，号思岩、藕村。浙江海盐人。海盐县监生。卒。

过临汾　江苏无锡县布衣。卒年七十一。

乾隆四十一年丙申（公元一七七六年）

● **生辰：**

倪　崧　三月十一日生，字景甫，号畊岩。浙江会稽人。

胡承琪　三月十四日生，字景孟，号丹溪、墨庄。安徽泾县人。享年五十七。

姚元之　四月初十日生，字伯昂，号鹰青、竹叶、亭生、五不翁。安徽桐城人。享年七十七。

缪庭槐　五月初五日生，字对扬，号望江、荫轩。顺天宛平人（原籍江苏江阴）。

奕　绍　五月生，高宗皇曾孙。享年六十一。

刘逢禄　六月十二日生，字申受，号申甫、思误居士。江苏武进人。享年五十四。

叶德豫　七月十八日生，享年六十二。

翟云升　七月二十一日生，字舜堂，号文泉。山东掖县人。

严学淦　八月二十日生，字丽生，号砚山。江苏丹徒人。

陈世昌　八月二十日生，字卜五，号艺孙。湖南武陵人。享年四十八。

卿祖培　八月二十四日生，字锡祚、敦夫，号滋圃。广西灌阳人。享年四十七。

李祖陶　十一月初一日生，字钦之。江西上高人。享年八十三。

龚守正　十一月初八日生，字象曾，号季思。浙江仁和人。享年七十六。

夏修恕　十一月十三日生，字浑初，号森圃。江西新建人。

緜　偲　生，高宗皇孙。享年七十三。

王端履　生，字福将，号小毂。浙江萧山人。享年七十口。

张　井　生，字芥航，号畏堂。陕西肤施人。享年六十。

佟景文　生，字质夫，号镜塘、艾生。汉军镶黄旗，佟佳氏。享年六十一。

李逢辰　生，字允中，号馥堂、惺余。江苏元和人。

王凤生　生，字振轩，号竹屿。安徽婺源人。享年五十九。

宋翔凤　生，字于庭。江苏长洲人。享年八十五。

朱凤森　生，（原名朱奕森），字韫山。广西临桂人。享年五十八。

王衍梅　生，字律芳，号笠舫。浙江会稽人。享年五十五。

刘允孝　生，甘肃肃州人。享年六十七。

王萱龄　生，字北堂。顺天昌平人。

臧礼堂　生，字和贵。江苏武进人。享年三十。

潘　谘　生，字诲叔，号少白。浙江会稽人。享年七十八。

顾锡祉　生，字竹楼。江苏昆山人。享年八十四。

◉　科第：

　　三月以召试一等赏给举人：

黄道煛　。

李宪乔　字子乔。山东高密人。广西知县，广西归顺州知州。

蔡廷衡　字咸一，号小霞。浙江仁和人。余见戊戌科。

　　四月以召试一等赏给举人：

祝万年　。

方起莘　。

张曾大　。

◉　恩遇：

　　正月以金川平定：

阿　桂　定西将军，户部尚书。封一等公，号诚谋英勇；

丰昇额　副将军。一等果毅继勇公，加封一等子，（以弟布彦达赉袭）；

明　亮　定边右副将军。封一等伯（号襄勇，四十八年九月削）；

海兰察　参赞大臣，内大臣。封一等侯，号超勇；

额森特　参赞大臣，护军统领。封一等男；

奎　林　领队大臣，袭一等公，都统。加封一等男；

和隆武　领队大臣，袭一等子，都统。晋封三等侯，号果勇；

福康安　领队大臣，内大臣，户部右侍郎。封三等男；

普尔普　领队大臣，散秩大臣。封三等男。

三月以东巡迎銮：

吴绍诗　（致仕吏部右侍郎）、**彭启丰**（致仕兵部左侍郎）。俱
　　　　赏加尚书衔；

史奕昂　三品卿衔，降调兵部左侍郎。赏二品职衔；

宫兆麟　字泊厚，安徽怀远人。前甘肃按察使，降调贵州巡抚。
　　　　赏三品衔。

三月以召试一等特授内阁中书：

窦汝翼　山东举人。余见戊戌科；

秦　瀛　江苏举人。余见前甲午科。

四月以召试一等特授内阁中书以下五人：

邱桂山　直隶进士。余见前乙未科；

祝　堃　顺天举人。余见辛丑科；

洪　榜　安徽举人。余见前戊子科；

戴衢亨　江西举人。余见戊戌科；

关　槐　浙江举人。余见庚子科。

阿　桂　协办大学士，吏部尚书。八月以六十生辰，赐御书"崇
　　　　勋耆庆"额及御制诗联。

蔡　新　兵部尚书。以七十生辰，赐御书"武库耆英"额。

英　廉　协办大学士，刑部尚书。十一月以七十生辰，赐御书
　　　　"斗南介景"额。

● 著述：

蒋　澜　撰《艺苑名言》八卷成，见二月自序。

钱　坫　撰《十经文字通正书》二十卷成，见三月自序。

吴省钦　撰《官韵考异》一卷成，见八月自序。

厉　荃　撰《事物异名录》四十卷成，见九月自序。

任兆麟　撰《孟子时事略》一卷成，见十月自序。

金　简　撰《聚珍板程式》一卷成，见十二月自记。

李调元　撰《粤东皇华集》四卷成，见十二月程晋芳序。

洪亮吉　自编《附鲒轩诗集》八卷成，（按：此集至丙申年止，故系于是年）。

◉ 卒岁：

陆名时　候选布政司理问，青浦县监生。正月十九日卒年六十九。

永　瑝　皇十二子。多罗贝勒。正月二十七日卒年二十五。

乌尔纳　满洲镶蓝旗，那拉氏。陕西延绥镇总兵。二月于攻克噶喇依喇嘛寺，以火药被焚受伤卒。予云骑尉世职。

汪　坦　原任云南普洱府知府。三月二十九日卒年五十九。

王际华　太子少傅，户部尚书。三月卒年六十。赠太子太保，谥文庄。

官　保　字用民，号云轩。满洲正黄旗，乌雅氏。致仕协办大学士，吏部尚书。三月卒年八十口。谥文勤。

郑　基　以巡道补用，江苏淮安府知府。四月初八日卒年五十六。入国史循吏传。

诸世器　江苏昆山县廪贡生。四月二十一日卒年四十九。

富　德　前理藩院尚书，一等成勇靖远侯。五月初八日以罪处斩（注：以扣罚士兵银两，冒滥行私，并写列参单，有心诬陷）。

黄登贤　都察院左副都御史，降调漕运总督，山东学政。五月十二日卒年六十八。

汪　蔼　安徽黟县诸生。七月二十日卒年三十六。

单　烺　降调贵州铜仁府知府。八月初一日卒年六十九。

林树蕃　翰林院编修。九月初六日卒年二十八。

乔　汲　原任江苏吴县教谕。九月卒年八十六。

阿思哈　漕运总督，前任都察院左都御史。十月卒年七十。谥庄恪。

吴绍诗　尚书衔致仕吏部右侍郎，前礼部尚书。十月十七日卒年七十八。谥恭定。

四　格　口口旗汉军都统。卒年七十。谥勤恪。

胡绍鼎　河南道监察御史。十一月二十六日卒年六十四。

观　保　上书房行走，前都察院左都御史。十二月卒。赏复原
　　　衔，追谥文恭（追谥在嘉庆口口年口月）。

甘　禾　原任兵部主事。卒年六十八。

龚禔身　内阁中书。卒。

吴　炳　原山西平定州知州。卒年七十一。

邓汝功　归班候选知县，山东聊城县进士。卒。

李　煦　浙江处州镇总兵，前贵州提督。卒于金川军营。

刘执玉　字复燕，号思茗。江苏无锡人。江苏无锡县诸生。卒。

汤自铭　江苏武进县布衣。卒年八十五。

乾隆四十二年丁酉（公元一七七七年）

◉ **生辰：**

黄本骐 二月初三日生，字伯良，号花耘。湖南宁乡人。享年四十七。

祁 堶 二月十四日生，字锡嘉，号竹轩、寄庵。山西高平人。享年六十八。

王汝谦 二月十七日生，字六吉。河南河内人。享年七十九。

黄安涛 二月二十日生，字凝舆，号霁青。浙江嘉善人。享年七十二。

吕 璜 三月生，字礼北，号月沧。广西永福人。享年六十二。

李仲昭 六月十三日生，字守谦、次卿，号克斋、衡门。广东嘉应人。

丁 傑 七月二十四日生，字辅高，号兴斋、隆山。云南保山人。

何增元 九月初九日生，字升虞，号调甫、俊生。四川璧山人。

姚 椿 九月十一日生，字春木，号子寿。江苏娄县人。享年七十七。

周仪暐 七月十七日生，字伯恬。江苏阳湖人。享年七十。

谷善禾 九月十八日生，字美田，号绣谷、养吾、去非。直隶丰润人。

杨传棨 十月十三日生，字怀圮。江苏武进人。享年七十四。

黄鲁溪 十一月初二日生，字汝揖，号杏川。江苏吴县人。

杨振麟 十一月初六日生，顺天宛平人。

杨殿邦 十二月初一日生，字翰屏、鹤坪，号簠云、叠云。安徽泗州人。

邓显鹤 十二月十六日生，字岐凤，寿堂，号子立、湘皋。湖南新化人。享年七十五。

保 兴 生，满洲，觉罗氏。享年七十二。

李振祜 生，字锡民，号怡廷。安徽太湖人。享年七十四。
张　鳞 生，字掌夫，号小轩。浙江长兴人。享年五十九。
朱方增 生，字寿川，号慎庵、虹舫。浙江海盐人。享年五十四。
黄玉衡 生，字伯玑。号在庵、小舟。广东顺德人。享年四十四。
陈秉成 生，字光琇，号平甫、小平。广东澄海人。
马步蟾 生，字广周，号渔山、籥云。浙江归安人。
易良俶 生，字屏山。湖南黔阳人。享年七十一。
张青云 生，陕西富平人。享年七十八。
郑国鸿 生，字雪堂。湖南凤凰厅人。享年六十五。
汪潮生 生，字汝信，号饮泉、冬巢。江苏仪征人。享年五十六。
王　渭 生，字惠川。江苏吴县人。享年四十一。

◉ 科第：

考取优贡生：

张燕昌 浙江人。嘉庆元年举孝廉方正。

考取拔贡生：

何梦莲 直隶正定人。刑部小京官，己亥举人，陕西榆林府知府。

（凡由拔贡复中举人者，如拔贡朝考得官则于举贡并继之，否则仅载举人，今记于此）。

韩　葑 江苏人。刑部小京官，刑部尚书。
姚令仪 云南知县，四川布政使。
毕继曾 江苏镇洋人。
金慰祖 江苏嘉定人。
杨芳灿 甘肃知县，户部员外郎。
陈柄德 丰县教谕，安徽旌德县知县。
严士鋐 四川知县，河南按察使。
汪　中。

宋緜初　字守端。江苏高邮人。清河县教谕。

刘玉麔　广西直州判，广西北流县知县。

侯　坤　安徽人。考授州同，广东盐运司经历。

李戴春　江西鄱阳人。广东雷州府知府。

蒋知廉　江西铅山人。山东州同。

朱　栋　字柱臣，号砥斋。浙江长兴人。户部小京官，己亥举
　　　　人，甘肃按察使。

汤元苣　浙江萧山人。金华府训导，江苏海州直隶州知州。

李逢亨　字培园。湖北竹溪人（原籍陕西平利）。直隶州判，河
　　　　东河道总督。

余世本　湖南人。

刘大观　山东人。奉天知县，山西河东道。

温承惠　山西人。吏部小京官，直隶总督。

彭　辂　广东高要人。英德县教谕。

王　绅　字彦卿。湖南长宁人。

杨廷理　广西马平人。福建台澎道。

刘　清　贵州人，四川县丞，山东曹州镇总兵。

颜　检　字惺甫，号岱云。广东连平人。礼部小京官。直隶总
　　　　督。

喻文鏴　湖北黄梅人。道员。

　　中式举人：

陈廷杰　顺天人。山东知县，广东按察使。

宋如林　字仁圃。汉军镶黄旗。山西知县，江苏松江府知府。

李尧文　江苏淮安府知府。

杨廷瑛　直隶天津人。安徽凤阳府知府。

张羲年　字浮初，号潜亭。浙江余姚人。国子监助教，戊戌特
　　　　赏贡士。

宋大樽　字左彝，号茗香。浙江仁和人。国子监助教。

胡　锺　江苏江宁人。云南知县，贵州遵义府知府。

张吉安　浙江知县，浙江余杭县知县。

吕　荣　江苏阳湖人。安徽知县，浙江杭州府东防同知，重宴
　　　　鹿鸣。

万保廷　江苏人。安徽泗州学正，重宴鹿鸣。

夏味堂　字澹人。江苏高邮人。

黄定文　浙江人。广东知县，江苏扬州府同知。

王　焯　浙江人。镇海县教谕。

钱　桂　浙江仁和人。贵州思州府知府。

柯　辂　字瞻莪，号淳庵。福建晋江人。江西知县，福建永安
　　　　府教授。

高　腾　福建福鼎人。福鼎县训导。

张世浣　字新之。湖南湘潭人。山西知县，江苏扬州府知府。

蒋荣昌　河南人。山西知县，江苏常州府知府。

阎学涑　山东昌乐人。甘肃甘州府知府。

刘大懿　山西人。刑部员外郎，山东按察使。

陈兆熙　字梦鱼，号春宇。广西临桂人。广东知县，贵州贵东
　　　　道。

蒋励宣　浙江湖州府知府。

张　諴　字希和。浙江平湖人。

　　　中式武举：

云天彪　顺天人。江南守备，江苏口口镇总兵。

◉　恩遇：

张光裕　原任湖北兴山县知县；

赵世玉　浙江仁和县举人；

胡永龄　山阴县举人。

　　　以上三人俱以本年为康熙丁酉科乡举周甲之岁，重赴鹿鸣
　　　筵宴。

余文仪　刑部尚书。十一月以病辞职，加太子少傅衔。

程晋芳　吏部主事。特授编修，余见前辛卯科。

◉　著述：

方成培　字仰松。安徽歙县人。撰《香研居词麈》五卷成，见

三月程瑶田序。

钱　坫　撰《诗音表》一卷成，见六月徐书受跋。

严　观　撰《江宁金石记》八卷成，见八月自撰凡例。

黄文莲　撰《书传盐梅》三十卷成，见十月自序。

钱大昭　撰《后汉书补表》八卷成，见十一月自序。

口口口　等奉敕撰《蒙古源流》八卷成。

于敏中　等奉敕撰《临清纪略》十六卷成。

博　明　撰《凤城琐录》一卷成，见自序。

王口口　撰《秋灯丛话》成，见十月胡高望序。

◉ 卒岁：

张曾敞　五品顶带，前詹事府少詹事。正月卒于河南大梁书院，
　　　　年四十七。

秦大士　原任翰林院侍讲学士。二月卒年六十三。

诺尔本　满洲正蓝旗，吴机格忒氏。副都统衔围场总管，骑都
　　　　尉兼一云骑尉。二月卒。

永　珹　高宗皇四子，多罗履郡王。二月二十八日卒。谥曰端，
　　　　追赠和硕亲王（追赠在嘉庆四年三月）。

朱　夏　浙江遂昌县增生。二月二十八日卒年五十九。

弘　景　圣祖皇孙。固山贝子。三月卒。

嘉　谟　满洲镶蓝旗，赫舍里氏。东陵总管大臣，前仓场侍郎。
　　　　四月卒。

朱　煦　原任浙江绍兴府知府。四月卒年五十三。

舒赫德　太子太保，武英殿大学士，云骑尉。四月二十一日以
　　　　随扈卒于良各庄，年六十八。赠太保，入祀贤良祠，
　　　　谥文襄。

邱仰文　原任陕西保安县知县。五月初二日卒年八十二。

贾田祖　江苏高邮州廪生。五月卒年六十四。

戴　震　翰林院庶吉士。五月二十六日卒年五十五。入国史儒
　　　　林传。

弘　曒　圣祖皇孙。袭多罗谆郡王。七月卒。谥曰慎。

侍　朝　翰林院庶吉士。七月三十日卒年四十九。

傅　良　满洲镶黄旗，富察氏。西安将军兼领侍卫内大臣，袭一等敦惠伯，兼一云骑尉世职。九月卒。谥恭勤。

额敏和卓　御前行走，多罗郡王，吐鲁蕃札萨克。九月卒。

丰昇额　满洲镶黄旗，钮祜禄氏。太子少保，户部尚书，一等果毅继勇公，加封一等子。十月卒。赠太子太保，谥诚武。

张冲之　前河南南汝光道。十月初十日卒年七十七。

葛　恒　江苏金坛县教谕。十月二十二日卒年六十九。

蒋泰来　吏部考功司主事。卒年四十三。

施　淇　原任安徽宁国府教授。十一月卒年九十二。

金　溶　致仕浙江粮道。十二月初二日卒年七十三。入国史循吏传。

刘亨地　翰林院侍讲，广东副考官。以试毕回京卒于江西，年四十四。

彰　宝　前太子太保，云贵总督。卒。

徐时作　原任直隶沧州知州。卒年八十一。

缪　樆　原任广西左州知州。卒年八十二。

甘国宝　福建陆路提督。卒年六十八。

梅　鉁　江苏上元县副贡生。卒年四十六。

纪　晫　直隶献县岁贡生。卒年七十二。

朱以发　浙江海盐县口生。卒年七十一。

乾隆四十三年戊戌（公元一七七八年）

◉ **生辰：**

夏翼谋 正月三十日生，字式庭，号鹤汀。江苏江阴人。享年六十五。

许绍宗 三月二十二日生，字迪光，号莲舫、小湖。陕西咸宁人。享年四十三。

邵葆锺 三月三十日生，字纪三，号粲谷、季民。顺天大兴人。享年三十二。

洪 莹 四月初五日生，字宾华，号铃庵。安徽歙县人。

赵 钺 四月十三日生，（原名赵春沂），字零门，号星甫、寿伯。浙江仁和人。享年七十二。

郭阶三 四月二十日生，字世敦，号介平。福建侯官人。

唐 鑑 字翁泽，号镜海、栗生。湖南善化人。五月初七日生，享年八十四。

孙灏元 五月初十日生，字华海。浙江仁和人。

汤贻芬 六月初九日生，（一作**汤贻汾**）字若仪，号雨生、粥翁。江苏武进人。享年七十六。

刘 谊 闰六月初一生，字淦山，号宜庵、淦川。湖北钟祥人。

惠 端 八月十一日生，（原名慧端）镶蓝旗宗室。

闵受昌 八月十五日生，字文甫，号缄三。浙江归安人。

申启贤 八月二十五日生，字子敬，号敬亭、镜汀。河南延泽人。享年六十二。

杨兆璜 八月生，福建邵武人。享年六十八。

陶 澍 十一月三十日生，字子霖，号云汀。湖南安化人。享年六十二。

沈维鐈 十二月十二日生，字子彝，号鼎甫、镕九、雄斋。浙江嘉兴人。享年七十二。

朱逴吉 十二月二十五日生，字世鸿，号颖双、春衢、青侣。

　　　　浙江嘉兴人。享年六十。

宝　恩　生，宗室。享年二十五。

胡达源　生，字青甫，号云阁。湖南益阳人。享年六十四。

卞　斌　生，字叔均，号雅堂。浙江归安人。享年七十三。

吴慈鹤　生，字韵皋，号云巢。江苏吴县人。享年四十九。

栗毓美　生，字含辉、箕山，号朴园、友梅。山西浑源人。享
　　　　年六十三。

清　平　生　字养和。满洲正黄旗，果佳氏。

玉　绥　生　字季维，号紫卿、若山。满洲正白旗，佟佳氏。

赵　瑜　生，云南太和人。享年五十。

方廷瑚　生，字铁山。浙江石门人。

李　诚　生，字静轩。浙江黄岩人。享年六十七。

钱　侗　生，字同人。江苏嘉定人。享年三十八。

梁曾龄　生，广东德庆人。享年四十八。

邵葆初　生，字升泰，号东汇、旭之。浙江归安人。

陈逢衡　生，字履长，号穆堂。江苏江都人。享年七十八。

毕贵生　生，字成之，号孝伯。江苏仪征人。享年三十。

● 科第：

　　一甲进士：

戴衢亨　状元。修撰，大学士。

蔡廷衡　榜眼。编修，甘肃布政使。

孙希旦　探花。编修。

　　二甲进士：

邵自昌　庶吉士，兵部主事，左都御史。

冯　培　字仁寓，号玉圃、实庵。江苏无锡人。庶吉士，吏部
　　　　主事，户科给事中。

吴省兰　编修，礼部右侍郎。

吴　璥　编修，吏部尚书，协办大学士。

潘庭筠　字兰公，号德园。浙江钱塘人。编修，陕西道御史。

吴绍浣　字杜村，号秋岚。安徽歙县人。庶吉士，归班知县，

内阁中书，河南南汝光道。

李　威　字畏吾。福建龙溪人。内阁中书，广东广州府知府。

彭翼蒙　字耆初，号山泉。江西南昌人。庶吉士，刑部主事，江南盐法道。

莫允宣　字是卿。直隶景州人。云南曲靖府知府。

吴舒帷　字济儒，号古愚。江苏震泽人。编修，侍读。

蔡必昌　顺天宛平人。四川重庆府知府。

王天禄　字石渠，号乙斋。顺天大兴人。编修，福建福宁府知府。

张九镡　字竹南，号吾溪。湖南湘潭人。编修。

钱　栻　字希南，号静园、次轩。浙江仁和人。编修，广西盐法道。

张敦仁　直隶知县，云南盐法道。

祖之望　庶吉士，刑部主事，刑部尚书。

吴一麒　字驾六。浙江钱塘人。

杨　炜　庶吉士，河南知县，广东按察使。

管世铭　户部主事，掌广西道御史。

颜崇沩　字东虞，号酌山。山东曲阜人。编修，侍读。

王　城　江苏通州人。户部主事，山东道御史。

吴鼎雯　编修，福建粮道。

邵自悦　字象岩，号习园。顺天大兴人（原籍浙江余姚）。礼部主事，安徽知州，直隶州知州。

冯敏昌　编修，刑部主事。

王　锟　字振伯。江苏吴江人。兵部主事，浙江按察使。

祁韵士　编修，中允。

窦汝翼　庶吉士，归班知县，内阁中书，宗人府主事。

章学城　归班知县，国子监典籍。

三甲进士：

李鼎元　字焕其，号味堂、墨庄。四川罗江人。检讨，兵部主事。

恭　泰（原名公春），字伯震，号履安、兰岩。满洲镶黄旗，
　　　　富察氏。检讨，盛京礼部侍郎。
张　位　字伯素。甘肃秦安人。检讨，内阁中书。
赵大淮　山东知县，山东昌乐县知县。
庄选辰　归班知县，甲辰召试授内阁中书。
德　生　字体仁，号厔圃。汉军正黄旗。检讨，山东济南府知
　　　　府。
缪祖培　字敦川，号晴岚。江苏泰州人。会元。归班知县。
周　棠　直隶知县，广东曲江县知县。
洪其绅　字敬书，号书舟、敬山。贵州玉屏人。检讨，刑部主
　　　　事，浙江台州府知府，道光辛卯重宴鹿鸣。
钱世锡　检讨。
韦佩金　字书城。江苏江都人。广西知县，广西凌云县知县。
江濬源　云南临安府知府。
牟贞相　直隶肥乡县知县。
钱兆鹏　江苏通州人。直隶知县，直隶口县知县。
崔映辰　山西忻州人。山东济东泰武临道。
阎曾履　字念庭。河南孟津人。刑部主事，甘肃平凉府知府。
戴祖启　归班知县，国子监学政，学录。
广　厚　满洲镶黄旗，高佳氏。口部主事，湖南巡抚。
范三纲　字叙五，号荆坡。山西平阳人。刑部主事，江南道御
　　　　史。
王霈霖　贵州贵阳人。
王　谟　字仁圃。江西金溪人。归班知县，江西建昌府教授。
陈　诗　字观民，号愚谷、大浮山人。湖北蕲水人。工部主事。
王元勋　归班知县，江苏徐州府教授。
　　中式翻译进士：
富　俊　东阁大学士。
　　武进士：
邢敦行　字立德，号恕堂。直隶定州人。状元。头等侍卫，广

东三江口协副将。

樊雄楚 湖北襄阳人。榜眼。二等侍卫，浙江宁海镇总兵。

董金凤 字向桐。安徽合肥人。探花。二等侍卫，福建兴化协
　　　副将。

● 恩遇：

吴省兰、张羲年 国子监助教，举人。俱以会试未经中式准予
　　　一体殿试。

　　　以承修《四库全书》：

吴绍溁 内阁中书，进士，见前乙未科；

朱　钤 归班候选知县，见前壬辰科；

胡　荣 见前乙未科。

　　　以上三人俱授庶吉士，余详各本科。

● 著述：

李调元 撰《赋话》六卷成，见闰六月自序。

李调元 撰《制义科琐记》四卷成，见八月自序。

吴　骞 撰《蠡塘渔乃》一卷成，见九月自序。

桂　馥 撰《续三十五举》一卷成，见九月翁方纲序（按：是
　　　书至庚戌又改定重刻，见陈鳣序）。

吴兰庭 撰《五代史记纂误补》四卷成，见十月自序。

阿　桂 等奉敕撰《满洲源流考》二十卷成。

● 卒岁：

杨　鸾 湖南邵阳县知县。正月十九日卒年六十七。入国史文
　　　苑传。

恒　昌 袭多罗顺承郡王，正红旗宗室。二月卒年二十六。谥
　　　曰慎。

陈本敬 翰林院检讨。二月卒。

余元遴 安徽婺源县诸生。三月二十六日卒年五十五。入国史
　　　儒林传。

蕴　著 镶黄旗满洲都统，袭和硕显亲王复号肃亲王，宗室。
　　　四月卒年八十。谥曰勤。

张羲年　赏给贡士，国子监助教。四月未殿试卒。

弘　晓　圣祖皇孙。袭和硕怡亲王。四月卒。谥曰僖。

永　浩　袭不入八分辅国公。六月卒。

申　甫　都察院左副都御史。六月十五日卒年七十三。

朱秀文　原任广西柳州府通判。六月二十三日卒年八十二。

李文藻　广西桂林府同知。八月初四日卒年四十九。入国史文
　　　　苑传。

朱昌龄　浙江海盐县诸生。八月初八日卒年七十二。

锺　音　太子少保，礼部尚书，袭一等轻车都尉世职。九月以
　　　　随扈至盛京卒于途次。赠太子太保，谥文恪。

鲍倚云　安徽歙县优贡生。九月二十一日卒年七十一。入国史
　　　　文苑传。

高　朴　满洲镶黄旗，高佳氏。前兵部口侍郎。十月初二日以
　　　　罪命于叶尔羌处斩（注：以命往叶尔羌办事，勒索回
　　　　民财产，并开采玉石串商牟利）。

策伯克多尔济　土尔扈特亲王。十月卒。

沈执中　江苏长洲县增生。十月十八日卒年八十。

李颐学　云南昆阳州举人。十月二十九日卒年四十四。

努　三　满洲正黄旗，瓜尔佳氏。领侍卫内大臣，骑都尉。十
　　　　一月卒，谥恪靖。

高　晋　太子太傅，文华殿大学士，两江总督。十二月卒年七
　　　　十三。入祀贤良祠，谥文端。

吕　炽　致仕都察院左副都御史，降调礼部左侍郎。卒年八十
　　　　一。

范时纪　满洲镶黄旗。以副都统用，前任礼部左侍郎。卒。

蔡鸿业　原任甘肃布政使，前刑部右侍郎。卒。

胡文伯　字偶韩。山东海丰人。以按察使衔致仕原任直隶广平
　　　　府同知，前安徽巡抚。卒年八十口。

奚　寅　湖北利川县知县。卒年六十一。

阎循霶　江苏阜宁县知县。卒。

李国柱　致仕湖广提督。卒年八十二。

吴　峻　江苏无锡县副贡生。卒年五十六。

余萧客　江苏长洲县布衣。卒年四十七。入国史儒林传。

乾隆四十四年己亥（公元一七七九年）

● **生辰：**

许桂林　二月初十日生，字同叔、百药，号月南、月岚。江苏海州人。享年四十三。

王云锦　二月十二日生，字絧堂，号柳溪。河南固始人。

徐　楙　二月十三日生，字向蓬。浙江钱塘人。

徐　璈　四月初九日生，字六骧，号樗亭。安徽桐城人。享年六十三。

刘斯裕　五月初一日生，字敬宇，号芝崖。江西南丰人。享年四十三。

叶志诜　六月二十二日生，字仲寅，号东卿、遂翁。湖北汉阳人。享年七十□。

王维祺　闰六月十一日生，浙江黄岩人。享年七十九。

李宗昉　七月初三日生，字静远，号芝灵。江苏山阳人。享年六十八。

吴其浚　七月初四日生，字淇瞻，号瀹园、子俊。河南固始人。

文　纶　八月二十八日生，（原名阿勒京阿），字药阶，号如亭。满洲正蓝旗。

王丹墀　九月初五日生，字觐颜。浙江海宁人。享年五十七。

周　凯　九月十六日生，字仲礼，号芸皋。浙江富阳人。

孔传纶　九月十九日生，（一作四十七年生），字言如、孟欧，号梦鸥、茧园。浙江钱塘人。享年四十二。

吴其彦　十月初九日生，字美存，号誉堂。河南固始人。享年四十五。

吴存楷　十月十六日生，字端甫，号缦云。浙江钱塘人。

张志廉　十一月十七日生，字周六，号秋艇。直隶南皮人。

忠　廉　十二月初二日生，字荩臣，号澹泉。蒙古正红旗，巴林氏。

彭蕴辉　十二月初二日生，字璞斋，号远峰、葆真。江苏长洲人。享年三十一。

贾克慎　生，字升明，号亮才、春园、酉生。山西阳曲人。

龙元任　生，字仰衡，号莘田。广东顺德人。

李培厚　生，字耕淳，号心畬、少卿山人。江苏新阳人。享年五十三。

刘鸿翱　生，字次白。山东潍县人。享年七十一。

常恒昌　生，字修吉，号静轩、芸阁。山西凤台人。

马志燮　生，字汉标，号眘庵。浙江会稽人。享年六十八。

徐　鑑　生，字容倩，号涵香、香坨。顺天大兴人。

延　龄　生，字曼卿，号醴仙。满洲正红旗，瓜尔佳氏。

鲍　珊　生，安徽歙县人。享年五十六。

戴凤翔　生，字仪瑞。江西都昌人。

刘　珊　生，湖北汉川人。享年四十六。

朱恭寿　生，字孝先，号半塘。浙江海宁人。享年七十六。

胡　缙　生，字敬卿，号湘帆。浙江乌程人。

陈　均　生，字受笙。浙江海宁人。享年五十。

沈复灿　生，字霞西。浙江山阴人。享年七十二。

黄培芳　生，字子实。广东香山人。享年八十二。

● 科第：

中式举人：

书　铭　满洲镶蓝旗，赫舍里氏。盛京礼部助教，盛京兵部侍郎。

王绩著　顺天武清人。山东知县，浙江处州府知府。

朱锡经　刑部员外郎，太仆寺少卿。

朱　栋　见丁酉拔贡。

何梦莲　见丁酉拔贡。

王　樑　江西赣州府知府。

周嘉猷　兵部主事。

史鸿义　顺天宛平人（原籍浙江会稽）。

周　镐　江苏人。浙江知县，福建漳州府知府。

石飞熊　江苏人。直隶知县，直隶广平府知府。

于德裕　江苏金坛人。刑部主事，云南楚雄府知府。

金芝原　江苏人。内阁中书。

丁履端　河南知县，直隶威县知县。

徐大容　字莪汕，号复堂。江苏华亭人。

纪大奎　字慎斋。江西临川人。山东知县，四川合州知州。

何其焱　浙江人。候选直隶州州同。

王　煦　字汾原。浙江上虞人。甘肃通谓县知县。

沈长春　浙江归安人。直隶知县，河南按察使。

怀　沅　浙江人。知县，广东潮州府知府。

唐廷佐　字才少。湖南黔阳人。

吴之勤　字翊臣，号淦崖。山东海丰人。直隶知县，湖北安襄
　　　　荆道。

孔广栻　山东曲阜人。

廖　寅　四川人。河南知县，两淮盐运使。

赵希璜　字谓川。广东长宁人。河南安阳县知县。（一作乾隆三
　　　　十九年举人）

莫元伯　字台可。广东高要人。番禺县训导。

何　暄　字春谷，号煦苍。云南南宁人。直隶西宁县知县。

　　中式武举：

钱梦虎　浙江宁海人。浙江千总，广东水师提督。

杨遇春　四川人。四川把总，陕甘总督。

◉ 恩遇：

刘镮之　已故大学士刘统勋之孙。九月赏给举人，余见己酉科。

王朝梧　已故户部尚书王际华之子。九月赏给举人，余见辛丑
　　　　科。

◉ 著述：

赵　佑　撰《毛诗草木鸟兽虫鱼疏校正》三卷成，见三月自序。

彭绍升　撰《测海集》六卷成，见四月自序。

姚　鼐　编《古文辞类纂》七十四卷成，见七月自序。

李调元　撰《然庭志》二卷成，见十月自序。

□□□　等奉敕撰《满洲蒙古汉字三合切音清文鉴》三十三卷成，见四库全书提要。

□□□　等奉敕撰《盛京通志》一百二十卷成。

李调元　撰《南越笔记》十六卷成（按：自序无年月，以视学广东时所作故系于此年。

王鸣盛　撰《尚书复案》三十卷成，见自序。

钱大昭　撰《两汉书辨疑》四十四卷成，见王鸣盛序。

程际盛　撰《说文引经考》四卷成，见程瑶田序。

◉ 卒岁：

罗有高　江西瑞金县举人。正月卒年四十八（一作四十六误），入国史文苑传。

王光燮　原任福建连江县知县。二月初二日卒年六十九。

庆　恒　袭多罗平郡王，复号克勤郡王，前宗人府右宗正，镶红旗汉军都统，宗室。二月卒年四十七。谥曰良。

瑚世泰　吏部左侍郎，四月卒。

钱　錞　原任四川布政使。以奉召入京，卒于湖北监利县舟次，赏侍郎衔。

吴虎炳　字絅村。江苏山阳人。广西巡抚。四月卒。

王瀛洲　原任浙江鄞县教谕。卒年八十二。

金　辉　兵部左侍郎。五月卒。

周於智　原任河南开归陈许道，以复授原官。五月十八日自滇赴任，卒于开封年六十九。赠按察使衔。

刘　吉　原任陕西武功县知县。六月初八日卒年六十五。

裴宗锡　云南巡抚。六月二十三日卒年六十八。

吴嗣爵　致仕吏部右侍郎，前任江南河道总督。六月二十七日卒年七十三。

奇　昆　散秩大臣，袭奉恩辅国公，宗室。七月卒年四十四。

安　泉　江苏无锡县医士。八月初八日卒年六十三。

明　山　字鲁瞻，号晓峰。满洲正蓝旗，伊尔根觉罗氏。副都
　　　　统，乌鲁木齐领队大臣，前陕甘总督。九月卒。

刘大櫆　原任安徽黟县教谕。十月初八日卒年八十二。入国史
　　　　文苑传。

单功权　（一作单功擢）直隶布政使。十一月卒。

桂　林　满洲镶黄旗，伊尔根觉罗氏。两广总督。十二月卒。
　　　　赠太子太保衔，谥庄敏。

图思德　字敬庵。满洲镶蓝旗，觉罗氏。湖广总督，袭云骑尉
　　　　世职。十二月卒。谥恭悫。

于敏中　太子太保，文华殿大学士，军机大臣，一等轻车都尉。
　　　　十二月卒。入祀贤良祠（五十一年撤祀），谥文襄。

杨景素　直隶总督。十二月卒年六十九。赠太子太保。

徐　恕　山东布政使。十二月卒。

白　瀛　刑部右侍郎。十二月卒。

陈憙华　原任礼部尚书。卒年八十三。

钱汝诚　刑部右侍郎。卒年五十八。

陈孝泳　光禄寺卿。卒年六十五。

王文清　原任宗人府主事。卒年九十二。入国史儒林传。

珠尔格德　满洲正白旗，钮祜禄氏。正红旗蒙古副都统。卒。

熊学鹏　三品职衔，前广东巡抚。卒。

孔传炯　致仕江宁布政使。卒年六十七。

王世勋　前广东永安县知县，卒年五十三。

毛颖士　江苏武进县廪生。卒年六十六。

乾隆四十五年庚子（公元一七八〇年）

◉ 生辰：

杨　庚　正月十九日生，字少白，号星山、竹溪。四川江安人。

葆　谦　二月二十一日生，（原名五宁）。满洲正蓝旗，他塔喇氏。

贾大夏　二月二十八日生，山西太谷人。享年五十八。

阎履坦　三月十九日生，河南鲁山人。享年三十五。

朱锦琮　四月十一日生，字端方，号尚斋。浙江海盐人。享年八十一。

叶申芗　五月初六日生，字维或，号培根、小庚。福建闽县人。

福　申　五月初十日生，字保之，号禹门。满洲正黄旗，邵氏。

杜　照　六月二十五日生，字棣君，号尺庄。浙江山阴人。享年七十一。

程伯銮　七月十九日生，字药邻，号次坡。四川垫江人。享年四十七。

庄仲方　八月十五日生，字兴寄，号芝阶。浙江秀水人。享年七十八。

金衍宗　八月二十日生，字维翰，号岱峰。浙江秀水人。享年八十一。

孙熙元　八月二十八日生。字致雍，号鹤所、邵庵。浙江仁和人。

吕龙光　九月二十二日生，字宾南，号云宸、慕津。广东归善人。

张维屏　九月二十九日生，字子树，号南山、松子心、珠海老渔。广东番禺人。享年八十。

管　同　十月十六日生，字异之。江苏上元人。享年五十二。

许邦光　十月二十一日生，字汝韬，号莱山、师鲁、心斋。福建晋江人。享年五十四。

章　黼　十月二十二日生，字次白。浙江仁和人。

那　彟　十月二十八日生，字我山，号眉峰。满洲正白旗，辉
　　　　发那拉氏。

毛树棠　十一月十一日生，字荫南，号苸村。河南武陟人。

张锡谦　十二月初八日生，字益州，号侍桥。湖北黄安人。

赵炳言　十二月二十一日生，字子谦，号竺泉。浙江归安人。
　　　　享年七十。

阿灵阿　生，满州镶黄旗，苏完瓜尔佳氏。享年七十八。

陈　鸿　生，字叔诚，号又羲、午桥。浙江钱塘人。享年五十
　　　　四。

孔继尹　生，字正宇，号莘园、兰居。云南通海人。

朱壬林　生，字礼卿，号小云。浙江平湖人。享年八十。

姜　梅　生，字子和，号萼园。河南汜水人。

朱成烈　生，字笃之，号绍庭。直隶肃宁人。

彭邦畯　生，字喜塍，号荆田。江西南昌人。

陶克让　生，字际华，号莲浦。江苏山阳人。享年五十五。

姚光晋　生，（原名姚琨），字平泉。浙江仁和人。享年八十一。

沈宝麟　生，字孔珍，号绂斋。浙江嘉兴人。享年六十六。

刘　灿　生，浙江镇海人。享年七十。

彭蕴灿　生，享年六十一。

宋端已　生，字缄夫，号耻夫、隐山、青溪逸叟。河南商丘人。
　　　　享年五十一。

陈　揆　生，字子准。江苏常熟人。享年四十六。

◉ 科第：

　　三月以召试一等特赐举人并授内阁中书：

马履泰　余见丁未科。

沈　飑　字廷扬，号盾峰。浙江仁和人。福建台湾府知府。

李　彤。

沈叔埏　余见丁未科。

　　三月以召试一等特赐举人并授内阁中书：

吕光复　字石农。江苏阳湖人。

洪　梧　字桐生，号东湖。安徽歙县人。余见庚戌科。

赵怀玉　山东青州府同知。

杨　揆　四川布政使。

董教增　余见丁未科。

朱文翰　字屏兹。安徽歙县人。余见庚戌科。

盛惇大　甘肃庄阳府知府。

言朝标　余见己酉科。

金廷诉　安徽全椒人。

江　涟　江苏江都人（原籍安徽歙县）。户部员外郎。

　　三月以召试一等特赐举人并授内阁中书：

蒋知让　字师退。江西铅山人。直隶唐县知县。

裘元复。

　　一甲进士：

汪如洋　状元。会元。修撰。

江德量　榜眼。编修，掌江西道御史。

程昌期　探花。编修，侍讲学士。

　　二甲进士：

关　槐　编修，礼部左侍郎。

陆伯焜　编修，浙江按察使。

史国华　字济寰，号竹浦。江苏溧阳人。国子监助教，吏部主
　　　　事。

程维岳　字申伯，号爱庐、松笠。浙江嘉善人。内阁中书，山
　　　　东道御史。

初彭龄　编修，工部尚书。

吴蔚光　庶吉士，礼部主事。

甘立猷　字惟弼、兰舫，号西园。江西奉新人。编修，吏科掌
　　　　印给事中。

庄述祖　山东知县，山东潍县知县。

范　鏊　庶吉士，刑部主事，光禄寺卿。

王宗炎　（原名王宗琰）。浙江萧山人。归班知县。

徐志晋　字昼堂，号珊仲。浙江武康人。内阁中书，山东登州
　　　　府知府。

谢振定　编修，江南道御史。

沈南春　字蔼园，号巡梅。浙江归安人。甘肃知县，安徽寿州
　　　　知州。

钱　塘　归班知县，江苏江宁府教授。

李　惇　归班知县。

吴树萱　字春挥，号少黼、寿庭。江苏吴县人。庶士士，归班
　　　　知县，内阁中书，四川盐茶道。

许兆棠　字台村，号石泉。湖北云梦人。编修。

沈振鹏　直隶知县，直隶丰润县知县。

游光缵　福建霞浦人。

刘汝暮　字赓虞，号古三。江苏阳湖人。编修。

朱　受　（碑录未见此人，仅见宋受，是否同一人待考），字敬
　　　　持，号庶田。江苏荆溪人。户部主事。

程际盛　（原名程琰），字焕若，号东冶。江苏长洲人。内阁中
　　　　书，湖广道御史。

雷　纯　江西南昌人。兵部主事，江南道御史。

金光悌　内阁中书，刑部尚书。

钱　蘅　字春湖，号莲墅。浙江仁和人。兵马司指挥，福建邵
　　　　武府知府。

　　三甲进士：

张丙震　兵部主事，浙江严州府知府。

武　亿　山东博山县知县。

胡克家　刑部主事，江苏巡抚。

蒋师爚　字慕文、慕刘，号晦之、东桥。浙江仁和人。庶吉士，
　　　　工部主事，兵部主事。

李崇礼　字建中，号敦堂。江西宜黄人。

张　骏　字荔园。浙江海宁人。

宋鸣珂　江西奉新人。

郭在遽　字仪之，号谦斋。山西介休人。检讨，刑部主事，吏
　　　　部郎中。

曹玉树　字寿皆。山西平定人。浙江衢州府知府。

李光时　山东济宁人。

徐汝澜　福建台湾府知府。

郑光策　字苏年。福建闽县人。归班知县。

陈鸿渐　浙江鄞县人。兵马司指挥，广东肇庆府知府。

萨彬图　满洲镶白旗，乌苏氏。户部主事，盛京户部侍郎。

李岐生　河南襄城人。河南汝州训导，湖北保康县知县。

锺文韫　字含章。四川华阳人。庶吉士，归班知县，湖南永州
　　　　府知府。

李奕畴　字书年。河南夏邑人。检讨，漕运总督，重宴恩荣。

法式善　（原名法运昌）。检讨，国子监祭酒。

高三畏　字知岩。河南郏县人。吏部主事，山东运河道。

何　愚　户部主事，云南广南府知府。

　　武进士：

黄　瑞　浙江江山人。状元。头等侍卫，甘肃提标中营参将。

阎燮和　山西平遥人。榜眼。二等侍卫。

金殿安　山东聊城人。探花。二等侍卫，湖南宝庆协副将。

何定江　广东香山人。三等侍卫，浙江提督。

李绍祖　顺天大兴人。三等侍卫，广东高廉镇总兵。

杨世华　湖北江夏人。蓝翎侍卫，广东右翼镇总兵。

杨奎猷　广东嘉应人。蓝翎侍卫，甘肃凉州镇总兵。

孙清元　直隶晋州人。湖北守备，四川提督。

陈元燮　直隶易州人。广西守备，湖南义宁协副将。

　　中式举人：

英　贵　满洲正白旗，索绰络氏。山西知县，四川绥定府知府。

刘　炳　顺天大兴人。浙江知县，福建泉州府知府。

李书吉　字敬铭，号小云、半匏。江苏常熟人。云南知县，广

东钦州直隶州知州。

黄荣曾 江苏江宁人。阜宁县训导，常州府教授，重宴鹿鸣。

王　鼎 字祖锡，号条山。江苏华亭人。

应先烈 字未留。江西宜黄人。甘肃知县，贵州安顺府知府。

汪人宪 浙江仁和人。内阁中书，户部员外郎。．

陆以谦 字鸣贞，号太冲。浙江海盐人。遂昌县教谕。

任兆炯 山东聊城人。江苏苏州府知府。

宋　准 江苏赣榆县知县。

陈万里 云南人。江西知县，江西赣县知县。

李玉溪 顺天大兴人。

● 恩遇：

王亶望 浙江巡抚。其母邓氏，二月以年届八十，赐御书"令
　　　寿延禧"额。

郭锺岳 福建举人。三月以年届百龄特赐进士。

汪履基 安徽举人。三月以召试一等授内阁中书，余见前口口
　　　科。

孙士毅 云南巡抚。七月特赏编修。

● 著述：

吴昌宗 字文园。江苏吴县人。撰《四书经注集证》十九卷成，
　　　见二月自撰凡例。

钱大昕 撰《廿二史考异》一百卷成，见五月自序。

钱大昕 撰《元史氏族表》三卷成，见五月黄锺后识。

陈莱孝 撰《历代钟官图经》八卷成，见五月自序（按：此书
　　　仅见钞本）。

朱仕琇 撰《梅崖居士文集》三十卷成（按：此书于卒后为鲁
　　　仕骥所刻，见朱珪序，今系于七月之前）。

李调元 编《全五代诗》一百卷成，见八月自序。

汤大奎 撰《炙砚琐谈》十二卷成，见冬日自序（按：此书于
　　　殉难后原稿散佚，今刻本止存三卷）。

项怀述 撰《历法汇纂》十卷成，见十一月自序。

顾张思 撰《寓嘹杂詠》一卷成，见自序。

洪亮吉 撰《补三国疆域志》二卷成，（按：自序无年月，今据年谱系于是年。

◉ 卒岁：

秦兆雷 候补知府。正月初九日卒年六十。

索　琳 副都统衔赴藏办事，前理藩院尚书。二月卒于拉里山途次。

朱以宽 浙江仁和县监生。六月卒年五十八。

陆广霖 前广西恭城县知县。六月二十四日卒年七十五。入国史循吏传。

颜希深 字若愚，号瀞亭、滨溪、静山。广东连平人。署贵州巡抚，兵部左侍郎。七月卒。

官达色 满洲正黄旗，瓜尔佳氏。直隶宣化镇总兵，一等轻车都尉。七月卒。

程景伊 文渊阁大学士。七月卒。谥文恭。

冯秉彝 在籍翰林院庶吉士。七月十五日卒年七十一。

严　果 浙江仁和县举人。七月二十六日卒年五十八。

朱仕琇 原任福建福宁县教授，前任山东夏津县知县。七月二十九日卒年六十六。入国史文苑传。

吴　坛 江苏巡抚。八月卒。

弘　旳 多罗理郡王，圣祖皇孙。八月卒。谥曰恪。

孙辰东 翰林院编修，顺天乡试同考官。九月初三日卒于闱中，年四十五。

汪肇龙 候选教谕，安徽歙县副贡生。九月二十三日卒年五十九。

张甄陶 前云南昆明县知县，降调翰林院编修。九月二十八日卒年六十八。入国史循吏传。

凌存淳 原任广东雷州府同知。九月卒年六十八。

赵宗堡 前安徽庐江县知县。十月初八日卒年七十四。

李孔阳 掌贵州道监察御史。十月卒。

托恩多　泰陵总管，前太子太保，吏部尚书。卒。

崔应阶　字吉升。湖北江夏人。太子太保，致仕都察院左都御
　　　　史，前任刑部尚书。卒。

瑭古泰　满洲正蓝旗，伊尔根觉罗氏。致仕内阁学士，前任盛
　　　　京户部侍郎。卒年七十。

吴　湘　吏科掌印给事中。卒。

瑚　什　满洲镶黄旗，瓜勒佳氏。候补蒙古副都统，前任正黄
　　　　旗护军统领，云骑尉。卒。

康基渊　江西广信府知府。卒年五十二。入国史循吏传。

朱　琰　直隶阜平县知县。卒年六十八。

金慰祖　江苏嘉定县拔贡生。卒年二十九。

金曰追　江苏嘉定县贡生。卒年四十四。入国史儒林传。

乾隆四十六年辛丑（公元一七八一年）

● 生辰：

龙汝言　正月二十一日生，字子嘉，号绰珊、济堂。安徽桐城人。享年五十二。

周　济　二月初七日生，字保绪，号未斋、止庵。江苏荆溪人。享年五十九。

邬鹤徵　三月初五日生，字雪舫。浙江山阴人。

光聪谐　三月十八日生，字律元，号栗园。安徽桐城人。享年七十八。

赵在翰　四月二十日生，字光亨，号子羽。福建侯官人。

沈　豫　五月二十日生，字补堂。浙江萧山人。享年七十一。

萨迎阿　五月二十四日生，字纯斋，号春晖、湘林。满洲镶黄旗，钮祜禄氏。

王世耀　闰五月初六日生，字凤宾，号远亭。直隶正定人。享年七十九。

俞鸿渐　闰五月初六日生，字仪伯，号剑花。浙江德清人。

何汝霖　六月十三日生，字润之，号雨人。江苏江宁人。享年七十二。

汪　河　八月初六日生，字昉澄，号清夫、勉成。江西新城人。

顾元熙　九月初四日生，字丽丙，号耕石。江苏长洲人。享年四十一。

程　铨　九月二十六日生，字衡三，号春岚。顺天大兴人（原籍浙江东阳）。

梁恩照　十一月初一日生，字昼一，号曙亭。安徽合肥人。

罗家彦　十月十九日生，字葆恬，号保田。湖北天门人。享年五十二。

伍长华　十月二十一日生，字实生，号愚泉、云卿。江苏上元人。

周玉衡 十二月十九日生，字器之，号润山。湖北钟祥人。享年七十六。

徐　松 生，字孟品，号星伯。顺天大兴人（原籍浙江上虞）。享年六十八。

屠　倬 生，字孟昭，号琴隖、潜园。浙江钱塘人。享年四十八。

宋庆和 生，字介侯，号玉堂。山东潍县人。享年四十五。

崔　埍 生，字任庵。安徽太平人。

谢兴峣 生，字尧山，号小泉、果堂。湖南湘乡人。

刘遵海 生，字聿南，号溟覸。河南祥符人。享年七十三。

张　澍 生，字伯瀹、时霖，号介侯、介白。甘肃武威人。享年六十七。

朱葵之 生，字乐甫，号粟珊、未梅。浙江海盐人。享年七十一。

刘用锡 生，享年四十九。

◉ **科第：**

一甲进士：

钱　棨 会元。状元。修撰，内阁学士。

陈万青 字湘南，号远山。浙江石门人。榜眼。编修，侍读。

汪学金 探花。编修，左庶子。

二甲进士：

秦承业 编修，侍讲学士。

盛惇崇 字士膺，号孟岩。江苏武进人。内阁中书，甘肃布政使。

王朝梧 字象六，号疏雨、疏林。浙江钱塘人。庶吉士，刑部主事，山东兖沂曹济道。

陈廷庆 庶吉士，户部主事，湖南辰州府知府。

曹振镛 编修，大学士。

孙树本 浙江归安人。四川知县，直隶清河道。

俞廷抡 字纯植，号柱峰、杉舟。浙江余姚人。编修，云南昭通府知府。

冯集梧 编修。

王　绶 字尚质，号介堂。顺天大兴人（原籍江苏溧阳）。编修，礼部左侍郎。

张经田 字丹粟。湖南湘潭人。内阁中书，贵州粮道。

蒋予蒲 庶吉士，吏部主事，仓场侍郎。

祝德全 字葆初，号午桥。直隶吴桥人。庶吉士，山西知县，山西潞安府知府。

翁元圻 礼部主事，湖南布政使。

卢荫溥 编修，礼部主事，大学士。

张　灼 字未克，号柳洲。直隶安肃人。户部主事，浙江盐运使。

程嘉谟 字雪坪。安徽歙县人。归班知县，甲辰特改庶吉士，编修。

祝　堃 字简田，号厚臣、敬宝。顺天大兴人。编修。

沈步垣 字在中，号薇轩。江苏娄县人。庶吉士，刑部主事，浙江道御史。

方维甸 吏部主事，闽浙总督。

狄尚絅 江苏溧阳人。安徽知县，江西粮道。

樊士鑑 字菱川，号冰如。山西临汾人。工部主事，安徽颍州府知府。

李元模 四川犍为人。侯选知县。

宋　澍 字沛青。号小坡。山东兰山人。庶吉士，吏部主事，江南道御史。

陶廷琡 字韫川，号南园。浙江会稽人。江西知县，贵州黄平州知州。

吴孝显 字季扬。江苏娄县人。国子监助教。

杨　伦 四川知县，广西荔甫县知县。

蔡善述 字孝先。福建漳浦人。编修，湖广道御史。

潘绍观 字融则，号巽山。湖北蕲水人。庶吉士，刑部主事，浙江宁绍台道。

顾九苞 字文子。江苏兴化人。归班知县。

曹之升 浙江萧山人。陕西蒲城县知县。

孙廷夔 山西太谷人。工部主事，江西道御史。

李有基 山东德州人。

赵槐符 字子荫。直隶滦州人。吏部主事，山西冀宁道。

吴邦治 字济川，号艮泉。河南固始人。山西知县，山西解州
　　　　直隶州知州。

　三甲进士：

万承风 检讨，兵部左侍郎。

李以健 山西知县，刑部主事。

刘锡五 字澄斋，号纯斋。山西介休人。检讨，内阁中书，湖
　　　　北武昌府知府。

玉　保 检讨，吏部左侍郎。

余廷垲 （原名**余廷球**）。江西德兴人。兵部主事，山西平阳府
　　　　知府。

萨龙光 庶吉士，户部主事。

王友亮 刑部主事，通政司副使。

王衍福 山东诸城人。兵部主事，广东韶州府知府。

旷楚贤 字振南，号柱六。湖南衡山人。检讨，刑部主事，直
　　　　隶清河道。

许鸿磐 山东济宁人。兵马司指挥，安徽泗州直隶州知州。

曾　燠 庶吉士，户部主事，贵州巡抚。

周世绩 字治扬。河南祥符人。福建崇安县知县。

蔡共武 字敬之，号毅堂。浙江仁和人。检讨，广东盐运使。

丁　杰 归班知县，浙江宁波府教授。

清安泰 字平阶。满洲镶黄旗，费莫氏。刑部主事，河南巡抚。

周　理 河南祥符人。吏部主事，广东雷州府知府。

屈为鼎 字砚邻。浙江平湖人。庶吉士，礼部主事。

虞　衡 浙江秀水人。云南富民县知县。

朱兰馨 江西知县，吏部员外郎，朱崇荫填讳。

姚逢年 （原名姚永年）。直隶天津人。福建知县，安徽徽州府知府。

戴斯琯 字德如，号琢轩。云南太和人。检讨，工科掌印给事中。

戚学标 字翰芳，号鹤泉。浙江太平人。河南武陟县知县，浙江宁波府教授。

寇赉言 字绳先，号诲庵。四川渠县人。检讨，山西道御史。

张　绥 字佩青，字佩书、桂园。陕西徽县人。检讨，侍读学士。

李腾蛟 直隶知县，直隶遵化直隶州知州。

魏傲祖 四川永川人。

刘大成 湖北竹山县知县。

武进士：

刘　双 顺天大兴人。会元。状元。头等侍卫，广东督标后营参将。

黄国樑 字髻峰。福建平和人。榜眼。二等侍卫。

黎大刚 广东新会人。探花。二等侍卫，广西右江镇右营游击。

● 恩遇：

袁守侗 直隶总督。其母吕氏，二月以七十生辰，赐御书额。

王文雄 山东登州镇总兵。五月赐御书"辑和东土"额。

额森特 护军统领，一等男。六月以进剿撒拉尔奋勇受伤，晋封三等子。

周元理 工部尚书。十一月以病辞职，加太子少傅衔。

● 著述：

张燕昌 撰《金粟笺说》一卷成，见二月沈梾惪跋。

阿　桂 等奉敕撰《平定金川方略》一百五十二卷成，见三月御序。

李调元 撰《出口程纪》一卷成，见四月自序。

潘奕隽 撰《说文解字通政》十四卷成，见四月自序。

王岂孙　撰《读赋卮言》一卷成，见五月自序。

口口口　等奉敕撰《热河志》八十卷成，见闰五月御序。

朱　筠　撰《笥河文集》十六卷成，（按：此书于卒后其子锡庚
　　　　编集付梓，见嘉庆壬申后序，今系于六月之前）。

洪亮吉　撰《传经表》二卷、《通经表》二卷成，见八月自序。

俞思谦　字栾涵，号潜山。浙江海宁人。撰《海潮辑说》二卷
　　　　成，见八月自序。

周嘉猷　撰《南北史系表》六卷、《齐乘考证》六卷成（按：二
　　　　书均卒后始刻，今系于九月之前）。

钱　坫　撰《尔雅释地四篇注》四卷成，见九月自序。

毕　沅　撰《关中金石记》八卷成，见九月自识。

毕　沅　校注《山海经》十八卷成，见九月自序。

毕　沅　撰《晋书地理志新补正》五卷成，见十月自序。

毕　沅　撰《老子道德经考异》二卷成，见十月自序。

李调元　编《蜀雅》二十卷成，见十月自序。

口口口　等奉敕撰《兰州纪略》二十卷成。

彭希涑　撰《二十二史感应录》二卷成，见彭绍升序。

◉　卒岁：

吴颖芳　浙江仁和县布衣。一月二十七日卒年八十。入国史文
　　　　苑传。

袁守诚　山西按察使。三月卒年四十六。

弘　晌　绥远城将军，袭奉恩将军，圣祖皇孙。三月卒。谥勤
　　　　肃。

杨士玑　甘肃兰州府知府。三月十八日以查办回匪于白庄被害。

新　柱　甘肃河州协副将。三月十八日于白庄被害。

尹嘉铨　前大理寺卿，原任山东布政使。四月十七日以罪处绞
　　　　（注：以妄为伊父奏请予谥，并从祀文庙及著述中多
　　　　狂悖语）。

图钦保　满洲镶黄旗，瓜尔佳氏。陕西固原镇总兵。四月十九
　　　　日于水磨沟阵亡。

卢凤起　广西天保县知县。六月初一日卒年五十一。

朱　筠　翰林院编修，降调侍读学士。六月二十七日卒年五十三。入国史儒林传。

王启绪　河南开归管河道。七月十五日卒年五十三。

王亶望　前浙江巡抚。七月三十日（按：此在热河行宫降旨后同）以罪命于京师处斩（注：以前在甘肃藩司任内捏灾冒赈，侵蚀监粮）。

勒尔谨　前陕甘总督。七月三十日以罪命于京师自尽（注：以失察王亶望侵蚀案，并收受属员代办物件）。

朱履亨　原任湖北广济县武穴司巡检。八月二十五日卒年八十一。朱崇荫填讳。

周嘉猷　山东盖都县知县。卒。

王廷赞　前一品顶带甘肃布政使。九月初九日以罪命于京师处斩（注：以王亶望一案通同捏饰）。

陶金谐　原任湖南江华县知县。十月卒年五十五。

周鼎枢　陕西武功县知县。十月十七日卒年五十一。

林正辉　福建闽县举人。十月二十二日卒年七十一。

李　湖　广东巡抚。十一月卒。赠尚书衔，入祀贤良祠，谥恭毅。

申　保　满洲镶白旗，颜札氏。伊犁参赞大臣，都察院左都御史兼镶红旗汉军都统。十一月卒。

霍集斯　内大臣，郡王品级多罗贝勒。卒。

宫兆麟　三品衔，前甘肃按察使，降调贵州巡抚。卒。

顾九苞　归班候选知县，江苏兴化县进士。卒。

舒景安　成都副都统，袭奉恩将军，正黄旗宗室。卒。

乾隆四十七年壬寅（公元一七八二年）

◉ 生辰：

庄来仪　正月初一日生，浙江秀水人。享年四十二。

金国莹　正月初二日生。

许　鲁　正月十八日生，（初名许鼎），字子秀，号玉峰。安徽
　　　　桐城人。享年六十一。

卢　琳　二月十五日生，山东泰安人。

黄本骥　三月十七日生，字仲良，湖南宁乡人。

龚　镗　四月二十日生，字屏侯，号光圻、声甫。江苏阳湖人。
　　　　享年五十四。

卓秉恬　四月二十四日生，字静远、海帆，号晴波。四川华阳
　　　　人。享年七十四。

董士锡　四月二十五日生，字晋卿，号损甫、絾雅。江苏武进
　　　　人。

鼐满达　五月初二日生，字梅村，号调溪、仲山。蒙古镶黄旗，
　　　　杭阿坦氏。

周之琦　七月初七日生，字稺圭，号韫岩、耘樵。河南祥符人。
　　　　享年八十一。

王允中　七月初八日生，山东黄县人。

李象鹍　七月初十日生，字云皋，号双圖、季声。湖南长沙人。
　　　　享年六十八。

王广荫　七月二十四日生，字爱棠，号思庵、培之。江苏通州
　　　　人。

侯　桐　八月二十日生，字叶唐，号玉山。江苏无锡人。

杨文荪　九月二十一日生，字秀实，号芸士。浙江海宁人。享
　　　　年七十二。

童宗颜　九月二十四日生，字西樵，号心斋。四川新津人。

王赠芳　十月初四日生，字曾驰、号霞九、绶堂。江西卢陵人。

享年六十八。

杨国桢　十一月十六日生，字梅梁，号黼堂、梓材。四川崇庆人。

蔡学川　十二月初九日生，字百泉，号海城。江西新昌人。

穆彰阿　十二月二十九日生，字子朴，号常轩、鹤舫。满洲镶蓝旗，郭佳氏。享年七十五。

吴廷珠　生，字合浦，号桂岩。江苏仪征人。

马瑞辰　生，字献生，号元伯。安徽桐城人。享年七十二。

汪世樽　生，字约孚，号子缶、寅禾。浙江秀水人。享年五十二。

胡培翚　生，字载屏，号竹村。安徽绩溪人。享年六十八。

舒化民　生，字以德，号自庵。江西靖安人。享年七十八。

王琦庆　生，字景韩，号蓉塘。山东诸城人。

吕子班　生，字仲英。江苏阳湖人。享年五十七。

陈仲良　生，广东番禺人。

张廷镜　生，字虚堂，号师竹、月亭。贵州思南人。

耿自检　生，字退亭，号补之。陕西渭南人。

唐方煦　生，字载阳，号镜泉、育庵。湖南善化人。

周　师　生，字位三，号千范、龙峰。云南陆凉人。

张星焕　生，字厚培，号掖垣。湖南善化人。享年五十三。

书　纶　生，字紫园，号硕农。汉军正蓝旗。

龚经远　生，享年七十八。

李大壮　生，字季猷，号宾石。直隶新城人。

张海珊　生，字越来，号铁甫。江苏震泽人。享年四十。

张文虎　生，江苏常熟人。享年六十七。

◎ 恩遇：

英　廉　大学士。八月加太子太保。

嵇　璜　大学士。八月加太子太保。

和　珅　户部尚书。八月加太子太保（嘉庆四年正月革）。

梁国治　户部尚书。八月加太子少傅。

郑大进　直隶总督。八月加太子少傅。

萨　戴　署两江总督。八月加太子少保。

李侍尧　陕甘总督。八月复加太子太保，（四十九年六月革）。

福康安　四川总督。八月加太子太保。

赵秉冲　懋勤殿行走。十二月赏给举人，仝授内阁中书。户部右侍郎。

王　杰　左都御史。其母，赐御书"南陵承庆"额。

◉ 著述：

翁方纲　撰《苏诗补注》八卷成，见正月自序。

任大椿　撰《字林考逸》八卷成，见四月自序。

金　姓　撰《静廉斋诗集》二十四卷成（按：此集于卒后为朱珪编定，今系于七月之前）。

永　瑢　皇子等奉敕撰《四库全书总目》二百卷成，见七月进书表。

钱大昭　撰《迩言》二卷成，见八月自序。

万光炜　字子昭。江苏无锡人。撰《古金录》四卷成，见八月自序。

蒋　和　字仲叔。江苏无锡人。撰《学书杂论》一卷成，见秋日自识（又有《学画杂论》一卷自序无年月附记于此）。

英　廉　等奉敕撰《日下旧闻考》一百六十卷成，见进书表。

纪　昀　等奉敕撰《河源纪略》三十六卷成。

成　书　编《多岁堂古诗存》八卷成，见自序。

桂　馥　撰《缪篆分韵》五卷成，见袁枚序。

陈　鳣　撰《集孝经郑注》一卷成，见十二月自序。

李调元　撰《蜀碑记补》十卷、《雨村诗话》二卷、《乐府侍儿小名录》二卷、《方言藻》二卷、《雨村词话》四卷、《雨村曲话》二卷、《诸家藏画簿》十卷、《卍斋琐录》十卷、《奇字名》十二卷、《剿说》四卷、《尾蔗丛谈》四卷、《古音合》二卷、《通诂》二卷、《哩余新拾》十卷、《续拾》六卷、《补拾》二卷成，（按：以上各书自序皆无年月，以调元所编函海有十二月自序已备列各书名目，今即系于是年）。

陈　鳣　辑《孝经郑注》一卷成，见二月自序。

◉　卒岁：

王仲愚　翰林院侍讲。正月卒年四十七。

刘林青　湖南攸县廪贡生。正月十九日卒年七十。

张　鏐　原任山东临清州学正。二月十四日卒年七十七。入国史儒林传。

杨　魁　字梅村。汉军正黄旗。署福建巡抚，前任河南巡抚。五月以病回京卒于途中。

罗源汉　致仕工部尚书。六月卒年七十五。

袁守定　原任礼部祠祭司主事。六月二十四日卒年七十八。

国　泰　前山东巡抚。七月初八日以罪令自尽（注：以贪纵营私，勒索属员财物）。

于易简　江苏金坛人。前山东布政使。七月初八日以罪令自尽（注：以扶同国泰贪婪欺饰）。

金　甡　原任吏部左侍郎。七月初九日卒年八十一。

雷汪度　原任山西汾州府知府。七月十二日卒年五十七。

余文仪　太子少傅，原任刑部尚书。七月卒。

汪永锡　内阁学士。十月以随扈卒于巴克什营，赠礼部侍郎。

俞昌言　江苏苏州府教授。八月卒年五十四。

车克登札布　礼萨克多罗郡王。八月卒。

和隆武　满洲镶黄旗，马佳氏。吉林将军，三等果勇侯。八月卒。谥壮毅。

孔昭焕　字显文，号尧峰。山东曲阜人。袭衍圣公。八月卒。

德　福　满洲正白旗，伊尔根觉罗氏。刑部尚书。卒。谥勤肃。

周既济　浙江慈溪县教谕。九月初六日卒年七十三。

永　福　多罗贝勒，圣祖皇曾孙。九月以随扈卒于围场，谥恭恪。

孙景烈　致仕翰林院检讨。九月二十一日卒年七十七。入国史

儒林传。

周元理　太子少傅，原任工部尚书。十月初五日卒年七十七。

郑大进　太子少傅，直隶总督。十月卒。谥勤恪。

额森特　满洲正白旗，台褚勒氏。正红旗护军统领，三等子。
　　　　十月卒。

恒　裕　詹事府右春坊，右中允。卒年五十二。

范时绶　字缓斋。汉军镶黄旗。正白旗汉军都统，前任刑部尚
　　　　书。卒。

童　钰　浙江会稽县布衣。卒年六十二。入国史文苑传。

乾隆四十八年癸卯（公元一七八三年）

◉ 生辰：

凌泰封　正月初三日生，字瑞臻，号东园。安徽定远人。

张熙宇　正月初六日生。

吴春照　正月十二日生，浙江海宁人。

范玉琨　正月二十三日生，字吾山。浙江嘉兴人。

孙瑞珍　二月初六日生，字储英，号符卿。山东济宁人。享年七十六。

戴铭金　三月十二日生，字铜士。浙江德清人。

吴孝铭　三月二十五日生，字伯新。江苏武进人。

路　德　四月十六日生，字闰生，号鹭洲。陕西周至人。享年六十九。

瑞　生　五月初九日生，字春霖，号培斋。满洲正白旗，舒穆禄氏。

谭瑞东　五月十五日生，字春生，号芝田。江苏长洲人。

刘师陆　五月十八日生，字子敬，号青园、陆堂。山西洪洞人。

爻庆源　五月二十日生，字积堂。浙江钱塘人。

陆　炯　五月二十四日生，字驾三，号荻村。浙江平湖人。

程德润　五月二十七日生，字伯霖，号玉樵、少磬。湖北天门人。

郑秉恬　六月十一日生，字性和，号云塈、仙屿。江西上高人。

钱相初　七月初一日生，享年三十二。

陈玉铭　七月二十七日生，字希赞，号潼溪。福建长乐人。

谢　崧　八月二十三日生，字俊生，号引桥。安徽祁门人。

费丙章　九月二十七日生，字会宜，号星桥。浙江仁和人。

刘　诗　十月初三日生，字古愚，号兴斋、松坪。湖北钟祥人。享年六十八。

缪元益　十月十六日生，字谦之、澄香，号东生。安徽芜湖人。

享年五十三。

周三燮　十一月初五日生，字南卿，号芙生。浙江仁和人。

吴毓英　十二月十七日生，字式如，号菊人。江苏吴县人。

汪全德　十二月二十五日生，字修甫，号小竹、竹素。江苏仪
　　　　征人。

钱仪吉　生，字霭人、定庐，号衎石、心壶、新梧、星湖。浙
　　　　江嘉兴人。享年六十八。

余文铨　生，字玉衡，号次卿、苹轩。湖北松滋人。

龙　瑛　生，字伯华，号云东。湖南湘潭人。

沈兆沄　生　字云巢，号秋涛、小帆。　直隶天津人。享年九十
　　　　四。

何辉绶　生，字扬廷，号实甫、春舫。山西灵石人。

冯登府　生，字云伯，号勺园、柳东。浙江嘉兴人。享年五十
　　　　九。

丁家俊　生，字采驰，号星槎、兰墅。陕西咸宁人。享年六十
　　　　九。

张　构　生，字磐泉。广东番禺人（原籍浙江山阴）。

金　谔　生，字一士。江苏江阴人。享年七十八。

杨昌泗　生，湖南长沙人。享年七十六。

张聪咸　生，字阮林，号小阮、傅岩。安徽桐城人。享年三十
　　　　二。

李贻德　生。字天彝，号次白、杏村。浙江嘉兴人。享年五十。

孙经世　生，字济候，号惕斋。福建惠安人。享年五十。

苗　夔　生，字仙麓。直隶肃宁人。享年七十五。

周　栻　生，享年七十九。

江承之　生，字安甫。安徽歙县人。享年十八。

◉ 科第：

　　中式举人：

彦　德　字亦庵。满洲正黄旗，颜扎氏。印务章京，正红旗蒙
　　　　古都统。

润　庠　满洲镶黄旗，西林觉罗氏。工部笔帖式，仓场侍郎。

郭仪长　刑部主事，江西道御史。

孔传经　江苏人。河南南阳府知府。

沈在廷　字枫墀。江苏高邮人。内阁中书。

恽　敬　浙江知县，江西瑞金县知县。

吕尔禧　江苏阳湖人。浙江桐乡县知县。

翁咸封　海州直隶州学正。

沈梦兰　字古春。浙江乌程人。湖北宜都县知县。

吴　昇　字瀛日，号壶山、秋渔。浙江钱塘人。四川知县，四
　　　　川资州直隶州知州。

周广业　浙江海宁人。

叶观潮　字文雷，号丹崖。福建闽县人。山东知县，河东道总
　　　　督。

夏锡畴　河南河内人。

董　淳　字素村，号朴园、窥园。山东邹县人。四川知县，四
　　　　川布政使。

张桂林　文登县教谕，山西潞安府知府。

马　愚　字檽溪。山西介休（平遥）人。顺天府通判，广西桂
　　　　林府知府。

宋葆淳　解州学正，国子监助教。

杨　镕　四川人。广西柳州府知府。

李符清　广东人。直隶知县，直隶开州知州。

　中式武举：

安定邦　直隶怀安人。兵部差官，玛纳斯协副将。

◉　恩遇：

赵秉沖　字谦士。江苏上海人。赏给举人。（其父已故户部主事
　　　　赵文哲赠光禄寺少卿）。

蔡　新　大学士。六月赐御书“黄扉宿彦”额。

陈克镐（原任陕西华亭县知县）、康定遇（原任口口县知县）。
　　　　九月俱以本年为雍正癸卯科乡举周甲之岁，重赴鹿鸣

筵宴。

董　诰　户部右侍郎。十月赐其母邵氏御书"颐萱承庆"额。

陆费墀　内阁学士。以其母年届九十，赐御书匾额。

◉　著述：

梁玉绳　撰《史记志疑》三十六卷成，见正月自序。

毕　沅　撰《说文解字旧音》一卷成，见三月自序。

毕　沅　撰《夏小正考注》一卷成，见四月自序。

任兆麟　撰《弦歌古乐谱》一卷成，见五月自序。

胡文英　江苏人。撰《吴下方言考》十二卷成，见八月自序。

毕　沅　撰《经典文字辩证》五卷成，见九月自序。

毕　沅　撰《音同义异辩》一卷成，见九月自序。

任大椿　撰《深衣释例》三卷成，见十月自序。

孔广森　撰《春秋公羊通义》十一卷、《序》一卷成，见十月自
　　　　　序。

汪辉祖　撰《史姓韵编》六十四卷成，见十一月自序。

毕　沅　校注《墨子》十五卷成，见十二月自序。

洪亮吉　撰《东晋疆域志》四卷成，见自序。

◉　卒岁：

朱裕观　安徽广德州学正。正月初二日卒年六十八。

查　礼　升授湖南巡抚，由四川布政使升任，正月以入觐卒于
　　　　　京师，年六十八。

陈辉祖　湖南祁阳人。前闽浙总督。二月初三日以罪令自尽（注：
　　　　　以商同属员隐捏抽换革抚王亶望入官财物，并贻误地
　　　　　方）。

倪承宽　太仆寺卿，前仓场侍郎。二月二十九日卒年七十二。

戴祖启　候补国子监学政学录。三月十四日卒年五十九。入国
　　　　　史儒林传。

札拉丰阿　多罗郡王。回游牧养病，四月初四日卒于要亭子地
　　　　　方。

秦春田　江苏无锡县监生。四月卒年八十八。

袁守侗　直隶总督。五月十六日卒年六十一。赠太子太保，入祀贤良祠，谥清愨。

顾成志　江苏太仓县增生。五月十六日卒年六十七。

永　贵　满洲正白旗。拜都氏。协办大学士，吏部尚书，三等轻车都尉。五月卒。谥文勤。

黄景仁　候选县丞。五月卒于山西解州，年三十五。入国史文苑传。

汪廷玙　署工部左侍郎，原任工部右侍郎。六月十九日卒年六十六。

武灵阿　满洲正红旗，爪尔佳氏。甘肃宁夏镇总兵。六月卒。

英　廉　太子太保 东阁大学士。八月卒年七十七。入祀贤良祠，谥文肃。

景　福　兵部右侍郎。八月卒。

邵佳銪　浙江余姚县增生。九月卒年七十二。

讷穆金　三等侍卫，袭奉恩将军，宗室。十月卒年四十四。

张凤孙　原任刑部郎中，前任四川永宁道。十月卒年七十八。

周大本　山东寿张县知县。十一月十二日卒。

李　坚　刑部广西司员外郎。十一月二十五日卒年四十二。

陆秉笏　江苏上海县举人。十二月初四日卒年七十八。

孔继涵　原任户部河南司主事。十二月十八日卒年四十五。入国史儒林传。

素尔讷　致仕都察院左都御史，前任理藩院尚书。卒年八十四。

秦大成　翰林院修撰。卒年六十二。

董达存　原任国子监学正。卒年八十一。

五　福　满洲镶白旗，富察氏。广西提督。卒。

秦凤辉　江苏嘉定县贡生。卒年四十二。

乾隆四十九年甲辰（公元一七八四年）

● 生辰：

桂超万　正月初二日生，字玠舟，号丹盟。安徽贵池人。享年八十。

管绳莱　正月十一日生，江苏阳湖人。享年五十六。

包世荣　正月二十八日生，字季怀。安徽泾县人。享年四十三。

王　筠　二月初一日生，字贯山，号伯坚、菉友。山东安邱人。享年七十一。

温予巽　闰三月初二日生，字锡堂，号济川、季木。陕西汉阴人。

斌　良　闰三月二十九日生，字笠耕。满洲正红旗，瓜尔佳氏。享年六十四。

王炳瀛　四月初三日生，字莲洲。四川安岳人。

苏廷玉　五月初二日生，字韫山，号鳌石、清湄。福建同安人。

瞿　溶　五月十五日生，字仁甫，号荔江、涵斋。江苏武进人。

陶廷杰　六月二十四日生，字汉生、函三，号子俊、莲生。贵州都匀人。享年七十三。

俞东枝　七月初二日生，字岱青，号心垣。湖南善化人。享年七十一。

陆费瑔　八月初六日生，（原名陆恩洪），字玉泉，号春帆、笑云。浙江桐乡人。享年七十四。

杨九畹　八月十五日生，字兰畲，号佘田。浙江慈溪人。

穆馨阿　十月十四日生，字衣德，号次夔、吟涛。满洲镶白旗，乌苏氏。

廖鸿荃　十月十七日生，（原名廖金城），字斯和，号钰夫。福建侯官人。享年八十一。

沈巍皆　十月二十一日生，字讲虞。号舜卿、朴斋。安徽六安人。

赵光祖　十一月十四日生，字裕昆，号述园、竹汀。直隶卢龙
　　　　人。

潘挹奎　十一月十五日生，（原名潘一奎），字太冲，号石生。
　　　　甘肃武威人。享年四十六。

周仲墀　十二月初六日生，字申之，号雪桥、菊存。江西湖口
　　　　人。

戚人镜　十二月初十日生，字仲兰，号鑑堂、蓉台、剑南。浙
　　　　江钱塘人。享年四十七。

戴兰芬　十二月二十三日生，字畹香，号湘浦。安徽天长人。

万启昀　生，字书原，号小廉。江西南昌人。

蔡　琼　生，字昆圃，号渔庄。云南晋宁人。

周祖荫　生，字绳武，号承裕、芝昉。河南商城人。

王贻桂　生，字丹亭，号小山、芳五。顺天宛平人。

龚文焕　生，字伯耀，号霞城。福建光泽人。

蔡子璧　生，字六如，号耕石。山西平定人。

0870

王景章　生，字星甫，号睢园。浙江仁和人。享年五十九。

钱秉德　生，享年五十五。

胡达澍　生，湖南益阳人。享年六十三。

万　福　生，满洲镶白旗。享年一百口岁。

谢　堃　生，字佩禾。江苏甘泉人。享年六十一。

刘　开　生，字明东，号孟涂。安徽桐城人。享年四十一。

◉ 科第：

　　三月以召试一等特赐举人并授内阁中书：

张师诚　浙江归安人。余见庚戌科。

费锡章　字焕章，号西塘。浙江归安人。顺天府府尹。

何　金　浙江山阴人。贵州按察使。

姚祖同　河南巡抚。

　　闰三月以召试一等特赐举人并授内阁中书：

刘召扬　江苏武进人。

郑宗洛　字太川。江苏上元人。

黄文煇。

汪彦博　余见丁未科。

司马亶　字达甫。江苏江宁人。

叶　铨。

孙一元　江苏上元人。

缪炳泰　兵部郎中。

庄复旦　云南开州知州。

程振甲　吏部员外郎。

张曾献　安徽桐城人。山西冀宁道。

鲍勋茂　字树堂，号根实。安徽歙县人。通政使。

金应琦　字筠庄。安徽歙县人。刑部右侍郎。

朱承宠　字端斋。安徽歙县人。余见丁未科。

　　闰三月以召试一等赏给举人：

谭光祥　字君农，号兰楣。江西南丰人。余见癸丑科。

吴　本　字秀文。江苏太仓人。

　　一甲进士：

茹　棻　状元。修撰，兵部尚书。

邵　瑛　字桐南，号瑶圃。浙江余姚人。榜眼。编修，内阁中
　　　　书。

邵玉清　字履洁，号朗岩。直隶天津人。探花。编修，詹事。

　　二甲进士：

李长森　字学濂，号荫园、木三。安徽太湖人。礼部主事，江
　　　　宁布政使。

习振翎　字灿云。江西峡江人。刑部主事，口口布政使。

陈万全　编修，兵部左侍郎。

魏成宪　刑部主事，江安粮道。

章廷枫　顺天大兴人。安徽颍州府知府。

王锡奎　字文一，号荔亭、饮禅。江苏华亭人。编修，安徽颍
　　　　州府知府。

彭希濂　刑部主事，刑部右侍郎。

侯健融 字翀庵。浙江归安人。会元。兵部主事。

吴廷选 号石亭。江苏荆溪人。编修，侍读学士。

张世濂 字景之，号霁岩。湖南湘潭人。河南知县，四川潼川
府知府。

杨清轮 江苏阳湖人。福建汀州府知府。

贺贤智 庶吉士，吏部主事，江苏镇江府知府。

周兆基 编修，礼部尚书。

王奉曾 字序思，号荔园。顺天宛平人。刑部主事，湖北安襄
荆道。

郭缙光 字盟书。江西吉水人。庶吉士。

温汝适 编修，兵部右侍郎。

刘若璪 字黼庭，号冕瞻、新岩。湖南长沙人。庶吉士，工部
主事，江西南昌府知府。

吴芳培 字霁飞，号云樵。安徽泾县人。编修，左都御史。

崔景仪 编修，河南南汝光道。

文　幹 （原名文宁），字蔚其，号芝崖、远皋。满洲正红旗。
编修，礼部右侍郎。

蒋攸铦 编修，体仁阁大学士。

杨志信 字行可，号兰如。安徽六安人。庶吉士，礼部主事，
山东布政使。

李骥元 编修，中允。

　三甲进士：

陈　观 工部主事，仓场侍郎。

倪思淳 字箴汝、怀民，号松泉。云南昆明人。检讨，户部主
事，安徽安庆府知府。

劳树棠 （原名劳瑆，碑录作劳瑾）。浙江桐乡人。兵部主事，
江苏苏松太道。

查　彬 （原名查曾印），字憩亭。顺天宛平人。安徽怀宁知县，
河南信阳州知州。

顾礼瑺 字西金。江苏吴县人。知县，上北河同知。

关遐年 字芝田。山西凤台人。吏部主事，广西平乐府知府。

潘奕藻 字思质，号畏堂。江苏吴县人。庶吉士，刑部主事，
刑部郎中。

杨　黻 字柏溪。江西金溪人。刑部主事，浙江巡抚。

张端城 直隶南皮人。吏部主事，云南按察使。

沈维坤 字含光。浙江德清人。国子监助教。

高叔祥 河南邓州人。福建知县　福建台湾府知府。

郑敏行 字勉甫，号健庵。河南罗山人。庶吉士，刑部主事，
福建道御史。

朱依晁 字镜云，号劲筠。广西临桂人。检讨。

张　翽 字叔举，号牧村。山东平原人。检讨，光禄寺少卿。

陈霞蔚 字孝敦，号质斋。福建闽县人。吏部主事，兵部右侍
郎。

焦和生 字绵初。奉天盖平人。刑部主事，湖北汉黄德道。

阎学淳 字浩持。山东昌乐人。刑部主事，安徽宁国府知府。

邵培橞 字元惪。江苏昭文人。浙江丽水县知县。

张至轓 字兰沙。安徽合肥人。户部主事，四川夔州府知府。

李肖筠 号漪园。江西鄱阳人。工部主事，工部员外郎。

张映汉 字星槎，号筠园。山东海丰人。户部主事，湖广总督。

汪世隽 字秋坪，号丙庵。浙江钱塘人。分省即用知县，浙江
湖州府教授。

邓再馨 字兰溪，号芳廷。贵州普安人。检讨，山东莱州府知
府。

陈　渼 字宛青，号雪樵。浙江石门人（原籍海宁）。礼部主事，
甘肃巩昌府知府。

赵三元 字雍北。河南修武人。户部主事，福建粮道。

成　书 户部主事，户部右侍郎。

丁　堵 顺天通州人。山东盐运使。

沈景熊 字炳季。浙江仁和人。贵州印江县知县。

胡钧璜 字东表。山西交城人。刑部主事。

王善垲 山东福山人。礼部主事，云南普洱府知府。

武进士：

刘荣庆 号崇弼。江苏泰州人。状元。头等侍卫，贵州提督。

李锡命 字天宠。顺天东安人。榜眼。二等侍卫，广东罗定协
　　　副将。

卢廷璋 广东东莞人。探花。二等侍卫，四川松潘镇总兵。

胡定泰 字平川。湖北黄冈人。河南河南镇总兵。

刘冲霄 直隶天津人。湖南宝庆协副将。

卢　植 山西朔州人。福建守备，福建台湾镇标中营都司。

◉ 恩遇：

郭锺岳 福建进士。以年届一百四岁，三月到浙迎銮，赏国子
　　　监司业衔。

庄选辰 江苏进士。闰三月以召试一等授内阁中书，见前戊戌
　　　科。

汤大宾 原任广西浔州府知府。以亲见七代赐"七叶衍祥"额。

福康安 陕甘总督，三等男。以擒获甘肃逆回张文庆等晋封一
　　　等侯，号嘉勇。

和　珅 协办大学士，吏部尚书。九月封一等男。

程嘉谟 归班候选知县，进士。以承修《四库全书》出力，特
　　　授庶吉士（见前辛丑科），余详本科。

◉ 著述：

褚寅亮 撰《仪礼管见》三卷成，见正月王鸣盛序。

陈　鳣 辑《郑氏六艺论》一卷成，见正月自序。

段玉裁 撰《毛诗故训传》成，见四月自序。

周柄中 撰《四书典故辨正》二十卷成，见四月自序。

吴　骞 撰《诗语补亡后订》一卷成（按：自序无年月，惟所
　　　撰《许氏诗谱钞》序中谓附诸补亡之后则是书之成，
　　　当在七月以前）。

吴　骞 撰《许氏诗谱钞》一卷成，见七月自序。

毕　沅 辑《晋太康三年地记》一卷、《王隐晋书地道记》一卷

成，见八月自序。

叶佩荪　撰《易守》三十三卷成（按：是书卒后始刻，见嘉庆庚午张诗诚序，今系于九月之前）。

孙星衍　辑《仓颉篇》三卷成，见十一月自序。

洪亮吉　撰《汉魏晋》四卷成，见长至自序。

江　藩　撰《周易述补》四卷成，见凌廷堪序。

◉ 卒岁：

李　本　贵州巡抚。卒。

贾延泰　原任内阁中书。正月卒年七十四。

赵觐男　候选翰林院待诏。正月卒年六十五。

凌西峰　前江西上高县知县。二月十三日卒年六十一。

朱　椿　都察院左都御史。二月二十二日卒年七十五。

文　绶　满洲镶白旗，富察氏。前四川总督。三月卒。

敖　成　陕西长安人。贵州提督。三月卒。赠太子太保，予云骑尉世职，谥勇愨。

福隆安　字珊林。满洲镶黄旗，富察氏。太子太保，兵部尚书，和硕额驸，袭一等忠勇公。闰三月初一日卒。谥勤恪。

永　德　满洲正蓝旗，觉罗氏。散秩大臣，前任福州将军。闰三月卒。

马　彪　字云山。甘肃西宁人。湖广提督。闰三月卒。赠太子太保，予云骑尉世职，谥勤襄。

积哈纳　袭和硕简亲王，复号郑亲王，镶蓝旗宗室。五月卒年二十七。谥曰恭。

刘　俸　字敬庵。四川永宁人。赏食全俸，原任四川松潘镇总兵。五月卒、

明　善　字元复。镶红旗宗室。西安副都统。五月于甘肃静宁州之高庙山阵亡。

王　瑾　云南永平县训导。五月二十六日卒年七十四。

三　宝　东阁大学士。六月卒。谥文敬。

秦鸿钧　江苏无锡县贡生。六月初九日卒年六十六。

彭启丰 尚书衔致仕兵部右侍郎，降调兵部尚书。六月十六日卒年八十四。

程晋芳 原任翰林院编修。六月二十一日卒于西安，年六十七。入国史文苑传。

曹秀先 礼部尚书。七月初一日卒年七十七。赠太子太傅，谥文恪。

郝 硕 字冀轩。汉军镶白旗。前江西巡抚。七月初六日以罪命自尽（注：以进京陛见勒属馈送银两）。

奚 宾 字曰朝，号蕉峰。江苏阳湖人。候选训导，江苏阳湖县贡生。七月初八日卒。

周克开 浙江杭嘉湖道。七月二十日卒年六十一。入国史循吏传。

缪 璟 江苏吴县监生。七月二十八日卒年二十七。

郑虎文 原任詹事府赞善。八月十一日卒年七十一。入国史文苑传。

秦 濂 江苏无锡县举人。八月十一日卒年三十三。

靳荣藩 直隶大名府知府。八月十九日卒年五十九。

李 惇 归班候选知县，江苏高邮县进士。八月卒年五十一。入国史儒林传。

董 果 原任福建海坛镇总兵。卒。

叶佩荪 以知府补用，降调湖南布政使。九月初八日卒年五十四。入国史儒林传。

金 洁 礼部主事。九月二十四日卒年六十一。

来起峻 在籍户部候补主事。九月卒年五十七。

王蓁绪 原任四川石砫直隶厅同知。十月初四日卒年七十二。

冯廷丞 湖北按察使。十一月初八日卒年五十七。

孙希旦 翰林院编修。十一月初九日卒年四十九。

陈梦说 原任浙江粮道。十一月三十日卒年七十一。

王太岳 国子监司业，前云南布政使。卒年六十四。入国史文苑传。

夏之蓉　在籍翰林院检讨。卒年八十八。入国史文苑传。

龚元玠　原任江西抚州府教授，降调贵州铜仁县知县。卒年八
　　　　十二。入国史儒林传。

文泰运　丁忧云南元江州学正。卒年四十四。

汪　沆　浙江钱塘县征士。卒年八十一。入国史文苑传。

乾隆五十年乙巳（公元一七八五年）

◉ **生辰：**

锺　昌　正月初七日生，字汝毓，号仰山。满洲正白旗，拜都氏。享年四十八。

韦　焞　正月十二日生。

张祥河　正月十四日生，号诗舲、鹤在。江苏华亭人。享年七十八。

舒梦龄　正月二十七日生，字锡吾，号子鹤、苏桥。湖南溆浦人。享年七十。

贺长龄　二月初八日生，字耦庚，号西涯、耐庵。湖南善化人。享年六十四。

孙如金　二月初八日生，安徽休宁人。

钱宝琛　三月初二日生，号楚玉、子献。江苏太仓人。享年七十五。

锺　祥　三月十四日生，字蕴如，号云亭。汉军镶黄旗，杨氏。享年六十五。

黎　恂　三月二十一日生，贵州遵义人。享年七十九。

温启鹏　四月初八日生，字朋梅，号云帆。山西太谷人。

程恩泽　四月十五日生，字云芬，号春海。安徽歙县人。享年五十三。

牛　鑑　五月二十日生，号伯渊，号镜堂、雪樵。甘肃武威人。

汪　琳　六月初一日生，字静山，号鑑湖。江苏丹徒人。

陈　沆　六月十八日生，字茂生、太初，号秋舫、莲友。湖北蕲水人。享年四十二。

潘德舆　六月二十八日生，字彦辅，号砚圃、四农。江苏山阳人。享年五十五。

林则徐　七月二十六日生，字元抚、少穆，号石麟。福建侯官人。享年六十六。

姚柬之　八月十八日生，字伯山，号幼楷。安徽桐城人。享年
　　　　六十三。

宁兰森　九月初七日生，字畹倩，号德声、香谷。直隶乐亭人。

朱　淳　九月二十日生，字葆初，号瀛山。云南石屏人（原籍
　　　　江苏上元）。

姚　莹　十月初七日生，字石甫，号明叔。安徽桐城人。享年
　　　　六十八。

廖　姓　十一月二十二日生，字兼山，号鹿侪。广东南海人。

胡国英　十二月二十三日生，字俊三，号啸白。江苏吴县人。

敬　徵　生，镶白旗宗室。享年六十七。

郭尚先　生，字元开，号兰石、伯抑。福建莆田人。享年四十
　　　　八。

陆以煊　生，字孟昭，号小雅、子旭。浙江钱塘人。

姚庆元　生，字辛才，号友恺、馀庵。顺天大兴人（原籍浙江
　　　　萧山）。

王云岫　生，字雯谷，号矞堂。山东临淄人。

秦耀曾　生，字香光，号远亭、雪舫。江苏江宁人。

张志泳　生，（一作张志詠）直隶南皮人。享年六十六。

邹锡淳　生，江苏丹徒人。

刘耀椿　生，字庄年，号臞鹤。山东安邱人。

史麟善　生，字振之，号调梅。顺天宛平人（原籍浙江余姚）。

魏士龙　生，字阁英，号芸阁。浙江钱塘人。享年六十六。

方　凝　生，安徽歙县人。享年六十。

◉ 恩遇：

张若淮　致仕左都御史。正月以恭与千叟宴，赐御书“台柏恒
　　　　春”额。

周　煌　左都御史。正月以病辞职，加太子少傅兵部尚书衔。

许王臣　福建侯官县职员。以七世同居，正月赐御书匾额及御
　　　　制诗。

姚　棻　广东按察使。其母以年逾八旬，正月赐御书“柏贞萱

寿"额。

郭有英、张　羽、刘　湘、锺君宠 等寿民。正月俱以年逾百
　　　龄，赐御书匾额及御制诗。

蔡　新　大学士。四月以老辞职，加太子太傅衔。

蔡　新　原任大学士。五月以陛辞回籍，赐御制诗。

阿　桂　大学士。十月赐御书"调元锡瑞"额。

● 著述：

汪辉祖　撰《佐治药言》一卷成，见八月自序。

洪亮吉　撰《十六国疆域志》十六卷成，见八月自序（按：此
　　　书至嘉庆三年始刻）。

汪辉祖　撰《续佐治药言》一卷成，见十月自序。

● 卒岁：

彭　绩　江苏长洲县布衣。正月卒年四十四。

法坤宏　大理寺评事衔，山东胶州举人。二月十六日卒年八十
　　　七。入国史儒林传。

蒋士铨　在籍记名御史，翰林院编修，二月二十二日卒年六十
　　　一，入国史文苑传。

张　模　降调吏部稽勋司郎中。二月二十五日卒年六十一。

周　煌　太子少傅，兵部尚书衔，原任都察院左都御史。四月
　　　初一日卒。赠太子太傅，谥文恭。

博清额　驻藏办事，理藩院尚书。六月以奉召回京卒于中途。
　　　谥恭勤。

赛音伯尔格图　理藩院右侍部。六月卒。

陆　燿　原任湖南巡抚。六月二十三日卒年六十三。

庄选辰　内阁中书，七月初七日卒年三十二。

伊勒图　满洲正白旗。伊犁将军，前任兵部尚书。七月卒。赠
　　　一等伯，谥襄武，入祀贤良祠（入祀在五十一年三月）。

曹庭栋　浙江嘉善县廪贡生。七月二十二日卒年八十七。入国
　　　史文苑传。

允　祁　圣祖皇二十三子。郡王品级，多罗贝勒。七月二十七

日卒年七十三。谥曰诚。

农　起　满洲正红旗，索佳氏。山西巡抚。八月卒。

图翰布　原任翰林院侍讲学士。八月二十九日卒年六十六。

图思义　满洲镶蓝旗，觉罗氏。正红旗满州副都统。九月卒。

富　保　直隶按察使。九月卒。

广　禄　世祖皇曾孙。袭和硕裕亲王。十月卒。谥曰庄。

孙泰溶　江苏长洲县布衣。十一月二十三日卒于河南抚署幕中，年六十六。

蔡观澜　原任刑部浙江司员外郎，降调江西道监察御史。卒年七十一。

卢　谦　原任直隶广平府同知，前湖北武汉黄德道。卒年七十三。

莽古赍　杭州将军，袭奉恩将军，正蓝旗宗室。卒年七十口。

哈青阿　满洲正白旗，他塔喇氏。西安副都统。卒。

仁　和　满洲镶黄旗，钮祜禄氏。三等侍卫，英吉沙领队大臣，前甘肃提督。袭一等子，卒。

高人傑　甘肃兰州城守营参将。于西宁被雷震卒。

黄湘南　湖南宁湘县诸生。卒年二十九。

乾隆五十一年丙午（公元一七八六年）

● 生辰：

林召棠　正月生，字爱封，号苇南。广东吴川人。

王兆琛　正月初四日生，字叔玉，号西舶、献甫。山东福山人。

郭文汇　正月初四日生，字朝宗，号韵泉。江西新建人。

陈嘉树　正月十一日生，字仲云，号亭玉。江苏仪征人。

陈来泰　正月二十一日生，字訒庵。江苏吴江人。

吴清皋　正月二十八日生，字鸣九，号小縠。浙江钱塘人。享年六十四。

吴清鹏　正月二十八日生，字程九，号笏庵。浙江钱塘人。

沈　烜　二月十三日生，江苏吴江人。享年四十三。

徐云瑞　二月二十九日生，字书祥，号晓村。江苏甘泉人。

王　丙　三月二十四日生，字润之，号兰卿。浙江归安人。

梅曾亮　三月二十五日生，字伯言，号葛君。江苏上元人。享年七十一。

铁　麟　三月二十八日生，字希深，号仁山。满洲正蓝旗宗室。

于尚龄　四月二十五日生，字磻溪，号扬轩。江苏金坛人。

陈　銮　四月二十九日生，字南坪、仲和、玉生，号芝楣。湖北江夏人。享年五十四。

嵩　濂　六月二十二日生，字畅园，号庚堂。满洲正蓝旗，伊尔根觉罗氏。

汪喜荀　七月十六日生，字孟慈。江苏江都人。

来学醇　闰七月二十日生，字若思，号心醇、酉峰。浙江萧山人。

王　巽　八月二十五日生，字申甫，号仲山。河南商丘人。

朱杖之　八月二十九日生，字长书，号江山。浙江海宁人。享年五十九。

王锡朋　九月十五日生，字樵佣，号蕉慵。直隶宁河人。享年

五十六。

隆　文　九月十八日生，字存质，号云章。满洲正红旗，伊尔
　　　　根觉罗氏。享年五十六。

方成珪　九月二十九日生，字国宪，号雪斋。浙江瑞安人。

功　普　十一月初三日生，正蓝旗宗室。

杨炳堃　十一月十四日生，字绮文，号蕉雨。浙江归安人。年
　　　　七十三。

曹楸坚　十一月十九日生，字树蕃，号艮斋。江苏吴县人。

王瑞徵　十一月二十一日生，直隶抚宁人。

王世绂　十二月十九日生，字子辨，号苏生、伯雅。顺天武清
　　　　人。

崔　偲　十二月二十九日生，字若愚。号砚农。顺天霸州人。
　　　　享年五十三。

吴　傑　生，享年五十一，字卓士，号梅梁。浙江会稽人。

胡　鑑　生，字再国，号藕湾。浙江鄞县人。享年四十七。

蒋明远　生，字鑑堂，号霁庭、月川。汉军镶蓝旗。

易镜清　生，（原名易本杰），字炜南，号濂航。湖北京山人。

汪鸣谦　生，字撝中，号益斋。广东番禺人。

豫　泰　生，字星阶，号补农。汉军镶黄旗，刘氏。

于公槐　生，字声木，号燮庵、湘浦。山东福山人。

文　柱　生，字砥中，号东川。江西瑞昌人。

刘学厚　生，字惇甫，号戴庵。四川广安人。

吴毓金　生，江苏吴县人。

邓应台　生，字伯华，号鹤峰。江西金溪人。

周　涛　生，字听松。贵州贵筑人。

马树华　生，字公实，号筱眉。安徽桐城人。享年六十八。

张荐粲　生，字子洁，号小馀。山西阳城人。

姚　楗　生。

陆　沅　生，字冠湘，号芷江。浙江平湖人。

朱士端　生，字铨甫。江苏宝应人。

陈　时　生，字若木。江苏宜兴人。享年七十六。

欧阳凝祉　生，字福田。湖南衡阳人。享年八十四。

陈　奐　生，字硕甫，号师竹、南园老人。江苏长洲人。享年
　　　　七十八。

王　鎏　生，字子兼，号亮生。江苏吴县人。享年五十八。

孙　鋗　生，字野史，号瘦石。四川郫县人。享年六十四。

管学湛　生，字乐斯。江苏阳湖人。享年三十七。

◉ 科第：

　　中式举人：

嵩　孚　字莲舫。满洲正蓝旗，伊尔根觉罗氏。刑部笔帖式，
　　　　刑部尚书。

图勒斌　字国梁。满洲正黄旗，哈达纳拉氏。湖南布政使。

张　彤　浙江归安人。云南知县，山东按察使。

英　良　满洲正红旗，瓜尔佳氏。翰林院侍读学士。

嵩　龄　满洲镶黄旗，戴佳氏。四川川东道。

刘　恕　广西右江道。

周以勋　字次立。浙江嘉善人。江苏江宁府知府。

方联聚　甘肃知县，广西永康州知州。

徐承庆　字梦祥，号谢山。江苏元和人。山西知县，山西平定
　　　　州知州。

章宗源　字逢之。顺天大兴人（原籍浙江会稽）。

何天衢　字绂斋。安徽亳州人。广东廉州府知府。

徐镕庆　（原名徐嵩），字朗斋。江苏金匮人（原籍安徽婺源）。
　　　　湖北知县，湖北蕲州知州。

尤兴诗　字肄山。江苏吴县人。内阁中书。

蒋光弼　江苏常熟人。浙江知县，浙江云和县知县。

周　隽　江苏人。山东黄县知县。

刘履恂　字迪九，号秋槎、凫梦。江苏宝应人。国子监典薄。

谈　泰　字阶平，号星符。江苏上元人。南汇县教谕。

庄隽甲　安徽歙县教谕。

王　灼　安徽东流县教谕。

郑　环　甘泉县训导。

余鹏年　（原名余鹏飞），字伯扶。安徽怀宁人。

彭希涑　江苏长洲人。

汪　龙　安徽歙县人。

吴　駉　江苏人。

龚　沦　江苏长洲人。

王学浩　江苏昆山人。

李枢焕　字虚筠。江西南城人。四川松茂道。

左观澜　陕西安定县知县。

范永祺　浙江鄞县人。

汪继坊　浙江萧山人。

钱　俊　河南知县，江苏常镇道。

汪　潞　字仲连，号春园。浙江钱塘人。太常寺博士。

萨玉衡　字檀河。福建闽县人。陕西洵阳县知县。

黄友召　字雨棠。湖南善化人。浙江知县，广西桂林府知府。

龙　翔　嘉禾县训导，四川荣昌县知县。

方载豫　河南人。陕西知县，陕西同州府知府。

王驭超　字驾千，号约斋。山东安邱人。安徽知县，安徽寿州
　　　　知州。

马　憙　山西人。刑部员外郎，甘肃凉州府知府。

谌昌绪　四川人。福建建宁府知府。

蒋励常　字岳麓。广西全州人。融县训导。

　　中式武举：

许松年　浙江人。浙江千总。福建水师提督。

胡于鉷　字启名，号绮茗。浙江镇海人。浙江千总，广东南澳
　　　　镇总兵。

◉　恩遇：

黄仕简　福建水师提督。　二月加太子太保衔（五十二年四月
　　　　革）。

阿　桂　大学士。八月以七十生辰，赐御书"平格延厘"额及联。

汪　农　浙江仁和人。湖北巡抚汪　新之子，赏给举人，兵部员外郎，重宴鹿鸣。

● 著述：

口口口口　等撰《石峰堡记略》二十卷成。

吴　骞　撰《阳羡名陶录》二卷成，见二月自序（按：书成后又撰有续录一卷）。

庄　炘　校刊《一切经音义》二十五卷成，见三月自序。

梁玉绳　撰《人表考》九卷成，见四月自序。

翁方纲　撰《两汉金石记》二十二卷成，见七月自序。

石　梁　撰《草书集成》五卷成，见七月蒋光越序。

任兆麟　撰《夏小正注》四卷成，见八月江藩序。

孔广森　撰《大戴礼补注》十三卷、《序录》一卷、《诗声类》十二卷、《分例》一卷、《礼学卮言》六卷、《经学卮言》六卷、《少广正员术内外篇》六卷、《骈俪文》三卷成，（按：诸书均卒后始刻，今系于十一月之前）。

段玉裁　撰《说文解字注》三十卷成，见八月卢文弨序。

蒋　和　撰《说文字原表》一卷成，见十二月自序。

● 卒岁：

徐金霖　江苏长洲县增贡生。正月十三日卒年六十九。

章通翰　浙江归安县监生。正月十三日卒年八十一。

姚成烈　礼部尚书。正月卒年七十一。

吴　垣　湖北巡抚。二月卒。

邵陛陛　浙江余姚县举人。二月二十九日卒年七十一。

邵庚曾　山西雁平道。三月初六日卒年四十六。

秦锡淳　降调江西端金县知县。三月初七日卒年七十七。

萨　载　太子少保，两江总督，骑都尉。三月卒。赠太子太保，入祀贤良祠，谥诚恪。

修　龄　宗人府左宗正，镶蓝旗满洲都统，袭多罗信郡王复封

清代人物大事纪年

0886

和硕豫亲王，宗室。三月卒年三十八。谥曰良。

黄　冈　福建建宁县诸生。四月初七日卒年七十三。

梁敦书　工部右侍郎。四月卒。

吕祖辉　江苏武进县布衣。五月卒年八十一。

蒋瞻岵　布政司理问衔，山东汶上县知县。五月二十九日卒年六十。

王元启　前福建即用知县署将乐县知县。七月初一日卒年七十三。入国史文苑传。

伍弥泰　东阁大学士，袭三等诚毅伯。闰七月卒年七十七。赠太子太保，谥文端。

熊恩绂　直隶大顺广道。闰七月十四日遇害，年五十一。赠太仆寺卿。

黄秉淳　福建平和人。江南狼山镇总兵。八月二十一日卒。

緜　德　高宗皇长孙。固山贝子，前袭多罗定郡王。九月卒年四十。

蒋和宁　前湖广道监察御史。九月初六日卒年七十八。

张瞻洛　赏复云南大理府知府原衔。九月初八日卒年八十一。

瞿连璧　候选州同，江苏嘉定县贡生。九月二十五日卒年七十一。

孔广森　丁忧翰林院检讨。十一月卒年三十五。入国史儒林传。

俞　峻　福建彰化县知县。十一月二十七日于大墩拿贼遇害。

赫生额　福建台湾北路协副将，袭二等轻车都尉世职。十一月于大墩阵亡。予加一云骑尉世职。

长　庚　福建北路理番同知。十一月殉难。予云骑尉世职。

孙景燧　福建台湾府知府。十一月遇害。

周大纶　福建彰化县县丞。十二月初八日以被执遇害，年五十一。予云骑尉世职。

汤大奎　福建凤山县知县。十二月十三日殉难，年五十九。予云骑尉世职。

梁国治　太子少傅，东阁大学士，军机大臣，十二月十三日卒年六十四。赠太子太保，谥文定。

钱士云 致仕兵部左侍郎。卒。

沈　琳 光禄寺少卿。卒年五十八。

姚晋锡 福建道监察御史。卒年六十五。

孔继汾 前户部主事。卒于杭州。

富察善 字瑶峰。满洲镶黄旗，富察氏。原任盛京工部侍郎，
　　　　　袭云骑尉。卒。

方　桂 前浙江宁绍台道。卒。

曾廷樅 山东济南府知府。卒。

朱正蒙 山东平阴县知县。卒年六十。

汪　炤 江苏嘉定县廪贡生。卒年五十八。入国史儒林传。

戈守智 浙江平湖县诸生。卒年六十七。

乾隆五十二年丁未（公元一七八七年）

耆　英　二月初三日生，正蓝旗宗室。享年七十二。

郑瑞麟　二月二十五日生，字其昌，号镜石。福建闽县人。

赵本敫　三月初三日生，（原名赵本敬），字直夫，号方山。贵
　　　　州瓮安人。享年五十。

郑开禧　三月十八日生，字迪卿，号云麓。福建龙溪人。

邵　勤　三月二十五日生，字彤宾，号莲士。山东济宁人。

龚文煇　四月初一日生，字叔光，号锦溪、煦衢、藜塘。福建
　　　　光泽人。

许乃普　五月初四日生，字贞锡、鸿甫，号季鸿。浙江钱塘人。
　　　　享年八十。

陈天泽　五月十一日生，字希皋，号履亭、士亮。福建闽县人。

方士淦　六月十一日生，字原长，号宣仲、莲舫。安徽定远人。
　　　　享年六十二。

郑祖琛　七月十九日生，字献之，号梦白。浙江乌程人。

曹应琪　七月二十日生，字介之，号春洲。浙江嘉善人。享年
　　　　六十三。

何　鲲　七月二十九日生，字丽天，号小谢。浙江萧山人。享
　　　　年七十口。

张金吾　八月初七日生，字慎旃，号月霄。江苏昭文人。享年
　　　　四十三。

周开麒　八月初九日生，字稺功，号石生。江苏江宁人。

蒋立镛　八月十六日生，字序东，号笙陔。湖北天门人。

岳镇南　八月二十日生，字衡山，号文峰。山东利津人。

张珍臬　九月初一日生，字同庄。浙江归安人。

杜受田　九月初三日生，字锡之，号芝农。山东滨洲人。享年
　　　　六十六。

杨以增　九月十六日生，字益之，号至堂、东樵。山东聊城人。享年六十九。

胡元熙　十月初一日生，字叔咸，号煜庭。安徽黟县人。

徐泽醇　十月十二日生，字梅桥。汉军正蓝旗。享年七十二。

彭玉雯　十月十七日生，字锦章，号云墀。江西南昌人。

吴廷珍　十月二十九日生，字上儒，号叔琪。江苏吴县人。

何彤然　十二月初九日生，字弨甫，号竹云、昭山。广西平乐人。

李　惺　十二月十七日生，字常惺，号伯子、西沤。四川垫江人。享年七十八。

张绍龄　十二月二十三日生，字与三，号雨三、九峰。直隶天津人。享年八十口。

文　艺　生，字道园，号蕉农。满洲正黄旗，舒穆鲁氏。

张玉册　生，字迈镠，号寿图。直隶南皮人。

庞大堃　生（一作乾隆五十六年生），字厚甫，号子方。江苏常熟人。享年七十二。

熊常錞　生，字象于、椒实，号声谷。江西铅山人。享年五十四。

郑世任　生，字弼卿，号莘田、云门。湖南长沙人。

钱廷熊　生，字石年，号古槎。浙江仁和人。

黄德濂　生，字邵怀，号惺溪、薪溪。湖南安化人。享年六十三。

李　荫　生，顺天宝坻人。

鹿丕宗　生，字杰人，号简堂。直隶定兴人。

裘元俊　生，字淑初，号渔挢。江西新建人。

曹　瑾　生，河南人。享年六十三。

陈　仪　生，（原名陈儒亮），字采臣，号渔山。浙江鄞县人。

倪济远　生，字孟杭，号秋槎。广东南海人。

艾　畅　生　字至堂。江西东乡人。享年七十八。

李曰茂　生，山西平定人。享年五十八。

柳树芳　生，江苏吴江人。享年六十四。

方　申　生，（本姓申），字瑞斋。江苏仪征人。享年五十四。

◉ 科第：

　　一甲进士：

史致光　字郏师、葆甫，号渔村。浙江山阴人。状元。修撰，
　　　　左都御史。

孙星衍　榜眼。编修，刑部主事，山东粮道。

董教增　探花。编修，吏部主事，闽浙总督。

　　二甲进士：

朱　理　编修，贵州巡抚。

王　观　字秉之，号桂峰。浙江钱塘人。编修，兵部主事，直
　　　　隶大名道。

李如筼　字介夫，号虚谷、松友。江西大庾人。

秦恩复　编修。

汤　潘　字价人。江西南丰人。户部主事，江安粮道。

吴于宣　字浚明，号南屿。浙江石门人。山东知县，江苏扬州
　　　　府知府。

马履泰　庶吉士，刑部主事，太常寺少卿。

何元烺　庶吉士，户部主事，广西太平府知府。

康纶钧　字梦云。山西兴县人。内阁中书，通政司参议。

沈清瑞　字芷生，号吉人。江苏长洲人。归班知县。

彭希洛　兵部主事，福建道御史。

唐仁埴　浙江知县，河南开归陈许道。

马书欣　山西介休人。刑部主事，河南按察使。

范逢恩　字紫泥，号荫亭。直隶东明人。庶吉士，户部主事，
　　　　四川川东道。

龙廷槐　字植庭，号沃堂。广东顺德人。编修，赞善。

谢恭铭　字若农，号寿绅。浙江嘉善人。庶吉士，归班知县，
　　　　内阁中书。

邱　埰　字稼堂。浙江德清人。刑部主事，湖北安陆府知府。

李传熊 字尚佐，号玉渔。江西临川人。编修，侍讲学士。

谈祖绶 字紫垂。浙江德清人。户部主事，户部员外郎。

任衔蕙 字湘畹，号晓亭。江苏萧县。庶吉士，归班知县，直隶通永道。

何　泌 字素园，号邺夫、季衡。贵州贵筑人。编修。

柳迈祖 庶吉士，户部主事，湖南宝庆府知府。

何道生 工部主事，甘肃宁夏府知府。

胡　钰 字子坚，号朴斋。河南光山人。庶吉士，吏部主事，直隶清河道。

王祖武 字绳其。江苏吴江人。

陈士雅 字每田，号汝清。湖南长沙人。编修。

汪彦博 编修，刑部主事，山东青州府知府。

初乔龄 字景房，号云峤。山东莱阳人。编修，侍读。

吴　烜 字旭临，号鑑庵。河南固始人。编修，礼部左侍郎。

陆元鋐 浙江桐乡人。礼部主事，广东高州府知府。

雷惟霈 江西南丰人。工部主事，福建福州府知府。

顾敏恒 字立方，号笠舫。江苏无锡人。归班知县。江苏苏州府教授。

　　三甲进士：

焦以厚 字载之。江苏江宁人。户部主事，户部员外郎。

顾　钰 字容庄，号式度。江苏无锡人。会元。庶吉士，吏部主事，福建道御史。

施履亨 字春树，浙江仁和人。礼部主事，广东高州府知府。

潘绍经 字汇斋，号箬舟。湖北蕲水人。检讨，山东道御史。

周　锷 字莲若，号春田。湖南长沙人。户部主事，江苏苏州府知府。

杜南棠 字召亭，号荔村、容斋。直隶赞皇人。检讨，左中允。

包　恺 顺天大兴人。礼部主事，江西瑞州府知府。

薛　淇 吏部主事，署湖南常德府知府。

吴荫暄 字名芳。江苏阳湖人。吏部主事。

陈若霖　庶吉士，刑部主事，刑部尚书。

张　溥　江苏吴县人。口口按察使。

翁树培　检讨，刑部主事，刑部郎中。

钱豫章　户部主事，户部郎中。

瑚图礼　字景南，号和庵、石桥。满洲正白旗，完颜氏。检讨，
　　　　礼部尚书。

沈叔埏　吏部主事。

尹英图　检讨，湖北知县，湖北施南府知府。

马惟驭　奉天吉林人。户部主事，湖北施南府知府。

张祥云　字桂园。福建晋江人。刑部主事，安徽宁池太广道。

刘廷楠　广东知县，广东嘉应直隶州知州。

茅　豫　字少山。浙江山阴人。兵部主事，山西河东道。

郑文明　江苏仪征人。山东兖州府知府。

瑚素通阿　（原名瑚图灵阿）。满洲正白旗，鄂济氏。刑部主事，
　　　　刑部左侍郎。

朱承宠　礼部主事，礼部郎中。

杨惟翩　山东金乡人。户部主事，江西建昌府知府。

漆　銮　江西新昌人。礼部主事，云南开化府知府。

杨梦符　刑部主事，刑部员外郎。

宋鸣琦　字梅生。江西奉新人。礼部主事，广西盐法道。

孙鹏仪　山西兴县人。甘肃巩昌府知府。

　　武进士：

马兆瑞　山东临清人。状元。头等侍卫。

侯　琼　顺天武清人。榜眼。二等侍卫，浙江嘉兴协副将。

麦鹰扬　广东鹤山人。探花。二等侍卫。

李成隆　山东聊城人。三等侍卫，浙江衢州镇总兵。

恩遇：

曹文埴　户部尚书。正月以养亲回籍，加太子太保衔，并赐其
　　　　母御书匾额。

李侍尧　闽浙总督。十一月复加太子太保衔。

孙士毅　两广总督。十一月加太子太保衔。

柴大纪　福建水师提督。十一月加太子少保衔（五十三年正月
　　　　革）。

柴大纪　福建提督。十一月封一等孝义伯（五十三年正月革）。

福康安　将军，协办大学士，陕甘总督。一等嘉勇侯，十一月
　　　　以福建嘉义县城解围，晋封一等公。

海兰察　参赞大臣，领侍卫内大臣，一等超勇侯。晋封三等公。

● 著述：

戴　蓥　撰《尔雅郭注补正》九卷成，见二月自序。

程　敦　撰《秦汉瓦当文字》一卷成，见二月自序。

童翼驹　撰《墨梅人名录》一卷成，见三月自序。

吴　煊　（字退庵。江西南城人）、胡　棠　（字甘亭。江西南城
　　　　人）　同撰　《唐贤三昧集笺注》三卷成，见四月吴煊
　　　　序。

任兆麟　辑《尸子补遗》一卷成，见四月自记。

辛从益　撰《公孙龙子注》一卷成，见四月自识。

任兆麟　辑《述记》二卷成，见五月自撰发例。

曹仁虎　刻《烛集》一卷、撰《转注古义考》一卷、《七十二侯
　　　　考》一卷成（按：三书均无自序，以卒后始刻今系于
　　　　八月之前）。

卢文弨　撰《群书拾遗补》成，见八月自序，（按：此书不分卷
　　　　数）。

吴　骞　撰《国山碑考》成，见九月后序。

任大椿　校刻《列子释文》二卷、并撰《考异》一卷成，见十
　　　　月自序。

钱大昕　撰《潜研堂金石文跋尾》六卷成，见冬日王鸣盛序（按：
　　　　书成后又撰有跋尾续七卷、再续六卷、三续六卷，皆
　　　　无序跋年月，今附于此）。

王鸣盛　撰《十七史商榷》一百卷成，（按：自序无年月，以书
　　　　首提丁未所刻故系于此年）。

◉ 卒岁：

王进泰 以内大臣致仕，原任正白旗汉军都统，袭骑都尉兼一
云骑尉世职。正月卒年八十四。谥恭勤。

永 璥 字文玉，号益斋、素菊道人。圣祖皇曾孙，奉恩辅国
公。三月卒。

郝壮猷 前福建海坛镇总兵。四月初四日以罪命于台湾府城处
斩（注：以台匪林爽文滋事参将瑚图里被拦截不往接
应，致失凤山县城）。

陈初哲 原任湖北荆宜施道。六月二十七日卒年五十一。

盛 昌 袭辅国公，宗室。七月卒年四十七。

陈本忠 工部郎中。七月卒。

张 洲 以教谕用，前任浙江德清县知县。七月二十一日卒年
六十。

赵曦明 江苏江阴县诸生。八月初二日卒年八十三。

吴绍泽 安徽歙县诸生。八月初七日卒年五十三。

曹仁虎 丁忧翰林院侍读学士，广东学政。八月初八日以奔丧
回籍卒于途中，年五十七。入国史文苑传。

蓝元枚 参赞大臣，福建水师提督，袭三等轻车都尉加一云骑
尉世职。八月十八日卒年五十二。赠太子太保，谥襄
毅。

杨廷桦 福建台湾府知府，前布政使衔山东按察使。八月卒。
赏还布政使原衔。

严长明 原任内阁侍读。八月卒于合肥庐江书院，年五十七。
入国史文苑传。

贵 林 升授浙江温处镇总兵（按升授在阵亡之后），广东罗定
协副将。八月于福建诸罗县之正音庄阵亡。予骑都尉
世职。

杨起麟 升授广东大鹏营参将（按：升授在阵亡之后）。八月于
福建诸罗县之正音庄阵亡。照副将例赐恤。

尹 均 致仕内阁典籍。九月初一日卒年七十三。

富　宁　满洲正黄旗，富察氏。伊犁领队大臣，袭骑都尉世职。九月卒。

舒其绅　浙江盐法道。九月卒年五十五。

丁传甲　江苏武进县监生。十月二十一日卒年六十。

刘谨之　礼科掌印给事中。十一月初八日卒年四十九。赠鸿胪寺卿。

张佩芳　原任安徽泗州直隶州知州。十一月二十七日卒年六十二。

曹学闵　致仕宗人府府丞。十二月初八日卒年六十九。入国史文苑传。

杨　芳　原任江西泸溪县教谕。十二月十五日卒年八十。

永　玮　盛京将军，袭辅国公，宗室。十二月卒。谥恪勤。

常　青　满洲镶白旗，苏木克氏。西安将军。十二月卒。谥庄毅。

寿同春　浙江诸暨人。诸暨县监生。十二月于台湾大里栈被戕，年七十一。赠知县。

张若渟　致仕都察院左都御史。卒年八十五。

杜玉林　起授刑部浙江司郎中，前刑部右侍郎。自伊犁戍所回京卒于陕西泾州途中，年六十。

永　昌　原任镶黄旗汉军副都统，袭骑都尉世职。卒年七十口。

陈朝书　云南云南府同知。卒年六十六。

陆遵书　选授湖南会同县知县。未赴任卒，年六十七。

李道南　归班候选知县，江苏江都县进士。卒年七十六。

西　铭　满洲正黄旗，吴雅氏。江宁将军，袭三等承恩公。卒。

李国梁　直隶提督。卒。赠太子太保衔，谥恪慎。

陈　璘　浙江海宁县诸生。卒年七十。

朱维鱼　浙江海盐诸生，卒于陕西蓝田书院。年六十二。

陈莱孝　浙江海宁州布衣。卒年六十。

乾隆五十三年戊申（公元一七八八年）

◉ **生辰：**

保　善　正月二十九日生，字翼之，号和斋。蒙古镶白旗。

朱骏声　二月二十三日生，字丰芑，号允倩、石隐老人。江苏
　　　　元和人。享年七十一。

马　沅　三月初三日生，字韩伯，号湘帆、芷君。江苏江宁人。

田嵩年　三月二十二日生，字季高，号梦琴。山西盂县人。

狄子奇　四月初二日生，字叔颖、星垣。江苏溧阳人。

程焕采　四月初五日生，字晓初，号霁亭。江西新建人。

马丽文　四月二十四日生，（原名马利文），字彬如，号郁斋。
　　　　湖北蒲圻人。

贺熙龄　五月初七日生，字光甫，号蔗农。湖南善化人。享年
　　　　五十九。

惟　勤　六月初七日生，字鑑堂，号竹溪。镶蓝旗宗室。

温启鏊　六月初八日生，字云心，号石峰。山西太谷人。

邵渊耀　六月二十六日生，字充有，号君远。江苏昭文人。

朱其镇　八月十一日生，字又青，号九山。浙江嘉兴人。

颜伯焘　八月二十五日生，字鲁舆，号载帆、小岱。广东连平
　　　　人。

葛庆曾　九月二十二日生，字秋生。浙江仁和人。

邵甲名　十月二十一日生，字冠群，号丹畦。顺天大兴人。

朱式璟　十月二十四日生，直隶天津人。

罗文鑑　十一月十三日生，字秋墅。浙江钱塘人。

裕　泰　十一月十三日生，字东岩，号馀山。满洲镶红旗，他
　　　　塔喇氏。享年六十四。

何耿绳　十一月二十四日生，字正甫，号玉民、梦泉。山西灵
　　　　石人。

乔用迁　十一月二十五日生，字敦安，号见斋。湖北孝感人。

徐　琛　十二月二十九日生，字贯玉，号蕴斋、鹤坪。安徽歙
　　　　县人。

赵　柄　生，字寄权、斗垣，号衡西。江苏上海人。

黄乐之　生，字仲孝，号爱庐。广东顺德人。

桂　菖　生，字子克，号白庵、杏农。满洲镶蓝旗，觉罗氏。

王　澐　生，字水云，号湘浦。浙江会稽人。

宋庆常　生，（原名宋铨），字晓元，号香樵。汉军镶黄旗。

朱鸣英　生，字黻廷，号汤亭。浙江富阳人。

王淑元　生，号秋槎。浙江鄞县人。

叶　桂　生，字芎林，号月卿。甘肃静宁人。

洪庆华　生，享年七十。

钱聚仁　生，字本之，号味根、依泉。浙江秀水人。享年六十
　　　　五。

李道平　生，字子衡，号远山。河北安陆人。享年五十七。

黎　恺　生，贵州人。享年五十五。

沈学渊　生，江苏宝山人。享年四十六。

臧寿恭　生，字梅溪，号眉卿。浙江长兴人。享年五十九。

常　增　生，享年五十五。

徐渭仁　生，字紫珊。江苏上海人。享年六十口。

朱昌寿　生，字介眉，号祝山。浙江海盐人。享年四十二。

薛传均　生，字子韵。江苏甘泉人。享年四十二。

潘道耕　生，字确潜，号晚香。江苏新阳人。享年七十一。

朱文烋　生，字慎甫。湘南浏阳人。享年五十二。

● 科第：

　　三月以召试一等赏给举人：

王　苏　字延庚，号侨峤。江苏江阴人。余见庚戌科。

王苍孙　国子监典簿，江苏华亭县教谕。

吴　镕。

　　中式举人：

普　恭　顺天人。礼部尚书。

朱锡爵　顺天大兴人。江苏知县，山东布政使。

嵩　禄　字芸芝。满洲镶白旗。云南知州，河南粮道。

锺　英　汉军镶白旗。广东广州府知府。

李光先　字东亭。顺天宝坻人。工部主事，江西赣州府知府。

马允刚　陕西知县，安徽池州府知府。

陆　溥　甘肃灵州人。湖北武昌府知府。

朱鸣凤　湖北知县，湖北黄州府同知。

舒　位　顺天大兴人。

张士元　江苏震泽人。

黄丕烈　候选主事。

高　荃　字芳余，号萝簪。江苏人。安徽舍山县训导。

熊璟崇　字海厓。江西新昌人。山东大挑知县。

梁履绳　浙江人。

宋世荦　字卤勋。浙江临海人。陕西扶风县知县。

谢金銮　福建人，安溪县教谕。

张问安　四川成都人。

温汝能　字希禹，号谦山。广东顺德人。内阁中书。

张希吕　广西人。融县训导，湖北松滋县知县。

陈元焘　字寿士，号蕉雪。广西临桂人。内阁中书。

许邦寅　云南石屏人。安徽泗州州同，重宴鹿鸣。

朱文治　浙江余姚人。

　　中式副榜贡生：

顾凤毛　江苏兴化人。

饶廷韺　江西彭泽人。

张豸冠　浙江人。

　　中式武举：

阎俊烈　字麟图。山东济阳人。湖北提督。

◉ **恩遇：**

和　珅　大学士。二月晋封三等伯，号忠襄。

陈　煜　顺天举人。三月召试一等授内阁中书。

普尔普　领队大臣，正白旗护军统领。四月晋封二等男。

孙士毅　两广总督。十一月以进兵援护安南，克复黎城，封一
　　　　等公，号谋勇（五十四年正月撤）。

许世亨　广西提督。封一等子。

◉ 著述：

郝懿行　撰《诗经拾遗》一卷成，见三月自序。

朱方蔼　字吉人，号春桥。浙江桐乡人。撰《画梅题记》一卷
　　　　成，见四月金德舆后识。

任兆麟　校订《襄阳耆旧记》三卷成，见六月自序。

任兆麟　辑《四民月令》一卷成，见六月自序。

王朝○　撰《十三经拾遗》十六卷成，见六月自撰弁言。

任兆麟　撰《石鼓文集释》一卷成，见七月自序。

庄存与　撰《彖象论》一卷、《彖象传》一卷、《系辞传论》二
　　　　卷、《八卦观象解》二卷、《卦气解》一卷、《尚书既见》
　　　　三卷、《尚书说》一卷、《毛诗说》四卷、《周官记》五
　　　　卷、《周官说》五卷、《春秋正辞》十一卷、《春秋举例》
　　　　一卷、《春秋要指》一卷、《乐说》二卷、《四书说》一
　　　　卷成，（按：以上诸书皆于卒后为子孙陆续付刻，统名
　　　　曰《味经斋遗书》，今系于十月之前）。

孙星衍　撰《晏子春秋音义》二卷成，见十月自序。

梁玉绳　撰《吕子校补》二卷成，见十一月自序。

洪亮吉　撰《乾隆府厅州县图志》五十卷成，见长至自序。

口口口　奉敕撰《台湾纪略》七十卷成。

钱大昭　撰《补续汉书艺文志》二卷成，见邵晋涵序。

吴　骞　撰《桃溪客语》五卷成，见周广业序。

周　榘　撰《瘦竹斋诗》二卷成，（按：此集至道光十九年始刻，
　　　　见曹楝坚序今系于卒年）。

◉ 卒岁：

鄂斯璊　阿奇木伯克贝子。正月卒。

永　瑢　正红旗满洲都统，袭和硕庄亲王，圣祖皇曾孙。二月

卒年五十二。谥曰慎。

李岐生　选授湖北保康县知县。二月二十六日卒于京师，年五十五。

沈　翰　原任直隶保定县知县。三月初一日卒年七十一。

迈拉逊　字廷献。满洲正蓝旗，佟佳氏。原任都察院左都御史。三月卒。

三　德　满洲镶红旗，瓜尔佳氏。广西提督。六月卒。

徐观孙　原任山东武定府知府。六月二十七日卒年八十。

柴大纪　前太子少保衔福建陆路提督，一等嘉义伯。七月二十一日以罪处斩（注：以嘉义县内被围案内贪纵营私酿成事变）。

杨重英　汉军正白旗。前按察使衔以道员驰赴云南军营办事，原任江苏按察使。八月自缅甸出回京卒于途中。赏道员职衔。

李杰龙　贵州镇远镇总兵，降调浙江提督。九月卒。

李侍尧　字钦斋。由汉军正蓝旗改入镶黄旗。太子太保，闽浙总督，二等昭信伯，前武英殿大学士。十月卒。谥恭毅。

庄存与　致仕礼部左侍郎。十月卒年七十。

邢敦行　广东三江口协将。十月于安南黎城阵亡。予骑都尉世职。

顾凤毛　江苏兴化县副贡生。十一月卒年二十七。入国史儒林传。

永　皓　圣祖皇曾孙。多罗恒郡王。十二月卒。谥曰敬。

戴心亨　翰林院编修，湖北学政。卒。

金　鑑　原任刑部主事。卒。

吴泰来　原任内阁中书。卒。入国史文苑传。

朱中理　原任河南温县知县。卒年八十三。

周　棨　新授广东曲江县知县，前顺天武清县知县。以赴任卒于山东德州旅次，年五十七。

王聿修 原任云南南安州州判，前四川珙县知县。卒年八十一。入国史儒林传。

翟　灏 原任浙江金华府教授。卒。入国史儒林传。

乔冲杓 前湖北宜昌镇总兵。卒。

史芳湄 六品顶带，江苏江都县孝廉方正。卒年九十。

王鸣韶 江苏新阳县诸生。卒年五十七。入国史文苑传。

乾隆五十四年己酉（公元一七八九年）

● **生辰：**

姚伊宪 正月初二日生，字尹为，号古芬。浙江仁和人。

杨　棨 正月初四日生，字美门，号蝶庵。江苏丹徒人。

曾　钊 二月十三日生，字敏修，号勉士。广东南海人。享年
　　　 六十六。

吴弥光 正月二十四日生，字章垣，号朴园。广东南海人。

罗士琳 四月二十六日生，字次璆，号茗香。江苏甘泉人。享
　　　 年六十五。

王　藻 五月初九日生，字霭人，号绮轩、菽原。江苏通州人。

那斯洪阿 五月二十四日生，（原名那丹珠），字间斋，号万石。
　　　 满洲镶白旗，穆尔察氏。享年四十九。

方用仪 六月初四日生，字仲鸿，号诜枝。江西南昌人。

梁宝常 六月生，字楚香，号善庵。直隶天津人。

赵仁基 六月二十二日生，字厚子，号悔庐。江苏阳湖人。享
　　　 年五十三。

胡希周 七月十三日生，字硕肤，号实甫。江苏元和人。

富呢扬阿 七月二十一日生，字介臣，号海帆。满洲镶红旗，
　　　 富察氏。享年五十七。

夏　炘 七月二十五日生，字欣伯、心伯，号韬甫。安徽当涂
　　　 人。享年八十三。

黄金台 七月三十日生，享年七十三。

张道进 八月初一日生，字翼如，号辅之。湖北安陆人。

董基诚 八月初六日生，（原名董谅臣），字子诜，号玉椒。江
　　　 苏阳湖人。

蔡　勋 八月十四日生，字勒最，号槐卿、麟阁。广东东莞人。

葛云飞 八月生，字鹏起，号雨田。浙江山阴人。享年五十三。

吴兰修 九月初五日生，字清观，号荔村、石华。广东嘉应人。

胡绍勋 九月二十八日生，字文甫，号让泉。安徽绩溪人。享年七十四。

李昭美 十月二十八日生，字在中，号实之、东竹。江西德化人。

夏　恒 十一月二十八日生，（原名夏庆云），字乔瑞，号益卿、一卿。湖南攸县人。享年五十一。

项名达 十二月初七日生，字步莱，号梅侣、潜园。浙江钱塘人。享年六十二。

王之斌 十二月十四日生，字雅臣，号萃珊。湖北黄陂人。享年七十七。

杨　霈 十二月二十一日生，字徵肃，号蔚农、云石。汉军镶黄旗。

梁星源 十二月二十九日生，字昆崖，号石泉。陕西岐山人。

罗　瑛 生，享年三十三，字仲卓，号景昭、石舟。湖南善化人。

鄂顺安 生，满洲正红旗。享年八十六。

王见炜 生，字辉如，号彤甫。湖北江夏人。

刘荣熙 生，字缉堂，号春台、南轩。贵州贵筑人。

金望欣 生，字子向，号嵋谷。安徽全椒人。

朱　绶 生，字仲环。江苏元和人。

俞正禧 生，安徽黟县人。享年七十二。

黄式三 生，字薇香。浙江定海人。享年七十四。

刘文淇 生，字孟瞻，号竹屿。江苏仪征人。享年六十六。

袁　翼 生，字毂廛。江苏宝山人。享年七十五。

● 科第：

　一甲进士：

胡长龄 字西庚，号印渚。江苏通州人。状元。修撰，礼部尚书。

汪廷珍 榜眼。编修，礼部尚书，协办大学士。

刘凤诰 字承牧，号金门、无虚。江西萍乡人。探花。编修，吏部右侍郎。

　二甲进士：

钱　楷　会元。庶吉士，户部主事，安徽巡抚。

李钧简　字秉和，号小松。湖北黄冈人。编修，仓场侍郎。

阮　元　编修，体仁阁大学士。

言朝标　刑部主事，广西镇安府知府。

张锦芳　字察夫，号药房、芝玉、花田。广东顺德人。编修。

张经邦　字右贤。福建闽县人。

贵　徵　字奕唐，号仲符。江苏仪征人。口部主事，吏部郎中。

王育琼　江苏武进人。兵部主事。

张　炳　字岂孙。浙江钱塘人。福建晋江县知县。

施　朸　字鲤门，号琴泉。顺天大兴人。编修，侍读。

伊秉绶　字组似，号墨卿。福建宁化人。刑部主事，江苏扬州府知府。

周　枘　字静溪，号藕堂。甘肃宁夏人。编修，吏科掌印给事中。

杨祖淳（碑录作杨祖纯），字粹中，号静庵。四川雅安人（原籍江西清江）。编修，甘肃按察使。

王庭兰（原名王史），字畹香。江苏青浦人。河南淅川县知县。

黄　镕　字右钧，号冶山。江苏上元人。庶吉士，刑部主事，员外郎。

祝庆承　字继之，号与亭、竹湖。河南固始人。编修，直隶布政使。

顾德庆　字筠岩，号厚斋。山西阳曲人。编修，左都御史。

申　瑶　山西壶关人。兵部主事，安徽安庆府知府。

游光绎　字彤卣，号飞熊、磵田。福建霞浦人。编修，陕西道御史。

那彦成　编修，直隶总督。

　三甲进士：

广　善　汉军镶黄旗，董氏。工部主事，浙江按察使。

彭希郑 礼部主事，湖南常德府知府。

王宁炜 （碑录作王宁焯），字熙甫，号直庵。山东高密人。吏部主事，掌陕西道御史。

刘镮之 字佩循，号信芳。山东诸城人。检讨，吏部尚书。

荣　麟 满洲正蓝旗，伊尔根觉罗氏。户部主事，仓场侍郎。

钱开仕 检讨。

瞿曾辑 江苏武进人。工部主事，四川盐茶道。

张鹏展 字从中，号惺斋、南崧。广西上林人。检讨，通政史。

汪滋畹 字兰畲，号勋亭。安徽休宁人。检讨，内阁学士。

金　棓 （原名金棓发）。顺天大兴人。刑部主事，广西梧州府知府。

杨　昭 字德音，号碧泉。云南安宁人。庶吉士，户部主事，工科掌印给事中。

张履元 字德基。贵州毕节人。检讨。

任泽和 河南息县人。浙江知县，浙江嘉兴府知府。

程卓樑 湖南知县，广西按察使。

武进士：

刘国庆 字承斋。江苏泰州人。状元。头等侍卫，山西大同镇总兵。

马承基 顺天东安人。榜眼。二等侍卫，山西平阳营游击。

陈四安 汉军正白旗。探花。三等侍卫。

毛秉刚 浙江江山人。蓝翎侍卫，广西右江镇总兵。

刘管城 直隶庆云人。蓝翎侍卫，陕西陕安镇总兵。

考取优贡生：

陈桂生 浙江钱塘人。湖北知县，江苏巡抚。

严如煜 湖南人。见嘉庆元年孝廉方正。

考取拔贡生：

昇　寅 满洲镶黄旗。礼部小京官，嘉庆庚申举人，礼部尚书。

岳　安 满洲正蓝旗，叶赫氏。工部主事，广西左江道。

杨迦怿 直隶新城人。四川州判，四川茂州直隶州知州。

赵德懋　山东兰山人。云南大理府知府。

尤维熊　江苏元和人。淮安府训导，署云南蒙自县知县。

卢元瑛　安徽贵池县知县。

张宗泰　安徽天长县教谕，合肥县教谕。

方　积　字有堂。安徽定远人。四川直州判，四川布政使。

王聘珍　字贞吾，号实斋。江西南城人。

杨懋恬　江西清江人。工部小京官，湖北巡抚。

盖方泌　山东莆台人。陕西州判，福建台湾府知府。

任口口　户部小京官，浙江杭嘉湖道。

张三纲　山西保德人。户部小京官，甲寅举人，湖北襄阳府知府。

刘思敬　甘肃人。高台县教谕，浙江庆元县知县。

周宗泰　甘肃人。刑部小京官，福建邵武府知府。

糜奇瑜　字朗峰。四川人。户部小京官，口口按察使。

岳　炯　涪州训导，浙江浦江县知县。

黎　简　字简民，号二樵、石鼎道士。广东顺德人。

窦欲峻　云南罗平人。云南县教谕，浙江杭嘉湖道。

中式举人：

赓　泰　满洲镶黄旗。詹事。

周继炘　顺天宛平人。江西知县，江安粮道。

裴显相　直隶清苑人。户部主事，江苏淮安府知府。

刘遵陆　浙江知县，广东海丰县知县。

迮　朗　字蕴高，号卍川。江苏吴川人。安徽凤阳府训导。

张　鼎　江苏人。宝应县训导。

周邵莲　字湘浦。江西奉新人。湖南华容县知县。

闻星杰　江西万载人。宁都州学正。

曹应觳　浙江人。四川知县，定海县教谕。

傅　淦　乙卯特授内阁中书。

姚文田　甲寅召试授内阁中书，余见嘉庆己未科。

韩　煇　山西知县，山西平阳府知府。

邵希曾 河南桐柏县知县。

谢　震 福建人。顺昌县教谕。

刘　溁 山东单县人。甘肃平庆泾道。

赵　曾 江苏侯补知县。

刘体重 山西人。见嘉庆元年孝廉方正。

张青选 广东顺德人。浙江知县，福建按察使。

　　中式副榜贡生：

胡昌基 字云伫。浙江平湖人。

● **恩遇：**

傅麟瑞 河南鲁山县生员。以七世同居，四月赐御书匾额及御
　　　　制诗。

吴嗣富 原任翰林院编修；

赛　玙 四川珙县知县；

纪　昉 原任学正。
　　　　以上三人俱以本年为雍正乙酉科乡举周甲之岁，九月重赴
　　　　鹿鸣筵宴。

永　瑢 十月封和硕质亲王。

永　瑆 十月封和硕成亲王。

皇十五子（仁宗）。十月封和硕嘉亲王。

● **著述：**

阮葵生 撰《茶余客话》十二卷（按：此书原稿凡三十卷，葵
　　　　生卒后为戴潞所选定者，见癸丑阮锺沔后跋，今系于
　　　　二月之前）。

戚学标 撰《四书偶谈》二卷成，见春日自序。

韩　松 撰《易义阐》四卷附《易学启蒙》一卷成，见五月自
　　　　序。

纪　昀 撰《滦阳消夏录》六卷成，见夏日自序。

汪启淑 字秀峰，号訒庵。浙江钱塘人（原籍安徽歙县）。撰《飞
　　　　鸿堂印人传》八卷成，见秋日王鼎序。

毕　沅 撰《《释名疏证》八卷、《补遗》一卷、《续释名》一卷

成，见九月自序。

钱东垣　撰《小尔雅校正》二卷成，见十月自序。

臧　庸　辑《尔雅汉注》三卷成，见十月卢文弨序。

周　春　撰《杜诗双声叠韵谱括略》八卷成，见十二月自序。

陆时化　撰《书画说铃》一卷成，自序无年月，今系于六月之
　　　　前。

● 卒岁：

李化龙　广东左翼镇总兵。正月初三日于安南市球江落水卒。
　　　　予骑都尉世职。

许世亨　字嘉会。四川成都人。广西提督，一等子。正月初三
　　　　日于安南市球江阵亡。赠三等壮烈伯，谥昭毅。

张朝龙　福建南澳镇总兵。正月初三日于安南市球江阵亡。谥
　　　　壮果，追予三等轻车都尉世职（追予世职在五十六年
　　　　正月）。

尚维昇　广西右江镇总兵。正月初三日于安南市球江阵亡。谥
　　　　直烈，追予三等轻车都尉世职（追予世职在五十六年
　　　　正月）。

王　宣　广西镇安协副将。正月于安南市球江阵亡。予云骑尉
　　　　世职。

德　保　礼部尚书。正月卒年七十一。追谥文庄（追谥在嘉庆
　　　　四年五月）。

李庆棻　汉军正蓝旗。贵州巡抚。正月卒。

阮葵生　刑部右侍郎。二月二十一日卒年六十三。

陶敦和　原任河南邓州州判，降调四川叙永厅同知。三月初七
　　　　日卒年七十七。

李奉尧　汉军正蓝旗。提督衔署直隶提督马兰镇总兵，前福建
　　　　陆路提督。三月卒。谥慎简。

车凌乌巴什　杜尔伯特亲王。四月卒。

黄仕简　前太子太保，福建水师提督，袭一等海澄公。五月初
　　　　一日卒年六十九。

陈大绂　云南临元镇总兵。五月卒。

翁缵祖　前浙江慈溪县知县。五月卒年七十五。

戴第元　原任太仆寺少卿。闰五月初九日卒年六十二。

刚　塔　满洲正蓝旗，乌济克忒氏。前陕西固原提督。闰五月
　　　　卒。

积　福　蒙古镶黄旗，克勒特氏。致仕正白旗蒙古都统，前任
　　　　宁夏将军。闰五月卒。

马　润　原任户部员外郎。闰五月卒年六十二。

陆时化　江苏太仓州监生。六月卒年六十六。

任大椿　陕西道监察御史。六月卒年五十二。入国史儒林传。

绰克托　满洲正红旗，费莫氏。户部尚书。七月卒。谥克勤。

陈世烈　降调内阁学士。七月初八日卒年八十三。

锺光豫　原任江苏松太道。七月二十七日卒年七十。

方　矩　候选教职，江苏口口县恩贡生。七月二十七日卒于汉
　　　　口，年六十一。

永　璇　世宗皇孙。多罗果郡王。八月卒。谥曰简。

胡　涛　浙江仁和县诸生。八月二十四日卒年五十六。

阿扬阿　满洲正红旗，觉罗氏。都察院左都御史。九月卒。

常　钧　三等侍卫，前湖南巡抚。十月卒年八十口。

邵自镇　原任直隶大名府教授。十月十四日卒年七十二。

陈步瀛　贵州巡抚。十一月卒年六十。

图萨布　原任广东巡抚。十二月卒。

闻　珽　原任江苏江宁县教谕。十二月卒年七十一。

嵩　贵　詹事府詹事，前内阁学士。卒。

张　埙　内阁中书。卒。

江　春　前布政使衔候选道。卒年六十九。

鲁　鸿　候选同知，原任河南孟县知县。卒。

马镇国　甘肃固原人。四川重庆镇总兵。卒。

林大中　江苏嘉定县岁贡生。卒年六十四。

乾隆五十五年庚戌（公元一七九〇年）

◉ **生辰：**

罗文俊 正月初五日生，字泰瞻，号萝村。广东南海人。享年六十一。

张应昌 正月二十一日生，字仲甫，号寄庵。浙江钱塘人（原籍归安）。享年八十五。

徐法绩 二月初四日生，字定夫，号又功、熙庵。陕西泾阳人。享年四十八。

翁　雒 二月十二日生，字小海。江苏吴江人。享年六十。

奎　照 三月初四日生，字伯冲，号玉庭。满洲正白旗，索绰络氏。

帅方蔚 三月初四日生，字叔起，号子文、石村。江西奉新人。享年八十二。

龚　裕 三月十一日生，字惇夫、宽甫，号月舫。江苏清河人。

颜以燠 三月十六日生，字叙五，号菘陵。广东连平人。

李　德 三月二十四日生，字吉人，号凤山。陕西华阴人。

何其兴 三月二十七日生，字禹修，号祥园。江苏上元人。

瑞　林 三月二十八日生，字辑堂，号芸卿。正蓝旗宗室。

谢鹤翎 四月初七日生，字福基，号雪香、云门。江西兴国人。

汪　棨 四月十三日生，字伯衣，号易门、玉田。江苏吴县人。享年六十四。

文　麟 四月二十三日生，字玉书，号春圃。满洲正蓝旗。

胡达湑 四月二十六日生，湖南益阳人。享年八十二。

成世瑄 五月初七日生，字师薛，号兰生、六昆。贵州龙泉人。

徐宝善 五月十五日生，字敬依，号莲峰、静轩。安徽歙县人。享年四十九。

曹履泰 六月初十日生，字曙山，号树珊。江西都昌人。

王　兰 六月十三日生，字羲亭。浙江仁和人。

徐青照 六月十八日生，字式金，号稚兰。顺天大兴人。

狄　听 七月初二日生，字询岳，号广轩。江苏溧阳人。

陆我嵩 七月初五日生，字芳玖，号碌庄。江苏青浦人。

何裕承 七月十二日生，字福将，号启斋、小笠。河南样符人
　　　　（原籍浙江山阴）。

黄绥诰 七月十六日生，字日三，号东园。江西德化人。

武　棠 七月二十四日生，字憩亭，号次南。山西阳高人。

吴嘉泷 八月初八日生，字澂之，号清如。江苏吴县人。享年
　　　　七十六。

有　庆 八月初九日生，字善阶，号馀斋。汉军正白旗。

李儒郊 八月十一日生，字宋伯，号东原。江西德化人。

曾望颜 八月十五日生，字瞻孔，号卓如。广东香山人。享年
　　　　八十一。

董瀛山 八月二十九日生，字雪岛，号海峰、卧云。顺天青县
　　　　人。

李廷棨 八月二十九日生，字载门，号星垣、萼村。山东章邱
　　　　人。

广　勇 九月十六日生，字子著，号芝楼、云涛。满洲正红旗，
　　　　他塔喇氏。

曹　森 九月二十三日生，（原名曹士鲲），字仲楷，号宝书。
　　　　江苏上元人。享年六十四。

姚熊飞 十月初六日生，字梦东，号扬亭、蓉舫。奉天盖平人。

曾麟书 十月初九日生，湖南湘乡人。享年六十八。

马秀儒 十一月初三日生，字升俊，号淑清、艺林。山东安邱
　　　　人。

明　训 十一月初八日生，字听彝，号鼎云、古樵。蒙古正黄
　　　　旗，托克托莫忒氏。

李世彬 十二月初四日生，号子斌。安徽太湖人。

邵正笏 十二月三十日生，字容水，号鱼竹、艮庵。浙江钱塘
　　　　人。

丁善庆 生，字伊辅，号养斋、自庵。顺天宛平人（原籍湖南清泉）。享年八十。

周贻徽 生，字誉三，号霭馀、小濂。广西临桂人。

卢毓嵩 生，字立峰。江苏元和人。享年五十三。

刘韵珂 生，字蓝墅，号玉坡。山东汶上人。享年七十五。

梁萼涵 生，字心芳，号棣轩、君衡。山东荣城人。

赵长龄 生，字怡山，号静庵、一山、松岩。山东利津人。

崔 侗 生，字同人，号葛民、柳村。顺天霸州人。享年六十六。

江绍慥 生，字钦吉。江苏仪征人。

何大经 生，字述倍，号左卿。福建侯官人。

李锺瀚 生，字景翰，号瀛门。江苏上海人。

鹿传先 生，字质夫，号进轩。直隶定兴人。

方履籛 生，字彦闻，号求民。顺天大兴人。享年四十二。

顾 夔 生，字荃士，号卿裳。江苏华亭人。享年六十一。

彭泰来 生，字子大，号春洲。广东高要人。

宣陈奎 生，字粲文，号兰塘。江苏嘉定人。享年五十四。

● 科第：

三月以召试一等赏给举人：

杜 堮 余见嘉庆辛酉科。

程同文（原名程拱宇），字春庐，号密斋。浙江桐乡人。余见嘉庆己未科，

一甲进士：

石韫玉 状元。修撰，山东按察使。

洪亮吉 榜眼。编修。

王宗诚 探花。安徽青阳人。编修，兵部尚书。

二甲进士：

辛从益 编修，吏部右侍郎。

李赓芸 浙江知县，福建布政使。

陈希祖 刑部主事，浙江道御史。

蒋祥墀 编修，左副都御史。

黄　钺 户部主事，嘉庆甲子特授赞善，户部尚书。

钱学彬 字采南，号质夫。云南昆明人。编修，福建泉州府知府。

李銮宣 字石农，号凤书。山西静乐人。刑部主事，云南巡抚。

陈　预 字立凡，号笠帆。顺天宛平人。庶吉士，刑部主事，山东巡抚

洪　梧 编修，山东沂州府知府。

张师诚 编修，仓场侍郎。

朱文翰 会元。刑部主事，浙江温处道。

朱　偓 四川兴文人。湖南知县，湖南长沙府知府。

张若采 字谷漪，号子白。江苏娄县人。甘肃镇番县知县。

王　苏 编修，河南卫辉府知府。

端木煜 字敬斋，号星垣。江苏江宁人。户部主事。

钱福胙 编修，侍读学士。

杨曰鲲 字沧石。江西分宜人。刑部主事，湖北襄阳府知府。

祝　曾 字绍宗，号兰坡。河南固始人。编修，甘肃平庆泾道，陕西延榆绥道。

秦维嶽 字觐东，号晓峰。甘肃皋兰人。编修，湖北盐道。

张世彦 直隶栾城人。礼部主事，河南河南府知府。

史积中 顺天宛平人。户部主事，山西平阳府知府。

乔远煐 户部主事，通政司副使。

0914

　三甲进士：

邵葆醇 福建知县，福建延平府知府。

卢元伟 江西南康人。吏部主事，山西按察使。

牟昌裕 庶吉士，工部主事，掌河南道御史。

黄齐焕 字采臣。湖南湘乡人。直隶知县，内阁中书。

德　文 字蔚芝，号粹园。满洲正白旗，苏完瓜尔佳氏。检讨，礼部尚书。

鲁　铨　字选堂，号子山。江苏丹徒人。陕西知县，直隶清河道。

齐嘉绍　字衣闻。直隶天津人。内阁中书，广东南韶连道。

恩　普　字梦符，号雨园、雨堂。蒙古镶蓝旗，把岳忒氏。检讨，户部右侍郎。

罗廷彦　字孟淳，号湘舟。湖南衡山人。庶吉士。

刘　珏　江西庐陵人。刑部主事，云南云南府知府。

邢　澍　浙江知县，江西南康府知府。

安清翘　山西垣曲人。陕西三水县知县。

赵未彤　字六滋，号序堂。山东莱阳人。检讨，顺天府府丞。

纪　兰　直隶晋城人。吏部主事，湖北郧阳府知府。

王治模　奉天宁远人。礼部主事，云南大理府知府。

叶继雯　字桐封，号云素。湖北汉阳人。内阁中书，刑科给事中。

延　弼　字西园。满洲正蓝旗。庶吉士，口部主事，侍读学士。

王定柱　直隶正定人。云南知县，浙江按察使。

方　体　安徽绩溪人。刑部主事，湖北按察使。

张问陶　检讨，山东莱州府知府。

保　麟　山东济东泰武临道。

熊方受　检讨，刑部主事，山东兖沂曹济道。

桂　馥　云南永平县知县。

　　武进士：

玉　福　汉军镶黄旗。状元。头等侍卫，湖广督标中军副将。

曾琼琲　广东长乐人。榜眼。二等侍卫，江西九江镇前营游击。

王万清　顺天大城人。探花。二等侍卫，云南普洱镇总兵。

吴必达　福建水师提督。又见雍正八年。

马　骥　陕西咸宁人。云南守备，广东高州镇总兵。

王　鑑　字光照。直隶定州人。湖北守备，湖北临武营参将。

杨云霄　甘肃宜禾人。甘肃肃州镇总兵。

◉ 恩遇：

陈　蒤　甘肃固原州监生。以十世同居，二月赐御书匾额及御制诗。

嵇　璜　大学士。以本年为雍正庚戌科登第周甲之岁，四月赐御制诗，重赴恩荣筵宴。

嵇　璜　大学士。以八十生辰，八月赐御书"韦平锡庆"额及御制诗联。

李友棠　前工部侍郎。八月以恭祝八旬万寿，赏三品卿衔。

谢溶生　前太常寺卿。八月以恭祝八旬万寿，赏三品卿衔。

王　杰　大学士。十一月加太子太保。

彭元瑞　吏部尚书。十一月加太子少保（五十六年四月革）。

董　诰　户部尚书。十月加太子少保。

胡季堂　刑部尚书。十月加太子少保。

福长安　工部尚书。十月加太子少保。

保　宁　伊犁将军。十月加太子少保。

0916

● 著述：

董　柴　编《如兰集》二十卷成，见三月自序。

臧　庸　辑《卢氏礼记解诂》一卷成，见五月卢文弨序。

郝懿行　撰《宝训》八卷成，见五月自序。

庄有可　撰《周官指掌》五卷成，见六月自序。

郝懿行　撰《汲冢周书辑要》一卷成，见七月自序。

李心衡　字巽廷，号湘帆。江苏上海人。撰《金川琐记》六卷成，见八月自序。

卢文弨　撰《钟山札记》四卷成，见十月自序。

赵　翼　撰《陔余丛考》四十三卷成，见十二月自序。

王朝渠　撰《唐石经考正》一卷成，见十二月自序。

钱　塘　撰《律吕古义》六卷成，自序无年月，（按：钱大昕题后云"前岁寄书于余，请制序，未几遽归道山。"当成于所卒之年今系于此）。

周　裕　撰《从征缅甸日记》一卷成，见八月自识。

● 卒岁：

罗江鳞　湖南桃源人。云南鹤丽镇总兵。正月卒。

白云上　原任漕标中军副将。二月初一日卒年六十七。入国史
　　　　循吏传。

潘　相　原任云南昆阳州知州。二月十九日卒年七十八。

普尔普　蒙古正黄旗，额尔特肯氏。正白旗护军统领，二等男。
　　　　三月卒。

陈桂森　大理寺少卿，广东学政。四月初七日卒年六十二。

邢复诚　候选直隶州州同。四月十八日卒年八十二。

永　瑢　高宗皇六子，和硕质亲王。五月初一日卒年四十八。
　　　　谥曰庄。

赵秋泽　江苏武进县诸生。五月初一日卒年八十。

孙永清　广西巡抚。五月二十日卒年五十九。

顾　熙　江苏无锡县诸生。六月初十日卒年七十五。

何裕诚　安徽巡抚。以入京祝嘏，七月卒于合肥驿馆，年六十
　　　　五。

喀宁阿　满洲镶蓝旗，那拉氏。刑部尚书，袭一等男。八月卒。

陆费墀　前礼部右侍郎。九月卒。

海　宁　满洲正蓝旗，伊尔根觉罗氏。浙江巡抚。以督缉温州
　　　　洋匪，十月因病回省卒于兰溪县行次，照总督例赐恤，
　　　　谥勤毅。

徐嗣曾　福建巡抚。以入京祝嘏回任，十一月卒于山东台庄舟
　　　　次。

顾声雷　广东惠州府知府。以因公晋省，卒于广州。

孔继涑　候选内阁中书，山东曲阜县举人。十二月二十二日卒
　　　　年六十五。

钱　琦　致仕候补口品京堂，前任福建布政使。卒年八十二。

褚寅亮　原任刑部员外郎。卒年七十六。入国史儒林传。

唐宸衡　原任云南迤西道。卒年七十九。

申兆定　陕西试用知县。卒。

钱　塘　江苏江宁府教授。卒年五十六。入国史儒林传。

吴兆松　江苏江都县廪生。卒年八十一。

乾隆五十六年辛亥（公元一七九一年）

◉ 生辰：

刘宝楠　二月初五日生，字楚珍，号念楼。江苏宝应人。享年六十五。

麟　庆　三月十四日生，字振祥，号见亭。满洲镶黄旗，完颜氏。享年五十六。

刘成万　三月二十三日生，字国仁，号元圃。安徽旌德人。

徐士芬　四月初四日生，字诵清，号惺斋。浙江平湖人。享年五十八。

郑绍谦　四月二十一日生，字益之，号受山。广西临桂人。

云茂琦　五月十三日生，字以俒，号贝山。广东文昌人。享年五十九。

翁心存　五月十四日生，字二铭，号遂安。江苏常熟人。享年七十二。

武蔚文　五月十六日生，字豹南，号蕴韬、蓉洲。山西太谷人。

董祐诚　五月二十日生，字立方，号兰若。江苏阳湖人。享年三十三。

顾书绅　五月二十三日生，江苏金匮人。享年六十六。

蔡家玕　六月十一日生，字崙美，号玉山。江西上犹人。

陈继昌　六月十一日生，字哲臣，号莲史。广西临桂人。

王　玥　七月初五日生，字怀川，号心如、梦湘、孟乡。贵州贵筑人。

程楙采　七月十三日生，字曜初，号憩棠、翊庵。江西新建人。

朱昌颐　七月十四日生，字吉求，号正甫、朵山。浙江海盐人。享年七十二。

周祖植　八月初五日生，字植生，号芝生。河南商城人。

季芝昌　九月初五日生，字云书，号仙九。江苏江阴人。

管遹群　九月二十二日生，字兆鑅，号全叔、椒轩。江苏阳湖人。

鄂尔端　九月二十四日生，字心斋，号午桥。正蓝旗宗室。

王　笃　十月初一日生，字庆其，号宝珊、实夫。陕西韩城人。
　　　　享年六十五。

黄良楷　十月初六日生，字品方，号云根、立山。江西清江人。
　　　　享年七十七。

钱泰吉　十月初六日生，字辅宜，号警石、深庐。浙江嘉兴人。
　　　　享年七十三。

郭熊飞　十月十六日生，山东潍县人。

李元煨　十月十九日生，字雪江。浙江钱塘人。

熊景星　十月二十一日生，字伯晴，号篴江。广东南海人。享
　　　　年六十六。

朱　嶟　十一月初一日生，字仰山，号椒堂、芷堂、莲峰。云
　　　　南通海人。享年七十二。

李熙龄　十一月初七日生，字来泰，号芸渠。江西南城人。

李湘棻　十一月二十一日生，字莲初，号云舫。山东安邱人。

龚　绶　十二月十七日生，字受章，号若卿。云南昆明人。享
　　　　年八十口。

庄　瑶　十二月二十五日生，字琪园，号漱泉。山东莒洲人。

王福纶　生，字文阁，号云鹏。奉天辽阳人。

叶　桂　生，字丹岩，号直夫、联堂。河南光州人。

张延阀　生，字辅宸，号麓门。湖南长沙人。

布彦泰　生，满洲正黄旗，颜扎氏。享年九十。

余炳焘　生，（一作五十八年三月初三日生），（原名余廷珍），
　　　　字聘三，号吟香、云槎。浙江山阴人。享年六十七。

朱庆祺　生，字兰昌，号莲雳。浙江山阴人。

钱步文　生，字东墅，号冬士。浙江仁和人。

鹿泽长　生，字春如。山东福山人。

刘礼淞　生，字蕙芳，号松泉、小亭。顺天宛平人（原籍江苏
　　　　丹徒）。

毛含昱　生，字光普，号耽云。四川温江人。

李恩继　生，字绍衣，号黼堂、抚棠。汉军正白旗。

朱大韶　生，字仲钧，号虞卿。江苏华亭人，享年五十四。

陆　嵩　生，字希孙。江苏吴县人。享年七十。

瞿腾龙　生，字在田。湖南善化人。享年六十四。

季锡畴　生，字范卿，号崧耘。江苏太仓人。享年七十二。

毛嶽生　生，字生甫。江苏宝山人。享年五十一。

樊　封　生，广东人。享年八十□。

陈希恕　生，江苏吴江人。享年六十。

朱昌毅　生，字秋尹，号苣庐。浙江海盐人。享年五十。

杨希钰　生，字砚培，号凤麓。江苏常熟人。享年七十五。

◉ 恩遇：

勒　保　陕甘总督。十二月加太子太保衔（嘉庆四年七月革）。

◉ 著述：

汪辉祖　撰《九史同姓名略》七十卷成，见二月自序。

毛际盛　撰《说文解字述谊》二卷成，见三月自序。

段玉裁　撰《古文尚书撰异》二十三卷成，见五月自序。

周永年　撰 辑《先正读书诀》一卷成，（按：是书至道光癸卯
　　　　　始经王大淮序刻，今系于七月之前）。

纪　昀　撰《如是我闻》四卷成，见七月自序。

沈赵凤　撰《谐铎》十二卷成。见七月韩藻序。

杨　伦　撰《杜诗镜铨》二十卷成，见八月自序。

卢文弨　撰《经典诗文考证》三十卷成，见九月自序。

丁　传　撰《鲁斋述得》一卷成，见冬日自识。

翁方纲　撰《通志堂经解目录》一卷成，见十二月自记。

臧　庸　撰《诗经小学录》四卷成，见嘉庆丁巳自序。（按：《诗
　　　　　经小学》本段玉裁所著，镛堂为之删繁纂要录为此书）。

茹敦和　撰《周易二闾记》三卷、《周易小义》二卷成，（按：
　　　　　《二闾记》有自序，《小义》有□遏春序，然皆不署年
　　　　　月至光绪中始经李慈铭重订付刻，今系于所卒之年。

● 卒岁：

李　绶　都察院左都御史。正月卒年七十九。

冯　伟　江苏太仓州举人。正月二十八日卒年四十八。

海　禄　蒙古正蓝旗，齐普齐特氏。福建陆路提督，前骑都尉。
　　　　二月卒。

吴　霖　浙江海宁州贡生。三月初七日卒年七十一。

张　繡　署山东济宁直隶州知州，汶上县知县。三月卒年五十。

庄绳祖　原任山西交城县知县。四月初一日卒年七十五。

洪腾蛟　安徽婺源县举人。四月初四日卒年六十六。入国史儒
　　　　林传。

阿必达　（原名阿弥达）。正蓝旗满洲副都统，前任工部右侍郎。
　　　　五月卒年四十八。

姚洙楷　浙江庆元县诸生。卒年十九。

周永年　翰林院编修。七月卒年六十二。入国史儒林传。

巴　忠　字丹亭。蒙古镶红旗。理藩院左侍郎。八月自尽。

尹德禧　满洲镶黄旗。湖南镇算镇总兵。十月卒。

史奕昂　二品职衔，降调兵部右侍郎。十一月初四日卒年八十。

舒　濂　字竹泉。满洲正白旗，舒穆禄氏。副都统衔办理后藏
　　　　事务，前户部右侍郎。十二月卒。

全　魁　降调翰林院侍讲学士，前盛京户部侍郎。卒。

刘　鑑　正黄旗汉军副都统，前任乌鲁木齐提督。卒。

茹敦和　降调湖北德安府同知。卒年七十二。入国史循吏传。

蒋知廉　山东候补州同，署临清州州同。卒年四十。

乾隆五十七年壬子（公元一七九二年）

生辰：

吴德徽　正月十三日生，字宣三，号翼臣。贵州遵义人。

赵庆熺　正月十五日生，号秋舲。浙江仁和人。

赵允怀　正月十八日生。字孝存，号闇乡。江苏常熟人。享年四十八。

王　植　二月初一日生，字国桢，号晓林、叔培。直隶清苑人。享年六十一。

顾元恺　二月初六日生，字辅虞，号杏楼、宾四、一芙。江苏长洲人。

陆建瀛　二月初七日生，字星辅，号立夫、仲白。湖北沔阳人。享年六十二。

龙光甸　二月十九日生，字见田。广西临桂人。享年五十八。

吴式敏　二月十九日生，字逊甫，号春巢、平山。山东海丰人。

庞大奎　二月二十四日生，字云章，号星斋。江苏常熟人。

梁绍壬　三月二十四日生，字应来，号晋竹。浙江钱塘人。

潘曾沂　三月二十六日生，字功甫，号瑟庵、春泉。江苏吴县人。享年六十一。

石家绍　四月初五日生，字衣言，号瑶辰、念斋、渊若。山西翼城人。享年四十八。

赵　镛　四月初八日生，字少愚，号筱瓯、笙南。江西南丰人。享年六十三。

李　煌　四月二十一日生，字仲辉，号霞亭。云南昆明人。

朱　襄　四月二十八日生，（原名朱一贯），字以之、唯斋，号云溪。安徽芜湖人。

朱銮廷　闰四月二十四日生，字翊蕃，号一飔。浙江乌程人。

吴文镕　闰四月二十六日生，字新铝、甄甫，号子范、云巢。江苏仪征人。享年六十三。

方　垌　五月初十日生，字思臧，号云卿、子春。浙江平湖人。享年四十三。

卜士云　五月十三日生，字光河，号竹辰、季华。江苏仪征人。

宗稷辰　五月二十一日生。（原名宗绩辰）字其凝，号迪甫、涤楼。浙江会稽人。享年七十六。

龚自珍　七月初五日生，（一名巩祚），字伯定、爱吾，号瑟人、定盦。浙江仁和人。享年五十。

彭蕴章　七月初七日生，字琮达，号咏莪、诒榖老人。江苏长洲人。享年七十一。

赵庆麟　七月初九日生。

陆元烺　七月二十五日生，字韫山，号虹江。浙江海宁人。

吴振棫　八月二十一日生，字宜甫，号仲云、再翁。浙江钱塘人。享年七十九。

崇　纶　九月生，字沛如。汉军正白旗，许氏。享年八十四。

周作楫　九月十四日生，字良弼、梦岩，号小湖、济川。江西泰和人。

陈　肇　九月十七日生，字履元，号小瀛。山东平度人。

王梓材　十月初五日生，（原名王梓），字楚材，号虪轩、渔孙。浙江鄞县人。

汪于泗　十二月二十七日生，字磐滨，号岱青。直隶滦州人。

鄂木顺额　十一月初一日生，字见吾，号复亭、晴雪。满洲正蓝旗，钮祜禄氏。年四十一。

夏之盛　十一月初四日生，字松如。浙江钱塘人。

舒恭受　十一月初五日生，字载馀，号谷虚，扂庵。江西靖安人。

姚配中　十一月初六日生，字仲虞。安徽旌德人。年五十三。

王　治　十一月初八四生，字熙哉，号平轩。陕西三原人。

罗绕典　十一月十二日生，字兰阶，号苏溪、少含。湖南安化人。享年六十三。

徐　荣　十一月十九日生，字庆人，号药垣。汉军镶黄旗，广州驻防。享年六十四。

周有簠 十一月二十日生，字钦汝，号辅廷。湖南长沙人。

潘　铎 十一月二十三日生，字木君，号振之。江苏江宁人。
　　　享年七十二。

徐　栋 十一月二十六日生，字德如，号南荣、志初。直隶安
　　　肃人。享年七十四。

安　诗 十二月十三日生，字仲衣、志卿、芝庆，号博斋。江
　　　苏金匮人。

龚维琳 生，字承研，号春溪。福建晋江人。享年四十六。

李璋煜 生，字方赤，号箬亭。山东诸城人。

倪良曜 生，字孟炎，号莲舫。安徽望江人。享年六十三。

严良训 生，字叔彝，号迪甫、楚桥。江苏吴县人。

谌厚光 生，字蕴山，号葆初、熙堂、用宾。贵州平远人。

郑敦允 生，字兆南，号十帆、芝泉。湖南长沙人。享年四十
　　　一。

瑞　光 生，字锡之，号伯宣、毅斋。满洲镶白旗，瓜尔佳氏。

陈偕灿 生，字少香。江西宜黄人。

谢　炎 生，（原名谢道埕），字介融，号小谢、惕夫。湖北黄
　　　冈人。享年七十五。

朱美缪 生，字具甫，号彦山、念珊。浙江海盐人。享年六十
　　　六。

谭大勋 生，字绍元，号小春、德山、力臣。湖北长阳人。

凌　堃 生，字仲讷，号厚堂。浙江归安人。享年七十一。

张　履 生，（原名张生洲），字渊甫。江苏震洋人。享年六十。

胡绍英 生，字药汀，号忱泉。安徽绩溪人。享年六十九。

向　荣 生，字欣然。四川大宁人。享年六十五。

张忠恕 生，浙江人。

杨廷桂 生，字天馥。广东茂名人。

田宝臣 生，字少泉。江苏泰州人。享年六十七。

张尔旦 生，江苏常熟人。享年五十四。

● 科第：

　中式举人：

徐　炘　直隶天津人。己卯特授内阁中书，陕西巡抚。

龚　鲲　字北海。顺天大兴人。广东知县，湖南按察使。

殷秉镛　字东桥，号蔗田。直隶天津人。河南知县，四川成绵龙道。

吴名凤　江西知县，江西景德镇同知，重宴鹿鸣。

刘曾璇　定州学正，甘肃秦安县知县。

洪坤煊　字载厚，号地斋。浙江临海人。

刘　皷　字东桥。江西彭泽人。南康县教谕。

张埙春　江西人。广东韶州府知府。

汪　阜　浙江钱塘人。广东儋州知州。

钱师曾　浙江钱塘人。

王衍庆　山东聊城人。福建兴化府知府，重宴鹿鸣。

张汝骧　陕西蒲城人。福建延建邵道。

刘　沅　四川人。国子监典籍，重宴鹿鸣。

刘启元　广西人。天河县训导，兵马司副指挥。

王联星　字奎五。浙江海宁人。

程含章　云南人。广东知县，山东巡抚。

　中式副榜贡生：

陈懋龄　字勉甫。江苏上元人。安徽青阳县教谕。

　中式翻译举人：

松　长　字苍岩。满洲正蓝旗，郑佳氏。内阁中书，正白旗汉军副都统。

　中式武举：

张元直　云南安宁人。漕标守备，福建漳州镇总兵。

● 恩遇：

　正月以亲见七代五世同堂：（以下两条）

李承邺　原任云南布政使。赐御书“七叶衍祥”额；

李质颖　致仕上驷院卿。赐御书“七叶衍祥”额。并加总管内

务府大臣衔。

蔡　新　原任大学士；

钱　载　致仕吏部左侍郎；

万年茂　前广西道御史；

陈　材　原任江西余干县知县；

邱理德　原任知县；

谭昌明　原任山西山阴县知县；

石鹏矗　原任甘肃华亭县知县。

以上七人均以本年为雍正壬子科乡举周甲之岁，九月重赴鹿鸣筵宴。

九月以廓尔喀归降：

福康安　将军，一等嘉勇公。加赏一等轻车都尉；

海兰察　参赞大臣，三等超勇公。晋封一等公。

◎ 著述：

吴　骞　辑《孙炎尔雅正义拾遗》一卷成，见正月自序。

钱　坫　撰《新斠注地理志》十六卷成，见正月自撰序录。

陆锡熊　撰《炳爥偶钞》一卷成，（按：此书卒后始刻，今系于二月之前）。

赵　翼　撰《皇朝武功纪盛》四卷成，见二月自序。

姚　鼐　撰《左传补注》一卷成，见四月自序。

张惠言　编《七十家赋钞》六卷成，见四月自序。

焦　循　撰《群经宫室图》二卷成，见五月阮元序。

翁方纲　撰《经义考补正》十二卷成，见六月自序。

纪　昀　撰《槐西杂志》四卷成，见六月自序。

阮　元　撰《仪礼石经校勘记》四卷成，见六月自序。

汪辉祖　撰《九史同姓名略补遗》四卷、《增补》一卷成，见十月自序。

翁方纲　撰《小石帆亭著录》六卷成，见十月自序。

钱大昕　撰《通鉴注辨正》二卷成，见十月戈宙襄序。

李富孙　撰《李氏集解賸义》三卷成，见十月自序。

郝懿行　撰《易说》十二卷附《易说便录》一卷成，见十一月自序。

孙星衍　撰《京畿金石考》二卷成，见长至后十日自序。

吴　骞　撰《论印绝句》一卷成，见冬日自序。

李宪乔　选录《李秉礼韦庐初集》一卷成，见王抚堂后跋。

盛绳祖　撰《卫藏图志》五卷成，见华祝序。

● 卒岁：

徐以坤　议叙主事，原任国子监博士。正月十六日卒年七十一。

曹锡宝　掌陕西道监察御史，降调山东粮道。正月十九日卒年七十四。追赠都察院左副都御史（追赠在嘉庆四年正月），入国史文苑传。

玛兴阿　满洲镶白旗，那拉氏。吏部左侍郎，正月卒。

陆锡熊　都察院左副都御史。以往校文溯阁《四库全书》，二月二十五日卒于奉天，年五十九。

奎　林　字直方。号瑶圃。满洲镶黄旗，富察氏。参赞大臣，成都将军，一等男，前袭一等承恩公。三月初九以会征廓尔喀，卒于江卡行营。入祀贤良祠，谥武毅。

永　安　蒙古正白旗，西鲁特氏。山海关副都统，袭一等轻车都尉兼一云骑尉世职。三月卒。

瑚尼勒图　满洲镶黄旗，鄂纳氏。散秩大臣，前任镶红旗蒙古副都统。四月卒。

牟贞相　直隶肥乡县知县。闰四月初五日卒年三十八。

洞　福　护军统领，袭一等镇国将军，宗室。五月卒年五十二。

汪　缙　江苏吴县廪贡生。六月初五日卒年六十八。入国史文苑传。

戚朝桂　前湖北广济县知县。六月十八日卒年七十四。

台斐音阿　都统衔散秩大臣，镶黄旗护军统领。七月于廓尔喀之甲尔古拉山阵亡，年五十二。谥采肃，予骑都尉兼一云骑尉世职。

哲森保　满洲镶蓝旗，萨克达氏。副都统衔，头等侍卫。七月以受伤卒于济咙军营。予骑都尉世职。

阿满泰 满洲正白旗，郭佳氏。镶红旗蒙古副都统。七月于廓
　　　尔喀之堆补木阵亡。予骑都尉世职。

徐　珩 浙江海盐县布衣。七月卒年八十五。

张芝元 四川清溪人。四川松潘镇总兵。九月卒。

洪坤煊 浙江临海县举人。九月卒。入国史儒林传。

严　福 翰林院编修。九月二十四日卒年五十五。

穆精阿 吏部右侍郎。十月卒年八十三。

周震荣 直隶永定河南岸同知。十月卒年六十三。

哈福纳 都察院左副都御史。十一月卒。

存　泰 满洲镶黄旗，博尔济吉特氏。致仕广州将军，袭三等
　　　轻车都尉世职。十一月卒。

阿　肃 光禄寺少卿，前吏部右侍郎。卒。

鹿　荃 两淮盐运使。卒年五十八。

汪　轫 江西吉水县训导。卒年五十七。入国史文苑传。

孙起蛟 甘肃武威人。广东提督。卒。

毛际盛 江苏嘉定县监生。卒年二十九。

乾隆五十八年癸丑（公元一七九三年）

◉ 生辰：

徐思庄　正月初三日生，字孟舒、子临，号季逵。江西龙南人。

蒋文庆　正月二十日生，字蔚亭，汉军正白旗。享年六十一。

柏　贵　正月二十五日生，字良斋，号雨田。蒙古正黄旗，额哲讷氏。享年六十七。

俞　焜　正月二十九日生，字昆上，号云史。浙江钱塘人。享年六十八。

黄爵滋　二月初八日生，字德成，号树斋。江西宜黄人。享年六十一。

麟　魁　二月十九日生，字星臣，号梅谷。满洲镶白旗，索绰络氏。享年七十。

吴继昌　二月二十六日生，字述之，号信斋。江苏江宁人。

傅绳勋　三月初六日生，字和轩，号秋屏、古村。山东聊城人。

金应麟　三月初六日生，字亚伯，号兰汀。浙江钱塘人。享年六十。

张景星　三月十四日生，字龟年，号庚堂。浙江嵊县人。

骆秉章　三月十八日生，（原名骆俊，以字行），号吁门。广东花县人。享年七十五。

胡文柏　五月十六日生，字心原。安徽绩溪人。

吴廷栋　五月十八日生，字彦甫，号竹茹。安徽霍山人。享年八十一。

张之杲　五月二十三日生，字东甫。浙江钱塘人。

裕　谦　六月初一日生，（原名裕泰），字衣谷，号鲁珊、舒亭。蒙古镶黄旗，荡吉特氏。享年四十九。

祁寯藻　六月初四日生，字叔颖、实甫，号春浦、观斋。山西寿阳人。享年七十四。

查炳华　六月初八日生，字小莲、含辉，号瑶圃、澹庵。安徽泾县人。

陈　璪　六月初九日生，字聘侯，号小莲、恬生。江苏嘉定人。

唐树义　六月十六日生，字子方，号方山、芙江。贵州遵义人。享年六十二。

吴葆晋　六月十八日生，字红生。河南光山人。

常大淳　六月二十七日生，字正夫，号南陔。湖南衡阳人。享年六十。

法福礼　七月初八日生，（原名福昌阿）。满洲镶蓝旗。

德　春　七月十九日生，字爱棠，号午桥。满洲镶蓝旗，栋嘉氏。

曹衔遇　十月初二日生，字子湘。浙江嘉善人。享年五十三。

邹鸣鹤　十月初三日生，字锺泉，号孚庵、松友。江苏无锡人。享年六十一。

高树勋　十月初十日生，字建庵，号南溪。陕西城固人。

许乃安　十一月二十四日生，字吉斋，号退庐。浙江钱塘人。

杨延亮　十一月二十八日生，字雪吾，号景庐、菊泉。湖南长沙人。

周祖培　十二月初二日生，字芝台，号鹤亭、青槎。河南商城人。享年七十五。

寻步月　十二月二十三日生，字雪阶，号横山、愇斋、晓峰。山西荣河人。

陈　澧　生，字北愚，号大云、菊友。湖北蕲水人。

沈　鹏　生，字图南，号秋渔、奕憔。河南祥符人。

沈棣辉　生，字奏篪。浙江归安人。享年六十四。

高应元　生，字辛才。浙江富阳人。享年八十三。

庆　霖　生，字雨苍，号云屏。汉军镶黄旗，孙氏。

周日炳　生，字笠骊，号虎文。顺天宛平人（原籍浙江山阴）。

张　鏚　生，字又夫。直隶南皮人。享年六十四。

李　藩　生，字树屏，号玉山。顺天宝坻人。

罗升梧 生，字宣琳。号次桓。广东阳春人。

毕楚珍 生，江苏人。享年六十四。

何曰愈 生，字德持，号云畡。广东香山人。享年八十。

苏宗经 生，广西郁林人。

● 科第：

中式贡士：

张腾蛟 以磨勘停科，未经殿试。

一甲进士：

潘世恩 江苏吴县人。状元。修撰，武英殿大学士，重筵恩荣。

陈　云 字起溶，号远雯。顺天宛平人。榜眼。编修，吏部主
事，安徽太平府知府。

陈希曾 探花。编修，工部右侍郎。

二甲进士：

陈秋水 字冶峰。浙江会稽人。内阁中书。

叶绍楏 字振湘，号琴柯。浙江归安人。编修，广西巡抚。

张　燮 字子和，号菶友、理斋。江苏昭文人。庶吉士，刑部
主事，浙江宁绍台道。

蔡之定 编修，侍读学士。

吴　云 编修，河南彰德府知府。

王麟书 字仲文，号麓园。顺天大兴人。编修，礼科给事中。

周　垣 山东金乡人。

谭光祥 庶吉士，礼部主事，湖北武昌府知府。

周系英 编修，户部左侍郎。

戴敦元 庶吉士，礼部主事，刑部尚书。

徐国楠 浙江萧山人。内阁中书，山东运河道。

戴三锡 山西知县，四川总督。

唐仲冕 江苏知县，陕西布政使。

赵佩湘 字云浦，江苏丹徒人。内阁中书，礼科掌印给事中。

狄梦松 字文涛，号次公。江苏溧阳人。编修，贵州粮道。

左　辅 安徽知县，湖南巡抚。

李师舒　字谊原。河南济源人。编修，江南盐道。

英　和　编修，户部尚书，协办大学士。

李宗翰　编修，工部左侍郎。

汪梅鼎　安徽休宁人。礼部主事，浙江道御史。

　　三甲进士：

朱瑞椿　福建知县，浙江严州府教授。

魏元煜　字升之，号爱轩。直隶昌黎人。检讨，两江总督。

孙　锡　浙江仁和人。云南宁州知州。

黄　洽　字融之，号杏江。山西绛州人。庶吉士，口部主事，
　　　　湖南衡州府知府。

宋邦英　湖北汉川人。刑部主事，广西浔州府知府。

刘敬熙　江苏吴县人。江西南昌府知府。

王绍兰　福建知县，福建巡抚。

凌廷堪　归班知县，安徽宁国府教授。

吴贻詠　字惠连，号种芝。安徽桐城人。会元。庶吉士，吏部
　　　　主事。

何学林　检讨，浙江杭嘉湖道。

田舆梅　（碑录作田兴梅），山西盂县人。云南富民县、河南内
　　　　黄县知县。

谢淑元　字景辉，号春洲。福建晋江人。庶吉士。

甘家斌　字福超，号秩斋。四川邻水人。庶吉士，刑部主事，
　　　　大理寺卿。

朱　桓　字觐玉，号芝圃。广西临桂人。检讨，广东高廉道。

　　翻译进士：

同　麟　礼部笔帖士，盛京刑部侍部。

　　武进士：

徐殿飏　字载赓。山东掖县人。状元。头等侍卫，广东增城营
　　　　参将。

鲍友智　字临川。安徽六安人。榜眼。二等侍卫，湖南永州镇
　　　　总兵。

周自超　福建永春人。探花。二等侍卫，广东香山协副将。

段　琨　字宝斋。四川巴县人。口口侍卫，江南水师提督。

● 恩遇：

福康安　大学士，一等嘉勇公。五月加赏忠锐字号。

长　麟　两广总督。九月加太子少保衔（六十年十月革）。

緜　恩　封和硕定亲王。

● 著述：

吴鼎雯　撰《翰詹源流编年及馆选爵里谥法考》五卷成，见正月自序。

梁玉绳　撰《元号略》四卷成，见正月自序。

蒋　和　撰《汉碑隶体举要》一卷成，见五月自序。

钱大昭　撰《三国志辨疑》三卷成，见六月自序。

汪辉祖　撰《学治臆说》二卷成，见六月自序

纪　昀　撰《姑妄听之》四卷成，见七月自序。

郝培元　撰《梅叟闲评》四卷成，见七月自序。

武　亿　撰《经读考异》八卷、《补》二卷、《句读序述》二卷、《补》一卷成，见八月自撰后序。

臧　庸　辑《郑氏三礼目录》一卷成，见九月自识。

戚学标　撰《风雅遗闻》四卷成，见九月自序。

段玉裁　撰《周礼汉读考》六卷成，见十月自序。

冯应榴　撰《苏文忠公诗合注》五十卷成，见十一月自序。

吴翔凤　编《宋金元诗选》六卷成，见十一月自序。

臧　庸　校定《华严经音义》三卷成，见十一月自序。

孙志祖　撰《家语疏证》六卷成，见梁玉绳序。

钱东垣　撰《建元类聚考》二卷成，见钱侗跋。

● 卒岁：

柴　桢　前浙江盐运使。二月初六日以罪命于浙江处斩。

福　崧　满洲正黄旗，乌雅氏。前浙江巡抚。二月初六以罪命于押解所在传旨处斩（注：以两淮盐运使柴桢侵占盐课一案，通同侵染陋规）。

常　青　礼部尚书。三月卒年八十一。谥恭简。

海兰察　领侍卫内大臣，一等超勇公。三月卒。谥武壮。

哈靖阿　致仕礼部主事，降调哈密办事大臣，前广西按察使。三月卒。

朱　果　江苏无锡县举人。三月十二日卒年六十。

张华甫　前安徽庐州府知府。三月二十日卒年五十七。

曹　焜　原任户部山西司员外郎。三月二十九日卒年六十五。

何安邦　浙江玉环营参将。五月卒年五十四。

巴慰祖　安徽歙县布衣。卒年五十。

汪立本　前山东馆陶县知县。七月初二日卒年六十二。

邹奕孝　工部左侍郎，福建学政。七月二十日卒年六十六。

常　泰　满洲正蓝旗，卓佳氏。福建漳州镇总兵。八月卒。

周际清　原任云南永昌府知府。八月卒年六十六。

吕尔禧　浙江桐乡县知县。九月卒。

陈圣修　升授云南云南府通判，由安徽芜湖县知县升任。九月卒于芜湖，年六十一岁。

徐天柱　在籍记名御史翰林院编修。九月二十七日卒年六十。

张玉树　云南临安府知府。九月二十九日卒年六十。

彭希涑　江苏长洲县举人。十月十三日卒年三十三。

俞金鳌　左都督衔，原任湖广提督。十月卒年七十口。

江德量　原任掌江西道监察御史。十月卒年四十二。入国史儒林传。

梁履绳　浙江钱塘县举人。十一月初三日卒年四十六。入国史儒林传。

孔宪培　字养元，号笃斋。山东曲阜人。袭衍圣公。十一月卒。

蔡　鹏　云南开化镇总兵。十一月卒。

杨梦符　刑部江苏司员外郎。十一月二十一日卒年四十四。

彭　礼　安徽颍州府教授，前任山西宁武县知县。十二月二十四日卒年七十六。

钱　载　致仕礼部左侍郎。卒年八十六。

曹　锐　降调东城兵马司指挥。卒年六十二。

刘国樑　原署巡捕营东河沿守备，前云南开化镇总兵。卒。

成　城　前福建台湾道，卒于戍所。年七十四。

梅士仁　前云南丽江府中甸同知。卒年八十六。

吴懋政　原任浙江处州府教授，前任广东博罗县知县。卒年七十六。

乾隆五十九年甲寅（公元一七九四年）

● 生辰：

李锡龄　正月初二日生，字梦溪，号星楼。陕西三原人。享年五十一。

沈　钧　正月十二日生，字子衡，号沈楼。浙江余杭人。

沈拱辰　正月十六日生，字星环，号莲叔。浙江钱塘人。

李彦章　二月二十六日生，字则文，号兰卿、榕园。福建侯官人。享年四十三。

高锡蕃　三月初三日生，字伯骧。号昼三、已生。浙江乌程人。

王　简　三月初七日生，字敬夫，号仲山、素园。山东安邱人。

魏　源　三月二十四日生，字默深。湖南邵阳人。享年六十三。

王发越　三月二十五日生，字英斋，号兰溪。

徐广绂　四月十四日生，字伯华，号黼堂。河南鹿邑人。

张晋遒　四月十六日生，字仲明，号补庵。山西平定人。享年三十七。

易　棠　六月十二日生，字树甘，号念园。湖南善化人。享年七十。

刘　澐　六月十四日生，字闲之，号旧村。江西南丰人。

梅植之　六月二十日生，江苏江都人。享年五十。

刘喜海　七月初一日生，字吉甫，号燕庭。山东诸城人。享年六十。

章　炜　七月初一日生，字伯刚，号琯香。安徽庐江人。

韩荣光　七月十七日生，字纪堂，号珠船。广东博罗人。

黎吉云　七月二十一日生，（原名黎光曙），字云徵，号樾乔。湖南湘潭人。享年六十一。

汪　鋹　八月初三日生，字式金，号剑秋。浙江仁和人。享年五十七。

瑞　元　八月二十四日生，字容堂，号春山。满洲正红旗，鄂栋氏。享年五十九。

丁　晏　八月二十九日生，字俭卿、晏如，号实斋、柘唐。江苏山阳人。享年八十二。

柯汝霖　九月十二日生，字润寰、岩臣，号春塘。浙江平湖人。享年八十。

胡光滢　九月十八日生，字行恕。江西宜春人。

汪远孙　十月十二日生，字久也，号小米。浙江钱塘人。享年四十三。

李振钧　十月十四日生，字仲衡，号海初。安徽太和人。

金云门　十月初六日生，（原名金黄裳），字吉子，号云衣。安徽休宁人。享年六十。

黄培杰　十月初十日生，字植圃。浙江会稽人。

崔　燾　十月初十日生，字健庵，号虹桥。江苏铜山人。

朱崇庆　十月十九日生，字宗山，号峻生。山东聊城人。

郁鼎锺　十一月初五日生，字声宏，号彝斋、小谔。浙江嘉善人。

韩　椿　十一月十一日生，字树年，号梅涛、灵斿。汉军镶白旗。

陈　烱　十一月十五日生，字寅甫，号月坨。浙江元和人。享年四十七。

陈本钦　生，字勖汝，号尧农。湖南长沙人。

石广均　生，字方墀。安徽宿松人。享年六十八。

张　昀　生，字林西。直隶景州人。

吴兆麟　生，字书瑞，号筠轩。浙江钱塘人。享年八十一。

陈肖仪　生，享年六十。

厉秀芳　生，字石夫。江苏仪征人。享年七十四。

马国翰　生，字嗣溪，号竹吾。山东历城人。享年六十四。

孙葆恬　生，字邵武。湖南善化人。享年四十八。

熊少牧　生，字书年，号雨胪。湖南长沙人。享年八十四。

龙友夔　生，湖南攸县人。享年七十六。

汪　毅　生，字小城。江苏仪征人。享年三十五。

王　素　生，字小梅。江苏江都人。享年八十四。

◉ 科第：

中式举人：

王殊渥　字佩新，号古愚。顺天宝坻人。浙江盐大使，山东候
　　　　补道，署盐运使。

梁承福　浙江会稽人。内阁中书，江西建昌府知府。

陆向荣　广东韶州府知府。

张三纲　见己酉拔贡。

福　敬　山西知县，云南曲靖府知府。

张大镛　字鹿樵。江苏昭文人。内阁中书，山西河东道。

恽　敷　字子宽，号逊堂。江苏阳湖人。浙江知县，浙江海宁
　　　　州知州。

季　麟　字绣绂，号晴郊。江苏江阴人。直隶钜鹿县知县。

邱鸣泰　字让庐。江西东乡人。山西布政使。

甘扬声　字敬符。江西崇仁人。河南杞县知县。

韩文显　浙江仁和人。内阁中书，山西河东道。

王　县　浙江秀水人。

许　镐　浙江嘉兴人。龙游县教谕，严州府教授。

汪　誠　字孔皆，号十村。浙江钱塘人。刑部主事。

杨兆李　字仲燮，号梦莲。湖南黔阳人。河南知县，河南汝州
　　　　直隶州知州。

欧阳辂　湖南新化人。

曹恩绶　河南人。户部主事，山西河东道。

周岱龄　河南祥符人。江苏知县，直隶保定府知府。

吕秉钧　字倚平。河南新安人。渭县教谕。

张映蛟　字得雨，号怡庵。山东海丰人。诸城县教谕，湖南辰
　　　　沅永靖通。

李景峰　山东邹平人。江苏知县，江苏松江府知府。

申汝慧　山西人。安徽知县，安徽天长县知县。

叶文馥　陕西长安人。四川建昌道。

陈　熙　云南人。贵州知县，贵州大定府知府。

中式副榜贡生：

张　铎　江苏太仓人。

陈　新　浙江人。湖南道州州判，湖南绥宁县知县。

中式武举：

倪起蛟　浙江镇海人。温州营千总，福建海坛镇总兵。

◉　恩遇：

姚文田　浙江举人。三月以召试一等授内阁中书，余见嘉庆己未科。

彭元瑞　工部尚书。九月复加太子少保衔。

王　杰　大学士。十月以七十生辰，赐御书"赞元锡嘏"额及联。

◉　著述：

洪亮吉　自编《卷施阁诗集》二十卷成，见正月张远览序。

汪辉祖　撰《双节堂庸训》六卷成，见正月自序。

郝懿行　撰《诗问》七卷成，见二月自序。

汪辉祖　撰《学治续说》一卷成，见三月自序。

臧　庸　撰《拜经日记》十二卷成，见五月自序。

劳　潼　撰《救荒备览》四卷成，见立秋前自序。

沈　初　撰《兰韵堂文集》五卷成，见八月自序。

金　榜　撰《礼笺》三卷成，见八月朱珪序。

洪亮吉　撰《贵州水道考》三卷成，见八月自序。

汪　中　撰《广陵通典》十卷成，（按：此书至道光三年始刻，见顾千里序，今系于十一月之前。

焦　循　撰《陆氏草木鸟兽虫鱼疏疏》二卷成，见十一月自记。

冯金伯　字墨香。江苏南汇人。撰《国朝画识》十七卷成，见十二月王昶序。

◉　卒岁：

李世傑　致仕兵部尚书。正月卒年七十九。谥恭勤。

鲁九皋　山西夏县知县。三月卒年六十三。入国史文苑传。

郭世勋　字伟绩。汉军正白旗。原任广东巡抚。五月卒。

何纪堂　浙江钱塘县附贡生。六月二十八日卒年六十。

姚斟元　安徽桐城县增生。七月初一日卒年五十七。

嵇　璜　太子太保，文渊阁大学士。七月十七日卒年八十四。
　　　　赠太子太师，谥文恭。

广　顺　内务府织染局司库。八月卒年六十一。

汪如洋　翰林院修撰。八月十五日卒年四十。

巴彦学　都察院左副都御史。卒。

宝　琳　字梦连。满洲正黄旗，伊尔根觉罗氏。吉林将军，固
　　　　山额附。九月以陛见卒于京师。谥勤恪。

梁朝桂　字荫槐。甘肃中卫人。湖广提督。十月卒。

吴　鑛　浙江嘉兴县诸生。十二月二十五日卒年六十。

汪　中　江苏江都县拔贡生。十一月二十日卒于杭州，年五十
　　　　一。入国史儒林传。

雅朗阿　宗人府右宗正，正黄旗满州都统，袭多罗克勤郡王，
　　　　宗室。十二月卒年六十二。谥曰庄。

金　简　字可亭。汉军正黄旗，金佳氏。吏部尚书。十二月卒
　　　　谥勤恪。

五　岱　满洲正黄旗，瓜尔佳氏。领侍卫内大臣，骑都尉。十
　　　　二月卒。

丁朝雄　原任福建海坛镇总兵。十二月卒年六十七。

王若常　前顺天蓟州知州，降调福建福宁府知府。十二月二十
　　　　五日卒年六十三。

李质颖　内务府大臣衔，致仕上驷院卿，降调浙江巡抚。卒年
　　　　八十口。

策卜坦　字笃亭。满洲镶黄旗，钮祜禄氏。蓝翎侍卫，前陕西
　　　　延绥镇总兵。卒。

李　集　前湖北郧县知县。卒年七十九。

甘运源　原任广东英德县象冈司巡检。卒年七十七。

三　全　满洲正红旗，富察氏。三品衔前宁夏将军。卒。

潘恭寿　江苏丹徒县画士。卒年五十四。

乾隆六十年乙卯（公元一七九五年）

◉ 生辰：

许正绥　正月初十日生，（原名徐正阳）。浙江上虞人。享年六十七。

查人渶　正月二十二日生，字仲湛，号青华。浙江海宁人。

汪秉健　二月初五日生，字实甫，号小逸。浙江钱塘人。

锺世耀　二月二十日生，字晓堂，号啸溪。浙江仁和人。享年六十八。

雷以诚　二月二十八日生，（原名雷鸣），字省之、作霖，号鹤皋、藿郊。湖北咸宁人。享年九十。

彭宗岱　二月二十九日生，字詹鲁，号小山。贵州贵筑人。

巫宜禊　三月二十九日生，字兰亭，号雨池、祓斋。福建永定人。

张安保　闰四月初九日生，字怀之，号石樵、叔雅、潜翁。江苏仪征人。享年七十。

周尔墉　五月初七日生，字仁玉，号容斋。浙江嘉善人。享年六十三。

柳兴恩　五月十六日生，（原名柳兴宗），字宾叔，号祗斋。江苏丹徒人。享年八十六。

朱紫贵　五月十七日生，字立斋。浙江长兴人。

蔡燮　五月二十一日生，字鼎臣，号耘梅。江西德化人。

陶福恒　五月二十八日生，字子久，号松君。浙江会稽人。

陶士霖　六月初六日生，（原名陶青芝），字泽卿，号鹿厓、玉佩。安徽南陵人。

受庆　六月二十二日生，字应云，号次农。正蓝旗宗室。

黄富民　六月二十二日生，字景元，号植园。安徽当涂人。享年七十三。

蒋启敩　六月二十四日生，字明叔，号玉峰。广西全州人。享年六十二。

王　煜　六月二十五日生，字絅斋，号芝泉。安徽滁州人。

方　墉　七月十七日生，字既堂，号星垣。浙江钱塘人。

许汝恪　七月十五日生，字序庭，号鹭园。河南临漳人。

郭梦龄　八月初八日生，字文与，号砚农、小房。山东潍县人。

赵　楫　八月二十六日生，字子舟，号秋舣、樗庵。江苏丹徒
　　　　人。

张晋熙　九月二十日生，字锡侯，号筼村。云南昆明人。

陈起诗　九月二十八日生，字敦复，号云心。湖南郴州人。享
　　　　年四十七。

胡正仁　十月初八日生，字心莲，号縠坪。安徽歙县人。

固　庆　十月初九日生，字母庵，号莲溪。满洲正黄旗，额苏
　　　　里氏。享年七十六。

孔昭慈　十月初十日生，字云心，号云鹤，文烝。山东曲阜人。
　　　　享年六十八。

潘　楷　十月初十日生，广东顺德人。

徐继畲　十月二十四日生，字伯丰，号元耕、松龛。山西五台
　　　　人。享年七十九。

李　钧　十一月初五日生，字梦韶，号伯蘅、雨帆。直隶河间
　　　　人。

周启运　十一月初八日生，字景桓，号仲龙、鼎初、焕斋。广
　　　　西灵川人。

钱炘和　十一月十九日生，字自山，号香士。云南昆明人。

张　炜　十一月二十四日生，字赤侯，号晒堂、訒斋。山西朔
　　　　州人。

朱鸣雷　十二月初三日生，字惠如，号劈斋。浙江海盐人。享
　　　　年六十七。朱崇阴填讳。

成观宣　十二月初九日生，字子旬，号陆侪、紫筠。江苏宝应
　　　　人。

陈世榮　十二月十五日生，宁季竹。浙江仁和人。

陈庆镛 生，字笙叔，号乾翔、颂南。福建晋江人。享年六十四。

黄仲容 生，字纫兰，号雪蕉。广东嘉定人。

许前轸 生，字琴舫。安徽六安人。

周曾毓 生，字格纯，号采三、莒珊。江苏元和人。

何庆元 生，字积之，号漱石、馀堂。湖南桂阳人。享年五十六。

徐金生 生，字式如，号琛航。浙江龙游人。

魏亨逵 生，字遵九，号伯鸿、矩园。直隶昌黎人。享年五十九。

张玉藻 生，字宝泉，号春农、次汝。河南固始人。享年六十六。

夏　炯 生，字仲子。安徽当涂人。享年五十二。

保　恒 生，字艾峰。满洲正蓝旗，博尔济吉特氏。享年七十。

马玉堂 生，字笏斋。浙江海盐人。

● 科第：

一甲进士：

王以衔 状元。修撰，礼部右侍郎。

莫　晋 榜眼。编修，仓场侍郎。

潘世璜 探花。编修，户部主事。

二甲进士：

陈廷桂 庶吉士，刑部主事，江苏按察使。

陈　琪 编修，少詹事。

郑士超 工部主事，掌河南道御史。

沈乐善 字同人，号秋雯、蕺山。直隶天津人。编修，贵州贵东道。

张志绪 字引之，号石兰。浙江余姚人。内阁中书，山西布政使。

韩文绮 刑部主事，江西巡抚。

严　荣 字瑞堂，号少峰。江苏吴县人。编修，浙江杭州府知府。

乔远炳　字黼艾，号孚五。湖北孝感人。庶吉士，刑部主事，刑部员外郎。

孙宪绪　字程村，号兰村。浙江归安人。刑部主事，直隶清河道。

赵良澍　字肃徵，号肖岩。安徽泾县人。内阁中书。

胡　枚　字梁园。浙江石门人。户部主事。

吴邦基　江苏青浦人。安徽徽州府知府。

玉　麟　编修，兵部尚书。

黄因琏　字东季。江西新城人。编修。

三甲进士：

高　鹗　内阁中书，刑科给事中。

沈华旭　湖北江陵人。直隶清河道。

王赓言　（原名王赓琰）。山东诸城人。吏部主事，江苏常镇道。

孙　珏　山东临清人。

多　山　蒙古正蓝旗，博史克氏。盛京户部侍郎。

任　煊　（碑录作任烜），字岐园。江苏宜兴人。吏部主事，直隶通永道。

薛玉堂　内阁中书，甘肃庆阳府知府。

雷学海　顺天通州人。工部主事，广东雷州府知府。

陆开荣　浙江嘉兴人。

韩鼎晋　检讨，工部左侍郎。

步毓岩　直隶枣强人。河南泌阳县知县。

唐维锡　广西临桂人。山西曲沃县知县。

董　健　字行斋。安徽定远人。检讨。

汤　谦　字四益。江苏荆溪人。内阁中书。

张鹏昇　字培南。云南晋宁人。刑部主事，山东济南府知府。

周有声　内阁中书，贵州大定府知府。

李　鹏　字南池。山东邹平人。内阁中书，福建建宁府知府。

张凤枝　字同六，号鸣岐、龙岩。贵州毕节人。检讨，江苏江
　　　　安粮道。

陈宏度　字思俭，号佚溪。江苏江阴人。侯选知县。

李复元　字耒种。四川富顺人。

曹憙华　内阁中书，刑部主事。

王丹枫　直隶交河人。内阁中书，广西镇安府知府。

贾允升　字东愚，号猷庭、芝岩。山东黄县人。检讨，兵部左
　　　　侍郎。

杨毓江　陕西人。户部主事，湖北施南府知府。

徐润第　字广轩。山西五台人。内阁中书，湖北施南府同知。

王瑶台　字蓬仙，号枫川、芸田。山西阳城人。检讨，湖广道
　　　　御史。

　武进士：

邸飞虎　状元。头等侍卫。

陈崇韬　广东博罗人。榜眼。二等侍卫。

冯　元　云南平彝人。探花。二等侍卫，贵州古州镇总兵。

张联奎　甘肃安化人。三等侍卫，山东登州镇总兵。

徐庆超　广东镇平人。蓝翎侍卫，福建建宁镇总兵。

　考取优贡生：

曹贻桂　直隶天津人。浙江温处道。

牟廷相　字默人，号陌人。山东栖霞人。观城县训导。

　中式举人：

李肄颂　户部主事，云南临安府知府。

李光庭　内阁中书　湖北黄州府知府，重宴鹿鸣。

徐准宜　字仲平，号泉初。江苏阳湖人。通政司知事，顺天府
　　　　粮马通判。

朱　彬　江苏宝应人。

李光昱　字蕴山。江苏上元人。

席世昌　字子侃。江苏昭文人。

詹肇堂　字石琴。江苏仪征人。（一作乾隆五十七年举人）。

李超孙　字奉墀，号引树。浙江嘉兴人。会稽县教谕。

朱瑞榕　江山县训导。

周鸣銮　字介夫。湖南长沙人。湖北知县，四川按察使。

黄丹书　字廷宪，号虚舟、宇洲。广东顺德人。开平县教谕。

吴应逯　字鸿泰。广东鹤山人。

中式副榜贡生：

李　源　直隶天津人。教习知县，湖北粮道。

张裕叶　江南人。安徽歙县教谕，滁州直隶州学正。

汪潮生　江苏仪征人。

周用锡　浙江人。两淮口利场大使。

沈　益　字友三，号竹亭。浙江归安人。

● 恩遇：

谢启祚　在籍翰林院检讨。以一百二岁五代同堂，正月赏编修
　　　　衔，并赐御书匾额。

蒋　和　收掌官，（按：蒋和为原书石经蒋衡之孙）。二月以新
　　　　刻石经告成，以国子监学正学录用。

刘　峩　兵部尚书。八月以老病辞职加太子少保衔。

爱新觉罗颙琰　皇十五子。和硕嘉亲王立为皇太子。于明年正
　　　　月朔日授受大位改嘉庆元年。

冯成修　原任礼部郎中。九月赏复直隶岩镇场大使原衔；

徐世佐

　　　　以上二人俱以本年为雍正乙卯科乡举周甲之岁，重赴鹿鸣
筵宴。

冯　浩　原任山东道御史；

陈中龙　原任山西平阳府知府；

沈　詠　原任口口州知州；

孙似著　原任福建宁洋县知县。

　　　　以上四人俱以明年为乾隆丙辰恩科乡举周甲之岁，预于本
年乙卯正科重赴鹿鸣筵宴。

福康安　大学士，云贵总督，一等嘉勇忠锐公。九月晋封贝子

衔。

和　琳　四川总督。九月封一等伯，号宣勇。

和　琳　四川总督。十一月加太子太保衔。

清　泰　已故内管领。十二月追封三等承恩公。

◉ 著述：

孙星衍　自编《问字堂集》六卷成，见正月王鸣盛序。

张怀滩　编《林下四家选集》成，见正月自序。

铁　保　编《国朝律介》三卷成，见二月自序。

孙　侃　字步陶。江苏高邮人。撰《尔雅直音》二卷成，见二
　　　　月自识。

赵　翼　撰《廿二史札记》三十六卷成，见三月自序。

纪　昀　撰《我注集》二卷成，见七夕自题。

邵自昌　编《大兴邵氏宗谱》三卷成见四月自序。

郝懿行　撰《郑氏礼记笺》四卷成，见七月自序。

沈　初　撰《西清笔记》二卷成，见八月自序。

龙　柏　撰《脉药联珠》四卷、《古方考》四卷成，见八月自序。

李调元　撰《淡墨录》十六卷成，见十月自序。

陈仲鸿　广东人。撰《粤台征雅录注》一卷成，见十月自序（按：
　　　　《粤台征雅录》为己巳冬罗元焕所撰岁暮怀人诗）。

卢文弨　撰《龙城札记》三卷成，见十一月钱馥识语。

曹之升　撰《四书摭余说》六卷成，见十二月自序。

翁方纲　撰《元遗山年谱》三卷成，（见嘉庆丙辰三月汪本直所
　　　　撰重修元遗山墓记）。

吴绍溎　编《金薤集》三十二卷外编五卷成，见自序。

◉ 卒岁：

张松孙　降调河南河南府知府。正月初八日卒年六十六。

明安图　蒙古正红旗，博尔济吉特氏。湖南镇筸镇总兵。正月
　　　　于鸦酉寨阵亡。予云骑尉世职。

康　杰　江南邳州知州。二月初七日卒年七十二。

弘　畅　袭多罗诚郡王。二月卒。谥曰密。

鲍嘉命　安徽歙县诸生。闰二月二十四日卒年四十四。

谢　墉　致仕翰林院编修，降调吏部左侍郎。四月初九日卒年
　　　　七十七。追赠三品卿衔，（追赠在嘉庆五年二月）。

夏家瑜　原任江苏苏州府同知，降调湖南宝庆府知府。四月卒
　　　　年五十五。

张腾蛟　福建宁化县贡士。四月卒年三十八。

符兆熊　四川川东道。五月卒年六十七。赠按察使。

额勒登额　满洲正白旗，栋鄂氏。原任正黄旗护军统领，骑都
　　　　　尉。五月卒年七十口。

黄　堂　前安徽宿松县知县。五月初八日卒年六十六。

彭廷栋　贵州提督。以协剿苗匪，七月十七日卒于正大军营。
　　　　赠太子太保。

马定鼎　原任湖北宜昌镇总兵。八月卒。

刘　峩　太子少保衔，致仕兵部尚书。八月卒年七十三。谥恪
　　　　简（一作愨简）。

朱星炜　浙江海盐县附贡生。八月十七日卒年五十七。旌表孝
　　　　子。

伊龄阿　号怡园、精一。满洲镶黄旗，佟佳氏。工部左侍郎。
　　　　九月卒。

赵大湉　山东昌乐县知县。九月卒年五十三。

钱　沣　湖广道监察御史，降调通政司副使。九月十八日卒年
　　　　五十六。入国史文苑传。

张　铎　直隶南皮县布衣。九月二十日卒年七十。

窦光鼐　以四品衔致仕，前任都察院左都御史。九月二十二日
　　　　卒年七十六。

陈兆瑜　原任广东大埔县知县。九月二十三日卒年八十九。

伍拉纳　字春圃，满洲正红旗。前闽浙总督。十月初九日以罪
　　　　处斩（注：以贪索盐务陋规并属员馈贿银两）。

浦　霖　前福建巡抚。十月初九日以罪处斩（注：以贪索盐务
　　　　陋规并属员馈贿银两）。

冯达文　候选教职，原署广东花县训导。十月初十日卒年七十一。

钱受椿　江苏常熟人。前福建按察使。十月十四日以罪命于福建省城处斩。

嵩　椿　原盛京将军，袭奉恩辅国公，宗室。十月卒年七十二。谥勤僖。

程昌期　翰林院侍讲学士，山东学政。十月卒年四十三。

罗　焕　山东运河道。十月卒。

冯履谦　降调广东顺德县知县。十月卒年六十八。

诺穆亲　镶蓝旗蒙古都统，刑部左侍郎。十月二十口日卒。

富勒浑　满洲正蓝旗，章佳氏。前两广总督。十一月卒。

卢文弨　降调翰林院侍读学士。十一月二十八日卒年七十九。入国史儒林传。

范永祺　浙江鄞县举人。十二月二十日卒年六十九。

巴延三　字益亭。满洲正蓝旗，觉罗氏。前户部尚书，复授盛京刑部侍郎。卒。

钱世锡　在籍翰林院检讨。卒年六十三。

赵同翮　前甘肃张掖县知县。卒年六十三。

王　瑶　福建光泽县知县。卒年六十三。

阎正祥　原任直隶提督。卒。

印　照　江苏嘉定县举人。卒年六十七。

仁宗嘉庆元年丙辰（公元一七九六年）

● 生辰：

董振铎　正月初八日生，字文甫，号竹楼。汉军镶白旗。享年五十七。

蒋湘南　正月二十一日生，字子潇，号芙生。河南固始人。

戴絅孙　正月二十二日生，字袭孟，号凤裁、云帆。云南昆明人。

李　菡　二月初一日生，字丰垣，号滋园。顺天宝坻人

胡长庚　二月二十四日生，字应宿，号少白。安徽含山人。

吴式芬　二月二十四日生，字子苾，号诵孙。山东海丰人。

刘裕鋹　三月十一日生，字贡川，号见甫、春谷。湖北江夏人。享年五十八。

文　庆　三月二十三日生，字笃生，号孔修。满洲镶红旗，费莫氏。享年六十一。

清代人物大事纪年

0952

史致蕃　四月初七日生，字德滋，号茉园。顺天宛平人。

李恩庆　五月初九日生，字集园，号季云、皖生。汉军正白旗。

马振裕　五月初九日生，字惇园。浙江钱塘人。

黄士瀛　六月初二日生，字仙峤，号恂夫、少甫、海门。湖北松滋人。

孙日萱　七月初二日生，字燮卿，号春叔。安徽休宁人。享年六十。

宝　龄　七月初五日生，字梦锡，号与九。满洲正白旗。

豫　益　七月初六日生，字子虞，号莲塘。汉军镶黄旗，刘氏。

李光涵　七月初八日生，（原名李攀龙），字云浦，号芸圃。顺天大兴人（原籍浙江会稽）。

樊　椿　七月十五日生，字问庄。直隶天津人（原籍浙江仁和）。

万贡珍　七月十九日生，字子伟，号荔门。江苏宜兴人。

恒　春　八月初六日生，字汝占，号宜亭。满洲正红旗，萨达

拉氏。享年六十二。

程庭桂 八月初十日生，字芳仲，号楞香、琴孙。江苏吴县人。享年七十三。

德　龄 八月初十日生，字梦九，号菊泉。蒙古正黄旗，张嘉特氏。

刘定裕 八月十二日生，字仲宽，号谷仁、晓峰。湖北孝感人。

汪鸣相 八月二十七日生，字霈蘅、朗渠，号珏生。江西彭泽人。

王　桂 八月二十八日生，字月丹，号秋卿。江苏甘泉人。

王庆元 九月初十日生，字燮堂、协堂，号春林、毅庵、莲东。直隶盐山人。

吉　年 九月十九日生，字秋畬，号碧栖。满洲镶蓝旗，鄂卓氏。

史佩瑢 十月初十日生，字仲和，号鸾坡。湖北汉阳人。

许道藩 十月二十一日生，字懿修，号价人、静渊。江西宜黄人。

蔡赓飏 十月二十三日生，字金和，号云士。浙江德清人。

张　寅 十一月十一日生，字子畏，号葛樵。安徽桐城人。

程庭鹭 十一月十三日生，字序伯。江苏嘉定人。享年六十三。

黄德峻 十一月二十四日生，字景崧，号琴山。广东高要人。

黄宅中 十二月初一日生，字治宇，号心斋、远村。山西河曲人。

仪克中 十二月十二日生，字协一，号星农。广东番禺人（原籍山西太平）。享年四十二。

刘源灏 十二月二十六日生，字鑑泉，号涧泉、晓瀛。顺天永清人。享年七十。

诸　镇 生，字怀远，号菊人。浙江钱塘人。

赵文涵 生，直隶人。享年七十三。

梁廷枬 生，字章冉。广东顺德人。享年六十六。

臧纡青 生，字牧盦，号小山。江苏宿迁人。享年五十九。

汪文台 生，字南士，安徽黟县人。享年四十九。

张善准 生，字树程，号平泉、愚公。湖北武昌人。享年六十
　　　　九。

陈世庆 生，江西德化人。享年五十九。

◉ 科第：

　　一甲进士：

赵文楷 状元。修撰，山西雁平道。

汪守和 字巽泉，号凯南。江西乐平人。榜眼。编修，礼部尚
　　　　书。

帅承瀛 字士登，号仙舟。湖北黄梅人。探花。编修，浙江巡
　　　　抚。

　　二甲进士：

戴殿泗 字东珊，号东瞻、准山。浙江浦江人。编修。

李锡恭 字协襄，号蘅塘。江苏太仓人。编修，侍读学士。

王　鼎 编修，大学士。

吴邦庆 编修，河东河道总督。

张锦枝 字佩琼，号綱斋、四香。江西彭译人。编修，祭酒。

陆以庄 字蕴康，号平泉。浙江萧山人。编修，工部尚书。

黄焜望 字耀寰，号仲民、冲甫。顺天大兴人。编修。

慕　鉴 字循陜。甘肃静宁人。户部主事，广东肇罗道。

赵　麟 浙江仁和人。兵部主事，河南河北道。

陈　鹤 工部主事。

赵慎畛 编修，云贵总督。

汪德钺 庶吉士，礼部主事，礼部员外郎。

靳文锐 字敏斯，号绩山、荣甫。山东聊城人。编修。

吴光悦 （原名吴廷燮）。内阁中书，江西巡抚。

龚丽正 礼部主事，江苏苏松太道。

黎世序 （原名黎承惠）。河南罗山人。江西知县，江南河道总
　　　　督。

张文靖 河南偃师人。刑部主事，广西盐法道。

清代人物大事纪年

李培元　字春皋。湖北黄陂人。工部主事，礼科给事中。

邱　勋　字大猷，号芙川，蓉村。贵州毕节人。编修，湖北荆
　　　　宜施道。

林绍光　户部主事，湖北安陆府知府。

沈学厚　字麟伯，号地馀、小云。浙江钱塘人。编修，侍讲。

陈兰畴　字赞南，号绮石。福建侯官（闽县）人。编修，掌湖
　　　　广道御史。

李林松　字心庵。江苏上海人。户部主事。

吴应咸　户部主事，户部郎中。

蔡维钰　字其相，号式斋。江苏无锡人。编修，福建道御史。

史　祐　字理堂。江苏溧阳人。户部主事，广东琼州府知府。

董彩凤　字怡园。陕西洛川人。内阁中书。

桂　龄　字丹圃。汉军正黄旗，张氏。内阁中书，吏部右侍郎。

陆　泌　字邺仙，号住西。浙江仁和人。编修，内阁侍读学士。

　　三甲进士：

祁　埙　刑部主事，两广总督。

石时榘　字传方，号月亭。湖北兴国人。刑部主事，掌四川道
　　　　御史。

那尔丰阿　字伯约，号东兰。满洲正兰旗。庶吉士，口部主事，
　　　　　翰林院侍读。

蔡　炯　字云樵。江西德化人。内阁中书，甘肃口口口。

韩克均　检讨。福建巡抚。

杨　健　户部主事，湖北巡抚。

刘名载　吏部主事，江苏常镇道。

袁　槐　字斗槐。浙江德清人。会元。刑部主事。

李于培　刑部主事，直隶天津道。

郑鹏程　户部主事，湖南常德府知府。

姚学塽　内阁中书，兵部郎中。

李可端　字凝修，号次云，植斋。广东南海人。检讨。

鄂　山　山西知县，刑部尚书。

成　格　户部主事，礼部尚书。

来　珩。

来宗敏　字懋斋。浙江萧山人。直隶清苑县知县。

邵葆祺　内阁中书，吏部员外郎。

扎兰泰　满洲镶白旗，赫舍里氏。翰林院侍读学士。

严　烺　字存吾，号匡山。云南宜良人。庶吉士，吏部主事，
　　　　甘肃布政使。

辛绍业　国子监学录，助教。

张大维　字地山。湖北江夏人。直隶天津府知府。

谢凝道　福建连城人。吏部主事，云南迤西道。

　　武进士：

黄仁勇　广东海阳人。状元。头等侍卫。

常鸣盛　字振斋。直隶新城人。榜眼。二等侍卫，山东济南协
　　　　副将。

高　适　字俊亭，号复南。汉军镶红旗。探花。二等侍卫，云
　　　　南鹤丽镇总兵。

李士林　字英选。直隶晋州人。口口侍卫，陕西延绥镇总兵。

　　保举孝廉方正：

江　声　江苏元和人。

钱大昭　江苏嘉定人。

任兆麟　字文田，号心斋。江苏震泽人。

龚　烈　江苏武进人。

印鸿纬　江苏宝山人。

庄宇逵　字达甫。江苏武进人。

朱宗大　字直方。江苏宝应人。

程瑶田　安徽人。见乾隆庚寅科。

吴　定。

胡　虔　字雏君。安徽桐城人。

夏　銮　戊午优贡，徽州府训导。

邵志纯　浙江仁和人。

陈　鳢　戊午举人。

李　毅。

曹　焕　浙江嘉善人。

张燕昌　浙江海盐人。

袁　钧　浙江鄞县人。

余庆远　字璟度。湖北安陆人。

严如煜　湖南人。陕西知县，陕西按察使。

刘体重　山西人。湖南知县，湖北布政使。

● 恩遇：

盛　住　总管内务大臣。正月封一等承恩侯。

和尔经额　已故副都统。二月追封三等承恩公。

孙士毅　大学士，署四川总督。四月以剿办来凤县贼匪功封三等男。

陈　材　原任江西余干县知县。四月以本年为乾隆丙辰科登第周甲之岁，重赴恩荣筵宴。

蔡　新　原任大学士。以九十生辰赐"绿野恒春"额。

宜　绵　陕甘总督。五月加太子太保衔（四年四月削）。

　　七月以剿平红土山贼匪功：

永　保　署湖广总督。加太子太保衔（二年十一月削）；

庆　成　直隶提督。加太子少保衔。

　　八月以剿平旗鼓寨贼匪功：

福　宁　署四川总督。加太子少保衔（三年正月削）；

观　成　成都将军。加太子少保衔（三年三月革）。

惠　龄　户部侍郎。八月以剿平灌湾脑贼匪功，加太子少保衔（二年五月削）。

阿　桂　大学士。八月以八十生辰，赐御书"介眉三锡"额及联诗。

　　九月以剿平钟祥贼匪功：

庆　成　直隶提督。晋太子太保衔（十一月革）；

鄂　辉　副都统，头等侍卫。加太子少保衔；

阿克东阿 河南南阳镇总兵。加太子少保衔。

景　安 河南巡抚。九月加太子少保衔（四年七月革）。

梁肯堂 直隶总督。十一月以八十生辰，赐御书"耆寿宣勤"
　　　　额及联。

　　十二月以苗境荡平：

明　亮 广州将军。复封二等襄勇伯（三年正月削）；

额勒登保 领侍卫内大臣。封威勇侯（二年十二月降三等伯，
　　　　　三年正月削）；

德楞泰 内大臣。封二等子（三年正月革）；

鄂　辉 湖南提督。封三等男。

● 著述：

朱休度 自编《壶山自吟稿》二卷成，见正月自序。

王念孙 撰《广雅疏证》十卷、《校正博雅音》十卷成，见正月
　　　　自序。

焦　循 撰《释轮》二卷成，见二月自序。

福　庆 撰《异域竹枝词》三卷成，见春日自识。

梁玉绳 撰《志铭广例》二卷成，见六月自序。

钮树玉 撰《说文新附考》六卷、《续考》一卷成，见六月自
　　　　序。

汪辉祖 撰《病榻梦痕录》二卷成，见七月自序。

翁方纲 编《小石帆亭五言诗续钞》八卷成，见七月自序。

姚　鼐 撰《九经说》十二卷成，见八月自序（按：书成后续
　　　　有增辑，至己巳年共刻成十七卷）。

王承烈 撰《齐石纪数》十二卷成，见八月自序。

赵绍祖 编《金石文钞》八卷成，见九月自撰凡例。

焦　循 撰《释椭》一卷成，见九月自序。

毕　沅、阮　元 同撰《山左金石志》二十四卷成，见秋日钱
　　　　大昕序。

周　春 撰《十三经音略》十二卷成，见十月自撰凡例。

戴　璐 撰《藤阴杂记》十二卷成，见十月自序。

黄　易　撰《嵩洛访碑日记》一卷成，（按：日记止于十月故列
　　　　此）。

刘逢禄　撰《谷梁废疾申何》二卷成，见十一月自序。

徐朝俊　字冠千，号恕堂。江苏娄县人。撰《中星表》一卷成，
　　　　见长至自序。

吴翊凤　撰《逊志堂杂钞》十卷成，见光绪戊子陈其荣识语。

郭　麐　撰《蘅梦词》二卷成，见癸亥自序。

◉　卒岁：

噶塔布　满洲正黄旗，鄂拉氏。副都统衔呼伦贝尔总管，前任
　　　　正蓝旗蒙古副都统。正月卒。

彭绍升　归班候选知县，江苏长洲县进士。正月二十日卒年五
　　　　十七。入国史文苑传。

德　胜　贵州清江协副将。二月于骑马儿山阵亡。予骑都尉世
　　　　职。

曾攀桂　署湖北宜昌镇总兵，郧阳协副将。二月于望佛山阵亡。
　　　　予骑都尉世职。

刘大成　湖北竹山县知县。二月二十三日殉难，年六十七。赠
　　　　知府衔，予恩骑尉世职。

李僎枝　安徽桐城县诸生。三月十一日卒年六十四。

王翼孙　湖北襄阳县吕堰驿巡检。三月二十九日遇害，年四十。
　　　　予云骑尉世职。

留保住　蒙古正白旗，乌齐忒氏。原任理藩院尚书，云骑尉。
　　　　四月卒年七十口。

那丹珠　字凤客。满洲镶白旗，章佳氏。贵州安笼镇总兵。四
　　　　月以随征苗匪，卒于平陇军营。

徐世佐　赏复直隶岩镇场大使原衔。四月十一日卒年八十三。

周士孝　直隶文安县知县。五月卒，年六十。

福康安　字瑶林，号敬斋。满洲镶黄旗，富察氏。太子太保，
　　　　武英殿大学士，云贵总督。忠锐嘉勇贝子，五月十三
　　　　日卒于湖南军营。赠郡王衔，入祀贤良祠。谥文襄，

配享太庙（配享在十一月）。

豁隆武 满洲镶蓝旗，瓜尔佳氏。云南鹤丽镇总兵。六月以随征苗匪卒于军营。

王士棻 刑部员外郎，前江苏按察使。六月十二日卒年七十五。

邵晋涵 翰林院侍讲学士。六月十五日卒年五十四。入国史儒林传。

孙士毅 太子太保，文渊阁大学士，署四川总督，三等男，前封一等谋勇公。六月二十一日卒于四川军营，年七十七。赠公爵，谥文靖。

穆和蔺 四品顶戴哈密办事，前河南巡抚。七月卒。

罗廷弼 甘肃宁夏中卫副将。七月以受伤卒于湖北当阳军营，予云骑尉世职。

王育琛 兵部主事。七月卒年四十一。

臧继宏 江苏武进县布衣。七月初九日卒年六十九。

汤大宾 原任广西浔州府知府。八月二十五日卒年八十三。

和　琳 字希斋。满洲正黄旗，钮祜禄氏。太子太保，四川总督，一等宣勇伯。八月三十日卒。赠一等宣勇公，入祀贤良祠。谥忠壮，配享太庙（配享在十一月，至四年正月撤出并追削公爵）。

緜　惠 高宗皇孙，多罗贝勒。九月卒。

阿克东阿 （一作阿克栋又作阿克林）。蒙古正黄旗，乌朗罕吉勒们氏。太子少保，候补提督，河南南阳镇总兵。九月卒于湖北钟祥军营。

李　封 按察使衔，前刑部左侍郎。九月卒年七十四。

朱　澜 在籍直隶候补道，前直隶清河道。九月十九日卒年七十三。

花连布 蒙古镶黄旗，额尔特氏。贵州提督。九月二十五日于夏家冲阵亡。赠太子少保衔，谥壮节，予骑都尉兼一云骑尉世职。

钱九韶 河南密县贡生。十月十三日卒年六十五。

李　策　前直隶安肃县知县。十月十六日卒年七十二。

战效曾　浙江秀水县知县，降调海宁州知州。十一月十五日卒年六十五。

何元卿　陕西兴汉镇总兵。十一月二十二日于四川横子山阵亡。予骑都尉兼一云骑尉世职。

钱　馥　浙江海宁州布衣。十一月卒年四十一。

袁国璜　四川成都人。四川重庆镇总兵。十二月于横子山阵亡。予骑都尉兼一云骑尉世职。

特成额　字集亭。满洲镶黄旗，钮祜禄氏。升授兵部左侍郎，科布多参赞大臣，前云贵总督。十二月卒于科布多。

万年茂　原任广西道监察御史。卒年九十。入国史儒林传。

冯成修　原任礼部郎中。卒年九十五。入国史儒林传。

陈　材　原任江西余干县知县。卒年九十二。

林适中　原任河南舞阳县知县。卒年七十五。

朱鸿绪　原任浙江台州府教授。卒年六十四。

王　普　原任河南河北镇总兵。卒年七十一。

陆廷柱　江苏通州人。前广东雷琼镇总兵。卒。

周嘉猷　浙江海宁州举人。卒年四十六。

顾应昌　江苏吴县监生。卒年六十二。

嘉庆二年丁巳（公六一七九七年）

◉ 生辰：

讷勒亨额　正月初十日生，字康侠，号鲁斋。正蓝旗宗室。

保　极　二月初十日生，字于汝，号汝亭。正蓝旗宗室。

林　绂　二月十六日生，字达善，号湘帆。福建闽县人。

王燕堂　二月二十四日生，字鹿苹，号兰圃。山西榆次人。

易长桢　三月十五日生，字子濬，号晴江。江苏上元人。

熊光大　四月初九日生，字子谦，号镜溪，含山。湖南零陵人。

孙　蒙　四月十九日生，字毅祥，号茶云。浙江钱塘人。享年六十一。

胡　泉　四月二十日生，字枚仙。江苏高邮人。享年七十二。

王庭兰　四月二十三日生，字修之、春绶，号滋圃。河南固始人。

张澧中　四月二十五日生，字兰芷，号苕云。陕西潼关人。

方　涛　四月二十六日生，字幼山，号长源、鑑庵。顺天宝坻人。

高人鑑　四月二十七日生，（原名高德镕），字受甫，号螺舟、瀛洲。浙江钱塘人。

何冠英　四月二十七日生，字瑞斋，号杰夫。福建闽县人。享年六十五。

赵　光　四月二十八日生，字仲明，号蓉舫、退盦。云南昆明人。享年六十九。

许　瀚　五月二十一日生，字元翰、澜若、印林，号培西、抑卿。山东日照人。

胡　理　六月初三日生，字孟绅，号琅圃。浙江仁和人。

陈启迈　六月初十日生，字子皋，号倬伯。湖南武陵人。

李星沅　六月十四日生，字子湘，号石梧。湖南湘阴人。享年五十五。

蔡锦泉　六月十六日生，字文渊，号春帆。广东顺德人。

李卿毅　闰六月十四日生，字红樵。河南光山人。享年五十八。

周　顼　闰六月二十四日生，字子愉、冰履，号堇原。贵州贵筑人。享年八十口。

仲　湘　闰六月二十七日生，字壬甫，号子湘。江苏吴江人。

何　俊　八月二十一日生，字晋孚，号亦民。安徽望江人。

刘　绎　八月二十一日生，字景芳，号瞻岩。江西永丰人。享年八十二。

陶文潞　八月二十三日生，字希彦，号桂门。江苏吴县人。

邹志初　八月二十三日生，字叔元，号粟园。浙江钱塘人。享年七十。

王锡九　八月二十四日生，浙江山阴人。享年五十六。

朱　馥　八月二十八日生，字杼循，号丹木。云南石屏人。

潘焕龙　九月初十日生，字吟士，号四梅、卧园。湖北罗田人。享年七十三。

聂　溁　九月十五日生，字纯甫，号春浦、雨帆。陕西泾阳人。

吴　赞　九月二十六日生，（原名吴廷鉁），字彦怀，号伟御。江苏常熟人。

锺音鸿　十月十九日生，字青照，号子宾、心渚。江西兴国人。

刘良驹　十月二十四日生，字叔千、惺房，号藿臣。江西南丰人。

智　林　十月二十七日生，字禹明，号镜芙。满洲正白旗。

刘位坦　十一月二十五日生，字宽夫，号又文。顺天大兴人。

王映斗　十一月二十八日生，字运中，号维枢、汉桥。广东定安人。

陈均远　十月二十八日生，享年五十九。

刘有庆　十二月初九日生，字芸轩，号磬圃。直隶南皮人。

吴　铣　十二月二十日生，字伯湄，号笏丞。四川达县人（原籍江西宜黄）。

杨彤如　十二月二十七日生，字中觊，号艺园。河南密县人。

赵德潾　十二月二十八日生，字紫伯，号子白、又泉。江西南
　　　　丰人。

叶　琚　十二月二十九日生，字伯华，号白华、訒斋。安徽桐
　　　　城人。

王积顺　生，字鸿遇，号若溪。浙江仁和人。

徐　瀛　生，字又穆，号海年、近斋。湖北黄陂人。

汪　润　生，字汉皋，号玉田。湖北黄安人。

刘庆凯　生，字绍阳，号颛夫。直隶盐山人。享年六十一。

牛　镇　生，字伯玉，号毓山、铁君。顺天大兴人。

边宝树　生，字玉方，号谢园。汉军镶黄旗。

梁金诏　生，字伊咸，号小庄。浙江会稽人。

凌树棠　生，字荫南，号棣生、梅溪。安徽定远人。享年六十
　　　　二。

师长治　生，字泰阶，号熙甫。陕西韩城人。享年四十五。

唐　治　生，江苏句容人。享年五十八。

管庭芬　生，号芷湘。浙江海宁人。享年八十四。

吴　堂　生，江苏吴江人。享年四十一。

◉ 恩遇：

李奉翰　江南河道总督。二月加太子太保。

景　安　河南巡抚。二月以剿除淅川内乡教匪余党功封三等伯
　　　　（四年七月革）。

　　　闰六月以攻克西隆州苗寨功：

吉　庆　两广总督。加太子太保（七年十一月削）；

彭承尧　广西提督。加太子少保衔；

勒　保　云贵总督。以生擒逆首王襄仙功封一等侯，号威勤。

◉ 著述：

吴绍浧　撰《声调谱说》一卷成，见二月自序。

王引之　撰《经义述闻》三十二卷成，见三月自序。

严　观　字子进。江苏江宁人。撰《湖北金石诗》一卷成，见
　　　　四月月序。

和　瑛　（原名和宁）。撰《西藏赋》一卷成，见五月自记。
李富孙、李遇孙　同撰《鹤征录》八卷成，见六月富孙自序，
　　　　　　　（按：第八卷为李超孙所辑）。
孙星衍　辑《王泰括地志》八卷成，见六月自序。
臧　庸　辑《萧氏汉书音义》三卷成，见闰六月自识。
臧　庸　辑《郑氏六艺论》一卷成，见闰六月自识。
段玉裁　撰《汲古阁说文订》一卷成，见七月自序。
姚文田、严可均　同撰《说文校议》十四卷成，见八月严可均
　　　　序。
张惠言　编《词选》二卷成，见八月自序。
邹炳泰　撰《午风堂丛谈》八卷成，见九月自序。
陈懋龄　撰《经书算学天文考》一卷成，见十月自序。
朱休度　自编《壶山自吟稿附录》一卷成，见十一月自序。
钱　坫　撰《浣花拜石轩镜明集录》二卷成，见十一月自记。
焦　循　撰《加减乘除释》八卷成，见十二月自序。
孙星衍　自编《岱南阁集》二卷成（按：此书无序跋，以所刻
　　　　文至丁巳止故系于此年）。
张惠言　撰《周易虞氏义》九卷、《虞氏消息》二卷成，见自
　　　　序。

◉ 卒岁：
朱　筼　江苏江都县布衣。正月初七日卒年八十。
佛　住　满洲正白旗，瓜乐佳氏。哈密办事大臣，前任四川成
　　　　都副都统，袭三等子。正月于四川东乡阵亡。赠一等
　　　　子加一云骑尉世职。
王振荣　字汉桓，号锦堂、訒庵。直隶宝坻人。直隶宝坻县举
　　　　人。正月卒。
刘文徽　河南粮道。正月十九日卒年六十七。
雅尔泰　满洲正蓝旗，郭络罗氏。乌什办事大臣。卒。
顾之逵　江苏元和县廪贡生。四月卒年四十五。
博　斌　满洲镶黄旗，达呼哩氏。镶白旗蒙古副都统。三月卒。

温常绶　户科掌印给事中。三月二十五日巡视天津漕务，卒于天津，年六十五。

格绷额　蒙古镶黄旗，瑚鲁克氏。原任福建汀州镇总兵，袭云骑尉世职。四月卒。

阿尔萨朗　蒙古镶白旗，赖奇忒氏。正蓝旗满洲副都统。五月初一于湖北郧西县之王家坪阵亡。予骑都尉世职。

王友亮　通政使司副使。五月十二日卒年五十六。入国史文苑传。

金忠淳　候选布政司经历。五月二十四日卒年六十五。

沈鹤龄　浙江德清县画士。六月初八日卒年五十六。

德　光　满洲镶白旗，伊尔根觉罗氏。甘肃凉州镇总兵，袭骑都尉世职。六月卒于湖北军营。

西津泰　副都统衔头等侍卫。六月于四川精忠寺阵亡。予骑都尉兼一云骑尉世职。

巴克坦布　字广庵。满洲正蓝旗，嵩佳氏。正红旗蒙古都统，袭云骑尉世职。闰六月卒于河南军营。

诸神保　留营效力前四川建昌镇总兵。闰六月于红土溪阵亡。照参将例赐恤。

顾光旭　前署四川按察使，甘肃凉庄道。闰六月二十六日卒年六十七。入国史循吏传。

王　林　字青崖。汉军正红旗。广西左江镇总兵。七月卒于西隆州军营。

毕　沅　湖广总督，二等轻车都尉。七月初三日卒于辰州军营，年六十八。赠太子太保。

王庭筠　原任广西西隆州州同。七月卒年六十九。

安　庆　正蓝旗宗室。头等侍卫，前齐齐哈尔副都统。八月卒于四川夔州军营。

范宜恒　汉军镶黄旗。户部尚书。八月卒。

丰伸布　蒙古镶红旗，唐古忒氏。西安右翼副都统。八月十四日于竹山阵亡。谥壮勇，予骑都尉兼一云骑尉世职。

阿　桂　太子太保，武英殿大学士，军机大臣。一等诚谋英勇公兼一等轻车都尉。八月二十一日卒年八十一。赠太保，入祀贤良祠。谥文成，配享太庙（配享在道光三年二月）。

惠　伦　满洲镶黄旗，富察氏。御前侍卫，镶蓝旗护军统领，袭一等诚嘉毅勇公。八月二十九日于湖北长坪阵亡。予骑都尉兼一云骑尉世职。

王　复　河南偃师县知县。九月初二日卒年五十一。

田凤仪　丁忧福建巡抚。九月以奔丧回籍，卒于途中。

孟超然　原任吏部考功司郎中。十月初三日卒年六十七。入国史儒林传。

彭承尧　太子少保衔广西提督。自册亨凯旋，十月卒于百色行营。

彭朝龙　广东候补游击，前福建汀州营游击。十月卒于广西军营。

朱程奎　浙江海盐县监生。十月二十二日卒年三十九。

张　持　广东三江协副将。十一月于四川黔江县之二仙岩阵亡。予骑都尉世职。

王千仞　江苏无锡县诸生。十一月十七日卒年八十九。

袁　枚　在籍陕西候补知县，前任江苏江宁县知县。十一月十七日卒于江宁，年八十二。入国史文苑传。

谭尚忠　吏部左侍郎。十一月二十八日卒年七十四。

王鸣盛　原任光禄寺卿，降调内阁学士。十二月初二日卒年七十六。入国史儒林传。

兰第锡　江南河道总督。十二月初六日卒年六十二。

王　宸　前湖南永州府知府。十二月卒年七十八。

翁　春　江苏华亭县布衣。十二月卒年六十二。

施朝幹　太仆寺少卿，湖北学政。卒。入国史文苑传。

任承恩　山西大同人。京营副将，前福建陆路提督。卒。

闵鹗元　前江苏巡抚。卒年七十八。

梁群英　前江苏常镇道。卒年六十五。

汪如藻　山东粮道。卒。

刘玉麔　广西郁林直隶州州判。以受伤卒于军营，年六十。予
　　　　云骑尉世职，入国史儒林传。

陶兆麔　前直隶大城县县丞。卒年八十五。

嘉庆三年戊午（公元一七九八年）

● 生辰：

李棠阶　二月二十七日生，字爱庭、树南，号文园、强斋。河南河内人。享年六十八。

王庆云　二月二十九日生，字家镶、贤关、乐一，号雁汀。福建闽县人。享年六十五。

王茂阴　三月生，字椿年，号子怀。安徽歙县人。享年六十八。

洪瞻陛　三月二十三日生，字子升，号雨芗。浙江临海人。

刘承宠　五月初三日生，字麟石，江苏武进人。享年三十。

项廷纪　五月二十二日生，（原名项鸿祚），字子彦，号莲生。浙江钱塘人。享年三十八。

蒋方正　五月二十四日生，字立中，号元峰。广西兴安人。

陈宪曾　六月初五日生，字子敏，号铁桥、吉甫。浙江钱塘人。

侯　康　六月初七日生，字峻民，号君谟。广东番禺人。

许　楗　六月十一日生，字叔夏，号珊林。浙江海宁人。享年七十六。

李廷锡　六月十四日生，字康侯，号碧山、璧珊。湖北安陆人。

武云衢　六月十五日生，（原名武天亨），字敬之，号芸渠。山西文水人。

朱步沆　七月初七日生，字沁泉。浙江长兴人。

文　光　六月二十二日生，字焕章，号星槎。满洲正黄旗。

张汝瀛　六月二十三日生，山东乐陵人。享年五十六。

范承典　七月二十三日生，字经甫，号小云。顺天大兴人。

王懿德　八月初六日生，字绍甫，号春岩、良宰。河南祥符人。享年六十四。

赵　霖　八月十一日生，字雨林，号笠农。江苏丹徒人。

善　泰　八月十八日生，字溥泉，号仁甫。镶白旗宗室。

左乔林　九月初二日生，字豫章，号菊潭、瀛南。直隶河间人。

贾　桢　九月二十二日生，字伯贞、艺林，号筠堂。山东黄县人。享年七十七。

沈　垚　九月二十八日生，字子敦。浙江乌程人。享年四十三。

白鼎卿　十月十九日生，字幼迁，号叔嘉、叔琴。顺天通州人。

池生春　十月二十日生，字籥庭，号籥斋。云南楚雄人。享年三十九。

方　隅　十一月十四日生，字云泉。浙江仁和人。享年六十一。

乔邦宪　十一月二十八日生，字问渠、斌甫，号瀋泉、蓉生。山西徐沟人。

赫特赫讷　十一月二十九日生，字伯棠，号蔚堂、藕香。满洲镶黄旗，杭州驻防，赫特里氏。享年六十四。

余士琛　十二月初二日生，字密卿，号瑞生、菊农。安徽凤台人。

张瀚中　十二月十八日生，字容子，号次兰。陕西潼关人。

官　文　生，字季峰。满洲正白旗，王佳氏。享年七十四。

罗遵殿　生，字有光，号牖云、淡村。安徽宿松人。享年六十三。

张印塘　生，字雨樵。直隶丰润人。享年五十七。

陈鼎雯　生，字子巽，号文雨、小坪。安徽定远人。

黄辅辰　生，字琴坞。贵州贵筑人（原籍湖南醴陵）。享年六十九。

温绍原　生，字北屏。湖北江夏人。享年六十一。

范承祖　生，字缵之，号兰君、春华。顺天大兴人。

汤　宽　生，字琢斋。浙江萧山人。享年五十八。

贺中琡　生，字美恒，号葛山、虎师。湖南善化人。享年五十。

裘宝善　生，字华南，号菊泉。直隶河间人。享年七十六。

吴应连　生，字元春，号禹门。江西南城人。享年五十七。

金衍照　生，字拱辰，号晓峰。浙江嘉兴人。享年五十九。

朱运和　生，字文楼，号月樵。浙江海盐人。享年六十五。

刘登俊　生，山东历城人。享年七十九。

钱　绮　生，字映江，号竺生。江苏元和人。享年六十一。

◉ 科第：

考取优贡生：

夏　銮　安徽人。见元年孝廉方正。

顾廷纶　字凤书，号郑乡。浙江会稽人。武原县训导。

丁授经　浙江归安人。

中式举人：

吴书城　字拥万，浙江嘉善人。内阁中书，贵州贵东道。

杨兆杏　湖北知县，湖北通山县知县。

杨传荣　直隶知县，直隶容城县知县。

周廷寀　字赞平，号子同。安徽绩溪人。署广东龙川县知县。

沈宝麟　浙江汤溪县教谕。

蒋　珣　字少泉。浙江余姚人。浙江瑞安县训导。

李宗传　安徽庐江人。浙江知县，湖北布政使。

张　铭　江苏人。刑部主事，广东雷琼道。

杨景仁　内阁中书，刑部员外郎。

钱东垣　字既勤。江苏嘉定人。浙江知县，浙江上虞县知县。

洪饴孙　湖北东湖县知县。

景　燮　字画山，号阆仙。江苏常熟人。安徽知县，福建建安
　　　　县知县。

陈　燮　字理堂。江苏泰州人。邳州学正。

侯云松　安徽歙县教谕。

余　煌　字汉卿。安徽婺源人。

张廷济　浙江嘉兴人。

费履升　浙江钱塘人。江西广饶九南道。

梁祖恩　江苏知县，广东始兴县知县。

朱文珮　余杭县教谕。

陈　鳣　见元年孝廉方正。

杨镇源　浙江归安人。辛未召试授内阁中书。

郑兼才　福建人。口口县训导，泉州府教授。

李鸿瑞 江苏大挑知县，借补上海县知县。

柳廷方 字坦田。湖南长沙人。

周寿龄 山东人。直隶知县，直隶通永道。

杨兆煜 即墨县教谕。

朱　炜 陕西咸宁人。河南知县，江西抚州府知府。

李元春 候选大理寺评事。

夏鸿时 贵州人。印江县教谕，陕西洛川县知县。

徐迪惠 字鹿苑。浙江上虞人。

中式武举：

李恩元 江苏人。浙江温州镇总兵。

潘汝渭 广东吴川人。广东把总，广东南澳镇总兵。

● 恩遇：

勒　保 四川总督。八月以攻克安乐坪贼巢，生擒逆首王三槐功，晋封一等威勤公（四年七月革）。

和　坤 大学士。八月晋封一等忠襄公（四年正月革）。

福长安 户部尚书。八月封一等侯（四年正月革）。

舒希忠 原任刑部郎中，降调江西粮道；

王衍绪 原任太名府知府；

顾　光 原任广东广州府知府；

陶绍景 原任福建台湾县知县；

范崇棨 原任山西宁乡县知县。

　　以上五人俱以本年为乾隆戊午科乡举周甲之岁，九月重赴鹿鸣筵宴。

● 著述：

姚　鼐 编《五七言今体诗钞》十八卷成，见二月自序。

王引之 撰《经传释词》十卷成，见二月自序。

梁玉绳 撰《瞥记》七卷成，见三月自序。

阮　元 撰《小沧浪笔谈》四卷成，见春日自序。

吴　鼐 编《八家四六文钞》九卷成，见四月自序。

彭元瑞 等奉敕编《天禄琳琅书目后编》二十卷成，见彭元瑞识语（按：此书成于四五月间）。

孙星衍 撰《周易集解》十卷成，见六月自序。

谢启昆 撰《小学考》五十卷成，见六月自序（按：书成后续有增订至七年始刻行）。

钱东垣 等重校《郑志》三卷成，见六月钱东垣序。

方 薰 撰《山静居画论》二卷成，见立秋日陈希濂后序。

纪 昀 撰《滦阳续录》六卷成，见七月自序。

吴 骞 撰《拜经楼诗话》四卷成，见七月自序。

宋大樽 撰《茗香诗论》一卷成，见七月陈斌序。

松 筠 撰《西招图略》一卷成，见八月自序。

朱 栋 撰《砚小史》四卷成，见八月薛体洪序。

阮 元 撰《经籍籑诂》二百十六卷成，见九月臧镛堂后序。

谢启昆 自编《兑丽轩集》一卷成，见秋日自序。

钮树玉 撰《说文新附考》六卷成，见十月钱大昕序。

冯集梧 撰《樊川诗集注》四卷成，见十月自序。

管世铭 自编《韫山堂文集》八卷成，见十月庄炘序。

焦 循 撰《释弧》三卷成，见冬日自序。

孙志祖 撰《文选李注补正》四卷成，见十二月自序。

孙星衍 撰《急救篇考异》一卷成，见自序。

孙星衍 校定《夏小正传》二卷成，见自序。

◗ 卒岁：

周广业 浙江海宁县举人。正月初一日卒年六十九。入国史儒林传。

乌什哈达 满洲正黄旗，伊尔根觉罗氏。头等侍卫，前镶红旗蒙古副都统，骑都尉兼一云骑尉。四月于四川石柱厅阵亡。予三等轻车都尉世职。

余廷灿 在籍翰林院检讨。二月卒年七十。入国史儒林传。

胡高望 都察院左都御史。二月卒。追谥文恪（追谥在五年二月）。

李友棠 三品卿衔前工部右侍郎。三月卒年七十口。

舒　亮　满洲正白旗，苏佳氏。以兵丁留营效力，前黑龙江将军，复授镶蓝旗汉军副都统，云骑尉。卒于四川军营。

沈之燮　原任山西冀宁道。三月初三日卒年七十八。

承　任　字是常，号拙斋。江苏武进人。武进县诸生。三月十五日卒年六十六。

宋延清　贵州大定协副将。三月于四川杨家坝阵亡。予骑都尉世职。

丁有成　直隶通州协副将。三月于陕西孙家梁阵亡。

徐昭德　汉军正白旗。甘肃巴里坤镇总兵。三月卒于湖北军营。

保　兴　满洲镶白旗，承吉氏。陕西河州镇总兵。三月于四川达州之石梯坎阵亡。予骑都尉兼一云骑尉世职。

汪　新　总督衔湖北巡抚。四月初二日卒于襄阳军营，年七十三。谥勤僖，寻追削总督衔。

保　成　满洲镶黄旗，佟佳氏。宁夏将军。卒。

管幹贞　前漕运总督。四月二十五日卒年六十五。

赵王槐　（一作赵三槐）原任山东陵县知县。五月卒年八十。

吴绍溎　在籍翰林院编修。六月初一日卒年五十五。

韩梦周　前安徽怀来县知县。六月初十日卒年七十。入国史儒林传。

鄂　辉　字蕴山。满洲正白旗，碧鲁氏。太子少保，云贵总督，三等男。六月卒。入祀贤良祠，谥恪靖，（四年十月撤祀）。

敷伦泰　字丹崖。满洲镶黄旗，西安驻防，完颜氏。宁夏将军。六月卒。

赵　鏌　兵部左传郎。七月卒。

蔡攀龙　字君宠。福建同安人。江南狼山镇总兵，降调福建水师提督。七月卒。

玉　保　吏部左侍郎。八月卒年四十。

阿精阿　字纯斋。满洲正黄旗，瓜尔佳氏。刑部左侍郎。八月卒。

特灵额　满洲镶红旗，那拉氏。丁忧浙江衢州镇总兵。袭三等
　　　　轻车都尉世职。八月卒。

永　德　满洲正红旗，富察氏。副都统衔英吉沙尔领队大臣。
　　　　八月卒于陕西西安军营。

解秉智　原任甘肃安化县知县。八月卒年七十九。

张姚成　前江西督粮道。八月二十九日卒，年五十七。

岱　德　满洲镶黄旗，布尔察氏。护军参领，前浙江黄岩镇总
　　　　兵。九月于四川东乡县之祖师观阵亡。予云骑尉世职。

王启焜　四川盐茶道。十月初七日卒年六十九。

傅　玉　满洲镶黄旗，富察氏。致仕内大臣，前任西安将军。
　　　　袭三等承恩公。十月卒年七十口。

富尔赛　满洲镶黄旗，布雅穆齐氏。甘肃西宁镇总兵。十月卒
　　　　于四川军营。

左观澜　署陕西西安府五郎厅通判，安定县知县。十月二十五
　　　　日，以燃炮击贼炮裂受伤，卒年五十。

管世铭　掌广西道监察御史。十一月十二日卒年六十一。入国
　　　　史文苑传。

舒　常　字石亭。满洲正白旗，舒穆禄氏。都察院左都御史，
　　　　袭云骑尉世职。十一月二十口日卒。谥恪僖。

勒礼善　满洲镶红旗，那拉氏。成都副都统。十二月卒于达州
　　　　军营。

达三泰　满洲镶黄旗，呢玛齐氏。甘肃提督。十二月于四川鱼
　　　　鳞口阵亡。谥壮节，予骑都尉兼一云骑尉世职。

曹文埴　太子太保，原任户部尚书。十二月卒。追谥文敏（追
　　　　谥在五年二月）。

钱开仕　翰林院检讨，云南学政。卒年四十四。

额勒伯克　蒙古正白旗，卓持氏。黑龙江将军。卒。

郑国卿　福建建宁镇总兵。卒年七十口。

夏锡畴　河南河内县举人。卒年六十七。入国史儒林传。

徐　坚　江苏吴县贡生。卒年八十七。

张若筠 江苏丹徒县廪贡生。卒年六十四。

嘉庆四年己未（公元一七九九年）

● 生辰：

舒兴阿　正月初一日生，字叔起，号云溪。满洲正蓝旗，西安驻防，赫舍里氏。享年六十。

牛树梅　正月二十四日生，字玉堂，号省斋、东乡。甘肃通渭人。

许乃钊　二月初七日生，字贞恒，号信臣、恂甫。浙江钱塘人。

姚光发　二月十六日生，道光二十一年进士。享年八十口。

胡树声　四月二十日生。字震之，号雨棠。浙江仁和人。享年三十七。

曾元海　四月二十六日生，字叶苏，号少坡。福建闽县人。享年三十七。

郑元善　六月初三日生，字体仁，号鹤汀、松峰。直隶广宗人。

卢昆銮　六月十五日生。

张际亮　六月二十四日生，字亨甫。福建建宁人。享年四十五。

吴锺俊　七月十五日生，字昕声，号崧甫、晴舫。江苏吴县人。享年五十五。

郭道闉　七月二十四日生，字夔臣，号乐之、康廷。湖北孝感人。

胡兴仁　八月初四日生，字恕堂，号麓樵。湖南保靖人。

汪　昉　八月初六日生，字叔明，号子方。江苏阳湖人。享年七十九。

金安澜　九月初一日生，字澄之，号瀛仙。浙江铜乡人。

黄庆安　九月初十日生，（原名黄拱），字拔容，号耀庭、宸卿。福建永福人。

徐上墉　九月十二日生，字序声，号蓉舫。安徽歙县人。

鲍继培　九月十三日生，字善之，号淦斋。安徽歙县人。

朱　榆　九月十六日生，字去疵，号条生。江苏吴县人。

朱逢辛　十月初四日生，字维新，号甲三。江苏华亭人。

徐宗幹　十月初九日生，字伯桢，号树人。江苏通州人。享年
六十八。

彭舒萼　十月十四日生，字棣楼，号菊香。湖南长沙人。

王柏心　十月二十七日生，字子寿，号冬寿。湖北监利人。享
年七十五。

方宝庆　十月二十八日生，字少良。号鹤泉。安徽桐城人。

李　方　十月初一日生，字义庄，号镜塘、月桥。河南新乡人。

萧良城　十月初一日生，字心如，号汉溪。湖北黄陂人。

和色本　十一月十一日生，字氏达，号锡三、易亭、勿斋。满
洲正蓝旗，辉发那拉氏。

叶觐仪　十一月十五日生，字韨卿，号棣如。江苏六合人。

乔晋芳　十一月十五日生，字春皋，号心农。山西闻喜人。

何绍基　十二月初五日生，字子贞，号东洲居士、蝯叟。湖南
道州人。享年七十五。

何绍业　十二月初五日生，字子毅，号砚芸、琴庄。湖南道州
人。享年四十一。

张　铨　十二月十四日生，字叙六，号雪崖、寅阶、翼南。山
东利津人。

柏　葰　十二月二十一日生，（原名松葰）字静涛，号泉庄。蒙
古正蓝旗，巴鲁忒氏。享年六十一。

林扬祖　十二月二十三日生，字孙诒，号岵瞻、立斋、慎庵。
福建莆田人。

春　熙　十二月二十三日生，字敬臣，号介轩。满洲镶蓝旗。

曹恩漻　生，享年四十六。

周铭恩　生，字晓春，号筱村。顺天大兴人（原籍江苏丹徒）。

夏宝全　生，江苏人。享年五十四。

托浑布　生，蒙古正蓝旗，博尔济吉特氏。享年四十五。

奎　俊　生，（原名奎绶），字若林，号即甫。满洲正蓝旗，伊
尔根觉罗氏。

才字和 生,(原名才连会,以字行),号联斋、霁堂。直隶昌
　　　　黎人。

刘廷瑛 生,字子才。广东潮阳人。享年五十七。

傅继勋 生,字志先,号玉溪、湘屏。山东聊城人。

侯　度 生,字子琴。广东番禺人。享年五十七。

黄汝成 生,字庸玉,号潜夫。江苏嘉定人。享年三十九。

王振声 生,字宝之。江苏昭文人。享年六十七。

顾观光 生,字宾王,号尚之。江苏金山人。享年六十四。

吴熙载 生,江苏仪征人。享年七十二。

◉ 科第:

　一甲进士:

姚文田 状元。修撰,礼部尚书。

苏兆登 字晏林,号朴园。山东沾化人。榜眼。编修,福建按
　　　　察使。

王引之 探花。编修,工部尚书。

　二甲进士:

程国仁 编修,贵州巡抚。

汤金钊 编修,吏部尚书,协办大学士。

吴赓枚 字登虞,号春麓。安徽桐城人。庶吉士,礼部主事,
　　　　掌江西道御史。

汪　桂 庶吉士,户部主事,江西道御史。

汪如渊 字嘉谟,号笔山。浙江秀水人。编修,广东布政使。

程同文 兵部主事,奉天府府丞。

白　镕 编修,工部尚书。

李　翃 字和之、梦山、翼亭,号罗山、云华。云南晋宁人。
　　　　编修,江南道御史。

鲍桂星 编修,工部右侍郎。

宋　湘 编修,湖北粮道。

史致俨 会元。编修,刑部尚书。

张惠言 编修。

徐名绂 字章黼，号香珏。江西龙南人。庶吉士，吏部主事，陕西同州府知府。

蒋云宽 庶吉士，刑部主事，户科掌印给事中。

吴荣光 编修，湖南巡抚。

戴　聪 字惟宪，号春堂。浙江浦江人。庶吉士，户部主事，山西布政使。

卢　浙 户部主事，太仆寺卿。

李本榆 字星伯，号晴岚。山东长山人。编修，广东惠潮嘉道。

涂以辀 字棨轩，号瀹庄。江西新城人。户部主事，福建福州府知府。

李象鹄 字待卿，号俞圃。湖南长沙人。

赵学辙 字季由，号蓉湖。江苏阳湖人。户部主事，浙江湖州府知府。

方应纶 字綮书，号雪浦。湖南巴陵人。工部主事，浙江盐运使。

陈超曾 字亭表，号柏亭。江苏元和人。编修，江西广信府知府。

汪　恩 江苏江宁人。刑部主事，安徽宁池太广道。

吴　鼐 编修，侍讲学士。

花　杰 字建标，号晓亭。编修，广西巡抚。

黄鸣傑 字冠英，号季侯。安徽合肥人。庶吉士，礼部主事，浙江布政使。

牛　坤 字次原。顺天大兴人。户部主事，太仆寺少卿。

毛　谟 字锷亭，号吟树。浙江归安人。编修，内阁学士。

张师泌 字养和，号耐轩。浙江归安人。编修，侍读。

黄思宸 河南商城人。刑部主事，四川建昌道。

张锦珩 湖北黄安人。吏部主事，江西南安府知府。

彭蕴辉 编修。

韦运标 字又声。安徽芜城人。户部主事。

余霈元 刑部主事，江苏徐州道。

贾履中　山西太平人。刑部主事。

俞恒润　字漱六，号朗怀。顺天大兴人。编修，山西雁平道。

余本敦　字上民，号立亭、朗山。浙江西安人。吏部主事，内
　　　　阁侍读学士。

朱　渌　字清如，号意园。浙江山阴人。庶吉士，工部主事，
　　　　江西临江府知府。

孟　晟　字晓坪。浙江秀水人。吏部主事，江西道御史。

杨世英　字子千，号华甫。湖北云梦人。编修，四川成都府知
　　　　府。

胡秉虔　字伯敬，号春乔。安徽绩溪人。刑部主事，甘肃西宁
　　　　府丹噶尔同知。

张述燕　字云樵，号友苏。陕西长安人。庶吉士，刑部主事。

胡大成　字之九，号柏坪、凤台。四川南充人。编修，广东雷
　　　　琼道。

曹汝渊　字笠山，号春圃。山西汾阳人。庶吉士，刑部主事，
　　　　甘肃泾州直隶州知州。

任伯寅　字虎卿，号运仙。山西汾阳人。刑部主事，浙江道御
　　　　史。

周开谟　字叔猷，号广岩、愚轩。河南汜水人。庶吉士，礼部
　　　　主事。湖北德安府知府。

吴其彦　编修，兵部右侍郎。

冯大中　字正斋，号受生。山西汾阳人。吏部主事，甘肃宁夏
　　　　府知府。

陆　言　字有章，号心兰、心园。浙江钱塘人。编修，江宁布
　　　　政使。

钱宝甫　（原名钱昌龄）。浙江秀水人。编修，山西布政使。

何南钰　字相文。广东博罗人。庶吉士，兵部主事，云南迤西
　　　　道。

陈寿祺　编修。

刘尹衡　河南光州人。户部主事，山西道御史。

赵　玉　字兰生，号虚舟。顺天大兴人（原籍安徽桐城）。庶吉士，工部主事，湖北汉阳府知府。

俞恒泽　字楚七，号苕琴。顺天大兴人。工部主事，广西平乐府知府，道光丙午重宴鹿鸣。

象　曾　满洲镶黄旗。户部主事，山西汾州府知府。

三甲进士：

程祖洛　字梓庭，号问源。安徽歙县人。刑部主事，闽浙总督。

张绍学　字逊甫。甘肃平凉人。兵部主事。

蔡本俊　福建漳浦人。刑部郎中，广西南宁府知府。

许宗彦　（原名许庆宗）兵部主事。

杨腾达　江西新城人。刑部主事，福建道御史。

张业南　广东南海人。广西思恩府知府。

张运煦　河南祥符人。刑部主事，直隶永平府知府。

李光晋　江苏上元人。检讨。

万　云　字书台。浙江仁和人（原籍鄞县）。吏部主事，广东潮州府知府。

董大醇　顺天大兴人。河南汝州知州。

周锡章　字成之，号采川。云南楚雄人。庶吉士，礼部主事，湖北布政使。

钱　枚　吏部主事。

朱桂桢　吏部主事，广东巡抚。

莫与俦　庶吉士，四川知县，贵州遵义府教授。

淡士涛　字雨堂。陕西大荔人。庶吉士，甘肃知县，甘肃秦州直隶州知州。

罗志谦　字静贮。湖南龙阳人。礼部主事，四川潼川府知府。

孙鹏越　直隶丰润人。

齐正训　刑部主事，甘肃知县，云南普洱府知府。

王　崧　（原名王藩），字乐山。云南浪穹人。山西武乡县知县。

王庭华　兵部主事，山西布政使。

张　鳞　检讨，吏部右侍郎。

康绍镛　兵部主事，湖南巡抚。

蔡銮扬　字浣霞。浙江桐乡人。礼部主事，福建延平府知府。

李　焜　顺天涿州人。工部主事，湖北荆州府知府。

蒋　翎　福建龙岩人。刑部主事，刑部员外郎。

徐寅亮　字亦陶，号直生、云淙。江苏甘泉人。兵部主事，山东道御史。

毛式郇　字伯雨，号朴园。山东历城人。庶吉士，吏部主事，吏部右侍郎。

杨本昌　云南南宁人。刑部主事，两淮盐运使。

王　检　四川泸州人。吏部主事，山东盐运使。

张之屏　山西介休人。工部主事，陕西延安府知府。

赖　勋　四川万县人。江西定南厅同知。

珠尔杭阿　刑部主事，通政使。

崔永福　四川石砫人。

陈　斌　字白云。浙江德清人。安徽知县。

宋其沅　字湘帆，号玉溪。山西临汾人。礼部主事，浙江布政使。

廉　善　字淑之，号继堂。满洲正黄旗，格吉勒氏。礼部主事，热河都统。

杨树基　山东蓬莱人。礼部主事，江西南康府知府。

吴鼎臣　字伯盂。直隶临榆人。江西赣州府知府。

桂　芳　字子佩，号香东。满洲镶蓝旗，觉罗氏。检讨，漕运总督。

萧　镇　（碑录作萧应午），字石舟。湖北孝感人。户部主事，吏科给事中。

张　澍　庶吉士，贵州知县，江西虞溪县知县。

贵　庆　字梦黄，号月山、云西。满洲镶白旗。检讨，礼部尚书。

欧阳厚均　户部主事，浙江道御史。

王维钰　直隶雄县人。兵部主事，贵州安顺府知府。

林锺岱　山东文登人。兵部主事。江南道御史。

贾声槐　字阁闻，号直方。山东乐陵人。户部主事，河南汝光道。

刘台斗　字建临，号星槎。江苏宝应人。工部主事，江西瑞州府同知。

陈锺麟　字肇嘉，号厚甫。江苏元和人。庶吉士　户部主事，浙江杭嘉湖道。

郝懿行　户部主事。

林天培　字仲因，号南耕。顺天大兴人。庶吉士，兵部主事，广东惠潮嘉道。

罗　宸　福建长汀人。户部主事，浙江道御史。

周维垣　（原名周维翰）。四川简州人。户部主事，湖北黄州府知府。

李远烈　江西鄱阳人。户部主事，吏科掌印给事中。

倪　模　即用知县，安徽凤阳府教授。

佛　保　（原名佛住）。满洲镶白旗，尼奇哩氏。工部主事，吏部右侍郎。

吕　清　四川铜梁县知县。

张圣愉　云南昆明人。刑部主事，江西道御史。

陈诗庭　归班知县。

卢　坤　庶吉士，兵部主事，两广总督。

淡士淳　字仆堂。陕西大荔人。归班知县，陕西邠州学正。

　　武进士：

李云龙　直隶阜城人。状元。头等侍卫，山西太原镇标参将。

曾大观　字静斋。湖北黄陂人。榜眼。二等侍卫，福建建宁镇总兵。

张万清　河南杞县人。探花。二等侍卫，广东潮州镇左营游击。

● 恩遇：

永　璇　皇八子。正月封和硕仪亲王。

緜　亿　高宗皇孙。正月晋封荣郡王。

保　宁　大学士，伊犁将军。二月晋封太子太保衔（八年七月削）。

董　诰　署刑部尚书。二月晋太子太保衔。

庆　桂　协办大学士，刑部尚书。二月晋太子太保衔。

胡季堂　直隶总督。二月晋太子太保衔（十月削）。

刘　墉　大学士。二月加太子少保衔。

书　麟　吏部尚书。二月加太子少保衔。

朱　珪　吏部尚书。二月加太子少保衔（五年九月削）。

松　筠　陕甘总督。二月加太子少保衔（十一月削）。

额勒登保　参赞大臣，副都统。三月封一等男。

嗣　兴　已故护军校。四月追三等承恩公。

武士宜　已故总管内务府大臣。四月追三等承恩公。

花沙布　一等承恩侯。四月晋封三等承恩公。

盛　住　工部侍郎。四月晋封三等承恩公。

恭阿拉　镶红旗满洲副都统。四月封一等承恩侯。

爱星阿　已故员外郎。五月追封三等承恩公。

常　安　已故。五月追封三等承恩公。

那彦成　工部尚书。其母那拉氏，五月赐御书"励节教忠"额。

彭元瑞　工部尚书。九月晋太子太保。

德　明　礼部尚书。九月加太子少保。

庆　桂　大学士。九月以恭题高宗神主，晋太子太傅。

董　诰　大学士。九月以恭题高宗神主，晋太子太傅。

德楞泰　副都统衔。十月以生擒首逆高均德功封二等男。

姜　晟　湖南巡抚。十二月加太子少保衔（六年六月削）。

◎ 著述：

钱东垣　等撰《崇文总目辑释》五卷、《补遗》一卷、《附录》一卷成，见二月钱侗序。

吴　骞　撰《苏祠从祀议》卷成，见三月自序。

朱休度　自编《俟宁居偶詠》一卷成，见春日自记。

钮树玉　撰《非石日记》一卷成，（按：此书记至己未三月，故系于四月之前)。

钱　侗　撰《九经补韵考证》一卷成，见四月秦鉴跋。

孙银槎　撰《曝书亭集笺注》二十三卷成，见五月自序。

法式善　撰《槐厅载奉》二十卷成，见五月自撰例言。

阮　元　撰《畴人传》四十六卷成，见六月自序。

王　昶　自编《春融堂集》六十八卷成，见夏日鲁嗣光序。

法式善　撰《清秘述闻》十六卷成，见夏日王苏序。

严如煜　撰《苗防备览》二十二卷成，见夏日自序。

谢启昆　自编《就瞻草》一卷成，见八月胡虔序。

毛　士　撰《春秋三子传》六卷、《传前问答》一卷、《诸家解》十二卷、《三传驳解》八卷成（按：诸书均卒后始刻，见同治壬申王肇晋识语，今系于九月之前）。

沈可培　撰《泝源问答》十二卷成（按：此书卒后始刻，见己卯杜塄序，今系于九月之前）。

武　亿　撰《三礼义证》十二卷、《群经义证》八卷、《金石跋》四卷、《二跋》四卷、《三跋》二卷、《授堂金石文字续跋》十三卷、《授堂文钞》八卷、《续集》二卷、《授堂诗钞》八卷成（按：诸书皆卒后始刻，今系于十月之前）。

钱大昕　撰《十驾斋养新录》二十卷成，见十月自序。

朱　栋　撰《千卷志》六卷成，见十月徐昭文序。

孙星衍　辑《尸子》二卷成，见十月自序。

孙冯翼　辑《桓子新编》一卷、《典论》一卷、《皇览》一卷成，见十一月张炳序。

宋翔凤　辑《论语郑注》二卷成，见十一月自序。

焦　循　撰《天元一释》二卷成，见十二月自序。

臧　庸　辑《蔡氏月令章句》二卷成，见十二月自序。

凌廷堪　撰《礼经释例》十三卷成，见自序。

洪亮吉　自编《卷施阁诗文甲集》十卷、《乙集》八卷成，（按：所载文至己未止，故系于是年。又按书成后尚有甲集补遗一卷，乙集续编一卷附记于此）。

◉ 卒岁：

爱新觉罗弘历　大行太上皇帝乾隆。正月初三日崩于养心殿，
　　　　　　　圣寿八十有九。尊谥曰纯，庙号高宗。

邵志纯　六品顶戴，浙江仁和县孝廉方正。正月十五日卒年四
　　　　十四。

和　珅　字致斋。满洲正黄旗，钮祜禄氏。前太子太保，文华
　　　　殿大学士，军机大臣，一等公。正月十八日以罪令自
　　　　尽（注：以贪纵营私，弄权舞弊，僭妄悖逆，贻误军
　　　　机）。

陈奉兹　江苏布政使。正月二十三日卒年七十四。入国史文苑
　　　　传。

李奉翰　字艻林，号香亭。汉军正蓝旗。太子太保，两江总督，
　　　　骑都尉。二月卒。

李文蔚　甘肃哈密协副将。二月于陕西马发岭阵亡，予骑都尉
　　　　世职。

司马駉　河东河道总督。二月二十三日卒年七十一。

沈　初　户部尚书。三月初一日卒年七十一。谥文恪。

德　宁　蒙古镶白旗，杭阿坦氏。甘肃巴里坤镇总兵。三月卒
　　　　于四川军营，予骑都尉世职。

穆　维　直隶清苑人。山东登州镇总兵。三月卒于四川军营。

孙大猷　云南文山人。贵州清江协副将。三月于四川阆中县之
　　　　黄土墙阵亡。予云骑尉世职。

孔广栻　山东曲阜县举人。三月卒年四十五。入国史儒林传。

严守田　记名知府，在籍江苏候补同知，原署淮安府知府。四
　　　　月初十日卒年五十二。

关联陞　四川成都人。山西蒲州协副将。四月于四川杨家山阵
　　　　亡，予骑都尉世职。

恒　秀　副都统衔乌什办事，前吉林将军。正白旗宗室。四月
　　　　卒。

高　璛　汉军镶黄旗。以骁勇骑校补用，前广东提督，袭骑都尉世职。闰四月卒。

罗国俊　礼部侍郎。五月卒年六十六。

龚　沦　江苏长洲县举人。五月卒年六十一。

鲁嗣光　江西新城县举人。五月十三日卒年三十二。

爱星阿　蒙古正黄旗，乌朗罕吉勒们氏。古北口提督，袭二等轻车都尉世职。六月卒。

李应虞　原任贵州镇远府台拱同知。六月二十四日卒年八十六。

罗　聘　江苏江都县画士。七月初三日卒年六十七。

齐哩克齐　蒙古镶黄旗，额鲁特氏。镶黄旗蒙古副都统。七月卒。

钱　棅　内阁学士，云南学政。八月卒年五十八。

德　龄　满洲镶白旗，那拉氏。山西太原镇总兵。八月于四川万县之陈家场阵亡。予骑都尉世职。

龚士煃　山东兖州府运河同知。八月二十五日卒年六十。

江　声　六品顶戴江苏元和县孝廉方正。九月初三日卒年七十九。入国史儒林传。

陈用敷　原任安徽巡抚。九月卒。

永　琅　圣祖皇孙，袭和硕怡亲王。九月卒。谥曰恭。

李骥元　翰林院编修，降调詹事府左中允。九月二十二日卒年四十五。入国史文苑传。

毛　士　直隶静海县诸生。九月二十五日卒年七十二。

沈可培　赏复直隶安肃县知县原衔。九月二十六日卒年六十三。

苏凌阿　守护裕陵，致仕东阁大学士。十月卒年八十三。

武　亿　前山东博山县知县。十月二十九日卒年五十五。入国史儒林传。

余　珌　河南林县训导。十一月初七日卒年七十六。

哈当阿　蒙古正黄旗，把岳忒氏。福建水师提督。十一月卒。

安　禄　满洲镶黄旗，多拉尔氏。头等侍卫，袭一等超勇公。十一月于四川王家山阵亡。谥壮毅，予云骑尉世职。

蔡　新　太子太师，原任文华殿大学士。十二月卒年九十三。赠太傅。谥文恭。

王清弼　贵州大定协副将。十二月于四川苍溪县之麻柳湾阵亡。予云骑尉世职。

李锡命　广东罗定协副将。十二月于四川苍溪县之青字垭阵亡。予云骑尉世职。

韩嘉业　甘肃哈密协副将。十二月二十三日于陕西沔县阵亡，年五十二。赠提督，谥武烈，予骑都尉兼一云骑尉世职。

陈　琪　詹事府少詹事，湖南学政。卒。

宗超海　康熙九年生，字骏庵，号云峰。江西赣县人。湖北竹溪县知县。卒年六十九。

翁果尔海　满洲镶黄旗，噶巴哈氏。英吉沙尔领队大臣，袭骑都尉世职。卒。

黄大谋　致仕广东右翼镇总兵。卒。

富　森　满洲镶白旗，伊尔根觉罗氏。署四川松潘镇总兵，军标副将。于垫江阵亡。

佟世徽　山东沂州协副将。于四川黄金坪阵亡。予云骑尉世职。

黎　简　广东顺德县拔贡生。卒年五十二。入国史文苑传。

丁　传　浙江钱塘县诸生。卒年七十八。

方　薰　浙江石门县布衣。卒年六十四。

嘉庆五年庚申（公元一八〇〇年）

● **生辰：**

王正谊 正月初三日生，字筱洤。四川达县人。

吉　明 正月初五日生，字哲辅，号文峰、晓帆。满洲镶蓝旗，鄂卓氏。享年五十。

徐有壬 正月十八日生，（原名徐金粟），字维摩，号钧卿、君青。顺天宛平人。享年六十一。

许　楣 二月初八日生，字辛木。浙江海宁人。

谭　莹 二月二十二日生，字兆仁，号玉生。广东南海人。享年七十二。

梁逢辰 三月初一日生，字聿磐，号吉甫。福建长乐人。

吴士俊 三月初八日生，字德清，号传岩。直隶天津人。享年八十四。

袭宝铺 三月初十日生，字韶甫，号芍庵。直隶河间人。

胡孟奎 三月十七日生，江苏铜山人。享年八十七。

张集馨 三月二十九日生，字德吾，号香海、椒云。江苏仪征人。享年七十九。

曹衔达 四月十八日生，字仲行，号子安。浙江嘉善人。享年四十九。

蒋赐勋 四月十八日生，字纪常，号仲卿。浙江海宁人。享年七十四。

温葆深 四月十九日生，（原名温肇洋，又名温葆淳），字嘉霈，号子涵、明叔。江苏上元人。享年八十四。

曹　籀 四月二十四日生，字葛民。浙江仁和人。享年七十口。

马映辰 五月初二日生，字星房，号觉轩。顺天宛平人（原籍江苏如皋）。

金宝树 五月初三日生，字仲珊，号吟香、瑶柯。江苏元和人。享年五十八。

魏谦升 五月十八日生，字雨人。浙江钱塘人。

晏端书 五月十九日生，字彤甫，号巢云。江苏仪征人。享年八十三。

庆　勋 六月三十日生，字子猷。汉军正白旗。

张云藻 七月初一日生，字伯陶，号槐卿。江苏仪征人。

孙家良 七月初八日生，字伯骖，号翰卿。安徽寿县人。

苏廷魁 八月十四日生，字德甫，号赓堂。广东高要人。

恩　桂 八月二十日生，宗室。享年四十九。

朱风标 八月二十二日生，字建霞，号桐轩。浙江萧山人。享年七十四。

夏　燮 八月二十八日生，字季理，号谦甫。安徽当涂人。

保　清 九月初十日生，字惟一，号鑑堂。正蓝旗宗室。

朱右曾 十月初八日生，字尊鲁，号亮甫、咀霞。江苏嘉定人。

李希曾 十月十五日生，字肩吾，号芋村。汉军正白旗。

琦　昌 十一月初一日生，（原名齐斌达），字洁齐，号文甫。蒙古镶黄旗，杭阿坦氏。

朱　兰 十一月初九日生，字心如，号耐庵、久香。浙江余姚人。享年七十四。

韩　超 十一月十三日生，字寓仲，号南溪。直隶昌黎人。享年七十九。

任为琦 十一月十六日生，字小韩，号圭舫。河南息县人。

张修育 十一月三十日生，字伯淳，号鞠潭。直隶南皮人。

陈应聘 十二月十八日生，字肇莘，号莲史、觉民。山东潍县人。享年六十五。

陈之骥 十二月十九日生，字叔良，号訒斋。江苏上元人。

何若瑶 十二月二十六日生，字群玉，号石卿。广东番禺人。

梁同新 生，（原名梁纶机），字应辰，号渠亭、旭初。广东番禺人。享年六十一。

施作鳞 生，字辅南，号立卿。安徽太湖人。

孙福谦 生，享年五十八。

黄元灏　生，江苏人。享年五十四。

李元绅　生，字叶初，号青函。山东章邱人。享年七十五。

顾广誉　生，字维康，号访溪。浙江平湖人。享年六十八。

吴　铤　生，江苏阳湖人。享年三十三。

沈谨学　生，字诗华，号秋卿。浙江元和人。享年四十八。

王国均　生，直隶沧州人。享年六十八。

◉ 科第：

中式举人：

费士玑　字玉衡，号在轩。江苏震泽人。贵州大挑知县，署都
　　　　匀府通判。

李如璋　字达夫，号宜园。顺天通州人。国子监学正，湖南辰
　　　　州府知府。

陶庆麒　字瑞昭、静园。浙江会稽人。浙江口口县训导，衢州
　　　　府教授，重宴鹿鸣。

邢天一　顺天房山人。直隶元城县教谕，重宴鹿鸣。

继　昌　满洲正白旗，拜都氏。户部主事，马兰镇总兵。

宋翔凤　江苏泰州学正，湖南新宁县知县，重宴鹿鸣。

严可均　浙江建德县教谕。

昇　寅　见乾隆乙酉拔贡。

梅成栋　字树君。直隶天津人。直隶永平县训导。

英　瑞　字竹泉。满洲正白旗，那拉氏。刑部左侍郎。

陆继辂　江苏武进人。安徽合肥县训导，江西贵溪县知县。

盛大士　山阳县教谕。

梅　冲　字衷渊，号抱村。江苏上元人。

沈　端　字方立。江苏镇洋人。

吴嵩梁　江西人。内阁中书，贵州黔西州知州。

徐玉章　（原名徐璋），字南垞。顺天宛平人（原籍浙江乌程）。
　　　　贵州知县，贵州兴义府知府。

潘尚楫　浙江会稽人。山东曹州府知府。

金衍宗　临安县训导，温州府教授，重宴鹿鸣。

陈文述　江苏知县，安徽繁昌县知县。

何长敦　福建人。直隶知县，直隶博野县知县。

魏　瀚　湖南人。山西安邑县知县。

雷焕章　陕西人。湖南辰州府知府。

张斐然　四川营山人。辛未召试授内阁中书，口口州知州。

赵　瑜　云南人。湖南知县，湖南浏阳县知县。

　　中式副榜贡生：

刘　衡　（原名刘瑢），字蕴声，号訒堂、廉舫。江西南丰人。
　　　　广东知县，河南开归陈许道。

◉ 恩遇：

德楞泰　参赞大臣。内大臣三月以擒获逆首冉添元功，晋封三
　　　　等子。

德楞泰　成都将军。四月晋封一等子，（十二月降一等男寻晋三
　　　　等子）。

书　麟　协办大学士，云贵总督。四月晋太子太保。

额勒登保　经略大臣。五月晋封三等子。

胡季堂　原任直隶总督。十一月复加太子太保。

费　淳　两江总督。十一月以邵家坝工合龙加太子少保（十四
　　　　年十二月削）。

吴　璥　江南河道总督。十一月以邵家坝工合龙加太子少保（十
　　　　四年六月削）。

朱　涂　尚书朱珪之孙，赏给举人，江安粮道。

◉ 著述：

梁玉绳　自编《清白集》二十八卷成，见三月自序。

谢启昆　自编《铜鼓亭草》二卷成，见二月钱楷序。

阮　元　撰《定香亭笔谈》四卷成，见五月自记。

汪辉祖　撰《学治说赘》一卷成，见六月自序。

洪颐煊　校定《穆天子传》七卷成，见六月自序。

吴文炳　撰《泉币图说》六卷成，见八月自序。

朱履贞　浙江秀水人。撰《书学捷要》二卷成，见八月自序。

钱大昕　撰《元史艺文志》四卷成，见十二月自记。

王　煦　撰《小尔雅疏》八卷成，见自序。

洪亮吉　撰《伊犁日记》一卷、《天山客话》一卷、《外家纪闻》
　　　　一卷成，（按：诸书均无自序，今依年谱系于是年）。

◉ 卒岁：

江承之　安徽歙县布衣。正月初一日卒年十八。入国史儒林传。

金士松　兵部尚书。正月初九日卒年七十二。入祀贤良祠，谥
　　　　文简。

余庆长　在籍广西候补同知，前任四川成都府同知。正月十六
　　　　日卒年七十七。入国史文苑传。

谢　鉴　原授甘肃隆德州训导。（选后以老未任），正月二十三
　　　　日卒年八十四。

朱射斗　四川川北镇总兵，骑都尉。正月于蓬溪县之高院场阵
　　　　亡，年五十八。谥勇烈，予二等轻车都尉世职。

罗定国　浙江黄岩人。广西义宁协副将，袭三等男。正月于四
　　　　川蓬溪县之高院场阵亡。予云骑尉世职。

李腾蛟　直隶遵化直隶州知州。二月初二日卒年七十。

刘秉恬　兵部左侍郎，前太子太保，四川总督。二月卒。

赵　佑　都察院左都御史。二月卒年七十四。

施　绾　陕西定边人。贵州安义镇总兵。四月于四川龙安县之
　　　　竹子山阵亡。谥壮毅，予骑都尉兼一云骑尉世职。

宾　宁　（一作斌宁）。宗人府左宗人，镶蓝旗护军统领，镇国
　　　　公，宗室。四月卒。谥恪勤。

王　凯　贵州贵筑人。湖北宜昌镇总兵。闰四月于远安县之马
　　　　鞍山阵亡。予骑都尉兼一云骑尉世职。

冯应榴　原任鸿胪寺卿，前江西布政使。闰四月二十二日卒年
　　　　六十一。入国史文苑传。

方　昂　原任江苏布政使。闰四月二十八日卒年六十一。

严树萼　浙江临安县监生，六月十三日卒年六十七。

魁　伦　字冠甫。满洲正黄旗。前三品顶戴署理四川总督，前

任闽浙总督。六月二十三日以罪令自尽（注：以纵贼秧民贻误军务）。

吴宗元　浙江石门县岁贡生。七月初十日卒年六十九。

德　明　满洲正蓝旗，温都氏。太子少保，礼部尚书。七月卒。赠太子太保，谥勤恪。

范建中　字圣传，号寄庵。汉军镶黄旗。杭州将军，前任户部尚书，袭一等男。七月卒。谥恪慎。

富　成　满洲镶蓝旗，什莫勒氏。以披甲留营效力，前盛京将军。七月于甘肃徽县之架子山阵亡。照副将例赐恤。

佛　凝　湖南沅州协副将。七月于湖北房县之花果园阵亡。予云骑尉世职。

王文雄　固原提督。七月二十四日于陕西西乡县之法宝山阵亡，年五十二。赠三等子，谥壮节。

鲍　桂　陕西潼关协副将，袭二等轻车都尉世职。七月二十四日于西乡县之法宝山阵亡。予云骑尉世职。

孙嘉乐　在籍礼部候补员外郎，降调四川按察使。七月二十六日卒年六十八。

金德舆　在籍刑部候补主事。八月初五日卒年五十一。

邵齐熊　原任内阁中书。八月十七日卒年七十七。

袁　知　山西大同府知府。八月十九日卒年七十三。

李绍祖　广东高廉镇总兵。八月于湖北远安县之牛鹿坡阵亡。谥果壮，予骑都尉兼一云骑尉世职。

高光启　原任山东掖县知县。八月卒年六十五。

龚敬身　原任云南迤南道。九月初一日卒年六十六。

饶　彝　江西临川县廪生。九月初五日卒年四十。

岱森保　满洲正红旗，库雅拉阔卓里氏。镶黄旗汉军副都统。九月十二日卒于陕西汉中军营。

刘世宁　原任户部山西司郎中，降调广东惠潮嘉道。九月二十日卒年八十一。

庄勇成　江苏武进县诸生。九月卒年七十八。

胡季堂 太子太保，原任直隶总督，前任刑部尚书。十月卒年七十二。赠太子太傅，谥庄敏。

海洪阿 甘肃洮岷协副将。十月于陕西西乡县之马家湾阵亡。予云骑尉世职。

顾　光 原任广东广州府知府。十月二十七日卒年八十四。

淳　颖 正黄旗满洲都统，袭和硕睿亲王，宗室。十一月卒年四十。谥曰恭。

文　图 满洲正红旗，呼尔哈氏。致仕云南提督，袭云骑尉世职。十二月卒。

赓音布 字清庵。满洲镶蓝旗，瓜尔佳氏。盛京礼部侍郎。十二月卒。

戈　源 原任太仆寺少卿。卒年六十三。

毛大瀛 四川简州知州。以御贼被害，年六十五。予云骑尉世职。

石鹏翥 原任甘肃华亭县知县。卒年八十九。

进财保 满洲镶白旗，舒穆禄氏。原任副都统衔头等侍卫，英吉沙尔领队大臣。卒。

苏尔相 甘肃灵州人。云南腾越镇总兵。卒。

凝　德 满洲正黄旗，乌雅氏。甘肃巴里坤镇总兵。于伏羌阵亡。予骑都尉世职。

普吉保 满洲正黄旗。前广西右江镇总兵。卒于伊犁戍所。

章宗源 前顺天大兴县举人。卒。入国史文苑传。

吴文溥 字博如，号澹川　浙江嘉兴人。嘉兴县恩贡生。卒。入国史文苑传。

江　鏐 字贡庭。江苏元和人。元和县诸生。卒。入国史儒林传。

吴应奎 浙江孝丰人。孝丰县诸生。卒。

嘉庆六年辛酉（公元一八〇一年）

◉ 生辰：

郭景僖　正月初五日生，字寅亭，号棣园。山西阳曲人。

何桂芬　正月初八日生，（原名何其盛），字茂垣，号新甫。江苏上元人。享年六十八。

戴　熙　正月十五日生，字醇士，号榆庵。浙江钱塘人。享年六十。

郑献甫　正月二十三日生，（原名郑存紵，以字行），号小谷。广西象州人。享年七十二。

邓庆恩　二月十二日生，字绮屏。福建闽县人。

张锡庚　二月十二日生，字星白，号秋舫。江苏丹徒人。享年六十一。

孙葆元　三月初四日生，字复之，号莲塘、和甫。直隶盐山人。

汤　鹏　三月十三日生，字玉溟，号海秋。湖南益阳人。享年四十四。

韦　坦　三月十三日生，字恬斋，号竹坪。江苏山阳人。享年五十。

邱建猷　三月十五日生，字尔嘉，号谔廷、迪甫。广东大埔人。

林士傅　四月十一日生，字裕弼，号说岩、可舟。福建闽县人。

章　琼　四月二十六日生，字仲毅，号璧田、瑜峰。安徽庐江人。

德　惠　五月二十一日生，字孚之，号济堂。满洲镶红旗，伊尔根觉罗氏。

李品芳　五月二十五日生，字润之、春皋，号春泉、淡翁。浙江东阳人。

许之瑞　六月二十四日生，字辑五，号莲君。浙江仁和人。

德　诚　六月二十八日生，字子韶，号默庵、鹤云。

许祥光　六月二十八日生，字继仁，号宾衢。广东番禺人。

春　铭　七月初五日生，字和甫，号玉峰。满洲镶蓝旗，什勒氏。

钱福昌　八月十二日生，字超衢，号辰田、实斋。浙江平湖人。

存　葆　八月二十三日生，字芸翘，号秀岩。满洲正黄旗，李佳氏。

桑春荣　八月二十五日生，字伯侪，号百斋。顺天宛平人（原籍浙江山阴）。享年八十二。

沈兆霖　九月初九日生，字尺生、雨亭，号朗亭、子菉。浙江钱塘人。享年六十二。

杜彦士　九月十二日生，字亮询，号蕉林、翘亭。福建晋江人。

况　澄　九月十三日生，字少吴，号梅卿。广西临桂人。

陈庆偕　九月二十九日生，字季同，号古欢、慈圃。浙江会稽人。

何绍祺　十月十七日生，字子敬，号辛甫、勖潜。湖南道州人。

夏庆保　十月三十日生，字履祥，号蓉山。江苏仪征人。享年五十三。

万启心　十一月十八日生，字毅然，号鑑堂、葵田。江西丰城人。

何维墀　十一月十九日生，字丹阶，号晓枫。奉天宁海人。

全　顺　十一月二十五日生，字惠迪，号心斋、云阶。满洲正白旗，舒穆鲁氏。

祁宿藻　十一月二十五日生，字幼章，号子儒、心斋。山西寿阳人。

富　明　十二月初一日生，享年七十口。

苏敬衡　十二月初三日生，字伯舆，号蕉林、卧庵。山东沾化人。

全　庆　十二月初四日生，字云甫，号小汀。满洲正白旗，叶赫那拉氏。享年八十二。

陈　爔　十二月初九日生，字晹生，号春脉。四川涪州人。

龄　椿　十二月十一日生，字锡瑞，号友山。蒙古正红旗，德穆楚克氏。

朱有源 十二月十七日生，字鑑如，号月槎。浙江海盐人。享年四十三。

费丹旭 十二月二十六日生，字子苕，号晓楼、偶翁。浙江乌程人。享年五十。

李清凤 十二月二十六日生，字翔千，号古廉、味琴。江苏新阳人。享年五十九。

李文安 十二月二十九日生，（原名李文玗），字式和，号玉川、玉泉、愚荃。安徽合肥人。享年五十五。

英　桂 生，字一山，号芗岩。满洲正蓝旗，赫舍里氏。享年七十九。

阿彦达 生，字朗山。蒙古镶黄旗，杭阿坦氏。

汪振基 生，字仲兴，号艮山。安徽颖上人。

董作模 生，字范之，号梓亭、小村。山东邹县人。

段大章 生，字采山，号倬云。四川巴县人。

张敬修 生，字敏吾，号淑庵、雨农。湖南善化人。

傅观海 生，字星源，号澄涛。直隶卢龙人。

李书耀 生，字亮茂，号怀庭。福建南安人。享年四十七。

陆孙鼎 生。

李枝青 生，福建人。享年六十。

钱熙祚 生，字锡之，号雪枝。江苏金山人。享年四十四。

邓绍良 生，字臣若。湖南乾州人。享年五十八。

陈　潮 生，字宗海，号东之、侨甫。江苏泰兴人。享年三十五。

谢家禾 生，字和甫，号毂堂、存斋。浙江仁和人。

陆元纶 生，字绩铭，号稷民。江苏长洲人。享年五十九。

吕缉熙 生，字敬甫。安徽六安人。享年四十九。

苏惇元 生，字厚子。安徽桐城人。享年五十七。

● 科第：

　一甲进士：

顾　皋　状元。修撰，户部左侍郎。

刘彬士　字辅文，号筠圃。湖北黄陂人。榜眼。编修，刑部左
　　　　侍郎。

邹家燮　字理堂，号秀升。江西乐平人。探花。编修，兵科掌
　　　　印给事中。

　二甲进士：

席　煜　字紫菀，号子远、松野。江苏常熟人。编修。

商　载　字仲言，号吟巢。顺天大兴人。编修，山西宁武府知
　　　　府。

王　泽　字润生，号子卿、观斋。安徽芜湖人。编修，江西赣
　　　　州府知府。

陈嵩庆　字复庵、声谷，号荔峰。浙江钱塘人。编修，吏部左
　　　　侍郎。

方　振　字叶文，号容斋。江西南昌人。编修，侍讲学士。

焦景新　字晴川，号午桥。直隶天津人。吏部主事，江西饶州
　　　　府知府。

邓廷桢　编修，闽浙总督。

孙兆鳌　江苏通州人。内阁中书，吏部稽勋司。

汪润之　字雨园，号听舫。浙江仁和人。编修，少詹事。

陈中孚　（碑录作陈中浮），字允臣，号心畬。湘北武昌人。编
　　　　修，漕运总督。

黄任万　字毅亭，号辛畹。河南商城人。编修，四川潼川府知
　　　　府。

宋　潢　字星海，·号仍吉、岸堂。山东胶州人。户部主事，安
　　　　徽庐州府知府。

孔昭虔　字元敬，号荃溪。山东曲阜人。编修，浙江布政使。

王允辉　山东历城人。内阁中书，礼科掌印给事中。

卞　斌　刑部主事，光禄寺少卿。

余正焕　字星堂，号章甫。湖南长沙人。编修，江西盐法道。

陈家騄　浙江萧山人。内阁中书，浙江严州府教授。

倪　琇　字尚莹，号竹泉。云南昆明人。编修，福建兴泉永道。

袁名曜　字岘冈。湘南宁乡人。编修，侍读。

潘恭辰　字抚凝，号红圪、月锄。浙江钱塘人。编修，云南布
　　　　政使。

齐　鲲　字澄潇，号北瀛。福建侯官人。编修，河南河南府知
　　　　府。

聂镐敏　字丰阳，号镜圃、紫泉。湖南衡山人。编修，浙江严
　　　　州府知府。

吴熙曾　字缉文，号穆斋。山东海丰人。编修。

杨惠元　字心淮，号蓉峰。福建闽县人。编修，山东泰安府知
　　　　府。

杨怿曾　编修，湖北巡抚。

王锺吉　字蔼人，号述岩。山东诸城人。编修，河南开封府知
　　　　府。

叶绍本　字仁甫，号筠浦。浙江归安人。编修，山东布政使。

罗　琦　字麓西。湖南善化人。内阁中书，江苏淮海道。

朱方增　编修，内阁学士。

喻　鸿　字逵九，号渐磐。江西南城人。庶吉士，口部主事，
　　　　直隶宣化府知府。

朱　澄　字静江，号虚斋。顺天大兴人。编修，江苏常州府知
　　　　府。

张　輈　字幼轩，号瑞绂、渔川。河南洛阳人。庶吉士，吏部
　　　　主事，山东沂州府知府（直隶天津府知府）。

李振祜　内阁中书，刑部尚书。

陈用光　编修，礼部左侍郎。

杜　堮　编修，礼部左侍郎，道光己酉重宴鹿鸣。

刘奕煜　字炳文，号藜轩。甘肃宁州人。编修，工科给事中。

吴　颐　字锡唐。江苏吴县人。户部主事。

刘彬华　字藻林，号朴君。广东番禺人。编修。

佟景文　编修，安徽布政使。

岳震川　字一山。陕西洋县人。刑部员外郎。

伊里布　字莘农。满洲镶黄旗。国子监典簿，两江总督，协办大学士。

王松年　工部主事，刑科掌印给事中。

秀　堃　（原名秀宁），字其厚，号楚翘、松坪。满洲正黄旗，他塔喇氏。编修，刑部左侍郎。

傅　棠　字继夏，号石坡。顺天宛平人（原籍浙江诸暨）。编修，内阁侍读学士。

王嘉栋　字西仲，号小坡。浙江仁和人。编修，安徽安庆府知府。

徐　焕　字敬修，号舫亭。江苏无锡人。庶吉士，内阁中书，礼部主事。

梁中靖　字与亭，号东园。山西灵石人。庶吉士，吏部主事，太仆寺卿。

周　钺　字靖之，号鑑堂。河南商城人。内阁中书，顺天府府丞。

陈　杲　字宣叔，号若华。河南商丘人。编修。

吴　杰　字翘南，号蒌田、兰皋。湖北黄陂人。庶吉士，刑部主事，广东盐运使。

普　保　字怀千，号介石。满洲正黄旗，哈达那拉氏。庶吉士，户部主事，盛京礼部侍郎。

　　三甲进士：

陈　煦　庶吉士，江西知县，安徽安庆府知府。

姚　堃　庶吉士；兵部主事，掌贵州道御史。

黄中位　字坤美，号子载。贵州贵筑人。庶吉士，云南知县，四川东川府知府。

查讷勤　字谨夫，号简庵、云帆。顺天宛平人。检讨，陕西粮道。

姬光璧　字杏农。山西永济人。归班知县。

胡长庆　广西临桂人。江苏潜山县县丞。

沈钦霖　（原名**沈钦临**）。内阁中书，安徽庐州府知府。

周际华　（原名周际岐）。内阁中书，贵州都匀府教授，江苏江
　　　　都县知县。

牟惇儒　字仲叙，号药洲。山东福山人。礼部主事，云南大理
　　　　府知府。

许绍宗　庶吉士，湖南知县，湖南凤凰厅同知。

张　井　广东知县，江南河道总督。

严昌珏　浙江归安人。贵州平远州知州。

王厚庆　山东福山人。内阁中书，浙江台州府知府。

汪　鑑　字雨泉。直隶滦州人。国子监学正，广西柳州府知府。

窦心传　山西沁水人。江西新淦县知县，奉天承德县知县。

边廷英　直隶任邱人。内阁中书，礼部员外郎。

朱凤森　（原名朱奕森）。河南浚县知县。

方元鹍　字海槎。浙江金华人。工部主事。

王以铻　字古彝，号宝华。浙江归安人。会元。庶吉士，归班
　　　　知县，（按：以铻为乾隆乙卯会元）。

马宗琏　字鲁陈，号器之。安徽桐城人。归班知县，安徽东流
　　　　县教谕。

曾晖春　字霁峰。福建闽县人。国子监学正，江西义宁州知州。

黄　鹤　字鸣皋。贵州清镇人。湖南桃源县知县。

凯音布　字戡卿，号靖侯。满洲镶蓝旗。检讨，成都将军。

陈耀昌　字星阶。直隶安州人。国子监助教。

杨书绍　汉军正红旗。内阁中书，河南彰德府知府。

马有章　字倬亭。江苏通州人。会元。内阁中书。

李鸿宾　字象三，号鹿苹。江西德化人。检讨，两广总督，协
　　　　办大学士。

常　英　（原名长英），字轶英，号子千、芝岩。蒙古镶黄旗，
　　　　乌朗罕吉勒英特氏。检讨，兵部左侍郎。

　　武进士：

姚大宁　广东南海人。状元。头等侍卫。

满德坤　山东滕县人。榜眼。二等侍卫，湖北郧阳镇总兵。

李廷扬　山东胶州人。探花。二等侍卫，广东口口镇总兵。

王鸿仪　直隶天津人。会元。三等侍卫，乌鲁木齐参将。

　考取优贡生：

李遇孙　浙江人。处州府训导。

丁传经　字恒斋，号漱六。浙江归安人。

金廷栋　浙江人。

　考取拔贡生：

恒　梧　八旗人。广西镇安府知府。

杨振麟　顺天宛平人。刑部小京官，甲子举人，陕西布政使。

赵盛奎　字菊言。直隶深州人。吏部小京官，刑部右侍郎。

韩俊杰　江苏人。礼部小京官，湖北襄阳府知府。

张允垂　江苏娄县人。户部小京官，浙江杭州府知府。

胡金诰　字晋嘉，号蛟门。江苏娄县人。

丁履恒　口橡县教谕，山东肥城县知县。

袁渭锺　江苏人。吏部小京官，浙江嘉兴府知府。

万方雍　字时泉。江西义宁人。刑部小京官，湖南按察使。

陈鸿寿　浙江人。广东知县，南河海防河务同知。

李富孙　浙江嘉兴人。

张　鑑　见甲子副贡。

徐养灏　字遹殷，号确庵。浙江德清人。刑部小京官，山东道
　　　　御史。

洪颐煊　广东直州判，署新兴县知县。

程怀璟　湖北人。刑部小京官，江苏按察使。

胡启荣　湖南人。云南知县，云南迤南道。

蒋云容　湖北光化县知县。

王维诚　山东人。吏部小京官，戊辰举人，广西布政使。

马绍援　山东章邱人。江苏知县，山西潞安府知府。

李湘苣　户部小京官，己卯副贡，江南河库道。

栗毓美　山西人。河南知县，河东河道总督。

李　瀛　四川江津人（原籍湖北大冶）。户部小京官，浙江衢州府知府。

李士祯　字广成。广东番禺人。

邵　诗　字子京。广东电白人。

中式举人：

阿灵阿　满洲镶黄旗。内务府笔帖式，兵部尚书。

舒　谦　满洲正蓝旗，他塔拉氏。户部主事，江苏粮道。

王有庆　直隶天津人。江苏苏州府知府。

汪　霖　（原名汪世炳），字芝生。浙江秀水人。安徽凤阳府知府。

孙　堂　字步升，号秋岩。浙江平湖人。翰林院典簿。

骆腾凤　江苏山阳人。安徽舒城县训导。

吴文炳　字柳门。安徽泾县人。直隶东明县知县。

焦　循　江苏甘泉人。

李锺泗　江苏甘泉人。

萧元吉　字象占，号谦古。江西高安人。河南知县，河南河南府知府。

乐　钧　字元淑，号莲裳。江西临川人。

朱宗城　浙江海盐人。

陈　善　字扶雅，号寿客。浙江仁和人。嘉兴县教谕。

孙兰枝　浙江人。刑部主事，陕西陕西道。

高澍然　字雨农。福建光泽人，内阁中书。

陈世昌　湖南人。国子监学正，山西蒲州府同知。

张履信　字云池。湖南茶陵人。

武凌汉　陕西人。甘肃知县，江苏徐州府知府。

吴　梯　广东顺德人。山东知县，山东济宁直隶州知州。

林伯桐　德庆州学正。

中式副榜贡生：

徐养原　浙江人。候选州判。

◉　恩遇：

德楞泰　成都将军。正月仍晋封一等子。

额勒登保　经略大臣。四月以生擒逆首高二等，功封二等子。

勒　保　四川总督。八月以生擒逆首冉学胜，功封三等男。

谢溶生　三品卿衔，前太常寺卿。以本年为乾隆辛酉科乡举周
甲之岁，九月重赴鹿鸣筵宴。

额勒登保　经略大臣。十月晋封三等伯（七年正月降一等男）。

德楞泰　成都将军。十月晋封二等伯（号继勇）。

窦　瑸　致仕广东提督。以本年为乾隆辛酉科乡举周甲之岁，
重赴鹰扬筵宴。

● 著述：

戚学标　撰《集李三百篇》三卷成，见三月自序。

刘大绅　自编《寄庵诗钞》十三卷成，见五月自序。

阮　元　编《两浙輶轩录》四十卷成，见六月自序。

张敦仁　撰缉《古算经细草》三卷成，见六月自序。

陈　鱣　撰《对策》六卷成，见七月自序。

毕星海　撰《六书通摭遗》二卷成，见八月自序。

周　春　撰《海潮说》一卷成，见十月自题。

谢启昆　重修《广西通志》二百八十卷成，见十月进书表。

陈念祖　字修园。福建长乐人。撰《时方歌括》二卷成，见十
月自题。

章学城　撰《文史通义》八卷、《校雠通义》三卷成，（按：二
书均卒后始刻，见道光壬辰章华绂跋语列于十一月之
前）。

谢启昆　撰《粤西金石略》十五卷成，见十一月胡虔序（按：
是书系于广西通志内抽出单行）。

臧　庸　辑《孝经郑氏解》一卷成，见十二月阮元提辞。

郝懿行　撰《通俗文》十九卷成。

王玉树　撰《说文拈字》七卷、《补遗》二卷成，见伊秉绶序。

● 卒岁：

周升桓　前广西苍梧道。正月十一日卒年六十九。

毛燧传　江苏阳湖县增生。正月十七日卒于武昌勺庭书院，年
　　　　五十六。入国史文苑传。

布彦达赉　满洲镶黄旗，钮祜禄氏。领侍卫内大臣，户部尚书，
　　　　一等子。正月卒。赠太子太保，谥恭勤。追赠三等
　　　　承恩公（按：追赠在道光三年九月）。

童凤三　吏部左侍郎，顺天学政。正月以病回京卒于保定。

李　荃　丁优山西宁武府同知。正月卒年五十九。

吕　嶽　候选训导，江苏阳湖县廪贡生。正月卒年七十四。

康绍衣　原任陕西三原县训导。二月初七日卒年八十四。

段中律　原任安徽青阳县知县。二月十一日卒年七十九。

傅　森　满洲镶黄旗，钮祜禄氏。户部尚书，军机大臣。二月
　　　　卒。

陶绍景　原任福建台湾县知县。二月二十六日卒年九十一。

孙志祖　原任江南道监察御使。二月二十九日卒年六十五。入
　　　　国史儒林传。

劳　潼　广东南海县举人。卒。入国史儒林传。

书　麟　字绂斋。满洲镶黄旗，高佳氏。太子太保，协办大学
　　　　士，新授吏部尚书（由湖广总督升补，命下时书麟已
　　　　卒）。三月十九日卒于湖北军营，赠太子太傅一等男，
　　　　谥文勤。

伊江阿　字诚斋，号静亭。满洲正白旗，拜都氏。蓝翎侍卫，
　　　　古城领队侍卫大臣，前山东巡抚。三月十三日卒。

和兴额　满洲镶白旗，葛济勒氏。协领衔前凉州副都统。三月
　　　　十三日于陕西留坝厅之大坝阵亡。予骑都尉兼一云骑
　　　　尉世职。

沈振鹏　顺天丰润县知县。三月二十六日卒年六十。

恭　保　笔帖士。四月卒。赠一等承恩公，谥恪慎。

姚　棻　原任福建巡抚。四月卒。

侯　坤　署理潮州运同，广东盐运司经历。四月二十四日卒年
　　　　六十二。

金　榜　在籍翰林院修撰。六月十一日卒年六十七。入国史儒
　　　林传。

乌尔图纳逊　蒙古正白旗，图博特氏。致仕理藩院尚书，云骑
　　　尉。六月卒。

冯　浩　原任山东道监察御史。六月二十九日卒年八十三。

巴图什里　蒙古正蓝旗，博尔济吉特氏。湖南永州镇总兵。七
　　　月卒。

傅　淦　内阁中书。七月卒年三十六。

丁授经　浙江归安县优贡生。七月十六日卒年三十三。

梁肯堂　尚书衔致仕漕运总督，前任刑部尚书。八月卒年八十
　　　五。

汪　棣　原任刑部员外郎。八月卒年八十二。

德　成　满洲正黄旗，瓜尔佳氏。前工部左侍郎。八月卒。

郑宗汝　原任刑部山东司员外郎。八月十二日卒年四十六。

靳文锐　翰林院编修，陕西正考官。八月二十一日以病出闱，
　　　卒于西安。

冯光熊　都察院左都御史。八月二十四日卒年七十口。

胡时显　三品衔鸿胪寺卿。八月二十四日卒于陕西兴安军营，
　　　年五十九。赠光禄寺卿。

李南馨　福建水师提督。九月卒。

图桑阿　满洲正白旗，董鄂氏。乌鲁木齐提督，袭一等昭武侯。
　　　九月卒。

陈树华　原任山西宁乡县知县，降调山西泽州府同知。九月卒
　　　年七十二。入国史儒林传。

庄　映　原任陕西商州直隶州知州。由陕西临潼县知县升授未
　　　任以乞养归，九月十七日卒年八十四。

鲍志道　三品顶带候选道，安徽歙县贡生。十月十三日卒年五
　　　十九。

阿兰保　满洲正白旗，扎拉尔氏。镶蓝旗蒙古都统。十月卒。
　　　谥壮勇。

刘之仁　字德庵。贵州铜仁人。陕西宁陕镇总兵。十月卒年六十口。

伊桑阿　满洲镶黄旗，高佳氏。前贵州巡抚。十一月以罪处绞（注：以贪污欺罔）。

苏　灵　字福林。顺天大兴人。广西提督。十一月卒。

和　伦　满洲正蓝旗。博都里氏。前巴里坤镇总兵。十一月卒。

纶布春　满洲镶白旗，罗佳氏。二等侍卫，前镶蓝旗蒙古副都统。十一月卒于陕西汉中军营。

成　德　满洲正黄旗，索伦额苏里氏。原任荆州左翼副都统。十一月卒年七十。

章学诚　浙江会稽县举人。十一月卒年六十四。入国史文苑传。

毕星海　浙江海盐县岁贡生。十一月十六日卒年六十二。

叶树滋　前贵州大定府水城通判。十二月初三日卒年七十。

沈　麟　原任湖南凤凰厅同知。十二月十九日卒年五十七。

路学宏　原任四川宜川县知县。十二月卒年八十二。

伍弥乌逊　蒙古正黄旗，伍弥氏。袭三等诚毅伯，原任三等侍卫，哈密办事，前兵部左侍郎。卒。

谢溶生　三品卿衔，前太常寺卿，降调礼部左侍郎。卒年八十口。

雅　德　满洲正红旗，瓜尔佳氏。前闽浙总督，复授三等侍卫哈密办事。卒。

朱孝纯　原任两淮盐运使。卒年六十七。入国史文苑传。

黄　易　山东兖州府运河同知。卒年五十八。入国史文苑传。

恒　瑞　西安将军，云骑尉，正白旗宗室。卒。

常怀义　升授江南提督。由直隶天津镇总兵升补，卒于天津镇署。

潘　韬　广东吴川人。广东南澳镇总兵。卒。

马德舒　广东广州城守营副将。于湖北房县之龚家沟阵亡，予云骑尉世职。

吴兰庭　浙江归安县举人。卒年七十二。入国史文苑传。

陶元藻　浙江会稽县诸生。卒年八十六。
汤文隽　江苏嘉定县布衣。卒年五十四。

嘉庆七年壬戌（公元一八○二年）

● 生辰：

曹澍锺　正月二十二日生，字雨若，号颖生。湖北江夏人。

廖惟勋　二月十四日生，字椅城，号卓峰。江苏嘉定人。享年
　　　　五十一。

白让卿　二月二十二日生，字墨林，号退庵。顺天通州人。享
　　　　年七十四。

劳崇光　二月二十七日生，字惺皆，号辛阶。湖南善化人。享
　　　　年六十六。

吴存义　三月初八日生，字和甫，号荔裳。江苏泰兴人。享年
　　　　六十七。

鄂　恒　三月十七日生，字月卿，号松亭。满洲正黄旗，伊尔
　　　　根觉罗氏。

罗以智　三月三十日生，字子仲，号镜泉。浙江新城人。

步际同　五月十一日生，字唐封，号弱侯、香南。直隶枣强人。

苏学健　六月初四日生，字伯玉、力臣，号松龛。广西义宁人。

汪世铎　六月十五日生，字晋侯，号梅村。江苏江宁人。享年
　　　　八十八。

椿　寿　六月十六日生，字伯仁，号静斋。满洲正白旗，佟佳
　　　　氏。享年五十一。

书　洛　七月初九日生，字圣则，号镜湖。满洲正白旗，那拉
　　　　氏。

陶恩培　七月二十七日生，字益芝，号问云。浙江会稽人。享
　　　　年五十四。

雷成朴　八月初四日生，字震初，号固庐、韦庄。陕西朝邑人。

黄　琮　八月十三日生，字象坤，号矩卿。云南昆明人。享年
　　　　六十二。

王东槐　八月二十二日生，字荫之，号靖斋。山东滕县人。享

年五十一。

陆以湉　八月二十三日生，字松磐，号定圃、敬安。浙江桐乡
　　　　人。

徐有孚　八月二十四日生，字挈卿，号小槎。顺天宛平人。

任　瑛　八月二十八日生，字尹甫，号岯堂。江苏宜兴人。享
　　　　年八十二。

祁　兑　九月初六日生，享年六十五。

孔庆鈺　九月二十一日生，字泽锡，号仪甫。山东曲阜人。享
　　　　年五十二。

张光第　十月初五日生，字云轩。河南祥符人。享年六十九。

陈孚恩　十月初八日生，字子鹤，号少默。江西新城人。享年
　　　　六十五。

王兆松　十一月初七日生。（原名王松陵），字功卜。直隶抚宁
　　　　人。享年六十五。

史致谔　十一月十六日生，字士良、耜梁，号子愚、铁生。顺
　　　　天宛平人（原籍江苏溧阳）。享年七十一。

虞家泰　十一月十七日生，字思哲，号怡园。顺天宛平人。

屠　秉　十一月二十五日生，字修伯。浙江钱塘人。

张其仁　十一月二十八日生，字旎士，号静山。云南太和人。

王者政　十二月二十二日生。山东文登人。

宋　晋　十二月二十六日生，字锡蕃、祐生，号雪帆。江苏溧
　　　　阳人。享年七十三。

张　沄　生，字竺汀，号澥云。湖南长沙人。

武访畴　生，字受之，号芝田。山西崞县人。

诚　意　生，字心农。汉军正白旗。

孔继镕　生，山东曲阜人。享年五十七。

戚天保　生，字九如，号少云、谷泉。湖北沔旧人。享年六十
　　　　五。

李右文　生，（原名李佩文），字伯兰，号香初。顺天通州人。
　　　　享年五十八。

傅自铭 生，字新之，号心芝、小轳。顺天宛平人（原籍浙江
　　　　鄞县）。享年五十五。

◉ 科第：

　　一甲进士：

吴廷琛 会元。状元。修撰，云南按察使。

李宗昉 榜眼。编修，礼部尚书。

朱士彦 探花。编修，吏部尚书。

　　二甲进士：

李仲昭 编修，掌江西道御史。

朱　珔 编修，侍讲。

吴　椿 编修，户部尚书。

吕子班 乙丑朝考，户部主事，浙江宁波府知府。

何丙咸 字南羲，号辛六、春躔。浙江萧山人。编修。

顾　莼 编修，通政司副使。

董桂新 庶吉士。

梁章钜 庶吉士，礼部主事，江苏巡抚。

金式玉 庶吉士。

朱　鸿 编修，湖南粮道。

费兰墀 字秀生，号心谷、蓬庵。江苏震泽人。编修。

洪占铨 字辅阶，号介亭、鑑亭。江西宜黄人。编修。

陶　澍 编修，两江总督。

何应杰 字子凡，号培田、庸庵。贵州贵筑人。编修。

胡开益 编修，詹事。

程寿龄 字荐如，号漱泉。江苏甘泉人。编修，赞善。

张源长 字方济，号秋圃。山东乐陵人。编修，河南南汝光道。

易元善 编修，侍讲学士。

邓士宪 字成智，号鉴堂。广东南海人。庶吉士，兵部主事，
　　　　云南粮道。

张　鉴 编修，内阁侍读学士。

谢学崇 字仲兰，号椒石、崇之。江西南康人。编修，河南开

归陈许道。

谢兰生 字佩士，号澧浦、里甫。广东南海人。庶吉士。

李振翥 编修，山东按察使。

何兰汀 字雨堂，号墨香。浙江山阴人。庶吉士，福建知县，
云南开化府知府。

黄中傑 编修，湖南粮道。

李锺璧 云南太和人。广西全州、玉林州知州。

李可蕃 字衍修，号椒堂。广东南海人。编修，湖南粮道。

瞿　昂 字子皋，号羡门。顺天宛平人。编修，河南陈州府知
府。

赵　蘐 云南晋宁人。庶吉士。知县。

程邦宪 编修，鸿胪寺少卿。

沈维鐈 编修，工部左侍郎。

霍树清 字桂堂，号松轩。陕西朝邑人。庶吉士，甘肃镇原县
知县，江西南昌府同知。

卿祖培 编修，太常寺少卿。

凌鸣喈 字体元。浙江乌程人。

洪　耀 字镜心，号字愚。浙江新城人。庶吉士，吏部主事，
广西左江道。

程赞清 编修，山西按察使。

宁古齐 满洲镶白旗。庶吉士，口部主事，翰林院侍读。

卢炳涛 字静波，号秋槎。浙江东阳人。庶吉士，户部主事，
湖广道御史。

张元模 字谱南，号范斋、竹坪。直隶安州人。庶吉士，刑部
主事，浙江金衢严道。

龚守正 编修，礼部尚书。

黄　茂 山西夏县人。

陈　岱 浙江钱塘人。

陈徵芝 字世善，号兰邻。福建闽县人。江西知县，云南腾越
厅同知。

张本枝　字荫青，号立亭。贵州毕节人。庶吉士，工部主事，
　　　　甘肃甘凉道。

周毓麟　江西泸溪人。江西广信府教授。

林春溥　编修，重宴恩荣。

　　（按：咸丰以后，凡应重宴鹿鸣恩荣人员，往往先期加恩，
迨临宴时已有前卒者但以曾奉恩旨即为录入，至届期是否与宴
查卒岁表自明，今发凡于此）。

葛方晋　字昼卿，号稚芗。浙江仁和人。编修。

盖运长　字景仆，号健园。山西曲沃人。庶吉士，广东知县，
　　　　甘肃巩秦阶道。

余保纯　字祐堂，号与屏。顺天宛平人（原籍江苏武进）。广东
　　　　知县，广东广州府知府。

孙　汶　字宗岱，号望山。山东胶州人。庶吉士，知县，刑部
　　　　郎中，湖南粮道。

　　三甲进士：

刘德铨　字选廷，号伯衡、勋台。湖北黄陂人。四川知县，云
　　　　南大理府知府。

叶申棻　字维芳、莘昀。福建闽县人。广东知县。

杨为谧　湖北汉阳人。直隶保定府知府。

善　庆　刑部主事，盛京礼部侍郎。

孙世昌　字文垣，号掌行、少兰。顺天大兴人（原籍安徽桐城）。
　　　　检讨，广西浔州府知府。

庄诜男　顺天大兴人。河南南阳县知县。

邱树棠　刑部主事，仓场侍郎。

王青莲　字希白，号香湖。贵州遵义人。庶吉士，知县，山东
　　　　布政使。

吉士琰　字伯英，号玮堂。江苏丹阳人。

果齐思欢　镶蓝旗宗室。检讨，黑龙江将军。

王　果　号希仲，号六泉、退斋、松山。四川内江人。知县，
　　　　山东武定府知府。

安佩莲　字玉清，号初亭。贵州贵定人。湖南知县，湖南长沙府知府。

申启贤　检讨，山西巡抚。

卓秉恬　检讨，武英殿大学士。

耿维祐　山东新城人。浙江知县，广东按察使。

任郿祜　庶吉士，湖北知县，湖北安陆府知府。

王楚堂　甘肃知县，仓场侍郎。

德朋阿　字辅仁，号琢庵。正蓝旗宗室。检讨，左庶子。

惠　端　宗室，庶吉士，吏部主事，盛京兵部侍郎。

司为善　字福田，号乐斋。四川巫山人。贵州知县，贵州贵阳府知府。

金菁莪　兵部主事。

王笃庆　字厚夫，号省山。山东聊城人。云南知县，云南迤南道。

孔继㙆　户部主事。

李文耕　山东知县，贵州按察使。

夏修恕　检讨，安徽按察使。

1016

　　武进士：

李白玉　直隶蒿城人。状元。头等侍卫。

张大鹏　江西武宁人。榜眼。二等侍卫，广东潮州镇总兵。

陆凤翔　安徽蒙城人。探花。二等侍卫，广东抚标中军参将。

◉　恩遇：

庆　成　固原提督。五月复加太子太保（十一年六月革）。

纪　昀　礼部尚书。六月以八十生辰赐寿。

德楞泰　成都将军。六月晋封三等继勇侯。

勒　保　四川总督。七月以擒获逆首刘朝选，功封一等男。

王　杰　大学士。七月以老病辞职，加太子太傅衔。

额勒登保　经略大臣。七月以擒斩逆首苟文明等功晋封一等威勇伯。

朱　珪　协办大学士，户部尚书。八月复加太子少保衔。

窦　瑸　致仕广东提督。以本年为乾隆壬戌科登第周甲之岁，
　　　　重赴会武筵宴。

额勒登保　经略大臣。十一月晋封三等威勇侯。

琳　宁　协办大学士，吏部尚书。十一月加太子少保衔（九年
　　　　六月削革）。

　　　十二月以川陕楚三省邪匪平定：（以下六条同）

额勒登保　经略大臣。晋封一等威勇侯，并加太子太保衔；

德楞泰　成都将军。封一等继勇侯，并加太子太保衔（九年四
　　　　月降为二等侯，八月赏复一等）；

勒　保　四川总督。晋封一等威勤伯，并加太子少保衔；

明　亮　乌鲁木齐都统。封一等男；

吴熊光　湖广总督。加太子少保衔（十三年十月削）；

戴衢亨　兵部尚书。加太子少保衔。

丰绅殷德　散秩大臣衔固伦额驸，十二月赏给公品级（八年七
　　　　月革）。

◉ 著述：

汪辉祖　撰《元史本证》五十卷成，见正月自序。

孙星衍　撰《寰宇访碑录》十二卷成，见二月自序。

宋咸熙　辑《吕氏古易音训》二卷成，见三月自序。

赵　翼　撰《瓯北诗话》十卷成，见五月自序。

郑澍若　编《虞初续志》十二卷成，见五月自序。

陈念祖　撰《景岳新方砭》四卷成，见五月自序。

叶　钧　撰《重订三家诗拾遗》十卷成，见五月自序。

张惠言　撰《易义别录》、《仪礼图》六卷成，（按：二书均卒后
　　　　始刻，今系于六月之前）。

严可均　撰《说文声类》二卷成，见六月自序。

宋翔凤　辑《孟子刘熙注》一卷成，见六月自序。

王　昶　编《明词》十二卷成，见六月自序。

桂　馥　撰《札朴》十卷成，见八月自序。

李调元　撰《罗江县志》十卷成，见九月自序。

孙冯翼 辑《世本》二卷成，见九月孙星衍序。

王　昶 编《国朝词综》四十八卷成，见十月自序。

吴　骞 自编《拜经楼诗集》十二卷成，见十月钱大昕序。

郑　环 撰《孔子世家考》二卷成，见十一月自序。

焦　循 撰《禹贡郑注释》二卷成，见十二月自序。

李富孙 撰《汉魏六朝墓铭纂例》四卷成，见十二月自序。

钱大昕 撰《洪文惠年谱》一卷、《洪文敏年谱》一卷、《陆放
　　　翁年谱》一卷成，（按：三书皆无自序，据李赓芸跋语
　　　谓刻于癸亥之春，今系于刻书之前一年）。

钱　枚 撰《微波词》一卷成，自序无年月，今系于卒年。

● 卒岁：

蒋兆奎 以三品卿衔致仕，前任山东巡抚。二月卒年七十口。

王懋赏 湖南永州镇总兵。二月于湖北竹山县之马发岭阵亡。
　　　予骑都尉世职。

韩自昌 甘肃武威人。甘肃庄浪协副将。二月于陕西周至县之
　　　板房子阵亡。予骑都尉世职。

史鸿义 顺天宛平县举人。二月二十三日卒年六十四。

荆道乾 原任安徽巡抚。三月初三日卒年七十二。

胡匡宪 安徽绩溪县廪生。三月十一日卒年六十。

成　德 满洲正蓝旗，叶赫氏。户部尚书，军机大臣。三月卒。
　　　赠太子少保，谥恪慎。

蒋赐棨 丁忧四品衔，降调户部左侍郎，袭一等轻车都尉世职。
　　　三月卒，年六十九。

钱福胙 原任翰林院侍读学士。三月三十日卒年四十。

西　城 满洲正白旗，巴雅拉氏。都察院左都御史。四月卒年
　　　八十口。

陈万全 原任兵部左侍郎。四月以病回籍，卒于山东东昌舟次，
　　　年五十六。

叶文麟 署陕西乾县直隶州知州，兴安府通判。四月卒年七十
　　　五。

刘　湄　都察院左副御史。四月十九日卒年七十一。

王文治　降调云南临安府知府。四月二十六日卒年七十三。入国史文苑传。

范　鏊　光禄寺卿。四月二十八日卒年六十。

宝　恩　领侍卫内大臣，袭和硕睿亲王，宗室。五月卒年二十五。谥曰慎。

张惠言　翰林院编修。六月卒年四十二。入国史儒林传。

金式玉　在籍翰林院庶吉士。六月初三日卒年二十八。

达　椿　礼部尚书。六月卒。

戴宫桂　浙江嘉兴县增生。六月卒年五十六。

谢启昆　广西巡抚。六月二十六日卒年六十六。

李　彤　兵部职方司主事。七月初五日卒年七十一。

荣　柱　字铁斋，号采芝。满洲正白旗，伊尔根觉罗氏。前奉天府府尹，降调盛京刑部侍郎。卒。

张若淳　字圣泉，号寿雪。安徽桐城人。刑部尚书。七月二十七日卒。赠太子少保，谥勤恪。

王秉韬　河东河道总督。七月二十九日卒。

富尼善　满洲镶红旗，富察氏。贵州巡抚。九月卒。

弘　丰　圣祖皇孙。杭州将军，一等辅国将军。九月卒。

吴玉纶　致仕翰林院检讨，降调兵部右侍郎。九月卒年七十一。

张德巽　贵州定番州学正。十一月十一日卒年七十。

陆有仁　陕西巡抚。十月卒。

普　福　蒙古正黄旗，扎格里斯氏。都察院左都御史。十月卒。

陆伯焜　原任浙江按察使。十一月初六日卒年六十一。

孙曰秉　云南巡抚。十一月十四日卒年七十一。

曹　城　吏部左侍郎，顺天学政。十一月卒。

吉　庆　满洲正白旗，觉罗氏。解任待审两广总督，前太子太保，协办大学士，袭骑都尉世职。十二月于广州督署自戕。

龚景瀚　甘肃兰州府知府。十二月二十六日以引见卒于京师，年五十六。入国史循吏传。

孙效曾 原任翰林院侍讲。卒。

钱　枚 吏部主事。卒年四十三。

马宗琏 归班侯选知县，前任安徽东流县教谕，安徽桐城县进
　　　　士。卒。入国史儒林传。

卞　谟 安徽旌德县训导，前山东青城县知县。卒年五十九。

苍　保 字佑庵。汉军镶白旗。原任福建水师提督。卒。

额勒亨额 三姓副都统，正白旗宗室。卒。

马玉魁 广西右江镇总兵。卒。

陈　京 浙江钱塘县诸生。卒年五十八。

嘉庆八年癸亥（公元一八〇三年）

● **生辰：**

蔡宗茂　正月十四日生，字小石。江苏上元人。

李维藩　正月二十二日生，字锡侯，号抚海。奉天义州人。

史策先　正月二十八日生，字步云，号吟舟。湖北枣阳人。

朱开嶽　二月十六日生，安徽当涂人。享年六十五。

王发桂　三月初二日生，字月樵，号小山、晓珊。直隶清苑人
　　　　（原籍浙江会稽）。

喻增高　闰二月二十五日生，字宇清，号凤冈。江西萍乡人。

齐承彦　三月初六日生，字心泉，号小筠。直隶天津人。享年
　　　　六十五。

黄家声　三月初七日生，字振夫，号筱原、鹤楼。江苏上元人。
　　　　享年五十八。

方　锴　三月十四日生，字楚金，号铁君、立斋。安徽定远人。

黄安绶　五月初八日生，（原名黄廷绶），字聘甫，号蒨园。浙
　　　　江仁和人。

王广业　五月初十日生，字价臣，号椒生、子勤。江苏泰州人。

张步瀛　五月十三日生，字连洲，号莲洲、心如。江苏金匮人。
　　　　享年五十七。

何国琛　五月十八日生，字宝田，号白英、澹园。浙江海宁人。
　　　　享年七十二。

彭崧毓　五月二十一日生，字于番，号稚宣。湖北江夏人。

萧锦忠　五月二十六日生，字黼平，号史楼。湖南茶陵人。

徐　耀　六月十一日生，字鹤荣，号宝山。顺天宛平人。

周　颚　六月十四日生，字子俨，号荐廷。贵州贵筑人。

蔡绍洛　六月十九日生，字季瞻，号端天、莲桥。湖北蕲水人。

吴嘉宾　六月生，字子序。江西南丰人。享年六十二。

慧　成　七月初二日生，字裕亭，号秋谷。满洲镶黄旗，戴佳

氏。享年六十二。

孙毓溎　八月初五日生，字犀源。号梧江、容江。山东济宁人。享年六十五。

陶　澍　八月十三日生，字廉生，号莲笙。顺天大兴人（原籍浙江会稽）。

黄宗汉　八月十八日生，字季云，号坡友、寿臣。福建晋江人。享年六十二。

邹峻杰　八月十八日生，（原名邹正杰，又名邹见龙），字有耀，号云阶、剑农。湖南浏阳人。

郑敦谨　十月初三日生，字筱三，号小珊。湖南长沙人。享年八十三。

李汝峤　十月初五日生，字方壶，号少峰、子瀛。江苏震洋人。

崔光笏　十月十九日生，字正甫，号诗卿。直隶庆云人。享年五十四。

范泰衡　十一月二十一日生，字百从，号惺序、宗山。四川隆昌人。享年八十四。

于凌辰　十二月初一日生，（原名于凌汉），字启运，号莲舫、彦季。奉天伯都纳人。

吴敬羲　十二月初四日生，字驾六，号孟旸、薇客、恬庵。浙江钱塘人。

朱　埴　十二月初七日生，字峻臣，号筠如。安徽泾县人。

马学易　生，字可大，号吉人。江苏长洲人。享年四十一。

邵　灿　生，字阮津，号又村。浙江余姚人。

朱　琦　生，字濂甫，号伯韩、莲府。广西临桂人。享年五十九。

王本梧　生，字凤栖，号琴仙。浙江鄞县人。

锺　裕　生，字惇甫，号问斋。汉军镶黄旗，杨氏。

董似毂　生，字粹夫，号蓉初。顺天大兴人。

彭洋中　生，字声甫，号海东、筱房、晓杭。湖南湘乡人。享年六十二。

卜葆龢 生，字尹甫，号达庵、玉生。浙江平湖人。享年四十
　　　　三。

张　熊　生，字子祥，号鸳湖、外史。浙江秀水人。享年八十
　　　　四。

◉ 科第：

　　翻译进士：

讷尔经额 字近堂。满洲正白旗，费莫氏。园寝礼部主事，文
　　　　渊阁大学士。

◉ 恩遇：

王　杰　原任大学士。闰二月以陛辞回籍，赐御制诗联。

札克塔尔 护军统领。闰二月于神武门内擒获逆犯陈德，封三
　　　　等男。

颜　检　直隶总督。七月加太子少保衔（十年五月革）。

保　宁　大学士。十月复加太子太保衔（口年削）。

◉ 著述：

陈念祖 撰《时方妙用》四卷成，见正月自题。

汪辉祖 撰《二十四史希姓录》四卷、《读史掌录》十二卷、《过
　　　　眼杂录》四卷成，均在二月见梦痕录余。

陈念祖 撰《神农本草经读》四卷成，见五月蒋庆龄序。

阮　元　编《两浙輶轩录补遗》十卷成，见夏日自序。

彭元瑞 撰《宋四六话》十二卷成，见六月曹振镛跋。

翁方纲 撰《苏米斋兰亭考》八卷成，见七月自序。

王　昶　编《湖海游传》四十六卷成，见八月自序。

王　昶　编《国朝词综二集》八卷成，见十月王绍成序。

戚学标 撰《汉学谐声》二十四卷成，见十二月自序。

宋　保　字定士，号小城。江苏高邮人。撰《谐声补逸》十四
　　　　卷成，见十二月自序。

黄崇兰 安徽怀宁人。撰《国朝贡举考略》二卷成，见十二月
　　　　自序（按：此书成后，有赵学曾续辑一卷）。

郭　麐　自编《浮眉楼词》二卷成，见自序。

洪亮吉　自编《更生斋文甲集》四卷、《乙集》四卷、《诗集》
　　　　八卷成，（按：所编至癸亥止，见洪用勤后识）。

洪亮吉　撰《比雅》十卷成（按：此书为未定之稿，后经其曾
　　　　孙用勤分订十卷，见书后识语）。

● 卒岁：

沈叔埏　在籍吏部候补主事。正月初五日卒年六十八，入国史
　　　　文苑传。

书　敬　广州将军，镶红旗宗室。正月卒。

七十五　满洲正黄旗，瓜尔佳氏。护军校，前四川提督。正月
　　　　卒。赏副都统衔。

吴元念　原任户部四川司员外郎。正月卒年八十。

恒　谨　不入八分辅国公，前袭多罗克勤郡王，宗室。二月卒。

蒋曰纶　工部右侍郎。二月二十九日卒年七十五。

穆克登布　字瑶圃。满洲镶白旗，彦佳氏。甘肃提督，骑都尉。
　　　　　闰二月于四川通江县阵亡。赠二等男，谥刚烈。

张　敬　前湖北房县知县。闰二月卒年七十。

杨　伦　原任广西荔浦县知县。闰二月二十八日卒年五十七。
　　　　入国史文苑传。

陈庭学　主事衔，前陕西汉兴道。三月十六日卒年六十五。

国　霖　满洲镶白旗，富察氏。左翼总兵。三月卒。

鲁华祝　原任四川潼川府知府。四月初六日卒年七十五。

胡廷森　授□州吏目。五月十七日卒年八十五。

赵绳男　原任刑部福建司郎中。五月二十二日卒年八十一。

吴省钦　前都察院左都御史。六月初二日卒年七十五。

段世续　江苏金坛县恩贡生。六月十四日卒年九十四。

岳　起　署礼部右侍郎，前任江苏巡抚。七月卒年五十五。赠
　　　　太子少保衔。

许承志　前广东番禺县知县。八月卒年六十三。

朱　彭　浙江钱塘县岁贡生。八月初四日卒年七十三。入国史
　　　　文苑传。

刘召扬　在籍候补内阁中书。八月十三日卒年五十八。

周　琛　知州衔调授陕西长武县知县。由甘肃敦煌县知县调补，八月十六日卒于敦煌，年五十七。

吴蔚光　在籍礼部候补主事。八月二十三日卒年六十一。

徐振甲　原任河南涉县知县。九月初六日卒年七十五。

李世望　原任长芦盐运使，九月卒年七十八。

彭元瑞　太子太保，实录馆总裁，赏食全俸，原任工部尚书，前协办大学士吏部尚书。九月卒年七十三。赠协办大学士，谥文勤。入祀贤良祠（按：入祀在十二年三月）。

张九钺　前广东海阳县知县。九月十九日卒年八十三。入国史文苑传。

张远览　原任贵州镇远县知县。十月卒年七十七。入国史文苑传。

艾如文　贵州平远人。赏食全俸，致仕陕西兴汉镇总兵。十一月卒。

黄　标　广东左翼镇总兵。十一月卒年六十二。

宋华国　原任江西彭泽县教谕。十一月卒年六十九。

徐大榕　在籍候补郎中，降调山东济南府知府。十一月十九日卒年五十七。

彭如幹　河南开归陈许道。十一月二十四日卒年七十。赠按察使衔。

章攀桂　原任江苏苏松太道。十二月初二日卒年六十八。

吴东发　浙江海盐县岁贡生。十二月二十二日卒年五十七。入国史儒林传。

许宝善　原任浙江道监察御史。十二月二十八日卒年七十三。

台费荫　满洲正黄旗，伊尔根觉罗氏。围场副都统，前户部右侍郎。卒。

明　安　满洲镶黄旗，钮祜禄氏。蓝翎侍卫，伊犁领队大臣，前步军统领兼正红旗蒙古都统，一等果毅继勇公。卒。

亮　禄　满洲正红旗，伊尔根觉罗氏。云南开化镇总兵，袭三等轻车都尉世职。卒。

札郎阿 满洲正黄旗，伊尔根觉罗氏。丁忧云南开化镇总兵。
卒。

全　德 满洲正黄旗，吉林驻防，瓜尔佳氏。副都统衔吉林协
领。卒。

陈大用 字作霖。甘肃宁夏人。致仕陕西委用守备，前江南提
督，袭三等子。卒。

吴凌云 江苏嘉定县岁贡生。卒年五十七。入国史儒林传。

刘　桐 字舜辉，号疏雨。浙江乌程人。候选州同，浙江乌程
县贡生。卒。

奚　冈 浙江钱塘县诸生。卒年五十八。

徐文範 江苏嘉定县监生。卒年七十。

嘉庆九年甲子（公元一八○四年）

● **生辰：**

吕佺孙　正月十三日生，字元相，号尧仙。江苏阳湖人。

邓仁堃　正月三十日生，字宝桥，号厚甫、镇海。湖南武冈人。
　　　　享年六十三。

窦　垿　二月初二日生，字子坫，号兰泉。云南罗平人。享年
　　　　六十二。

殷寿彭　二月二十一日生，字雉斠，号述斋。江苏吴江人。

冯德馨　二月二十七日生，字桂山，号东鲁。山东济宁人。

锡　麟　三月初一日生，字仁趾，号晋斋。满洲正蓝旗，郑佳
　　　　氏。

黄锺音　三月十五日生，字永洸，号子声、毅甫。四川巴县人。
　　　　享年五十四。

左宗植　三月二十五日生，字仲基，号景乔、立生、眘庵。湖
　　　　南湘阴人。

青　麐　四月初一日生，字龙宾，号墨卿。满洲正白旗，图们
　　　　氏。享年五十一。

邓　瀛　四月十二日生，字登三，号介槎。福建上杭人。

洪齮孙　五月初七日生，字子龄，号芝龄。江苏阳湖人。享年
　　　　五十六。

汪元方　五月十八日生，字友陈，号嘯庵、贞岩。浙江余杭人。
　　　　享年六十四。

许本墉　五月二十日生，字崇如，号茨堂。湖北天门人。

汪廷儒　五月二十四日生，字醇卿，号纯卿。江苏仪征人。享
　　　　年四十九。

阮　祜　六月二十八日生，字受卿，号叔锡。江苏仪征人。

罗汝怀　七月初四日生，字砚孙，号念生、研生。湖南湘潭人。
　　　　享年七十七。

司徒照 七月十七日生，字子临，号芷轺、开喧、观榴。广东开平人。

汪适孙 七月二十日生，字亚虞，号又村。浙江钱塘人。享年四十。

丁希陶 七月二十六日生，字学晋，号菊坡。云南楚雄人。

陈　坛 八月初二日生，字晴宇、杏江，号约斋、少文。河南商丘人。

席振逵 八月初三日生，字鹤叔，号枚生、梅生。江苏常熟人。

高贡龄 八月初六日生，字次封，号丙焱、竹桓。山东利津人。

方宗钧 九月初九日生，字鸣韶，号蘷卿。湖南巴陵人。

周玉麒 九月初十日生，字仁甫、小石，号韩臣、昆麟。湖南长沙人。享年七十二。

郭用宾 九月二十日生，（原名**郭利宾**），字觊亭，号石榆、孟寅。湖北蕲水人。

黄庆同 九月二十二日生，（原名**黄庆昌**），字鼎勋、六舟。江西清江人。

王恩绶 九月二十六日生，字佩纶，号乐山。江苏无锡人。享年五十二。

杨文定 十月初三日生，字安卿，号阆仙。安徽定远人。享年五十四。

倭　仁 十月初五日生，字仲安、迟亭，号艮峰。蒙古正红旗，河南驻防，乌齐格里氏。享年六十八。

胡　焯 十月初六日生，字光伯。湖南武陵人。

杜　联 十月初六日生，字耀川，号莲衢。浙江会稽人。

宋延春 十月初八日生，字引恬，号小墅。江西奉新人。享年九十。

姚锡华 十月初八日生，字师白、曼伯，号实庵。江苏上元人。享年六十七。

吴　熊 十月十五日生，（原名**吴凤毛**），字戴仁，号璞莾、朴安。浙江归安人。享年五十七。

程恭寿 十月二十三日生，字容伯，号人海、隐君。浙江钱塘人。享年七十四。

蒋霨远 十一月初七日生，字云卿、耘青，号嗣芳、濂生。汉军镶蓝旗。享年五十七。

顾　椿 十一月初十日生，字春木，号蔼庭。广西临桂人。

倪　杰 十一月十九日生，字震林，号叶帆。浙江会稽人。

苏呼讷 十二月二十三日生，字慧生，号仲眉、笑梅。满洲镶黄旗，赫舍里氏。

王寿同 十二月二十三日生，字季如，号子兰、莲士。江苏高邮人。享年四十九。

杨裕深 生，（原名杨遇升），字云五，号晓东。贵州平越人。

吴登甲 生，字鼎臣，号东圃。陕西西乡人。享年五十二。

毕　至 生，字贤甫，号春亭、小园。湖北蕲水人。

顾淳庆 生，字古生，号鹤憔。浙江会稽人。

刘良驷 生，字穆生，号述舫。江西南丰人。享年六十九。

汤禄名 生，字乐民。江苏武进人。享年七十一。

饶廷选 生，字枚臣。福建闽县人。享年五十八。

汤　球 生，字伯玕，安徽黟县人。享年七十八。

屠　苏 生，字伯洪。江苏吴县人。享年五十。

徐　鼏 生，江苏六合人。享年五十五。

徐述岐 生，江苏嘉定人。享年三十八。

◎ 科第：

考取优贡生：

蔡　云 字铁耕。江苏元和人。

锺　怀 江苏甘泉人。

邬　翚 候选同知。

　中式举人：

杨振麟 顺天人。见辛酉拔贡。

葆　谦 礼部笔帖式，江南盐道。

瑞　生 光禄寺笔帖式，四川建昌道。

朱　煌　浙江知县，浙江杭州府知府。

严学淦　湖南溆浦县知县。

赵同春　江苏昭文人。

黄鲁溪　江南人。四川知县，四川永宁府知府。

周仪暐　陕西山阳县知县。

阮　湖　江西新建人。

邵葆初　浙江归安人。

孙熙元　浙江仁和人。

查　揆　安徽知县，直隶滦州知州。

徐熊飞　浙江武康人。

王　仁　浙江钱塘人。

施绍武　浙江钱塘人。

胡　缙。

姚景崇　浙江钱塘人。

刘方璿　湖南人。桂东县教谕。

邓显鹤　宁乡乡训导。

温启鳌　山西人。刑部郎中。

杨国桢　四川人。刑部郎中，闽浙总督。

梁曾龄　广东人。

1030

中式副榜贡生：

张　鑑　浙江人。武义县训导。

黄培芳　广东人。陵水县教谕，内阁中书。

中式翻译举人：

赓　福　满洲镶蓝旗，瓜尔佳氏。国子监助教，热河都统。

观　福　蒙古正蓝旗。理藩院主事，甘肃宁夏道。

顾汝敬　江苏人，以年老钦赐举人。

◉ 恩遇：

朱　珪　翰林院掌院学士，协办大学士，户部尚书。正月晋太子太傅。

英　和　户部左侍郎。正月加太子少保衔（十年六月削）。

黄　钺　懋勤殿行走，户部主事。正月特赏詹事府赞善，余见
　　　　乾隆庚戌科。

朱　珪　翰林院掌院学士。二月赐御书"天禄储才"额。

英　和　二月赐御书"清华励品"额。

铁　保　山东巡抚。三月加太子少保衔（十二年四月削）。

禄　康　协办大学士，户部尚书。七月加太子少保衔（十四年
　　　　十二月削）。

百　龄　广西巡抚。九月加太子少保衔（十年十一月削）。

邓梦琴　原任陕西汉中府知府。以本年为乾隆甲子科乡举周甲
　　　　之岁，九月重赴鹿鸣筵宴。

王　杰　大学士。以夫妇年皆八十，十月赐御书"福绥燕喜"
　　　　额及御制诗。

庆　桂　大学士。十一月以七十生辰，赐御书"济口延禧"额
　　　　及御制诗。

● 著述：

姚文田　撰《说文声系》十四卷成，见正月自序。

陈念祖　撰《医学三字经》四卷成，见正月自序。

郝懿行　撰《山海笺疏》十八卷、《订譌》一卷、《叙录》一卷
　　　　成，见二月自序。

特通阿　辑《东湖志》二卷成，见三月自序。

沈梦兰　撰《五省沟洫图说》一卷成，见五月自撰书后，（按：
　　　　书成后复续附文牍诸篇）。

洪饴孙　撰《三国职官表》三卷成，见四月自序。

铁　保　编《熙朝雅颂集》一百三十四卷成，见五月御序。

张　澍　撰《续黔书》八卷成，见六月自序。

凌廷堪　撰《燕乐考原》六卷成，见七月自序。

陆凤藻　撰《小知录》十二卷成，见七月钱大昕序。

刘　濬　撰《杜诗集评》十五卷成，见七月自序。

阮　元　撰《积古斋钟鼎彝器款识》十卷成，见八月自序。

朱　栋　自编《二坨诗稿》四卷成，见九月刘台斗序（按：诗

后附词稿一卷）。

屠　倬　自编《是程堂初集》四卷成，见九月郭麐序。

钱大昕　撰《潜研堂金石文字目》八卷、《三史拾遗》五卷、《诸史拾遗》五卷、《王深宁年谱》一卷、《弇州山人年谱》一卷、《疑年录》四卷、《十驾斋养新余录》三卷、《潜研堂诗续集》十卷成（按：诸书皆卒后始刻，今系于十月之前）。

法式善　撰《李文正公年谱》七卷成，见十月自序。

严　观　撰《江宁金石待访目》二卷成，见十一月严晋跋。

洪颐煊　撰《汉志水道疏证》四卷成，见十二月自序。

孙　焘　撰《毛诗说》三十卷成，见冬日钱天树后跋。

赵在翰　辑《七纬》三十八卷成，见阮元序。

陈学诗　撰《韵综》成，见自序。

姚　衡　撰《小学述闻》二卷成，见自记。

◉　卒岁：

平　恕　户部左侍郎，江苏学政。正月卒。

黄文煴　汉军镶红旗。署热河都统，镶黄旗汉军副都统，三等忠勤伯。正月卒。

凤　文　原任护军参领，袭奉恩将军品级，宗室。正月卒年四十八。

吕朝龙　四川广元人。四川松潘镇总兵。二月卒。

汪学金　原任詹事府左庶子。二月二十八日卒年五十七。入国史文苑传。

乌大经　云南提督。三月卒。谥壮毅。

阮　和　原任四川广安州知州。卒年七十四。

杨　揆　四川布政使。五月十六日卒年四十五。赠太常寺卿，入国史文苑传。

惠　龄　字瑶圃。蒙古正白旗，萨尔图氏。陕甘总督，（前太子少保，理藩院尚书），一等轻车都尉。六月卒。赠太子少保，二等男，谥勤襄。

琅　玕　满洲正蓝旗，觉罗氏。云贵总督。六月卒。谥恪勤。

胡振声　字子容。福建同安人。浙江温州镇总兵。六月于浮鹰洋阵亡。谥武壮，予骑都尉兼一云骑尉世职。

丁履端　直隶威县知县。六月二十一日卒年四十八。

穆腾额　满洲镶黄旗，陈佳氏。致仕广东高州镇总兵。七月卒，

叶元符　降调河南卫辉府知府。八月二十三日卒年五十二。

福敏泰　蒙古正蓝旗，博罗特氏。正黄旗蒙古副都统。九月卒。

郑鑑元　候选道。九月二十八日卒年九十一。

张承勋　汉军正黄旗。原任杭州将军，袭一等靖逆侯。十月卒年七十口。

钱大昕　原任詹事府少詹事。十月二十日卒于苏州紫阳书院，年七十七。入国史儒林传。

唐侍陞　降调山东兖沂曹济道。十一月初一日卒年七十二。

陈起龙　福建闽县诸生。十一月初八日卒年八十一。

緜　庆　高宗皇孙，多罗宝郡王。十二月卒，谥曰恪。

刘　墉　太子少保衔，体仁阁大学士。十二月二十四日卒年八十五。赠太子太保，入祀贤良祠，谥文清。

韩　鑅　字序东。贵州毕节人。致仕兵部右侍郎。卒。

窝星额　满洲镶白旗。内阁学士。卒。

孟　邵　致仕大理寺卿，降调都察院左副都御史。卒。

董桂新　翰林院庶吉士。卒年三十二。

李调元　前直隶通永道。卒年七十二。入国史文苑传。

史绍登　字倬云。江苏溧阳人。云南云州知州。卒。入国史循吏传。

龚国榜　原任山西河津县知县。卒年七十。

罗会恩　贵州人。原任贵州安宁州学正。卒。

谢　震　福建顺昌县教谕。卒年四十。入国史儒林传。

彭之年　致仕湖北襄阳镇总兵。卒年八十口。

嘉庆十年乙丑（公元一八〇五年）

● 生辰：

余　坤　正月初二日生，字子容，号小波、苎山。浙江诸暨人。

张金铺　正月初四日生，字良甫，号笙伯、海门、忍庵。浙江
　　　　平湖人。享年五十六。

彭久馀　正月十六日生，字书三，号味之。湖北江夏人。

恩　麟　正月二十五日生，字君锡，号诗樵。蒙古正黄旗，诺
　　　　敏氏。

左　瑛　正月二十八日生，字伯常，号瑶圃、漱六、让斋。湖
　　　　北云梦人。

吴若准　二月初六日生，字子莱，号次平、耘石。浙江钱塘人。

朱右贤　二月初七日生，（榜名敖右贤，后归本宗），字子尚，
　　　　号铭三、秋田。四川荣昌人（原籍浙江海盐）。享年五
　　　　十。

王检心　二月初九日生，（原名王立人），字孔卓，号悍斋。河
　　　　南内乡人。享年六十五。

英　瑞　二月十七日生，字毓芷，号彦甫。正蓝旗宗室。

方　俊　二月二十三日生，字伯雄。江苏上元人。

林鸿年　二月二十八日生，字孝荫，号勿村、康石。福建侯官
　　　　人。享年八十三。

瑞　常　三月初八日生，字芝生。蒙古镶红旗，杭州驻防，玛
　　　　里氏。享年六十八。

庆　祺　三月二十日生，（原名庆安），字心恭，号云舫。正蓝
　　　　旗宗室。享年五十五。

孔继鑅　四月十三日生，字又韩，号宥函。顺天大兴人（原籍
　　　　山东曲阜）。

孔庆鏐　四月二十三日生，字诚甫、泽夏，号稷臣。山东曲阜
　　　　人。

金肇洛　五月初四日生，（原名金汝砺），字若銛，号云卿、凤书。浙江仁和人。

刘有铭　五月十一日生，字缄三，号镌山、蔗圃。直隶南皮人。享年七十二。

戴　煦　五月十四日生，字鄂士，号鹤墅、仲乙。浙江钱塘人。享年五十六。

赵印川　五月二十七日生，字桂堂，号珠浦、小谭。山东博山人。享年五十四。

唐壬森　六月十六日生，（原名唐楷），字叔未，号壬林、根石。浙江兰溪人。享年八十七。

翁祖烈　六月二十六日生，字贤方，号次竹。福建侯官人。

丁芑诒　闰六月初三日生，字燕丰，号静涵、幼楂。陕西人。

蒋　照　闰六月初六日生，字文若，号蒋村。江苏甘泉人。

许延俊　闰六月十七日生，字君修。浙江仁和人。

黄赞汤　七月初八日生，字尹咸，号徵三、莘农。江西庐陵人。享年六十五。

毛贵铭　七月初十日生，（原名毛文翰），字西垣。湖南巴陵人。享年四十九。

姚　燮　七月二十日生，字梅伯，号野桥、复庄。浙江镇海人。享年六十。

吴敏树　七月二十四日生，字本深，号南屏。湖南巴陵人。享年六十九。

潘仕成　七月二十九日生，字子韶，号德畬。广东番禺人。

谭廷襄　八月初三日生，字思赞，号竹崖。浙江山阴人。享年六十六。

蒋元溥　八月初五日生，（原名蒋德瀼），字奕韩，号誉侯、二溪。湖北天门人。

陈宝禾　八月十二日生，字子嘉，号似谷。浙江钱塘人。

萧时馨　八月二十一日生，字德明，号伯香。贵州开州人（原籍江西新喻）。

罗天池　九月初三日生，字苹绍，号六湖。广东新会人。

司徒煦　九月初三日生，字开曙，号春楚、心竹、旭庄。广东
　　　　开平人。

杨式毅　九月初九日生，字似之、续祖，号介农、诒堂。河南
　　　　商城人。享年五十八。

薛鸣皋　九月十五日生，字鹤亭。号桂洲。山西陵川人。

方　潜　十月十二日生，（原名方世超，一作嘉庆十四年生），
　　　　字鲁生。安徽桐城人。享年六十（六十四）。

王振纲　十月二十八日生，字重三，号竹溪。直隶新城人。享
　　　　年七十一。

邹汉勋　十一月初三日生，字叔勋，号叔绩、续父。湖南新化
　　　　人。享年四十九。

胡应泰　十一月二十三日生，（原名胡揖滋），字阶平，号兰岑、
　　　　怀茳、芸竹。顺天大兴人（原籍浙江山阴）。

焦友麟　十一月二十五日生，字子恭，号笠泉。山东章邱人。

赫特贺　十二月二十日生，字子斆，号蓉峰、兰江。蒙古镶红
　　　　旗，希尔努特氏。

赵振祚　生，字伯厚，号芝舫。江苏武进人。享年五十六。

黄廷珍　生，字席聘，号宝卿。顺天宛平人（原籍湖北钟祥）。
　　　　享年三十四。

冯　栻　生，字亦轩，号晓沧、兰雪。顺天大兴人（原籍浙江
　　　　慈溪）。享年八十二。

锺谦钧　生，字云卿。湖南巴陵人。享年七十。

王华封　生，字祝三。安徽太平人。

张士宽　生，（原名张在清），字冰如，号绮生、小华。浙江海
　　　　宁人。

朱隽甲　生，字季雄，号一峰。江苏荆溪人。

邵绶名　生，（原名邵孚名），字信圃，号朴山。顺天大兴人。

熊家彦　生，字士为，号仲山。湖北孝感人。

华长卿　生，（原名华长懋），字彦昭，号梅庄、香孙。直隶天

津人。享年七十七。

魁　玉　生，字时若。满州正白旗，富察氏。享年八十。

林建猷　生，福建安溪人。享年五十二。

鲁一同　生，字通甫，号兰岑。江苏山阳人。享年五十九。

欧阳泳　生，字子季，号松洲。湖南人。享年四十。

张　穆　生，字涌风，号石舟、石洲。山西平定人。享年四十
　　　　五。

杨德亨　生，字仲乾。安徽石埭人。享年七十二。

姚绍崇　生，湖南益阳人。享年八十一。

吴冠英　生，享年八十□。

◉ 科第：

　　一甲进士：

彭　浚　字映槟，号宝臣。湖南衡山人。状元。修撰，顺天府
　　　　府丞。

徐　颋　榜眼。编修，内阁学士。

何凌汉　探花。编修，户部尚书。

　　二甲进士：

徐　松　编修，内阁中书，陕西榆林府知府。

李兆洛　庶吉士，安徽凤台县知县。

石葆元　字聿臻，号镜心、镜亭。安徽宿松人。编修。

张聪贤　字序侯，号爱涛。安徽桐城人。庶吉士，陕西知县，
　　　　陕西潼关厅同知。

孙尔准　编修，闽浙总督。

王　琪　字玉璋。江苏金匮人。庶吉士，兵部主事。

姚元之　编修，左都御史。

谢　崧　编修，云南迤西道。

程德楷　字邦宪，号松亭。湖北麻城人。编修，光禄寺卿。

盛　唐　号芦汀。浙江萧山人。编修，刑科给事中。

程家督　字端林，号伯男、小鹤。河南商城人。编修，广西右
　　　　江道。

史　谱　字溧源，号荔园、荫堂。山东乐陵人。编修，兵部左侍郎。

董桂敷　字宗邵，号小槎。安徽婺源人。编修。

汪全德　庶吉士，工部主事，江西吉南赣宁道。

孙源湘　江苏昭文人。庶吉士。

马瑞辰　庶吉士，工部主事，工部郎中。

童　璋　字礛珍，号望轩。浙江山阴人。庶吉士，礼部主事。

胡　敬　会元。编修，侍讲学士。

邵葆铿　编修。

苏　绎　字会人，号鲁山、止斋。浙江钱塘人。编修，山东青州府知府。

彭邦畴　字范九，号春农。江西南昌人。编修，礼部侍郎。

于克襄　（原名于克家），字贻芬，号莲亭。山东文登人。庶吉士，刑部主事，湖北盐法道。

李可琼　字佩修，号石泉。广东南海人。编修，山东盐运使。

蒋　诗　字泉伯，号秋吟。浙江仁和人。编修，陕西道御史。

聂铣敏　字晋光，号蓉峰、廉泉。湖南衡山人。庶吉士，兵部主事，己巳特授编修，浙江绍兴府知府。

张锡谦　庶吉士，户部主事，湖南长沙府知府。

秦绳曾　字直亭。江苏江宁人。刑部主事，福建道御史。

陈鸿墀　字万宁，号范川。浙江嘉善人。编修，内阁中书。

何彤然　编修，内阁学士。

徐　鑑　庶吉士，归班知县，福建兴化府知府。

张志廉　庶吉士，刑部主事，云南大理府知府。

程伯銮　编修，广西思恩府知府。

吴存楷　山东知县，安徽当涂县知县。

蒋　策　直隶卢龙人。户部主事，四川保宁府知府。

陈玉铭　编修，侍讲。

邱　煌　字叔山，号枚邠、南晖。贵州毕节人。编修，湖北粮道。

翟锦观 字絅之，号筼庄。贵州贵筑人。编修，云南按察使。

王廷潞 顺天通州人。刑部主事，山东曹州府知府。

凌泰交 直隶知县，贵州镇远府知府。

和　桂 字丹亭，号仙圃。满洲镶白旗。庶吉士，吏部主事，
　　　　礼部左侍郎。

郭泰成 山西汾阳人。户部主事，刑科给事中。

何增元 庶吉士，刑部主事，江西南康府知府。

鲁垂绅 编修，山东粮道。

姚原绂 庶吉士，归班知县，长芦运同。

周寿椿 编修，山西蒲州府知府。

陈俊千 字常伯，号蔓坪。安徽定远人。庶吉士，户部主事，
　　　　福建台湾府知府。

王允楚 山东新城人。河南知县，山西泽州府知府。

孙升长 编修，贵州安顺府知府。

郑祖琛 江西知县，广西巡抚。

胡承珙 编修，福建台湾道。

李黼平 庶吉士，江苏昭文县知县。

宝　兴 字献山，号韫圃。满洲镶黄旗。觉罗氏。编修，文渊
　　　　阁大学士。

奚大壮 字安止，号雨谷。四川蓬溪人。湖北知县，湖北兴国
　　　　州知州。

郭承恩 庶吉士，吏部主事，广东按察使。

邹植行 字礼耕，号雍度、宁轩。江苏无锡人。编修，庶子。

崇　弼 字子良，号恬斋。镶蓝旗宗室。编修，侍读。

　　三甲进士：

叶申万 检讨，广东高廉道。

邓傅安 江西浮梁人。福建知县，福建建宁府知府。

那丹珠 满州镶蓝旗。户部主事，口部口侍郎。

诸嘉乐 江苏泰兴县知县。

王森文 字春林。山东诸城人。陕西知县，陕西雒南县知县。

帅承瀚 字汇伯，号海门。湖北黄梅人。检讨，左副都御史，

时　铭 山东知县，山东齐东县知县。

黄承吉 广西兴安县知县。

特登额 字芳山，满洲镶红旗，瓜尔佳氏。即用知县，刑部笔帖式，兵部尚书。

穆彰阿 检讨，文华殿大学士。

那清安 字鹤侣，号竹汀。满洲正白旗，叶赫那拉氏。礼部主事，兵部尚书。

缪庭槐 河南知县，甘肃平凉府知府。

吴玉堂 字黼亭，号菊畦。河南光山人。兵部主事，湖南衡永郴道。

朱为弼 兵部主事，漕运总督。

王泉之 字星海，号汉槎。湖南清泉人。

汪继培 吏部主事。

平　志 字尚之，号憨搂。云南昆明人。检讨，湖南衡州府知府。

张範东 字南林，号崑村。山东济阳人。广西知县，陕西盐法道。

周　济 归班知县，江苏淮安府教授。

童　槐 工部主事，湖北按察使。

色卜星额 字祥垣，号懋斋。蒙古镶红旗，林古特氏。庶吉士，四川知县，安徽巡抚。

丁兆祺 江苏山阳人。甘肃知县，江西盐法道。

魏　襄 顺天大兴人。广东知县，江西广饶九南道。

王　鋆 直隶卢龙人。即用知县，直隶正定府教授，咸丰乙卯重宴鹿鸣。

吉　禄 蒙古镶白旗，吴郎汉吉尔们氏。工部主事，洗马。

邹邵观 字尚宾，号海润。四川安岳人。

陈兰策 字方吾，号芎林。广西临桂人。甘肃洮安同知。

裘元淦 江西新建人。检讨。

何承先　字梅生。甘肃武威人。庶吉士，福建知县，福建南安
　　　　县知县。

尹佩棻　字茹香，号愚谷。云南蒙自人。吏部主事，广西桂平
　　　　梧郁道。

赵廷俊　云南太和人。知县，陕西汉中府知府。

陈伊言　四川涪州人。

　　翻译进士：

常　德　满洲正红旗，索绰罗氏。盛京户部主事，江宁副都统。

　　武进士：

张联元　直隶献县人。状元。头等侍卫。

白凤池　河南荥阳人。榜眼。二等侍卫。

孙抡元　甘肃中卫人。探花。二等侍卫。

马天保　字瑶林。广东新会人。传胪。三等侍卫，湖南提标前
　　　　营都司。

裘安邦　蓝翎侍卫，江苏徐州镇总兵。

向遵化　湖南镇筸镇总兵。

雷捷凯　甘肃宁夏镇总兵。

◎ 恩遇：

纪　昀　协办大学士，礼部尚书。正月加太子少保。

刘权之　协办大学士，礼部尚书。二月加太子少保衔（六月削）。

勒　保　四川总督。五月晋太子太保衔。

明　亮　兵部尚书。五月晋一等子。

额勒登保　领侍卫大臣。八月晋封三等威勇公。

◎ 著述：

王　昶　编《湖海文传》七十五卷成，见五月自撰凡例

刘逢禄　撰《公羊何氏释例》十卷成，见六月自序。

陈　鳢　自编《简庄文钞》六卷成，见夏日自序。

王　昶　编《金石萃编》一百六十卷成，见八月自序。

郝懿行　撰《春秋说略》十二卷成，见八月自识。

王照圆　撰《列女传补注》八卷、《叙录》一卷成，见八月自

序。

何元锡　编《竹汀日记钞》三卷成，见九月后跋。

李祖陶　撰《读明史杂著》一卷成，见九月自序。

戚学标　撰《毛诗证读》四卷成，见九月熊宝泰序。

孙星衍　辑《杨泉物理论》一卷成，见十月马瑞辰序。

朱　珪　等奉敕撰《皇朝词林典故》六十四卷成，见十一月御序。

桂　馥　撰《说文解字义证》五十卷成（按：此书仅具初稿，咸丰初始经许瀚校定，为灵石杨氏刻行，今系于卒年）。

梁玉绳　撰《元号补遗》一卷成，见自序。

戚学标　撰《鹤泉集唐》三卷、《集唐初编》一卷（按：二书均无自序以刻于乙丑年故列此）。

李汝珍　字松石。顺天大兴人。撰《李氏音鉴》成，见李汝璜序。

◉ 卒岁：

1042

王　杰　太子太傅衔，赏食全俸，原任东阁大学士。正月初十以入都谢恩卒于京寓，年八十一。赠太子太师，入祀贤良祠，谥文端。

苏去疾　在籍贵州候补直隶州知州，原署都匀府八寨同知。正月卒年七十八。

纪　昀　太子少保，协办大学士，礼部尚书。二月十四日卒年八十二。谥文达。

永　恩　袭和硕康亲王，复号礼亲王，宗室。二月十九日卒年七十九。谥曰恭。

许祖京　原任广东布政使。二月二十一日卒年七十四。

众神保　满洲镶黄旗，巴雅拉氏。镶白旗蒙古副都统。三月卒。

永　宁　满洲镶蓝旗，赵氏。头等侍卫，前任贵州古州镇总兵。四月卒。

琳　宁　字瑯斋。镶蓝旗宗室。原任礼部尚书，前太子少保，协办大学士，吏部尚书，四月卒。谥勤僖。

台　布　蒙古正蓝旗，奇普楚特氏。原任头等侍卫西宁办事，降调陕西巡抚。四月卒。

阿哈保　满洲正黄旗，鄂拉氏。都统衔正红旗护军统领，云骑尉。五月卒。谥庄勇。

萨克丹布　满洲正白旗，钮祜禄氏。致仕副都统衔头等侍卫，五月卒。

刘台拱　原任江苏丹徒县训导。五月二十二日卒年五十五。入国史儒林传。

瞿　塘　原任江苏砀山县教谕。六月二十二日卒年六十。

汪承霈　字春农，号时斋。浙江钱塘人。乾隆二十五年赐举人，以二品顶带致仕，原任都察院左都御史，前任兵部尚书。六月回籍卒于山东阳谷舟次。照尚书例赐恤。

游　晟　福建霞浦县岁贡生。闰六月初五日卒年七十九。

阮　湖　江西新建县举人。闰六月初五日卒年六十。

陶必铨　湖南安化县诸生。闰六月卒年五十一。

臧礼堂　江苏武进县布衣。闰六月二十八日卒年三十。入国史儒林传。

永　庆　满洲正白旗，佟佳氏。内大臣，镶白旗汉军都统，前礼部尚书，袭二等昭毅伯。七月卒年八十口。谥敬僖，追夺谥号（夺谥在十一年十月）。

龚显祖　江苏武进县岁贡生。七月卒年七十七。

李　炳　江苏仪征县医士。七月卒年七十七。

锺　怀　江苏甘泉县优贡生。七月十七日卒年四十五。入国史儒林传。

冯　元　贵州古州镇总兵。卒。

额勒登保　太子太保，御前大臣，领侍卫内大臣，三等威勇公。卒年五十八。谥忠毅。

硕云保　满洲镶白旗，莫勒特氏。月塔尔巴哈台领队大臣。卒。

罗江泰　浙江定海镇总兵。九月十六日以追击海贼于尽山洋遭风漂没，年四十四。予骑都尉世职。

孙廷璧　湖北提督。十月卒。

刘成业　浙江镇海人。浙江温州镇标中营游击。十月于尽山洋遭风漂没。予云骑尉世职。

邓石如　安徽怀宁县名篆师，书法大家。十月卒年六十三。

多永武　满洲镶黄旗，萨克达氏。礼部左侍郎。十一月卒。

苏宁阿　字寿泉。蒙古正白旗，伊普楚特氏。镶黄旗蒙古都统。十一月卒。

钱　复　原任顺天大兴县知县。十二月初三日卒年五十二。

兴　常　满洲镶黄旗，钮祜禄氏。散秩大臣上行走，原任泰宁镇总兵，袭一等果毅继勇公。十二月卒。

刘　斌　原任刑部右侍郎。十二月卒。

特克什布　满洲正黄旗，瑚锡哈哩氏。原任福建建宁镇总兵。十二月卒。

沐特恩　字澄心。满洲镶白旗，乌苏氏。原任头等侍卫，前任甘肃西宁镇总兵。卒年七十。

桂　馥　云南永平县知县。卒年七十。入国史儒林传。

善　德　满洲镶黄旗，宁夏驻防，瓜尔佳氏。致仕杭州将军。卒年七十。

颜鸣汉　福建陆路提督。卒。

刘景昌　山西偏关人。原任直隶宣化镇总兵，袭三等轻车都尉世职。卒。

卢　植　即补副将，福建台湾镇标中营都司。以巡洋伤发卒。予云骑尉世职。

曹　焕　六品顶带，浙江嘉善县孝廉方正。卒年八十一。

嘉庆十一年丙寅（公元一八〇六年）

◗ 生辰：

钮福保　正月十三日生，字右申、鑑人，号松泉。浙江乌程人。

袁甲三　正月二十七日生，字新铭、新斋，号午桥。河南项城
　　　　人。享年五十八。

张庆荣　二月十八日生，字稚春。浙江嘉兴人。

郑　珍　二月二十日生，字子尹，贵州遵义人。享年五十九。

秦金鑑　三月初四日生，（原名秦际昌），字慎甫，号友芝、厚
　　　　斋。顺天宛平人（原籍浙江会稽）。享年五十九。

郑元璧　三月初八日生，字用苍、开名，号锡侯。福建长乐人。

张启鹏　三月二十二日生，字蔗泉。湖南长沙人。享年七十八。

方培之　三月二十九日生，字厚栽，号心畲、少牧。浙江仁和
　　　　人。

汪道森　五月初四日生，字春生，号小塘。浙江仁和人。

刘同缨　五月初六日生，字冕垂。号清溪。江西石城人。享年
　　　　四十八。

涂文钧　五月十三日生，字平甫，号北崖。顺天宛平人（原籍
　　　　湖北嘉鱼）。享年四十八。

刘源濬　七月十五日生，字禹卿，号晓川。顺天永清人。

汪迈孙　七月十七日生，字我斯，号少洪。浙江钱塘人。享年
　　　　四十六。

梁绍献　八月初五日生，字国乐，号槐轩。广东南海人。享年
　　　　六十九。

李国杞　八月十五日生，字午林，号晋卿、南叔。安徽太湖人。

符保森　八月二十三日生，字丹木，号伯符，南樵。江苏江都
　　　　人。

夏子龄　八月二十七日生，字百初，号祝三、憩园。江苏江阴
　　　　人。享年六十五。

吕贤基　八月三十日生，字羲音，号鹤田。安徽旌德人。享年四十八。

贾洪诏　九月初二日生，字子丹，号金门。湖北均州人。享年九十□。

徐士毅　九月初三日生，（原名徐文炳），字抡元，号紫垣、稼生。江西丰城人。

吴安业　九月十二日生，字杖仙，号菊偕。浙江钱塘人。享年八十一。

毛鸿宾　九月十二日生，字寅庵，号寄云、春北、雪磐。山东历城人。享年六十三。

殷兆镛　十一月初一日生，字补金、谱经，号序伯。江苏吴江人。享年七十八。

吴鼎昌　十一月初二日生，字新之，号铭轩、仲铭、嗣樵。江苏江宁人。

贡　璜　十一月初四日生，字以黼，号古渔、荆山。浙江汤溪人。享年六十二。

何其仁　十一月十一日生，字美初，号乐山、少麿。云南昆明人。

陈宗元　十一月二十一日生，字保之，号柳平。江苏吴江人。享年五十一。

刘于浔　十一月二十二日生，字傑宜。江西南昌人。享年七十一。

韩锦云　十一月二十八日生，字晓昕、瑞先，号紫东。广东文昌人。

陈文翥　十一月二十九日生，字彦超，号秋丞。福建闽县人。

杜　翰　十二月初三日生，字鸿举，号寄园。山东滨州人。享年六十一。

武汝清　十二月初十日生，字鲁阳，号环珠。直隶永年人。享年八十□。

朱善张　十二月初九日生，字子弓，号山泉。浙江平湖人。享年五十九。

叶圭书 十二月二十日生，字芸士，号易庵。直隶沧州人。

花沙纳 十二月二十五日生，字毓仲，号绳武、松岑。蒙古正
　　　黄旗，伍弥特氏。享年五十四。

姚体侔 十二月生，字敬仪，号西楼。山东钜野人。

胡光泰 生，（原名**胡揖淳**），字韫华，号弢甫、春江。顺天大
　　　兴人。

吴惠元 生，字仲孚，号少亭。直隶天津人。

钱庆善 生，字葆存，号拜亭。浙江嘉兴人。享年五十七。

陈庆松 生，字青丈，号云畔。顺天大兴人。

薛　湘 生，字衡瞻，号晓帆。江苏无锡人。享年五十三。

周振之 生，字仲甫。湖南益阳人。享年三十四。

陈　模 生，字式甫，号复生。浙江山阴人。

胡　湘 生，字子潇，号筠帆。湖南湘潭人。

赵文濂 生，享年八十四。

富明阿 生，汉军正白旗。享年七十七。

范邦桢 生，字翊文，号亦汾。浙江鄞县人。

缪尚诰 生，字志钦，号子钦、芷卿。江苏江阴人。

吴廷香 生，安徽庐江人。

陈　瑒 生，字子瑨。江苏江宁人。享年五十八。

董兆熊 生，江苏吴江人。享年五十三。

● 著述：

孙星衍 撰《魏三体石经遗字考》三卷成，见正月自序。

汪辉祖 撰《梦痕余录》一卷成，见书末正月自识。

洪亮吉 撰《六书转注录》十卷成，见四月自序。

洪饴孙 撰《史目表》一卷成，见四月自序。

张敦仁 撰《抚本礼记郑注考异》二卷成，见八月自序。

庄述祖 撰《汉铙歌句解》一卷成，见八月自序。

孙星衍 自编《平津馆文稿》二卷成，见九月自序。

严　杰 撰《蜀石经毛诗考证》一卷成，见十二月臧镛堂题语。

曾　燠　编《国朝骈体正宗》十二卷成，见自序。

梁章钜　撰《长乐诗话》八卷成，见自序。

● 卒岁：

庆　霖　满洲镶黄旗，章佳氏。都统衔，原任福州将军。正月
卒。

恩　普　户部右侍郎。正月卒。

杨奎猷　广东提标右营游击，前甘肃凉州镇总兵。正月卒。

黄叔灿　江苏常熟县诸生。二月初二日卒年八十五。

冯敏昌　原刑部河南司主事，前任翰林院编修。二月十一日卒
年六十。入国史文苑传。

莫　蕃　直隶滦河县知县。二月十二日卒年七十三。入国史循
吏传。

乔履信　记名御史，礼部仪制司主事。三月初十日卒年三十八。

嵇承志　顺天府府尹，前署东河河道总督。三月卒年七十口。

潘兰生　内阁中书。三月卒年四十二。

戴　璐　原任太仆寺卿。五月卒年六十八。

王　昶　致仕刑部右侍郎。六月初七日卒年八十三。

张丙震　浙江严州府知府。六月卒年五十七。

王汝壁　原任刑部右侍郎。七月卒年六十。

何道生　原任甘肃宁夏府知府。七月十八日卒于宁夏，年四十
一。入国史文苑传。

顾汝敬　江苏吴江县举人。七月二十六日卒年七十七。

何世仁　江苏青浦县医士。八月二十七日卒年五十五。

叶　藩　前广西思恩府知府。九月初五日卒年八十。

彭希洛　原任福建道监察御史。九月初六日卒年四十九。

唐光茂　广东广州城守协副将。九月初九日卒年六十三。

裘行简　字敬之。江西新建人。兵部侍郎衔署直隶总督。九月
二十六日卒年五十三，谥恭勤。

彭希韩　议叙知县，江苏长洲县举人。十月初四日卒年六十三。

王　崐　原任直隶成安县知县。十月十九日卒年七十一。

关　槐　礼部左侍郎。十月二十日卒年五十八。

陈　杰　前浙江提督，复降补巡捕南营游击。十月卒年八十口。

李应贵　四川成都人。福建汀州镇总兵。十月于大坦洋阵亡。
　　　予骑都尉世职。

钱　坫　原任陕西乾州直隶州州判。十一月卒年六十六。入国
　　　史儒林传。

郑　环　江苏甘泉县训导。十一月二十一日卒年七十七。

朱　珪　太子太傅，体仁阁大学士。十二月初五日卒年七十六。
　　　赠太傅，入祀贤良祠，谥文正。

闻星杰　江西宁都县学正。十二月初九日卒年五十五。

珠尔杭阿　满洲正黄旗，颜扎氏。镶黄旗蒙古副都统，降调正
　　　黄旗汉军都统，骑都尉。十二月卒。

郑士超　掌河南道监察御史。卒年五十四。

奇丰额　内务府主事，前江苏巡抚复授叶尔羌办事大臣。卒年
　　　六十二。

喻宝忠　原任山西吉州知州。卒年八十二。

吴焕彩　原任湖北鹤峰州知州。卒年八十二。

钱维乔　原任浙江鄞县知县。卒年六十八。

陈诗庭　归班候选知县，江苏嘉定县进士。卒年四十七。

倪定得　江苏吴县人。原任福建水师提督。卒。

窦　瑸　致仕广东提督。卒年八十口。

多隆阿　原任黑龙江副都统，前任贵州提督。卒。

永　明　满洲正黄旗，博尔济吉特氏。陕西固原城守营游击，
　　　降调甘肃巴里坤镇总兵。卒。

朱宗城　丁忧浙江海盐县举人。卒年四十三。

张彦曾　江苏嘉定县优贡生。卒年四十三。

朱文藻　浙江仁和县诸生。卒年七十一。入国史文苑传。

钱履坦　江苏阳湖县布衣。卒年四十七。

嘉庆十二年丁卯（公元一八〇七年）

● 生辰：

徐台英　正月初二日生，字明钊，号佩韦、荷村。广东南海人。
享年五十六。

金昀善　二月初十日生，字禹甸，号心畬。江苏吴县人。

伊兴额　二月二十四日生，字松坪。蒙古正白旗，何和哩氏。
享年五十五。

缪　梓　二月二十六日生，字南卿，号碧崖。江苏溧阳人。享
年五十四。

沈映钤　三月初三日生，字辅之，号退庵。浙江钱塘人。

张亮基　三月初八日生，字介泉，号石卿、采臣。江苏铜山人。
享年六十五。

吴骏昌　三月十一日生，字石甫，号藕峰。江苏仪征人。

雷维翰　五月二十五日生，字光照，号西垣、韵篁。江西铅山
人。

李佐贤　六月初五日生，字仲敏，号襄之、竹朋。山东利津人。
享年七十。

萧时馥　七月十二日生，号郁堂、梅生。贵州开州人（原籍江
西新喻）。

徐辰告　七月二十一日生，字葆田，号次猷、小渔。浙江山阴
人。

毕承昭　七月二十八日生，字曼年，号藕庄。山东文登人。

博迪苏　八月初一日生，字佑之，号露庵。蒙古正白旗，博尔
济吉特氏。

董　恂　八月初四日生，（原名董醇），字饮之，号韫卿、蕴清。
江苏甘泉人。享年八十六。

唐　简　八月二十二日生，字仲敬，号朴园。河南新郑人。

朱次琦　八月二十二日生，字九江，号稚圭。广东南海人。享

年七十五。

卓　㮍　八月二十五日生，字午生，号云木、鹤溪。四川华阳
　　　　人。享年五十一。

陈廷经　九月初六日生，字执甫，大陶，号小舫。湖北蕲水人。

倭什珲布　九月初十日生，字崇庵。满洲镶红旗。享年六十。

何慎修　九月十七日生，字思永，号子永、玉溪。安徽南陵人。

苏源生　九月三十日生，字泉沂，号菊村。河南鄢陵人。享年
　　　　六十四。

郭柏荫　十月初一日生，字弥广，号远堂。福建侯官人。享年
　　　　七十八。

徐之铭　十月初六日生，字警堂，号新斋。贵州锦屏（开泰）
　　　　人。享年五十八。

陈　枚　十月初九日生，字简甫，号琴山。山东昌乐人。

桂文燿　十月初十日生，字子淳，号星垣。广东南海人。享年
　　　　四十八。

胡肇智　十月十八日生，字季临，号砚畬、梅屿。安徽绩溪人。
　　　　享年六十五。

沈元泰　十月十九日生，字吉安，号果生、墨庄。浙江会稽人。

邓廷楠　十一月初二日生，字伯桢，号云乔、耘爻。湖南益阳
　　　　人。

杨　培　十一月十二日生，字伯深，号心畬。贵州贵筑人。

叶名琛　十一月二十三日生，字芸珍，号昆臣。湖北汉阳人。
　　　　享年五十二。

朱鬯侯　十一月三十日生，（原名朱璲，以字行），号秬泉。安
　　　　徽泾县人。

罗泽南　十二月二十二日生，字仲岳，号罗山。湖南湘乡人。
　　　　享年五十。

宝　鋆　十二月二十八日生，字锐卿，号佩蘅、莲幢。满州镶
　　　　白旗，索卓络氏。享年八十五。

蒋　达　生，字立人，号继武、霞舫。广西临桂人。享年五十

九。

姚福增 生，字备也，号子玙、湘坡。江苏常熟人。

李湘华 生，字子蔚，号研农。山东安邱人。

杨彝珍 生，字季涵，号性农。湖南武陵人。

李福泰 生（一作嘉庆十九年正月十六日生），字星衢，号鹿樵。山东济宁人。享年六十五。

王肇谦 生，字益撝，号琴舫、桐贻。直隶深泽人。享年五十一。

五　福 生，字响庭。汉军正白旗，王氏。享年六十二。

尚那布 生，字锡之，号梦臣、云章。满洲镶黄旗，郭罗洛氏。享年五十四。

缪树本 生，享年四十六。

姚华国 生，字义山。江苏阳湖人。享年四十五。

薛于瑛 生，字贵之。山西芮城人。享年七十二。

● 科第：

考取优贡生：

江　沅 江苏吴县人。

汪　莱 安徽歙县人。石埭县训导。

李　洲 河南鲁山人。见丙子副贡。

中式举人：

毓　书 字麟洲。满洲正红旗。热河都统。

张志泳（一作张志詠）。内阁中书，湖南衡永郴桂道。

王有壬 广东惠潮嘉道。

王掌丝 直隶天津人。河南知县，河南陈州府知府。

陆凤藻 字丹宸，江苏吴县人。

汪喜荀 江苏江都人。内阁中书，河南怀庆府知府。

许乔林 山东平阴县知县。

张学仁 字冶虞，号寄搓。江苏丹徒人。大挑教谕。

沈钦裴 字侠侯。江苏吴县人。荆溪县训导。

沈钦韩 安徽宁国县训导。

顾师竹　字倚山，号仲雅。江苏江阴人。安徽太平县训导。

舒化民　江西人。山东知县，浙江杭嘉湖道。

江涵曒　字笔花。浙江归安人。广东口口知县。

臧寿恭　浙江长兴人。

杜　煦　浙江山阴人。

高凤台　字越垞，号月垞。浙江仁和人。内阁中书。

宋咸熙　浙江仁和人。桐乡县教谕。

杜春生　字禾子。浙江山阴人。

何治运　福建闽县人。

周玉衡　湖北人。江西知县，江西按察使。

龚经远　山东知县，山东荷泽县知县。

闻斯行　湖北人。石首县教谕，襄阳府教授，重宴鹿鸣。

胡达澍　湖南人。华容县教谕，辰州府教授。

李国瑞　河南郑州人。江苏淮扬道。

曹　瑾　直隶知县，福建台湾府淡水同知。

武穆淳　江西知县，江西信丰县知县。

孙善宝　刑部员外郎，江苏巡抚。

毕　亨　（原名毕以田），字九水。山东文登人。江西崇义县知
　　　　县。

　　中式副榜贡生：

马树华　安徽桐城人。江西直州判，河南汝宁府通判。

◉ 恩遇：

戴均元　江南河道总督。三月加太子少保（十三年六月削）。

徐　端　江南副总河。三月加太子少保衔（十五年十一月革）。

　　四月以承修《高宗实录》告成以下二人：

曹振镛　工部尚书。加太子太保衔；

刘凤诰　吏部右侍郎。加太子少保衔（十四年十月革）。

德　瑛　户部尚书。七月以八十生辰赐御书匾额并加太子少保
　　　　衔（十四年十二月削）。

　　九月以本年为乾隆丁卯科乡举周甲之岁以下四人：

徐　绩　原任宗人府府丞。赏加二品衔；

翁方纲　原任鸿胪寺卿。赏加三品衔；

梁同书　原任翰林侍讲。加侍讲学士衔；

罗　典　原任鸿胪寺少卿。俱重赴鹿鸣筵宴。

长　麟　协办大学士，刑部尚书。十月加太子少保衔。

恭阿垃　礼部尚书。十月加太子少保衔。

松　筠　伊犁将军。十三日复加太子少保衔。

丰绅殷德　镶蓝旗满洲副都统，固伦额驸。赏给伯衔。

● 著述：

宋翔凤　撰《小尔雅训纂》六卷成，见正月自序。

孙星衍　撰《续古文苑》二十卷成，见二月自序。

刘　衡　撰《勾股尺测量新法》一卷成，见四月自序。

洪亮吉　撰《春秋左传诂》二十卷成，见立夏自序。

祁韵士　撰《西陲要略》四卷成，见五月自序。

张敦仁　撰《盐铁论考证》二卷成，见六月顾广圻序。

师　範　撰《滇系》四十卷成，见十月自序。

叶绍本　自编《白鹤山房诗钞》四卷成，见十月自序。

李富孙　撰《鹤征后录》十二卷成，见十月自序。

杨芳灿　自编《芙蓉山馆诗钞》八卷、《补钞》一卷、《词》二
　　　　卷成，见十月自识。

郭　麐　自编《忏余绮语》一卷成，见十一月自序。

翁方纲　撰《苏斋唐碑选》一卷成，见十二月自识。

刘　衡　撰《筹表开诸乘方捷法》二卷成，见十二月自序（按：
　　　　衡又撰有《尺算日晷新义》二卷、《借根方法浅说》一
　　　　卷、《四率浅说》一卷，自序无年月当亦成于是时，附
　　　　记于此）。

吴　骞　撰《扶风传信录》一卷成，见冬日自序。

郝懿行　撰《记海错》一卷成，见自序。

焦　循　撰《北湖小志》六卷成，见阮元序。

● 卒岁：

王廷言　原任直隶顺德府知府。正月初四日卒年八十三。

丰伸济伦　满州镶黄旗，富察氏。盛京兵部侍郎，（前兵部尚
　　　　书），和硕额附，袭一等忠勇公。正月卒。谥恭恪。

曹熹华　刑部江苏司主事。二月初九日卒年五十七。

丁　杰　浙江宁波府教授。二月卒年七十。入国史儒林传。

俞大谟　候选直隶州州判，江苏江都县恩贡生。三月卒年七十
　　　　八。

王元勋　原任江苏徐州府教授。三月卒年八十。

彭　淑　江西临川县知县。三月卒年六十一。

朱尔汉　广西按察使。三月十八日卒年六十三。

汪辉祖　前湖南宁远县知县。二月二十四日卒年七十八。入国
　　　　史循吏传。

杜魁光　江苏阜宁人。原任闽粤南澳镇总兵。四月卒。

毕贵生　江苏仪征县诸生。四月初七日卒年三十。

初之朴　原任江西督粮道。五月初三日卒年八十一。

冯集梧　在籍翰林院编修。五月十四日卒年五十六。

德英额　满洲镶白旗，赛宓勒氏。致仕云南提标右营游击，前
　　　　云南鹤丽镇总兵。五月卒。

全　保　蒙古镶黄旗，杭克坦氏。陕甘总督。五月卒。

托尔托保　满洲镶蓝旗，达瑚哩氏。呼尔贝尔总管。五月卒。

李以健　在籍候选员外郎，原任刑部河南司主事。七月卒年六
　　　　十一。

伊朝栋　赏复光禄寺卿原衔。八月初六日卒年七十九。

沈业富　原任河东盐运使。八月十五日卒年七十六。入国史文
　　　　苑传。

福　昌　满洲正白旗，苏完瓜尔佳氏。袭云骑尉世职，致仕正
　　　　红旗汉军都统，前任江宁将军。八月卒。

江　兰　字畹香。安徽歙县人。以郎中补用，前云南巡抚。八
　　　　月卒。

明　兴　字正庭。满洲镶黄旗，富察氏。以刑部笔帖式用，前

工部右侍郎。九月卒。

穆克登阿　满州镶红旗，董鄂氏。致仕四川松潘镇总兵，前四
　　　　川提督。九月卒。

成　宽　乌里雅苏台将军，袭辅国公，镶蓝旗宗室。十月卒。

爱新泰　满洲正白旗，伊尔根觉罗氏。提督衔福建台湾镇总兵，
　　　　骑都卫。十月卒。谥壮勇。

盛　住　满洲正白旗，喜塔喇氏。镶黄旗蒙古副都统，前正红
　　　　旗汉军都统三等承恩公。十月卒。追夺原官（夺官在
　　　　十三年六月）。

陈嗣龙　翰林院编修，降调都察院左副都御史。十月卒，赠四
　　　　品衔。

秦震钧　山东济东泰武临道。十月二十日卒年七十三。

珠勒亨　（原名珠隆阿）。满洲正黄旗，乌雅氏。密云副都统。
　　　　十一月卒。

宋思仁　原任山东粮道。十二月十八日卒年七十八。

李长庚　浙江提督。十二月二十五日于广东潮州之黑水洋阵亡，
　　　　年五十八。追封三等壮烈伯，谥忠毅。

程维岳　原任山东道监察御史。卒。

缪炳泰　兵部郎中。卒年六十四。

高　腾　福建福鼎县训导。卒年五十九。

春　宁　满洲正黄旗，赫舍里氏。绥远城将军，袭一等男。卒。
　　　　谥壮勇。

海兴阿　满洲镶黄旗，马佳氏。致仕广州副都统。卒。

蓝嘉瑛　字佩霞。浙江定海人。广东龙门协副将。于黑水洋剿
　　　　匪以受伤殁于水。予骑都尉世职。

汪光爔　江苏仪征县廪生。卒年四十三。入国史儒林传。

朱兰珍　浙江海盐县廪生。卒年五十七。

朱春炬　浙江海盐县口口。卒年五十四。

嘉庆十三年戊辰（公元一八〇八年）

◉ 生辰：

池剑波　正月十二日生，字大金，号秋如。福建闽县人。

李嘉端　正月二十日生，字吉臣、庆生，号铁梅。顺天大兴人。
　　　　享年七十三。

祝　诂　二月初二日生，字荀伯，号介堂。河南固始人。

邓尔恒　二月十九日生，字子久，号小筠。江苏江宁人。享年
　　　　五十四。

周士炳　二月二十三日生，字文五，号莲史。浙江桐乡人。

范　梁　三月十二日生，字昂生，号楣孙。浙江钱塘人。享年
　　　　七十六。

刘　琨　三月十七日生，字玉昆，号韫斋。云南景东人。享年
　　　　八十。

吴昆田　四月二十一日生，字云圃，号稼轩。江苏清河人。享
　　　　年七十五。

金　城　四月二十三日生，字杏楼。浙江钱塘人。

李本仁　五月初七日生。字蔼如，号春伯。浙江钱塘人。享年
　　　　四十六。

潘遵祁　五月十二日生，字觉夫，号顺之。江苏吴县人。享年
　　　　八十口。

张文虎　五月二十九日生，字孟彪，号啸山。江苏南汇人。享
　　　　年七十八。

车克慎　五月三十日生，字意园，号武堂。山东济宁人。

张曜孙　六月初九日生，字仲圆，号仲元。江苏武进人。享年
　　　　五十六。

张百揆　六月二十一日生，字叙庵，号吟舫。浙江萧山人。

恽光宸　六月二十八日生，字浚生，号薇若。顺天大兴人（原
　　　　籍江苏阳湖）。享年五十三。

栗　燿　七月初二日生，字日昭，号仲然、向然。山西浑源人。享年五十五。

赵　昀　八月初三日生，字芸谱，号岵存。安徽太和人。享年七十。

葛景莱　八月初七日生，字恂伯，号蓬山、次尹。浙江仁和人。

俞世铨　九月十四日生，字玉衡，号信卿、垫孙。江苏吴县人。

顾嘉蘅　九月十九日生，字庭芬，号湘坡。湖北东湖人。

林映棠　十月二十一日生，字树德，号化南。四川奉节人。

包　炜　十月二十六日生，字含章、彤史，号怡堂。直隶河间人。

潘曾莹　十一月初四日生，字申甫，号星斋。江苏吴县人。享年七十一。

王化堂　十一月二十日生，字渷之，号觐侯、葆初。河南密县人。

1058

杜　翱　十一月二十七日生，字汉升，号筠巢。山东滨州人。享年五十八。

杜来锡　十一月二十八日生，字荣三，号绍甫。河南新乡人。

万青藜　十二月二十三日生，字照斋、文甫，号藕舲。江西德化人。享年七十六。

夏云岫　生，字象岩，号石屏、金江。奉天海城人。

崔尊彝　生，（原名崔尊颐），字幼伊。山西永济人。享年七十五。

朱庆铺　生，（原名朱允惇），字晓霞。广西博白人。

陈介眉　生，字椿庭，号寿臣。山东潍县人。

马济美　生，字甄庭。云南建水人。享年四十六。

沈曰富　生，江苏吴江人。享年五十一。

万斛泉　生，字清轩。湖北兴国人。享年九十七。

◉ 科第：

三月以召试赏给举人：

龙汝言　辛未召试授内阁中书。

齐彦槐 余见己巳科。

唐人最 安徽人。

李大壮 直隶新城人。

方士淦 内阁中书，浙江湖州府知府。

许春颐 顺天人。

一甲进士：

吴信中 字蔼人，号阅甫。江苏吴县人（原籍长洲）。状元。修
撰，少詹事。

谢阶树 字子玉，号向亭。江西宜黄人。榜眼。编修，侍读学
士。

石承藻 字黼庭，号兰溪。湖南湘潭人。探花。编修，工科给
事中。

二甲进士：

朱 棨 字勋楣，号海乔。广西临桂人。编修，直隶清河道。

陈官俊 字伟堂，号吁尊。山东潍县人。编修，吏部尚书，协
办大学士。

周之琦 编修，广西巡抚。

陶 樑 编修，礼部侍郎。

尹济源 字东沇，号竹农。山东历城人。庶吉士，礼部主事，
湖北巡抚。

董国华 字荣苦，号琴南。江苏吴县人。编修，广东雷琼道。

贺长龄 编修，云贵总督。

赵光禄 字星藜，号雨楼。浙江归安人。庶吉士，户部主事，
江苏镇江府知府。

饶绚春 字晓升，号晴艿。江西新城人。编修。

钱 林 编修，侍读学士。

唐业谦 字受堂，号济之、少城。湖南善化人。庶吉士，礼部
主事，安徽太平府知府。

罗家彦 编修，祭酒。

史 评 字衡堂，号松轩。山东乐陵人。编修，礼部左侍郎。

赵植庭 字仲怀，号树三。顺天宛平人。庶吉士，刑部主事，湖北安陆府知府。

王耀辰 字拱如，号平华。浙江乌程人。编修，福建盐法道。

潘恭常 字彰有，号吾亭。浙江钱塘人。庶吉士，工部主事，江苏苏松太道。

钱仪吉 庶吉士，户部主事，工科掌印给事中。

宫　焕 编修，侍读。

杨　镇 庶吉士，户部主事，山东青州府知府。

屠　倬 庶吉士，江苏知县，江西袁州府知府。

查元偁（原名查有筠），字德敔、琦斋，号又山。山东海丰人。户部主事，掌贵州道御史。

元在功 直隶静海人。直隶永清县训导。

李恩绎 字东云，号巽甫。汉军正白旗。编修，广西布政使。

沈学廉 字一士，号瘦山。浙江仁和人。庶吉士，兵部主事，江苏淮徐道。

林培厚 编修，湖北粮道。

王若闳 安徽含山人。户部主事，湖北荆州府知府。

沈　岐 字鸣周，号饴原。江苏通州人。编修，左都御史，咸丰己未重宴鹿鸣。

戴宗沅 字南江。安徽来安人。庶吉士 刑部主事，刑部右侍郎。

恩　铭（原名恩宁），字兰士，号静庵。满洲正红旗，栋鄂氏。编修，刑部尚书。

刘嗣绾 会元。编修。

郭仁图 字莲渚。福建闽县人。刑部员外郎。

吴侍曾 字泰孙，号竹泉。山东海丰人。吏部主事。

李桂林 福建闽县人。四川资州知州。

费丙章 编修，河南布政使。

高翔麟 字文瑞，号苕堂。江苏吴县人。编修，湖南衡永郴桂道。

张美如　甘肃武威人。户部主事。

吴恩韶　字春甫，号讷人。江苏吴县人。刑部主事，吏科掌印给事中。

吴其浚　庶吉士，刑部主事，刑部郎中。

刘荣黼　字榘堂，号小章、春舲。云南大姚人。编修，贵州贵阳府知府。

杨　煊　字桂堂，号煦亭。江苏上元人。吏部主事，刑科掌印给事中。

熊遇泰　字拱舒，号东岩、东厓。江西新建人。编修，山东沂州府知府。

邵凤依　江苏通州人。河南夏邑县知县。

于德培　字修吉，号子朴。四川营山人。编修，江西道御史。

冯清聘　字应三，号菊人。山西代州人。编修，浙江绍兴府知府。

戴　屺　江苏丹徒人。山东知县，山东胶州知州。

李慎彝　（原名李慎修）。四川威远人。知县，福建台湾府知府。

郑世俊　字企园。湖南长沙人。广西来宾县知县，广西百色同知，署广西思茅府知府。

徐　江　安徽定远人。江西新城、南丰等县知县。

何　珣　字润之。贵州平远人。庶吉士，刑部主事，广西南宁府知府。

吴乙照　字子校，号然青。浙江海宁人。山东福山县知县。

茅润之　江苏丹徒人。内阁中书。

刘斯裕　（原名刘斯宁）。江西南丰人。山西知县，山西太原府知府。

夏国培　字廷才，号心田。贵州贵筑人。编修，江西道御史。

戚宗彝　湖北江夏人。刑部主事，甘肃布政使。

廖敦行　字子厚，号韵搂。云南建水人。庶吉士，刑部主事，湖北安襄郧荆道。

魏元烺　字实夫，号丽泉。直隶昌黎人。庶吉士，山西知县，兵部尚书。

程锺龄 字慧区，号芝圃。江西南城人。庶吉士，刑部主事，
江苏常州府知府。

三甲进士：

龚定国 云南昆明人。陕西知县，甘肃凉州府知府。

刘亨起（原名刘亨地）。顺天大兴人。刑部主事，安徽徽州府
知府。

杨本濬 云南南宁人。顺天府南路盗捕厅。

蒋舒惠 湖南邵阳人。

高泽履 江西鄱阳人。安徽太平府知府。

姚　莹 福建知县，广西按察使。

张　翔 山东潍县人。直隶广平府知府。

隆　文 庶吉士，刑部主事，户部尚书。

徐步云 贵州安化人。湖北兴化县知县，随州知州。

武忠额 兵部主事，理藩院尚书。

李象溥 字湘帆。湖南长沙人。荣城县知县。

锺　祥 浙江知县，闽浙总督。

强克捷 陕西韩城人。河南滑县知县。

李毓昌 字皋言。山东即墨人。江苏即用知县。

既　勤（原名敏勤），字辛斋。正蓝旗宗室，庶吉士，礼部主
事，翰林院侍读学士。

冯　芝 字厚田。山西代州人。检讨，礼部左侍郎。

崔　偲 山西知县，湖南攸县知县。

王锡蒲 字槐午，号爵五、静安。山西文水人。庶吉士，江苏
知县，甘肃甘凉道。

张作楠 字让之，号丹村。浙江金华人。知县，浙江处州府教
授，江苏徐州府知府。

武进士：

徐华清 山东临淄人。状元。头等侍卫。

尚勇德 汉军镶白旗。榜眼。二等侍卫。

王世平　直隶大成人。探花。二等侍卫，江西南昌协副将。

李景淮　字法弼，号昆山、敬斋。直隶武邑人。会元。传胪。
　　　　三等侍卫，山东河标中军副将。

赵煇曾　直隶河间人。三等侍卫，甘肃哈密协副将。

中式举人：

王维诚　山东海丰人。见辛酉拔贡。

邹锡淳　江苏淮扬道。

秦耀曾　兵部郎中。

方廷瑚　直隶府经历，直隶平谷县知县。

金锡鬯　广东知县，广东嘉应直隶州知州。

萨迎阿　口部主事，正白旗满洲都统。

桂　菖　满洲，觉罗氏。浙江粮道。

延　龄　工部笔帖式，湖北郧阳府知府。

张绍龄　四川鄂都县知县，重宴鹿鸣。

丁宗洛　山东济宁直隶州州同。

包世臣　安徽泾县人。署江西新喻县知县。

李祖陶　江西上高人。

何　鲲　浙江人，口口知县，陕西榆林府知府。

孙同元　永嘉县教谕。

王景章　湖南知县，湖南郴州直隶州知州。

刘　佳　字眉士。浙江江山人。江苏溧水县知县。

方成珪　海宁州学正，宁波府教授。

黄本骐　湖南人。城步县教谕。

余观和　四川人。福建知县，浙江绍兴府同知。

张　杓　广东人。四会县训导，揭阳县教谕。

吴兰修　信宜县训导。

陈仲良　四川知县，河南南阳府知府。

汪能肃　号雨人。广西人。改归浙江山阴原籍，嘉善县教谕。

杨名飏　云南人。南安县训导，陕西巡抚。

张廷镜　湖北安陆府知府。

赵本敫（原名赵本敬）贵州瓮安人。

　　中式副榜贡生：

陆费瑔　浙江桐乡人。湖北知县，湖南巡抚。

赵　均　广东人。署罗定直隶州学正。

　　中式武举：

王锡朋　直隶宁河人。兵部差官，安徽寿春镇总兵。

◉　恩遇：

王履泰　试用通判。九月以进呈所著《畿辅安澜志》六函，命
　　　　发往直隶以通判即用。

费　淳　大学士。以七十生辰，赐御书"赞伦锡祉"额。

◉　著述：

凌　曙　撰《日书典故覈》六卷成，见二月自序。

张海鹏　辑《千字文萃》一卷成，见二月自序。

郝懿行　撰《竹书纪年校正》十四卷成，见四月自序。

孙星衍　撰《平津馆鉴藏记》三卷成，见四月自序（按：书成
　　　　后尚撰有《补遗》一卷、《续编》一卷）。

段玉裁　撰《说文解字注》三十卷成，见五月王念孙序。

焦　循　撰《北湖小志图》一卷成，见七月自序（按：是图即
　　　　刻于小志卷首）。

陈本礼　撰《协律鈎元》四卷成，见九月自序。

赵　坦　撰《诗小雅篇什次第表》一卷成，见十月自序。

戴　鸿　撰《翻卦挨星图诀考著》一卷成，见长至自识。

张海鹏　编《宫词小纂》三卷成，见十二月自序。

金廷栋　撰《曹江孝女庙志》十卷成，见阮元序，

祁韵士　撰《西域释地》一卷成，见道光十六年张瀛暹序。

陈念祖　撰《伤寒论原文浅注》六卷附《长沙方歌括》六卷成。
　　　　见自序。

◉　卒岁：

瑚素通阿　刑部左侍郎。二月卒。

保　宁　字远峰。蒙古正白旗，图伯特氏。袭三等义烈公，原

任武英殿大学士，前太子太保。二月卒，谥文端。

德　昌　满洲镶蓝旗，那拉氏。头等侍卫，乌鲁木齐领队大臣，降调广西右江镇总兵。二月卒。

观　成　满州镶白旗，富察氏。原任西安副都统，前太子少保成都将军。三月卒年七十口。

亮　焕　多罗裕郡王，宗室。四月卒。谥曰僖。

沈　琨　原任山东泰安府知府。四月二十七日卒年六十四。

牟昌裕　掌河南道监察御史。五月三十日卒年六十二。

尹壮图　给事中衔，前内阁学士。闰五月卒年七十一。

李毓昌　江苏即用知县。六月初七日于山阳县查帐遇害，年三十口。追赠知府衔（追赠在十四年七月），入国史循吏传。

七　格　满洲镶蓝旗，富勒瑚氏。三等侍卫，前直隶正定镇总兵。六月卒。

刘　惠　贵州遵义人。致仕贵州镇远镇总兵。七月卒。

达自祥　四川成都人。甘肃肃州镇总兵。以入京陛见，七月卒于山西祁县行次。

舒　聘　满洲镶白旗，西林觉罗氏。公中佐领，降调都察院左副都御史。八月卒。

希当阿　满洲正红旗，瓜尔佳氏。以健锐营护军用，前直隶宣化镇总兵。八月卒年七十口。

江濬源　原任云南临安府知府。九月卒年七十五。

刘跃云　致仕兵部左侍郎。十月初五日卒年七十三。

庄隽甲　原任安徽歙县教谕。十月卒年四十五。

饶廷韵　江西彭泽县副贡生。十月二十四日卒年五十。

陈守诒　原任河南陈州府知府。十一月初八日卒年七十八。

汪德钺　礼部候补员外郎，前仪制司员外郎。十一月初八日卒年六十一。入国史儒林传。

邓梦琴　原任陕西汉中府知府。十一月十九日卒年八十六。入国史循吏传。

邱　勋　湖北荆宜施道。十二月卒。

永　保　满洲镶红旗，费莫氏。升授两广总督，由云南巡抚升补，前太子太保。十二月自滇赴任卒于沅江舟次。赠内大臣，谥恪敏。

德　福　字景庵。满洲正黄旗，那拉氏。致仕镶黄旗汉军副都统。十二月卒年八十口。

何定江　浙江提督。十二月卒。

玉　德　字达斋。满洲正红旗，瓜尔佳氏。原任三等侍卫衔，乌什办事大臣，前闽浙总督。十二月卒。

熊　枚　以五品职衔致仕，原顺天府府丞，降调工部尚书。卒年七十口。

罗　典　原任鸿胪寺少卿。卒年九十。

徐汝澜　福建台湾府知府。卒年五十八。

林国良　福建海澄人。广东左翼镇总兵。于丫洲洋阵亡。谥果壮，予骑都尉兼一云骑尉世职。

林起凤　字梧轩。广东归善人。原任浙江温州镇总兵。卒。

印鸿纬　六品顶带，江苏宝山县孝廉方正。卒年五十四。

徐春和　江苏嘉定县诸生。卒年五十八。

时起荃　江苏嘉定县监生。卒年七十二。

嘉庆十四年己巳（公元一八〇九年）

◎ 生辰：

陈乔枞　正月初六日生，字树滋，号美文。福建闽县（侯官）人。享年六十一。

黄铭先　正月初十日生，字守蒥、西园，号新甫、鑑庵。河南商城人。

曾璧光　三月十八日生，字毓秀、丽东，号枢垣。四川洪雅人。享年六十七。

邰云鹄　四月三十日生，字涤尘，号洁修、立亭、荻洲。安徽五河人。

高振宛　五月初六日生，字子衡，号讷斋。河南邓州人。

陈　立　五月二十一日生，字卓人，号句溪、默斋。江苏句容人。享年六十一。

邱景湘　五月二十四日生，字锺涣，号镜川、苣江。福建长乐人。

何兆瀛　六月初二日生，江苏江宁人。享年八十二。

周宗濂　六月初五日生，字廉生，号莲士。浙江归安人。

张衍重　八月初十日生，字子威、任叔，号松岩、珩秋。山东海丰人。

冯桂芬　九月初十日生，字猿甫，号林一、景亭。江苏吴县人。享年六十六。

郭沛霖　九月二十三日生，字仲济，号雨三。湖北蕲水人。享年五十一。

蔡徽藩　九月二十四日生，（原名蔡国英），字价斯，号薇堂。福建侯官人。

谢辅坫　十月十一日生，字恺宾，号崇甫、菊堂。浙江镇海人。

贾　臻　十月十六日生，字运生，号筠塍、退厓。直隶故城人。享年六十一。

袁希祖　十月二十九日生，字子玉，号笋陔。湖北汉阳人。享年五十二。

厉恩官　十一月初一日生，字锡功，号研秋、得吾。江苏仪征人。

谦　福　十一月初八日生，字光庭，号六吉、吉云、小榆。蒙古镶黄旗，额尔德特氏。

梁　瀚　十一月十九日生，字海楼，号平桥。陕西户县人。

余　治　十一月十九日生，江苏无锡人。享年六十六。

蔡兆槐　十二月十五日生，字宗培，号植三。江苏崇明人。

王荣第　十二月二十六日生，字甲文，号云湄、春潭。山东乐陵人。

梁敬事　生，字主一，号子恭、翰屏。浙江钱塘人。

李同文　生，河南人。

樊　琨　生，湖北咸宁人。享年六十。

刘　縈　生，字仲孚、肯堂，号雪桥。江西南丰人。

陶庆增　生，字尹孚，号吟筠。江苏吴县人。享年四十一。

杨荣绪　生，字孟桐，号浦香。广东番禺人。享年六十六。

张黼华　生，湖北人。享年八十□。

徐宝符　生，享年七十。

叶裕仁　生，字复三，号归盦。江苏镇洋人。

◉ 科第：

一甲进士：

洪　莹　状元。修撰。

廖鸿荃（原名廖金城）。福建侯官人。榜眼。编修，工部尚书。

张岳崧　探花。编修，湖北布政使。

二甲进士：

黄安涛　编修，广东潮州府知府。

吴慈鹤　编修，侍读学士。

顾元熙　编修，侍读。

许乃济　字叔舟，号青士。浙江钱塘人。编修，太常寺少卿。

潘　榗　字印洙，号西泉、一巢。顺天大兴人（原籍浙江会稽）。庶吉士，户部主事，甘肃宁夏道。

李振庸　字叶锺，号枞亭。安徽太湖人。编修，浙江金衢严道。

徐　镛　字詠之，号漪堂。安徽桐城人。庶吉士，工部主事，山西布政使。

黄中模　字习之，号范亭。江西南昌人。编修，江南道御史。

陈　鸿　编修，通政司参议。

俞肯堂　（初名俞坊），字人表，号东躔。江苏金匮人。编修，山东道御史。

齐彦槐　庶吉士，江苏金匮县知县。

孔传纶　会元。编修，福建邵武府知府。

谭瑞东　编修，浙江衢州府知府。

彭永思　云南知县，户部员外郎。

龚　镗　编修，内阁学士。

周之桢　字以宁，号贞木。江西新城人。编修，浙江湖州府知府。

马志燮　庶吉士，刑部主事，云南迤西道。

闻人熙　字春台。浙江会稽人。内阁中书，云南思南府知府。

吴孝铭　庶吉士，工部主事，宗人府府丞。

锺　昌　庶吉士，刑部主事，仓场侍郎。

王家相　编修，河南南汝光道。

李广滋　字琳圃，号卷山。直隶乐亭人。编修，掌福建道御史。

郭尚先　编修，大理寺卿。

余　源　字嵩源，号烛溪。浙江余姚人。庶吉士，江西知县，广东盐运使。

陈继义　字卓田，号畊余。顺天大兴人。编修，河南怀庆府知府。

郑家麟　字家令，号商年。直隶丰润人。编修，光禄寺少卿。

姚庆元　庶吉士，刑部主事，工科掌印给事中。

戴鼎恒　字子京，号春羲。浙江乌程人。内阁中书，江西南康府知府。

高赐礼　河南祥符人。刑部员外郎。

玉　绶　庶吉士，工部主事，云南丽江府知府。

光聪谐　庶吉士，刑部主事，直隶布政使。

佘文铨　户部主事，江南道御史。

廖鸿藻　字斯嘉，号仪卿。福建侯官人。编修，江西粮道。

熊常錞　编修，广东布政使。

张思诚　号一斋。甘肃秦安人。广西永福县知县。

蒋泰阶　（一作蒋泰堦），字玉调，号云簪。江苏吴县人。内阁中书，掌湖广道御史。

张曾霭　字铁峤。山东胶州人。庶吉士，刑部主事，福建汀漳龙道。

谭言蔼　字晞仁，号静山。四川安岳人。编修，江西道御史。

宗　霈　字稼秋，号静轩。浙江会稽人。湖南零陵县知县。

缪玉铭　字薇四。顺天宛平人（原籍江苏江阴）。内阁中书，宗人府主事。

铭　惪　（原名敏惪），字懋修，号禹民、潜斋。满洲镶黄旗，刘氏。编修，江西广信府知府。

瑞　林　宗室。编修，侍讲学士。

毛梦兰　字秋伯，号诚斋。江苏甘泉人。

何　煊　（原名何炳）。浙江萧山人。庶吉士，兵部主事，云南巡抚。

魏茂林　字笛生。福建龙岩人。内阁中书，直隶通永道。

路　德　庶吉士，户部主事。

何惠群　字和先，号介峰。广西顺德人。

喻　溥　（原名喻士藩），字少初，号公辅、壬溪。湖北黄梅人。编修，广东雷琼道。

童宗颜　内阁中书，福建漳州府知府。

曾　斌　江西南城人。内阁中书。

李光里　刑部员外郎，江西吉安府知府。

周祖荫 庶吉士，户部主事，直隶清河道。

曹　熊 字占吉，号瀛方。江西新建人。内阁中书，掌江南道御史。

王凤翰 山西安邑人。内阁中书，云南迤西道。

三甲进士：

宋庆和 广西知县，广西泗城府知府。

陈运镇 内阁中书，工部主事。

李清傑 江苏长洲人。甘肃知县，甘肃巩昌府知府。

金　洙 字文坡，号五泉。山东历城人。庶吉士，直隶知县，直隶大顺广道。

杜薇之 字紫垣，号浣花、芸香。云南昆明人。庶吉士，礼部主事，陕西榆林府知府。

崔锡华 江苏宜兴人。

万启昀 内阁中书，口口道御史。

唐　鑑 检讨，江宁布政使。

丁　傑 检讨，侍读学士。

叶申芗 庶吉士，云南知县，河南河南府知府。

于旭锺 江西卢溪人。

刘鸿翱 内阁中书，福建巡抚。

郭安龄 山西定襄人。云南会泽县知县，镇远州知州。

鲍　珊 陕西知县，陕西兴安府知府。

惟　勤 宗室。宗人府笔帖式，热河都统。

那　羲 翰林院典簿，甘肃西宁道。

李德立 字崇园，号升斋。山东济宁人。检讨，直隶大顺广道。

戴凤翔 河南知县，安徽庐州府知府。

麟　庆 内阁中书，江南河道总督。

吉　恒 蒙古镶白旗，吴郎汉吉尔们氏。四川知县，广东布政使。

万　华 云南江川人。

汤世培 江西南丰人。山东知县，山东武定府知府。

刘　湜　山西阳城人。安徽池州府知府。

温启鹏　吏部员外郎，内阁侍读学士。

戚人镜　检讨，侍讲。

李韫英　山东济宁人。户部郎中。

周鸣銮　字晓坡。山东单县人。刑部主事，广东雷琼道。

　　武进士：

汪道诚　江西乐平人。状元。头等侍卫，云南提督。

韩积善　汉军正蓝旗。榜眼。二等侍卫，直隶宣化镇总兵。

张青云　探花。二等侍卫，广东陆路提督。

赵龙田　山东平原人。传胪。三等侍卫，陕西延绥镇总兵。

石宝庆　直隶天津人。会元。贵州营守备。

董光甲　字冠一。直隶河间人。河南守备，河南河北镇总兵。

●　恩遇：

　　正月以五旬万寿：

庆　桂　大学士。晋太子太师；

董　诰　大学士。晋太子太师；

戴衢亨　协办大学士户部尚书。晋太子少师；

邹炳泰　吏部尚书。加太子少保衔（六月削）；

王懿修　礼部尚书。加太子少保衔；

明　亮　兵部尚书。加太子少保衔（十六年六月削）。

德楞泰　西安将军。晋封三等继勇公。

董　诰　大学士。以七十生辰赐御书"赞枢锡庆"额及诗。

勒　保　四川总督。四月以七十生辰，赐御书"宣勤介景"额。

　　九月以歼除洋盗蔡牵：

王得禄　福建水师提督。封三等子；

邱良功　浙江提督。封三等男。

明　亮　兵部尚书。九月晋封三等伯。

宋　镕　顺天府府尹。其母王氏，以年逾八旬五世同堂，赐御
　　　　书匾额。

聂铣敏，兵部主事。特授编修，余见前乙丑科。

● 著述：

姜兆翀 江苏人。编《国朝松江诗钞》六十四卷成，见四月自
　　　订凡例。

郝懿行 撰《春秋比》二卷成，见三月自序。

江　沅 撰《说文解字音韵表》十七卷成，见三月段玉裁序。

洪亮吉 撰《比雅》十九卷、《弟子职笺释》一卷、《晓读书斋
　　　杂录》六卷、《北江诗话》六卷、《更生斋文续集》二
　　　卷、《诗续集》 十卷、《冰天雪窖词》一卷、《机声灯
　　　影词》一卷成（按：诸书皆卒后始刻，今系于五月五
　　　前）。

刘逢禄 撰《公羊何氏解诂笺》一卷成，见自序。

崔　述 撰《考信录》三十六卷成，（按：书成后复有修改而始
　　　定，见自识）。

● 卒岁：

广　兴 满洲镶黄旗，高佳氏。前刑部左侍郎。正月十二日以
　　　罪处绞（注：以前赴山东、河南两省审办控案，贪索
　　　赃银）。

緜　懿 高宗皇孙，固山贝子。正月卒。追赠多罗贝勒。

富僧额 满洲正黄旗。察哈尔副都统。二月卒。

英　善 满州镶黄旗，萨哈尔密氏。太常寺卿，降调都察院左
　　　都御史。卒。

德勒克札布 蒙古正白旗，博尔济吉特氏。三等侍卫，乌鲁木
　　　　　齐领队大臣，前热河都统。三月卒。

德楞泰 太子太保，西安将军，三等继勇公。三月初九日卒年
　　　六十五。谥壮果。

清安泰 河南巡抚。四月卒。

秦承恩 三品卿衔，原任詹事府司经局洗马，降调刑部尚书。
　　　四月卒。

永　铎 圣祖皇曾孙。原授盛京将军，由乌鲁木齐都统调补，
　　　以目疾乞休，袭奉恩将军，宗室。四月卒年七十口。

尤维熊　在籍云南候补知县，原署蒙自县知县。四月卒年四十八。

邵葆锺　翰林院编修。四月二十六日卒年三十二。

洪亮吉　前翰林院编修。经学家、文学家，著述甚丰。五月十二日卒年六十四。入国史儒林传。

谢振定　礼部员外郎，前江南道监察御史。五月十五日卒年五十七。入国史文苑传。

汪大经　浙江秀水县诸生。五月二十二日卒年六十九。

珠隆阿　满洲正黄旗，章佳氏。宁夏将军。五月卒。

凌廷堪　原任安徽宁国府教授。十月初二日卒年五十三。入国史儒林传。

緼　布　满洲正黄旗，金佳氏。工部尚书。六月卒。

沈品莲　浙江处州府训导。七月卒年五十四。

王坦修　原任翰林院侍读学士。七月二十八日卒年六十六。

李光甲　原任四川黔江县知县。八月卒年八十四。

周培之　湖南善化县监生。九月初七日卒年四十六。

周兴岱　都察院左都御史。十一月初九日卒年六十六。

阿林保　字雨窗。满洲正白旗，舒穆禄氏。两江总督。十一月卒。谥敬敏。

姚令仪　四川布政使。十一月二十七日卒年五十六。

彭蕴辉　翰林院编修。十二月初九日卒年三十一。

奎　舒　理藩院员外郎，前理藩院左侍郎。十二月卒。

郭仪长　原任江西道监察御史。卒年七十八。

吴应咸　户部郎中。卒年五十三。

宜　兴　步军统领，前任都察院左都御史，镶红旗宗室。卒。

达勒精阿　满洲正白旗，钮祜禄氏。镶蓝旗护军统领。卒，照都统例赐恤。

李天林　云南恩安人。山西太原镇总兵。卒。

张　成　贵州兴义人。广西右江镇总兵。卒。

谢　斌　原任浙江定海镇总兵。卒。

李锺泗　拣选知县，江苏甘泉县举人。卒年三十九。入国史儒
　　　　林传。

吴　定　六品顶带，安徽歙县孝廉方正。卒年六十六。入国史
　　　　文苑传。

嘉庆十五年庚午（公元一八一〇年）

◉ 生辰：

孙铭恩　正月十五日生，字书常，号兰检。江苏通州人。

梁国琼　正月十八日生，字希平，号丽裳。广东番禺人。

舒　文　正月二十一日生，号质夫。满洲正红旗，栋鄂氏。

蒋凝学　正月二十三日生，字先民，号之纯。湖南湘乡人。享年六十九。

王榕吉　二月初二日生，字荫堂，号子㧑。山东长山人。享年六十五。

戴鸾翔　二月初三日生，字曜云，号莲溪、觉痴。顺天宛平人（原籍安徽婺源）。

陈　澧　二月十九日生，字兰浦。广东番禺人。享年七十三。

王有龄　二月二十七日生，字英九，号雪轩。福建侯官人。享年五十二。

周学濬　三月十二日生。字彦深，号深甫、缦云。浙江乌程人。

陈　艾　三月十四日生，字虎臣，号勿斋。安徽石埭人。享年八十七。

徐　鼐　四月初九日生，字彝舟，号亦才。江苏六合人。享年五十三。

潘希甫　四月初十日生，字保生，号补之。江苏吴县人。享年四十九。

吴昌寿　四月十九日生，字仁甫，号少村。浙江嘉兴人。享年五十八。

郭椿寿　四月二十日生，字静山，号锺涑、约斋。山西安邑人。

潘曾绶　五月初六日生，字崧甫，号绂庭、小轩。江苏吴县人。享年七十四。

张广居　五月十一日生，字葆仁，号善艻。浙江建德人。

贺寿慈　五月二十五日生，（原名贺霖若），字雨田，号吉黼、云甫。江北江夏人。享年八十二。

陈景亮　六月初三日生，字孔辅，号弼夫、寅臣。福建闽县人。

翁同书　六月初九日生，字祖庚，号药房，江苏常熟人。享年五十六。

庄受祺　七月初三日生，字卫生，号蕙生。江苏阳湖人。

徐玉丰　七月十四日生，字子昌，号莱峰。江苏甘泉人。

毕道远　七月二十日生，字仲任，号东河。山东淄川人。享年八十。

张　桐　八月十二日生，字华甫，号怡琴。河南祥符人。

李铭皖　九月初四日生，字薇生，号桐江。河南夏邑人。

宁曾纶　九月初六日生，字理堂，号容阁。直隶乐亭人。享年五十二。

颜培瑚　九月二十日生，字夏廷，号稼珊、铁珊。广东连平人。

王履谦　九月二十一日生，字吉云，号晓山。顺天大兴人（原籍浙江山阴）。

汪本铨　九月二十四日生，字衡甫，号菊生。江苏阳湖人。享年四十五。

周　灏　九月二十六日生，字子淳，号湘荃。贵州贵筑人。享年五十三。

吴保泰　十月初三日生，（原名吴云翔），字星渚，号南池、鹤江。河南光州人。

高延祉　十月初三日生，字汉章，号受轩、笃坡。浙江萧山人。享年四十二。

郭礼图　十月十二日生，字永达，号瑞五、苣修、筱平。福建闽县人。

姚体备　十月十八日生，字诚叔、万子，号秋浦。山东钜野人。

黄　奭　十月二十七日生，字召南，号又园、右原。江苏仪征人。道光十二年赐举人。

汤云松　十月二十九日生，字容生、容甫，号鹤树、小樵。江西南丰人。

朱燮元 十一月初十日生，字定人，号定斋。浙江海盐人。享年五十三。

杨承照 十一月二十三日生，字旭斋，号杏农。顺天大兴人。享年四十七。

唐训方 十二月十二日生，字艺衢，号义渠。湖南长宁人。享年六十八。

李善兰 生，字壬叔，号秋纫。浙江海宁人。享年七十三。

邵懿辰 生，字映垣，号位西。浙江仁和人。享年五十二。

孙　濂 生，字伯舟，号莲舫、霁帆。贵州贵筑人。

袁泳锡 生，字祉轩，号次山、雪舟。山东历城人。

鲍　康 生，字子年。安徽歙县人。享年六十□。

沈用熙 生，享年九十。

伊乐尧 生，字遇羹。浙江钱塘人。享年五十三。

周学濂 生，浙江乌程人。享年五十三。

邹　恒 生，江西安福人。享年五十七。

● 科第：

考取优贡生：

陈桐生 浙江人。云南州判，湖南粮道。

章　黼 松阳县教谕。

中式举人：

观　瑞 蒙古正蓝旗，博尔济吉特氏。江西粮道。

廖　均 四川邻水人。刑部郎中，江南盐道。

杨恩培 直隶天津人。广西南宁府知府。

增　龄 满洲，觉罗氏。山东临清直隶州知州。

庄仲方 中书科中书。

陈　均 浙汪海宁人。

强　溁 江苏溧阳人。安徽宣城县教谕，甘肃安定县知县。

钱　侗 浙江嘉定人。

钱之鼎 浙江丹徒人。

沈学渊 江苏宝山人。

郑　璜　江苏人。

张聪咸　安徽桐城人。

张应昌　浙江人，内阁中书，重宴鹿鸣。

胡元杲　嘉兴县教谕。

沈炳垣　（原名**沈潮**），字晓沧。浙江桐乡人。江苏知县，江苏
　　　　苏州府督粮同知。

沈　涛　字西雝。浙江嘉兴人。江苏知县，福建兴泉永道。

周联奎　字仲章。浙江乌程人。奉化县教谕。

吴懋清　广东人。中书科中书。

中式副榜贡生：

俞宝华　浙江海宁人。候选州判。

● 恩遇：

丰绅殷德　镶蓝旗满洲副都统，固伦额驸。三月晋给公衔。

禄　康　大学士。五月加太子少保衔（十六年六月削）。

百　龄　两广总督，六月以生擒盗首乌石二等功，复加太子少
　　　　保衔（十年十二月削）。

吴　璥　江南河道总督。七月复加太子少保衔（十六年二月
　　　　削）。

以本年为乾隆庚午科乡举重逢：

赵　翼　降调贵州贵西道。赏给三品顶带；

施奕学　原任湖北安陆府知府。赏给三品顶带；

姚　鼐　原任刑部郎中。赏给四品顶带；

郑岱锺　原任翰林院检讨。赏加国子监司业衔；

周　春　原任广西岑西县知县。赏给六品顶带；

周鸣岐（一作赵鸣歧）原任广东口口县知县。赏给六品顶带；

林培田　原任口口知县。赏给六品顶带。

　　　　以上诸人俱重赴鹿鸣筵宴。

蔺廷荐　陕西朝邑县武举。以本年为乾隆庚午科乡举周甲之岁，
　　　　赏加千总衔，重赴鹰扬筵宴。

邹炳泰　吏部尚书。十月以七十生辰，赐御书"卿云锡祉"额。

蓝　祥　广西宜山县寿民。以年届一百四十二岁，十二月赏六品顶带，赐御书匾额及御制诗。

● 著述：

冯登府　撰《汉石经考异》二卷成，见春日《唐石经考异》自序。

潘　眉　撰《三国志考证》八卷成，见三月自序。

徐　松　撰《唐两京城坊考》五卷成，见四月自序。

陈寿祺　撰《东越儒林后传》一卷、《东越文苑后传》一卷、《东观存稿》一卷成，以上诸书均无自序。（按：寿祺于庚午七月丁忧回籍后未出仕。此三种皆在史馆所作，故系于七月之前）。

姚文田　撰《广陵事略》七卷成，见十二月自序。

陈本礼　撰《汉诗统笺》三卷成，见自序。

姚　晏　字圣常，号婴齐。浙江归安人。撰《中州金石目》四卷、《补遗》一卷成，见姚觐元后跋。

蒋　翎　撰《雪堂退思录》四卷成，见道光庚子魏茂林序。

梁章钜　撰《夏小正通释》四卷、《南浦诗话》四卷成，有祖之望序，见自订年谱。

● 卒岁：

富志那　满洲正红旗，赫舍里氏。贵州提督。正月卒。

路超吉　字汝谦。陕西大荔人。原任湖北襄阳镇总兵，降调广东提督。正月卒年七十口。

马国锐　山西太原人。四川松潘镇总兵，袭骑都尉世职。正月卒。

特克慎　蒙古正蓝旗，郭勒沁奇穆克氏。以二品衔致仕，原任都察院左都御史。正月卒。

吴省兰　致仕翰林院侍讲学士，降调礼部右侍郎。正月二十六日卒年七十三。

周廷栋　前都察院左都御史，复以五品顶带致仕。二月卒。

索费英阿　满洲镶黄旗，毕鲁勒氏。以披甲释回京旗，前提督

衔甘肃肃州镇总兵。三月卒年七十口。

金应琦　候补正三品京堂，降调刑部右侍郎。三月卒。

丰绅殷德　字润圃。满洲正黄旗。公衔镶蓝旗满洲副都统，固
　　　　伦额驸。四月卒。

王　炳　字方山。汉军镶白旗（原籍陕西凤翔）。原任福建陆路
　　　　提督。四月卒。

翁咸封　江苏海州直隶州学正。四月十四日卒年六十一。

姜　晟　以四品京堂致仕，原任工部尚书，前太子少保，直隶
　　　　总督。四月十六日卒，年八十一。

长　琇　都察院左副都御史。五月卒。

陈鹤书　福建闽县岁贡生。七月初五日卒，年六十五。

隆　福　满洲正红旗，宜特黑氏。宁夏将军。七月卒。

果勒敏色　满洲正白旗，郭布勒氏。内大臣，镶蓝旗蒙古都统。
　　　　八月卒，谥勇恪。

金捧阊　江苏江阴县岁贡生。八月初八日卒年五十一。

温　春　满洲正黄旗，默尔丹氏。新授乌里雅苏台参赞大臣，
　　　　由正红旗护军统领调补，云旗尉。九月以自京赴任，
　　　　卒于乌兰木薄巴图驿馆。

陈　淮　六品顶带，前江西巡抚。九月卒年八十口。

蒋骐昌　原任陕西兴安府汉阴通判。十月初九日卒年七十一。

诚　存　满洲正红旗，章佳氏。致仕都察院左副都御史。十月
　　　　卒年七十口。

秀　林　满洲正白旗。前口口旗满洲副都统，降调吏部尚书。
　　　　十一月十一日以罪令自尽（注：以前在吉林将军任内
　　　　侵用秩葆余银）。

珠尔素　杭州副都统。十一月卒年七十六。

永　来　满洲正黄旗，乌雅氏。致仕镶黄旗副都统。十一月卒
　　　　年七十口。

骆朝贵　（初名田朝贵）。广西临桂人。湖北提督。十一月卒

谢葆霭　原任山东安邱县知县。十二月初五日卒年六十六。

陈霞蔚　原任内阁学士，降调兵部右侍郎。卒。

朱锡经　太仆寺少卿。十一月十六日卒年五十七。

刘种之　在籍翰林院编修，降调赞善。卒年七十。

倭什布　满洲正红旗，瓜尔佳氏。前笔帖式职衔，办理乌鲁木齐粮饷事务，降调陕甘总督。卒。

那启泰　满洲正蓝旗，完颜氏。蓝翎侍卫，原任叶尔羌办事大臣，前黑龙江将军。卒年七十口。

归朝煦　前山东运河道。卒年七十四。

胡　钰　直隶清河道。卒。

李　翩　在籍陕西候补道，前任浙江杭嘉湖道。卒年六十六。

何承先　调授福建南安县知县，由长泰知县调补。未抵任卒。

毕继曾　江苏镇洋县拔贡生。卒年五十四。

吴一谔　江苏阳湖县诸生。卒年七十五。

袁廷寿　（原名袁廷梼）。江苏吴县监生。卒年四十七。

嘉庆十六年辛未（公元一八一一年）

● 生辰：

李维醇 二月初四日生，字春醴，号醴泉。顺天大兴人。

秦聚奎 二月初九日生，字星五，号凤山、焕亭。奉天盖平人。
享年五十二。

福　济 二月十三日生，字仁溥、仙舟，号春瀛、元修。满洲
镶白旗，必禄氏。享年六十五。

赵德辙 二月十六日生，字静山，号宁庵。山西解州人。

焦春宇 二月二十八日生，字锦江，号退思。安徽太平人。

胡寿椿 三月十七日生，字砚生。江西南昌人。

李德增 三月二十一日生，字小屏，号晓坪。顺天宝坻人。

顾文彬 三月二十二日生，字蔚如，号子山、叔瑛、艮斋。江
苏元和人。享年七十九。

高振洛 闰三月初二日生，字子陆，号勉斋。河南邓州人。

叶名沣 五月初四日生，字瀚源，号润臣。湖北汉阳人。享年
四十九。

华祝三 五月初九日生，字肇猷，号尧峰、瘦石。江西铅山人。

夏廷榘 五月十三日生，字仲絜，号拾珊、石珊。江西新建人。

程祖诰 五月十八日生，字覃叔。安徽休宁人。享年七十七。

和　淳 五月二十五日生，字乐田，号信夫、兰庄。镶蓝宗室。

刘书年 六月十三日生，字竹史，号仙石、秋冶。直隶献县人。
享年五十一。

龚衡龄 六月十九日生，字是尹，号任臣、寿阿。福建侯官人。

张之万 七月初八日生，字子青，号銮坡。直隶南皮人。享年
八十七。

张兆辰 八月十五日生，字北垣，号崇香。山东济阳人。

彭慰高 八月二十四日生，字经伯，号讱生。江苏长洲人。

蔡念慈 八月二十七日生，字蔚曾，号劬庵、蓬庵。浙江仁和

人。

徐　邺　八月二十八日生，字李侯，号芋因。江苏嘉定人。享年七十一。

李宗焘　九月初一日生，（原名李宗焱），字祚生，号午山、味椰。陕西周至人。

孙庆咸　九月初二日生，字珊琭，号杉麓、伟卿。浙江山阴人。

定　保　九月十二日生，字静甫，号佑亭。满洲正蓝旗，博尔济吉特氏。

师　曾　九月十四日生，字继瞻。蒙古正白旗。享年八十五。

吕佰孙　九月十七日生，字元永，号执甫、兰舫。江苏阳湖人。

林昌彝　十月初二日生，字惠常，号蕙裳、芗溪。福建侯官人。

曾国藩　十月十一日生，（原名曾子城），字伯涵、小南、号涤生。湖南湘乡人。享年六十二。

吴　云　十月十七日生，字少青，号平斋、退楼、愉庭。浙江归安人。享年七十三。

胡大任　十月二十三日生，字荣绶，号子重、莲舫。湖北监利人。

厉云官　十月二十三日生，字伯符，号小樵、凫庵。江苏仪征人。

黄兆麟　十一月初二日生，字叔文，号黻卿、子郊、蔚堂。湖南善化人。

张其翮　十一月初三日生，字彦高，号雁皋。广东嘉应人。

麒　庆　十一月初七日生，字宝臣，号玉符。满洲正白旗。享年五十九。

廉兆纶　十二月初八日生，（原名廉师敏），字葆醇，号琴舫、勤访、树峰。顺天宁河人。享年五十七。

汤　修　生，字敏斋。浙江萧山人。享年六十一。

王　堃　生，字至元，号芷汀。顺天宛平人（原籍浙江仁和）。

许宗衡　生，字海秋。江苏上元人。享年五十九。

何绍瑾　生，字莲友，号玉仙、蔼卿。浙江平湖人。

凌玉垣 生，字丰之，号荻舟。湖南善化人。

李庆翱 生，字公度，号筱湘。山东历城人。享年七十九。

江国霖 生，字徽卿、晓帆，号雨农。四川大竹（大足）人。

康国器 生，字交修，号友之。广东南海人。享年七十四。

谢膺禧 生，字奕堂，号均卿、笑同。顺天大兴人。

刘　煦 生，字和庵，号小白、筱北。山西赵城人。享年五十二。

陈肇铺 生，江苏武进人。

陈景曾 生，字孔鲁，号贯甫。福建闽县人。

蒋大铺 生，字名铺，号九山。江苏无锡人。享年六十三。

莫友芝 生，字则心、紫莱、子偲，号邵亭、眲叟。贵州独山人。享年六十一。

邓　瑶 生，字伯昭，号小芸。湖南新化人。享年五十五。

彭昱尧 生，字子穆，号兰畹。广西平南人。

张　辛 生，字受之。浙江海盐人。享年三十八。

● 科第：

闰三月以召试一等赏给举人：

李堂栋。

雷百里。

段可传。

郝玉魁。

田贺年。

崔　埙。

一甲进士：

蒋立铺 状元。修撰，内阁学士。

吴毓英 江苏吴县人。榜眼。编修，刑部主事，刑部员外郎。

吴廷珍 探花。编修。

二甲进士：

毛鼎亨 字溯汾。江苏长洲人。吏部主事，山东兖州府知府。

黄崇光 湖南安化人。湖南宝庆府教授。

林则徐 编修，云贵总督。

王赠芳 编修，云南盐法道。

李在青 内阁中书。

许邦光 编修，光禄寺卿。

汤储璠 字若孙。江西临川人。内阁中书。

卢振新 湖北汉阳人。广西凌云县知县。

王惟询 字星源，号小华。山东海丰人。编修，浙江按察使。

黄玉衡 编修，浙江道御史。

钱 黻 字西来，号小垌。江苏上虞人。编修，湖北荆宜施道。

张敦颐 编修。

程矞采 字蔼初，号晴峰。江西新建人。礼部主事，湖广总督。

喻元准 字眠水，号莱峰。湖北黄梅人。庶吉士，礼部主事。广西柳州府知府，广西右江道。

马步蟾 编修，安徽徽州府知府。

宋劭縠 字鲁诒，号芸皋。贵州安顺人。庶吉士，工部主事，江苏按察使。

陈 焯 字度光，号肇敏、克庵。河南商丘人。庶吉士，工部主事，浙江道御史。

陆尧松 字荫周，号荇舟、少庐。浙江平湖人。庶吉士，刑部主事，兵科掌印给事中。

王茂松 字听涛，号鹤亭。贵州瓮安人。编修，山西平阳府知府。

周树槐 字星叔。湖南长沙人。山西知县，江西吉水县知县。

徐 瀚 （一作徐翰）。河南鹿邑人。内阁中书。

潘锡恩 字芸阁，安徽泾县人。编修，江南河道总督，同治丁卯重宴鹿鸣。

倪彤书 字珥书。浙江仁和人。庶吉士，山东知县，山东武定府知府。

刘斯嵋 字弥山，号眉生。江西南丰人。编修，山东布政使。

邱家炜 字彤伯，号莲舫。顺天宛平人。编修，湖南沅州府知

府。

汪鸣谦　庶吉士，刑部主事，山西太原府知府。

冯元锡　字伯纯，号组文、紫屏。江苏通州人。工部主事，湖广道御史。

莫　焜　顺天大兴人。礼部员外郎。

罗尹孚　（原名罗永符），字子信，号菊农。安徽歙县人。编修，浙江嘉兴府知府。

奕　泽　（原名奕溥），字如渊、丽川，号理泉、菊泉。正红旗宗室。庶吉士，礼部主事，盛京工部侍郎。

文　纶　四川建昌道。

胡方朔　字小东，号翰城，果斋。安徽桐城人。庶吉士，刑部主事，广东广州府知府。

袁应惇　湖北汉阳人。湖南常德府知府。

朱壬林　会元。庶吉士，工部主事，直隶清河道。

罗以丰　江西宜黄人。山东冠县知县。

程恩泽　编修，户部右侍郎。

袁　铣　字楚珍，号金溪。湖北麻城人。编修，礼科掌印给事中。

李恩绥　庶吉士，吏部主事。

吴衡照　直隶知县，浙江金华府教授。

陈逢年　广西宣化人。江西石城县知县。

蒋超曾　江苏吴县人。直隶大名、宝坻县知县。

廖文锦　编修，河南卫辉府知府。

刘体仁　四川中江人。直隶武清县知县。

周　凯　编修，河南按察使。

易镜清　（原名易本杰）。湖北京山人。内阁中书，甘肃庆阳府知府。

蔡世松　字友石，号听涛。江苏上元人。庶吉士，吏部主事，顺天府府尹。

杨希铨　字仲衡，号研芬，江苏常熟人。编修，广东惠州府知府，广东惠潮嘉道。

谷善禾　刑部主事。

张学尹　福建知县，福建台湾府理藩同知。

孙贯一　字又鲁，号仲鲁。山东长山人。编修，工科给事中。

辛文沚　字宗海，号云洲、简亭。山东蓬莱人。庶吉士，直隶
　　　　知县，直隶清河道。

端木坦　字履之。江苏江宁人。内阁中书。

方观旭　庶吉士，广西武缘县知县。

赵　钺　（原名赵春沂）庶吉士，江苏知县，江苏泰州知州。

李彦章　内阁中书，山东盐运使。

　　　三甲进士：

易良俶　河南知县，河南邓州知州。

李象鹍　检讨，贵州布政使。

傅　璜　（原名傅汉），字星北。贵州贵筑人。直隶知县，广西
　　　　全州知州。

徐宝森　浙江仁和人。工部主事，山东按察使。

王云锦　检讨，广东肇罗道。

尹佩珩　庶吉士，户部主事，陕西粮道。

吴庭煇　（一作吴廷耀），字振行。安徽桐城人。　四川涪州知
　　　　州。

陶克让　庶吉士，浙江金华县知县。

雷景鹏　陕西郃阳人。

荣　第　赞善。

吕　璜　浙江知县，浙江杭州府海防同知。

陈　彬　字谦斋。河南商丘人。礼部主事，直隶天津府知府。

刘　珊　安徽知县，安徽颍州府知府。

周锡龄　字松崖。贵州贵定人。贵州镇远府教授，福建章浦县
　　　　知县。

奎　耀　字仲华，号芝圃。满洲正白旗，索绰络氏。检讨　通政
　　　　使。

曹师恕　字存中，号服山。庶吉士，刑部主事。

边凤翙　字蔼轩，号丹麓。直隶任邱人。庶吉士，山东栖霞县知县，东平州知州。

吴廷辉　四川知县，四川涪州知州。

赵廷熙　奉天义州人。内阁中书，江苏淮海道。

汪兆柯　广东东安县知县，咸丰戊午重宴鹿鸣。

何炳彝　字用邕，号春舟。山西灵石人。庶吉士，兵部主事。

党绍修　陕西合阳人。湖北鹤峰州知州。

王衍梅　广西武宣县知县。

龚　绶　检讨，湖南布政使，同治丁卯重宴鹿鸣。

全　奎　满洲正红旗。詹事府右春坊，右赞善。

白明义　奉天承德人。直隶知县，直隶清河道。

尹世衡　字仲与，号阶平。甘肃武威人。庶吉士，吏部主事，浙江粮道。

杨兆璜　浙江知县，直隶广平府知府。

仝卜年　山西平陆人。福建知县，福建台湾府知府。

福　申　检讨，内阁学士。

李　莹　山东修宁人。户部主事，江南道御史。

周天爵　安徽知县，湖广总督。

　武进士：

马殿甲　河南邓州人。状元。头等侍卫，广西提督。

成必超　四川仁寿人。榜眼。二等侍卫。

林方标　江苏铜山人。探花。二等侍卫，浙江衢州镇总兵。

张　锐　直隶天津人。甘肃西宁镇总兵。

◉ 恩遇：

　闰三月以召试一等特授内阁中书：（以下三人）

龙汝言　安徽举人，余见甲戌科；

张斐然　四川举人，余见前庚申科；

杨镇源　浙江举人，余见前戊午科。

刘权之　大学士。六月加太子少保衔。

邹炳泰　协办大学士，吏部尚书。六月复加太子少保衔（十八年九月削）。

托　津　户部尚书。六月加太子少保衔。

松　筠　协办大学士，两广总督。八月复加太子少保衔。

◉ 著述：

施国祁　字非熊，号北研。浙江乌程人。撰《金史详校》十卷成，见春日自序。

陈本礼　撰《屈辞精义》六卷成，见五月自序。

郭　麐　撰《金石例补》二卷成，见六月自序。

臧　庸　辑《韩诗遗说》二卷、《订譌》一卷成，（按：此书卒后始刻，见同治九年七月赵之谦序，今系于七月之前）。

江　沅　撰《说文释例》二卷成，见七月自序。

洪颐煊　撰《平津读碑记》八卷成见八月自序。

陈念祖　撰《金匮方歌括》六卷成，见九月其子元犀后跋。

辛绍业　撰《周礼释文问答》三卷成，见十月自序（按：此书今存一卷）。

张蓉镜　撰《啸堂集古录考异》二卷成，见十二月自序。

凤应韶　撰《经说》三卷、《读书琐记》一卷成（按：二书均卒后始刻，今系于是年）。

王念孙　撰《读逸周书杂志》四卷、《读战国策杂志》三卷、《读汉书杂志》十六卷成（按：三书皆无自序，此据年谱系于是年）。

冯登府　撰《魏石经考异》二卷、《蜀石经考异》二卷成（按：自序无年月，此按唐石经考异自序）。

江　藩　撰《汉学师承记》八卷附《国朝经师经义目录》一卷成，见江钧跋。

◉ 卒岁：

汪日章　前江苏巡抚。正月卒。

景　熠　袭奉恩辅国公，镶蓝旗宗室。原任三等侍卫，哈密办事大臣，前黑龙江将军。正月卒。

刘成玑　候选从九陕西咸宁县医士。正月十九日卒年八十一。

鳌　图　原任江苏按察使。二月初二日卒年六十二。

费　淳　工部尚书，降调太子少保，体仁阁大学士。三月卒年
　　　　七十三。赏还大学士，谥文恪。

达　庆　字祥庭。蒙古正黄旗，崆格哩斯氏。蓝翎侍卫，库尔
　　　　喀拉乌苏领队大臣，降调仓场侍郎。闰三月卒。

戴衢亨　太子少师，体仁阁大学士，军机大臣，云骑尉。四月
　　　　初一日卒年五十七。赠太子太师，入祀贤良祠，谥文
　　　　端。

陈　鹤　在籍工部候补主事。四月初九日卒年五十五。入国史
　　　　文苑传。

长　麟　太子少保，原任协办大学士，刑部尚书。四月卒。谥
　　　　文敏。

黄飞鹏　福建连江人。广东阳江镇总兵。五月卒。

庄　振　河南河北道。五月二十八日卒于荆隆工次，年五十六。

傅　甬　湖南按察使。六月卒年五十四，赠巡抚衔。

吴鸿璧　字瑶田、瘤仙。江苏江阴人。江阴县诸生。六月二十
　　　　七日卒年八十口。

徐　绩　二品衔原任宗人府府丞，前正红旗汉军都统。七月卒，
　　　　年八十口。

臧　庸　（原名臧镛堂），字西城，号在东。江苏武进人。武进
　　　　县监生。七月卒年四十五。入国史儒林传。

鄂云布　满洲正黄旗，伊尔根觉罗氏。蓝翎侍卫，叶尔羌办事
　　　　大臣，前贵州巡抚。七月卒。

龚　烈　六品顶带，江苏武进县孝廉方正。八月初二日卒年六
　　　　十一。

国兴阿　蒙古正黄旗，赫舍里氏。甘肃伊犁镇总兵。八月卒。

翁树培　刑部贵州司郎中，前任翰林院检讨。九月初八日卒年
　　　　四十八。

德成额　蒙古正黄旗，伍弥特氏。广西提督。九月卒。

周发春　降调内阁中书。十月初十日卒年七十四。

邵　洪　原任礼部右侍郎。十月卒。

钱豫章　原任户部郎中。十一月初八日卒年六十二。

毛秉刚　广西右江镇总兵。十一月卒。

杨于果　原任湖北荆州府通判。十一月二十四日卒年六十七。入国史文苑传。

许绍锦　前山东莒州知州。十二月初八日卒年五十九。

王如金　按察使衔河南河北道。十二月十八日卒于阳武工次，年五十七。

常　春　满洲正黄旗，殷胡里氏。原任荆州左翼副都统。十二月卒。

徐寅亮　原任山东道监察御史。卒。

宫增祜　原任安徽东流县教谕。卒年九十三。

特清额　满洲镶黄旗，钮祜禄氏。成都将军。卒。

观　祥　蒙古镶白旗。什布忒氏。致仕直隶宣化镇总兵。卒年七十口。

韦陀保　满洲正黄旗，博尔济吉特氏。前围场总管，降调围场副都统。卒。

冯建功　字青岩。江苏宝山人。原任安徽安庆协副将，降调广东碣石镇总兵。卒。

喜布禅　以披甲发回荆州当差，前浙江乍浦副都统。卒年七十四。

凤应韶　字德隆。江苏江阴人。江阴县岁贡生。卒年七十口。

嘉庆十七年壬申（公元一八一二年）

● 生辰：

陈克家　正月十九日生，字子刚，号梁叔。江苏元和人。享年四十九。

金　善　正月二十九日生，字访叔。浙江钱塘人。

高均儒　正月二十九日生，字伯平，号郑斋。浙江秀水人。享年五十八。

朱泰修　二月初一日生，字亦华，号镜香、退叟。浙江海盐人。享年七十六。

刘　涝　二月初八日生，字香甫，号蘅洲。河南祥符人。

段晴川　二月十一日生，字文澜，号春湖。河南温县人。

龙元僖　二月二十日生，字仰为，号兰簃。广东顺德人。

邓廷楠　二月二十日生，字伯材，号双坡、杞廷。广西新宁人。

徐　棻　三月十九日生，字襄清，号芸渠、耕史。湖南长沙人。

朱梦元　四月十一日生，字贞起，号锦堂、景堂。江西贵溪人（原籍安徽泾县）。享年五十五。

载　龄　四月十二日生，宗室。享年七十二。

汪曰桢　四月十三日生，字仲维，号薪甫、刚木。浙江乌程人。年七十。

吕朝瑞　四月十五日生，字九霞，号辑侯。安徽旌德人。

杨　翰　四月十九日生，字伯飞，号云卿、海琴、息柯。顺天宛平人。享年六十八。

鲍源深　五月初十日生，字邃川、穆堂，号华潭。安徽和州人。享年七十三。

胡林翼　六月初六日生，字恩普，号贶生、润芝。湖南益阳人。享年五十。

江忠源　六月二十四日生，字岷樵。湖南新宁人。享年四十二。

庄俊元　六月二十七日生，字克明，号娩羹、亦皋。福建晋江人。

慎毓林 七月二十六日生，字壬甫，号吉孙、英卿。浙江归安
人。

陈　鲁 八月十二日生，字伯敏，号守愚、景衡。江苏上元人。

李光廷 八月二十一日生，字箸道，号奎垣、恢垣。广东番禺
人。

删贺荪 八月二十二日生，字则钦，号士芗。顺天大兴人（原
籍江苏吴江）。享年六十。

吴　敦 八月二十三日生，字粆公，号君毗、闇庄。浙江海宁
人。享年八十三。

王大经 九月初二日生，字经畬，号梦莲、晓莲。浙江平湖人。

苏勒布 九月十二日生，字颖川，号雪琴、慧亭。满洲正红旗，
伊尔根觉罗氏。

张　骏 九月二十日生，字垌堂，号南园。陕西兴平人。

张兴仁 九月二十七日生，字馨伯，号惕斋、让之、静山。浙
江钱塘人（原籍归安）。

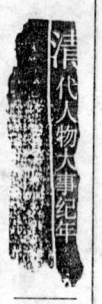

郭祥瑞 十月初三日生，字玉六，号毓麓、小桥。河南新乡人。

左宗棠 十月初七日生，字朴存，号季高。湖南湘阴人。享年
七十四。

和　润 十月十一日生，字雨田，号泽夫、月溪。镶蓝旗宗室。

涂宗瀛 十月二十七日生，字海三，号朗轩、师竹。安徽六安
人。享年八十三。

沈丙莹 十月二十八日生，字晶如，号菁士。浙江归安人。

孙寿祺 十一月十八日生，字锡祉，号子福。江苏太仓人。

蔡振武 十一月二十四日生，字宜之，号麟洲。浙江仁和人。

吴可读 生，字柳堂，号吴樵。甘肃皋兰人。享年六十八。

黄　统 生，字伯垂，号集九、少岳。广东顺德人。

丁守存 生，字心斋，号竹溪。山东日照人。

刘子城 生，字成之，号稚峰。直隶沧州人。

唐景皋 生，字鹤九。湖南临武人。

周宪曾　生（原名周兆熊），字景侯，号荫芝。浙江仁和人。

徐子苓　生，字西叔，号毅甫。安徽合肥人。享年六十五。

李　濬　生，河南人。享年六十。

邱联恩　生，字伟堂。福建同安人。享年四十八。

何仁山　生，字颐贞，号梅士。广东东莞人。

陈垣弼　生，字心农，号莘农。江苏上海人。享年四十九。

陈寿熊　生，字献青，号子松。江苏镇泽人。享年四十九。

薛　寿　生，字介伯。江苏江都人。享年六十一。

张　檠　生，享年七十口。

◉ 恩遇：

庆　桂　大学士。正月加太保衔。

董　诰　大学士。正月加太保衔。

温承惠　直隶总督。正月加太子少保衔（六月削）。

恭阿拉　兵部尚书。六月以六十生辰，赐寿。

恭阿拉　礼部尚书，一等承恩侯。十二月以病乞休，晋封三等
　　　　承恩公。

◉ 著述：

吴　骞　自编《拜经楼诗集续编》四卷、《万花渔唱》一卷成，
　　　　见正月自序。

沈梦兰　撰《周礼学》一卷成，见正月自序。

孙星衍　刻《平津馆丛书》成，见正月自序。

彭兆荪　撰《忏摩录》一卷成，见二月自序。

钱　杜　撰《松壶画赞》二卷成，见二月陈文述序（按：此书
　　　　刻成后序复有增删，经程庭鹭重编次，见道光二十年
　　　　庭鹭识语）。

钮树玉　撰《校注皇象本急就章》一卷成，见三月自跋。

洪颐煊　撰《礼经宫室答问》二卷成，见三月自序。

迮鹤寿　撰《齐诗翼氏学》四卷成，见三月自序。

梁学昌　字蛾子，号蕉屏。浙江钱塘人。撰《庭立纪闻》四卷
　　　　成，见五月诸以敦序。

游昌灼　撰《帝王世纪纂要》四卷成，见五月自序。

石韫玉　撰《袁文笺正》十六卷成，见六月自序。

张海鹏　辑刻《借月山房汇钞》十六集成，见七月自序。

陈本礼　撰《急救探奇》一卷成，见十月自序。

刘逢禄　撰《左氏春秋考证》二卷、《箴膏肓评》一卷成，见十
　　　　一月自序。

刘逢禄　撰《论语述何》二卷成，见十一月自序。

吴　修　撰《续疑年录》四卷成，见十二月自序（按：书成后
　　　　复有补录，见戊寅五月后序）。

吴　镐　字荆石。江苏镇洋人。撰《汉魏六朝志墓金石例》三
　　　　卷成，见十二月自序（按：书成后又撰有《唐人志墓
　　　　例》一卷附记于此）。

秦嘉谟　字味芸。江苏江都人。撰《月令粹编》成，见陈寿祺
　　　　序。

吴　鼐　撰《阴宅撮要》二卷成，见自序。

1096

◉ 卒岁：

庆　成　汉军正白旗，孙氏。福州将军，前太子太保。三月卒，
　　　　谥襄恪。

徐　端　以通判补用，前太子少保，江南河道总督。四月初六
　　　　日卒，年六十一。

札克塔尔　满洲镶黄旗，张氏。正黄旗护军统领，三等男兼恩
　　　　骑尉。四月卒。

陈三辰　原任广东盐运使。五月二十五日卒年七十七。

袁　敏　四川华阳人。致仕贵州古州镇总兵。六月卒。

钱伯坰　江苏武进县监生。六月十七日卒年七十五。

定　住　满洲镶黄旗，翁果特氏。乌鲁木齐提督。七月卒。

武自珍　贵州黔西人。湖南永州镇总兵。七月卒。

邬　犟　候选同知，浙江镇海县优贡生，七月二十三日卒年五
　　　　十八。

张廷彦　陕西长安人。前湖北宜昌镇总兵，袭二等轻车都尉世

职。八月卒。

温承志 山西太谷人。广东按察使。以陛见回任，八月卒于保
　　　 定。

钱　楷 安徽巡抚。八月十七日卒年五十三。

富　翰 满洲镶黄旗，鄂溪托氏。头等侍卫，前镶黄旗护军统
　　　 领。九月卒。

宜　緜 （原名尚安）。满州正白旗，鄂济氏。原任大理寺卿，
　　　 前太子太保，陕甘总督。十一月卒年八十口。

佛尔卿额 蒙古正白旗，图伯特氏。理藩院尚书。十一月卒年
　　　 七十口。

金光悌 刑部尚书。十二月十二日卒年六十六。

恭阿拉 太子少保，内大臣，前任礼部尚书，三等承恩公。十
　　　 二月卒年六十。赠太子太保，谥勤恪。

陈凤翔 江西崇仁人。前江南河道总督。以遣戍未行，十二月
　　　 卒于清河。

李殿图 原任翰林院侍讲，降调福建巡抚。卒年七十五。追谥
　　　 文肃（追谥在光绪二年十二月）。

炳　文 四品顶带，赏食郎中俸，前口口道监察御史，正蓝旗
　　　 宗室。卒年八十三。

雅满泰 蒙古正黄旗，乌梁海济勒莫特氏。头等侍卫衔，前正
　　　 白旗蒙古副都统，袭三等男。卒。

朱休度 原任山西广灵县知县。卒年八十一。入国史文苑传。

邹麟书 原任江苏淮安府教授，前任直隶故城县知县。卒年八
　　　 十五。

德　忠 满洲镶黄旗，伊图默氏。甘肃宁夏镇标右营游击，前
　　　 巴里坤镇总兵。卒。

朱　玮 江苏嘉定县廪生。卒年五十六。

庄宇逵 六品顶带，江苏武进县孝廉方正。卒。

嘉庆十八年癸酉（公元一八一三年）

● 生辰：

冯　崑　正月十五日生，字玉冈，号春膏。陕西咸阳人。

车顺轨　正月二十三日生，字伯循，号云衢、子庄。陕西合阳人。

刘熙载　正月二十五日生，字伯咸，号融斋。江苏兴化人。享年六十九。

但锺良　二月初六日生，字子骏，号春生、小云。贵州广顺人。

王　拯　三月初四日生，（原名王锡振），字翼之、定甫，号小鹤。广西马平人。享年六十二。

戴　槃　四月二十九日生，字铭新，号涧邻、友梅。江苏丹徒人。享年六十九。

史梦兰　四月二十九日生，字香崖，号砚农。直隶乐亭人。享年八十六。

载　庆　五月二十日生，字笃之，号心友。镶蓝旗宗室。

沈祖懋　五月二十五日生，字懋哉，号念农。浙江钱塘人。

马　钊　六月初五日生，字燕郊，号远林。江苏长洲人。享年四十八。

王荫昌　六月十一日生，字子言，号五桥。直隶正定人。享年六十五。

陈鸿翊　六月二十四日生，字子谦，号仲鸾。顺天宁河人。

崇　文　六月二十九日生，字心澜，号杏田。镶蓝旗宗室。

边浴礼　七月初三日生，字袈友，号袖石。直隶任邱人。

蒋光煦　七月初五日生，字日甫，号生沐。浙江海宁人。享年四十八。

谢　增　七月二十四日生，字孟馀、梦渔，号晋斋、藕香。江苏仪征人。享年六十七。

窦奉家　八月初二日生，字子先，号千山。山西沁水人。

李载熙　八月初六日生，字敬之，号采卿、悦卿。广东嘉应人。享年四十七。

濮庆孙　八月初七日生，字秋农，号寿君。浙江钱塘人。

文　瑞　八月十二日生，字世希、叔安，号小云。满洲镶红旗，乌苏氏。

李希彬　九月十四日生，字惠如，号彬之、小轩。汉军正白旗。

隋藏珠　九月十八日生，字松心，号赤亭。山东乐安人。

杨沂孙　九月二十三日生，（原名杨英沂），字子与，号詠春。江苏常熟人。享年六十九。

季念诒　十月初一日生，字芑伯，号钧谋、君梅。江苏江阴人。享年七十四。

张春育　十月初二日生，字叔涵。直隶南皮人。

沈衍庆　十月二十四日生，字盛符，号槐卿。安徽石埭人。享年四十一。

方金彪　十月二十九日生　浙江平湖人。享年二十。

丁　浩　十一月初四日生，字养吾、子然，号松亭、裕庵。河南宝丰人。

杨延俊　十一月二十六日生，字吁尊，号菊仙、觉先。江苏无锡人。

胡兰枝　十二月初二日生，字香士，号雪岑、息庵。江苏昭文人。享年六十九。

曹毓英　十二月二十八日生，字子瑜，号琢如。江苏江阴人。享年五十四。

汪　堃　十二月生，字应潮，号安斋。江苏昆山人（原籍安徽歙县）。

陈介祺　生，字伯潜，号寿卿、酉生、簠斋。山东潍县人。享年七十二。

康锡龄　生，字子锡，号藕生。山西兴县人。

徐丰玉　生，安徽桐城人。享年四十一。

秦缃业　生，字应华，号澹如。江苏无锡人。享年七十一

章仪林 生，享年六十五。

李崇蟠 生，字仙根，号幼桥。山东历城人。

阎廷佩 生。

胡庆源 生，（原名胡澄），字雨江，号心泉。顺天大兴人（原籍浙江钱塘）。享年五十四。

潘铭宪 生，字季文，号少城。浙江永嘉人。享年五十。

李 榺 生，安徽宣城人。享年四十一。

唐 莹 生，江苏人。享年七十二。

李芝绶 生，字缄庵。江苏昭文人。享年八十一。

王 礼 生，字秋岩。江苏吴江人。享年六十七。

◉ 科第：

　　考取拔贡生：

豫 泰 汉军镶黄旗人。吏部小京官，丙子举人，陕西凤翔府知府。

蒋明远 兵部小京官，道光辛巳举人，山东粮道。

王福纶 奉天人。户部小京官，太仆寺少卿。

李 荫 直隶人。吏部小京官，己卯副贡，广东潮州府知府。

鹿丕宗 贵州知县，贵州都匀府知府。

宁兰森 礼部小京官，己卯举人，甘肃甘州府知府。

张玉册 工部小京官，工部主事。

何汝霖 江苏人。工部小京官，道光乙酉举人，礼部尚书。

李锺瀚 刑部小京官，丙子举人，贵州思州府知府。

廉志勋 兵部小京官，戊寅举人，兵部郎中。

倪良曜 安徽人。云南知县，江宁布政使。

文 柱 江西人。兵部小京官，浙江衢州府知府。

钱廷熊 浙江人。刑部小京官，甘肃甘凉道。

高应元 直隶知县，四川永宁道。

杨炳堃 河南知县，湖南盐道。

洪震煊 浙江临海人。

李 诚 云南姚州州判。

王梦庚　浙江人。四川川北道。

王见炜　湖北人。工部小京官，湖南辰州府知府。

郑世任　户部小京官，贵州贵西道。

唐方煦　户部小京官，道光壬午举人，安徽颖州府知府。

叶　桂　河南人。户部小京官，户部郎中。

刘韵珂　刑部小京官，闽浙总督。

鹿泽长　知县，江西吉安府知府。

于公槐　知县，江西临江府知府。

仇恩荣　山西曲沃人。刑部小京官，安徽池州府知府。

耿自检　陕西人。刑部小京官，湖南岳州府知府。

蔡　勋　广东人。刑部小京官，己卯举人，江西吉安府知府。

黄乐之　吏部小京官，道光壬午举人，浙江按察使。

韩荣光　吏部小京官，道光戊子举人，掌四川道御史。

彭泰来　广东高要人。

蔡　琼　云南人。刑部小京官，己卯举人，浙江盐运使。

　中式举人：

富呢扬阿　满州镶红旗。礼部笔帖式，陕甘总督。

嵩　濂　光禄寺少卿。

杨　庚　工部主事，湖北汉黄德道。

张　鏆　贵州知县，贵州兴义府知府。

张　琦　山东馆陶县知县。

邵渊耀　江苏昭文人。国子监学录。

吴清皋　浙江人。内阁中书，江西南昌府知府。

胡祥麟　字仁圃。浙江秀水人。

陈　仪　陕西知县，陕西宁陕厅同知。

曹宗瀚　河南兰仪人。刑部主事，刑科掌印给事中。

王　劼　字子任。四川巴县人。浙江金华县知县。

　中式副榜贡生：

董士锡　江苏武进人。

周中孚　浙江乌程人。

严正基 字厚吾，号仙舫。湖南溆浦人。河南知县，通政使。

刘若珪 字桐坡。湖南长沙人。工部员外郎，湖北盐道。

中式翻译举人：

乌尔恭额 满洲镶黄旗，富察氏。户部笔帖式，浙江巡抚。

● **恩遇：**

鲍廷博 安徽歙县生员。六月以进呈所刻《知不足斋丛书》二十六集，赏给举人。

以本年为乾隆癸酉乡举重逢：

康基田 致仕太仆寺少卿衔户部郎中，前河东道总督；

德　元 致仕内务府郎中。

以上二人俱赏加三品衔，重赴鹿鸣筵宴。

宣　宗 九月封和硕智亲王。

瞿侪鹤 原任顺天府南路同知；

谌克慎 原任浙江衢州府同知。

以上二人俱以上年为乾隆壬申恩科乡举周甲之岁，九月于本年癸酉正科补行重赴鹿鸣筵宴。

莫廷魁 原任江苏泰兴县知县。以本年为乾隆癸酉科乡举周甲之岁，九月重赴鹿鸣筵宴。

松　筠 大学士，伊犁将军。十一月晋太子太保衔（二十年十二月削）。

章　煦 署直隶总督。十二月加太子少保衔。

十二月以克复滑县：

那彦成 钦差大臣，直隶总督。加太子太保衔，封三等子（二十一年六月革）；

杨遇春 固原提督。封二等男；

曹振镛 大学士。晋太子太保衔；

刘镮之 兵部尚书。加太子少保衔（二十二年九月削）；

英　和 工部尚书。复加太子少保衔；

百　龄 两江总督。复加太子少保衔（十九年十二月削）；

同　兴 山东巡抚。加太子少保衔（十九年七月革）。

◉ 著述：

陈寿祺　撰《五经异义疏证》三卷成，见正月自序。

梁玉绳　自编《蜕稿》四卷成，见二月自序。

陈逢衡　撰《竹书纪年集证》五十卷成，见二月自序。

汪继培　重校定《列子张注》八卷成，见四月自序。

陈　经　字抱之。浙江归安人。撰《求古精舍金石图》四卷成，见六月自序。

孔广林　字丛伯，号幼髯。山东曲阜人。辑《通德遗书所见录》七十二卷成，见六月自识。

江　藩　撰《乐县考》二卷成，见九月张其锦序。

李富孙　撰《春秋三传异文释》十二卷成，见十月自序。

陈　鳢　撰《经籍跋文》一卷成，见十月吴骞序。

焦　循　撰《易图略》八卷成，见十一月自序。

焦　循　撰《易通释》二十卷成，见十一月自序。

◉ 卒岁：

李在青　内阁中书。正月十二日卒年五十。

庆　怡　袭奉恩辅国公，前荆州将军，正蓝旗宗室。正月卒。

满　仓　满洲镶黄旗，郭罗洛氏。原任福建汀州镇总兵。正月卒。

法式善　原任詹事府庶子，前国子监祭酒。二月初五日卒年六十。入国史文苑传。

景　敏　字逊斋。满洲正白旗。贵州巡抚。二月卒。

丰　绅　满洲镶黄旗，佟佳氏。丁忧成都将军。三月以回旗卒于忠州舟次，谥勤襄。

哈鲁堪　满洲正黄旗，巴雅拉氏。盛京兵部侍郎。四月卒。

札郎阿　满洲正红旗，富察氏。都统衔，原任太常寺卿兼镶黄旗汉军副都统，前礼部侍郎。六月卒，年七十口。

李　渡　河南鲁山人。鲁山县诸生。八月卒。

强克捷　河南滑县知县。九月初七日殉难，赠知府，予骑都尉世职，谥忠烈。

吕秉钧　字倚平。河南新安人。河南滑县教谕。九月初七日遇害，予云骑尉世职。

刘　斌　广西咸宁人。河南滑县老岸镇巡检。九月初七日遇害，赠知县予云骑尉世职，谥忠义。

巴宁阿　汉军正白旗，汪氏。以内务府主事用，前马兰镇总兵。九月卒。

陆费瑝　选授福建建阳县知县，前安徽宿松县知县。九月十二日以回籍省母卒于桐乡，年六十三。

陈万里　原任江西赣县知县。十月十八日卒年七十四。

庄逵吉　陕西同州府潼关所同知。十二月二十三日卒年五十四。

汪　莱　安徽石埭县训导。十一月二十日卒年四十六。入国史儒林传。

杨崶谷　候选教谕，江苏武进县岁贡生。十一月二十四日卒年六十一。

张见陞　广东东莞人。福建提督左营守备，前福建水师提督。十二月卒。

康基田　三品衔致仕郎中，前江南河道总督。十二月卒年八十口。

万承风　原任兵部左侍郎。十二月二十一日卒年六十一。追赠礼部尚书，谥文恪（赠谥在二十五年八月），加赠太傅（加赠在道光十二年十一月）。

邵自昌　致仕都察院左都御史。卒年七十八。

莫瞻菉　致仕太仆寺卿，降调工部侍郎。卒。

孔继埌　户部主事。卒年五十一。

张玉龙　汉军镶黄旗。銮仪卫銮仪使，袭三等男。卒。

陈廷庆　原任湖南辰州府知府。卒年六十。

奇　臣　前乌鲁木齐都统，三等奉国将军，正蓝旗宗室。卒。

孙清元　四川提督。卒。

仙鹤林　山东滋阳人。致仕河南河北镇总兵，前湖南提督。卒。

杨世华　前广东右翼镇总兵。卒。

豆　　　陕西固安人。致仕山东登州镇总兵，袭骑都尉兼一云
　　　　骑尉世职。卒年七十口。

新　保　满洲镶白旗。都拉喇氏。副都统衔打牲总管。卒。

钱大昭　六品顶戴，江苏嘉定县孝廉方正。卒年七十。入国史
　　　　儒林传。

吴　骞　浙江海宁州贡生。卒年八十一。入国史文苑传。

卿　彬　广西灌阳县岁贡生。卒年六十六。入国史儒林传。

嘉庆十九年甲戌（公元一八一四年）

● 生辰：

景　霖　正月十三日生，字介如，号星樵、叔度。满洲正白旗，瓜尔佳氏。

程　诚　正月十三日生，安徽休宁人。

廉　昌　正月二十八日生，字次春，号昉泉。满洲正黄旗，伊尔根觉罗氏。

许振祊　二月十二日生，字佑人，号云生。江西奉新人。

周寿昌　二月十三日生 字应甫，号荇农、春伯、自庵。湖南长沙人。享年七十一。

綿　愉　二月十日生，仁宗皇五子。享年五十一。

王家璧　闰二月十五日生，字孝凤，号月卿、连城。湖北武昌人。享年七十。

1106

孙鸣珂　三月初六日生，字阁声，号铁珊。直隶盐山人。

谢　煌　三月二十二日生，字仲霖，号雨芗、雨生。江西宜黄人。

承　龄　四月初一日生，字尊生，号叔度，子久。满州镶黄旗，裕瑚鲁氏。享年五十二。

王景澄　四月初五日生，字祖恩，号清如、镜涥。江西萍乡人。

俞　林　四月二十二日生，字壬甫，号芝石。浙江德清人。

金国均　五月初五日生，字秉之、镇五，号可亭、阶平。湖北黄陂人。

周沐润　五月初五日生，字齐孟，号文之、朗泉。河南祥符人。

吴春焕　五月初六日生，字文耕，号莲身。浙江钱塘人。

蒋继洙　五月十四日生，字丽川，号蕉林、梅痴。山东曲阜人。

罗嘉福　六月二十九日生，（原名罗家谟），字訏庭，号云骧、勗斋。顺天大兴人（原籍浙江山阴）。享年五十二。

陈象沛　七月初四日生，字傅霖，号吉农。山东荣城人。

杨能格　七月初七日生，字季良、简侯。汉军正红旗。享年六十三。

黄秩林　七月初八日生，字子干，号仙樵。江西宜黄人。享年四十七。

黄　经　八月初二日生，字叔济，号郝存、纬斋、鹤泉。广东顺德人。

何廷谦　八月初七日生，字六皆，号棣珊、地山。安徽定远人。享年六十五。

陈源兖　八月十一日生。

盛　康　八月十三日生，字勗存。号旭人。江苏武进人。享年八十九。

翁同爵　八月十五日生，字玉圃，号侠君。江苏常熟人。享年六十四。

朱元庆　八月十六日生，字右人，号申庵、忆梅。浙江海盐人。享年七十。

孙衣言　八月十七日生，字克绳、邵闻，号琴西。浙江瑞安人。享年八十一。

李德莪　八月十九日生，字念劬，号蓼生、禄生。江苏新阳人。

陈锡麒　九月十八日生，字襄奭，号湘葵。浙江海宁人。

徐志导　九月二十一日生，字少莲，号孟卿。安徽歙县人。

龙启瑞　十月十三日生，字辑五，号翰臣。广西临桂人。享年四十五。

周炳鑑　十一月初一日生，字安卿，号立庵。浙江诸暨人。

胡家玉　十一月初五日生，字琢勇，号小蘧。江西新建人。享年七十三。

卢定勋　十一月二十二日生，字奠图，号午峰、仲亮。江西上饶人。

徐时栋　十一月二十五日生，字定宇，号柳泉、同叔。浙江鄞县人。享年六十。

戴均衡　十二月十一日生，字存庄，号蓉洲。安徽桐城人。享年四十二。

毓　科　十二月十六日生，字条卿，号又坪。满州正蓝旗，他塔喇氏。

戚　贞　十二月十六日生，字子固，号干臣、小蓉、小兰。浙江钱塘人。

瞿元霖　生，字仲望，号春陔。湖南善化人。享年六十九。

张　蒂　生，字黼侯，号小浦。陕西泾阳人。享年四十九。

蒋志章　生，（原名蒋志惇），字恪卿，号璞山。江西铅山人。享年五十八。

冯志沂　生，字述仲，号鲁川。山西代州人。享年五十四。

梁恭辰　生，字敬叔。福建长乐人。

边葆诚　生，（原名边葆淳），字朴川，号仲思。直隶任邱人。

杨亶骅　生，字襄穆，号华林。直隶晋州人。

雷　浚　生，江苏吴县人。享年八十。

李祖望　生，字宾嵎，江苏江都人。享年六十八。

吴国章　生，字佑文。江苏丹徒人。享年八十一。

◉　科第：

一甲进士：

龙汝言　状元。修撰，内阁中书，兵部员外郎。

祝庆蕃　字晋甫，号蘅畦。河南固始人。榜眼。编修，礼部尚书。

伍长华　探花。编侈，湖北巡抚。

二甲进士：

裘元善　字葆初，号春洲。江西新建人。编修。

瞿　溶　会元。庶吉士，刑部主事，吏科掌印给事中。

祁寯藻　编修，大学士。

牛　鑑　编修，两江总督。

张　玗　河南尉氏人。江西南城、弋阳县知县。

石　纶　内阁中书，吏部郎中。

陈传均　字衡甫，号皋兰。浙江嘉善人。庶吉士，户部主事，内阁侍读学士。

陆以煊 （碑录作陆以烜）庶吉士，户部主事，鸿胪寺卿。

王　丙　编修，太仆寺少卿。

端木杰　字俊民，号过庭。江苏江宁人。编修。

呈　麟　字玉书，号绂堂。满洲正蓝旗。庶吉士，户部主事，
　　　　内阁学士。

阳金城 （原名阳宗城），字鑑堂。广西临桂人。庶吉士，刑部
　　　　主事，江苏苏松太道。

杨殿邦　安徽泗州人。编修，漕运总督。

朱逵吉　庶吉士，江西知县，广东粮道。

奎　照　编修，礼部尚书。

彭邦畯　庶吉士，知县，福建延平府知府。

祝庆扬　字子言，号海屏。河南固始人。编修。

吴　杰　编修，吏部左侍郎。

王协梦　庶吉士，工部主事，江苏常镇道。

叶维庚　庶吉士，江西知县，江苏泰州知州。

陶廷杰　编修，湖北布政使。

程楙采　江西新建人。编修，浙江巡抚。

王琦庆　户部主事，广西粮道。

刘学厚　编修，福建邵武府知府。

万承宗　字质庭，号梓岩。湖北黄冈人。庶吉士，贵州知县，
　　　　贵州大定府知府。

程川佑　安徽歙县人。工部主事。

贺熙龄　编修，掌四川道御史。

刘逢禄　庶吉士，礼部主事。

戴於义　顺天大兴人（原籍江苏丹徒）。吏部主事，吏部郎中。

盛思本　字诒安，号午洲。江苏阳湖人。庶吉士，兵部主事，
　　　　光禄寺少卿。

强上林　顺天通州人（一作江苏溧阳）。山西陵川县知县。

王统仁　字公弼。山东乐陵人。编修。

李逢辰　编修，四川盐茶道。

胡世琦　庶吉士，山东知县，山东曹县知县。

颜伯焘　编修，闽浙总督。

傅绳勋　庶吉士，工部主事，江苏巡抚。

王玮庆　字袭玉，号藕堂。山东诸城人。庶吉士，吏部主事，
　　　　户部右侍郎。

蒋庆均　江苏长洲人。河南汜县知县。

程德润　吏部主事，甘肃布政使。

蓝　瑛　福建崇安人。山西大宁县知县。

郑敦允　庶吉士，刑部主事，湖北襄阳府知府。

吴振棫　编修，云贵总督。

王端履　庶吉士。

张　翱　广东大浦人。

张延阀　内阁中书，内阁侍读。

德　崇　（原名德喜保）宗室。编修，中允。

德　厚　（原名德宁），字宗维，号远村、默庵。满洲正红旗，
　　　　觉罗氏。编修，兵部左侍郎。

李家蕙　字香谷。福建归化人。编修。

徐　璬　户部主事，浙江知县，山西阳城县知县。

李裕堂　字葆初，号惇甫。陕西长安人。编修，湖南盐法道。

姜　梅　庶吉士，户部主事，山西冀宁道。

王炳瀛　编修，礼部右侍郎。

苏廷玉　庶吉士，刑部主事，四川总督。

刘光三　字屺南。河南新郑人。吏部主事，兵科给事中。

熊一本　字以贯，号介臣。安徽六安人。庶吉士，刑部主事，
　　　　福建台湾道。

李　浩　字直卿，号伯扬、篆卿。云南晋宁人。编修。

王瑞徵　刑部主事，江苏常镇通海道。

傅　绶　字东堂。云南安宁人。编修。

苏应珂　字韵庄。江苏武进人。户部主事。

蒋文庆　吏部主事，安徽巡抚。

乔用迁　内阁中书，贵州巡抚。

赵光祖　庶吉士，礼部主事，云南布政使。

陈凤翰　字翔千，号延平。山东潍县人。庶吉士，口口知县，
　　　　福建邵武府知府。

李　藩　礼部主事，江西建昌府知府。

　　三甲进士：

庆　禄　驻藏办事大臣。

黎　恂　浙江知县，云南东川府同知。

常恒昌　庶吉士，户部主事，浙江布政使。

彭作邦　字荷村。山西临汾人。内阁中书。

李宗沇　陕西延川人。湖南知县，广东候补道，重宴恩荣。

陈士桢　江苏通州人。甘肃知县，甘肃兰州府知府。

广　林　字乔臣。蒙古正黄旗，苏穆察氏。詹事府主簿，盛京
　　　　兵部侍郎。

黄　喧　广西临桂人。山西静乐县知县。

鄘满达　兵部主事，光禄寺少卿。

郑开禧　内阁中书，山东盐运使。

何荣绪　山西灵石人。内阁中书。

云　麟　汉军正黄旗，邱氏。陕西知县，陕西布政使。

周　师　庶吉士，山西知县，浙江台州府知府。

胡　鑑　字镜堂。浙江仁和人。湖南知县，湖南沅州府知府。

萧德宣　字春田。湖北汉阳人。大名府同知。

刘礼奎　庶吉士，知县，知府。

路孟逵　字希舆，号竹舟。贵州毕节人。山西榆次县知县。

孔继尹　山东知县，广西布政使。

杨鹤书　福建瓯宁人。云南知县，浙江宁波府知府。

宋国经　山东益都人。湖北知县，浙江杭嘉湖道。

程　铨　字衡三，号春岚。顺天大兴人（原籍浙江东阳）。刑部
　　　　主事，湖北按察使。

朱德璲 广西博白人。贵州知县，贵州黎平府知府。

唐 仁 （原名唐正仁）。广西临桂人。即用知县，广西镇安府
　　　　教授，咸丰辛酉重宴鹿鸣。

边鸣珂 字漱珊。直隶任邱人。内阁中书。云南元江直隶州知
　　　　州。

靳会昌 字子泰，号云屏。山西潞城人。庶吉士，刑部主事，
　　　　山东济东泰道。

雷学淇 字澹叔，号竹卿、介庵。顺天通州人。山西知县，贵
　　　　州永从县知县。

　　翻译进士：

奕 毓 宗人府经历，工部右侍郎。镶蓝旗宗室。

　　武进士：

丁殿宁 山东益都人。状元。头等侍卫。

史 鹄 直隶肥乡人。榜眼，二等侍卫，广东高州营游击。

杨定泰 湖北襄阳人。探花，二等侍卫，福建同安营参将。

阎麟阁 字辑廷。陕西户县人。传胪，三等侍卫。

⦿ 恩遇：

刘镮之 兵部尚书。其母以七十生辰，二月赐御书"贞寿延祺"
　　　　额。

赛冲阿 成都将军。二月以歼逆首苗小一功封二等男。

杨遇春 固原提督。二月晋一等男。

明 亮 兵部尚书。三月加太子少保。

翁方纲 三品衔原任鸿胪寺卿。以前年为乾隆壬申恩科甲榜重
　　　　逢，二月于本年正科补行重赴恩荣筵宴，赏加二品衔。

托 津 大学士。九月晋太子少保衔。

阮 元 江西巡抚。十月加太子少保衔。

曹振镛 十月以六十生辰，赐御书"纶阁延晖"额。

庆 桂 致仕大学士。十一月以八十生辰，赐寿。

韩是升 刑部尚书韩封之父。以八十生辰，赐御书匾额。

⦿ 著述：

庄述祖　撰《夏小正经传考释》十卷成，见正月自序。

吴翌凤　编《卬须集》二十卷成，见闰二月自序。

汪继培　撰《潜夫论笺》成，见三月自序。

廖　寅　校刻《华阳国志》十二卷成，见春日自序。

张金吾　撰《广释名》二卷成，见五月自序。

陈　鳣　撰《续唐书》七十卷成，见六月自序。

汪世隽　撰《凭隐诗余》一卷成，见七月自序。

林春溥　撰《战国纪年》五卷附《战国年表》成，见八月自序
　　　　（按：书成后又续撰一卷合为六卷，见道光戊戌后
　　　　记）。

王森文　撰《石门碑醳》一卷成，见十二月自记。

姚　莹　自编《后湘诗集》九卷成，见冬日自序（按：书成后
　　　　又有二集五卷）。

吴翊凤　撰《梅村诗集笺注》成，见严荣序。

◉ 卒岁：

阎履坦　河南鲁山县廪生。正月二十一日卒年三十五。

杨　炜　广东候补道，前江西南昌府知府。正月二十八日卒年
　　　　六十六。

张聪咸　安徽桐城县举人。二月卒年三十二。

张问陶　原任山东莱州府知府。卒于苏州，年五十一。入国史
　　　　文苑传。

赵德俶　原任陕西黄官岭巡检。三月十九日卒年六十九。

张桂林　山西潞安府知府。四月初一日卒年六十五。

李徵兰　江苏阳湖县诸生。四月初八日卒年七十二。

桂　芳　新授漕运总督，由户部右侍郎调补。以命赴广西查办
　　　　事件，四月初十日卒于武昌行馆。赠太子少保尚书衔，
　　　　谥文敏。

赵　翼　三品衔降调贵州贵西道。四月十七日卒年八十八，入
　　　　国史文苑传。

钱相初　江苏口口县举人。四月十八日卒年三十二。

赵秉冲　户部右侍郎。四月卒。

许兆椿　原授浙江巡抚，由刑部右侍郎调授。未赴任以病开缺，五月卒。

巴特玛　满洲正黄旗，墨尔迪勒氏。正蓝旗蒙古副都统，降调正蓝旗蒙古都统。五月卒年七十口。

周有声　江苏候选知府，前贵州大定府知府。五月十二日卒于兴化工次，年六十六。入国史文苑传。

李　坦　浙江杭嘉湖道。五日二十四日卒年六十四。

祖之望　原任刑部尚书。五月二十七日卒年六十。

富　通　满洲正白旗，富察氏。山东登州镇总兵。六月卒。

阿朗阿　满洲正红旗，四川驻防，瓜尔佳氏。荆州副都统。七月卒。

九　十　满洲镶黄旗，张佳氏。广西提督。八月卒。

鲍廷博　安徽歙县钦赐举人。八月十三日卒年八十七。入国史文苑传。

1114

程鸿绪　候选州同，安徽休宁县贡生。九月初四日卒年五十九。

吴廷刚　四川成都人。广东陆路提督。九月卒。谥壮勤。

明　泰　满洲镶红旗，吴扎库氏。致仕镶黄旗汉军副都统。十月卒年七十口。

胡长龄　原任礼部尚书。以病回籍，十月卒于山东德州途中。

朱兰馨　吏部稽勋司员外郎。十一月二十一日卒年六十（朱崇荫填讳）。

瑚图礼　礼部尚书。十二月卒。

福　宁　字康斋，号静枰。满洲镶蓝旗，伊尔根觉罗氏。以三品衔致仕，前太子少保湖广总督，复授镶黄旗满洲副都统。十二月卒年七十口。

王　绶　致仕内阁学士，前任礼部左侍郎。卒。

金菁莪　兵部主事。卒年四十二。

瞿侪鹤　原任顺天府南路同知。卒年八十六。

刘台斗　江西候补同知，前任江西瑞州府铜鼓营同知。卒。入国史循吏传。

季　麟　前直隶钜鹿县知县。卒于乌鲁木齐戍所，年四十八。

程瑶田　六品顶戴安徽歙县孝廉方正，原任江苏嘉定县教谕。
　　　　卒年九十。

胡天㩉　贵州遵义人。原任广西提督。卒。

喀勒崇阿哈　满洲，齐里氏。荆洲左翼副都统。卒。

成　明　满洲正蓝旗，赫舍里氏。前凉州副都统。卒。

玉　宁　满洲正红旗，他塔拉氏。蓝翎侍卫，乌里雅苏台参赞
　　　　大臣，前仓场侍郎。卒。

陈广宁　新授云南腾越镇总兵，由山东兖州镇总兵调补，袭云
　　　　骑尉世职。以赴任卒于潜江途中，年五十。

张燕昌　六品顶带孝廉方正，浙江海盐县优贡生。卒年七十七。

嘉庆二十年乙亥（公元一八一五年）

◉ 生辰：

俞大文　正月初六日生，字荔峰。江苏昭文人。享年四十四。

王　璐　正月十一日生，字佩之，号澹农。顺天文安人。享年五十三。

杨重雅　正月十四日生（原名杨元白，以字行），号庆伯。江西德兴人。享年六十五。

灵　桂　正月十五日生，正蓝旗宗室。享年七十一。

薛书常　正月二十六日生，（原名薛书堂），字世香，号恒甫、少柳。河南灵宝人。

徐宝治　二月初二日生，字调元，号少岩。江苏震泽人。

魁　龄　二月二十二日生，字华峰，满洲正红旗，瓜尔佳氏。享年六十四。

尹耕云　三月二十一日生，字瞻甫，号杏农。江苏桃源人。享年六十三。

章倬标　四月二十五日生，字锦归，号午船、果堂。浙江金华人。

韩应陛　五月初一日生，字对虞，号鸣唐、绿卿。江苏娄县人。

李承霖　五月二十四日生，字雨人，号梁亭。江苏丹徒人。

郭襄之　五月二十五日生，字匡侯，号黼堂。山东潍县人。

耿曰洵　六月初九日生，字如圃，号琴轩。山东新城人。

恩　锡　六月十一日生，字竹樵。满洲正黄旗。享年六十三。

冯培元　六月十二日生，字因伯，号小亭。浙江仁和人。

龚宝莲　六月十七日生，字印之，号静轩。顺天大兴人。

乔松年　六月十九日生，字健侯，号鹤侪。山西徐沟人。享年六十一。

张光藻　六月二十六日生，字翰泉，号雨搂。安徽广德人。

杜如芝　七月十九日生，字香圃，号鹤汀。河南杞县人。

黄炳垕　七月二十七日生，浙江余姚人。

戴咸弼　八月二十七日生，（原名**戴步瀛**），字英甫，号鳌峰。浙江嘉善人。享年七十五。

王祖培　九月初十日生，字子厚，号小霖，啸舲。顺天宝坻人。享年五十五。

沈鹏元　九月二十日生，（原名**沈策元**），字对三，号定甫、少莲。浙江钱塘人。

林之望　十月初六日生，字小颖，号远村。安徽怀远人。

李守诚　十月十七日生，字静章，号次生。江西宜黄人。享年四十四。

刘兆璜　十月十八日生，字幼磻，号懦夫。湖北钟祥人。

彭瑞毓　十月二十八日生，字子嘉，号芝泉、稚云。湖北江夏人。

黄　倬　十月二十九日生，字元季，号树阶、恕皆。湖南善化人。享年七十二。

崇　保　十一月十一日生，字峻峰，号学莲。满洲镶黄旗，萨克达氏。享年九十一。

薛　焕　十一月二十一日生，字觐堂，号发瞻。四川兴文人（原籍江苏溧水）。享年六十六。

宝　珣　十一月二十二日生，字仲琪，号东闾、东山。满洲镶黄旗，马佳氏。

林彭年　十二月初六日生，字隆基，号朝珊。广东南海人。

锺　淮　生，享年三十九。

周士镗　生，字勉民，号丹生、静甫。浙江嘉善人。

郑　兰　生，字梦徵，号谱香。浙江余杭人。

高卿培　生，享年六十六。

杜文澜　生，浙江人。享年六十七。

胡霖澍　生，字儒伯，号石渠。湖北黄冈人。

吴宗兰　生，字心石，号菊庄。四川邛州人。

任式坊　生，字春浦，号毅民，顺天密云人。享年五十二。

张尔耆 生，字符瑞，号伊卿。江苏娄县人。享年七十五。

朱昌豫 生，字孚山，号桐甫。享年四十六。

● 恩遇：

王懿修 致仕礼部尚书。二月以八十生辰，赐寿。

百　龄 两江总督。八月复加太子少保衔。

百　龄 两江总督。九月以拿获逆犯方荣升，功封三等男。

● 著述：

王文诰 撰《苏文忠诗编注集成》四十六卷、《总禁》四十五卷、《附录》六卷成，见正月自序。（按：书成后又撰有《两宋杂缀》一卷、《戋诗图》一卷并记于此）。

孙星衍 撰《尚书今古文注疏》三十卷成，见二月自序。

凌　曙 撰《春秋繁露注》十七卷成，见四月自序。

张　琦 撰《战国策释地》二卷成，贝四月自序。

严可均 辑《孝经郑氏注》一卷成，见六月自序。

焦　循 撰《雷塘话雨记》成，见六月

郝懿行 撰《宋琐语》一卷成，见夏日自序。

梁同书 撰《笔史》一卷、《频罗庵论书》一卷成，（按：二书均卒后始刻，今系于七月之前）。

李兆洛 编《皇朝文典》七十四卷成，见七月自序。

马士图 江苏人。辑《莫愁湖志》六卷成，见九月自序。

刘凤浩 撰《五代史记注补》七十四卷成，见秋日自撰引言。

谢金銮 撰《教谕语》四篇成，见秋日自撰引言。

孙　堂 撰《毛诗说》三十卷成，见十一月钱天树跋。

邵　瑛 撰《刘炫规杜持平》六卷成，见十二月自序。

王念孙 撰《读淮南子杂志》二十二卷成，见十二月自序。

郝懿行 撰《宋书刑法志》一卷、《食货志》一卷成，见十二月自序。

焦　循 撰《易章句》十二卷成，见十二月自序。

郝懿行 撰《晋宋书故》一卷成，见冬日王照圆识语。

周　春 撰《中文孝经》一卷、又辑《孝经外传》一卷成，（按：

自序全无年月，今系于本年）。

阮　元　编《王文端公年谱》一卷成，见谱后自识。

◉ 卒岁：

徽　瑞　内务府大臣衔管理雍和宫事务，前工部左侍郎。正月卒年八十二。

台斐音　蒙古正黄旗，包国罗特氏。广西巡抚。二月卒。

繇　亿　高宗皇孙，多罗荣郡王。三月卒。谥曰恪。

关　腾　满洲镶黄旗，瓜尔佳氏。致仕湖南永绥协副将，前湖北宜昌镇总兵。三月卒。

吉兰泰　致仕蓝翎侍卫，前甘肃提督。三月卒年九十四。

祁韵士　前户部福建司郎中，前任詹事府中允。三月二十五日卒于直隶保定莲池书院。年六十五，入国史文苑传。

薛大烈　甘肃皋兰人。提督衔河南河北镇总兵，降调广东陆路提督。五月卒。**谥襄恪**。

史积容　前广西布政使。五月二十四日卒年六十八。

梁上国　太常寺卿，广西学政。五月二十八日卒年六十八。入国史儒林传

钱　樾　原任内阁学士，降调吏部右侍郎。六月初九日卒年七十三。

方维甸　丁忧闽浙总督。六月卒年五十八。赠太子少保，谥勤襄。

彦吉保　满洲正黄旗，墨尔丹氏。二等侍卫，英吉沙尔领队大臣，降调察哈尔副都统。七月卒。

潘兆鸾　江苏娄县人。娄县布衣。七月卒年六十九。

梁同书　翰林院侍讲学士衔，原任翰林院侍讲。七月十五日卒年九十三。入国史文苑传。

蒲尚佐　四川松潘人。原任甘肃提督。八月卒。

广　厚　湖南巡抚。八月卒。

华　聘　满洲正黄旗，墨尔丹氏。致仕副都统衔头等侍卫，前任镶红旗蒙古副都统。八月卒。

崔景仪　河南汝光道。九月初十日卒年五十六。

伊秉绶　原任江苏扬州府知府。九月十一日卒年六十二。入国
　　　　史文苑传及循吏传。

姚　鼐　四品衔原任刑部广东司郎中。九月十三日卒于江宁钟
　　　　山书院，年八十五。入国史文苑传。

赓　音　满洲正黄旗，姜佳氏。以三品顶戴致仕，原任都察院
　　　　左都御史。九月卒。

潘奕藻　原任刑部郎中。九月卒。

路元锡　前直隶藁城县知县。十月初三日卒年八十。

陆　樟　字紫宸。江苏无锡人。山西平陆县知县。十月以县境
　　　　地震被灾祷神自缢，照军营病故例赐恤。

朱向隆　前四川安岳县知县。十月卒年五十。

钱　侗　江苏嘉定县举人。十一月卒年三十八。入国史儒林传。

谷际岐　原任刑部郎中，降调礼科掌印给事中。十二月初五日
　　　　卒，年七十六。

1120

刘世栋　原任山东盐运司运同。十二月十八日卒年七十八

杨芳灿　在籍候补户部员外郎，前任甘肃灵州知州。十二月二
　　　　十一日卒年六十三。入国史文苑传。

禄　康　字迪园。正蓝旗宗室。以笔帖式用，前太子少保，东
　　　　阁大学士。十二月卒。

谢恩诰　致仕浙江黄岩镇总兵。十二月卒年七十四。

长　春　蒙古正红旗，扎里特氏。致仕副护军参领，前甘肃凉
　　　　州镇总兵。十二月卒。

舒　位　丁忧顺天大兴县举人。十二月卒年五十一。入国史文
　　　　苑传。

德　瑛　以二品顶戴致仕，原任工部左侍郎，前太子少保，户
　　　　部尚书。卒年八十八。

陈大文　以四品京堂用，降调兵部尚书。卒。

李锡恭　翰林院侍读学士。卒。

李享特　满洲正蓝旗。前河东河道总督。卒于黑龙江戍所。

萨彬图 满洲镶白旗，乌苏氏。前盛京户部侍郎。卒。

朱鸣凤 原任湖北黄州府岐亭同知。卒年七十四。

周　春 六品顶戴原任广西岑溪县知县。卒年八十七。入国史
　　　　儒林传。

段玉裁 原任四川巫山县知县。卒年八十一。入国史儒林传。

徐宗郑 号泷槎。江苏人。山西候补知县。卒。

阿迪斯 六品顶带前成都将军，袭一等诚谋英勇公。卒年七十
　　　　六。

洪震煊 浙江临海县拔贡生。卒年四十六。入国史儒林传。

胡正基 浙江平湖县岁贡生。卒年六十八。

嘉庆二十一年丙子（公元一八一六年）

● **生辰：**

岳世仁　正月初七日生，字尹人，号心农。四川中江人。

华翼纶　正月二十七日生，字赞卿，号笛秋。江苏金匮人。享年七十二。

匡　源　二月初四日生，字学海，号鹤泉、活泉。山东胶州人。

方濬颐　三月初六日生，字子箴，号子贞，饮苕。安徽定远人。

勒方錡　四月初五日生，字悟贞，号少仲、顾庵。江西新建人。享年六十六。

刘　浔　四月十八日生。字江湄，号镜河、荻江、螺溪。河南祥符人。

刘　蓉　四月二十三日生，字孟容，号霞仙。湖南湘乡人。享年五十八。

何桂清　四月二十六日生，字丛山，号根云、香云。云南昆明人。享年四十七。

德　荫　六月二十二日生，字裕昆，号樾亭。汉军正黄旗。

锺启峋　六月二十八日生，字翠崖，号伯平。江西兴国人。享年五十一。

吴坤修　闰六月初七日生，字子厚。江西新建人。享年五十七。

金鹤清　七月十一日生，字田叔，号翰皋、稚毂。浙江桐乡人。享年三十九。

范志熙　七月二十二日生，字子穆，号月搓。湖北武昌人。

钱振伦　八月初三日生，（原名钱福元），字抡轩，号仑仙。浙江归安人。享年六十四。

夏家镐　八月十四日生，（原名夏家镈），字伯音，号樨禅。江苏江宁人。

颜培文　八月二十一日生，字聚鸿，号博洲。广东连平人。享年四十五。

蒯德模　九月初三日生，字子范。安徽合肥人。享年六十二。

陆增祥　九月初四日生，字魁仲、若侯，号星农、亦文。江苏
　　　　太仓人。享年六十七。

成　孺　五月十九日生（原名**成蓉镜**），字芙卿，号心巢。江苏
　　　　宝应人。享年六十八。

刘　绪　九月二十八日生，字果斋，号霁峰、叔伦。江西南丰
　　　　人。

沈西序　十月十四日生，（原名**沈大铭以字行**），号秋帆。四川
　　　　开县人，（原籍浙江乌程）。

富呢雅杭阿　十月三十日生，字仲渊，号容斋、芥舟。蒙古镶
　　　　　　红旗，卓布奇特氏。

蒋琦龄　十一月十三日生，（原名**蒋奇淳**），字申甫，号皋兰。
　　　　广西全州人。

启　文　十一月十六日生，字仲明，号星东。汉军镶黄旗，孙
　　　　氏。

王继庭　十一月十六日生，字丕之，号筠轩、幼坡。顺天武清
　　　　人。享年五十九。

彦　昌　十一月二十九日生，字文溪，号少博。满洲正黄旗，
　　　　伊尔根觉罗氏。

彭玉麟　十二月十四日生，字雪琴。湖南衡阳人。享年七十五。

余光倬　生，（原名**余汝倜**）。江苏武进人。享年六十二。

仓景愉　生，（原名**仓景恬**），字静则，号少坪。河南中牟人。
　　　　享年七十五。

林廷禧　生，字孝源，号范亭。福建侯官人。享年四十一。

萧培元　生，（原名**萧培英**），字锺之，号质斋。云南昆明人。
　　　　享年五十八。

江清骥　生，字渊如，号小云、筊筠。浙江人。享年八十口。

金光箾　生，字廉石。直隶天津人。享年四十二。

何　杙　生，字廉昉，号悔馀。江苏江阴人。享年五十七。

李成虎　生，字镇冈。直隶安平人。享年四十。

汪　鋆　生，江苏仪征人。

郑庆筠　生，浙江秀水人。享年二十二。

◉ 科第：

　　考取优贡生：

金　鹗　浙江临海人。

杨上授　湖南宁远人。兵部员外郎，四川建昌道。

王启炳　字季海。口口知府。

　　中式举人：

吴廷珠　江苏仪征人。内阁中书，河南道御史。

忠　廉　户部主事，两淮盐运使。

吴毓金　江苏吴县人。

陈秉成　刑部主事，江西瑞州府知府。

智　林　刑部员外郎，镶白旗汉军副都统。

徐金生　云南知县，云南东川府知府。

文　麟　满洲正蓝旗，郑佳氏。工部主事，安徽按察使。

豫　泰　见癸酉拔贡。

刘礼淞　河南知县，河南怀庆府知府。

李锺瀚　见癸酉拔贡。

清　平　刑部笔帖式，山东运河道。

潘曾沂　江苏吴县人。内阁中书。

许桂林　江苏海州人。

张　屦　句容县教谕。

鲍　骏　字冀堂。安徽歙县人。

金望欣　甘肃大挑知县。

邓应台　江西人。贵州贵阳府知府。

方　坰　浙江人。钱塘县训导。

汪远孙　候选内阁中书。

俞鸿渐　浙江德清人。

诸　镇　广东知县，山东登州府知府。

郭阶三　福建人。同安县教谕。

清代人物大事纪年

高殿举　字擢一，号栋臣、愚庵。河南邓州人。

刘喜海　山东人。户部员外郎，浙江布政使。

张荐榝　山西人。山东知县。

李兆元　字镜轩。山西盂县人。知县，湖北郧阳府同知。

梁星源　陕西人。广东知县，湖北布政使。

李锡龄　内阁中书。

丁家俊　合阳县教谕，绥德直隶州学正。

李松霖　字梦莲。四川中江人。

熊景星　广东人。开建县训导。

颜以燠　内阁中书，河东河道总督。

吴德徵　贵州人。广西知县，广西桂林府知府。

唐树义　湖北知县，湖北布政使。

曾兴仁　字寿田。湖南善化人。

　　中式副榜贡生：

李　洲　河南人。

　　中式翻译举人：

赛尚阿　字鹤汀。蒙古正蓝旗，阿鲁特氏。理藩院笔帖式，文
　　　　华殿大学士。

　　中式武举：

梁胜灏　汉军镶红旗。蓝翎侍卫，贵州提督。

◉ 恩遇：

吴　璥　兵部尚书。二月以七十生辰赐寿。

许学范　原任顺天府治中。以五世同堂，七月赐御书匾额。

松　筠　大学士。九月复加太子太保衔（二十二年六月革）。

◉ 著述：

樊廷枚　撰《四书释地补》六卷成，见二月汪廷珍序。

洪颐煊　撰《平津读碑续记》一卷成，见三月自序。

焦　循　撰《论语补疏》三卷成，见四月自序。

苏秉国　撰《周易通义》二十二卷、《揭要》一卷成，见六月自
　　　　识。

毛　谟　撰《说文检字》二卷成，见闰六月自序。

秦嘉谟　撰《世本辑补》十卷成，见七月自序。

张作楠　撰《仓田通法续编》三卷成，见七月自序。（按：作楠
　　　　先撰有《量仓通法》三卷、《方田通法补例》六卷，其
　　　　自序皆无年月附记于此）。

胡　敬　撰《国朝画院录》二卷成，见十月自序。

胡　敬　撰《西清札记》四卷成，见十一月自序。

胡　敬　撰《南薰殿图像考》二卷成，见十一月自序。

林春溥　撰《孔门师弟年表》一卷、《孟子时事年表》一卷成，
　　　　（按：自序均无年月，以书首题丙子开雕，故系于此
　　　　年）。

沈梦兰　撰《周易学》三卷成，（按：孔庆镕序在道光辛巳，以
　　　　书首题丙子年刻，故系于此年）。

孙星衍　撰《孔子集语》十七卷成，见自序。

严元照　撰《尔雅匡名》成，见劳经原序。

梁章钜　撰《春曹题名录》六卷成，见自订年谱。

◉ 卒岁：

崔　述　候选主事，原任福建罗源县知县。二月初六日卒年七
　　　　十七。入国史儒林传。

奕　纯　高宗皇曾孙。固山贝子。三月卒。

费振勋　原任刑科掌印给事中。三月二十九日卒年七十九。

王懿修　太子少保，致仕礼部尚书。五月二十口日卒年八十一。
　　　　谥文僖。

拉旺多尔济　御前大臣，喀尔喀赛因诺颜札萨克亲王，固伦额
　　　　　　驸。五月二十口日卒。

庄述祖　原任山东潍县知县。六月二十三日卒年六十七。入国
　　　　史儒林传。

庆　桂　太保衔赏食全俸，致仕文渊阁大学士，骑都尉。六月
　　　　二十日卒年八十二。谥文恪。

方　绩　安徽桐城县贡生。闰六月初四日卒年六十五。

张海鹏　州同衔江苏昭文县廪生。闰六月初七日卒年六十二。

赵　曾　江苏候补知县。七月十一日卒年五十七。入国史儒林
　　　　传。

洪饴孙　湖北东湖县知县。七月十六日卒年四十四。入国史儒
　　　　林传。

乐　钧　江西临川县举人。八月十五日卒。入国史文苑传。

曾廷枚　江西南城县廪贡生。八月十七日卒年八十三。

马慧裕　礼部尚书，骑都尉。八月卒。赠太子少保，谥清恪。

汪家禧　浙江仁和县诸生。八月卒年四十二。入国史文苑传。

许学范　原任顺天府治中。九月卒年七十二。

承　选　候选布政司理问。九月二十五日卒年八十四。

百　龄　太子少保衔两江总督，前协办大学士，三等男。十月
　　　　十八日卒年六十九。赏还协办大学士，谥文敏。

俞宝华　候选州判，浙江海宁州副贡生。十一月卒年五十七。

韩是升　江苏元和县贡生。十一月卒年八十二。

沈赤然　前直隶丰润县知县。十一月二十三日卒年七十二。入
　　　　国史文苑传。

陈　观　原任仓场侍郎。十二月初五卒年六十四。

陈希曾　原任工部右侍郎。十二月二十四日卒年五十一。

张诚基　刑部江西司主事，前江西巡抚。卒年七十口。

来　仪　正蓝旗宗室。致仕镶白旗蒙古都统。卒年七十口。

恩　长　满洲镶蓝旗，觉尔察氏。前河南巡抚，复降补员外郎。
　　　　卒。

王　苏　原任河南卫辉府知府。卒。

宋　准　原任江南赣榆县知县。卒年七十三。

魏　瀚　丁忧山西安邑县知县。卒年四十六。

孙全谋　广东水师提督，骑都尉。卒年七十三。

吉林泰　满洲正黄旗，瓜尔佳氏。湖北提督。卒。

朱天奇　浙江黄岩人。原任福建金门镇总兵。卒。

胡于鋐　前广东南澳镇总兵。卒。

张　绩　字雅亭。陕西长安人。发往河北镇以千总用，降调山西大同镇总兵。卒。

杨凤苞　浙江归安县诸生。卒年六十四，入国史文苑传。

嘉庆二十二年丁丑（公元一八一七年）

◉ 生辰：

帅远燡　正月初四日生，字韫辉，号仲谦、罣斋。湖北黄梅人。享年四十一。

赵佑宸　正月初五日生，（原名赵有谆），字瑞甫、粹甫、蕊吏，号遂翁。浙江鄞县人。

孙锵鸣　正月初六日生。字克昌、韶甫，号渠田、止庵。浙江瑞安人。享年八十四。

马佩瑶　正月十二日生，字以舟、香谷，号湘浦。河南光州人。

恽世临　正月十三日生，字季咸，号次山。顺天大兴人，改归江苏阳湖原籍。享年五十五。

叶葆元　正月十九日生，字体仁，号春伯。浙江仁和人。

陈兰彬　正月二十一日生，字均畹，号荔秋。广东吴川人。

沈寿嵩　二月初五日生，字祝卿，号小梅、兰史。浙江归安人。

董学履　二月初十日生，字尔安，号樵孙。浙江鄞县人。

阜　保　三月十八日生，字吟舫，号荫方、漪斋。满洲镶黄旗，宁古塔氏。享年六十六。

林源恩　三月二十四日生，（原名林芝生），字秀三，号伯兰。四川安县人。享年四十。

朱澄澜　三月三十日生，（原名朱崙），字琳辉，号玉圃。浙江秀水人。

克　明　四月十七日生，字又胡，号静之、叔雨、华廷。满洲镶黄旗，费莫氏。

朱麟祺　四月二十三日生，江苏六合人。享年三十七。

徐宝谦　四月二十九日生，字子尊，号亚陶、桐隐。浙江石门人。

马寿金　五月初二日生，（原名马铸），字昆铜、介樵，号艺兰。顺天宛平人（原籍山西介休）。

黄　钰　五月初六日生，字孝侯，号式如、穉渔。安徽休宁人。享年六十五。

朱文江　五月二十八日生，字湘舲，号树之、晴洲。湖北江夏人。

张　瀛　五月二十九日生，字石洲，号怡轩、蘅塘。陕西蒲城人。

毛昶熙　六月初四日生，字旭初，号镜海、达泉。河南武陟人。享年六十六。

何　璟　六月初八日生，字伯玉，号小宋。广东香山人。享年七十二。

袁芳瑛　六月二十日生，字挹群，号漱六。湖南湘潭人。

李文瀛　六月二十四日生，字贤书，号厚甫。江西南丰人。

何桂珍　七月二十四日生，字子香，号丹溪、月卿、丹畦。云南师宗人。享年三十九。

罗惇衍　八月初一日生，字兆蕃，号椒生。广东顺德人。享年五十八。

师长灼　八月十一日生，字伯骏，号茂昭、叠华。陕西韩城人。

邓筠玲　八月十七日生，（原名邓凌云），字耀翔，号倬汉、晓章。湖南宁乡人。享年四十二。

王恩祥　八月二十八日生，字芷庭，号升庵。广西临桂人。

沈桂芬　九月初五日生，字步云，号金生、经笙。顺天宛平人（原籍江苏吴江）。享年六十四。

孙　观　九月十五日生，字国宾，号省斋。安徽舒城人。享年七十口。

阎敬铭　九月十六日生，字丹初，号芰航、荔门。陕西朝邑人。享年七十六。

袁　璜　九月二十四日生，字玉叔，号澂甫，江苏奉贤人。享年四十九。

郑琼诏　九月二十七日生，字占科，号九丹。福建闽县人。

袁绩懋　十月十八日生，字厚安，号藕庵。顺天宛平人（原籍江苏阳湖）。享年四十二。

陈继业　十一月初八日生，字述之，号幼轩。顺天大兴人（原籍浙江仁和）。

卢士杰　十一月二十六日生，字子英，号芝圃。河南光州人。享年七十二。

程　豫　十二月十一日生，字秉谦，号立斋。陕西山阳人。

成　琦　十二月十二日生，字魏卿，号小韩。满洲正黄旗，格吉勒氏。享年六十八。

邵亨豫　十二月二十二日生，字子立，号汴生。顺天宛平人（原籍江苏常熟）。享年六十七。

彭润芳　十二月二十五日生，字漱六，号镜湖。四川新津人。

张晋祺　生，字子康，号锡甫。汉军镶红旗。

蒋彬蔚　生，字颂芬，号子良。江苏吴县人。享年五十七。

熊其光　生，字韬之，号苏林。江苏青浦人。享年三十九。

游智开　生，字子代。湖南新化人。享年八十四。

张祥晋　生，字宾嵋。广东番禺人。享年四十二。

李同文　生，河南祥符人。

屈　蟠　生，字文珍，号见田。江西湖口人。享年四十七。

长　启　生，字星垣，号子明、小岩、庚垣。满洲镶红旗，他塔喇氏。

祝曾云　生，字沧叔，号莲舫。浙江仁和人。

李瑞章　生，字辑廷，号凤洲、亚白、竹轩。直隶天津人。

贾世陶　生，山西太谷人。

宜　成　生。

许瑶光　生，字雪门。湖南善化人。享年六十六。

徐震甲　生，字东园。江苏泰州人。享年六十九。

塔齐布　生，字智亭。满洲镶黄旗，托尔佳氏。享年三十九。

顾瑞清　生，字河之。江苏元和人。享年四十七。

吴文漪　生，字潜岷，号抑亭。浙江海宁人。享年六十。

龚　橙　生，字孝琪，号昌匏。浙江仁和人。

吴鸿纶　生，字儒卿，号知稼翁。江苏昭文人。享年八十六。

◉ 科第：

中式贡士：

鲁　缤　未殿试，丁忧。

一甲进士：

吴其濬　字季深，号瀹斋、吉兰。河南固始人。状元。修撰，
　　　　山西巡抚。

凌泰封　榜眼。编修，浙江杭州府知府。

吴清鹏　探花。编修，顺天府府丞。

二甲进士：

孙如金　工部主事。

张颉云　字缙卿，号图南。江苏丹徒人。刑部主事。

赵　柄　编修，刑科掌印给事中。

徐　琠　庶吉士，工部主事，湖北按察使。

朱阶吉　字星垣，号英庭。浙江嘉兴人。编修。

吴敬恒　编修，户科给事中。

龚　裕　庶吉士，四川知县，湖北巡抚。

裕　谦　（原名裕泰）。蒙古镶黄旗。庶吉士，礼部主事，两江
　　　　总督。

沈兆澐　编修，浙江布政使。

徐培深　字资之，号松泉。贵州石阡人。庶吉士，户部主事，
　　　　掌广西道御史。

廖鸿苞　字北美，号竹臣。江苏阳湖县知县，江南督粮同知。

朱能作　字稚斋。浙江浦江人。户部主事，江南道御史。

赵炳言　刑部主事，刑部右侍郎。

罗　瑛　庶吉士。

周炳绪　（一作周宏绪），字恢先，号启斋。广西临桂人。兵部
　　　　主事，浙江道御史。

徐法绩　编修，太常寺少卿。

龙元任　（一作龙元仁）。广东顺德人。编修，左庶子。

周贻徽　编修，顺天府府丞。

彭玉田　字韫珍，号德庄。江西新昌人。户部主事，掌福建道
　　　　御史。

雷文模　字藻人，号简峰。江西南峰人。编修，中允。

庄　瑶　工部主事，河南河北道。

李　煌　编修，户部左侍郎。

王　植　编修，刑部左侍郎。

巫宜禊　庶吉士，礼部主事，江苏苏松太道。

潘光岳　字仲英。广东南海人。庶吉士，刑部主事。

陶惟煇　字镜涵，号星江。江苏吴县人。内阁中书，宗人府主
　　　　事。

郎葆辰　编修，贵州粮道。

许乃赓　字念飏，号藕舲。浙江钱塘人。编修，右庶子。

沈巍皆　编修，福建道御史。

陆尧春　字同甫，号二雅。浙江仁和人。庶吉士，江西知县，
　　　　江西大庾县知县。

董基诚　户部主事，河南开封府知府。

有　庆　内阁中书，四川重庆府知府。

张日晸　字晓瞻，号东升。贵州贵筑人。编修，云南巡抚。

毛树棠　编修，仓场侍郎。

蔡学川　编修，两淮盐运使。

祁　埥　字静斋。山西高平人。庶吉士，知县，广西全州知州。

董承禧　（一作董承熹）。四川垫江人。浙江余姚县知县。

时式敷　山东单县人。江西南城县知县。

吴　坦　字履吉，号天衢。江苏江宁人。编修。

王贻桂　庶吉士，兵部主事，广东惠潮嘉道。

赵先雅　字汝陔，号麓潭、慎威、伯常。湖南益阳人。庶吉士，
　　　　户部主事，福建道御史。

汪　琳　编修，长芦盐运使。

俞德渊　字原培，号陶泉。甘肃平罗人。庶吉士，江苏知县，

两淮盐运使。

祥　宁　（一作祥龄）。满洲镶白旗。 安徽合肥知县，亳州知州。

谭敬昭　字子晋。广东阳春人。户部主事。

李　钧　编修，河东河道总督。

周如兰　字佩芬，号湘皋。江西上饶人。庶吉士，口口知县，湖南长沙府知府。

成世瑄　编修，江宁布政使。

陈　肇　编修，江苏常州府知府。

陈　澐　编修，掌陕西道御史。

潘光藻　字宾石，号湘门。湖北兴国人。编修，浙江台州府知府。

王允中　吏部主事，湖南按察使。

李镕经　山西定襄人。户部主事，江西吉安府知府。

穆馨阿　编修，大理寺卿。

陈　功　字朝纪、克敏，号九叙、叙斋。福建侯官。编修，湖北按察使。

裘元俊　庶吉士，吏部主事，甘肃宁夏府知府。

王　铸　庶吉士，刑部主事，浙江盐运使。

王兆琛　编修，山西巡抚。

保　瑞　宗室。庶吉士，礼部主事，侍讲学士。

龙　瑛　编修，右赞善。

　　三甲进士：

张澧中　刑部主事，山东巡抚。

汪云任　安徽盱眙人。广东知县，陕西按察使。

康　节　字邵亭，号仰山。甘肃会宁人。

汪　河　吏部主事，江苏常州府知府。

金开第　直隶天津人。湖南粮道。

李　惺　检讨，中允。

吴曾贯　字涧莼。浙江石门人。

庞大奎　会元，庶吉士，湖北知县，湖北汉阳府知府。

德　兴　字临皋，号达夫。满洲镶蓝旗，栋佳氏。检讨，刑部
　　　　尚书。

胡国英　检讨，浙江嘉兴府知府。

倪济远　广西知县，广西贺县知县。

廖运发　四川安岳人。吏部主事，江西粮道。

那斯洪阿（原名那丹珠）。满洲镶白旗。吏部主事，内阁学士。

张绍衣　河南密县人。户部主事，湖广道御史。

功　普　宗室。吏部主事，工部侍郎。

闵受昌　庶吉士，刑部主事，鸿胪寺少卿。

阎学海　内阁中书，户部员外郎。

黄德濂　检讨，陕西粮道。

廖　牲　工部主事，河南汝宁府知府。

黄绥诰　湖北知县，福建兴化府知府。

陆元烺　刑部主事，江西布政使。

吉　泰　字晓岩。满洲镶白旗，季佳氏。广西知县，甘肃宁夏
　　　　道。

吴鼎元　广西雒安人。

桂　彬　镶蓝旗宗室。刑部主事。

朱士达　江苏宝应人。安徽知县，湖北布政使。

杨霖川　湖北武昌人。

强望泰　字联初，号尊圃。陕西韩城人。庶吉士，归班知县，
　　　　特改内阁中书，四川重庆府知府。

边孔扬　字试言。直隶任邱人。四川彭山县、富顺县知县。

马光澜　字厚庵。浙江会稽人。刑部主事，山东盐运使。

　　翻译进士：

布彦博勒格　蒙古正蓝旗，哈郎果罗氏。内阁中书，浙江金衢
　　　　　　严道。

　　武进士：

武凤来　状元。头等侍卫。

马维衍 字庆堂。甘肃固原人。榜眼。二等侍卫，湖北郧阳总
兵。

王志元 四川华阳人。探花。二等侍卫。

张肇泰 山西文水人。传胪。三等侍卫。

◉ 恩遇：

伯　麟 云贵总督。以剿平夷匪功，四月加太子少保衔。

衷以埙 原任云南曲靖府知府。以本年为乾隆丁丑科甲榜重逢，
重赴恩荣筵宴。

明　亮 大学士。六月晋太子太保。

戴均元 协办大学士，吏部尚书。六月加太子少保。

和　瑛 兵部尚书。六月加太子少保。

卢荫溥 六月加太子少保。

◉ 著述：

李赓芸 撰《炳烛编》四卷成（按：此书于卒后为陈倬等编定，
见同治壬申潘祖荫序，今系于正月之前）。

汪之选 字月樵。浙江仁和人。编《淮海同声集》二十卷成，
见五月刘凤诰序。

李　锐 撰《勾股算术细草》一卷、《开方说》一卷成，（按：
此书卒后始刻，今系于六月之前）。

朱墨林 浙江秀水人。辑《曝书亭集外稿》八卷成，见夏日冯
登府序。

恽　敬 撰《大云山房十二章图说》二卷、《大云山房杂记》二
卷成，（按：二书于卒后为姚观元所刻，今系于八月之
前）。

王念孙 撰《读史记杂志》六卷成，见十一月自序。

焦　循 撰《左传补疏》五卷成，见十二月自序。

胡昌基 字云仁。浙江平湖人。编《续檇李诗系》四十卷成，
见十二月自撰凡例（按：此书刻于宣统三年）。

福　中 撰《干支类联》四卷成，见二月自记。

◉ 卒岁：

何学林　浙江杭嘉湖道。正月卒年五十七。

李赓芸　解任候审福建布政使。正月十八日自尽，年六十七。入国史循吏传。

陈　鳣　六品顶带孝廉方正，浙江海宁州举人。二月卒年六十五，入国史儒林传。

周兆基　礼部尚书。三月二十口日卒年六十一。

费锡章　顺天府府尹。三月二十口日卒，赠兵部侍郎衔。

吴槐炳　原任广东新会县教谕，前署福建宁洋县知县。三月二十九日卒年七十六。

成　林　满洲镶蓝旗，伊尔根觉罗氏。前广西巡抚，调补刑部右侍部。四月卒于黑龙江戍所。

蒋云容　前湖北光化县知县。六月十一日卒年五十四。

李于培　直隶天津道。六月二十五日卒年五十三。

李　锐　江苏元和县诸生。六月三十日卒年四十五。入国史儒林传。

汪　淮　浙江桐乡县贡生。七月二十五日卒年七十二。

王　昙　浙江秀水县举人。八月初一日卒年五十八。入国史文苑传。

常　明　字春晖。满洲镶红旗，佟佳氏。四川总督。八月卒，赠太子少保，谥襄恪。

李庆来　江苏阳湖县诸生。八月十九日卒年五十。

恽　敬　前江西瑞金县知县。八月二十三日卒年六十一。入国史文苑传。

胡克家　江苏巡抚。九月卒年六十。

福长安　字诚斋。满洲镶黄旗，富察氏。正黄旗满洲副都统。前太子太保，工部尚书，一等侯。十月卒。赠都统衔。

崔龙见　原任湖北荆宜施道。十一月卒年七十七。

王岂孙　原任江苏华亭县教谕，十二月初一日卒年六十三。入国史文苑传。

卓　保　满洲镶黄旗，苏完瓜尔佳氏。致仕镶黄旗蒙古都统，前任西安将军。卒年七十口。

傅　陞　满洲正白旗，朗佳氏。致仕正黄旗蒙古副都统。卒。

积拉堪　杭州将军，前袭不入八分辅国公，镶蓝旗宗室。卒。

邱良功　字琢斋。福建同安人。浙江提督，三等男。以入觐回
　　　　任卒于途中，谥刚勇。

成　瑞　满洲正黄旗，伊尔根觉罗氏。广州副都统。卒。

刘君辅　字翰功。云南会泽人。致仕四川建昌镇总兵，前湖南
　　　　提督。卒年七十。

岳　玺　满洲镶蓝旗，赫舍里氏。原任浙江黄岩镇总兵。卒年
　　　　七十口。

卢廷璋　四川松潘镇总兵。卒。

吴奇贵　浙江定海人。福建福宁镇左营守备，前福建金门镇总
　　　　兵。卒。

严元照　浙江归安县诸生。卒年四十五，入国史儒林传。

王　渭　江苏吴县诸生。卒于南昌客舍，年四十一。

嘉庆二十三年戊寅（公元一八一八年）

◉ **生辰：**

杨书香　正月十八日生，字心斋，号墨亭、慧堂。直隶武邑人。

范泰亨　正月二十三日生，字右民，号云衢。四川隆昌人。享年四十六。

刘毓崧　二月二十三日生，字伯山，号松崖。江苏仪征人。享年五十。

郭嵩焘　三月初七日生，字伯深，号筠仙。湖南湘阴人。享年七十四。

马元瑞　三月十二日生，字兆祥、云占，号符斋。山东临清人。享年五十。

李续宾　五月十八日生，字克惠，号迪庵。湖南湘乡人。享年四十一。

孔广铺　六月初五日生，字厚昌，号怀民。广东南海人。

宋玉珂　六月十五日生，字次山，号佩声。山东潍县人。

李宗羲　七月二十一日生，字润农，号雨亭、小逸。四川开县人。享年六十七。

郭骥远　七月二十六日生，字子展，号云亭。山西潞城人。

俞长赞　八月初七日生，字仲思，号芷湘、子襄。顺天大兴人（原籍浙江会稽）。

劳　权　八月二十一日生，字平甫，号巽卿、蟫隐、饮香。浙江仁和人。

李羲钧　九月初四日生，字仲鸿，号稚和、蜀卿。直隶任邱人。

林廷选　九月十六日生，字汝佳，号舜俞。广西贵县人。

文　祥　九月十七日生，字文山，号博川、云溪。满洲正红旗，瓜尔佳氏。享年五十九。

奎　章　九月二十日生，字星垣，号云台。蒙古镶蓝旗，扎鲁特氏。

王友端　九月二十七日生，字汝仁，号月川。安徽婺源人。享年四十三。

刘齐衔　十月十四日生，字本锐，号冰如。福建闽县人。

薛时雨　十月二十七日生，字澍生，号味羹。安徽全椒人。享年六十八。

刘长佑　十一月十九日生，字子默，号印渠。湖南新宁人。享年七十。

刘郇膏　十一月二十三日生，字苏生，号松岩。河南太康人。享年四十九。

金　钧　十二月初十日生，字和甫，号子梅。浙江仁和人。享年五十三。

石　峻　十二月十五日生，字子高，号抑斋。山西阳曲人。

潘曾玮　十二月三十日生。

童　华　生，字薇砚。浙江鄞县人。享年七十二。

刘传莹　生，字椒云。湖北汉阳人。享年三十一。

王熙震　生，字映冬，号小楠、晓岚。四川阆中人。

吴祖昌　生，字鄂秀，号植基、澄甫、翼庭。广西桂平人。享年五十八。

朱元钊　生，字毅君，号勉庵。浙江海盐人。享年五十五。

贺廷钦　生，湖南人。

多隆阿　生，字礼堂。蒙古正白旗人。享年四十七。

黄翼升　生，湖南人。享年七十七。

冯子材　生，广东人。享年八十六。

方宗诚　生，字存之，号柏堂。安徽桐城人。享年七十一。

蒋春霖　生，享年五十一。

锺文烝　生，字殿才，号子勤。浙江嘉善人。享年六十。

徐　寿　生，字雪村。江苏无锡人。享年六十七。

● 科第：

　中式举人：

琦　琛　满洲正蓝旗。户部主事，内阁学士。

达　镛　汉军正蓝旗。内阁中书，湖北安襄郧荆道。

德　亨　甘肃西宁府知府。

廉志勋　见癸酉拔贡。

钱聚仁　江苏知县，四川彭山县知县。

方履籛　福建大挑知县，署闽县知县。

高继珩　字寄泉。直隶人。栾城县训导，广东博茂场大使。

张积功　江苏仪征人。山东知县，山东临清直隶州知州。

毕楚珍　赣榆县教谕，贵州毕节县知县。

朱大源　江苏华亭人。陕西知县，陕西蒲城县知县。

朱骏声　安徽歙县训导，江苏扬州府教授。

董祐诚　江苏阳湖人。

李贻德　浙江嘉兴人。

王　言　浙江仁和人。寿昌县训导。

王　燮　字梅林。福建侯官人。云南知县，甘肃平凉府知府。

李道平　湖北安陆人。

彭　煐　河南人，浙江知县，广西右江道。

黎应南　字见山，号斗一。广东顺德人。浙江知县，浙江平阳
　　　　县知县。

　　　中式副榜贡生：

朱葵之　浙江人。景宁县教谕。

◉　恩遇：

和世泰　满洲镶黄旗。理藩院尚书。九月加太子少保衔（二十
　　　　五年四月削）。

◉　著述：

张　澍　撰《蜀典》十二卷成，见正月自序。

宋咸熙　编《桐溪诗述》二十四卷成，见正月施嵩序。

焦　循　撰《易话》二卷成，见三月自序。

焦　循　撰《尚书补疏》三卷成，见四月自序。

焦　循　撰《周易补疏》二卷成，见五月自序。

焦　循　撰《毛诗补疏》五卷成，见六月自序。

焦　循　撰《礼记补疏》三卷成，见七月自序。

焦　循　撰《易广记》三卷成，见七月自记。

梁廷枏　撰《金石称例》四卷成，见七月自序。

胡培翚　校注《孔子编年》五卷成，见十月自序。

姚　晏　撰《再续三十五举》一卷成，见十月自序。

丁　晏　撰《佚礼扶微》五卷成，见十月自序。

蔡　云　辑《蔡氏月令》五卷成，见十一月自记。

焦　循　撰《益古衍段开方补》一卷成。

宋綎初　撰《释服》二卷成，见自序。

王　豫　字应和，号柳村。江苏江都（丹徒）人。编《江苏诗
　　　　征》一百八十三卷成，见道光辛巳自序。

● 卒岁：

孙星衍　原任山东督粮道。正月十二日卒年六十六。入国史儒
　　　　林传。

翁方纲　二品衔原任鸿胪寺卿，降调内阁学士。正月二十七日
　　　　卒年八十六。入国史儒林传。

汪志伊　前闽浙总督。二月卒年七十六。

桑吉斯塔尔　满洲正黄旗。副都统衔头等侍卫，（前正蓝旗汉军
　　　　副都统），骑都尉。四月卒。

文　凯　蒙古镶红旗，佟佳氏。原任正黄旗蒙古副都统，乌里
　　　　雅苏台参赞大臣。四月卒。

萨龙光　原任户部江西司主事。五月初一日卒年六十七。

庄　炘　原任陕西邠州直隶州知州。五月十六日卒年八十四。
　　　　入国史文苑传。

博　兴　蒙古正白旗。原任理藩院尚书。五月卒。

刘权之　太子太保衔赏食半俸，致仕体仁阁大学士。六月初八
　　　　日卒年八十。谥文恪。

张敦颐　翰林院编修，福建正考官。七月十一日卒于浙江建德
　　　　途中，年四十七。

田均随　候选训导，贵州玉屏县贡生。七月十八日卒年六十六。

戚芸生　候选训导，原署浙江秀水县教谕，浙江德清县贡生。
　　　　七月二十三日卒年七十。

庄关和　江苏武进县诸生。九月初一日卒年六十九。

奕　勋　袭和硕怡亲王，宗室。九月卒。谥曰恪。

李鸿瑞　江苏大挑知县，借补上海县县丞。九月二十日卒年五
　　　　十八。

董　诰　太保，赏食全俸，原任文华殿大学士，骑都尉。十月
　　　　初十日卒年七十九。赠太傅，入祀贤良词，谥文恭。

熙　昌　蒙古正蓝旗，玛拉特氏。吏部左侍郎。十月卒于湖南
　　　　长沙差次。赠都统，谥敬慎。

润　庠　仓场侍郎。十一月卒。

双　林　满洲正红旗，富察氏。江南提督。十二月卒。

陈守誉　候选内阁中书。十二月十三日卒年七十一。

蒋励宣　原任浙江湖州府知府。十二月二十日卒年七十七。

许宗彦　在籍兵部候补主事。十二月二十二日卒年五十一。入
　　　　国史儒林传。

吴锡麒　原任国子监祭酒。卒年七十三。入国史文苑传。

阳　春　（原名阳春保）。满洲正白蓝旗，库雅拉氏。致仕内阁
　　　　侍读学士，前广州将军。卒年七十囗。

观　明　满洲镶黄旗，瓜尔佳氏。前盛京将军，复以二等侍卫
　　　　用，袭云骑尉世职。卒。

喜　明　满洲正蓝旗，佟佳氏。乌里雅苏台将军。卒，谥勤毅。

毓　秀　满洲镶黄旗，李氏。杭州将军，前袭三等昭信伯。卒。

沈　洪　字射堂。四川松潘人。江南提督。卒。

魁　保　蒙古镶白旗，布苏克氏。原任湖南提督。卒。

策　丹　蒙古正黄旗，托克托莫忒氏。原任密云副都统，前任
　　　　理藩院左侍郎。卒年七十囗。

蒋观涛　云南昭通镇总兵。卒。

鲁　缤　丁忧江西新城县贡生。卒年五十一。

张崇俫　江苏嘉定县恩贡生。卒年七十六。

沈　峻　直隶天津县□生。卒年七十五。
朱　焜　浙江海盐县诸生。卒年八十三。
陈本礼　江苏江都县监生。卒年八十。
陆　恭　江苏吴县□生。卒年七十八。

嘉庆二十四年己卯（公元一八一九年）

◉ 生辰：

沈炳垣　正月十四日生，字榆庭，号子青、紫卿。浙江海盐人。
　　　　享年三十九。

方汝绍　二月二十七日生，字际唐，号荛塘。安徽定远人。享
　　　　年七十□。

张盛藻　三月初三日生，（原名张志绣）。湖北枝江人。

尹　果　三月二十三日生，字铭南，号晓泉、晓佺。汉军镶黄
　　　　旗。享年九十□。

徐　桐　四月初九日生，字豫如，号仲琴、荫轩。汉军正蓝旗。
　　　　享年八十二。

李吉言　四月二十四日生，字永贞，号蔼堂、少崖。直隶永年
　　　　人。

俞文谦　闰四月初十日生，字植材，号吉士、芳圃。安徽婺源
　　　　人。

杨　岘　闰四月二十四日生，字见山，号季仇。浙江归安人。
　　　　享年七十八。

彭祖贤　闰四月二十九日生，字商耆，号芍廷。江苏长洲人。
　　　　享年六十七。

锡　龄　五月初四日生，字与九，号鹤亭。镶蓝旗宗室。

李载文　字潞帆，号鹤舟、墨游。顺天通州人。五月初十日生，
　　　　享年三十八。

夏家畴　五月十二日生，字贞阶，号云津、午衡。湖南善化人。

蒋锡绶　六月初四日生，字印若，号幼竹。江苏长洲人。享年
　　　　四十三。

龚自闳　六月初四日生，字应皋，号叔雨。浙江仁和人。享年
　　　　六十一。

聂光銮　六月十九日生，字陶斋，号望坡、东涪。四川屏山人。

易润坛 六月二十二日生，字昀荄，号荷生。湖南长沙人。享年六十。

刘传祺 六月二十七日生，字介滋，号小崧。顺天宛平人。

李　祜 字笃生、受之，号实仲、海麓。汉军正白旗。六月二十七日生。

李元华 七月初七日生，字实生，号采臣、小田。安徽六安人。

陈桂芬 七月初九日生，字月亭，号秋圃。山西繁峙人。

刘廷枚 八月十一日生，字赞虞，号叔涛、迈泉。江苏吴县人。享年六十七。

托克清阿 九月初二日生，字鼎之。满洲正蓝旗。

侯云登 九月初九日生，字缦卿，号梯月、共亭。河南商丘人。享年四十五。

锺佩贤 十月二十七日生，字肇阳，号六英、小舲。顺天宛平人（原籍浙江山阴）。享年八十四。

华廷傑 十一月初二日生，字象春，号樵云。江西崇仁人。

陈　璞 十一月初五日生，字子瑜，号古樵。广东番禺人。

丁寿昌 十二月初一日生，字颐伯，号菊泉。江苏山阳人。

黄云鹄 十二月初一日生，字祥人，号殿臣、翔云。享年八十。

徐延旭 十二月初一日生，字晓山，号虚谷、南垫。山东临清人。享年六十八。

黄图南 十二月二十日生，字远德，号沧洲。福建永福人。

姚诗彦 十二月二十七日生，字鲁生，号莲舫。广东番禺人。

刘　典 生，享年六十，字克庵。湖南宁乡人。

孙鼎臣 生，字子馀，号芝房。湖南善化人。享年四十一。

唐咸仰 生，字初猷，号光普。广西南宁人。享年六十八。

史保悠 生，字怀甫。顺天宛平人。

丁彦臣 生，享年四十五。

吕锡蕃 生，字伯晋，号子芗。广西陆川人。

江忠济 生，字汝舟。湖南新宁人。享年三十八。

彭斯举 生，享年四十八。

洗　斌　生，（原名洗倬邦），字锡仪，号云樵。广东南海人。

王　堃　生，字厚山，号小铁。浙江人（原籍江苏丹徒）。

李德良　生，字玉如，号伯起。顺天宝坻人。

王仁福　生，享年四十九。

邹伯奇　生，字一鹗，号特夫。广东南海人。享年五十一。

魏秀仁　生，字子安，号子敦。福建侯官人。享年五十六。

张星鑑　生，字南鸿，号纬馀。江苏新阳人。享年六十。

◉ 科第：

　　一甲进士：

陈　沆　状元。修撰。

杨九畹　榜眼。编修，广东南韶连道。

胡达源　探花。编修，少詹事。

　　二甲进士：

孙起端　字极南，号心筠。安徽桐城人。庶吉士，户部主事，
　　　　贵州粮道。

邵甲名　编修，湖北巡抚。

俞诵芬　字郁兰，号茗溪。安徽婺源人。庶吉士，户部主事，
　　　　福建兴化府知府。

沈　鑅　编修，湖北汉黄德道。

杨　峻　云南太和人。编修。

慕维德　字淇澹，号如山、笠舟。山东蓬莱人。编修，光禄寺
　　　　少卿。

韩大信　字也约，号鹤庄。直隶天津人。编修，陕西道御史。

邵正笏　编修，工科掌印给事中。

周日炳　顺天宛平人（原籍浙江山阴）。编修，福建兴泉永道。

陆荫奎　字聚五，号梦坡。云南昆明人。庶吉士，户部主事，
　　　　直隶布政使。

徐士芬　编修，户部右侍郎。

钱宝琛　编修，湖北巡抚。

刘梦兰　字穆占，号伯徽、觉香。湖南武陵人。庶吉士，户部

主事，福建粮道。

吴文镕 编修，湖广总督。

费庚吉 字慕韩，号耕庭。江苏武进人。会元。礼部主事，福建粮道。

胡培翚 内阁中书，户部主事。

李绍昉 字东阳，号任溪、晓园。广西北流人。编修，浙江宁绍台道。

蔡家玕 庶吉士 工部主事，湖南衡永郴桂道。

周祖植 刑部主事，浙江按察使。

刘荣熙 庶吉士，礼部主事，浙江嘉兴府知府。

朱德华 广西博白人。四川庆符县知县。

高容声 字佩苍。山东利津人。吏部主事，江苏镇江府知府。

刘宇昌 四川璧山人。山东峄县知县。

易长华 字子实，号文江。江苏上元人。内阁中书，广东粮道。

裴 鑑 字印川。江苏句容人。庶吉士。内阁中书。

杨景曾 江苏江阴人。内阁中书。

周曾毓 江苏元和人。国子监学正，吏部员外郎。

朱国淳 字醴泉，号湘帆。浙江嘉善人。庶吉士，刑部主事，刑部郎中。

但明伦 贵州广顺人。陕西道监察御史。

王世跋 工部主事，山西太原府知府。

程 澐 字二眉，号省斋。顺天大兴人（原籍安徽休宁）。编修，山东武定府知府。

周祖培 河南商城人。编修，体仁阁大学士。

巫宜福 字学谦，号益亭。福建永定人。编修。

尚开谟 （碑录作**尚开模**）字启之，号龙溪，莲渠、晴轩。河南罗山人。庶吉士，刑部主事，陕西潼商道。

陈兆熊 字星伯。江苏崇明人。编修。

花詠春 字伯雅，号思白、鱼南。贵州贵筑人。庶吉士，内阁中书，云南按察使。

萧炳椿（碑录作萧秉莹是否同一人待考）。云南澂江府知府。
李昭美 编修，福建汀漳龙道。
谢兴峣 庶吉士，河南知县，四川成都府知府。
姜　坚 字实夫。甘肃甘泉人。编修。
德　春 编修，仓场侍郎。
明　谊 蒙古正黄旗，托克托莫忒氏。兵部主事，乌里雅苏台将军。
胡美彦 湖北黄冈人。户部主事。
方传穆 字彦和。安徽桐城人。编修，福建延建邵道。
郑瑞麒 内阁中书，江西九江府知府。
徐　经 字恒生，号子慎。江苏嘉定人。编修，山东济东泰武临道。
罗升棓 浙江知县，四川夔州府知府。
盛　增 安徽全椒人。工部主事。
贾大夏 刑部员外郎，贵州镇远府知府。
叶敬昌 字懋勤，号芸卿、敬亭。福建闽县人。庶吉士，吏部主事，湖北盐法道。
李嘉秀 四川乐山人。
郑体椿（原名郑瑞玉），字石臣，号朗如。四川广安人。编修，掌福建道御史。
王云岫 编修，福建道御史。
陈维垣 字丰之，号星台。江苏江宁人。内阁中书。

三甲进士：

龚文焕 检讨，江苏镇江府知府。
郭应宸 安徽全椒人。福建漳浦县知县。
朱　嶟 检讨，礼部尚书。
潘挹奎（原名潘一奎）。甘肃武威人。吏部主事。
松　峻 字翰生，号芸樵。满洲正黄旗，苏完瓜尔佳氏。庶吉士，工部主事，工部右侍郎。
耿　麟 直隶阜平人。云南知县，云南普洱府知府。

讷勒亨额 宗室。礼部主事，盛京刑部侍郎。

铁　麟 宗室。检讨，荆州将军。

何辉绶 检讨，山东莱州府知府。

郭鑑庚 （碑录作郭聚奎是否同一人待考），字尊香。河南信阳人。四川知县，云南宜良县知县，重宴恩荣。

李培炆 四川汉州人。

汪日宣 （原名汪淦），字丽泉，号莅坪。安徽黟县人。检讨，四川重庆府知府。

郭鸣高 福建德化人。吏部主事，掌陕西道御史。

陈维屏 字建之，号剑芝。江苏江宁人。山西知县，广西右江道。

宜　崇 （一作伊崇额）满洲镶红旗。内阁中书。

周　彦 兵部主事，浙江宁绍台道。

唐琳枝 广西临桂人。江西上饶县知县。

王善壁。

鄂尔端 宗室。宗人府主事，泰宁镇总兵。

焦维械 山西忻州人。四川江油县知县。

托浑布 湖南知县，山东巡抚。

蒋廷恩 内阁中书。

王森长 陕西蒲城县知县。江西袁州同知。

武进士：

徐开业 状元。因传胪未到革去。

秦锺英 陕西神木人。榜眼。推升状元，头等侍卫。

梅万青 探花。因传胪未到革去。

杨录之 汉军镶白旗。传胪。三等侍卫。

万飞鹰 江西南昌人。口口镇总兵。

考取优贡生：

汪　棻 江苏人。安徽太和县训寻，内阁中书。

刘文淇 江苏仪征人。

刘　灿 浙江镇海人。

陈熙晋　字析木，号西桥。浙江义乌人。

中式举人：

朱大韶　江苏华亭人。安徽怀远县教谕，江苏江宁县教谕。

刘承宠　江苏武进人。

蔡　勋　见癸酉拔贡。

魏亨逵　刑部主事，江苏江宁府知府。

柏　贵　蒙古正黄旗。甘肃知县，广东巡抚。

蔡　琼　见癸酉拔贡。

张印塘　浙江知县，安徽按察使。

牛　镇　内阁中书，安徽凤阳府知府。

宁兰森　见癸酉拔贡。

金　谞　安徽蒙城县训导。

师长治　内阁中书，湖北崇阳县知县。

宋庆常　户部主事，贵州石阡府知府。

张　昀　河南县丞，河南粮道。

庞大堃　江苏常熟人。国子监学录。

葛其仁　字铁生。江苏太仓人。安徽歙县教谕。

杨时泰　字穆如。江苏阳湖人。署山东莘县知县。

黄元灏　江都县教谕。

文　晟　江西萍乡人。广东知县，广东惠州府知府。

郭仪霄　字羽可。江西永丰人。内阁中书。

彭玉雯　直隶知县，口口盐运使。

朱恭寿　浙江人。江苏知县，江苏六合县知县。

孙凤起　浙江人。

吴　均　浙江钱塘人。广东知县，广东潮州府知府。

孙葆恬　湖南人。桃源县教谕。

龙光甸　广西人。湖南知县，浙江台州府同知。

中式副榜贡生：

李湘莐　山东安邱人。见辛酉拔贡。

李　荫　见癸酉拔贡。

◉ 恩遇：

綿 忻 仁宗皇四子。正月封和硕端亲王。

章 煦 大学士。正月晋太子太保衔。

景 安 户部尚书。复加太子少保衔。

勒 保 原任大学士。四月以八十生辰赐御书"延年养福"额。

周 玑 原任江西粮道。九月以本年为乾隆己卯科乡举周甲之岁，重赴鹿鸣筵宴。

卢荫溥 户部尚书。十月以六十生辰赐御书"延禧介寿"额。

明 亮 大学士。十一月晋封三等襄勇侯。

◉ 著述：

陈寿祺 撰《三家诗考》十五卷成，见二月自序。

王念孙 撰《读管子杂志》十二卷成，见三月自序。

董祐诚 撰《割圜连比例术图解》三卷成，见四月自序。

施彦士 撰《读孟质疑》二卷成，见四月自序。

凌 曙 撰《春秋公羊礼疏》十一卷成，见闰四月自序。

夏味堂 撰《拾雅》六卷成，见五月自序。

初尚龄 撰《吉金所见录》十八卷成，见五月自序。

方 溶 字渭伯。浙江海盐人。撰《禹贡分笺》七卷成，见五月自序。

凌 曙 撰《公羊礼说》一卷成，见五月自序。

李宗昉 重校订《金石存》十五卷成，见六月自序。

钱 椒 浙江平湖人。自编《数峰草堂稿》二卷成，见七月徐熊飞序。

宋葆淳 辑《氾胜之遗书》一卷成，见八月自识。

凌 曙 撰《公羊问答》二卷成，见八月自序。

郭 麐 编《唐文粹补遗》二十六卷成，见八月自序。

梁廷柟 撰《续金石称例》一卷成，见八月自序。

李明徹 广东番禺人。撰《圜天图说》三卷成，见十二月自序。

林春溥 撰《开闢传疑》二卷成，见自序。

林春溥 撰《武王克殷日记》附《灭国五十考》一卷成，见自序。

赵绍祖 撰《通鑑注商》十八卷成，（按：是书无自序，以书首
题己卯年刻，今系于此年）。

曾　燠 自编《赏雨茅屋诗集》十八卷成，（按：此书卷首有己
卯重编字，当是最后所编定者，今系于此年）。

● 卒岁：

金　鹗 浙江临海县优贡生。正月初一日卒年四十九。入国史
儒林传。

戴殿江 浙江浦江县贡生。正月初七日卒年八十五。

刘佳琦 原任四川成都府知府。正月十二日卒年六十七。

德　文 工部左侍郎，前礼部尚书。正月卒。

和舜武 字虞廷。满洲镶蓝旗，伊拉里氏。山东巡抚。三月卒。
赠总督衔，谥恭慎。

朱　理 贵州巡抚。三月二十八日卒年五十九。

李秉灏 内阁中书。四月初五日卒年五十。

何有焕 湖南宁乡县诸生。四月二十九日卒年六十九。

王　灼 原任安徽东流县教谕。五月卒年六十八。入国史文苑
传。

马　瑜 字瑾斋。四川华阳人（原籍成都）。江南提督。六月卒。
谥壮勤。

许作屏 乾隆五十八年进士。原任直隶承德县知县。七月卒。

勒　保 太子太保，赏食全俸，原任武英殿大学士，一等威勤
伯，前封一等公。八月卒年八十。赠一等侯，谥文襄。

彭希濂 福建按察使，降调刑部右侍郎。九月二十二日卒年六
十三。

张应举 甘肃武威县增生。九月二十五日卒年七十三。

德　格 蒙古镶红旗，阿苏特氏。副都统衔西安镶蓝旗协领，
降调荆州左翼副都统。十月卒。

黎安理 原任山东长山县知县。十一月卒年六十九。

胡　锺 原任贵州遵义府知府。十二月二十一日卒年七十七。

冯　洽　浙江桐乡画士。十二月二十三日卒年八十九。

蒋予蒲　前仓场侍郎。卒年六十五。

傅　棠　光禄寺少卿，广东学政。卒。

福　庆　字仲馀，号兰泉。满洲镶黄旗，钮祜禄氏。以刑部侍郎用，前兵部尚书。卒年七十口。

汪　诚　刑部主事。卒。

托尔欢　满洲正白旗，董鄂氏。致仕正白旗蒙古副都统。卒年七十口。

策　楞　满洲正蓝旗，佟佳氏。以三品顶带致仕，原任正蓝旗汉军副都统。卒年八十二。

岳　炯　浙江浦江县知县，以俸满引见。卒于京师，年六十。

车向荣　浙江人。浙江嘉兴县教谕。卒年七十口。

朱光暄　原任浙江于潜县训导。卒年八十一。

李光显　福建同安人。广东水师提督。卒。

衡　龄　满洲镶红旗，费莫氏。蓝翎侍卫，和阗领队大臣，前山西巡抚。卒。

明　德　满洲正黄旗，伊尔根觉罗氏。致仕墨尔根城副都统。卒。

吴翌凤　江苏吴县贡生。卒年七十八，入国史文苑传。

梁玉绳　浙江钱塘县贡生。卒年七十六，入国史儒林传。

江廷灿　安徽歙县诸生。卒年八十二。

周锡瓒　字仲涟，号漪塘、香岩居士。江苏长洲人。长洲县布衣。卒年八十口。

朱　本　江苏甘泉县画士。卒年五十九。

嘉庆二十五年庚辰（公元一八二〇年）

● **生辰：**

李鸿藻　正月初一日生，字季云、研斋，号石孙、兰孙。直隶高阳人。享年七十八。

张凤翥　正月十二日生，字海峰，号鍊渠。江西武宁人。

徐家杰　正月十二日生，字冠英，号伟侯。顺天宛平人（原籍江苏宜兴）。

马恩溥　正月十六日生，字锡三，号芝楣、雨农。云南太和人。享年五十五。

刘其年　正月二十四日生，字亦迦，号芝泉、子曼。直隶献县人。享年五十一。

劳　格　二月初一日生，字保艾，号季言。浙江仁和人。享年四十五。

栾以绂　二月十九日生，字孟章，号晓坡。山东荏平人。

杨志洵　二月二十五日生，号澹溪。山东高密人。享年八十三。

叶廷杰　二月二十七日生，字清泉，号寯斋。河南光州人。

沈葆桢　二月二十七日生，字益兴、翰宇，号幼丹。福建侯官人。享年六十。

恩　承　二月二十九日生，满洲正白旗，叶赫那拉氏。享年七十三。

曹登庸　三月初八日生，字赓云，号乡溪。河南光山人。

梁钦辰　三月十一日生，字贤明，号小若。福建闽县人。

章　鋆　四月十一日生，字酡之，号采南。浙江鄞县人。享年五十六。

张正椿　四月二十一日生，字友榆。四川奉节人。

丁宝桢　四月二十八日生，（原名丁琼选），字稺璜，号佩之。贵州平远人。享年六十七。

廖坤培　五月初一日生，字伯厚，号西崖、西云。四川会理人

（原籍江西新淦）。

曾国潢 五月生，字澄侯。湖南湘乡人。

薛斯来 七月初八日生，字绥之，号鸿宾。江苏江都人。

金吴澜 七月十一日生，字庐青。浙江嘉兴人。享年六十九。

崇　实 七月十八日生，字子华，号朴山。满洲镶黄旗，完颜
氏。享年五十七。

刘毓楠 七月二十一日生，字南卿，号古香、少坡、赓载。河
南祥符人。

赵崇庆 七月二十八日生，字铁筼。江苏太仓人。

郑训承 七月二十八日生，（原名郑训诚），字绎如，号听篁。
浙江乌程人（原籍浦江）。

吴嘉善 八月初六日生，字子登，号竹言。江西南丰人。

张德容 九月初三日生，字师宽，号松坪。浙江西安人。

王之翰 九月初七日生，字大宗，号次屏、湘筠。山东潍县人。

蒯德标 九月十五日生，字锦旃，号柘农。安徽合肥人。享年
七十五。

毕应辰 九月二十日生，字稚诚，号星楼。云南昆明人。

蒋英元 九月二十三日生，字厚夫，号朴山、香泉。广西全州
人。

刘正品 十月初一日生，字瑞亭，号贡三。四川奉节人。

薛允升 十月初一日生，字克猷，号云阶。陕西长安人。享年
八十二。

杨任光 十月初七日生，湖南善化人。享年六十四。

张凯嵩 十月十七日生，字次木，号月卿。湖北江夏人。享年
六十七。

程鸿诏 十一月初三日生，字伯勇。顺天大兴人（原籍安徽黟
县）。

许应鑅 十一月十一日生，（原名许应麟），字昌言，号星台。
广东番禺人。享年七十二。

洪昌燕 十一月十九日生，字敬传、号张伯、章伯。浙江钱塘

人。享年五十。

张　洵　十一月二十七日生，字肖梅，号苏泉、小岩。浙江钱
　　　　塘人。享年四十二。

李联琇　十二月初八日生。字小湖，号季莹。江西临川人。享
　　　　年五十九。

秦　焕　十二月初九日生，字文伯。江苏山阳人。

端木采　生，享年七十三，字子畴。江苏江宁人。

仇炳台　生，享年七十六，字竹坪，号蒙叟。江苏娄县人。

盛　元　生，享年六十八，字韵琴，号恺廷。蒙古正蓝旗。

刘腾鸿　生，享年三十八，湖南湘乡人。

娄诗汉　生，享年五十九，浙江山阴人。

宋　庆　生，享年八十三，字祝三。山东蓬莱人。

联　捷　生，字月三，号惺鹤。蒙古正白旗，萨尔图克氏。

文　瑞　生，字雪舫。享年四十二。

陈明志　生，享年三十七。

马三俊　生，字命之。安徽桐城人。享年三十五。

俞大润　生，字叔戊，号莲士。江苏昭文人。

马文植　生，字培之。江苏武进人。

● 科第：

　　一甲进士：

陈继昌　会元。状元。**修撰，江宁布政使。**

许乃普　榜眼。编修，吏部尚书。

陈　銮　探花。编修，江苏巡抚。

　　二甲进士：

龚文煇　编修。

何桂馨　字见复，号一山。江苏吴县人。**编修，内阁中书，陕**
　　　　西道御史。

王德宽　字敷五。号敬斋、实樵、石挢。湖南武陵人。庶吉士，
　　　　浙江知县，浙江衢州府知府。

周作楫　编修，长芦盐运使。

田嵩年　编修，顺天府府尹。

罗士菁　字雅林，号宾门。云南石屏人。编修，山西河东道。

方用仪　刑部主事，陕西粮道。

贾克慎　编修，鸿胪寺卿。

刘俊德　江西德化人。四川井研县知县。

许应藻　字象九，号鱼南。云南石屏人。编修，浙江粮道。

陈岱霖　（原名陈启伯）。湖南善化人。口部主事，口口道御史。

吴式敏　编修，湖北安襄郧道。

金光杰　字俊民，号殿珊、伯英。湖北黄陂人。编修，户科给
　　　　事中。

吴其泰　字伯修，希郭，号逊一、橘生。河南固始人。编修，
　　　　江苏按察使。

胡希周　工部主事，河南归德府知府。

徐广缙　字靖侯，号仲升。河南鹿邑人。编修，两广总督。

张星焕　庶吉士，安徽知县，安徽太和县知县。

张日章　字美中，号裻堂。陕西城固人。编修，鸿胪寺卿。

梁葶涵　编修，云南巡抚。

唐惇培　字允元，号补卿。江苏江都人。庶吉士，户部主事，
　　　　云南大理府知府。

李璋煜　刑部主事，广东布政使。

陆　炯　湖北知县，四川緜竹县知县。

蔡子璧　户部主事，直隶天津府知府。

赵　光　编修，刑部尚书。

吴家懋　广东番禺人。直隶大城县知县。

刘师陆　庶吉士，广东知县，湖北荆宜施道。

冯登府　庶吉士，福建知县，浙江宁波府教授。

杨延亮　山西知县，云南安州知州。

陆　沅　庶吉士，云南知县，河南宁陵县知县。

侯　桐　编修，吏部左侍郎。

许　融　字伯诜，号博仙。江苏武进人。刑部主事，通政司参

议。

俞　焜　编修，湖南衡永郴桂道。

章　沅　字芝伯，号荆帆。江苏上元人。编修，长芦盐运使。

万　辕　江西新建人。刑部主事。

吴庆祺　江苏吴县人。直隶赤城县知县。

杨庆琛　福建闽县人。刑部主事，山东布政使，同治甲子重宴
　　　　鹿鸣。

徐宝善　安徽歙县人。编修，山西道御史。

韦德成　字逊元，号立夫、敦甫、心农。汉军镶黄旗。编修，
　　　　山东盐运使。

张扩廷　直隶南皮人。四川大竹县知县。

周　涛　贵州贵筑人。兵部主事，直隶河间府知府。

沈道宽　湖南知县，湖南桃源县知县。

吴继昌　编修，浙江绍兴府知府。

龚文龄　字锡九，号西园、蔗汀、祝卿。福建侯官人。庶吉士，
　　　　户部主事，工部右侍郎。

杨　簧　福建连城人。刑部主事，江宁布政使。

陈辉甲　湖北黄陂人。湖南长宁县知县。

陈增印　顺天大兴人。江西广丰县知县。

方　涛　刑部主事，山西按察使。

费开绶　字佩青，号小瓯、鹤江。江苏武进人。编修，江西巡
　　　　抚。

张祥河　内阁中书，工部尚书。

朱　襄　（原名朱一贯）。安徽芜湖人。编修，河东河道总督。

颚木顺额　编修，左副都御史。

冯赞勋　字襄甫，号雨阶、愚皆。广西宣化人。编修，大理寺
　　　　卿。

金石声　字理含，号爱亭、赋山。浙江仁和人。庶吉士，安徽
　　　　知县，湖北襄阳府知府。

莫树椿　福建上杭人。山东临邑县知县。

程焕采 编修，江苏布政使。

周　顼 贵州贵筑人。庶吉士，礼部主事，江苏常镇通海道，
　　　　重宴恩荣。

孙序贤 安徽舒城人。刑部主事，员外郎。

刘　谊 户部主事，宗人府府丞。

胡　鑑 编修。

张　曾 编修，湖南衡永郴桂道。

刘耀椿 庶吉士，安徽知县，福建兴泉永道。

邢福山 字五峰，号伯衡。江西新昌人。编修，大理寺卿。

李泰交 字昶林，号大来。贵州贵筑人。编修，赞善，中允。

郭文汇 吏部主事，甘肃布政使。

明　训 编修，吏部右侍郎。

宫思晋 安徽怀远人。云南太和县知县。

葛天柱 字礼山，号云夫、阆鸿。山西吉州人。编修，云南澂
　　　　江府知府。

　　三甲进士：

来学醇 检讨。

刘之蔼 甘肃镇远人。福建福安县知县。

阎　炘 河南新郑人。福建知县。台湾府同知。

徐宗幹 江苏通州人。山东知县，福建巡抚。

何其兴 户部主事，山东盐运使。

卢毓嵩 户部主事，陕西道御史。

刘荫棠 庶吉士，知县，知府。

马　疏 甘肃安定人。陕西府谷县知县。

文　蔚 字豹人，号露轩。满州正蓝旗，费莫氏。检讨，户部
　　　　左侍郎。

张秉德 山西介休人。刑部主事，光禄寺卿。

保　善 内阁中书，翰林院侍讲学士。

刘万程 字鹏翀，号星轺、止如。广东顺德人。庶吉士，刑部
　　　　主事，两淮盐运使。

重　谦　满洲镶黄旗。户部员外郎。

任树森　河南息县人。户部主事，贵州粮道。

韩凤修　乾隆五十三年生，字雅笙，号谱亭、仙甫。浙江萧山人。广东知县，广东嘉应直隶州知州。

袁文祥　字瑞卿，号凤喈。贵州普定人（原籍江西丰城）。检讨，甘肃平凉府知府。

范承祖　吏部主事，四川夔州府知府。

董瀛山　吏部主事，通政司副使。

王　简　甘肃知县，河南布政使。

黎　靖　四川阆中人。贵州知县，贵州黎平府知府。

罗宜诰　江西南丰人。

李　崔　广西荔浦人。

吕延庆　山东掖县人。河南知县，四川川南道。

恒　春　刑部主事，云贵总督。

桂　森　字子贞，号兰友。镶蓝旗宗室，检讨，和阗办事大臣。

徐泽醇　吏部主事，礼部尚书 。（注：碑录未见此人）

淡春台　字星亭。四川广安人。江苏知县，河南粮道。

陈　昉　（一作陈锟）。四川涪州人。福建福鼎县知县。

尚连城　奉天宁远人。福建建阳县知县。

许汝恪　掌江西道御史。

　　武进士：

昌伊苏　满洲正黄旗。状元。头等侍卫，古北口提督。

李凤和　顺天大兴人。榜眼。二等侍卫。

富　成　满洲镶蓝旗。探花。二等侍卫。

菩萨保　满洲正黄旗。传胪。三等侍卫。

春　英　会元。三等侍卫。

刘长清　字松岩。湖南巴陵人。四川提督。

章学经　安徽寿春镇总兵。

● 恩遇：

戴均元　大学士。二月晋太子太保衔（道光二年三月削）。

永　璘　高宗皇十七子。三月封和硕庆亲王。

吴　璥　协办大学士，吏部尚书。三月加太子少保衔，（寻削）。

英　和　吏部尚书。四月以五十生辰，赐御书匾额及御制诗。

緜　恺　仁宗皇三子。七月晋封和硕惇亲王。

緜　愉　仁宗皇五子。七月封多罗惠郡王。

方受畴　直隶总督。八月加太子少保衔。

爱新觉罗旻宁　皇二子，智亲王。八月二十七日嗣登大位，以明年为道光元年。

万方熙　已故兵部左侍郎万承风之子。八月赏给举人。

黄　钺　礼部尚书。八月加太子少保衔。

刘镮之　兵部尚书。八月复加太子少保衔。

赛冲阿　理藩院尚书。八月加太子少保衔。

孙玉庭　两江总督。八月加太子少保衔（道光四年十二月削）。

蒋攸銛　四川总督。八月加太子少保衔。

杨遇春　固原提督。九月加太子少保衔。

李奕畴　以主事补用，降调漕运总督。十月命以尚书衔守护昌陵（道光十二年休致）。

● 著述：

夏纪堂　江苏高邮人。撰《拾雅注》二十卷成，见正月自序。

陈　均　编《唐骈体文钞》十七卷成，见二月自序。

张　鑑　撰《墨妙亭碑目考》四卷附《考》一卷成，见二月自序。

刘文淇　撰《左传旧疏考正》八卷成，见二月自序，（按：是书至道光戊戌始刻）。

焦　循　撰《孟子正义》三十卷成，见焦徵识语，（按：此书成于是年之春）。

黄廷鑑　重辑《汉武故事》一卷成，见五月自识。

丁　晏　撰《郑氏诗谱考正》一卷成，见八月自序。

林春溥　撰《古史纪年》十四卷成，见九月自序。

陈昌齐　撰《测天约术》一卷、《楚辞韵辨》一卷、《吕氏春秋正误》二卷《淮南子考证》六卷、《临池琐谈》一卷、《赐书堂集》六卷成，（按：诸书均卒后始刻，今系于十月之前）。

张作楠　撰《揣籥小录》一卷成，见十二月赵怀玉序，（按：书成后又撰有《揣籥续录》三卷）。

许桂林　撰《易确》二十卷成，（按：此书成于十二月见所著《北堂永慕记》）。

杨炳南　撰《海录》一卷成，见自序。

严如熤　撰《苗防备览》十二卷成。

李兆洛　编《骈体文钞》三十一卷成，（按：自序无年月，此据年谱）。

● 卒岁：

邹炳泰　致仕詹事府右春坊右中允，前太子少保衔协办大学士。吏部尚书，卒年八十。

永　璘　高宗皇十七子，和硕庆亲王。三月十三日卒年五十五。谥曰僖。

柳迈祖　湖南宝庆府知府。三月卒年六十八。

谢金銮　原任福建安溪县教谕。四月初六日卒年六十四。入国史儒林传。

唐仁埴　原任河南开归陈许道。四月十二日卒年六十九。

廷　鏴　原任山东泰安府知府。四月卒年四十九。

沈　琪　原任江苏海防同知。六月初三日卒年六十。

緜　懋　高宗皇孙。郡王衔，多罗贝勒。六月卒。赠多罗郡王。

许绍宗　湖南凤凰厅同知。六月二十八日卒年四十三。

马　元　四川松潘人。广西提督。七月卒，谥壮勤。

特通阿　陕西按察使。七月卒。

陈希祖　原任浙江道监察御史。七月十九日卒年五十六。

爱新觉罗颙琰　大行皇帝嘉庆。七月二十五日崩于热河避暑山庄，圣寿六十有一，尊谥曰睿，庙号仁宗。

焦　循　江苏甘泉县举人。七月二十七日卒年五十八。入国史儒林传。

方联聚　原任广西永康州知州。八月卒于永康寓舍，年六十七。

绪　庄　正蓝旗宗室。原任二等侍卫，英吉沙尔领队大臣，降调盛京副都统。九月卒。

陈昌齐　降调浙江温处道。十月卒年七十八，入国史循吏传。

莫我愚　字岩谦、与竹山人。湖南善化人。善化县画士。卒。

刘嗣绾　丁忧翰林院编修。卒年五十九，入国史文苑传。

黄玉衡　原任浙江道监察御史。卒年四十四。

兴　肇　镶蓝旗宗室。以二品顶带致仕，原任正蓝旗汉军都统，前袭奉恩辅国公。卒年七十口。

孔传纶　新授福建邵武府知府。以回籍省亲卒于杭州，年四十二。

刘廷楠　原任广东嘉应直隶州知州。卒年六十八。

卢元琛　原任安徽贵池县知县。卒年六十九。

杨复吉　归班候选知县，江苏震泽县进士。卒年七十四。

德楞额　满洲正蓝旗，凉州驻防，乌兰哈特氏。成都副都统。卒。

伊铿额　二等侍卫，阿克苏办事大臣，镶蓝旗宗室。前吉林副都统，袭三等镇国将军。卒。

常　忠　满洲镶蓝旗，玛佳氏。副都统衔以成都旗营协领补用，前任甘肃宁夏副都统。卒。

樊雄楚　致仕陆路补用总兵，原任浙江宁海镇总兵。卒年七十六。

王占鳌　四川新津人。江南徐州镇总兵。卒。

杨　秀　贵州大定人。致仕云南提标中军参将，前提督衔陕西延绥镇总兵。卒年七十口。

汪　启　以守备补用，前甘肃宁夏镇总兵。卒年七十口。

庄东旸　江苏嘉定县岁贡生。卒年五十九。

朱承陛　浙江海盐县岁贡生。卒年五十九。

温承恭　广东德庆州贡生。卒年五十八。入国史文苑传。

徐　樟　江苏嘉定县诸生。卒年五十九。

廖奇珍　湖南郴州布衣。卒年七十五。

宣宗道光元年辛巳（公元一八二一年）

◉ **生辰：**

陆秉枢 三月二十日生，字辰吉，号纶斋、眉生。浙江桐乡人。
　　　　享年四十二。

方鼎录 三月二十一日生，字元仲，号翰泉。江苏仪征人。

李培祜 三月二十四日生，（一作李培祐），字汝受，号静山。
　　　　云南昆明人。享年六十六。

方熊祥 三月二十九日生，字蒂堂，号子望。浙江仁和人。

王必达 四月初八日生，字质夫，号霞轩。广西临桂人（原籍
　　　　浙江山阴）。享年六十一。

杨先泽 四月十五日生，字馀之，号菊人。贵州贵筑人。

吴仲贤 四月十六日生，字鲁儒，号牧骦。浙江嘉兴人。享年
　　　　六十七。

戚士彦 四月二十二日生，字子美，号英甫。浙江德清人。

宣　振 六月初一日生，字诜伯、子诜，号绳斋、春宇。汉军
　　　　镶黄旗，杨氏。享年六十一。

胜　保 六月初八日生，字允克，号克斋、凯卿。满州镶白旗，
　　　　苏完瓜尔佳氏。享年四十三。

丁绍周 六月十六日生，字濂甫，号亦溪。江苏丹徒人。享年
　　　　五十三。

龙文彬 六月二十日生，字撷青，号笏圃。江西永新人。享年
　　　　七十三。

赵曾向 七月二十五日生，字朗甫，号啬庵。江苏阳湖人。

李瀚章 七月二十七日生，（原名李章锐），字敏旃，号小荃、
　　　　筱泉。安徽合肥人。享年七十九。

许彭寿 七月二十九日生，（原名许寿身），字仁山，号师竹。
　　　　浙江钱塘人。享年四十六。

童　楸 八月初四日生，字牧村，号逊庵、朴人。四川新津人。

王祺海　八月十八日生，字方川，号观亭、少云、莲舫。山东诸城人。

凌仲鏁　八月二十一日生，（原名凌焕），字有君，号小南。安徽定远人。

李元度　八月二十五日生，字次青。湖南平江人。享年六十七。

王道源　九月初九日生，字养斋，号星海、浚川、左泉。山西盂县人。

黄昌辅　九月二十六日生，字虎卿，号相宜。江苏江都人。

贾　铎　九月二十九日生，字振之，号宣亭。河南光州人。

朱庆时　十月初四日生，字寅甫，号伯农、黼斋。浙江海盐人。享年四十。

潘斯濂　十月初六日生，字兆瑞，号莲舫。广东南海人。

马新贻　十月初九日生，字縠山，号燕门。山东菏泽人。享年五十。

恒　恩　十月十四日生，字子元，号雨亭。镶白旗宗室。

应宝时　十月二十二日生，字心易，号可帆、敏斋。浙江永康人。

杨　颐　十月二十五日生，字子异，号蓉浦。广东茂名人。享年七十九。

李　杭　十月二十九日生，字孟龙，号梅生、香树。湖南湘阴人。享年二十八。

李守愚　十月二十九日生，字平远，号云巢、云樵。山西介休人。

李德仪　十一月初八日生，字吉羽，号小麈、筱艑。江苏新阳人。享年四十。

张守岱　十一月十二日生，字奉山，号东岩、星农。山东海丰人。享年四十三。

俞　樾　十二月初二日生，字荫甫，号中山、绚岩、曲园。浙江德清人。享年八十六。

高延祐　十二月初五日生，字德夫，号秩斯、星岘、亦仙。浙江萧山人。

张兆栋 十二月初九日生，字伯隆，号海知、友山。山东潍县
　　　　人。享年六十七。

李士棻 十二月二十二日生，号觉吾。四川忠州人。享年六十
　　　　五。

吴德溥 生，四川达县人。享年六十二。

陈　锦 生，字昼卿，号补勤。浙江山阴人。

蔡嵩年 生，字骏于，号云峰。江苏丹徒人。

邓尔晋 生，字子楚，号绉秋。江苏江宁人。享年四十。

丁锐义 生，享年三十八。

徐有珂 生，字小豁，浙江乌程人。

张　道 生，浙江钱塘人。享年四十二。

练　恕 生，享年十八。

1168

● 科第：

　中式举人：

蒋明远 汉军镶蓝旗。见嘉庆癸酉拔贡。

赵作宾 直隶天津人。山东知县，江苏徐州府知府。

瑞　元 刑部员外郎，福建布政使。

张汝瀛 广西知县，湖北汉黄德道。

王　澐 江苏知县，甘肃宁夏道。

史麟善 顺天宛平人（原籍浙江余姚）。江西知县，江西临江府
　　　　知府。

王淑元 广西知县，广西太平府龙州同知。

张海珊 江苏震泽人。

丁　晏 候选内阁中书。

夏　燮 江西永宁县知县。

施彦士 江苏崇明人。直隶知县，直隶万全县知县。

胡元熙 光禄寺署正，浙江杭州府知府。

俞正燮 安徽黟县人。

朱士端 安徽广德州训导。

施作鳞　安徽太湖人。湖北知县，云南开化府知府。

包世荣　安徽泾县人。

吴应连　江西人。四川知县，四川彭县知县。

陈偕灿　署福建建安县知县。

黄良楷　山东知县，山东济东泰武临道。

梁绍壬　浙江人。候选盐大使。

柯汝霖　钱塘县教谕，重宴鹿鸣。

余炳焘　浙江山阴人。陕西知县，河南按察使。

宗稷辰　内阁中书，山东运河道。

黄本骥　湖南人。黔阳县教谕。

王　筠　山东人。山西乡宁县知县。

崔登鳌　山东人。江西知县，山西潞安府知府。

周和祥　四川仁寿人。湖北知县，湖北蒲圻县知县。

苏宗经　广西人。平乐县教谕，梧州府教授。

中式副榜贡生：

王萱龄　顺天人。柏乡县教谕。

马玉堂　浙江海盐人。

中式翻译举人：

英　桂　内阁中书，体仁阁大学士，重宴鹿鸣。

保举孝廉方正：

王萱龄　顺天人。见本科副贡。

翁广平　江苏人。

陆耀遹　阜宁县教谕。

黄乙生　江苏武进人。

祝百十　江苏江阴人。

赵绍祖　安徽泾县人。

汪桂月　字秀林。安徽宿松人。

赵　坦。

杜　煦　见嘉庆丁卯举人。

周　崑　浙江山阴人。

葛大宾　湖南湘乡人。

邓　纯　字粹如。广东东莞人。

◉ **恩遇：**

长　龄　陕甘总督。二月加太子少保衔。

三月以恭题仁宗睿皇帝神主：（以下二人）

托　津　大学士。晋太子太傅衔；

曹振镛　大学士。晋太子太傅衔。

庆　保　调任闽浙总督。云贵总督五月以剿平云南永北土匪，
　　　　加太子少保衔。

黎世序　江南河道总督。十一月加太子少保衔，并赐御制诗。

孙玉庭　协办大学士，两江总督。十二月以七十生辰赐御书"平
　　　　格延厘"额及联。

◉ **著述：**

松　筠　奉敕撰《新疆识略》十二卷成，见正月御序。

张作楠　撰《高弧细草》一卷成，见正月自序。

倪　模　撰《古今钱略》三十二卷成，见正月自序，（按：此书
　　　　至光绪丁丑始刻）。

沈　涛　撰《论语孔注辨伪》二卷成，见二月自序。

马文辉　自编《御冬小集》十卷成，见三月自序，（按：书成后
　　　　又有续集二卷）。

曾　钊　辑《王韶之始兴记》一卷成，见四月自识。

戈　载　字孟博。江苏吴县人。撰《词林正韵》三卷成，见四
　　　　月自序。

王家相　撰《清秘述闻续》八卷成，见五月自序。

杨景仁　撰《式敬编》五卷成，见五月自序。

沈钦韩　撰《春秋左氏传补注》十二卷成，见六月自序。

成　书　撰《多岁堂诗集》四卷、《载赓集》二卷、《附集》一
　　　　卷成，（按：诸集皆卒后始刻，见刘治序，今系于七月
　　　　之前）。

董祐诚　撰《椭圆求周术》一卷成，见七月自序。

李祖陶 撰《补尚史论赞》二卷成，见七月自序。

江　藩 撰《隶经文》四卷成，见八月曾钊序。

董祐诚 撰《斜弧三边求角补术》一卷成，见八月自序。

曾　钊 辑《刘欣期交州记》二卷成，见八月自识。

许桂林 撰《谷梁释例》四卷成，（按：是书卒后始刻，今系于九月之前）。

薛传均 撰《说文问答疏证》六卷成，见九月自序。

潘世恩 编《律赋正宗》一卷成，见十月自序。

陆继辂 编《七家文钞》七卷成，见十月自序。

李明徹 撰《圜天图说续编》二卷成，见十月黄培芳序。

茆泮林 江苏高邮人。辑《世本》见十月自序。

茆泮林 辑《司马彪庄子注》一卷成，见十月自序。

李　榕 撰《华嶽志》八卷成，见十月自序。

徐　松 撰《西域水道记》五卷成，见南玉日自序。

董祐诚 撰《三统术衍补》一卷成，见十二月自序。

叶维庚 撰《纪元通考》十二卷成，见十二月自序。

张作楠 撰《孤角设如》三卷成，见十二月齐彦槐序。

曾　钊 辑《杨议郎著书》一卷成，见自识。

冯登府 编《清芬集》八卷成，见自序。

周之琦 自编《金梁梦月词》二卷成，（按：此书无自序，以所刻至辛巳止，今系于此年）。

◉ 卒岁：

王兆梦 字云亭。江苏砀山人。广东陆路提督，袭云骑尉世职。正月卒。谥勇慎。

陶文烝 江苏长洲县举人。二月卒年六十六。

温汝适 兵部右侍郎。以服阕入京，卒于江西吉安舟次，年六十七。

杨嗣沅 前江西德兴县知县。三月二十一日卒年六十三。

伊丰额 辅国公，宗室。四月卒。

冯俊焯 署广东电茂场大使。四月二十四日卒卒五十一。

载　锡　固山贝子，宗室。四月二十□日卒。

福　荫　广州汉军副都统。五月初二日卒。

彭兆荪　江苏镇洋县贡生。五月初五日卒年五十三。入国史文苑传。

罗凤山　浙江黄岩人。福建水师提督。五月卒，谥勤勇。

汪如渊　广东布政使。五月卒。

何治运　大挑教谕，福建闽县举人。五月三十日卒年四十七。入国史儒林传。

成　书　户部右侍郎。以查办河南案件，七月初一日卒于兰阳县行次，年六十二。赠都统。

和　瑛　太子少保衔，刑部尚书。七月初一日卒年八十□。赠太子太保，谥简勤。

奕　缵　和硕惇亲王长子，不入八分公。七月初四日卒。赠多罗贝勒。

秦　瀛　原任刑部右侍郎。七月初十日卒年七十九。

瑞　弼　江西巡抚。七月卒。

麟　趾　袭和硕礼亲王，宗室。七月十四日卒。谥曰安。

吴　烜　原任礼部右侍郎。七月二十一日卒年六十二。

本　智　蒙古镶白旗，刘佳氏。正黄旗汉军都统，前任江宁将军，袭三等轻车都尉世职。以随扈回京，七月二十□日卒于途次。

伊昌阿　蒙古正红旗，乌勒甲特氏。云南开化镇总兵。七月以入觐，卒于河南途次。

永　锡　袭和硕肃亲王，宗室。八月初一日卒。谥曰恭。

吴　堦　山东曹州府知府。八月初四日卒，年六十五。

茹　棻　兵部尚书。八月十□日卒年六十七。

崇　禄　满洲镶白旗，瓜尔佳氏。原任正白旗蒙古都统，降调礼部尚书。八月十□日卒。

张海珊　江苏吴江县解元。八月十九日卒年四十，（按：海珊卒于榜发之前）。入国史文苑传。

顾元熙 翰林院侍读，广东学政。卒年四十五。

李尧栋 候补三品京堂，前任湖南巡抚。九月初八日卒年六十九。

许桂林 丁忧江苏海州举人。七月十九日卒年四十三。入国史儒林传。

吕　清 原任四川铜梁县知县。十月初九日卒年五十八。

罗　瑛 在籍翰林院庶吉士。十月初九日卒年三十三。

汪　桂 原任江西道监察御史。十月十六日卒年六十六。

朱承澧 字蓝湖。安徽歙县人。直隶栾城县知县。十月二十三日卒。

刘鐶之 太子少保衔，吏部尚书。十二月十口日卒。谥文恭。

诸以谦 前河南布政使。十二月二十八日卒年七十七。

叶绍楏 侍郎衔守护昌陵，降调广西巡抚。卒。

吴　鼐 原任翰林院侍讲学士。卒年六十七。入国史文苑传。

景　禄 满洲镶黄旗，萨克达氏。致仕镶红旗蒙古副都统，降调都察院左都御史。卒。

永　祚 满洲镶白旗，郭络罗氏。副都统衔守护昌陵，前盛京刑部侍郎。卒。

百　祥 蒙古镶白旗，乌朗哈尔吉们氏。原任三等侍卫，前甘肃提督，复授叶尔羌办事大臣。卒。

叶观潮 以道员选用，前河东河道总督。卒。

严　荣 前浙江杭州府知府。卒。

韩　辉 山西平阳府知府。卒年六十六。

刘斯裕 山西太原府知府。卒年四十三。

郑鹏程 在籍湖南补用知府，前湖南常德府知府。卒年五十。

色玉慎 满州镶黄旗，赫舍里氏。墨尔根副都统。卒。

先　福 满洲正白旗，那木都鲁氏。原任三等侍卫，塔尔巴哈台参赞大臣，前陕甘总督。卒年七十口。

张志林 四川绵州人。赏食全俸，致仕四川建昌镇总兵。卒。

罗声高 四川双流人。前四川松潘镇总兵。卒。

常　禄　满洲镶白旗，奇普奇特氏。原任甘肃西宁镇总兵。卒。

孙大刚　福建海坛镇总兵。卒年六十八。

戴光曾　字松门。浙江嘉兴人。嘉兴县贡生。卒。

钱季重　字黄山。江苏武进人。武进县诸生。卒。

道光二年壬午（公元一八二二年）

◉ 生辰：

邵子懿 正月初二日生，（碑录作邵子彝），字惇九，号叙堂。安徽太平人。

吴　镇 正月初九日生，字心一，号少岷。四川达县人。

王　衮 正月十五日生，字英显，号补庵。广东高要人。

吴　潮 正月二十三日生，字述韩。江苏仪征人。

田翰墀 正月二十七日生，字晋堂，号丹屏、子升、榕村。直隶清苑人。

江人镜 二月初五日生，字云彦，号蓉舫。安徽婺源人。享年七十九。

沈史云 二月二十一日生，字少韩。广东番禺人。

衍　秀 二月二十一日生，字东之，号寿田、小堂、实夫。满洲正白旗，费莫氏。享年四十九。

尹炳甲 二月二十二日生，字文清，号壬斋。云南赵州人。

颜宗仪 二月二十五日生，字用递，号挹甫、雪庐。浙江海盐人。享年六十。

冯誉骥 二月二十七日生，字仲良，号展云。广东高要人。

雷榜荣 三月初六日生，字蕊亭，号瀛仙。陕西朝邑人。

孙如仅 三月十六日生，字亦何，号揖鹤、松坪。山东济宁人。享年四十六。

谭锺麟 三月十九日生，字云觐，号云卿。湖南茶陵人。享年八十四。

张衍熙 闰三月初四日生，字子缉，号文岩。山东海丰人。

高崇基 闰三月十一日生，字仲峦，号紫峰、琴舫。直隶静海人。享年六十八。

朱承铋 闰三月十三日生，字保甫，号志勤、秀珊、子贞。浙江海盐人。享年四十五。

朱百川　四月十六日生，字东之。江苏宝应人。享年五十一。

刘湘年　五月初七日生，字蜀生，号树君。顺天大城人。享年
七十。

邹石麟　五月十八日生，字叔东，号翼生。山东聊城人（原籍
浙江会稽）。

曾国华　五月生，字温甫。湖南湘乡人。享年三十七。

鲍存晓　六月初三日生，字寅初。浙江会稽人。

叶荫昉　六月三十日生，字鼎初，号印舫、小奎。河南正阳人。

傅寿彤　七月初二日生，字青馀。贵州贵筑人。

颜士璋　七月初六日生，字玉章，号聘卿，信庵。山东曲阜人。

庞锺璐　七月初十日生，字华玉、蕴山，号宝生。江苏常熟人。
享年五十五。

王麟祥　七月二十六日生，字星生，号晓峰、退斋。山西荣河
人。

吴树声　八月十三日生，字子振，号鼎堂、晓亭。云南保山人
（原籍江西金溪）。享年五十二。

严　辰　八月三十日生，（原名严铺），字子锺，号缁生、芝僧。
浙江桐乡人。享年七十二。

萧浚兰　九月初十日生，字仪卿，号芗泉。江西高安人。享年
五十二。

沈秉成　九月初十日生，字玉材，号仲复。浙江归安人。享年
七十三。

韩弼元　九月十一日生，字叔起，号公亮。江苏丹徒人。享年
八十口。

董兆奎　九月二十八日生，字星吉，号瑞峰。直隶完县人。

王祖源　十月初三日生，（原名王伯濂），字廉堂，号渊慈。山
东福山人。享年六十五。

胡瑞澜　十月初四日生，字筱泉。湖北江夏人。

钱宝青　十月十一日生，字初纯，号萍矼。浙江嘉善人。享年
三十九。

陶寿玉　十月二十二日生，字锡侯，号仲瑜。江西南昌人。

杨岳斌　十一月初九日生，字厚庵。湖南善化人。享年六十九。

白　桓　十一月十二日生，字叔璋，号建侯。顺天通州人。享年七十。

文　格　十一月十三日生，字式岩，号铁梅。满洲镶红旗，伊尔根觉罗氏。

张丙炎　十一月二十三日生，字午桥，号药农、樵生。江苏仪征人。享年八十一。

谢章铤　十一月二十三日生，字枚如。福建长乐人。

缪兆禧　十一月二十七日生，享年五十二。

朱仪训　十二月初七日生，字光启，号雪岑。顺天大兴人（原籍江苏阳湖）。享年六十口。

周　兰　十二月十五日生，字仁甫、兰友，号伯荪。浙江仁和人。

志　勋　十二月十九日生，字仲铭，号树桐。满洲正蓝旗，费莫氏。

赵景贤　十二月二十一日生，字季侯，号竹生。浙江归安人。享年四十二。

金国琛　生，字逸亭。江苏江阴人。享年五十八。

徐恒曾　生，湖北孝感人。

梁景先　生，字曦初，号颃台。陕西三原人。享年五十八。

汤　鋐　生，享年四十九。

锺鸿埙　生，字树庵。四川华阳人。享年五十六。

赵鸿举　生，字雪堂。河南涉县人。享年六十八。

胡　琠　生，字心耘。浙江仁和人。享年四十。

◉ 科第：

　　一甲进士：

戴兰芬　状元。修撰，侍读学士。

郑秉恬　榜眼。编修，山西曲沃县知县。

罗文俊　探花。工部左侍郎。

二甲进士：

陈嘉树　编修，江西布政使。

曾元海　编修。

翁心存　编修，体仁阁大学士。

岳镇南　编修，云南布政使。

李儒郊　编修，甘肃甘州府知府。

陆建瀛　编修，两江总督。

彭宗岱　庶吉士，福建知县，江西饶州府知府。

曾望颜　编修，陕西巡抚。

陈宪曾　编修，詹事。

张　寅　户部主事，江西九江府知府。

白让卿　刑部主事，湖北汉黄德道。

何耿绳　陕西知县，直隶大顺广道。

吕龙光　会元。四川峨嵋县知县。

李廷锡　江苏知县，陕西粮道。

黄宅中　庶吉士，福建知县，浙江杭嘉湖道。

文　庆　编修，武英殿大学士。

舒恭受　庶吉士，浙江知县，浙江宁波府知府。

汪于泗　编修，陕西同州府知府。

李希曾　（碑录作李希增）。陕西知县，陕西西安府知府。

蔡赓飏　编修，内阁侍读学士。

刘斯增　字乃素，号石生。江西南丰人。广东开平县知县，万
　　　　州知州。

王庭兰　内阁中书，江宁布政使。

王　煜　编修，祭酒。

赵庆熺　陕西知县，浙江金华府教授。

朱栻之　山东知县，礼部郎中。

石家绍　江西知县，江西瑞州府铜鼓营同知。

卢昆銮　浙江知县，广西泗城府知府。

姚柬之　河南知县，贵州大定府知府。

陆我嵩　福建知县，福建汀州府知府。

史念徵　字用修，号觉庵。陕西华州人。

黄德峻　户部主事，福建泉州府知府。

顾元恺　庶吉士，工部主事，广西浔州府知府。

李　菡　编修，工部尚书。

王　治　庶吉士，刑部主事，四川建昌道。

李棠阶　编修，礼部尚书。

夏国琦　贵州贵阳人。湖南攸县知县。

恩　桂　宗室，编修，吏部尚书。

叶　桂　庶吉士，山西知县，湖南道州知州。

林　绂　刑部主事。湖北按察使。

徐　栋　工部主事，陕西西安府知府。

李　僡　直隶知县，山东巡抚。

陶士霖　（原名陶青芝）。庶吉士，礼部主事，长芦盐运使。

黄　濬　浙江太平人。江西雩都县知县。

翟云升　即用知县，国子监助教。

继　志　汉军正白旗。翰林院编修。

梁恩照　刑部主事，广东盐运使。

于尚龄　浙江知县，河南陈州府知府。

王　藻　庶吉士，礼部主事，湖南布政使。

杨以增　贵州知县，江南河道总督。

查炳华　浙江知县，湖北按察使。

豫　益　编修，江苏苏州府知府。

邹鸣鹤　河南知县，广西巡抚。

张维屏　湖北知县，江西候补同知。

况　澄　庶吉士　户部主事，河南粮道。

邵　勤　湖北知县，四川嘉定府知府。

蒋启敫　江西知县，河南河北道。

曹　森　山西知县，山西忻州直隶州知州。

张　洵　山东海丰人。浙江太平县知县。

徐青熙　安徽知县，江苏江宁府知府。

　　三甲进士：

郭彬图　福建闽县人。四川江津县知县。

温葆深　（原名温肇洋，又名温葆淳）。江苏上元人。检讨，户
　　　　部右侍郎。

何士祁　字仲京，字竹芗。浙江山阴人。

舒梦龄　庶吉士，安徽知县，山东登莱青道。

蔡绍洛　山东知县，直隶天津府知府。

徐思庄　检讨，山东按察使。

刘　诗　甘肃知县，甘肃平凉府知府。

文　艺　湖北知县，右赞善。

李世彬　浙江知县，四川顺庆府知府。

何熙绩　号春民。山西灵石人。直隶文安、肃宁知县。

许冠瀛　福建侯官人。翰林院检讨。

郭熊飞　陕西知县，直隶布政使。

保　极　宗室。宗人府主事，左庶子。

赫特赫讷　庶吉士，归班知县，礼部员外郎，江苏淮海道。

受　庆　宗室。检讨，左副都御史。

朱崇庆　吏部主事，广东粮道。

姚熊飞　知县，江苏常镇通海道。

书　纶　四川知县，四川西昌县知县。

陈熙健　四川乐山人。山西和顺县知县。

刘遵海　直隶知县，顺天北路同知。

梅曾亮　即用知县，户部郎中。

王世耀　山西知县，山西汾阳县知县。

顾　椿　工部主事，浙江粮道。

李　濂　四川犍为人。湖北黄冈县知县。

吉　年　刑部笔帖式，奉天府府尹。

万启心　刑部主事，福建汀漳龙道。

　　武进士：

张云亭　直隶清丰人。状元。头等侍卫。

李书阿　河南南召人。榜眼。二等侍卫，江西南赣镇左营游击。

程三光　字明远。直隶邯郸人。探花。二等侍卫，江南徐州镇
　　　　总兵。

　考取优贡生：

蔡嘉玉　江苏人。浙江温州府知府。

　中式举人：

黄乐之　广东顺德人。见嘉庆癸酉拔贡。

吉　珩　（原名达善）。满洲镶蓝旗，鄂卓氏。四川知县，直隶
　　　　保定府知府。

潘光泰　字雅青。安徽桐城人。贵州知县，贵州遵义县知县。

袁　翼　江苏人。江西知县，浙江玉山县知县。

李时溥　字博斋。安徽怀宁人。安徽寿州寿正。

厉秀芳　山东武城县知县。

闻维埙　字少谷。江苏镇洋人。安徽当涂县教谕，松江府教授。

朱绪曾　字述之，号燮亭。江苏上元人。浙江知县，浙江台州
　　　　府同知。

李福培　字仲谦。江苏无锡人。广东从化县知县。

李枝青　福建人。浙江知县，浙江绍兴府南塘通判。

吴　棠　字芝桥。湖南湘潭人。耒阳县教谕。

唐方煦　见嘉庆癸酉拔贡。

李卿毅　四川知县，湖北汉黄德道。

吴俊民　河南光州人。工部主事，浙江绍兴府知府。

张丞实　湖北施南府知府。

王覆亨　字筱园。山东诸城人。陕西知县，陕西兴安府知府。

黄开基　四川永川人。福建知县，福建台湾府知府。

张其翰　广东嘉应人。广西柳州府知府。

卓熙泰　广西人。山西知县，山西泽州府知府。

　中式副榜贡生：

高　午　字晴川。江苏人。顺天知县，直隶顺德府知府。

中式翻译举人：

关圣保　满洲镶蓝旗。兵部笔帖式，兵部右侍郎。

● 恩遇：

奕　绍　高宗皇曾孙。六月封和硕定亲王。

　　　本年为乾隆壬午科乡举重逢：

余　集　降调翰林院侍读学士。赏加三品衔；

潘奕隽　户部主事。赏加员外郎衔；

雷　鐩　原任江西崇仁县知县。赏加六品衔。

　　　以上三人俱重赴鹿鸣筵宴。

罗士聪　广西马平县教谕。以本年为乾隆壬午科乡举重逢，九
　　　月重赴鹿鸣筵宴。

那彦成　陕甘总督。以六十生辰，十一月赐御书"亮勋集祜"
　　　（按：是年实五十九）。

● 著述：

严如煜　撰《三省边防备览》十四卷成，见二月自序。

阮　元　重修《广东通志》三百三十四卷成，见三月进书摺。

汪士锺　字阆源。江苏长洲人。编《艺芸书舍宋元本书目》二
　　　卷成，见闰三月顾广圻序。

江临泰　撰《弧三角举隅》一卷成，见四月自序。

沈钦韩　撰《苏诗查注补正》四卷成，见四月自识。

丁　晏　撰《礼记释注》四卷成，见四月自序。

茆泮林　江苏高邮人。辑《楚汉春秋》一卷成，见五月自识、

王宗涑　字倬南。江苏嘉定人。撰《考工记考辨》八卷成，见
　　　七月自序。

林春溥　撰《古史考年异同表》二卷成，见七月自序。

林春溥　撰《孔子世家补订》一卷成，见八月自序。

丁　晏　撰《毛郑诗释》一卷成，见八月自序。

丁　晏　撰《孝经徵文》一卷成，见九月自序。

李遇孙　撰《金石学录》四卷成，见十一月李富孙序，（按：书
　　　成后又续撰《金石学录补》一卷，附记于此）。

黄本骐　撰《贤母录》四卷成，见十一月自序。

江　藩　撰《宋学渊源记》二卷、《附记》一卷成，见十二月达
　　　　三序。

冯云鹏　字晏海。江苏通州人。撰《金石索》十二卷成，见自
　　　　序。

张金吾　编《金文丛》一百卷成，见黄廷鑑序。

王嘉禄　字绥之。江苏长洲人。自编《桐月修箫谱》一卷成，
　　　　见朱绥序。

李兆洛　编《皇朝文典》七十四卷成，见自序。

◉ 卒岁：

戴联奎　升授兵部尚书，由礼郎右侍郎升任，浙江学政。二月
　　　　初四日卒于杭州，年七十。

焦廷琥　字虎玉。江苏甘泉人。甘泉县廪生。二月十二日卒。
　　　　入国史儒林传。

张　铎　江苏太仓州副贡生。二月三十日卒年四十九。

苏尔慎　满洲正黄旗，苏都里氏。致仕二等侍卫，前镶蓝旗蒙
　　　　古都统。三月卒，赠副都统衔。

朱阶吉　翰林院编修，广东学政。四月卒。

蒋云宽　户科掌印给事中。四月十四日卒年五十八。

緜　恩　高宗皇孙。御前大臣，和硕定亲王。五月二十九日卒。
　　　　谥曰恭。

方受畴　字来青，号次耘。安徽桐城人。太子太保衔原任直隶
　　　　总督。六月以病回籍卒于途中。

龚治安　原任山西朔州知州。六月二十五日卒年七十四。

倭星额　公中佐领，原任三等侍卫，前甘肃凉州镇总兵，袭骑
　　　　都尉兼一云骑尉世职。六月二十六日卒年六十四。

姚　堃　降调掌贵州道监察御史。七月初二日卒年五十七。

明　亮　太子太保，赏食全俸，原任武英殿大学士，三等襄勇
　　　　侯。七月十一日卒年八十七。入祀贤良祠，谥文襄。

成　龄　（原名成宁）。满洲镶黄旗，钮祜禄氏。致仕漕运总督，

降调礼部尚书。七月卒。

董教增 原任闽浙总督。七月二十六日卒年七十三，谥文恪。

朱文佩 浙江余杭县教谕。八月初二日卒年六十。

吴芳培 致仕兵部左侍郎，降调都察院左都御史。九月卒。

丁永安 总兵衔甘肃大通协副将。九月卒。

庄有可 江苏武进县诸生。九月卒年七十九。入国史儒林传。

管学湛 江苏阳湖县布衣。九月二十七日卒年三十七。

吴　璥 革去翎顶，原任太子少保衔协办大学士，吏部尚书。十月卒年七十六。

高万春 贵州贵阳人。云南昭通镇总兵。十月卒。

卿祖培 太常寺少卿。十一月初九日卒年四十七。入国史儒林传。

蒋廷恩 在籍内阁候补中书。十□月卒年七十一。

明　叙 蒙古镶黄旗，博尔济吉特氏。前副都统衔喀拉沙尔办事大臣，前任盛京工部侍郎。十二月卒。

徐联奎 赏复湖北郧阳府知府原衔。卒年九十三。

陈鸿寿 南河海防河务同知。卒年五十五。

郑兼才 福建泉州府教授。卒年六十五。

沈　烜 赏食全俸，原任广东提督。卒年六十六，谥勤毅。

李廷臣 四川广元人。赏食全俸，致仕甘肃肃州镇总兵。卒年七十□。

洪蕃锵 福建海澄人。致仕广东碣石镇总兵。卒年七十□。

魏大斌 以千总补用，前闽粤南澳镇总兵，起署广东提督复降补广东香山协中军都司。卒年七十□。

朱　栋 候选州同，江苏金山县贡生。卒年六十六。

朱埏之 浙江海盐县诸生。卒年四十九。

毛　谟 内阁学士，顺天学政。卒。

道光三年癸未（公元一八二三年）

◎ 生辰：

李鸿章　正月初五日生，字渐甫、子黻，号少荃、少泉、仪叟。安徽合肥人。享年七十九。

朱学勤　正月初五日生，字修伯，号渠甫。浙江仁和人。享年五十三。

任兆坚　正月十一日生，字希庭，号文台。山东高密人。

杨泗孙　正月十五日生，（原名杨英泗），字锺鲁，号滨石。江苏常熟人。享年六十七。

李　暎　正月十八日生，字梅九，号仲华、澄斋。山西平定人。

郭崑焘　正月十九日生，字仲毅，号防如、意城少、樗叟。湖南湘阴人。享年六十。

杨鸿吉　二月初四日生，字子仪，号雁湖。江苏丹徒人。享年五十四。

游百川　二月十四日生，字汇东，号梅溪。山东滨州人。

李明墀　二月十五日生，江西德化人。

锡　缜　三月初一日生，（原名锡纯），字子默，号厚庵。满洲正蓝旗，博尔济吉特氏。享年六十五。

李续宜　三月十一日生，字克让，号希庵。湖南湘乡人。享年四十一。

王凯泰　四月初九日生，（原名王敦敏），字幼轩、补帆。江苏宝应人。享年五十三。

林寿图　四月二十四日生，字恭三，号颖叔。福建闽县人。享年七十七。

张澐卿　五月初八日生，字迪前，号霁亭、云舫。云南太和人。享年六十一。

蒋庆第　五月十四日生，字季尊，号箸生、杏坡。直隶玉田人。享年八十四。

钱宝廉　五月二十六日生，（原名钱铵），字平甫，号湘吟。浙江嘉善人。享年五十九。

孙翼谋　五月二十九日生，字砚诒，号縠庭。福建侯官人。

黄彭年　六月十一日生，字敬一。贵州贵筑人。享年六十八。

沈锡庆　六月十二日生，字鹭卿，号春芳。江苏通州人。

王　灏　六月十七日生，字文泉，号坦甫。直隶定州人。享年六十六。

景　廉　六月二十五日生，字石臣，号俭卿、秋坪、季泉。满洲正黄旗，颜札氏。享年六十三。

佘培轩　六月二十五日生，字霞峰，号松南。江苏赣榆人。

傅大章　七月三十日生，字凤笙。江西丰城人。

吴赞诚　八月初一日生，（原名吴道存），字存甫，号春帆、秉之。安徽庐江人。享年六十二。

志　和　八月初五日生，字叔雅，号小轩、蔼云。满洲正蓝旗，费莫氏。享年六十一。

方鼎锐　八月初七日生，字子颖，号退斋。江苏仪征人。

赵　新　八月十六日生，字用铭，号晴岚。直隶天津人。

孙长绂　九月二十日生，字赤城，号小山。湖北枣阳人。享年四十六。

何彤云　九月二十一日生，字炳奎，号子缦、庚星、赓卿。云南晋宁人。享年三十七。

高　梧　九月二十九日生，字翰卿，号凤冈。江西新建人。

谭继洵　九月二十九日生，字子实，号敬甫。湖南浏阳人。享年七十□。

倪文蔚　十月初二日生，字楳辅、茂甫，号豹岑。安徽望江人。享年六十八。

黄师阇　十月初四日生，字阇如，号小琴。山东富阳人。

福　咸　十月初六日生，字新伯，号定庵。蒙古正红旗，乌齐格里氏。享年三十八。

于宗绶　十一月初八日生，字紫卿，号少亭。汉军镶蓝旗。

任道镕　十一月初十日生，字砺甫，号小园、寄鸥。江苏宜兴人。享年八十四。

李燮堃　十一月十九日生，字静臣，号鼎珊。湖北钟样人。

裴荫森　十一月二十二日生，江苏阜宁人。享年七十三。

胡义质　十一月二十七日生，字君直，号寿生。河南光山人。

蒋启勋　十二月初七日生，字揆生，号鹤庄。湖北天门人。

吴元炳　十二月三十日生，（原名吴元锐），字圣言，号子健、季文。河南固始人。享年六十四。

叶衍兰　生，字南雪，号兰台。广东番禺人。享年七十五。

唐树森　生，字艺农。湖南善化人。享年七十三。

王应孚　生，字信甫，号仲甫。直隶故城人。

穆其琛　生，字子献，号海航。四川华阳人。享年四十四。

王寅清　生，字虎臣，号松泉。河南上蔡人。享年六十。

张国樑　生，（原名张嘉祥），字殿臣。广东高要人。

赵　新　生，字古彝，号又铭，福建侯官人。

张裕钊　生，字方侯，号廉卿。湖北武昌人。享年七十二。

李锡蕃　生，字晋夫，号靖夫。湖南长沙人。享年二十八。

夏鸾翔　生，字紫笙。浙江钱塘人。享年四十二。

胡　远　生，享年六十四。

郑作相　生，字仲岩。山东日照人。享年六十二。

◉ 科第：

　一甲进士：

林召棠　状元。修撰。

王广荫　榜眼。编修，工部尚书。

周开麒　探花。编修，甘肃布政使。

　二甲进士：

杜受田　会元。编修，刑部尚书，协办大学士。

鲍　俊　广东广州人。刑部主事。

管通群　户部主事，浙江巡抚。

张晋熙　户部主事，湖南衡永郴桂道。

卞士云　编修，浙江布政使。

陶福恒　编修，河南开归陈许道。

岳维城　四川中江人。庶吉士，山西知县，山西泽州府同知。

常大淳　编修，山西巡抚。

黄仲容　编修，掌广西道御史。

江绍僖　刑部主事，湖北安襄郧荆道。

汪世樽　浙江秀水人。编修。湖南学政。

高树勋　编修，直隶清河道。

池生春　编修　左庶子。

鲍文淳　字粹然，号馨山。安徽歙县人。编修，礼科掌印给事中。

李品芳　编修，内阁学士，光绪己卯重宴鹿鸣。

杜彦士　福建晋江人。庶吉士，礼部主事，浙江粮道。

张　琴　字仿晖，号桐厢。云南安宁人。编修，湖南岳常澧道。

张福厚　（碑录作黄福垕），字念苾。浙江余姚人，兵部主事，内阁侍读学士。

董作模　吏部主事，吏部郎中。

孙瑞珍　编修，户部尚书。

汤　鹏　礼部主事，山东道御史。

沈拱辰　庶吉士，户部主事，长芦盐运使。

王成璐　字莲浦，号廉普。湖北江夏人。庶吉士，安徽知县，云南布政使。

郑绍谦　广西临桂人。编修，云南临安府知府。

许　球　字詠亭，号玉叔。安徽歙县人。吏部主事，陕西盐道。

田　润　字漱六，号石娇。陕西临潼人。工部主事，贵州贵西道。

丁善庆　编修，侍讲学士。

史秉直　字洵侯。江苏阳湖人。甘肃知县，河南汝州直隶州知州。

郭梦龄　直隶知县，山西布政使。

刘源灝　编修，云贵总督。

褚　登　江苏靖江人。直隶涞水县知县。

董桂科　字蔚云。安徽婺源人。归班知县，江苏松江府教授。

黄士瀛　编修，四川永宁道。

黄爵滋　编修，刑部左侍郎。

朱毓文　字廉宾。浙江海盐人。

文　光　山西知县，山西河东道。

张珍泉　归班知县。

马丽文　（原名马利文）。礼部主事，广西左江道。

瑞　光　福建知县，四川成都府知府。

史致蕃　刑部主事，云南巡抚。

陈克让　字问山。奉天承德人。吏部主事，江安粮道。

谢鹤翎　户部主事，四川重庆府知府。

寻步月　户部主事，湖北安襄郧荆道。

陈希敬　字笠雨。浙江海盐人。江苏知县，直隶深州知州。

王有树　福建长乐人。吏部主事，四川夔州府知府。

黎攀鏐　广东东莞人。户部主事，江南河库道。

周良卿　字云峰　贵州都匀人。庶吉士，奉天锦州知县。

吴式群　字秀文，号祖宾。山东海丰人。户部主事。

梁宝常　庶吉士，山东知县，河南巡抚。

沈　濂　字景周，号莲溪。浙江秀水人。刑部主事，江苏淮徐
　　　　道。

孟毓藻　山东长清人。

　　三甲进士：

李锦源　四川犍为人。湖北黄冈县知县。

熊光大　刑部主事，福建兴泉永道。

胡长庚　礼部主事，山西汾州府知府。

琦　昌　（原名齐斌达）。蒙古镶黄旗。户部主事，詹事府詹事。

朱銮廷　户部主事，直隶霸昌道。

李俞通　字子希。直隶高阳人。户部主事。

李　莼　字莤川，号新塘。顺天宝坻人。检讨，通政司副使。

李菡芳　山东博兴人。刑部主事。

刘裕鉁　礼部主事，安徽布政使。

朱鸣英　户部主事，四川雅州府知府。

王燕堂　庶吉士，直隶知县，四川成都府知府。

刘家麟　山东章邱人。

石景芬　字志祁，号芸斋。江西乐平人。庶吉士，工部主事，安徽徽宁池太广道。

郑敦亮　字岳心。湖南长沙人。安徽宿松县知县。

海　朴　镶蓝旗宗室。宗人府笔帖式，阿克苏办事大臣。

周仲墀　检讨，浙江绍兴府知府。

万贡珍　庶吉士，户部主事，湖南布政使。

周起滨　（原名周起岐）。贵州贵筑人。河南知县，广东布政使。

赫特贺　工部主事，驻藏办事大臣。

蒋方正　庶吉士，刑部主事，江西广饶九南道。

虞　协　字午挢。浙江义乌人。刑部主事，山西泽州府知府。

何大经　吏部主事，湖北粮道。

林士傅　检讨，广西桂平梧道。

成　山　字心泉。满洲正蓝旗，博尔济吉特氏。户部主事，直隶热河道。

袁履方　安徽泗州人。福建松溪县知县。

王懿德　礼部主事，闽浙总督。

冯德馨　户部主事，湖南巡抚。

和色本　庶吉士，归班知县，侍郎。

吉　明　户部主事，叶尔羌参赞大臣。

毛含昱　户部主事，安徽颖州府知府。

李百龄　字仁山。广西苍梧人。浙江知县，长芦盐运使。

曾毓璜　四川铜梁人。云南罗次县知县。

周之瑸　字次珩，号舟之、潄石。河南祥符人。山西知县。

苏捷卿　山西文水人。

邹峰杰　贵州广顺人。广西知县，广西泗城府知府。

雷以諴　（原名雷鸣）。刑部主事，刑部左侍郎，重宴恩荣。

刘沂水　河南上蔡人。平罗县知县。

　武进士：

张从龙　字子云。山西临县人。状元。头等侍卫。

史殿元　直隶清苑人。榜眼。二等侍卫。

黄大奎　甘肃礼县人。探花。二等侍卫。

刘国荣　直隶人。会元。三等侍卫，河南河北镇标中军游击。

王鹏飞　字图南。直隶唐县人。江南狼山镇总兵。

葛云飞　浙江守备，浙江定海镇总兵。

◉ 恩遇：

汤　斌　已故工部尚书。二月从祀文庙。

汪廷珍　礼部尚书。二月加太子太保衔。

◉ 著述：

黄本骐　撰《历代统系表》六卷、《历代纪元表》一卷、《年号
　　　　分韵录》一卷、《三十六湾草庐稿》十卷成，（按：诸
　　　　书皆卒后始刻，今系于正月之首）。

徐养原　撰《论语鲁读考》一卷成，见四月自序。

马邦玉　馔《汉碑录文》四卷成，见五月自序。

张作楠　撰《浙江更漏中星表》一卷、《金华更漏中星表》一卷、
　　　　《金华晷星表》一卷成，见五月自序。

董祐诚　撰《水经注图说》四卷止，（按：是书撰而未成，卒后
　　　　以残稿付刻，系于七月之前）。

翁　雒　撰《屑屑集》一卷成，见七月自序。

陈寿祺　撰《左海经辨》二卷成，（按：是书无自序，以刻于癸
　　　　未仲秋，故系于八月之前）。

梁章钜　撰《枢垣纪略》十六卷成，见八月自序。

丁　晏　撰《周礼释注》二卷成，见八月自序。

丁　晏　撰《仪礼释注》二卷成，见八月自序。

茆泮林　辑《淮南万毕术》一卷成，见八月自序。

梁廷枏　编《论语古解》十卷成，见九月自序。

丁　晏　撰《诗考补注》二卷、《补遗》一卷成，见十月自序。

钮树玉　撰《段氏说文注订》八卷成，见十二月自序。

项廷纪　自编《忆云词甲藁》一卷成，见十二月自序。

潘世恩　撰《读史镜古编》三十二卷成，见年谱。

潘世恩　撰《正学编》成，见年谱。

徐兆昺　浙江人。撰《四明谈助》四十六卷成，见自序。

● 卒岁：

黄本骐　湖南城步县训导。正月卒年四十七。入国史文苑传。

何元烺　原任广西太平府知府。正月二十二日卒年六十三。

顾日新　丁忧江苏吴县诸生。二月卒年六十一。

赵怀玉　原任山东青州府同知。二月二十日卒年七十七。入国史文苑传。

永　瑆　高宗皇十一子。和硕成亲王，前任军机大臣，领侍卫内大臣。三月二十九日卒年七十二。谥曰哲。

乔远焜　通政使司副使。四月卒年六十三。

伦　柱　袭多罗顺承郡王，正红旗宗室。六月卒。谥曰简。

吴卓信　字立峰，号顼儒。江苏昭文人。昭文县诸生。卒年六十口。入国史文苑传。

董祐诚　江苏阳湖县举人。七月二十八日卒年三十三。入国史文苑传。

金　保　满洲镶黄旗，庚克勒氏。致仕镶黄旗蒙古副都统。九月卒。

张璿华　江苏娄县人。原任安徽青阳县教谕。九月卒年七十二。

叶世倬　致仕福建巡抚。九月二十七日卒年七十二。

徐　颋　内阁学士，安徽学政。十月初三日卒年五十三。赠侍郎衔。

刘大懿　原任刑部员外郎，前山东按察使。十月卒年六十八。

汪　龙　安徽歙县举人。十月十五日卒年八十二。入国史儒林传。

吴其彦　原任兵部右侍郎。十月二十八日卒年四十五。

廉　善　刑部左侍郎，降调热河都统。十一月卒。赏还都统衔。

陈世昌　山西蒲州府同知。十二月初六日卒年四十八。

王以衔　礼部右侍郎。十二月十四日卒年六十三。

庄来仪　浙江秀水县举人。十二月十二日卒年四十二。

景　安　字忆山。满洲镶红旗，钮祜禄氏。太子少保衔，致仕户部尚书，前封三等伯。卒年七十口，赠尚书衔。

常　福　汉军正白旗，汪氏。原任兵部左侍郎。卒。

余　集　三品衔，降调翰林院侍读学士。卒年八十六。入国史文苑传。

程世淳　原任福建道监察御史。卒年八十六。

李钧简　致仕翰林院编修，降调仓场侍郎。卒。

陈　预　原任刑部主事，降调山东巡抚。卒。

成　文　致仕头等侍卫，前任云南腾越镇总兵。卒年七十六。

博勒忠阿　蒙古镶蓝旗，博郭罗特氏。头等侍卫，前任甘肃凉州镇总兵。卒年七十口。

程同文　原授奉天府府丞，由大理寺少卿调补。母病未任，以病回籍卒于途次。

周　镐　福建漳州府知府。卒年七十。

富登阿　满洲镶黄旗，索勒鄂拉氏。吉林副都统，袭云骑尉世职。卒。

达斯呼勒岱　宁古塔副都统。卒。

张　鑑　直隶天津人。四川建昌镇总兵。卒。

熊德谦　四川崇宁人。贵州古州镇总兵。卒。

吴绍麟　广东罗定人。广东阳江镇总兵，袭云骑尉世职。卒。

胡祥麟　浙江秀水县举人。卒。入国史儒林传。

黄乙生　六品顶戴，江苏武进县孝廉方正。卒年五十三。

朱　泰　浙江海盐县诸生。卒年七十。

道光四年甲申（公元一八二四年）

⦿ **生辰：**

王兰谷 正月初一日生，字孟祥，号馨山、蕙生。江苏金坛人。

黄廷金 正月二十一日生，字君玉，号品三、蕴卿。湖北钟祥人。

方　騄 正月二十三日生，字卓群，号竹溪、镜湖。浙江西安人。

朱庆松 正月二十四日生，字友柏，号怡斋。浙江海盐人。享年三十八。

强汝询 二月初三日生，字赓廷。号耕亭。江苏溧阳人。

毕　棠 二月初七日生，字荫南，号竹轩、苇球。直隶深译人。

李　楹 二月初九日生，字立卓，号觉堂。山东高密人。

陈士杰 二月二十三日生，字仲英，号隽丞、俊臣。湖南桂阳人。享年六十九。

傅庆贻 三月初二日生，字哲生，号芸孙。直隶清苑人。

何　枢 三月十一日生，字拱辰，号紫垣、相山。河南祥符人。享年七十七。

杨　靖 四月二十日生，字立夫，号青士、绥卿。顺天固安人。

徐启文 四月二十一日生，字华轩，号黻青、梦江。顺天大兴人（原籍浙江会稽）。

金曰修 四月二十三日生，字少伯，号子汀。浙江钱塘人。

邓华熙 四月二十四日生，字鹤子，号小赤。广东顺德人。

钱应溥 五月初八日生，字葆慎，号子密、闲静居士。浙江嘉兴人。享年七十八。

王思沂 五月二十一日生，字仰曾，号与轩。浙江归安人。

赵效曾 五月二十三日生，字莳桥，号子勉。浙江仁和人。

徐树铭 六月初五日生，字伯澄，号澂园、寿蘅。湖南长沙人。享年七十七。

清代人物大事纪年

1194

张树声　六月十一日生，字振轩。安徽合肥人。享年六十一。

祁世长　六月二十九日生，字子禾，号念慈、敏斋。山西寿阳
　　　　人。享年六十九。

骆敏修　七月十二日生，（原名骆利锋），字华复，号钝甫。湖
　　　　北蕲州人。

刘嶽昭　闰七月二十五日生，湖南湘乡人。享年六十。

崔穆之　闰七月二十九日生，字清如，号肃堂、幼亭。山东茌
　　　　平人。

苑菜池　八月初一日生，字春舫，号香浦、小洲。山东诸城人。

苗颖章　八月初十日生，字实之，号艺芸、小田。山西河曲人。

施作霖　八月十三日生，字汝生，号士龙。浙江萧山人。

曾国荃　八月二十日生，字沅甫，号叔纯。湖南湘乡人。享年
　　　　六十七。

刘恭冕　九月初七日生，号勉斋。江苏宝应人。享年六十。

汪仲洵　九月十八日生，字朴庵，号雪帆、念泉。山东历城人。

原峰峻　十月初五日生，字级云，号坦斋。河南温县人。

黄锡彤　十月初十日生，字子受，号晓岱。湖南善化人。

薛桂一　十月二十日生，字少郊，号月卿。陕西西安人。

卞宝第　十一月初九日生，字颂臣，号幼竹。江苏仪征人。享
　　　　年六十九。

张　铣　十月十二日生，字叔最，号寿荃。湖南宁乡人。

何秋涛　十一月二十日生，字海樵，号巨源。福建光泽人。享
　　　　年三十九。

楼　震　十二月初三日生，字福仲，号次园。浙江仁和人。

绍　祺　十二月初八日生，字子寿，号秋皋。满洲镶黄旗，马
　　　　佳氏。享年六十五。

吴大廷　十二月初八日生，字桐云，号管卿。湖南沅陵人。享
　　　　年五十四。

陈荣绍　十二月十七日生，字迪吉，号子惠、镜生。江苏江阴
　　　　人。享年四十九。

耀　年	十二月二十三日生，字体尧，号云舫。蒙古正黄旗，诺敏氏。享年六十四。
刘　庠	生，字慈民，号矩室。江西南丰人。享年七十八。
钱鼎铭	生，字新之，号调甫、定舫。江苏太仓人。享年五十二。
黄大鹤	生，字鸣九，号芝仙。陕西南郑人。
陈　钦	生，字子敬，号拙斋。山东历城人。
郭式源	生，字奎士。湖南长沙人。享年三十八。
许　增	生，浙江仁和人。享年八十。
戴霖祥	生，字雨农，号仲泉。江西大庾人。
杨传第	生，字听胪，号汀鹭。江苏阳湖人。享年三十七。
刘代英	生，字丽卿。湖南宁乡人。享年三十七。
蒋照临	生，字普斋。直隶庆云人。享年四十五。
贺瑞麟	生，字角生。陕西三原人。享年七十。
朱炳清	生，字晓潜，号小泉。浙江海盐人。享年七十口。

● 恩遇：

戴均元	大学士。三月复加太子太保衔。
英　和	协办大学士，户部尚书。四月晋太子太保衔（七年七月削）。
文　孚	吏部尚书。四月加太子少保衔。
戴均元	原任大学士。闰七月以陛辞回籍　赐御制诗。
广　泰	理藩院尚书穆彰阿之父，满洲镶蓝旗，郭佳氏。前内阁学士兼右翼总兵。九月特赏二品衔。
曹振铺	大学士。以七十生辰，十月赐御书"调元笃祜"额及联。
衷以埙	原任云南曲靖府知府。以五代同堂，赐御书"庆衍期颐"额。

● 著述：

| 吴邦庆 | 撰《泽农要录》六卷成，见二月自序。 |
| 梁章钜 | 编《古格言》十二卷成，见三月自序。 |

王凤生　撰《浙西水利备考》四卷成，见四月自序。

梅成栋　编《天津诗钞》三十卷，见四月自序。

江涵暾　撰《笔花医镜》四卷成，见四月自序。

刘遵陆　撰《牙牌参禅图谱》一卷成，见七月自序。

王宝仁　字研云。江苏太仓人。撰《励学篇》一卷成，（按：此篇系集千字文而成，末句云道光四年闰月五日，今列于闰七月中）。

丁裕彦　撰《洪范宗经》三卷成，见八月宋庆和序。

徐　松　撰《新疆赋》一卷成，见冬日彭邦畴序。

李遇孙　撰《金石原起说补考》一卷成，见十月自序。

茆泮林　辑《伏侯古今注》二卷成，见十二月自序。

梁廷柟　撰《曲话》五卷成，见十二月自记。

张作楠　撰《交食细草》五卷成，见自序。

阮　福　字赐卿。江苏仪征人。撰《明年表》一卷成，见自序。

蔡　瀛　撰《庐山小志》二十四卷成，见自序。

朱骏声　撰《夏小正补传》一卷成，（按：自序无年月，以书末附刻道光四年星候，当是成于此年）。

◉ 卒岁：

铁　保　以三品卿衔致仕，原任司经局洗马，前太子少保衔吏部尚书。正月初三日卒年七十三。

廖　寅　候选道，前两淮盐运使。正月十一日卒年七十三。

黎世序　太子少保，江南河道总督。正月二十一日卒年五十二。赠尚书衔，太子太保，入祀贤良祠，谥襄勤。

刘　珊　安徽颖州府知府。正月二十三日卒年四十六。

朱尔赓额　字丹崖、述堂，号白泉。汉军正红旗，原籍山东历城人。前江南盐巡道。卒于贵州绥阳县署。

申汝慧　安徽天长县知县。二月（一作六月）十四日卒年五十九。

同　麟　满洲镶红旗，栋鄂氏。原任盛京刑部侍郎。四月卒。

常　起　满洲镶白旗，赫舍里氏。吏部左侍郎。七月十一日卒。

呢吗善　成都将军。七月卒。赠太子少保衔，谥勤襄。

许文谟　字昌言。四川成都人。浙江提督，袭三等壮烈伯。七月卒。谥壮勇。

孟　住　满洲正白旗，喜塔喇氏。正黄旗汉军都统，三等承恩公。闰七月初口日卒，谥敬慎。

刘　开　安徽桐城县生员。闰七月十四日卒于亳州佛寺，年四十一，（一作元年卒误）。入国史文苑传。

汪彦博　原任山东青州府知府。八月卒年五十七。

伯　麟　太子少保衔，赏食全俸，致仕体仁阁大学士。八月二十口日卒年七十八。赠太子太保，谥文慎。

章　煦　太子太保衔，赏食全俸，原任文渊阁大学士。九月二十八日卒年八十。谥文简。

张　鼎　江苏宝应县训导。十月卒年六十三。

周系英　户部左侍郎，江苏学政。十一月三十日卒年六十（一作道光二年卒）。

程国仁　丁忧贵州巡抚。十二月初二日以奔丧回籍，卒于途中，年六十一。

张士元　江苏震泽县举人。十二月十六日卒年七十。入国史文苑传。

宫　焕　翰林院侍读。卒。

穆克登布　致仕正蓝旗蒙古都统，前任理藩院尚书。卒年八十一，谥勇肃。

图兴阿　满洲正红旗，赫舍里氏。头等侍卫，前任直隶宣化镇总兵。卒年七十口。

尹英图　致仕湖北施南府知府。卒年七十八。

齐正训　云南普洱府知府。卒年五十二。

兴　奎　满洲镶白旗，瓜尔佳氏。前乌鲁木齐都统。卒年七十口。

林　孙　广东澄海人。原任浙江提督。卒。

永　海　满洲正红旗，瓜尔佳氏。前伯都讷副都统。卒。

德兴保　满洲正白旗，荆州驻防，瓜尔佳氏。致仕宁夏副都统。卒。

穆腾额　满洲正白旗，瓜尔佳氏。阿尔楚喀副都统。卒。

穆通阿　满洲镶白旗，萨克达氏。叶尔羌办事大臣，前任正黄旗满洲副都统。卒。

托云泰　满洲镶黄旗，瓜尔佳氏。前三等侍卫，阿克苏办事大臣，降调云南临元镇总兵。卒。

马建纪　字用中。四川巴县人。赏食全俸，致仕福建漳州镇总兵。卒年七十口。

张大振　陕西长安人。赏食全俸，致仕直隶正定镇总兵。卒。

福　智　蒙古镶黄旗，额尔图特氏。甘肃伊犁镇总兵。卒。

钱梦虎　原任浙江定海镇中营游击，前广东水师提督。卒。

周国泰　浙江镇海人。以千总用，降调福建福宁镇总兵。卒。

钱之鼎　江苏丹徒县举人。卒年五十。

道光五年乙酉（公元一八二五年）

◉ 生辰：

王　鑫　正月初九日生，字璞山。湖南湘乡人。享年三十三。

王作孚　正月十一日生，字汝惠，号信臣、春亭。贵州绥阳人。

蒋光焴　正月十一日生，字绳武，号寅舫、敬斋。浙江海宁人。

孙钦昂　正月十七日生，字子定，号师竹。河南荥阳人。

沈　鋐　正月十九日生，字铁臣，号卢青。浙江乌程人。

刘达善　正月二十日生，字子迎，号绣平。顺天大兴人（原籍
　　　　江苏武进）。

冯誉骢　二月初六日生，字叔良，号铁华。广东高要人。

王　昕　二月十一日生，字寅谷，号小岩、筱橹。顺天蓟州人
　　　　（原籍浙江义乌）。

余焕文　三月初一日生，字仲伊，号蔚斋、伟斋。四川巴州人。
　　　　享年六十八。

常　恩　三月十一日生，字润伯，号小徵、筱澄。蒙古镶黄旗，
　　　　叶赫纳拉氏。享年五十一。

方炳奎　三月十五日生，字葆卿，号元皓、月樵。安徽怀宁人。

皮宗瀚　三月十九日生，字啸舲，号筱霖。湖南善化人。

豫　师　三月二十七日生，字锡之，号矩门、云崟。汉军镶黄
　　　　旗，刘氏。享年八十二。

严　昉　闰三月初五日生，字仲李，号湘生。云南宜良人。

胡　澍　四月初二日生，字沧雨。安徽绩溪人。享年四十八。

文　彬　四月初十日生，字若山，号质夫。满洲正白旗，辉发
　　　　氏。享年五十六。

洪调纬　五月初七日生，字北垣，号幼元、来农。湖北江夏人。
　　　　享年四十。

丁寿祺　五月十二日生，字介臣，号仲山。江苏山阳人。享年
　　　　五十二。

文　衡　五月二十四日生，字在庵，号兰汀。满洲正红旗，瓜尔佳氏。

何福咸　六月初六日生，字吉辅，号受山。山西灵石人。

许庚身　六月十四日生，字吉三，号星叔。浙江钱塘（仁和）人。享年六十九。

王荫棠　六月十五日生，字柏亭，号蒂南。安徽盱眙人。

郑贤坊　六月二十一日生，字舆仙，号小淳、酲林。浙江镇海人。

刘鸿恩　六月二十二日生，字位卿。河南尉氏人。

刘锡鸿　六月二十六日生，字羽高，号云生。广东番禺人。

庄锡级　七月二十二日生，字晋阶，号雨舫。山东莒州人。

余　撰　八月初二日生，字詠沂，号子春、异之。浙江龙游人。

梁炳汉　九月初一日生，字桓辉，号星池。广东高要人。

王维珍　九月初一日生，字席仲、颖初，号莲西、莲溪、大井逸人。直隶天津人。享年六十一。

李寿蓉　十月初一日生，字篁仙。湖南长沙人。

孙家毂　十月初六日生，字诒卿，号稼生。安徽寿州人。

张绪楷　十月初九日生，字伯超，号朗山。河南商城人。

马传煦　十月十三日生，字蔼臣，号春旸、琴士、念庵。浙江会稽人。

宋邦僡　十月二十三日生，字惠人，号慕侨、味仁。江苏溧阳人。享年五十一。

杨汝孙　十一月初四日生，字书成。江苏常熟人。享年六十九。

冷鼎亨　十二月二十二日生，字镇雏，号罗南。山东招远人。享年六十一。

刘　庆　生，字伯重，号澍民。江西南丰人。享年四十五。

钱振常　生，字仲彝，号笾仙。浙江归安人。享年七十四。

吴养原　生，字思澂，号诗丞。江苏仪征人。享年四十。

周士键　生，字健生，号仲建。浙江嘉善人。

鲍桂生　生，字小山，号筱珊。江苏山阳人。

李鹤章　生，字仙侪，号继泉、季荃、浮槎山人。安徽合肥人。
　　　　享年五十六。
罗　勋　生，享年五十四。
孙廷璋　生，字仲嘉，号幼康、莲士。浙江会稽人。享年四十
　　　　二。
欧阳利见　生，湖南祁阳人。享年七十一。
姚延福　生，享年六十四。

● 科第：

　科取拔贡生：

何维墀　奉天人。礼部小京官，甲午举人，山西平阳府知府。
刘位坦　顺天人。广西知县，湖南辰州府知府。
才宇和　直隶人。安徽州判，安徽庐凤道。
朱　槱　江苏人。工部主事。
杨　棻　江苏丹徒人。候选直隶州州判。
常　增　字美质，号继香、高庵。江苏泰州人。
黄富民　安徽人。礼部小京官，礼部郎中。
吴廷栋　刑部小京官，刑部右侍郎。
陈孚恩　江西新城人。吏部小京官，吏部尚书。
孙　蒙　浙江人。广西知县，广西右江道。
程恭寿　刑部小京官，己亥举人，光禄寺少卿。
罗以智　慈溪县教谕。
王本梧　兵部小京官，江西吉安府知府。
谭大勋　湖北人。候选教谕。
邓仁堃　四川知县，江西按察使。
胡兴仁　陕西知县，浙江巡抚。
傅继勋　安徽知县，安徽安庆府知府。
聂　澐　陕西人，礼部小京官，丁酉举人，礼部主事。
张瀚中　贵州知县，贵州思州府知府。
王　宪　字青岩。甘肃陇西人。知县，河南布政使。
曾　钊　合浦县教谕，钦州学正。

中式举人：

潘焕龙　湖北罗田人。河南知县，山东邹平县知县。

书　洛　字圣则，号镜湖。满洲正白旗。广东雷州府知府。

何汝霖　见嘉庆癸酉拔贡。

夏　炘　江苏吴江县教谕，安徽颖州府教授。

黄培杰　贵州都匀府知府。

鹿传先　江西知县，江西广信府知府。

夏翼谋　候选太常寺博士。

赵允怀　江苏常熟人。

唐　治　安徽知县，安徽祁门县知县。

管　同　江苏上元人。

夏庆保　天长县训导，上元县教谕。

陈乔枞　江西知县，署江西抚州府知府。

赵在翰　福建侯官人。

谢　焱　湖北黄冈人。安徽知县，安徽泾县知县。

王检心　河南人。江苏知县，直隶候补道。

张光第　福建知县，安徽布政使。

牛振声　字泾村。陕西泾阳人。

中式副榜贡生：

周尔墉　浙江嘉善人。户部候补郎中。

许之瑞　浙江人。兵马司副指挥，山东兖州府知府。

萧明善　字复初，号萧斋。湖南善化人。零凌县训导。

中式武举：

马有章　广东顺德人。福建陆路提督。

● 恩遇：

蒋攸銛　协办大学士，直隶总督。三月以六十生辰，赐御书"宣勤荩祜"额。

王念孙　以六品衔致仕，原任直隶永定河道。以本年为乙酉科乡举重逢（按：念祖为钦赐举人），八月赏四品职衔，重赴鹿鸣筵宴。

杨　馫　原任礼部主客司郎中，降调浙江巡抚。以本年为乾隆己酉科乡举重逢，九月赏四品卿衔，重赴鹿鸣筵宴。

玉　麟　兵部尚书。以六十生辰，十一月赐御书匾额。

戴均元　原任大学士。以八十生辰，十一月赐御书"颐性廷祺"额。

● 著述：

林伯桐　自编《月亭诗钞》一卷成，见二月自识。

常　增　撰《仪礼琐辨》一卷成，见二月自序。

翁元圻　撰《困学纪闻注》二十卷成，见三月自序。

邵廷烈　字子题。江苏太仓人。撰《饲鸠记略》一卷成，见春钞日记。

徐养原　撰《律吕臆说》一卷、《管色考》一卷、《笛律》一卷成，（按：诸书皆卒后始刻，今系于五月之前）。

陈逢衡　撰《逸周书补注》二十二卷成，见五月自序。

许　槤　编《六朝文絜》四卷成，见五月自序。

钱　泳　撰《履园丛话》二十四卷成，见十月孙原湘序。

● 卒岁：

熊方受　致仕山东东昌府知府，前山东兖沂曹济道。正月初七日卒年六十四。

莫际曙　湖南善化县医士。正月卒年七十七。

孔庆镕　袭衍圣公。二月三十日卒年五十五。

王惟询　浙江按察使。三月自尽。

鲍桂星　詹事府詹事，前工郎右侍郎。三月十九日卒年六十二。

徐养原　浙江德清县副贡生。五月二十七日卒年六十八。入国史儒林传。

赵　魏　浙江仁和县岁贡生。六月初十日卒年八十。入国史文苑传。

魏元煜　三品顶带漕运总督，前任两江总督。六月卒。

初彭龄　赏食半俸，致仕工部尚书。七月卒年七十七。照尚书例赐恤。

索特纳木多布斋　科尔沁郡王，和硕额驸。七月卒。赠亲王衔。

巴彦巴图　满洲正白旗，郭佳氏。副都统衔喀什噶尔邦办大臣，前任镶蓝旗护军统领，袭骑都尉世职。八月于都尔伯津阵亡。赠都统，谥壮节，追夺衔谥（追夺在六年十二月）。

黄丕烈　候选主事，江苏吴县举人。八月卒，年六十三，入国史文苑传。

安　庆　直隶清苑人。广东潮州镇总兵。九月卒。

倪　模　安徽凤阳府教授，十月初六日卒年年七十六。

永　芹　袭三等镇国将军，正蓝旗宗室。前喀什噶尔参赞大臣，镶黄旗汉军都统。十月卒。

广　泰　满洲镶蓝旗，郭佳氏。二品职衔，前内阁学士兼右翼总兵。十一月卒。

吴赓枚　原任掌江西道监察御史。卒。

郝懿行　户部江南司主事。卒年六十九。精于训诂学，著作甚多。入国吏儒林传。

宋庆和　广西泗城府知府。卒年四十五。

朱履中　前福建侯补知县，署屏南县知县。卒年七十七。

年　德　满洲镶黄旗，瓜尔佳氏。致仕归化城副都统。卒。

佛　安　广州副都统。卒。

杨逢春　四川崇庆人。原任山东兖州镇总兵。卒。

张廷楷　四川成都人。原任湖南镇箪镇总兵。卒。

陈　揆　江苏常熟县诸生。卒年四十六。

梁曾龄　广东德庆州举人。卒年四十八。

何　彬　字公度。广东高要人。高要县贡生。卒。

何　元　字叔度。广东高要人。高要县贡生。卒。

道光六年丙戌（公元一八二六年）

● 生辰：

额勒和布　正月十二日生，字筱斋，号小山。满洲镶蓝旗，觉尔察氏。享年七十五。

吴凤藻　正月二十七日生，字翔士，号蓉圃、桐华。浙江钱塘人。享年五十。

周星誉　二月初十日生，（原名周誉芬），字容之，号芝艹。河南祥符人。享年五十九。

杨庆麟　三月初一日生，字敬士，号振甫。江苏吴江人。享年五十三。

黄元善　三月初一日生，字让卿，号文坡、霞轩。湖北钟祥人。

孔宪毅　三月初六日生，字玉双，号阆仙。山东曲阜人。

贾　瑚　三月十八日生，字殷六，号小樵。山西夏县人。

刘秉璋　四月十四日生，字景贤，号仲良。安徽庐江人。享年八十。

周　鹤　四月生，字竹生，号幼峤。贵州贵筑人。

张联桂　五月十二日生，字丹叔。江苏江都人。享年七十二。

孟传金　五月十九日生，字庐卿，号小圃、月舫。直隶高阳人。

王　澎　五月二十三日生，字廉卿，号渔庄。顺天宝坻人。享年四十一。

周开锡　七月初八日生，湖南湘阴人。享年四十六。

张树珊　七月初八日生，享年四十一。

黎培敬　七月初十日生，字开周，号简堂。湖南湘潭人。享年五十七。

袁保恒　七月十四日生，字贞叔，号筱坞、小午。河南项城人。享年五十三。

陈卿云　七月二十四日生，字瑞虞，号仙楼。江西上高人。

夏锡麒　七月二十九日生，字梅叔。浙江钱塘人。享年三十五。

孙诒经　八月初十日生，字子授，号孟常、景坡。浙江钱塘人。享年六十五。

葆　谦　八月初十日生，字吉生，号益园。满洲正蓝旗，博尔济吉特氏。

李常华　八月十四日生，字华斋，号叔彦、实之。河南郑州人。

陶宝森　九月初六日生，字少伊，号鹤亭。江西南昌人。

崇　厚　九月初七日生，字子谦，号地山。满洲镶黄旗，完颜氏。享年六十八。

吴修考　九月初九日生，江西新建人。享年三十五。

杨昌濬　九月初九日生，字石泉，号汲叟。湖南湘乡人。享年七十二。

徐用仪　九月二十二日生，字小云。浙江海盐人。享年七十五。

兴　恩　十月初七日生，字承斋。满洲正白旗，富察氏。

奕　纲　十二月二十三日生，宣宗皇次子。二岁。

松　森　十一月十五日生，字健卿，号吟涛。正蓝宗室。享年七十九。

谢棨照　十一月十七日生，字春生，号琴石。浙江平湖人。

陈　倬　十一月二十八日生，字卓人，号培之、云章。江苏元和人。

俞奎垣　十二月初一日生，字袭芸，号叔鸾。顺天大兴人。享年三十八。

姚觐元　十二月初二日生，字裕万，号彦士。浙江归安人。

孙福清　十二月初五日生，字介廷，号稼亭。浙江嘉善人。

黎兆棠　十二月十一日生，字兰仲，号召民。广东顺德人。

李仁元　十二月十八日生，字伯元，号资斋。河南济源人。享年二十八。

彭世昌　十二月十八日生，字二笏，号长龄、香九。江西庐陵人。

易佩绅　十二月十八日生，字笏山。湖南龙阳人。享年八十一。

王公辅　生，享年六十八。

丁寿昌　生，安徽合肥人。享年五十五。

曾宪德　生，字峻轩，号芳樵。湖北京山人。

史　藻　生，字洁堂。江苏溧阳人。

陈介璋　生，字宜卿，号羲卿、箸溪、惺斋。山东潍县人。享年五十一。

陈鸿翕　生，字子和，号静山。顺天宁和人。

梅启熙　生，字缉明，号少岩。江西南昌人。

陈黉举　生，安徽石埭人。享年五十九。

桂文灿　生，字子白，号皓庭。广东南海人。享年五十九。

褚荣槐　生，浙江嘉兴人。享年五十三。

吴浔源　生，字棠湖，直隶宁津人。享年七十八。

朱泉徵　生，浙江海盐人。享年六十一。

赵齐婴　生，字子韶。广东番禺人。享年四十。

◉ 科第：

一甲进士：

朱昌颐　浙江海盐人。状元。修撰，户部主事，吏科给事中。

贾　桢　榜眼。编修，武英殿大学士。

帅方蔚　探花。编修，掌京畿道监察御史。

二甲进士：

麟　魁　庶吉士，刑部主事，兵部尚书，协办大学士。

李秀发　字南枝。湖北云梦人。贵州知县，贵州大定府知府。

许前轸　编修。

成观宣　编修，通政使。

孙日萱　编修，鸿胪寺少卿。

赵仁基　江西知县，湖北按察使。

郭道闻　编修，中允。

王　藩　字彦辅，号蓉坡。浙江会稽人。吏部主事，江西赣州府知府。

吴　赞　（原名吴廷鉁）。庶吉士，刑部主事，刑部员外郎。

顾　夔　庶吉士，山西灵石县知县。

俞东技　编修，掌广东道御史。

王　笃　陕西韩城人。编修，山东布政使。

王　玥　贵州贵筑人。编修，江苏苏松太道。

王广业　江苏泰州人。户部主事，署福建汀漳龙道，光绪癸未
　　　　重宴恩荣。

高　枚　字卜园，号小楼。浙江萧山人。编修，湖南盐道。

石广均　兵部主事。

熊守谦　江西新建人。云南知县，直隶永定河道。

徐上镛　兵部主事，湖北黄州府知府。

方宗钧　户部主事，河南开封府知府。

朱成烈　编修，江西盐道。

程庭桂　刑部主事，左副都御史。

周启运　庶吉士，河南知县，河南按察使。

赵　镛　庶吉士，刑部主事，广东盐运使。

项名达　知县，国子监学正。

黄恩彤　（原名黄丕範），字若度，号存素、石琴。山东宁阳人。
　　　　刑部主事，广东巡抚，光绪壬午重宴鹿鸣。

宋沛霖　四川双流人。刑部主事，云南迤西道。

鄂　恒　编修，陕西候补知府。

陈耀庚　字云庄。浙江仁和人。直隶天津府知府。

陈熙曾　字竞生，号卓堂。山东济宁人。庶吉士，刑部主事，
　　　　四川夔州府知府。

方宝庆　庶吉士，刑部主事，福建漳州府知府。

朱应元　字辛传，号訒庵。浙江秀水人。庶吉士，刑部主事，
　　　　甘肃庆阳府知府。

胡　珵　刑部主事。

史宝徵　字琛尹，号璞山。陕西华州人。

边宝树　户部主事，浙江衢州府知府。

龚维琳　编修。

陈天泽　湖北知县，湖北郧阳府知府。

廖　翔　字羽皋。广东南海人。山西定襄县知县。

武　棠　刑部主事，江苏布政使。

陈之骥　甘肃知县，湖南按察使。

德　诚　镶蓝旗宗室。编修，仓场侍郎。

徐继畬　编修，福建巡抚，同治癸酉重宴鹿鸣。

云茂琦　江苏知县，吏部郎中。

查文经　字耕六，号少泉。湖北京山人。户部主事，江苏按察使。

柏　葰　（原名松葰）。蒙古正蓝旗。编修，文渊阁大学士。

罗天池　刑部主事，云南迤西道。

江之纪　江苏知县，江苏常熟县知县。

黄　琮　编修，兵部左侍郎。

王用宾　安徽怀宁人。江苏知县，福建漳州府知府。

王庆元　会元。吏部主事，江南道御史。

李恩继　编修，陕西同州府知府。

三甲进士：

谌厚光　检讨，山西大同府知府。

金应麟　刑部主事，直隶按察使。

张庭桦　山东滋阳人。刑部主事，四川雅州府知府。

宝　龄　广东广州府知府。

武蔚文　工部主事，湖北按察使。

郁鼎锺　江西泰和县知县。

王发越　山东知县，云南迤西道。

张其仁　四川知县，湖南衡永郴桂道。

袁玉麟　字香石，号瑞人。江西新昌人。己丑朝考，检讨，广西盐法道。

李　玫　河南河内人。

鲁秉礼　江西新建人。四川知县，贵州石阡府知府。

陈士枚　字勿斋。山西平定人。吏部主事，陕西巡抚。

李　蕚　字菉园。顺天宝坻人。内阁中书，宗人府主事。

刘庆凯　山东知县，署山东兖沂曹济道。

连鹤寿　归班知县，安徽池州府教授。

鄂　惠　满洲正红旗。四川建昌道。（碑录未见此人）。

方炳文　字云石，号梅丞。湖北兴国人。湖南知县，湖南善化
　　　　县知县。

马映辰　四川知县，湖南沅州府知府。

　　武进士：

李相清　山西阳曲人。状元。头等侍卫。

崔连魁　河南淮宁人。榜眼。二等侍卫，江南德标中军副将。

丁麟兆　直隶遵化人。会元。探花。二等侍卫，江西袁州协副
　　　　将。

孙应照　湖南永州镇总兵。

◉ 恩遇：

富　俊　吉林将军。正月加太子太保衔。

汪廷珍　协办大学士，礼部尚书。以七十生辰，十一月赐御书
　　　　"耆宿承恩"额。

孙尔准　闽浙总督。十一月以台湾余匪剿平，加太子少保衔。

◉ 著述：

林春溥　撰《孟子列传纂》一卷成，见二月自序。

张金吾　撰《爱日精庐藏书志》三十六卷成，见三月自序，（按：
　　　　书成后又撰续志四卷）。

张金吾　撰《两汉五经博士考》三卷成，见三月孙原湘序。

方东树　撰《汉学商兑》四卷成，见四月自序。

吴裕垂　撰《史案》二十卷成，见五月吴世宣识语。

茆泮林　辑《元中记》一卷成，见六月自序。

张崇懿　字丽瀛。江苏华亭人。撰《钱志新编》二十卷成，见
　　　　六月汤辂序。

吴应逵　撰《岭南荔枝谱》六卷成，见六月谭莹跋。

张其锦　撰《凌次仲年谱》四卷成，见六月朱锦琮序。

黄本骥　撰《癡学》八卷成，见七月王金策序。

丁　晏　辑《诸子粹言》一卷成，见七月自序。

丁　晏　撰《读史粹言》一卷成，见七月自序。

贺长龄、魏　源　同编《皇朝经世文编》一百二十卷成，见十一月贺长龄序。

洪齮孙　撰《补梁疆域志》四卷成，（按：是书刻于乙未年，见书后王焯等跋）。

冯登府　撰《梵雅》一卷成，见自序。

吴　修　撰《昭代名人尺牍小传》成，见十二月自序。

◉ 卒岁：

盛惇大　原任甘肃庆阳府知府。正月十六日卒年七十二。

严如熤　陕西按察使。三月初二日卒年六十八，赠布政使衔，入国史循吏传。

陈柄德　前安徽旌德县知县。三月二十八日卒年七十六。

縣　课　宗人府宗令，袭和硕庄亲王，宗室。四月初一日卒，谥曰襄。

程伯銮　原任广西思恩府知府。四月初二日卒年四十七。

莫　晋　在籍候补内阁学士，降调仓场侍郎。四月初八日卒年六十六。

刘启元　升用知州，东城兵马司副指挥。四月初八日卒年六十六。

赵慎畛　云贵总督。五月初一日卒年六十五。赠太子少保衔，谥文恪。

端　恩　袭和硕睿亲王，宗室。五月十四日卒。谥曰勤。

乌凌阿　满洲镶白旗，瓜尔佳氏。伊犁领队大臣，正红旗蒙古副都统。六月于浑河阵亡。赠都统，谥武壮。

穆克登布　满洲镶红旗，季氏。副都统衔伊犁领队大臣。六月于浑河阵亡。赠都统衔，谥壮节。

苏伦保　满洲正黄旗，富察氏。副都统衔英吉沙尔领队大臣。七月殉难，谥质毅。

乌大魁　陕西长安人。甘肃永固协副将。七月于乌什都齐特台

阵亡。予云骑尉世职。

音登额　字健斋。满洲正黄旗，舒穆禄氏。正蓝旗蒙古副都统，
　　　　叶尔羌办事大臣。八月殉难，谥刚节。

多隆武　满洲镶白旗，乌素尔氏。副都统衔叶尔羌邦办大臣。
　　　　八月殉难，照副都统例赐恤。

周吉图　四川眉州人。玛纳斯纳副将。八月于喀什噶尔阵亡。
　　　　予云骑尉世职。

庆　祥　蒙古正白旗，图伯特氏。喀什噶尔参赞大臣，前任伊
　　　　犁将军，袭三等义烈公。八月二十五日殉难。赠太子
　　　　太保，晋一等公，加一云骑尉世职，谥壮直。

舒尔哈善　满洲镶白旗，葛哲勒氏。喀什噶尔邦办大臣，头等
　　　　侍卫。八月二十五日遇害，照副都统例赐恤。

奕　湄　和阗领队大臣，头等侍卫，镶蓝旗宗室。九月殉难，
　　　　照副都统例赐恤。

桂　斌　蒙古正白旗，萨尔图氏。副都统衔和阗办事大臣，袭
　　　　二等男。九月殉难赠一等男。

谢阶树　翰林院侍读学士。九月卒。入国史文苑传。

包世荣　安徽泾县举人。九月十八日卒年四十三。入国史儒林
　　　　传。

陈中孚　调署山东巡抚，正任漕运总督。十一月卒。

杨懋恬　调署漕运总督，正任湖北巡抚。十一月卒。

姚学塽　兵部职方司郎中。十一月二十一日卒年六十一。入国
　　　　史儒林传。

宋　湘　湖北粮道。十一月二十五日卒年七十一。入国史文苑
　　　　传。

翁元圻　原任太常寺少卿，前任湖南布政使。卒年七十六。

宋　镕　致仕鸿胪寺卿，降调刑部左侍郎。卒年七十九。

吴慈鹤　翰林院侍讲。卒年四十九。入国史文苑传。

程振甲　原任吏部员外郎。卒。

高　杞　满洲镶黄旗，高佳氏。致仕兵部员外郎，前乌鲁木

都统，一等轻车都尉。卒年七十口。

陈　沆　翰林院修撰。卒年四十二。入国史文苑传。

吉　纶　满洲镶蓝旗，赫舍里氏。以主事用，前工部尚书，卒。

祥　保　满洲镶黄旗，钮祜禄氏。致仕正白旗汉军都统。卒年
　　　　七十口。

阿　霖　满洲正红旗，富察氏。致仕江西巡抚。卒。

胡秉虔　甘肃西宁府丹噶尔同知。卒。入国史儒林传。

王宗炎　归班候选知县，浙江萧山县进士。卒年七十二。入国
　　　　史文苑传。

舒明阿　满洲镶黄旗，佟佳氏。杭州将军，袭三等承恩公。卒。
　　　　追谥勤敏（追谥在咸丰）。

西林布　满洲正黄旗，瓜尔佳氏。以二品衔致仕，赏食全俸，
　　　　原任副都统衔和阗办事大臣。卒。

张起鳌　河南新野人。陕西河州镇总兵。卒。

谢成贵　四川华阳人。四川建昌镇总兵。卒。

莫廷翰　广东番禺县增贡生。卒年七十三。

陆　文　江苏吴县诸生。卒年六十一。入国史文苑传。

道光七年丁亥（公元一八二七年）

● **生辰：**

胡延㜶 正月初十日生，字子韶，号栗斋。山西繁峙人。

文星瑞 二月初八日生，（原名文星见），字树臣、奎垣。江西萍乡人。

洪汝奎 二月十八日生，（原名洪瀛），字蓬舫，号琴西。湖北汉阳人（原籍安徽泾县）。享年六十。

李　慎 三月初二日生，字子俊，号勤伯、柏孙。汉军正蓝旗。

朱学笃 三月初三日生，字祜堂，号实甫、莲舫。山东聊城人。

李　桓 三月初八日生，湖南湘阴人。享年六十五。

许其光 三月十一日生，（原名许乃德），字懋昭，号耀斗、涑文。广东番禺人（原籍浙江钱塘）。

孙家鼐 三月十二日生，字燮臣、质（贽）生，号容卿。安徽寿州人。享年八十三。

彭泽春 三月二十六日生，字子嘉，号琴甫。江西安义人。

定　安 四月初三日生，字子清，号性庵、静山。满洲镶黄旗，那拉氏。

郑藻如 四月二十四日生，字志翔，号玉轩。广东香山人。

胡玉坦 五月十七日生，字履平，号荔坪。顺天通州人。

洪良品 五月二十一日生，字叙澄，号右臣。湖北黄冈人。享年七十。

逄润古 闰五月二十七日生，字子政，号健斋、砚农。山东胶州人。

陈　彝 六月初三日生，字听轩，号六舟。江苏仪征人。享年七十四。

朱　智 六月初八日生，字敏生，号茗笙。浙江钱塘人。享年七十五。

桂　昂 六月初八日生，镶蓝旗宗室。

张道渊　六月十六日生，字学源，号秋生。云南太和人。

鲁琪光　六月二十二日生，字芝友，号黻珊、佛衫。江西南丰人。

张　煦　七月初二日生，字蔼如，号春浦、小山、毅斋。甘肃灵州人。享年六十九。

王汝讷　七月二十日生，字子默，号颖夫、友木、吉山。直隶滦州人。

何桂芳　八月初十日生，字青才，号小亭。江西鄱阳人。

李鹤年　八月十四日生，字子和，号云樵。奉天义州人。享年六十四。

伍肇龄　八月十六日生，字椿年，号崧生。四川邛州人。享年八十口。

钱桂森　八月二十一日生，（原名钱桂枝），字馨伯，号辛白、稑庵。江苏泰州人。享年七十六。

梁肇煌　八月二十三日生，字振侯，号檀圃。广东番禺人。享年六十。

唐启荫　九月十九日生，字子藩。广西临桂人。

李兴锐　九月二十二日生，字勉休。湖南浏阳人。享年七十八。

张　鼎　十月初四日生，字守彝，号铭斋。浙江海盐人。享年五十七。

继　格　十月二十四日生，号述堂。满洲正白旗，马佳氏。

许振祎　十一月初十日生，字玮纫，号仙屏。江西奉新人。享年七十三。

赵树吉　十一月二十三日生，字迪初，号沅青、元卿。四川宜宾人。

縠　宜　十一月三十日生，字听涛，号佩卿。镶白旗宗室。享年七十二。

董元章　十二月初六日生，（原名董元醇），字子厚，号竹坡。河南洛阳人。

叶毓桐　十二月初七日生，字挺生，号廷笙、仲和、皖云。四川华阳人（原籍安徽桐城）。

孙　楫　十二月十八日生，字济川，号驾航。山东济宁人。享年七十二。

曾省三　十二月十九日生，字习之，号鼎臣、又卿。四川荣县人。

徐景轼　十二月十九日生，字同瞻，号彤斿、肖坡。安徽歙县人。享年六十□。

刘瑞芬　十二月二十一日生，字芝田，号召我。安徽贵池人。享年六十六。

殷如璋　生，字特夫，号秋樵。江苏甘泉人。

许玉瑑　生，（原名许赓飏），字鹤巢。江苏吴县人。享年六十八。

萧翰庆　生，享年三十四。

彭毓橘　生，享年四十一。

夏献云　生，字禹臣，号筱润。江西新建人。

程鼎芬　生，字莅川，号鄂南。江西新建人。

戴恩溥　生，字瞻原。山东平度人。享年八十五。

张保慈　生，字敬堂。江苏常熟人。享年六十三。

赵受璧　生，字席珍，号聘之。直隶祁州人。

罗　萱　生，享年四十三。

刘履芬　生，字彦清。浙江江山人。享年五十三。

方昌翰　生，字宗屏，号涤侪。安徽桐城人。享年七十一。

周达武　生，享年六十八。

周　桓　生，字伯庆，号友翘。江苏娄县人。享年七十六。

欧阳勋　生，字功甫。湖南湘潭人。享年三十。

◎ 恩遇：

王　鼎　户部尚书。以六十生辰，二月赐御书"宣勤受祉"额。

长　龄　扬威将军，大学士。三月晋太子太保衔。

杨遇春　参赞大臣，署陕甘总督。四月晋太子太保衔（寻削，七月复加）。

武隆阿　山东巡抚。四月晋太子少保衔（寻削）。

戴三锡　四川总督。以七十生辰，七月赐御书"敷猷笃庆"额。

鄂　山　署陕甘总督，陕西巡抚。七月加太子少保衔。

卢　坤　山东巡抚。七月加太子少保衔（十四年九月削）。

曹振镛　军机大臣，大学士。七月晋太子太师。

蒋攸铦　大学士。七月晋太子太保衔。

文　孚　吏部尚书。七月晋太子太保衔。

王　鼎　户部尚书。七月加太子少保衔。

玉　麟　兵部尚书。七月加太子少保衔。

戴均元　原任大学士。九月晋太子太师衔（八年九月削）。

萨秉阿　西安将军。以六十生辰，赐寿。

赵绍祖　原署安徽广德县训导，以亲见七代赐"七叶衍祥"额。

◉ 著述：

茆泮林　辑《唐月令注》一卷成，见二月自序。

林伯桐　撰《史记蠡测》一卷成，见三月洪颐煊跋。

茆泮林　辑《淮南万毕术》一卷成，见立夏前三日自序。

吴应和　编《浙西六家诗钞》六卷成，见四月自序。

曾　钊　撰《春秋国都爵姓考补》一卷成，见四月自记。

茆泮林　辑《计然万物录》一卷成，见六月自序。

冯登府　撰《金石综例》四卷成，见七月自序。

丁　晏　撰《禹贡锥指正误》一卷成，见冬日自记。

◉ 卒岁：

祝百十　六品顶戴，江苏江阴县孝廉方正。正月初九日卒年六十三。

戈宙襄　候选□□，江苏元和县监生。二月初一日卒年六十三。

奕　纲　宣宗皇次子。二月卒，年二岁。追封多罗顺郡王，谥曰和（追封在三十年正月）。

唐仲冕　致仕陕西布政使。三月二十二日卒年七十五。

许松年　前福建水师提督，云骑尉。三月二十二日卒年六十一。

蒋　楷　浙江海宁人。海宁州诸生。三月二十八日卒。

时　铭　前山东齐东县知县。三月卒年六十一。

刘承宠　江苏阳湖县举人。四月初六日卒年三十。

王庭华　山西布政使。五月十三日卒年六十二。

源　溥　甘肃按察使。六月卒。

倪起蛟　福建海坛镇总兵。六月十四日卒年五十八。

陆以庄　原任工部尚书。七月初二日卒，谥文恭。

汪廷珍　太子太保衔，协办大学士，礼部尚书。七月初八日卒年七十一。赠太子太师，入祀贤良祠，谥文端。

程开丰　试用训导，江苏元和县廪贡生。八月初三日卒，年七十五。

钱宝甫　原任山西布政使。八月卒年五十七。

钮树玉　江苏吴县监生，九月十七日卒年六十八。入国史儒林传。

林宾日　福建侯官县岁贡生。九月二十七日卒年七十九。

郁宗海　湖北江夏人。山西太原镇总兵。十月卒。

赵　瑜　湖南浏阳县知县。十月卒年五十。

姚文田　礼部尚书。十一月十一日卒年七十。谥文僖。

庆　惠　热河都统。十一月卒。

齐布森　字立亭。满洲镶红旗，佟佳氏。原任盛京工部侍郎。十二月卒。

王锡康　原任江苏江阴县教谕。十二月初七日卒年八十二。

辛从益　吏部右侍郎，江苏学政。十二月二十四日卒年六十九。

百　春　（原名百顺），字舒之。满洲镶黄旗，舒舒觉罗氏。原任仓场侍郎。卒。

王松年　原任刑科掌印给事中。卒年六十。

苏楞额　满洲正白旗，那拉氏。赏给内务府员外郎，前工部尚书。卒年八十口。

嵩　年　汉军镶黄旗，张氏。以主事在万年吉地工程处效力，降调乌兰镇总兵。卒。

庆　溥　满洲镶黄旗，章佳氏。赏食全俸，致仕正黄旗蒙古副都统，降调察哈尔都统，前任理藩院尚书，卒年七十口。

同　兴　满洲镶黄旗，钮祜禄氏。前太子少保，山东巡抚，复授三等侍卫，阿克苏办事大臣。卒。

徐润第　原任湖北施南府同知。卒。

朱瑞榕　浙江江山县训导。卒年六十三。

卓尔珲保　满洲正蓝旗，达古尔翰朗氏。原任西安右翼副都统。卒。

刘　清　赏食全俸，致仕山东曹州镇总兵，前任云南布政使。卒年八十六。

王万清　原任云南普洱镇总兵，以边俸期满入都候简。卒于京师。

舒凌阿　满洲正黄旗，舒拉氏。山东兖州镇总兵，卒。

张清亮　广东香山人。署广东大鹏营参将，降调广东琼州镇总兵。卒。

戴　清　候选训导，江苏仪征县岁贡生。卒年六十六。

吴　修　候选布政司经历，浙江海盐县监生。卒年六十四。

道光八年戊子（公元一八二八年）

◉ **生辰：**

樊希棠　正月初七日生，湖北咸宁人。

夏诒钰　正月十四日生，字范卿，号砚斋。江苏江阴人。享年五十五。

钱　勖　二月二十七日生，字葵初。江苏无锡人。

王荣瑄　三月二十九日生，字玉文，号筧溪。山东乐陵人。

陈　锦　四月二十七日生，字元綗，号蕉雪、云舫。湖北罗田人。享年六十。

金福曾　五月初一日生，字苕人。浙江秀水人。享年六十五。

载　肃　五月十三日生，镶红旗宗室。

郑嵩龄　五月二十八日生，字芝岩，号酒龄。江苏上元人。

黄以周　六月十五日生，字元同。浙江定海人。享年七十二。

张家骧　六月十七日生，字子腾，号芝孙。浙江鄞县人。享年五十八。

赵宗建　七月初五日生，字次侯，号次公。江苏常熟人。享年七十三。

李孟群　七月十一日生，河南光山人。享年三十二。

成　林　八月初七日生，字竹坪，号茂轩。满洲镶白旗，文佳氏。享年五十二。

延　煦　八月十四日生，字育卿，号树南。正蓝旗宗室。享年六十。

陈廷珍　八月十八日生，字仲怀，号献卿。广西郁林人。

吕锦文　八月二十三日生，字蔚人，号简卿、昼堂、寿棠、絅斋。安徽旌德人。

周铭旗　九月初四日生，字懋臣，号镜潭。山东即墨人。

方汝翼　九月十一日生，字翼之，号右民。直隶清苑人。

赵　铭　九月十四日生，字桐孙。浙江秀水人。享年六十二。

曾贞幹 九月二十日生，（原名曾国葆），字事恒，号季洪。湖南湘乡人。享年三十五。

何耀纶 十月初九日生，字光甫，号云舫。山西灵石人。享年五十一。

蔡以璟 十月十一日生，字季珪，号瑶圃。浙江萧山人。

袁保庆 十月二十日生，字笃臣，号延之、幼午。河南项城人。享年四十六。

曹丙辉 十月二十三日生，字俊三，号穉香、鹤农。江苏甘泉人（原籍江西新建）。

马宗周 十月二十五日生，字子桢，号西倩。贵州遵义人。

祝垲 十月二十七日生，字凤翥，号爽亭。陕西砖坪人。

张锡嵘 十月二十七日生，字敬堂，号薇卿。安徽灵璧人。享年四十。

陈庆长 十一月初三日生，字伯容，号子奉。湖北蕲水人。

邓辅纶 十二月初二日生，字黻卿，号弥之。湖南武冈人。享年六十六。

徐昌绪 十二月十二日生，字子正，号令甫、琴舫。四川鄪都人。享年六十五。

铭　安 十二月十九日生，字新甫，号鼎臣。满洲镶黄旗，那拉氏。享年八十四。

李宏谟 十二月二十三日生，字禹三，号仲远。河南祥符人。享年五十三。

邵曰濂 十二月二十七日生，字薇塍，号子长、莲伯。浙江余姚人。

袁开第 生，字杏村，号小岩。顺天玉田人。享年七十八。

贾致恩 生，字因卿，号湛田。山东黄县人。享年六十四。

刘盛藻 生。

吕耀斗 生，字庭芷，号定子。江苏阳湖人。享年六十八。

张桐熙 生，字献廷，号琹浦。甘肃古浪人。

牟荫乔 生，字朵山。山东福山人。

冯　标　生，享年四十。

董　沛　生，字孟如。浙江鄞县人。享年六十八。

王　棻　生，字子庄，号耘轩。浙江黄岩人。享年七十二。

◉ 科第：

考取优贡生：

黄子高　字叔立，号石溪。广东番禺人。

中式举人：

齐承彦　直隶天津人。刑部主事，刑部尚书。

夏宝全　国子监学正。

韩荣光　见嘉庆癸酉拔贡。

固　庆　刑部主事，吉林将军。

潘德舆　江苏山阳人。安徽大挑知县。

缪　梓　浙江知县，浙江金衢严道。

张锡麟　字意兰。江苏江宁人。东河大挑知县，河南候补道。

张忠恕　浙江人。

朱有源　浙江海盐人。

张黼华　湖北人。知县，候选知府，重宴鹿鸣。

彭洋中　湖南人。邵阳县训导，署四川潼川府知府。

张玉藻　河南人，礼部司务，浙江宁波府知府。

陈应奎　字环紫，号文垣。山东潍县人。福建武平县知县。

阮烜辉　字仲寅。湖南安福人。

中式副榜贡生：

洪龋孙　江南人。

◉ 恩遇：

正月以擒获回匪张格尔功：

长　龄　威扬将军，大学士。封威勇公（二月定为三等）；

杨　芳　固原将军。封果勇侯（二月定为三等）。

曹振镛　军机大臣，大学士。正月晋太傅衔。

文　孚　吏部尚书。正月晋太子太傅衔。

玉　麟　兵部尚书。正月晋太子太保衔。

穆彰阿 工部尚书。正月加太子少保衔。

蒋攸銛 大学士，两江总督。正月晋太子太傅衔。

英　和 热河都统。正月复加太子太保衔（九月革）。

孙奇逢 已故直隶举人。二月从祀文庙。

长　龄 大学士。五月晋太保衔。

杨　芳 固原提督。五月加太子太保衔。

戴均元 原任大学士。以本年为乾隆戊子科乡举重逢，六月赐
　　　　　御书"三朝耆旧"额，重赴鹿鸣筵宴。

吴熊光 原任兵部主事，前两广总督。以本年为乾隆戊子科乡
　　　　　举重逢，六月赏四品卿衔，重赴鹿鸣筵宴。

陈　书 原任江南水师游击。以本年为乾隆戊子科乡举重逢，
　　　　　六月赏副将衔，重赴鹰扬筵宴。

赵式训 原任浙江台州府同知；

杨　曧 原任云南临安府教授。
　　　　　俱以本年为乾隆戊子科乡举重逢，九月重赴鹿鸣筵宴。

那彦成 直隶总督。十月复加太子太保衔（十一年二月革）。

长　龄 大学士。以七十生辰（按是年七十一岁），十一月赐御
　　　　　书"平格功成"额及联。

● **著述：**

龚自珍 撰《太誓答问》一卷成，见二月刘逢禄序。

丁　晏 撰《禹贡集释》三卷成，见三月自序。

丁宗洛 撰《逸周书管见》十卷、《疏证》一卷、《提要》一卷、
　　　　　《集说撷订》三卷成，见春日陈钧序。

茆泮林 辑《古孝子传》一卷成，见五月自序。

黄本骥 编《古志石华》三十卷成，见九月自序。（按：书成后
　　　　　续有增补，见丙午长至自识）。

黄本骥 撰《颜书编年录》四卷成，见九月自序。

叶申芗 撰《天籁轩词谱》成，见冬日自识。

罗士琳 撰《春秋朔闰异同》二卷成，见冬日自序。

沈　烜 撰《停云楼诗》四卷、《题画诗》二卷、《画记》二卷、

《杂体》二卷成，见沈曰富所撰行实，今系于十一月之前。

项廷纪　自编《忆云词乙稿》一卷成，见十一月自序。

吕　璜　撰《古文绪论》一卷成，见十二月自序。

吴衡照　自编《辛卯生诗》四卷成，见十二月吴应和序。

六承如　字赓九。江苏江阴人。撰《纪元编》三卷成。（按：自序无年月，此据李申耆年谱）。

梁章钜　辑《沧浪亭志》四卷成，见自订年谱。（按：章钜所著书多有未刻者，兹依年谱载分系各年）。

程庭鹭　自编《以恬养智斋诗初集》六卷成，见年谱。

◉ 卒岁：

秦承业　赏复翰林院侍讲学士原衔。正月卒年八十四。赠三品卿衔，追赠礼部尚书衔（追赠在十二年十一月），追谥文慤（追谥在二十七年）。

赵　坦　六品顶带，浙江仁和县孝廉方正。正月十一日卒年六十四。入国史儒林传。

白守廉　前安徽合肥县知县。二月初六日卒六十九。

武　肃　原任河南郑州知州。二月十二日卒年七十六。

史致光　原任都察院左都御史。二月卒。

罗鉴龟　湖南长沙县诸生。二月二十二日卒年六十七。

谭联升　广西马平县知县。四月初三日卒年六十。

邵希曾　河南桐柏县知县。四月二十三日卒卒年七十七。

禄　成　蒙古正红旗，赫舍里氏，西安驻防。前黑龙江将军。四月于革审后自戕。

赛冲阿　太子少保，内大臣，前任领侍卫内大臣，正红旗蒙古都统，二等男。六月卒年七十六。赠太子太师，谥襄勤。

硕隆武　蒙古正红旗，黄郭罗特氏。副都统衔伊犁领队大臣。六月卒。

杨景仁　原任刑部员外郎。七月十四日卒年六十一。

晋　昌　字晋斋。原任绥远城将军，前任兵部尚书，前袭辅国
　　　　公。正蓝旗宗室。八月卒。

萧福禄　甘肃河州人。致仕浙江提督。八月卒年七十口。谥襄
　　　　恪。

緜　忻　仁宗皇四子，和硕瑞亲王。八月十八日卒。谥曰怀。

果齐思欢　黑龙江将军，宗室。九月卒年六十一。谥文僖。

严士鋐　原授河南按察使，由湖南按察使调补以病未任。九月
　　　　卒年八十三。

毛会抡　原任四川双流县知县。九月二十五日卒年六十五。

钱　林　詹事府左春坊，左庶子，降调翰林院侍读学士。十月
　　　　十六日卒年六十七。入国史文苑传。

叶维庚　升授江苏泰州知州，由江阴县知县升补。十月二十六
　　　　日卒于江阴县署，年五十六。入国史文苑传。

刘思敬　选授浙江庆元县知县。十口月以赴任卒于杭州，年六
　　　　十九。

沈　烜　候选州吏目，江苏吴江县口生。十一月十四日卒年四
　　　　十三。

汪　毅　江苏仪征县诸生。十二月初十日卒年三十五。

庄绥甲　考取州吏目，江苏武进县诸生。十二月二十三日卒年
　　　　五十五。入国史儒林传。

庆　廉　满洲镶白旗，伊尔根觉罗氏。二等侍卫，降调乌什办
　　　　事大臣。前任凉州副都统。卒。

张作楠　原任江苏徐州府知府。卒。入国史文苑传。

屠　倬　江西袁州府知府。卒年四十八。入国史文苑传。

刘大绅　原任山东朝城县知县。卒年八十二。入国史循吏传。

朱瑞椿　原任浙江严州府教授，前任福建永安县知县。卒年七
　　　　十一。

陈梦熊　致任广东水师提督。卒年六十九。

萧　昌　汉军镶蓝旗。降调广州副都统。卒。

雷　仁　甘肃宁朔人。原任甘肃宁夏镇右营千总，前四川重庆

镇总兵。卒年七十囗。

陈　均　浙江海宁州举人。卒年五十。

改　琦　江苏华亭县画士。卒年五十六。

道光九年己丑（公元一八二九年）

◉ 生辰：

刘海鳌 正月初三日生，字仙洲，号晓澜、笠嵋。四川云阳人。

汪国凤 正月十五日生，字子仪，号竹卿。江苏江都人。

冯端本 正月二十六日生，字子立，号籽笠、雪庵。河南祥符人。享年六十六。

萧　韶 二月十一日生，字喜笙，号杞山。湖南清泉人。享年六十。

谭钧培 二月十二日生，字宾寅，号序初。贵州镇远人。享年六十六。

乌拉喜崇阿 三月二十七日生，字达峰，号月溪。满洲镶黄旗，沙济富察氏。享年六十七。

奎　润 三月初五日生，字星斋。正蓝旗宗室。享年六十二。

刘子铨 三月十二日生，（原名刘子镜），字杜丞，号蓉堂。直隶沧州人。

麟　书 二月十三日生，字素文，号芝庵。正黄旗宗室。享年七十。

唐　炯 三月二十一日生，字鄂生。贵州遵义人。享年八十一。

长　善 四月初八日生，字乐初。满洲镶红旗，他塔拉氏。享年六十一。

李　璮 五月初五日生，字正莱，号宫山。广西苍梧人。

顾云臣 五月十六日生，字子青，号琴生、持白。江苏山阳人。

景其濬 五月二十二日生，字哲生，号剑泉。贵州兴义人。享年四十八。

岑毓英 五月二十五日生，字彦卿，号匡国。广西西林人。享年六十一。

刘凤苞 六月十七日生，字毓秀，号采九。湖南武陵人。

张梦元 七月十二日生，字子善，号蓉轩、浣香。直隶天津人。

岳　琪　八月初一日生，镶蓝旗宗室。

英　翰　八月初五日生，字子良，号西林、翰臣。满洲正红旗，萨尔图氏。享年四十九。

李文森　八月十八日生，字恕阶，号海珊。贵州镇远人（原籍江西丰城）。享年三十九。

余上华　九月初三日生，字笠白，号黼丞。陕西平利人（原籍湖北武昌）。

曹廉锷　九月初九日生，字敦良，号剑花、菊辰。浙江嘉善人。享年五十。

孙念祖　十月初三日生，字仲修，号心农、渌湖。浙江会稽人。享年四十。

李用清　十月初三日生，字菊圃，号澄斋。山西平定人。享年七十。

崇　绮　十月十六日生，字文山。蒙古正蓝旗，入满洲镶黄旗。享年七十二。

汤似瑄　十月二十四日生，字伯温，号小舫。直隶清苑人。

王清瑞　十月二十九日生。

吕锺三　十月二十九日生，字纪之，号喧樵。河南光山人。

毕保厘　十一月初五日生，字治孙，号东屏、受鸿、润生。湖北蕲水人。

奕　继　十一月生，宣宗皇三子。寻卒。

岐　元　十一月二十三日生，字子惠。正红旗宗室。享年六十三。

李衢亨　十一月二十四日生，字蔼云，号季村。顺天通州人。享年四十八。

徐用福　十二月初八日生，字响五，号次云。浙江海盐人。享年八十。

章耀廷　十二月初五日生，字黼卿，号撷芳。浙江归安人。

吴毓春　十二月十七日生，字养如，号雨轩。山东历城人。享年六十三。

张鸣珂　十二月二十日生，字公束，号玉珊。浙江嘉兴人。享年八十。

李慈铭　十二月二十七日生，号纯客。浙江会稽人。享年六十六。

谢辅埰　十二月二十八日生，字开京，号珉阶、子惺。浙江镇海人。

沈　淮　生，字东川，号桐甫。浙江鄞县人。

陈寿祺　生，字珊士，号子毅、云山、范仙。浙江山阴人。享年三十九。

席宝田　生，字研芗。湖南东安人。享年六十一。

丁　峻　生。

费学曾　生，字绳庵，号幼亭。江苏武进人。享年七十。

翁学本　生，享年五十四。

樊希棣　生，湖北咸宁人。享年四十八。

毛庆麟　生，字仲云，号芷卿。浙江遂安人。

田玉梅　生，享年三十二。

赵之谦　生，字益甫，号撝叔、冷君、悲庵。浙江会稽人。享年五十六。

严　鈖　生，浙江桐乡人。享年四十五。

陈忠德　生，享年三十六。

阮福炳　生，字竹初，号辅卿。安徽合肥人。享年六十二。

樊政陞　生，字佐甫。安徽合肥人。享年五十八。

唐仁寿　生，字端甫，号镜香。浙江海宁人。享年四十八。

黄以恭　生，字质庭。浙江定海人。享年五十四。

● 科第：

　一甲进士：

李振钧　状元。修撰。

钱福昌　榜眼。编修，侍读学士。

朱　兰　探花。编修，内阁学士。

　二甲进士：

朱　淳　编修，浙江绍兴府知府。

步际桐　编修，河南开归陈许道。

李嘉端　编修，安徽巡抚。

夏　恒　庶吉士，吏部主事。

李国杞　编修，侍讲学士。

徐广绂　编修，礼科掌印给事中。

狄　听　癸巳朝考。刑部郎中，掌广西道御史。

庆　勋　字子猷。汉军正白旗。庶吉士，户部主事，浙江候补知府。

王之斌　刑部主事，江南道御史。

方　锴　编修。

陶　溎　编修，广东惠州府知府。

汪本铨　礼部主事，浙江布政使。

朱式璟　刑部主事，福建延平府知府。

朱其镇　编修，甘肃巩秦阶道。

王庆云　编修，工部尚书。

胡元博　字小初。广西临桂人。刑部主事，浙江粮道。

张集馨　编修，江西布政使。

许正绶　（原名许正阳）。浙江上虞人。即用知县，浙江湖州府教授。

朱逢辛　庶吉士，户部主事，贵州镇远府知府。

王　桂　吏部主事，直隶广平府知府。

全　庆　编修，大学士。

彭舒尊　编修，湖北汉广德道。

吴　铣　直隶知县，云南曲靖府知府。

陈起诗　吏部主事，吏部员外郎。

倭　仁　编修，文华殿大学士。

李光涵　（原名李攀龙）。顺天大兴人（原籍浙江会稽）。编修，山西宁武府知府。

陶文潞　刑部主事，四川潼川府知府。

罗绕典　编修，云贵总督。

陈兰祥　庶吉士。

郭景偁　庶吉士，刑部主事，内阁侍读学士。

徐云瑞　编修，直隶永平府知府。

潘　楷　刑部主事，贵州按察使。

司徒照　庶吉士，刑部主事，陕西布政使。

邓　瀛　编修，安徽宁池太广道。

锺　裕　户部主事，浙江嘉兴府知府。

易长桢　编修。

胡文柏　户部主事，云南云南府知府。

白譿卿　庶吉士，户部主事，广东高州府知府。

刘良驹　庶吉士，户部主事，两淮盐运使。

余　坤　户部主事，四川雅州府知府。

林扬祖　刑部主事，甘肃布政使。

涂文钧　工部主事，江南盐道。

章　炜　刑部郎中，掌河南道御史。

杨　霈　四川知县，湖广总督。

张修育　户部主事，光禄寺少卿。

易　棠　刑部主事，陕甘总督。

何荣章　字斗瞻，号东府、云阶。贵州贵筑人。庶吉士。

金安澜　庶吉士，户部主事，江苏松江府知府。

全　顺　户部主事，四川顺庆府知府。

桂文燿　编修，江苏苏州府知府。

李熙龄　编修，山东武定府知府。

王　寅　（原名王霭），号琴槎。湖南武陵人。户部主事。

王　巽　工部主事，直隶河间府知府。

王　选　字贡斯，号铎卿。广东东莞人，吏部主事。

雷成朴　编修，浙江台州府知府。

崔　恭　庶吉士，河南知县，安徽安庆府知府。

奎　俊　（原名奎绶）。刑部主事，安徽庐凤颖道。

俞树凤　字松石。江西广丰人。礼部主事，浙江温处道。

　　三甲进士：

何　俊　庶吉士，工部主事，江苏布政使。

刘　澐　吏部主事，河南南汝光道。

吴葆晋　内阁中书，江苏淮海河务道。

杨裕深（原名杨遇升）。贵州平越人。　浙江知县，浙江宁绍台
　　　　道。

杨彤如　刑部主事，广西左江道。

刘成万　吏部主事，浙江金衢严道。

锡　麟　庶吉士，户部主事，左庶子。

倪　杰　礼部主事，大理寺卿。

龚自珍　内阁中书，礼部主事。

严保庸　字伯常，号问樵。江苏丹徒人。庶吉士，山东栖霞县
　　　　知县。

崔光笏　山西知县，云南粮道。

孙葆元　检讨，吏部左侍郎。

戴炯孙　工部主事，掌贵州道御史。

王禹堂　陕西周至人。

徐有壬　户部主事，江苏巡抚。

李廷棨　直隶知县，湖北荆宜施道。

吴文林　湖北黄梅人。检讨，口口道御史。

朱　虪　安徽知县，江西布政使。

马　沅　庶吉士，户部主事，山东道御史。

刘有庆　会元。江西玉山县知县。

窦　垿　吏部主事，江西道御史。

王者政　四川知县，四川龙安府知府。

龄　椿　礼部主事，广东按察使。

丁德泰　湖北大冶人。

况　澍　字雨人。广西临桂人。庶吉士，刑部主事，员外郎。

李汝霖　山东聊城人。浙江知县，浙江宁波府知府。光绪戊子

重宴鹿鸣。

邓庆恩　兵部主事，江西盐道。

武进士：

吴　钺　山东蓬莱人。状元。头等侍卫。

秦定三　字竹坡。湖北兴国人。榜眼。二等侍卫，福建陆路提督。

张斯奎　汉军正黄旗。探花。二等侍卫。

马从凯　江苏宿迁人。传胪。三等侍卫。

◉ **恩遇：**

曹振镛　大学士。正月赐御制像赞。

杨　芳　固原提督。正月以入觐晋封二等果毅侯并晋太子太傅。

杨　芳　固原提督。以六十生辰赐御书"酬庸锡羡"额。

潘奕隽　员外郎衔原任户部主事。以本年为乾隆己丑科甲榜重逢赏四品卿衔，重赴恩荣筵宴。

黄　钺　原任户部尚书。以八十生辰，八月赐御书"引年颐志"额及联。

卢荫溥　协办大学士，吏部尚书。以七十生辰，十月赐御书"赞纶锡庆"额。

杨遇春　陕甘总督。以七十生辰，十二月赐御书"绥边锡祜"额及联。

◉ **著述：**

周中孚　撰《九曜石刻录》一卷成，见二月自序。

茆泮林　辑《三辅决录及注》一卷成，见三月自序。

黄本骥　编《明尺牍墨华》三卷成，见夏日自序。（按：此书续有增辑，至丁未夏重刻）。

张学仁　编《京江七子诗钞》七卷成，见七月自序。

冯登府　自编《拜竹诗龛诗存》三卷成，见八月自序。

朱　琦　自编《小万卷斋诗稿》三十二卷成，见九月自序。

阮　元　编刻《皇清经解》一千四百卷成，见九月夏修恕跋。

冯登府　撰《玉台书室补》六卷成，见九月自序。（玉台书室为
　　　　历鹗所撰，然原书未成）。

郑　佶　浙江归安人。重订《国朝湖州诗录》三十四卷成，见
　　　　十月自序。（按：是书为嘉庆中陈焯所编，原稿未刻经
　　　　佶重订付梓，故系于此年）。

郑　佶　编《湖州诗续录》十六卷成，见十月自序。

徐　松　撰《汉书西域传补注》二卷成，见十一月张琦序。

陈逢衡　自编《读骚楼诗初集》四卷成，见六月自序。

冯登府　撰《闽中金石志》十四卷成，见十一月自序。

梁廷枬　撰《南汉书》十八卷、《考异》十八卷成，见十一月自
　　　　序。（按：书成后又撰有《南汉丛录》二卷，附记于
　　　　此）。

王念孙　撰《读荀子杂志》八卷成，见十二月自序。

雷　鐏　撰《古经服纬》三卷成，见国史文苑本传。

雷学淇　撰《古经服纬注释》三卷附《释问》一卷成，见释问
　　　　自序。

冯登府　自编《钓船笛谱》一卷成，见种芸词自序。

曹懋坚　撰《音匏随笔》一卷成，见自序。

周之琦　撰《怀梦词》一卷成，见自序。

● 卒岁：

张云璈　原任湖南湘潭县知县。正月卒年八十三。入国史文苑
　　　　传。

孙源湘　在籍翰林院庶吉士。二月初二日卒年七十。入国史文
　　　　苑传。

吴衡照　浙江金华府教授。二月十四日卒年五十九。

蒋继勋　原任刑部福建司郎中，前安徽布政使，袭一等轻车都
　　　　尉世职。二月二十五日卒年七十六。

张金吾　江苏昭文县诸生。二月卒年四十三。

恽　敷　原任浙江海宁州知州。三月二十五日卒。

胡世琦　前山东曹县知县。四月二十八日卒年五十二。入国史
　　　　儒林传。

德英阿　满洲镶蓝旗，叶赫氏。伊犁将军。五月卒。赠太子太
　　　　保衔，谥刚果。

凌　曙　江苏江都县监生。五月二十六日卒年五十五。入国史
　　　　儒林传。

扎克桑阿　满洲正红旗，格吉勒氏。原任副都统衔叶尔羌邦办
　　　　大臣。六月卒。

阴功保　满洲镶红旗，张佳氏。喀喇沙尔办事大臣，前任镶黄
　　　　旗汉军副都统。八月卒。

福勒洪阿　满洲正黄旗。理藩院左侍郎，袭一等男。八月初八
　　　　日卒。

刘逢禄　礼部仪制司主事。八月十六日卒年五十四。入国史儒
　　　　林传。

薛传均　江苏甘泉县诸生。八月二十二日卒年四十二。入国史
　　　　儒林传。

观　喜　字吉兰。满洲镶红旗，瓜尔佳氏。原任荆州将军。九
　　　　月卒。谥果毅。

潘世璜　原任户部云南司主事，前任翰林院编修。十一月初一
　　　　日卒年六十六。

夏　銮　六品顶带，原任安徽徽州府训导。十一月初三日卒，
　　　　年七十。入国史儒林传。

奕　继　宣宗皇三子。十二月二十七日卒。追封多罗慧郡王，
　　　　谥曰质。（封谥在三十年正月）。

穆克登额　原任礼部尚书。十二月卒年八十七。

马履泰　前太常寺卿。卒年八十四。

朱　勋　江苏靖江人。以三品顶带致仕，候补四五品京堂，降
　　　　调陕西巡抚。卒。

潘抱奎　吏部主事。卒年四十六。

那林泰　致仕镶蓝旗蒙古副都统。卒年八十口。

张联奎　原任三等侍卫，前山东登州镇总兵。卒。

继　昌　降调江西布政使，前任马兰镇总兵。卒。

张吉安　原任浙江余姚县知县。卒年七十一。入国史循吏传。

伊沖阿　原任热河都统。正蓝旗宗室。卒。

何占鳌　四川成都人。甘肃提督。卒。赠太子少保衔，谥勤襄。

李锦麟　贵州镇远人。广西提督。卒。

武登额　致仕熊岳副都统。卒年八十四。

乌尔卿额　满洲镶蓝旗，瓜尔佳氏。致仕凉州副都统，前任江南提督。卒。

苏崇阿　蒙古正黄旗，伍弥特氏。盛京副都统，前理藩院左侍郎，袭一等果毅继勇侯。卒。

春升保　满洲镶黄旗，努叶勒氏。降调齐齐哈尔副都统。卒。

苏法那　满洲正白旗，佟佳氏。致仕云南开化镇总兵。卒年七十口。

傅廷标　福建晋江人。致仕广东高州镇总兵。卒。

朱承受　甘肃固原人。原任云南临元镇总兵。卒。

潘汝渭　原任闽粤南澳镇总兵。卒。

杨明魁　四川西昌人（原籍成都）。河南河北镇总兵。卒。

郭文魁　四川西昌人。浙江处州镇总兵。卒。

孙应奉　湖南永顺人。前广东潮州镇总兵。卒。

何元锡　候选主薄，浙江钱塘县监生。卒年六十四。

朱昌寿　浙江海盐县增生。卒年四十二。

刘用锡　卒年四十九。

吴经世　卒年六十六。

薛传源　候选训导，江苏江阴县岁贡生。卒年六十九。

道光十年庚寅（公元一八三○年）

◉ 生辰：

谢　钺　正月十八日生，字愐斋，号铁崖、士昆。浙江山阴人。

方濬师　三月初八日生，字子岩，号紫岩、梦簪。安徽定远人。

张岳年　三月初九日生，字卓人，号竹晨。浙江鄞县人。

许应骙　三月二十二日生，字昌德，号筠庵。广东番禺人。享年七十七。

李秉衡　三月二十五日生，字鑑堂。奉天海城人。享年七十一。

沈善登　三月二十七日生，字尚敦，号毂成。浙江桐乡人。享年七十三。

董儁翰　四月初八日生，（原名董鹏飞），字庆辉，号新甫。浙江长兴人。

耿文光　四月十三日生。

鞠捷昌　四月十四日生，字子联，号少俣，山东海阳人。

翁同龢　四月二十七日生，字叔平，訒夫，号声甫、松禅。江苏常熟人。享年七十五。

李　祁　闰四月十五日生，字梯郊，号春雨、伊庵。汉军正白旗。

郭式昌　五月初七日生，字毂斋，福建侯官人。享年七十六。

常如楷　六月十四日生，字司直，号子范。直隶饶阳人。

林述训　六月十五日生，字佩彝，号绥卿。安徽和州人。

邱晋昕　七月二十一日生，字椿龄，号翰臣、云岩。广东大埔人。

冯焌光　八月初三日生，字辉祖，号竹儒。广东南海人。享年四十九。

廖修明　八月十九日生，字际昌，号复三。四川富顺人。

龚嘉儁　八月二十二日生，字佑荐，号幼安。云南昆明人。

陈承裘　九月初四日生，字孝锡，号子良。福建闽县人。

吴华年　九月十五日生，字朵仙，号峻峰。山东德州人。

牛　瑄　九月二十七日生，字砺庵，号子温。河南汜水人。

潘祖荫　十月初六日生，字东镛，号伯寅、凤笙、郑庵。江苏
　　　　吴县人。享年六十一。

杨　浚　十月初八日生，字昭铭，号雪沧。福建侯官人。

唐树楠　十月十八日生，字竹如，号斐泉。湖南善化人。

王文韶　十月二十一日生，字耕娱，号夔石、赓虞。浙江仁和
　　　　人。享年七十九。

刘引之　十一月初四日生，字养恬，号炳亭。山西凤台人。享
　　　　年八十口。

刘国光　十一月十七日生，字宾臣，号玉桥。湖北安陆人。

濮文暹　十一月生，字青士，号瘦梅。江苏溧水人。享年八十。

林天龄　十二月初六日生，字受恒，号锡三。福建长乐人。享
　　　　年四十九。

王永章　十二月初八日生，享年五十六。

周　冠　十二月十四日生，字鼎卿，号广生、砺庵、拙叟。广
　　　　西灵川人。

李长蕃　十二月十五日生，字宣伯，号南屏。湖南新化人。享
　　　　年五十五。

刘坤一　十二月二十二日生，字复庵，号岘庄、小樵。湖南新
　　　　宁人。享年七十三。

景　寿　十二月二十二日生，满洲镶黄旗，富察氏。享年六十。

瑞　联　十二月二十四日生，字珠垣，号陆庵。正蓝旗宗室。
　　　　享年六十三。

冯尔昌　十二月二十四日生，字文宿，号友文、仲山。山东安
　　　　邱人。

任其昌　生，字士言。甘肃秦州人。享年七十一。

麟　趾　生，满洲正黄（红）旗，瓜尔佳氏。享年三十二。

郭鑑襄　生，字介卿。奉天铁岭人。享年八十口。

方恭钊　生，字勉甫。浙江仁和人。

杨仲愈 生，字仲一，号子恂。福建侯官人。享年五十。
林达泉 生，广东大埔人。享年四十九。
张　度 生，字吉人，号辟非。浙江长兴人。享年六十七。
蒋曰豫 生，字侑石。江苏阳湖人。享年四十六。
曾寿麟 生，字星垞。湖南邵阳人。享年六十三。
朱昌泰 生，字阶山，浙江海盐人。享年六十。
图瓦强阿 生，享年八十。
程学启 生，享年三十五。
江忠信 生，字诚夫。湖南新宁人。享年二十七。
王诒寿 生，字眉叔。浙江山阴人。享年五十二。
闵　褒 生，江苏江都人。享年四十八。

◉ 恩遇：

陶　澍 江苏巡抚。六月加太子少保衔。
曹振镛 大学士。十二月赐御制联。

◉ 著述：

黄廷鑑 撰《虞乡续记》及《编虞文续录》成，见二月自序。
梁廷枏 撰《书余》一卷、《碑文摘奇》一卷成，见四月自识。
丁　晏 撰《读经说》一卷成，见闰四月自识。
狄子奇 撰《孔子编年》四卷、《孟子编年》四卷成，见闰四月自撰后序。
徐　璈 撰《诗经广诂》三十卷成，见五月洪颐煊序。
王念孙 撰《读荀子杂志补遗》一卷成，见五月自序。
邓傅安 撰《蠡测汇钞》一卷成，见初伏自序。
董　毅 字子远。江苏阳湖人。编《续词选》二卷成，见七月张琦序。
林伯桐 撰《供冀小言》一卷成，见八月自题。
朱方增 撰《从政观法录》三十卷成，见十月自序。
钱泰吉 撰《清芬世守录》二十六卷成，见十月自序。
朱方增 撰《求闻过斋文集》四卷、《诗集》六卷成。（按：此集至光绪癸巳始由族孙朱丙寿刻行，今系于十一月之

前）。

钱　杜　撰《松壶画忆》二卷成，见十一月自序。

徐宝善　自编《壶图诗钞选》十卷成，见十一月顾纯序。

刘宝楠　撰《汉石例》六卷成，见十一月自序。

陈寿祺　撰《尚书大传定本》三卷、《序录》一卷、《略说》一卷、《洪范五行传》三卷成。（按：自序无年月以庚寅刻于广东，今系于此年）。

● 卒岁：

张师诚　原任仓场侍郎。正月十五日卒年六十九。

潘奕隽　四品卿衔原任户部主事。正月十七日卒年九十一。

宋端己　河南商邱县画士。正月十七日卒年五十一。

程卓樑　前广西按察使。三月二十七日卒年八十。

德　海　满洲镶黄旗，富察氏。原任黑龙江副都统。四月以病回京卒于莫尔根城。

张进暹　山西平定县廪生。六月十二日卒年三十七。

戴三锡　以原品致仕，原署工部左侍郎，前任四川总督。六月二十八日卒年七十三。赏加尚书衔。

卢　浙　太仆寺卿。七月二十七日卒年七十四。

戚人镜　丁忧司经局洗马，降调翰林院侍讲。八月十三日卒年四十七。

额勒布　原任长芦盐运使，降调户部右侍郎。八月二十五日卒，年八十四。

塔斯哈　满洲正白旗，瓜尔佳氏。喀什噶尔邦办大臣，前镶红旗蒙古副都统。八月于明约洛阵亡。予骑都尉兼一云骑尉世职，谥壮毅。

周汝珍　原任浙江遂昌县训导。八月卒年八十五。

林培厚　湖北粮道。九月初八日以督运卒于通州，年六十七。

萧明善　湖南陵零县训导。九月二十七日卒。

蒋攸銛　新授兵部左侍郎，由太子太傅，体仁阁大学士，两江总督降补。十月二十二日以入京供职，卒于山东平原途次，年六十五。照尚书衔赐恤。

史善长 前江西余干县知县。十一月卒年六十三。

朱方增 内阁学士。十一月卒年五十四。

常　英 詹事府右春坊，右庶子，前兵部左侍郎。卒。

刘凤诰 在籍翰林院编修，前太子少保衔吏部右侍郎。卒。

张映汉 以六部主事用，降调仓场侍郎，前任湖广总督。卒。

博克顺 满洲镶黄旗，钮祜禄氏。镶红旗蒙古副都统，兼銮仪
卫銮仪使。卒。

狄尚絅 江西南康县知府。卒。入国史循吏传。

王衍梅 前广西武宣县知县。卒年五十五。入国史文苑传。

达凌阿 满洲镶黄旗，佟佳氏。西安将军，云骑尉。卒。谥武
壮。

格布舍 满洲正白旗，钮祜禄氏。宁夏将军，骑都尉兼一云骑
尉。卒。谥昭武。

曾　受 四川成都人。原任湖南提督。卒。

刘起龙 广东新安人。福建水师提督。卒。

哈哈岱 满洲镶红旗，青州驻防，瓜尔佳氏。致仕江宁副都统。
卒。

安楚拉 满洲正黄旗，库雅拉彦扎氏。致仕宁夏副都统。卒。

宜䚱阿 满洲镶红旗，钮祜禄氏。成都副都统。卒。

巴杭阿 满洲镶红旗，富察氏。广州副都统。卒年七十口。

穆兰岱 满洲正蓝旗，颜扎氏。西宁办事大臣，前任镶黄旗汉
军副都统。卒。

佛隆武 满洲镶白旗，敖佳氏。副都统衔，致仕塔尔巴哈台参
赞大臣。卒。

李东宣 湖北归州人。原任直隶大名镇总兵。卒。

薛国相 甘肃洮州人。原任直隶正定镇总兵。卒。

道光十一年辛卯（公元一八三一年）

◉ **生辰：**

马丕瑶　正月初四日生，字玉山，号香谷。河南安阳人。享年六十五。

顾　奎　正月初九日生，字联璧，号顾山。江苏甘泉人。

陈宝箴　正月二十日生，字相真，号右铭、宬臣。江西义宁人。享年七十。

夏同善　二月十九日生，字舜乐，号子松。浙江仁和人。享年五十。

胡清瑞　二月二十八日生，河南襄城人。

崔国因　三月初六日生，字惠人，号笃生。安徽太平人。

毛鸿图　三月十三日生，字伯永，号升甫。四川大竹人。

柏景伟　四月十七日生，字子俊，号沣西。陕西长安人。

杨叔怿　五月初八日生，字叔一，号豫庭。福建侯官人。

刘书云　五月十三日生，字慕韩，号缦卿、研舫。江苏宝应人。享年五十五。

李　祉　五月十四日生，字锡之、既庵。号介石。汉军正白旗。

洪　绪　六月初八日生，字子球，号漾轩。江苏溧阳人。

王文思　六月初八日生，字安甫。江苏嘉定人。享年五十六。

爱新觉罗奕詝　六月初九日生，文宗显皇帝。享年三十一。

奕　誴　六月十日生，宣宗皇五子。享年五十九。

恽彦琦　六月十六日生，字亦韩，号莘农。顺天大兴人。

李庆沅　七月初一日生，字芷生，号云礁、子深。顺天通州人。享年八十。

汤世澍　七月十一日生，江苏人。享年七十二。

胡　斌　七月二十九日生，字德驷，号北屏。湖北黄梅人。享年七十。

方祚勋　八月初十日生，字庆甫，号莲史。江苏江宁人。享年五十七。

汪元庆 八月十一日生，字怀清，号泉孙。江西乐平人。

光　熙 八月十八日生，字稷甫，号云鹤。安徽桐城人。

凌行均 九月初三日生，字听五，号韵士。浙江鄞县人。

潘宗寿 九月二十二日生，湖南善化人。

李廷箫 九月二十四日生，字小轩，号成九。湖北黄安人。

史崧秀 九月三十日生，字景颜，号琴孙、晴生。江苏溧阳人。

解　煜 十月初六日生，字星垣，号曙村。直隶临榆人。

李鸿裔 十月十二日生，字眉生，号香岩、苏邻。四川中江人。
　　　　享年五十五。

英　傑 十一月十三日生，字式梁，号灵皋。满洲镶红旗，瓜
　　　　尔佳氏。

陈　湜 十二月生，享年六十六。

杨绍和 十二月二十二日生，字彦和，号勰卿。山东聊城人。
　　　　享年四十五。

潘鼎新 十二月二十九日生，号琴轩。安徽庐江人。享年五十
　　　　八。

李端遇 十二月三十日生，字小研。山东安邱人。享年七十一。

王邦玺 生，字尔玉，号印轩。江西安福人。

汪叙畴 生，四川长寿人。

黄毓恩 生，字介生，号泽臣。湖北钟祥人。

黄润昌 生，享年三十九。

陶良骏 生，顺天大兴人（原籍浙江会稽）。

周家勋 生，字麟叔，号琳粟。浙江仁和人。

周崇傅 生，字子岩。湖南零陵人。

卓景濂 生，字友莲。四川华阳人。享年五十八。

胡义赞 生，字石查。河南光山人。享年七十口。

王朝弼 生，字右卿。号少梅。湖南衡阳人。享年五十七。

成有徕 生，享年六十七。

周清元 生，字玉泉。湖南湘阴人。享年二十六。

王星誠　生，字平子，号孟调。浙江山阴人。享年二十九。

◉ 科第：

考取优贡生：

苗　夔　直隶肃宁人。

孙经世　福建惠安人。

张　穆　山西平定人。

中式举人：

凌　堃　浙江归安人。浙江金华县教谕。

朱善旂　字建卿。浙江平湖人。国子监助教。

李右文　湖南安东县知县。

陈　潮　江苏泰兴人。

周士镗　河南知县，河南按察使。

华长卿　奉天开原县训导。

朱　绶　字仲环。江苏元和人。

臧纡青　特赏四品顶带。

王华封　广西知县，广西右江道。

邵懿辰　内阁中书，刑部员外郎。

樊　琨　湖北咸宁人，四川州同，河南河南府知府。

吴登甲　贵州知县，贵州镇远府知府。

莫友芝　贵州人，江苏截取知县。

张　朴　字小波。直隶定州人。

张声玠　字奉兹，号玉夫。湖南湘潭人。

汤成烈　字果卿。直隶清苑人（原籍江苏武进）。

中式翻译举人：

爱　仁　满洲正红旗。工部笔帖式，侍讲。

龚元燮　以年老钦赐副榜。

◉ 恩遇：

孙尔准　闽浙总督。以六十生辰，二月赐御书"锡羡岩疆"额。
　　　　（按：是年实六十二岁）。

松　筠　兵部尚书。以八十生辰，二月赐御书"耆龄锡祜"额。

长　龄　大学士。八月晋太傅衔。

顾　皋　四品顶戴，降调户部左侍郎。八月赏复原衔。

周光裕　原任鸿胪寺卿，前任山西布政使。

洪其绅　原任浙江台州府知府。

　　　　以上二人均以上年为乾隆恩科乡举重逢，九月于本年辛卯
正科重赴鹿鸣筵宴。

陈廷献　原任国子监典籍，以本年为乾隆辛卯科乡举重逢，九
　　　　月重赴鹿鸣筵宴。

瑚松额　署盛京将军。以六十生辰，十二月赐寿。

● 著述：

王引之　撰《字典考证》十二卷成，见三月奕绘等进书摺。

王念孙　撰《读晏子春秋杂志》二卷、《汉隶拾遗》一卷成，均
　　　　见三月自序。

陈逢衡　撰《穆天子传注补正》六卷成，见三月自序。（按：此
　　　　书续有修改至癸卯年始刻成）。

叶锺进　辑《恽南田画跋》三卷、《画余》二卷成，见三月后
　　　　跋。

许乔林　编《朐海诗存》十六卷成，见四月自序。

乌尔恭阿　自编《易水往还稿》一卷成，见五月自序。

潘锡恩　撰《续行水金鑑》一百五十六卷、《图》一卷成，见七
　　　　月序，（按：是书为黎世序，原纂经锡恩续加增订至是
　　　　年始成）。

王念孙　撰《读墨子杂志》六卷成，见九月自序。

刘喜海　撰《海东金石苑》八卷成，见十月李惠吉题词（按：
　　　　原书已毁，所存者仅各碑跋语，至同治癸酉为鲍康刻
　　　　行。

方　坰　撰《生斋自知录》三卷成，见除夕自序。

黄　钺　撰《昌黎先生诗增注证讹》十一卷成，见戊申十一月
　　　　黄中民后序。

项名达　撰《椭圜术》一卷成，见自序。

管　同　撰《因寄轩文集》十卷成（按：此书卒后始刻，见癸
　　　　巳五月邓廷桢序，今系于是年）。

吴德旋　撰《初月楼论书随笔》一卷成，见自记。

● 卒岁：

毛大鹏　浙江鄞县人。鄞县医士。二月初七日卒。

李宗瀚　丁忧工部左侍郎，浙江学政。三月初四日奔丧回籍卒
　　　　于衢州舟次，年六十三。

周　崐　六品顶带，浙江山阴县孝廉方正。三月卒年六十八。

朱凤森　以同知升用，河南浚县知县。三月二十四日卒年五十
　　　　八。

奕　纬　宣宗皇长子。四月十一日卒。追封多罗贝勒，谥隐志，
　　　　追晋多罗郡王（追晋在三十年正月）。

叶申万　原任广东高廉道。四月二十三日卒年五十九。

谭光祜　湖南宝庆府知府。五月卒年六十。

邹文苏　候选训导，湖南新化县岁贡生。六月初二日卒年六十
　　　　三。

张聪贤　知府衔陕西潼关厅同知。六月卒。

方履籛　署福建闽县知县，大挑知县。六月十八日卒年四十二。
　　　　入国史文苑传。

彭希郑　原任湖南常德府知府。六月二十一日卒年六十八。

韩鼎晋　致仕工部左侍郎。六月二十三日卒年七十二。

郭　麐　江苏吴江县诸生。七月初六日卒年六十五。入国史文
　　　　苑传。

孔昭孔　江苏江阴县诸生。七月十一日卒年六十三。

札隆阿　满洲正蓝旗，完颜氏。前喀什噶尔参赞大臣，正红旗
　　　　蒙古副都统。九月以解京治罪，卒于喀城。

刘遵陆　原任广东海丰县知县。十一月初七日卒年七十六。

余霈元　江苏徐州道。十一月初十日卒年六十六。

吴光悦　江南巡抚。十二月十三日卒年七十三。

沈钦韩　丁忧安徽宁国县训导。十二月二十日卒年五十七。入

国史儒林传。

邱树棠　候补三品京堂，降调仓场侍郎。卒年六十一。

曾　燠　候补五品京堂，降调两淮盐政，前任贵州巡抚。卒年
　　　　七十二。

李培厚　原任户部主事。卒年五十三。

陈兰祥　在籍翰林院庶吉士。卒年五十七。

童镇陞　浙江鄞县人。原任头等侍卫，前任江南提督，云骑尉。
　　　　卒年七十口。

吕天俸　四川崇庆人。原任乌鲁木齐提督。卒。

多隆武　满洲镶白旗，库雅尼玛奇氏。原任黑龙江副都统。卒。

武隆阿　满洲正黄旗，瓜尔佳氏。原任和阗办事大臣，前太子
　　　　少保，山东巡抚。卒。

福　縣　字公毅，号久亭。满洲镶红旗，瓜尔佳氏。副都统衔
　　　　科布多参赞大臣，前任山西巡抚。卒。

郭继青　浙江定海人。原任福建金门镇总兵。卒。

孔广源　（原名孔光祖）。直隶正定人。致仕贵州镇远镇总兵。
　　　　卒。

洪　鳌　浙江定海人。致仕广东琼州镇总兵。卒年七十口。

管　同　江苏上元县举人。以入都卒于宿迁旅次，年五十二。
　　　　入国史文苑传。

周中孚　浙江乌程县副贡生。卒年六十四。入国史儒林传。

江　藩　江苏甘泉县监生。卒年七十一。入国史儒林传。

道光十二年壬辰（公元一八三二年）

● 生辰：

方恭铭 正月初二日生，字寿甫。浙江仁和人。同治二年进士。

平步青 二月初八日生，字庆荪，号平子。浙江山阴人。

张　达 三月初八日生，享年六十三。

欧阳保极 四月初六日生，字星南，号用甫、桂生。湖北江夏
　　　　人。享年三十九。

奎　郁 四月十一日生，字文轩。正蓝旗宗室。

胡毓筼 五月初二日生，字子青，号介卿。湖北武昌人。

丁　丙 七月二十日生，字松生。浙江钱塘人。享年六十八。

吴宝恕 八月十九日生，字子实，号桂诜。江苏元和人。

黄体芳 八月二十日生，字循引，号漱兰。浙江瑞安人。享年
　　　　六十八。

敬　信 八月二十四日生，字子斋。正白旗宗室。享年七十六。

夏献馨 九月初四日生，字岫村，号兰庄、菊人。江西新建人。

员凤林 九月十六日生，字梧冈，字云翮。陕西三原人。

周德润 九月二十七日生，字生霖，号义庐。广西临桂人。享
　　　　年六十一。

崔志道 闰九月二十六日生，字少芳，号笙舫。陕西户县人。

龙起涛 十月初三日生，字仿山，号禹门。江西吉水人。享年
　　　　六十九。

奕　訢 十月二十一日生，宣宗皇六子。享年六十七。

黄贻楫 十一月二十三日生，字远伯，号济川。福建晋江人。

王闿运 十一月二十九日生，字壬秋。湖南湘潭人。享年八十
　　　　五。

左　隽 十二月二十七日生，字楚英，号仲甫。湖南长沙人。

吴观礼 十二月三十日生，字子偁，号定生。浙江仁和人。享
　　　　年四十七。

崧　骏　生，字振青。满洲镶蓝旗，瓜尔佳氏。享年六十二。

张绍华　生，字綗甫，号筱传。安徽桐城人。享年七十九。

段　起　生，湖南清泉人。享年五十一。

赵继元　生，字子方，号梓芳、养斋、吉谦。安徽太湖人。

范运鹏　生，字抟九，号静方。四川隆昌人。

邹振岳　生，字岱东。山东淄川人。享年六十二。

陈振瀛　生，字紫蓬。顺天宛平人。

刘宗标　生，字海臣。广西贺县人。

赵烈文　生，字惠甫，号能静。江苏阳湖人。享年六十二。

谭　献　生，（原名谭廷献），字仲修，号仲仪。浙江仁和人。
　　　　享年七十。

虎坤元　生，字子厚。四川人。享年二十七。

◉　科第：

　　一甲进士：

吴锺骏　状元。修撰，礼部左侍郎。

朱凤标　榜眼。编修，体仁阁大学士。

季芝昌　字云书，号仙九。江苏江阴人。探花。编修，闽浙总
　　　　督。

　　二甲进士：

赵德潾　编修，江苏按察使。

姚福增　庶吉士，吏部主事，浙江道卿史。

陈本钦　庶吉士，工部主事，工部员外郎。

单懋谦　字地山。湖北襄阳人。编修，体仁阁大学士。

瑞　常　编修，文华殿大学士。

高人鑑　编修，贵州贵东道。

张星灿　字辉汉，号薇阶。山西绛州人。编修，广西布政使。

花沙纳　编修，吏部尚书。

汪振基　编修，侍讲学士。

潘　铎　兵部主事，署云贵总督。

严良训　编修，河南布政使。

邵　灿　编修，漕运总督。
温肇江　字翰福。江苏上元人，口部主事，善画山水。
庆　祺（原名庆安）。宗室。庶吉士，吏部主事，直隶总督。
戴　熙　编修，兵部右侍郎。
刘仲璠　直隶沧州人。户部主事，甘肃凉州府知府。
郭用宾（原名郭利宾）。湖北蕲水人。庶吉士，刑部主事，山东按察使。
胡光滢　刑部主事，福建粮道。
骆秉章　编修，四川总督，协办大学士。
郑锡文　顺天大兴人。户部主事，河南归德府知府。
舒兴阿　编修，陕甘总督。
劳崇光　编修，云贵总督。
吴光业　庶吉士，刑部主事，内阁侍读学士。
黄廷珍　编修，江南道御史。
陈鼎雯　庶吉士，山西知县，河南粮道。
阿彦达　吏部主事，仓场侍部。
许乃安　编修，甘肃兰州府知府。
蔡锦泉　编修，内阁中书。
桑春荣　编修，刑部尚书。光绪壬午重宴鹿鸣。
钱步文　户部主事，署江苏粮道。
金衍照　户部主事，江苏宝山县知县。
许祥光　户部员外郎，广西按察使。
周铭恩　编修，陕西道御史。
赵　霦　户部主事，福建兴泉永道。
李湘棻　庶吉士，户部主事，漕运总督。
张道进　庶吉士，刑部主事，江苏淮徐海道。
王正谊　户部主事，河南按察使。
步际逵　字云仪，字宜静。直隶枣强人。江西即用知县。
李　方　编修，甘肃兰州道。
陈　爔　编修，江南河库道。

朱庆祺 编修，陕西潼商道。

郭柏荫 编修，湖北巡抚。

善 焘 宗室。编修，户部右侍郎。

王 璪 安徽怀宁人。户部主事，湖南宝庆府知府。

赵致和 字养吾。江西奉新人。湖南耒阳县知县。

贾 臻 编修，贵州布政使。

陈书曾 字栞山。江苏丹徒人。内阁中书，湖广道御史。

汪 润 工部主事，广西左江道。

锺 保 字鹤侪。汉军正黄旗。户部主事，户部郎中。

夏廷桢 字幹园。江西新建人。编修，山东兖沂曹济道。

吴 珩 字佩之，号我鸥。浙江仁和人。庶吉士，吏部主事，
　　　　 四川盐茶道。

陈庆铺 庶吉士，户部主事，礼科给事中。

黄庆安 （原名黄拱）。工部主事，河南陈州府知府。

陆应毅 字树嘉，号稼堂。云南蒙自人。编修，河南巡抚。

沈 钧 字子衡，号沈楼。浙江余杭人。吏部主事，鸿胪寺少
　　　　 卿。

李星沅 编修，两江总督。

　　三甲进士：

赵长龄 检讨，山西巡抚。

薛鸣皋 吏部主事，陕西道御史。

李书耀 （碑录作李书燿）。四川知县，江西南安府知府。

曹楙坚 庶吉士 刑部主事，湖北按察使。

丁苣诒 户部主事，江西抚州府知府。

倪 崧 户部主事。

常 禄 字莲溪。镶蓝旗宗室。宗人府主事，翰林院侍讲。

马学易 会元。刑部主事。

许道藩 安徽知县，四川叙州府知府。

任为琦 刑部主事，安徽太平府知府。

王茂荫 户部主事，吏部右侍郎。

德　惠　归班知县，翰林院侍读。
德克精额　（碑录作克星额）。满洲正白旗，李佳氏。工部笔帖式，陕西陕甘道。
宗元醇　字小棠。河南鲁山人。山西知县，顺天府府尹。
朱庭芬　广西临桂人。
汪道森　庶吉士，江西知县，江西广信府知府。
崔　侗　吏部主事，广东布政使。
马国翰　陕西知县，陕西陇州知州。
武访畴　四川知县，陕西延榆绥道。
夏云岫　湖北知县，河南河陕汝道。

武进士：

李广金　山西灵邱人。状元。头等侍卫，江南提标中军参将。
张金甲　山东濮州人。榜眼。二等侍卫，湖北宜昌镇总兵。
郝腾蛟　字凤起。河南偃师人。探花。二等侍卫。
鸣　起　满洲正白旗。传胪。三等侍卫。
张金华　山东濮州人。会元。三等侍卫，广东肇庆协副将。

中式举人：

载　庆　宗室。内阁学士。
顾淳庆　浙江会稽人。陕西知县，陕西潼关厅同知。
裘宝善　安徽知县，安徽泗州直隶州知州。
陆孙鼎　广东知县，广东高州府知府。
傅自铭　江西知县，江西上高县知县。
叶圭书　山东知县，山东按察使。
邵绶名　湖南知县，湖南宝庆府知府。
诚　意　知县，湖北荆州府知府。
柳兴恩　句容县训导。
胡绍瑛　安徽太和县训导。
朱　堃　河南唐县知县。
陈　烱　字寅甫，号月坨。江苏元和人。
刘　綮　江西人。湖北知县，湖北襄阳府知府。

吴兆麟 浙江人。内阁中书，江西盐道。

项廷纪 浙江钱塘人。

谢家禾 浙江仁和人。

左宗植 湖南人。新化县训导，内阁中书。

左宗棠 兵部郎中，大学士。

吴敏树 浏阳县训导。

李同文 河南人。知县，直隶天河道。

谢子澄 字云舫。四川新都人。直隶天津县知县。

陈　澧 河源县训导，五品卿衔。

仪克中 广东番禺人。

潘德音 字勤思。浙江海宁人。

　　中式副榜贡生：

潘仕成 广东番禺人。癸巳钦赐举人，刑部郎中，广西桂平梧
　　　道。

翟　诰 字锡三。安徽泾县人。湖南府经历，湖南布政使。

王乃斌 字香雪。浙江仁和人。易州州判。

　　中式武举：

段飞熊 字梦卜。直隶钜鹿人。甘肃守备，甘肃兰州协副将。

王庆长 字子久。河南祥符人。

● 恩遇：

李景曾 原任浙江温州镇总兵。以上年为乾隆辛卯科乡举重逢，
　　　正月重赴鹰扬筵宴。赏加一品衔。

贵逢甲 原任四川铜梁县知县。以本年为乾隆壬辰科重逢，赏
　　　知州衔重赴恩荣筵宴。

余步云 湖南提督。五月加太子少保衔。

祁　埥 广西巡抚。十一月以剿办瑶匪功加太子少保衔。

● 著述：

王念孙 撰《读书杂志余编》二卷成（按：此书卒后始刻成，
　　　今系于正月之首）。

张　鑑 自编《冬青馆古宫词》三卷成，见正月自序（按：此

书为鑑少年所作，然至是年始写定，故依作序时列之）。

李祖陶 撰《读三国志书》后一卷成，见二月自序。

李祖陶 撰《后汉书赘语》三卷成，见三月自序。

李祖陶 撰《前汉书细读》四卷成，见夏月自序。

沈　豫 撰《读易寡过》一卷成，见五月月序。

朱　彬 撰《礼记训纂》四十九卷成，见七月自序。

项名达 撰《勾股六术》一卷成，见七月黎应南序。

吴荣光 撰《吾学录初编》二十四卷成，见九月自序。

陈　立 撰《白虎通疏证》十二卷成，见九月自序。

胡承珙 撰《毛诗后笺》三十卷成（按：此书卒后始刻，今系于十月之前）。

朱　琦 编《紫阳家塾诗钞》二十四卷成，见十月自序。

钱仪吉 自编《衍石斋记事稿》十卷成，见十月戚嗣曾序。

方金彪 撰《寅甫日记》一卷、《寅甫小稿》一卷成（按：二书于咸丰七年始为曹镇定所刻，今系于十一月之前）。

周　济 编《宋四家词选》四卷成，见十一月自序。

罗士琳 撰《勾股截积和较算术》二卷成，见十二月黎应南序。

钱　襄 撰《侍疾要语》一卷成，见十二月自识。

方　坰 撰《生斋日识》一卷成，见十二月贾敦良跋。

方　坰 自编《生斋诗稿》九卷成，见十二月自序。

程恩泽、狄子奇 同撰《国策地名考》二十卷成，见程恩泽序（按：此书至庚子冬始刻成，见狄子奇后序）。

● 卒岁：

郑敦允 湖北襄阳府知府。正月卒年四十一。入国史循吏传。

王念孙 四品职衔致仕直隶永定河道。正月二十四日卒年八十九。入国史儒林传。

孙尔准 太子少保衔闽浙总督。正月二十九日卒，年六十三。赠太子太师衔，谥文靖。

马　韬 湖南宝庆协副将。二月于池塘墟阵亡。予骑都尉世职，谥勇壮。

陆　言　河南布政使。卒。

温承惠　前太子少保，直隶总督（复授湖北布政使，又降补户
　　　　部广东司郎中）。二月二十九日卒，年七十八。

程含章　原任福建布政使，降调山东巡抚。三月卒年七十一。

叶廷甲　江苏江阴县贡生。三月十九日卒年七十九。

顾　皋　赏复户部左侍郎原衔。四月初八日卒年七十。

王　润　浙江嘉兴县画士。四月十四日卒年七十七。

陈若霖　致仕刑部尚书。四月十五日以回籍卒于天津舟次，年
　　　　七十四。照尚书例赐恤。

汪潮生　江苏仪征县副贡生。五月初六日卒年五十六。

顾　莼　通政使司副使。五月十三日卒年六十八。入国史文苑
　　　　传。

孙经世　福建惠安县优贡生。五月二十日卒年五十。入国史儒
　　　　林传。

丁履恒　丁忧山东肥城县知县。五月二十五日卒年六十三。

武穆淳　江西信丰县知县。五月卒年六十一。

史　鹊　广东高州镇中营游击。五月于连州之将军岐阵亡。予
　　　　骑都尉世职。

裘安邦　江南徐州镇总兵。七月初四日卒年五十九。

鄂木顺额　都察院左副都御史，江苏学政。七月十四日卒年四
　　　　十一。

龚镇海　原任浙江定海镇总兵。七月十五日卒年七十五。

陈廷桂　原任奉天府府丞，前任江苏按察使。七月卒年七十四。

永　璇　高宗皇八子，和硕仪亲王。八月初口日卒年八十七。
　　　　谥曰慎。

罗家彦　国子监祭酒，江西正考官。八月卒于南昌，年五十二。

梁元翀　广东顺德县画士。八月十六日卒年六十九。

胡　鑑　翰林院编修，湖南副考官。八月二十一日卒于长沙闱
　　　　中，年四十七。

常　文　满洲正蓝旗，西林觉罗氏。工部左侍郎。九月初三日卒。

朱俎莘　浙江海盐县诸生。九月二十五日卒年六十七。

胡承珙　原福建台湾道。闰九月十四日卒年五十七。入国史儒林传。

张宗泰　原任安徽合肥县教谕。闰九月二十二日卒年八十三。

吕志恒　江苏阳湖人。福建台湾府知府。十月初二日于大桃竹遇害，予云骑尉世职。

锺　昌　头等侍卫，科布多参赞大臣，降调仓场侍郎。十月卒年四十八。

葛大宾　六品顶带湖南湘乡县孝廉方正。十二月二十九日卒年七十一。

方金彪　浙江平湖县诸生。十一月初八日卒年二十。

方振声　福建嘉义县县丞。十一月于斗六门殉难。予骑都尉世职，谥义烈。

马步衢　守备衔福建台湾镇标千总。十一月于斗六门殉难。予骑都尉世职，谥刚烈。

陈玉威　福建台湾人。福建台湾北路协把总。十一月殉难。予骑都尉世职，谥勇烈。

额尔古伦　满洲镶红旗。伊拉哩氏。副都统衔喀什噶尔领队大臣。十二月卒。

程邦宪　原任鸿胪寺少卿。十二月卒年六十六。

李黼平　前江苏昭文县知县。十二月二十一日卒年六十三。入国史儒林传。

郭尚先　大理寺卿。十二月二十九日卒年四十八。

曹师曾　江西新建人。原任太常寺卿，降调兵部左侍郎。卒。

刘彬士　光禄寺卿，前刑部左侍郎，顺天学政。卒。

龙汝言　兵部员外郎，前翰林院修撰。卒年五十二。

富　兰　满洲正黄旗，墨尔迪勒氏。原任正白旗护军统领，前任察哈尔都统。卒。

蔡　鼎　汉军正白旗。头等侍卫，前任乌鲁木齐提督。卒年七十口。

爱新保　满洲正红旗，伊尔根觉罗氏。致仕正白旗满洲协领，前任四川川北镇总兵。卒。

郑云龙　原任湖南连州知州。卒年七十六。

斌　静　前黑龙江将军，复授正黄旗蒙古副都统，充喀什噶尔参赞大臣，镶红旗宗室。卒年七十口。

萨秉阿　福州将军。卒年六十五。谥果恪。

何君佐　云南恩安人。致仕湖北提督，恩骑尉。卒年七十口。

王应凤　贵州镇远人。江南提督，袭恩骑尉世职。卒年七十口。

都　明　满洲镶白旗，伊尔根觉罗氏。致仕荆州右翼副都统。卒。

英　惠　满洲镶红旗，费莫氏。原任科布多参赞大臣，前任乌鲁木齐都统，袭三等威勤侯。卒。

松　廷　字颐堂。满洲正蓝旗，郑佳氏。原任头等侍卫，哈密办事大臣，降调仓场侍郎。卒。

恒　敬　（原名恒敏），字勉亭。满洲正蓝旗，伊尔根觉罗氏。西宁办事大臣，前任正白旗汉军副都统。卒。

舒凌阿　满洲正黄旗，牛佳氏。副都统衔叶尔羌领队大臣。卒。

伍尔衮布　满洲镶白旗，青州驻防，瓜尔佳氏。致仕甘肃凉州副都统。卒。

马玉麟　陕西长安人。原任四川建昌镇总兵。卒。

马应国　四川成都人。山东曹州镇总兵，前任广西提督。卒。

黄建功　福建罗源人。广东琼州镇总兵。于青柏洋面因舟覆殁于水。予骑都尉世职。

王学浩　江苏昆山县举人。卒年七十九。

李贻德　浙江嘉兴县举人。卒年五十。入国史儒林传。

张　绅　字怡亭。福建建宁人。建宁县诸生。卒。入国史文苑传。

吴　铤　江苏阳湖县诸生。卒年三十三。

吴应和　浙江海盐县监生。卒年七十六。

道光十三年癸巳（公元一八三三年）

◉ 生辰：

阿克丹　正月二十一日生，字友石，号允廷。正白旗宗室。享年七十一。

增　寿　二月初九日生，字幼山，号苓舫。满洲正白旗。

瑞　昌　三月初四日生，字霭馀，号南星。满洲镶蓝旗，什勒氏。

许廷桂　三月十九日生，字嘉谟，号柱臣。江西金溪人。

吴鸿恩　四月初一日生，字泽民，号春海。四川铜梁人。

善　庆　四月初三日生，字厚斋。满洲正黄旗，张佳氏。享年五十六。

贺良桢　四月初四日生，字伯岷，号幼甫。湖北蒲圻人。

董文涣　四月二十六日生，（原名董文焕），字尧章，字砚秋、砚樵。山西洪洞人。

锺骏声　五月十二日生，字雨辰，号澹夫、亦溪。浙江仁和人。

沈树镛　六月二十八日生，字友笙，号韵初。江苏南汇人。

刘瑞祺　六月二十八日生，字伯符、元甫，号景臣、谨丞。江西德化人。享年五十九。

吴焕采　七月初六日生。

马绍训　七月二十八日生。

吴廷芬　九月初五日生，字诵清，号蕙吟。安徽休宁人。

李端棻　九月初十日生，字信臣，号苾园。贵州贵筑人。享年七十五。

桂中行　十月生，江西临川人。享年六十五。

冯镜仁　十月十二日生，广东东莞人。

凌行堂　十月二十二日生，字仲升，号湖荪、子廉。浙江鄞县人。

周瑞清　十月二十八日生，字仲谐，号鑑湖。广西临桂人。

龚承钧 十一月初六日生，字春庭，号湘浦。湖南湘潭人。

郭松林 十一月二十二日生，湖南人。享年四十八。

盛植型 十二月初三日生，字钧吉，号蓉州、心竹。浙江镇海人。

杜瑞联 十二月二十七日生，字聚五，号星垣、鹤田、棣云。山西太谷人。

杨福臻 生，字骈卿。江苏高邮人。

胡蕙馨 生，字韵琴，号棣华、东圃。安徽含山人。

王 绰 生，字莘锄。江苏无锡人。

王锡荣 生，字戟门。山东诸城人。

吴浚宣 生，字子郊。浙江海宁人。享年七十口。

蒋益澧 生，字芗泉。湖南湘乡人。享年四十二。

刘连捷 生，字南云。湖南湖乡人。享年五十五。

武 震 生，字峙东，号耜东。山东历城人。享年六十一。

郝植恭 生，字允之，号梦琴。顺天三河人。享年五十三。

施之博 生，字济航。奉天承德人。

周星诒 生，字季贶。河南祥符人。享年七十二。

方瑞兰 生，河南禹州人。享年五十八。

章寿麟 生，字价人。湖南长沙人。年五十五。

蒋士骥 生，字北野，号石枫。江苏常熟人。享年六十八。

张王熙 生，浙江人。

刘松山 生，字寿卿。湖南湘乡人。享年三十八。

周盛传 生，字薪如。安徽合肥人。享年五十三。

蓝斯明 生，湖北广济人。享年七十五。

毕金科 生，字应侯。湖南师宗人。享年二十五。

◎ 科第：

一甲进士：

汪鸣相 状元。修撰。

曹履泰 榜眼。编修，广东惠潮嘉道。

蒋元溥 探花。编修，江西盐法道。

二甲进士：

司徒煦　庶吉士，四川石泉县知县。

李恩庆　编修，两淮盐运使。

崇　文　宗室。编修，侍读。

沈映钤　工部主事，安徽知县，广东广州府知府。

宋延春　庶吉士，吏部主事，云南布政使。重宴恩荣。

杨文定　刑部主事，江苏巡抚。

黄庆同　（原名黄庆昌）。江西清江人。庶吉士，工部主事，刑
　　　　部郎中。

焦友麟　编修，山西按察使。

孟毓兰　山东长清人。

武云衢　（原名武天亨）。山西文水人。编修，山东青州府知府。

史策先　吏部主事，直隶正定府知府。

许　楣　会元。户部主事。

王积顺　内阁中书，刑部郎中。

邓尔恒　编修，陕西巡抚。

廖惟勋　编修，贵州贵阳府知府。

汪元方　编修，左都御史。

唐　潮　浙江嘉善人。庶吉士，户部主事，户部员外郎。

福　济　编修，乌里雅苏台将军。

叶觐仪　编修，内阁学士。

史佩瑢　编修，直隶永平府知府。

花讌春　字次江，号秋实。贵州贵筑人。庶吉士，刑部主事，礼
　　　　部员外郎。

陈应聘　四川知县，江苏候补道。

黄锺音　编修，广西按察使。

黄赞汤　编修，广东巡抚。

陈宗元　吏部主事，江西吉安府知府。

邱景湘　庶吉士，吏部主事，署广东惠潮嘉道。

蔡宗茂　编修，陕西按察使。

曹衔达　浙江嘉善人。福建知县，福建漳州府石玛同知。

车克慎　编修，礼部左侍郎。

许　櫵　直隶知县，江苏候补道。

朱庆镛　（原名朱允惇）。广西博白人。四川知县，四川嘉定府
　　　　知府。

林廷禧　户部主事，云南迤西道。

周有簠　庶吉士，刑部主事，四川龙安府知府。

保　清　宗室。吏部主事，翰林院侍读学士。

王兆松　庶吉士，工部主事，鸿胪寺少卿。

吴开阳　字瑶阶，号秋垣、少师。江苏如皋人。云南知县，湖
　　　　北宜昌府知府。

张熙宇　广东知县，安徽按察使。

郑辉堂　直隶天津人。

许谨身　号金桥、师竹。浙江仁和人。

胡正仁　编修，江西饶州府知府。

萧良城　编修，庶子。

金云门　浙江知县，湖北安陆府知府。

杨　培　编修，四川布政使。

安　诗　兵部主事，户科掌印给事中。

黎吉云　（原名黎光曙）。湖南湘潭人。编修，掌广西道御史。

刘　浔　编修，广东潮州府知府。

陈文霶　编修，江南道御史。

车　瀛　字玉文，号春川。江西南昌人。刑部主事。

左乔林　即用知县，直隶滦州学正，顺天府教授。

卢　琳　浙江知县，江西瑞州府知府。

韩　椿　庶吉士，兵部主事，浙江布政使。

曾克敬　字子镜，广西平乐人。编修。

　　三甲进士：

徐　耀　检讨，福建泉州府知府。

广　勇　直隶知县，山东沂州府知府。

存　葆　吏部主事，江苏淮安府知府。

李恩霖　字祥毅，号梦岩。汉军正白旗。山东莱芜县知县。

吴士俊　湖南知县，湖南长沙府知府。

唐　简　刑部主事，云南大理府知府。

毓　科　刑部主事，江西巡抚。

苏咢讷　工部主事，山西归绥道。

谭廷襄　庶吉士，刑部主事，刑部尚书。

夏廷榘　检讨，侍读。

博迪苏　检讨，盛京工部侍郎。

乔邦宪　检讨，掌广东道御史。

端木国瑚　内阁中书。

温予巽　检讨，甘肃布政使。

桂超万　江苏知县，福建汀漳龙道。

裘宝铺　河南知县，河南怀庆府知府。

德　龄　工部主事，内阁学士。

英　瑞　字毓芷，号彦甫。正蓝旗宗室。刑部主事，少詹事。

孔昭慈　庶吉士，广东知县，福建台湾道。

洪玉珩　字云洲。贵州大定人。江苏知县，江安粮道。

樊　椿　吏部员外郎，湖北襄阳府知府。

王麟瑞　直隶武邑县知县，沂州府教授。

许本塽　庶吉士，户部主事，口口盐法道。

法福礼　（原名福昌阿）。满洲镶蓝旗。湖北知县，乌鲁木齐都
　　　　统。

　　中式翻译进士：

文　廉　蒙古正蓝旗，齐里特氏。理藩院主事，浙江宁绍台道。

　　武进士：

牛凤山　字仪銮，号梧阶。河南汜水人。状元。头等侍卫，陕
　　　　甘督标右营参将。

孙和平　顺天大兴人。榜眼。二等侍卫。

张协忠　字东玻。江西德兴人。探花。二等侍卫，四川口口营

参将。

段应元　河南陕州人。传胪。三等侍卫，江南徐州镇宿州营游
　　　　击。

◉　恩遇：

阮　元　协办大学士，云贵总督。以七十生辰二月赐御书"亮
　　　　功锡祜"额。

卢荫溥　大学士。三月以病辞职晋太子太保。

王宗诚　兵部尚书。以七十生辰，四月赐御书"政翊西枢"额。

马济胜　福建陆路提督。四月以擒获逆匪陈办等，功封二等男。

马济胜　福建陆路提督。六月赐御书"忠勇严明"额。

王得禄　原任浙江提督。七月加太子少保衔。

瑚松额　福州将军。七月加太子少保衔。

杨　芳　固原提督。九月晋封一等果勇侯（十四年十二月仍降
　　　　二等）。

马济胜　福建陆路提督。十二月以入觐晋封二等子。

◉　著述：

邹汉勋　撰《读书偶识》八卷成，见二月自序。

梁廷枏　撰《南越五主传》三卷、《南越丛录》二卷成，见五月
　　　　自序。

盛大士　撰《泉史》十六卷成，见五月萧令裕序。

姚　燮　自编《疏影楼词》五卷成，见五月自序。

俞正燮　撰《癸巳类稿》十五卷成，见六月王藻序。

邵廷烈　撰《娄江杂词》一卷成，见夏日自记。

郑　珍　撰《说文新附考》六卷成，见八月自序。

冯登府　撰《浙江砖录》一卷成，见八月自序。

王　筠　撰《说文韵谱校》五卷成，见九月自序（按：此书至
　　　　光绪庚寅始经潍县刘嘉禾刻行）。

邵廷烈　辑《刻娄东杂著》五十四卷成，见秋日自序。

方　坰　撰《生斋日识续》一卷成（按：是书成于是年之冬，
　　　　见顾广誉跋）。

吴若准　撰《洛阳伽蓝记集证》一卷成，见十二月自序。

沈铭彝　字纪鸿，号竹岑。浙江嘉兴人。撰《后汉书注》成，见十二月自序。

李遇孙　撰《括苍金石志》十二卷成，见胡熙序。

汪远孙　编《清尊集》十六卷成，见自撰凡例。（按：是书卒后始刻，见戊戌九月吴德旋序）。

梁章钜　编《江田梁氏诗存》九卷成，有自序，见自订年谱。

孟　麟　撰《泉布统志》十六卷成，见自序。

◉　卒岁：

杨怿曾　原任湖北巡抚。正月二十四日卒年七十一。

陈　鸿　通政使司参议。二月卒年五十四。

那彦成　前太子太保，直隶总督，三等子，复授盛京礼部侍郎。二月卒，年七十。赠尚书衔，谥文毅。

桂　涵　四川东乡人。四川提督。二月卒于富林汛军营。赠太子太保衔，谥壮勇。

阿　成　前刑科给事中。二月二十一日以罪处绞。

吴熊光　四品卿衔原任兵部武选司主事，前太子少保两广总督。二月二十七日卒年八十四。

张　琦　山东馆陶县知县，三月十二日卒年七十。常州派词人，入国史循吏传。

玉　麟　太子太保衔伊犁将军，前任兵部尚书。三月以奉召入京卒于陕西长安，年六十八。赠太保，入祀贤良祠，谥文恭。

戴宗沅　刑部右侍郎。三月二十六日卒。

汪世樽　翰林院编修，会试同考官。三月卒于闱中，年五十二。

刘　泽　山东历城县医士。五月二十九日卒年七十五。

吴敬恒　礼科给事中。六月十五日卒年五十九。

明　禅　满洲镶黄旗，达尔古郭伯勒氏。西安左翼副都统。七月卒。

刘廷斌　四川温江人。前广东提督。七月卒。

赵绍祖　五品衔候选教职，原署安徽广德州训导，安徽泾县孝廉方正。七月十七日卒年八十二。入国史文苑传。

张庆成　降调直隶深州知州。七月十八日卒年六十。

周孝埙　在籍刑部候补主事。八月初三日卒年七十一。

许邦光　原任光禄寺卿。八月十三日卒年五十四。

左　辅　致仕湖南巡抚。八月二十五日卒年八十三。

沈钦霖　选授安徽庐州府知府，署福建台湾府海防同知，正任福州府平潭同知。十二月十九日卒于台湾，年六十五，赠道衔。

舒　英　满洲正黄旗，觉罗氏。原任礼部左侍郎。卒

贾允升　致仕兵部左侍郎。卒。

王　丙　太仆寺少卿。卒。

彭　浚　顺天府府丞。卒。

富　永　满洲镶黄旗，萨克达氏。致仕镶黄旗蒙古副都统，袭骑都尉世职。卒年七十口。

八　十　满洲镶黄旗，觉罗氏。致仕镶蓝旗满洲副都统，袭云骑尉世职。卒年七十口。

颜　检　以五品衔致仕，降调漕运总督，前太子少保衔直隶总督。卒年七十口。

梁祖恩　广东始兴县知县。卒年六十四。

阎俊烈　致仕湖南提督。卒。

阔凌阿　满洲镶白旗，钮祜禄氏。致仕广州汉军副都统。卒

富　兆　满洲正蓝旗，费莫氏。福州副都统。卒。

色尔滚　满洲正黄旗，莫尔丹氏。都统衔致仕呼伦贝尔办事大臣，云骑尉。卒年七十口，谥勇壮。

苏布通阿　蒙古镶白旗，吴里扬罕氏。副都统衔塔尔巴哈台领队大臣。卒。

蒲立勋　福建侯官人。原任浙江温州镇总兵。卒。

国勒明阿　满洲镶白旗，富察氏。甘肃巴里坤镇总兵。卒。

徐庆超　福建建宁镇总兵。卒

沈学渊 江苏宝山县举人。卒年四十六。

道光十四年甲午（公元一八三四年）

● 生辰：

高钊中　正月二十四日生，字勉之。河南项城人。

伍绍棠　二月初八日生，字仁基，号子升。广东南海人。

徐文泂　三月初一日生，字暨民，号挹泉。江苏江阴人。

王文在　三月十四日生，字念堂，号杏坞。山西稷山人。

庆　裕　四月初三日生，字兰圃。满洲正白旗。享年六十二。

怀塔布　四月十五日生，字绍先。满洲正蓝旗，叶赫那拉氏。
　　　　享年六十七。

李士瓒　五月十六日生，江苏昭文人。

王师曾　五月二十日生，字鲁堂，号少沂、省斋。山东聊城人。

翁曾源　五月二十二日生，字仲渊。江苏常熟人。享年五十四。

李耀奎　五月二十四日生，字炳瀛，号菱舟。直隶天津人。

宗源翰　五月二十七日生，字湘文。江苏上元人。享年六十四。

章乃畲　六月初七日生，字念慈，号砚籽。浙江归安人。

孙毓汶　六月二十日生，字汇溪，号莱山。山东济宁人。享年
　　　　六十六。

崇　礼　六月二十一日生，字受之。汉军正白旗，蒋氏。享年
　　　　七十四。

张元普　六月二十三日生，字伯施，号稚原、玉岑。浙江仁和
　　　　人。

周家楣　七月初六日生，字小棠。江苏宜兴人。享年五十三。

谢维藩　七月初九日生，字麐伯，号衡长。湖南巴陵人。享年
　　　　四十五。

何金寿　七月二十五日生，（原名何铸），字铁生，号剑农。湖
　　　　北江夏人。享年四十九。

胡乔年　七月二十九日生，字鲁笙，号筱湘。湖北天门人。

高万鹏　八月初二日生，字抟九，号森若、甲生。陕西城固人。

享年五十六。

余九穀　八月初五日生，字稼甫，号石孙。江西奉新人。

王鸿年　八月十七日生，浙江人。

李文田　八月二十日生，字畬光，号仲约、芍农、蓬圃。广东顺德人。享年六十二。

张　曜　九月初七日生，字亮臣，号朗斋。顺天大兴人（原籍浙江钱塘）。享年五十八。

朱靖旬　九月二十六日生，字溥政，号希召、敏斋。河南安阳人。享年六十二。

沈镕经　九月二十七日生，字霄仲、芸阁。浙江乌程人。享年五十二。

张寿荣　十月初五日生，字菊龄。浙江镇海人。

景　善　十月十三日生，字子慕，号莆亭。满洲正白旗，马佳氏。享年六十七。

福　锟　十月初五日生，字蓟甫，号箴亭。镶蓝旗宗室。享年六十三。

杨恩寿　十二月初九日生，湖南人。

陈　宝　十二月二十七日生，字百生，号白森。江苏东台人。享年四十五。

梁耀枢　生，字冠祺，号斗南、叔简。广东顺德人。

于建章　生，字殿侯。广西临桂人。

吴　超　生，浙江仁和人。

邬纯嘏　生，字子常，号筱珊。河南光州人。

高　梯　生，字良模，号云浦。江西彭泽人。

陆心源　生，字刚甫，号存斋。浙江归安人。享年六十一。

陆襄钺　生，字吾山。陕西人。享年七十□。

顾元勋　生，字实夫。广西临桂人。

孙纪云　生，山东历城人。

周文浚　生，字南园。河南商城人。

唐宝鑑　生，字心潭，号蓉石。直隶静海人。

庄士敏 生，字仲求。江苏武进人。享年四十六。

贺逢吉 生，享年四十六。

江忠义 生，湖南新宁人。享年三十。

吴长庆 生，字筱轩。安徽庐江人。享年五十一。

罗荣光 生，湖南人。享年六十七。

李佑厚 生，字凤轩，号奉轩。湖南平江人。享年三十五。

徐　锦 生，字兰史。浙江嘉兴人。享年二十九。

刘　愚 生，江西安福人。

● 科第：

考取优贡生：

沈　垚 浙江乌程人。

王梓材 署广东乐会县知县。

中式举人：

梁金诏 浙江会稽人。云南知州，云南云南府知府。

张亮基 内阁中书，云贵总督。

王肇谦 福建知县，署福建延建邵道。

吴昆田 内阁中书，刑部员外郎。

长　秀 （原名昌秀）。字兰舫。满洲正红旗，瓜尔佳氏。礼部
　　　　主事，湖南盐道。

伊　霖 字雨田，号云岩。满洲正黄旗，伊尔根觉罗氏。吏科
　　　　笔帖士，广东廉州府知府。

何维墀 见乙酉拔贡。

凌树棠 太常寺博士，四川酉阳直隶州知州。

狄子奇 江苏溧阳人。

何慎修 内阁中书。

宣陈奎 江苏嘉定人。

刘于浔 江西人。江苏知县，甘肃按察使。

姚　燮 浙江镇海人。

吴春焕 陕西知县，陕西布政使。

吴安业 内阁中书。

邓廷楠　湖南人。贵阳直隶州学正。

何绍祺　云南知县，浙江台州府知府。

赵印川　山东人。福建知县，福建延建邵道。

托克清阿　山西人（满洲正蓝旗，太原驻防）。甘肃知县，甘肃
　　　　　秦州直隶州知州。

范泰衡　四川人。万县训导。

张其翮　广东人。陕西富平县知县。

吴弥光　广东南海人。

杨廷桂　广东茂名人。

　　中式副榜贡生：

张士宽　浙江人，知县，湖南衡永郴桂道。

梁廷枏　澄海县训导。

　　中式武举：

张遇清　字石泉。直隶新乐人。广东钦州营参将。

◉　恩遇：

孙玉庭　前大学士。以本年为乾隆甲午科乡举重逢，六月赏四
　　　　品顶带重赴鹿鸣筵宴。

卢　坤　两广总督。九月复加太子少保衔。

曹振墉　大学士。以八十生辰，十月赐御书"领袖耆英"额及
　　　　御制诗联。

颐　龄　已故二等侍卫，袭二等男。十月封一等承恩侯，谥荣
　　　　僖。

◉　著述：

冯登府　自编《拜竹诗龛诗存续》二卷成，见正月自序。

项廷纪　自编《忆云词丙稾》一卷成，见正月自序。

陈寿祺　撰《左海文集》十卷、《绛跗堂诗集》六卷、《左海乙
　　　　集》二卷成（按：诸书皆卒后始刻，系于二月以前）。

顾　翰　字兼塘。江苏无锡人。自编《拜石山房词》四卷成，
　　　　见二月蔡宗茂序。

邵廷烈　编《望益编》一卷成，见二月自识。（按：此为同人所

题廷烈望益图之作）。

王　筠　撰《说文系传校录》三十卷成，见三月自序。（按：是书续有修改，至咸丰七年始刻行，见王彦侗后跋。

钱泰吉　撰《海昌学职禾人考》一卷成，见四月自识。

吕佺孙　撰《百砖考》一卷成，见四月自识。

黄汝成　撰《日知录集释》三十二卷成、《刊误》二卷成，见五月自序。

李道平　撰《易筮遗占》一卷成，见初伏自序。

夏　炯　自编《夏仲子集》六卷成，见六月自序。

吴兰修　撰《南越金石志》二卷成，见夏日郑廷松跋。

方　炯　撰《生斋读易日识》六卷、《生斋文稿》八卷成。（按：二书皆卒后始刻，今系于七月之前）。

林春溥　撰《四书拾遗》六卷成，见七月自序。

王绍兰　撰《管子地员篇注》成，见八月自序。

梁章钜　撰《文选旁证》四十六卷成，见九月自序。

吴兰修　撰《端溪砚史》三卷成，见秋日卢坤序。

冯登府　撰《论语异文考证》十卷成，见十月自序。

罗士琳　撰《四元玉鑑细草》二十四卷成，见十二月自序。

冯登府　自编《种芸词》二卷成，见自序。

黄燮清　自编《拙宜园词》二卷成，（按：此书无自序，以刻于乙未孟春，今系于此年）。

◉ 卒岁：

李泰交　詹事府右春坊右赞善，广东学政。正月十八日自缢。

朱　彬　国子监学录衔，江苏宝应县举人。正月二十八日卒年八十二。入国史儒林传。

鲍　珊　陕西兴安府知府。二月十八日卒年五十六。

陈寿祺　在籍翰林院编修。二月二十日卒年六十四。入国史儒林传。

富　俊　太子太保衔东阁大学士。二月二十九日卒年八十六。赠太子太傅，入祀贤良祠，谥文诚。

明　山　满洲镶蓝旗，萨克达氏。原任刑部尚书。三月二十六日卒。赠太子太保衔，追封三等承恩公，谥端悫（封谥在同治元年八月）。

緜　志　高宗皇孙，多罗仪郡王。四月初六卒。谥曰顺。

康绍镛　以四品顶带致仕，原任光禄寺卿，前任湖南巡抚。四月二十五日卒年六十五。

王凤生　在籍湖北候补道，前任河南河北道，署两淮盐运使。四月卒年五十九。

金锡桂　字山甫。江苏震泽人。震泽县诸生。五月卒。

朱鹤年　江苏泰州画士。六月卒年七十五。

张星焕　安徽太和县知县。六月初六日卒年五十三。

陆继辂　原任江西贵溪县知县。六月二十三日卒年六十三。入国史文苑传。

方　垌　选授浙江钱塘县训导。七月初八日以赴任卒于杭州旅次，年四十三。入国史儒林传。

博启图　满洲镶黄旗，富察氏。工部尚书，袭一等诚嘉毅勇公。七月十二日卒。赠太子太保，谥敬僖。

刘有庆　江西玉山县知县。七月以调赴闱差入省，因舟覆殁于水，年三十八。赠知府衔。

章大泽　候选训导，安徽绩溪县岁贡生。十月初十日卒年七十一。

孙玉庭　四品顶带，前太子少保体任阁大学士，两江总督。十月十六日卒年八十三。

那清安　原任兵部尚书。十月二十口日卒。赠太子太保，谥恭勤。

昇　寅　礼部尚书。十月二十六日卒年七十三。赠太子太保，谥勤直。

戴敦元　原任刑部尚书。十一月卒年六十七。赠太子太保，谥简恪。

陈运镇　工部屯田司主事。十一月卒年六十一。

王引之 工部尚书。十一月二十四日卒，年六十九。谥文简。

何彤然 丁忧内阁学士。十二月卒。

韩 崶 二品顶带前刑部尚书。卒年七十七。

徐 炘 原任光禄寺卿，降调陕西巡抚。卒年六十六。

蔡之定 原任翰林院侍读学士。卒年八十七。

张敦仁 原任云南盐法道。卒年八十一。入国史儒林传。

廖文锦 河南卫辉府知府。卒年六十。入国史循吏传。

查 揆 顺天蓟州知州。卒年六十五。入国史文苑传。

吴嵩梁 原任贵州黔西州知州。卒年六十九。入国史文苑传。

陶克让 浙江金华县知县。卒年七十四。

齐正谊 直隶献县教谕。卒年七十四。

八十六 满洲镶白旗，西安驻防，那拉氏。致仕广州将军。卒年八十口。谥壮僖。

曾 胜 广东陆路提督。卒。谥勤勇。

富 亮 满洲镶红旗，荆州驻防，富察氏。致仕福州副都统。卒。

图明阿 蒙古正黄旗，吉林驻防，杭阿塔氏。西安副都统。卒。

多 贵 副都衔致仕伊犁领队大臣。卒。

罗光炤 致仕浙江黄岩镇总兵。卒年八十。

富明阿 满洲镶红旗，钮祜禄氏。原任陕西河州镇总兵，袭云骑尉世职。卒年七十口。

姜长龄 汉军镶蓝旗。江南狼山镇总兵，袭骑都尉世职。卒。

武光琳 直隶正定人。贵州威宁镇总兵。卒。

马金魁 陕西长安人（原籍安康）。直隶大名镇总兵。卒。

道光十五年乙未（公元一八三五年）

● 生辰：

陈钦铭 正月初六日生，字少希，号寿彝。福建侯官人。享年五十七。

施补华 正月二十六日生，字均父。浙江乌程人。享年五十六。

许有麟 三月初六日生，字祥伯，号石仰、黼廷。浙江仁和人。

沈景修 三月初八日生，字蒙叔。浙江秀水人。享年六十五。

王蘂修 三月二十四日生，安徽人。

陆廷黻 四月十口日生，字已云，号渔笙。浙江鄞县人。享年八十七。

杨鼎勋 四月生，享年三十四。

高心夔 五月初五日生，字碧湄。江西湖口人。享年四十九。

吴大澂 五月十一日生，字止敬，号清卿。江苏吴县人。享年六十八。

汪朝棨 六月初二日生，字亦农，号子森。江苏长洲人。

魏迺勣 七月初二日生，字赞卿，号次皋、吟舫。山东德州人。

温忠翰 七月初三日生，字西林，号味秋、鹤峰。山西太谷人。

陈秉和 七月初十日生，字梅村，号石卿。山东曲阜人。

刘恩溥 七月十一日生，字荫云，号博泉。直隶吴桥人。享年七十四。

黄习溶 八月十二日生，湖南宁远人。享年四十六。

陶　模 八月十九日生，字方之，号子方。浙江秀水人。享年六十八。

汤子坤 九月初十日生，字黼宸。陕西汉阴人。

柳以蕃 九月十四日生，字价人，号子屏、韬庐。江苏吴江人。享年五十八。

陈学棻 十月二十九日生，字桂生。湖北安陆人。享年六十六。

郭从矩 十一月十七日生，字戒踽，号心吾、定轩。山西长治

人。享年五十一。
文　澂　十一月二十三日生，字秋瀛。满洲镶红旗，费莫氏。享年四十六。
锺德祥　十一月二十四日生，字西耘，号愚公。广西宣化人。
周景曾　十二月初六日生，字灊生，号式如、佩之。浙江海宁人。
张登瀛　十二月十七日生，字仲士，号海峤。山西崞县人。
英　启　十二月二十一日生，字子佑，号续村。汉军镶白旗，安氏。
朱以增　十二月二十一日生，字礼耕，号砚生。江苏新阳人。
王文锦　生，字云舫。直隶天津人。享年六十二。
薛福辰　生，字振美，号抚屏。江苏无锡人。享年五十五。
緜　善　生，正蓝旗宗室。
萧晋蕃　生，(原名萧晋卿)，字迺庭。湖南长沙人。享年四十九。
费廷厘　生，字云舫。江苏吴江人。享年五十九。
李昭庆　生，字幼荃。安徽合肥人。享年三十九。
潘士钊　生，字国英，号翰墀。广东南海人。
札克丹　生，享年四十六。
李念兹　生，直隶盐山人。
陈士翘　生，字楚庭，号杏生。江苏华亭人。享年六十四。
张行科　生，享年三十。
梁洪胜　生，享年三十二。
姚　谌　生，浙江归安人。享年三十。
萧　穆　生，字敬甫，号敬孚。安徽桐城人。享年七十。
顾　澐　生，江苏人。享年六十二。

◉ 科第：

一甲进士：

刘　绎　状元。修撰，侯补三品京堂。
曹联桂　字子固，号馨山。江西新建人。榜眼。编修，湖南衡州府知府。

乔晋芳 探花。编修，刑部主事，湖南长沙府知府。

二甲进士：

张　芾 编修，江西巡抚。

陶庆增 编修，山东济南府知府。

彭崧毓 庶吉士，云南知县，云南迤西道。

张廷选 字子思，号北园、午桥。甘肃狄道人。编修。

龙元僖 编修，太常寺卿。

喻增高 编修，左庶子。

叶　琚 编修。

陶恩培 编修，湖北巡抚。

郑敦谨 湖南长沙人。庶吉士，刑部主事，刑部尚书。

吕贤基 编修，工部侍郎。

毕　至 工部主事，陕西汉中府知府。

胡应泰 编修，福建延平府知府。

方培之 礼部主事，云南临安府知府。

郑献甫 （原名郑存紵）。广西象州人。刑部主事。

叶名琛 编修，大学士。

张　铨 刑部主事，江苏常州府知府。

赵振祚 编修，赞善。

春　熙 庶吉士，刑部主事，甘肃甘凉道。

蔡　燮 吏部主事，广东肇罗道。

何裕承 编修，内阁学士。

黄宗汉 福建晋江人。庶吉士，兵部主事，四川总督。

陈　坛 编修，礼科给事中。

李维醇 刑部主事，山东沂州府知府。

吴式芬 编修，内阁学士。

陈庆偕 刑部主事，山东巡抚。

梁　熙 四川仁寿人。刑部主事，福建兴化府知府。

贾　瑜 字叔玉，号昆圃。山西阳曲人。编修。

周　颚　兵部主事，云南盐道。

何桂清　编修，两江总督。

彭蕴章　工部主事，大学士。

张云藻　编修，广西布政使。

春　轱　口口主事，侍读。

陈宝禾　编修，顺天府府丞。

张景星　会元。庶吉士，安徽旌德县知县。

谦　福　户部主事，詹事府詹事。

朱　琦　编修，浙江候补道。

罗惇衍　编修，户部尚书。

李佐贤　编修，福建汀州府知府。

刘廷检　字子恭。顺天通州人。礼部主事。

杜　翮　编修，户部右侍郎。

刘源潏　编修，湖北武昌府知府。

张　鏶　字振之。直隶南皮人。编修，奉天府府丞。

苏廷魁　编修，河东道总督。

费荫樟　字小琳。直隶天津人。礼部主事，甘肃平庆泾道。

张敬修　刑部主事，江西按察使。

徐资乾　字惕若，号健堂。河南光州人。庶吉士，礼部主事，
　　　　广西南宁府知府。

孙铭恩　编修，兵部右侍郎。

舒　文　编修，侍讲。

叶永昌　福建闽县人。贵州余庆、天柱县知县。

吉　祥　字安止，号履庵。满洲镶蓝旗。户部主事，山西归绥
　　　　道。

许乃钊　编修，江苏巡抚。

锡　祉　字孟繁，号子受、申甫。满洲正白旗，索绰络氏。编
　　　　修，浙江盐运使。

马秀儒　安徽知县，湖北布政使。

　　三甲进士：

黄辅辰　吏部主事，陕西盐法道。

王　堃　礼部主事，湖广道御史。

何庆元　庶吉士。

萧　淦　江西高安人。四川射洪县知县。

周振之　河南知县，河南商城县知县。

胡礼篯　字雪门。河南光山人。湖南知县，湖南晃州直隶厅通
　　　　判。

杨亶骅　广东即用知县。

汪觐光　（碑录作汪勤光），字益之，号穆堂。江苏甘泉人。户
　　　　部主事。

黄铭先　检讨，湖南长沙府知府。

袁甲三　礼部主事，漕运总督。

赵德辙　湖北知县，江苏巡抚。

景　霖　检讨，马兰镇总兵。

钱炘和　四川知县，直隶布政使。

胡超龙　字跃衢，号云谷。广西马平人。刑部主事，贵州贵阳
　　　　府知府。

蒋霨远　户部郎中，贵州巡抚。

铭　岳　字东屏。汉军正白旗。江西知县，江苏候补道。

隋藏珠　户部主事，江西建昌府知府。

丁守存　户部主事，湖北粮道。

林映棠　吏部主事，陕西兴安府知府。

辛本棨　山东蓬莱人。戊戌朝考，云南知县，云南丽江府知府。

乔松年　工部主事，河东河道总督。

沈　鹏　兵部主事，山东道御史。

陈世镕　字大冶。安徽怀宁人。

黄家声　云南知县，四川会理州知州。

王武曾　浙江慈溪人。

郭超凡　字小表。贵州贵筑人。广东知县，广东琼州府知府。

徐有孚　归班知县。

余士琛　浙江知县，浙江杭州府知府。

邱建猷　检讨，江西九江府知府。

罗遵殿　直隶知县，浙江巡抚。

　　武进士：

波启善　满洲正红旗。状元。头等侍卫。

奚应龙　字云樵。陕西朝邑人。榜眼。二等侍卫，广西庆远协
　　　　副将。

鞠殿毕　山东安邱人。探花。二等侍卫，山西大同镇总兵。

通　安　满洲正红旗人。传胪。三等侍卫。

　　中式举人：

韩　超　直隶昌黎人。贵州府经历，署贵州巡抚。

吉　廉　字六泉。满州镶蓝旗，鄂卓氏。工部笔帖式，云南迤
　　　　南道。

英　桂　满洲正黄旗，伊尔根觉罗氏。理藩院主事，湖南衡州
　　　　府知府。

吴　棠　字棣华，号仲仙、春亭。安徽盱眙人。江苏知县，四
　　　　川总督。

马昂霄　江苏人。浙江杭州府知府。

段光清　字明俊，号镜湖。安徽宿松人。浙江知县，浙江按察
　　　　使。

余龙光　字黼山。安徽婺源人。江苏娄县知县。

潘希甫　内阁中书。

江　开　字龙门。安徽合肥人。陕西口口县知县。

徐子苓　安徽和州学正。

鲁一同　江苏山阳（清河）人。

黄燮清　（原名黄宪清），字炳章，号韵珊、韵甫。浙江海盐人。
　　　　湖北知县，湖北松滋县知县。

徐槐庭　字云鹤。浙江海盐人。广东知县，广东潮州府同知。

钱聚朝　字盈之，号晓庭。浙江秀水人。淳安县教谕。

黄　芳　湖南人。江苏苏松太道。

熊少牧 盛山县教谕，候选内阁中书。

张启鹏 永明县训导，候选同知。

蒋湘南 虞城县教谕。

许　瀚 山东人。滕县训导，峄县教谕。

刘楚英 （原名刘煐），号湘琴。四川中江人。甘肃知县，广西
　　　 盐道。

张鹏万 四川温江人。广西浔州府知府。

侯　康 广东番禺人。

侯　度 广东番禺人。广西大挑知县。

金锡龄 广东人。

　　中式副榜贡生：

胡达潛 湖南人。

1282

● 恩遇：

鄂　山 四川总督。四月以夷匪肃清，晋太子太保衔。

奕　绍 袭和硕定亲王。五月以六十生辰，赐寿。

杨遇春 原任陕甘总督。五月以入觐晋封一等侯，号昭勇，并
　　　 赐御书诗扇。

　　九月以万年吉地工程坚固：

穆彰阿 协办大学士吏部尚书。晋太子太保衔（三十年十月
　　　 革）；

阿尔邦阿 户部右侍郎。晋太子少保。

　　九月以相度万年吉地之大臣：

耆　英 户部尚书。加太子少保衔（十七年二月革）；

禧　恩 理藩院尚书。晋太子太保衔（十八年闰四月革）；

奕　纪 户部左侍郎。加太子少保衔（二十年正月革）。

陶　澍 两江总督。十二月以入觐赐御书"印心石台"额。

● 著述：

沈　豫 撰《皇清经解渊源录》一卷成，见三月自序。

李祖陶 编《金元明八家文选》七十四卷成，见六月自序。

项廷纪 自编《忆云词丁稾》一卷成，见闰六月自序。

陈用光　撰《太乙舟文集》八卷成，（按：此集于卒后为梅曾亮
　　　　　编定，见丁酉三月序，今系于八月之前）。

李超孙　撰《诗民族考》六卷成，见八月李富孙序。

翟云升　撰《隶篇》十五卷成，见八月自序。

吴兰修　撰《南汉纪》五卷成，见十一月李兆洛序。

王丹墀　撰《菽欢堂诗集》十六卷、《诗余》四卷成，（按：此
　　　　　书卒后始刻，见咸丰三年翟以学序，今系于此年）。

◉　卒岁：

曹振镛　太傅衔武英殿大学士，军机大臣。正月初三日卒年八
　　　　　十一。入祀贤良祠，谥文正。

何长敦　直隶博野县知县。正月卒年六十一。

纪庆曾　字思诒，号半虔、师泉。浙江乌程人。乌程（归安）
　　　　　县增生。正月二十六日卒。

苏清阿　满洲镶白旗，瓜尔佳氏。升授吉林将军，由伊犁参赞
　　　　　大臣升任。二月以查办回疆屯田事宜，卒于伊犁。谥
　　　　　刚恪。

顾广圻　江苏元和县诸生。二月十九日卒年七十。入国史儒林
　　　　　传。

杨延亮　升授云南安州知州，由山西赵城县知县升任。三月初
　　　　　四日于赵城县殉难，年四十三。予骑都尉世职，谥昭
　　　　　节。

彭希口　江苏长洲县孝廉方正。三月十三日卒年七十七。

任郇祜　原任湖北安陆府知府。三月十七日卒，年七十一。

张　鳞　吏部右侍郎，四月十二日卒年五十九。

张　井　原任江南河道总督。四月卒年六十。

龙　翔　原任四川莹昌县知县。五月十九日卒年八十五。

松　筠　以都统衔致仕，原任工部左侍郎，前太子太保衔武英
　　　　　殿大学士。五月二十二日卒年八十四。赠太子太保衔，
　　　　　谥文清。

胡树声　浙江仁和县诸生。六月初二日卒年三十七。

屈　轶　候选兵马司副指挥，原署江苏南汇县训导。六月十九
　　　　日卒年六十八。

黄　屿　前江苏桃源县知县。闰六月卒年七十七。

苏勒当阿　满洲镶白旗，苏木克起氏。升授广州将军，由广西
　　　　右江镇总兵升任。七月以赴任卒于途中。

薛玉堂　原任甘肃庆阳府知府。八月初二日卒年七十九。

卢　坤　太子少保衔两广总督，一等轻车都尉。八月初四日卒，
　　　　年六十四。赠太子太师衔兵部尚书，谥敏肃。

陈用光　礼部左侍郎。八月十三日卒年六十八。

福　祥　满洲镶黄旗，富察氏。致仕杭州将军。八月卒年七十
　　　　口。

王绍兰　前福建巡抚。八月二十二日卒年七十六。

龚　镗　原任鸿胪寺卿，降调内阁学士。八月二十七日卒年五
　　　　十四。

托　津　太子太傅赏食全俸，原任东阁大学士。十月二十口日
　　　　卒年八十一。赠太子太师，入祀贤良祠，谥文定。

惠　端　（原名慧端），字直甫，号容圃、晓山。镶蓝旗宗室。
　　　　候补三四品京堂，降调盛京兵部侍郎。卒。

荣　麟　原任工部主事，降调仓场侍郎。卒。

曾元海　翰林院编修。卒年三十七。

书　铭　致仕盛京兵部侍郎。卒。

俞德渊　两淮盐运使。卒。入国史循吏传。

钱　俊　原任江苏常镇道。卒年七十六。

薛　淇　前署湖南常德府知府。卒年八十一。

缪元益　前江苏徐州府知府。卒年五十三。

福克精阿　满洲正白旗，佟佳氏。前吉林将军，袭一等子。卒。

苏兆熊　原任广西提督。卒年七十二。

唐文淑　贵州毕节人（原籍广西）。贵州提督。卒。

海　龄　满洲正蓝旗，觉罗氏。原任泰宁镇总兵，前刑部左侍
　　　　郎。卒。

谢德彰　福建诏安人。广东琼州镇总兵。卒

张　琴　浙江平阳人。丁忧福建台湾镇总兵。卒。

徐熊飞　浙江武康县举人。卒年七十四。

陈　潮　江苏泰兴县举人。卒年三十五。

项廷纪（原名项鸿祚）。浙江钱塘县举人。卒年三十八。

王丹墀　浙江海宁州诸生。卒年五十七。

道光十六年丙申（公元一八三六年）

● 生辰：

伯彦讷谟祜　正月初十日生，享年五十六。

傅锺麟　正月二十一日生，字时公，号越石、子纯。浙江山阴人。

王　珊　正月二十七日生，字仁山，号铁桥。河南鹿邑人。

廖寿丰　二月十六日生，字毂士。江苏嘉定人。享年六十六。

荣　禄　二月二十一日生，字仲华。满洲正白旗，瓜尔佳氏。享年六十八。

李昭炜　二月二十五日生，字理臣，号蠡纯。安徽婺源人。

戴彬元　三月二十五日生，字莲生、渔青，号愚卿。顺天宁河人（原籍浙江乌程）。

丁士彬　四月初六日生，（原名丁继昌），字介蕃，号芥帆。河南固始人。

崑　冈　四月初九日生，字子如，号小峰。正蓝旗宗室。享年七十二。

刘泽远　四月十四日生，字衍定，号云泉。广西临桂人。

颜嗣徽　四月二十六日生，贵州人。

宝　森　六月二十九日生，镶蓝旗宗室。

慕荣幹　七月初一日生，字贞甫，号子荷、次鹤、慈鹤。山东蓬莱人。享年五十二。

翟伯恒　七月初四日生，字保之，号东泉。江苏泰兴人。享年六十二。

恩　景　七月初七日生，正白旗宗室。

刘铭传　七月十五日生，字省三。安徽合肥人。享年六十。

鹿传霖　七月十八日生，字润万，号滋轩、迂叟。直隶定兴人。享年七十五。

熙　敬　八月初八日生，字虚谷，号潄庄、和庭。满洲镶黄旗，瓜尔佳氏。享年六十五。

陆殿鹏　八月十六日生，字剑秋。江苏兴化人。

朱丙寿　八月二十日生，字笙麓，号少虞。浙江海盐人。享年
　　　　七十九。

孙钦晃　八月二十八日生。字友梅。河南荥阳人。

谢祖源　九月二十六日生，字星海。直隶丰宁人。

徐　郙　九月二十日生，字颂阁。江苏嘉定人。享年七十二。

金寿松　十一月初二日生，（原名金星桂），字仲诜，号元植、
　　　　子木。浙江桐乡人。享年五十五。

翁曾荣　十一月二十八日生，字荩卿，号味幻。江苏常熟人。
　　　　享年六十七。

梁僧宝　十二月初六日生，（原名梁思问），字伯乞，号颖倩。
　　　　广东顺德人。

谭承祖　十二月十四日生，字砚孙。江西南丰人。

鲍　临　十二月十五日生，字敦夫。浙江山阴人。

胡燏棻　十二月十六日生，字云楣。安徽泗州人。享年七十一。

梁仲衡　十二月二十七日生，字树生，号湘南。直隶安肃人。
　　　　享年六十七。

朱遹然　生，字肯夫，号啸夫、味莲。浙江余姚人。享年四十
　　　　七。

冯光勋　生，字伯绅。江苏阳湖人。

曹　驯　生，字良如，号锦堂。广西临桂人。

卢　崟　生，江苏江宁人。

王定安　生。

余虎恩　生，字勋臣。湖南平江人。享年七十。

陶定昇　生，享年五十五。

顾寿桢　生，字祖香。浙江会稽人。享年二十九。

宗汝济　生，字用舟，号云锄。江苏昭文人。享年七十。

● 科第：

　　一甲进士：

林鸿年　状元。修撰，云南巡抚。

何冠英　榜眼。编修，贵州巡抚。

苏敬衡　探花。编修，福建按察使。

　二甲进士：

张锡庚　编修，刑部右侍郎。

李汝峤　编修。

王发桂　庶吉士，礼部主事，工部右侍郎。

翁祖烈　庶吉士，云南知县，四川成緜龙茂道。

梁敬事　编修，奉天府府丞。

徐士毅　编修，侍读。

何绍基　编修。

赵　楫　编修，直隶天津道。

梁同新　编修，奉天府府尹。

李道生　字务滋，号德门、晴川。江西德安人。编修，礼部右
　　　　侍郎。

赵桢生　（原名赵坦）。江西安福人。户部主事，直隶顺德府知
　　　　府。

周源绪　字叔容，号复之。河南祥符人。吏部主事。安徽安庆
　　　　府知府。

徐　荣　浙江知县，福建汀漳龙道。

刘　漭　编修，江苏徐州府知府。

彭久馀　吏部主事，吏部右侍郎。

孔庆鏴　庶吉士，工部主事，贵州按察使。

杨能格　编修，江宁布政使。

沈兆霖　编修，户部尚书。

路慎庄　字子端，号小洲。编修，江苏淮阴道。

林懋勋　福建闽县人。礼部主事，礼部员外郎。

朱德澄　字际青，号镜堂。广西博白人。刑部主事，口口道，
　　　　光绪癸巳重宴鹿鸣。

胡林翼　编修，内阁中书，湖北巡抚。

庄俊元 编修，甘肃西宁府知府。

刘维禧 陕西泾阳人。

吕佺孙 编修，福建巡抚。

夏子龄 会元。礼部主事，河南知县，直隶易州直隶州知州。

谢荣埭 字履初，号方斋。顺天大兴人（原籍浙江山阴）。编
修，礼科给事中，浙江宁波府教授。

陆以湉 湖北即用知县，浙江杭州府教授。

徐之铭 编修，云南巡抚。

和　淳 编修，左副都御史。

陈　模 陕西知县，陕西南郑县知县。

路　璋 字礼园。贵州毕节人。户部主事。

冯志沂 刑部主事，安徽徽宁池太广道。

李本仁 庶吉士，兵部主事，安徽布政使。

蔡振武 编修，广东肇罗道。

方　俊 编修，云南迤西道。

徐　瀛 庶吉士，广东知县，两淮盐运使。

李清凤 刑部主事，刑部右侍郎。

梅　棠 江西南城人。湖北知县，安徽凤阳府知府。

毓　检 字次坪，号端卿。满洲正蓝旗，他塔拉氏。庶吉士，
户部主事，驻藏办事大臣。

三甲进士：

孔继鏐 刑部主事，江苏候补知府。

王通昭 山西阳城人。

曹兴仁 四川成都人。刑部主事，贵州大定府知府。

李　藻 字鱼雅，号惺甫。顺天宝坻人。内阁中书，吏部郎中。

祝　祐 户部主事，贵州贵西道。

玉　山 洗马。

沈衍庆 江西知县，江西鄱阳县知县。

韦　坦 兵部主事，兵部员外郎。

张春育 刑部主事，广东惠潮嘉道。

苏学健 检讨，广东惠州府知府。

慧　成 检讨，闽浙总督。

陈　宽 字栗堂。直隶安州人。山东知县，山东济南府知府。

周沐润 江苏知县，江苏常州府知府。

孙家良 内阁中书，福建汀州府知府。

郭绍曾 山东蓬莱人。直隶天津府知府。

盛　元 江西知县，江西南康府知府。

承　龄 礼部主事，贵州按察使。

梁　瀚 庶吉士，兵部主事，户部左侍郎。

史　朴 字文甫，号兰畦、竹友。直隶遵化人。广东知县，广东广州府知府，光绪丙子重宴鹿鸣。

朱右贤（榜名敫右贤）。四川荣昌人（原籍浙江海盐）。贵州知县，贵州盛宁州知州。

唐　盛 山西朔州人。直隶知县，直隶栾城县知县。

　　武进士：

王　瑞 字乃亭。直隶安肃人。状元。头等侍卫，四川普安营参将。

方　台 字兰垓。江西上饶人。榜眼。二等侍卫，直隶口口营参将。

金连元 满洲正蓝旗，金佳氏。探花。二等侍卫，河南彰德营参将。

傅振邦 字维屏，号梅村。山东昌邑人。三等侍卫，直隶提督。

王廷献 顺天三河人。传胪。三等侍卫。

◉ 恩遇：

哈丰阿 黑龙江将军。七月加太子太保衔。

长　清 福州将军。十月加太子太保衔。

奕　綵 九月封多罗庆郡王（二十年十月削）。

◉ 著述：

黄式三 撰《论语后案》二十卷成，见正月自序。（按：此书续有修改，至甲辰八月以活字板印行）。

张成孙　字彦惟。江苏武进人。撰《说文谐声谱》五十卷成，见正月自序。（按：原书散佚，今刻本止存九卷）。

黄廷鑑　自编《第六弦溪文钞》四卷成，见三月李锡畴序。

孔宪彝　编《阙里孔氏诗钞》十四卷成，见春日自撰序例。（按：此书续有增辑，至癸卯八月刻成，见后跋）。

张大铺　自编《吾面斋诗存》成，见六月黄廷鑑序。

陈宗彝　撰《廉石居藏书记》二卷成，见夏日自序。

魏茂林　撰《续清秘述闻又续》成，见七月自序。

陆耀遹　撰《金石续编》二十一卷成。（按：此书于卒后经陆增祥重加校定，至同治甲戌始刻，今系于八月之前）。

洪颐煊　撰《诸史考异》十八卷成，见八月自序。

方　申　撰《周易卦变举要》一卷成，见九月自序。

刘　衡　撰《读律心得》三卷成，见秋日吴嘉宾序。

陶　樑　撰《红豆树馆书画记》八卷成，见十一月自序。

阮　元　撰《诗书古训》六卷成，见自序。

庄仲方　编《南宋文范》七十卷成，见姚椿序。

● 卒岁：

瞿绍基　试用训导，原署江苏阳湖县训导，江苏昭文县贡生。二月初五日卒年六十五。

苏清阿　满洲正黄旗，格吉拉氏。湖北抚标中军参将。三月以派赴镇箪镇访拏滋事兵丁，于傅公祠被砍伤亡。予云骑尉世职。

汪远孙　候选内阁中书，钱塘县举人。五月初八日卒年四十三。入国史儒林传。

汪守和　礼部尚书。五月十口日卒年七十口。赠太子太保。

吴　傑　工部右侍郎。五月二十二日卒年五十一。

佟景文　安徽布政使。六月卒年六十一。

池生春　国子监司业，广西学政。七月初十日卒年三十九。

朱贻坦　满洲正白旗。袭延恩侯。七月卒。

陆耀遹　六品顶带江苏阜宁县教谕，武进县孝廉方正。八月卒年六十六。入国史文苑传。

陈　新　通判衔原任湖南绥宁县知县。九月二十二日卒年七十六。

緜　愸　多罗庆郡王，宗室。十月初口日卒。谥曰良。

戴　雄　浙江提督。十一月初四日卒年七十六。谥果毅。

张文浩　顺天大兴人。前江南河道总督。十一月卒于伊犁戍所。

马济胜　字建业。福建陆路提督，二等子，十一月卒年七十口。赠太子太保，谥昭武。

奕　昭　宗人府宗令，袭和硕定亲王。十一月二十日卒年六十一。谥曰端。

宝　善　满洲镶黄旗，觉尔察氏。兵部左侍郎。十二月十二日卒。

哈丰阿　满洲镶黄旗，瓜尔佳氏。致仕蓝翎侍卫，前兵部右侍郎。卒。

李彦章　升授山东盐运使，由江苏常镇道升任。卒于镇江道署，年四十三。

舒通阿　西宁办事大臣，正白旗汉军副都统。卒。

赵本敔　贵州瓮安县举人。卒年五十。

朱　筼　候选训导，浙江海盐县岁贡生。卒年七十四。

道光十七年丁酉（公元一八三七年）

◉ 生辰：

张荫桓　正月初四日生，字樵野。广东南海人。享年六十四。

文　铬　正月十一日生，字子乘，号小舫。满洲正红旗，瓜尔佳氏。

顾树屏　二月二十日生，字建侯，号瀚臣、焕辰。江西广丰人。

龙湛霖　三月初一日生，字琼华，号芝生。湖南攸县人。享年六十九。

朱彭年　三月二十三日生，浙江富阳人。

万培因　四月初五日生，字厚臣，号莲初。福建崇安人。

朱有龄　六月初八日生，字梦汀，号海珊。浙江海盐人。享年六十六。朱崇荫填讳。

魏邦翰　六月十五日生，字宗藩，号季纯。江苏邳州人。

黄自元　七月十一日生，字善长，号敬舆。湖南安化人。

汪　簠　七月十二日生，字铁山。浙江钱塘人。享年五十二。

翁曾桂　七月二十九日生，字小山，江苏常熟人。

张之洞　八月初三日生，字孝达，号香涛。直隶南皮人。享年七十三。

汪之昌　八月初三日生，江苏新阳人。享年五十九。

丁立幹　八月十八日生，字质夫，号桐生。江苏丹徒人。享年五十八。

崧　蕃　八月二十四日生，字庶斋，号锡侯。满洲镶蓝旗，瓜尔佳氏。享年六十九。

赵环庆　九月初五日生，安徽太湖人。

邓嘉纯　九月十三日生，字笏臣，号筠孙。江苏江宁人。

夏　崶　九月二十一日生，字菽行。湖南桂阳人。享年七十。

胡俊章　九月二十一日生。

徐会沣　九月二十五日生，字渭筠，号东甫。山东诸诚人。享年六十九。

胡　胜　十月初十日生，字捷夫。顺天宝坻人。

良　弼　十月二十八日生，字说岩，号梦臣。满洲正白旗，富
察哈拉氏。

郑德璇　十一月初二日生，字子衡。浙江鄞县人。享年六十口。

汪宗沂　十一月十四日生，字仲伊，号弢庐。安徽歙县人。享
年七十。

葛金烺　十一月十六日生，字景亮，号煜珊、毓山。浙江平湖
人。享年五十四。

唐友耕　十一月十九日生，享年四十六。

周　馥　十一月二十日生，字玉山。安徽建德人。享年八十五。

翁曾翰　十一月二十七日生，字海珊。江苏常熟人。享年四十
二。

李培元　十一月二十八日生，字福民，号蕴斋、云笙。河南祥
符人。享年六十二。

吴仁傑　生，字望云。江苏震泽人。

徐迪新　生，字古艻，号疢庵。江苏金山人。享年六十三。

王德榜　生，字朗青。湖南江华人。享年五十七。

黎庶昌　生，字纯斋。贵州遵义人。享年六十一。

刘恩溥　生，直隶吴桥人。享年五十五。

李士彬　生，字伯质，号百之。湖北蕲州人。

光　炘　生，字景卿。安徽桐城人。

陆锺江　生，字子岷。湖北沔阳人。享年二十七。

长　顺　生，字鹤汀。满洲正白旗。享年六十七。

田兴恕　生，字忠普。湖南镇筸人。享年四十一。

杨岐珍　生，享年六十七。

刘神山　生，字佑甫。湖南湘乡人。享年二十二。

陈国瑞　生，字庆云。湖北应城人。享年四十六。

文　海　生，字仲瀛。满洲镶红旗，费莫氏。享年六十四。

戴　望　生，字子高。浙江德清人。享年三十七。

陈作霖 生，字雨生，号伯雨、可园。江苏江宁人。享年八十四。

杨文会 生，字仁山。安徽石埭人。享年七十五。

◉ 科第：

考取拔贡生：

李咸中 直隶人。山东知县，贵州思州府知府。

李书宝 直隶人。吏部小京官，四川顺庆府知府。

刘子城 吏部小京官，己亥举人，山西河东道。

蒋锡绶 江苏人。刑部小京官，癸卯副贡，安徽安庆府知府。

张步瀛 甲辰副贡。

曹毓英 兵部小京官，癸卯举人，兵部尚书。

朱隽甲 江苏荆溪人。安徽知县，安徽徽宁池太广道。

胡肇智 吏部小京官，吏部左侍郎。

胡绍勋 咸丰元年孝廉方正。

勒方锜 江西人。刑部小京官，甲辰举人，河东河道总督。

刘同缪 江西石城人。江苏上元县知县。

陈景曾 福建闽县人。山西知县，江西九江府知府。

张盛藻 湖北人。户部小京官，浙江温州府知府。

凌玉垣 湖南人。工部小京官，己亥举人，工部主事。

罗汝怀 龙山县训导。

邓　瑶 麻阳县教谕，江苏拣发知县。

欧阳泳 湖南人。

苏源生 河南人。庚子副贡。

段晴川 兵部小京官，内阁侍读学士。

李崇蟠 山东人。山西知县，山西太原府知府。

毕承昭 浙江知县，广东布政使。

陈介眉 江苏知县，河南归德府知府。

康锡龄 山西人。户部小京官，陕西延榆绥道。

刘　煦 山西赵城人。直隶知县，直隶大顺广道。

张　骏 陕西人。礼部小京官，广东平乐府知府。

王熙震　四川阆中人。户部小京官，己酉副贡，湖北宜昌府知府。

中式举人：

聂　澐　陕西泾阳人。见乙酉拔贡。

鲍继培　刑部郎中，四川保宁府知府。

长　启　吏部员外郎，直隶广平府知府。

叶名沣　湖北汉阳人。内阁中书，浙江候补道。

杨承照　顺天大兴人。贵州知县，贵州黄平州知州。

耆　龄　字九峰。满洲正黄旗，觉罗氏。工部笔帖式，福州将军。

董振铎　山东知县，湖北汉阳府知府。

沈鹏元　陕西盐道。

陈肇铺　河南知县，河南河南府知府。

锺　淮　内阁中书。

叶　法　字湘筠。安徽怀宁人。河南南阳府知府。

唐　莹　安徽怀宁县教谕。

曹蓝田　安徽颍上县教谕。

俞正禧　安徽黟县人。

王振声　江苏昭文人。

刘良驷　江西南丰人。陕西知县，陕西商州直隶州知州。

许诵恒　浙江海宁人。内阁中书，直隶候补道。

高锡蕃　乐清县教谕，严州府教授。

邹志初　浙江钱塘人。

梁恭辰　署浙江宁绍台道。

张际亮　福建建宁人。

江忠源　湖南人。浙江知县，安徽巡抚。

孔宪彝　字绣山。山东曲阜人。内阁中书，内阁侍读。

张祥晋　广东人。工部员外郎，广西左江道。

颜培文　安徽知县，安徽宁国府知府。

郑　珍　贵州人。荔波县训导，江苏特用知县。

苏凤文　字虞阶。贵州贵筑人。漕运总督。

◉ 恩遇：

潘世恩　大学士。正月加太子太保衔。

王　鼎　协办大学士户部尚书。二月以七十生辰赐御书"靖共
　　　　笃祜"额及联。

吕　荣　前浙江杭州府东塘同知。

万保廷　原任安徽泗州学正。

　　　　以上二人以本年为乾隆丁酉乡举重逢，九月重赴鹿鸣筵
　　宴。

长　龄　大学士。十一月以八十生辰晋封一等威勇公，并赐御
　　　　书"纶阁耆勋"额及联。

陶　澍　两江总督。十一月以六十生辰赐御书"绥疆锡祜"额。

◉ 著述：

梁章钜　撰《退庵随笔》二十二卷成，见春日自序。

沈　豫　撰《皇清经解提要》二卷成，见四月自序。

沈　豫　自编《芙村文钞》二卷成，见四月自识。

李兆洛　撰《历代地理志韵编今释》二十卷成，见六月自序。

王梓材　增订《宋元学案》一百卷成，见六月自序。（按：是书
　　　　为黄宗羲原撰，全祖望增补经王梓材复加补订成为百
　　　　卷，故题梓材名）。

王　筠　撰《说文释例》二十卷成，见七月自序。

李祖陶　编《国朝文录》八十二卷成，见八月许乃普序。

戴　熙　撰《古泉丛话》三卷又附一卷成，见八月自序。

李祖陶　撰《史论》五种成，见秋日自序。

苏惇元　重编《张杨园先生年谱》一卷成，见十月方东树序。

英　和　撰《恩福堂笔记》二卷成，见十一月自题。

易之瀚　撰《四元玉鉴释例》一卷成，见十一月自序。

王敬之　浙江慈溪人。等重校订《淮海集》二十卷，并辑补遗
　　　　一卷成，见十一月宋茂初序。

方　申　撰《周易互体详述》一卷成，见冬至自序。

冯登府　撰《十三经祛答问》六卷成，见冬日自序。

侯　康　撰《春秋古经说》二卷、《穀梁礼证》二卷、《后汉书补注》一卷、《补后汉书艺文志》四卷、《三国志补注》一卷、《补三国志艺文志》四卷成。（按：诸书皆卒后始刻，今系于此年）。

梁章钜　撰《论语集注旁证》二十卷、《孟子集注旁证》十四卷成，见自订年谱。

金锡鬯　撰《晴韵馆古泉述记》一卷成。（按：此书于戊戌正月卒后始刻，今系于此年）。

● 卒岁：

王宗诚　兵部尚书。正月十二日卒年七十四。

黄汝成　通判衔原授安徽泗州直隶州训导（选授后以忧未任），二月十二日卒年三十九。

史　谱　原任兵部左侍郎。三月卒。

长　清　满洲镶黄旗，钮祜禄氏。太子太保福州将军，云骑尉。二月卒。赠太子太傅，谥勤毅。

杨遇春　太子太保衔赏食全俸，原任陕甘总督，一等昭勇侯。二月二十八日卒年七十八。赠太子太傅衔兵部尚书，入祀贤良祠，谥忠武。

贾大夏　贵州镇远府知府。三月十一日卒年五十八。

何　煊　云南巡抚。三月二十八日卒年六十四。

龚维琳　前翰林院编修。四月初五日卒年四十六。

石韫玉　在籍翰林院编修，前山东按察使。五月初五日卒年八十二。入国史文苑传。

郑庆筠　浙江秀水县诸生。五月十九日卒年二十二。

程恩泽　户部右侍郎。七月二十九日卒年五十三。

徐法绩　原任太常寺少卿。八月初七日卒年四十八。

那斯洪阿　内阁学士，江西正考官。八月二十九日于南昌闱中卒，年四十九。

吴　堂　江苏吴江县诸生。九月卒年四十一。

端木国瑚 六品衔原任内阁中书。九月二十二日卒年六十五。入国史文苑传。

叶德豫 直隶保定府河捕同知。十月卒年六十二。

归　衔 安徽泾河县训导。十二月二十六日卒年六十六。

阿那保 赏食全俸以都统衔致仕，原任内大臣，正黄旗蒙古都统。卒年八十七。谥勤勇。

朱逵吉 广东粮道。卒年六十。

洪颐煊 在籍广东候补直隶州州判，原署新兴县知县。卒年七十三。

许　镐 原任浙江严州府教授。卒年七十四。

巴哈布 蒙古正蓝旗，乌忒米氏。江宁将军，云骑尉。卒。谥勤勇。

国　祥 熊岳副都统，袭奉恩将军，正蓝旗宗室。卒。

赓音岱 以防御补用，降调副都统衔吐鲁番领队大臣。卒。

侯　康 广东番禺县举人。卒年四十。入国史儒林传。

曹言纯 浙江嘉兴县贡生。卒年七十一。

仪克中 广东番禺县举人。卒年四十二。

道光十八年戊戌（公元一八三八年）

● 生辰：

李郁华　正月十七日生，字韦仲，号杲仙。湖南新化人。

吴重熹　二月初七日生，字仲怿，号甦园、仲祖。山东海丰人。
　　　　享年八十一。

何如璋　二月十九日生，字衍信，号璞山、子莪。广东大埔人。
　　　　享年五十四。

尹琳基　二月二十日生，字琅若，号竹轩。山东日照人。

奕　劻　二月二十九日生，字辅廷，镶蓝旗宗室。享年八十。

薛福成　三月十八日生，字叔耘，号庸庵。江苏无锡人。享年
　　　　五十七。

李尚卿　四月十九日生，直隶承德人。

陈懋侯　四月二十四日生，字伯双。福建闽县人。享年五十五。

陈建侯　四月二十四日生，福建闽县人。享年五十。

张英麟　闰四月十四日生，字振卿，号菊坪。山东历城人。享
　　　　年八十八。

童兆蓉　闰四月二十二日生，字绍甫，号芙初。湖南宁乡人。
　　　　享年六十八。

陈　维　六月十一日生，字季高，号芰声。浙江钱塘人。

刘寿曾　七月初一日生，字恭甫。江苏仪征人。年四十五。

黄槐森　七月初六日生。字作銮，号植庭。广东香山人。

恽彦彬　七月二十二日生，字质夫，号次远。江苏阳湖人。

赵亮熙　八月二十一日生，字汝能，号寅臣。四川宜宾人。

于荫霖　九月十七日生，字次棠，号樾亭。奉天伯都纳人。享
　　　　年六十七。

马玉崑　九月十八日生，安徽颖州人。享年七十一。

葛静远　九月二十二日生，贵州人。

冯光遹　九月二十五日生，字仲梓，号幼耕。江苏阳湖人。

徐志祥　十月十一日生，字季和，号蔼如。江苏嘉定人。享年
　　　　六十二。

瞿廷韶　十月二十三日生，江苏人。

龚易图　十二月十四日生，字蔼人，号少文。福建闽县人。享
　　　　年五十九。

胡隆洵　生，字信芳。江苏仪征人。

刘青照　生，字藜仙。四川什邡人。

杨文莹　生，字粹伯，号雪渔。浙江钱塘人。享年七十一。

程秉钊　生，字公勋，号蒲孙。安徽绩溪人。享年五十四。

饶应祺　生，字子维。湖北恩施人。享年六十五。

恽祖翼　生，字叔谋。顺天大兴人（原籍江苏阳湖）。享年六十
　　　　五。

王　廉　生，字介挺，号龙溪、怡云。河南祥符人。

江毓昌　生，字小峰。江苏上元人。

黄照临　生，湖南石门人。

徐兆丰　生，字乃秋。江苏江都人。

任兰生　生，字汉卿。江苏震泽人。享年五十一。

赵国华　生，字菁衫。顺天丰润人。享年五十七。

沈锡晋　生，字笔香。广东番禺人。

李长乐　生，字汉春。安徽泗州（盱眙）人。享年五十二。

赵德光　生，字辉堂。贵州郎岱人。享年三十。

李臣典　生，字祥云。湖南邵阳人。享年二十七。

蒋东才　生，享年五十。

◉ 科第：

　　一甲进士：

钮福保　状元。修撰，少詹事。

金国均　榜眼。编修，侍读学士。

江国霖　探花。编修，广东布政使。

　　二甲进士：

灵　桂　字芗生。正蓝旗宗室。编修，武英殿大学士。

恽光宸　编修，江西巡抚。

丁嘉葆　字诵生。江苏武进人。编修，侍讲学士。

锺音鸿　编修，湖南辰沅永靖道。

林汝舟　字楫之，号镜帆。福建侯官人。编修。

吴嘉淦　内阁中书，户部员外郎。

郭沛霖　编修，江苏淮扬道。

王履谦　编修，左副都御史。

徐　相　字秉衡，号辅亭、琢堂。汉军正蓝旗。编修，浙江衢
　　　　州府知府。

孙家泽　字伯涛，号沛农。安徽寿州人。内阁中书，礼部主事。

陈鸿翙　吏部主事，福建汀漳龙道。

刘定裕　编修。

吴吉昌　字蔼人，号肃云。江苏江宁人。编修，内阁中书。

钱振伦　（原名钱福元）。浙江归安人。编修，司业。

支清彦　字少鹤。浙江海盐人。编修，侍读学士。

孙　治　字理亭，号琴泉。四川成都人（原籍浙江山阴）。工部
　　　　主事，陕西知县，直隶按察使。

段大章　编修，甘肃布政使。

彭世洙　（原名彭世鑑），字阆亭。浙江海盐人。编修，以知县
　　　　分发山西，山东道御史。

王　溥　陕西人。工部主事，两淮盐运使。

李　庄　字翼斋。顺天宝坻人。户部主事，四川重庆府知府。

晏端书　编修，浙江巡抚。

丁希陶　直隶知县，直隶通永道。

沈祖懋　编修，司业。

陈源兖　字青原，号岱云。湖南茶陵人。编修，安徽池州府知
　　　　府。

戴鸾翔　编修，河南彰德府知府。

金昀善　编修，山西潞安府知府。

曾元燮　字叶鼎，号楼臣。福建闽县人。工部主事。

仓景愉 （原名仓景恬）。河南中牟人。编修，云南按察使。

宝 鋆 礼部主事，武英殿大学士。

方 墉 编修，山东运河道。

田雨公 字敬堂，号杏轩、砚农。山西盂县人。编修，大理寺
少卿。

梁国琮 编修。

曹澍锺 编修，广西巡抚。

何桂珍 编修，安徽徽宁池太广道。

丁 浩 内阁中书，广东广州府知府。

吴存义 编修，吏部左侍郎。

史致谔 编修，浙江宁绍台道。

耿曰椿 山东新城人。户部主事，福建漳州府知府。

吴嘉宾 编修，内阁中书。

童 华 编修，左都御史。

陆希湜 江苏太仓人。礼部主事，安徽颖州府知府。

刘步骕 直隶高阳人。刑部主事，湖北宜昌府知府。

熊家彦 云南知县，云南临安府知府。

胡大任 礼部主事，山西布政使。

杨福祺 字子厚，号润生。山东历城人。编修，安徽凤阳府知
府。

董似毂 编修，江西南安府知府。

王振纲 会元。归班知县。

熙 麟 字抱云。满洲镶黄旗，富察氏。户部主事，陕甘总督。

王 训 陕西合阳人。江西知县，福建粮道。

朱右曾 编修，贵州镇远府知府。

毛鸿宾 编修，两广总督。

吕佰孙 编修，广东雷琼道。

三甲进士：

金宝树 湖北知县，署六安直隶州知州。

洪 观 字乐吾。浙江慈溪人。内阁中书，江西抚州府知府。

但锺良　检讨。

李临驯　字友春，子葆斋。江西上犹人。检讨，湖北粮道。

梅锺澍　字霖生。湖南宁乡人。庶吉士，礼部主事。

庆　云　字书五。蒙古镶白旗，杭阿坦氏。江西知县，江西粮道。

周祖衔　字瀛阶，号仙峤。河南光州人。庶吉士，知县。

石赞清　贵州贵筑人。直隶知县，工部右侍郎。

招敬常　（原名招镜蓉），字心台。广东南海人。陕西知县。广西思恩府知府。

徐辰告　陕西知县，甘肃兰州道。

费嘉树　（原名费凌云），字健庵。江西宜春人。户部主事，四川重庆府知府。

如　山　字冠九。满洲镶蓝旗，赫舍里氏。即用知县，口部笔帖式，四川按察使。

成　毅　字忍斋。湖南湘乡人。

王德固　字恒之，号子坚。河南鹿邑人。刑部主事，四川布政使。

顾兰生　字毓芳，号香畹。江西广丰人。刑部主事，广东惠州府知府

曾国藩　检讨，武英殿大学士。

钱以同　字同生，号小兰。江苏华亭人。兵部主事，掌山东道御史。

恩　麟　兵部主事，甘肃布政使。

杨柄锃　云南邓川人。刑部主事，四川知县，甘肃甘凉道。

李文安　（原名李文玕）。安徽合肥人。刑部主事，刑部郎中。

高振宛　浙江知县，山西潞州府知府。

高振洛　湖北知县，云南广南府知府。

祁宿藻　检讨，江宁布政使。

李万傑　安徽太湖人。刑部主事，江苏常镇通海道。

张思铿　江西上饶人。山西知县，四川按察使。

孔庆鉎 直隶交河县知县。

陈 阡 （碑录作陈圲），字云谷。山东潍县人。福建知县，江
　　　　西巡抚。

王东槐 检讨，湖北盐道。

　　武进士：

郝光甲 字赓飏。直隶任邱人。状元。头等侍卫，陕西陕安镇
　　　　总兵。

佟攀梅 字诗桥。汉军正蓝旗。榜眼。二等侍卫。

原奠邦 甘肃陇西人。传胪。三等侍卫。

普承尧 云南新平人。探花。

郝上庠 字养耆。直隶沙河人。蓝翎侍卫，山东沂州协副将。

◎ 恩遇：

王得禄 原任浙江提督。四月晋太子太保衔。

阮 元 原任大学士。八月以陛辞回籍，晋太子太保衔。

余步云 贵州提督。十二月以擒获匪徒谢法真等，晋太子太保
　　　　衔（二十二年四月革）。

潘世恩 大学士。十二月以七十生辰赐御书"照载延祺"额及
　　　　联。

◎ 著述：

方 申 撰《虞氏易象汇编》一卷成，见三月自序。

李文耕 自编《喜闻过斋文集》十二卷成，见杨勋跋。（按：此
　　　　集为文耕卧病时命其子编次，今系于四月之前）。

练 恕 撰《后汉公卿表》一卷、《后汉书注刊误、西秦百官表、
　　　　七周公卿表》以上合为一卷、《五代地理考、明谥法考》
　　　　以上合为一卷、《杂文》一卷成。（按：以上各书统名
　　　　为《多识录》，卒后始刻系于五月之前）。

梁廷枏 撰《江南春词补传》一卷成，见六月自序。

陈文述 自编《碧城仙馆诗钞》八卷成，见六月自序。

林伯桐 撰《学海堂志》一卷成，见七月自识。

潘世恩 撰《熙朝宰辅录》一卷成，见八月自序。

林春溥　撰《竹书纪年补证》四卷成，见九月自序。

陈乔枞　撰《鲁诗遗说》六卷成，见九月自序。（按：今本分为二十卷）。

翟云升　撰《隶篇续》十五卷成，见九月自序。

钱泰吉　撰《曝书杂记》二卷成，见管庭芬跋。

梁章钜　辑《国朝臣工言行记》十二卷成，见自订年谱。

◉ 卒岁：

长　龄　太傅衔文华殿大学士，一等威勇公。正月初一日卒年八十一。入祀贤良祠，谥文襄。

金锡鬯　知府衔原任广东嘉应直隶州知州。正月初三日卒年七十二。

李文耕　致仕贵州按察使。四月初二日卒年七十七。入国史循吏传。

朱　浩　江苏人。四月初四日卒年六十六。

吕子班　浙江宁波府知府。四月二十三日卒年五十七。

蒋因培　前山东齐河县知县。闰四月十七日卒年七十一。

徐宝善　翰林院编修，前山西道监察御史。闰四月二十九日卒年四十九。

练　恕　广东连平县布衣。五月初七日卒年十八。

王家相　原任河南汝光道。五月卒年七十七。

苏苏勒通阿　蒙古正黄旗，额哲忒氏。前察哈尔副都统。五月卒。

盖方泌　原任福建台湾府知府。六月卒年七十一。入国史循吏传。

鄂　山　太子太保衔刑部尚书。七月初八日卒年六十九。赠太子太师衔。

史致俨　原任刑部尚书。七月初十日卒年七十九。赠太子太保衔。

钱秉德　四川雅安县知县。七月二十四日卒年五十五。

胡启荣　云南迤南道。八月初一日卒年六十八。

朱士彦 吏部尚书。九月（一作八月三十日）卒年六十八。赠
　　　　太子太保衔，谥文定。

吕　璜 前浙江杭州府海防同知。十一月二十八日卒年六十二。
　　　　入国史文苑传。

綿　恺 仁宗皇三子。多罗惇郡王，前封和硕惇亲王。十二月
　　　　初三日卒。赏还亲王，谥曰恪。

黄廷珍 江南道监察御史。十二月卒，年三十四。

熊光大 新授福建兴泉永道，由刑部江苏司郎中升补。以赴任
　　　　卒于山东滕县舟次，年四十二。

吴　云 原任河南彰德府知府。卒年九十一。

方炳文 湖南善化县知县。以引见卒于京师。

崔　偲 湖南攸县知县。卒年五十三。

杨兆煜 原任山东即墨县教谕。卒年七十一。

李国栋 贵州威宁人。浙江提督，袭恩骑尉世职。卒年七十口，
　　　　谥襄恪。

奇成额 蒙古正白旗，乌佳氏。副都统衔伊犁领队大臣。卒

乌珍泰 库车办事大臣。卒。

刘管城 致仕广西富贺营都司，前陕西陕安镇总兵。卒。

江　沅 江苏吴县优贡生。卒年七十二，入国史儒林传。

道光十九年己亥（公元一八三九年）

◉ 生辰：

谢元福 正月初一日生，字子绶，号绶之。广西临桂人。

崔国榜 正月二十五日生，字棣村，号第春。安徽太平人。

启　秀 二月初三日生，字颖芝。满洲正白旗。库雅拉氏。享年六十三。

何福堃 二月生，字受萱。山西灵石人。

戚人铣 三月十九日生，字振南，号润如、溥如。浙江德清人。享年五十三。

白遇道 三月二十五日生，字悟斋，号心吾。陕西高陵人。

铁　祺 四月十二日生，字寿卿，号菊泉。蒙古正白旗。

李汝弼 四月十三日生，字筱良，号肖良。直隶任邱人。

杨守敬 四月十五日生，字惺吾。湖北宜都人。

汪　鑑 五月十一日生，字伯明，号筱潭、晓潭。安徽旌德人。

俞培元 五月十七日生，顺天大兴人。

汪鸣銮 六月初一日生，字岊亭，号柳门。浙江钱塘人。享年六十九。

廖寿恒 六月十四日生，字溎生，号仲山、抑斋。江苏嘉定人。享年六十五。

李肇锡 六月二十八日生，字子嘉，号锦帆、树亭。山东诸城人。

刘湝焆 七月初三日生，字东生，号星岑。直隶盐山人。

夏玉瑚 七月初十日生，字鼎彝，号海珊、渭泉。河南罗山人。

叶庆增 八月初六日生，浙江慈溪人。

刘纶襄 八月十一日生，（原名刘中策），字次方，号竹溪。山东沂水人。

龚镇湘 九月十二日生，字子修，号省吾、静庵。湖南善化人。

涂庆澜 十月初五日生，字永年，号海屏。福建莆田人。

曾纪泽　十一月初二日生，曾国藩子，字劼刚。湖南湘乡人。享年五十二。

王泳霓　十一月初六日生，字子裳。浙江黄岩人。

田国俊　十一月初十日生，字安止、炽庭，号鹤樵、研云。山西盂县人。

华金寿　十二月初五日生，字铜士；号祝轩、竹轩。直隶天津人。享年六十二。

董福祥　十二月初五日生，字星五。甘肃固原人。享年七十。

洪　钧　十二月初八日生，字陶士，号文卿。江苏吴县人。享年五十五。

徐寿朋　十二月十五日生，字晋斋。直隶清苑人（原籍浙江山阴）。享年六十三。

贺尔昌　十二月十九日生，字子言，号春舫。直隶武强人。

詹嗣贤　十二月二十五日生，字希伯。江苏仪征人。

吴大衡　生，字正之，号谊卿、运斋。江苏吴县人。享年五十九。

陆元鼎　生，字少徐，号春江。浙江仁和人。享年七十一。

周开铭　生，字桂午，号敬丹。湖南益阳人。

萧绍典　生，字芳林，号楷堂。江西泰和人。享年五十。

党　蒙　生，字养山。陕西韩城人。享年七十。

陈　豪　生，字兰洲，号迈庵、止庵。浙江仁和人。享年七十二。

涂官俊　生，江西东乡人。

丁　槐　生，云南人。享年九十七。

马复震　生，字心楷。安徽桐城人。享年三十八。

方　楷　生，享年五十三。

鲍振玉　生，享年五十六。

徐惟锟　生，浙江平湖人。享年五十九。

陈崇光　生，享年五十八。

◉ 科第：

中式举人：

焦祐瀛 字仲洲，号桂樵。直隶天津人。内阁中书，太仆寺卿。

鲍　康 内阁中书，四川夔州府知府。

汤　修 内阁中书，太常寺卿。

汤用中 字芷卿。江苏阳湖人。两淮候补盐大使。

廷　桂 满洲正白旗，那拉氏。湖南永顺府知府。

刘子城 见丁酉拔贡。

程恭寿 见乙酉拔贡。

冯柏年 直隶天津人。内阁中书，江苏江宁府知府。

叶觐扬 江苏江宁人。高邮州学正。

沈曰富 江苏吴江人。

梅植之 江苏江都人。

李芝绶 江苏昭文人。

陈其泰 字琴斋。浙江海盐人。云和县教谕。

王绍燕 福建人。浙江衢州府知府。

林昌彝 咸丰三年特赏教授。

何绍京 字子愚。湖南道州人。候选道。

凌玉垣 见丁酉拔贡。

刘传莹 国子监学正。

孙泽翘 湖南知县，湖南按察使。

萧荣绶 江苏常镇道。

陆㵧恩 字亚章，号紫峰。江苏阳湖人。

中式副榜贡生：

陶庆章 浙江人。福建知县，福建泉州府知府。

◉ **恩遇：**

緜　愉 惠郡王。正月晋封和硕惠亲王。

吴　椿 原任户部尚书。三月以七十生辰赐御书"宣勤笃祜"额。

四月以本年为乾隆己亥恩科乡举重逢：

卢荫溥 原任大学士。晋太子太傅衔；

李奕畴 致仕尚书。加太子少保衔。二人均重赴鹿鸣筵宴。

黄　钺 原任户部尚书。八月以九十生辰赐御书"颐性延祺"额及联。

● 著述：

林伯桐 撰《公车见闻录》一卷成，见二月金锡龄识语。

福　申 撰《同书》二十四卷戍，见三月麟庆序。

黄子高 编《粤诗搜逸》四卷成，见五月自序。

苗　夔 等同撰《说文系传校勘记》三卷成，见九月祁寯藻序。

葛其仁 撰《小尔雅疏证》四卷、《逸文疏证》一卷成，见九月自记。（按：原序作于嘉庆甲戌至是年始订定，故系于此）。

林柏桐 撰《古谚笺》十一卷成，见十月自序。

汪能肃 撰《嘉庆道光魏塘人物记》六卷成，见十一月自序。

邓廷桢 撰《说文解字双声叠韵谱》一卷成，见十一月方东树序。

魏敬中 福建人。续修《福建通志》二百七十八卷，卷首六卷成，（按：原修者为陈寿祺。此书至同治戊辰始重校付刻，见辛未三月英桂序）。

● 卒岁：

杨兆杏 原任湖北通山县知县。正月十四日卒年七十二。

管绳莱 原任安徽含山县知县。二月十四日卒年五十六。

凯音布 成都将军。三月卒。

许　球 陕西凤邠道。三月卒。

张仲敬 汉军镶蓝旗。原任阿勒楚克副都统，袭三等子。四月卒。

卢荫溥 太子太傅赏食全俸，原任体仁阁大学士。五月初六日卒年八十。赠太子太师衔，入祀贤良祠，谥文肃。

陶　澍 太子少保衔原任两江总督。六月初二日卒年六十二。赠太子太保衔，入祀贤良祠，谥文毅。

陈　熙 降调贵州大定府知府。六月二十七日卒年七十二。

周　济　原任江苏淮安府教授。七月初三日卒年五十九。入国史文苑传。

潘德舆　安徽大挑知县。七月二十七日卒年五十五。入国史文苑传。

赵盛奎　原任刑部右侍郎。七月卒。

周振之　河南商城县知县。七月卒年三十四。

赵允怀　丁忧江苏常熟县举人。九月十二日卒年四十八。

高　垲　浙江钱塘县布衣。九月十七日卒年七十。

朱文炆　湖南浏阳县布衣。九月卒年五十二。入国史儒林传。

夏　恒　吏部验封司主事。十一月十一日卒年五十一。

申启贤　山西巡抚。十月卒年六十二。谥文恪。

色卜星额　安徽巡抚。十一月卒。赠太子太保。

朱桂桢　原任广东巡抚。十一月卒年七十二。谥庄恪。

陈　銮　署两江总督江苏巡抚。十一月二十三日卒年五十四。赠太子少保衔。

王楚堂　原任仓场侍郎。卒年七十。

李国杞　翰林院侍讲学士，浙江学政。卒。

张志廉　礼部铸印局员外郎，前云南大理府知府。卒年六十一。

钱　臻　致仕湖南布政使，降调山东巡抚。卒年八十六。

郎葆辰　山东运河道。卒年七十七。

石家绍　江西瑞州府铜鼓营同知。卒年四十八。入国史循吏传。

何绍业　候选主簿。卒年四十一。

乐　善　原任荆州将军，袭一等侯。卒年七十一。

吉勒通阿　原任伯都讷副都统。卒。

常　德　满洲正红旗。致仕三姓副都统。卒年七十五。

常　德　满洲正红旗，索卓罗氏。江宁副都统。卒。

萨隆阿　满洲镶蓝旗，觉尔察氏。甘肃凉州副都统。卒。

兴　科　字振堂。满洲镶黄旗，萨克达氏。原任乌什办事大臣，前任正蓝旗汉军副都统。卒。

汤占先　原任安徽寿春镇总兵。卒。

道光二十年庚子（公元一八四〇年）

● 生辰：

宝　廷　正月十五日生，字仲献，号竹波。镶蓝旗宗室。享年五十一。

庆　恕　二月初三日生，（原名庆恩），字罩甫、云阁。满洲镶黄旗，萨克达氏。

燕起烈　三月二十一日生，字佐武，号训卿。湖南桃源人。

孙宝书　五月十八日生，字步青。江苏昭文人。享年五十五。

赵元益　六月二十八日生，字静涵。江苏新阳人。享年六十三。

张端卿　七月十五日生，字谨三，号芝浦。云南太和人。

秦锺简　七月十八日生，字敬临，号舸南。广西灵川人。

朱之榛　七月二十二日生，字仲蕃，号竹石。浙江平湖人。享年七十。

沈家本　七月二十二日生，字子惇。浙江归安人。。

陈名珍　八月初五日生，字元伯，号聘臣。江苏江阴人。

王用诰　八月二十七日生，字观五，号小泉、君言。直隶深泽人。享年五十四。

张　预　九月初四日生，字子虞，号虞庵。浙江钱塘人。享年七十一。

吴汝纶　九月二十日生，字挚甫。安徽桐城人。享年六十四。

奕　譞　九月二十一日生，字朴庵。宣宗皇七子。享年五十一。

王方田　十月初三日生，河南扶沟人。

冯应寿　十月十七日生，字介眉，号静山、松轩。山西汾阳人。

王庆祺　十月二十七日生，字鹤春，号仲联。顺天宝坻人。

孙葆田　十一月二十六日生，字佩南。山东荣城人。享年七十二。

徐家鼎　十二月初十日生，字象三，号铸庵、伯子。安徽太湖人。

高蔚光　十二月十七日生，字星南，号寿农。云南昆明人。

陆继煇　十二月二十日生，字樾士，号蔚庭。江苏太仓人。

陈文騄　十二月二十六日生，字仲英，号寿民。顺天大兴人。
　　　　享年六十五。

羊复礼　生，浙江人。

陈康祺　生，字钧堂。浙江鄞县人。

朱凤仪　生，字夔笙。江苏甘泉人。享年五十九。

吴　滔　生，享年五十六。

◉ 科第：

　　一甲进士：

李承霖　状元。修撰，侍讲学士。

冯桂芬　江苏吴县人。榜眼。编修，右中允。

张百揆　探花。编修，广东肇罗道。

　　二甲进士：

殷寿彭　编修，詹事。

庄受祺　编修，浙江布政使。

王祖培　编修，内阁学士。

廉兆纶　（原名廉师敏）。顺天宁河人。　编修，仓场侍郎。

顾嘉蘅　编修，河南南阳府知府。

金肇洛　编修，山东粮道。

厉恩官　编修，宗人府府丞。

陈　枚　编修，四川永宁道。

邹峻杰　编修，广西口口府知府。

李载熙　编修，侍讲。

史　淳　字澄元，号穆堂。广东番禺人。编修，左中允。光绪
　　　　口口重宴鹿鸣。

郑元璧　编修，山东盐运使。

卓　檽　编修，吏部右侍郎。

翁同书　编修，安徽巡抚。

董　洵　（原名董淳）。江苏甘泉人。　户部主事，户部尚书。

吴敬羲　会元。编修，赞善。

万青藜　编修，吏部尚书。

叶　球　字叔华，号叔子、受之。安徽桐城人。庶吉士，兵部主事，江西南安府知府。

沈元泰　编修，署江西盐法道。

秦金鑑　山东知县，福建延建邵道。

郑琼诏　编修，侍读学士。

吴保泰　编修，詹事。

黄兆麟　编修，光禄寺少卿。

李希郊　字朝俊，号庠卿。江西金溪人。兵部主事，浙江处州府知府。

戚　贞　知县，甘肃平庆泾道。

彭庆锺　（原名彭飞鸿），字夔卿。江西庐陵人。编修，山东道御史。

许振礽　编修，侍讲学士。

甘守先　字薪圃。云南白盐井人。编修，侍讲学士。

匡　源　编修，吏部左侍郎。

范承典　通政使司副使。

马寿金　（原名马铸）。顺天宛平人（原籍山西个休）。编修，司业。

周炳鑑　编修，湖北黄州府知府。

刘宝楠　直隶知县，顺天三河县知县。

黄　倬　编修，吏部左侍郎。

和　润　宗室。编修，工部右侍郎。

萧时馥　编修，江南盐巡道。

车顺轨　编修，祭酒。

蒋琦龄　（原名蒋奇淳）。广西全州人。编修，顺天府尹。

吴台朗　字次垣，号坡荪、拙庵。顺天宛平人（原籍江苏丹徒）。礼部主事。

殷兆镛　编修，礼部左侍郎。

李铭皖　刑部主事，湖北安襄郧荆道。

椿　寿　工部主事，浙江布政使。

张尔宇　山东掖县人。

蔡寿祺　（原名蔡殿齐），字紫翔，号梅庵。 江西德化人。编修。

倪应复　字体颜，号克斋、海樵。云南昆明人。户部主事，贵州遵义府知府。

汤云松　编修，江苏按察使。

顾开第　字楗园。江苏上元人。庶吉士，知县，四川绥定府知府。

雷维翰　编修，吏科给事中。

曹　炯　字南洲。甘肃皋兰人。编修，内阁中书，江苏淮扬道。

陈　鲁　刑部主事，浙江杭州府知府。

胡光泰　编修。

三甲进士：

何其仁　检讨，江西盐法道。

虞家泰　庶吉士，礼部主事，江苏江宁府知府。

韩锦云　庶吉士，刑部主事，云南粮道。

梁国珍　广东番禺人。内阁中书。

李　祜　庶吉士，兵部主事，四川宁远府知府。

曹士鹤　字季皋，号继高。江苏上元人。陕西清涧、渭南县知县，直隶州侯补。

贾洪诏　云南知县，云南巡抚。光绪戊戌重宴恩荣。

范　梁　直隶知县，广西布政使。

孙晋墀　直隶玉田人。检讨。

武汝清　刑部主事，刑部员外郎。光绪己酉重宴鹿鸣。

姚近韩　字若退，号良庵。浙江钱塘人。内阁中书，河南粮道。

查日华　字子穆。安徽泾县人。礼部主事，直隶河间府知府。

吴世涵　浙江遂昌人。

杨春和　贵州贵筑人。直隶知县，直隶通永道。

艾　畅　归班知县，广东博罗县知县。

延　恺　汉军正白旗。户部主事，广西同州府知府。

李　淳　字朴斋，号镜湖。直隶满城人。甘肃知县，广西太平
　　　　府知府。

宁曾纶　工部主事，浙江按察使。

敬　和　字诗舲，号琴舫。满洲镶（正）白旗，彦佳氏。礼部
　　　　主事，左中允。

卜葆鈖　辛丑朝考，四川大邑县知县。

　武进士：

赵云鹏　河南汝州人。状元。头等侍卫，广东南雄协副将。

王万寿　四川灌县人。榜眼。二等侍卫。

李寿春　顺天大兴人。探花。二等侍卫，江西南赣镇总兵，

遮克敦布　蒙古正红旗。传胪。三等侍卫，正白旗汉军副都统。

赵　涟　直隶天津人。福建汀州镇总兵。

　考取优贡生：

刘毓崧　江苏仪征人。

　中式举人：

陈景亮　福建闽县人。兵部主事，云南布政使。

潘曾绶　内阁中书，内阁侍读。

胜　保　顺天府教授，兵部左侍郎。

洪瞻陛　口口知县，四川龙安府知府。

王荫昌　国子监学正，山东武定府同知。

徐宝符　广东三水县知县。

高延祉　广西隆安县知县。

史梦兰　山东朝城县知县。四品卿衔。

尚那布　江苏溧阳县知县。

周宪曾　户部司务，直隶临洺关同知。

蒋　照　湖北知县，湖北荆门直隶州知州。

汪士铎　国子监助教衔。

缪尚诰　江苏江阴人。

蔡嵩年　刑部员外郎，江西袁州府知府。

叶宗元　江西宜黄人。内阁中书，福建台湾府知府。

祝曾云　浙江人。河南河南府知府。

郑　兰　长芦盐运使。

范邦桢　浙江鄞县人。

吴　熊　湖南绥宁县知县。

江清骥　江苏候补道。

唐训方　湖南人。大挑教谕，安徽巡抚。

毛贵铭　湖南巴陵人。

严澍森　字渭春。四川新繁人。湖北知县，广西巡抚。

彭昱尧　广西人。

　　中式副榜贡生：

朱燮元　浙江海盐人。河南直州判，河南候补道。

苏源生　河南人。见丁酉拔贡。

◉　恩遇：

王　鼎　大学士。正月晋太子太保衔。

李奕畴　太子太保衔致仕尚书。以本年为乾隆庚子恩科会榜重
　　　　逢，重赴恩荣筵宴。

黄荣曾　原任江苏常州府教授。以本年为乾隆庚子科乡举重逢，
　　　　九月重赴鹿鸣筵宴。

◉　著述：

梁章钜　撰《楹联丛话》十卷成，见正月自序。

宋翔凤　撰《论语说义》十卷成，见五月自序。

方　申　撰《周易卦象集证》一卷成，见七月自序。

陈逢衡　自编《读骚楼诗二集》四卷成，见诗集末首自注，在
　　　　七月。

陈乔枞　撰《韩诗遗说考》六卷、附《韩诗外传附录》一卷、
　　　　《补逸》一卷成，见自序。（按：今本分为十八卷）。

柳兴恩　撰《谷梁大义述》三十卷成，见阮元序。

黄本骥　撰《郡县分韵考》十卷成，见自序。

陈　奂　撰《诗毛氏传疏》三十卷、《毛诗说》一卷、《释毛诗音》四卷成，见自序条例。

龚　橙　撰《诗本谊》一卷成，见自序。

马　昂　字伯昂。江苏华亭人。撰《货布文字考》四卷成，见自订凡例。（按：此书刻于壬寅年）。

夏　燮　撰《述韵》十卷成，见自序。

程庭鹭　撰《画麈》二卷成，见年谱。

徐　璈　编《桐旧录》四十二卷成，见咸丰辛亥马树华序。

◉ 卒岁：

李宗传　原任湖北布政使。正月二十三日卒年七十四。

何凌汉　户部尚书。二月初五日卒年六十九。赠太子太保衔，谥文安。

朱为弼　原任漕运总督。二月初六日卒年七十。

陈　煟　江苏元和县举人。二月十一日卒年四十七。

承　硕　袭多罗克勤郡王，宗室。二月十口日卒。谥曰恪。

栗毓美　河东河道总督。二月十八日卒年六十三。赠太子太保衔，谥恭勤。

严　烺　以运同补用，降调河东河道总督。三月卒年六十七。

罗思举　湖北提督，一等轻车都尉。二月二十口日卒年七十七。赠太子太保衔，谥壮勇。

徐石麟　江苏六合人。候选训导，六合县廪贡生。三月十一日卒。

俞正燮　安徽黟县举人。四月十四日卒年六十六。入国史儒林传。

熊常錞　原任广东布政使。五月初五日卒年五十四。

英　和　前太子太保，协办大学士，户部尚书，复授热河都统。六月初八日卒年七十。赏三品衔。

恩　铭　原任热河都统，前刑部尚书。六月卒。

刘锡瑜　江苏仪征县监生。八月初八日卒年九十二。

朱昌毅　浙江海盐县监生。卒年五十。

戴均元 前太子太师衔文渊阁大学士。九月初七日卒年九十五。

方　申 江苏仪征县诸生。十一月初三日卒年五十四。入国史
　　　儒林传。

沈　垚 浙江乌程县优贡生。十一月十七日卒年四十三。入国
　　　史文苑传。

陈连陞 广东三江协副将。十二月十五日于虎门沙角阵亡。照
　　　总兵例赐恤。

李　毅 六品顶带浙江嘉兴县孝廉方正。十二月二十日卒年七
　　　十六。

英　瑞 原任刑部左侍郎。卒。

陈桂生 致仕候补三品京堂，前任江苏巡抚。卒年七十四。

蒋祥墀 致仕鸿胪寺卿，降调都察院左副都御史。卒年七十九。

英　绶 满洲镶红旗，费莫氏。前正黄旗满洲副都统兼右翼总
　　　兵，复授拜唐阿。卒

韩克均 致仕福建巡抚。卒年七十五。

成　顺 赏食全俸，致仕乍浦副都统。卒。

霍隆武 副都统衔伊犁领队大臣。卒。

寿　昌 前喀什噶尔领队大臣。卒。

兴　世 汉军正白旗，瓜尔佳氏。致仕云南临元镇总兵。卒。

朱兰枝 浙江海盐县诸生。卒年八十九。

道光二十一年辛丑（公元一八四一年）

◉ 生辰：

王赓荣　正月二十五日生，字向甫。山西朔州人。

陆懋宗　正月二十九日生，字德生，号云孙。江苏常熟人。

裔步鸾　二月初一日生，江苏盐城人。

高燮曾　三月初二日生，字理臣，号淳夫、濙溪。湖北孝感人。

吴　讲　三月初三日生，字介唐。浙江山阴人。

贵　贤　三月十三日生，字尊毅，号哲生。汉军镶黄旗，李氏。

谢隽杭　闰三月初三日生，字南川，号澹卿。山东福山人。

潘　江　闰三月十九日生，字润楼。直隶盐山人。

陆润庠　五月初四日生，字云灑，号凤石。江苏元和人。享年
　　　　七十五。

顾　莲　六月初三日生，字香远，江苏华亭人。享年七十。

冯文蔚　六月二十四日生，字修庵，号莲塘。浙江乌程人。享
　　　　年五十六。

嵩　申　八月初七日生，字伯屏，号犊山。满洲镶黄旗，完颜
　　　　氏。享年五十一。

杨　树　八月十五日生，字翰若，号珍林。贵州人。享年六十
　　　　九。

余联沅　九月初八日生，字撝珊。湖北孝感人。享年六十一。

徐树钧　九月十三日生，字叔衡，号寿鸿。湖南长沙人。

凤　鸣　九月二十五日生，字竹冈。满洲正黄旗。享年六十。

贵　恒　十月初九日生，字显堂，号午桥、隖桥。满洲镶白旗。
　　　　享年六十四。

曹　榕　十月十七日生，山西临汾人。

王祖畲　十月二十二日生，字岁三，号紫翔。江苏镇洋人。享
　　　　年七十七。

胡廷幹　十月二十六日生，河南光州人。

王毓藻　十一月初五日生，字丽如，号鲁芗、石渠。湖北黄冈
　　　　人。享年六十。

廷　杰　生，字用宾。满洲正白旗。享年七十。

高赓恩　生，字熙亭，号遽园。顺天宁河人。

王　同　生，浙江仁和人。

刘春霖　生，字雨三。贵州安顺人。

丁体常　生，字慎五，号少山。贵州平远人。享年六十九。

袁保龄　生，河南项城人。享年四十九。

刘含芳　生，安徽贵池人。享年五十八。

孟继埙　生。

敖名震　生，湖北天门人。

刘桂文　生，字云璈。四川双流人。

邵世恩　生，浙江钱塘人。

● 科第：
　一甲进士：

龙启瑞　状元。修撰，江西布政使。

龚宝莲　榜眼。编修，詹事。

胡家玉　探花。编修，刑部主事，左都御史。

　二甲进士：

何若瑶　编修，左赞善。

张金镛　编修，侍讲。

徐　棻　庶吉士，内阁中书，户部员外郎。

俞长赞　编修，内阁学士。

蔡念慈　会元。编修。

周宗濂　编修。

贺寿慈　（原名贺霖若）。湖北江夏人。吏部主事，工部尚书。

何国琛　户部主事，湖北襄阳府知府。

贾　樾　字彦斋，号仲翰、榆堂。山东黄县人。编修。

潘曾莹　编修，工部左侍郎。

刘　琨　编修，湖南巡抚。

赵　昀　编修，广东高廉道。

夏承煜　字光闾，号远雯。贵州贵阳人。广东知县。

卢定勋　户部主事，浙江布政使。

汪　埜　庶吉士，吏部主事，四川永宁道。

郭礼图　庶吉士，工部主事，四川永宁道。

吴祖昌　兵部主事，江西南昌府知府。

李希彬　编修，河南河南府知府。

陈启迈　编修，江西巡抚。

陈庆松　编修，云南云南府知府。

高延绶　字小岑，号若山、玉亭。河南祥符人。庶吉士，户部
　　　　主事，江西南康府知府。

葛景莱　编修，贵州铜仁府知府。

孙锵鸣　编修，侍读学士。重宴恩荣。

麒　庆　工部主事，热河都统。

刘齐衔　户部主事，河南布政使。

单懋德　字伯容，号馨山。湖北襄阳人。四川知县。

徐玉丰　编修，赞善。

吴若准　户部员外郎，太仆寺卿。

梁逢辰　兵部员外郎。

梁绍献　编修，江南道御史。

杨式毅　编修，口部左侍郎。

文　瑞　编修，刑部右侍郎。

徐台英　湖南知县，浙江候补同知。

张振金　字镜芙。江苏丹徒人。庶吉士。

蔡徵藩　编修，广东雷琼道。

李湘华　编修。

张　桐　编修，广东惠州府知府。

钱宝青　户部主事，左副都御史。

边葆诚（原名边葆淳）。直隶任邱人。刑部主事，浙江宁波府
　　　　知府。

宝　珣　满洲镶黄旗。兵部主事，兵部右侍郎。

顾文彬　刑部主事，浙江宁绍台道。

章　琼　编修。

陈象沛　刑部主事，湖南衡永郴桂道。

张晋祺　编修，工科给事中。

梁国瑚　字器之，号希殷、笔湖。广东番禺人。编修。

沈寿嵩　内阁中书，陕西粮道。

胡　焯　编修，侍读。

廉　昌　户部主事，湖南岳州府知府。

蒋　达　编修，顺天府府丞。

洗　斌　（原名洗倬邦）。广东南海人。工部主事，安徽庐州府
　　　　知府。

彭涵霖　字迪修，号养田。江西萍乡人。编修，福建道御史。

吴鼎昌　编修，广西布政使。

牛树梅　四川知县，四川按察使。

王凤翔　陕西合阳人。编修。

张　炜　编修，奉天府府丞。

　　三甲进士：

张兴仁　检讨，刑部主事，江西建昌府知府。

张衍重　检讨，江西饶州府知府。

刘兆璜　工部主事，安徽徽州府知府。

载　龄　字梦九，号鹤峰。镶蓝旗宗室。检讨，体仁阁大学士。

颜培瑚　检讨，江苏淮安府知府。

青　麐　检讨，湖北巡抚。

李瑞章　兵部主事，江西抚州府知府。

杨重雅　（原名杨元白）。江西德兴人。检讨，广西巡抚。

龚衡龄　陕西知县，陕西西安府知府。

王　拯　（原名王锡振）。广西马平人。户部主事，通政使。

联　捷　礼部主事，伊犁参赞大臣。

锺世耀　庶吉士，兵部主事。

锡　龄　宗室。检讨，工部右侍郎。

毕道远　检讨，礼部尚书。

张兆辰　甘肃知县，四川川北道。

秦聚奎　直隶知县，直隶大顺广道。

姚锡华　山东知县，云南布政使。

赵林成　字桂舫。河南祥符人。陕西知县。

何绍瑾　吏部主事。

孙　濂　四川知县，四川成绵龙茂道。

侯云登　内阁中书，甘肃宁夏道。

苏勒布　归班知县，国子监典簿，盛京礼部侍郎。

王炳勋　山西垣曲人。户部主事，陕西凤翔府知府。

孙家铎　字振之，号筦如。安徽寿州人。江西安仁县、贵溪县
　　　　知县，侯补知府。

郑元善　河南知县，河南巡抚。

翟登峨　字梅峰。山东章丘人。

　　武进士：

德　庆　汉军镶白旗。状元。头等侍卫。

王振隆　山东长山人。榜眼。二等侍卫。

刘宗汉　直隶宁河人。探花。二等侍卫。

张凤春　字瑞林。直隶宁津人。传胪。三等侍卫，湖北提标后
　　　　营都司。

张育英　直隶天津人。会元。三等侍卫。

石清吉　字祥瑞。直隶清（沙）河人。蓝翎侍卫，湖北提标中
　　　　营参将。

◉ 恩遇：

穆彰阿　大学士。十一月以六十生辰赐御书"寿寓延祺"额及
　　　　联。

◉ 著述：

韩　崇　字履卿、南阳学子。江苏元和人。撰《宝铁斋金石文
　　　　跋尾》三卷成，见三月严保庸序。

胡式钰　字琢如，号青坳。江苏上海人。撰《窦存》四卷成，见四月自序。

孔宪彝　编《曲阜诗钞》八卷成，见五月自序。

华湛恩　江苏无锡人。重编《锡山文集》二十卷成，见五月李兆洛序。

庄仲方　编《金文雅》十六卷成，见六月自序。

六承如　撰《皇朝舆地略》成，见九月自序。

林春溥　撰《春秋经传比事》二十二卷成，见九月自序。

蒋　彤　字丹稜。江苏阳湖人。撰《李申耆年谱》三卷附《小德录》一卷成。

梁廷枏　撰《东行日记》一卷成，见十月龚沅序。

苗　夔　撰《说文声订》二卷成，见十一月祁寯藻序。

黄本骥　撰《圣域述闻》二十八卷成，见十二月裕泰序。

梁章钜　撰《巧对录》四卷成，有自序，见自订年谱。

◉　卒岁：

许懋昭　安徽铜城县诸生。正月卒年八十三。

帅承瀛　原任浙江巡抚。正月卒。

徐　璈　原任山西阳城县知县。正月十九日卒年六十三。入国史文苑传。

关天培　字仲因，号滋圃。江苏山阳人。广东水师提督。二月初六日于虎门抗击英军阵亡，年四十口。予骑都尉世职，谥忠节。

刘大忠　广东香山协副将。二月初六日于虎门抗击英军阵亡。

祥　福　满州正黄旗，玛佳氏。署湖南提督，湖南镇箪镇总兵。二月初六日于广东虎门抗击英军阵亡。予骑都尉世职。

龚丽正　原任江苏苏松太道。三月初五日卒年七十五。

陈　煦　安徽安庆府知府。三月初五日卒年六十七。

文　孚　字秋潭。满洲镶黄旗，博尔济吉特氏。太子太傅衔赏食半俸，致仕文渊阁大学士。三月初口日卒，年七十口。赠太保衔，入祀贤良祠，谥文敬。

裕　全　袭和硕豫亲王，宗室。三月卒。谥曰厚。

杨迦怿　原任四川茂州直隶州知州。四月初二日卒年八十二。

孙葆恬　湖南桃源县教谕。四月卒年四十八。

郭继昌　广东陆路提督。四月二十四日卒年七十四。

隆　文　参赞大臣，户部尚书。五月卒于广东军营，年五十六。
　　　　赠太子太保，谥端毅，入祀贤良祠。（入祠在十一月）。

胡达源　丁忧翰林院侍讲，前詹事府少詹事。五月二十五日卒，
　　　　年六十四。入国史儒林传。

赵仁基　升授湖北按察使（由江西赣南道升补）。六月十九日卒
　　　　于南安道署，年五十三。

齐彦槐　在籍候补知府，原任江苏金匮县知县，署苏州府督粮
　　　　同知。六月二十五日卒年六十八。入国史文苑传。

黄　钺　太子少保衔赏食半俸，原任户部尚书。六月三十日卒，
　　　　年九十二。赠太子太保衔，入祀贤良祠，谥勤敏。

李兆洛　原任安徽凤台县知县。七月初八日卒年七十三。入国
　　　　史文苑传。

江继芸　福建金门镇总兵。七月初九日抗击英军阵亡。

余观和　原任浙江绍兴府同知。七月十五日卒，年六十八。

莫与俦　贵州遵义府教授，前任四川盐源县知县。七月二十二
　　　　日卒年七十九。入国史儒林传。

张希昌　降调湖北松滋县知县。七月卒，年八十五。

龚自珍　丁忧礼部主事。八月十二日卒于江苏丹阳云阳书院，
　　　　年五十。入国史文苑传。（其父龚丽正本年五月卒）。

王锡朋　江南寿春镇总兵。八月十七日于浙江定海抗击英军阵
　　　　亡，年五十六。予骑都尉兼一云骑尉世职，谥刚节。

郑国鸿　浙江处州镇总兵。八月十七日于定海抗击英军阵亡，
　　　　年六十五。予骑都尉世职。

葛云飞　提督衔浙江定海镇总兵。八月十七日抗击英军阵亡，
　　　　年五十三。予骑都尉兼一云骑尉世职，谥壮节。

谢朝恩　江南狼山镇总兵。八月于浙江镇海金鸡山抗击英军阵亡。予骑都尉世职。

骆腾凤　原任安徽舒城县训导。八月卒年七十二。入国史文苑传。

裕　谦　钦差大臣，两江总督。九月于浙江镇海殉难，年四十九。赠太子太保衔，照尚书例赐恤，谥靖节，予骑都尉兼一云骑尉世职。

毛嶽生　浙江宝山县诸生，袭云骑尉世职。九月初十日卒年五十一。入国史文苑传。

吴德旋　江苏宜兴县诸生。九月十一日卒年七十四。入国史文苑传。

查崇华　按察使衔原任陕西凤邠盐法道。九月十三日卒年七十四。

王开云　前山东盐运使，袭三等子。十月初四日卒年六十九。

縣　护　宗人府宗口，袭和硕庄亲王，宗室。十一月二十日卒。谥曰勤。

陈起诗　前吏部员外郎。十二月十一日卒年四十七。

师长治　湖北崇阳县知县。十二年十二月殉难，年四十五。予云骑尉世职。

乌尔恭额　前浙江巡抚。十二月卒于戍所。

韩文绮　降调都察院左副都御史，　前任江西巡抚。卒年七十九。

黄鸣傑　前署浙江巡抚，浙江布政使。卒。

刘　衡　原任河南开归陈许道。卒。入国史循吏传。

冯登府　浙江宁波府教授，前任福建将乐县知县。卒年五十九。入国史儒林传。

汪能肃　浙江嘉善县教谕。卒。

庆　山　满洲正蓝旗，萨玛拉氏。　原任乌里雅苏台将军。卒。

桓　格　满洲镶白旗，那拉氏。降调杭州将军。卒。

赵其镇（一作赵其桢）甘肃宁夏人。河南河北镇总兵，袭一等
　　伯。卒。

欧阳辂 湖南新化县举人。卒年七十五。入国史文苑传。

徐述歧 江苏嘉定县孝子。卒年三十八。

道光二十二年壬寅（公元一八四二年）

◉ **生辰：**

黄思永　正月初五日生，字慎之。江苏江宁人。

联　元　正月二十六日生，字鹤年，号先亨、仙衡。满洲镶红
　　　　旗，崔佳氏。享年五十九。

杨　儒　三月二十五日生，字子通，汉军正红旗。享年六十。

奎　俊　三月生，字乐峰。满洲镶白旗。

崇　宽　四月初八日生，字伯信，号厚庵。镶蓝旗宗室。

卢昌诒　五月初二日生，（原名卢英倜）。湖北黄冈人。

王振声　五月初五日生，字少农。顺天通州人。享年八十一。

吕海寰　六月初五日生，字镜宇。顺天大兴人（原籍山东）。

堃　岫　六月十二日生，字子岩。满洲正白旗。享年七十六。

俞廉三　六月十九日生，浙江山阴人。享年七十一。

王先谦　七月初一日生，字益吾，号葵园。湖南长沙人。享年
　　　　七十六。

英　煦　七月二十八日生，字曙楼，号和卿。满洲镶黄旗，赫
　　　　舍里氏。

冯金鑑　八月十五日生，字心兰，号藻卿。浙江桐乡人。享年
　　　　七十七。

王鹏寿　九月二十四日生，（原名王鹏运），字友松。顺天大兴
　　　　人。

朱　琛　十月初六日生，字献廷，号小唐、筱塘。江西贵溪人。

徐士佳　十月初七日生，江苏江阴人。

立　山　十月十四日生，字子仁，号豫甫。满洲正黄旗，土默
　　　　特氏。享年五十九。

沈守廉　十一月初一日生，浙江海盐人。享年八十二。

朱福诜　十一月二十一日生，字叔基，号桂卿。浙江海盐人。

沈寿祺　十二月初三日生，字价藩。江苏昭文人。享年六十九。

张士煐　十二月初八日生，字晋甫，号鼎臣。贵州贵阳人（原
　　　　籍安徽桐诚）。

王彦威　十二月十二日生，（原名王禹堂），字渠城，号弢甫。
　　　　浙江黄岩人。享年六十三。

金兆蕃　十二月十二日生，字鸑伯，号子羲、留香馆主。浙江
　　　　嘉兴人。享年八十六。

曾之撰　十二月十八日生，江苏常熟人。享年五十六。

叶大焯　十二月二十八日生，字恂予，号迪恭。福建闽县人。

顾肇新　生，字康民。江苏吴县人。享年六十五。

石镜潢　生，安徽宿松人。

韩载阳　生，字扬生。江苏娄县人。享年五十七。

李有棻　生，字芗垣。江西萍乡人。享年六十六。

曹秉哲　生，字仲明，号吉三。广东番禺人。享年五十。

韩文钧　生，字子衡，号紫蘅。奉天义州人。

高骖麟　生，浙江人。

郑业敩　生，字君觉，号幼惺。湖南长沙人。享年七十八。

何维朴　生。享年八十一。

詹鸿谟　生，字黼廷。浙江仁和人。

章洪钧　生，安徽绩溪人。

林　启　生，字迪人。福建侯官人。享年五十九。

杨同福　生，字心赞，号师载。江苏常熟人。享年五十八。

徐士骈　生，字蘲生。浙江德清人。享年七十。

许仁沐　生，（原名许仁杰）。浙江海宁人。

萧隥高　生，字荣阶，湖南湘潭人。享年六十一。

毛凤虎　生，江苏甘泉人。享年二十六。

李　圭　生，享年六十二。

朱孔彰　生，字仲武，号仲我。江苏元和人。享年七十八。

◎ 恩遇：

裕　泰　湖广总督。正月以擒获崇阳逆首钟人杰，功加太子太
　　　　保衔。

王　鼎　大学士。二月晋太子太师衔。

卓秉恬　吏部尚书。四月以六十生辰赐寿。

达洪阿　提督衔福建台湾总兵。四月加太子太保衔（二十三年三月革）。

讷尔经额　直隶总督。九月加太子太保衔（咸丰三年八月革）。

◉ 著述：

苗　夔　撰《说文声读表》七卷成，见正月自序。

陈乔枞　撰《齐诗遗说考》四卷成，见四月自序。（按：今本分为十二卷）。

沈　涛　撰《常山贞石志》二十四卷成，见五月自序。

魏　源　撰《圣武记》十四卷成，见七月自序

李道平　撰《周易集解纂疏》十卷成，见十月自序。

谢　堃　撰《钱式图》四卷成，见自序。

◉ 卒岁：

卢毓嵩　陕西道监察御史。正月十一日卒年五十三。

张岳崧　原任湖北布政使。正月十三日卒年七十。

王玮庆　户部右侍郎。正月十六日卒。

朱　贵　甘肃河州人。浙江金华协副将。二月初四日于慈溪大宝山阵亡。予骑都尉世职。

王得禄　字玉峰。福建嘉义人。太子太保衔原任浙江提督，二等子。三月卒。赠太子太师衔，晋伯爵，谥果毅。

恩特亨额　陕甘总督。三月卒。

戴道峻　浙江钱塘县诸生。三月十七日卒年七十三。

王景章　候选知府，湖南郴州直隶州知州。三月二十四日卒年五十九。

成世瑄　江宁布政使。四月卒。

长　喜　字怡亭。满洲正黄旗。浙江乍浦副都统。四月初九日抗击英军阵亡。

王　鼎　太子太师衔东阁大学士，军机大臣。四月三十日卒年七十五。赠太保，入祀贤良祠，谥文恪。

陈化成　江南提督。五月初八于宝山抗击英军阵亡，年六十八。谥忠愍，予骑都尉兼一云骑尉世职。

许　鲁　安徽桐城县诸生。五月初八日卒年六十一，入国史儒林传。

色克精额　满洲镶（正）蓝旗，佟佳氏。礼部尚书。五月卒。

奕　绮　前多罗贝勒，宗室。五月卒。赏复原爵。

托隆武　满洲正红旗，墨尔哲呼氏。盛京副都统。六月卒。

瞿中溶　原任湖南布政司理问。六月初十日卒年七十四。入国史文苑传。

海　龄　京口副都统。六月十九日殉难。谥昭节，予骑都尉兼一云骑尉世职。

常　增　江苏泰州拔贡生。七月初一日卒年五十五。

黄承吉　候选道，开复广西兴安县知县。七月初三日卒年七十二。入国史儒林传。

兴　伦　满洲镶黄旗，萨克达氏。原任江宁副都统。七月卒。

刘允孝　原任湖北提督。八月卒年六十七。谥果恪。

彭永思　在籍户部候补员外郎。八月二十一日卒年七十四。

祝廷彪　致仕浙江提督。九月初二日卒年七十三。

李宣範　原任江苏松江府知府。九月二十日卒年六十八。

段永福　陕西长安人。浙江提督。九月卒。谥勇毅。

姚祖同　致仕都察院左副都御，降调河南巡抚。九月卒年八十一。

曹应旭　在籍山东候补县丞，原署济宁州州同。十一月二十八日卒年七十七。

刘体重　原任湖北布政使。十二月初七日卒年七十四。入国史循吏传。

黎　恺　贵州开州训导。十二月卒年五十五。

余步云　前太子太保衔浙江提督，一等轻车都尉。十二月二十四日以罪处斩（注：以镇海失守节节退避）。

夏翼谋　候选太常寺博士。十二月二十九日卒年六十五。

白　镕　原任大理寺卿，降调工部尚书。卒年七十四。

西郎阿　满洲镶白旗，多金氏。三等侍卫，前正蓝旗护军统领。卒。

费庚吉　福建粮道。卒。入国史循吏传。

朱大源　丁忧陕西蒲城县知县。卒。入国史循吏传。

曹应毅　原任浙江定海县教谕，前四川清溪县知县。卒年八十一。

鄂尔托彦　前墨尔根城副都统。卒。

徐　锟　字秋潭。汉军正蓝旗。以二品顶带致仕，原任蓝翎侍卫驻藏大臣，降调福州将军。卒年七十口。

王志元　江南徐州镇总兵卒。追夺原官。

陈朝良　福建同安人。江南苏松镇总兵。卒。

邵永福　江苏江阴人。致仕福建候补参将，降调浙江温州镇总兵。卒。

翁广平　六品顶带，江苏吴江县孝廉方正。卒年八十三。

道光二十三年癸卯（公元一八四三年）

● **生辰：**

张锡銮 二月初七日生，浙江钱塘人。享年八十。

何乃莹 二月十八日生，字润夫，号鲁孙。山西灵石人。享年六十九。

法伟堂 三月十八日生，字容叔，号济廷、小山。山东胶州人。

萧大猷 四月初三日生，字希鲁，号省庐。湖南益阳人。

锺　濂 五月二十日生，字稚泉，号又溪。蒙古正蓝旗，巴鲁忒氏。享年四十三。

沈源深 六月初五日生，字荷庵，号惺甫、叔眉。河南祥符人。享年五十一。

世　铎 七月初一日生，宗室。享年六十九。

希　元 七月初二日生，字赞臣。蒙古正黄旗，伍弥特氏。享年五十二。

张曾敩 七月初四日生，字次明，号润生、筱帆。直隶南皮人。享年七十九。

童德璋 八月二十四日生，字特荪，号瑶圃。四川江北人。

徐致靖 九月初八日生，字子静。顺天宛平人。

劳乃宣 九月二十三日生，字季瑄，号玉初、玉磋。浙江桐乡人。享年七十九。

冯　煦 十二月初一日生，字梦华，号蒿庵、蒿叟。浙江金坛人。享年八十五。

季邦桢 十二月初十日生，字士周，号耜洲。江苏江阴人。享年五十六。

李跋藻 生，字伯虞，号华笙。湖北沔阳人。享年六十六。

史念祖 生，字绳之。江苏江都人。享年六十八。

李岷琛 生，字少东。四川安县人。

孔庆辅 生。

王维翰　生，广西临桂人。

张炳琳　生。

许　珏　生，字静山，号复庵。江苏无锡人。享年七十四。

延　茂　生，字松岩。汉军正白旗。享年五十八。

姜桂题　生。享年七十九。

吴宏洛　生，（本姓刘，出嗣吴姓），字瑞生。安徽合肥人。享年五十五。

章高元　生，字鼎臣。安徽合肥人。享年七十一。

刘光蕡　生，字焕唐，号古愚。陕西咸阳人。享年六十一。

◉ 科第：

中式举人：

恒　恩　镶白旗宗室。宗人府主事，左副都御史。

阮　祜　刑部郎中，四川潼川府知府。

杨　靖　内阁中书，江苏镇江府知府。

林源恩　湖南知县，候选同知直隶州。

黄秩林　署湖北襄阳县知县。

姚觐元　内阁中书，广东布政使。

杨沂孙　安徽知县，安徽凤阳府知府。

曹毓英　见丁酉拔贡。

朱澄澜　内阁中书，江西抚州府知府。

志　勋　满州正蓝旗。国子监助教，浙江温州府知府。

徐　郙　内阁中书，兵部郎中。

赵　新　字用铭，号晴岚、兰卿。直隶天津人。四川知县，山东曹州府知府。

宋邦偲　江南人。刑部主事，湖南长沙府知府。

彭慰高　国子监学正，浙江候补道。

戴　槃　浙江知县，浙江候补道。

张曜孙　湖北知县，湖北候补道。

历云官　湖南知县，湖北布政使。

俞　林　浙江人。福建知县，福建福宁府知府。

都棪森　字子秀。浙江海宁人。江苏知县，江苏六合县知县。

戴咸弼　瑞安县训导，温州府教授。

王大经　安徽知县，湖北布政使。

蒋赐勋　浙江海宁人。

杨任光　湖南善化人。

邓筠玲　署贵州印江县知县。

李元度　黔阳县教谕，贵州布政使。

崔尊彝　云南粮道。

王必达　广西人。江西知县，广东惠潮嘉道。

石绳簳　字瞻淇，号竹侯。安徽宿松人。

　　中式副榜贡生：

蒋锡绶　江苏长洲人。见丁酉拔贡。

陆元纶　八旗官学教习。

◉　恩遇：

阮　元　原任大学士，二月以八十生辰赐御书"颐性廷龄"额
　　　　及联。

周悦胜　甘肃提督。七月加太子太保衔。

◉　著述：

梁章钜　撰《制义丛话》二十四卷成，见正月朱琦序

梁章钜　撰《楹联续话》四卷成，见夏至自序。

梁廷柟　撰《越华纪略》四卷成，见五月自识。

陶　樑　自编《红豆树馆词》八卷成，见五月王柏心序。

张　穆　撰《顾亭林年谱》四卷，《附录》一卷成，见五月自序。

吴荣光　撰《历代名人年谱》十卷成。（按：此书卒后始刻，见
　　　　咸丰壬子陈庆镛序，今系于八月之前）。

顾　沅　字湘舟，号翠岚。江苏常熟人。编刻《篆学琐著》三
　　　　十种成，见九月王宾仁序。

邹鸣鹤　撰《道齐正轨》八十卷成，见十一月钱仪吉序。

丁　晏　撰《郑君年谱》一卷、《陈思王年谱》一卷、《陶靖节
　　　　年谱》一卷、《陆宣公年谱》一卷成。（按：自序均无

年月，以书首题癸卯刊板，今系于此年）。

吴懋清　撰《毛诗复古录》十二卷成，见自序。

陈　杰　字静荪。浙江乌程人。撰《算法大成上篇》十卷、《下篇》十卷成，见自序。

曹楸坚　自编《昙云阁诗集》五卷、《词钞》一卷、《诗附录》二卷成，见自序。

● 卒岁：

伊里布　钦差大臣，广州将军，前协办大学士，两江总督。二月卒。赠太子太保衔，谥文敏。

王　塗　候选训导，江苏吴具廪贡生。三月卒年五十八。

徐学健　江苏震泽县监生。三月二十八日卒年八十一。旌表孝子。

奎　照　原任都察院左都御史。四月十一日卒。

马学易　刑部主事。七月卒，年四十一。

吴荣光　致仕福建布政使，降调湖南巡抚。六月初四日卒年七十一。

祥　康　原任蓝翎侍卫，库伦办事大臣，降调吉林将军，正蓝旗宗室。九月卒。

宣陈奎　江苏嘉定县举人。九月卒年五十四。

梅植之　江苏江都县举人。九月二十四日卒年五十。

张际亮　福建建宁县举人。十月初九日卒于京师松筠庵，年四十五。入国史文苑传。

汪适孙　候选州同。十月十八日卒年四十。

托浑布　（改名托浑泰）原任山东巡抚。十月卒年四十五。

张元直　原任福建漳州镇总兵。十月卒。

程懋采　调授浙江巡抚（由安徽巡抚调补），十一月卒于安庆抚署。

那彦宝　前成都将军，袭一等轻车都尉世职。十一月卒年八十二。

史善载　字叔舆，号松舟。顺天宛平人。原任甘肃宁夏镇总兵，

袭云骑尉世职。十口月卒。

奕　灏　致仕理藩院右侍郎，前兵部尚书，袭镇国公，镶蓝旗
　　　　宗室。十二月卒。

吕飞鹏　安徽旌德县诸生。十二月二十六日卒年七十三。入国
　　　　史儒林传。

李富孙　浙江嘉兴县拔贡生。十二月三十日卒年八十。入国史
　　　　儒林传。

秦恩复　在籍翰林院编修。卒年八十四。入国史文苑传。

如　柏　满洲正黄旗，锡克特里氏。头等侍卫，前任伊犁镇总
　　　　兵，袭三等轻车都尉世职。卒。

杨　健　以三品顶带致仕，原任湖北巡抚。卒年七十九。

严可均　原任浙江建德县教谕。卒年八十二。入国史儒林传。

奇明保　满洲正白旗，乌扎拉氏。致仕杭州将军。卒年七十口。

诚　端　字述堂。满洲镶蓝旗，富察氏。原任阿克苏办事大臣，
　　　　镶蓝旗蒙古副都统。卒。

勒　福　蒙古镶蓝旗，哩那氏。副都统衔致仕伊犁领队大臣。
　　　　卒。

唐际盛　（原名唐心舜）。贵州丹江人。前甘肃巴里坤镇总兵。
　　　　卒年七十口。

曾大观　致仕福建建宁镇总兵。卒年七十口。

张作功　甘肃皋兰人。四川重庆镇总兵。卒。

朱有源　大挑教谕，浙江海盐县举人。卒年四十三。

严　杰　浙江余杭县监生。卒年八十一。入国史儒林传。

道光二十四年甲辰（公元一八四四年）

◉ 生辰：

奕詥 正月初四日生，宣宗皇八子。享年二十五。

宋书升 二月二十日生，字晋之，号贞阶、旭楼。山东潍县人。

李桂林 三月初四日生，字子丹。直隶临榆人。

谢希铨 三月十五日生，字绍辛。江西崇仁人。

廖廷相 四月十五日生，字子亮，号泽群。广东南海人。

胡宝铎 四月十八日生，字虎臣，号昆圃。安徽绩溪人。

黄卓元 四月十九日生，字仁山，号吉裳。贵州安顺人。

李肇南 四月二十五日生，字树极，号薰臣、少轩。云南镇雄人。

葛宝华 七月十八日生，字振卿。浙江山阴人。享年六十七。

缪荃孙 八月初九日生，字炎之，号筱珊、艺风。江苏江阴人。享年七十六。

潘衍桐 八月十三日生，字孝则，号峄琴。广东南海人。享年五十六。

刘锦棠 九月十一日生，字毅斋。湖南湘乡人。享年五十一。

郭庆藩 九月十八日生，字孟纯，号子瀞、岵瞻。湖南湘阴人。享年五十三。

盛宣怀 九月二十三日生，字杏荪。江苏武进人。享年七十三。

童祥熊 九月二十三日生，字小镕，号次山。浙江鄞县人。

讷钦 十月初七日生，字子襄。满洲正白旗，祜雅尔氏。

萨廉 十一月十六日生，字立甫，号检斋、少鹤。满洲镶蓝旗，郭佳氏。享年六十四。

朱善祥 十一月二十五日生，字履元，号詠裳、元叔。浙江秀水人。

谭鑫振 十一月二十五日生，字贡珊，号丽生。湖南衡山人。享年三十八。

唐景崧　十一月二十七日生，字伯申，号薇卿。广西灌阳人。

朱占科　十二月十一日生，字秉青，号季登、季巍。江苏山阳人。

孙友莲　生，字幼青。山东郯城人。享年五十七。

赵尔巽　生，字次珊。汉军正蓝旗。享年八十四。

殷李尧　生，字厚培。江苏昭文人。

刘齐浔　生。

徐士恺　生，字寿安，号子静。安徽石埭人。享年六十。

赵鸿猷　生，山西人。

方连轸　生，字坤吾。河南罗山人。

李应庚　生，江苏海州人。

吴俊卿　生。享年八十四。

◉ 科第：

一甲进士：

孙毓溎　状元。修撰，浙江按察使。

周学濬　榜眼。编修，山东道御史。

冯培元　探花。编修，光禄寺卿。

二甲进士：

王景澄　江西萍乡人。编修，浙江温州府知府。

黄　经　编修，山西按察使。

王之翰　编修，内阁学士。

李　杭　编修。

边浴礼　编修，河南布政使。

孙鸣珂　编修，河南归德府知府。

冯誉骥　编修，陕西巡抚。

呼延振　字冠三，号立夫、静斋。陕西长安人。编修，山西道御史。

汪廷儒　编修，候补四品京堂。

周玉麒　编修，内阁学士。

朱梦元　庶吉士，刑部主事，通政使。

吴骏昌 编修。

王映斗 户部主事，太常寺卿。

章嗣衡 （原名章汝衡），字仪贤、梓梁，号星岳。浙江会稽人。
编修，掌京畿道御史。

王家璧 兵部主事，顺天府府丞。

龚自闬 号养和。浙江仁和人。内阁中书，宗人府主事。

王寿同 刑部郎中，湖北汉黄广道。

王柏心 刑部主事。

何彤云 编修，兵部左侍郎。

陈廷经 编修，内阁侍读学士。

华日新 江苏铅山人。庶吉士，户部主事。

孙寿祺 刑部主事，广西柳州府知府。

窦奉家 编修，贵州遵义府知府。

萧浚兰 编修，云南布政使。

张广居 编修。

刘拱辰 字星平，号北垣。江西新昌人。河南知县，河南南阳
府知府。

邓廷楠 广西新宁人。庶吉士，工部主事，广东布政使。

陈　立 庶吉士，刑部主事，云南曲靖府知府。

杜学礼 字立夫，号筠轩、兰溪、召棠。湖南临武人。户部主
事，户部郎中。

吴惠元 编修，云南盐道。

龚自闳 编修，工部右侍郎。

戴鹿芝 字商山。浙江兰溪人。丁未朝考。贵州知县，贵州朗
岱厅同知。

赵元模 字迪生，号心梅。顺天大兴人。吏部主事，广西口口
府知府。

李宗焘 （原名李宗焱）。陕西周至人。　编修，河南布政使。

富尼雅杭阿 编修，盛京兵部侍郎。

方濬颐 编修，四川按察使。

陈作枢 甘肃武威人。

胡霖澍 贵州知县，贵州遵义府知府。

文　格 工部主事，山东巡抚。

王恩祥 编修。

启　文 编修，湖北汉黄德道。

程　諴 兵部主事，口口按察使。

盛　康 工部主事，湖北盐道。

石意恭 字小鲁，号塈生。湖北汉阳人。

于凌辰 工部主事，通政使。

阎廷珮 户部主事，山东青州府知府。

杜卿霭 字润青，号小沧、访琴。直隶赞皇人。山东知县。

贾世陶 内阁中书，湖北安陆府知府。

刘　堃 浙江仁和人。户部主事，陕西汉中府知府。

刘熙载 编修，中允。

宋　晋 编修，户部左侍郎。

德　荫 刑部主事，河南按察使。

宋玉珂 编修，河南候补道。

栗　燿 归班知县，内阁中书，湖北按察使。

曾兆鳌 字于柱。福建闽县人。刑部主事，陕西候补知府。

　　三甲进士：

聂光銮 湖北知县，湖北武昌府知府。

杜　翰 检讨，工部左侍郎。

焦春宇 会元。甘肃敦煌县知县。

萧时馨 户部主事，四川龙安府知府。

袁泳锡 检讨，江西广信府知府。

蒋大镛 直隶知县，奉天府治中。

沈西序 贵州知县，贵州贵阳府知府。

曾　詠 字吟村。四川华阳人。户部主事，江西吉安府知府。

柳　渊 字时庵，号雨桥。甘肃会宁人。工部主事。

煜　纶 字星东，号子常。正红旗宗室。检讨，盛京兵部侍郎。

崇　保　户部主事，山东布政使。重宴恩荣。

王祺海　吏部主事，河南归德府知府。

克　明　庶吉士，口部主事，长芦盐运使。

李映棻　四川宜宾人。知县，湖北汉阳府知府。

万承绂　字晋耆。江西南昌人。山西知县。

周治润　字崇之，号伯期、芝臣。河南祥符人。山西知县。

李福泰　广东知县，广东巡抚。

沈　云　字闲亭。浙江德清人。

王榕吉　直隶知县，顺天府府尹。

李德莪　工部主事，云南按察使。

薄彭龄　字仲默，号訒庵。顺天大兴人。兵部主事。

金　钧　庶吉士，刑部主事，贵州粮道。

1344

　　武进士：

张殿华　直隶枣强人。状元。头等侍卫。

钱　昱　直隶昌黎人。榜眼。二等侍卫。

刘清江　字澄斋。山东钜野人。探花。二等侍卫，山西太原镇
　　　　平垣营游击。

王琴堂　山东管陶人。传胪。三等侍卫。

李成虎　三等侍卫，甘肃花马池参将。

崔万清　字虎拜，号松圃。山西赵城人。

　　中式举人：

华翼纶　江苏金匮人。江西知县，候补同知。

徐志导　内阁中书，贵州贵西道。

勒方奇　见丁酉拔贡。

刘达善　山东登莱青道。

郭襄之　刑部主事，甘肃西宁道。

凌仲镳　内阁中书，江苏候补道。

史保悠　刑部主事，署江安粮道。

王　潞　大理寺司务，湖北襄阳府知府。

李载文　广西知县，广西南宁府知府。

删贺荪　河南知县，浙江按察使。

韩应陛　江苏娄县人。候选内阁中书。

陈　辂。

汪　昉　山东布库大使，山东莱州府同知。

陈　璲　江苏嘉定人。

删德标　安徽青阳县教谕，广东布政使。

陈克家　内阁中书。

马　钊　候选内阁中书。

俞文谦　贵州思州府知府。

涂宗瀛　江苏知县，湖广总督。

文星瑞　江西萍乡人。福建同知，广东候补道。

陶寿玉　湖南知县，湖南粮道。

魏士龙　浙江钱塘人。

应宝时　江苏直州同，江苏按察使。

朱泰修　署江苏宝应县知县。

赵景贤　宣平县教谕，福建粮道。

王　埕　内阁中书，云南澂江府知府。

洪汝奎　军功知县，两淮盐运使。

郭崑焘　国子监助教，四品京堂。

周　乐　湖北知县，湖北候补道。乡举重逢。

耿曰恂　户部主事，江西南康府知府。

冯　崑　口口知县，署四川按察使。

薛　焕　江苏知县，工部右侍郎。

孔广铺　广东人。候补道。

谭　莹　化州学正。

吴树声　云南人。山东知县，山东寿光县知县。

邵　辅　字清斋。安徽绩溪人。

　　中式副榜贡生：

张步瀛　江苏金匮人。

◉ 恩遇：

布彦泰　伊犁将军。二月以开垦功加太子太保衔（三十年二月革）。

敬　徵　协办大学士，户部尚书。以六十生辰赐寿。

● 著述：

林春溥　撰《古书拾遗》四卷成，见二月自序。

林伯桐　自编《修本堂稿》四卷成，见二月自识。

瞿云升　撰《隶篇再续》成，见五月自序。

汪巽东　江苏人。撰《云间百詠》一卷成，见夏日自序。

邵懿辰　撰《忱行录》二卷成。（按：是书记至秋日，今系于十月之前）。

黄本骥　撰《皇朝经籍志》六卷成，见十月自序。

许元恺　字宾门。江苏昭文人。撰《选青小笺》十卷成，见十月自序。

程祖庆　撰《练川名人画象》四卷成，见十月自序。

林伯桐　撰《冠昏丧祭仪考》十二卷成，见十一月自序。

邹伯奇　撰《学计一得》二卷成，见十二月自序。

朱大韶　撰《实事求是之斋经义》二卷成。（按：是书原稿八卷，卒后始刻仅存二卷，今系于此年）。

丁　晏　撰《金大德年大钟款式》附《元铸祭器宋百砖记》一卷成见自序。

邹伯奇　撰《皇舆全图》一卷成，见自序。

梁章钜　撰《称谓拾遗》十卷成，有自序，见自订年谱。

梁章钜　自订《年谱》一卷成，（按：所记至甲辰冬止，今系于此年）。

魏茂林　撰《骈雅训纂》十六卷成，见祝庆蕃序。

蒋光煦　辑《恽寿平瓯香馆集》十二卷、卷首卷末各一卷成，见自定凡例。

● 卒岁：

阙　岚　安徽桐城县画士。正月初四日卒于湖南长沙，年八十七。

钱熙祚 候选通判。正月初十日卒于京师，年四十四。

李　诚 原任云南姚州州判。正月二十四日卒年六十七。入国史儒林传。

陈阶平 致仕福建水师提督。三月初二日卒年七十九。

齐　慎 四川提督。三月初十日卒年七十。赠太子太保衔，谥勇毅。

曹恩潆 通政使司通政使。三月二十六日卒年四十六。

欧阳泳 湖南拔贡生。四月卒。

谢　堃 江苏甘泉县布衣。五月十七日卒年六十一。

祁　埙 太子太保衔原任两广总督。五月二十八日卒于广州督署，年六十八。谥恭恪。

李曰茂 山西平定县举人。六月初六日卒年五十六。

汤　鹏 户部江南司郎中，前任山东监察御史。七月初九日卒年四十四。入国史文苑传。

李道平 湖北嘉鱼县教谕。八月二十三日卒年五十七。

李锡龄 原任内阁中书。八月二十六日卒年五十一。

吴廷琛 在籍候补四品京堂，前任云南按察使。九月初三日卒年七十二。

姚配中 安徽旌德县廪生。十月二十九日卒年五十三。入国史儒林传。

林伯桐 广东德庆州学正。十二月初一日卒年七十。入国史儒林传。

汪文台 安徽黟县廪生。十二月初十日卒年四十九。

周悦胜 甘肃皋兰人。太子太保甘肃提督。十二月卒。谥壮敏，追夺衔谥。（追夺在二十五年十一月）。

方　凝 安徽歙县诸生。十二月卒年六十。

李奕畴 太子太保致仕守护昌陵尚书，降调漕运总督。卒年八十□。

朱杙之 礼部郎中。卒年五十九。

朱大韶 选授江苏江宁县教谕，前任安徽怀远县教谕。未赴任卒，年五十四。

白文治　汉军正红旗。巴里坤领队大臣，镶白旗蒙古副都统。
　　　　卒。

陈　琴　福建惠安人。前浙江定海镇总兵，复授黄岩镇中营游
　　　　击。卒。

钱　杜　候选主事，浙江仁和县口生。卒年八十四。

钱　泳　候选同知，江苏金匮县口生。卒年八十六。

道光二十五年乙巳（公元一八四五年）

◉ **生辰：**

金文同　二月初五日生，字书舲，号笙陔、晓泉。甘肃皋兰人（原籍江苏上元）。享年六十六。

邓嘉缜　二月十五日生，字季垂。江苏江宁人。享年七十一。

杨廷传　二月二十八日生，字銮卿，号心贶、星舫。福建侯官人。

秦澍春　二月初十日生，字雨亭，号小霖。直隶遵化人。

罗文彬　四月十四日生，贵州贵阳人。

蒋学坚　六月初五日生，字子贞，号铁云。浙江海宁人。享年七十。

王懿荣　六月初八日生，字正孺。号莲生、廉生。山东福山人。享年五十六。

柯逢时　六月初八日生，字懋修，号巽庵。湖北武昌人。

樊恭煦　六月十七日生，字觉先，号介轩。浙江仁和人。

陆芝祥　六月十九日生，字子瑞，号晴湖。广东番禺人（原籍安徽桐城）。享年三十一。

庞鸿文　八月二十七日生，字伯絜，号絅堂。江苏常熟人。享年六十五。

朱窝瀛　九月初九日生（原名朱晟），字芷青。顺天大兴人。享年八十。

乌拉布　九月十四日生，字绍云。满洲镶黄旗，沙济富察氏。享年四十六。

袁镇南　九月十六日生，字保臣，号莘坡。奉天辽阳人。

许景澄　九月二十二日生，（原名许癸身），字拱辰、倬峋、竹篔。浙江嘉兴人。享年五十六。

向万鑅　九月二十五日生。

刘传福　十月初六日生，字康百，号雅邠。江苏吴县人。

丁振铎　十月初八日生，字声伯，号巡春、训卿。河南罗山人。

陶方琦　十月二十八日生，字子珍，号兰当。浙江会稽人。享
　　　　年四十。

陶福同　十一月初七日生，字玮仲。江西新建人。

尚　贤　十一月二十一日生，字雅珍，号颂臣。蒙古正白旗，
　　　　巴禹特氏。

李殿林　生，字荫墀，号竹斋。山西大同人。

良　贵　生，字子修。镶红旗宗室。

廖鹤年　生，字云氅。广东番禺人。

龙继栋　生，字松岑。广西临桂人。享年五十六。

李希杰　生，汉军正白旗。

何昭然　生，四川人。

徐建寅　生，江苏无锡人。享年五十七。

潘炳年　生，字恒谦，号耀如。福建长乐人。

朱百遂　生，字适庵。江苏宝应人。

章成义　生，字宜甫，号师竹。江苏江阴人。享年五十。

诸可宝　生，浙江仁和人。享年五十九。

江召棠　生，字云卿。安徽桐城人。享年六十二。

顾　云　生，享年六十二。

◉ 科第：

　　一甲进士：

萧锦忠　状元。修撰。

金鹤清　榜眼。编修。

吴福年（原名吴梦龙），字筑岩，号竹年。浙江钱塘人。探花。
　　　　编修，侍讲学士。

　　二甲进士：

锺启峋　编修，侍讲。

周寿昌　编修，内阁学士。

陈介祺　编修。

何桂芬　编修，陕西陕安道。

徐元勋 字铭臣，号传山。浙江海宁人。编修。

蒋志章 （原名蒋志惇）。江西铅山人。编修，陕西巡抚。

孙鼎臣 编修，侍读。

王宪成 字仲文，号蓉洲。江苏常熟人。刑部主事，福建汀漳
　　　 龙道。

李联琇 编修，大理寺卿

张正椿 编修。

阎敬铭 庶吉士，户部主事，东阁大学士。

童福承 字启山。顺天大兴人。编修，侍读。

潘遵祁 编修，侍讲。

卓　保 编修，刑部尚书

贡　璜 编修，山东布政使。

沈炳垣 编修，左中允。

袁芳瑛 编修，江苏松江府知府。

左　瑛 编修。

杨　翰 编修，湖南辰沅永靖道。

郭骧远 编修，左赞善。

胡瑞澜 编修，兵部左侍郎。

梁景先 （碑录作梁经先）。陕西三原人。工部主事，福建兴化
　　　 府知府。

路　璜 字渔宾，号小竹。贵州毕节人。河南洛阳县知县。

刘书年 编修，贵州贵阳府知府。

周士炳 编修。

黄安绶 （原名黄廷绶）。浙江仁和人。编修，福建按察使。

何秋涛 刑部主事。

宜　振 编修，户部右侍郎。

张　璐 字宝卿，号子佩。江苏常熟人。刑部主事。

恽世临 庶吉士，吏部主事，湖南巡抚。

罗嘉福 编修，山西汾州府知府。

冯　栻 刑部主事，刑部员外郎。

陈泰初　字健之，号见田。广东番禺人。编修，广西平乐府知府。

沈锡庆　编修，山东兖州府知府。

吕序程　字秋塍，号宾鸿。河南罗山人。编修，贵州安顺府知府。

尚庆潮　河南罗山人。刑部主事，湖南岳州府知府。

周辑瑞　湖南善化人。吏部主事，江苏镇江府知府。

何廷谦　编修，工部左侍郎。

张守岱　编修，陕西陕安道。

胡庆源　（原名胡澐）。顺天大兴人（原籍浙江钱塘）。户部主事，安徽凤阳府知府。

王荣第　编修，河南按察使。

夏家泰　字阶平。湖南善化人。吏部主事，福建延建邵道。

李鹤年　编修，河东河道总督。

吴昌寿　广东知县，河南巡抚。

林寿图　工部主事，山西布政使。

郑锡瀛　顺天大兴人。吏部主事，左副都御史。

蒋超伯　字叔起。江苏江都人。会元。刑部主事，广东候补道。

孟传金　礼部主事，河南道御史。

刘兴桓　湖北沔阳人。湖南江华县知县。

林廷选　刑部主事，安徽徽州府知府。

　三甲进士：

奎　章　检讨，礼部口侍郎。

毛昶熙　检讨，兵部尚书。

华廷傑　广东知县，广东候补道。

王锺淇　山东福山人。知县，肃州知州。

沈丙莹　刑部主事，贵州安顺府知府。

张兆栋　刑部主事，福建巡抚。

高贡龄　户部主事，浙江绍兴府知府。

文　祥　工部主事，武英殿大学士。

李朝仪　字鸿卿。贵州贵筑人（原籍湖南清泉）。直隶知县，顺天府府尹。

张锺彦　广东定安人。河南知县。直隶宣化府知府。

黄辅相　贵州贵筑人（原籍湖南澧陵）。广西知县，广西镇安府知府。

池剑波　江西知县，福建漳州府教授。

祝　祐　字子助，号仲申。河南固始人。湖北通城县知县。

何　栻　吏部主事，江西建昌府知府。

吕　铨　浙江钱塘人。广东知县，广东廉州府知府。

黄廷瓒　字麓溪。湖南长沙人。江苏长洲县知县，广西侯补道。

徐　鼒　检讨，福建延平府知府。

仲孙樊　字补侯。江苏吴江人。浙江临海县知县，宁波府同知。

周　灝　直隶知县，直隶正定县知县。

张凯嵩　广东知县，云贵总督。

包　炜　检讨，四川川北道。

魏　源　内阁中书，江苏高邮府知州。

姚体俨　即用知县，山东东昌府教授。

李国梓　安徽太湖人。户部主事。

叶廷杰　吏部主事，云南曲靖府知府。

　　武进士：

吴德新　直隶东明人。状元。头等侍卫。

蕙　椿　汉军正白旗。榜眼。二等侍卫。

赵鸿举　探花。二等侍卫，山东曹州镇总兵。

李省躬　字仰曾。河南夏邑人。传胪。三等侍卫。

◉　著述：

梁章钜　撰《归田琐记》八卷成，见正月自序。

黄本骥　撰《湖南方物志》八卷成，见正月自序。

乌尔恭阿　自编《石琴室稿》五卷成，见正月叶志诜序。

唐　鑑　撰《学案小识》十四卷成，见四月自序。

黄本骥　撰《姓氏解纷》十卷成，见四月自序。

张金铺 自编《梧叶秋声词》二卷成，见立秋自序。

黄本骥 撰《历代职官表》六卷成。见七月自序。

许 瀚 撰《别雅订》五卷成，见八月自记。

盛 垌 字云泉。浙江平湖人。编《龙湫嗣音集》十二卷成，
见九月自撰例言。

戴 煦 撰《对数简法》二卷成，见秋日自序。

张尔旦 撰《种玉堂诗集》四卷、《词集》二卷、《杂文》一卷
成。（按：此集于卒后为门人赵宗建编刻，今系于此
年）。

● 卒岁：

沈宝麟 原任浙江阳溪县教谕。正月初九日卒年六十六。

富呢扬阿 陕甘总督。四月初九日卒年五十七。

吴 椿 原任户部尚书。五月十二日卒年七十六。

庆 和 署甘肃西宁镇总兵。六月十二日于金羊岭遇贼阵亡。

关圣保 满洲镶蓝旗，伊尔根觉罗氏。前兵部右侍郎。六月卒。

胡 敬 原任翰林院侍讲学士。九月初一日卒年七十七。入国
史文苑传。

杨兆璜 致仕直隶广平府知府。九月二十二日卒年六十八。

惠 吉 满洲镶黄旗，富察氏。陕甘总督。十月卒。

卜葆鈏 四川大邑县知县。十一月卒年四十三。

曹衔遇 新授福建永阜场大使，由服阕石河场大使起补。未之
任卒，年五十三。

欧阳厚均 原任浙江道监察御史。卒年八十。

博多欢 正黄旗蒙古都统。卒。

汪 阜 原任广东儋州知州。卒年七十七。

陈文述 原任安徽繁昌县知县。卒年七十五。入国史文苑传。

潘光泰 原任贵州遵义县知县。卒。

海 亮 蒙古镶白旗，他塔喇氏。前喀喇沙尔办事大臣，镶蓝
旗汉军副都统。卒。

马 骥 致仕广东高州镇总兵，卒年七十口。

都勒丰阿　满洲镶黄旗，莫勒哲勒氏。原任河南南阳镇总兵。
　　　　卒。
吴懋清　候选中书科中书，广东吴川县举人。卒年七十二。入
　　　　国史儒林传。
凌扬藻　广东番禺县诸生。卒年八十六。入国史文苑传。
张尔旦　江苏常熟县诸生，卒年五十四。
吴之淳　浙江海宁州诸生。卒。

道光二十六年丙午（公元一八四六年）

◉ 生辰：

丁立瀛　正月初一日生，字伯山，号丽生。江苏丹徒人。

张人骏　正月二十九日生，字千里，号安圃。直隶丰润人。享年八十二。

晋　祺　二月十二日生，宗室。享年五十五。

邵积诚　二月二十四日生，字允朴，号实孚、怡璞。福建侯官人。

郑秉成　二月二十八日生，湖南邵阳人。

周家禄　三月初三日生，字彦升，号蕙修。江苏海门人。享年六十四。

延　清　二月二十四日生，字子澄。蒙古正白旗。

王　绰　四月二十一日生，字孝宽，号薇轩。山东诸城人。

姚协赞　五月十二日生，字衷廷，号馨圃、悭仆。奉天承德人（原籍浙江）。

臧济臣　五月二十四日生，字景傅。山东诸城人。

谭宗浚　闰五月十三日生，字叔裕。广东南海人。享年四十三。

汪　洵　闰五月十四日生，字渊若，号子渊。江苏阳湖人。享年七十。

涂国盛　闰五月二十四日生，湖北襄阳人。

台　布　六月初七日生，正红旗宗室。

叶大遒　六月十五日生，字铎人。福建闽县人。

管廷献　六月十九日生，字士修，号石夫。山东莒城人。

吴树梅　六月二十二日生，字燮臣，号勰丞、韵卿。山东历城人。

黎荣翰　八月初三日生，字璧侯。广东顺德人。

袁　昶　八月初八日生，（原名袁振蟾），号爽秋、重黎。浙江桐庐人。享年五十五。

赖清键　八月初十日生，字仙竹。陕西紫阳人。

张西园　八月二十四日生，山西平定人。

高云麟　八月二十四日生，浙江人。享年八十二。

沈恩嘉　八月二十六日生，字鹿苹。直隶天津人。享年五十。

濮子潼　九月十六日生，字紫泉，号止潜、霞孙。浙江钱塘人。
　　　　享年六十四。

胡景桂　九月二十二日生，字直生，号月舫。直隶永年人。享
　　　　年六十。

胡孚宸　九月二十七日生，字公度，号愚生。湖北江夏人。

蒋学溥　十月初六日生，字长孺，号泽山、莪庐。浙江海宁人。
　　　　享年四十七。

曹鸿勋　十月十一日生，字竹铭，号兰生。山东潍县人。享年
　　　　六十五。

张赓飏　十月二十六日生，字伯言，号翰卿。江西鄱阳人（原
　　　　籍湖南巴陵）。

朱一新　十一月初五日生，字鼎甫，号蓉生。浙江义乌人。享
　　　　年四十九。

戴兆春　十二月初四日生，字展韶，号青来。浙江钱塘人。享
　　　　年六十。

刘中度　十二月初十日生，山东章邱人。

查恩绶　十二月十五日生，字承先，号荫阶。顺天宛平人。

周克宽　生，字容皆，号湘笙。湖南武陵人。

田我霖　生，河南祥符人。

高岳崧　生，字峻峰、峻生，号幼潭。陕西长安人。

赵曾重　口月二十三日生，字伯远，号蘅浦。安徽太湖人。

恩　铭　生，字新甫。满洲镶白旗，锦州驻防，于库里氏。享
　　　　年六十二。

樊增祥　生，字云门，号樊山。湖北恩施人。享年八十六。

黄嗣东　生，字小鲁。湖北汉阳人。享年六十五。

庞　玺　生，字次符。山西代州人。

卢秉政　生，四川人。

秦应逵　生，字鸿轩。湖北孝感人。

盛　沅　生。

◉ 科第：

考取优贡生：

端木采　江苏人。内阁中书，内阁侍读。

中式举人：

钱鼎铭　江苏太仓人。户部主事，河南巡抚。

长　赓　字伯飏，号笏臣。汉军正黄旗，许氏。山东知县，河
　　　　南布政使。

何兆瀛　户部郎中，广东盐运使。

沈敦兰　内阁中书，江苏常镇通海道。

吕儒孙　江苏阳湖人。陕西潼商道。

王延长　江苏人。江西南康府知府。

谢质卿　江西人。陕西知县，陕西潼商道。

张庆荣　浙江嘉兴人。

徐时栋　候选内阁中书。

锺文烝　浙江嘉善人。

许培身　浙江钱塘人。四川成绵龙茂道。

周学濂　浙江乌程人。

陈崇砥　福建侯官人。直隶知县，直隶河间府知府。

魏秀仁　福建侯官人。

张裕钊　湖北人。候选内阁中书。

龙汝霖　字皞臣。湖南攸县人。

中式副榜贡生：

秦缃业　江南人。浙江同知，浙江候补道。

◉ 恩遇：

何汝霖　兵部尚书其母丁氏，以年届九十赐御书匾额。

耆　英　协办大学士，两广总督。二月以六十生辰赐御书"绥
　　　　疆锡祜"额。

清代人物大事纪年

1358

李振祜　刑部尚书。五月以七十生辰赐御书"慎典凝禧"额。

阮　元　原任大学士。以本年为乾隆丙午科乡举重逢，六月晋
　　　　太傅衔。重赴鹿鸣筵宴。

俞恒泽　致仕广西平乐府知府。

汪　农　浙江仁和人。钦赐举人，原任兵部员外郎。

　　　　以上二人俱以本年为乾隆丙午乡举重逢，重赴鹿鸣筵宴。

杜受田　工部尚书。九月以六十生辰赐寿。

◉ 著述：

黄本骥　撰《避讳录》五卷成，见四月自序。

陈庆镛　撰《齐侯罍铭通释》二卷成，见闰五月何秋涛跋。

陈庆墉　自编《籀经堂类稿》十四卷成，见六月何秋涛序。（按：
　　　　类稿续有增益，至光绪癸未陈仁荣辑为二十四卷最为
　　　　详备）。

朱右曾　撰《逸周堂集训校释》十卷《逸文》一卷成，见六月
　　　　自序。

臧寿恭　撰《春秋左氏古义》六卷成。（按：此书卒后始刻，见
　　　　卞斌序今系于八月之前）。

戴　煦　撰《续对数简法》一卷成，见八月自序。

郑复光　撰《镜镜詅痴》五卷成，见八月张穆序。

王端履　撰《重论文斋笔录》四十卷成，见十一月王曼寿序。

罗士琳、刘文淇　等同撰《旧唐书校勘记》六十六卷成，见十
　　　　二月岑建功序。

吴其濬　撰《植物名实图考》三十八卷、《植物名实长编》二十
　　　　二卷成。（按：此书于卒后为陆应毂所刻，见戊申三月
　　　　序，今系于三月之前）。

张　穆　撰《阎潜邱年谱》四卷成，见十二月自序。

丁　晏　撰《周易讼卦浅说》一卷成，见冬日自序。

◉ 卒岁：

乌尔恭阿　号石琴道人。袭和硕郑亲王，镶蓝旗宗室。二月二
　　　　十五日卒。谥曰慎。

邓廷桢　字维周，号嶰筠。江苏江宁人（原籍安徽寿州）陕西巡抚，前闽浙总督。三月二十日卒年七十二。

李宗昉　原任礼部尚书。四月初十日卒年六十八。

杨　芳　太子太傅衔赏食全俸，原任湖南提督，二等果勇侯，前封一等。五月卒年七十七。谥勤勇。

邹汝翼　江苏吴锡县布衣。五月十六日卒年七十九。

麟　庆　候补四品京堂，前江南河道总督。七月二十五日卒年五十六。

臧寿恭　浙江长兴县举人。八月卒年五十九。入国史儒林传。

贺熙龄　原任掌四川道监察御史。十月二十四日卒年五十九。

马志燮　原任云南迤西道。十一月卒年六十八。

阎学海　户部浙江司员外郎。十口月卒年七十四。

吴其濬　原任山西巡抚。十二月卒。赠太子少保衔。

李鸿宾　在籍翰林院编修，前协办大学士，两广总督。卒。

富僧德　满洲镶黄旗，瓜尔佳氏。正蓝旗护军统领，前西安将军。卒。赏都统衔，谥壮武。

史秉直　河南汝州直隶州知州。卒。入国史循吏传。

周际华　原任江苏江都县知县。卒年七十四。

周仪暐　调署陕西凤翔县知县，正任山阳县知县。卒年七十。

胡达澍　湖南辰州府教授。卒年六十三。

嵩　溥　满洲正蓝旗，伊尔根觉罗氏。致仕绥远城将军。卒。

裕　恩　原任热河都统，二等辅国将军，宗室。卒。

赵光壁　安徽阜阳人。原任山东兖州镇总兵。卒。

韩肇庆　汉军正红旗。前湖南永州镇总兵。卒。

保芝龄　（一作保芝琳）贵州兴义人。福建福宁镇总兵，袭云骑尉世职。卒。

毛国翰　湖南长沙县诸生。卒于湖北督署幕中。年七十五。

夏　炳　安徽当涂县口生。卒年五十二。

道光二十七年丁未（公元一八四七年）

◉ 生辰：

周廷揆　正月初一日生，字甲龙，号叙卿。广西灵川人。

黎大均　二月十八日生，湖北黄陂人。

锡　钧　四月初五日生，（原名锡珍），字聘之，号幼明。蒙古镶白旗。

张百熙　四月初六日生，字诒孙，号埜秋。湖南长沙人。享年六十一。

景　厚　四月十五日生，字燮甫，号敦甫。镶蓝旗宗室。

祥　麟　四月二十一日生，字仁趾。满洲正黄旗。

緜　文　四月二十九日生，字郁卿，号达斋。镶白旗宗室。享年六十。

韦业祥　五月十三日生，字伯谦。广西永宁人。

左绍佐　七月初十日生，字季云，号笏卿。湖北应山人。享年八十二。

成肇麐　七月二十一日生，字漱泉。江苏宝应人。享年五十五。

锡　珍　八月初十日生，字仲儒，号席卿。蒙古镶黄旗，额尔德特氏。享年四十三。

唐椿森　九月二十七日生，字益龄，号晖庭。广西宣化人。

闵荷生　十月十四日生，江西奉新人。

裕　德　十月二十二日生，字荣俊，号寿田。满洲正白旗，喜塔喇氏。享年五十九。

张亨嘉　十一月二十八日生，字燮君，号铁君。福建侯官人。享年六十四

王金镕　十二月初五日生，字匪石。直隶乐亭人。

陈启泰　十二月十九日生，字宝孚，号伯平、鲁生。湖南长沙人。享年六十三。

唐景崇　生，字希姚，号春卿。广西灌阳人。

李擢英 生，河南商水人。

杨　晨 生，字定孚。浙江黄岩人。享年七十九。

艾庆澜 生。

袁树勋 生，字海观。湖南湘潭人。享年六十九。

刘本植 生，广西临桂人。

吴祖椿 生，字幼农。四川华阳人。

蒋师辙 生，享年五十八。

李桂馨 生，享年六十。

方守彝 生，字伦叔，号贯初。安徽桐城人。享年七十八。

姜　筠 生，字颖生。安徽人。享年七十三。

◉ 科第：

一甲进士：

张之万 状元。修撰，东阁大学士。

袁绩懋 榜眼。编修，刑部主事，署福建延建邵道。

庞锺璐 探花。编修，刑部尚书。

二甲进士：

许彭寿 会元。编修，内阁学士。

孙　观 编修，直隶布政使。

徐树铭 编修，工部尚书。

曹登庸 编修，京畿道御史。

袁希祖 编修，内阁学士。

刘其年 编修，四川雅州府知府。

沈桂芬 编修，兵部尚书，协办大学士。

陆秉枢 编修，户科给事中。

苏仲山 字又甫，号海村、砚西。山东日照人。编修，浙江道
　　　 御史。

郭祥瑞 户部主事，广西按察使。

鲍源深 编修，山西巡抚。

孙颐臣 字仲嘉。湖南善化人。兵部主事。

陈元鼎 字实庵，号芰裳。浙江钱塘人。编修。

徐申锡　编修。

李德仪　编修，侍读学士。

蒋兆鲲　庶吉士。

刘鸿恩　刑部主事，陕西盐道。

李培祜　编修，广东粮道。

伍肇龄　编修。重遇甲科。

　　　　（按：自光绪甲辰科举废止后，凡曾登甲乙科者已无
　　　　重宴恩荣或鹿鸣名目，但奉恩旨加衔而已，今即改书
　　　　"重遇甲科"或"重逢乡举"字样以昭核实，谨记于
　　　　此）。

谢　煌　兵部主事，湖南粮道。

李宗羲　安徽知县，两江总督。

胡寿椿　编修，湖北荆州府知府。

帅远燡　编修，江西候补道。

潘斯濂　编修，奉天府府丞。

华祝三　编修，广东南韶连道。

刘廷鑑　字保三。广东南海人。陕西知县，陕西榆林府知府。

李鸿章　编修，文华殿大学士。

黄彭年　编修，湖北布政使。

沈葆桢　编修，两江总督。

郭椿寿　编修，广东廉州府知府。

戚天保　湖南知县，湖南候补知府。

唐壬森　编修，左副都御史。

李德增　工部主事，山东□□府知府。

陈　濬　字华槎，号心泉。福建闽县人。编修，湖北盐道。

何　璟　编修，闽浙总督。

白恩佑　字启南，号兰岩。山西介休人。庶吉士，礼部主事，
　　　　湖南盐法道。

周悦让　字孟伯。山东莱阳人。

张炳堃　（原名张瀛皋），字鹿仙，号鹤甫。浙江平湖人。编修，

湖北粮道。

尹国珍　汉军镶红旗。云南澂江府知府。

郭嵩焘　编修，兵部左侍郎。

陈　鼐　字作梅，号竹湄。江苏溧阳人。庶吉士，直隶清河道。

骆敏修　（原名骆利锋）湖北蕲州人。礼部主事，江西南安府知府。

章倬标　礼部主事，福建泉州府知府。

薛　湘　湖南知县，广西浔州府知府。

王友端　户部主事，浙江粮道。

蔡应嵩　广东归善人。江西知县，江西广饶九南道。

李仁元　内阁中书，江西乐平县知县。

林之望　编修，湖北布政使。

杨书香　庚戌朝考。编修，奉天府府丞。

刘有铭　编修，刑部左侍郎。

张培仁　广西贺县人。湖南知县，湖南善化县知县。

余光倬　（原名余汝侗）。江苏武进人。刑部主事，刑部郎中。

1364

　　三甲进士：

廖宗元　湖南宁乡人。浙江知县，署绍兴府知府。

马新贻　安徽知县，两江总督。

张修府　字允六，号东墅。江苏嘉定人。检讨，湖南永州府知府。

李孟群　广西知县，安徽布政使。

孙家醇　字懿士，号钦生。安徽寿州人。内阁中书。

霍为棻　字苑史。陕西朝邑人。浙江太平县知县，四川邛州直隶州知州。

方学苏　顺天宝坻人。工部主事，湖南衡永郴桂道。

周道治　河南祥符人。

黄醇熙　江西鄱阳人。湖南知县，湖北记名道。

任　瑛　湖南知县，湖南武陵县知县。

徐家杰　山东知县，山东益都县知县。

朱麟祺 刑部主事。

熊其光 户部主事。

彦　昌 检讨，祭酒。

丁寿昌 庶吉士，户部主事，浙江严州府知府。

马先登 陕西大荔人。河南开封府知府。

文　玉 满洲镶黄旗。广东高州府知府。

朱邕侯 刑部主事，湖北德安府知府。

祝　垲 河南知县，直隶大顺广道。

成　善 工部主事，安徽安庆府知府。

杨延俊 山东肥城县知县。

阮寿松 字子岩，号牖云。江西新建人。刑部主事，江南道御
　　　　史。

杨　錞 江苏震洋人。江西知县，江西南安府知府。

刘郇膏 江苏知县，江苏布政使。

朱次琦 山西知县，署襄陵县知县。

姚体备 江西知县，署安徽徽宁池太广道。

　　翻译进士：

广　凤 字竹桐。满洲镶蓝旗，郭勒佳氏。编修，刑部侍郎。

桂　丰 满洲镶红旗。编修，侍读。

伍忠阿 字卓峰。蒙古正白旗。编修，内阁学士。

　　武进士：

李　信 直隶晋州人。状元。头等侍卫，湖北汉阳营游击。

姜国仲 四川越巂人。榜眼。二等侍卫。按：是科无探花。

邓凤麟 汉军镶白旗。传胪。三等侍卫。

● 恩遇：

陈官俊 协办大学士，吏部尚书。其母，二月以年届九十赐御
　　　　书"耆臣寿母"额。

李星沅 云贵总督。三月以剿平云州回匪，加太子太保衔。

陆费瑔 湖南巡抚。其母许氏，以年届八十七岁赐御书匾额。

杜　谔 原任礼部左侍郎。赐御书"教忠笃庆"额。

裕　泰　湖广总督。十一月以六十生辰赐御书"绩懋廉圻"额。

梁口口　浙江巡抚。其母李氏，以年届八十六岁赐御书"节署
　　　　庐欢"额。

● 著述：

黄本骥　撰《三志合编》七卷成，见三月自序。

钱泰吉　撰《海昌备志》五十二卷、附录二卷成，见四月自撰
　　　　发凡。

鲍振方　字芳谷。江苏常熟人。撰《金石订例》四卷成，见五
　　　　月王振声序。

丁　晏　撰《石亭纪事》一卷成，见九月自序。

朱骏声　撰《离骚补注》一卷成，见十月自序。

黄本骥　撰《嶵山甜雪》十二卷成，见十月自序。

穆彰阿　自编《澄怀书台诗钞》四卷成，见十一月李福培跋。

黄本骥　自编《三长物斋文略》六卷成，见十二月阎海林序。

黄本骥　自编《三长物斋诗略》五卷成，见十二月自记。

黄本骥　撰《郡县分韵考》十卷成。（按：自序无年月以丁未所
　　　　刻，今系于此年）。

● 卒岁：

吴廷煇　原任四川涪州知州。二月二十三日卒年八十四。

殷树柏　浙江嘉兴县岁贡生。三月十七日卒年七十九。

熙　成　蒙古正蓝旗，奇普楚特氏。丁忧内阁学士。四月卒。

沈谨学　江苏元和县布衣。四月二十日卒年四十八。

张　澍　原任江西泸溪县知县。五月卒年六十七。入国史文苑
　　　　传。

贺仲珹　陕西留坝所同知。五月卒年五十。

敬　穆　福州将军，三等辅国将军，镶白旗宗室。六月卒。

桂　轮　蒙古正白旗，萨尔图克氏。原任杭州将军，袭一等威
　　　　勇公。七月卒。赠太子太保衔，谥恪慎。

李书耀　原任江西南安府知府。八月初二日卒，年四十七。

汪喜荀　道衔河南怀庆府知府。八月初三日卒年六十二。入国

史儒林传。

赵玉堂　江苏太仓人。太仓州诸生。八月初九日卒。

姚柬之　原任贵州大定府知府。九月初六日卒年六十三。

斌　良　驻藏大臣，前任刑部右侍郎。十一月十九日卒年六十四。照都统例赐恤。

贵　庆　前礼部尚书。卒。

那桑阿　满洲正白旗，钮祜禄氏。镶黄旗蒙古副都统。卒年六十口。

图明额　原任头等侍卫，前任叶尔羌参赞大臣。卒。

易良俶　原任河南邓州知州。卒年七十一。

棍楚克策楞　满洲镶黄旗，博尔济吉特氏。黑龙江将军。卒。赠太子太保衔，谥简悫。

瑚松额　太子少保原任热河都统，一等轻车都尉。卒年七十六。赠太子太傅衔，谥果毅。

詹功显　福建福清人。原任浙江提督。卒。

张成龙　江苏崇明人。浙江提督。卒。

全凌阿　黑龙江副都统。卒。

赵龙田　致仕陕西延绥镇总兵。卒。

淳　庆　满洲正黄旗，赫舍里氏。云南普洱镇总兵，袭一等男。卒。

道光二十八年戊申（公元一八四八年）

● 生辰：

刘振铺　正月初八日生，（原名刘铺），字晓山，号旭升。直隶
　　　　清苑人。

曾纪鸿　二月二十四日生，（曾国藩次子），字栗诚。湖南湘乡
　　　　人。 享年三十。

俞炳煇　二月二十八日生，字潞生，号樟卿、鹿笙。安徽婺源
　　　　人。

张　筠　四月初一日生，字鑑泉，号弼臣、碧岑。浙江建德人。

钱骏祥　四月二十六日生，字新甫。浙江嘉兴人。享年八十三。

胡泰福　五月初一日生，字岱青。湖北江夏人。

王联璧　五月初五日生，山东高密人。

陈名侃　六月初八日生，字傲中，号梦陶。江苏江阴人。享年
　　　　八十二。

陆锺琦　六月二十五日生，字申甫，号少莲。顺天宛平人（原
　　　　籍浙江萧山）。享年六十四。

赵舒翘　六月二十八日生，字展如。陕西长安人。享年五十四。

宝　昌　七月初十日生，字兴谷，号朗轩。满洲正黄旗，伊尔
　　　　根觉罗氏。

刘心源　八月初七日生，字幼丹。湖北嘉鱼人。

潘庆澜　八月初九日生，安徽人。

陈宝琛　九月二十三日生，字敬嘉，号伯潜、弢庵。福建闽县
　　　　人。享年八十八。

谢文翘　九月二十四日生，云南恩安人。

孙朝华　九月三十日生，直隶南宫人。

王颂蔚　十月十四日生，字黻卿，号蒿隐。江苏长洲人。享年
　　　　四十八。

傅嘉年　十月十七日生，字莲峰。福建建安人。

张佩纶　十月二十九日生，字吉如，号幼樵、赞思。直隶丰润人。享年五十六。

张仁黼　十一月初九日生，（榜名张世恩），字孟藻，号劭予。河南固始人。享年六十一。

王庆平　十一月十八日生，字爱树，号耦云。江苏上海人。

邵松年　十二月十四日生，字伯英，号息庵。顺天宛平人。享年七十六。

吴庆坻　十二月二十九日生，字稼如，号子修、敬疆。浙江钱塘人。享年七十七。

长　萃　生，字允升，号季超。满洲镶蓝旗。

朱佩珍　生。享年七十九。

承　翰　生，字墨庄，号小村。满洲镶红旗。

袁　善　生，字心毂，号莘谷。江苏丹徒人。

孙诒让　生，字仲容。浙江瑞安人。享年六十一。

吴　匡　生，享年六十三。

何维楷　生，字筱珊。安徽定远人。

黄遵宪　生，字公度。广东嘉应人。享年五十八。

刘孚翊　生，字鹤伯。江西南丰人。享年三十三。

吴徵鳌　生，福建侯官人。

倪恩龄　生，字祐三，号罩园、稚眉。云南昆明人。

徐嘉禾　生，直隶天津人。享年六十二。

黄传祁　生，湖南长沙人。

查光华　生，字子春，浙江海宁人。享年八十一。

景　星　生，满洲镶白旗，索绰络氏。享年六十二。

◉ 恩遇：

　　正月以年逾七十之大臣：

潘世恩　大学士。晋太傅衔；

宝　兴　大学士。晋太保衔；

保　昌　礼部尚书。加太子太保衔；

阿勒清阿　刑部尚书。加太子太保衔；

李振祜。加太子太保衔；

成　刚 左都御史。加太子太保衔。

林则徐 云贵总督。　七月以剿办弥渡保山哨匪功加太子太保衔。

潘世恩 大学士。十二月以八十生辰赐御书"三朝耆硕"额及联。

陈孚恩 刑部侍郎，原署山东巡抚。十二月赐御书"清正良臣"额。

● 著述：

岑建功 辑《旧唐书逸文》十二卷成，见正月自序。

朱骏声 撰《说文通训定声》十八卷、《柬韵》一卷、《说雅》一卷、《古今韵准》一卷成，见正月罗惇衍序。

丁　晏 撰《石亭纪事续编》一卷成，见正月自序。

陈　澧 撰《汉书地理志水道图说》七卷成，见正月自序。

毕华珍 撰《律吕元音》一卷成，见四月自序。

邹鸣鹤 撰《守城善后纪略》一卷成，见五月潘世恩序。

徐继畬 撰《瀛寰志略》十卷成，见八月自序。

李善兰 撰《麟德术解》三卷成，见八月自序。

潘世恩 撰《思补斋笔记》八卷成，自序无年月，此据年谱。

王　筠 撰《菉友肊说》一卷成，见自序。

潘仕成 编刻《海山仙馆丛书》成，见自序。

汤用中 撰《翼駉稗编》八卷成，见九月洪崎孙序。

● 卒岁：

连　贵 礼部左侍郎。正月十口日卒。

张廷济 浙江嘉兴县解元。正月十九日卒年八十一。入国史文苑传。

李　煌 户部左侍郎。正月二十一日卒年六十七。

恩　桂 字步蟾，号小山。镶蓝旗宗室。吏部尚书。二月初七日卒。赠太保，谥文肃。

徐　松 原任陕西榆林府知府。三月初一日卒年六十八。入国

史文苑传。

李　杭　翰林院编修。三月二十三日卒年二十八。

张　辛　浙江海盐县诸生。三月二十八日卒于京师，年三十八。

程祖洛　原任闽浙总督。四月卒。赠太子太保，谥简敬。

方士淦　前浙江湖州府知府。闰四月十二日卒年六十二。

徐士芬　原任户部右侍郎。五月初九日卒年五十八。

黄安涛　降调广东潮州府知府。五月二十五日卒年七十二。入
　　　　国史文苑传。

张澧中　山东巡抚。五月卒。

岑建功　江苏人。候选盐运司提举。卒。

贺长龄　前河南布政使，降调云贵总督。六月初六日卒年六十
　　　　四。

桂　德　满洲镶蓝旗，赫舍里氏。盛京刑部侍郎。七月卒。

曹衍达　署福建漳州府知府，石码同知。九月初二日卒年四十
　　　　九。

刘传莹　原任国子监学正。九月十八日卒年三十一。入国史儒
　　　　林传。

宝　兴　太保，文渊阁大学士。十月十三日卒年七十二，谥文
　　　　庄。

緜　偲　高宗皇孙。宗人府左宗人，多罗贝勒。十一月十二日
　　　　卒年七十三。

廉　敬　（原名联奎），字聚堂。满洲镶黄旗，马佳氏。原任成
　　　　都将军。十二月卒年七十口。

吴邦庆　在籍翰林院编修，前河东河道总督。卒年八十三。

张　鉴　以七品小京官用，前内阁侍读学士。卒年八十一。

齐克唐阿　满洲正白旗，苏都理氏。镶白旗护军统领。卒。

龄　鑑　满洲正白旗，吴雅氏。原任盛京兵部侍郎。卒。

王协梦　原任江苏常镇道。卒年七十六。

陆成本　原任四川巴州知州。卒年八十六。

梁胜灏　贵州提督。卒。

哈兴阿 满洲镶红旗，钮祜禄氏。前乍浦副都统，复以六品顶带致仕。卒。

李　棠 四川成都人。原任广西右江镇总兵，袭骑都尉世职。卒。

怀唐阿 满洲正白旗，博尔济吉特氏。原任云南腾越镇总兵，袭骑都尉世职。卒。

张文虎 江苏常熟县诸生。卒年六十七。

道光二十九年己酉（公元一八四九年）

◉ 生辰：

曾纪瑞　正月二十日生，湖南湘乡人。享年三十二。

奕　详　二月二十一日生，宗室。享年三十八。

张华奎　二月二十二日生。

支恒荣　三月初六日生，字继卿，号芰青。江苏丹徒人。

王仁堪　三月初七日生，字可庄，号忍庵。福建闽县人。享年四十五。

文　治　三月十三日生，字熙臣，号叔平。满洲镶红旗。

贺　涛　三月二十九日生，字松坡。直隶武强人。享年六十四。

杨深秀　四月初二日生，字漪村。山西闻喜人。享年五十。

沈维诚　四月十二日生，字立山，号翰卿、翰青、诵莪。顺天宛平人（原籍浙江归安）。

溥　颋　四月十五日生，镶红旗宗室。

方　恮　五月生，字子谨。江苏阳湖人。享年三十。

陈景鎏　五月初八日生，字桂溪，号翊溪。广东番禺人。

陈恒庆　六月二十二日生，字子久。山东潍县人。

刘嶽云　七月二十五日生，字佛卿。江苏宝应人。享年六十九。

魏联奎　八月初二日生，河南汜水人。

叶昌炽　九月十五日生，字鞠常，号菊裳。江苏长洲人。享年六十九。

吴鸿甲　九月十七日生，字唱初，号昶仙。江苏江阴人。

英　文　九月二十五日生。

李联芳　十月二十三日生，字芝轩，号实斋。陕西平利人。

嵩　峋　十一月初十日生，字祝三。满洲镶红旗。

松　寿　十一月十二日生，字鹤舲。满洲正白旗，佟佳氏。享年六十三。

王鹏运　十一月十九日生，字幼霞，号鹜翁、半塘老人。广西临桂人。享年五十六。

陈宝琛　十二月初七日生，字仲勉。福建闽县人。享年八十五。

俞锺颖　十二月二十九日生，字幼莱，号君实。江苏昭文人。

徐　琪　十二月二十九日生，字花农。浙江仁和人。享年七十。

奕　询　生，仁宗皇孙。字惜阴主人。享年二十三。

林绍年　生，字赞虞，号健斋。福建闽县人。享年六十八。

会　章　生，字东桥。正蓝旗宗室。享年五十四。

黄国瑾　生，字再同。贵州贵筑人。享年四十三。

罗长祐　生，湖南湘乡人。享年三十六。

陈允颐　生，江苏人。

桂　霖　生，字季垫。

延　煜　生，字旭之，号震伯。满洲正白旗，辉发纳来氏。

王继香　生，字子献，号止轩。浙江会稽人。

康寿桐　生，字季琴。陕西城固人。享年六十三。

左　浑　生，湖南湘阴人。享年二十四。

闵萃祥　生，字颐生。江苏华亭人。享年五十六。

◉ 科第：

考取拔贡生：

福　咸　蒙古正红旗。河南知县，江南盐道。

李德良　顺天人。四川潼川府知府。

陈鸿翕　工部小京官，贵州府知府。

袁开第　内阁中书，贵州布政使。

王应孚　刑部小京官，江西九江府知府。

邓尔晋　江苏人·通判，浙江候补知府。

俞大润　江苏昭文人。

赵崇庆　贵州粮道。

任道镕　湖北知县，浙江巡抚。

曹丙辉　兵部小京官，咸丰壬子举人，山东东昌府知府。

程桓生　字尚斋。安徽人。广西知县，江苏候补道。

吴赞诚　字存甫，号秉之、春帆。安徽庐江人。广东知县，顺天府府尹。

李瀚章 湖南知县，两广总督。

陈　艾 江苏候补知府。

夏献云 刑部小京官，湖南粮道。

程鼎芬 户部小京官，甘肃平庆泾道。

张凤翥 安徽安庐滁和道。

戴霖祥 户部小京官，广西庆远府知府。

钱应溥 浙江人。吏部小京官，工部尚书。

朱元庆 内阁中书 云南广南府知府。

谢棨照 礼部小京官，广西盐道。

施作霖 署陕西城固县知县。

毛庆麟 直隶知县 云南大理府知府。

陈庆长 湖北人。江苏知县，江苏淮扬道。

曾宪德 工部小京官，福建兴泉永道。

许瑶光 湖南人。浙江知县，浙江嘉兴府知府。

邓辅纶 见咸丰辛亥副贡。

刘长佑 军功知县，云贵总督。

陈士杰 户部小京官，山东巡抚。

王祖源 山东人。兵部主事，四川成绵龙潼茂道。

陈介璋 户部小京官，咸丰辛亥举人，安徽池州府知府。

黄大鹤 陕西南郑人。吏部小京官，山东盐运使。

范泰亨 四川人。刑部小京官，江西吉安府知府

唐咸仰 广西人。河南知县，河南按察使。

吕锡蕃 兵部小京官，广东候补道。

　中式举人：

江人镜 安徽婺源人。内阁中书，两淮盐运使。

穆其琛 四川巴县教谕，安徽无为州知州。

唐景皋 湖北知县，安徽太平府同知。

周士键 内阁中书，陕西盐道。

李守诚 江西新喻县教谕，江苏六合县知县。

李元绅　山东钜野县训导，同治元年孝廉方正。

王恩绶　湖北拣发知县。

英　翰　安徽知县，两广总督。

刘　庆　内阁中书，礼科给事中。

胡玉坦　安徽知县，安徽按察使。

宜　成　吏部主事，四川叙州府知府。

程鸿诏　直隶鸡泽县训导，山东候补道。

潘鼎新　军功知县，广西巡抚。

史　藻　内阁中书，云南候补道。

杨传第　河南候补知府。

崇　厚　甘肃知州，左都御史。

陶良骏　山西知县，山西候补道。

戴钧衡　安徽桐城人。

李元华　军功知县，山东布政使。

鲍桂生　直隶清河道。

陈　锦　浙江人。江苏知县，山东候补道。

沈　淮　刑部主事，陕西道御史。

孙廷璋　国子监学录，候选知府。

周家勋　内阁中书，直隶天河道。

蔡赓良　福建人。河南归德府知府。

徐恒曾　湖北人。刑部郎中，河南粮道。

刘代英　湖南人。贵州普安县知县。

李常华　河南人。户部主事，江苏常镇通海道。

吴宗兰　四川人，贵州兴义府知府。

何仁山　广东人。候选直隶州知州。

刘锡鸿　刑部主事，通政司参议。

桂文灿　湖北郧县知县。

顾元勋　广西人。内阁中书，广东候补道。

唐　炯　贵州人。四川知县，云南巡抚。重逢乡举。

　　中式副榜贡生：

王熙震　四川阆中人。见丁酉拔贡。

张桐熙　教习知县，广西柳州府知府。

中式武举：

张秉铎　直隶天津人。直隶大沽协副将。

◉ 恩遇：

杜　堮　原任礼部左侍郎。以上年为乾隆戊申科乡举重逢本年
　　　　为召试赏给举人，于本年己酉正科重赴鹿鸿筵宴，四
　　　　月加太子太保衔。

徐广缙　两广总督。四月以办理洋务封一等子（咸丰二年十二
　　　　月革）。

叶名琛　广东巡抚。四月以办理洋务封一等男（咸丰七年十二
　　　　月革）。

许邦寅　原任安徽泗州州同。九月以本年为乾隆己酉科乡举重
　　　　逢，重赴鹿鸣筵宴。

◉ 著述：

梁章钜　撰《闽川闺秀诗话》四卷成，见初春梁韵书序。

梁廷枏　自编《藤花亭骈体文集》三卷成，见正月自序。

邹汉勋　撰《红崖刻石释文》一卷成，见二月自序。

曾　钊　辑《杨孚异物志》一卷成，见春日自跋。

王　筠　撰《夏小正正义》一卷成，见闰四月自序。

林春溥　撰《开卷偶得》十卷成，见五月自序。

顾广誉　撰《四礼榷疑》八卷成，见五月自序。

梁章钜　撰《农候杂占》四卷成。（按：此书卒后始刻，见同治
　　　　癸酉梁恭辰后跋，今系于六月之前）。

胡培翚　撰《仪礼正义》四十卷成。（按：培翚卒时尚有五篇未
　　　　毕，为杨大堉补成，见胡肇智后跋，今统列于七月以
　　　　前）。

张　穆　撰《殷斋文集》八卷、《诗集》四卷成。（按：诗文集
　　　　于卒后为门人吴履敬等编次付刻，见咸丰戊午祁寯藻
　　　　序，今系于冬日之前）。

张金铺　撰《梦鸳碎语词》一卷成，见重九自序。

王　筠　撰《禹贡正学》一卷成，见冬日自序。

樊　封　撰《南海百咏续编》四卷成，见冬日黄培芳序。

钱仪吉　自编《记事续稿》十卷成。见光绪庚辰钱彝甫识。

朱骏声　撰《仪礼经注一隅》二卷成，见自序。

程庭鹭　撰《练川画徵录》成，见年谱。

程庭鹭　自编《以恬养智斋》二集、《诗》十卷、《海风碧云词》
　　　　一卷成，见年谱。

● 卒岁：

特依顺　字鑑堂。满洲正蓝旗，福州驻防，他塔拉氏。乌里雅
　　　　苏台将军。正月卒。

孙　鎮　四川郫县监生。三月卒年六十四。

锺　祥　河东河道总督，前闽浙总督。四月二十六日卒年六十
　　　　五。

吉　明　叶尔羌参赞大臣，正黄旗满洲副都统。闰四月卒年五
　　　　十。谥恭愨。

曹　瑾　知府用，原任福建台湾府淡水同知。闰四月十八日卒
　　　　年六十三。

陈显生　福建同安人。原任广东南澳镇总兵。六月卒。

王　燮　原授甘肃平凉府知府，由云南巧家厅同知升补，以病
　　　　未任卒于苏州舟次。

梁章钜　原任江苏巡抚。文学大家。六月二十日卒年七十五。

成　刚　太子太保礼部尚书，宗室。六月二十口日卒年七十六。
　　　　谥简敬。

沈维鐈　原任工部左侍郎。六月二十七日卒年七十二。

陈官俊　协办大学士，吏部尚书。七月初二日卒。赠太子太保，
　　　　入祀贤良祠，谥文悫。

胡培翚　降调户部广东司主事。七月卒年六十八，入国史儒林
　　　　传。

黄德濂　原任陕西粮道。七月二十四日以病回籍，卒于河南裕

州施家店旅馆，年六十三。

曹应琪　候选同知，浙江嘉善县贡生，八月初六日卒年六十三。

杨国桢　原任闽浙总督，袭一等昭勇侯。八月卒。

阮　元　太傅衔赏食全俸，原任体仁阁大学士。十月十三日卒
　　　　年八十六。谥文达。

张　穆　山西平定县优贡生。卒年四十五。入国史文苑传。

龙光甸　浙江台州府同知。十一月初八日以引见回任卒于途中，
　　　　年五十八。

赵炳言　刑部右侍郎。十二月初二日卒年七十。

李象鹍　在籍候补三品京堂，前任贵州布政使。卒年六十八。

哈郎阿　原任镶红旗汉军都统，袭一等威勇侯。卒。赠太子少
　　　　保衔，谥刚恪。

善　祥　满洲镶红旗，栋鄂氏。镶蓝旗蒙古副都统，袭骑都尉
　　　　世职。卒。

刘鸿翱　原任福建巡抚。卒年七十一。

王赠芳　原任云南盐法道。卒年六十八。入国史文苑传。

云茂琦　福建候补道，前任吏部郎中。卒年五十九。入国史循
　　　　吏传。

吴清皋　江西南昌府知府。卒年六十四。

陶庆增　丁忧山东济南府知府。卒年四十一。

赵　钺　原任江苏泰州知州。卒年七十二。

孙同元　原任浙江永嘉县教谕。卒年七十九。

马殿甲　原任广西提督。卒。

额勒锦　满洲正红旗，佟佳氏。致仕福州副都统。卒。

德凌阿　荆州右翼副都统。卒。

马麟辉　汉军镶白旗。致仕甘肃西宁镇总兵。卒。

胡　超　四川长寿人。骑都尉，前甘肃提督。卒。

刘　灿　浙江镇海县优贡生。卒年七十。

翁　雒　江苏吴江县诸生。卒年六十。

吕缉熙　安徽六安县诸生。卒年四十九。入国史儒林传。

道光三十年庚戌（公元一八五〇年）

● 生辰：

许贞幹 正月十四日生，字舜韶，号豫生、小鸿。福建侯官人。

荣　恒 二月初九日生，字心庄。满洲正蓝旗。

盛　昱 二月二十九日生，字伯韫，号伯希。镶白旗宗室。享年五十。

杨崇伊 二月二十九日生，字正甫，号莘伯。江苏常熟人。享年六十。

沈曾植 二月二十九日生，字子培。浙江嘉兴人。享年七十三。

林颐山 二月二十九日生，浙江慈溪人。

柯劭忞 二月初十日生，字仲勉，号凤荪、蓼园。山东胶州人。享年八十四。

林　壬 三月十五日生，字二有，号又晴。福建诏安人。

奕　谟 四月十一日生，宗室。享年五十六。

瞿鸿禨 六月十五日生，字子玖。湖南善化人。享年六十九。

张星炳 六月十九日生，字叙墀。河南固始人。

朱显廷 六月二十四日生，字子良。奉天锦州人。

陆宝忠 七月初六日生，字定生，号伯葵。江苏太仓人。享年五十九。

刘永亨 十月初五日生，字子嘉，号晴帆。甘肃秦州人。享年五十八。

王绍廉 十月十五日生，字砥斋，号仲泉。浙江归安人。

宝　丰 十一月初七日生，字稣年，号雪樵、镜生。正蓝旗宗室。享年五十一。

夏庚复 十一月二十二日生，字松孙。浙江仁和人。享年三十五。

李景祥 十一月二十三日生，浙江鄞县人。享年五十四

谢启华 十二月初二日生，广西临桂人。

蒋廷黻　十二月十五日生，字稚鹤，号盦庐、山佣。浙江海宁人。享年六十三。

乔树柟　生，字茂萱。四川华阳人。享年六十八。

刘宇泰　生，四川鄮都人。

叶蒂棠　生，字颂垣。福建侯官人。

黄彝年　生，字枚岑，号美存。河南商城人。

林国赞　生，广东番禺人。

陶治元　生，字念桥。江苏吴县人。

李绍芬　生，（原名李郁芬），字馥庭。湖北安陆人。

熙　麟　生，字祥生，号小舫。汉军正白旗，李氏。

许祐身　生，浙江钱塘人。

汤纪尚　生，浙江萧山人。享年五十一。

孙叔谦　生，山东荣城人。享年五十二。

章寿康　生，浙江会稽人。享年五十七。

◎　科第：

一甲进士：

陆增祥　状元。修撰，湖南辰沅永靖道。

许其光　榜眼。编修，广西候补道。

谢　增　探花。编修，户科掌印给事中。

二甲进士：

黄　统　编修。

孙衣言　编修，江宁布政使。

慎毓林　编修。

蒋继洙　（碑录作蒋继珠）。山东曲阜人。工部主事，江西吉南赣宁道。

杨庆麟　编修，广东布政使。

王继庭　吏部主事，山东兖州府知府。

钱宝廉　（原名钱鋑）。浙江嘉善人。编修，吏部右侍郎。

晋　康　字安舟，号少谷、古愚。满洲镶黄旗，戴佳氏。编修，侍讲学士。

何福咸　编修，云南迤西道。

张云望　江苏娄县人。编修，山东候补道。光绪丁酉重宴鹿鸣。

武廷珍　字保恬，号鹿苹。陕西平利人。庶吉士，吏部主事，
　　　　湖南衡州府知府。

袁保恒　编修，刑部右侍郎。

季念诒　江苏江阴人。编修。

毕应辰　刑部主事，口口道御史。

俞　樾　编修。

吴　焯　字质安，号拙庵。安徽泾县人。编修，湖北粮道。

朱文江　编修，广西右江道。

戚士彦　编修。

岳世仁　编修。

吴台寿　字介臣，号星眉、爱山。顺天宛平人。工部主事，山
　　　　东道御史。

赵树吉　编修，云南迤西道。

李吉言　江西知县，福建建宁府知府。

丁绍周　编修，光禄寺卿。

王凯泰　（原名王敦敏）。江苏宝应人。　编修，福建巡抚。

尹耕云　礼部主事，河南河陕汝道。

程祖诰　户部主事，左副都御史。

钱桂森　（原名钱桂枝）。江苏泰州人。　编修，内阁学士。

叶炳华　字始茂，号蔚堂、龢臣。广东南海人。编修，福建绍
　　　　武府知府。

曾璧光　编修，贵州巡抚。

邵亨豫　编修，吏部左侍郎。

周星誉　（原名周誉芬）。河南祥符人。　编修，广东盐运使。

吕耀斗　编修，直隶清河道。

成　琦　户部主事，仓场侍郎。

杜如芝　户部主事，广西浔州府知府。

徐　桐　编修，体仁阁大学士。

杜　联　编修，礼部右侍郎。

刘传祺　庶吉士，刑部主事，江安粮道。

王道铺　字勤垣，号崇庵。湖北黄陂人。编修，江西道御史。

邹石麟　会元。编修。

姚诗彦　编修。

沈史云　编修，侍讲。

崇　实　编修，刑部尚书。

张　瀛　刑部主事，山西布政使。

李羲钓　直隶任邱人。编修，署陕西陕安道。

吴可读　刑部主事，河南道御史。

吴鼎元　湖北云梦人。户部主事，江苏常州府知府。

常　恩　户部主事，刑部右侍郎。

　　三甲进士：

许应骙　咸丰壬子朝考。检讨，闽浙总督。

恽鸿仪　字伯方。江苏阳湖人。咸丰壬子朝考。庶吉士，刑部
　　　　主事，贵州贵阳府知府。

童秀春　号生农。湖南宁乡人。检讨。候补道。

张崇本　四川泸州人。户部主事　广西浔州府知府。

傅观海　庶吉士，刑部主事，山东盐运使。

高崇基　山西知县，广西巡抚。

来　秀　内阁中书，河南卫辉府知府。

载　肃　字秋涛，号寅谷。镶红旗宗室。检讨，盛京工部侍郎。

杨彝珍　庶吉士，兵部主事。

徐宝治　刑部主事，浙江金华府知府。

林述训　户部主事，山东按察使。

黄崇礼　河南南阳人。甘肃凉州府知府。

锺佩贤　户部主事，太仆寺少卿。

尹佩苍　（碑录作尹佩瑢），字秀玉，号讷夫。云南蒙自人。知
　　　　县。

王大辂　山东福山人。归班知县。

濮庆孙　庶吉士　礼部主事，直隶顺德府知府。

李文森　安徽庐凤颖道。

杨先泽　贵州贵筑人。兵部主事，福建漳州府知府。

郭　珍　字瑞五，号靖庵。陕西扶风人。直隶香河县知县。

马佩瑶　检讨。

　翻译进士：

清　安　字吉甫，号芝轩。镶蓝宗室。编修，盛京兵部侍郎。

依奇哩　字续斋。满洲正黄旗。编修，侍读学士。

　武进士：

彭阳春　四川华阳人。状元。头等侍卫。

岳汝忠　直隶静海人。榜眼。二等侍卫。按：是科无探花。

王三锡　广东饶平人。传胪。三等侍卫。

阎长龄　三等侍卫，福建建宁镇总兵。

崔万荣　山西赵城人。

● 恩遇：

爱新觉罗奕詝　皇四子。正月二十六日嗣登大位。以明年为咸
　　　　　　　丰元年。

奕　訢　正月封和硕恭亲王。

奕　譞　正月封多罗醇郡王。

奕　詥　正月封多罗锺郡王。

奕　譓　正月封多罗孚郡王。

杜受田　工部尚书。二月加太子太傅衔。

杜　堮　原任礼部左侍郎。二月赐御书匾额。

　　五月以湖南新宁县逆匪李沅发就擒：

裕　泰　湖广总督。晋太子太傅衔；

郑祖琛　广西巡抚。加太子少傅衔（十月革）；

乔用迁　贵州巡抚。加太子少傅衔。

富　泰　已故太仆寺卿。十一月封三等承恩公。

● 著述：

王　筠　撰《说文句读》三十卷成，见四月自序。

蒋棨渭　编《苔岑集》成，见夏日自序。

姚　椿　编《国朝文录》八十二卷成，见七月自序。

朱绪曾　重订《梅里诗辑》二十八卷成，见七月自序。（按：诗辑为乾隆中许灿所编，原稿未刻，绪曾复为删补付梓，今系于此年）。

沈爱莲　编《续梅里诗辑》十二卷成，见八月朱绪曾序。

程祖庆　辑《练川名人画像续编》三卷成，见八月自识。

顾　燮　撰《城北草堂诗钞》四卷、《诗余》二卷、《词余》一卷成。（按：此集卒后始刻，今系于九月之前）。

成　孺　江苏宝应人。撰《禹贡班义述》三卷成，见十月自序。

张宗泰　字鲁岩。河南人。撰《鲁岩所学集》成，见十一月自序。

张　鑑　撰《西夏纪事本末》三十六卷成。（按：此书卒后始刻，今系于此年）。

李锡蕃　撰《借根勾股细草》一卷成。（按：此书卒后始刻，今系于此年）。

王　筠　撰《毛诗重言》一卷成，见自序。

王　筠　撰《弟子职正音》一卷成，见自序。

姚　衡　撰《宾退杂识》二卷成，见姚观元后记。

◉　卒岁：

项名达　原任国子监学正。正月初一日卒年六十二。入国史文苑传。

叶　敬　字去病。浙江云和县教谕，正月初一日卒。

爱新觉罗旻宁　大行皇帝道光。正月十四日崩于圆明园慎德堂苫次，圣寿六十有九。尊谥曰成，庙号宣宗。

柳树芳　江苏吴江县贡生。正月二十二日卒年六十四。

何庆元　在籍翰林院庶吉士。正月二十七日卒年五十六。

窦振彪　福建水师提督。二月卒。赠太子太保，谥武襄。

沈复灿　浙江山阴县诸生。二月卒年七十二。

罗文俊　原任工部左侍郎。二月二十四日卒年六十一。

保　昌　满洲正蓝旗，费莫氏。太子太保，兵部尚书。二月三
　　　　十日卒年七十口。赠太子太傅，谥敬僖。

韦　坦　兵部职方司员外郎。三月十四日卒年五十。

全　龄　袭和硕礼亲王，宗室。三月二十九日卒。谥曰慎。

钱仪吉　降调工科掌印给事中。四月初七日卒年六十八。入国
　　　　史文苑传。

朱　珔　原任詹事府赞善，降调翰林院侍讲。四月十三日卒年
　　　　八十二。入国史儒林传。

德　诚　仓场侍郎，宗室。四月卒年五十。

吴　淮　湖南长沙人。长沙县举人。四月卒。

奕　誌　仁宗皇孙，多罗端郡王。五月二十口日卒。谥曰敏。

杜　煦　六品顶戴，浙江山阴县孝廉方正，举人。六月十六日
　　　　卒年七十一。

陈希恕　江苏吴江县诸生。六月二十六日卒年六十。

杨传榮　以教职改用，前任直隶容城县知县。七月十一日卒年
　　　　七十四。

张日晟　云南巡抚。七月卒。

卞　斌　致仕光陆寺少卿。八月初二日卒年七十三。

罗应鳌　甘肃提督。九月卒。谥简恪。

刘　诗　知府衔，原任甘肃洮州厅同知。九月卒年六十八。

顾　夔　原任山西灵石县知县。九月十九日卒年六十一。入国
　　　　史循吏传。

祥　麟　广东陆路提督。十月卒。谥恭愨。

李振祜　太子太保，原任刑部尚书。十月卒年七十四。谥庄肃。

费丹旭　浙江乌程县诸生。十一月初一日卒年五十。

徐华清　福建陆路提督。十一月卒，谥威恪。

林则徐　钦差大臣，太子太保衔，原任云贵总督。卒于广东普
　　　　宁县途次，年六十六。赠太子太傅，谥文忠。

张必禄　赏食全俸，原任云南提督。十一月卒于广西浔州军营。
　　　　赠太子太保衔，谥武壮。

伊克坦布 满洲正蓝旗，伊尔根觉罗氏。贵州清江协副将。十一月于广西金田村阵亡。谥威壮，予骑都尉世职。

汪　鉽 浙江钱塘县诸生。十口月卒年五十七。

崇　福 蒙古正白旗，图博特氏。贵州古州镇总兵。十二月以陛见卒于京师。

张志泳（一作张志詠）原任湖南衡永郴桂道。卒年六十六。

姚　衡 浙江归安人。江西建昌府同知。卒。

张　鑑 原任浙江武义县训导。卒年八十三。入国史文苑传。

孔传坤 顺天大兴人。原任江苏宝应县管河主簿。卒。入国史循吏传。

陈步云 原任福建福宁镇总兵。卒年七十七。

德　建（初名德保住）。蒙古正黄旗，博尔济吉特氏。致仕河南河北镇总兵，袭云骑尉世职。卒。

林方标 丁忧浙江衢州镇总兵。卒。

魏士龙 浙江仁和县解元。卒年六十六。

王　约 浙江慈溪人。慈溪县诸生。卒。

李锡蕃 湖南长沙县布衣。卒年二十八。

文宗咸丰元年辛亥（公元一八五一年）

● 生辰：

陈秉崧　正月初一日生，字履端，号子庄。福建侯官人。

吴荫培　正月二十六日生，字树百，号颖芝。江苏吴县人。

连培基　正月二十七日生，字梯孙。江西南城人。

陈嘉言　二月初一日生，字梅笙。湖南衡山人。

金保泰　二月十二日生，字夔翰，号忠甫。浙江钱塘人。享年四十二。

继　昌　二月十二日生，字述之，号莲溪。汉军正白旗。享年五十八。

朱益濬　三月二十八日生，字辅源，号纯卿。江西莲花人。

王廷相　四月初七日生，字梅岑，直隶承德人。享年五十。

陈邦瑞　五月十五日生，字瑶圃。浙江慈溪人。享年七十五。

冯锺岱　五月十九日生，江苏武进人。

吴　鲁　七月二十一日生，字亦肃，号肃堂。福建晋江人。

朱延熙　七月二十六日生，字益斋，号季清。安徽太和人。

郑　杲　八月十一日生，字升甫。山东即墨人。享年五十。

吴　燊　八月十四日生，字子明，号季寅、兰吟。云南保山人。

王明德　闰八月初二日生，湖北郧县人。

范广衡　九月初八日生，顺天大兴人。

万本端　九月初九日生，字君直，号子庄，英生。江西德化人。

王　礼　九月二十五日生，江苏震洋人。享年五十。

汪凤藻　十月十六日生，号芝房。江苏元和人。

李士鉁　十月二十日生，字仲儒，号嗣香。直隶天津人。享年七十六。

延　熙　十一月初六日生，字仲穆，号景宸、敬臣。满洲正白旗。

王树枏　十一月二十五日生，字晋绅。直隶新城人。享年八十

六。

陈兆文 生，字荪石，号松石。湖南桂阳人。

袁大化 生，安徽涡阳人。享年八十五。

欧阳中鹄 生，湖南人。

杨同楠 生，字思重，号调甫。江苏常熟人。

杨调元 生，字孝羹，号和甫、仲和。贵州贵筑人。享年六十一。

来鸿瑨 生，浙江萧山人。

裕　祥 生，字吉臣。满洲镶黄旗，舒穆禄氏。

陆　恢 生，字包山。享年七十。

◉ 科第：

中式举人：

李守愚 山西介休人。知县，甘肃平凉府知府。

张梦元 福建知县，福建布政使。

李鸿裔 兵部主事，江苏按察使。

刘　庠 内阁中书。

陈介璋 见道光己酉拔贡。

唐宝鑑 内阁中书，福建泉州府同知。

延　楷 字范儒，号古香、静村。满洲正黄旗，栋鄂氏。福建福州府知府。

廷　恺 字元友，号寿峰。满洲镶白旗，瓜尔佳氏。户部主事，福建汀州府知府。

海　锺 字士承，号蕙田。满洲镶蓝旗，鄂卓氏。福建盐道。

李　祁 国子监助教，山东武定府知府。

方鼎录 内阁中书，甘肃西宁道。

卞宝第 刑部主事，湖广总督。

张　铣 军功知县，广东按察使。

朱　智 户部主事，兵部右侍郎。

沈际昌 字子常。顺天天兴人（原籍江苏阳湖）。

赵受璧 奉天昌图府知府。

李耀奎　内阁中书，福建汀州府知府。

符葆森　江苏江都人。

席振遽　江苏常熟人。

黄昌辅　湖北盐道。

陈宝箴　江西人。军功知县，湖南巡抚。

高　梯　江苏淮徐道。

朱庆松　浙江海盐人。

孙福清　山西知县，大理寺评事。

张　鼎　浙江海盐人。

沈　鋐　户部主事，甘肃安肃道。

伊乐尧　署仙居县训导。

赵效曾　户部主事，山西太原府知府。

吴　敦　遂安县教谕，宁波府教授。

胡　斌　湖北人。监利县教谕，福建永春直隶州知州。重逢乡
　　　　举。

瞿元霖　湖南善化人。刑部主事。

游智开　安徽知县，广西布政使。

邹汉勋　军功知县，候选同知直隶州。

刘引之　山西人。浙江诸暨县知县。重逢乡举。

廖修明　四川人。浙江温州府知府。

陈　璞　广东人。江西安福县知县。

郑藻如　太常寺卿。

邓华熙　刑部主事，贵州巡抚。重逢乡举。

邢士义　字子由，号方臣。贵州贵阳人。

马宗周　云南知县，云南曲靖府知府。

　　中式副榜贡生：

樊希棠　湖北人。山东曹州府知府。

邓辅纶　湖南人。内阁中书，浙江候补道。

左　楷　湖南长沙人。军功知县，江西候补道。

　　中式翻译举人：

庆　麟　国子监助教，内阁学士。

　　中式武举：

文　秀　字锦如。满洲正黄旗。镶红旗蒙古都统。

　　保举孝廉方正：

陈　奂　江苏长洲人。

俞大文　壬子优贡。

叶裕仁　江苏镇洋人。

刘　澂　江苏人。

戴　楫　字汝舟，号纯甫。江苏丹徒人。

董兆熊　江苏吴江人。

罗士琳　江苏甘泉人。

胡　泉　萧县教谕。

马三俊　安徽人。壬子优贡。

吴廷香　壬子优贡。

胡绍勋　见道光丁酉拔贡。

顾广誉　浙江人。壬子优贡。

罗泽南　湖南人。军功知县，浙江宁绍台道。

◉　恩遇：

唐　鑑　原任太常寺卿。八月加二品衔，命主讲江南书院。

叶名琛　广东巡抚。以剿平广东英德等处贼匪功，十二月加太
　　　　子少保衔（七年十二月革）。

朱骏声　安徽黟县训导。十二月以呈进所著《说文通训定声》
　　　　十八卷、《柬韵》一卷，赏加国子监博士衔。

◉　著述：

邹鸣鹤　撰《世忠堂文集》六卷成，见立春张芾识语。

夏　炘　自编《景紫堂文集》十四卷成，见正月王瑞霖识。

苗　夔　撰《说文建首字读》一卷成，见正月自序。

钱泰吉　续撰《曝书杂记》一卷成，见正月自识。

吴嘉宾　撰《丧服会通说》四卷成，见四月自序。

丁取忠　字果臣，号云梧。湖南长沙人。撰《数学拾遗》一卷

成，见闰八月邹汉勋序。

张学尹 撰《周易辑义》十二卷、《诗义钞》八卷、《礼记辑义》八十卷、《春秋经义》一百二十卷、《听园文存》二十四卷成。（按：诸书皆卒后始刻，今系于九月之前）。

沈巍皆 撰《泉宝所见录》十六卷成，见九月王宝仁序。

合信氏 撰《全体新论》十卷成，见九月自序。

许正绶 编《国朝两浙校官诗录》十八卷成，见十月自撰凡例。

程祖庆 撰《吴郡金石目》一卷成，见十二月自序。

王　筠 撰《毛诗双声叠韵说》成，见鄂宰四种总序。

朱美缪 编《文会堂诗钞》八卷成，见自序。

苗　夔 撰《毛诗韵定》十卷成，见自序。

◉ 卒岁：

敬　徵 副都统衔署正□旗满洲副都统，前协办大学士，户部尚书，不入八分辅国公，镶白旗宗室。四月十□日卒，年六十七。赠一品衔，谥文悫。

姚华国 候选训导，江苏阳湖县贡生。四月十七日卒年四十五。

札勒罕泰 西安将军。五月卒。谥威恪。

方东树 安徽桐城县增生。五月二十四日卒年八十。入国史儒林传。

彭昱尧 广西平南县举人。七月二十四日卒年四十一。

惠　丰 满洲镶黄旗，博尔济吉特氏。礼部尚书。八月十□日卒。赠太子太保，谥恪慎。

龚守正 原任礼部尚书。八月十四日卒年七十六。赠太子太保，谥文恭。

阿勒清阿 满洲正蓝旗，博尔济吉特氏。太子太保，原任刑部尚书。闰八月二十□日卒。谥□慎。

邓显鹤 原任湖南宁乡县训导。闰八月二十五日卒年七十五。入国史文苑传。

郑祖琛 前太子少傅衔广西巡抚。九月以遣戍新疆未启行卒，年六十五。

乔用迁 太子少傅衔贵州巡抚。九月卒年六十四。

张学尹 前福建台湾府北路理蕃同知。九月十九日卒，年七十七。

高延祉 署广西隆西县知县。十月初四日于施恩县感墟御贼阵亡，年四十二。予云骑尉世职，追谥壮节（追谥在同治十二年）。

裕　泰 太子太傅衔陕甘总督。十月二十日以入觐卒于京师，年六十四。谥庄毅。

丁家俊 升用知县，原任陕西绥德直隶州学正。十月二十八日卒年六十九。

巴清德 满洲正黄旗，额吉图氏。留营效力，前镶蓝旗蒙古都统。十一月卒于广西永安军营。开复原官，谥果毅。

克兴额 满洲镶黄旗。齐齐哈尔副都统。十一月卒。

王广荫 工部尚书。十二月十日卒。谥文慎。

路　德 原任户部主事。卒年六十七。入国史儒林传。

朱葵之 浙江景宁县教谕。卒年七十一。

张　履 江苏句容县训导。卒年六十。入国史文苑传。

汪桂月 六品顶带，安徽宿松县孝廉方正。卒。入国史儒林传。

沈　豫 浙江萧山县诸生。卒年七十一。

汪迈孙 浙江钱塘县监生。卒年四十六。

斋清阿 字竹塍。满洲镶黄旗，叶赫纳拉氏。广东肇庆协副将。四月于广西贺县阵亡。赠总兵，谥威烈。

咸丰二年壬子（公元一八五二年）

◉ 生辰：

李本方　正月十二日生，字紫书，号仲壶。四川开县人。

廖　平　二月初九日生，四川人。享年八十。

秦绶章　三月十五日生，字仲和，号佩鹤、培荨。江苏嘉定人。

曾　培　三月二十日生，字松生，号笃斋。四川成都人。

李荫銮　四月十二日生，字玉坡，号幼斋。直隶景州人。

李树棠　五月二十八日生，字铁銮，号少卿。安徽合肥人。享年五十八。

张　澂　六月初三日生，字研秋。甘肃古浪人。

宋承庠　六月十一日生，字养初，号莲漪。江苏华亭人。享年四十九。

许叶芬　八月十九日生，字麿𫘦，号鄹斋、少嚚。顺天宛平人。

刘世安　九月十七日生，字静皆。汉军镶黄旗。

俞锺銮　十月二十八日生，字金门。江苏昭文。

王仁东　十一月生，字旭庄。福建闽县人。

王荣商　十一月二十七日生，字友莱。浙江镇海人。

周锡恩　十二月二十三日生，字荫常，号伯晋、是园。湖北罗田人。享年四十九。

李维诚　十二月二十五日生，字翔吉，号恂伯。顺天大兴人。

诚　勋　十二月二十九日生，字果泉。享年六十四。

定　成　生，满洲正蓝旗。

黄均隆　生，字册安，号策安。湖南湘潭人。

曹诒孙　生，字集祥，号次谋、梓谋。湖南茶陵人。

彭言孝　生，湖南长沙人。

林　纾　生。享年七十三。

◉ 科第：

一甲进士：

章　鋆　状元。修撰，祭酒。

杨泗孙　榜眼。编修，太常寺少卿。

潘祖荫　探花。编修，工部尚书。

　　二甲进士：

彭瑞毓　编修，云南盐法道。

薛书常　（原名薛书堂）。河南灵宝人。编修，江苏淮徐道。

朱　潮　字亚韩，号海门。浙江会稽人。编修，四川成都府知
　　　　府。

萧培元　编修，山东济东泰武临道。

蒋英元　庶吉士，户部主事。

周学源　浙江乌程人。编修，侍讲学士。

倪文蔚　庶吉士，刑部主事，河南巡抚。

董元章　（原名董元醇）。河南洛阳人。编修，太仆寺少卿。

李庆翱　编修，河南巡抚。

王兰谷　庶吉士，刑部主事，光禄寺少卿。

王　楷　（原名王兆骐），字雁峰。湖南长沙人。庶吉士，刑部
　　　　主事，云南云南府知府。

李鸿藻　直隶高阳人。编修，吏部尚书，协办大学士。

孙　楫　庶吉士，内阁中书，顺天府府尹。

吴嘉善　编修。

景其濬　编修，内阁学士。

陈介猷　字莪卿。山东潍县人。庶吉士，归班知县，安徽池州
　　　　府知府。

丁培镒　字衡斋，字默之、简庵。山东黄县人。编修。

吴仰贤　庶吉士，云南知县，云南迤东道。

梅启照　字小岩。江西南昌人。庶吉士，吏部主事，河东河道
　　　　总督。

邓兆熊　编修，江苏口口道。

庞际云　字致福，号省三。直隶宁津人。庶吉士，刑部主事，
　　　　云南布政使。

周恒祺　字子维，号福陔、茀阶。湖北黄陂人。编修，漕运总督。

俞奎垣　编修。

张　洵　编修。

赵曾向　编修，浙江金华府知府。

刘成忠　字子恕，江苏丹徒人。编修，河南南汝光道。

景　廉　编修，户部尚书。

卫荣光　字静澜。河南新乡人。编修，山西巡抚。

徐启文　编修，福建福州府知府。

孙翼谋　编修，湖南布政使。

葆　谦　刑部主事，四川候补知州。

孙庆咸　会元。庶吉士，户部主事，户部员外郎。

黄师闇　编修，广西桂林府知府。

绵　宜　镶白旗宗室。庶吉士，礼部主事，理藩院侍郎。

衍　秀　编修，仓场侍郎。

陆仁恺　（原名陆仁恬），字民彝，号澹吾。广西临桂人。庶吉士，吏部主事，山东运河道。

吕锦文　编修，侍读。

李　榕　（原名李甲先），字申夫，号六容。四川剑州人。庶吉士，礼部主事，湖南布政使。

曾省三　庶吉士，兵部主事，江西吉安府知府。

蒋庆第　山东知县，山东章邱县知县。

李光廷　吏部主事，吏部员外郎。

张滢卿　礼部主事，礼部左侍郭。

韩弼元　刑部主事。

张鼎辅　字楚佩，号少峰。浙江鄞县人。庶吉士，户部主事，山东曹州府知府。

继　格　户部主事，广州将军。

豫　师　内阁中书，西宁办事大臣。

永　顺　字树人，号子健。满洲正黄旗，索勒豁氏。兵部主事，通政使。

王化堂　庶吉士，兵部主事，山东运河道。

陈承裘　刑部主事。

郭鑑襄　庶吉士，户部主事，山东候补道。重宴恩荣。

寻銮炜　字管香，号幼云。山西荣河人。编修，陕西潼商通。

郑守廉　福建闽县人。庶吉士，吏部主事。

杜瑞联　编修，云南巡抚。

蔡逢年　江苏丹徒人。兵部主事，四川盐茶道。

吴　潮　刑部主事，河南河北道。

朱　细　字青士，号匡生。广西临桂人。礼部主事，江苏荆溪
　　　　县知县。

　　三甲进士：

何桂芳　户部主事，顺天府府丞。

夏廷楫　字石禄。江西新建人。庶吉士，山东知县，云南迤东
　　　　道。

余　撰　庶吉士，刑部主事，贵州大定府知府。

上官煜　字子本，号南村。陕西乾州人。户部主事。

郜云鹄　工部主事，江苏候补道。

任兆坚　检讨，鸿胪寺卿。

魁　龄　工部主事，户部尚书。

赵廷恺　字存之。江西安福人。

王文韶　户部主事，武英殿大学士。重逢乡举。

方炳奎　直隶知县，广西平乐府知府。

陈梦兰　字润生，号友篁、湘浦。河南信阳人。庶吉士，刑部
　　　　主事，湖北荆州府知府。

李文敏　字捷峰。陕西西乡人。礼部主事，江西巡抚。

石　峻　兵部主事，云南临安府知府。

栾以绂　刑部主事，山西宁武府知府。

陈继业　内阁中书，山东东昌府知府。

志　和　庶吉士，口部主事，兵部尚书。

许宗衡　庶吉士，内阁中书，起居注主事。

原峰峻　户部主事，陕西凤翔府知府。

兴　恩　吏部主事，盛京工部侍郎。

郑济美　四川绵州人。吏部主事，江苏江宁府知府。

刘秉琳　湖北黄安人。直隶知县，直隶天河道。

文　彬　户部主事，漕运总督。

刘毓楠　礼部主事，安徽凤颖六泗道。

范鸣龢　字鹤生。湖北武昌人。庶吉士，内阁中书，江西候补道。

赵　新　检讨，陕西粮道。

孙桐生　字小峰。四川绵州人。庶吉士，知县，湖南永州府知府。

石虎臣　云南昆明人。

夏家畴　（碑录作夏家升）。湖南善化人。云南知县，云南迤西道。

1398

　　翻译进士：

桂　清　字莲舫。满洲正白旗，托活洛氏。编修，仓场侍郎。

额勒和布　庶吉士，户部主事，武英殿大学士。

　　武进士：

田在田　山东钜野人。状元。头等侍卫，甘肃肃州镇总兵。重遇甲科。

张虎臣　直隶沙河人。榜眼。二等侍卫。

赵玉润　直隶永年人。探花。二等侍卫。

黄国翰　直隶安州人。传胪。三等侍卫。

　　考取优贡生：

俞大文　江苏人。见元年孝廉方正。

马三俊　安徽人。见元年孝廉方正。

吴廷香　见元年孝廉方正。

汪元庆　江西人。内阁中书，贵州铜仁府知府。

顾广誉　浙江人，见元年孝廉方正。

中式举人：

曹丙辉　江苏甘泉人（原籍江西新建）。见道光己酉拔贡。

冯焌光　候选内阁中书，江苏苏松太道。

方鼎锐　内阁中书，浙江盐运使。

郝植恭　山东知县，山东莱州府知府。

文　衡　吏部笔帖式，光禄寺少卿。

袁　璇　刑部候补主事。

耆　昆　吏部笔帖式，直隶河间府知府。

王　灏　候选同知。

何忠骏　湖南平江人。候选同知直隶州。

顾瑞清　江苏元和人。

董儁翰　户部主事，湖北荆宜施道。

汪曰桢　会稽县教谕。

朱庆时　浙江海盐人。

张岳年　刑部主事，陕西布政使。

杨　浚　福建人。内阁中书，候选道。

刘国光　湖北人。刑部主事，浙江衢州府知府。

马绍训　河南人。内阁中书，陕西延安府知府。

陈　钦　山东人。内阁中书，直隶津海关道。

李广绶　广东人。饶平县教谕，陕西朝邑县知县。重逢乡举。

王赞元　字莲伯。浙江会稽人。

中式翻译举人：

兴　廉　满洲镶红旗。仓场侍郎。

长　禄　字远幡。满洲正红旗。河南按察使。

钦赐举人：

伍绍棠　刑部郎中。

◉ 恩遇：

裕　诚　大学士。三月以恭题宣宗神主，加太子太保衔。

祁寯藻　大学士。三月以恭题宣宗神主，加太子太保衔。

祁寯藻　大学士。六月以六十生辰赐御书"赞纶笃祜"额。

徐广缙　两广总督。七月以剿平罗境逆匪功加太子太保衔（十
　　　　一月革）。

潘世恩　原任大学士；

王衍庆　原任福建兴化府知府；

吴名凤　原任江西饶州府景德镇同知；

刘　沇　原任国子监典籍。

　　　　以上四人俱以本年为乾隆壬子科乡举重逢，重赴鹿鸣筵
　　　宴。

杜　堮　原任礼部左侍郎。十月加礼部尚书衔。

穆扬阿　已故工部郎中。十一月追封一等承恩侯。

● 著述：

王士雄　浙江海宁人。撰《温热经纬》五卷成，见二月自序。

赵庆桢　撰《青楼小名录》八卷成。

刘　沇　撰《大学古本质言》一卷成，见二月自序。

刘　沇　撰《子问》二卷成，见四月自序。

沈兆澐　揖《蓬窗随录》十四卷、附录二卷成，见七月自序。

林春溥　撰《孟子外书补证》一卷成，见八月自序。

戴　煦　撰《外切密率》四卷成，见八月自序。

钱培名　撰《中论札记》一卷成，见八月自序。

钱培名　撰《申鉴札记》一卷成，见九月自序。

丁取忠　撰《舆地经纬度里表》一卷成，见九月自序。（按：书
　　　　成后又补例，见辛酉八月自识）。

钱培名　字宾之，号梦花。江苏金山人。撰《陆士衡文集札记》
　　　　一卷成，见十月自序。

许光治　撰《江山风月谱》一卷成，见十一月自序。

戴　煦　撰《假数测圆》二卷成，见十一月自序。

姚元之　撰《竹叶亭杂记》成。（按：此书原稿本无卷数，至光
　　　　绪癸巳其从孙毂始编定为八卷付刻，今系于所卒之
　　　　年）。

● 卒岁：

李　复　甘肃皋兰人。湖南绥靖镇总兵。二月卒于广西军营。

钱聚仁　原任四川彭县知县。二月十一日卒年六十五。

长　瑞　满洲正白旗，瓜尔佳氏。直隶天津镇总兵，袭骑都尉世职。二月十七日于广西永安阵亡。谥武壮，赠骑都尉兼一云骑尉世职。

长　寿　满洲正白旗，瓜尔佳氏。甘肃凉州镇总兵。二月十七日于广西永安镇阵亡。谥勤勇，赠骑都尉兼一云骑尉世职。

董光甲　河南河北镇总兵。二月十七日于广西永安阵亡。赠提督衔，谥勇烈。

邵鹤龄　山东利津人。湖北郧阳镇总兵。二月十七日于广西永安阵亡。谥威愨。

阿尔精阿　字达庵。汉军正黄旗。广西平乐协副将，袭一等男。二月十七日于广西永安阵亡。谥恪愍。

金应麟　原任大理寺少卿，前任直隶按察使。三月初八日卒年六十。

胡礼箴　署湖南郴州直隶州知州，正任晃州直隶厅通判。三月十四日遇害。予云骑尉世职。

乌兰泰　满洲正红旗。都统衔广州满洲副都统。三月二十日以受伤卒于广西阳朔军营。谥武壮，予三等轻车都尉世职。

王　植　原刑部左侍郎，署江西巡抚。三月二十一日以病回籍卒于安徽望江途中，年六十一。

颜以燠　降调河东河道总督。六月未离任卒，年六十三。开复原官。

刘兴桓　湖南江华县知县。六月初八日遇害。予云骑尉世职。

李启诏　字筠庄。陕西华阴人。署湖南桂阳直隶州知州，正任武岗州知州。六月二十□日以击贼遇害，予云骑尉世职。

杜受田　太子太傅衔协办大学士。七月初九日卒于江苏清江埔差次，年六十六。赠太子太师，大学士，入祀贤良祠，谥文正。

夏鸿时　原任陕西洛川县知县。七月十一日卒年八十五。

德珠布　原任江宁将军。七月卒。谥襄恪。

福　诚　（原名福珠阿）。满洲正黄旗。陕西陕安镇总兵。七月二十七日于湖南长沙之石马铺阵亡。谥壮武。

尹培立　字屹山。云南昆明人。陕西潼关协副将。七月二十七日于湖南长沙之石马铺阵亡。谥简毅。

王锡九　浙江山阴县口口。八月十二日卒年五十六。

继　昆　袭奉恩辅国公，宗室。八月卒。

敬　敏　袭和硕肃亲王，宗室。九月二十口日卒年七十口，谥曰慎。

椿　寿　浙江布政使。十一月初九日自缢，年五十一。

周和祥　湖北蒲圻县知县。十一月初九日遇害。赠道衔，予骑都尉世职。

董振铎　湖北汉阳府知府。十一月十二日殉难，年五十七。追谥庄节（追谥在同治口年）。

禧　恩　字仲蕃。协办大学士，户部尚书，二等辅国将军，前太子太保衔不入八分辅国公，正蓝旗宗室。十一月十口日卒。赠太子太保，谥文庄。

廉　昌　前湖南岳州府知府。十一月以罪议斩未解京卒。

何汝霖　礼部尚书。十二月初四日卒年七十二。赠太子太保衔，谥恪慎。

双　福　字介堂。满洲正白旗。湖北提督。十二月初四日于武昌阵亡。赠都统，谥武烈，予骑都尉兼一云骑尉世职。

王锦繡　字协亭。广西人。湖北郧阳镇总兵。十二月初四日于武昌阵亡。赠提督衔，谥壮节。

常　禄　满洲镶白旗。河南河北镇总兵。十二月初四日于湖北武昌阵亡。赠提督衔，谥刚节，予骑都尉兼一云骑尉世职。

明　善　满洲镶黄旗。湖北武昌府知府。十二月初四日阵亡。予骑都尉世职。

常大淳　调授山西巡抚，由湖北巡抚调补。十二月初四日于武昌遇害，年六十。赠总督衔，谥文节，予骑都尉兼一云骑尉世职。

冯培元　光禄寺卿，湖北学政。十二月初四日于湖北武昌殉难，年三十八。赠侍郎衔，谥文介，予骑都尉世职。

梁星源　湖北布政使。十二月初四日殉难，年六十四。赠内阁学士，谥敏肃。

瑞　元　满洲正白旗。湖北按察使。十二月初四日殉难。赠太常寺卿，谥端节，予骑尉世职。

林恩熙　湖北盐法道。十二月初四日殉难。予云骑尉世职。

王寿同　湖北汉黄德道。十二月初四日于武昌遇害，年四十九。予骑都尉世职，追谥忠介（追谥在同治口年）。

王东槐　丁忧湖北盐法道。十二月初四日于武昌殉难，年五十一。予骑都尉世职，追谥文直（追谥在光绪口年）。

姚　莹　调署湖南按察使，正任广西按察使。十二月十六日卒年六十八。入国史文苑传。

潘曾沂　光禄寺署正衔，原任内阁中书。十二月二十日卒年六十一。

姚元之　致仕内阁学士，降调都察院左都御史。卒年七十七。

汪廷儒　翰林院编修。卒年四十九。

廖惟勋　原任贵州贵阳府知府。卒年五十一。入国史循吏传。

尤　渤　原任江南提督。卒。

穆腾额　致仕江宁副都统。卒。

咸丰三年癸丑（公元一八五三年）

● 生辰：

邹家来　正月二十二日生，字紫东。江苏吴县人。

吴　炯　二月初二日生，字子清。云南保山人。

陈玉树　三月生，字惕庵。江苏（淮安）盐城人。享年五十四。

刘尚伦　三月十二日生，字筱村，号佩五。汉军正红旗。

石鸿韶　三月十五日生，字晋卿。广西象州人。

赵润生　三月二十九日生，字雨人，号柳溪。广西全州人。

世　续　四月十五日生，字似贤，号博轩。满洲正黄旗，索络豁氏。享年六十九。

顾家相　四月十九日生，字季敦，号辅卿、黼卿。浙江会稽人。享年六十五。

钱绍桢　四月十九日生，（原名钱盛元），字鸣伯。浙江嘉善人。享年七十九。

志　锐　四月二十五日生，字伯愚，号廊轩、公颖。满洲镶红旗，他塔喇氏。享年五十九。

张　謇　五月二十五日生，字树人，号季育。江苏通州人。享年七十四。

孟庆荣　六月初七日生，字黻臣，号泽培、芝亭。直隶永年人。

吴引孙　六月十六日生，字福茨，号仲申。江苏仪征人。

准　良　七月初一日生，字香宰，号仲莱。满洲镶黄旗，裕瑚鲁氏。

吴丙湘　七月十二日生，字次潇，号滇生。江苏仪征人。

薛宝辰　十月二十二日生，字幼农，号寿萱。陕西长安人。

阔普通武　七月二十五日生。字安甫。满州正白旗。

宁本瑜　八月十三日生，字琯香，号昆圃。安徽休宁人。

沈　潜　九月初六日生，字兰秋，号小洲。山东历城人。

关榕祚　九月生，广西临桂人。

陈三立 九月生，江西义宁人。享年八十五。

张成勋 九月二十四日生，号云门。陕西汉阴人。

檀 玑 九月二十五日生，字汝衡，号斗生。安徽望江人。

朱子春 九月二十六日生，字德三，号香畹。湖北武昌人。

杨文鼎 十一月十五日生，字俊卿，号仲彝。云南蒙自人。

彭清藜 十一月十五日生，湖南长沙人。

江若樑 十二月十六日生，字梅度。浙江黄岩人。

王锡蕃 生，字季礁。山东黄县人。

许涵度 生，字紫纯。直隶清苑人。

蒋式芬 生，字桂山，号清篦、毅圃、莲溪。直隶蠡县人。

严 复 生，字宗光、又陵、几道。福建侯官人。享年六十九。

周炳蔚 生，字升华，号虎如。广西灵川人。享年六十九。

绰哈布 生，字胜亭。满洲正黄旗，张佳氏。享年五十六。

锡 良 生，字清弼。蒙古镶蓝旗，巴岳特氏。享年六十六。

朱启连 生，字政惠。浙江萧山人。享年四十七。

◉ 科第：

一甲进士：

孙如仅 状元。修撰，内阁学士。

吴凤藻 会元。榜眼，编修，京畿道御史。

吕朝瑞 探花。编修。

二甲进士：

黄 钰 编修，刑部左侍郎。

沈祖谏 字果台，号味香、君直。浙江钱塘人。编修。

朱学勤 庶吉士，户部主事，大理寺卿。

林庆贻 山东掖县人。庶吉士，礼部主事，福建福州府知府。

陈亮畴 字德生。江苏武进人。编修。

汪承元 字厚坤，号慕杜。江苏甘泉人。编修，候补五品京堂。

陈兰彬 庶吉士，刑部主事，左副都御史。

高延祜 编修，内阁侍读学士。

卢士杰 编修，漕运总督。

李　慎　工部主事，西宁办事大臣。

杜来锡　工部主事，山西朔平府知府。

欧阳云　江西彭泽人。户部主事，河南道御史。

恩　吉　编修，洗马。

颜宗仪　编修，侍读学士。

王　泳　编修。

丁宝桢　编修，四川总督。

许应鑅　工部主事，浙江布政使。

张　沄　字竹汀。湖南长沙人。刑部主事，掌山西道御史。

张德容　庶吉士，刑部主事，湖南岳州府知府。

杨荣绪　编修，浙江湖州府知府。

蔡兆槐　庶吉士，户部主事，陕西榆林府知府。

薛春黎　字淮生，号稚农。安徽全椒人。编修，山东道御史。

方熊祥　庶吉士，户部主事，福建兴化府知府。

林式恭　（原名林凤辉），字曙新，号蔼人。浙江萧山人。庶吉士，刑部主事，贵州铜仁府知府。

吴　荣　湖北黄冈人。湖南岳常礼道。

梁肇煌　编修，江宁布政使。

袁方城　字郢才。四川江津人。编修，浙江道御史。

张锡嵘　编修。

夏家镐　（原名夏家�）。江苏江宁人。户部主事，刑部右侍郎。

袁承业　字绍庭，号晓艇。山西翼城人。编修，湖广道御史。

黄图南　编修，庶子。

段广瀛　字宴洲。江苏萧县人。编修，河南粮道。

王思沂　工部主事，陕西布政使。

黄云鹄　兵部主事，四川建昌道。

麟　书　宗室。宗人府主事，武英殿大学士。

刘志沂　江西临川人。刑部主事，陕西潼商道。

师长灼　户部主事，刑科给事中。

曼惠吉 庶吉士，福建口口。

陈荣绍 户部主事。

李廷箫 户部主事，甘肃布政使。

何耀纶 庶吉士，吏部主事，四川顺庆府知府。

靳邦庆 字迪臣。广西临桂人。庶吉士，吏部主事，浙江衢州府知府。

方　骤 工部主事。

薛时雨 浙江知县，浙江杭州府知府。

曾椿寿 庶吉士，口口府知府。

马恩溥 编修，内阁学士。

董学履 刑部主事，广西庆远府知府。

　三甲进士：

王　衮 刑部主事，直隶宣化府知府。

任式坊 礼部主事，贵州安顺府知府。

聂　泰 字崇庵。湖南衡山人。庶吉士，广东知县，广东高州府知府。

傅寿彤 检讨，河南按察使。

张　煦 刑部主事，山西巡抚。

恩　棠 （原名恩承），字枫亭。满洲镶黄旗人。刑部主事，理藩院左侍郎。

朱仪训 工部主事，山西道御史。

瑞　联 正蓝旗宗室。检讨，兵部尚书。

乔阴甲 陕西三原人。

贾　铎 吏部主事，云南大理府知府。

周　範 贵州毕节人。云南顺宁府知府。

叶葆元 知县，广西太平府知府。

凌松林 陕西西华人。直隶知县，直隶候补知府。

王作孚 庶吉士，兵部主事，山东济东泰道。

蒋常垣 陕西汉阴人。户部主事，湖南宝庆府知府。

童　棫 检讨，广东雷琼道。

谢辅塈　庶吉士，知县，浙江处州府教授。

谢膺禧　吏部主事，安徽按察使。

　翻译进士：

讷　仁　字静山。蒙古镶黄旗。庶吉士，口部主事，盛京工部
　　　　侍郎。

额哲克　满洲正红旗，荆州驻防，富察氏。工部主事，广东韶
　　　　州府知府。

毓　瑞　编修，赞善。

　武进士：

温长溎　直隶天津人。会元。状元。头等侍卫，山东青州营参
　　　　将。

王虎臣　山西河曲人。榜眼。二等侍卫，四川成都城守营游击。

许梦魁　直隶平山人。探花。二等侍卫。

蔡若珍　顺天宛平人。传胪。三等侍卫。

1408

◉ 恩遇：

孔繁灏　袭衍圣公。二月加太子太保。

贾　桢　协办大学士吏部尚书。三月以恭题孝和睿皇后神主，
　　　　加太子太保衔。

潘世恩　原任大学士。以本年为乾隆癸丑科甲榜重逢，四月赐
　　　　御书"琼林人瑞"额。重赴恩荣筵宴。

林昌彝　福建侯官县举人。九月以呈进所著《三礼通释》二百
　　　　八十卷，赏给教授归部选用。

刘熙载　上书房行走，翰林院编修。赐御书"性静情逸"额。

杜　堮　尚书衔原任礼部左侍郎。十一月以九十生辰晋太傅
　　　　衔。

◉ 著述：

钱培名　撰《医经正本书札记》一卷成，见元夕自序。

张　道　浙江钱塘人。撰《全浙诗话刊误》一卷成，见二月自
　　　　序。

宋翔凤　撰《遇庭录》十六卷成，见二月自序。

邹汉勋　撰《五韵论》二卷、《颛顼历考》二卷、《永宁红崖刻石释文》一卷、《文集》三卷、《诗》一卷成。（按：诸书遗稿散佚，至光绪丁丑始为攸县龙氏搜集付刻，今系于此年）。

张福僖　撰《光论》一卷成，见自序。

◉ 卒岁：

孙善宝　原任江苏巡抚。四月十五日卒年八十三。

蒋文庆　安徽巡抚。正月十七日殉难，年六十一。予骑都尉世职，追谥忠慤（追谥在同治五年）。

恩　长　蒙古正白旗。安徽寿春镇总兵。正月十八日于江西九江阵亡。赠提督，谥武壮。

陈胜元　福建人。江苏福山镇总兵。正月二十六日于安徽芜湖阵亡。赠提督，谥刚勇。

祁宿藻　江宁布政使，正月二十九日卒年五十三。赠右都卿史，谥文节（赠谥在光绪口年）。

程三光　江南徐州镇总兵。二月初十日于江宁阵亡。谥壮慤。

陆建瀛　前钦差大臣，两江总督。二月初十日于江宁遇贼被害，年六十二。赏复总督原衔。

陈克让　江安粮道。二月初十于江宁殉难。追谥忠节（追谥在同治口年）。

刘同缨　江苏上元县知县。二月初十日殉难，年四十八。赠太仆寺卿，追谥武烈（追谥在光绪口年）。

魏亨逵　江苏江宁府知府。二月初十日殉难，年五十九。赠太仆寺卿，予云骑尉世职。

邹鸣鹤　六品顶带，协办沿江防堵事宜，前广西巡抚。二月初十日于江宁殉难，年六十一。追赠道衔（追赠在四年五月），追谥壮节（追谥在同治七年十月），予骑都尉兼一云骑尉世职。

福珠洪阿　满洲正黄旗。江南提督。二月十一日于江宁凤仪门阵亡。赠太子少保，谥壮敏，予二等轻车都尉世职。

伊伯讷 江宁协领。二月十一日于仪凤门阵亡。谥壮愍。

色勃兴额 江宁协领。二月十一日于太平门阵亡。谥威肃。

祥　厚 字宽甫。钦差大臣,江宁将军兼署两江总督,镶红旗宗室。二月十一日殉难。赠太子太保衔,予二等轻车都尉世职,(寻晋一等),谥忠勇。

霍隆武 江宁副都统。二月十一日于通济门阵亡。赠都统衔,谥果毅,予骑都尉兼一云骑尉世职。

德　祥 江宁协领。二月十一日于通济门阵亡,谥肃毅。

夏庆保 江苏上元县教谕。二月十一日遇害,年五十三。赠国子监助教。

汤贻芬 (一作汤贻汾)。原任浙江乐清协副将。画家,擅山水。二月十二日于江宁殉难,年七十六,谥贞愍。

曹　森 原任山西忻州直隶州知州。二月十口日于江宁殉难,年六十四。赠太仆寺卿。

侯云松 原任安徽歙县训导。二月十口日于江宁殉难,年八十。予云骑尉世职。

姚　椿 江苏娄县监生。二月二十二日卒年七十七。入国史文苑传。

黄元灏 江苏江都县教谕。二月二十三日遇害,年五十四。赠国子监助教。

罗士琳 六品顶带,江苏甘泉县孝廉方正。二月二十三日殉难,年六十五。入国史儒林传。

刘遵海 原任顺天府北路同知。三月初四日卒年七十三。

吉伦泰 满洲镶黄旗,钮祜禄氏。理藩院尚书。三月初口日卒。谥敬僖。

曹三祝 河南陕州人。福建建宁镇总兵。四月初十日于漳州遇害。谥襄愍。

文　秀 满洲正白旗。福建汀漳龙道。四月初十日于漳州遇害。予云骑尉世职。

博勒恭武 字斐庵。满洲正白旗。前湖北提督。四月十五日以

1410

罪处斩（注：岳州失守后南北逃避辗转偷生）。

黄爵滋　以六部员外郎用，前刑部左侍郎。四月卒年六十一。入国史文苑传。

汪　棨　原任内阁中书，五月初三日卒年六十四。

锺　淮　侍读衔原任内阁中书。五月二十九日于江苏瓜州阵亡年三十九。赠知府衔，予云骑尉世职。

双　来　汉军正白旗。提督衔甘肃肃州镇总兵。六月十九日以受伤卒于江苏扬州军营，谥忠毅。

马济美　江西九江镇总兵，袭骑都尉世职。六月二十四日于南昌阵亡，年四十六。谥襄愍，予骑都尉兼一云骑尉世职。

李仁元　江西乐平县知县。七月十四日于鄱阳阵亡，年二十八。赠知府衔，予云骑尉世职，入国史循吏传。

沈衍庆　同知衔江西鄱阳县知县。七月十四日阵亡，年四十一。赠道衔，予云骑尉世职，入国史循吏传。

吴锺骏　原任礼部左侍郎，福建学政。七月卒于福州，年五十五。

袁祖悳　浙江钱塘人。署江苏上海县知县。八月初五日遇害。赠知府衔。

何维墀　山西平阳府知府。八月初十日阵亡。追谥口口（追谥在同治十二年）。

张锡蕃　前山西河东道。八月于垣曲遇害。开复原官。

李　僡　山东巡抚。八月卒。赠总督太子少保衔，谥恭毅。

周宪曾　直隶临洺关同知。八月二十七日遇害。予云骑尉世职。

唐　盛　直隶栾城县知县。九月初三日遇害。予云骑尉世职。

孔庆鈺　直隶交河县知县。九月初口日遇害，年五十二。予云骑尉世职。

陈希敬　直隶深州知州。九月初七日遇害。赠道衔。

李　榌　升用知府，湖北荆门直隶州知州。九月初十日于富池口阵亡，年四十一。赠道衔，予云骑尉世职，追谥刚介（追谥在同治二年）。

徐丰玉　湖北粮道。九月十三日于田家镇阵亡，年四十一。赠
　　　　太常寺卿，予骑都尉世职，追谥勇烈（追谥在同治口
　　　　年）。

张汝瀛　湖北汉黄德道。九月十三日于田家镇阵亡，年五十六。
　　　　予骑都尉世职，追谥勇节（追谥在同治口年）。

周天爵　兵部侍郎衔，办理安徽防剿事务，原安徽巡抚，前湖
　　　　广总督。九月十五日卒于亳州军营，年八十二。赠尚
　　　　书衔，谥文忠。

金云门　调署湖北黄州府知府，正任安陆府知府。九月十六日
　　　　于黄州殉难，年六十。赠太仆寺卿，追谥果毅（追谥
　　　　在同治口年）。

开隆阿　正黄旗汉军副都统。九月卒于江南军营。谥壮节。

沈道宽　前湖南桃源县知县。九月卒于江苏泰州，年八十二。

陈肖仪　湖北广济县知县。九月二十七日遇害，年六十。

载　鈖　固山贝子，宗室。十月卒。

奕　经　高宗皇曾孙。刑部右侍郎，前协办大学士，吏部尚
　　　　书，扬威将军。十月卒于江苏徐州军营。照侍郎例赐
　　　　恤。

马瑞辰　前工部都水司员外郎。十月于安徽桐城之唐家湾遇
　　　　害　年七十二。赠道衔，予云骑尉世职，入国史儒林
　　　　传。

马树华　原任河南汝宁府通判。十月二十一日于安徽桐城殉难，
　　　　年六十八。予云骑尉世职。

张熙宇　前安徽按察使。十月二十二日以罪命于安徽军营处斩，
　　　　年七十一。

朱麟祺　在籍刑部主事。十月二十八日于安徽舒城阵亡，年三
　　　　十七。追谥武毅（追谥在同治口年）。

吕贤基　督办安徽团练事宜工部左侍郎。十月二十九日于舒城
　　　　殉难，年四十八。赠尚书衔，谥文节，予骑都尉世职。

恒　兴　字仁甫。满洲镶黄旗。前陕西汉中镇总兵。十一月初
　　　三以罪命于安徽军营处斩（注：以桐城、舒城失守后
　　　退缩逃避畏葸无能）。

哲克东阿　西安副都统。十一月于江苏仪征阵亡。谥武壮。

玉　山　留营效力，前安徽寿春镇总兵。十一月十八日于庐州
　　　阵亡。开复原官，谥勤壮。

奕　毓　字培之，号莠延。镶蓝旗宗室。原任工部右侍郎。十
　　　一月二十口日卒。

佟　鑑　镶黄旗蒙古副都统。十一月二十三日于直隶独流镇阵
　　　亡。赠将军，谥刚节，予二等轻车都尉世职。

谢子澄　升用知府，直隶天津县知县。十一月二十三日于独流
　　　镇阵亡。赠布政使衔，谥忠愍，予骑都尉世职。

屠　苏　江苏口口县布衣。十一月二十四日卒年五十。

江忠源　安徽巡抚。十二月十七日于庐州殉难，年四十二。赠
　　　总督，谥忠烈，予骑都尉兼一云骑尉世职。追加三等
　　　轻车都尉世职（追加在同治三年七月）。

刘裕鉁　安徽布政使。十二月十七日于庐州殉难，年五十八。
　　　谥勤壮。

陈源兖　安徽池州府知府。十二月十七日于庐州殉难年四十。

邹汉勋　以同知直隶州用。十二月十七日于安徽庐州遇害年四
　　　十九。赠道衔，予云骑尉世职，入国史儒林传。

李本仁　前安徽布政使。十二月十七日于庐州殉难年四十六。

倭克精额　汉军正黄旗。原任伯都讷副都统。十二月卒。

刘喜海　以四品顶带致仕，原任浙江布政使。卒年六十。

包世臣　在籍江西候补知县，原署新喻县知县。卒年七十九。
　　　入国史文苑传。

恒　安　蒙古正黄旗。赏食全俸，致仕湖北郧阳镇总兵。卒。

毛贵铭　湖南巴陵县举人。卒年四十九。

杨文荪　浙江海宁州岁贡生。卒年七十二。

潘　谘　浙江会稽县布衣。卒年七十八。入国史儒林传。

吴　棠　署湖南安仁县训导，正任耒阳县教谕。于安仁殉难。赠国子监学录衔，予云骑尉世职。

咸丰四年甲寅（公元一八五四年）

● 生辰：

黄绍箕　正月十二日生，字仲弢，号鲜庵、穆琴。浙江瑞安人。
　　　　享年五十四。

丁立钧　正月二十三日生，字叔衡，号衡斋、云樵。江苏丹徒
　　　　人。享年四十九。

管廷鹗　正月二十五日生，字荐秋。山来莒州人。

姚锡光　二月初一日生，字石荃。江苏丹徒人。享年七十七。

赵尚辅　二月初六日生，字汝襄，号翼之。四川万县人。

鹿学良　二月二十六日生，字子明，号遂斋。直隶定兴人。

李传元　二月二十八日生，字仲钧，号橘农、芝坪。江苏新阳
　　　　人。

杜庆元　三月十二日生，字云帆。贵州安顺人。

吴树菜　五月十五日生，字桫香，号郁卿。山东历城人。

傅世炜　六月十八日生，字鄂伯。四川华阳人。

褚成博　七月十五日生，字伯约，号孝通。浙江余杭人。享年
　　　　五十八。

陈　鼎　八月初六日生，字伯商。湖南衡山人。

刘奉璋　八月十五日生，字我山。江苏宝应人。

高　树　八月十五日生，四川泸州人。享年八十二。

毓　俊　八月十八日生，字仲简，号赞臣。满洲正黄旗，叶赫
　　　　颜扎氏。

志　钧　九月十一日生，字仲鲁，号陶安。满洲镶红旗，他塔
　　　　喇氏。

豫　咸　九月十一日生，字泽山，号幼竹。汉军镶蓝旗，李氏。

蔡曾源　九月二十二日生，字梦泉，号仙峰。山东日照人。

沈　桐　九月二十六日生，浙江德清人。

姚丙然　九月二十八日生，字菊仙，号淡人。浙江钱塘人。

陈宗㧑　九月二十九日生，字鹿苹。山东东阿人。

高熙喆　十月初五日生，字仲瑊，号亦愚。山东滕县人。

杨士燮　十月十八日生，字芝房，号谓春。安徽泗州人。

溥　良　十月二十二日生，正蓝旗宗室。享年六十八。

魏景熊　十月二十三日生（原名魏时钜），字子题，号石轩。湖北武昌人。

孙崇纬　十月二十七日生，江苏泰兴人。

吴郁生　十一月十二日生，字蔚苊，江苏元和人。享年八十七。

宋伯鲁　十一月二十四日生，字子纯，号芝友、竹心。陕西醴泉人。享年七十九。

陈　璧　生，字玉苍。福建闽县人。享年七十五。

唐赞衮　生。

志　端　生，享年十八。

张　勋　生，字少轩。江西奉新人。享年七十。

范当世　生，江苏通州人。享年五十一。

邹代钧　生，字甄伯，号沅帆。湖南新化人。享年五十五。

1416

◉　恩遇：

黄宗汉　浙江巡抚。二月赐御书"忠勤正直"额。

　　二月以本年为乾隆甲寅恩科乡举重逢应于明年乙卯正科重赴鹿鸣筵宴：

汤金钊　头品顶带，原任光禄寺卿，降调协办大学士，吏部尚书。加太子太保衔；

特登额　原任兵部尚书。加太子少保衔。以上二人均赐御书匾额。

胜　保　钦差大臣，正蓝旗汉军都统。四月以克复江苏丰县功加太子少保（五年正月革）。

◉　著述：

张应昌　补正《南北史识小录》二十八卷成，见三月自序。

胡　珽　辑刻《琳琅秘室丛书》四集成，见三月宋凤翔序。

钱泰吉　自编《甘泉乡人稿》二十四卷成，见四月沈濂序。

丁　晏　撰《易林释文》二卷成，见八月自序。

宝　鋆　撰《奉使三音诺彦纪程草》一卷、《塞上吟》一卷成，见九月自序。

朱士端　撰《说文校定本》二卷成，见十月自序。

李王猷　编《闻湖诗续钞》七卷成，见十一月自序。

王省三　自编《菜根堂诗钞》十四卷成，见十二月孙培元序。（按：书成后又有续集一卷）。

钱培名　辑刻《小万卷楼丛书》十七种成，见十二月自序。

董　恂　撰《楚漕江程》成，见自序。

韩荣光　撰《黄花集》成，见何仁山序。

邹伯奇　撰《赤道南北恒星图》二幅成，见同治元年伍学藻跋。

张　道　撰《旧唐书疑义》四卷成，见自识。

◉ 卒岁：

恩　华　字缄庵。镶蓝旗宗室。留营效力，前理藩院尚书，三等辅国将军。正月卒于河南军营。赠六品顶带。

吴文镕　湖广总督。正月十五日于黄州之堵城殉难年六十三。赠太子少保衔，谥文节，予骑都尉兼一云骑尉世职。

唐树义　留营效力，前二品顶带湖北按察使，前湖北布政使。正月二十三日于金口殉难年六十二。开复原官，追谥威恪（追谥在同治口年）。

瞿腾龙　湖北勋阳镇总兵。二月初五日于江苏瓜洲阵亡年六十四。赠提督，谥威壮，予骑督尉世职。

唐　治　安徽祁门县知县。二月初五日遇害，年五十八。予云骑尉世职。

舒梦龄　山东登莱青道。二月十二日卒年七十。

储玫躬　字石友。湖南湘乡人。同知衔选授湖南武陵县训导。二月十三日于宁乡阵亡。予云骑尉世职。

特登额　太子少保衔，原任兵部尚书。三月十口日卒年七十口。谥恭慎。

黎吉云　降调掌广西道监察御史。三月十三日卒年六十一。

庆　德　汉军正黄旗。山东临清协副将。三月十五日阵亡。谥
　　　　壮勇。

吉　兴　蒙古镶黄旗。升用副将，山东参将，三月十五日于临
　　　　青阵亡。谥勤壮。

张积功　山东临青直隶州知州。三月十六日殉难。予云骑尉世
　　　　职。

桂文燿　原任苏州府知府。三月卒，年四十八。

胡　湘　知州衔，署广东南海县知县。三月卒，年四十九。

春　山　宗人府右宗正，袭多罗顺承郡王，正红旗宗室。四月
　　　　卒。谥曰勤。

崇　锡　袭奉恩辅国公，宗室。四月卒。

膺　保　汉军镶红旗。广东惠州协副将。四月于潮阳阵亡。谥
　　　　勤愍。

潘世恩　太傅衔赏食全俸，原任武英殿大学士。四月二十日卒，
　　　　年八十六。入祀贤良祠，谥文恭。

璧　昌　字星泉。蒙古镶黄旗，额尔德特氏。内大臣 前任福州
　　　　将军。四日二十一日卒。赠太子太保，谥勤襄。

孙铭恩　候补三四品京堂，降调兵部右侍郎，开缺安徽学政。
　　　　四月三十日于安徽太平遇害，年四十五。赠内阁学士，
　　　　谥文节，予骑都尉世职。

富勒敦　湖南常德协副将。五月十六日于常德阵亡。谥勤壮。

景　星　湖南常德府知府。五月十六日遇害。予云骑尉世职。

岳兴阿　字岱青。湖北布政使。六月初二日殉难。谥刚介，予
　　　　云骑尉世职。

李卿穀　署湖北按察使，湖北粮道。六月初二日殉难，年五十
　　　　八。赠布政使衔，谥愍肃，予骑都尉世职。

乌凌额　满洲正白旗。口口旗副都统。六月卒。

达洪阿　满洲镶黄旗。镶白旗满洲副都统，前加太子太保衔。
　　　　六月以受伤卒于直隶阜城军营。赠都统衔，谥武壮，
　　　　予骑都尉兼一云骑尉世职。

马三俊　六品顶带，安徽桐城孝廉方正优贡生。六月二十一日于周瑜城追贼阵亡，年三十五。予云骑尉世职，入国史儒林传。

崔大同　江西丹徒人。广东肇庆营参将。七月于东莞阵亡。谥武毅。

舒伦保　满洲正黄旗。西安将军。七月卒。谥果慎。

青　麐　前湖北巡抚。七月十五日以罪命于荆州处斩（注：以省城失守越境偷生）。年五十一。

陈辉龙　广东澄海人。山东登州镇总兵。七月十六日于湖南岳州阵亡。谥壮勇。

褚汝航　盐运使衔优先选用道。七月十六日于湖南岳州阵亡。予骑都尉世职。

夏　銮　运同衔遇缺即用同知。七月十六日于湖南岳州阵亡。予骑都尉世职。

福　赓　满洲镶白旗。广东三江口协副将。七月二十四日于江南东坝阵亡，谥勤武。

金鹤清　翰林院编修。七月二十七日卒年三十九。

汪本铨　原任浙江布政使。闰七月十四日卒年四十五。赠太仆寺卿。

吴　灿　字玉祥。直隶清苑人。广东惠州协副将。闰七月于山东高唐州阵亡。谥勇毅，予骑都尉世职。

张印塘　前安徽按察使。闰七月卒年五十七。

琦　善　字静庵。满洲正黄旗，博尔济吉特氏。钦差大臣，都统衔，前文渊阁大学士，袭一等奉义侯。闰七月卒于扬州军营。赠太子太保，协办大学士，总督衔，谥文勤。

张青云　原任广东陆路提督。八月初二日卒年七十八。

苏布通阿　满洲正白旗，库雅拉氏。江宁将军。八月以受伤卒于江南军营。谥果勇，予骑都尉兼一云骑尉世职。

长　安　京口副都统。八月卒。

载　铨　宗人府宗令，亲王衔多罗定郡王，宗室。九月十口日卒。追封亲王，谥曰敏。

徐同柏　浙江嘉兴县贡生。九月二十日卒年八十。

吴廷香　六品顶带安徽庐江县孝廉方正。九月二十五日以御贼阵亡，年四十九。予云骑尉世职，追赠四品卿衔。

李福培　广东从化县知县。九月二十六日遇害。赠知府衔，予云骑尉世职，追谥刚烈（追谥在同治十年十一月）。

魏元烺　兵部尚书。九月二十口日卒。谥勤恪。

姚　楗　原任河南卢氏县知县。十月十一日卒年六十九。

照　信　江南候补参将。十月于江南阵亡。赠副将，谥勇节。

崇　纶　字荷卿。满洲正白旗，喜塔喇氏。丁忧前湖北巡抚。以赴陕就医，十月卒于西安。

都棨森　江苏仪征县知县。十月于土桥拿贼遇害。赠知府衔。

朱右贤　署贵州南安县知县，正任威宁直隶州知州。十月殉职，年五十。予云骑尉世职。

童添云　字镇铭。湖南长沙人。湖南侯补参将。十一月初一日于江西九江阵亡。赠副将，谥壮节，予云骑尉世职。

罗绕典　云贵总督。十一月初四日卒于贵州军营，年六十三。赠太子少保衔，谥文僖。

许錞身　字彦直，号鹏山。浙江仁和人。署广东惠州府海防通判，正任高明县知县。十一月初四日于烟墩墟御贼阵亡。赠知府衔，予云骑尉世职。

善　禄　蒙古正白旗。绥远城将军。十一月卒于山东高唐军营。谥勤壮。

臧纡青　四品顶带，江苏宿迁县举人。十一月十七日于安徽桐城阵亡，年五十九。赠三品衔，予云骑尉世职。

李元春　州同衔候选大理寺评事。十一月二十七日卒年八十六。入国史儒林传。

朱恭寿　原任江苏六合县知县。十一月卒年七十六。

文　俊　蒙古镶黄旗。署福建陆路提督，云南临元镇总兵。十一月卒。

吴 均 广东潮州府知府。十二月卒。赠太仆寺御，入国史循吏传。

倪良曜 降调江宁布政使。十二月十二日卒年六十三。

松 林 镶黄旗护军参领。十二月二十六日于直隶连镇阵亡。予云骑尉世职。

俞东枝 原任掌广东道监察御史。卒年七十一。

朱士达 致仕湖北布政使。卒。入国史循吏传。

赵 镛 广东盐运使。卒年六十三。

徐 堉 署广西太平府知府，梧州府同知，前泗城府知府。于口州厅御贼阵亡。予云骑尉世职。

吴名凤 原任江西饶州府景德镇同知。卒年八十八。

王 筠 原任山西乡宁县知县。卒年七十一。入国史儒林传。

吴应连 四川彭县知县。卒年五十七。入国史循吏传。

曾 钊 原任广东钦州学正。卒年六十六。入国史儒林传。

刘文淇 江苏仪征县优贡生。卒年六十六。入国史儒林传。

陈世庆 江西德化县诸生。卒年五十九。入国史文苑传。

奚 疑 浙江乌程县诸生。卒年八十四。

咸丰五年乙卯（公元一八五五年）

● 生辰：

陈琇莹　正月初七日生，字芸敏。福建侯官人。

陈夔麟　正月十三日生，字少石。贵州开州人。

载　濂　三月生，宣宗皇孙。

耿道冲　三月初十日生，字伯奇。江苏华亭人。

陈伯陶　三月十七日生，字象华，号子励。广东东莞人。享年七十六。

吕佩芬　二月二十七日生，字筱苏，号晓初、弢庐。安徽旌德人。享年五十九。

陈望曾　四月初七日生，字省三。福建台湾人。

费念慈　四月二十日生，字迪孙，号屺怀、君直。江苏武进人。享年五十一。

陶世凤　五月初一日生，江苏金匮人。

胡祖谦　五月初二日生，字颂廷，号莲士。江苏青浦人。

江春霖　五月初六日生，字仲默，号杏村。福建莆田人。享年六十四。

黄绍第　五月二十日生，字睦笙，号叙铺、缦庵。浙江瑞安人。

李经方　六月初六日生，字伯行。安徽合肥人。享年八十。

王以慜　六月十四日生，字梦湖。湖南武陵人。

段友兰　六月十六日生，字春岩。江西永新人。

章炳森　七月二十八日生，字椿伯。浙江余杭人。

卓孝复　八月十八日生，福建闽县人。

郭曾炘　八月二十二日生，字春榆，号匏庐。福建侯官人。享年七十四。

徐世昌　九月十三日生，字卜五，号菊人。直隶天津人。享年八十五。

吴庭芝　九月十四日生，字重卿。江西湖口人。

武　瀛　九月二十二日生，字仙航。陕西富平人。

陈　骧　九月二十二日生，字子腾，号石琳、石麟。直隶天津
　　　　人。

张嘉猷　九月二十四日生。

马其昶　九月二十四日生，字通伯。安徽桐城人。享年七十五。

朱　锦　十月初三日生，字云甫。直隶天津人（原籍浙江）。享
　　　　年七十六。

戚朝卿　十月十一日生，字相臣，号耀三。贵州修文人。

刘可毅　十月二十三日生，字葆真。江苏武进人。享年四十六。

李德炳　十一月二十二日生，字星垣，号惺岩、啸仙。河南南
　　　　召人。

王同愈　十二月十七日生，字胜之。江苏元和人。

杨宜瀚　生，字吟海，号淑浩。四川华阳人。享年五十七。

刘孚京　生，字镐仲。江西南丰人。享年四十二。

顾印愚　生，字印伯，号华园。四川成都人（原籍浙江上虞）。
　　　　享年五十九。

● 科第：

　　考取优贡生：

朱承鉽　浙江人。署遂昌县训导。

　　中式举人：

方汝翼　直隶清苑人。刑部主事，江西布政使。

薛福辰　工部主事，左副都御史。

成　林　刑科笔帖式，吏部左侍郎。

定　安　都察院笔帖式，正白旗汉军都统。

英　傑　兵科笔帖式，江苏扬州府知府。

刘湘焌　内阁中书，贵州镇远府知府。

彭祖贤　户部主事，湖北巡抚。

常如楷　内阁中书，湖南宝庆府知府。

瑞　昌　广东肇庆府知府。

方濬师　内阁中书，直隶永定河道。

丁士彬　内阁中书，陕西粮道。

崧　蕃　吏部员外郎，闽浙总督。

陈建侯　户部主事，湖北候补道。

王荫棠　户部郎中，浙江金衢严道。

吴大廷　内阁中书，福建台湾道。

钱　勋　内阁中书，浙江候补道。

杨　岘　浙江人。江苏候补知府。

杨叔怿　将乐县训导，署浙江绍兴府知府。

杨志洵　山东人。利津县教谕，安徽泾县知县。

柏景伟　陕西长安人。定边县训导，分省补用知县。

　　中式副榜贡生：

李士棻　四川忠州人。江西临川县知县。

　　中式翻译举人：

增　寿　浙江布政使。

● 恩遇：

僧格林沁　参赞大臣，科尔沁郡王。正月以克复连镇生擒逆首
　　　　　林凤祥功，晋封博多勒噶台亲王。

僧格林沁　参赞大臣。四月以攻克冯官屯生擒逆首李开方功，
　　　　　以亲王世袭罔替。

西凌阿　察哈尔都统。四月封三等男。

王　鋆　原任直隶正定府教授。九月以上年为乾隆甲寅恩科乡
　　　　举重逢，于本年正科重赴鹿鸣筵宴。

李光庭　原任湖北黄州府知府。九月以本年为乾隆乙卯科乡举
　　　　重逢，重赴鹿鸣筵宴。

福　济　安徽巡抚。十月以克复庐州府城加太子少保衔（八年
　　　　六月削）。

文　庆　协办大学士，户部尚书。十月以恭题孝静成皇后神主，
　　　　加太子少保衔。

● 著述：

魏　源　撰《书古微》十二卷成，见正月自序。

丁　晏　撰《百家姓》三编成，见三月自序。

丁　晏　撰《毛诗陆疏校正》二卷成，见四月自序。

夏鸾翔　撰《洞方术图解》二卷成，见五月自序。

张　道　撰《临安旬制记》三卷成，见立秋自序。

丁　晏　撰《孝经述注》一卷成，见七月自序。

丁　晏　撰《尚书余论》一卷成，见八月自序。

刘宝楠　撰《论语正义》若干卷止。（按：此书尚未撰毕，后经
　　　　其子恭冕续成之共二十四卷，见同治乙丑后序，今系
　　　　于九月之前）。

丁　晏　撰《周易述传》二卷成，见十月自序。

郑献甫　撰《愚一录》十二卷成，见光绪丙子林肇元序。

◉ 卒岁：

济　昌　知府衔，调署广西富川县知县，正任临桂县知县。正
　　　　月十七日遇害。

汤　宽　原任陕西凤翔府知府。正月二十九日卒年五十八。

徐　荣　升授福建汀漳龙道（命下时荣已殉难），浙江杭州府知
　　　　府。二月初口日以督办徽严防务于渔亭阵亡，年六十
　　　　四。予骑都尉世职，入国史文苑传。

孙日萱　原任鸿胪寺少卿。二月初六日于安徽休宁原籍殉难，
　　　　年六十。

刘廷瑛　候选道。二月初六日以受伤卒于镇江军营，年五十七。
　　　　予骑都尉世职。

贵　陞　字仰堂。满洲镶红旗。荆州右翼副都统。二月十口日
　　　　于汉阳阵亡。谥勤武。

王恩绶　湖北拣发知县。二月十七日于武昌阵亡，年五十二。
　　　　赠知府衔，予云骑尉世职，追谥武愍（追谥在同治十
　　　　年十一月）。

多　山　满洲镶蓝旗。护理湖北按察使，署武昌知府。二月十
　　　　七日殉难。追谥忠壮（追谥在同治口年）。

陶恩培　湖北巡抚。二月十七日殉难，年五十四。谥文节，予

骑都尉兼一云骑尉世职。

文　蔚　奉天府府尹，前户部左侍部。二月卒。

德　坤　云南口口镇总兵。三月卒。

恒　泰　湖北候补参将。二月三十日于鲇鱼套阵亡。谥果毅。

李成虎　副将衔甘肃花马池参将。四月十五日于安徽和州之霸
　　　　王庙阵亡年四十。谥壮毅。

锡　纶　蒙古正黄旗。湖南绥靖镇总兵。四月于江南阵亡。谥
　　　　愍节。

扎拉芬　字鹤亭。满洲正黄旗，博尔济吉特氏。西安将军。四
　　　　月以受伤卒于湖北随州军营。谥武介，予二等轻车都
　　　　尉世职。

崔　侗　广东布政使。四月卒年六十六。

长　臻　字晴岩。汉军镶蓝旗。河东河道总督。五月卒。

韩嘉谟　字建常。福建人。闽粤南澳镇总兵。五月以巡洋遇贼
　　　　被害。谥贞愍。

侯　度　在籍广西大挑知县，原署河池州知州。五月卒年五十
　　　　七。入国史儒林传。

李文安　办理安徽团练事宜，原任刑部督捕司郎中。五月二十
　　　　三日卒年五十五。赠道衔。

邢士义　贵州贵阳县解元。六月于黄施殉难。

何朝亮　字明生。广东香山人。署安徽寿春镇总兵，镇标中营
　　　　游击。六月于庐州阵亡，追谥勇烈（追谥在同治十一
　　　　年十二月）。

王汝谦　河南河内县诸生。六月十七日卒，年七十九。

刘富成　升用参将。七月于湖北阵亡。谥勇确。

塔齐布　湖南提督，骑都尉。七月十八日卒于江西九江军营，
　　　　年三十九。谥忠武，予骑都尉世职，追加三等轻车都
　　　　尉世职（追加在同治三年七月）。

萧捷三　湖南人。湖南即用都司。七月二十三日于江西湖口阵
　　　　亡。赠副将，谥节愍，予云骑尉世职。

卓秉恬 武英殿大学士。九月初三日卒年七十四。赠太子太保衔，谥文端。

熊其光 员外郎衔在籍候补主事。九月卒年三十九。

刘宝楠 顺天三河县知县。九月卒年六十五。入国史儒林传。

刘玉豹 字振翰。直隶新河人。副将衔山东即墨营参将。九月于安徽和州阵亡。谥贞毅。

刘鹤翔 （一作刘鸿翱）。江西人。甘肃花马池参将。九月于安徽和州阵亡。谥贞恪。

彭三元 字春甫。湖南善化人。参将。九月二十五日于湖北羊楼洞阵亡。赠副将衔，谥勤勇，予云骑尉世职。

李杏春 候选同知直隶州。九月二十五日于湖北羊楼洞阵亡。赠知府衔，予云骑尉世职。

王　笃 按察使衔前山东布政使。九月二十九日卒年六十五。

刘开泰 字平岩。福建人。江西南赣镇总兵。十月于义宁阵亡。谥果烈。

陈均远 湖北荆州府知府。十月十八日一卒，年五十九。赠太仆寺卿。

戴钧衡 安徽桐城县举人。十月十八日卒年四十二。入国史文苑传。

常　志 兵部左侍郎。十月二十口日卒。

何桂珍 六品顶带，前安徽池太广道。十一月初三日于英山遇害，年三十九。开复原官，追谥文贞（追谥在同治四年正月）。

德　兴 刑部尚书。十一月十口日卒。谥文恭。

颜伯焘 前闽浙总督。十一月卒年六十八。

富呢雅扬阿 黑龙江副都统。十一月卒于江苏扬州军营。

周云耀 字光庭。湖南邵阳人。湖南保升副将。十二月初四日于永明殉难。谥愍节。

杨以增 革职留任江南河道总督。十二月十八日卒年六十九。开复处分，追谥端勤（追谥在同治口年）。

吕大陞　福建人。福建台湾镇总兵。十二月卒。

舒　宽　湖北竹山协副将。十二月于武昌阵亡。谥壮愍。

文　全　满洲镶白旗。湖北武昌守营参将。十二月阵亡。谥刚
　　　　（一作勇壮）。

吴登甲　贵州镇远府知府。十二月遇害，年五十二。予云骑尉
　　　　世职。

刘　沅　原任国子监典簿。卒年八十八。

陈逢衡　江苏江都县诸生。卒年七十八。入国史儒林传。

许光治　字龙华，号羹梅。浙江海宁人。海宁州诸生。卒年四
　　　　十□。

咸丰六年丙辰（公元一八五六年）

◉ 生辰：

戴鸿慈　正月初七日生，字光孺，号少怀。广东南海人。享年五十五。

胡　潚　二月初十日生，直隶天津人。享年七十四。

秦夔扬　二月二十三日生，字叔赓，号韶臣。江苏嘉定人。

高觐昌　二月二十八日生，字韶芬，号省庵。江苏丹徒人。享年六十八。

杨道霖　三月初六日生，（原名杨楷），江苏无锡人。享年七十七。

爱新觉罗载淳　三月二十三日生，穆宗毅皇帝。享年十九。

屠　寄　四月十五日生，字归甫，号师虞、敬山。江苏武进人。

黄福楙　五月初四日生，字豫斋，号松泉。浙江仁和人。

汤寿潜　六月初二日生，字孝起，号起东、翼仙。浙江山阴人。

朱锡恩　六月初七日生，字丙仲，号湛卿。浙江海宁人。

陈泽霖　七月初七日生，字雨人。直隶天津人。

安维峻　七月十七日生，字晓峰。甘肃秦安人。

郑文焯　七月二十八日生，字俊臣，号叔同、小坡。汉军正黄旗。享年六十八。

赵臣翼　八月初六日生，顺天大兴人。

陈遹声　八月十四日生，字骏公，号蓉曙、悔门。浙江诸暨人。

萧应椿　九月十八日生，字绍庭。云南昆明人。

裴维侒　十月二十日生，字君复，号韵珊、云杉。河南祥符人。

于式枚　十月二十六日生，字穗生，号晦若。广东贺县人。享年六十。

凌福彭　十月三十日生，广东番禺人。

载　漪　十一月初三日生，宣宗皇孙。

贻　毂　十一月十四日生，字蔼人。满洲镶黄旗，吴雅氏。

余诚格　十二月初六日生，字寿平。安徽望江人。

载　澜　十二月十五日生，宣宗皇孙。

金蓉镜　十二月十二日生，字学范，号莘甫、甸丞。浙江秀水
　　　　人。享年七十四。

文廷式　生，字道希，号芸阁。江西萍乡人。享年四十九。

陈　衍　生，福建人。享年八十二。

卢福基　生，字蓉裳。浙江桐乡人。享年六十四。

◉ 科第：

　　一甲进士：

翁同龢　状元。修撰，户部尚书，协办大学士。

孙毓汶　榜眼。编修，兵部尚书。

洪昌燕　探花。编修，工科掌印给事中。

　　二甲进士：

锺宝华　字莳山，号焕文。浙江萧山人。编修，侍读学士。

史崧秀　庶吉士，吏部主事，四川叙州府知府。

赵佑宸　（原名赵有淳）。浙江鄞县人。编修，大理寺卿。

徐昌绪　编修，侍讲学士。

雷榜荣　刑部主事，福建延平府知府。

李寿蓉　户部主事，湖北候补道。

沈秉成　编修，安徽巡抚。

延　煦　宗室。编修，礼部尚书。

谭锺麟　编修，两广总督。

洪调纬　编修，福建道御史。

杨秉璋　字礼南，号莪士。安徽怀宁人。编修，侍读学士。

蒋彬蔚　编修，刑科掌印给事中。

唐嘉德　字宝斋，号用修、薇阶。江苏六合人。庶吉士，江西
　　　　知县，湖北盐道。

冯端本　刑部主事，广东广州府知府。

徐景轼　庶吉士，礼部主事，四川成绵龙茂道。

张衍熙　刑部主事，陕西凤翔府知府。

龚嘉儁 礼部主事，浙江杭州府知府。

夏同善 编修，吏部右侍郎。

叶衍兰 庶吉士，户部主事，户部郎中。

涂觉纲 字莘畬。湖南长沙人。吏部主事，吏部郎中。

铭　安 编修，吉林将军。宣统辛亥重逢乡举。

孔宪毅 庶吉士，户部主事，广东肇罗道。

彭润芳 刑部主事，湖南宝庆府知府。

锡　缜 （原名锡纯、锡淳）。满洲正蓝旗人。户部主事，驻藏
　　　 邦办大臣。

胡义质 兵部主事，口口按察使。

绍　祺 编修，理藩院尚书。

卓景濂 吏部主事，河南怀庆府知府。

范运鹏 庶吉士，户部主事，安徽凤阳府知府。

马元瑞 会元。编修，刑科掌印给事中。

严　昉 刑部主事，湖北武昌府知府。

夏献馨 编修，广东粮道。

于宗绶 吏部主事，四川宁远府知府。

李宏谟 庶吉士，兵部主事，顺天府府丞。

黄体立 号自芗。浙江瑞安人。刑部主事。

余上华 口部主事　贵州遵义府知府。

李文瀛 浙江严州府知府。

刘书云 内阁中书。

傅庆贻 口部主事，安徽布政使。

胡延夔 礼部主事，四川顺庆府知府。

霍穆欢 字子谨，号慎斋。正蓝旗宗室。宗人府笔帖士，内阁
　　　 学士。

梁炳汉 广西泗城府知府。

夏锡麒 湖北知县，湖北施南府知府。

庄锡级 刑部主事，江西赣州府知府。

员凤林 兵部主事，安徽布政使。

黄廷金　庶吉士，口部主事，江西瑞州府知府。

孙钦昂　编修，福建兴泉永道。

陈寿祺　庶吉士，刑部主事，刑部员外郎。

　　三甲进士：

何　枢　吏部主事，山西布政使。

薛允升　刑部主事，刑部尚书。

张树甲　字瑞亭，号耦堂。山东文登人。户部主事。

俞世铨　山西知县，山西河东道。

盛植型　吏部主事，湖北安襄郧荆道。

黎兆棠　礼部主事，光禄寺卿。

董文涣　检讨，甘肃巩秦阶道。

蔡同春　工部主事，贵州思州府知府。

薛桂一　甘肃平凉府知府。

汪朝棨　检讨，掌河南道御史。

孙家毅　礼部主事，浙江按察使。

陶宝森　江南盐巡道。

张光藻　直隶知县，直隶天津府知府。

程　豫　山西知县，四川布政使。

韩　钦　浙江萧山人。内阁中书。

戈尚志　字儒行，号最山、醉禅。云南保山人。礼部主事。

刘正品　字瑞亭，号贡三。四川奉节人。贵州安顺府知府。

乌拉喜崇阿　刑部主事，兵部尚书。

刘馀庆　陕西长安人。户部主事，湖南常德府知府。

孙长绂　刑部主事，江西布政使。

王达材　江西鄱阳人。广西知县，广西南宁府知府。

周　鹤　广西桂平梧道。

张兴畄　字房农。山东肥城人。内阁中书，江西候补道。

　　翻译进士：

全　顺　蒙古正蓝旗，萨尔图拉氏。编修，内阁学士。

　　武进士：

王世清　直隶南和人。状元。头等侍卫。

韦应麒　河南永宁人。榜眼。二等侍卫，山东东昌营参将。

蓝家麟　直隶天津人。探花。二等侍卫。

金振彪　河南郑州人。传胪。三等侍卫。

王天焱　字乙燃。安徽人。口口侍卫，浙江台州协副将。

◉ 恩遇：

　　十一月以恭纂宣宗实录告成：

周祖培　兵部尚书。加太子少保；

朱凤标　户部尚书。加太子少保（九年二月革）。

◉ 著述：

陆以湉　撰《冷庐杂识》八卷成，见二月自序。

丁　晏　撰《投壶考原》一卷成，见四月自序。

陈　澧　撰《汉儒通义》七卷成，见六月自序。

蒋光煦　撰《东湖丛记》六卷成，见七月自序。

程庭鹭　自编《诗賸》四卷成，见年谱。

◉ 卒岁：

梅曾亮　原任户部贵州司郎中。正月卒年七十一。入国史文苑
　　　　传。

柏　英　江西即补参将。正月二十五日于吉安阵亡。谥壮节。

陈宗元　道衔江西吉安府知府。正月二十五日阵亡，年五十一。
　　　　追谥武烈（追谥在同治口年）。

周玉衡　布政使衔江西按察使，正月二十五日于吉安殉难，年
　　　　七十六。谥贞恪。

世　焜　字显侯。满洲镶白旗。江苏扬州府知府。三月初一日
　　　　殉难，予云骑尉世职。

罗泽南　布政使衔浙江宁绍台道。三月八日以受伤卒于湖北武
　　　　昌军营，年五十。照巡抚例赐恤，谥忠节，予骑都尉
　　　　世职追加兼一云骑尉世职（追加在同治二年七月）。

奇成额　西安协领。三月于江西阵亡。谥勤愍。

陈金绶　字印若。四川岳池人。前直隶提督。三月卒于江苏扬

州军营。

蔡应龙　广西人。云南楚雄协副将。三月二十八日于安徽宁国阵亡。谥勇介。

江忠济　候选道。四月初四日于湖北通城阵亡，年三十八。照按察使例赐恤，予骑都尉世职，追谥壮节（追谥在同治元年），追加兼一云骑尉（追加在同治三年七月）。

欧阴勋　湖南湘潭县诸生。四月初九日卒，年三十。

杨承照　贵州黄平州知州。四月遇害，年四十七。予云骑尉世职。

汤金钊　太子太保衔头品顶带，原任光禄寺卿，降调协办大学士吏部尚书。四月十九日卒年八十五。谥文端。

吉尔杭阿　满洲镶黄旗，奇他拉氏。头品顶带江苏巡抚。四月二十九日于高淳县烟墩山阵亡。赠总督，予一等轻车都尉世职，谥勇烈。

1434

刘存厚　四川荣县人。候补道，江苏江宁府知府。四月二十九日于高淳县烟墩山阵亡。追谥刚愍（追谥在同治口年）。

绷　阔　京口副都统。四月二十九日殉难。谥勇节。

周兆熊　字辅臣，四川人。升用副将，湖南抚标中军参将。五月初四日于江南京岘山殉难。谥果愍。

沈棣辉　升授贵州布政使，由广东按察使升任。五月十四日卒于广州臬署，年六十四。赠内阁学士衔。

巴　图　满洲正白旗。广东肇庆协副将。五月十九日于江南仙鹤门阵亡。谥武节。

陈明志　广东雷州营参将。五月十九日于江南钟山阵亡，年三十七。谥壮节，予云骑尉世职。

蒋启敫　按察使衔河南河北道。六月卒年六十二。

向　荣　钦差大臣，前湖北提督。七月初九日于江苏丹阳军营卒，年六十五。开复原官，予一等轻车都尉世职，谥忠武。

陆以煊 原任鸿胪寺卿。七月卒于保定莲池书院，年七十三。

程智泉 湖南岳州城守营参将。七月于安徽三河阵亡。谥节愍。

张遇清 广东钦州营参将。七月于广西平南县阵亡。赠副将，予云骑尉世职。

李载文 升授广西南宁府知府，署广西平南县知县。七月于平南御贼被害，年三十八。赠太仆寺卿衔，予云骑尉世职，追谥壮烈（追谥在同治口年）。

张　镆 署贵州贵东道兴义府知府。七月卒年六十四。

鹿丕宗 前贵州都匀府知府。七月十八日于都匀殉难，年七十。开复原官，予云骑尉世职，追谥壮节（追谥在同治七年）。

桂　林 满洲正黄旗。贵州古州镇总兵。七月二十三日阵亡。谥壮恪。

陶廷杰 贵州布政使。七月二十口日殉难，年七十三。谥文节。

林廷禧 云南迤西道。八月初九日于大理殉难，年四十一。

顾书绅 江苏金匮县诸生。八月十一日卒年六十六。

西昌阿 记名副都统，双城堡总管。八月卒于江苏扬州军营。

林源恩 湖南候补同知直隶州，前任平江县知县。九月十七日于江西抚州阵亡，年四十。赠道衔。

傅自铭 江西上高县知县。九月十八日阵亡，年五十五。赠知府衔，予云骑尉世职。

陈上国 署福建闽安协副将。七月二十五日于江西建昌阵亡。

金衍照 江苏宝山县知县，前任刑部主事。十月初二日卒年五十九。

吴式芬 原任内阁学士。十月初八日卒年六十一。

江忠信 补用副将。十月十六日于安徽桐城阵亡，年二十七。谥壮节。

林建猷 福建水师提督。十一月十一日卒年五十二。

文　庆 太子太保衔武英殿大学士，军机大臣。十一月十口日卒，年六十一。赠太保，谥文端，入祀贤良祠。

周清元 副将衔湖北参将。十二月初六日以受伤卒于武昌军营，年二十六。谥贞愍，予骑都尉世职。

毕楚珍 原任贵州毕节县知县。十二月十九日卒年六十四。

珠隆阿 满洲镶蓝旗。直隶山永协副将。十二月于河南阵亡，谥贞愍。

马永清 广东雷州营参将。十二月于江南阵亡。谥壮愍。

穆彰阿 五品顶带，前太子太保衔文华殿大学士，军机大臣。卒年七十五。

龚宝莲 詹事府詹事，广东学政，卒。

吴其泰 丁忧江苏按察使，卒。

崔光笏 云南粮道。卒年五十四。

魏　源 开复江苏高邮州知州原官。卒年六十三。入国史儒林传。

刘廷诏 字虞卿。河南永城人。原任河南考城县教谕。卒。入国史儒林传。

熊景星 原任广东开建县训导。卒年六十六。

咸丰七年丁巳（公元一八五七年）

◉ **生辰：**

张孝谦 二月十三日生，字巽之。河南商城人。

卢　靖 二月二十五日生，湖北沔阳人。

赵以炯 三月初一日生，字福祖，号仲莹、鹤仙。贵州贵阳人（原籍湖南湘潭）。

韩国钧 三月初四日生，字子石，号子实。江苏泰州人。享年八十五。

严　震 三月初七日生，字文藻，号洁甫、凫芗。浙江桐乡人。

何汝翰 三月二十五日生，字崧生，号耐尊。浙江山阴人。

赵汝翰 四月初六日生，字西屏，号云卿。山东黄县人。

徐世光 四月二十一日生，直隶天津人。

夏孙桐 四月二十二日生，字闰枝，号悔生。江苏江阴人。享年八十五。

熙　英 五月初二日生，字仁斋，号菊朋、仲璧。满洲镶蓝旗，鄂卓氏。享年四十九。

陈夔龙 五月初三日生，字让于，号小石。贵州开州人。

陈曾佑 五月初四日生，字苏生，号笃斋、慕杜。湖北蕲水人。

石长信 六月十三日生，字鱼及，号厚安。安徽宿松人。

沈云沛 六月二十二日生，字雨辰，号东渔。江苏海州人。

桂　春 七月十九日生，字月亭。享年六十七。

朱祖谋 七月二十一日生，字藿生，号古微。浙江归安人。享年七十五。

那　桐 七月二十三日生，字琴轩。满州镶黄旗，那拉氏。享年六十九。

喻长霖 八月初一日生，字志韶，号潜浦。浙江黄岩人。享年八十四。

王宝田 八月十一日生，（原名王宝钿），山东峄县人。

熊方燧　八月二十九日生，字君遂，号经仲。江西高安人。

孔昭寀　七月初七日生，字显弼，号印川。江苏宝应人。享年三十五。

景方昶　九月十八日生，字旭初，号明久。贵州兴义人。

赵士琛　九月十九日生，字续廷，号献夫。直隶天津人。

刘彭年　十月初三日生，字寿籛，号惺庵。直隶天津人。享年七十六。

曹福元　十月十四日生，字邃翰，号再韩。江苏吴县人。

高　柟　十月二十四日生，四川泸州人。

福　椮　十一月十五日生，字幼农，号淄生。蒙古正红旗。享年三十二。

孙绍阳　十一月二十二日生，字春圃。河南仪封人。

姚文倬　十二月初九日生，字稷臣。浙江仁和人。

聂宝琛　十二月十五日生，字献廷，号屿孙、竹农。顺天大兴人。

寿　勋　生，字挹青（卿）。蒙古镶黄旗。享年五十七

杨　锐　生，字退之，号叔峤、钝叔。四川绵竹人。享年四十二。

左孝同　生，（左宗棠子），字子异，号逸叟。湖南湘乡人。享年六十八。

蒯光典　生，字理卿。安徽合肥人。享年五十四。

程良驭　生。享年八十二。

刘树屏　生，字葆良。江苏阳湖人。享年六十一。

震　钧　生。享年六十四。

刘法曾　生，字新伯。江苏泰州人。

● 科第：

　　考取优贡生：

曾国荃　湖南湘乡人。补行壬子、己卯两科。军功知县，两江总督。

　　中式举人：

王闿运 湖南人。补行壬子、乙卯两科。光绪戊申特授检讨。

徐树钧 户部主事，江南盐法道。

唐树楠 刑部主事，陕西按察使。

● 恩遇：

和 春 钦差大臣，江南提督。六月以克复句容县城，加太子
少保衔。

崑 寿 字静山。汉军正白旗。广东提督。十一月以克复英德
县城，加太子少保衔。

万斛泉 湖北兴国县布衣。十一月特赏七品顶带。

何桂清 两江总督。十二月以克复镇江府城，加太子少保衔。

奕 訢 恭亲王。十二月赐御书"同德延厘"额。

● 著述：

李善兰 重译《几何原本》十五卷成，见正月自序。

符保森 编《国朝正雅集》一百卷成，见三月自序。

张应昌 编《国朝诗铎》二十六卷成，见五月自序。

丁 晏 撰《北宋汴学二体石经记》一卷成，见自序。

朱 琦 自编《怡志堂诗初编》八卷成，见八月杨传第序。

程廷鹭 自编《梦鹣词》二卷成，见年谱。

郑 珍 撰《轮舆私笺》二卷成，见郑知同轮舆图序。

汪道鼎 字调生。浙江仁和人。撰《坐花志果》八卷成，见四
月荆履吉序。

● 卒岁：

毕金科 升用游击，云南临元镇都司。正月初四日于江西景德
镇阵亡，年二十五。追赠总兵衔，谥刚毅（赠谥在同
治四年正月）。

阿灵阿 兵部尚书。正月初口日卒年七十八。赠太子太保，谥
悫勤。

孝 顺 字行先。满洲镶红旗。贵州提督。二月于都匀军营自
尽。谥壮肃。

德 亮 蒙古镶蓝旗。湖南补用参将。正月于湖北阵亡。谥勤

愍。

郝光甲　留营效力，前陕西陕安镇总兵。二月初一日于安徽桐城阵亡。开复原官，谥武节。

曾麟书　湖南湘乡县诸生。二月初四日卒年六十八。

金宝树　署安徽六安直隶州知州，候补同知直隶州。二月十四日于十五铺阵亡，年五十八。予云骑尉世职。

孙　蒙　广西右江道。二月于柳州殉难，年六十一。赠太仆寺卿。

余炳焘　河南按察使。四月初七日卒年六十七。

庄仲方　候选内阁中书。四月初九日卒年七十八。

苗　夔　直隶肃宁县优贡生。五月初七日卒年七十五。入国史儒林传。

陈应奎　福建永平县知县。五月殉难。赠知府衔。

金光箭　字廉石。直隶天津人。按察使衔署安徽庐凤道。闰五月初四日于正阳关阵亡，年四十二。谥刚愍，予骑都尉世职。

恒　春　云贵总督。六月初一日自尽，年六十二。

叶长春　字松年。浙江仁和人。江苏苏松镇总兵。六月卒。谥敏烈。

周士法　字渠庵。浙江黄岩人。浙江定海镇总兵。六月卒。谥壮勇。

乌尔棍泰　字景臣。满洲镶蓝旗。内阁学士兼正红旗满洲副都统。六月卒。

王国才　云南人。贵州安义镇总兵。六月二十五日于湖北黄梅之濯港阵亡。赠提督，谥刚介。

刘腾鸿　江西候补直隶州知州。七月十三日于瑞州阵亡，年三十八。赠光禄寺卿，追谥武烈（追谥在同治四年正月）。

石　均　署贵州都匀府知府。八月初一日遇害。

王　鑫　按察使衔候补道。八月初四日卒于江西乐安军营，年三十三。赠布政使衔，谥壮武。

蒋福长 广西右江镇总兵。八月初十日于梧州殉难。谥壮烈，予骑都尉世职。

沈炳垣 詹事府左春坊左中允，广西学政。八月初十日于梧州遇害，年三十九。追赠内阁学士，谥文节，予骑都尉世职（赠谥在八年八月）。

黄锺音 广西按察使。八月十口日殉难，年五十四。

童　槐 降调通政司副使，前任湖北按察使。八月十五日卒年八十五。

卓　橒 丁忧吏部右侍郎。八月卒年五十一。

王肇谦 署福建延建邵道，候补知府。八月卒年五十一。赠光禄寺卿，入国史循吏传。

讷尔经额 候补四品京堂，前太子太保，文渊阁大学士，直隶总督。九月卒。

苏惇元 安徽桐城县监生。九月十六日卒年五十七。入国史儒林传。

容　照 满洲正白旗，季佳氏。副都统衔头等侍卫。十月卒于安徽宿州军营。

秦定三 福建陆路提督，骑都尉。十月卒于安徽军营。谥恭武。

帅远燡 江西委用道。十月初七日于东乡阵亡，年四十一。予骑都尉世职，追谥文毅（追谥在同治口年口月）。

王维祺 浙江黄岩县诸生。十月二十三日卒年七十九。

朱道文 字鲁存。安徽桐城人。桐城县诸生。十月二十九日卒。入国史儒林传。

孙福谦 署广东南雄直隶州知州候补知县。十二月初八日卒，年五十八。赠知府衔。

福　魁 署贵州思南府知府。十二月十四日殉难。予尉世职。

程矞采 前湖广总督。十二月卒。

胡元熙 原任浙江杭州府知府。十二月卒。

洪庆华 升授湖南武岗州知州（升补时庆华已卒），原任沅陵县知县。十二月卒年七十。

陶　樑　原任礼部左侍郎。卒年八十六。

周尔墉　在籍户部候补郎中。卒年六十三。

陆费瑔　前湖南巡抚。卒年七十四。

杨文定　前江苏巡抚。卒于戍所，年五十四。

陆应穀　直隶按察使，前河南巡抚。卒。追赠巡抚衔（追赠在
　　　　九年四月）。

朱式璟　福建延平府知府。殉难。赠太仆寺卿，予骑都尉世职。

刘庆凯　山东补用同知，前署山东兖沂曹济道。卒年六十一。
　　　　入国史循吏传。

马国翰　丁忧陕西陇州知州。卒年六十四。

朱美鏐　福建泰宁县知县。卒年六十六。

毕定邦　福建保升副将。于福建阵亡。谥愍烈。

呢阿布　西安协领。于安徽巢县东关阵亡。照副都统赐恤。

咸丰八年戊午（公元一八五八年）

● 生辰：

阎迺竹　正月初二日生，字君节，号成叔。陕西朝邑人。

成　昌　正月二十日生，字子蕃。号叔骥。满洲镶黄旗，萨克达氏。

文　焕　正月二十一日生，字种芸，号仲云、子章。满洲镶黄旗，李佳哈喇氏。

康有为　二月初五日生，字广厦，号长素。广东南海人。

李经畬　二月二十九日生，字伯雄，号新吾。安徽合肥人。

贵　铎　三月初五日生，字孟夔，号振之。满洲正黄旗，姜佳氏。

崔永安　三月初六日生，字书孙，号磐石。汉军正白旗。

黄曾源　三月十七日生，字石孙，汉军正红旗。享年七十九。

饶宝书　五月初六日生，字经衡，号简香。广东兴宁人。享年五十五。

赵　渊　五月二十日生，山西河曲人。

程槭林　五月二十六日生，字森砢，号小山、邵珊。贵州思南人。

田　庚　七月初三日生，字少白。安徽怀远人。

张　僖　八月十九日生，字亦穌，号韵舫、燮梅。山东潍县人。

陈同礼　八月二十一日生，字润甫，号肃甫。安徽怀宁人。

载　澂　八月三十日生，宣宗皇孙。享年二十八。

易顺鼎　九月初五日生，湖南龙阳人。享年六十三。

崇　寿　七月初九日生，字鹤汀。满洲镶黄旗。享年四十三。

刘学洵　九月三十日生，字慎初，倩仝。广东香山人。

梁敦彦　十月初二日生，字崧生。广东顺德人。享年六十七。

王　垿　十月初八日生，字爵生，号杏坊、觉生。山东莱阳人。

李经野　十月十二日生，字莘甫，号雨村。山东荷泽人。

江峰青　十月十四日生，字省三，号湘岚。安徽婺源人。

田文烈　十月十九日生，湖北汉阳人。享年六十七。

沈瑜庆　十月二十九日生，字爱苍，号涛园。福建侯官人。享年六十一。

曾　鑑　十一月十二日生，字焕如。四川华阳人。

连培型　十一月十六日生，江西南城人。

宋育仁　十一月二十三日生，字子晟，号芸岩、芸之。四川富顺人。

绍　昌　生，字仁亭。满洲正白旗，觉罗氏。

萧荣爵　生，字漱笾。湖南长沙人。

刘子雄　生，字健卿，号介卿。四川德阳人。享年三十二。

顾　璜　生，字渔溪。河南祥符人。

升　允　生，享年七十四。

于齐庆　生，字安甫，号海帆。江苏江都人。

罗正钧　生，湖南湘潭人。

尹　良　生，满洲镶黄旗，裕瑚鲁氏。

王舟瑶　生，字星垣，号玫伯、默庵。浙江黄岩人。享年六十八。

施典章　生，字子谦。四川泸州人。

冯国璋　生，字华甫。直隶河间人。享年六十二。

黄方庆　生，字毅成。浙江黄岩人。享年三十三。

高凤岐　生，字啸桐。福建长乐人。

张士珩　生，字楚宝，安徽合肥人。

汪诒书　生，字颂年。湖南善化人。

● 科第：

中式举人：

沈保靖　江苏人。福建布政使。

潘观保　字辛芝。江苏吴县人。内阁中书，河南河北道。

翁曾翰　内阁中书，内阁侍读。

刘恩溥　内阁中书，广西梧州府知府。

徐士銮　直隶天津人。内阁中书，浙江台州府知府。

易佩绅　江苏布政使。

崧　骏　浙江巡抚。

徐　锦　浙江嘉兴人。

钱卿鋈（一作钱卿餗）字伯声。浙江秀水人。江苏候补道。

贺良桢　湖北人。并补行乙卯科。贵州按察使。

黄庆光　湖南人。贵州兴义府知府。

袁保庆　河南人。并补行乙卯科。光禄寺署正，山东候补道。

陆襄钺　陕西人。知县，浙江粮道。

徐韦佩　广西人。甘肃平凉府知府。

　　中式副榜贡生：

徐用福　浙江人。候选内阁中书。

龙锡庆　湖南人。浙江布政使。

　　中式翻译举人：

铨　林　满洲镶蓝旗。国子监助教，内阁学士。

◉ 恩遇：

张祥河　吏部侍郎。以捐田赡族，二月赐御书"谊笃宗支"额。

和　春　钦差大臣，江南提督。二月以攻克秣陵关晋太子太保
　　　　衔（十年三月削）。

　　四月以克复江西九江府城：

官　文　湖广总督。加太子少保衔；

胡林翼　湖北巡抚。加太子少保衔。

汪兆柯　原任广东东安县知县。以本年为嘉庆戊午科乡举周甲
　　　　之岁，九月重赴鹿鸣筵宴。

翁心存　大学士。十二月赐御书匾额。

李光久　已故浙江布政使李续宾之子。十二月赏给举人。工部
　　　　员外郎，浙江按察使。

奕　訢　恭亲王。十二月赐御书"九如天保"额。

◉ 著述：

郑　珍　撰《说文逸字》二卷成，见正月自序。

蔡寿祺　自编《梦绿草堂诗钞》十二卷成，见春日朱琦序。

郑知同　撰《说文逸字附录》一卷成，见七月自识。

何秋涛　撰《北徼汇编》成，见九月祁寯藻序。

陈　澧　撰《声律通考》十卷成，见十月自序。

潘　霨　撰《卫生要术》一卷成，见十月自序。（按：是书为王祖源重刻易名《内功图说》）。

李善兰　撰《火器真诀》一卷成，见十二月自序。

李佐贤　撰《古泉汇》六十四卷成，见鲍康序。

朱壬林　编《当湖文絮初编》二十八卷成，见己巳十二月顾广誉序。

鲁一同　自编《通甫诗存》四卷成，见自序。（按：书成后附刻《通甫诗存之余》二卷）。

韩荣光　自编《黄花二集》三卷成，见何仁山序。

徐　鼒　撰《小腆纪年附考》二十卷成，见自序。

◉　卒岁：

方　隤　候选同知，浙江仁和县诸生。正月初一日卒年六十一。

音德布　满州镶蓝旗。甘肃肃州镇总兵。正月卒。谥勤勇。

佟攀梅　留营效力，前贵州提督。正月二十一日于麻哈州阵亡。开复原官，谥忠壮。

虎坤元　直隶通永镇总兵。二月十口日于江宁秣陵关阵亡，年二十七。谥忠壮。

舒兴阿　候补内阁学士，前任云南巡抚，前陕甘总督。二月卒，年六十。

吴人彦　署云南顺宁府知府。三月殉难。予云骑尉世职。

邓筠玲　署贵州印江县知县。三月初八日于分水垭阵亡，年四十二。予云骑尉世职。

叶名琛　前太子少保衔体仁阁大学士，两广总督，一等男。三月二十三日于英国绝食卒，年五十二。（按：叶名琛于上年十二月被英人执赴外洋）。

张文焕　尽先即补副将。四月初二日于湖北麻城阵亡。谥刚愍。

步际桐　前河南归陈许道，复授甘肃庆阳府知府。四月初三日
　　　　卒，年五十七。

潘希甫　原任内阁中书。四月初十日卒，年四十九。

楚勒刚阿　即补协领。四月于安徽六安阵亡。谥壮武。

裕　诚　字芸台。满洲镶黄旗，佟佳氏。太子太保衔文华殿大
　　　　学士，袭一等承恩公。五月十口日卒。赠太保，谥文
　　　　端，寻入祀贤良祠。

耆　英　前太子太保衔文渊阁大学士，复赏侍郎衔办理夷务，
　　　　宗室。五月十九日以罪令自尽，年七十二。

杜　堮　太傅礼部尚书衔，赏食全俸，原任礼部左侍郎。五月
　　　　二十日卒，年九十五。赠大学士，谥文端，寻入祀贤
　　　　良祠。

吉　祥　浙江严州协副将。六月初口日于福建麻沙阵亡。谥壮
　　　　武。

赵印川　按察使衔，福建延建邵道。六月初口日于福建麻沙阵
　　　　亡，年五十四。追谥果毅（追谥在同治口年）。

庞大堃　原任国子监学录。六月初八日卒年七十二。入国史儒
　　　　林传。

孙瑞珍　原任户部尚书。六月十五日卒，年七十六。赠太子太
　　　　保衔，谥文定。

明安泰　蒙古镶蓝旗。甘肃巴里坤镇总兵。六月卒。谥刚介。

福　连　字韵涛。满洲正蓝旗。贵州按察使。六月卒。

薛　湘　广西浔州府知府。七月卒年五十三。

潘道耕　江苏新阳县诸生。七月十三日卒年七十一。

萧开甲　湖南人。署理总兵，广西平乐协副将。七月十四日于
　　　　安徽庐州阵亡。谥忠壮。

张祥晋　江苏候补道，前广西左江道。八月初一日卒，年四十
　　　　二。

陈庆铺　办理福建团练事宜候选道，原任掌陕西道监察御史，
　　　　降调工科给事中。八月初三日卒年六十四。赠光禄寺

卿衔。

文哲珲　满洲镶红旗。广西宾州营参将。八月二十日于江苏浦口阵亡。谥刚介。

台斐音保　记名副都统，吉林双城堡总管。八月二十日于江苏浦口阵亡。谥武愍。

鸟尔恭额　副都统衔协领，镶蓝旗宗室。八月二十日于江苏浦口阵亡。谥刚愍。

孔继镕　补用知府，南河候补同知。八月二十日于浦口阵亡，年五十七。赠太仆寺卿。

徐　甬　安徽六合县廪生。八月二十九日遇害，年五十五。

光聪谐　前直隶布政使。九月初二日卒年七十八。

緜　洵　字亦泉。镶白旗宗室。荆州将军，九月卒。谥庄武。

龙启瑞　江西布政使。九月卒年四十五。入国史儒林传。

袁绩懋　署福建延建邵道。九月十二日遇害，年四十二。赠按察使。

杨炳堃　原任湖南盐法道。九月十三日卒年七十三。

罗玉斌　湖北人。直隶宣化镇总兵。九月十八日于江苏六合阵亡。赠提督衔，谥壮勇。

温绍原　盐运使衔记名道。九月十九日于江苏六合殉难，年六十一。赠布政使衔，予云骑尉世职，追谥壮勇（追谥在同治口年）。

李守诚　候补同知直隶州，安徽六合县知县。九月十九日殉难，年四十。予云骑尉世职。

俞大文　六品顶带，江苏昭文县孝廉方正，优贡生。九月二十三日卒年四十四。

萧意文　字章甫。湖南湘乡人。参将。十月初口日以受伤卒于安徽三河镇军营。赠副将，谥刚勇，予骑都尉世职。

彭友胜　即补参将。十月初十日于安徽三河镇阵亡。赠副将，谥果毅，予骑都尉世职。

彭志德　即补参将。十月初十日于安徽三河镇阵亡。赠副将，谥武烈，予骑都尉世职。

周福高 字子祥。湖南湘乡人。升用参将游击。十月初十日于
安徽三河镇阵亡。赠副将，谥敏烈，予骑都尉世职。

刘神山 闽浙伫先即补副将。十月初十日于安徽三河镇阵亡，
年二十二。赠总兵，谥忠壮，予骑都尉世职。

李续宾 巡抚衔浙江布政使。十月初十日于安徽三河镇阵亡，
年四十一。赠总督，谥忠武，予骑都尉兼一云骑尉世
职，追加二等轻车都尉世职。（追加在同治三年七月，
后并为三等男）。

曾国华 候选同知。十月初十日于安徽三河镇阵亡，年三十七。
赠道衔，予骑都尉世职，追谥愍烈（追谥在十一年八
月），追加兼一云骑尉世职（追加在同治二年七月）。

何忠骏 知府衔候选同知直隶州。十月初十日于安徽三河镇阵
亡。赠太仆寺卿，予云骑尉世职。

孙守信 候选道。十月十三日于安徽三河镇阵亡。赠太常寺卿，
予骑都尉世职。

丁锐义 候补运同。十月十三日于安徽三河镇阵亡，年三十八。
赠盐运使加赠太常寺卿，予云骑尉世职。

雷风云 字南山。湖南长沙人。即补副将。十月十三日于安徽
三河镇阵亡。赠总兵，谥威毅。

朱骏声 国子监博士衔，原授江苏扬州府教授，由安徽黟县训
导升补以病未任。十月十六日卒于黟县，年七十一。
入国史儒林传。

李存汉 即补副将。十月十九日于安徽桐城阵亡。谥果愍。

赵友才 即补参将。十月十九日于安徽桐城阵亡。谥果勇。

徐广缙 四品卿衔，邦办怀凤剿匪事宜，前太子太保衔两广总
督，一等子。十月卒。

谢年丰 广西候补参将。十月于马平阵亡。谥果毅。

田宝臣 江苏泰州廪生。十月卒年六十七。

徐泽醇 礼部尚书。十一月初六日卒，年七十二。谥恭勤。

邓绍良　浙江提督。十一月十二日于安徽湾址阵亡，年五十八。赠太子少保衔，谥忠武，予骑都尉兼一云骑尉世职。

戴文英　直隶通永镇总兵。十一月十二日于安徽湾址阵亡。谥武烈。

杨昌泗　提督衔陕西延绥镇总兵。十一月二十四日卒于河南开封军营，年七十六。谥刚介。

程庭鹭　江苏嘉定县廪生。十二月初三日卒年六十三。

牛　鑑　二品顶带按察使衔，前两江总督。卒年七十四。

乔晋芳　原任湖南长沙府知府。卒年六十。

凌树棠　四川酉阳直隶州知州。阵亡，年六十二。赠太仆寺卿衔，予云骑尉世职。

鲍起豹　安徽六安人。前湖南提督。卒。

都隆阿　字楷堂。满洲正蓝旗。原任云南开化镇总兵。卒。

董兆熊　六品顶带，江苏吴江县孝廉方正。卒年五十三。

李祖陶　江西上高县举人。卒年八十三。

沈曰富　江苏吴江县举人。卒年五十一。

钱　绮　江苏元和县诸生。卒年六十一。

咸丰九年己未（公元一八五九年）

◉ **生辰：**

张履泰　正月十二日生。

徐德沅　正月十五日生，字伯江。安徽太湖人。

徐继孺　正月二十日生，字幼穉。山东曹县人。

李立元　二月初七日生，字仁宇，号赟孙。贵州开州人。

载　瀛　二月十一日生，宣宗皇孙。

翁斌孙　二月十三日生，字弢甫，号人豪、笏斋。江苏常熟人。
　　　　享年六十四。

张元奇　三月初三日生，字珍午。福建侯官人。

汪凤梁　三月初四日生，字思任，号兰楣。江苏元和人。

盛炳纬　三月十六日生，字星璇，号心泉、养园。浙江镇海人。

载　津　四月初九日生，宣宗皇孙。

王　照　五月初八日生，字黎青，号小航。顺天宁河人。

刘光第　五月十一日生，字裴村。四川富顺人。享年四十。

华　辉　五月十四日生，字佳稣，号再云。江西崇仁人。

李盛铎　五月二十日生，字嶰樵，号椒微。江西德化人。享年
　　　　七十八。

凤　山　五月二十九日生，字禹门。汉军镶白旗，刘氏。享年
　　　　五十三。

梁鼎芬　六月初六日生，字星海，号节庵。广东番禺人。享年
　　　　六十一。

赵鹤龄　六月初六日生，字孟云，号与九。云南鹤庆人。

吴　炳　六月二十日生，字子蔚，号珠浦、啸峰。云南宝山人。

吴嘉瑞　七月初四日生，字吉符，号雁舟。湖南长沙人。

陈　冕　七月初十日生，字冠生、灌孙，号梦莱。顺天宛平人
　　　　（原籍浙江山阴）。享年三十五。

胡湘林　七月十九日生，字葵甫。江西新建人。

瑞　洵　八月初九日生，字信卿，号景苏。满洲正黄旗，博尔
　　　　济吉特氏。享年七十八。

袁世凯　八月二十日生，字慰亭。河南项城人。享年五十八。

杜本崇　八月二十九日生，字乔生。湖南善化人。

余　堃　九月初二日生，字子厚。四川巴县人。

吴品珩　九月十一日生，字韵瑝，号纬苍、亦园。浙江东阳人。

梁　济　十月初十日生，字巨川。广西人。享年六十。

曹广权　十月十三日生，字德舆，号东瀛。湖南长沙人。

汪大燮　十月二十七日生，字伯棠。浙江钱塘人。享年七十。

寿　耆　十一月初六日生，正蓝旗宗室。

荣　庆　十二月初八日生，字实夫，号华卿。蒙古正黄旗，鄂
　　　　卓尔氏。

胡玉缙　生。享年八十二。

王芝祥　生，顺天人。

恽毓嘉　生，字孟乐，号衎圃。顺天大兴人。

启　绥　生，字仲履。满洲正白旗。

姚文枏　生。

儒　林　生，字子为。满洲镶蓝旗。享年七十九。

黄忠浩　生，字泽生。湖南黔阳人。享年五十三。

谢宝胜　生，字子蓝。安徽凤阳人。享年五十四。

李　详　生，字慎言，号审言。江苏兴化人。享年七十三。

◉　科第：

　　一甲进士：

孙家鼐　状元。修撰，武英殿大学士。宣统辛亥重逢乡举。

孙念祖　榜眼。编修。

李文田　探花。编修，礼部右侍郎。

　　二甲进士：

朱学笃　编修，甘肃宁夏府知府。

光　熙　工部主事，湖南永州府知府。

张丙炎　编修，广东广州府知府。光诸甲辰重宴鹿鸣。

龚易图 庶吉士，云南知县，湖南布政使。

王师曾 编修，工科给事中。

楼　震 编修，广东肇庆府知府。

黄毓葆 字季真，号凤樵、剑云。山东邹县人。刑部主事。

余九毅 户部主事，江苏扬州府知府。

杨鸿吉 吏部主事，大理寺少卿。

蔡　琳 字子韩，号紫函。江苏上元人。

丁寿祺 刑部主事，云南迤南道。

周家楣 庶吉士，礼部主事，通政使。

苗颖章 刑部主事，四川顺庆府知府。

梁僧宝 （原名梁思问）。广东顺德人。礼部主事，鸿胪寺少卿。

胡毓筠 编修，山西雁平道。

马传煦 会元。编修。

叶毓桐 吏部主事，甘肃安肃道。

于荫霖 编修，广西巡抚。

周瑞清 庶吉士，刑部主事，太常寺卿。

黄锡彤 编修，四川道御史。

黄元善 户部主事，贵州粮道。宣统辛亥重逢乡举。

陈　倬 户部主事，户部郎中。

左　隽 庶吉士，礼部主事，山西冀宁道。

李汝弼 刑部主事，鸿胪寺少卿。

特　亮 字勤弼，号黼廷、鑑堂。满洲镶红旗，刘佳氏。庶吉士，工部主事，翰林院侍读学士。

恽彦琦 礼部主事，湖北汉黄德道。

贾　瑚 编修，山东登州府知府。

汪仲洵 吏部主事，兵科给事中。

谢辅垱 工部主事。

严　辰 庶吉士，刑部主事。

田国俊 庶吉士，工部主事，贵州按察使。

洪　绪 户部主事，江西广饶九南道。

唐启荫　甘肃巩秦阶道。

福　锟　宗室。吏部主事，体仁阁大学士。

朱靖旬　直隶知县，直隶按察使。

英　启　编修，广东盐运使。

　　三甲进士：

谢　钺　刑部主事，四川按察使。

王麟祥　兵部主事，四川叙州府知府。

万培因　礼部主事，四川按察使。

许贞元　字葆仁。河南祥符人。山西宁乡县知县

凌行均　户部主事，户部郎中。

颜士璋　刑部主事，甘肃巩昌府知府。

定　保　户部主事，福建兴泉永道。

陈桂芬　知县，河南彰德府知府。

皮宗瀚　户部主事。

汤似瑄　刑部主事，湖南常德府知府。

武士选　山东安邑人。

江延傑　江西新城人。

邵子懿　（碑录作邵子彝）。吏部主事，江西建昌府知府。

　　翻译进士：

广　寿　字绍彭。满洲镶黄旗。庶吉士，口部主事，吏部尚书。

额勒精额　字裕如。广东按察使。

　　武进士：

韩金甲　山东历城人。状元。头等侍卫。

杜遇春　直隶河间人。榜眼。二等侍卫，广东督标右营参将。

李上嵩　四川邛州人。探花。二等侍卫。

曹凤甲　传胪。三等侍卫。

　　中式举人：

徐用仪　刑部主事，兵部尚书。

蔡世保　字滋斋。浙江仁和人。内阁中书，江南盐道。

戴燮元　字和甫。江苏丹徒人。内阁中书，江南候补道。

清代人物大事纪年

王鸣珂　江苏人。国子监博士，吉林吉林府知府。

顾寿桢　浙江会稽人。

蔡世俊　字义臣。浙江仁和人。户部主事，江苏常镇道。

强汝询　江苏赣榆县训导。

方胙勋　江苏江宁人。河南知县，河南许州直隶州知州。

胡　澍　户部候补郎中。

陈佐平　安徽宿松人。安徽宣城县教谕，山东朝城县知县。

胡兰枝　拣选知县。

沈树镛　内阁中书。

赵之谦　浙江人。江西候补知县。

钱保塘　字锡江，号兰伯。浙江海宁人。四川什邡县知县。

杨象济　字利叔，号汲庵。浙江秀水人。

陈尔幹　字仲祯，号柏堂。浙江山阳人。

鲍昌照　字明卿。浙江嘉兴人。

陆心源　广东知县，广东高廉道。

褚荣槐　龙游县教谕。

郭式昌　福建人。浙江知县，浙江金衢严道。

唐步瀛　四川乐山人。湖南劝业道。

　　中式副榜贡生：

吴养原　顺天人。刑部主事。

王星诚　。

崇　绚　广东雷琼道。

◉　恩遇：

　　九月以明年为嘉庆庚申恩科乡举重逢：

沈　岐　致仕左都御史。赏加尚书衔并赐御书匾额；

宋翔凤　知州衔原任湖南新宁县知县。赏加知府衔。

　　以上二人俱于本年重赴鹿鸣筵宴。

金衍宗　原任浙江温州府教授；

陶庆麒　原任浙江衢州府教授；

刑天一　原任直隶元城县教谕。

以上三人俱以明年为嘉庆庚申恩科乡举重逢，于本年重赴鹿鸣筵宴。

◉ 著述：

李光庭　撰《吉金志存》四卷成，见三月自撰书后。

李善兰　撰《代数积拾级》十八卷成，见四月自序。

锺文烝　撰《春秋谷梁经传补注》二十四卷成，（按：书成后续有修改，至同治戊辰七月始定）。

沈兆澐　辑《篷窗续录》二卷成，见六月自序。

鲁一同　自编《通甫类稿》四卷成，见九月汤修序。

李善兰　译《重学》二十卷附《曲线说》三卷成，见十一月钱照辅序。

郑　珍　撰《郑学录》四卷成，见郑知同后跋。

◉ 卒岁：

舒化民　原任浙江杭嘉湖道。正月卒年七十八。

朱壬林　原任直隶清河道。二月初十日卒年八十。

柏　葰　前文渊阁大学士，军机大臣，二月十三日以罪处斩（因顺天乡试科场舞弊案）。

李孟群　留营效力前安徽布政使。二月十六日于庐州阵亡，年三十二。开复原官，谥武愍，追予骑都尉兼一云骑尉世职（追予世职在同治元年）。

文　晟　署广东嘉应直隶州知州，正任惠州府知府。二月十六日殉难。予骑都尉世职，追谥壮烈（追谥在同治口年）。

庆　祺　直隶总督。二月十口日卒年五十五。赠太子太保衔，照尚书例赐恤，谥恭肃。

柏　山　满洲正黄旗。留营效力前河南河北镇总兵。二月于安徽阵亡。开复原官，谥果愍。

福　瑞　山西太原营参将。二月于河南阵亡。谥果愍。

邱联恩　留营效力前河南南阳镇总兵，袭三等男。二月二十五日于杀虎桥阵亡，年四十八。开复原官，谥武烈。

孙鼎臣　丁忧翰林院侍读。三月十七日卒年四十一。入国史文

苑传。

李右文 知州衔湖南东安县知县。二月二十二日殉难，年五十八。赠道衔，予云骑尉世职。

李　钧 河东河道总督。三月卒年六十五。

何彤云 丁忧兵部左侍郎。三月卒年三十七。

柏　贵 广东巡抚。三月卒。

德　安 满洲正黄旗。湖北提督。四月十一日于安徽天长阵亡。谥威毅，予骑都尉兼一云骑尉世职。

载　锐 多罗成郡王，宗室。四月十口日卒。谥曰恭。

周曾毓 吏部稽勋司员外郎。四月十八日卒，年六十五。

鞠殿华 候补提督，原任山西大同镇总兵。五月于江南军营自尽。

龙汝元 顺天人。直隶大沽协副将。五月二十口日于天津阵亡。赠总兵，谥武愍。

史荣椿 顺天大兴人。直隶提督。五月二十口日于天津阵亡。谥忠壮，予骑都尉兼一云骑尉世职。

李逢春 江西升用参将。六月于景德镇阵亡。赠副将，谥壮愍。

李清凤 原任刑部右侍郎。六月卒年五十九。

张广信 汉军镶（正）黄旗。福建提督。六月卒，谥勤勇。

郭沛霖 五品顶带前江苏淮扬道。六月十八日于安徽定远阵亡，年五十一。开复原官，予云骑尉世职。

马光宗 四川升用参将。七月于安徽阵亡。谥果毅。

吴伟奇 四川升用副将。七月于安徽阵亡。谥果毅。

钱宝琛 原授湖北巡抚，由江西巡抚调补以病未任。七月二十七日卒年七十五。

叶名沣 浙江试用道。八月初一日卒，年四十九。入国史文苑传。

索　文 甘肃皋兰人。甘肃提督。八月卒。赠太子少保衔，谥武靖，予云骑尉世职。追夺衔职（追夺在光绪七年三月）。

杨殿邦　前漕运总督。九月卒于安徽军营。赠道衔。

王星诚　浙江山阴县副贡生。九月卒年二十九。

龚经远　原任山东荷泽县知县。九月十三日卒年七十八。

张维屏　在籍江西候补同知，原署南康府知府。九月十八日卒年八十。入国史文苑传。

庆　瑞　满洲正黄旗。口口镇总兵。十月卒。

伊瑃额　满州镶蓝旗。四川成都副都统。十月卒。

石玉龙　江西补用副将，建昌营游击。十月于安徽泾县之蓝山岭阵亡。赠总兵加提督衔，予骑都尉世职，追谥刚介（追谥在同治口年）。

博　奇　记名副都统，黑龙江协领。十月于江南六合阵亡。谥果肃。

邓联科　广西俟先补用副将参将。十月于江南六合阵亡。谥壮愍。

蔡其骠　广西义宁协副将。十月于江南六合阵亡。追谥刚愍（追谥在同治口年）。

马天贵　四川成都人。署四川重庆镇总兵，阜和协副将。十月于叙州阵亡。赠提督衔，谥武烈。

俞　澍　直隶天津人。候选同知直隶州，安徽蒙城县知县。十月卒。追赠道衔（追赠在同治三年），入国史循吏传。

胡显高　广西候补副将。十月于广西阵亡。谥果毅。

彭声发　湖南补用参将。十月于广东阵亡。谥壮勇。

周天培　湖北提督。十月二十七日于江南浦口阵亡。赠太子少保衔，谥武壮，予骑都尉兼一云骑尉世职。

陈云彪　江南提标副将。十一月于江宁阵亡。谥果毅。

于昌麟　字澄秋。直隶武强人。总兵衔即选副将，山西宁武营参将。十一月于安徽定远阵亡。赠提督衔，予骑都尉兼一云骑尉世职，追谥壮勇（追谥在同治口年）。

江炳琳　字玠侯。四川江津人。知府补用，贵州遵义县知县。十一月阵亡。

花沙纳　吏部尚书。十二月初口日卒年五十四。谥文定。

禄　义　袭奉恩辅国公，宗室。十二月卒。

李载熙　詹事府赞善，广西学政。十二月卒年四十七。

託云保　满洲正黄旗，额吉图氏。原任宁夏将军。十二月卒。谥刚恪。

王世耀　知府衔原任山西汾阳县知县。卒年七十九。

富　春　蒙古镶红旗。前头品顶带，宁古塔副都统。卒。

陆元纶　江苏长洲县副贡生。卒年五十九。入国史儒林传。

张步瀛　江苏金匮县副贡生。卒年五十七。

洪齮孙　江苏阳湖县副贡生。卒年五十六。

顾锡祉　江苏昆山县布衣。卒年八十四。

咸丰十年庚申（公元一八六〇年）

◉ **生辰：**

汪康年　正月初三日生，字穰卿，号恢伯。浙江钱塘人。享年五十二。

李经羲　二月十七日生，字伏生，号仲仙、兰生。安徽合肥人。享年六十四。

雷补同　三月十一日生，字颸臣，号谱桐。江苏华亭人。

严　修　三月十二日生，字梦扶，号范孙。直隶天津人。享年七十。

郑孝胥　三月十二日生，字苏戡。福建闽县人。享年七十九。

江　标　闰三月十七日生，字建霞，号萱圃、师郫。江苏元和人。享年四十。

刘若曾　四月初二日生，字仲鲁，号沂盦。直隶盐山人。

张朝墉　四月初三日生，字伯翔。四川奉节人。享年八十三。

刘嘉斌　四月二十七日生，字惠如。江苏丹徒人。

俞明震　五月初九日生，字恪士。顺天宛平人。享年五十九。

王铁珊　五月十六日生，安徽英山人。

戚　扬　五月十七日生，字升淮。浙江山阴人。

武玉润　六月十二日生，字德清。河南祥符人。

史履晋　六月二十一日生，字康侯。直隶乐亭人。

杨士骧　六月二十七日生，字莲甫，号萍石。安徽泗州人。享年五十。

周树模　七月初四日生，字少朴，号沈观。湖北天门人。享年六十六。

朱家宝　八月二十二日生，字经田，号砚农、墨农。云南宁州人。

胡元玉　八月十五日生，字韵生，号仰吾。湖南湘潭人。

王清穆　九月二十日生，字丹揆。江苏崇明人。

袁玉锡　十月十六日生，字季九，号晋蕃。湖北襄阳人。

方培恺　十月二十日生，字鄂青，号梯丞、丽生。河南罗山人。

景　禩　十月二十五日生，字锦云，号佩珂、闽生。满洲镶蓝旗，兀扎拉氏。

李稷勋　十月二十五日生，字伯桼，号瑶琴。四川秀山人。

张　瀛　十一月初三日生，字雨洲，号蓬仙。云南石屏人。

葆　初　十一月初九日生，字效先，号冬心。满洲镶黄旗，阿鲁特氏。享年四十一。

陈锺信　十二月二十四日生，字子实，号孟孚。四川富顺人。

王世琪　生，字丙青。湖南宁乡人。

朱恩绂　生，字菊尊。湖南长沙人。

裕　厚　生，字筱鹏。蒙古正黄旗，郭卓尔氏。享年五十八。

崇　芳　生。

尚其亨　生，汉军镶黄旗。

赵启霖　生，字芷生，湖南湘潭人。享年七十六。

钰　昶　生。

高润生　生，字雨人，号菉坡。顺天固安人。享年七十九。

孙葆瑨　生，福建侯官人。

寿　山　生，字眉峰。汉军正白旗。享年四十一。

◉ 科第：

　　一甲进士：

锺骏声　状元。修撰，侍读学士。

林彭年　榜眼。编修，贵州镇远府知府。

欧阳保极　探花。编修，侍读学士。

　　二甲进士：

黎培敬　编修，江苏巡抚。

黎　翔　字椒园。贵州遵义人。两淮候补盐大使。

林天龄　编修，侍读学士。

崔穆之　编修，湖南岳常澧道。

余焕文　礼部主事。

刘秉璋　编修，四川总督。

赵亮熙　（碑录作赵良熙）。工部主事，浙江处州府知府。

李希莲　山西平定人。户部主事，陕西布政使。

陆懋宗　编修。

阿克丹　宗室。宗人府主事，理藩院尚书。

高心夔　归班知县，江苏候补直隶州知州。

惠　泉　（原名惠林），字杏田。蒙古正白旗。编修，理藩院右
　　　　侍郎。

姚清祺　（原名姚乾高），号凤泉。浙江余杭人。庶吉士，合肥
　　　　县知县。

刘湘年　编修，广东潮州府知府。

王　珊　编修。

郭从矩　编修，湖南盐法道。

王维珍　礼部主事，通政司副使。

王荣琯　编修，河南河北道。

毛鸿图　内阁中书，江西广饶九南道。

祁世长　编修，工部尚书。

王汝讷　工部主事，山东东昌府知府。

杜庭琛　字云皋。山东滨州人。编修。

沈源深　吏部主事，兵部右侍郎。

彭泽春　刑部郎中，云南澂江府知府。

彭世昌　编修，广西右江道。

毕保厘　编修，江苏苏州府知府。

徐宗一　湖北黄安人。

毛亮熙　字寅叔，号葛侯、月湖。河南武陟人。工部主事。

凌行堂　工部主事。

章乃奋　刑部主事，江南道御史。

李　楒　礼部主事，陕西西安府知府。

李　祉　编修，光禄寺少卿。

李德洞　安徽太湖人。户部主事，河南汝宁府知府。

徐致祥　会元。编修，兵部右侍郎。

宝　森　字子青，号震甫。镶蓝旗宗室。编修，盛京刑部侍郎。

吕锺三　吏部主事，陕西陕安道。

　　三甲进士：

傅大章　吏部主事，工科给事中。

徐延旭　广西知县，广西巡抚。

秦　焕　户部主事，广西按察使。

路　桓　陕西周至人。庶吉士。

毕　棠　工部主事，浙江金华府知府。

孙诒经　检讨，户部左侍郎。

章耀廷　刑部主事，光禄寺少卿。

吴　镇　检讨，陕西盐道。

王庆祺　检讨，侍讲。

周　冠　检讨，河南汝宁府知府。

蒋启勋　兵部员外郎，湖南衡永郴桂道。

张绪楷　户部主事，太常寺卿。

刘　绪　刑部主事，大理寺少卿。

谭继洵　户部主事，湖北巡抚。

吴元炳　检讨，安徽巡抚。

许廷桂　检讨，云南临安府知府。

崇　文　满洲正蓝旗，季佳氏。左庶子。

　　翻译进士：

松　湺　字寿泉。满洲镶蓝旗，伊尔根觉罗氏。编修，荆州将
　　　　军。

◉ 恩遇：

奕　誴　正月封和硕惇亲王。

何桂清　两江总督。正月晋太子太保衔（四月革）。

何秋涛　刑部候补主事。正月呈进所著书八十卷，赐名《朔方
　　　　备乘》，命在懋勤殿行走。

　　二月以本年三旬万寿：

春　佑（热河都统）之母、安兴阿（热河副都统）之母、梁　瀚
　　　（户部左侍郎）之祖母 。俱以年逾八旬，各赐御书匾
　　　额。
　　二月以本年三旬万寿大臣中年逾七十者：
桂　良　大学士；
许乃普　吏部尚书；
张祥河　工部尚书。
　　　三人俱加太子太保衔。
　　六月以三旬万寿：
袁甲三　漕运总督。其母郭氏、以年逾八旬，赐御书匾额；
周天受　湖南提督。其父文喜。以年逾八旬，赐御书匾额。

◉ 著述：
黄昌麟　撰《处世心箴》二卷成，见正月自序。
杨履泰　江苏丹徒人。撰《周易倚数录》二卷附图一卷成，见
　　　　六月自序。
胡林翼　撰《读史兵略》四十六卷成，见十一月自序。
董　恂　撰《江北运程》四十卷成，见自序。

◉ 卒岁：
梁同新　候补四品京堂，降调顺天府尹。正月十二日卒年六十
　　　　一。
蒋蔚远　贵州巡抚。正月卒年五十七。追谥勤愨（追谥在同治
　　　　十三年三月）。
吴明亮　伫先补用参将。正月于安徽潜山阵亡。谥刚愍。
西林布　副都统衔协领。正月于安徽潜山阵亡。照副都统例赐
　　　　恤。
喀尔库　副都统衔协领。正月于安徽潜山阵亡。照副都统例赐
　　　　恤。
李德仪　翰林院侍读学士，四川学政。正月十八日卒年四十。
吴修考　候补副将。二月于浙江湖州阵亡，年三十五。
魁　龄　满洲镶白旗。浙江嘉兴协副将。二月二十囗日于杭州

阵亡。谥恭介。

仲孙懋　字兰舫。江苏吴江人。浙江宁绍台道。二月二十口日于杭州阵亡。赠二品衔，予骑都尉世职。

徐树楠　丁忧知府衔浙江杭州府东防同知。二月二十七日于杭州阵亡。赠光禄寺卿衔。

罗遵殿　浙江巡抚。二月二十七日殉难，年六十三。追赠右都御史衔，予骑都尉世职，谥壮节（赠谥在同治元年）。

王友端　署浙江布政使，浙江粮道。二月十七日殉难，年四十三。谥贞介。

缪　梓　按察使衔署浙江盐运使，金衢严道。二月二十七日殉难，年五十四。追赠太常寺卿（追赠在同治八年四月），予骑都尉世职，追谥武烈（追谥在同治十年）。

叶　堃　顺天宛平人。浙江杭嘉湖道。二月二十七日于杭州殉难。

马昂霄　浙江杭州府知府。二月二十七日殉难。

李伟文　字右卿。顺天通州人。浙江候补知县，原署口口县知县。二月二十七日于杭州殉难。赠道衔，予云骑尉世职。

沈荣海　浙江人。署浙江抚标中军参将游击。二月二十七日殉难。追谥壮愍（追谥在同治口年）。

和　致　浙江宁海营参将。二月二十七日于杭州殉难。追谥忠勤（追谥在同治口年）。

戴　熙　二品顶带致仕兵部右侍郎。二月二十九日于杭州殉难，年六十。赠尚书衔，谥文节，予骑都尉兼一云骑尉世职。

戴　煦　浙江钱塘县增贡生。三月初一日殉难，年五十六。入国史文苑传。

俞　焜　降调湖南衡永郴桂道。三月初一日于杭州原籍遇害，年六十。赠光禄寺卿，追谥文节（追谥在同治五年）。

札勒坚图　杭州协领。三月殉难。谥壮勇。

赛沙奋　杭州协领。三月殉难。谥刚介。

荣　陞　四川侭先补用副将。三月于安徽阵亡。谥壮愍。

王凤祥　直隶宝坻人。四川川北镇总兵。三月于安徽亳州阵亡。谥恭勤，予骑都尉世职。

王庆长　陕西侭先补用游击。三月于安徽阵亡。谥武烈。

尚那布　江苏溧阳县知县。三月二十二日殉难，年五十四。赠太仆寺卿，追谥勇烈（追谥在同治口年）。

恽光宸　原任江西巡抚。闰三月卒年五十三。

钱宝青　都察院左副都御史。闰三月卒年三十九。

桂　喜　广西拣发参将。闰三月于河南阵亡。谥武烈。

黄　靖　陕西陕安镇总兵。闰三月十五日于江宁阵亡。谥刚愍。

马登富　四川人。四川懋功协副将。闰三月十五日于江宁阵亡。谥壮愍。

王　浚　直隶万全人。湖北提督。闰三月二十九日于江苏丹阳阵亡。予云骑尉世职。

熊天喜　安徽寿春镇总兵。闰三月二十九日于江苏丹阳阵亡。赠提督，谥勤勇，予骑都尉世职。

蔡其荣　广西侭先补用副将。闰三月二十九日于江苏丹阳阵亡。追谥威烈（追谥在同治口年）。

马　钊　内阁中书衔，江苏长洲县举人。闰三月二十九日于丹阳阵亡，年四十八。予云骑尉世职。

陈克家　内阁中书。闰三月二十九日于江苏丹阳殉难，年四十九。赠知府衔，予云骑尉世职，入国史文苑传。

邓尔晋　浙江候补知府。闰三月二十九日于江苏丹阳殉难，年四十。赠太仆寺卿。

张国樑　（原名张嘉祥）江南提督，二等轻车都尉。闰三月二十九日于江苏丹阳策骑渡河溺于水，年三十八。赠太子太保衔，谥忠武，予骑都尉兼一云骑尉世职，追加三等轻车都尉世职（追加在同治三年七月，后并为一等男兼一云骑尉）。

和　春　字雨亭。满洲正黄旗。革职留任江宁将军，前太子太
　　　　保衔钦差大臣，二等轻车都尉。四月初六日以受伤卒
　　　　于无锡军营。开复处分，谥忠壮，予骑都尉兼一云骑
　　　　尉世职。

赵振祚　原任詹事府左春坊左赞善。四月初六日于江苏常州原
　　　　籍殉难，年五十六。赠太仆寺卿衔。

徐有壬　江苏巡抚。四月十三日遇害，年六十一。赠右都御史，
　　　　谥庄愍，予骑都尉兼一云骑尉世职。

朱　钧　护理江苏按察使盐运使衔苏州府知府。四月十三日殉
　　　　难。赠太常寺卿。

蔡兆辂　浙江人。浙江嘉兴府教授。四月二十六日殉难。

萧启江　布政使衔记名按察使。四月二十七日卒于四川军营。
　　　　赠巡抚衔，谥壮果。

萧翰庆　盐运使衔记名道。四月于浙江长兴阵亡，年三十四。
　　　　谥壮节，予骑都尉世职。

韩荣光　原任掌四川道监察御史。四月卒年六十七。

李嘉万　记名总兵，广东南雄协副将。五月于安徽泾县阵亡。
　　　　谥壮勇。

刘德亮　保先补用参将。五月于安徽枞阳阵亡。谥威毅。

黄淳鸿　广东候补游击。五月于广东阵亡。赠副将衔，谥刚烈。

全　兴　留营效力，前贵州青江协副将。五月于修文阵亡。开
　　　　复原官，谥庄勇。

田兴奇　总兵衔贵州副将。五月于寿溪阵亡。谥刚介。

刘代英　贵州普安县知县。五月阵亡，年三十七。予云骑尉世
　　　　职。

黄秩林　奏补湖北松滋县知县（奏补后以丁忧未任，原署襄阳
　　　　县知县）。五月卒，年四十七。

张玉藻　前署浙江嘉兴府知府，正任宁波府知府。五月二十四
　　　　日以罪命于浙江处斩，年六十六。

夏锡麒　湖北施南府知府。卒年三十五。

东　纯　满洲镶蓝旗，海拉苏氏。新授成都将军，兼署四川总督。六月以赴任卒于湖北途次。谥恭介。

廖荣陞　四川侭先补用参将。六月于安徽阵亡。谥刚烈。

刘文彬　副将衔江西候补参将。六月于广西阵亡。赠总兵，谥刚介。

顾淳庆　陕西潼关同知。六月十六日卒年五十七。

张金镛　原任翰林院侍讲。六月二十七日卒年五十六。

陈垣弼　江苏上海县诸生。七月初二日于陈泾庙御贼被戕年四十九。予云骑尉世职。

乐　善　直隶提督。七月初五日于天津大沽口殉难。赠太子少保衔，谥威毅，予骑都尉兼一云骑尉世职。

阿克东阿　满洲镶蓝旗。健锐营翼长　七月于天津阵亡。谥威恪。

扎精阿　头等侍卫。七月于天津阵亡。追谥庄勇（追谥在同治口年）。

文　彩　工部尚书，镶白旗宗室。七月十口日卒。谥安恪。

周天孚　江南侭先补用参将。七月于金坛阵亡。追谥威毅（追谥在同治口年）。

承　惠　河南河北镇总兵。七月于野猪冈阵亡。谥忠武。

苗玉荣　副将衔侭先补用游击。七月于野猪冈阵亡。谥确敏。

马昇平　甘肃永固协副将。七月于安徽阵亡。谥武烈。

庆　连　满洲正黄旗。即补副将，云南广南营参将。七月于云南阵亡。追谥果愍（追谥在同治口年）。

褚克昌　署云南提督，腾越镇总兵。七月二十四日于宾川阵亡。赠太子太保衔，谥武烈，予骑都尉兼一云骑尉世职。

李宗谟　湖南安化人。浙江石门县知县。七月二十五日殉难。

田玉梅　运同衔补用直隶州知州，河南太康县知县。八月初六日于汝阳沙官桥阵亡，年三十二。赠太常寺卿，予云骑尉世职。

王荣烈　山东乐陵人。河南候补知府。八月于汝阳阵亡。追谥忠毅（追谥在同治口年）。

百　顺　顺天人。河南汝宁营参将。八月于汝阳阵亡。追谥壮勇（追谥在同治口年）。

朱景山　候补副将，署湖南永州营游击。八月初九日于安徽宁国之竹塘阵亡。追谥威肃（追谥在同治口年）。

福　咸　调署安徽徽宁池太广道，正任江南盐巡道。八月十三日于宁国殉难，年三十八。赠太仆寺卿，予骑都尉世职。

颜培文　安徽宁国府知府。八月十三日殉难。年四十五。

周天受　革职留任湖南提督。八月十三日于安徽宁国殉难。开复处分，赠太子少保衔，谥忠壮，予骑都尉兼一云骑尉世职。

杨得武　留营效力前总兵衔记名副将。八月十三日于安徽桐城阵亡。开复原官，追谥刚愍（追谥在同治口年）。

胡绍英　原任安徽太和县训导。八月于绩溪之大庄头御贼被戕，年六十九。予云骑尉世职。

张朝纲　副将衔两广督标参将。八月以解饷至江苏遇贼被戕。谥刚勇。

叶万青　浙江黄岩人。江南福山镇总兵。八月于福山阵亡。追谥武烈（追谥在同治口年）。

文　丰　汉军正黄旗。正白旗满洲副都统，总管内务府大臣。八月于圆明园殉难。赠太子少保，追谥忠毅（追谥在同治元年二月）。

金衍宗　原任浙江温州府教授。九月初四日卒年八十一。

金　谔　原任安徽蒙城县训导。九月十二日卒年七十八。

来　存　杭州副都统。九月卒。

吴　熊　湖南绥宁县知县。九月三十日阵亡，年五十七。赠知府衔。

刘季三　署直隶通永镇总兵。十月初九日于浙江富阳阵亡。追谥忠毅（追谥在同治口年）。

刘芳贵　江苏宝应人。浙江副将。十月初九日于富阳阵亡。追

谥忠壮（追谥在同治口年）。

朱炳琦 浙江富阳县解元。十月初九日殉难。

赵秉贻 江西南丰人。知州衔四川候补知县。十月卒于涪州防次。追赠知府衔（追赠在同治八年）入国史循吏传。

胡国安 拟保副将湖南即补参将。十月于道州阵亡。追谥刚愍（追谥在同治口年）。

陈寿熊 江苏吴江县诸生。十月二十四日殉难，年四十九。入国史儒林传。

蒋光煦 候选训导，浙江海宁州贡生。十一月十二日卒，年四十八。

李枝青 浙江西安县知县，前绍兴府南塘通判。十一月十五日卒，年六十。

格绷额 头品顶带，墨尔根城副都统。十一月十六日于山东钜野之金山阵亡。予骑都尉世职，追谥壮愍（追谥在同治口年）。

有　凤 袭奉恩镇国公，前成都将军，镶红旗宗室。十一月卒。

吕德科 即补副将。十一月于贵州黄金屯阵亡。追谥忠勤（追谥在同治口年）。

季芝昌 原任闽浙总督。十一月三十日卒年七十。追谥文敏（追谥在光绪二年十二月）。

袁希祖 署兵部左侍郎，内阁学士。十二月卒年五十二。

朱锦琮 原任山东东昌府知府。卒年八十一。

杨传第 河南候补知府。卒年三十七。

朱绪曾 原任浙江台州府同知。卒。

黄家声 四川会理州知州。殉难，年五十八。赠道衔。

宋翔凤 知府衔原任湖南新宁县知县。卒年八十五。入国史儒林传。

姚光晋 浙江上虞县教谕。卒年八十一。

陆　嵩 前江苏镇江府训导。卒年七十。入国史文苑传。

全玉贵 贵州镇远人。安徽寿春镇总兵。卒。

王梦熊　甘肃金塔寺协副将。于江南阵亡。追谥壮愍（追谥在同治口年）。

陈安邦　江南俟先即补副将。于江南阵亡。追谥壮武（追谥在同治口年）。

罗桂元　广西宾州营参将。于江南阵亡。追谥愍烈（追谥在同治口年）。

陈开选　湖南俟先即补参将。于江南阵亡。追谥果愍（追谥在同治口年）。

张顺和　贵州俟先即补参将。于江南阵亡。追谥威毅（追谥在同治口年）。

俞正禧　五品衔候选知县。安徽歙县举人。卒年七十二。

朱庆时　浙江海盐县举人。卒年四十。

朱昌豫　试用训导。浙江海盐县廪贡生。卒年四十六。

咸丰十一年辛酉（公光一八六一年）

● **生辰：**

刘启端　正月初一日生，字正卿。江苏宝应人。

善　佺　正月初六日生，字芝樵。镶白旗宗室。

刘嘉琛　正月初八日生，字赍南，号幼樵。直隶天津人。享年七十六。

黄家傑　正月十六日生，字俊珊。江西新淦人。

吴　煦　二月初九日生，字子和。云南保山人。享年八十四。

饶士端　三月初七日生，字直方，号正廷。江西南城人。

端　方　三月十一日生，字陶斋，号午桥。满洲正白旗，托活洛氏。享年五十一。

载　澄　三月二十日生，字湛浦，号怡庵，宣宗皇孙。享年四十九。

萧丙炎　三月二十六日生，字新之。江西庐陵人。

张其淦　四月二十三日生，字汝襄，号豫泉。广东东莞人。

柏锦林　四月二十六日生，字云卿，号瀛仙。山东济阳人（原籍直隶枣强）。

丁象震　五月二十二日生，字春农。河南永城人。

朱益藩　五月二十四日生，字文卿。江西莲花人。享年七十七。

许受衡　六月初十日生，江西龙南人。

刘元亮　六月二十二日生，字鞠农。山东章邱人。享年四十八。

刘　华　七月初六日生，陕西韩城人。

王士珍　七月十四日生，字聘卿。直隶正定人。享年七十。

王乃徵　八月二十五日生，字聘三，号平珊。四川中江人。享年五十。

刘元弼　九月初一日生，湖北谷城人。

郑文钦　九月初八日生，字敬轩，号瑞亭。汉军正红（黄）旗。

渠本翘　九月十一日生，字楚南。山西祁县人。

孙廷翰　十月初十日生，字问青。浙江诸暨人。

陶福履　十月二十九日生，字绥之。号稚箕。江西新建人。

谭启瑞　十一月十四日生，字嶽生，号芝云。贵州镇远人。

饶芝祥　十一月十五日生，字九芝，号符九。江西南城人。

欧阳熙　十一月十六日生，字旭庵。江西彭泽人。

杨　芾　十一月十七日生，字若米。江苏高邮人。

章　楶　十一月初七日生，字一山。浙江宁海人。

刘名誉　十一月二十九日生，字与言，号嘉树。广西临桂人。

江朝宗　十二月二十五日生，字宇澄。安徽旌德人。享年八十
　　　　四。

丁仁长　十二月二十六日生，字伯厚，号潜客。广东番禺人。

何彦昇　生，字秋辇。江苏江阴人。

詹天佑　生。字达朝，号眷诚。安徽婺源人。享年五十九。

恒　龄　生，字友兰，号锡九。满洲正蓝旗，荆州驻防，舒穆
　　　　禄氏。享年五十一。

徐绍桢　生，字固卿。广东番禺人。享年七十六。

◉ 科第：

　　考取拔贡生：

徐承煜　字兰士。汉军正蓝旗。户部小京官，刑部左侍郎。

丁鹤年　同治甲子举人。工部小京官，浙江湖州府知府。

丁之杕　字荫亭，号次轩。顺天武清人。户部小京官，口口府
　　　　知府。

陈　璠　字六笙。广西人。浙江知县，四川布政使。

傅泽鸿　字少卿。湖南湘乡人。口口知府。

　　中式举人：

范志熙　湖北武昌人。国子监学正，江苏候补道。

林达泉　广东人。江苏知县，署福建台北府知府。

邓承修　字孝起，号铁香。广东归善人。　邢部郎中，鸿胪寺
　　　　卿。

陈廷珍　广西郁林人。补行壬子、己未两科。云南迤南道。

中式翻译举人：

丰绅泰　字和廷。满州镶红旗。浙江杭嘉湖道。

武进士：（补行庚申武殿试）

马鸿图　字鼎臣。直隶抚宁人。状元。头等侍卫，甘肃镇海协
　　　　副将。

刘英杰　直隶束鹿人。榜眼。二等侍卫，福建督标右营参将。

德　绶　满洲正蓝旗。探花。二等侍卫，四川口㟭营参将。

◉ 思遇：

林春溥　在籍翰林院编修。以明年为嘉庆壬戌科甲榜重逢应重
　　　　赴恩荣筵宴，三月赏加四品卿衔。

八月以克复安庆省城：

官　文　大学士，湖广总督。晋太子太保衔（同治四年四月削）；

曾国藩　两江总督。加太子少保衔；

胡林翼　湖北巡抚。晋太子太保衔。

唐　仁　候选内阁中书，原任广西镇安府教授。以本年为嘉庆
　　　　辛酉科乡举重逢，九月重赴鹿鸣筵宴。

爱新觉罗载淳　皇长子。十月初九嗣登大位，以明年为同治元
　　　　年。

奕　䜣　恭亲王。十月授议政王（同治四年三月撤，四月改军
　　　　机大臣）。

◉ 著述：

徐　鼒　自编《未灰斋文集》八卷、《外一集》一卷成，见九月
　　　　自序。

时曰醇　撰《百鸡术衍》二卷成，见九月自序。

冯桂芬　撰《校邠庐抗议》二卷成，见十月自序。

杜文澜　编《古谣谚》一百卷成，见刘毓崧序。

朱　焘　撰《北窗呓语》一卷成，见周荣椿跋。

◉ 卒岁：

伊什旺布　二品顶带察哈尔总管。正月十一日于山东荷泽阵亡。

唐　鑑　二品衔原任太常寺卿，前任江宁布政使。正月十八日

卒，年八十四。谥确慎，入国史儒林传。

滕家胜 江南徐州镇总兵。二月初八日于山东东平之杨柳集阵
亡。赠总督，予骑都尉兼一云骑尉世职，追谥武烈（追
谥在同治口年）。

伊兴额 三品衔前头品顶带正红旗蒙古副都统。二月初八日于
山东东平之杨柳集阵亡年五十五。开复原官，追谥壮
愍（追谥在同治口年）。

陈　时 布政司理问衔，江苏宜兴县诸生。二月十四日卒年七
十六。

张应禄 候补副将。二月于浙江嘉兴阵亡。追谥壮愍，（追谥在
同治口年）。

王之敬 江南福山镇总兵。二月于浙江太湖阵亡。追谥果愍（追
谥在同治口年）。

田应科 湖南拟保副将参将。二月三十日于江西景德镇阵亡。
赠副将，追谥果毅（追谥在同治口年）。

胡占鳌 湖南拟保参将。二月三十日于江西景德镇阵亡。追谥
勤勇（追谥在同治口年）。

萧传科 湖南游击。二月三十日于江西景德镇阵亡。追谥忠壮
（追谥在同治口年）。

陈大富 字馀庵。湖南武陵人。安徽皖南镇总兵。二月三十日
于江西景德镇殉难。赠提督，予骑都尉兼一云骑尉世
职，追谥威肃（追谥在同治口年）。

毛克宽 贵州大定协副将。三月于定番阵亡。追谥壮勇（追谥
在同治口年）。

田兴胜 贵州俟先补用游击。三月于定番阵亡。追谥武烈（追
谥在同治口年）。

锡龄阿 满洲正白旗，觉罗查氏。乍浦副都统，袭二等轻车都
尉世职。三月阵亡。追谥武烈（追谥在同治口年）。

罗近秋 拟保副将。三月初十日于江西乐平阵亡。追谥威烈（追
谥在同治口年）。

邓尔恒　调授陕西巡抚，由贵州巡抚调补。三月二十二日于云南曲靖府署遇害，年五十四。追谥文悫，（追谥在同治元年），予骑都尉世职。

王懿德　原任闽浙总督。三月二十六日卒年六十四。谥靖毅。

郭式源　江西补用道。四月初一日于瑞州之太阳塘阵亡，年三十八。赠按察使衔，予骑都尉世职。

龙　森　浙江龙游县知县。四月十七日殉难。

郭相忠　甘肃人。四川提督。四月卒。追谥忠毅（追谥在同治口年）。

成　凯　绥远城将军，镶红旗宗室。四月卒。谥敬靖。

黄金友　直隶佽先补用副将。四月于浙江阵亡。追谥武烈（追谥在同治口年）。

黄醇熙　按察使衔湖南记名道。五月十五日于四川定远县之二郎场阵亡，年四十五。赠布政使衔内阁学士，谥忠壮。

李希郊　浙江处州府知府。五月十六日阵亡。赠太仆寺卿。

孙家泰　安徽寿州人。前刑部候补员外郎。六月初十日于安徽寿州狱中自尽。追复原官，赠四品卿衔（追赠在同治二年七月）。

王开化　湖南湘乡人。布政使衔候选道。六月卒于安徽婺源军营。追谥贞介（追谥在同治元年正月）。

杨　炘　二等侍卫，袭一等昭勇侯。六月于四川阵亡。谥威肃。

占　泰　蒙古正黄旗。前任四川提督。七月以追贼遇害。谥威烈。

蒋锡绶　安徽安庆府知府。七月卒年四十三。

爱新觉罗奕詝　大行皇帝咸丰。七月十七日于热河避暑山庄崩。圣寿三十有一，尊谥曰显，庙号文宗。

何冠英　二品顶带，署贵州巡抚。七月卒年六十五。

石广均　在籍兵部候补主事。七月卒年六十八。入国史儒林传。

继　善　奉恩镇国公，宗室。七月卒。

庆　惠　袭多罗克勤郡王，宗室。八月初口日卒。谥曰敬。

胡林翼　太子太保衔，头品顶带湖北巡抚，骑都尉。八月二十六日卒，年五十。赠总督，入祀贤良祠，谥文忠，追加一等轻车都尉世职（追加在同治三年七月）。

朱庆松　浙江海盐县举人。八月卒年三十八。

郝上庠　署山东曹州镇总兵，沂州协副将。九月于堂邑之丁家庙阵亡。予骑都尉兼一云骑尉世职，追谥勤勇（追谥在同治口年）。

朱鸣雷　前署安徽宁国府知府，候补知府。九月十四日卒年六十七。朱崇荫填讳。

巴栋阿　满洲正黄旗。署江宁将军，京口副都统。九月二十日卒。

廖宗元　署浙江绍兴府知府，归安县知县。九月二十八日殉难。

载　垣　前御前大臣，袭和硕亲王，宗室。十月初六日以罪令自尽（注：以跋扈不臣，谋危社稷）。

端　华　前御前大臣，袭和硕亲王，镶蓝旗宗室。十月初六日以罪令自尽（注：以跋扈不臣，谋危社稷）。

肃　顺　前御前大臣，协办大学士，户部尚书，镶蓝旗宗室。十月初六日以罪处斩（注：以跋扈不臣，悖逆狂谬）。

刘书年　记名道，原任贵州贵阳府知府。十月初七日卒年五十一。

杨金榜　浙江侭先补用副将。十月于杭州阵亡。谥壮勇。

赓　福　满洲镶蓝旗。原任理藩院尚书。十月二十日卒。

富　陞　满洲镶黄旗。河南南阳镇总兵。十一月于江南阵亡。谥忠壮。

张玉良　浙江提督骑都尉。十一月二十口日以受伤卒于杭州之闻家堰军营。谥忠壮。

铙廷选　浙江提督。十一月二十八日于杭州阵亡，年五十八。赠太子少保衔，谥庄勇，予骑都尉兼一云骑尉世职。

彭斯举　盐运使衔浙江候补道。十一月二十八日于杭州阵亡，年四十三，予云骑尉世职。

豫　立　字茶村。浙江候补知府，前江苏镇江府知府。十一月二十八日于杭州阵亡。追予云骑尉世职（追予世职在同治四年六月）。

文　瑞　浙江处州镇总兵。十一月二十八日于杭州阵亡，年四十二。谥果毅。

继　兴　署福建漳州镇总兵。十一月二十八日于浙江杭州殉难。赠提督，谥愍烈。

王有龄　头品顶带革职留任浙江巡抚。十一月二十八日殉难，年五十二。开复原官，谥壮愍，予骑都尉世职。

麟　趾　署浙江布政使，杭嘉湖道。十一月二十八日殉难，年三十二。追谥壮介（追谥在同治三年十月）。

宁曾纶　浙江按察使，十一月二十八日殉难，年五十二。追谥义烈（追谥在同治口年）。

暹　福　浙江粮道，十一月二十八日殉难。追予云骑尉世职（追予世职在同治五年四月）。

胡元博　前浙江粮道，十一月二十八日于杭州殉难。追予云骑尉世职（追予世职在同治三年十二月）。

朱　琦　浙江候补道，前任掌福建道监察御史。十一月二十八日于抗州殉难，年五十九。赠太常寺卿，入国史文苑传。

张锡庚　刑部右侍郎，浙江学政。十一月二十八日于抗州殉难，年六十一。追谥文贞（追谥在同治二年四月）。

张　洵　在籍翰林院编修。十一月二十八日于杭州殉难，年四十二。追谥文节（追谥在同治八年二月）。

邵懿辰　前刑部员外郎。十二月初一日于杭州原籍殉难，年五十二。追复原官（追复官在同治四年正月）予云骑尉世职。入国史儒林传。

傑　纯　乍浦副都统。十二月初二日于杭州阵亡。谥果毅。

瑞　昌　满洲镶黄旗。杭州将军，一等轻车都尉。十二月初二日殉难。赠太子太保衔加一等轻车都尉世职，谥忠壮

（后并世职为三等子）。

关　福　杭州副都统，十二月初二日殉难。追予骑都尉世职（追
　　　　予世职在同治四年七月）。

赫特赫讷　二品衔原任浙江淮扬海道。十二月初二日于浙江杭
　　　　州殉难，年六十四。

林春溥　在籍四品卿衔翰林院编修。十二月卒年八十七。入国
　　　　史儒林传。

梁廷枏　内阁侍读衔候选内阁中书。原任广东澄海县训导。卒。
　　　　入国史文苑传。

胡　班　候选太常寺博士，浙江仁和县诸生。卒年四十。

沈　涛　江苏补用道，原授福建兴泉永道未任。卒。入国史儒
　　　　林传。

许正绶　浙江湖州府教授。卒年六十七。

黄金台　浙江平湖县岁贡生。卒年七十三。

穆宗同治元年壬戌（公元一八六二年）

● 生辰：

齐耀琳　二月初二日生，字贡西，号震岩。奉天伊通人。

吴筠孙　二月十九日生，字竹杨，号叔坚。江苏仪征人。

徐宗溥　三月十一日生，字博泉，号师约。浙江仁和人。享年六十五。

沈　卫　五月初九日生，字淇泉。浙江秀水人。享年八十四。

张　权　六月初六日生，字君立。直隶南皮人。

陈荣昌　六月十四日生，字桐村，号筱圃。云南昆明人。

刘学谦　七月初九日生，字地山，号益斋、退庵。直隶天津人。享年五十五。

马吉樟　八月初五日生，字积生，号子城。河南安阳人。

许晋祁　八月初十日生，字介侯。广西临桂人。

葛嗣溁　八月二十五日生，字弢甫，号云威。浙江平湖人。享年二十九。

刘锦藻　八月二十七日生，字澄如。浙江乌程人。享年七十三。

吴同甲　闰八月十四日生，字第先，号棣轩。江苏泰州人。

喻兆番　闰八月二十二日生，字庶三。江西萍乡人。

阿　联　十月初九日生，字简斋、简臣。满洲镶红旗，伊尔根觉罗氏。享年七十八。

世　荣　十月十六日生，字仁甫，号耀东。蒙古镶白旗。

陈庆年　十二月十五日生，字善馀。江苏丹徒人。享年六十八。

江志伊　十二月二十八日生，字乐尧，号莘农。安徽旌德人。

况周仪　生，字夔笙。广西临桂人。

文　海　生，字星阶，号森陔。满洲镶蓝旗。享年七十七。

刘永庆　五，字延年。河南人。享年四十五。

宋　衡　生，字平子。浙江平阳人。享年四十九。

● 科第：

一甲进士：

徐　郙　状元。修撰，礼部尚书，协办大学士。

何金寿　榜眼。编修，江苏扬州府知府。

温忠翰　探花。编修，湖北按察使。

二甲进士：

陈　彝　编修，安徽巡抚。

许庚身　内阁中书，兵部尚书。

陈学棻　编修，工部尚书。

刘瑞祺　编修，山西巡抚。

吴鸿恩　编修，山西冀宁道。

平步青　编修，江西粮道。

薛斯来　编修，直隶顺德府知府。

王兆兰　顺天宛平人。河南汝宁府知府。

游百川　编修，仓场侍郎。

张家骧　编修，吏部右侍郎。

董兆奎　编修，福建延平府知府。

龙湛霖　编修，刑部右侍郎。

周德润　编修，刑部右侍郎。

黄槐森　编修，广西巡抚。

吴澍霖　湖北武昌人。湖南永顺府知府。

唐国翰　字子藩。广西临桂人。庶吉士，口部主事，江南盐巡
　　　　道。

崑　冈　宗室。编修，文渊阁大学士。

王福保　字介卿。湖北黄陂人。庶吉士，礼部主事，江南盐巡
　　　　道。

仇炳台　庶吉士。

曹秉濬　字朗川。广东番禺人。编修，江西南康府知府。

王　昕　编修，礼科给事中。

王　琛　字雪庐。河南鹿邑人。庶吉士，吏部主事，浙江温州
　　　　府知府。

鹿传霖　庶吉士　广西知县，东阁大学士。

朱逌然　编修，詹事。

尹炳甲　云南赵州人。编修，贵州安顺府知府。

童毓英　字子俊。江西南昌人。庶吉士，掌广东道御史。

王宪曾　（原名王允谦）。陕西青涧人。　庶吉士，内阁中书，贵
　　　　州铜仁府知府。

陈锡麒　直隶知县，直隶天津府同知。

谢维藩　编修。

梅雨田　湖北黄梅人。

王道源　编修，河南粮道。

廖坤培　编修。

周　濬　直隶宁津人。

谭钧培　编修，云南巡抚。

崔志道　编修，四川雅州府知府。

马相如　字襄伯，号兰溪。汉军正蓝旗。编修，陕西按察使。

　　　三甲进士：

马丕瑶　山西知县，广东巡抚。

刘景宸　字屋安。河南安阳人。内阁中书。

孙凤翔　字文起，号棣国、梧冈。山东潍县人。检讨，河南布
　　　　政使。

刘朝昇　江西新昌人。

王　轩　山西洪洞人。即用知县，兵部主事。

李庆沅　会元。礼部主事，口口道御史。

吴毓春　刑部主事，刑部郎中。

桂　昂　字子直，号芗林、杏村。正蓝旗宗室。庶吉士，刑部
　　　　主事，马兰镇总兵。

刘泽远　吏部主事，甘肃甘州府知府。

耀　年　字体尧，号云舫。蒙古正黄旗，诺敏氏。工部主事，
　　　　兵部左侍郎。

萧濬藩　四川琪县人。户部主事，贵州石阡府知府。

恒　龄　户部主事，福建邵武府知府。

武进士：

史天祥　直隶邯郸人。状元。头等侍卫。

徐寿春　字静山。直隶乐亭人。榜眼。二等侍卫。

刘其昌　广东香山人。探花。二等侍卫。

孟志远　字士亭。直隶磁州人。传胪。三等侍卫，广东化石营
　　　　都司。

考取拨贡生：（补行咸丰辛酉科）

祝维诚　江西人。工部小京官，甘肃平庆泾固道。

李燮塈　湖北钟祥人。

萧　韶　湖南人。工部小京官，丁卯举人，江西布政使。

李长蕃　口口县训导，辰州府教授。

燕起烈　甘肃甘州府知府。

王寅清　河南人。安徽知县，安徽望江县知县。

中式举人：

縣　善　正蓝旗宗室。鸿胪寺卿。

朱窝瀛　国子监助教，河南候补知府。

文　海　内阁中书，驻藏办事大臣。

饶应祺　湖北恩施人。（并补行咸丰辛酉科）。候选主事，安徽
　　　　巡抚。

王定安　军功知县，安徽凤颍六泗道。

杨守敬　黄冈县教谕，内阁中书。

程荣寿　湖南人。（并补行己未科）。衡山县训导，贵州大定府
　　　　知府。

黄照临　湖南石门人。陕西知县，山西大同府知府。

李同文　河南人。直隶天津道。

袁保龄　内阁中书，直隶候补道。

孙锡辂　字德舆。山东郯城人。聊城县教谕。

吴重熹　工部郎中，河南巡抚。

龙继栋　广西人。（并补行戊午科）。户部候补主事。

中式副榜贡生：

方瑞兰　河南人。宝丰县教谕，安徽泗州直隶州知州。

　　保举孝廉方正：

石　渠　江苏人。

李元细　山东人。见道光己酉科。

● 恩遇：

骆秉章　四川总督。正月加太子少保衔。

德　懋　三等承恩公。三月晋封一等承恩公。

明　山　已故刑部尚书。八月追封三等承恩公。

祺　昌　已故兵部员外郎。八月追封三等承恩公。

策卜坦　已故陕西延绥镇总兵。八月追封三等承恩公。

福克精阿　已故西宁办事大臣。八月追封三等承恩公。

穆扬阿　已故广西右江道。八月追封三等承恩公。

吉郎阿　已故户部员外郎。八月追封三等承恩公。

景　瑞　已故刑部郎中。八月追封三等承恩公。

惠　徵　已故安徽徽宁池太广道。八月追封三等承恩公。

黎庶昌　贵州贡生。十月以条陈时务，特赏以知县用。

● 著述：

吴嘉善　撰《割圆八线缀术》二卷成。按：此书为徐有壬原撰，
　　　　嘉善为之述草见三月自识。又书成后左潜又为补草，
　　　　见癸酉二月潜自识。

叶金寿　浙江人。撰《曼盦壶卢铭》一卷成，见六月姚燮序。

童叶庚　撰《益智图》二卷成，见七月自序。

薛春黎　编订《吴学士（学士名鼐）文集》四卷、《诗集》五卷
　　　　成。（按：此书至光绪壬午年始刻于江宁藩署，见梁肇
　　　　煌序，今系于八月之前）。

刘　愚　自编《醒予山房文存》七卷成，见八月自序。（按：刻
　　　　成后又有续刻一卷附记于此）。

叶廷琯　字调生。江苏吴县人。自编《楙花盦诗》二卷成，见
　　　　闰八月自题。

陈乔枞　撰《今文尚书经说考》三十二卷成，见自序。

顾观光　撰《算剩初续编》二卷、《九数存古》九卷、《九数外录》一卷、《六历通考》一卷、《九执历解》一卷、《回回历解》一卷、《推步简法》一卷、《新历推步简法》一卷、《五星简法》一卷、《古韵》一卷、《七国地理考》七卷、《国策编年考》一卷、《算剩余精》一卷、《武陵山人杂著》一卷成。（按：诸书皆卒后始刻，今系于所卒之年）。

◉ 卒岁：

锺世耀　在籍兵部候补主事。正月初七日于浙江杭州殉难，年六十八。赠郎中，予骑都尉世职。

麟　魁　协办大学士，兵部尚书。正月初七日卒于甘肃兰州差次，年七十。赠大学士，谥文端。

张祥河　太子太保衔，原任工部尚书。正月十四日卒年七十八。谥温和。

伊乐尧　浙江钱塘县举人，原署仙居县训导。正月十九日卒年五十三。

胡绍勋　五品衔安徽绩溪县孝廉方正拔贡生。　正月卒年七十四。

季锡畴　字范卿，号崧耘。江苏太仓人。江苏太仓县贡生。二月卒年七十二。

恒　福　字月川。蒙古镶黄旗，额尔德特氏。原任直隶总督。三月初一日卒。谥恭勤。

王庆云　升授工部尚书，原任两广总督。三月初八日自山西汾州寄寓入京供职，于起程前一日卒年六十五。谥文勤。

孔昭慈　二品衔福建台湾道。三月二十三日于彰化殉难，年六十八。谥刚介，予云骑尉世职。

海　全　京口副都统。三月以受伤卒于扬州军营。谥壮节。

沈　岐　尚书衔致仕都察院左都御史。四月卒年八十口。谥文清。

朱　嶟　原任礼部尚书。四月二十三日卒年七十二。谥文端。

夏宝全　原任国子监学正。四月二十三日于江苏太仓州之宣家桥御贼阵亡，年五十四。赠国子监助教。

瑞　春　蒙古正蓝旗。道员用浙江湖州府知府。五月初二遇害。

鄂尔霍巴　浙江湖州协副将。五月初二日殉难。予骑都尉世职。

许承岳　浙江乌程县知县。五月初二日殉难。

凌　堃　原任浙江金华县教谕。五月于湖州原籍遇害，年七十一。入国史儒林传。

周学濂　拣选知县，浙江乌程县举人。五月殉难，年五十三。赠知府衔。

缪树本　候补直隶州知州，陕西临潼县知县。五月十三日于仓头镇遇害，年四十六。赠太仆寺卿。

张　芾　督办陕西团练事宜，原任都察院左副都御史，前江西巡抚。五月十三日于仓头镇遇害，年四十九。照侍郎例赐恤，谥文毅，予骑都尉兼一云骑尉世职。

何秋涛　丁忧刑部员外郎。六月初四日卒年三十九。入国史文苑传。

张胜禄　提督衔记名总兵。六月初口日以受伤卒于江宁军营。谥壮勇。

杨式毂　吏部左侍郎。六月十七日卒年五十八。

桂　良　字燕山。满洲正红旗，瓜尔佳氏。太子太保衔文华殿大学士。六月二十一日卒年七十口。赠太傅，入祀贤良祠，谥文端。

周之琦　原任广西巡抚。六月二十二日卒年八十一。

杨梦岩　记名道。六月于贵州阵亡。赠布政使衔，谥勇烈。

沈兆霖　署陕甘总督，户部尚书，军机大臣。七月初四日于甘肃平番县途中遇山水冲没，年六十二。赠太子太保，谥文忠，寻入祀贤良祠。

吴　秀　贵州清江协副将。七月于安徽阵亡。谥壮愍。

朱昌颐　赏复吏科给事中职衔。七月二十日卒于陕西同州府署，年七十二。

林福祥　前浙江布政使。七月二十九日以罪命于衢州军营处斩（注：以地方失陷后辗转逃匿，忍辱偷生）。

米兴朝　前浙江提督。七月二十九日以罪命于衢州军营处斩（注：以地方失陷后辗转逃匿，忍辱偷生）。

朱燮元　丁忧河南候补道。八月初口日卒年五十二。

徐　鼎　福建延平府知府。八月初九日卒年五十三。入国史文苑传。

薛春黎　山东道监察御史，江西副考官。八月卒于南昌闱中。

华　尔　（美国人），以副将补用管带常胜军。八月二十八日受伤卒于浙江宁波军营。

德克登额　满洲正白旗，李佳氏。记名副都统。闰八月二十六日于湖北孝感阵亡。

郭明鳌　总兵衔补用副将。九月初六日于安徽金柱关中炮阵亡。赠提督衔，谥刚介。

孔繁灏　字文渊，号伯海。山东曲阜人。太子太保袭衍圣公。九月卒，谥端恪。

刘　煦　直隶大顺广道。十月卒年五十二。入国史循吏传。

蔡东祥　总兵衔补用副将。十月于江苏青浦之夏湖阵亡。赠提督衔，予骑都尉兼一云骑尉世职。

何桂清　前太子太保衔两江总督。十月二十六日以罪处斩，年四十七（注：以地方失陷后辗转逃生）。

卿　保　字辅臣，号邘山。汉军镶红旗，于氏。知府衔原任河南怀庆府黄沁同知。十一月初六日卒于辉县，年七十三。

翁心存　弘德殿行走，大学士衔管理工部事务，原任体仁阁大学士。十一月初七日卒年七十二。赠太保，入祀贤良祠，谥文端。

彭蕴章　原任武英殿大学士。十一月初九日卒，年七十一，谥文敬。

秦聚奎 署直隶大顺广道。十一月于山东冠县之桑河镇阵亡，年五十二。予云骑尉世职，追谥刚烈（追谥在七年十二月）。

栗　燿　湖北安察使。十一月卒年五十五。

曾贞幹 候选知府。十一月十八日卒于江宁江东桥军营，年三十五。赠按察使，谥靖毅，加赠内阁学士衔。

勒伯勒东（法国人），署浙江总兵。十二月于绍兴阵亡。

潘铭宪 广东候补知府。十二月卒年五十。

陆秉枢 户科给事中。卒于口口军营，年四十二。

姚体备 署安徽徽宁池太广道，候补道。卒于祁门营次，赠光禄寺卿。

钱庆善 江苏候补道，前任广西思恩府知府。卒年五十七。

徐台英 委署浙江台州府知府，浙江候补同知。未赴任卒，年五十六。入国史循吏传。

徐　锦　浙江嘉兴县解元。卒年二十九。

朱运和 候选训导，浙江海盐县岁贡生。卒年六十五。

黄式三 浙江定海县岁贡生。卒年七十四。入国史儒林传。

顾观光 字宾王，号尚之。江苏金山人。金山县廪贡生。卒年六十四。入国史儒林传。

张　道　试用训导，浙江钱塘县廪贡生。卒年四十二。

同治二年癸亥（公元一八六三年）

◉ 生辰：

李于锴 正月初五日生，字冶成，号叔坚。甘肃武威人。

林开謩 正月初九日生，字益苏，号贻书。福建长乐人。享年
七十五。

王人文 正月十六日生，字采臣。云南太和人。享年七十九。

刘毅孙 二月初九日生，安徽庐江人。

铁　良 二月十八日生，字宝臣，号少亭。满洲镶白旗，穆尔
察氏。享年七十六。

赵惟熙 三月十三日生，字芝山。江西南丰人。

杨寿枢 七月初六日生，字拱北，号荫伯。江苏金匮人。享年
八十二。

郑叔忱 七月十五日生，字尔丹。福建长乐人。

于宗潼 七月十八日生，山东福山人。

恽毓鼎 八月初十日生，字薇孙。顺天大兴人。享年五十六。

徐仁铸 八月二十八日生，字掣芙，号补涵、研甫。顺天宛平
人。享年三十八。

朱崇荫 九月二十三日生，字伯勋。云南通海人。享年七十六。

陆嘉晋 十月初七日生，字裴生。号午庄。广西临桂人。享年
四十九。

熙　元 十月二十日生，字吉甫。满洲正白旗，喜塔喇氏。享
年三十八。

胡惟德 十月二十一日生，字恭甫，号莳常。浙江归安人。享
年七十二。

夏曾佑 十月二十九日生，字德丞，号穗卿。浙江钱塘人。享
年六十二。

程祖福 十一月初四日生，字听彝，号容孙。顺天大兴人（原
籍浙江钱塘）。享年八十二。

冯汝骙 十一月初九日生，字星岩。河南祥符人。享年四十九。

陈 浏 十一月十五日生，字亮伯。江苏江浦人。享年六十七。

曲江宴 十一月二十二日生，山东黄县人。

曾述棨 十二月初七日生，字霁生，号思严。河南固始人。

王英楷 生，字绍宸。奉天海城人。享年四十八。

文 冲 生，字子和。满洲镶红旗，荆州驻防。

刘 培 生，字荫轩。直隶乐亭人。

田步蟾 生，字桂舫。江苏山阳人。享年八十二。

● 科第：

一甲进士：

翁曾源 状元。修撰。

龚承钧 榜眼。编修，掌四川道御史。

张之洞 探花。编修，体仁阁大学士。

二甲进士：

周 兰 编修。

夏子鐊 字潞门。江苏高邮人。编修。

陈 翼 字苣庭。福建闽县人。编修，赞善。

廖寿恒 编修，礼部尚书。

光 炘 庶吉士，吏部主事，福建福州府知府。

边宝泉 编修，闽浙总督。

杨仲愈 庶吉士，工部主事，直隶候补道。

黄体芳 会元。编修，兵部左侍郎。

王绪曾 字柳汀，号少雯。山东临淄人。编修，河南怀庆府知府。

解 煜 编修，福建盐道。

许振祎 编修，广东巡抚。

王 炳 字蔚卿，号竹庵。陕西南郑人。编修，山西道御史。

胡隆洵 吏部主事，通政司参议。

郭怀仁 字乐山。安徽合肥人。编修。

曹 炜 字霞屏。江苏甘泉人。编修，安徽颖州府知府。

周维翰　字屏山。广西临桂人。庶吉士，口口知县，江西南康府知府。

白　桓　吏部主事，兵部右侍郎。

梅启熙　编修，山东济南府知府。

铁　祺　编修，理藩院右侍郎。

邹振岳　庶吉士，直隶知县，直隶天津府知府。

鄂　芳　字菊潭。满洲镶白旗。编修，少詹事。

奎　润　宗室。编修，礼部尚书。

吴廷芬　户部主事，左都御史。

李端棻　编修，礼部尚书。

张鹏翼　（原名张鸿翼），字贻山。河南光山人。编修，侍读。

裴荫森　光禄寺卿。

高　梧　户部主事。云南昭通府知府。

李嘉乐　字德申，号宪之。河南光州人。编修，江西布政使。

尹琳基　编修。

陈　锦　庶吉士，刑部主事，鸿胪寺卿。

刘　燡　字小甫，号悔复。湖北广济人。编修，湖南常德府知府。

冯尔昌　编修，内阁学士。

陆尔熙　字广舞。江苏阳湖人。编修。

王　綌　庶吉士，户部主事。

楼誉普　字广侯，号玉圃、豫斋。浙江嵊县人。编修，刑科掌印给事中。

刘　曾　字嗣沂，号榕楼。广西临桂人。编修，礼科给事中。

李端遇　吏部主事，工部右侍郎。

刘子铨　（原名刘子镜）。直隶沧州人。庶吉士，吏部主事，陕西汉中府知府。

刘锡金　陕西朝邑人。福建邵武府知府。

李　璲　刑部主事，广东惠州府知府。

陈振瀛　编修，江西抚州府知府。

凌卿云 河南光州人。贵州粮道。

　三甲进士：

景　善 庶吉士，口部主事，礼部右侍郎。

佘培轩 （碑录作佘培轩）口部主事，河南彰德府知府。

张观准 字叔平，号皖生。山西浑源人。检讨，户科给事中。

文　澂 检讨，刑部右侍郎。

王景贤 浙江秀水人。户部主事，广东高廉道。

胡清瑞 刑部主事，直隶河间府。

王毓藻 礼部主事，贵州巡抚。

梁钦辰 兵部主事，安徽徽宁池太广道。

张道渊 检讨，吏科掌印给事中。

萧世本 字廉甫。四川富顺人。庶吉士，刑部主事，直隶正定
　　　　府知府。

景　瑞 马兰镇总兵？（注：问号为手稿原有）。

延　茂 礼部主事，黑龙江将军。

赵国华 山东知县，山东候补道。

　武进士：

黄大元 直隶怀安人。状元。头等侍卫。

岳金堂 字镇侯。直隶元城人。榜眼。二等侍卫。

敦凤举 字鸣冈。直隶获鹿人。探花。二等侍卫。

张起鹏 直隶天津人。传胪。三等侍卫。

◉ 恩遇：

骆秉章 四川总督。六月以擒获石达开功晋太子太保衔。

李鸿章 江苏巡抚。十一月以克复苏州省城加太子太保衔。

　　十二月以明年为嘉庆甲子科乡举重逢应重赴鹿鸣筵宴：

廖鸿荃 原任太常寺卿，前工部尚书。加太子少保衔；

杨庆琛 原任光禄寺卿，前任山东布政使。赏加二品顶带。

◉ 著述：

陈　澧 撰《考正胡氏禹贡图》一卷成，见二月自序。

汪曰桢 撰《四声切韵表补正》三卷首末各一卷成，见四月自

序。

吴嘉善　撰《算书》二十一种成，见四月自序。

王锡棨　撰《泉货汇考》十二卷成，见四月自序。

丁　晏　撰《禹贡蔡传正误》一卷成，见五月自序。

陈　奂　撰《公羊逸礼考征》一卷成，见戊辰陈倬跋。

◉ 卒岁：

托克清阿　甘肃秦州直隶州知州。正月阵亡。予云骑尉世职，
　　　　追溢刚烈（追谥在四年七月），入国史循吏传。

吴宏盛　记名总兵副将。正月于贵州阵亡。谥贞介。

潘　铎　二品顶带，署云贵总督，降调河南巡抚。正月十五日
　　　　于五华书院遇害，年七十二。赠太子少保衔，谥忠毅，
　　　　予骑都尉兼一云骑尉世职。

黄　琮　原任兵部左侍郎。正月二十四日于云南昆明原籍殉难，
　　　　年六十二。追谥文洁（追谥在光绪三年八月）。

李　菡　工部尚书。二月初八日卒年六十八。谥文恪。

蒋玉龙　字云奇。四川人。署四川提督。三月卒。谥勇果。

赵景贤　布政使衔福建粮道（补授后未经赴任）。三月十八日以
　　　　自湖州原籍被执至江苏苏州遇害，年四十二。按巡抚
　　　　例赐恤，谥忠节。

熊建益　记名总兵。四月初三日于浙江新城阵亡。谥勇烈。

余际昌　河南河北镇总兵。四月初口日于河南方家寨阵亡。赠
　　　　提督衔，谥威毅，予骑都尉兼一云骑尉世职。

俞奎垣　翰林院编修。投井自尽年三十八。

张守岱　陕西陕安道。卒年四十三。赠光禄寺卿衔。

蒋　照　补用知府，湖北荆门直隶州知州。五月卒年五十九。

毛维翼　运同衔署安徽寿州知州。六月初四日殉难。赠道衔，
　　　　予云骑尉世职。

赵既发　陕西汉中镇总兵。六月于陕西阵亡。谥武毅。

张曜孙　前湖北候补道。六月卒年五十六。

陈　奂　六品顶带，江苏长洲县孝廉方正。六月二十九日卒年

七十八。入国史儒林传。

袁甲三　原任漕运总督。七月卒于河南陈州军营，年五十八。赠右都御史，谥端敏。

赖荣光　记名总兵，淮扬水师统领。七月十二日于江阴阵亡。

胜　保　太子少保衔镶黄旗蒙古都统，复授兵部左侍郎，钦差大臣督办陕西军务。七月十八日以罪令自尽（注：以办理军务贪污欺罔胆大妄为），年四十三。

陈　瑒　江苏江宁县诸生。七月二十二日卒年五十八。

屈　蟠　布政使衔选用道。八月初五日卒于江西章由渡军营，年四十七。

桂超万　署福建按察使，前任汀漳龙道。八月卒年八十。入国史循吏传。

黎　恂　原任云南东川府巧家厅同知。八月二十九日卒年七十九。

戴鹿芝　按察使衔道员用，署贵州开州知州，正任朗岱厅同知。九月于开州殉难。赠太常寺卿。予骑都尉世职。

耆　龄　福州将军，前任闽浙总督。十月卒。谥恪慎。

侯云登　甘肃宁夏道。十月二十四日遇害，年四十五。赠太常寺卿，予云骑尉世职。

苗沛霖　安徽人。前布政使衔四川川北道。十月二十六日以既降复叛于安徽蒙城伏诛。

李续宜　丁忧安徽巡抚。十月二十八日卒年四十一。照总督例赐恤，谥勇毅。

易　棠　原任陕甘总督。十一月卒，年七十。

江忠义　署广西提督，原任贵州提督，贵州巡抚。十一月卒于江西军营，年三十。照总督例赐恤，谥诚恪，追赠太子少保衔（追赠在光绪十一年）。

鄂　素　袭三等子。十一月卒。

王万清　陕西延绥镇总兵。十一月以受伤卒于安徽军营，谥勤勇。

严正基 原任通政使司通政使，前任广东布政使。十一月十九日卒。入国史循吏传。

钱泰吉 原任浙江海宁州训导。十一月二十日卒年七十三。入国史文苑传。

范泰亨 升授江西吉安府知府，（命下时泰亨已卒），原任陕西司员外郎。十二月十三日卒年四十六。

爱　仁 蒙古正红旗。乌齐格里氏。兵部尚书。以查办山西事件，十二月十口日回京，卒于直隶正定行馆。谥清恪。

奕　纪 高宗皇曾孙。四品顶带，前太子少保衔户部尚书，二等辅国将军。卒。

怡　良 字悦亭。满洲正红旗，瓜尔佳氏。原任两江总督。卒。

程　钰 字琢堂。江西鄱阳人。原任安徽徽宁池太广道。卒。

丁彦臣 布政使衔署山东粮道，候补道。卒年四十五。

袁　翼 原任浙江玉山县知县。卒年七十五。

陆锺江 广东香山县知县。卒年二十七。

鲁一同 江苏清河县举人。卒年五十九。入国史文苑传。

顾瑞清 江苏元和县举人。卒年四十七。

同治三年甲子（公元一八六四年）

◉ 生辰：

叶德辉　正月十四日生，字奂彬，号直山、郋园。湖南湘潭人。
　　　　享年六十四。

徐　坊　正月十七日生，字士言，号梧生。山西临清人。享年
　　　　五十三。

杨增新　正月十八日生，云南蒙自人。

伍铨萃　正月二十五日生，字荣健，号叔葆。广东新会人。

刘汝骥　二月十九日生，字仲良，号李青、咫天。直隶静海人。

刘福姚　二月二十一日生，字伯崇，号守勤。广西临桂人。

王龙文　五月二十日生，字泽寰，号补泉。湖南湘乡人。

华世奎　五月二十三日生，字鲁躔，号璧臣、弼宸。直隶天津
　　　　人。享年七十九。

锡　嘏　六月初二日生，字伯纯，号子常。正蓝旗宗室。

尹铭绶　六月十三日生，字佩之。湖南茶陵人。

左念谦　六月二十九日生，字丰生，号尔吉。湖南湘阴人。

叶尔恺　七月十八日生，字柏皋，号伯高、梯君。浙江仁和人。

甘大璋　七月二十六日生（一作同治六年丁卯生）。

张　检　七月三十日生，字士封，号庚易、玉叔。直隶南皮人。

何作猷　八月二十一日生，字汝宏，号仲秋。广东香山人。

田智枚　八月二十七日生，字介臣，号简轩。山东潍县人。

吴敬修　九月二十一日生，字念慈，号鞠农、悱庵。河南光州
　　　　人。享年七十三。

齐忠甲　十月十一日生，字迪生，号慎之。奉天伊通人。

杨捷三　十月二十一日生，字敏文，号少泉。河南祥符人。

李翰芬　十月二十二日生，字显宗，号守一。广东香山人。

王式通　十月二十四日生，（原名王仪通）。山西汾阳人。享年
　　　　六十八。

王守恂 十一月初三日生，字仁安，号筱槐。直隶天津人。享年七十四。

那　晋 十一月二十二日生，字锡侯。享年六十五。

李经述 十一月二十六日生，字仲彭，号静斋。安徽合肥人。

曹秉章 十二月初六日生，字理斋，号杜庵。浙江嘉善人。享年七十四。

成多禄 十二月初八日生，奉天人。

孙传兖 十二月初九日生，字尊斋，号峄甫。安徽凤台人。

孙百斛 十二月二十八日生，字林臣。奉天承德人。

麦秩岩 生，广东南海人。

李希圣 生，字亦元。湖南湘乡人。享年四十二。

增　崇 生，汉军正黄旗。享年八十一。

◉　科第：

考取拔贡生：（补行咸丰辛酉科）

陶　然 江苏人。

徐迪新 工部小京官。光绪己卯举人，工部郎中。

魏邦翰 吏部小京官。庚午举人，四川潼川府知府。

汪瑞高 安徽人。户部小京官，长芦盐远使。

中式举人：

王用诰 顺天人。

丁鹤年 见咸丰辛酉拔贡。

恽祖翼 （并补行咸丰戊午科）口口知县，浙江巡抚。

许玉璩 内阁中书，刑部郎中。

顾肇熙 字缉庭。江苏吴县人。工部主事，福建台湾道。

毛凤虎 江苏甘泉人。

王朝弼 湖南人。（并补行咸丰辛酉科）四川知县，四川江津县知县。

曾寿麟 浙江知县，浙江海宁州知州。

夏　峕 陕西巡抚。

周文浚 河南人。湖北安陆府知府。

孔庆辅 山东人。内阁中书，湖北汉黄德道。

何绍然 四川人。（并补行咸丰辛酉科）广西知县，广西太平思顺道。

卢秉政 广东惠州府知府。

陈本植 知县，奉天东边道。

中式副榜贡生：

刘寿曾 江苏仪征人。又见光绪丙子科。

◉ 恩遇：

左宗棠 闽浙总督。三月以克复杭州省城加太子少保衔。

潘锡恩 江南河道总督。五月以捐助京仓采米经费赏复原衔。

六月以克复江宁省城：（以下八条同）

曾国藩 钦差大臣，协办大学士，两江总督。晋太子太保衔，封一等侯，号毅勇；

曾国荃 浙江巡抚。加太子少保衔，封一等伯，号威毅；

李臣典 记名提督。封一等子；

萧孚泗 记名提督。封一等男；

官　文 钦差大臣，大学士，湖广总督。封一等伯，号果威；

李鸿章 江苏巡抚。封一等伯，号肃毅；

杨岳斌 陕甘总督。加太子少保衔；

彭玉麟 兵部右侍郎。加太子少保衔。

文　祥 军机大臣，工部尚书。七月加太子太保衔。

宝　鋆 户部尚书。七月加太子少保衔。

李棠阶 工部尚书。七月加太子少保衔。

鲍　超 浙江提督。以叠克江西地方州县，十月封一等子。

左宗棠 闽浙总督 以全浙军务肃清十月封一等伯，号恪靖。

◉ 著述：

赵之谦 撰补《寰宇访碑录》五卷成，见正月自序。（书成后又附有失编一卷）。

劳　格 撰《读书杂识》若干卷止。（按：此书原稿丛杂，卒后经丁宝书厘定付梓分为十二卷，见光绪丁丑九月序，

今系于四月之前)。

孙观光　撰《大中合一》二卷成，见四月自序。

顾广誉　撰《学诗详说》三十卷、《正诂》五卷成，见六月自
　　　　序。

钱振伦、钱振常　同辑《樊南文集补编并笺注》十二卷、附《玉
　　　　溪生年谱订误》一卷成，见十月振伦自序。

林昌彝　撰《海天琴思录》八卷成，见九月自序。

◉ 卒岁:

何安泰　提督衔记名总兵。正月二十八日于浙江嘉兴阵亡。赠
　　　　太子少保衔。

吴养原　刑部云南司主事，袭骑都尉兼一云骑尉世职。二月初
　　　　一日卒年四十。

金国泰　拟保副将都司。二月初九日于江西金溪阵亡。谥壮节。

吴嘉宾　内阁侍读衔候选内阁中书，前翰林院编修。二月十九
　　　　日于江西南丰之三都阵亡，年六十二。予云骑尉世职，
　　　　入国史儒林传。

李　惺　五品卿衔，原任詹事府右春坊右赞善。二月二十三日
　　　　卒年七十八。入国史文苑传。

程学启　遇缺题奏提督，江南南赣镇总兵。三月初十日以攻克
　　　　嘉兴府城受伤卒于江苏苏州军营，年三十五。赠太子
　　　　太保衔，谥忠烈，予骑都尉兼一云骑尉世职，追加三
　　　　等轻车都尉世职(追加在七月，后并为三等男)。

张行科　记名总兵。以受伤三月卒于江苏常州军营，年三十。
　　　　予骑都尉世职。

张遇春　提督衔记名总兵。以受伤四月卒于江苏苏州军营。予
　　　　骑都尉世职。

张安保　江苏仪征县诸生。四月卒年七十。

多隆阿　钦差大臣，西安将军，骑都尉。以受伤四月十五日卒
　　　　于周至军营，年四十七。赠太子太保，予一等轻车都
　　　　尉世职，谥忠勇，追加兼一云骑尉(追加在七月，后

并为一等男）。

舒　保　字辅廷。满洲。都统衔镶红旗护军统领。四月二十一日于湖北麦山阵亡。赠太子少保衔，谥贞恪，予骑都尉兼一云骑尉世职。

姚　燮　浙江镇海县举人。四月二十三日卒年六十。入国史文苑传。

劳　格　候选训导，浙江仁和县贡生。四月二十五日卒年四十五。

夏鸾翔　光禄寺署正衔候选詹事府主簿。五月卒于广州，年四十二。入国史文苑传。

业布冲额　满洲镶红旗。乌鲁木齐提督。六月十口日殉难。

陈万胜　湖南湘潭人。记名总兵即补副将。六月十口日于江宁龙膊子阵亡。谥武烈，予三等轻车都尉世职。

王绍羲　湖南湘乡人。记名总兵。六月十口日于江宁龙膊子阵亡。谥刚毅，予三等轻车都尉世职。

郭鹏程　记名总兵。六月十口日于江宁龙膊子阵亡。谥勇烈，予三等轻车都尉世职。

江福山　记名总兵，管带太湖营水师。六月二十七日于浙江晟舍阵亡。谥武烈。

李臣典　记名提督，河南归德镇总兵，一等子。七月初二日攻克江宁以受伤卒于雨花台军营，年二十七。赠太子少保衔，谥忠壮，予骑都尉兼一云骑尉世职。

陈应聘　在籍江苏候补道。七月初四日卒年六十五。

苏克金　头品顶带福州副都统。七月卒于湖北麻城军营。谥庄介。

陈忠德　记名提督。七月以受伤卒于浙江湖州晟舍军营，年三十六。

秦金鑑　盐运使衔原任福建兴泉永道。七月卒年五十九。

舒通额　正黄旗汉军都统。八月初三日于河南鲁山阵亡。谥威毅。

隆　春　头等侍卫。八月初三日于河南鲁山阵亡。赠副都统，谥刚勇。

奇克塔善　头等侍卫。八月初三于河南鲁山阵亡。赠副都统，谥壮武。

巴扬阿　记名总兵，河南信阳协副将。八月十六日于柳林寨阵亡。赠提督，谥刚毅。

朱善张　二品顶带江苏淮扬道。八月十七日卒年五十九。赠右都御史衔。

洪调纬　福建道监察御史。八月二十七日卒年四十。

徐之铭　前云南巡抚，八月卒年五十八。

平　瑞　乌鲁木齐都统。九月初三日于迪化州殉难。追赠太子少保衔，谥忠壮，予骑都尉兼一云骑尉世职（赠谥在十三年）。

张运兰　布政使衔福建按察使。九月十四日于武平遇害。照巡抚衔赐恤，谥忠毅，予骑都尉世职。

徐晓峰　福建汀漳龙道。九月十七日于武平遇害。赠内阁学士，追谥刚毅（追谥在五年二月）。

郑　珍　分发江苏特用知县。九月十七日卒年五十九。晚清诗人。入国史儒林传。

石清吉　提督衔记名总兵，湖北提标中军参将。九月于蕲水阵亡。予骑都尉兼一云骑尉世职，追谥威毅（追谥在四年十一月）。

姚　谌　浙江归安县举人。九月卒年三十。

萧河清　记名提督。十月于湖北广济阵亡。谥忠壮。

仁　寿　宗人府左宗正，袭和硕睿亲王，宗室。十月十四日卒。谥曰僖。

熙　麟　原任陕甘总督。十月十口日卒。谥忠勤。

顾寿桢　浙江会稽县举人。十月卒年二十九。

张凤翥　安徽徽宁池太广道。卒。赠太常寺卿。

林文察　字子明。福建台湾人。提督衔署福建陆路提督，福宁镇总兵。十一月初三日于漳州阵亡。赠太子少保衔，谥刚愍，予骑都尉兼一云骑尉世职。

孟宗福 记名提督。十一月于甘肃清水堡阵亡。谥永烈。

彭洋中 道衔署四川潼川府知府，候补知府。十一月十九日卒年六十二。

文　祺 新授乌鲁木齐提督。十一月二十日以赴任卒于巴里坤途次。谥武毅。

保　恒 署乌鲁木齐都统，副都统衔哈密办事大臣，袭一等轻车都尉兼一云骑尉世职。十一月三十日卒年七十。追谥桓靖（追谥在光绪四年九月）。

张善准 湖北武昌县诸生。十二月初十日卒年六十九。

緜　愉 仁宗皇五子。和硕惠亲王，前任奉命大将军。十二月十二日卒年五十一。谥曰端。

廖鸿荃 太子少保，赏复工部尚书原衔。十二月卒年八十一。谥文恪。

黄宗汉 前吏部右侍郎，原任四川总督。卒年六十二。

刘韵珂 在籍候补三品京堂，降调闽浙总督。卒年七十五。

慧　成 前闽浙总督。卒年六十二。

艾　畅 原任广东博罗县知县。卒年七十八。

程祖庆 江苏嘉定人。浙江候补盐大使。卒于长沙。

威应洪 湖南人。参将。于贵州临平之洪州阵亡。赠提督，谥节愍，予骑都尉世职。

同治四年乙丑（公元一八六五年）

● 生辰：

余炳文　正月二十七日生，字浩吾。河南商城人。

王　瑚　二月十六日生，字禹功，号铁珊。直隶定州人。

段祺瑞　三月二十七日生，字芝泉。安徽合肥人。享年七十二。

张其錪　四月十七日生，广西临桂人。

骆成骧　五月十二日生，字公骕。四川资州人。

章　钰　五月二十一日生，字式之。江苏长洲人。享年七十三。

齐耀珊　六月初一日生，字照岩，号石轩。奉天伊通人。

杨锺羲　七月十一日生，（原名杨锺广），字慑庵，梓勤。汉军正黄旗。享年七十六。

李云庆　八月十二日生，字作霖，号霖卿。湖北黄安人。

魏家骅　八月二十四日生，字梅荪。江苏江宁人。

徐甫霖　九月二十二日生。享年八十。

陈鸿年　十月十三日生，字卣甫。浙江海宁人。

唐文治　十月十六日生，江苏太仓人。

林世焘　十月二十日生，字昭彦，号次煌。广西贺县人。

汪世杰　十月二十八日生，四川犍为人。

吴廷燮　十一月初七日生，字向之。江苏江宁人。

张镇芳　十二月二十八日生，字馨庵。河南项城人。

寿　富　生，字伯菁，号菊客。镶蓝旗宗室。享年三十六。

谭嗣同　生，字复生，号壮飞。湖南浏阳人。享年三十四。

钱锡宝　生，浙江钱塘人。

黄　诰　生，字宣廷。汉军正黄旗。

耆　昌　生，满洲觉罗氏。

顾麟士　生。享年六十六。

● 科第：

一甲进士：

崇　绮　状元。修撰，户部尚书。

于建章　榜眼。编修。

杨　霁　字子和。汉军正红旗。探花。编修，广东潮州府知府。

　　二甲进士：

牛　瑄　编修。

松　森　宗室。编修，理藩院尚书

韦业祥　编修，直隶河间府知府。

张清华　字兰轩。广东番禺人。编修。

吴仁傑　编修，祭酒。

唐景崧　庶吉士，吏部主事，台湾布政使。

胡聘之　字薪生。湖北天门人。编修，山西巡抚。

钮玉庚　字润生，号韵笙。顺天大兴人。编修，侍讲学士。

黄毓恩　编修，福建布政使。

周开铭　编修，山东粮道。

汪鸣銮　编修，吏部右侍郎。

朱以增　编修，顺天府府丞。

陈毓秀　字慧卿。江苏江阴人。户部主事。

费延厘　编修，中允。

杨绍和　编修，庶子。

张英麟　编修，左都御史。

李士彬　庶吉士，刑部主事，广东潮州府知府。

曹秉哲　编修，山西按察使。

萧晋蕃　编修，山东道御史。

福　臣　字海门。满洲正蓝旗。编修，侍讲。

刘恩溥　编修，仓场侍郎。

张端卿　编修，安徽布政使。

武　震　吏部主事，湖北汉黄德道。

杨　颐　编修，兵部左侍郎。

顾　奎　编修。

施之博　编修，云南曲靖府知府。

李鸿逵　字达九，号小川。江西德安人。编修，奉天府府丞。

顾云臣　编修。

郝同篯　字仲和。安徽怀宁人。庶吉士，吏部主事，吏部郎中。

郑溥元　字苓泉，号博卿。山东乐陵人。编修，刑科掌印给事中。

李　璿　字伯屿，号锦山。顺天宝坻人。编修，江西临江府知府。

吴承潞　浙江归安人。江苏知县，福建布政使。

逢润古　（碑录作逄润古）。编修，湖北武昌府知府。

汪叙畴　四川长寿人。编修。

吴　峋　字庚生。山东海丰人。礼部主事，掌湖广道御史。

邬纯嘏　编修，湖北粮道。

温绍棠　字棣华。山西太谷人。编修。

潘衍鋆　字任卿。广东南海人。编修，陕西潼商道。

王凤池　编修，江西口口知府。

刘凤苞　庶吉士，云南知县，云南顺宁府知府。

朱福基　字申甫，号酉山。江苏无锡人。编修。

王先谦　编修，祭酒。

冯光勋　庶吉士，刑部主事，太仆寺卿。

李用清　编修，陕西布政使。

文　治　编修，兵部右侍郎。

许道培　湖北云梦人。礼部主事，江西吉安府知府。

李国琇　顺天大兴人。兵部主事，福建建宁府知府。

孙纪云　礼部主事，山西太原府知府。

启　秀　庶吉士，刑部主事，礼部尚书。

傅锺麟　兵部主事，江西袁州府知府。

龙文彬　吏部主事。

三甲进士：

吴汝纶　内阁中书，直隶冀州直隶州知州。

杨泰亨　字履安，号问衢、理庵。浙江慈溪人。检讨。

周廷揆　户部主事，四川永宁道。

朱丙寿　浙江海盐人。户部主事，广东潮州府知府。

濮文暹　刑部主事，河南南阳府知府。

周铭旗　（原名周鸣岐）。山东即墨人。陕西知县，陕西汉中府
　　　　知府。

叶大同　字穆如。福建闽县人。广东东莞县知县。

田翰墀　检讨，广西梧州府知府。

吴协中　河南商丘人。户部主事，甘肃甘州府知府。

任其昌　户部主事。

金曰修　内阁中书，兵部员外郎。

李衢亨　户部员外郎，江西粮道。

戴恩溥　兵部主事，广西右江道。

刘青照　检讨。

江　璧　字南春，号子笙。江苏甘泉人。江西进贤县知县。

张家槐　湖南善化人。甘肃宁夏府知府。

王邦玺　检讨，侍读。

宋季丰　山东胶州人。

梁　俊　河南孟县人。广西梧州府知府。

薛尚义　江苏安东人。内阁中书。

来凤郊　字赋唐。浙江萧山人，即用知县，杭州府教授。

冷鼎亨　字镇雒，号罗南。江西知县，江西南昌府同知。

廖鹤年　会元。兵部主事。

岳　琪　字九香，号小琴。镶蓝旗宗室。工部主事，通政使。

章辅廷　字榆青。浙江归安人。福建知县，漳州府同知。

　　翻译进士：

崇　勋　字建侯。满洲镶黄旗。编修，镶红旗蒙古都统。

　　武进士：

张蜀锦　直隶广平人。状元。头等侍卫。

桂林香　湖南祁阳人。榜眼。二等侍卫。

侯会同　四川南充人。探花。二等侍卫，福建抚标中军参将。

秦联科　传胪。三等侍卫。

　　考取拔贡生：（浙江补行咸丰辛酉科）

张鸣珂　浙江人。江西玉山县知县。

沈　梓。

沈景修　浙江秀水人。署寿昌县教谕。

严　纷　浙江桐乡人。广西知县，署广西左州知州。

陈其璋　浙江人。吏部小京官，湖北宜昌府知府。

　　中式举人：（浙江补行咸丰辛酉、壬戌两科）

许仁沐　常山县训导，严州府教授。

邵友濂　（原名邵维埏），字小村。浙江余姚人。工部主事，台
　　　　湾巡抚。

方恭钊　内阁中书，直隶天津道。

郑德璇　两淮候补通判。

徐士骈　松阳县教谕，金华府教授。

● 恩遇：

　　九月以恭题文宗显皇帝及孝德显皇后神主：

周祖培　大学士。晋太子太保；

瑞　常　协办大学士，吏部尚书。加太子少保衔。

● 著述：

杨亶骅　撰《古本大学辑解》二卷成，见闰五月自序。

杨亶骅　撰《中庸本解》二卷成，见八月自序。

丁　晏　撰《曹集铨评》十卷、附《逸文》一卷成，见九月序。

杜文澜　撰《平定粤寇纪略》十八卷、《附记》四卷成，见官文
　　　　序。

刘恭冕　补撰其父宝楠《论语正义》二十四卷成，见卷末后序。

● 卒岁：

恒　龄　头品顶带口口旗护军统领。正月初三日于河南鲁山阵
　　　　亡。谥壮烈。

苏伦保　都统衔口口旗副都统。正月初三日于河南鲁山阵亡。
　　　　谥刚节。

德　徽　散秩大臣，和硕额驸。正月十口口日卒。

色普诗新　调署巴里坤领队大臣，正任吐鲁番领队大臣。正月于古城之富家庄阵亡。赠都统，谥武愍。

高馀庆　记名提督。正月于甘肃阵亡。谥武烈。

惠　庆　二等侍卫，口口城领队大臣。二月初九日阵亡。赠都统，谥壮节。

赵　光　刑部尚书。二月十九日卒年六十九。谥文恪。

罗嘉福　詹事府左春坊左赞善。二月卒年五十二。

于锺岳　字伯英。汉军镶红旗。按察使衔贵州候补道。二月初三日于龙泉县之虎头山阵亡，年三十六。追赠太常寺卿衔，予骑都尉世职（追赠在光绪十二年）。

邓　瑶　运同衔江苏补用知县。三月十九日以舟覆溺于湖北宜昌江中，年五十五。

锡　霖　满洲正蓝旗，博尔济吉特氏。副都统衔塔尔巴哈台参赞大臣。四月遇害。谥武烈，予骑都尉世职。

博勒果素　副都统衔塔尔巴哈台领队大臣。四月遇害。谥节愍。

丁长胜　湖南湘乡人。记名总兵。四月于福建永定阵亡。谥刚介。

僧格林沁　蒙古镶红旗。钦差大臣，科尔沁博多勒噶台亲王。四月二十四日于山东曹州之吴家店阵亡。配享太庙，谥曰忠。

全　顺　内阁学士。四月二十四日于山东曹州阵亡。照尚书例赐恤，谥忠壮，予骑都尉兼一云骑尉世职。

何建鳌　记名提督。四月二十四日于山东曹州阵亡。谥采毅。

穆克登额　巴燕岱领队大臣。殉难。谥壮节。

杜　翮　原任户部右侍郎。五月初二日卒年五十八。

庆　昀　满洲正白旗。宁夏将军。五月卒。谥庄恪。

札克当阿　署哈密办事大臣。闰五月阵亡，赠都统，谥武愍。

周有贵　提督衔记名总兵。六月于甘肃阵亡。谥武毅。

王茂荫　原任吏部右侍郎。六月卒年六十八。

赵齐婴　广东番禺县监生。七月卒年四十。

承　龄　贵州按察使。八月卒年五十二。

蒋　达　前顺天府府丞。九月卒年五十九。

王之斌　原任江南道监察御史。九月卒年七十七。

吴嘉淦　原任户部河南司员外郎。十月卒年七十六。

袁　璥　刑部候补主事。十月卒年四十九。

翁同书　四品顶带，前安徽巡抚。十月二十七日卒于甘肃花马
　　　　池军营，年五十六。开复原官，赠右都御史，追谥文
　　　　勤（追谥在五年六月）。

杨希钰　江苏常熟县监生。十一月十五日卒年七十五。

龄　椿　原任广东按察使。十一月卒。

李棠阶　太子少保衔礼部尚书，军机大臣。十一月初九日卒年
　　　　六十八。赠太子太保，谥文清。

克兴额　头品顶戴，哲里木盟协理台吉。卒。谥威烈。

那木萨赖　公衔副管旗章京。卒。谥贞恪。

刘源灏　致仕云贵总督。卒年七十。

朱念祖　江苏宝应人。分发四川补用道，前任陕西乾州直隶州
　　　　知州。以赴省卒于途中。入国史循吏传。

徐　栋　原任陕西西安府知府。卒年七十四。入国史循吏传。

窦　垿　分发贵州补用知府，前江西道监察御史。卒年六十二。
　　　　入国史儒林传。

托明阿　满洲正红旗。原任西安将军。卒。

汪道诚　云南提督。卒。谥勤果。

何胜必　记名提督，甘肃肃州镇总兵。卒。谥威愨。

安　勇　直隶清苑人。提督衔直隶天津镇总兵。卒。

王振声　江苏昭文县举人。卒年六十七。

同治五年丙寅（公元一八六六年）

◉ **生辰：**

沈祖燕 正月初七日生，浙江萧山人。

许秉琦 正月二十六日生，字期壮，号穉筼。广东番禺人。享年四十七。

朱兴沂 三月二十七日生，字志侯。浙江海盐人。

蒋士瑆 三月二十八日生，（一作蒋士惺，又作蒋式瑆）字性甫。直隶玉田人。

王仁俊 四月十三日生，字籀鄦，号捍郑、幹臣。江苏吴县人。

夏寅官 四月十八日生，字虎臣、浒岑。江苏东台人。

纪堪谨 六月初七日生，号稚怡。直隶献县人。

郑　沅 七月十五日生，字叔进。湖南长沙人。

孙　雄 七月十七日生，（原名孙同康），字师郑，号君培、伯元、寅生。江苏昭文人。享年七十。

曾广钧 八月初十日生，字重伯。湖南湘乡人。

姚永概 十月二十日生，安徽桐城人。享年五十八。

杜　彤 十一月二十七日生，字仰滋，号子丹。直隶天津人。

朱仁寿 十二月初五日生，字静庵，号旭辰。浙江海盐人。享年七十七。

李灼华 十二月十七日生，字炳蔚，号肖峰。安徽霍邱人。

蔡元培 十二月十七日生，字仲申，号鹤卿。浙江山阴人。

罗振玉 生，浙江上虞人。享年七十五。

蒋　黼 生，字伯斧。江苏吴县人。享年四十六。

王家枚 生，字吉臣，号寅孙。江苏江阴人。享年四十二。

沈林一 生。

何成浩 生，广东顺德人。

沈金鑑 生，浙江人。享年六十。

汪　济 生，字作舟。江苏东台人。

◉ 恩遇：

董　恂　兵部尚书。八月以六十生辰赐“周甲延厘”额。

（按：穆宗以冲龄践阼，凡赐额皆由南书房翰林奉命代书，谨记于此。谕旨中有明言赏给御书者今仍原文志之。）

倭什珲布　礼部尚书。九月以六十生辰赐寿。

潘锡恩　赏复江南河道总督原衔。以明年为嘉庆丁卯科乡举重逢应重赴鹿鸣筵宴，十一月加太子太保衔。

孙　炘　广东从九品。十二月以孝行卓著命以知县用。

倭　仁　大学士。十二月以恭纂文宗实录及圣训告成，加太子太保衔。

宝　鋆　户部尚书。十二月以六十生辰赐寿。

◉ 著述：

李元度　撰《国朝先正事略》六十卷成，见三月自序。

许瑶光　自编《雪门诗草》十四卷成，见三月自序。

王祖源　撰《渔洋山人秋柳诗笺》一卷成，见春日自序。

朱　堃　撰《史略》八十七卷成，见七月自序。

俞　樾　自订《宾萌外集》四卷成，见七月自序。

蒋超伯　撰《爽鸠要录》二卷成，见八月自序。

徐同善　字公可。汉军。自编《小南海集诗钞》二卷成，见秋日濮文昶后序。

余龙光　撰《汪双池年谱》四卷成，见夏炘序。

◉ 卒岁：

梁洪胜　提督衔记名总兵。正月初四日于湖北黄陂阵亡，年三十二。谥刚节，予骑都尉兼一云骑尉世职。

邓仁堃　降调江西按察使。正月十八日卒，年六十三。

富勒敦泰　满洲镶黄旗。巴燕岱领队大臣。正月二十二日于伊犁阵亡。

乌勒德春　锡伯营领队大臣。正月二十二日于伊犁阵亡。

沈玉桂　甘肃人。四川绥定镇总兵。正月二十二日于伊犁阵亡。

常　清　前伊犁将军，镶蓝旗宗室。正月二十二日于伊犁阵亡。

照四品官赐恤，谥勤毅，予骑都尉世职（恤谥在光绪元年三月）。

陈孚恩 邦办伊犁兵饷事宜，前吏部尚书。正月二十二日于伊犁殉难，年六十五。

达春泰 副都统衔伊犁领队大臣。正月二十四日阵亡。谥武愍。

崇　熙 蒙古正蓝旗。副都统衔伊犁领队大臣。正月二十四日阵亡，予骑都尉兼一云骑尉世职。

额腾额 叶尔羌参赞大臣。正月二十四日于伊犁殉难。

明　绪 满洲镶白旗。伊犁将军。正月二十四日殉难。追赠太子少保衔，谥忠节，予骑都尉兼一云骑尉世职（赠谥在光绪元年口月）。

武隆额 蒙古正黄旗。塔尔巴哈台参赞大臣。三月初七日阵亡。照都统赐恤，谥威毅。

曹毓英 兵部尚书，军机大臣。二月二十日卒年五十四。赠太子少保衔，谥恭悫。

戚天保 道衔湖南候补知府。七月初七日卒年六十五。

朱承鉽 试用训导，原浙江遂昌县训导。八月十三日卒年四十五。

祁　兑 在籍道衔陕西候补知府。八月十九日卒于甘肃巩昌，年六十五。赠光禄寺卿。

萧庆高 陕西汉中镇总兵。八月卒。谥武毅。

王梦龄 顺天大兴人。致仕候补五品京堂，前署漕运总督，江宁布政使。九月卒。

祁寯藻 太子太保衔赏食全俸，原任体仁阁大学士。九月十二日卒，年七十四。赠太保，入祀贤良祠，谥文端。

许彭寿 内阁学士。九月十九日卒年四十六。

朱梦元 通政使司通政使。九月卒年五十五。

锺启峋 翰林院侍讲。十月于甘肃遇害，年五十一。予云骑尉世职。

徐宗幹 福建巡抚。十月卒，年六十八。谥清惠。

孙廷璋　候选知府。十月卒，年四十二。

胡庆源　安徽凤阳府知府。十月卒年五十四。

许乃普　太子太保衔，原任吏部尚书。十月三十日卒，年八十。谥文恪。

黄辅辰　盐运使衔陕西盐法道。十一月初三日卒年六十九。入国史循吏传。

恒　恩　都察院左副都御史，宗室。十一月卒年四十六。

任式坊　贵州安顺府知府。十一月于玉屏县之二岔河遇贼被害，年五十二。赠太仆寺卿衔，予云骑尉世职。

王　泩　前翰林院编修。十二月十八日卒年四十一。

刘郇膏　丁忧江苏布政使。十二月二十日卒年四十九。赠右都御史衔。

张树珊　记名提督，广西右江镇总兵。十二月二十一日于湖北德安阵亡，年四十一。谥勇烈，予骑都尉兼一云骑尉世职，追赠太子少保衔（追赠在七年八月）。

杜　翰　前工部左侍郎，军机大臣。十二月二十二日卒年六十一。

倭什珲布　礼部尚书。十二月二十四日卒年六十。谥端恪。

杜庭琛　丁忧翰林院编修。十二月二十四日卒。

恒　祺　字子久。满洲正白旗，伊尔根觉罗氏。头品顶带工部左侍郎。十二月二十五月卒。谥勤敏。

王兆松　原任鸿胪寺少卿。卒年六十五。

西凌阿　满洲正白旗。镶蓝旗汉军都统，前封三等男。卒。谥勇毅。

刘良驹　前两淮盐运使。卒。

陈　濬　湖北武昌盐法道。卒。

穆其琛　安徽无为州知州。卒年四十四。入国史循吏传。

谢　炎　原任安徽泾县知县。卒年七十五。入国史文苑传。

邹志初　浙江钱塘县举人。卒年七十。

邹　恒　奎文阁典籍。卒年五十七。

同治六年丁卯（公元一八六七年）

◉ 生辰：

载　昌　正月初十日生，字克臣，号鹤亭。镶蓝旗宗室。

周蕴良　二月十七日生，字味纯。浙江会稽人。享年三十八。

董　康　二月二十三日生，江苏武进人。享年八十二。

张鹤龄　三月初一日生，字诵莱，号长孺、筱园。江苏阳湖人。
享年四十二。

程利川　三月十八日生，浙江镇海人。

孙宝琦　三月二十二日生，字慕韩。浙江钱塘人。享年六十四。

曾习经　五月十八日生，字刚甫。广东揭阳人。享年六十。

宝　铭　五月二十五日生，字锡之，号新吾、鼎臣。正蓝旗宗室。
享年七十。

熙　彦　六月十四日生，满洲正蓝旗，喜塔喇氏。享年五十八。

赵　熙　九月生，字尧生。四川荣县人。

吴　钫　九月十六日生，字伯琴。江西宜黄人。

张元济　九月二十八日生，字菊生，号小斋。浙江海盐人。享年
九十三。

戴展诚　九月二十九日生，字邃庵，号籧庵。湖南武陵人。

夏启瑜　十二月十二日生，字伯瑾，号同甫。浙江鄞县人。

张一麐　十二月二十八日生，字仲仁。江苏人。享年七十七。

瑞　丰　生。

管象颐　生，字养山。山东莒州人

　寿　蕃　生，镶蓝旗宗室。享年三十四。

　潘龄皋　生，字颐山，号小泉、锡九。直隶安州人。

　李瑞清　生，字梅庵。江西临川人。享年五十四。

　赵　衡　生，字湘帆。直隶冀州人。

◉ 科第：

　　考取优贡生：

杨文杰　浙江人。光绪元年举孝廉方正。

中式举人：

溥　頤　镶红旗宗室。户部笔帖式，热河都统。

堃　岫　满洲正白旗。礼部主事，绥远城将军。

英　瑞　刑部主事，湖南布政使。

萧　韶　见咸丰辛酉拔贡。

杨　儒　兵部员外郎，户部左侍郎。

胡蕙馨　安徽含山人。

沈恩嘉　兵部主事，宗人府府丞。

嵩　崸　国子监学正，江苏扬州府知府。

查恩绥　内阁中书，江西广信府知府。

吕海寰　兵部主事，外务部尚书。

周　桓　江苏娄县人（并补行咸丰辛酉科）。

朱凤仪　江苏甘泉人。（并补行咸丰辛酉科）。

高云麟　浙江人。（并补行甲子科）。候选内阁中书。

王　棻　浙江黄岩人。（并补行甲子科）。

张王熙　浙江人。（并补行甲子科）。口口县教谕。

朱昌泰　浙江海盐人。（并补行甲子科）。常山县教谕。

孙诒让　浙江瑞安人。（并补行甲子科）。刑部主事。

谭　献　浙江仁和人。（并补行甲子科）。安徽含山县知县。

徐有珂　浙江乌程人。（并补行甲子科）。

诸可宝　浙江仁和人。（并补行甲子科）。江苏昆山县知县。

羊复礼　浙江人。（并补行甲子科）。刑部主事，广东候补知府。

陈其荣　道光十三年生。浙江嘉兴人。（并补行甲子科）。

童兆蓉　湖南人。军功知县，浙江温处道。

杨　树　贵州人。（并补行咸丰乙卯、戊午两科）。内阁中书，
　　　　甘肃甘凉道。

中式副榜贡生：

何维朴　顺天人。内阁中书，江苏候补道。

薛福成　江南人。保举知县，左副都御史。

薛福保　字季怀。江苏无锡人。候补知府。

汪之昌　江苏新阳人。

胡孚骏　湖北江夏人。甘肃西宁道。

● 恩遇：

袁保恒　候补京堂。其祖母郭氏以年届九旬赐"彤管扬辉"额。

闻斯行　原任湖北襄阳府教授。以本年为嘉庆丁卯科乡举重逢，
　　　　九月重赴鹿鸣筵宴。

龚　绶　原任湖南布政使。

张绍龄　原任四川酆都县知县。
　　　　以上二人以明年为嘉庆戊辰恩科乡举重逢，九月于本年正
　　　　科重赴鹿鸣筵宴。

文　祥　吏部尚书。九月以五十生辰赐"宣猷笃祜"额。

贾　桢　大学士。九月以七十生辰赐"平格延厘"额及联。

● 著述：

李佐贤　编《武定诗续钞》二十四卷成，见春日自序。

陈　澧　撰《申范》一卷成，见四月自序。

汪曰桢　撰《历代长术辑要》十卷、《古今推步诸术考》二卷成，
　　　　见五月自识。

张星鑑　自编《仰萧楼文集》一卷成，见六月自序。

李善兰　撰《方圆阐幽》一卷、《孤矢启祕》二卷、《对数探源》
　　　　二卷、《垛积比类》四卷、《四元解》二卷、《椭圆正术
　　　　解》二卷、《椭圆新术》一卷、《椭圆拾遗》三卷、《尖
　　　　锥变法解》一卷、《级数回求》一卷、《天算或问》一
　　　　卷成，见九月自序。（按：以上各种合以前撰《麟德术
　　　　解》、《火器真诀》统名则《古昔斋算学》）。

● 卒岁：

张锡嵘　翰林院编修。正月初六日于陕西西安之鱼化镇阵亡，
　　　　年四十。赠侍讲学士。

唐殿魁　记名提督，广西右江镇总兵。正月十五日于湖北天门
　　　　之尹隆河阵亡。赠太子少保衔，予骑都尉兼一云骑尉

世职，追谥忠壮（追谥在七年三月）。

劳崇光　云贵总督。正月十七日卒年六十六。赠太子太保衔，谥文毅。

伯锡尔　署哈密邦办大臣，亲王衔哈密郡王。正月以被执至回城遇害。赠亲王。

孙毓溎　原任浙江按察使。二月初三日卒年六十五。

毛凤虎　江苏甘泉县举人。三月十三日卒年二十六。

承　顺　署甘肃贵德厅同知候补通判。二月十六日阵亡。追谥勤愍（追谥在光绪元年）。

罗朝云　记名提督。三月十八日于湖北蕲水阵亡。谥刚烈。

彭毓橘　记名布政使，前任福建汀漳龙道，一等轻车都尉。二月十八日于湖北蕲水阵亡，年四十一。赠内阁学士衔，谥忠壮，予骑都尉世职（后并为三等男）。

王宪成　新授福建汀漳龙道。二月二十六日以自京赴任卒于江苏王家营。

王凤翔　在籍翰林院编修。于陕西合阳殉难。赠侍讲学士，予云骑尉世职。

基　溥　字涣堂，号润垫。汉军正白旗，李氏。头品顶带，吏部左侍郎。四月初口日卒。

周祖培　太子太保衔体仁阁大学士。四月初五日卒年七十五。谥文勤。

潘锡恩　太子太保，赏复河东河道总督原衔。四月卒年八十口，谥文慎。

陈寿祺　刑部口口司员外郎。四月卒年三十九。

顾广誉　六品顶带，浙江平湖县孝廉方正优贡生。四月二十七日卒年六十八。入国史儒林传。

德兴阿　邦办新疆北路军务，塔尔巴哈台参赞大臣，正红旗汉军副都统，前正白旗蒙古都统，骑都尉。五月卒于西安军营，谥威恪。

赵德光　署贵州提督，记名提督。七月初五日于安平阵亡，年三十。赠太子少保衔，谥刚节，予骑都尉兼一云骑尉世职。

厉秀芳 原山东武城县知县。七月二十日卒，年七十四。

吴昌寿 署广西巡抚，广东布政使，降调河南巡抚。七月卒年五十八。

刘毓崧 江苏仪征县优贡生。八月初九日卒年五十。入国史儒林传。

王仁福 署河南开封府祥河同知。八月二十二日以抢险自投于河，年四十九。予云骑尉世职。

马元瑞 刑科给事中。九月初口日卒年五十。

汪承元 候补四五品京堂。九月十三日卒。

汪朝棨 掌河南道监察御史。九月二十一日卒。

恭　鑫 满洲正黄旗，博尔济吉特氏。四川盐茶道。十月以病自尽。

汪元方 都察院左都御史，军机大臣。十月初六日卒。赠太子少保衔，照尚书例赐恤，谥文端。

王国均 直隶沧州布衣。十月十七日卒年六十八。

贡　璜 候补口品京堂，前任山东布政使。十月十八日以放赈卒于庞各庄，年六十二。

李祥和 湖南湘乡人。记名提督，安徽寿春镇总兵。十月于陕西延安阵亡。谥武壮。

骆秉章 太子太保衔协办大学士，四川总督，一等轻车都尉。十一月初一日卒年七十五。赠太子太傅，入祀贤良祠，谥文忠。

宗稷辰 盐运使衔，原任山东运河道。十一月初一日卒年七十六。入国史儒林传。

孙如仪 内阁学士。十一月初九日卒年四十六。

谷景昌 副将衔山西泽州营参将。十一月于吉州阵亡。赠总兵衔。

齐承彦 刑部尚书。十二月初口日卒，年六十五。谥恭勤。

廉兆纶 致仕仓场侍郎。卒年五十七。

黄富民 原任礼部主事。卒年七十三。

黄良楷 按察使衔开复山东泰武临道原官。卒年七十七。

冯志沂 安徽徽宁池太广道。卒年五十四。入国史文苑传。

李文森 分发云南委用道，前安徽庐凤颖道。卒年三十九。

王　璐 原任湖北襄阳府知府。卒年五十三。

冯　标 记名提督，前甘肃凉州镇总兵。以随征捻匪卒于军营，
　　　　年四十。

同治七年戊辰（公元一八六八年）

● 生辰：

赵椿年　二月初五日生，江苏阳湖人。享年七十五。

张允言　三月初五日生，字伯纳。直隶丰润人。

何寿朋　三月十三日生，广东大埔人。

俞陛云　三月十七日生，字阶青。浙江德清人。享年八十三。

傅兰泰　三月三十日生，蒙古正黄旗。

张　锴　闰四月初三日生，字铁卿。云南昆明人。

吴昌绶　五月十四日生，字伯宛，号印臣。浙江仁和人。

宝　熙　六月二十八日生，正蓝旗宗室。享年七十五。

吴士鑑　七月十七日生，字公詧，号絅斋。享年六十六。

吴纬炳　七月十九日生，字贞木，号经才。浙江钱塘人。

金兆蕃　八月二十四日生，字籛孙。浙江秀水人。享年八十三。

陈昭常　九月初二日生，字平叔，号谏塍、简拈。广东新会人。

陆懋勋　九月生，字勉侪。浙江仁和人。

王　燮　十一月十四日生，浙江人。

邓邦述　十二月初六日生，字正闇，号孝先。江苏江宁人。

杨家骥　十二月十七日生，字德生。浙江慈溪人。

阮忠枢　生，字斗瞻。安徽合肥人。

杨寿枏　生，字味云。江苏金匮人。

吴燕绪　生。享年七十七。

丁惠康　生，字叔雅，号惺庵。广东丰顺人。享年四十二。

张兰思　生。享年七十七。

● 科第：

一甲进士：

洪　钧　状元。修撰，兵部左侍郎。

黄自元　榜眼。编修，甘肃宁夏府知府。

王文在　探花。编修。

二甲进士：

许有麟 编修，湖北郧阳府知府。

吴宝恕 编修，侍讲学士。

锡 珍 编修，吏部尚书。

吴大澂 编修，湖南巡抚。

宝 廷 镶蓝旗宗室。编修，礼部右侍郎。

周崇傅 编修，内阁中书，甘肃镇迪道。

张登瀛 编修，侍讲。

郑嵩龄 编修，浙江粮道。

吴华年 编修，直隶候补道。

胡乔年 编修，中允。

谭承祖 编修，广东韶州府知府。

陈启泰 编修，江苏巡抚。

鲍存晓 编修。

刘廷枚 编修，祭酒。

邵曰濂 编修，太常寺卿。

李肇锡 编修，贵州贵西道。

陈宝琛 编修，山西巡抚，正红旗汉军副都统。

何如璋 编修，少詹事。

赵继元 庶吉士，候选知县，江苏候补道。

梁仲衡 编修，刑部右侍郎。

李郁华 编修，河南道御史。

张人骏 编修，两江总督。

鲁琪光 编修，山东济南府知府。

顾树屏 编修，安徽凤阳府知府。

苑菜池 庶吉士，吏部主事，浙江温处道。

杨廷传 户部主事，甘肃甘州府知府。

刘海鳌 编修，云南粮道。

慕荣幹 编修，左庶子。

秦锺简 编修，山东兖沂曹济道。

陶　模　庶吉士，甘肃知县，两广总督。

沈善登　庶吉士。

潘衍桐　编修，侍读学士。

胡泰福　刑部主事，广西右江道。

孙钦晃　刑部主事，广西庆远府知府。

许景澄　（原名许癸身）。浙江嘉兴人。编修，吏部左侍郎。

蔡以瑺　会元。庶吉士，刑部主事。

邵积诚　编修，贵州布政使。

郑训承　刑部主事，兵科掌印给事中。

叶大焯　编修，侍讲学士。

戚人铣　刑部主事，刑部郎中。

陆芝祥　编修。

吴士恺　庶吉士，知县，浙江口口知府。

李培元　编修，刑部左侍郎。

高万鹏　编修，湖南布政使。

余　鑑　安徽婺源人。编修。

徐文泂　庶吉生，口部主事，河南道御史。

张赓飏　刑部主事，广东韶州府知府。

姚协赞　编修，山东兖沂曹济道。

张元普　刑部员外郎，四川盐茶道。

陈钦铭　工部主事，浙江按察使。

王鹏寿　（原名王鹏运）。顺天大兴人。刑部主事，江西饶州府
　　　　知府。

刘春霖　编修，江西布政使。

沈镕经　江西知县，广东布政使。

徐家鼎　礼部主事，山西道御史。

徐会沣　编修，兵部尚书。

方汝绍　刑部主事，鸿胪寺少卿。

洪良品　编修，户科掌印给事中。

贺尔昌　编修，陕西同州府知府。

张士焕　户部主事，四川嘉定府知府。
　　三甲进士：
郑贤坊　检讨，直隶宣化府知府。
叶荫昉　刑部主事，湖北粮道。
崔国榜　江西知县，广西右江道。
鞠捷昌　河南知县，河南开归陈许道。
魏迺勷　刑部主事，掌江南道御史。
赵时熙　河南郾城人。刑部主事，广西桂林府知府。
嵩　申　检讨，刑部尚书。
汪　鑑　礼部主事，四川成都府知府。
联　元　检讨，内阁学士。
尹　果　内阁中书。宣统己酉重逢乡举。
夏玉瑚　工部主事，湖南辰州府知府。
恩　景　字星垣。正白旗宗室。宗人府主事，翰林院侍读学士。
高蔚光　礼部主事，湖北黄州府知府。
李凌霄　山东城武人。
龚镇湘　内阁中书，安徽安庆府知府。
　　翻译进士：
双　福　字锡五。满洲正黄旗。礼部主事，安徽凤颖六泗道。
　　武进士：
陈桂芬　浙江天台人。状元。头等侍卫。
谢子元　四川射洪人。榜眼。二等侍卫。
张光斗　四川眉州人。探花。二等侍卫，直隶紫荆关参将。
刘金华　河南襄城人。传胪。三等侍卫。
◉ 恩遇：
　　七月以剿平捻匪功：
刘铭传　直隶提督。封一等男；
李鸿章　湖广总督。晋太子太保衔；
左宗棠　陕甘总督。晋太子太保衔；
丁宝祯　山东巡抚。加太子少保衔；

英　翰　河南巡抚。加太子少保衔（光绪元年六月革）；

崇　厚　兵部侍郎。加太子少保衔（光绪五年十二月革）；

官　文　大学士。复加太子太保衔；

黄翼升　长江水师提督。以世职并为三等男。

● 著述：

王闿运　撰《桂阳州志》二十七卷成，见正月自序。

许宗衡　撰《旧游日记》一卷成，见二月自序。

俞　樾　自订《春在堂诗编》八卷成，见十月杨昌濬序。

● 卒岁：

张诗日　直隶宣化镇总兵。三月卒，谥勤武。

谭玉龙　留营效力前记名提督。三月于陕西邠阳阵亡。开复原
　　　　官，谥武壮。

陈振邦　记名提督。三月二十日以受伤卒于河南滑县军营，谥
　　　　勇烈。

胡　泉　六品顶带江苏高邮州孝廉方正，原任萧县教谕。四月
　　　　二十一日卒，年七十二。

义　道　宗人府左宗正，袭和硕豫亲王，宗室。闰四月十日卒。
　　　　谥曰慎。

程庭桂　以七品京官用，前都察院左副都御史。闰四月卒，年
　　　　七十三。

孙长绂　原任江西布政使，闰四月卒，年四十六。

李佑厚　记名提督。五月初一以受伤卒于陕西沔阳之黄里镇军
　　　　营，年三十五。赠太子少保，谥壮烈，予骑都尉兼一
　　　　云骑尉世职。

緜　森　刑部尚书，正蓝旗宗室。六月初三日卒。赠太子少保，
　　　　谥端愨。

杨鼎勋　湖南提督，骑都尉。六月卒于山东军营，年三十四。
　　　　赠太子少保衔，谥忠勤。

胡良作　记名提督。六月以受伤卒于山东军营。谥武烈。

李大有　记名提督。七月于陕西阵亡。谥武壮。

毛鸿宾 降调两广总督。八月十二日卒年六十三。追复原官（追复在宣统元年六月）。

吴存义 原任吏部左侍郎。九月卒年六十七。

何桂芬 陕西陕安道。九月卒年六十八。

赵文涵 五品衔原任直隶清丰县教谕。十月卒年七十三。

奕詥 宣宗皇八子，多罗锺郡王。十一月初口日卒年二十五。谥曰端。

五福 调署广东肇庆府知府，正任琼州府知府。十一月卒年六十二。

蒋春霖 在籍两淮候补盐大使，原署富安场大使。十口月卒年五十一。

方潜 安徽桐城县诸生。十二月十六日卒年六十。入国史儒林传。

冯德馨 四品顶带，前湖南巡抚。卒。

樊琨 前盐运使衔河南河南府知府。卒年六十。

潘治 浙江山阴人。五品衔安徽盱眙县知县。卒。入国史循吏传。

明谊 原任乌里雅苏台将军。卒。谥勤果。

裕瑞 字集庵。满洲镶黄旗，佟佳氏。绥远城将军，前四川总督。卒。谥恪勤。

谭国泰 记名提督。卒。

蒋照临 原任山西太原镇总兵。卒年四十五。

同治八年己巳（公元一八六九年）

◉ **生辰：**

长　绍　正月初九日生，字子寿，号元度。正蓝旗宗室。

尹昌龄　三月二十一日生，字仲息，号鹤修。四川华阳人。

梁士诒　三月二十四日生，字翼夫，号燕孙。广东三水人。

朱彭寿　六月二十二日生，字述庵，号小汀。浙江海盐人。享年八十二。

吴　锜　七月十八日生，江西宜黄人。

吕　钰　七月二十五日生，云南云南府人。享年七十。

路士桓　九月二十日生，字尚卿，号蒲亭。直隶南宫人。

朱兴汾　九月二十七日生，字诚侯，浙江海盐人。

魏　震　十月十九日生。

朱寿朋　十一月十四日生，字锡百，号曼庵。江苏上海人。

钱能训　十二月十六日生，字百之，号干臣。浙江嘉善人。享年五十六。

俞树棠　十二月二十三日生，浙江黄岩人。

周自齐　生，字子廙。山东单县人。享年五十五。

曹元弼　生，江苏人。享年五十四。

傅曾湉　生，字道南，号雨农。四川江安人。

贵　福　生，字寿鬯。蒙古镶黄旗。享年六十八。

◉ **恩遇：**

崇　实　成都将军。五月以五十生辰赐寿。

朱凤标　大学士。八月以七十生辰赐书"台衡介祉"额。

奕　譞　醇郡王。九月以三十生辰赐寿。

李　濬　河南嵩县训导。加内阁典籍衔。

◉ **著述：**

杨绍和　撰《楹书隅录》五卷成，见五月自序。

胡　澍　辑《湛然辅行记》一卷成，见七月潘祖荫序。

王闿运　撰《谷梁申义》成，见七月自序。

许宗衡　撰《玉井山馆笔记》一卷成，（按：此书卒后始刻，见甲戌潘祖荫序，今系于九月之前）。

莫友芝　撰《宋元旧本书经眼录》三卷、《附录》二卷成，见莫绳孙后记。

◉　卒岁：

黄赞汤　原任广东巡抚。正月十九日卒年六十五。

刘　庆　礼科给事中。正月二十日卒年四十五。

江忠珀　湖南新宁人。提督衔记名总督。正月于贵州镇远阵亡。谥武愍。

乌勒西布　记名副都统。二月于甘肃阵亡。谥武毅。

高连陞　甘肃提督，云骑尉。二月二十四日于陕西杨店以兵变遇害。谥勇烈，予骑都尉兼一云骑尉世职（后并为三等轻车都尉）。

荣维善　记名提督。三月二十二日于贵州黄飘寨阵亡。谥忠壮。

刘长槐　记名提督，三月二十二日于贵州黄飘寨阵亡。谥采壮。

黄润昌　布政使衔记名按察使。三月二十二日于贵州黄飘寨阵亡，年三十九。谥忠壮。

邓子垣　布政使衔即选道。三月二十二日于贵州黄飘寨阵亡。谥壮毅。

罗　萱　候补知府。三月二十二日于贵州黄飘寨阵亡，年四十三。赠太常寺卿，予骑都尉世职。

高均儒　浙江秀水县廪生。四月二十日卒年五十八。

洪昌燕　工科掌印给事中。五月初一日卒年五十。

欧阳凝祉　候选训导，湖南衡阳县岁贡生。五月初九日卒，年八十四。

邹伯奇　广东南海县诸生。五月卒年五十一。入国史儒林传。

王检心　在籍按察使衔直隶候补道。五月卒年六十五。

丁善庆　三品衔原任翰林院侍讲学士。六月十五日卒年八十。入国史儒林传。

王汝讷 调署山东青州府知府，正任东昌府知府。八月以被刺受伤卒，年四十三。

石赞清 原任工部右侍郎。九月十口日卒。

马德顺 浙江处州镇总兵。九月十六日于甘肃刘家井阵亡。谥武毅。

许宗衡 《起居注》主事。九月二十口日卒年五十九。

易德麟 记名提督。十月以受伤卒于甘肃军营。谥壮节。

陈　立 原授云南曲靖府知府（简授后以道梗未经赴任）。十月二十二日卒年六十一。入国史儒林传。

简敬临 头品顶戴提督衔，原任浙江衢州镇总兵。十一月初九日于甘肃金积堡阵亡。谥勇节。

姚连陞 升用提督。十一月初九日于甘肃金积堡阵亡。谥勇烈。

李就山 头品顶戴，记名提督。十一月十三日于甘肃金积堡阵亡。谥壮烈。

伊精阿 字礼堂。满洲镶红旗，完颜氏。兵部右侍郎。十二月初三日卒。

华　丰 赏食全俸，原袭和硕肃亲王，前宗人府宗令，宗室。十二月二十口日卒。谥曰恪。

龙友夔 湖南攸县岁贡生。十二月二十四日卒年七十六。

贾　臻 原任贵州布政使。卒年六十一。

陈乔枞 署江西抚州府知府，南城县知县。卒年六十一。入国史儒林传。

潘焕龙 原任山东邹平县知县。卒年七十三。

麒　庆 热河都统。卒年五十九。谥庄敏。

关　保 满洲正黄旗，乌札拉氏。黑龙江副都统。卒。

同治九年庚午（公元一八七０年）

◉ 生辰：

萧方骏　正月十四日生，四川人。

黄维翰　三月十八日生，江西崇仁人。享年六十一

李哲明　四月初九日生，字星樵，号静娱、迁石。湖北汉阳人。

秦望澜　四月二十一日生，甘肃会宁人。

李家驹　七月初三日生，字昂若，号柳溪。汉军正黄旗。享年
　　　　六十九。

尹庆举　七月二十六日生，字策廷，号翔墀。广东东莞人。

尚秉和　七月二十七日生，直隶行唐人。

耆　龄　八月初五日生，享年六十二。

朱汝珍　十月初四日生，字玉堂，号聘三、隘园。广东清远人。

戴姜福　十月十六日生，字绥之。江苏吴县人。享年六十七。

陈懋鼎　十月十六日生，字徵宇。福建闽县人。享年七十一。

达　寿　十月十七日生，字莍一，号挚夫。满洲正红旗，赫舍
　　　　哩氏。

谈国桓　十月二十日生，字济五。汉军镶白旗，广州驻防。

孟锡珏　十月二十七日生，字玉双。顺天宛平人。享年六十九。

吴震春　十月二十七日生，字雷川。浙江钱塘人。享年七十五。

周　渤　闰十月初十日生，字士贞。湖南长沙人。享年七十一。

夏寿田　闰十月二十日生，湖南桂阳人。享年六十六。

景　润　十一月二十二日生，字子中，号础雨。满洲正蓝旗，
　　　　开封驻防。

胡思敬　生，字漱堂。江西新昌人。享年五十三。

沈　鹏　生，字北山。江苏常熟人。享年四十。

庆　隆　生，字寿石，号栋臣。汉军镶蓝旗，徐氏。

◉ 科第：

　　考取优贡生：

周家禄 江苏人。江浦县训导。

钱溯耆 内阁中书，直隶深州知州。

缪朝荃 内阁中书。

潘庆澜 刑部主事，四川顺庆府知府。

陈　豪 浙江兴国人。湖北汉川县知县。

冯德材 湖北人。军功知县，署广西思恩府知府。

向万鏻 湖南人。广西知县，广东雷琼道。

张祥会 河南人。直隶知县，署山西雁平道。

中式举人：

陈　维 浙江钱塘人。户部主事，广东惠州府知府。

吴焕采 直隶正定府知府。

张兆兰 字畹九。江苏仪征人。兵部主事，工科给事中。

林苑生 广西知县，广西镇安府知府。

吴　炯 内阁中书，甘肃甘凉道。

王鸿年 兵部主事，直隶大顺广道。

冯镜仁 内阁中书，云南临安府知府。

魏邦翰 见咸丰辛酉拔贡。

瞿廷韶 湖北布政使。

江　南 （并补行壬戌科）。

尹恭保 江苏丹徒人。（并补行壬戌科） 内阁中书，广西候补
　　　　 道。

陈士翘 江苏华亭人。（并补行壬戌科）大挑教谕。

章成义 江苏江阴人。（并补行壬戌科）直隶州同，直隶延庆州
　　　　 知州。

范保廉 江西人。安徽知县，安徽庐州府知府。

张行孚 字乳伯，号子中。浙江吉安人。两淮候补盐大使。

黄以周 分水县训导，处州府教授。

黄炳垕 浙江余姚人。

赵　铭 直隶候补知府。

陈继聪 字骏孙。浙江镇海人。

王彦威　工部主事，太常寺少卿。

施补华　浙江乌程人。军功知县，山东候补道。

张寿荣　浙江镇海人。

杨恩寿　湖南人。湖北候补道。

左　浑　湖南湘阴人。

孙寿臣　山东人。（并补行丁卯科）北河知县，署江苏高等检察厅检察长。

荣　恒　江南盐巡道。

王鹏运　广西人。内阁中书，礼科给事中。

颜嗣徽　贵州人。广西知县，署广西镇安府知府。

葛静远　云南知县，云南临安府知府。

莫文泉　字枚士。浙江归安人。

◉　恩遇：

沈兆沄　原任浙江布政使。二月以本年为嘉庆庚午科乡举重逢应重赴鹿鸣筵宴，赏加头品顶带。

曾国藩　大学士，两江总督。九月以六十生辰赐"勋高柱石"额。

张应昌　原任内阁中书。

郭鑑庚　原任云南宜良县知县。

　　　　以上二人以本年为嘉庆庚午科乡举重逢，九月重赴鹿鸣筵宴。

孙诒经　南书房行走，国子监司业。十月赐"孝悌清廉"额及联。

全　庆　礼部尚书。十二月以七十生辰赐寿。

富　明　口口旗口口都统。十二月以七十生辰赐匾额。

◉　著述：

俞　樾　自订《宾萌集》五卷成，见正月王凯泰序。

俞　樾　自编《春在堂词录》三卷成，见正月自序。

董　恂　撰《凤台祇谒笔记》一卷成，见二月自序。

丁日昌　撰《百将图传》二卷成，见六月自序。

吴祖昌　等撰《文庙上丁礼乐备考》四卷成，见十月刘坤一序。

刘惟桢　重编刻《变雅堂文集》四卷、《诗集》十卷、《附录》一卷成，见冬杪自序。

俞　樾　撰《诸子平议》三十五卷成，见自撰序目。

金友理　撰《太湖备考》十七卷成，见自序。

● 卒岁：

欧阳保极　翰林院侍读学士。正月卒年三十九。

杨春祥　记名提督。正月于甘肃阵亡。谥果壮。

衍　秀　仓场侍郎。正月十口日卒年四十九。

刘松山　广东陆路提督，三等轻车都尉。正月十五日于甘肃宁灵厅之马五寨阵亡，年三十八。赠太子少保衔，谥忠壮，予骑都尉兼一云琦尉世职，追加一等轻车都尉世职（追加在十二年十二月，后并为二等子）。

谭廷襄　刑部尚书。四月初七日卒年六十六。赠太子少保衔，谥端恪。

沈祖懋　四品卿衔，原任国子监司业。四月卒年五十八。

陈　绍　浙江黄岩镇总兵。四月以巡洋遇贼被害。谥勇烈。

曾望颜　原任内阁侍读学士，前署四川总督，陕西巡抚。卒于香山，年八十一。

张光第　安徽布政使。六月卒年六十九。

姚锡华　云南布政使。七月卒年六十七。

王祖培　内阁学士，广东正考官。七月卒于途中，年五十五。

马新贻　两江总督。七月二十七日以被刺受伤卒，年五十。赠太子太保衔，入祀贤良祠，谥端敏，予骑都尉兼一云骑尉世职。

黄万友　头品顶带，记名提督。八月初七日卒于甘肃灵州军营。谥果毅。

夏子龄　三品衔直隶候补知府，前任易州直隶州知州。九月十六日卒年六十五。

苏源生　光禄寺署正衔，候选训导，河南邹陵县副贡生。九月

二十日卒，年六十四。入国史儒林传。

吴振棫 原任云贵总督。十一月卒，年七十九。

王发桂 原任工部右侍郎。卒年六十八。

金　钧 原任贵州粮道。卒于湖北，年五十三。

刘其年 署四川雅州府知府。卒年五十一。

汤　鋐 原任山东宁海州知州。卒年四十九。

固　庆 原任头等侍卫，喀什噶尔办事大臣，前吉林将军。卒年七十六。

吴熙载 江苏仪征县诸生。卒年七十二。

同治十年辛未（公元一八七一年）

● 生辰：

舒鸿贻　三月初八日生，安徽人。

商衍瀛　四月二十四日生，字云亭，号蕴汀。汉军正白旗，广
　　　　州驻防。

王曾绶　五月初九日生，字省三，字慕沂。顺天通州人。

三　多　五月二十二日生，字六桥，号鹿翁。蒙古正白旗，锺
　　　　木伊氏。享年七十。

爱新觉罗载湉　六月二十八日，德宗景皇帝生。享年三十八。

林灏深　八月初一日生，福建侯官人。

黎湛枝　九月十五日生，字露苑，号潞庵。广东南海人。

姚舒密　十月十三日生，字仲周，号师云、释筠。山东钜野人。

栾骏声　十一月十七日生，奉天海城人。

曹广桢　十二月十五日生，字梅访，号毅亭。湖南长沙人。

● 科第：

　一甲进士：

梁耀枢　状元。修撰，詹事。

高岳崧　榜眼。编修。

郁　崐　字漱山。浙江萧山人。探花。编修。

　二甲进士：

恽彦彬　编修，工部右侍郎。

陆继辉　编修，河南汝宁府知府。

赵时俊　字秀升。云南浪穹人。编修，贵州安顺府知府。

李岷琛　编修，湖北布政使。

谢元福　编修，江苏淮扬道。

袁　善　编修。

王祖光　字莲孙，号心斋、蜀江。顺天大兴人。编修，浙江杭
　　　　嘉湖道。

曹　驯　编修。

雷锺德　字仲宣，号禹门。陕西安康人。编修，四川成都府知府。

殷如璋　江苏甘泉人。刑部主事，通政司参议。

李殿林　编修，协办大学士，典礼院掌院学士。

张佩纶　编修，侍讲学士（候补四五品京堂）。

金宝泰　庶吉士，吏部主事，太常寺少卿。

陆廷黻　编修。

楼汝达　浙江仁和人。刑部主事，河南南汝光道。

吴观礼　编修。

丁振铎　编修，云贵总督。

崔国因　编修，左庶子。

樊恭煦　编修，江苏提学使。

朱文镜　字石峰。汉军镶红旗。编修，陕西榆林府知府。

陈卿云　编修，江苏扬州府知府。光绪癸卯重宴鹿鸣。

罗文彬　礼部主事，云南永昌府知府。

朱　琛　编修，詹事。

胡宝铎　兵部主事，兵部郎中。

田我霖　刑部主事，太仆寺少卿。

张　楷　字仲模，号则轩。湖北蕲水人。编修，河南开封府知府。

潘炳年　编修，四川夔州府知府。

陈康祺　刑部员外郎，江苏江阴县知县。

欧德芳　字梦兰，号伯香。广西郁林人。编修，侍读。

刘齐浔　口口府知府。

王文锦　编修，吏部右侍郎。

承　翰　庶吉士，工部主事，少詹事。

丁立瀛　编修，顺天府府丞。

王　廉　字介梃，号龙溪、怡云。河南祥符人。编修，直隶布政使。

卢　鉴　编修。

季邦桢　兵部员外郎，福建布政使。

唐景崇　编修，学部大臣。

陈　钦　字西庚，号崇甫、子諴。浙江慈溪人。编修。

瞿鸿禨　编修，外务部尚书，协办大学士。

廖寿丰　编修，浙江巡抚。

孙禄增　浙江归安人。

林国柱　字笃甫，号薇卿。浙江萧山人。编修。

曾培祺　字与九，号寿轩。汉军正白旗。编修，河南卫辉府知府。

卢昌诒　（原名卢英倜）。湖北黄冈人。吏部主事，山东济南府知府。

韩文钧　编修，广东粮道。

张曾敫　编修，山西巡抚。

李联芳　编修，典礼院学士。

臧济臣　编修，洗马。

王贻清　字筱岑。江苏泰州人。编修，湖北襄阳府知府。

邓蓉镜　字上选，号莲裳。广东东莞人。编修，江西粮道。

李肇南　编修，直隶宣化府知府。

钱振常　礼部主事。

潘宗寿　工部主事，广西镇安府知府。

区谞良　广东南海人。庶吉士，口部主事，江西口口府知府。

丁立幹　编修，詹事。

　　三甲进士：

李绂藻　检讨，仓场侍郎。

吴浚宣　检讨。

英　煦　检讨，盛京刑部侍郎。

赵环庆　户部主事，湖南长沙府知府。

邵世恩　湖北知县，四川宝宁府知府。

陈秉和　检讨，内阁学士。

李　暎　刑部主事，湖南宝庆府知府。

良　弼　户部主事，盛京户部侍郎。

贵　恒　检讨，刑部尚书。

李联珠　字奎聚，号星垣。直隶景州人。会元。山东知县。

徐景福　字介亭。浙江遂昌人。

潘士钊　检讨，河南开归陈许道。

文　光　字镜堂。满洲镶黄旗，乌雅氏。工部主事，新疆布政使。

陈　宝　检讨。

罗大佑　江西德化人。福建知县，福建台湾府知府。

王方田　湖北知县，广西泗城府知府。

蒋士骥　安徽庐江县知县。

劳乃宣　直隶知县，京师大学堂总监督。辛酉重宴鹿鸣。

　　武进士：

丁锦堂　福建上杭人。状元。头等侍卫。

王可相　直隶元城人。榜眼。二等侍卫。

佟在田　直隶天津人。探花。二等侍卫。

徐振纲　直隶怀安人。传胪。三等侍卫。

◎ 恩遇：

刘厚基　陕西延绥镇总兵。其母罗氏以年届八十赐匾额。

崇　纶　工部尚书。九月以八十生辰赐"眉锡梨羹"额。

张履祥　已故浙江桐乡县诸生。十二月从祀文庙。

◎ 著述：

奕　询　自编《偬月轩诗集》十五卷成，见自序。（按：序中不书某月，今系于六月之前）。

刘寿曾　撰《昏礼重别论对驳义》二卷成，见二月刘恭冕序。

俞　樾　撰《易贯》五卷、《玩易篇》一卷、《论语小言》一卷、《春秋名字解诂补义》一卷、《古书疑义举例》七卷、《儿笘录》四卷、《读书余录》二卷、《诂经精舍自课文》二卷、《湖楼笔谈》七卷成。（按：以上各书总名

《第一楼丛书》见七月自撰序目）。

丁取忠 左　潜 同撰《粟布演草》二卷，附开方草一卷成。见七月取忠自识。

俞　樾 自编《春在堂杂文》二卷成，见八月自序。（按：书成后又有续编五卷附记于此）。

杨绍和 撰《楹书隅录续编》四卷成，见八月自序。

莫友芝 编《黔诗纪略》三十三卷成。（按：此书卒后始刻，见莫绳孙后记，今系于九月之前）。

许瑶光 撰《谈浙》四卷成，见九月自序。

蒋超伯 撰《南漘楛语》八卷成。（按：自序无年月，以卷首题辛未秋镌，今系是年之秋）。

● 卒岁：

官　文 太子太保衔文华殿大学士，一等果威伯。正月十一日卒，年七十四。赠太保入祀贤良祠，谥文恭。

李　潜 内阁典籍衔，河南嵩县训导。正月二十二日卒年六十。

胡达湘 湖南益阳县副贡生。二月初五日卒年八十二。

李福泰 调署广西巡抚，正任广东巡抚。三月二十六日卒年六十五。

倭　仁 弘德殿行走，太子太保衔文华殿大学士。四月二十一日卒，年六十八。赠太保，入祀贤良祠，谥文端。

汤　修 原任太常寺卿。四月二十二日卒年六十一。

周开锡 总统甘肃诸军，前福建延建邵道。五月十五日卒于巩昌军营，年四十六。赠内阁学士。

恽世临 降调湖南巡抚。六月初一日卒年五十五。

胡肇智 原任吏部左侍郎。六月十八日卒年六十五。

达　庆 满洲正蓝旗，觉罗氏。刑部右侍郎。六月二十二日卒。

奕　询 仁宗皇孙，奉恩镇国公。六月二十口日卒年二十三。

张亮基 前云贵总督，复起署贵州巡抚。六月卒年六十五。追复总督原衔（复衔在光绪元年正月），追谥惠肃（追谥在光绪三十四年十二月）。

莫友芝　江苏截取知县。九月十四日卒年六十一。名学者，诗人。入国史儒林传。

谭　莹　内阁中书衔，原任广东化州训导。九月卒年七十二。入国史文苑传。

王心安　记名提督。十月卒于山东军营。谥果壮。

志　端　头品顶带荣寿公主额驸。十月十口日卒年十八。

蒋志章　陕西巡抚。十一月卒年五十八。谥文恪。

穆　荫　满洲正白旗，託和洛氏。前兵部尚书，军机大臣。卒。

帅方蔚　原任掌京畿道监察御史。卒年八十二。

蒯贺荪　浙江按察使。卒年六十。入国史循吏传。

夏　炘　四品衔候选内阁中书，前任安徽颖州府教授。卒年八十三。入国史儒林传。

黄开榜　字殿臣，安徽天长人（原籍湖北恩施）。记名提督，江西九江镇总兵。卒。谥刚敏。

同治十一年壬申（公元一八七二年）

● 生辰：

刘春霖　正月初三日生，字润琴、石筼。直隶肃宁人。享年七十。

顾震福　三月二十六日生，字竹侯。江苏山阳人。享年六十五。

毓　隆　四月二十九日生，字绍岑。正蓝旗宗室。

徐　谦　五月十一日生，字士光，号季龙、仲超。安徽歙县人。

袁嘉毅　七月二十日生，字树五，号南耕。云南石屏人。

章　华　七月二十二日生，字曼仙。湖南长沙人。享年五十九。

邵　章　七月二十七日生，字伯絅，号倬盦。浙江仁和人。

闵尔昌　八月初三日生，字葆之。江苏江都人。

方克猷　八月二十五日生，字子壮。浙江於潜人。

傅增湘　九月初八日生，字叔和，号润元。四川江安人。

顾　瑗　十月初四日生，字亚蘧。河南祥符人。

范之杰　十一月十二日生，字显庭，号俊丞。山东历城人。

刘燕翼　十二月十五日生，字襄孙。浙江仁和人。

● 恩遇：

曾纪鸿　已故大学士曾国藩次子，二月赏给举人。

曾广钧　已故大学士曾国藩之孙，二月赏给举人。

崇　绮　翰林院侍讲。六月封三等承恩公。

奕　訢　和硕恭亲王。以纂辑平定粤匪捻匪方略告成，八月赐御书"訏谟辰告"额（慈禧皇太后御书）。

　　　九月以大婚礼成：

奕　訢（恭亲王），以亲王世袭罔替；

奕　譞（醇郡王），晋封和硕醇亲王；

宝　鋆　军机大臣，吏部尚书。晋太子太保衔；

沈桂芬　兵部尚书。加太子少保衔；

李鸿藻　工部尚书。加太子少保衔；

明　善　总管内务府大臣，工部左侍郎。加太子少保衔。

◎ 著述：

潘祖荫　撰《攀古楼彝器款识》二卷成，见四月自序。

孙诒让　撰《古籀拾遗》三卷成，见四月自序。（按：此书续有
　　　　校改，至光绪庚寅始刻成）。

陈建侯　撰《说文提要》一卷成，见五月自序。

王诒寿　撰《花影词》一卷成，见夏日自序。

胡　澍　撰《黄帝素问内经校义》一卷成。（按：自序无年月今
　　　　系于八月之前）。

奕　訢　等奉敕撰《剿平粤匪方略》四百二十卷、《剿平捻匪方
　　　　略》三百二十卷成，见八月进书表。

吴　云　撰《两罍轩彝器图释》十二卷成，见八月自序。

王诒寿　撰《笙月词》四卷成，见九月谭献序。（按：此集刻行
　　　　后复经许口搜集未刻词编为第五卷，见光绪己丑十月
　　　　后跋）。

俞　樾　撰《太上感应篇缵义》二卷成，见十二月自序。

◎ 卒岁：

傅先宗（一作傅光宗），记名提督，甘肃凉州镇总兵。正月初
　　　　六日于甘肃太子寺阵亡。予骑都尉兼一云骑尉世职。

徐文秀　记名提督，广东高州镇总兵。正月十一日于甘肃太子
　　　　寺阵亡。谥武愍。

曾国藩　太子太保衔武英殿大学士，两江总督，一等毅勇侯。
　　　　二月初四日卒年六十二。赠太傅，入祀贤良祠，谥文
　　　　正。

左　浑　湖南湘阴县举人。二月初六日卒年二十四。

瑞　常　太子少保衔文华殿大学士。三月十六日卒年六十八。
　　　　赠太保，入祀贤良祠，谥文端。

史致谔　致仕按察使衔浙江宁绍台道。三月二十三日卒年七十
　　　　一。

王万钊　河南南阳镇总兵。三月卒。谥勇毅。

薛　寿　江苏江都县诸生。四月二十七日卒月六十一。入国史儒林传。

溥　庄　郡王衔多罗贝勒，宗室。四月卒。

陈荣绍　户部主事。以乞假回籍，五月二十日卒于山东汶上县舟次，年四十九。

存　诚　礼部尚书，正黄旗宗室。七月十口日卒。谥勤恪。

刘良驷　候选知府，开复广西商州直隶州知州。八月初一日卒年六十九。

胡　澍　户部候补郎中。八月十四日卒年四十八。

文德盛　记名提督。八月于贵州阵亡。谥武愍。

吴坤修　安徽布政使。九月二十四日卒年五十七。赠内阁学士衔。

郑献甫　五品卿衔在籍刑部候补主事。十月卒年七十二。入国史文苑传。

朱百川　特用道，甘肃凉州府知府。十一月二十七日卒年五十一。

何　栻　原任江西建昌府知府。卒年五十七。

何曰愈　原任四川岳池县知县。卒年八十。入国史循吏传。

朱元钊　运同衔四川岳池县知县。卒年五十五。

同治十二年癸酉（公元一八七三年）

◉ 生辰：

潘昌煦　六月初五日生，字春晖，号由笙。江苏元和人。

许世英　七月十九日生，字俊人。安徽人。

陆增炜　七月十九日生，字丹士。江苏镇洋人。

刘廷琛　八月十三日生，字席如，号幼云。江西德化人。

王季烈　九月初七日生，江苏长洲人。

曾广銮　九月十五日生，字君和，号恕庵。湖南湘乡人。

张启後　十月二十八日生，字燕昌，号若曾。安徽泗州人。

云　书　十二月初十日生，字企韩，号仲森。蒙古正白旗。

李开侁　十二月二十五日生，湖北人。

文　斌　生，享年七十二，字郁周，号伯英。正蓝旗宗室。

熊希龄　生，字秉三。湖南凤凰人。

锡　煚　生，字纯斋。满洲正蓝旗。

◉ 科第：

考取优贡生：

郑德璜　浙江鄞县人。

考取拔贡生：

王汝济　字博航。奉天人。户部小京官，户部郎中。

俞锺颖　江苏人。吏部小京官。光绪丙子副贡，河南布政使。

宋承庠　工部小京官。光绪己卯举人，湖广道御史。

吴引孙　刑部小京官。光绪己卯举人，浙江布政使。

鲍振铺　江苏人。河南知县，广东高州府知府。

李有棻　江西人。内阁中书，江宁布政使。

吴景祺　字仰云，号季卿。浙江余杭人。礼部小京官，安徽徽
　　　　宁池太广道。

朱泉徵　浙江海盐人。

陈作彦　湖北人。吉林新城府知府。

黄嗣东　刑部郎中，陕西陕安道。

吕缉光　湖南人。广西浔州府知府。

乔树柟　四川人。刑部小京官。光绪丙子举人，学部左丞。

刘宇泰　户部小京官，内阁侍读学士。

　　中式举人：

胡义赞　河南光山人。户部主事，浙江杭州府同知。

孟继埭　内阁中书，湖北盐道。

延　煜　户部主事，四川盐茶道。

恩　铭　山东知县，安徽巡抚。

许祐身　工部主事，江苏苏州府知府。

江毓昌　户部郎中，四川提法使。

益　龄　字菊农。满洲正蓝旗，赫舍里氏。工部主事，广东高廉钦道。

李希杰　候选知府，顺天府府尹。

松　墿　字峻峰。蒙古镶白旗。兵部主事，贵州布政使。

吴荫培　安徽歙县人。内阁中书，外务部郎中。

成肇麐　江苏宝应人。直隶灵寿县知县。

何维楷　刑部员外郎，甘肃西宁道。

陈允颐　浙江杭嘉湖道。

胡建枢　安徽凤阳人。山东知县，山东巡抚。

高骍麟　浙江人。内阁中书，直隶清河道。

李兆珍　福建人。河南汝宁府知府。

欧阳中鹄　湖南人。内阁中书，广西提法使。

唐赞衮　福建台南府知府。

孙叔谦　山东人。河南知县，河南光州直隶州知州。

王　绳　字孝绪，号栗农。山东诸城人。内阁中书，内阁侍读。

王秉恩　四川人。广东提法使。

周炳蔚　广西人。横州训导，直隶候补道。

◉ 恩遇：

曾璧光　贵州巡抚。以克复贵州新城黔省上游肃清。正月加太

子少保衔。

岑毓英　云南巡抚。以攻克腾越厅城，云南全省肃清。闰六月加太子少保衔。

以本年为嘉庆癸酉科乡举周甲之岁：

徐继畬　二品顶带原任太仆寺卿，前福建巡抚。赏加头品顶带；
李宗沆　在籍广东候补道。赏加二品顶带　俱重赴鹿鸣筵宴。
孙诒经　南书房行走，翰林院侍讲。九月赐"独步文章"额。
袁保恒　詹事府詹事。其祖母郭氏十二月以百岁生辰赐匾额。
沈桂芬　兵部尚书。十二月赐"勤宣赞画"额。
李鸿藻　工部尚书。十二月赐其母姚氏"兰陔春永"额。

◉ 著述：

应宝时　撰《直省释奠礼乐记》六卷成，见二月自序。
王守基　撰《盐法议略》一卷成。（按：此书于卒后为潘祖荫刻行，今系于六月之前）。
谭　仪　撰《汉铙歌十八曲集解》一卷成，见六月自序。
黎永椿　广东番禺人。撰《说文通检》十四卷成，见七月陈澧序。
吴敏树　自编《柈湖文录》成，见自序。（按：此书未详卷数，今系于八月之前，至光绪中经王先谦搜补重刻定为《柈湖文集》十二卷，见癸巳五月序）。
陈其元　字子庄。浙江海宁（石门）人。撰《庸闲斋笔记》八卷成，见八月自序。
华蘅芳　译《代数术》二十五卷卷首一卷成，见十月自序。
左　潜　撰《缀术释戴》一卷成，见十一月自序。
凌　淦　江苏吴江人。编《松陵文录》二十四卷成，见十二月黎庶昌序。
江　衡　撰《勾股演代》二卷成，见冬日自识。
朱之榛　编《新安先正集》二十卷成，见自序。

◉ 卒岁：

戴　望　浙江德清县诸生。二月二十六日卒于金陵书局，年三十七。入国史儒林传。

王子龙 留营效力前记名提督，甘肃肃州镇总兵。三月初九日于巴燕戎阵亡。开复原官，予骑都尉世职。

俞　林 福建福宁府知府。三月十七日卒年六十。

周康禄 湖北候补道。四月于贵州新城以兵变遇害。予云骑都尉世职，追谥壮节（追谥在光绪口年口月）。

蒋赐勋 浙江海宁州举人。五月初一日卒年七十四。

王柏心 在籍刑部候补主事。五月十三日卒年七十五。入国史文苑传。

朱　兰 原任内阁学士。五月卒年七十四。

李昭庆 候补盐运使。六月初三日卒年三十九。赠太常寺卿。

王守基 字少芳。河南密县人。户部云南司郎中。六月卒年六十口。

丁绍周 光禄寺卿，浙江学政。六月初五日卒年五十三。

袁保庆 盐运使衔江苏候补道，原署江南盐巡道。六月二十一日卒年四十六。

吴廷栋 原任刑部右侍郎。闰六月初一日卒年八十一。

缪兆禧 五品顶带试用教谕，江苏太仓县廪贡生。闰六月初一日卒年五十二。

朱凤标 赏食全俸，原任体仁阁大学士，前加太子少保衔。闰六月初口日卒年七十四。赠太子太保衔，谥文端。

何绍基 降调翰林院编修。七月二十日卒于苏州，年七十五。入国史文苑传。

吴敏树 原任湖南浏阳县教谕。八月十一日卒年六十九。入国史文苑传。

蒋彬蔚 刑科给事中。九月十三日卒年五十七。

裘宝善 原任安徽泗州直隶州知州。九月二十二日卒年七十六。

刘　蓉 前陕西巡抚。十月初一日卒年五十八。开复原官。

郑魁士 直隶宣化人。原任甘肃宁夏镇总兵，降调浙江提督。十月卒。谥忠烈。

萧浚兰 四品顶带，降调云南布政使。十月三十日卒年五十二。

徐时栋 候选内阁中书，浙江鄞县举人。十一月初八日卒年六十。

蒋大镛 奉天府治中。十二月卒年六十三。

徐继畬 头品顶带，原任太仆寺卿，降调福建巡抚。卒年七十九。

许　楗 在籍江苏候补道，原署江苏粮道。卒年七十六。

萧培元 原任山东济东泰武临道。卒年五十八。

吴树声 山东章邱县知县。卒年五十二。入国史儒林传。

严　鈖 署广西左州知州，广西候补知县。卒年四十五。

同治十三年甲戌（公元一八七四年）

● **生辰：**

张　铣　正月初四日生，甘肃武威人。

郑　言　二月二十六日生，四川华阳人。

方履中　六月初六日生，字开祥，号玉山。安徽桐城人。

丁福保　六月二十二日生。

叶景葵　七月十四日生，浙江仁和人。

刘师苍　八月初三日生，字张侯。江苏仪征人。享年二十九。

恩　华　八月初七日生，字詠春，号樗伯。蒙古镶红旗，巴普
　　　　特氏。

桂　福　八月十七日生，字锡五，号枝五、筱岩、秀岩。满洲
　　　　正白旗，瓜尔佳氏。

刘　焜　十月二十三日生，字子襄，号松盦。浙江兰溪人。

赵从蕃　十一月初七日生，江西南丰人。

王寿彭　十二月初三日生，字眉轩，号次籛。山东潍县人。

商衍鎏　十二月初四日生，字又章，号藻亭。汉军正白旗，广
　　　　州驻防。

● **科第：**

　一甲进士：

陆润庠　状元。修撰，东阁大学士。

谭宗浚　榜眼。编修，云南粮道。

黄贻楫　探花。编修，刑部主事。

　二甲进士：

华金寿　编修，吏部左侍郎。

刘传福　编修，四川叙州府知府。

檀　玑　编修，侍读学士。

冯光通　编修，陕西按察使。

翟伯恒　编修，福建延建邵道。

张百熙　编修，邮传部尚书。

屠仁守　字梅君。湖北孝感人。编修，光禄寺少卿。

牟荫乔　编修，广西柳州府知府。

赵增荣　字鸿桥，号笙阶。四川宜宾人。编修，江西南安府知府。

林绍年　编修，民政部右侍郎。

罗锦文　字郁田。四川常宁人。编修，山东运河道。

沈锡晋　庶吉士，吏部主事，江苏扬州府知府。

张礽杰　庶吉士。

高燮曾　编修，顺天府府丞。

章洪钧　编修，直隶宣化府知府。

周晋麒　字珊梅。浙江慈溪人。编修。

庞　玺　编修，甘肃平凉府知府。

陈文騄　编修，安徽庐州府知府。

陈才芳　字春亭，号梅峰。陕西宁羌人。编修，甘肃凉州府知府。

任贵震　江苏江都人。编修，口口府知府。

黄卓元　编修，内阁学士。

白遇道　编修，甘肃甘凉道。

朱百遂　编修，山西汾州府知府。

凤　鸣　编修，工部左侍郎。

詹鸿谟　庶吉士，礼部主事，江苏徐州府知府。

张廷燎　字光宇。河南舞阳人。编修，陕西布政使。

时庆莱　江苏仪征人。刑部主事，浙江候补道。

赵尔巽　编修，东三省总督。

黄玉堂　广东顺德人。编修。

宝　昌　编修，礼部右侍郎。

冯应寿　编修，江南盐巡道。

王振声　工部主事，安徽徽州府知府。

郑秉成　刑部主事，福建泉州府知府。

郑思贺　字黼门。河南祥符人。编修，陕西盐道。

鲍　临　编修，侍讲。

孙佩金　字绥若，号紫鱼。云南呈贡人。庶吉士，口部主事，
　　　　广西平乐府知府。

涂庆澜　编修，浙江候补知府。

敖名震　编修，福建邵武府知府。

王兰昇　字芷庭。山东莱阳人。编修。

尚　贤　编修，科布多参赞大臣。

秦澍春　编修，侍讲学士。

孙葆田　刑部主事，安徽宿松县知县。

延　清　工部主事，翰林院侍读学士。

乌拉布　编修，工部左侍郎。

吴　讲　编修，侍读学士。

王　绰　庶吉士，刑部主事，浙江金衢严道。

良　贵　宗室。编修，侍读学士。

胡　胜　编修，湖北襄阳府知府。

胡燏棻　庶吉士，口口知县，邮传部右侍郎。

徐兆丰　庶吉士，刑部主事，福建延建邵道。

俞培元　礼部主事，江西瑞州府知府。

张西园　刑部主事，浙江台州府知府。

詹嗣贤　编修。

吴锡章　字聘侯。广西临桂人。编修，广东廉州府知府。

吴徵鳌　广东知县，广西右江道。

　　三甲进士：

张景祁　浙江钱塘人。

桂　霖　礼部主事，河南开归陈许道。

张绍毕　吏部主事，山西布政使。

奎　郁　宗室。宗人府主事，内阁侍读学士。

陆元鼎　江苏知县，江苏巡抚。

于衡霖　（一作于蘅霖）。奉天伯都讷人。直隶束鹿、宣化等县

知县。

赵舒翘　刑部主事，刑部尚书。

戴锡钧　江苏长洲人。吏部主事，直隶大名府知府。

萧　镛　工部主事，云南普洱府知府。

恩　寿　字艺棠。满洲镶白旗，索绰罗氏。兵部主事，陕西巡抚。

秦应逵　会元。山东知县，山东历城县知县。

倪惟钦　云南昆明人。贵州兴义府知府。

陈存懋　字官德，号竹香。江西赣县人。检讨，浙江候补知府。

刘本植　户部主事，陕西延安府知府。

胡廷幹　户部主事，江西巡抚。

王麟书　浙江钱塘人。江西知县，江西万载县知县。

陈望曾　内阁中书，广东劝业道。

锡　良　山西知县，热河都统，东三省总督。

方连轸　刑部主事，安徽安庆府知府。

李昭炜　检讨，兵部左侍郎。

龙起涛　（一作龙启涛）。湖南知县，湖南候补知府。

尹序长　户部主事。

赵尔震　字钱珊。汉军正蓝旗。庶吉士，工部主事，口口府知府。

王维翰　户部主事，河南劝业道。

翻译进士：

祥　麟　检讨，察哈尔都统。

武进士：

张凤鸣　河南西平人。状元。头等侍卫，云南鹤丽镇总兵。

赵瑞云　河南杞县人。榜眼。二等侍卫。

刘云会　字际辰。直隶长垣人。探花。二等侍卫，山东抚标中军参将。

黄兆晋　湖北孝感人。传胪。三等侍卫。

◉ 恩遇：

李宗沆 在籍二品顶带广东候补道。以本年为嘉庆甲戌科登第周甲之岁，赏加头品顶带重赴恩荣筵宴。

十月以**慈禧皇太后**四旬万寿：

奕　山（正红旗蒙古都统）、**李鸿章**（大学士，直隶总督）之母李氏、**毛昶熙**（吏部尚书）之母姜氏、**恩　承**（刑部左侍郎）之母许氏、**袁保恒**（户部左侍郎）之祖母郭氏。俱以年逾八旬各赐御书匾额。

十一月以**圣躬天花之喜**：

荣　禄 内务府大臣，户部左侍郎。加太子少保衔；

明　善 工部右侍郎。晋太子太保衔。（十二月二人均撤消）。

爱新觉罗载湉 和硕醇亲王奕譞长子。十二月初五日承继为皇子。于明年正月二十日嗣登大位。改光绪元年。

奕　譞 和硕醇亲王。十二月以亲王世袭罔替。

● **著述**：

丁取忠 撰《对数详解》五卷成，见二月自序。

黄宗宪 字玉屏。湖南善化人。撰《求一术通解》二卷成，见二月自序。

王定安 编《三十家诗钞》六卷成，见七月自撰凡例。

曾纪鸿、左　潜、黄宗宪 同撰《圜率考真图解》一卷成，见七月曾纪鸿跋。

左　潜 撰《缀术释明》二卷成，见曾纪鸿序。

● **卒岁**：

瑞　昌 满洲正白旗 马佳了氏。原任二等侍卫，驻藏邦办大臣，降调山西按察使。二月卒。

德　英 字润堂。满洲正蓝旗，阿图哩氏。黑龙江将军。卒。谥庄毅。

李元绀 六品顶带山东章邱县孝廉方正，原任钜野县训导。卒岁七十五。

李孟荃 河南光州人。知府衔，以同知直隶州升用安徽亳州知州。卒。入国史循吏传。

冯桂芬 三品衔，原任詹事府右春坊右中允。四月十三日卒年六十六。入国史文苑传。

鄂顺安 前山西巡抚。七月卒年八十六。

英　元 都察院左都御史，正黄旗宗室。八月初一日卒。谥恭毅。

何国琛 署湖北粮道候补道，前任襄阳府知府。八月卒年七十二。

瑞　麟 字澄泉。满洲正蓝旗，叶赫那拉氏。文华殿大学士，两广总督。八月卒。赠太保，入祀贤良祠，谥文庄。

左　潜 湖南人。湖南湘阴县廪生。卒。

杨荣绪 候选道，原任浙江湖州府知府。九月于卸任后卒于湖州，年六十六。入国史循吏传。

王榕吉 大理寺卿。九月二十日卒年六十五。

宋　晋 户部左侍郎。九月二十二日卒年七十三。

贾　桢 太子太保衔赏食全俸，原任武英殿大学士。九月二十五日卒年七十七，赠太保，入祀贤良祠，谥文端。

余　治 江苏无锡县口口。十月初八日卒年六十六。

奕　仁 袭和硕庄亲王，宗室。十月十口日卒。谥曰厚。

续　明 袭奉恩辅国公，宗室。十一月卒。

张廷岳 副都统衔库伦办事大臣。十一月卒，谥威勤。

梁绍献 原任江南道监察御史。十一月卒年六十九。

傅定邦 记名总兵。十一月十五日于甘肃河州阵亡。

爱新觉罗载淳 大行皇帝同治。十二月初五崩于养心殿，圣寿十九。尊谥曰毅，庙号穆宗。

明　善 江军正蓝旗，索氏。太子太保衔工部左侍郎，总管内务府大臣。十二月二十日卒。赠太子太保衔，谥勤恪。

蒋益澧 原任山西按察使，降调广东巡抚，骑都尉。十二月以觐见卒于京师，年四十二。开复巡抚原官，追谥果敏（追谥在光绪三年七月）。

罗惇衍 原任户部尚书。卒年五十八。谥文恪。

马恩溥　内阁学士，江苏学政。卒于太仓试院，年五十五。

王　拯　降调通政使司通政使。卒年六十二。著名文学家，入
国史文苑传。

张应昌　原任内阁中书。卒年八十五。入国史儒林传。

锺谦钧　二品顶带，原任广东盐运使。卒。入国史循吏传。

吴兆麟　原任江西盐法道。卒年八十一。

程鸿诏　在籍山东候补道。卒。

王继庭　原授山东兖州府知府，由开复山东青州府知府起补以
病未任。举年五十九。

汤禄名　两淮候补盐大使。卒年七十一。

魏秀仁　福建侯官县举人。卒年五十六（是否此年卒待考）。

德宗光绪元年乙亥（公元一八七五年）

◉ 生辰：

夏同龢　正月二十三日生，贵州麻哈人。享年五十一。

张茂炯　正月三十日生，江苏吴县人。

张作霖　二月十二日生，字雨亭。奉天海城人。享年五十四。

延　昌　六月二十一日生，字子光，号寿丞。蒙古镶白旗，杭
　　　　阿坦氏。

涂凤书　八月二十二日生，四川人。享年六十。

汪瑞闿　九月初九日生，字颉荀。安徽盱眙人。

林　旭　生，享年二十四，字暾谷，号晚翠。福建侯官人。

谈文烜　生，浙江海盐人。享年三十六。

杨鑑莹　十月三十日生，（原名杨朝庆），字云史。江苏常熟人。
　　　　享年六十七。

王大贞　生。

张鸣岐　生，字坚伯。山东海丰人。

◉ 科第：

中式举人：

汪凤池　字药阶。江苏元和人。内阁中书，湖南长沙府知府。

吴浔源　直隶宁津人。

童德璋　兵部主事，安徽徽宁池太广道。

胡祖谦　内阁中书，河南河陕汝道。

世　续　口部笔帖式，文毕殿大学士。

郑文焯　口部笔帖式，内阁中书。

贵　铎　都察院笔帖式，右赞善。

陈名侃　内阁中书，副都御史。

缪润绂　乡举重逢。

徐嘉禾　直隶天津人。湖北知县，江西南昌府知府。

邓嘉缜　江苏江宁人。贵州知县，奉天巡警道。

杨志濂　民国乙亥乡举重逢。

曾之撰　刑部候补郎中。

陈作霖　候选知县。

丁立诚　字修甫。浙江钱塘人。内阁候补中书。

施则敬　直隶候补道。

黄以恭　浙江定海人。

蒋学溥　广东候补知县。

易顺鼎　湖南人。广东钦廉道。

秦炳直　湖南人。内阁中书，广东陆路提督。

刘光蕡　字焕⿰，号古愚。陕西咸阳人。

郑文同　字书田。浙江桐乡人。

　　保举孝廉方正：

杨文杰　浙江人。见同治丁卯优贡。

李联奎　安徽合肥人。

阮　强。

◉　恩遇：

薛于瑛　山西芮城县岁贡生。以究心正学，二月赏国子监学正衔。

◉　著述：

丁取忠　撰《粟布演草补》一卷成，见二月自识。

戴燮元　编《瑞芝山房诗钞》八卷成，见自序。

姚觐元　撰《说文检字补遗》一卷成，见十二月自记。

张之洞　撰《輶轩语》成，见自序。

张德容　撰《二铭草堂金石聚》十六卷成，见自序。

◉　卒岁：

朱学勤　大理寺卿。正月初四日卒年五十三。

王开俊　副将衔浙江温州镇右营游击。正月于福建台湾狮头社阵亡。谥勇烈。

都兴阿　字直夫。满洲镶黄旗，郭尔贝氏。盛京将军，骑都尉。正月卒。赠太子太保衔，追谥清悫（追谥在四年三月）。

乔松年 河东河道总督。二月十四日卒年六十一。赠太子少保衔，谥勤恪。

福　济 头品顶带，前乌里雅苏台将军。三月初十日卒年六十五。照巡抚例赐恤。

赛尚阿 原任正红旗蒙古都统，前文华殿大学士。三月二十四日卒年七十口。

宋邦傆 湖南长沙府知府。三月卒，年五十一。

蒋曰豫 丁忧直隶候补直隶州知州，前任蔚州知州。三月卒年四十六。入国史文苑传。

奇克坦泰 原任江苏粮道。四月卒。

吴凤藻 京畿道监察御史。五月卒年五十。

钱鼎铭 河南巡抚。五月二十一日卒年五十二。追谥敏肃（追谥在二年十一月）。

周玉麒 原任内阁学士。六月二十七日卒年七十二。

谭胜达 记名提督，直隶正定镇总兵。七月十二日卒。

徐　鹬 调署安徽寿春镇总兵，正任河南归德镇总兵。七月卒。

陆芝祥 翰林院编修，广西副考官。七月卒于河北途中，年三十一。

曾璧光 太子少保衔贵州巡抚，云骑尉。八月二十六日卒年六十七。赠太子太保衔，谥文诚。

崇　纶 工部尚书，总管内务府大臣。九月初五日卒年八十四。赠太子少保衔，谥勤恪。

王凯泰 福建巡抚。十月二十三日卒年五十三。赠太子少保衔，谥文勤。

宋桂芳 字魁五。贵州平越人。福建建宁镇总兵。十二月初六日卒。

黄金山 前甘肃肃州镇总兵。十二月十八日以罪命于甘肃军前处斩（注：以恶迹昭著，心怀叵测）。

杨绍和 詹事府右春坊右庶子。十二月二十九日卒年四十五。

常　恩 原任刑部右侍郎，袭骑都尉世职。卒年五十一。

章　銎　国子监祭酒，广东学政。卒于廉州道中，年五十六。

丁　晏　三品衔候选内阁中书。卒年八十二。入国史儒林传。

乐　斌　满洲正黄旗，觉罗氏。前陕甘总督。卒。

白让卿　前湖北汉黄德道。卒年七十四。

吴祖昌　升用道，原任江西南昌府知府。卒年五十八。入国史循吏传。

陈崇砥　直隶河间府知府。卒。入国史循吏传。

王振纲　归班候选知县，直隶新城县进士。卒年七十一。

张光亮　记名提督。于福建台湾阵亡。谥壮烈。

王德成　记名提督。于福建阵亡。谥果敏。

李常孚　记名提督。于福建阵亡。谥庄简。

胡国恒　两江补用副将。于福建阵亡。谥勤敏。

束维清　俟先补用游击。于草山社阵亡。谥刚肃。

光绪二年丙子（公元一八七六年）

● 生辰：

陈善同　三月十四日生，字景虞，号与人、雨人。河南信阳人。

左　霈　闰五月二十一日生，字雨荃。汉军正黄旗，广州驻防。

锺　镛　闰五月二十六日生，字广生，号逊庵。浙江仁和人。
　　　　享年六十。

陈敬第　六月十八日生，字叔通，号云麋。浙江仁和人。

麦鸿钧　七月初十日生，字志昭，号惠农。广东三水人。

张德渊　七月十七日生，江西萍乡人。

谭祖任　九月二十五日生，享年六十八。

夏寿康　十一月二十八日生，字受之，号仲膺。湖北黄冈人。

袁励准　十二月二十四日生，字珏生，号中舟。顺天宛平人。
　　　　享年六十。

金兆丰　十二月二十七日生，字瑞六，号雪孙。浙江金华人。

● 科第：

　一甲进士：

曹鸿勋　状元。修撰，陕西巡抚。

王赓荣　榜眼。编修，广西浔州府知府。

冯文蔚　探花。编修，内阁学士。

　二甲进士：

吴树梅　编修，户部左侍郎。

顾　璜　庶吉士，户部主事，镶白旗汉军副都统。

戴鸿慈　编修，法部尚书，协办大学士。

刘纶襄（原名刘中策）。山东沂水人。　编修，山西候补道。

陶福同　礼部主事，河南陈州府知府。

春　溥　字伯熙，号博泉。蒙古正黄旗，撒哈拉氏。编修，洗
　　　　马。

唐椿森　编修，江西盐道。

殷李尧 编修，湖北候补道。

倪恩龄 编修，广西柳州府知府。

金寿松 （原名金星桂）。编修，刑科给事中。

谢祖源 编修，河南彰德府知府。

吴兆泰 字心荄。湖北麻城人。编修，河南道御史。

庞鸿文 编修，通政司副使。

高钊中 编修，侍读。

王锡蕃 编修，侍读学士。

徐玮文 江苏人。庶吉士，口部主事，广东琼州府知府。

陈琇莹 编修，江南道御史。

陈兆文 编修，左副都御史。

黄国瑾 编修。

张仁黼 （原名张世恩）。编修，吏部右侍郎。

黄群杰 字秀生。江苏泰州人。编修。

张炳琳 编修，工科给事中。

廖廷相 编修。

朱一新 编修，陕西道御史。

潘宝鐄 字椒堂。广东番禺人。编修。

管廷鹗 编修，大理寺卿。

刘心源 编修，广西按察使。

陈懋侯 编修，江南道御史。

裕　德 编修，东阁大学士。

黄彝年 编修。

冯金鑑 编修，四川川北道。

陈履亨 字谦六，号砚塘。山西临汾人。编修，河南陈州府知府。

李桂林 编修，山西大同府知府。

崔　澄 安徽太平人。庶吉士，五品卿衔。

袁镇南 庶吉士，河南知县，河南开归陈许道。

刘宗标 编修，浙江台州府知府。

陆宝忠　编修，都御史。

路朝霖　字覃叔，号访岩。贵州毕节人。庶吉士，四川东乡县
　　　　知县。

王炳燮　字朴诚，号綑斋。江苏元和人。

陶方琦　编修。

叶庆增　吏部主事，江西南康府知府。

陈邦瑞　内阁中书，吏部左侍郎。

锺德祥　编修，江南道御史。

李士瓚　礼部主事，江西建昌府知府。

黎荣翰　编修。

李绍芬　（原名李郁芬）。吏部主事，云南布政使。

朱善祥　编修。

徐致靖　编修，少詹事。

林　启　编修，浙江杭州府知府。

王步瀛　陕西眉县人。户部主事，甘肃凉州府知府。

会　章　宗室。编修，理藩院右侍郎。

高赓恩　编修，太常寺少卿。

潘　江　刑部主事，广西南宁府知府。

吴　泰　兵部主事，广西知县，吉林提法使。

党　蒙　庶吉士，刑部主事，云南临安府知府。

袁　昶　户部主事，太常寺卿。

郑衍熙　安徽英山人。编修。

廷　杰　刑部主事，法部尚书。

缪荃孙　编修，学部候补参议。

施典章　庶吉士，户部主事，广东广州府知府。

汤子坤　编修，云南云南府知府。

周景曾　刑部主事，甘肃巩昌府知府。

曹　榕　（一作曹荣）。山西临汾人。户部主事，山东武定府知
　　　　府。

黄均隆　庶吉士，刑部主事，法部右丞。

三甲进士：

贵　贤　工部主事，奉天府府丞。

艾庆澜　刑部主事，给事中。

李念兹　刑部主事，四川雅州府知府。

裕　祥　内阁中书，成都将军。

涂官俊　陕西知县，陕西泾阳县知县。

顾家相　江西知县，河南彰德府知府。

许涵度　山西知县，陕西布政使。

闵荷生　丁丑朝考。户部主事，直隶大名府知府。

庆　恕（原名庆恩）。满洲镶黄旗人。户部主事，西宁办事大臣。

刘振镛（原名刘镛）。内阁中书，甘肃兰州府知府。

朱彭年　□□县知县。

胡俊章　户部主事，□□道御史。

陆殿鹏　会元。吏部主事。

翻译进士：

英　文　兵部主事，湖南岳州府知府。

武进士：

宋鸿图　福建侯官人。状元。头等侍卫。

张忠祥　河南西平人。榜眼。二等侍卫。

景　庆　蒙古正红旗。探花。二等侍卫。

张世昌　河南郾城人。传胪。三等侍卫。

考取优贡生：

杨同楣　山东知县，直隶候补直隶州知州。

中式举人：

文哲晖　字蔚堂。满洲镶蓝旗。归化城副都统。

黄遵宪　湖南盐道。

琦　璋　湖北汉阳府知府。

关以镛　贵州按察使。

顾肇新　农工商部右侍郎。

任锡汾　江苏宜兴人。四川川东道。

陶濬宣　字心云。浙江会稽人。广东候补道。

冯一梅　浙江人。

查光华　桐乡县训导，安徽望江县知县。

李瀚昌　湖南人。署河南高等检察厅检察长。

乔树枏　四川人。见同治癸酉拔贡。

陶福祥　广东人。

张舜琴　字竹泉。云南石屏人。（并补行同治甲子科）。昆明县
　　　　训导。

何廷俊　云南人。（并补行同治甲子科）。河南河北道。

　　中式副榜贡生：

沈廷杞　字楚青。顺天大兴人。山东济东泰武临道。

俞锺颖　见同治癸酉拔贡。

刘寿曾　江苏仪征人。

◉　恩遇：

刘厚基　陕西延绥镇总兵。其母罗氏以捐田赡族，二月赐匾额。

按：德宗以冲龄践阼，凡赐额皆由南书房奉命代书，谨记于此。
　　惟谕旨中有明言赏给御书者今仍原文志之。又慈禧太后有
　　御书特赏者后皆注明。

郭宝昌　安徽寿春镇总兵。以捐田赡族，赐匾额。

董　恂　户部尚书。八月以七十生辰，赐寿。

史　朴　三品封典在籍广东候补道。以后年为嘉庆戊寅恩科乡
　　　　举重逢，先于本年正科重赴鹿鸣筵宴，赏加二品顶带。

◉　著述：

丁取忠　撰《四象假令细草》一卷成，见正月自序。

方濬师　辑刻《傅鹑觚集》五卷成，见三月自序。

徐用仪　撰《海盐县志》二十四卷成，见三月自序。

鲍　康　撰《大钱图录》一卷成，见书末五月自识。

诸可宝　撰《郑文公摩崖碑跋》一卷成，见六月自序。

邹　锺　字乐生。自编《志远堂文集》八卷成，见七月何家琪

序。

胡培系　撰《绩溪胡氏书目》二卷成，见秋日自序。

锺德祥　撰《集古联句》一卷成，见冬日自序。

◉ 卒岁：

刘登俊　五品衔候选州吏目，山东历城县医士。正月初四日卒年七十九。

严树森　广西巡抚。二月二十八日卒年六十口。

载　崇　刑部右侍郎，正蓝旗宗室。三月初口日卒。

额尔根巴图　副都统衔索伦领队大臣。三月十一日卒。

景其濬　内阁学士。三月十六日卒年四十八。

德　长　领侍卫内大臣，袭和硕睿亲王，宗室。四月十九日卒。谥曰愨。

文　麟　满洲正蓝旗。哈密办事大臣。四月二十七日卒年六十口。

文　祥　太子太保衔，武英殿大学士，军机大臣。五月初四日卒，年五十九。赠太傅，入祀贤良祠，予骑都尉世职，谥文忠。

刘于浔　布政使衔原任甘肃按察使。五月十三日卒年七十一。

吴文漪　浙江海宁州岁贡生。五月卒年六十。

庞锺璐　原任刑部尚书。闰五月初六日卒年五十五。谥文恪。

端　秀　袭奉恩辅国公，宗室。六月卒。

丁寿祺　丁忧按察使衔云南迤西道。六月卒年五十二。

刘有铭　太常寺衔降调刑部左侍郎。六月卒年七十二。

唐仁寿　浙江海宁州诸生。六月十四日卒于金陵书局，年四十八。

沈兆澐　头品顶带，原任浙江布政使，七月十七日卒年九十四。谥文和。

樊希棣　布政使衔贵州候补道。八月卒年四十八。

李衢亨　江西粮道。九月十三日卒年四十八。

春　佑　字辅廷。正红旗宗室。镶黄旗汉军都统，前任理藩院尚书。九月十口日卒年七十口。谥诚恪。

杨鸿吉　大理寺少卿，安徽学政。十月初八日以京赴任卒于宿
　　　　州途中，年五十四。

巴杨阿　字玉农。满洲正黄旗。荆州将军。十月卒年七十口。
　　　　谥威勤。

孔祥珂　山东曲阜人。袭衍圣公。十月卒。谥庄悫。

崇　实　署盛京将军，刑部尚书。十月十九日卒年五十七。赠
　　　　太子少保衔，谥文勤。

恩　龄　字述园、麓湘。满洲正黄旗。刑部左侍郎，一等承恩
　　　　侯。十一月初七卒。

杨能格　四川成绵道，前江宁布政使。十二月卒年六十三。

马复震　广东阳江镇总兵。十二月二十三日卒年三十八。（复震
　　　　授阳江镇总兵在次年四月，卒时尚未补）。

吴　棠　原任四川总督。卒。谥勤惠。

李佐贤　原任福建汀州府知府。卒年七十。

陈介璋　原任安徽池州府知府。卒年五十一。

徐子苓　原任安徽和州学正。卒年六十五。

江长贵　四川人。赏食全俸，原任福建陆路提督。卒。

杨德亨　安徽石埭县贡生。卒年七十二。入国史儒林传。

光绪三年丁丑（公元一八七七年）

◉ **生辰：**

王　彭　八月十三日生，湖北江夏人。

王国维　十月二十九日生，字静庵，号观堂。浙江海宁人。享年五十一。

赵炳麟　十一月二十六日生，字竹垣，号长荣。广西全州人。

蒋尊祎　十月初十日生，字彬侯。浙江海宁人。享年七十二。

◉ **科第：**

　　一甲进士：

王仁堪　状元。修撰，江苏苏州府知府。

余联沅　榜眼。编修，湖南布政使。

朱赓飏　字景庵。江苏华亭人。探花。编修。

　　二甲进士：

孙宗锡　字公复。湖南善化人。编修。

洪思亮　字景存，号朗斋、少竹。安徽怀宁人。编修，浙江衢州府知府。

张鼎华　字研秋。广东番禺人。编修。

杨佩璋　字子珍，号小村。河南长葛人。编修，典礼院学士。

杨　晨　编修，口科给事中。

周克宽　编修，翰林院学士。

盛　昱　宗室。编修，祭酒。

吴郁生　编修，邮传部右侍郎。

张嘉禄　字受百，号稼麓、肖庵。浙江鄞县人。编修，户科给事中。

李徵庸　四川邻水人。刑部主事，督办四川矿务大臣。

支恒荣　编修，浙江提学使。

于锺霖　奉天伯都讷人。编修。

戴兆春　编修，陕西陕安道。

吕凤岐　字瑞田。安徽旌德人。编修。

江树昀　字承武，号韵涛。江西弋阳人（原籍安徽旌德）。编修，
　　　　山东登州府知府。

徐道焜　字望衔，号仲文。江西吉水人。庶吉士，工部主事，
　　　　掌河南道御史。

谢希铨　编修，直隶热河道。

吴祖椿　编修，江西饶州府知府。

杨文莹　编修。

濮子潼　庶吉士，兵部主事，江苏布政使。

许泽新　字味馀，号润田、颖初。贵州贵阳人。编修，典礼院
　　　　学士。

王　同　刑部主事。

周　龄　字作朋，号鹤亭。江苏震泽人。编修。

锡　钧　编修，翰林院学士。

何福堃　编修，甘肃布政使。

林　壬　编修。

杨调元　户部主事，陕西华州知州。

樊增祥　庶吉士，陕西知县，江宁布政使。

胡孚宸　编修，山西归绥道。

吴大衡　编修。

李维诚　浙江知县，山东武定府知府。

国　炳　字子麟，号心源。蒙古镶白旗，杭阿坦氏。编修，内
　　　　阁侍读学士。

朱益濬　字辅源，号纯卿。江西莲花人。庶吉士，四川知县，
　　　　湖南辰沅永靖道。

胡湘林　编修，广东布政使。

刘永亨　编修，仓场侍郎。

孔祥霖　字少沾，号话琴。山东曲阜人。编修，河南提学使。

霍为枞　字勉吾，号梅卿。陕西朝邑人。编修。

张仲炘　字慕京，号次珊。湖北江夏人。编修，通政司参议。

长　萃　编修，仓场侍郎。

治　麟　字舜臣。满洲正黄旗，颜轧氏。编修，司业。

李擢英　礼部主事，典礼院直学士。

冯锺岱　刑部主事，山西冀宁道。

王联璧　刑部主事，贵州黎平府知府。

讷　钦　刑部主事，驻藏帮办大臣。

继　昌　工部主事，甘肃布政使。

朱显廷　庶吉士，户部主事，云南大理府知府。

王嘉禾　字书年。山东文登人。口部主事，吉林依兰府知府。

陈　灿　贵州贵阳人。吏部主事，甘肃布政使。

何刚德　福建闽县人。吏部主事，江苏苏州府知府。

于沧澜　山东平度人。河南知县，河南南汝光道。

吴　超　工部主事。

　　三甲进士：

刘秉哲　字鑑堂，号浚源。直隶邢台人。会元。检讨。

翁斌孙　检讨，直隶提法使。

李馨国　山西榆次人。户部主事，江西抚州府知府。

李　沄　山东诸城人。吏部主事，贵州思州府知府。

于观霖　奉天伯都讷人。工部主事。

李崇洸　陕西长安人。内阁中书，广东廉州府知府。

晏安澜　陕西镇安人。户部主事，盐政丞。

廖正华　字詠秋，号鹿苹。四川江安人。检讨，湖北安陆府知
　　　　府。

蒋式芬　检讨，广东盐运使。

董　沛　江西知县，江西建昌县知县。

胡薇元　顺天大兴人。广西知县，陕西西安府知府。

张成勋　刑部主事，安徽凤颍六泗道。

熊起磻　河南光山人。刑部主事，浙江绍兴府知府。

沈维诚　兵部主事，广西口口府知府。

区湛森　广东南海人。内阁中书，内阁侍读。

刘中度　户部主事，直隶广平府知府。

孙朝华　吏部主事，云南楚雄府知府。

陈　璧　内阁中书，邮传部尚书。

程仪洛　浙江山阴人。吏部主事，广东按察使。

李尚卿　湖南知县，湖南衡州府知府。

崔　瀛　山西赵城人。

谢章铤　内阁中书。

徐士佳　吏部主事，直隶热河道。

陶家驹　江西南昌人。刑部主事，山西泽州府知府。

　　武进士：

佟在棠　直隶天津人。状元。头等侍卫。

马尚德　直隶内邱人。榜眼。二等侍卫。

林培基　福建侯官人。探花。二等侍卫。

徐三畏　河南唐县人。传胪。三等侍卫。

◉ 恩遇：

恩　承　吏部左侍郎。五月其母许氏以年届百龄，赐匾额。

◉ 著述：

袁祖志　撰《随园琐记》二卷成，见正月自序。

戴燮元　编《瑞芝山房文钞》八卷成，见三月自序。

陈　锦　自编《补勤诗存》二十四卷成，见五月钱枡序。

裕　禄　等重修《安徽通志》三百五十卷、《补遗》十卷成，见
　　　　五月沈葆桢序。

王继香　撰《醉盦砚铭》一卷成，见九月自序。

鲍昌熙　字少筠。浙江嘉兴人。撰《金石屑》成，见自撰后序。

◉ 卒岁：

唐训方　原任直隶布政使。降调安徽巡抚。正月二十日卒年六
　　　　十八。

奕　譓　宣宗皇九子。内大臣，正蓝旗汉军都统，亲王衔多罗
　　　　孚郡王。二月初八日卒。谥曰敬。

刘厚基　字福堂。湖南耒阳人。记名提督，陕西延绥镇总兵。

二月卒。

恒　惠　字泽民。内大臣。三月卒。

章仪林　盐运使衔江苏候补道，前任江苏淮安府知府。六月初七日卒年六十五。

翁同爵　字玉圃，号侠君。江苏常熟人。湖北巡抚。八月初一日卒年六十四。

余光倬　原任刑部直隶司。九月初二日卒年六十二。

蒯德模　三品衔补用道，四川夔州府知府。九月二十一日卒年六十二。入国史循吏传。

张保和　云南昆明人。河南永州镇总兵。十月初十日卒。

田兴恕　前钦差大臣，贵州提督。十月十八日卒年四十一。

程恭寿　前光禄寺少卿。十月二十一日卒年七十四。

锺鸿坝　原任四川蒲江县教谕。十一月初八日卒年五十六。

文　谦　满洲镶黄旗，阿哈觉罗氏。马兰镇总兵，总管内务府大臣。十一月卒。追谥诚靖（追谥在四年四月）。

麦龙韬　广西右江镇总兵。十一月卒于福建台湾军营。

赵　昀　原任广东惠潮嘉道。十一月二十六日卒年七十。

恩　锡　江苏布政使。十□月卒，年六十三。

英　翰　乌鲁木齐都统，前太子少保两广总督，二等轻车都尉。十二月初八日卒年四十九。赠太子太保衔，谥果敏，追复总督原官（追复在十五年正月）。

熊少牧　五品衔候选内阁中书，前任湖北蓝山县训导。十二月十一日卒年八十四。

载　鸗　原任理藩院左侍郎，宗室。卒。

刘齐衔　字本锐，号冰如。福建闽县人。前河南布政使。卒。

尹耕云　布政使衔河南河陕汝道。卒年六十三。入国史循吏传。

吴大廷　二品顶带，按察使衔原任福建台湾道。卒年五十四。

汪　昉　原任山东莱州府同知。卒年七十九。

王荫昌　以知府升用，山东武定府同知。卒年六十五。

唐　瀹　运同衔以直隶州升用，江苏候补知县。卒。

锺文烝　浙江嘉善县举人。卒年六十。入国史儒林传。

曾纪鸿　湖南湘乡县举人。卒年三十。

王　素　江苏江都县画士。卒年八十四。

闵　懐　江苏江都县画士。卒年四十八。

光绪四年戊寅（公元一八七八年）

◉ 生辰：

邵福瀛 正月初一日生，字厚夫。顺天宛平人。

章祖申 正月初八日生，字蒕生，号篷渔。浙江乌程人。

金　梁 正月生。

载　润 七月三十口日生，宗室。

陆光熙 九月初三日生，字亮臣，号潜斋。浙江萧山人。享年
　　　 三十四。

王　赓 九月十一日生，字楫堂。安徽合肥人。享年七十一。

温　肃 十二月二十一日生，字毅夫，号檗庵。顺东顺德人。
　　　 享年六十一。

◉ 恩遇：

二月以收复回疆南路西四城：（以下两条）

左宗棠 钦差大臣，陕甘总督，一等恪靖伯。晋封二等侯；

刘锦棠 侯补三品京堂。封二等男。

彭祖贤 顺天府府尹。以捐田赡族，二月赐匾额。

全　庆 协办大学士，刑部尚书。以明年为嘉庆己卯科乡举重
　　　 逢应重赴鹿鸣筵宴，九月加太子少保衔。

十一月以明年为嘉庆己卯科乡举重逢应重赴鹿鸣筵宴：

雷以諴 致仕光禄寺卿。赏还原衔并加二品衔；

周　项 前江苏常镇道。赏还原衔并加二品衔。

**十一月以辛巳岁为道光元年恩科乡举重逢应于明年重赴鹿
鸣筵宴：**

英　桂 原任大学士。加太子少保衔；

温葆深 原任户部右侍郎。赏加头品顶带；

李品芳 原任内阁学士。赏加头品顶带；

王广业 原署福建汀漳龙道。赏给二品顶带。

◉ 著述：

李元度　自编《天岳山馆文钞》四十卷成，见正月自序。

诸荣槐　撰《田砚斋文集》二卷成。（按：此集于荣槐卒后始刻，见薛时雨序，今系于二月之前）。

丁　�　撰《印香图》一卷成，见冬日自识。

李凤苞　字丹崖。江苏崇明人。撰《使德日记》一卷成。（按：所记至十二月止，今系于是年）。

● 卒岁：

易润坛　在籍按察使衔陕西委用道。正月初三日卒年六十。

李联琇　原任大理寺卿。正月初八日卒于江西钟山书院，年五十九。入国史儒林传。

成　明　口口旗蒙古都统。正月十口日卒。

曹廉锷　浙江嘉善县增贡生。正月二十四日卒年五十。

何耀纶　新授四川顺庆府知府，由吏部郎中升补。正月以自京赴任卒于绵州道中，年五十一。

庆　至　袭和硕郑亲王，宗室。二月十口日卒。谥曰顺。

诸荣槐　浙江龙游县教谕。二月卒年五十三。

潘曾莹　原任工部左侍郎。三月初三日卒年七十一。

庆　陞　原任户部右侍郎。三月卒。

方　恮　江苏阳湖县监生。三月二十六日卒年三十。

冯焌光　二品顶带，江苏苏松太道。三月二十八日卒年四十九。入国史孝友传。

韩　超　赏复原衔，前二品顶带署贵州巡抚。四月初二日卒年七十九。谥果靖。

袁保恒　头品顶带刑部左侍郎。四月初六日以帮办河南赈务卒于差次，年五十三。谥文成。

周辉武　甘肃提督。四月卒。

宝　山　散秩大臣。以派往外蒙古赐祭，四月卒于第十七台。

周志本　福建提督。四月卒。

谢维藩　翰林院编修。四月二十六日卒年四十五。

翁曾翰　丁忧四品衔内阁侍读。五月十四日卒年四十二。

吴观礼　翰林院编修。五月二十二日卒年四十七。入国史文苑传。

宋国永　记名提督，云南鹤丽镇总兵。五月卒于福建军营。

奕　山　赏食全俸，原任正红旗蒙古都统，一等镇国将军，前靖逆将军，领侍卫内大臣，镶蓝旗宗室。六月初一日卒年八十□。谥庄简。

蒋凝学　头品顶带陕西布政使。七月初八日卒年六十九。赠内阁学士衔。

李明惠　提督衔云南临元镇总兵。七月卒。

载　沛　多罗贝勒，宗室。八月二十□日卒。

奕　庆　内阁学士兼镶蓝旗蒙古副都统，宗室。九月十九日卒。

林达泉　丁忧福建台北府知府，（由江苏海州直隶州知州试署）。十月十九日卒年四十九。赠太仆寺御，入国史循吏传。

林天龄　翰林院侍读学士，江苏学政。十一月初四日卒，年四十九。（宣统中追谥文恭）。

魁　龄　原任户部尚书。十一月十八日卒年六十四。谥端恪。

何廷谦　原任工部左侍郎。十二月初六日卒年六十五。

刘　典　头品顶带，原任通政使司通政使。十二月十五日卒于甘肃甘州军次，年六十。谥果敏。

张集馨　前江西布政使，复授陕西按察使，署陕西巡抚。十二月卒年七十九。

刘　绎　三品御衔，原任翰林院修撰。卒年八十二。入国史儒林传。

陈　宝　在籍翰林院检讨。卒年四十五。

罗　勋　前署广东盐运使，广东候补道。卒年五十四。

徐宝符　同知衔调署广东潮阳县知县，正任三水县知县。卒年七十。

沈锡华　浙江海宁人。原任江苏常熟县知县。卒。入国史循吏传。

朱根仁　江苏常熟人。安徽全椒县知县。卒。入国史循吏传。

娄诗汉　补用同知，署直隶安平县知县，候补知县。卒年五十九。赠知府衔，入国史循吏传。

薛于瑛　字贵之。山西芮城人。国子监学正衔，山西芮城县岁贡生。卒年七十二。入国史儒林传。

张星鑑　江苏新阳县诸生。卒年六十。

光绪五年己卯（公元一八七九年）

◉ 生辰：

李景铭　正月二十五日生，字石芝。福建人。

胡嗣瑗　七月十四日生，字翼仲，号晴初。贵州开州人。

谢桓武　八月十四日生，河南唐县人。

林炳章　十二月初七日生，字治陶，号惠亭。福建侯官人。

谭延闿　十二月十四日生，字祖安，号组庵。湖南茶陵人。

张国溶　十二月十六日生，字海若，号侑丞。湖北蒲圻人。

孔繁琴　生，字韵笙。安徽合肥人。享年三十三。

◉ 科第：

　考取优贡生：

李经羲　云贵总督。

　中式举人：

台　布　字季润，号介臣。正红旗宗室。宗人府主事，宁夏将
　　　　军。

毓　俊　满洲正黄旗。内务府主事，陕西候补道。

吴引孙　见同治癸酉拔贡。

石　庚　浙江会稽人。河南知县。河南河北道。

延　熙　吏部主事。

宋承庠　见同治癸酉拔贡。

徐迪新　见咸丰辛酉拔贡。

杨文鼎　山东知县，陕西巡抚。

刘恭冕　江苏宝应人。

韩国钧　河南知县，吉林民政使。

刘寅恭　字寿铭。湖北广济人。

黄习溶　湖南人。候选道。

李本方　四川人。工部主事，兵部郎中。

顾印愚　四川成都人（原籍浙江上虞）。

赵润生　广西人。湖南南州直隶厅通判。

况周仪（一作况周颐）内阁中书，江苏候补道。著名词人。

中式副榜贡生：

萧绍典　江西人。浙江试用道。

◉ 恩遇：

三月以恭题穆宗毅皇帝暨孝哲毅皇后神主：（以下三条）

宝　鋆　大学士。晋太子太傅；

李鸿章　大学士。晋太子太傅；

载　龄　大学士。加太子少保衔。

沈桂芬　协办大学士，兵部尚书。晋太子太保衔。

潘祖荫　工部尚书。以承办惠陵工程，三月加太子少保衔。

恩　承　礼部尚书。三月以惠陵奉安礼成，加太子少保衔。

翁同龢　刑部尚书。四月以五十生辰赐寿。

奕　譞　醇亲王。七月以四十生辰赐寿。

柯汝霖　原任浙江乌程县教谕。以后年为道光辛巳恩科乡举周
　　　　甲之岁，于本年九月己卯正科重赴鹿鸣筵宴。

十一月以纂修《穆宗圣训实录》告成：

奕　誴　惇亲王，赐御书"受福多年"额；

奕　訢　恭亲王，赐御书"辅政扶德"额；

徐　桐　礼部尚书。加太子少保；

灵　桂　吏部尚书。加太子少保。

景　星　大学士宝　鋆侄。十一月以纂修实录功赏给举人。口
　　　　部郎中，福州将军。

周　顼　二品衔，赏复江苏常镇道原衔。以明年为嘉庆庚辰科
　　　　甲榜重逢应重赴恩荣筵宴，十一月赏加头品顶带。

景　寿　御前大臣，和硕额驸。十二月以五十生辰赐寿。

刘秉璋　原任江西巡抚。其母胡氏以年逾八旬赐匾额。

◉ 著述：

谢国珍　撰《嘉应平寇纪略》一卷成，见正月自序。

樊　封　等撰《驻粤八旗志》二十五卷成，见二月长善序。（按：

书成后续有增改，见十年五月长善续序）。

郭嵩焘 撰《罪言存略》成，见六月自序。

陆心源 撰《三续疑年录》十卷成，见七月自序。

俞　樾 撰《学经平议》三十五卷、《曲园杂纂》五十卷、《俞楼杂纂》五十卷、《春在堂随笔》六卷、《春在堂尺牍》四卷、《楹联余存》二卷、《四书文》一卷、《袖中书》二卷、《游艺录》六卷成。（按：诸书自序均无年月，此从春在堂全书录要并记于此，见十二月徐琪序）。

施　山 字望云。浙江会稽人。撰《姜露盫杂记》六卷成，见自序。

● 卒岁：

钱振伦 原任国子监司业。正月十一日卒年六十四。

杨庆麟 原任广东布政使。二月卒年五十三。

桂　清 仓场侍郎。二月初七日卒。

緜　性 前副都统衔，阿克苏办事大臣，宗室。二月二十口日卒。赏还副都统衔。

吴可读 吏部稽勋司主事，前河南道监察御史。闰三月初五日于蓟州三义岩怀疏自尽，年六十八。照五品衔赐恤。

英　奎 库伦办事大臣。闰三月卒。

龚自闳 工部右侍郎。四月十口日卒年六十一。

谢　增 户科掌印给事中。卒年六十七。

金国琛 布政使衔广东按察使。五月十四日卒年五十八。入国史循吏传。

吴世忠 福建口口镇总兵。六月卒。

庄士敏 福建候补同知，署霞浦县知县。六月卒年四十六。

贺逢吉 在籍运同衔，山东候补知州。七月十二日卒年四十六。

单懋谦 原任体仁阁大学士。八月卒。赠太子太保衔，谥文恪。

成　林 吏部左侍郎，统管内务府大臣。八月十二日卒年五十二。赠太子少保衔。

丁　澧 字月湖。江苏通州人。通州诸生。九月卒。

英　朴　满洲正蓝旗。解任江苏粮道。十月十七日卒。追夺原官。

英　桂　太子少保衔，赏食全俸，原任体任阁大学士。十月二十七日卒年七十九。赠太子太保衔，入祠贤良祠，谥文勤。子玮庆赏举人。

沈葆桢　两江总督，一等轻车都尉。十一月初六日卒年六十。赠太子太保衔，入祀贤良祠。谥文肃。

广　科　杭州将军，三等承恩公。十一月卒。谥勤愨。

克兴阿　原任镶蓝旗满州副都统。十一月卒。

杨重雅　原任广西巡抚。十一月以入京另简，卒于湖南途中，年六十五。

托　云　正红旗蒙古都统。十二月十口日卒。

杨　翰　湖南辰沅永靖道。卒年六十八。

杨仲愈　江苏候补道。卒年五十。

陶文潞　原任四川潼川府知府。卒年八十三。

李炳涛　河南河内人。办理皖南保甲垦荒事宜，丁忧盐运使衔安徽庐州府知府。卒于宁国差次。入国史循吏传。

梁景先　原任福建兴化府知府。卒年五十八。

刘履芬　补用知府，江苏候补同知直隶州，代理嘉定县知县。于县署自尽，年五十三。

王　礼　江苏吴江县画士。卒年六十七。

光绪六年庚辰（公元一八八〇年）

◉ **生辰：**

何震彝 正月十六日生，江苏江阴人。享年三十七。

雷多寿 正月十七日生，陕西渭南人。

林步随 二月初四日生，字季武，号寄坞。福建侯官人。

黄瑞麒 九月二十九日生，字次如，号笥腴。湖南善化人。

◉ **科第：**

一甲进士：

黄思永 状元。修撰，侍读学士。

曹诒孙 榜眼。编修。

谭鑫振 探花。编修。

二甲进士：

戴彬元 编修。

庞鸿书 字劭庵。江苏常熟人。编修，贵州巡抚。

吕佩芬 （一作吕珮芬）编修，直隶永定河道。

张星炳 编修，福建劝业道。

刘沛然 编修，江西口口。

黄绍箕 编修，湖北提学使。

朱福诜 （碑录作朱福铣）。编修，侍讲学士。

郭曾炘 庶吉士，礼部主事，典礼院副掌院学士。

陈夔麟 庶吉士，湖北知县，广东布政使。

丁立钧 字叔衡，号衡斋、云樵。江东丹徒人。编修，山东沂州府知府。

吴保龄 字佑之。江苏丹徒人。庶吉士，户部主事，四川潼川府知府。

崔永安 编修，直隶布政使。

王懿荣 编修，祭酒。

盛炳纬 编修。

志　锐　编修，伊犁将军。

李德炳　礼部主事，山西大同府知府。

陈与冏　字弼臣。福建侯官人。编修。

叶大遒　编修　广东雷琼道。

崇　宽　宗室。庶吉士，工部主事，内阁学士。

蒋　艮　字仲仁。河南商城人。编修。

安维峻　编修，福建道御史。

吴树棻　会元。编修，陕西候补道。

梁鼎芬　编修，湖北按察使。

李经世　字伟卿，号丹崖。安徽合肥人。编修。

溥　良　字虞臣，号玉岑。正蓝旗宗室。编修，察哈尔都统。

陈　鼎　编修。

王丕厘　编修。

王詠霓　刑部主事，安徽太平府知府。

杨崇伊　编修，浙江候补道。

蔡世佐　字辅臣。浙江仁和人。庶吉士，山西长治县知县，山
　　　　西保德直隶州知州。

柏锦林　编修。

左绍佐　庶吉士，刑部主事，广东南韶连道。

于式枚　庶吉士，兵部主事，学部侍郎。

顾　莲　庶吉士，四川梁山县知县。

福　栐　编修，内阁学士。

徐　琪　编修，内阁学士。

邓嘉纯　浙江知县，浙江处州府知府。

杜庆元　庶吉士，刑部主事，广西思恩府知府。

褚成博　编修，广东惠潮嘉道。

谢隽杭　编修，云南曲靖府知府。

王颂蔚　庶吉士，户部主事，户部郎中。

裴维侒　编修，顺天府府丞。

何乃莹　庶吉士，工部主事，左副都御史。

刘名誉 编修，江苏淮安府知府。

赵曾重 编修。

陈景鎏 编修，福建兴泉永道。

丁象震 庶吉士，兵部主事，直隶河间府知府。

王　俶 山西平定人。吏部主事，甘肃凉州府知府。

李慈铭 户部郎中，掌山西道御史。

谢启华 户部主事，福建建宁府。

李佩铭 编修，四川口口府知府。

涂国盛 户部主事，给事中。

萨　廉 编修，盛京兵部侍郎。

锺　灵 字秀之。满洲正蓝旗。编修，成都副都统。

文　焕 户部主事，安徽徽宁池太广道。

陈宗㧑 （碑录作陈宗沩）。户部主事，度支部左丞。

裔步鸾 吏部主事，吏部员外郎。

李士鉁 编修，侍读学士。

金文同 户部主事，陕西兴安府知府。

鹿学良 （碑录作鹿学垠）。刑部主事，福建提法使。

刘桂文 编修，广西梧州府知府。

夏庚复 编修。

吴同甲 编修，安徽提学使。

邱晋昕 福建知县，署福建邵武府知府。

　　三甲进士：

陈庆桂 广东番禺人。户部主事，给事中。

石鸿韶 庶吉士，山西知县，陕西陕安道。

连培基 检讨，湖南永顺府知府。

杨福臻 检讨，山东道御史。

谢文翘 刑部主事，贵州贵阳府知府。

陈秉崧 刑部主事，云南大理府知府。

傅嘉年 工部主事，湖北安襄郧荆道。

汪宗沂 （碑录作王宗沂）。山西即用知县。

俞炳煇 刑部主事，广东韶州府知府。

何汝翰 刑部主事，江西广信府知府。

徐宝谦 刑部主事，安徽庐州府知府。

连文冲 浙江钱塘人。内阁中书，江西赣州府知府。

沈曾植 刑部主事，安徽提学使。

范广衡 吏部主事，太仆寺少卿。

王宝田 （一作王宝钿）。内阁中书，掌云南道御史。

齐普松武 字荫甫。满洲正白旗。刑部主事，陕西潼商道。

郑　杲 刑部主事，刑部员外郎。

　翻译进士：

长　麟 字石农。满洲镶蓝旗。编修，户部右侍郎。

　武进士：

黄培松 字菊三。福建龙泉人。状元。头等侍卫，广东琼崖镇
　　　　总兵。

周增祥 广东潮阳人。榜眼。二等侍卫。

景　元 满洲镶黄旗。探花。二等侍卫。

殷攀龙 广东东莞人。传胪。三等侍卫。

◉ 恩遇：

温葆深 头品顶带，原任户部右侍郎。以后年为道光壬午恩科
　　　　甲榜重逢应于本年正科重赴恩荣筵宴，二月加太子少
　　　　保衔。

奕　誴 惇亲王。六月以五十生辰，赐寿。

全　庆 大学士。十二月以八十生辰，赐匾额。

许治邦 浙江天台县寿民。五月以年届一百一十岁，钦赐匾额。

◉ 著述：

郭嵩焘 撰《湘阴县图志》三十四卷成，见六月自序。

金吴澜 编辑《朱柏庐先生编年毋欺录》三卷成，见六月自序。

李文敏 重修《江西通志》一百八十五卷成，见九月进书摺。

陈康祺 撰《郎潜纪闻》十四卷成，见冬日自序。

王诒寿 自订《缦雅堂骈体文》八卷成，见辛巳许增序。

● 卒岁：

札克丹 直隶河间府知府。正月十九日卒年四十六。

文 澂 刑部右侍郎。卒年四十八。

薛 焕 头品顶带，在籍候补内阁侍读学士，降调工部右侍郎。二月初三日卒，年六十六。

明 庆 原任镶黄旗蒙古都统。四月初口日卒。谥简敬。

王继毅 浙江会稽县诸生。四月初五日以母病投水卒，年二十九。旌表孝子。

郭松林 直隶提督，一等轻车都尉。四月二十一日卒年四十八。谥武壮。

高卿培 二品顶带，原任两浙盐运使。四月二十一日卒年六十六。

布彦泰 原任正白旗汉军副都统，袭骑都尉世职，前太子太保衔陕甘总督。五月初口日卒，年九十。照都统例赐恤。

黄习溶 盐运使衔候选道，湖南宁远县举人。五月卒年四十六。

丁寿昌 布政使衔直隶按察使。五月十九日卒年五十五。赠太常寺卿衔，入国史循吏传。

文 彬 漕运总督。六月初三日卒年五十六。赠太子少保衔。

曾纪瑞 在籍兵部候补员外郎。六月二十八日卒年三十二。

夏同善 吏部右侍郎，江苏学政。七月二十四日卒年五十（宣统中追谥文庄）。

桂锡桢 丁忧头品顶带，记名提督。八月卒。

罗汝怀 原授湖南龙山县训导（选授后未经赴任）。九月三十日卒年七十七。

察杭阿 字鑑泉。满州镶白旗。理藩院尚书。十月二十六日卒。谥敦悫。

刘孚翊 驻德国使馆参赞候选道。十一月初五日卒年三十三。赠光禄寺卿衔。

李宏谟 顺天府府丞。十一月卒年五十三。

李嘉端 前安徽巡抚。十二月卒年七十三。

李鹤章　二品衔，原授甘肃甘凉道，以留办淮军营务未经赴任。十二月卒年五十六。

载　治　郡王衔多罗贝勒，宗室。十二月二十八日卒。谥恭勤。

沈桂芬　太子太保衔协办大学士，兵部尚书，军机大臣。十二月三十日卒年六十四。赠太子太傅衔，入祀贤良祠，谥文定。子文焘赏举人。

柳兴恩　原任江苏句容县教谕。卒年八十六。入国史儒林传。

管庭芬　浙江海宁州诸生。卒年八十四。

光绪七年辛巳（公元一八八一年）

◉ 生辰：
　　陈曾寿　八月十一日生，字仁先。湖北蕲水人。
　　朱文劭　十月初十日生，浙江黄岩人。
◉ 恩遇：
　　六月以慈禧太后圣体大安：
　　薛福辰　原任山东济东泰武临道。赏给匾额；
　　汪守正　山西阳曲县知县。赏给匾额。（汪匾曰"业奏桐雷"）；
　　庄守和　太医院左院判。赏给匾额；
　　李德昌　太医院右院判。赏给匾额；
　　马文植　江苏医士。赏给匾额。
　　朱次琦　广东耆绅，原署山西襄陵县知县。七月以学行纯笃赏
　　　　　　五品卿衔。
　　陈　澧　国子监学录衔番禺县举人。七月以学行纯笃赏五品卿
　　　　　　衔。
　　以明年为道光壬午科乡举重逢应重赴鹿鸣筵宴：
　　桑春荣　原任刑部尚书。七月加太子少保衔；
　　黄恩彤　前广东巡抚。闰七月赏二品衔。
　　翁同龢　工部尚书。以孝贞显皇后梓宫奉安礼成，九月加太子
　　　　　　少保衔（二十四年十月革）。
　　十二月赐以下军机大臣御书匾额：（皆皇太后御笔，以后每
　　　　　　年所赐均同谨记于此）。

1586

　　奕　訢　恭亲王；
　　宝　鋆　大学士；
　　景　廉　户部尚书。额曰："泽从云游"；
　　李鸿藻　兵部尚书。额曰："春华秋实"；
　　王文韶　户部左侍郎。额曰："景昭饮澧"。
◉ 著述：

葛金烺　撰《爱日吟庐书画录》四卷成，见九月自序。（按：此书至宣统庚戌始刻，见朱福诜序）。

陈康祺　撰《燕下乡脞录》十六卷，见杨岘序。（按：此书一名《郎潜二笔》）。

张行孚　撰《汲古阁说文解字校记》一卷成，见自序。

胡元仪　字子威。湖南湘潭人。撰《毛诗谱》一卷成。（按：自序无年月，惟序中有云岁在重光书乃夺稿，当是成于此年）。

● 卒岁：

周有全　湖北郧阳镇总兵。正月卒。

刘熙载　原任詹事府左春坊左中允。二月初三日卒年六十九。入国史儒林传。

载　容　赏食全俸，原任宗人府左宗人，正黄旗蒙古都统，贝勒衔固山贝子，正蓝旗宗室。二月卒。谥敏恪。

奕　湘　字楚江。正黄旗宗室。赏食全俸，原任口口将军，贝子衔袭奉恩镇国公。二月十口日卒年七十口。谥恪慎。

照　祥　正蓝旗护军统领，三等承恩公。二月二十日卒。照都统例赐恤，谥恭悫。

王诒寿　候选训导，浙江山阴县廪贡生。二月卒年五十二。

李朝仪　顺天府府尹。四月初口日卒。入国史循吏传。

王　吉　湖南人。江南狼山镇总兵。四月十四日卒。

徐　邺　原任兵部武选司郎中。四月十四日卒年七十一。

庆　恩　袭多罗顺承郡王，正红旗宗室。四月卒。谥曰敏。

谭鑫振　翰林院编修。四月二十四日以由籍入京，卒于杭州年三十八。

宜　振　原任户部右侍郎。五月初口日卒年六十一。

杜文澜　前布政使衔江苏候补道。七月卒年六十七。

景　丰　满洲镶黄旗，富察氏。荆州将军。闰七月卒。谥恭勤。

杨沂孙　候选道，前任安徽凤阳府知府。八月初五日卒年六十九。

胡兰枝　同知衔拣选知县，江苏昭文县举人。九月十九日卒年六十九。

黄　钰　原任刑部左侍郎。十月卒年六十五。

璟　德　正红旗汉军副都统。十一月初口日卒。

李世忠　前江南提督。十一月十五日以罪命于安徽处斩（注：以被革回籍交地方管束后仍怙恶不悛凶暴恣肆种种妄为）。

载　钢　奉恩镇国公，宗室。十二月卒。

钱宝廉　吏部右侍郎。十二月十九日卒年五十九。

朱次琦　五品卿衔，原署山西襄陵县知县。十二月十九日卒年七十五。入国史循吏传。

王必达　新授广东惠潮嘉道，由甘肃安肃道调补。以自甘赴任，十二月二十日卒于平凉道中，年六十一。

勒方錡　原任河东道总督。卒年六十六。

颜宗仪　二品衔广东候补道，前任翰林院侍读学士。卒年六十。

戴　榮　在籍二品衔浙江补用道。卒年六十九。

魏锡曾　字鹤庐。浙江仁和（钱塘）人。福建浦南场大使。卒。

汪曰桢　浙江会稽县教谕。卒年七十。入国史文苑传。

华长卿　国子监学正学录衔，原任奉天开原县训导。卒年七十七。入国史儒林传。

刘景芳　直隶景州人。提督衔记名总兵，原署直隶正定镇总兵。卒于奉天防营。

汤　球　安徽黟县诸生（一作孝廉方正）。卒年七十八。

李祖望　江苏江都县诸生。卒年六十八。

光绪八年壬午（公元一八八二年）

◉ 生辰：

　　郭则澐　八月二十八日生，字养云，号啸麓。福建侯官人。享
　　　　　　年六十五。

◉ 科第：

　　考取优贡生：

　　钱绍桢　（原名钱盛元）浙江人。兵部郎中，湖北候补道。

　　中式举人：

升　允　顺天人。陕甘总督。

端　方　工部主事，直隶总督。

徐世光　山东登莱青胶道。

顾　芳　字泮香。顺天宛平人。内阁中书，内阁侍读。

皮锡瑞　字鹿门。湖南善化人。

钱　鏐　江苏人。山东知县，分省试用道，余见癸卯经济特科。

许鼎霖　江苏人。内阁中书，资政院议长。

许　珏　候选同知，出使义国大臣。

李经方　候选道，邮传部左侍郎。

杨士琦　字杏城。安徽泗州人。农工商部右侍郎。

朱孔彰　江苏元和人。

杨福璋　浙江人。云南巡警道。

郑孝胥　福建人。内阁中书，湖南布政使。

林　纾。

孙葆瑨　内阁中书，奉天洮南府知府。

陈　衍　福建人。学部主事。

高凤岐　浙江知县，署广西梧州府知府。

黄笃瓒　湖南湘潭人。内阁中书，山东曹州府知府。

傅世洵　四川人。

　　中式副榜贡生：

恒　寿　字介眉。工部主事，归绥将军。

中式翻译举人：

桂　春　口部主事，仓场侍郎。

◉ **恩遇：**

王广业　二品顶带，原署福建汀漳龙道。以明年为道光癸未科
会榜重逢（广业于道光丙戌补行殿试），应重赴恩荣筵
宴，五月赏加头品顶带。

林鸿年　前云南巡抚。六月赏三品卿衔。

张树声　署直隶总督，正任两广总督。以援护朝鲜平定乱党，
九月加太子少保衔。

雷以諴　二品衔，赏复光禄寺卿原衔。以明年为道光癸未科登
第周甲之岁，应重赴恩荣筵宴，十月赏加头品顶带。

十二月赐以下军机大臣御书匾额：

奕　訢　恭亲王；

宝　鋆　大学士；

李鸿藻　吏部尚书。额曰："勤思启沃"；

景　廉　户部尚书；

翁同龢　工部尚书。额曰："所贵惟贤"；

潘祖荫　刑部尚书。

◉ **著述：**

陈　澧　撰《东塾读书记》十五卷成。（按：原目二十五卷澧卒
时仅存十五卷，见廖廷相识语）。

王先谦　编《续古文辞类纂》十卷成，见二月自序。

朱泰修　自编《竹南精舍诗钞》四卷成，见立夏自序。

朱记荣　撰《国朝未刊遗书志略》一卷成，见六月自识。

周寿昌　撰《后汉书注补正》成，见七月自序。

周寿昌　撰《汉书注校补》成，见八月自序。

潘祖荫　辑《士礼居藏书题跋记》六卷成，见十二月自识。

华蘅芳　撰《算学笔谈》成，见自序。

陆心源　撰《皕宋楼藏书志》一百二十卷，见李宗莲序。

● 卒岁：

段　起　布政使衔广东盐运使。正月初一日卒年五十一。入国
　　　　史循吏传。

邹孔揖　道衔候选知府。正月初五日卒年七十九。

陈　澧　五品卿衔，原任广东河源县训导。正月卒年七十三。
　　　　入国史儒林传。

毛昶熙　兵部尚书。历任户部左侍郎，左都御史，工部尚书，
　　　　总理衙门大臣。二月初九日卒年六十六。赠太子少保
　　　　衔，谥文达。其孙慈望赏举人。

吴德溥　云南布政使。二月卒年六十二。

溥　棥　奉恩镇国公，宗室。二月卒。

丁日昌　字雨生。广东丰顺人。总督衔原任福建巡抚。历任江
　　　　苏苏松太道，江苏巡抚。二月卒。照巡抚例赐恤。

卓　保　原任正红旗蒙古都统，前任刑部尚书。三月十口日卒
　　　　年六十六。

唐友耕　署四川提督，前任云南提督。四月初一日卒年四十六。

熙拉布　满洲镶蓝旗，萨克达氏。镶黄旗满州副都统。四月初
　　　　十日卒。

全　庆　太子少保衔赏食全俸，原任体仁阁大学士。四月十八
　　　　日卒年八十二。赠太子太保衔，入祀贤良祠，谥文恪。

翁学本　按察使衔福建盐法道。五月卒年五十四。

双　印　正蓝旗满州副都统。五月二十口日卒。

陆增祥　布政使衔原任湖南辰沅永靖道。六月十三日卒年六十
　　　　七。

黎培敬　原任江苏巡抚。七月初五日卒年五十七。谥文肃。

刘寿曾　同知衔候选知县，江苏仪征县副贡生。七月十六日卒
　　　　年四十五。入国史儒林传。

何金寿　三品衔江苏扬州府知府。七月卒年四十九。入国史循
　　　　吏传。

晏端书　原署两广总督，都察院左副都御史，前浙江巡抚。八

月卒年八十三。

崔尊彝 云南粮道。以解部候质，九月卒于江苏丹徒途次。追夺原官。

吴昆田 在籍刑部候补员外郎。十月初一日卒年七十五。

夏诒钰 直隶永年县知县。十月初三日卒年五十五。

姚国庆 广东番禺人。道员用，河南光州直隶州知州。十月卒，入国史循吏传。

桑春荣 太子少保衔，原任刑部尚书。十月二十三日卒年八十二。谥文恪。

郭嵩焘 三品顶带，候补四品京堂。十月二十九日卒年六十。入国史文苑传。

许瑶光 三品衔道员用，浙江嘉兴府知府。十一月初七日卒年六十六。入国史循吏传。

朱逌然 詹事府詹事，四川学政。十一月十一日卒年四十七。

富明阿 赏食全俸，原任吉林将军，骑都尉。十二月初二日卒年七十七。谥威勤。

索布多尔札布 正蓝旗汉军副都统。十二月二十口日卒。

陈国瑞 前记名提督，浙江处州镇总兵，降补都司云骑尉。十二月三十日卒于黑龙江戍所年四十六。开复总兵原官赏还世职（追复官职在九年七月及十二月）。

李善兰 三品衔户部郎中，同文馆算学总教习。卒年七十三。入国史儒林传。

瞿元霖 在籍刑部候补主事。卒年六十九。

刘秉琳 二品衔，原任直隶天河道。卒。入国史循吏传。

马纯武 丁忧直隶保定府知府。卒。

王寅清 原任安徽望江县知县。卒年六十。入国史循吏传。

毛隆辅 江西丰城人。补用同知直隶州，调署四川德阳县知县，正任丹棱县知县。卒。入国史循吏传。

黄以恭 浙江定海县举人。卒年五十四。入国史儒林传。

光绪九年癸未（公元一八八三年）

◉ 生辰：

杨熊祥　正月十三日生，字子安。湖北江夏人。

载　沣　正月十四日生（一作光绪六年六月十一日生），宣宗皇孙。

邢　端　七月初四日生，字庄甫，号冕之。贵州贵阳人。

◉ 科第：

　一甲进士：

陈　冕　状元。修撰。

寿　耆　字绍吟，号子年。正蓝旗宗室。榜眼。编修，荆州将军。

管廷献　探花。编修，直隶承德府知府。

　二甲进士：

朱祖谋　编修，礼部右侍郎。

志　钧　编修，正黄旗满州副都统。

丁仁长　编修，侍讲。

邵松年　编修。

张　预　编修，江苏候补道。

黄福楙　编修。

严　修　编修，度支大臣。

准　良　编修，直隶泰宁镇总兵。

王培佑　字保之，号星斋。山东平度人。编修，宗人府府丞。

秦绥章　编修，兵部侍郎。

秦夔扬　编修，直隶广平府知府。

宁本瑜　会元。庶吉士，浙江知县，江苏候补道。

赵汝翰　编修，侍读。

陈荣昌　编修，山东提学使。

胡景桂　编修，陕西按察使。

曹福元　编修，河南开归陈许道。

刘尚伦　兵部主事，安徽池州府知府。

童祥熊　编修，山东劝业道。

施纪云　字鹤笙。四川涪州人。编修，湖北德安府知府。

柯逢时　编修，浙江巡抚，督办土膏统税大臣。

汪凤藻　编修，侍读。

赵尚辅　编修，侍讲。

马吉樟　编修，湖北提法使。

沈　潜　庶吉士，户部主事，湖北按察使。

华　辉　编修，河南卫辉府知府。

陈同礼　编修，直隶候补道。

周锡恩　编修。

张　筠　编修，云南迤东道。

縣　文　宗室。编修，礼部右侍郎。

张亨嘉　编修，礼部左侍郎。

方　铸　安徽桐城人。户部主事。

葛宝华　户部员外郎，礼部尚书。

徐定超　浙江永嘉人。户部主事，口口道御史。

王绍廉　编修，河南候补道。

朱占科　户部主事，云南顺宁府知府。

熙　麟　编修，甘肃平庆泾道。

黄桂鋆　（原名黄桂清），字友梅、伯香。贵州镇宁人。编修，湖南衡州府知府。

曾宗彦　字君玉，号幼沧。福建闽县人。编修，贵州思南府知府。

阎迺竹　庶吉士，礼部主事，山西河东道。

曾树椿　四川庆符人。兵部主事，山西太原府知府。

刘光第　刑部候补主事。

王金镕　刑部主事，掌浙江道御史。

徐　谦　直隶天津人。刑部主事，给事中。

济　澂（原名济中），字若农。满洲镶黄旗。庶吉士，工部主
　　　事，侍读学士。

锡　恩　刑部主事，江西粮道。

沈家本　刑部郎中，司法大臣。

陈名珍　编修。

彭清藜　编修，侍读学士。

李荫銮　庶吉士，刑部主事，太仆寺卿。

杨传书　安徽太湖人。工部主事，山东候补道。

顾厚焜　字少逸。江苏元和人（一作江苏通州）。

张嘉猷　兵部主事，陕西巡警道。

　三甲进士：

刘家模　河南罗山人。吏部主事，口口道御史。

戚朝卿　直隶知县，湖南常德府知府。

冯汝骙　庶吉士，户部主事，江西巡抚。

朱子春　陕西知县，江西候补道。

删光典　检讨，江苏淮扬道，候补四品京堂。

杨履晋　山西忻州人。刑部主事，湖南宝庆府知府。

定　成　刑部主事，大理院正卿。

赖清键　工部主事，广东肇庆府知府。

姚大荣　内阁中书，直隶候选道。

窦渥之　山西沁水人。刑部主事。

李经野　户部主事，广东廉州府知府。

王祖畲　庶吉士，河南汤阴县知县。

孙崇纬　刑部主事，云南普洱府知府。

黎大钧　户部主事，山东兖沂曹济道。

王蘂修　内阁中书，山东口口府知府。

　翻译进士：

清　锐（原名清安），字秋圃。满洲（蒙古）镶黄旗。编修，
　　　江宁将军。

恩　顺　字子诚。满洲镶白旗。检讨，理藩院右侍郎。

武进士：

杨廷弼 字子良。河南祥符（兰仪）人。状元。头等侍卫，陕
　　　　甘督标中军副将。

周选青 直隶天津人。榜眼。二等侍卫。

刘占魁 直隶肃宁人。探花。二等侍卫。

陈炽昌 广东新会人。传胪。三等侍卫。

● 恩遇：

万　福 原任甘肃肃州镇总兵，前四川提督。三月以年届百龄
　　　　赏加头品顶带。

刘锦棠 通政使。其祖母陈氏以亲见七代五世同堂，六月赐匾
　　　　额。

许庚身 刑部右侍郎。以捐田赡族，十一月赐匾额。

　十二月赐以下军机大臣御书匾额：

奕　訢 恭亲王；

宝　鋆 大学士；

李鸿藻 协办大学士，吏部尚书。额曰："声明远溢"；

景　廉 兵部尚书。额曰："圭璋有声"；

翁同龢 工部尚书。额曰："傍综广深"；

阎敬铭 户部尚书。额曰："清越琳珪"。

● 著述：

雷　浚 撰《说文引经例办》三卷成，见正月潘锺瑞序。

汪以庄 浙江海宁人。撰《海昌科名录》一卷成，见二月自序。
　　　　（按：书成后续有增辑，见戊戌识语）。

赵增荣 撰《国朝全蜀贡举备考》七卷成，见四月自序。

王实丞 撰《四书疑言》十卷成，见六月郭嵩焘序。

邹柏森 浙江海宁人。撰《括苍金石志补遗》四卷成，见七月
　　　　吴敦序。

吴大澂 撰《说文古籀补》十四卷、《附录》一卷成，见自序。

● 卒岁：

吴　云 前江苏苏州府知府。正月十一日卒年七十三。

张　鼎　浙江海盐县举人。正月二十日卒年五十七。

潘曾绶　四品卿衔，原任内阁侍读。正月二十三日卒年七十四。
　　　　赠三品卿衔。

任　瑛　以知府用，原任湖南武陵县知县。二月十三日卒年八
　　　　十二。

万青藜　原任吏部尚书。二月二十五日卒年七十六。谥文敏。

张启鹏　以同知用，原任湖南永明县训导。二月二十九日卒年
　　　　七十八。

长　麟　（一作长龄）。头品顶带，三姓副都统。五月卒。

志　和　原任兵部尚书。五月二十六日卒年六十一。

邵亨豫　头品顶带，吏部左侍郎。六月初四日卒年六十七。

傅振邦　原任湖北提督。六月卒。谥刚勇。

玉　亮　满洲正红旗。署吉林将军，吉林副都统。六月卒。

崔福泰　湖南长沙人。湖北宜昌镇总兵。七月二十二日卒。

朱元庆　三品衔候选道，原授云南广南府知府，（由服阕陕西凤
　　　　翔府知府补授以病未任）。七月二十口日卒于扬州年七
　　　　十。

恩　福　字云峰。热河都统。九月卒。

张澐卿　礼部左侍郎。十月初二日卒年六十一。

秦缃业　在籍二品顶带，浙江候补道。十月十二日卒年七十一。

杨任光　湖南善化县举人。十月十八日卒年六十四。

殷兆镛　原任礼部左侍郎。十月卒年七十八。

恒　训　字毅亭。镶白旗宗室。西安将军。十一月卒。

范　梁　原任广西布政使。十一月卒年七十六。

温葆深　太子太保衔，原任户部右侍郎。十一月卒年八十四。

载　龄　字梦九，号鹤峰。镶蓝旗宗室。太子少保衔，赏食全
　　　　俸，原任体仁阁大学士。十一月二十日卒年七十二。
　　　　赠太子太保，入祀贤良祠，谥文恪。

刘岳昭　前云贵总督。十一月二十三日卒年六十。追复原官（追
　　　　复在十年）。

成　孺　江苏宝应县诸生。十二月初九日卒年六十八。入国史
　　　　儒林传。

王家璧　光禄寺少卿，降调奉天府府丞。卒年七十。

萧晋蕃　山东道监察御史。卒年四十九。

吴士俊　知府衔，原任湖南郴州直隶州知州。卒年八十四。

高心夔　前知府衔，江苏候补直隶州知州，署吴县知县。卒年
　　　　四十九。

刘恭冕　江苏宝应县举人。卒年六十。入国史儒林传。

光绪十年甲申（公元一八八四年）

● 恩遇：

灵　桂　大学士。正月十五日以七十生辰，赐匾额。

潘恩增　直隶人。直隶武强县教谕。以品诣笃诚，闰五月赏内
　　　　阁中书衔。

奕　譞　醇亲王。以皇太后五旬万寿，十月赐御书"嘉猷经国"
　　　　额。（奉懿旨所赐，下皆同）

翁同龢（毓庆宫行走，工部尚书）、张家骧（吏部右侍郎）、孙
　　　　家鼐（户部右侍郎）。十月均赐御书匾额。

李鸿章（大学士，直隶总督）、左宗棠（大学士，陕甘总督）、
　　　　彭玉麟（兵部尚书）、杨岳斌（原任陕甘总督）其母向
　　　　氏。均赐御书匾额。（按：李额曰"揆元经体"，彭额
　　　　曰"建节绥疆"，杨母额曰"教忠衍庆"）。

　　十月均以年逾八旬各赐御书匾额：

刘锦棠　新疆巡抚。其祖母陈氏；

广　福　内阁学士。其母徐佳氏；

李　慎　西宁办事大臣。其父李宗镜；

尚昌懋　广州副都统。其母额穆鲁氏；

麟　书　原任工部尚书。其母乐额氏；

清　凯　降调副都统。其母马佳氏。

　　十月赐御书匾额：

英　良　原任直隶通永道。其母以年届百龄；

周盛传　湖南提督。其母栗氏年逾九旬；

郭宝昌　安徽寿春镇总兵。之母。

　　十月恭祝皇太后五旬万寿：

崇　厚　前都察院左都御史。赏给二品职衔；

长　叙　前户部右侍郎。赏给二品职衔；

宝　廷　前礼部右侍郎。赏给二品职衔；

庆　锡　前马兰镇总兵。赏给二品职衔。

　　十二月赐以下军机大臣御书匾额：

世　铎　礼亲王；

额勒和布　大学士；

阎敬铭　协办大学士，户部尚书。额曰："霁月澄怀"；

张之万　刑部尚书；

许庚身　刑部右侍郎；

孙毓汶　工部右侍郎。

● 著述：

王先谦　重校《郡斋读书志》二十卷、《附志》二卷、《例略》
　　　　一卷成，见正月自序。

张鸿桷　浙江鄞县人。编《苔岑经义钞》五卷成，见二月自序。

王　韬　江苏人。撰《淞隐漫录》十二卷成，见五月自序。

王先谦　撰《朝东华录》口百口十卷成，见闰五月自序。

狄考文　撰《形学备旨》成，见八月自序。

许贞幹　撰《八家四六文注》八卷成，见八月陈宝深序。

廖　平　撰《何氏公羊解诂论》三卷成，见冬月自序。

胡元玉　撰《驳春秋名字解诂》一卷成，见自序。

邹　锺　自编《志远堂文集》九十四卷成，见十月自序。

● 卒岁：

郑作相　山东日照县诸生。正月二十一日卒年六十二。

郭柏荫　原任湖北巡抚。正月二十七日卒年七十八。

穆腾阿　字瑞亭。满洲正白旗。原任镶红旗蒙古都统。二月初
　　　　口日卒。

魁　玉　原任成都将军，云骑尉。三月初口日卒年八十。谥口
　　　　肃。

国　英　字鼎臣。满洲镶白旗。布政使衔，原授浙江按察使（由
　　　　广西按察使调补未任，命来京另简），三月十五日回京
　　　　卒于杨村旅次年六十二。

黄桂兰　前广西提督。三月于镇南关军营自尽。

胡中和　字元廷。湖南湘乡人。原任云南提督。三月卒。

罗长祜　署甘肃阿迪苏道骑都尉。三月卒年三十六。赠内阁学
　　　　衔。

李宗羲　原任两江总督。闰五月初四日卒年六十七。

吴长庆　广东陆路提督，三等轻车都尉兼袭云骑尉世职。闰五
　　　　月二十一日卒于金州防次年五十一。谥武壮。

成　琦　原任仓场侍郎。闰五月卒年六十八。

鲍源深　原任山西巡抚。六月十四日卒年七十三。

陈簧举　直隶候补知府。六月卒年五十九。赠道员。

陈介祺　二品顶带三品卿衔，在籍翰林院编修。七月二十日卒
　　　　年七十二。

徐　寿　候选县丞，江苏无锡县征士。八月初六日于上海格致
　　　　书院卒年六十七。

广　寿　吏部尚书。八月十一日卒。谥敏达。

吴全美　广东人。署广东琼州镇总兵，前任福建水师提督。八
　　　　月十五日卒。

康国器　原任广西布政使。八月二十三日卒年七十四。

张树声　太子少保衔，办理广东防务大臣，前任两广总督。九
　　　　月初八日卒年六十一。谥靖达。

棍楚克林沁　贝子衔镇国公。九月十四日卒。谥勤恪。

夏庚复　翰林院编修。十月卒年三十五。

赵之谦　江西候补知县。十月卒年五十六。

文　煜　字星岩。满洲正蓝旗，费莫氏。原任武英殿大学士。
　　　　十月二十口日卒。赠太子少保衔，谥文达。

长　叙　字蕚廷。二品职衔前户部右侍郎。十一月卒。

孙锡辂　山东聊城县教谕。十一月卒。

毓　昌　袭奉恩镇国公，宗室。十二月卒。

陶方琦　翰林院编修。十二月卒年四十。

周寿昌　原任内阁学士。十月二十七日卒年七十一。入国史文
　　　　苑传。

周星誉 致仕二品衔广东盐运使。十二月初九日卒年五十九。

李长蕃 湖南辰州府教授。十二月二十四日卒年五十五。

温葆深 太子太保衔，原任户部右侍郎。十一月卒年八十四。

雷以諴 头品顶带，致仕光禄寺卿，前刑部左侍郎。卒年九十。

吴赞诚 原任光禄寺卿，前任顺天府府尹，署福建巡抚，卒年
六十二。

桂文灿 湖北郧县知县。卒年五十九。入国史儒林传。

唐　莹 安徽怀宁县教谕。卒年七十二。

光绪十一年乙酉（公元一八八五年）

◉ **生辰：**

　　载　洵　四月初七日生，宗室。

◉ **科第：**

　　考取优贡士：

胡　延　四川人。知县，江安粮道。

　　考取拔贡生：

徐承焜　汉军正蓝旗。礼部小京官，河南南阳府知府。

成多禄　奉天人。黑龙江绥化府知府。

李清芬　直隶人。刑部小京官。口口举人，广东交涉使。

戈炳琦　刑部小京官。辛卯举人，山西汾州府知府。

陈　浏　江苏人。刑部小京官。己丑副贡，福建盐道。

杨崇光　江苏常熟人。四川知县，候选道。

雷补同　户部小京官。戊子举人，出使英国大臣。

耿道冲　户部小京官　度支部员外郎。

卞绪昌　江苏仪征人。户部小京官，安徽巡警道。

段书云　江苏人。刑部小京官，广东琼崖道。

方　旭　安徽桐城人。四川知县，四川候补道，署提学使。

汪家棠　礼部小京官，署江苏交涉使。

周儒臣　字镜渔。安徽宿松人。兵部小京官，四川布政使。

徐宗溥　刑部小宗官，己丑举人，法制院参议。

葛嗣溁　户部小京官，戊子举人。

何奏簏　浙江人。刑部小京官。丁酉举人，署甘肃高等审判厅
　　　　厅丞。

林景贤　福建人。户部小京官，江苏常镇通海道。

胡远灿　河南人。兵部小京官，直隶河间府知府。

曹　垣　字薇亭。山东定陶人。工部小京官，福建福州府知府。

李廷飏　山西人。吏部小京官。己丑举人，甘肃甘州府知府。

曾　鑑　刑部小京官。己丑举人，法部副大臣。

甘大璋　工部小京官。己丑举人，内阁侍读学士

董玉卿　贵州人。户部小京官，山东曹州府知府。

中式举人：

张一麐　江苏人。见癸卯经济特科。按：荐应特科者人数甚多，兹仅载其召试录用诸人，余不备载。

陈景墀　字雪舱。浙江慈溪人。内阁中书，福建兴化府知府。

梁　济　内阁中书，民政部员外郎。

杨　锐　内阁中书，候补侍读。

沈瑜庆　刑部主事，贵州巡抚。

尹　良　署四川盐运使。

裕　厚　兵部笔帖式，民政部左丞。

耆　昌　兵部笔帖式，山西平阳府知府。

那　桐　户部主事，文渊阁大学士。

王芝祥　中书科中书，广西布政使。

姚文枏　江西人。

李经述　袭一等候补四品京堂。

沈林一　内阁中书，广西桂平梧道。

文　冲　满洲镶红旗。工部郎中，直隶大顺广道。

卢　靖　直隶知县，奉天提学使。

彭言孝　湖南人。广东高雷阳道。

罗正钧　直隶知县，山东提学使。

岑春煊　字炯堂，号云阶。广西西林人。工部员外郎，四川总督。

中式副榜贡生：

寿　勋　口部笔帖式，陆军副大臣。

钱锡宝　浙江钱塘人。驻藏右参赞。

中式翻译举人：

凤　山　工部笔帖式，广州将军。

● 恩遇：

清代人物大事纪年

1604

伯彦纳谟祜 袭科尔沁亲王。正月以五十生辰，赐寿。

额勒和布 大学士。正月十二日以六十生辰，赐寿。

晋　祺 袭克勒郡王。二月十二日以四十生辰，赐寿。

徐　棻 湖南耆绅，原任户部员外郎。四月赏三品衔。

周盛传 湖南提督。其母栗氏以五世同堂，四月赐匾额。

冯子材 云南提督。五月加太子少保衔。

武汝清 三品衔原任刑部员外郎。以本年为道光乙酉科乡举重
　　　逢，加二品衔重赴鹿鸣筵宴。

谭上连 甘肃西宁镇总兵。其母姚氏年逾八旬，以上年皇太后
　　　五旬万寿，八月赐匾额。

左孝同 已故大学士左宗棠之子。八月赏给举人。候选道，江
　　　苏提法使。

汪士铎 江苏举人。以笃志潜修绩学不倦，赏给国子监助教衔。

　　十二月赐以下军机大臣御书匾额：

世　铎 礼亲王；

额勒和布 大学士；

阎敬铭 大学士。额曰："论道铨时"；

张之万 协办大学士，刑部尚书；

许庚身 刑部右侍郎；

孙毓汶 工部左侍郎。

● 著述：

徐　康 撰《前尘梦影录》二卷成，见自序。

罗振玉 撰《金石萃编校字记》一卷成，见四月自识。

廖　平 撰《释范》一卷成，见六月自序。

王闿运 撰《尚书大传补注》七卷成，见冬日自序。

● 卒岁：

杨玉科 字云阶。云南丽江人（原籍湖南靖州）。头品顶带，记
　　　名提督，广东高州镇总兵，二等男。正月初九日于广
　　　西镇南关阵亡。赠太子少保衔，谥武愍，予骑都尉兼
　　　一云骑尉世职。

张文虎 州判衔候选训导，江苏南汇县贡生。正月二十日卒年七十八。

薛时雨 二品衔候选道，前任浙江杭州府知府。正月二十二日卒年六十八。

王维珍 降调通政使司副使。二月卒年六十一。

国　炳 内阁侍读学士。二月二十二日卒。

谭拔萃 湖北人。头品顶带记名提督，甘肃宁夏镇总兵，一等轻车都尉。三月卒。

贺廷钦 湖南永兴县训导。三月卒年六十八。

俊　启 降调镶红旗汉军副都统。四月卒。

刘廷枚 国子监祭酒，浙江学政。卒年六十七。

郑敦谨 原任刑部尚书。六月初九日卒年八十三。谥恪慎。

载　澂 宣宗皇孙。内大臣，正红旗蒙古都统，郡王衔多罗贝勒。六月初十日卒年二十八。谥果敏。

周盛传 丁忧湖南提督。六月十四日卒年五十三。谥武壮。

刘鸿发 甘肃伊犁镇总兵。六月二十二日卒。

张德胜 字凯臣。湖南泸溪人。记名提督，福建建宁镇总兵，骑都尉。六月卒。谥刚勇。

锺　濂 盛京兵部侍郎。七月卒年四十一。

邓荣佳 署甘肃西宁镇总兵。七月以抢护河堤殁于水。

左宗棠 太子太保衔东阁大学士。二等恪靖侯。七月二十七日卒于福州军次年七十四。赠太傅，入祀贤良祠，谥文襄。

李鸿裔 原任江苏按察使。八月十五日卒年五十五。

景　廉 内阁学士，降调兵部尚书。八月二十四日卒年六十三。追复原官（追复在二十八年）。

陈　嘉 头品顶带，贵州安义镇总兵，云骑尉。八月卒，谥勇烈。

灵　桂 太子少保衔武英殿大学士，宗室。九月初六日卒年七十一。赠太保，入祀贤良祠，谥文恭。

金　和　字弓叔，号亚匏。江苏上元人。上元县诸生。卒。

彭祖贤　头品顶带，湖北巡抚。十月十二日卒年六十七。

沈镕经　广东布政使。十月十九日卒年五十二。入国史循吏传。

王永章　记名提督，原署湖南提督。十二月二十五日卒于广东
军营年五十六。

张家骧　毓庆宫行走，吏部右侍郎。十一月十二日卒年五十八。
谥文敬。

郭从矩　署湖南按察使，湖南盐法道。十一月二十九日卒年五
十一。

穆隆阿　原任镶蓝旗蒙古都统。十二月初口日卒。

刘书云　原任内阁中书。十二月初八日卒年五十五。

郝植恭　按察使衔山东补用道，前任山东莱州府知府。卒年五
十三。

冷鼎亨　江西南昌府同知。以修墓假归卒于山东原籍年六十一。
入国史循吏传。

李士棻　前江西临川县知县。卒年六十五。

姚绍崇　候选内阁中书，湖南益阳县贡士。卒年八十一。

徐震甲　候选同知。卒年六十九。

光绪十二年丙戌（公元一八八六年）

◉ 科第：

一甲进士：

赵以炯　状元。修撰。

邹福保　字詠春。江苏元和人。榜眼。编修，侍讲。

冯　煦　探花。编修，安徽巡抚。

二甲进士：

彭　述　字砚秋，号向青。湖南清泉人。编修，福建延建邵道。

蔡金台　字燕生，号君嵩。江西德化人。编修，给事中。

周爰诹　字政伯，号帜山。陕西蒲城人。编修，侍讲学士。

张星吉　字景垣，号翼辰、鹤峰。山东荷泽人。编修，云南迤南道。

姚丙然　编修，侍讲学士。

陈昌绅　字杏荪。浙江钱塘人。编修。

吴庆坻　编修，湖南提学使。

吴鸿甲　编修，口科给事中。

吴品珩　刑部主事，安徽布政使。

王荣商　编修，侍读。

于齐庆　编修，署广东提学使。

张燮堂　编修，陕西口口府知府。

杨士骧　编修，直隶总督。

宋伯鲁　编修，山东道御史。

余肇康　字尧衡，号麟徵。湖南长沙人。工部主事，江西按察使。

王廷相　编修，江南道御史。

朱延熙　编修，湖南盐道。

缪祐孙　江苏江阴人。户部主事。

刘玉珂　字佩和，号越翘。湖北安陆人。编修，左中允。

沈曾桐 字同叔，号子封。浙江嘉兴人。编修，云南提法使。

陈通声 编修，四川川东道。

韩培森 字子峤。编修，掌江西道御史。

柯绍忞 编修，典礼院学士。

葛金烺 刑部候补主事。

刘嶽云 户部主事，浙江绍兴府知府。

史绪任 河南辉县人。刑部主事，署广东高等审判厅厅丞。

张　僖 福建知县，福建兴化府知府。

徐世昌 编修，体仁阁大学士。

刘学谦 编修，浙江金衢严道。

鹿瀛理 直隶定兴人。编修。

高熙喆 编修，直隶宣化府知府。

杨圣清 山东平度人。兵部主事，四川保宁府知府。

高觐昌 编修，广东广州府知府。

鲍心增 江苏丹徒人。口部主事，山东青州府知府。

怡　龄 刑部主事，署河南高等审判厅厅丞。

刘孚京 刑部主事，广东河源县知县。

吴　炳 编修，广东候补知府。

刘　果 字子毅，号少岩。河南太康人。礼部主事，典礼院学士。

叶大涵 福建闽县人。工部主事。

阔普通武 满州正白旗。编修，西宁办事大臣。

瑞　洵 编修，科布多参赞大臣。

陈　田 字松山。贵州贵阳人。编修，掌印给事中。

陈恒庆 工部主事，奉天锦州府知府。

方培恺 吏部主事，广西南宁府知府。

王明德 内阁中书，四川绥定府知府。

曾福谦 字成屋，号伯厚、景舆。福建闽县人。刑部主事。

张元奇 编修，四川民政使，署学部副大臣。

邹嘉来 礼部主事，外务部尚书。

秦树声 河南固始人。工部主事，工部郎中，余见癸卯经济特科。

承　德 字绍武。满洲镶蓝旗。编修，洗马。

荣　庆 编修，礼部尚书，协办大学士。

陈兆葵 字复心。湖南桂阳人。编修，湖北荆宜施道。

三甲进士：

陈夔龙 兵部主事，直隶总督。丙戌重遇甲科。

庄锺济 江苏阳湖人。庶吉士，吏部主事，陕西长武县知县。

石镜潢 刑部主事，掌江苏道御史。

刘　培 会元。内阁中书，候补道。

谢崇基 字履庄。云南思安人。检讨，直隶天河道。

宋育仁 检讨，湖北候补道。

王树枬 户部主事，新疆布政使。

江峰青 浙江知县，署江西高等审判厅厅丞。

魏联奎 刑部主事，法部左丞。

叶在琦 字乃珪，号肖韩。福建闽县人。检讨，口口道御史。

景　厚 宗室。检讨，礼部左侍郎。

王人文 贵州知县，四川布政使。

赵臣翼 内阁中书，江西吉南赣宁道。

苏品仁 云南昆明人。内阁中书，江苏知县，直隶劝业道。

刘学询 口口候补道。

翻译进士：

惠　纯 字厚甫。满洲正红旗，觉尔察氏。编修，翰林院学士。

伊克坦 字仲平。满洲正白旗。编修，正白旗满洲副都统，副都御史。

武进士：

宋占魁 山东昌邑人。状元。头等侍卫。

解兆鼎 江苏丹徒人。榜眼。二等侍卫。

何乃斌 广东香山人。探花。二等侍卫。

桂　芬 满洲正红旗。传胪。三等侍卫。

◉ 恩遇：

锡　珍　吏部尚书。八月以四十生辰，赐寿。

杨昌濬　闽浙总督。九月以六十生辰，赐"严疆锡羨"额。（按：是年濬昌实六十一岁）。

阎敬铭　大学士。九月以七十生辰，赐"斠和受祜"额。

达里布　法国主教。十一月赏给二品顶带。

樊国樑　法国人。教士。赏给三品顶带。

德璀琳　税务司。赏给二品顶带。

　十二月赐以下军机大臣御书匾额：

世　铎　礼亲王；

额勒和布　大学士；

阎敬铭　大学士。额曰："和气兆升"；

张之万　协办大学士，刑部尚书；

许庚身　刑部右侍郎；

孙毓汶　工部左侍郎。

◉ 著述：

诸可宝　撰《畴人传》三编七卷成，见正月自序。

廖　平　撰《今古学考》二卷成，见六月自识。

胡嘉铨　编《国朝文栋》八卷成，见七月自序。

廖　平　撰《两戴记章句说义例》一卷成，见十一月萧藩跋。

李鸿章　等重修《畿辅通志》三百卷成，见进书表。

◉ 卒岁：

奕　详　内阁大臣，镶白旗满洲都统，亲王衔多罗惠郡王，宗室。正月初九日卒年三十八。谥曰敬。

王祖源　原任四川成绵潼龙茂道。二月卒年六十五。

胡家玉　原任通政使司参议，降调都察院左都御史。三月卒年七十三。

唐咸仰　河南按察使。三月卒年六十八。

丁宝桢　太子少保衔四川总督。四月二十一日卒年六十七。赠太子太保衔，入祀贤良祠，谥文诚。

吴元炳　安徽巡抚。五月卒年六十四。

周家楣　原任通政使司通政使。五月卒年五十三。

黄　倬　原任吏部左侍郎。五月卒年七十二。

金　顺　字和甫。满洲镶黄旗。伊犁将军，云骑尉。六月入觐卒于途中。赠太子太保衔，谥忠介。

鲍　超　字春霆。四川奉节人。原任湖南提督，一等子加一云骑尉，七月卒。赠太子少保衔，谥忠壮。

胡孟奎　江苏铜山县布衣。七月二十五日卒年八十七。

赵佑宸　大理寺御。八月十四日卒年七十。

李培祜　广东粮道。八月卒年六十六。

王化成　头品顶带，遇缺题奏。八月二十日卒。

庞际云　云南布政使　八月卒。

方大湜　湖南巴陵人。降调山西布政使。九月卒。入国史循吏传。

季念诒　四品卿衔，在籍翰林院编修。十月初六日卒年七十四。

张凯嵩　云南巡抚，前云贵总督。十月初七日卒年六十七。

梁肇煌　原任江宁布政使。十一月十四日卒年六十。

金运昌　原任乌鲁木齐提督。十一月卒。

林肇元　字贞伯。广西贺县人。前贵州巡抚。十一月卒，开复原官。

岳　林　理藩院右侍郎。十二月初口日卒。

洪汝奎　发往广东差遣委用前两淮盐运使。十二月十二日卒年六十。追复原官（追复在宣统元年二月）。

胡瑞澜　太常寺卿，降调兵部左侍郎，广东学政。卒。

冯　栻　在籍候选知府，原任刑部员外郎。卒年八十二。

吴安业　原任内阁中书。卒年八十一。

徐延旭　前广西巡抚。以遣戍新疆卒于途中。

范泰衡　五品衔知县用，原任四川万县训导。卒年八十四。入国史儒林传。

樊政陞　提督衔记名总兵，统领江苏抚标亲军。卒年五十八。

朱泉徵　浙江海盐县拔贡生。卒年六十一。
王文思　江苏嘉定县口口。卒年五十六。
张　熊　浙江嘉兴县画士。卒年八十四。
胡　远　江苏华亭县画士。卒年六十四。

光绪十三年丁亥（公元一八八七年）

◉ **生辰：**

　　载　涛　五月初九日生。宗室。

◉ **恩遇：**

　　奕　劻　庆郡王。二月以五十生辰，赐匾额。

　　方宗诚　原任直隶枣强县知县。十二月赏五品卿衔。

　　　　　十二月赐以下军机大臣御书匾额：

　　世　铎　礼亲王；

　　额勒和布　大学士；

　　张之万　协办大学士，刑部尚书；

　　许庚身　吏部左侍郎；

　　孙毓汶　工部左侍郎；

　　阎敬铭　大学士。十二月赐御书"腹中处和"额。（按：敬铭时
　　　　　已辞去军机大臣，仍照旧例特赐）。

1614

◉ **著述：**

　　胡玉缙　撰《说文旧音补注》三卷成，见正月自序。

　　钱维福　字涤香。浙江嘉善人。撰《清秘述闻续》十六卷、《补》
　　　　　一卷成，见四月自序。

　　李锺珏　江苏上海人。撰《新嘉坡风土记》一卷成，见闰四月
　　　　　自序。

　　程秉钊　撰《琼州杂事诗》一卷成，见五月自记。

　　成肇麐　编《唐五代诗选》三卷成，见七月自序。

　　陈树镛　撰《汉官答问》五卷成，见九月自识。

　　陈玉树　撰《毛诗异文笺》一卷成，见十二月自序。

◉ **卒岁：**

　　王麟书　原任江苏万安县知县。正月初七日卒。

　　焦祐瀛　前太仆寺卿。正月卒。

　　慕荣幹　詹事府司经局洗马。二月卒年五十二。

延　煦　礼部尚书，宗室。二月二十八日卒年六十。

廖长明　湖南永州镇总兵。三月初八日卒。

明　春　满洲镶白旗。原署塔尔巴哈台参赞大臣。三月卒。

杨玉书　湖南湘潭人。盐运使衔，调往广东差委，山西候补道。
　　　　三月卒于崖州三亚营次。

福　兴　满洲正白旗。原任绥远城将军。四月初三日卒。谥庄
　　　　愍。

唐定奎　湖南长沙人。原任福建陆路提督。四月卒。谥果介。

朱泰修　前同知衔，署江苏宝应县候补知县。四月二十日卒年
　　　　七十六。

周　宽　原任湖南提督。闰四月卒。

林鸿年　三品衔，前云南巡抚。闰四月卒年八十三。

王朝弼　四川江津县知县。五月卒年五十七。

治　麟　丁忧国子监司业。五月二十日卒。入国史孝友传。

刘长佑　降调云贵总督。六月二十五日卒年七十。谥武慎。

翁曾源　在籍翰林院修撰。七月十三日卒年五十四。

刘连捷　头品顶带，记名布政使，骑都尉。七月二十日卒于江
　　　　苏江阴防营年五十五。赠内阁学士衔，谥勇介。

穆图善　字春岩。满洲镶黄旗。钦差大臣，会办东三省练兵事
　　　　宜，福州将军，云骑尉。七月卒。予云骑尉世职，谥
　　　　果勇。

英　秀　荆州右翼副都统。七月卒。

章寿麟　补用知府，江苏泰州知州。八月卒年五十五。

李元度　贵州布政使。九月二十七日卒年六十七。入国史循吏
　　　　传。

蒋东才　甘肃凉州镇总兵。九月卒于河南工次年五十（一作光
　　　　绪十七年卒）。

特晋钦　原任黑龙江将军。十月十口日卒。谥刚介。

程祖诰　致仕都察院左副都御史。十一月十二日卒年七十七。

锡　缜　原任驻藏帮办大臣。十二月卒年六十五。

陈建侯　二品衔湖北候补道，前任湖北武昌府知府。十二月以
　　　　调赴河南卒于商邱工次，年五十。照道员例赐恤，入
　　　　国史循吏传。

方胙勋　河南许州直隶州知州。十二月十二日卒年五十七。

张兆栋　前福建巡抚。十二月十七日卒年六十七。

刘　琨　原任湖南巡抚。十二月二十日卒年八十。

耀　年　兵部左侍郎，总管内务府大臣。十二月二十口日卒年
　　　　六十四。赠太子少保衔。

陈　锦　原任鸿胪寺卿。卒年六十。

吴仲贤　原任湖南迤南道。卒年六十七。

盛　元　候补道，江西南康府知府。卒年六十八。

萧世本　二品衔补用道，署直隶正定府知府，候补知府。入国
　　　　史循吏传。

华翼纶　知府衔候补同知，前任江西永新县知县。卒年七十二。

孙璧文　安徽太平人。太平县举人。卒。追赠光禄寺署正衔（追
　　　　赠在十七年十一月）。

光绪十四年戊子（公元一八八八年）

◎ 科第：

考取优贡生：

陈庆年 江苏人。江浦县教谕。

黄忠浩 湖南人。候补道，广西右江镇总兵。

中式举人：

何成浩 广东顺德人。福建道员，福建汀漳龙道。

赵　衡 直隶冀州人。

葛嗣濂 见己酉拔贡。

成　昌 兵部主事，四川夔州府知府。

刘子雄 内阁候补中书。

孙传爰 直隶州州同，福建台湾府知府。

程祖福 内阁中书，福建候补道。

陆嘉晋 内阁中书，内阁侍读。

雷补同 见乙酉拔贡。

胡惟德 候选口口，外务部副大臣。

姚永概 安徽桐城人。

赵元益 江苏新阳人。

张士珩 直隶候补道。

汪　济 江苏东台人。

陈玉树 大挑教谕。

刘法曾 江苏泰州人。

陶治元 阳湖县训导，内阁中书。

姚锡光 安徽知县，陆军部右侍郎。

章炳森 浙江人。嘉兴府训导。

江若樾 福建知县，贵州都匀府知府。

朱兴沂 户部主事，广东雷州府知府。

朱恩绂 江苏候补道，典礼院直学士。

张锡恭 字闻远。江苏华亭人。

中式副榜贡生：

朱崇荫 云南通海人。内阁中书，候补侍读。

严　震 浙江人。遂昌县训导，广西左江道。

◉ 恩遇：

徐　桐 吏部尚书。四月以七十生辰，赐寿。

周达武 甘肃提督。以捐田赡族，五月赐匾额。

岑毓英 云贵总督。五月以六十生辰，赐"绥圻笃祜"额。

以本年为道光戊子科乡举重逢：

宋延春 原任云南布政使。赏给头品顶带；

李汝霖 原任浙江宁波府知府。加三品衔；

张黼华 候选知府。加三品衔。

　　三人俱重赴鹿鸣筵宴。

桂　祥 满洲镶黄旗。副都统。十月封三等承恩公。

张其翮 广东耆儒，在籍陕西补用直隶州知州，原任富平县知县。十一月赏四品衔。

金锡龄 国子监学正衔举人。十一月赏光禄寺署正衔。

刘昌龄 增贡生。十一月赏翰林院待诏衔。

黄炳垕 浙江余姚县举人。十一月赏内阁中书衔。

黄以周 浙江分水县训导。十一月赏内阁中书衔。

十二月赐以下军机大臣御书匾额：

世　铎 礼亲王；

额勤和布 大学士；

张之万 大学士；

许庚身 兵部尚书；

孙毓汶 刑部尚书。

◉ 著述：

张云骧 顺天文安人。自编《南湖诗集》成，见二月王树柟序。

王先谦 编刻《皇清经解续编》一千四百三十卷成，见六月自序。

夏鼎武　浙江人。撰《读礼私记》一卷成，见七月自序。

刘树棠　字景韩。云南保山人。自编《师竹轩诗集》四卷成，见十一月刘若曾序。

廖　平　撰《知圣篇》一卷成，见十二月自识。

◉ 卒岁：

汪　箎　三品衔湖南补用知府。二月初七日卒年五十二。

方宗诚　五品衔原任直隶枣强县知县。二月二十一日卒年七十一。入国史儒林传。

裕　麟　云南布政使。卒。

黄彝年　翰林院编修。卒年三十九。

维　庆　字桂亭。宁夏将军，袭一等口口侯。三月卒，谥恪勤。

殷华廷　记名提督。三月卒。

谭宗浚　原任云南粮道。以病回籍三月二十八日卒于广西隆安旅次年四十三。

善　庆　福州将军，一等轻车都尉兼一云骑尉。四月卒年五十六。谥勤敏。

任兰生　安徽候补道，前布政使衔安徽凤颖六泗道。四月十九日卒于颖州差次年五十一。赠内阁学士衔，入国史循吏传。

潘鼎新　赏还衔翎，前贵州巡抚，云骑尉。五月十三日卒年五十八。开复原官。

锡　纶　满洲正蓝旗，博尔济吉特氏。署伊犁将军，塔尔巴哈台参赞大臣。卒。

张富年　浙江仁和人。江苏按察使。七月卒。

金吴澜　三品衔在任补用知府，江苏武进县知县。七月二十八日卒年六十九。

王　灏　直隶定州举人。四品口口同知。八月初六日卒年六十六。

萧绍典　江西泰和县副贡生。分发浙江试用道（以留养未经到省）。八月十一日卒年五十。

叶伯英　字冠卿。安徽怀宁人。陕西巡抚。八月卒。

朱焕明　记名提督。九月口日于福建彰化之白沙坑阵亡。予口口尉世职。

卓景濂　三品衔在任候补道，河南怀庆府知府。九月十一日卒年五十八。

卢士杰　漕运总督。九月卒年七十二。

周盛波　字海舲。安徽合肥人。湖南提督。九月卒于直隶小站防营。谥刚敏。

绍　祺　理藩院尚书。十一月卒年六十五。

邓安邦　广东潮州镇总兵。十一月卒。

福　楙　内阁学士。十一月卒年三十二。

何　璟　前闽浙总督。卒年七十二。

萧　韶　升授江西布政使，由浙江按察使升补。卒于江宁客舍年六十。

郑国魁　记名提督。直隶天津镇总兵。卒。

光绪十五年己丑（公元一八八九年）

◉ 科第：

一甲进士：

张建勋 字季端。广西临桂人。状元。修撰，黑龙江提学使。

李盛铎 榜眼。编修，山西布政使。

刘世安 探花。编修。

二甲进士：

杜本崇 编修，四川绥定府知府。

周树模 编修，黑龙江巡抚。

饶士腾 字碧柯，号从五。江西南城人。编修。

刘彭年 庶吉士，刑部主事，民政部右丞。

丁惟禔 山东日照人。编修。

费念慈 编修。

魏景熊（原名**魏时钜**）。编修，湖南长沙府知府。

熊方燧 编修，侍读。

陈嘉言 编修，福建漳州府知府。

许叶芬 会元。编修，江苏镇江府知府。

曾广钧 编修。

江　标 编修，候补五品京堂。

鲍琪豹 字惠人，号叔蔚。安徽歙县人。

徐仁铸 编修。

陈锺信 庶吉士，吏部主事，顺天府府丞。

叶昌炽 编修，侍讲。

王同愈 编修，江西提学使。

张孝谦 编修，直隶候补道。余见癸卯经济特科。

恽毓鼎 编修，侍读学士。

王世琪 刑部主事，大理寺少卿。

刘启端 编修。

程棫林　编修，侍读。

刘若曾　编修，大理院正卿。

吴　獬　湖南临湘人。广西知县，湖南沅州府教援。

陆锺琦　编修，山西巡抚。

熙　元　编修，祭酒。

陈泽霖　工部主事。

曹允源　江苏吴县人。兵部主事，湖北襄阳知府。

张　澂　编修，福建建宁府知府。

崇　寿　编修，侍读，侍讲学士。

欧阳熙　庶吉士，礼部主事，内阁印铸局副局长。

法伟堂　即用知县，山东口口府教授。

丁宝铨　字衡甫，号默存。江苏山阳人。吏部主事，山西巡抚。

傅世炜　编修，陕西凤翔府知府。

贺　涛　刑部主事。

张其镕　刑部主事，江西建昌府知府。

熙　瑛　编修，学部左侍郎。

高　树　兵部主事，奉天府知府。

毛庆蕃　江西丰城人。工部员外郎，甘肃布政使。

段友兰　编修，四川重庆府知府。

朱　锦　编修，江西赣州府知府。

刘奉璋　庶吉士，户部主事，外务部郎中。

李传元　编修，浙江提法使。

景方昶　编修，湖南辰州府知府。

余诚格　编修，湖南巡抚。

王祖同　字肖庭。河南鹿邑人。编修，江西饶州府知府。

徐德沅　编修，掌山西道御史。

王铁珊　兵部主事。

薛宝辰　编修，侍读学士。

高　枬　编修，刑科给事中。

戚　扬　庶吉士，福建知县，江苏松江府知府。

杨锺羲（一作**杨锺广**，榜名锺广）。编修，江苏江宁府知府。

金蓉镜　工部主事，湖南永顺府知府。

王继香　编修，河南开封府知府。

张官劭　（原名张颉辅）。江苏吴县人。吏部主事，广西浔州府知府。

吴嘉瑞　编修，贵州贵东道。

武玉润　庶吉士，刑部主事，江西南昌府知府。

林国赞　刑部主事。

张允言　户部主事，大清银行监督。

刘元亮　编修，撰文。

孔昭寀　山东即用知县。

三甲进士：

孙廷翰　检讨。

杨　苪　兵部主事，山东莱州府知府。

黄传祁　江苏即用知县。

钱骏祥　检讨，侍读。

希　廉　字绍甫。正红旗宗室。检讨，直隶泰宁镇总兵。

陈曾佑　检讨，甘肃提学使。

刘　华　吏部主事，湖南岳州府知府。

易　贞　字丞午。河南商城人。礼部主事，典礼院学士。

于宗潼　工部主事，四川劝业道。

喻兆蕃　庶吉士，口部主事，浙江宁绍台道（一作浙江布政使）。

陈三立　吏部主事。

王　堉　检讨，法部右侍郎。

李应庚　直隶知县，直隶天津府知府。

章乃正　字瑞士。江西瑞县知县。

宝　丰　宗室，检讨，侍读。

连培型　刑部主事　贵州遵义府知府。

绍　昌　内阁中书，司法大臣。

沈祖燕　内阁中书，劝业道。

劳肇光 字次芗。广东鹤山人。检讨，安徽庐州府知府。

马嘉桢（碑录作马家桢）。江苏吴县人。河南知县，河南西华县知县。

张华奎 安徽合肥人。四川道员，四川川东道。

武　瀛 刑部主事，署四川高等审判厅厅丞。

杨增新 甘肃知县，甘肃镇迪道。

杨深秀 刑部主事，山东道御史。

　翻译进士：

文　海 编修，内阁学士。

恩　祥 字露芝。满洲正黄旗。编修，侍读学士。

嵩　思 编修，侍读。

　武进士：

李梦说 山东阳谷人。状元。头等侍卫。

徐海波 四川资州人。榜眼。二等侍卫。

傅懋凯 山东福山人。探花。二等侍卫。

纪堪荣 传胪。三等侍卫。

陈国璧 会元。三等侍卫。

　中式举人：

金兆蕃 浙江秀水人。内阁中书，江苏候补知府。

曾　鑑 见乙酉拔贡。

震　钧 江苏候补知县。

杨寿枢 内阁中书，内阁制诰局局长。

袁大启 后乡举重逢。

阮忠枢 法制院参议。

甘大璋 见乙酉拔贡。

徐宗溥 见乙酉拔贡。

纪堪谨 广西左江道。

孙传凤 江苏人。

田毓瑶 后乡举重逢。

王为幹 浙江人。山西巡警道。

卢学源　内阁中书。

谈庭楷　字英甫，号少栞。浙江海盐人。直隶大挑知县。

王舟瑶　广东知县，广东候补道。

来鸿瑨　浙江萧山人。口口县训导。

汪大燮　内阁中书，邮传部左侍郎。

沈翊清　字丹曾。福建侯官人。四川候补道，陆军部候补参议。

王顺存　河南人。黑龙江呼兰府知府。

赵鸿猷　山西人。内阁中书，安徽劝业道。

李廷飏　见乙酉拨贡。

宋联奎　陕西人。云南楚雄府知府。

梁启超　字卓如。广东新会人。六品衔办理译书局事务，法部
　　　　副大臣。

张大昌　字小震。浙江钱塘人。

　　中式副榜贡生：

陈　浏　见乙酉拔贡。

何彦昇　户部郎中，新疆巡抚。

◉ 恩遇：

李鸿藻　礼部尚书。正月以七十生辰，赐寿。

　　正月皇太后归政：

奕　譞（醇亲王），赐御书"懋德嘉绩"；（奉懿旨所赐，下
　　　　同）世　铎（军机大臣礼亲王），赐御书"果行育德"
　　　　额；额勒和布（大学士），赐御书"言物行恒"额；张
　　　　之万（大学士），赐御书"近德修业"额；许庚身（兵
　　　　部尚书），赐御书"居德善俗"额；孙毓汶（刑部尚书），
　　　　赐御书"经德秉哲"额。

曾国荃　两江总督。正月加太子太保衔；

岑毓英　云贵总督。正月加太子太保衔；

杨昌濬　陕甘总督。正月加太子少保衔；

张　曜　山东巡抚。正月加太子少保衔；

刘锦棠　甘肃新疆巡抚。正月加太子少保衔；

刘铭传 台湾巡抚。正月加太子少保衔。

正月以大婚礼成：

额勒和布 军机大臣，大学士。加太子太保衔；

张之万 大学士。晋太子太保衔；

许庚身 兵部尚书。加太子少保衔；

孙毓汶 刑部尚书。加太子少保衔；

徐　桐 上书房行走，协办大学士，吏部尚书。正月晋太子太
　　　　保衔；

潘祖荫 南书房行走，工部尚书。正月晋太子太保衔；

福　锟 总管内务府大臣，协办大学士户部尚书。正月加太子
　　　　太保衔；

嵩　申 理藩院尚书。正月加太子少保衔；

师　曾 兵部左侍郎。正月加太子少保衔。

恩　承 大学士。二月以七十生辰，赐寿。

奕　谟 固山贝子。四月以四十生辰，赐匾额。

翁同龢 户部尚书。四月以六十生辰，赐匾额及联。

潘祖荫 工部尚书。十月以六十生辰，赐寿。

曹　驯 广西在籍绅士，翰林院编修，秀峰书院掌教。十一月
　　　　赏五品卿衔。

杨立旭 山西候补知府。十一月赏加三品顶带。

十二月对以下军机大臣赐御书匾额：

世　铎（礼亲王）、

额勒和布（大学士）、**张之万**（大学士）、

许庚身（兵部尚书）、**孙毓汶**（刑部尚书）。

◉ **著述：**

方　恺 撰《代数通艺录》十六卷成，见二月徐国栋序。（按：
　　　　此书为恺门人所辑）。

黎经诰 撰《六朝文絜笺注》四卷成，见二月自序。

徐宗诚 撰《黑龙江述略》六卷成，见四月自序。

王树柟 撰《广雅补疏》成，见五月自序。

陆心源 编《唐文拾遗》七十二卷成，见六月俞樾序。

陈其荣 辑《仓颉篇》三卷成，见六月自序。

史梦兰 自编《尔尔文钞》二卷成，见七月孙国桢序。

夏鼎武 撰《诗序辨》一卷成，见十月夏震武序。

王树柟 撰《费氏古易订》成，见十一月自序。

郑知同 贵州遵义人。继其父珍撰《汗简笺正》七卷成，见十二月自序。

王闿运 撰《湘潭县志》成 见五月自序。

刘子雄 撰《诗集》四卷成。（按：此书于子雄卒后为李稽勋编刻名曰《刘舍人遗集》今系于十月之前）。

◉ 卒岁：

长　善 杭州将军。正月卒年六十一。

奕　誴 宣宗皇五子。宗人府宗令，镶黄旗满洲都统，和硕惇亲王。正月十九日卒年五十九。谥曰勤。

童　华 头品顶带，礼部右侍郎，降调都察院左都御史。二月初三日卒年七十二。

赵鸿举 提督衔山东曹州镇总兵。二月卒年六十八。

常星阿 宁夏副都统。二月卒。

杜嘎尔 满洲正蓝旗，哈勒斌氏。乌里雅苏台将军。二月卒。谥武靖。

毕道远 原任礼部尚书。三月卒年八十。

张保慈 三品衔安徽候补道。三月初七日卒年六十三。

古尼音布 原任杭州将军。三月十二日卒。

萨克慎 原任呼伦贝尔副都统。四月十二日卒。

岑毓英 太子太保衔，云贵总督，一等轻车都尉加一云骑尉。五月初八日卒年六十一。赠太子太傅，入祀贤良祠，谥襄勤。

席宝田 头品顶带记名布政使，原任贵州按察使，骑都尉。六月十一日卒年六十一。赠太子少保衔。

景　寿 领侍卫内大臣，正黄旗满洲都统，一等诚嘉毅勇公，固伦额驸。六月二十日卒年六十。谥端勤。

杨泗孙　原任太常寺少卿。卒年六十七。

汪士铎　国子监助教衔，江苏江宁县举人。七月初七日卒年八
　　　　十八。入国史儒林传。

恭　镗　满洲正黄旗，博尔济吉特氏。调授杭州将军（由黑龙
　　　　江将军调补）。七月以赴任卒于天津。

袁垚龄　安徽泗州人。二品顶带署新疆布政使，喀什噶尔道。
　　　　七月卒。入国史循吏传。

袁保龄　二品顶带直隶补用道。七月卒于旅顺防次年四十九。
　　　　赠内阁学士衔。

高崇基　广西巡抚。七月十三日卒年六十八。

苏元章　记名提督。七月卒。

唐得胜　记名提督。七月卒。

张尔耆　江苏娄县诸生。七月二十五日卒年七十五。

薛福辰　原任都察院左副都御史。八月初口日卒年五十五。

李庆翱　降调河南巡抚。八月十二日卒年七十九。

董凤高　字梧轩。安徽合肥人。江南徐州镇总兵。八月卒。

锡　珍　吏部尚书。九月初十日卒年四十三。

刘光裕　广西左江镇总兵。九月二十日卒。

刘子雄　内阁候补中书。十月十七日卒年三十二。

李长乐　直隶提督。十一月十七日卒年五十二。谥勤勇。

顾文彬　原任浙江宁绍台道。十一月卒年七十九。

高万鹏　升授湖南布政使（由顺天府府尹升补）十二月卒于顺
　　　　天府署年五十六。

特尔庆阿　原任正白旗蒙古副都统。十二月二十口日卒。

赵　铭　直隶候补知府，原署顺德府知府。卒年六十二。

戴咸弼　同知衔后选知县，原任浙江温州府教授。卒年七十五。

赵文濂　原任直隶肥乡县教谕。卒年八十四。

朱昌泰　浙江常山县教谕。卒年六十。

光绪十六年庚寅（公元一八九〇年）

◎ 科第：

一甲进士：

吴　鲁　状元。修撰，吉林提学使。

文廷式　榜眼。编修，侍读学士。

吴荫培　探花。编修，贵州镇远府知府。

二甲进士：

萧大猷　兵部主事。

黄绍第　编修，湖北候补道。

李立元　编修，四川宁远府知府。

徐继孺　（一作徐继儒）。编修，山西汾州府知府。

孟庆荣　编修，学部右丞。

孙绍阳　吏部主事，典礼院直学士。

程秉钊　庶吉士。

朱益藩　编修，副都御史。

谢佩贤　字伟如。江西南城人。编修。

余　堃　编修，署陕西提学使。

李经畲　编修，侍讲。

王清穆　户部主事，直隶按察使。

赵以焕　字钦祖，号伯章。贵州贵阳人。江苏知县，江苏吴县
　　　　知县。

许晋祁　编修，湖南永顺府知府。

江云龙　字润生，号潜之、石琴。安徽合肥人。编修，江苏候
　　　　补知府。

载　昌　宗室。编修，内阁学士。

吴怀清　字莲溪，号慎初。陕西山阳人。编修，秘书郎。

王以慜　编修，江西瑞州府知府。

杨家骧　编修，撰文。

汪凤梁 编修，四川顺庆府知府。
王庆平 庶吉士，礼部主事，山西布政使。
蔡曾源 编修，福建建宁府。
关榕祚 吏部主事，江西广信府知府。
黄家傑 庶吉士，口口知县，黑龙江绥化府知府。
管象颐 字养山。山东莒州人。庶吉士，户部主事，度支部候补参议。
王乃徵 编修，贵州布政使。
华俊声 字少兰。直隶天津人。编修，秘书郎。
夏寅官 编修。
赵惟熙 编修，甘肃提法使。
启　绥 编修，河南河南府知府。
聂宝琛 礼部主事，典礼院总务厅厅长。
廖　平 即用知县，四川龙安府教授。
吴　煦 编修，广东惠潮嘉道。
方克猷 刑部主事。
刘元弼 吏部主事，云南迤西道。
吴　錡 工部主事，署福建交涉使。
方燕年 字鹤人。安徽定远人。户部主事，山东候补道，署提学使。
夏曾佑 会元。庶吉士，礼部主事，安徽泗州直隶州知州。
杨捷三 编修，侍讲学士。
孙百斛 编修，奉天民政使。
李毓芬 福建侯官人。户部主事，候补三品京堂。
田　庚 编修，江苏徐州道。
郑叔忱 编修，奉天府府丞。
黄曾源 编修，山东济南府知府。
罗维垣 湖南善化人。刑部主事，法部左参议。
陈懋鼎 内阁中书，外务部左参议。
陈宝璐 字叔毅。福建闽县人。庶吉士，口部主事。

三甲进士：

刘树屏　检讨，安徽候补道。

张学华　字汉三。广东番禺人。检讨，江西提法使。

姚文倬　检讨，福建提学使。

齐耀珊　内阁中书，湖北汉黄德道。

黄昌年　字柜舆、毓辰。　湖南善化人。　检讨，直隶天津府知
　　　　府。

方　霆　检讨，江西□□知府。

张　检　吏部主事，江西巡警道。

董　康　刑部主事，大理院刑科推丞。

吴丙湘　河南候补道。

陈宝瑨　户部郎中，云南曲靖府知府。

俞明震　庶吉士，刑部主事，署甘肃提学使。

高润生　检讨，给事中。

史履晋　刑部主事，掌辽沈道御史。

张祖祺　江西临川人。广西桂平梧道。

郑文钦　庶吉士，户部主事，署山西归绥道。

曾　培　兵部主事，山东知县，学部郎中。

赵　渊　四川知县，黑龙江民政使。

翻译进士：

儒　林　编修，山海关副都统。

奎　善　字元卿。蒙古正白旗。编修，典礼院直学士。

武进士：

张宪周　山东郓城人。状元。头等侍卫。

李承恩　四川通江人。榜眼。二等侍卫。

陈邦荣　直隶献县人。探花。二等侍卫。

谭　鳌　湖南岳阳人。传胪。三等侍卫。

● 恩遇：

正月以本年六月为二旬万寿：

刘锦棠　甘肃新疆巡抚。晋太子太保衔；

宋　庆　四川提督。加太子少保衔；

李成谋　长江水师提督。加太子少保衔；

雷正绾　陕西提督。加太子少保衔；

苏元春　广西提督。加太子太保衔（二十九年闰五月革）。

载　滢　二月初一以三十生辰，赐寿。

　　六月以二旬万寿大臣中年逾七旬之大学士：

恩　承　赐"纶扉笃祜"额、张之万　赐匾额。

　　六月以二旬万寿：

崑　冈（礼部尚书）之母、祥　麟（内阁学士）之父春陞、凤
　　鸣（内阁学士）之父玉成、连　庆（原任江宁副都统）
　　之祖母佟佳氏。均以年逾八旬各赐御书匾额。

张之万　大学士。七月初八日以八十生辰，赐匾额及联，又皇
　　太后赐匾额及联。

李瀚章　两广总督。七月二十七日以七十生辰，赐匾额。

嵩　申　刑部尚书。八月初七日以五十生辰，赐寿。

　　九月以本年二旬万寿：

刘锦棠（新疆巡抚）其祖母陈氏、萨凌阿（西宁办事大臣）
　　其母王氏、福　润（山东布政使）其母乌苏氏、方　耀
　　（广东水师提督）其母林氏、英　廉（马兰镇总兵）
　　其母郭氏、牛师韩（河南归德镇总兵）其父牛斐然。
　　均以年逾八旬赐御书匾额。

余焕文　原任礼部员外郎。以学术深纯赏四品卿衔。

　　十二月　对以下军机大臣俱赐御书匾额：

世　铎　礼亲王；

额勒和布　大学士；

张之万　大学士；

许庚身　兵部尚书；

孙毓汶　刑部尚书。

◉ 著述：

夏鼎武　撰《悔言附记》一卷成，见三月夏震武识语。

廖　平　撰《公羊春秋补证》二卷成，见四月潘祖荫序。

郭嵩焘　撰《礼记质疑》成，见六月朔自序。

郭嵩焘　撰《大学章句质疑》、《中庸章句质疑》成，见六月朔自序。

陶福履　撰《常谈》一卷成，见八月自序。

王定安　重编《宗圣志》二十卷成，见十二月自序。

宝　廷　撰《庭闻忆略》二卷成，见自序。

孙传凤　撰《洨民遗文》一卷成。（按：文稿于卒后为江标辑刻，今系于此年）。

李　桓　编《国朝耆献类征初编》七百二十卷成，见七月自识。

屠　寄　编《国朝常州骈体文录》三十卷、附《结一宦文》一卷成，见十一月自记。

● 卒岁：

葛金烺　刑部候补主事，正月初四日卒年五十口。

阮福炳　头品顶带，记名提督，直隶练军翼长。正月二十二日卒年六十二。

那尔苏　蒙古。内大臣，正红旗蒙古都统，科尔沁多罗贝勒。正月二十六日卒。谥诚慎。

奎　润　礼部尚书，宗室。二月初四日卒年六十二。

卫荣光　原任山西巡抚。闰二月卒。

豫　山　字东屏。满洲正黄旗。山西巡抚。闰二月卒。

施补华　二品衔山东补用道。闰二月卒年五十六。

曾纪泽　户部右侍郎，袭一等毅勇侯。闰二月二十三日卒年五十二。赠太子少保衔，谥惠敏。

谭上连　喀什噶尔提督，骑都尉。三月初三日卒。

彭玉麟　太子少保衔，巡阅长江水师，原任兵部尚书，一等轻车都尉。三月初六日卒年七十五。赠太子太保衔，谥刚直。

色楞额　字五友。满洲镶黄旗，郭尔贝氏。伊犁将军。三月卒。

徐文达　字仁山。安徽南陵人。福建按察使。四月卒。

李鹤年　三品衔前河东河道总督，前任闽浙总督。四月卒年六十四。追复原官（追复在宣统元年三月）。

萧孚泗　湖南人。原任福建陆路提督，一等男。四月卒。谥壮肃。

谦　禧　正红旗宗室。热河都统。五月卒。

仓景愉　布政使衔，原任云南按察使。五月二十一日卒年七十五。

徐占彪　提督衔原任新疆巴里坤镇总兵，云骑尉。六月卒。

葛嗣滐　丁忧户部七品小京官。六月初七日卒年二十九。

倪文蔚　河南巡抚。六月十三日卒年六十八。

杨岳斌　太子少保衔，原任陕甘总督，一等轻车都尉。六月二十七日卒年六十九。赠太子太保衔，谥勇悫。

禄　彭　齐齐哈尔副都统。六月卒。

陶定昇　头品顶带，记名提督，广东琼州镇总兵。八月十四日卒年五十五（定昇卒时尚未补授总兵）。

苏德胜　福建建宁镇总兵。八月卒于台湾军营。

方瑞兰　道员用候补知府，安徽泗州直隶州知州。卒年五十八。入国史循吏传。

李金铺　字秋亭。江苏无锡人。三品衔吉林补用道。九月初四日卒于漠河金矿差次。赠内阁学士衔，入国史循吏传。

陶茂林　头品顶带，署贵州古州镇总兵，前甘肃提督。九月卒。

曾国荃　太子太保衔，两江总督，一等威毅伯。十月初二日卒年六十七。赠太傅，入祀贤良祠，谥忠襄。

铁　珊　汉军正白旗，徐氏。河南河陕汝道。十月卒，入国史循吏传。

许钤身　字星祥，号仲韬。浙江钱塘人。福建按察使。十月十口日卒。

潘祖荫　太子太保衔工部尚书。十月三十日卒年六十一。赠太子太傅，谥文勤。

孙诒经　户部左侍郎。十一月初六日卒年六十五。追谥文恪。

载　敦　袭和硕怡亲王，宗室。十一月十口日卒。谥曰端。

宝　廷　二品职衔前礼部右侍郎，宗室。十一月十口日卒年五十一。

奕　譞　宣宗皇七子，和硕醇亲王。十一月二十一日卒年五十一。谥曰贤。

富　陞　满洲正红旗。盛京副都统。十一月卒。

锺　澐　字达圃。京口副都统。十一月卒。

金寿松　刑科给事中。十口月卒年五十五。

黄彭年　湖北布政使。十二月初口日卒年六十八。入国史循吏传。

桂　全　刑部左侍郎，正蓝旗宗室。十二月二十口日卒。

乌拉布　工部左侍郎。十二月二十口日卒年四十六。

曾纪凤　字挚民。湖南邵阳人。头品顶带原任云南布政使。卒年五十二。入国史循吏传。

何兆瀛　原任广东盐运使。卒年八十二。

周秉礼　湖北汉阳人。运同衔，山东莒州知州。卒。赠道衔，入国史循吏传。

萧庆衍　头品顶带记名提督，云骑尉。卒。

孙传凤　江苏吴县举人。卒。

黄方庆　浙江黄岩县诸生。卒年三十三。

光绪十七年辛卯（公元一八九一年）

● 科第：

中式举人：

贺纶夒　湖北蒲圻人。刑部员外郎，四川候补道。

乔保衡　直隶天津人。内阁中书，四川顺庆府知府。

胡翔林　刑部郎中，广西劝业道。

杨寿柟　内阁中书，度支部左参议。

蔡乃煌　字伯浩，广东番禺人。江苏苏松太道。

盛昌颐　江苏武进人。湖北德安府知府。

杨宜瀚　陕西知县，陕西宝鸡县知县。

戈炳琦　见乙酉拔贡。

蒋楙熙　江苏人。河南巡警道。

胡玉缙　兴化县教瑜，余见癸卯经济特科。

黄以霖　字伯雨。江苏宿迁人。内阁中书，署湖南提学使。

曾　朴　江苏常熟人。内阁中书。

刘锺琳　户部主事，署湖南提法使。

姜　筠　安徽人。

董元亮　福建人。浙江劝业道。

张　藻　湖北人。陕西巡警道。

陈先沅　四川筠连人。云南知县，云南普洱府知府。

吴肇邦　广西人。江苏巡警道。

王玉麟　云南人。贵州劝业道。

中式副榜贡生：

蒋师辙　安徽知州，安徽无为州知州。

庄蕴宽　江苏人。广西梧州府知府。

钦赐举人：

庞元济　浙江乌程人。

● 恩遇：

正月以上年二旬万寿：

黄懋澄（袭一等海澄公）其祖母王氏、**彭楚汉**（福建水师提督）其母黄氏、**吴宏洛**（福建澎湖镇总兵）其母孔氏、**王连三**（山东曹州镇总兵）其母钱氏、**卫汝贵**（甘肃宁夏镇总兵）其母王氏、**黄万鹏**（阿克苏镇总兵）其母杨氏、**郭宝昌**（原任安徽寿春镇总兵）其母曹氏。俱以年逾八旬各赐御书匾额。

徐用仪　户部左侍郎。以捐田赡族，七月赐"推恩睦族"额。

史梦兰　直隶耆儒乐亭县举人。八月赏四品御衔。

九月以经明行修：

贺瑞麟　国子监学正衔陕西三原县岁贡生。赏五品衔；

刘光蕡　咸阳县举人。赏国子监学正衔。

翁同爵　已故湖北巡抚。以捐田赡族，九月赐匾额。

宋延春　头品顶带原任云南布政使。以明年为道光壬辰科甲榜重逢应重赴恩荣筵宴，九月加太子少保衔。

十月以经明行修：

法伟堂　山东省候选教授。赏国子监学正衔；

宋有升　山东人。候选教职。赏国子监学正衔；

尹彭寿　山东人。候选教职。赏国子监学正衔。

十月以学行兼优：（二人）

潘履端　国子监助教，广东韶州府教授。赏五品衔；

简朝亮　广东顺德县廪生。以训导团选用。

黎　申　广西宁明人。广西耆儒，原任庆远府训导。十一月赏光禄寺署正衔。

奕　䜣　恭亲王。以六十生辰十一月赐匾额及联，又皇太后赐匾额及联。

李联奎　安徽合肥县孝廉方正，恩贡生。以"品端学邃"赏光禄寺署正衔。

十二月以上年二旬万寿：

李嘉乐（原任江西布政使）其母贺氏、**候名贵**（福建漳州镇总

兵）其母曹氏、张春发（浙江鄞县人。广西右江镇总
兵）其父张一诗。俱以年逾八旬赐御书匾额。

李鸿章　大学士，直隶总督。以明年正月七十生辰，十二月赐
　　　　"钧衡笃祜"额及联，又皇太后赐"调鼎凝厘"额及
　　　　联。

　　　十二月赐以下军机大臣御书匾额：

世　铎　礼亲王；
额勒和布　大学士；
张之万　大学士；
许庚身　兵部尚书；
孙毓汶　刑部尚书。

● 著述：
叶昌炽　撰《藏书纪事诗》六卷成，见正月王颂蔚序。
狄考文　撰《代数备旨》成，见正月自序。
叶德辉　辑《淮南鸿烈闲诂》二卷成，见四月自序。
叶德辉　辑《刘熙孟子注》一卷、附《刘熙事迹考》成，见六
　　　　月自序。
李慈铭　刻《白华绛柎阁初稿诗集》十卷成，见七月自序。
潘衍桐　编《两浙輶轩续录》五十四卷成，见八月崧骏序。
王先谦　重校刻《盐铁论》十卷、并撰校勘《小识》一卷成，
　　　　见十月自序。
王荣商　撰《汉书补注》成，见十一月自序。
叶德辉　辑《淮南万毕术》二卷成，见十一月自序。
叶德辉　辑《傅子》三卷成，见十二月自序。
潘衍桐　撰《尔雅正郭》成，见自序。
潘衍桐　编《两浙輶轩续录补遗》六卷成，见自序。

● 卒岁：
曹秉哲　二品顶带山东按察使。正月初口日卒年五十。入国史
　　　　循吏传。
傅炳墀　同知衔云南元谋县知县。正月十一日于武定州之冷饭

铺遇匪被戕。予云骑尉世职。

李世琛　云南禄劝县知县。正月十四日以川匪入城被害。予云骑尉世职。

黄国瑾　丁忧侍讲衔翰林院编修。正月卒年四十三。入国史孝友传。

双　寿　科布多参赞大臣。卒。

绍　诚　字葛民。满洲镶黄旗，马佳氏。新授驻藏帮办大臣。以赴任二月卒于山西途次。

吴毓春　刑部河南司郎中。三月初口日卒年六十三。

孔昭寀　山东即用知县。三月十四日以承办长清县杨庄河，殁于水年三十五。

张树屏　原任山西大同镇总兵。三月卒。

程玉庭　记名提督。四月卒。

李承先　原任河南归德镇总兵。四月卒。

许应鑅　原任浙江布政使。以入京另简，五月卒于京师年七十二。

溥　侥　镶白旗蒙古副都统，宗室。五月十四日卒。

郭嵩焘　原任兵部左侍郎。六月十三日卒年七十四。

贾致恩　升授浙江布政使（由河南按察使升补）。六月十六日以陛见卒于京师年六十四。

方　耀　广东人。广东水师提督。六月卒。

张　曜　太子少保，兵部尚书衔山东巡抚，骑都尉加一等轻车都尉兼一云骑尉世职。七月卒年五十八，赠太子太保，入祀贤良祠，谥勤果（后以世职并为二等男）。

奋通阿　记名副都统。七月以剿捕马贼阵亡。

刘　祺　记名总兵。七月卒。

陈钦铭　原任江苏按察使。七月卒年五十七。

宝　鋆　太子太傅衔，赏食全俸，致仕武英殿大学士。八月初三日卒年八十五。赠太保，入祀贤良祠，谥文靖。

庆　春　满洲镶蓝旗。原任福州将军。八月初八日卒。

何如璋　前二品顶带詹事府少詹事（督办福建船政大臣）。卒于广东寒山书院年五十四。

窦如田　浙江处州镇总兵。八月卒。

马如龙　字云峰。云南人。原任湖南提督。八月卒。

额勒恒额　镶黄旗护军统领。八月二十口日卒。

吴自发　布政使衔贵州贵东道。九月卒。

刘瑞祺　山西巡抚。九月二十口日卒年五十九。

陈与囧　翰林院编修。十月初二日卒。

伯彦讷谟祜　御前大臣，领侍卫内大臣，袭科尔沁博多勒噶台亲王。以回旗葬母十月十五日卒于茔地年五十六。谥曰慎。

岐　元　成都将军，宗室。十月卒年六十三。

沈应奎　福建台湾布政使，十月卒。

刘恩溥　二品顶带，分发湖北试用道，前任广西梧州府知府。十月以引见卒于京师年五十五。

李经世　翰林院编修。十月卒。

白　桓　原任兵部右侍郎。十月卒年七十。

嵩　申　太子少保衔刑部尚书。十一月初五日卒年五十一。谥文恪。

奕　榕　原任宁夏将军，镶白旗宗室。十一月初口日卒。

贺寿慈　原任都察院左副都御史，降调工部尚书。十一月十七日卒年八十二。照尚书例赐恤。

长　春　原任正红旗护军统领。十一月二十口日卒。

尚昌懋　字仲勉。汉军镶蓝旗。正红旗汉军副都统。十二月十口日卒。

沈玉遂　湖南人。陕西河州镇总兵。十二月卒。

唐壬森　原任都察院左副都御史。卒年八十七。

邓承修　原任鸿胪寺卿。卒。

戚人铣　刑部郎中。卒年五十三。

程秉钊　在籍翰林院庶吉士。卒年五十四。

李　桓　降调江西布政使。卒年六十五。

秦　焕　二品衔原任广西按察使。卒年七十二。入国史循吏传。

刘湘年　候选道，前任广东惠州府知府。卒年七十。

许祺身　浙江钱塘人。山东胶州知州。卒。入国史循吏传。

赵圣传　江苏兴化人。兴化县廪贡生。卒年七十口。

方　楷　卒年五十三。

光绪十八年壬辰（公元一八九二年）

● 科第：
　　一甲进士：

刘福姚　状元。修撰，侍讲。

吴士鑑　浙江钱塘人。榜眼。编修，侍读。

陈伯陶　探花。编修，江宁提学使。

　　二甲进士：

恽毓嘉　编修，福建延平府知府。

张鹤龄　庶吉士，户部主事，奉天提学使。

李云庆　庶吉士，兵部主事，候补道。

赵启霖　编修，署四川提学使。

周景涛　福建侯官人。庶吉士，江苏知县，学部员外郎。

宝　熙　字仲明，号瑞臣。正蓝旗宗室。编修，学部左侍郎。

汪诒书　编修，山西提学使。

田智枚　编修，弼德院秘书长。

屠　寄　庶吉士 工部主事，浙江淳安县知县。

汤寿潜　庶吉士，安徽知县，江西提学使。

伍铨萃　编修，湖北郧阳府知府。

杜　彤　编修，新疆提学使。

许贞幹　口部主事，浙江候补道。

汪　洵　编修。

王良弼　湖南常宁人。庶吉士，刑部主事，广东肇罗道。

赖鹤年　字予龄，号寿轩、云芝。广西桂平人。编修，四川候
　　　　补道。

李希圣　刑部主事。

张元济　庶吉士，刑部主事，学部副大臣。

张　瀛　庶吉士，江苏知县，吉林吉林府知府。

饶士端　编修，口口府知府。

清代人物大事纪年

1642

谭启瑞　编修，湖南衡永彬桂道。

林国赓　广东番禺人。庶吉士，吏部主事。

李哲明　编修，侍讲。

蔡元培　编修。

夏孙桐　编修，浙江湖州府知府。

朱家宝　庶吉士，礼部主事，安徽巡抚。

叶尔恺　编修，云南提学使。

尹昌龄　庶吉士，口口知县，陕西凤翔府知府。

刘可毅　会元。编修。

程利川　户部主事，度支部候补参议。

赵　熙　编修，掌江西道御史。

周　钧　字衡甫。江苏山阳人。编修。

赵士琛　编修，贵州思南府知府。

吴　钫　刑部主事，奉天提法使。

王仁俊　庶吉士，口部主事，湖北候补知府。

曹广桢　（碑录作曹广植）。刑部主事，吉林提学使。

傅增湆　编修。江苏候补知府。

高宝銮　字子鸣。浙江秀水人。编修。

曾习经　户部主事，度支部右丞。

郭曾准　福建侯官人。庶吉士。

林颐山　江苏即用知县。

刘显曾　字诚甫。江苏仪征人。吏部主事，掌甘肃道御史。

顾　瑗　编修。

叶德辉　吏部主事。

连　甲　字仲甫，号兰亭。满洲镶白旗。编修，湖北布政使。

唐文治　户部主事，农工商部左侍郎。

胡鼎彝　字锐生。陕西榆林人。编修，河南劝业道。

贻　毅　编修，绥远城将军。

曾述棨　庶吉士，工部主事，外务部右丞。

　　三甲进士：

饶宝书 户部主事，外务部郎中。

渠本翘 内阁中书，典礼院直学士。

孙友萼 字花楼。山东郯城人。江苏知县，江苏金坛县知县。

尚其亨 福建布政使。

熙　彦 吏部员外郎，工商部副大臣。

丁麟年 山东日照人。户部郎中，陕西同州府知府。

洪汝源 检讨，四川口口府知府。

陈　瑜 贵州贵阳人。安徽知县，直隶津海关道。

宋书升 庶吉士，五品卿衔。

陶福履 庶吉士，户部主事，湖南慈溪县知县。

长　绍 宗室。庶吉士，工部主事，安徽颍州府知府。

蒋士琂 （一作蒋士惺，又作蒋式珵）检讨，江南道御史。

杨道霖 （原名杨楷）。江苏无锡人。户部主事，余见癸卯经济
　　　　特科。

高增爵 陕西米脂人。内阁中书，四川巡警道。

蒋廷黻 吏部主事，广东韶州府知府。

孙培元 江苏崇明人。吏部主事，掌云南道御史。

施启宇 字雨农，号稚桐。江苏崇明人。湖南知县，湖南郴州
　　　　直隶州知州。

张镇芳 户部主事，湖南提法使，署直隶总督。

杨士晟 字蔚霞。安徽泗州人。内阁中书。

　　翻译进士：

穆特贺 字德清。满洲镶白旗。编修，陕西延榆绥道。

　　武进士：

卞　赓 江苏海州人。状元。头等侍卫。

张连同 河南宜阳人。榜眼。二等侍卫。

李连仲 直隶大名人。探花。二等侍卫。

仝云龙 山东金乡人。传胪。三等侍卫。

◎　恩遇：

周　樊 湖南人。湖南耆绅，在籍湖北候补道。以品高行洁十

二月赏四品衔。

十二月赐以下军机大臣御书匾额：

世　铎　礼亲王；

额勒和布　大学士；

张之万　大学士；

许庚身　兵部尚书；

孙毓汶　刑部尚书。

◉　著述：

叶德辉　校辑《鬻子》二卷成，见正月自序。

萧　雄　字皋谟。湖南益阳人。撰《西疆杂述诗》四卷成，见二月自序。

胡光国　编《白下愚园集》八卷成，见五月邓家缉序。

王树枏　撰《尔雅郭注佚存补订》成，见七月自序。

李道悠　字子远。浙江嘉兴人。编《竹里诗萃》十六卷成，见八月自序。

陆心源　撰《仪顾堂续跋》十六卷成，见十一月自序。

陈其荣　辑《清仪阁金石题识》四卷成，见吴受福跋。

◉　卒岁：

端木埰　原任内阁侍读。正月二十一日卒年七十三。

尚宗瑞　原任西安将军。正月二十三日卒年七十口。

阎敬铭　原任东阁大学士。二月初七日卒年七十六。赠太子少保衔，谥文介。

蒋学溥　同知衔广东候补知县。二月二十七日卒年四十七。

刘瑞芬　广东巡抚。三月初十日卒年六十六。

续　昌　字燕甫。蒙古正白旗，那拉氏。原任户部左侍郎。四月初九日卒。

章合才　江南淮扬镇总兵。五月卒。

金保泰　太常寺卿。五月十二日卒年四十二。

蒋光煟　主事衔候选大理寺评事，浙江海宁州贡生。五月十五日卒年六十八。

霍穆欢　字子谨，号慎斋。正蓝旗宗室。内阁学士兼礼部侍郎衔。五月二十四日卒。

瑞　联　原任江宁将军，前任兵部尚书。六月初口日卒年六十三。

徐昌绪　原任翰林院侍讲学士。六月初四日卒年六十五。

金福曾　二品衔直隶候补道，原署永定河道，袭云骑尉世职。以赴浙江筹赈，闰六月初二日卒于平湖年六十五。赠内阁学士衔，入国史循吏传。

柳以蕃　江苏吴江县贡生。闰六月初八日卒年五十八。

董　恂　降调户部尚书。闰六月十五日卒年八十六。

恩　承　太子少保衔东阁大学士。闰六月二十三日卒年七十三。赠太子太保衔，入祀贤良祠，谥文慎。

陈文鬯　湖南长沙人。四品衔陕西留坝厅同知。闰六月卒。入国史循吏传。

桂　丰　袭奉恩镇国公，宗室。闰六月卒。

恩　全　正黄旗汉军副都统，袭一等轻车都尉世职，宗室。七月二十八日卒

祁世长　工部尚书。八月初六日卒年六十九。谥文恪。

李成谋　字与吾。湖南湘乡人。太子少保衔，原任长江水师提督。八月卒。谥勇恪。

升　泰　副都统衔驻藏办事大臣。前任内阁学士。八月卒。谥恭勤。

卞宝第　原任闽浙总督。八月卒年六十九。

罗搢绅　湖北宜昌镇总兵。八月二十四日卒。

左念谦（左宗棠孙）。通政使司副使，袭二等恪勤侯。九月十七日卒年二十九。

陈懋侯　江南道监察御史。十月十六日卒年五十五。

周德润　刑部右侍郎。十月十九日卒年六十一。

陈士杰　原任山东巡抚。十二月十九日卒年六十九。

余焕文　四品卿衔原任礼部员外郎。卒年六十八。入国史儒林

传。

史克宽 字松园。安徽六安人。前直隶清河道。卒。

何庆钊 河南固始人。安徽广德直隶州知州。卒。入国史循吏
传。

曾寿麟 浙江海宁州知州。卒年六十三。

光绪十九年癸巳（公元一八九三年）

◉ 科第：
中式举人：
周学熙　字缉之。安徽建德人。工部郎中，长芦盐运使。
华世奎　内阁中书，内阁阁丞。
曹广权　内阁中书，典礼院直学士。
萧应椿　分省试用道，余见癸卯经济特科。
许秉琦　兵部主事，宗人府府丞。
唐浩镇　江苏人。户部主事，邮传部员外郎。
陈澹然　安徽人。
张一鹏　字云抟。江苏人。署云南高等检察厅检察长。
徐乃昌　安徽南陵人。江南盐巡道。
贺国昌　江西人。贵州巡警道。
锺　铺　浙江人。内阁中书。
林　旭　福建人。内阁候补中书。
秦锡镇　山东人。内阁中书，余见癸卯经济特科。
◉ 恩遇：
李鸿藻　礼部尚书。以七十生辰，正月赐寿（按：是年实七十
　　　　四岁）。
王毓藻　原任广东布政使。以捐田赡族，二月赐匾额。
怀塔布　左都御史。以六十生辰，四月赐寿。
朱德澄　原任口口道。以明年为道光甲午科乡举重逢应重赴鹿
　　　　鸣筵宴，八月赏二品衔。
福　锟　大学士。以六十生辰，十月赐匾额及联，又太后赐匾
　　　　额及联。
邵友濂　福建台湾巡抚。以捐田赡族，赐匾额。
朱希文　湖南慈利人。慈利县绅士，候选知县。以捐资创建两
　　　　溪书院，十一月赏五品卿衔。

十二月赐以下军机大臣御书匾额：

世　铎　礼亲王；

额勒和布　大学士；

张之万　大学士；

孙毓汶　兵部尚书；

徐用仪　吏部左侍郎。

◉ 著述：

潘慎文　撰《八线备旨》成，见二月自序。

洪　钧　撰《元史译文证补》三十卷成。（按：是书卒后始刻，
　　　　见丁酉陆润庠序，今系于八月之前）。

叶德辉　辑《郑氏立中记》一卷成，见八月自序。

廖　平　撰《穀梁古义疏证》一卷成，见八月张预序。

◉ 卒岁：

崇　厚　二品职衔，前太子少保都察院左都御史。二月初九日
　　　　卒年六十八。

王德榜　头品顶带，贵州布政使。二月十二日卒年五十七。

王公辅　礼部主事。二月二十四日卒年六十八。

成　桂　字月坪。原任江苏苏松太道。三月初十日卒。

额尔庆额　满洲镶白旗，格何恩氏。头品顶带，塔尔巴哈台参
　　　　赞大臣。三月卒。

潘骏文　字彬卿。安徽泾县人。福建布政使。三月卒。

武　震　原任湖北汉黄德道。四月初七日卒年六十一。

费延厘　原任詹事府右春坊右中允。四月十九日卒年五十九。

沈源深　原任兵部右侍郎。五月卒年五十一。

奎　斌　字乐山。蒙古镶白旗。热河都统。五月卒。

王用诰　直隶深泽县举人。五月十八日卒年五十四。

杨汝孙　候选训导，江苏常熟县廪贡生。五月二十日卒年六十
　　　　九。

吴家榜　字朝杰。湖南益阳人。江南瓜州镇总兵。六月卒。

邹振岳　直隶天津府知府。六月卒年六十二。入国史循吏传。

赵烈文　原任直隶易州知州。六月二十八日卒年六十二。

邓辅纶　前浙江候补道。七月卒年六十六。

文　秀　镶红旗蒙古都统。七月卒。

孙开华　字赓堂。湖南慈利人。福建陆路提督，骑都尉。八月卒。谥壮武。

陈　冕　丁忧翰林院修撰。八月十七日卒年三十五。

清　安　原任刑部左侍郎，宗室。八月二十二日卒。

洪　钧　兵部左侍郎。八月二十三日卒年五十五。

奕　絪　正黄旗蒙古都统，郡王衔多罗贝勒，宗室。八月二十口日卒。

王仁堪　江苏苏州府知府。十二月二十日卒年四十五。入国史循吏传。

崧　骏　浙江巡抚。十一月初四日卒年六十二。

緜　勋　固山贝子，宗室。十一月十口日卒。

许庚身　太子少保衔兵部尚书，军机大臣。十一月三十日卒年六十九。赠太子太保衔，谥恭慎。

托克湍　前乌里雅苏台将军。十二月十口日卒。

龙文彬　四品衔，原任吏部主事。卒年七十三。入国史儒林传。

严　辰　在籍刑部候补主事。卒年七十二。

宋延春　太子少保衔头品顶带，原任云南布政使。卒年九十。

雷　浚　江苏吴县岁贡生。卒年八十。

贺瑞麟　五品衔，陕西三原县恩贡生。卒年七十。入国史儒林传。

光绪二十年甲午（公元一八九四年）

● 科第：

一甲进士：

张　謇　状元。修撰，农工商大臣。

尹铭绶　榜眼。编修。

郑　沅　探花。编修，侍读。

二甲进士：

吴筼孙　编修，湖北荆宜道。

沈　卫　编修。

李家驹　编修，资政院议长。

吴庭芝　编修，直隶广平府知府。

李祖年　字摺臣。江苏武进人。庶吉士，山东知县，山西宁武
府知府。

饶芝祥　编修，贵州铜仁府知府。

梁士诒　编修，署邮传大臣。

刘廷深　编修，学部副大臣。

夏启瑜　编修，江西吉安府知府。

李灼华　编修，山东道御史。

张其淦　庶吉士，山西知县，安徽候补道。

关冕钧　广西苍梧人。编修，邮传部候补参议。

姚舒密　编修，浙江宁波府知府。

景　褆　编修，弼德院参议。

陈昭常　庶吉士，刑部主事，吉林巡抚。

庄纶仪　（碑录作庄纶义），字灵皞，号纫秋。江苏阳湖人。内
阁中书。

张启藩　字星垣。安徽泗州人。编修，陕西榆林府知府。

达　寿　编修，理藩大臣。

吴敬修　编修，吏部左参议。

杨士燮　工部员外郎，浙江巡警道。

熊希龄　庶吉士，候补道，奉天盐运使。

吕承瀚　湖北武昌人。福建巡警道。

朱锡恩　编修，福建邵武府知府。

周绍昌　字佩清，号霖叔。广西灵川人。庶吉士，刑部主事，
　　　　大理院口科推丞。

齐忠甲　编修，江南道御史。

王会厘　字季和，号小东。湖北黄冈人。编修，秘书郎。

袁玉锡　兵部主事，云南劝业道。

王　照　庶吉士，礼部主事，候补四品京堂。

沈云沛　编修，吏部右侍郎。

林炳章　编修，法制院参议。

毓　隆　宗室。编修，典礼院学士。

孙鸣皋　庶吉士，浙江口口。

郭传昌　字学裘，号子冶。福建侯官人。工部主事。

刘锦藻　工部郎中，候补五品京堂。

沈　鹏　编修。

　　三甲进士：

赵从蕃　工部主事，广西劝业道。

文　溥　工部主事，浙江宁绍台道。

孙　雄　（原名孙同康）。庶吉士，吏部主事。

谢远涵　字镜虚。江西兴国人。乙未朝考。检讨，掌四川道御
　　　　史。

汪康年　甲辰朝考，内阁中书。

吴燕绍　内阁中书。

孙友莲　户部主事。

郭家葆　字松琥，号幼峰。河南信阳人。内阁中书。

王　瑚　庶吉士，四川知县，吉林依兰道。

陶世凤　会元。兵部主事，度支部主事。

韩绍徽　贵州贵阳人。刑部候补主事。

江春霖　检讨，掌新疆道御史。

　武进士：

张鸿翥　江西鄱阳人。状元。头等侍卫。

杜天麟　四川江津人。榜眼。二等侍卫。

岳庆德　直隶元城人。探花。二等侍卫。

王永清　顺天宛平人。传胪。三等侍卫。

　中式举人：

吴廷燮　江苏江宁人。山西知县，法制院参议。

吴籛孙　河南光州人。直隶知县，外城警察厅丞。

高凌霨　字泽畬。直隶天津人。内阁中书，湖北布政使。

姚永朴　安徽桐城人。

朴　寿　字仁山。满州镶黄旗。刑部主事，福州将军。

善　佺　刑部员外郎，法部右丞。

荣文祚　奉天怀德人。户部候补郎中。

徐　沅　江苏吴县人。见癸卯经济特科。

廉　泉　江苏人。户部候补郎中。

曹元忠　江苏人。内阁中书，候补侍读。

许士熊　驻外二等参赞官。

茅　谦。

王家枚　户部候补主事。

刘世珩　字葱石，号一琴、砚庐。安徽贵池人。江苏候补道，
　　　　度支部左参议。

冒广生　江苏如皋人。农工商部郎中。

汪曾武　江苏镇洋人。

朱仁寿　浙江海盐人。刑部主事，法部员外郎。

刘孝祚　字莲舫。福建侯官人。云南劝业道。

王庆彬。

徐德修　湖北黄陂人。陕西高等审判厅厅丞。

杨　度　（原名杨哲子）。湖南湘潭人。候选郎中，内阁统计局
　　　　局长。

张鸣岐　山东人。知县，两广总督。

徐绍桢　广东人。江南苏松镇总兵。

马启华　云南人。贵州大定府知府。

中式副榜贡生：

周自齐　山东单县人。候选盐大使，度支部副大臣。

奎　濂　户部主事，口口府知府。

李湛阳　云南鲁甸人。广东候补道。

◉　恩遇：

正月以本年十月皇太后六旬万寿：

奕　訢　恭亲王。赐御书匾额，（奉懿旨所赐）；

奕　劻　晋封和硕庆亲王；

载　漪　封多罗端郡王（二十六年九月革）；

徐用仪　军机大臣吏部左侍郎。加太子少保衔；

崇　光　总管内务府大臣，吏部右侍郎。加太子少保衔；

巴克坦布　字敦甫。兵部左侍郎。加太子少保衔；

容　贵　镶黄旗蒙古都统。加太子少保衔；

立　山　户部右侍郎。加太子少保衔（二十六年六月革）；

徐　郙　南书房行走，左都御史。正月加太子太保衔；

熙　敬　户部尚书。正月加太子少保衔；

廖寿恒　吏部右侍郎。正月加太子少保衔；

崇　礼　户部左侍郎。正月加太子少保衔；

恩　佑　字保庭。镶蓝旗蒙古都统。正月加太子少保衔；

杨昌濬　陕甘总督。正月晋太子太保衔；

刘秉璋　四川总督。正月加太子少保衔（二十一年革）；

谭锺麟　闽浙总督。正月加太子少保；

李瀚章　两广总督。正月加太子少保；

谭碧理　江南提督。正月加太子少保；

黄少春　福建陆路提督。正月加太子少保；

刘锦棠　甘肃新疆巡抚。正月晋封一等男。

孙锵鸣　致仕翰林院侍读学士。以明年为道光乙未恩科乡举重

逢，应于本年甲午正科重赴鹿鸣筵宴，赏加三品卿衔。

徐　棻　三品卿衔，原任兵部员外郎。以本年为道光甲午科乡举重逢，九月重赴鹿鸣筵宴。

张之万　大学士。以捐田赡族，十二月赐匾额。

十二月赐以下军机大臣御书匾额：

奕　䜣　恭亲王。额曰"华黻袭藻"；

世　铎　礼亲王；

翁同龢　户部尚书。额曰"蕴萃含章"；

李鸿藻　礼部尚书。额曰"金石砥砺"；

孙毓汶　兵部尚书；

徐用仪　吏部左侍郎。徐额曰"蹈规循矩"；

刚　毅　礼部左侍郎。

◉ 著述：

廖　平　撰《古学考》一卷成，见四月自记。

世　铎　等奉敕撰《平定陕甘新疆回匪方略》三百二十卷、《平定云南回匪方略》五十卷、《平定贵州苗匪方略》四十卷成，见五月进书摺。

樊增祥　自编《东溪草堂乐府》二卷成，见自序。

张　预　自编《崇兰堂诗初存》十卷成，见九月自序。

陈　毅　撰《魏书官氏志疏证》成，见十月自序。

王颂蔚　撰《明史摭逐》四十二卷成，见十一月自序。

李文田　撰《朔方备乘札记》一卷成，见乙未冬江标序。

◉ 卒岁：

周达武　尚书衔甘肃提督，骑都尉。正月卒年六十八。

饶士腾　翰林院编修。正月二十五日以畏罪自尽。追夺原官。

朱一新　以主事用，降调陕西道监察御史。二月初口日卒年四十九。追赏五品衔（赏衔在二十三年），追复原官（复官在宣统元年六月），入国史儒林传。

李朝斌　字质堂。湖南善化人。原任江南提督。四月卒。

张　达　候选知县。四月卒年六十三。

丁立幹　詹事府詹事。五月初五日卒年五十八。

冯南斌　甘肃人。尚书衔浙江提督。五月卒，谥果勇。

强汝询　原任江苏赣榆县训导。六月初五日卒年七十一。

薛福成　都察院左副都御史。六月十九日以出使外洋差，卒于江苏上海年五十七。

许玉瑑　刑部郎中。六月卒年六十八。

章成义　直隶延庆州知州。六月卒年五十。

刘锦棠　太子太保，尚书衔原任甘肃新疆巡抚，一等男。七月卒年五十一。谥襄勤。

缪祐孙　户部候补主事。七月卒。

吴国章　江苏丹徒诸生。七月十六日卒年八十一。

沈秉成　原任安徽巡抚。七月十九日卒年七十三。

希　元　福建将军，袭一等继勇侯。七月十九日卒年五十二。

孙宝书　丁忧江苏昭文县廪生。七月二十四日卒年五十二。旌表孝子。

涂宗瀛　原任湖广总督。八月卒年八十三。

吴　敦　五品顶带，浙江宁波府教授。八月卒年八十三。

黄翼升　尚书衔长江水师提督，三等男。八月初十日卒年七十七。谥武靖。

左宝贵　山东费县人。头品顶带，记名提督，广东高州镇总兵。八月十五日于朝鲜平壤阵亡。赠太子少保衔，谥忠壮，予骑都尉兼一云骑尉世职。

邓世昌　提督衔，记名总兵，海军中军副将。八月十八日在大东沟与日军海战阵亡。照提督例赐恤，谥壮节。

林泰升　升用总兵，海军左营副将。八月十八日于大东沟与日军海战阵亡。照提督例赐恤。

陈金揆　升用游击，海军中营都司。八月十八日于大东沟与日军海战阵亡。照总兵例赐恤。

潘　霨　字伟如。江苏吴县人。原任贵州巡抚。九月卒年七十九。

涂官俊 陕西泾阳县知县。十月卒年五十六。入国史循吏传。

冯端本 原任广东广州府知府。十月二十三日卒年六十六。

何　珺 前甘肃巴里坤镇总兵。十一月卒。开复原官。

陈名珍 记名道府，翰林院编修。十一月卒年五十五。

陆心源 二品顶带，记名简授道，前广东高廉道。十一月初九日卒年六十一。

永　山 汉军正白旗。四品衔，三等侍卫。十一月十八日于凤凰城阵亡。谥壮愍。

李慈铭 掌山西道监察御史。十一月二十四日卒年六十六。入国史文苑传。

谭钧培 云南巡抚。十一月二十四日卒年六十六。

克们泰 字秀峰。户部右侍郎。十二月口日卒。

刘士奇 字六如。湖南凤凰人。四川建昌镇总兵。十二月卒。

杨寿山 记名提督。十二月十五日于奉天盖平县阵亡。予骑都尉世职。

卫汝贵 前甘肃宁夏镇总兵。十二月二十一日以罪处斩（注：以失误军机并克扣军饷，纵兵抢掠)）。

孙衣言 原任太仆寺卿，前任江宁布政使。卒年八十一。

张裕钊 候选中书，湖北武昌县举人。卒年七十二。

蒯德标 原授广东布政使（由台湾布政使调补以病未任）。卒年七十口。

赵国华 二品顶带，山东候补道。卒年五十七。

刘元浩 字静岩。江苏宝应人。试用教职，原署江苏六合县训导。江苏宝应县贡生。卒。

光绪二十一年乙未（公元一八九五年）

◉ 科第：
　　一甲进士：
骆成骧 状元。修撰，山西提学使。
喻长霖 榜眼。编修。
王龙文 探花。编修。
　　二甲进士：
萧荣爵 编修。
吴纬炳 编修，京畿道御史。
凌福彭 户部主事，直隶布政使。
卓孝复 刑部主事，湖南岳常澧道。
曹汝麟 安徽青阳人。
林开謩 编修，署江西提学使。
张继良 刑部主事。
齐耀琳 庶吉士，直隶知县，河南巡抚。
赵炳麟 编修，掌京畿道御史，候补四品京堂。
刘嘉琛 编修，四川提学使。
潘龄皋 庶吉士，甘肃知县，甘肃巡警道。
李瑞清 庶吉士，江苏侯补道，署理学使。
刘燕翼 编修，江苏苏松太道。
叶芾堂 编修，掌辽沈道御史。
胡思敬 庶吉士，吏部主事，掌广东道御史。
谈国楫 庶吉士，奉天知县，黑龙江度支使。
罗长裿 字申田。湖南湘乡人。编修，驻藏左参赞。
许受衡 刑部主事，总检察厅厅丞。
吕　钰 内阁中书，安徽侯补道。
刘汝骥 编修，安徽徽州府知府。
秦望澜 兵部主事，口口道御史。

萧之葆 陕西三水人。刑部主事，法部郎中，署右参议。

王闻长 （原名王焯），字卓声。顺天宁河人。吏部主事，陕西
　　　　延安府知府。

尹庆举 编修，四川重庆府知府。

孙荣枝 浙江仁和人。户部主事，内阁中书。

戴展诚 庶吉士，知县，学部右参议。

康有为 工部主事。

龚心钊 安徽合肥人。编修。

李翰芬 编修，广西提学使。

赵鹤龄 编修，四川侯补道，海军部参事官。

胡　峻 字小岚。四川华阳人。编修。

沈　桐 内阁中书，奉天东边道。

赵廷珍 字敬忱。顺天武清人。吏部主事，内阁承宣厅厅长。

傅兰泰 户部主事，度支部左丞。

汪世杰 刑部主事，奉天高等检察厅检察长。

金　鉽 字蘅意。江苏泰兴人。编修。

锡　嘏 宗室。编修，山西提学使。

世　荣 编修，侍讲学士。

万本端 编修，河南归德府知府。

曹元弼 内阁中书，戊申特授编修。

张世培 字心田。顺天通州人。编修，给事中。

舒鸿贻 （碑录作舒鸿）。安徽怀宁人。兵部主事，直隶巡警道。

章　华 庶吉士，工部主事，邮传部郎中。

　三甲进士：

余炳文 检讨。浙江严州府知府。

曲江宴 吏部主事，浙江粮道。

江蕴琛 字韵川，号訒轩。广西容县人。庶吉士，云南知县，
　　　　云南丽江府知府。

黄维翰 兵部主事，黑龙江呼兰府知府。

石长信 检讨，给事中。

李于锴　庶吉士，口口知县，山东沂州府知府。

庆　隆　吏部主事，甘肃宁夏府知府。

李景样　奉天广宁县知县。

周　沆　贵州遵义人。云南澂江府知府。

刘嘉斌　刑部主事，法部右参议。

宝　铭　宗室。吏部员外郎，内阁叙官局局长。

张　锴　吏部主事，内阁叙官局副局长。

桂　福　云南知县，云南广南府知府。

徐致善　（碑录有致善是否同一人待考），字元甫。汉军。内阁中书，记名海关道，陆军部司长。

豫　咸　知县，安徽安庆府知府。

张凤台　河南安阳人。直隶知县，奉天兴京府知府。

张树桢　字逸朋，号景襄。山东海丰人。侯选知县。

林灏深　礼部主事，学部左参议。

翻译进士：

贵　福　编修，侍读，安徽宁国府知府。

文　华　字焕章。满洲镶黄旗，觉罗氏。编修，侍讲学士。

武进士：

武国栋　直隶天津人。状元。头等侍卫。

张大宗　江苏海州人。榜眼。二等侍卫。

林宜春　福建大田人。探花。二等侍卫。

崔天华　河南襄城人。传胪。三等侍卫。

◉ 恩遇：

额勒和布　大学士。以七十生辰，正月赐匾额，又皇太后赐匾额及联。

晋　祺　袭克勤郡王。二月以五十生辰，赐寿。

荣　禄　步军统领。二月以六十生辰，赐匾额，又皇太后赐匾额。

孙葆田　原任安徽宿松县知县。四月赏五品卿衔。

汪宗沂　在籍山西即用知县。赏五品卿衔。

朱　智　原任兵部右侍郎。以独立捐修海塘工程，九月赐匾额。

徐　郙　兵部尚书。以六十生辰，九月赐匾额。

　　十二月对以下军机大臣均赐御书匾额：

奕　䜣　恭亲王。赐"道德顺序"额；

世　铎　礼亲王。赐"仪止祥华"额；

翁同龢　户部尚书。赐"玉润澜清"额；

李鸿藻　礼部尚书。赐"岳秀泉澄"额；

刚　毅　户部右侍郎。赐"芳声符采"额；

钱应溥　礼部左侍郎。赐"冰壶水镜"额。

◉ 著述：

黄嗣东　撰《濂学编》六卷、《前编》一卷成，见正月自序。

◉ 卒岁：

刘步蟾　福建侯官人。记名提督，海军右翼总兵。正月初九日
　　　　日军围攻威海卫阵亡。予骑都尉世职。

戴宗骞　山东候补道。正月初九日日军围攻威海卫阵亡。予云
　　　　骑尉世职。

乌拉喜崇阿　致仕兵部尚书，正月初十日卒年六十七。

丁汝昌　字禹庭。安徽庐江人。海军水师提督加尚书衔。日军
　　　　围攻威海卫后自杀年六十。

刘明镫　统领安西中营遇缺题奏提督，前任福建台湾镇总兵。
　　　　二月卒于西宁防次。

欧阳利见　头品顶带原任浙江提督。二月卒年七十一。

刘鹤龄　记名提督，署湖北宜昌镇总兵。三月初一日卒。

储裕立　湖南靖州人。二品衔，贵州候补道，原署贵东道。四
　　　　月卒。入国史循吏传。

仇炳台　在籍翰林院庶吉士。五月二十二日卒年七十六。

徐邦道　提督衔革职留用，直隶正定镇总兵。闰五月十三日卒
　　　　于辽阳防营。开复处分。

朱洪章　字焕文。贵州黎平人。记名提督，原任云南鹤丽镇总
　　　　兵。闰五月十五日卒于江苏金山卫防营。予骑都尉世

职，谥武慎。

英　祥　字豪卿。原任广西按察使。六月初六日卒年七十六。

唐仁廉　湖南长沙（东安）人。尚书衔广东陆路提督。六月卒。

汪之昌　江苏新阳县副贡生。六月二十三日卒年五十九。

王颂蔚　三品衔，户部湖广司郎中。三月初一日卒年四十八。
　　　　入国史文苑传。

庆　裕　福州将军。七月卒年六十二。

张　煦　头品顶带，山西巡抚。七月卒年六十九。

吉陞阿　察哈尔副都统。八月卒。

谢濬畲　字福田。湖南长沙人。调署湖北汉阳镇总兵，江南瓜
　　　　州镇总兵。八月卒。

马丕瑶　广东巡抚。九月初八日卒年六十五。

沈恩嘉　头品顶带，原任宗人府府丞。九月十一日卒年五十。

裴荫森　原任光禄寺卿。十月十二日卒年七十三。

李文田　礼部右侍郎。十月二十日卒年六十二。（宣统间追谥文
　　　　诚）。

朱靖旬　二品顶带，直隶按察使。十月卒年六十二。入国史循
　　　　吏传。

师　曾　太子少保衔，赏食二品俸，致仕兵部左侍郎。十一月
　　　　十口日卒年八十五。赠太子太保衔。

成　允　广东布政使。十一月卒。

唐树森　贵州布政使。十二月十六日卒年七十三。追夺原官（夺
　　　　官在二十三年正月）。

刘铭传　太子少保兵部尚书衔，原任台湾巡抚，一等男。十二
　　　　月卒年六十。赠太子太保衔。谥壮肃。

吕耀斗　直隶清河道。卒年六十八。

董　沛　江西建昌县知县。卒年六十八。

吴　滔　浙江石门县画士。卒年五十六。

光绪二十二年丙申（公元一八九六年）

◉ **生辰：**

溥　儒　七月二十七日生，宗室。

◉ **恩遇：**

孙家鼐　工部尚书。以七十生辰，三月赐匾额及联。

崇　保　原任山东布政使。以明年为道光丁酉科乡举重逢，应
　　　　重赴鹿鸣筵宴，九月赏加头品顶带。

董福祥　甘肃提督。以甘肃回匪肃清，十月加太子广保衔。

　十二月对以下军机大臣均赐御书匾额：

奕　訢　恭亲王。赐"福禄攸赞"额；

世　铎　礼亲王。赐"发彩流润"额；

翁同龢　户部尚书。赐"山华岳曜"额；

李鸿藻　协办大学士，吏部尚书。赐"贞筠瑞玉"额；

刚　毅　工部尚书。赐"光藻昭明"额；

钱应溥　左都御史。赐"宜时布和"额。

◉ **著述：**

廖　平　撰《论语汇解凡例》一卷成，见二月自序。

杨同桂、孙宗翰　合撰《盛京疆域考》六卷成，见壬寅顾云石
　　　　序。

张　度　撰《说文解字索隐》一卷、《说文补例》一卷成，见六
　　　　月江标跋。

缪荃孙　辑《士礼居藏书题跋记续录》一卷成，见十一月江标
　　　　序。

◉ **卒岁：**

朱从举　记名提督，原任云南鹤丽镇总兵。正月卒。

陈　艾　在籍道衔江苏侯补知府。正月卒年八十七。

洪良品　户科掌印给事中。正月二十三日卒年七十。

载　津　宣宗皇孙，不入八分辅国公衔，二等镇国将军。正月

二十五日卒年三十八。

雷玉春　江南徐州镇总兵。正月二十九日卒。

郑绍忠　尚书衔广东水师提督。三月卒。

朱超发　提督衔甘肃补用总兵。四月卒。

武　训　山东堂邑县义民。以乞讨办义学。四月卒年五十九。

陈　湜　头品顶带，江西布政使。四月初八日卒于山海关军营
　　　　年六十六。赠太子少保衔。

郭庆藩　丁忧江苏候补道。四月二十二日卒年五十三。

王文锦　吏部右侍郎。五月二十五日卒年六十二。

张　度　候选知府，前任兵部口口。卒年六十七。

杨　岘　江苏候补知府。七月初十日卒年七十八。

张华奎　二品顶带，四川川东道。八月卒。入国史循吏传。

福　锟　太子太保衔赏食全俸，原任体仁阁大学士，宗室。九
　　　　月初三日卒年六十三。入祀贤良祠，谥文慎。

龙锡庆　浙江布政使。九月卒。

吴丙湘　河南候补道。十月初四卒年五十四。

邹钟俊　原任安徽太和县知县。十月二十二日卒年六十七。

张怀玉　记名提督，甘肃巴里坤镇总兵。十一月卒。

谢家福　候选同知，直隶州知州。十一月初七日卒。

冯文蔚　内阁学士。十一月二十八日卒年五十六。

张其光　浙江提督。十二月卒。

曹克忠　赏食全俸，原任广东水师提督。十二月卒。追谥果肃
　　　　（追谥在宣统三年四月）。

雷正绾　太子少保尚书衔，革职留任陕西提督（时已因病回籍）。
　　　　卒。开复处分。

龚易图　湖南布政使。卒年五十九。

吴宝林　三品衔四川候补道。卒。入国史循吏传。

杨同桂　署奉天长春府知府，候补知府。卒。

刘孚京　广东河源县知县。卒年四十二。

顾　澐　江苏口口县画士。卒年六十二。

陈崇光　江苏口口县画士。卒年五十八。

光绪二十三年丁酉（公元一八九七年）

● 科第：

考取优贡生：

徐承锦 贵州人。户部主事，民政部左参议。

考取拔贡生：

全　兴 八旗人。安徽巡警道。

王履康 江苏人。礼部小京官，湖北巡警道。

汪荣宝 兵部小京官，民政部左丞。

许世英 安徽人。刑部小京官，山西提法使。

王善荃 安徽人。内城警察厅丞。

汪守珍 刑部小京官，署黑龙江高等审判厅厅丞。

王大贞 福建人。礼部小京官。壬寅举人，山西劝业道。

陶炯照 湖北人。见癸卯经济特科。

李开侁 广西太平思顺道。

吴　烈 河南人。见癸卯经济特科。

萧方骏 四川人。

中式举人：

吴昌绶 浙江仁和人。内阁中书。

邵福瀛 内阁中书，农工商部右参议。

王曾绶 户部主事，湖南劝业道。

陈鸿年 户部主事，贵州黎平府知府。

汪瑞闿 湖南盐法道。

何奏簨 见乙酉拔贡。

王克敏 户部郎中，直隶交涉使。

孟宪彝 奉天知县，吉林西南路道。

俞锺銮 江南人。

顾震福 字竹侯。江苏山阳人。

刘师苍 字张侯。江苏仪征人。

刘朝望 安徽人。刑部郎中，四川永宁道。

方　荃 贵州兴义府知府。

梅光羲 江西人。署湖北高等审判厅厅丞。

钱明训 候选同知，直隶津海关道。

朱兴汾 内阁中书，署贵州高等审判厅厅丞。

　中式副榜贡生：

丁传靖 江南人。

◉ 恩遇：

奕　劻 庆亲王 二月以六十生辰，赐寿。

贾洪诏 前云南巡抚。以本年为道光丁酉科乡举重逢，五月赏
　　　三品卿衔，重赴鹿鸣筵宴。

张云望 按察使衔山东补用道。以本年为道光丁酉科乡举重逢，
　　　八月赏二品顶带，重赴鹿鸣筵宴。

邓世昌 已故海军总兵。其母郭氏以训子有方，八月赐匾额。

奕　䜣 恭亲王。十月赐御书"锡福宣猷"额，　系奉懿旨所
　　　赐。

王　棻 浙江黄岩县举人。赏内阁中书衔。

黄万鹏 新疆阿克苏镇总兵。以世职兼袭职并为三等男。

余虎恩 广东高州镇总兵。以世职并为二等男。

　十二月对以下军机大臣赐御书匾额：

奕　䜣 恭亲王；

世　铎 礼亲王；

翁同龢 协办大学士，户部尚书。（额曰"布藻垂文"）；

刚　毅 刑部尚书；

钱应溥 工部尚书。

◉ 著述：

李玉棻 顺天通州人。撰《瓯钵罗室书画过目考》四卷、卷首
　　　附卷各一卷成，见七月自定例言。

叶德辉 辑《孙柔之瑞应图记》一卷成，见七月自序。

丁　丙 编刻《武林往哲遗著》五十二种成，见中秋自序。

江　标　编《沅湘通艺录》八卷成，见十月自序。

江　标　撰《黄荛圃先生年谱》二卷成，见十二月书首自题。

松　椿　字峻峰。满洲镶蓝旗。撰《通鑑类纂》四十卷成，见十二月自序。

范寿金　撰《耶律文正西游录略注补》一卷成，见十二月自跋。

盛　康　辑《皇朝经世文续编》一百二十卷成，见自序。

◉ 卒岁：

夏敬颐　江西新建人。二品顶带记名道，广西浔州府知府。正月卒。赠内阁学士衔，入国史循吏传。

吴大衡　在籍翰林院编修。卒年五十九。

沙克都林札布　珲春副都统，袭骑都尉兼一云骑尉世职。二月卒。

张联桂　原任广西巡抚。四月二十八日卒年七十二。

桂中行　二品衔湖南按察使。三月卒年六十五。入国史循吏传。

岑毓宝　前云南布政使。五月初二日卒。开复原官。

张之万　太子太保衔，赏食全俸，原任东阁大学士。五月十五日卒年八十七。赠太保，入祀贤良祠，谥文达。

陈鸿倬　湖北黄陂县举人。五月二十三日于四川酉阳州署，以救父被害。

吴宏洛　直隶通永镇总兵。六月卒年五十五。

李鸿藻　太子少保衔协办大学士，吏部尚书，军机大臣。六月二十五日卒年七十八。赠太子太傅，入祀贤良祠，谥文正。

溥　龄　袭奉恩辅国公，宗室。七月卒。

宗源瀚　二品衔，署浙江温处道，浙江候补道。七月卒年六十四。

张祖云　记名提督。七月卒。

曾之撰　在籍刑部候补郎中。七月卒年五十六。

翟伯恒　福建延建邵道。七月二十五日卒年六十二。

刘麒祥　江苏苏松太道。八月卒。

巴克坦布　太子少保衔，原任兵部左侍郎。九月初口日卒。

成有馀　记名提督。十月二十四日卒年六十七。

荣　毓　袭奉恩镇国公，宗室。十一月卒。

杨昌濬　太子太保衔，革职留任陕甘总督（按：时已开缺回籍）。
　　　　十一月卒年七十二。开复处分。

荣　颐　袭奉恩辅国公，宗室。十二月卒。

方昌翰　原任河南新野县知县。十二月初六日卒年七十一。

叶衍兰　三品衔，原任户部云南司郎中。卒年七十五。

滕嗣武　记名提督，湖北郧阳镇总兵。卒。谥武慎。

黎庶昌　四川川东道。卒年六十一。

蔡锡勇　二品顶带，湖北补用道。卒。

徐惟锟　浙江平湖县诸生。卒年五十九。

光绪二十四年戊戌（公元一八九八年）

◉ 科第：

二　一甲进士：

夏同龢　状元。修撰。

夏寿田　榜眼。编修。

俞陛云　探花。编修。余见癸卯经济特科。

二　二甲进士：

李稷勋　编修，邮传部左参议。入国史文苑传。

陆懋勋　字勉侪。浙江仁和人。编修，江苏高等检察厅检察长。

魏家骅　编修，余见癸卯经济特科。

姜秉善　直隶天津人。四川苍溪县知县。

黄　诰　庶吉士，道员，陕西陕安道。

傅增湘　编修，直隶提学使。

孟锡珏　编修，署奉天提学使。

何作猷　编修，甘肃甘州府知府。

朱彭寿　内阁侍读，典礼院直学士。

江志伊　编修，贵州思州府知府。

潘鸿鼎　江苏宝山人。翰林院编修。

何元泰　浙江会稽人。江苏东台县知县。

施　愚　字鹤雏。四川涪州人。编修，法制院副使。

范　轼　兵部主事，江西抚州府知府。

荫　桓　字笛楼。满洲正白旗，索绰络氏。编修，侍读。

钱能训　刑部主事，陕西布政使。

黄大埙　江西石城人。翰林院编修。

梁用弧　庶吉士，户部主事，邮传部郎中。

华　焯　江西崇仁人。翰林院编修。

朱宝莹　（一作朱耀奎）江苏宜兴人。翰林院编修。

吴震春　编修。

伍毓崧　湖南新化人。云南建水县知县。

于式棱（一作丁式棱）。　广西贺县人。翰林院编修。

何联恩　浙江余姚人。法部员外郎。

赵东阶　河南汜水人。翰林院编修。

易子猷　江西宜春人。工部主事。

汪明源　湖北黄冈人。山西浮山县知县。

魏　震　口部主事。

何国澧　广东顺德人。翰林院编修。

李端棨　编修，广东广州府知府。

管象晋　山东莒州人。翰林院编修。

张鸣珂　湖北黄冈人。翰林院编修。

陆增炜　会元。刑部主事，陕西兴安府知府。

赵椿年　（一作赵春年）。内阁中书，江西候补知府，农工商部
　　　　参议上行走。

崔肇琳　广西桂平人。陕西华阴县知县。

邓邦述　编修，署吉林民政使。

周　渤　编修，山西太原府知府。

云　祥　汉军正蓝旗。翰林院编修。

阿　联　编修，侍讲。

志　琼　庶吉士，广西口口知府。

陈　骧　直隶天津人。编修，署贵州提学使。

麦秩岩　刑部主事，京畿道御史。

查秉钧　安徽泾县人。贵州普安县知县。

陈培锟　福建闽县人。翰林院编修。

锺锡璜　（一作锺锡潢）。广东南海人。翰林院编修。

章际治　翰林院编修。

张履春　编修，湖北安陆府知府。

文　斌　宗室。编修，侍讲。

黄彦鸿　编修，军机章京。

寿　富　宗室。庶吉士。

郭恩赓　山东潍县人。翰林院编修。

潘昌煦　翰林院编修。

袁励准　编修，余见癸卯经济特科。

鲁尔斌　陕西合阳人。翰林院编修。

许邓起枢　湖南湘乡人。编修，浙江候补知府。

周维藩　安徽合肥人。翰林院编修。

谢绪璠　编修，口口知府。

　三甲进士：

朱名焵　山东平阴人。河南长葛县知县。

王守恂　刑部主事，河南巡警道。

胡　瀣　刑部主事，大理院推事。

蔡　侗　山西平定人。礼部主事。

邓曾䕫　江西新淦人。广东和平县知县。

黄寿衮　检讨。

范桂萼　直隶藁城人。翰林院检讨。

何寿朋　江西知县，吉林吉林府知府。

林东郊　检讨。广西思恩府知府。

张　权　礼部主事，候补四品京堂。

陈海梅　会元。庶吉士，浙江龙泉县知县（按：海梅乙未会元）。

王式通　（原名王仪通）。山西汾阳人。刑部主事，大理院民科
　　　　推丞。

王兰庭　检讨。

冯绍唐　奉天辽阳人。翰林院检讨。

崇　芳　国子监助教，京畿道御史。

　翻译进士：

荣　光　编修，侍读。

　武进士：

张三甲　状元。头等侍卫。

任联捷　榜眼。二等侍卫。

苏克敦　满洲镶白旗。探花。二等侍卫。

梁巨魁 传胪。三等侍卫。

◉ 恩遇：

麟　书 大学士。三月以七十生辰，赐寿。

贾洪诰 三品卿衔，前云南巡抚。以后年为道光庚子恩科甲榜
重逢，应于本年正科重赴恩荣筵宴，三月赏加头品顶
带。

徐　桐 大学士。四月以八十生辰，赐匾额及联。

廖寿恒 刑部尚书。六月以六十生辰，赐寿。

丁韪良 洋员。以奏充大学堂西学教习，六月赏给二品顶带。

七月：

杨　锐 内阁候补侍读；

刘光第 刑部候补主事；

林　旭 内阁候补中书；

谭嗣同 江苏候补知府。

以上四人均赏四品卿衔，在军机章京上行走参予新政事宜
（八月俱革）。

十二月对以下军机大臣均赐御书匾额：

世　铎 礼亲王；

荣　禄 大学士；

王文韶 户部尚书。额曰"执中含和"；

刚　毅 兵部尚书；

廖寿恒 礼部尚书。额曰"敷德树声"；

钱应溥 工部尚书。

◉ 著述：

汪　济 撰《周易卦本反对图说》一卷成，见正月自序。

丁　丙 撰《善本书室藏书志》四十卷成，见二月自序。

张之洞 撰《劝学编》二卷成，见三月自序。

方　旭 撰《蠹存》二卷成，见秋日自识。

皮锡瑞 撰《六艺论疏证》一卷成，见冬日自序。

皮锡瑞 撰《鲁论禘祫义疏证》一卷成，见十二月自序。

● 卒岁：

繇　宜　理藩院左侍郎，宗室。正月二十八日卒年七十二。

李用清　原任陕西布政使。二月初二日卒年七十。

吴育仁　记名提督，直隶正定镇总兵。二月十五日卒。

谭碧理　太子太保衔，江南提督。二月卒。

锺　英　字杰臣。湖南长沙府知府。三月以痰疾自尽。

朱凤仪　江苏甘泉县举人。二月卒年五十九。

隆　懃　领侍卫内大臣，正红旗满洲都统，袭和硕肃亲王，宗
　　　　室。三月初一日卒。谥曰良。

韩载阳　在籍户部候补郎中。三月初六日卒年五十七。

麟　书　武英殿大学士，正黄旗宗室。闰三月初一日卒年七十。
　　　　赠太子太保，入祀贤良祠，谥文慎。

溥　廉　奉恩镇国公，宗室。闰三月卒。

李希莲　陕西布政使。闰三月卒。

王可陞　记名提督，直隶宣化镇总兵。闰三月卒。

张成煦　江苏武进县诸生。四月初九日卒年五十七。

奕　䜣　号乐道主人。宣宗皇六子。军机大臣，前授议政王，
　　　　和硕恭亲王。四月初十日卒年六十七。入祀贤良祠，
　　　　配享太庙，谥曰忠。

乌　善　呼伦贝尔副都统。四月卒。

费学曾　二品顶带，原任直隶清河道。四月十三日卒年七十。

托伦布　赏食全俸，原任正蓝旗蒙古副都统。四月二十五日卒。

刘含芳　二品衔，原任山东登莱青道。四月二十八日卒年五十
　　　　八。赠内阁学士，入国史循吏传。

札拉丰阿　满洲镶蓝旗，萨克达氏。正蓝旗蒙古都统，和硕额
　　　　驸，袭恩骑尉世职。五月初三日卒。

蒋士骧　原任安徽庐江县知县。五月十八日卒年六十八。

季邦桢　福建布政使。五月卒年五十六。

孙　楫　致仕顺天府府尹。六月十八日卒年七十二。

依崇阿　察哈尔副都统。六月卒。

恭　寿　成都将军。七月卒。

保　年　字欧庵。广州将军。七月卒。

陈士翘　大挑教谕，江苏华亭县举人。七月十六日卒年六十四。

杨深秀　前山东道监察卿史。八月十三日以罪处斩年五十（因
　　　　参予戊戌变法）。

谭嗣同　前四品卿衔，军机章京，江苏候补知府。八月十三日
　　　　以罪处斩年三十四（因参予戊戌变法）。

林　旭　前四品衔，军机章京，内阁候补中书。八月十三日以
　　　　罪处斩年二十四（因参予戊戌变法）。

杨　锐　前四品卿衔，军机章京，内阁候补侍读。八月十三日
　　　　以罪处斩年四十二（因参予戊戌变法）。

刘光第　前四品卿衔，军机章京，刑部候补主事。八月十三日
　　　　以罪处斩年四十（因参予戊戌变法）。

刘逢亮　记名总兵。八月卒。

边宝泉　闽浙总督。九月卒。赠太子太保衔。

本　格　袭和硕豫亲王，前任宗人府左宗正，领侍卫内大臣，
　　　　宗室。九月十五日卒。谥曰诚。

文　琳　刑部右侍郎，总管内务府大臣。九月十六日卒。

黄万鹏　头品顶带，记名提督，原任新疆阿克苏镇总兵，二等
　　　　男。九月十七日以进部引见卒于陕西途次。

李培元　刑部左侍郎，十月初二日卒年六十二。

丰　绅　字汉文。江宁将军。十月卒年七十口。谥靖果，寻夺
　　　　谥，复谥威介（复谥在二十八年六月）。

孙昌凯　调署浙江处州镇总兵，正任海门镇总兵。十一月卒。

史梦兰　四品卿衔，原授山东朝城县知县，（选授后未经赴任）
　　　　直隶乐亭县举人。十二月初二日卒年八十六。入国史
　　　　文苑传。

钱振常　在籍礼部候补主事。卒年七十四。

陈宽居　浙江黄岩县诸生。卒年四十。

光绪二十五年己亥（公元一八九九年）

● 恩遇：

奕　谟　固山贝子。四月以五十生辰，赐寿。

以明年为道光庚子科乡举重逢应重赴鹿鸣筵宴：

薛允升　原任宗人府府丞，降调刑部尚书。赏二品衔；

锺佩贤　致仕太仆寺少卿。赏三品衔。

王文韶　协办大学士，户部尚书。十一月以七十生辰，赐"燮
　　　　纬调序"额，又皇太后赐"宣纶笃祐"额及联。

宋　庆　四川提督。十一月以八十生辰赐"树绩维祺"额，又
　　　　皇太后赐"耆年伟略"额。

刘坤一　两江总督。十二月以七十生辰，赐"星应寿昌"额，
　　　　又皇太后赐"绥怀多福"额。

十二月对以下军机大臣赐御书匾额：

世　铎　礼亲王。皇太后御笔；

荣　禄　大学士。皇太后御笔；

刚　毅　协办大学士，兵部尚书。皇太后御笔；

王文韶　协办大学士，户部尚书。皇太后御笔。额曰"松茂柏
　　　　悦"；

廖寿恒　礼部尚书。皇太后御笔；

启　秀　礼部尚书。皇太后御笔；

赵舒翘　刑部尚书。皇太后御笔。

● 著述：

叶德辉　撰《日本天文本论论校勘记》一卷成，见三月自序。

王鹏运　校定《梦窗词甲乙丙丁四稿并补遗》一卷、《札记》一
　　　　卷成，见五月自记。

孙诒让　撰《周礼正义》八十六卷成，见八月自序。

解崇辉　撰《代数术补式》成，见十月自序。

● 卒岁：

依克唐阿 满洲镶黄旗，札拉里氏。盛京将军。二月卒。谥诚勇。

许振炜 裁缺广东巡抚。三月卒年七十三。追谥文敏（追谥在宣统元年四月）。

徐迪新 三品衔，原任工部营缮司郎中。二月二十二日卒年六十三。

杨　颐 兵部左侍郎。二月二十九日卒年七十九。

孙毓汶 太子少保衔，原任兵部尚书，军机大臣。三月初七日卒年六十六。谥文恪。

丁　丙 四品衔，在籍江苏候补知县。三月初九日卒年六十八。

徐致祥 兵部右侍郎，安徽学政。四月初一日卒于太平试院年六十二。

马嘉桢 河南西华县知县。四月卒。入国史循吏传。

黄体芳 原任通政使司通政使，降调兵部右侍郎。五月卒年六十八。

宋得胜 福建汀州镇总兵。六月卒。谥勇勤。

杨同福 原授安徽灵璧县知县（由贵池调补以忧未任）。六月二十三日卒年五十八。

韩晋昌 江南福山镇总兵。七月卒。

李瀚章 太子少保衔，原任两广总督。八月卒年七十九。谥勤恪。

武朝聘 河南南阳镇总兵。九月卒。

罗孝连 尚书衔贵州提督。十月卒。谥武勤。

陈济清 浙江提督。十月卒。谥勤勇。

沈景修 试用训导，原署浙江寿昌县训导。十月卒年六十五。

黄以周 内阁中书衔，原授浙江处州府教授（由分水县训导升补以老未任）。十月十七日卒年七十二。入国史儒林传。

恩　泽 黑龙江将军。十二月卒。谥壮敏。

盛　昱 原任国子监祭酒。十二月二十日卒年五十。

潘衍桐 原任翰林院侍读学士。卒年五十六。

江　标　前候补五品京堂，翰林院编修。卒年四十。

沈用熙　安徽合肥县岁贡生。原授安徽宁国县训导（选授后未
　　　　经赴任），卒年九十。

林寿图　原任山西布政使。卒年七十七。

王孝祺　原任广东北海镇总兵。卒。

王　棻　内阁中书衔，浙江黄岩县举人。卒年七十二。

朱启连　浙江萧山县布衣。卒于广东年四十七。

光绪二十六年庚子（公元一九〇〇年）

◉ 恩遇：

正月以本年六月三旬万寿：

奕　劻　御前大臣，庆亲王。赐御书匾额；

晋　祺　克勤郡王。赐御书匾额；

那彦图　蒙古，喀尔喀札萨克亲王。赐御书匾额；

载　漪　端郡王。赐御书匾额；

世　铎　军机大臣，礼亲王。赐御书匾额；

荣　禄　大学士。赐御书匾额；

王文韶　协办大学士，户部尚书。赐御书匾额。

二月以本年六月三旬万寿，大臣中年逾七旬之：

王文韶　协办大学士，户部尚书。加太子少保衔；

刘坤一　两江总督。加太子少保衔；

宋　庆　四川提督。赐御书匾额。额曰"鸾珊集瑞"；

冯子材　云南提督。赐御书匾额。

孙锵鸣　三品卿衔，致仕翰林院侍读学士。以明年为道光辛丑
　　　　科甲榜重逢应重赴恩荣筵宴，赏侍郎衔。

启　秀　礼部尚书。其母杨佳氏因年逾八旬，以六月三旬万寿，
　　　　赐御书匾额。

盛　康　原任湖北盐法道。以本年为道光庚子科乡举重逢，重
　　　　赴鹿鸣筵宴。

十二月对以下军机大臣赐御书匾额：

荣　禄　大学士；

王文韶　大学士。额曰"如松之盛"；

鹿传霖　户部尚书。

◉ 著述：

叶德辉　辑《山公启事》一卷、附《山公佚事》一卷成，见三
　　　　月刘肇隅后跋。

郑　杲　撰《春秋说》二卷、《论书序大传》一卷、《书劝学篇后》一卷、《笔记》一卷、《杂著》一卷毕，（按：诸书原稿丛杂，杲卒后复经姚永朴辑为《东父遗书》六卷，见癸卯九月序，今系于五月以前）。

胡薇元　撰《公法导源》一卷成，见八月曹穗序。

丁立中　字和甫。浙江钱塘人。编刻《武林往哲遗著后编》十种成，见自序。

缪荃孙　自编《艺风堂文集》七卷、《外篇》一卷成，（按：此书无自序，以庚子付刻今即系于此年）。

◉　卒岁：

吴凤柱　湖北提督。正月卒。谥勇恪。

陈　彝　原任内阁学士，前任安徽巡抚。正月卒年七十四。

王毓藻　贵州巡抚。正月卒年六十。

龙继栋　赏复户部主事原衔。正月卒年五十六。

凤　鸣　工部左侍郎。正月二十日卒年六十。

晋　祺　御前大臣，亲王衔，袭多罗克勤郡王，宗室。二月初五日卒年五十五。谥曰诚。

李光久　浙江按察使，袭三等男。二月卒。

文　海　头品顶带，驻藏办事大臣。二月以赴四川就医卒于王卡塘途次年六十四。照尚书例赐恤。

德克精布　锡伯营领队大臣。二月卒。

英　廉　原任镶红旗汉军副都统。三月卒。

王　礼　江苏镇洋县画士。三月十四日卒年五十。

熙　敬　太子少保衔吏部尚书。三月十六日卒年六十五。谥恭慎。

张　俊　甘肃人。喀什噶尔提督。三月十九日卒。谥壮勤。

张铭新　河南南阳镇总兵。四月卒。

汤纪尚　盐运使衔直隶候补知府。四月十一日卒年五十一。

徐树铭　工部尚书。四月二十五日卒年七十七。

江人镜　头品顶带，两淮盐运使。卒年七十九。

郑　杲　刑部员外郎。五月十二日卒年五十。

罗荣光　升授噶什噶尔提督，头品顶带，直隶天津镇总兵。五月二十日于大沽口阵亡年六十七。

王　燮　总兵衔京师左营游击，袭骑都尉兼一云骑尉世职。五月二十五日于三槐板为拳匪所戕。照参将例赐恤（追恤在十一月）。

赵宗建　在籍候补太常寺博士。五月二十六日卒年七十三。

聂士成　安徽合肥人。革职留任直隶提督。六月十三日于天津八里台阵亡。开复处分，予骑都尉兼一云骑尉世职，追赠太子少保衔，谥忠节（赠谥在二十八年二月）。

庆　恒　都统衔镶白旗汉军副都统。六月十口日为拳匪所戕。追谥义烈（追谥在三十年口月）。

额勒和布　太子太保衔原任武英殿大学士。六月十九日卒年七十五。入祀贤良祠，谥文恭。

陈宝箴　开复原衔前湖南巡抚。六月卒年七十。追复原官（复官在宣统元年十二月）。

华金寿　吏部右侍郎。七月初一日卒年六十二。

许景澄　吏部左侍郎，总理各国事务大臣。七月初三日以被诬处斩（注：以拳匪滋事直言奏谏，忤当事王大臣意），年五十六。追复原官（复官在十月），追谥文肃（追谥在宣统元年四月）。

袁　昶　太常寺卿，总理各国事务大臣，前任直隶布政使。七月初三日以被诬处斩（注：以拳匪滋事直言奏谏，忤当事王大臣意），年五十五。追复原官（复官在十月），追谥忠节（追谥在宣统元年四月）。

龙起涛　候选知府，原任湖南常宁县知县。七月初七日卒年六十九。

崇　光　太子太保衔吏部左侍郎。七月初口日卒。谥克勤。

裕　禄　字寿山。满洲正白旗，喜塔喇氏。革职留任直隶总督。七月十二日于杨村自尽。追夺原官。

立　山　前太子少保衔户部尚书。七月十七日以被诬处斩年五十九。追复原官（复官在十月），追谥忠贞（追谥在宣统元年四月）。

徐用仪　太子少保衔兵部尚书，总理各国事务大臣。七月十七日以被诬处斩年七十五。追复原官（复官在十月），追谥忠愍（追谥在宣统元年四月）。

联　元　内阁学士，总理各国事务大臣。七月十七日以被诬处斩年五十九。追复原官（复官在十月），追谥文直（追谥在宣统元年四月）。

李秉衡　帮办武卫军事务，降调四川总督。七月十七日于通州之张家湾殉难年七十一。谥忠节，追夺原官（追夺在十二月）。

王廷相　翰林院编修，前任江南道监察御史。七月十七日于张家湾殉难年五十。赠五品卿衔。

贤　普　副都统衔正红旗护军参领。八国联军入侵北京，七月二十日于东直门阵亡。照都统例赐恤。

松　林　内阁侍读学士。七月二十日抗击联军，于东直门阵亡。照三品卿例赐恤。

锡　昌　骁骑营参领。七月二十一日抗击联军，于东直门阵亡。照副都统例赐恤。

色普徵额　镶红旗汉军副都统。七月二十一日抗击联军，于正阳门阵亡。谥壮恪。

长　年　副护军参领。七月二十一日抗击联军，于东华门阵亡。照护军参领例赐恤。

凤　龄　副护军参领。七月二十一日抗击联军，于午门东洞阵亡。照护军参领例赐恤。

王荫长　京师左营参将。七月二十一日殉难。照总兵例赐恤。

韩绍徽　刑部候补主事。七月二十一日于刑部署中殉难。照员外郎例赐恤。

明　秀　原任察哈尔副都统。七月二十一日殉难。照副都统例赐恤。

文　琭　銮仪卫冠军使。七月二十一日殉难。照副都统例赐恤。

福　裕　字馀庵。蒙古正红旗，乌齐格里氏。致仕奉天府府尹。
　　　　七月二十一日殉难。赏复原官。

恩　顺　工科给事中。七月二十一日殉难。照四品卿例赐恤。

德　藩　江西道监察御史，宗室。七月二十一日殉难。照四品
　　　　卿例赐恤。

锺　琪　二等侍卫，袭一等子。七月二十一日殉难。照头等侍
　　　　卫例赐恤。

王铁珊　兵部候补主事。七月二十一日殉难。照员外郎例赐恤。

继　恩　候选道，原任浙江绍兴府知府。七月二十一日殉难。
　　　　照道员例赐恤。

宋承庠　湖广道监察御史，七月二十二日殉难。赠四品卿衔。

延　茂　黑龙江将军（殉难时尚未简授）原任吉林将军。七月
　　　　二十二日于京师殉难年五十八。赠太子少保衔，谥忠
　　　　恪。

奕　功　正白旗满州副都统，镶蓝旗宗室。七月二十二日殉难。
　　　　赠太子少保衔，谥忠烈。

景　善　致仕礼部右侍郎。七月二十二日殉难年六十七。照左
　　　　都御史例赐恤。

王懿荣　京师团练大臣，二品衔国子监祭酒。七月二十二日殉
　　　　难年五十六。赠侍郎衔，谥文敏。

宝　丰　翰林院侍读，宗室。七月二十二日殉难年五十一。赠
　　　　太常寺卿衔，谥文洁。

崇　寿　翰林院侍读。七月二十二日殉难年四十三。赠太常寺
　　　　卿衔，谥文勤。

熙　元　国子监祭酒。七月二十二日殉难年三十八。赠侍郎衔，
　　　　谥文贞。

耆　龄　正蓝旗蒙古副都统。七月二十二日殉难。照都统例赐
　　　　恤。

文　福　记名副都统，袭三等子。七月二十二日殉难。照副都统例赐恤。

连　成　二品衔护军参领。七月二十二日殉难。照二品官例赐恤。

寿　富　翰林院庶吉士。七月二十三日殉难年二十六。照侍读学士例赐恤。

寿　蕃　右翼宗学副管。七月二十三日殉难年三十四。照四品官例赐恤。

徐　桐　太子太保衔体仁阁大学士。七月二十口日殉难年八十二。追夺原官（夺官在十二月）。

葆　初　委散秩大臣，袭三等承恩公。七月二十五日殉难年四十一。

张荫桓　前尚书衔户部左侍郎。七月二十六日于新疆戍所处斩（注：先是以居心巧诈，行踪诡秘，反复无常，发往新疆严加管束）年六十四。追复原官（复官在二十七年十一月）。

韩培森　掌江西道监察御史。八月初二日殉难。照四品官赐恤。

崇　绮　户部尚书，原封三等承恩公。八月初二日于保定莲池书院殉难年七十二。赠太子少保，谥文节。

寿　山　前署黑龙江将军，黑龙江副都统，袭骑都尉世职。八月初四日于将军署自尽年四十一。追复原官予骑都尉兼一云骑尉世职（复官在三十二年）。

凯　泰　袭和硕郑亲王，宗室。八月初八日卒。谥曰恪。

周锡恩　致仕翰林院编修。八月二十五日卒年四十九。

孙友莲　丁忧户部候补主事。闰八月二十七日卒年五十七。

光　裕　袭奉恩辅国公，宗室。九月于东陵殉难。赠贝子，谥勤愍。

刚　毅　字子良。满洲镶蓝旗。协办大学士，吏部尚书，军机大臣。九月以驰赴行庄卒于山西闻喜道中。追夺原官（夺官在十二月）。

陈学棻　工部尚书。九月卒年六十六。谥文恪。

郭宝昌　头品顶带，记名提督，安徽寿春镇总兵，骑都尉。九月卒。

廷　雍　满洲，觉罗氏。直隶布政使。九月为联军所害。

奎　恒　保定城守卫。九月为联军所害。

王开运　直隶无极县知县。九月为联军所害。

定　昌　正蓝旗满州副都统，袭一等信勇公。十月卒。

怀塔布　理藩院尚书。十一月卒年六十七。赠太子少保衔，谥恪勤。

任其昌　员外郎衔在籍候补主事。十一月卒年七十一。入国史文苑传。

孙锵鸣　侍郎衔致仕翰林院侍读学士。十二月十三日卒年八十四。

善　联　字星垣。满洲镶红旗。署福州将军。十二月卒。照巡抚例赐恤。

徐仁铸　前翰林院编修。卒年三十八。

游智开　原任广西布政使。卒年八十四。入国史循吏传。

何　枢　山西布政使。卒年七十七。

林　启　浙江杭州府知府。卒年五十九。

光绪二十七年辛丑（公元一九〇一年）

◉ **恩遇**：

瞿鸿机 外务部尚书。六月赐"门有通德"额。

瞿鸿机 外务部尚书。八月赐"敷文奏怀"额。

　　十月：

荣　禄 大学士。晋太子太保衔。

刘坤一 两江总督。晋太子太保衔。

张之洞 湖广总督。加太子少保衔。

袁世凯 直隶总督。加太子少保衔。

　　十一月：

盛宣怀 宗人府府丞。加太子少保衔。

赫　德 总税务司。加太子少保衔。

马玉崑 直隶提督。加太子少保衔。

　　十二月对以下军机大臣赐御书匾额：

荣　禄 大学士；

王文韶 大学士。额曰"兰蒸松盛"；

瞿鸿机 外务大臣；

鹿传霖 户部尚书。额曰"黄中内润"。

◉ **著述**：

王先谦 编《骈文类纂》四十六卷成，见七月自撰序目。

廖　平 撰《春秋图表》二卷成，见七月陈鼎勋序。

叶德辉 辑《晋司隶校尉傅玄集》三卷成，见九月自序。

魏光焘 字午庄。湖南邵阳人。参予重修《续云南通志》二百
　　　　卷成。（按：此书无序跋，以是年刻成故系于此）。

◉ **卒岁**：

刘　庠 原任内阁中书。正月初一日卒年七十八。入国史儒林
　　　　传。

载　勋 前步军统领，袭和硕庄亲王，宗室。正月初三日以罪

赐自尽（注：以纵容拳匪仇洋肇祸，贻误大局）。

毓　贤　满洲正黄旗，叶赫颜札氏。前山西巡抚。正月初四日以罪处斩（注：以纵容拳匪仇洋肇祸，贻误大局）。

赵舒翘　前刑部尚书，军机大臣。正月初六日以罪处自尽（注：以纵容拳匪仇洋肇祸，贻误大局）。年五十四。

英　年　字菊侪。前都察院左都御史，右翼总兵。正月初六日以罪处自尽（注：以纵容拳匪仇洋肇祸，贻误大局）。

启　秀　前礼部尚书，军机大臣。正月初八日以罪处斩（注：以纵容拳匪仇洋肇祸，贻误大局）。年六十三。

徐承煜　前刑部左侍郎。正月初八日以罪处斩。

永　德　字俊斋。前绥远城将军。二月卒。

徐建寅　奏调湖北差委二品衔，直隶候补道。二月十二日于汉阳钢药厂以机器炸裂轰毙年五十七。赠内阁学士，予云骑尉世职。

成肇麐　同知衔直隶灵寿县知县。三月初一日以联军入境被逼自尽年五十五。赠太仆寺御衔，谥恭恪，予云骑尉世职。

郑文钦　前署山西归绥道。三月以罪处斩。

廖寿丰　原任浙江巡抚。三月十九日卒年六十六。

德　云　正白旗汉军都统。四月卒。

李端遇　工部右侍郎。四月卒年七十一。

邵友濂　原任福建台湾巡抚。五月初八月卒。

焦云龙　陕西潼关厅同知。六月卒。

赵执诒　直隶冀州直隶州知州。八月卒。

张　鑫　江苏南汇县监生。八月二十日卒年六十九。旌表孝子。

徐寿朋　外务部左侍郎。二月二十日卒年六十三。

李鸿章　太子太傅衔，文华殿大学士，直隶总督，一等肃毅伯加一骑都尉。九月二十七日卒于京师年七十九。赠太傅，晋一等侯，入祀贤良祠，谥文忠。

薛允升　刑部尚书。九月三十日以随扈回京，卒于河南途次年八十二。

毓　崐　固山贝子，宗室。十月初口日卒。赠贝勒衔。

孙显寅　河南河北镇总兵。十月卒。

余联沅　头品顶带，原任湖南布政使，原署浙江巡抚。十月十六日卒年六十一。照巡抚例赐恤。

曹德庆　江南狼山镇总兵。十一月二十一日卒。

杨　儒　出使俄国大臣，户部左侍郎。十二月卒年六十。

李徵庸　头品顶带，三品卿衔督办四川矿务大臣。十二月十三日卒。

钱应溥　赏食半俸原任工部尚书军机大臣，十二月十九日卒年七十八，追谥恭勤（追谥在宣统三年五月）。

冯德材　署广西思恩府知府，候补知府。卒。赠太常寺卿衔，入国史循吏传。

孙书谦　河南光州直隶州知州。卒。入国史循吏传。

谭　献　原任安徽含山县知县。卒年七十。

光绪二十八年壬寅（公元一九〇二年）

◉ **科第：**

中式举人：（补行庚子辛丑两科）

杨鑑莹　户部员外郎，驻英使馆二等书记官。

罗良鑑　湖南善化人。见癸卯经济特科。

王大贞　见丁酉拔贡。

龚积柄　山东高等审判厅厅丞。

王　杜　浙江人。内阁中书，署黑龙江龙江府知府。

刘师培　江苏仪征人。

王丰镐　江苏人。浙江交涉使。

戴姜福　四川夔州府通判。

陈　閶　字公骞，号季侃。浙江诸暨人。奉天海龙府知府。

张祖廉　见癸卯经济特科。

蔡宝善　见癸卯经济特科。

许宝蘅　内阁中书，军机章京。

张国淦　内阁中书，内阁统计局副局长。

曾维藩　四川人。内阁中书，民政部右参议。

周玉柄　黑龙江嫩江府知府。

中式副榜贡生：

吴锺善　见癸卯经济特科。

赵俨葳　黑龙江高等审判厅厅丞。

◉ **恩遇：**

周　乐　四品卿衔，在籍湖北候补道，以后年为道光甲辰恩科
　　　　乡举重逢，应于明年癸卯正科重赴鹿鸣筵宴，三月赏
　　　　三品卿衔。

陈卿云　三品衔，原任江苏扬州府知府。以明年为道光癸卯科
　　　　乡举重逢应重赴鹿鸣筵宴，六月赏加二品顶带。

余　樾　前翰林院编修。以后年为甲辰年乡举重逢（见周乐条），

七月赏复原官。

张丙炎　二品顶带，盐运使衔候选道。以后年甲辰年乡举重逢（见周乐条），九月赏翰林院侍读学士衔。

万斛泉　国子监博士，湖北叠山书院院长。十月以"学行端纯毫勤不倦"赏五品卿衔。

十二月对以下军机大臣赐御书匾额：

荣　禄　大学士；

王文韶　大学士。额曰"棐荩勤施"；

瞿鸿机　外务部尚书；

鹿传霖　户部尚书。额曰"绩学储宝"。

● 著述：

廖　平　撰《家学树坊》一卷成，见四月自序。

樊增祥　自编《五十麝斋词赓》三卷成，见五月自序。

叶德辉　撰《释人疏证》二卷成，见六月自序。

廖　平　撰《知圣篇下卷》一卷成，见十月自序。

● 卒岁：

宋　庆　太子少保，尚书衔四川提督，二等轻车都尉。正月初三日卒于通州防营年八十三。赠三等男，入祀贤良祠，谥忠勤。

云　生　伯都讷副都统。正月初八日卒。

吴大澂　头品顶带，前湖南巡抚。正月二十七日卒年六十八。

承　顺　锦州副都统。二月十一日卒。

吴鸿纶　候选训导，江苏昭文县岁贡生。二月二十一日卒年八十六。

梁仲衡　原任刑部右侍郎。四月二十二日卒年六十七。

明　徵　江西按察使。五月初六日卒。

马盛治　广西柳庆镇总兵。五月于思恩剿匪阵亡。予骑都尉世职。

恽祖翼　丁忧头品顶带，浙江巡抚。六月初四日卒年六十五。

德洪额　镶白旗汉军副都统。六月二十口日卒。

周　桓　太常寺博士衔，江苏娄县举人。六月二十九日卒年七十六。

会　章　原任理藩院右侍郎。七月初五日卒年五十四。

张汝梅　降调山东巡抚。七月卒。

广　忠　正黄旗汉军都统。七月二十二日卒年七十口。

丁立钧　原任山东沂州府知府。七月二十五日卒年四十九。

刘师苍　江苏仪征县举人。八月初三日溺于镇江江中年二十九。

翁曾荣　在籍工部候补郎中。八月十一日卒年六十七。

李经述　丁忧四品候补京堂，袭一等肃毅侯。八月卒年三十九。入国史孝友传。

刘坤一　太子太保衔，两江总督。九月初五日卒年七十三。追封一等男，赠太傅，入祀贤良祠，谥忠诚。

文　廉　镶蓝旗汉军副都统。九月初六日卒。

明　安　镶蓝旗满洲副都统。九月初八日卒。

陶　模　原任两广总督。九月初九日卒年六十八。赠太子少保衔，谥勤肃。

朱有龄　在籍五品顶带，两淮候补盐知事，原署刘庄场大使。九月十二日卒年六十六。

汤聘珍　原任山东布政使。九月十七日卒。

盛　康　在籍布政使衔浙江候补道，前任湖北盐法道。九月二十三日卒年八十九。

锺　泰　绥远城将军。十一月卒。

钱桂森　原任内阁学士。十一月十一日卒年七十六。

张丙炎　二品顶带，翰林院侍读学士衔候选道，前广东广州府知府。十一月十一日卒年八十一。

赵元益　江苏新阳县举人。十一月二十五日卒年六十三。

夏之森　前江西广丰县知县，十一月卒年三十七。

锺佩贤　三品衔，致仕太仆寺少卿。十一月三十日卒年八十四。

饶应祺　调授安徽巡抚（由新疆巡抚调补）。十二月以赴任卒于哈密途次年六十五。

沈善登 在籍翰林院庶吉士。卒年七十三。

杨志洵 前安徽泾县知县。卒年八十三。

萧陞高 提督衔记名总兵，原署甘肃河州镇总兵。卒年六十一。

郝长庆 记名总兵，统领凯字营。卒。

华蘅芳 江苏金匮县口口。卒年七十。

汤世澍 江苏武进县画士。卒年七十二。

光绪二十九年癸卯（公元一九０三年）

◉ 科第：

　　一甲进士：

王寿彭　状元。修撰，湖北提学使。

左　霈　榜眼。编修，云南丽江府知府。

杨兆麟　探花。编修，浙江嘉兴府知府。

　　二甲进士：

黎湛枝　编修。

胡嗣瑗　编修。

朱国桢　湖北大冶人。庶吉士，编修。

胡炳益　江苏昭文人。庶吉士，编修。

金兆丰　编修。

曹典初　湖南长沙人。庶吉士，编修。

唐瑞铜　户部主事，度支部员外郎。

徐　谦　编修，京师高等检察厅检察长。

王大钧　字伯荃。浙江秀水人。编修。

范之杰　编修。掌安徽道御史。

张　濂　直隶献县人。庶吉士，编修。

郭宗熙　编修，吉林交涉使。

章　钰　刑部主事，外务部主事。

李庆莱　广东南海人。庶吉士，编修。

杨　渭　山东潍县人。庶吉士。

商衍瀛　编修，秘书郎。

田步蟾　工部主事，农工商部员外郎。

张家骏　河南林县人。庶吉士，法部参事。

刘凤起　江西南城人。庶吉士，编修。

衷翼保　（一作衷冀保）四川成都人。

胡大勋　湖北江夏人。庶吉士，编修。

高毓浵　编修。

陆鸿彝　（碑录作陆鸿仪）江苏元和人。庶吉士，编修。

郭则澐　编修，浙江温处道。

区大典　广东南海人。庶吉士，编修。

邵　章　编修，署奉天提学使。

陈敬第　编修。

叶景葵　湖南候补知府，大清银行正监督。

孙智敏　浙江钱塘人。庶吉士，编修。

胡　藻　江西新建人。庶吉士。

王鸿翔　江苏丹徒人。庶吉士。

周蕴良　会元。庶吉士。

彭士襄　江苏吴县人。庶吉士。

单　镇　口部主事，农工商部员外郎。

张之照　直隶遵化人。庶吉士，编修。

尚秉和　工部主事。

陈善同　编修，掌新疆道御史。

袁嘉毅　庶吉士。余见经济特科。

李傲儒　河南滩州人，庶吉士。

汪昇远　江苏六合人。庶吉士，编修。

刘　焜　编修。

夏寿康　编修。

王震昌　安徽阜阳人。编修。

李海光　河南商城人。庶吉士。

赖际熙　广东增城人。庶吉士，编修。

顾承曾　河南祥符人。礼部主事。

陈云诰　编修，弼德院参议。

陈树勋　广西岑溪人。庶吉士，编修。

龚元凯　安徽合肥人。编修。

蓝文锦　陕西西乡人。庶吉士，编修。

田毓璠　知县。

吴增甲　江苏江阴人。庶吉士，编修。

胡　骏　字葆森。四川广安人。庶吉士，编修。

朱寿朋　编修。

方履中　庶吉士，余见经济特科。

杨廷纶　福建侯官人。庶吉士。

陈曾寿　刑部主事，余见经济特科。

于君彦　福建闽县人。庶吉士，编修。

顾视高　云南昆明人。庶吉士。

温　肃　编修，掌湖北道御史。

萧丙炎　内阁中书，掌广西道御史。

王　彭　兵部主事，黑龙江海伦府知府。

华宗智　（一作华京智）。四川长寿人。庶吉士。

周　杰　湖北天门人。庶吉士。

陈国祥　贵州修文人。庶吉士，编修。

张祖荫　直隶宝坻人。庶吉士，编修。

路士桓　编修，掌陕西道御史。

　　三甲进士：

栾骏声　刑部主事，署湖北高等检察厅检察长。

吴　璆　江西新建人。庶吉士，江苏候补道，署江宁提学使。

杨熊祥　刑部主事，江西南康府知府。

杨　思　甘肃会宁人。庶吉士。

张　铣　刑部主事，新疆焉耆府知府。

金文田　浙江天台人。

张书云　广西临桂人。庶吉士，编修。

延　昌　检讨，典礼院直学士。

张德渊　广西泗城府知府。

林步随　检讨。

恩　华　吏部主事，弼德院参议。

周廷幹　广东顺德人。庶吉士，编修。

区大原　广东南海人。编修。

俞树棠　工部主事，广西高等审判厅厅长。

召试经济特科：

一等九人：

袁嘉毅（庶吉士，云南进士）授编修，署浙江提学使。

张一麐（江苏举人）以知县分省，直隶饶阳县知县，弼德院参议。

方履中（庶吉士，安徽进士）授编修，四川候补道署提学使。

陶炯照（湖北拔贡生）以知县分省，河南南阳县知县。

徐　沅（江苏举人）以知县分省，直隶候补道。

胡玉缙（江苏兴化县教谕，举人）以知县分省，湖北候补知县，学部员外郎。

秦锡镇（内阁中书，山东举人）以同知分省，江苏苏州府上海同知。

俞陛云（编修，浙江进士）记名遇缺题奏。

袁励准（编修，顺天进士）记名遇缺题奏，侍讲。

二等十八人：

冯善徵（江苏优贡生）以知县分省，四川云阳县知县。

罗良鑑（湖南举人）以知县分省。

秦树声（工部郎中，河南进士）截取知府，广东提学使。

魏家骅（编修，江苏进士）保送知府，云南迤西道。

吴锺善（福建副贡生）以州判用。

钱　镠（直隶试用道，江苏举人）仍留原省补用。

萧应椿（分省试用道，云南举人）以道员分发山东，署奉天提学使。

梁焕奎　湖南善化人。（湖南举人）以知县分省。

蔡宝善（浙江举人）以知县分省，陕西三原县知县。

张孝谦（直隶候补道，河南进士）仍留原省补用。

端　绪　字仲纲。满洲正白旗，托活络氏。（礼部候补郎中，满洲廪贡生）以郎中即补，典礼院直学士。

麦鸿钧（内阁中书，广东举人）作为俸满，余见甲辰科。

许岳锺（湖南攸县教谕，举人） 以知县分省，安徽石埭县知
　　　县。

张通谟（湖南举人）以知县分省，江苏候补知县。

杨道霖（户部候补主事，江苏进士）以主事即补，广西柳州府
　　　知府。

张祖廉（浙江举人）以知县分省，江苏候补知县，弼德院一等
　　　书记官。

吴　烈（候选州判，河南拔贡生）以知县分省，直隶满城县知
　　　县。

陈曾寿（刑部学习主事，湖北进士）作为学习期满，学部郎中。

　　中式举人：

涂凤书 内阁中书，黑龙江候补道，署提学使。

张寿铺 江苏候补知府。

袁思亮 湖南人。江苏试用道。

◎ 恩遇：

葛宝华 刑部尚书。七月以六十生辰，赐寿。

李有棠 原任江西峡江县训导。以进呈所著《辽金二史纪事本
　　　末》十月赏内阁中书衔。

溥　良 礼部尚书，宗室。十一月以五十生辰，赐寿。

　　十二月对以下军机大臣赐御书匾额：

奕　劻，庆亲王；

王文韶 大学士。额曰"润壁怀山"；

瞿鸿机 外务部尚书。额曰"含章思契"；

鹿传霖 户部尚书；

荣庆均 礼部尚书。

◎ 著述

叶德辉 撰《宋秘书省续编到四库阙书目录考证》二卷成，见
　　　二月自序。

廖　平 撰《大统春秋公羊补证》十一卷成，见立秋后一日自
　　　序。

叶德辉　撰《古今夏时表》一卷、附《易通卦验节候校文》成，见十二月自序。

王詠霓　自编《诗文集》四十卷成。

◉ 卒岁：

张佩纶　在籍候补四五品京堂，前三品卿衔翰林院侍讲学士。正月初七日卒年五十六。

阿克丹　理藩院尚书，宗室。正月初十日卒年七十一。

李景祥　奉天广宁县知县。正月卒年五十四。入国史循吏传。

吴汝纶　五品卿衔京师大学堂总教习，原任直隶冀州知州。正月十二日卒年六十四。

泽　禄　荆州将军。二月卒年七十口。

荣　禄　太子太保衔文华殿大学士，军机大臣，袭骑都尉兼一云骑尉世职。三月十四日卒年六十八。赠太傅，封一等男，入祀贤良祠，谥文忠。

彭虞孙　山东兖沂漕济道。四月卒。

李　圭　运同衔升用同知，原任浙江海宁州知州。五月卒年六十二。

蒋宗汉　贵州提督，五月卒。谥壮勤。

冯子材　太子少保尚书衔，会办广西防务大臣，原任贵州提督，三等轻车都尉。七月卒于南宁防营年八十六。谥勇毅。

廖寿恒　太子太保衔，原任礼部尚书，军机大臣。八月十五日卒年六十五。

恒　寿　绥远城将军。八月卒。

经元善　前道员用，候选知府。八月卒年六十三。追复原官（复官在宣统二年二月）。

黄祖络　浙江盐运使。八月卒。追夺原官。

刘倬云　二品顶带，原任福建汀漳龙道。九月卒。赠内阁学士衔。

杨岐珍　尚书衔福建水师提督，袭云骑尉世职。十月卒年六十七。

德　寿　字且闲，号静山。汉军镶黄旗。漕运总督。十一月卒。

徐士恺　在籍二品衔，浙江候补道。十一月十九日卒年六十。

长　顺　吉林将军。十二月卒年六十七。赠太子少保衔，予一
　　　　等轻车都尉世职，入祀贤良祠，谥忠靖。

许　增　在籍分省补用道。卒年八十。

诸可宝　江苏昆山县知县。卒年五十九。

闪殿魁　头品顶带，原任四川建昌镇总兵。卒年七十口。

吴浔源　直隶宁津县举人。卒年七十八。

刘光蕡　国子监学正衔，陕西咸阳县举人。卒年六十一。

光绪三十年甲辰（公元一九〇四年）

◉ 科第：

二甲进士：

一甲进士：

刘春霖　状元。修撰。

朱汝珍　榜眼。编修。

商衍鎏　探花。编修，撰文。

二甲进士：

张启後　编修。

林世焘　编修。

颜　楷　四川华阳人。翰林院编修。

朱文劭　刑部主事，广西高等检察厅检察长。

王　赓　兵部主事，军谘使。

张茂炯　户部主事，署盐政院总务厅长。

麦鸿钧　庶吉士，法部参事。

郑　言　刑部主事，署江苏高等审判厅厅丞。

贺维翰　四川彭县人。翰林院编修。

黄瑞麒　编修，内阁印铸局副局长。

徐　潞　江苏上元人。庶吉士，编修。

林志烜　福建闽县人。庶吉士，编修。

庄陔兰　山东莒州人。庶吉士，编修。

宋育德　江西奉新人。翰林院编修。

张成栋　奉天铁岭人。翰林院编修。

谷芝瑞　直隶临榆人。庶吉士，编修。

岑光樾　广东顺德人。庶吉士，编修。

陈　毅　刑部郎中，邮传部左参议。

江孔殷　广东南海人。翰林院编修。

刘毅孙　兵部主事，甘肃提法使。

郭寿清　江西吉水人。翰林院编修。

龙建章　广东顺德人。□部主事，邮传部□□。

潘　浩　江苏宜兴人。庶吉士。

王庆麟　贵州贵筑人。庶吉士，编修。

谭延闿　会元。编修。

杨毓泗　山东济宁人。翰林院编修。

李翘燊　广东新会人。庶吉士，编修。

许承尧　安徽歙县人。庶吉士，编修。

唐尚光　广西全州人。庶吉士，编修。

吴德镇　直隶新城人。庶吉士，编修。

高振霄　浙江鄞县人。翰林院编修。

蒋尊祎　户部主事，邮传部员外郎。

方兆鳌　工部主事。

童锡恭　湖南宁乡人。庶吉士。

钱崇威　江苏震译人。庶吉士，编修。

朱点衣　安徽霍邱人。庶吉士，编修。

阎士璘　甘肃陇西人。庶吉生，编修。

李湛田　字丹孙，号伯愚。顺天宝坻人。

李　榘　直隶束鹿人。庶吉士，编修。

汪士元　江苏候补道。

徐锺恂　江苏山阳人。庶吉士，编修。

陈国华　四川温江人。翰林院编修。

景　润　编修，侍读。

沈钧儒　刑部主事。

程宗伊　编修。

钱　淦　江苏宝山人。庶吉士，编修。

葛成修　（一作张成修）湖南固始人。翰林院编修。

张　琴　福建莆田人。翰林院编修。

田明德　陕西城固人。庶吉士。

傅增溶　字学渊。四川江安人。

陈启辉　广东新会人。翰林院编修。

苏　舆　湖南平江人。邮传部员外郎。

张国溶　编修。

马荫荣　山东茌平人。翰林院编修。

关赓麟　广东南海人。兵部主事，邮传部金事。

章祖申　编修，驻和使馆二等参赞。

吴晋夔　浙江镇海人。户部主事，署盐政院南盐厅厅长。

李景铭　户部主事，度支郎候补员外郎。

王季烈　刑部主事，学部郎中。

雷多寿　户部主事，署盐政院北盐厅厅长。

朱元树　浙江余姚人。翰林院编修。

许业笏　江西彭泽人。翰林院编修。

张名振　工部主事，弼德院二等秘书官。

　　三甲进士：

张　鸿　字隐南。江苏常熟人。外务部主事，外务部郎中。

竺麐祥　浙江奉化人。翰林院编修。

刘启瑞　内阁中书。

姚　华　工部主事。

周贞亮　（原名周之祯）。湖北汉阳人。刑部主事，黑龙江高等
　　　　检察厅检察长。

舒伟俊　江西丰城人。翰林院编修。

陈宗蕃　刑部主事，邮传部主事。

何震彝　内阁中书。

程叔琳　湖北黄冈人。庶吉士，编修。

章　梫　检讨。

谢桓武　内阁中书，山西高等审判厅厅丞。

陆光熙　检讨，侍讲。

云　书　检讨。

任嘉栽　山西神池知县，己卯重逢乡举。

冯汝琪　刑部主事，法部口口。

李德鑑　安徽太湖人。庶吉士，编修。

梁善继（碑录作梁善济）。字伯祥，号伯强。山西人崞县人。检讨。

邢　端　检讨。

金　梁　内阁中书。

王慎贤　江苏吴县人。庶吉士。

　翻译进士：

富尔逊　字芄生。满洲正红旗。编修，侍讲。

◉ 恩遇：

　二月以本年为皇太后七旬万寿：

那　桐　外务部尚书。其母李氏；

徐会沣　兵部尚书。其继母管氏；

增　祺　盛京将军。其母瓜尔佳氏；

继　禄　字子受。汉军正黄旗。吏部右侍郎。其母尹氏；

诚　全　正白旗蒙古副都统。其母郭氏；

聂缉椝　浙江巡抚。其母张氏；

柏　梁　浙江乍甫副都统。其母杨氏；

准　良　西宁办事大臣。其父恩元。

　均以年逾七旬各赐御书匾额。

崇　保　头品顶带，原任山东布政使。以本年为道光甲辰科登第周甲之岁，加太子少保尚书衔，重赴恩荣筵宴。

　十二月对以下军机大臣赐御书匾额：

奕　劻　庆亲王；

王文韶　大学士。额曰"规荬矩模"；

瞿鸿机　外务部尚书；

鹿传霖　户部尚书。额曰"在公竭谋"；

荣　庆　协办大学士。

◉ 著述：

庞鸿文　撰《常昭合志》四十八卷，卷首卷末二卷成，见书末春日总序。

叶德辉　辑《蔡邕月令章句》四卷成，见九月自序。

王仁俊　编《辽文萃》七卷，并撰《辽史艺文志补证》一卷成，见十二月自序。

王仁俊　编《西夏文缀》二卷，并撰《西夏艺文志》一卷成，见十二月自序。

● 卒岁：

高德元　前云南普洱镇总兵。正月二十日以罪命于云南处斩（注：以玩寇秧民，嫉功冒饷）。

松　森　致仕理藩院尚书，宗室。二月初七日卒年七十九。

郑润材　广东北海镇总兵。二月自戕。

蒋师辙　安徽无为州知州。三月二十七日卒年五十八。

王彦威　三品衔太常寺少卿。五月初八日卒年六十三。

翁同龢　前太子少保衔，协办大学士，户部尚书，军机大臣。五月二十一日卒年七十五。追复原官（追复在宣统元年五月，宣统中追谥文恭）。

王鹏运　三品顶带，原任礼科掌印给事中。六月二十三日卒年五十六。

徐宗亮　安徽桐城县布衣。十月卒年七十口。

于荫霖　原授广西巡抚（由河南巡抚调补未任即开缺），八月十三日卒年六十八。

胡　延　江安粮道。八月卒。

闵萃祥　太常寺博士衔，江苏华亭县监生。九月三十日卒年五十六。

李兴锐　署理两江总督，江西巡抚。十月二十二日卒年七十八。谥勤恪。

贵　恒　原任刑部尚书。十二月初八日卒年六十四。

文廷式　前翰林院侍读学士。卒年四十九。

周蕴良　在籍翰林院庶吉士。卒年三十八。

陈文騄　安徽候补道，前任安徽庐州府知府。卒年六十五。

周星诒　前福建建宁府知府。卒年七十二。

万斛泉　五品卿衔，湖北兴国州征士。卒年九十七。

范当世 江苏通州岁贡生。卒年五十一。
萧　穆 安徽桐城县诸生。卒年七十。

光绪三十一年乙巳（公元一九〇五年）

● 恩遇：

鹿传霖　吏部尚书。七月以七十生辰，赐寿。

岑春煊　署两广总督。以广西股匪肃清，九月加太子少保衔。

　　十二月对以下军机大臣赐御书匾额：

奕　劻　庆亲王；

瞿鸿机　外务部尚书；

鹿传霖　吏部尚书。额曰"思赞励图"；

荣　庆　学部尚书；

铁　良　户部尚书。额曰"资忠履信"；

徐世昌　口口部尚书。

● 著述：

孙家鼐　等奉敕撰《钦定书经图说》五十卷成，见进书表文。

张慎仪　撰《续方言新校补》二卷成，见十二月赵藩跋。

● 卒岁：

勒恩札勒诺尔赞　敖汉札萨克郡王。　正月初九日以被砍受伤卒。

刘祥胜　原任浙江温州镇总兵。二月初四日卒。

莫善喜　署广东水师提督，广西左江镇总兵。二月卒。

黄遵宪　前候补三品京堂，原任湖南盐法道。二月二十三日卒年五十八。

郭式昌　署浙江按察使，金衢严道。二月二十九日卒年七十六。

谭锺麟　太子少保衔，原任两广总督。三月十二日卒年八十四。谥文勤。

凤　全　驻藏办事大臣。三月于巴塘遇害。追谥威愍。

龙湛霖　原任刑部右侍郎。五月十二日卒年六十九。

春　满　原任塔尔巴哈台参赞大臣。六月十八日卒。

叶祖珪　总理南北洋海军事务广东水师提督。六月二十七日卒。

童兆蓉 头品顶带，浙江温处道。七月十六日卒年六十八。

奕　谟 正黄旗蒙古都统，贝勒衔固山贝子，宗室。七月十八日卒年五十六。

刘秉璋 前太子少保衔四川总督。七月二十三日卒年八十。开复原官，追谥文庄（追谥在宣统二年二月）。

崇　保 太子少保尚书衔，原任山东布政使。八月二十日卒年九十一。

宗汝济 候选州同，江苏昭文县附贡生。九月初五日卒年七十。

裕　德 东阁大学士。十月二十六日卒年五十九。入祀贤良祠，谥文慎。

毓　秀 满洲正白旗。口口旗副都统。十月二十口日卒。

崧　蕃 调授闽浙总督（由陕甘总督调补）以陛见十二月初六日卒于京师年六十九。赠太子少保衔。

孙金彪 湖南永州镇总兵。十二月初七日卒。

余虎恩 原任喀什噶尔提督，二等男。十二月初九日卒年七十。追谥勤勇（追谥在三十四年五月）。

徐会沣 兵部尚书。十二月初十日卒年六十九。

熙　瑛 学部左侍郎。十二月二十四日卒年四十九。

费念慈 在籍翰林院编修。卒年五十一。

李希圣 刑部主事。卒年四十二。

袁开第 贵州布政使。卒年七十八。

胡景桂 新授陕西按察使（由服阕湖南按察使补授）。以自京赴任卒于邯郸道中年六十。

戴兆春 原任陕西陕安道。以心疾投水卒年六十。

赵润生 湖南南州直隶厅通判。卒。

华世芳 江苏金匮县口口。卒年五十二。

光绪三十二年丙午（公元一九〇六年）

◉ 生辰：

爱新觉罗溥仪　今上皇帝正月十四日生。

溥　德　二月初三日生，宗室。

◉ 恩遇：

孙家鼐　大学士。三月以八十生辰，赐匾额及联。

张百熙　户部尚书。四月以六十生辰，赐"平均锡福"额，又
　　　　皇太后赐"匡时耆德"额。

唐　炯　督办云南矿务，前云南巡抚。闰四月以年老乞休，赏
　　　　还巡抚原衔。

那　桐　大学士。七月以五十生辰，赐"台衡星曜"额，又皇
　　　　太后赐"亮功锡羡"额。

张之洞　湖广总督。八月以七十生辰，赐匾额。

伍肇龄　在籍侍讲衔翰林院编修。以明年为道光丁未科甲榜重
　　　　逢。（按：照旧例应重赴恩荣筵宴，时科举已停故无重
　　　　宴名目，后同。赏侍讲学士衔）。

　　　十二月对以下军机大臣赐御书匾额：

奕　劻　庆亲王；

世　续　大学士；

瞿鸿机　外务部尚书；

林绍年　口部侍郎。

◉ 著述：

廖　平　撰《四益馆经学四变记》四卷成，见三月自序。

董金纯　浙江人。撰《春秋繁露集注》二卷成，见八月自序。
　　　　（按：此书不止二卷，以余稿续刻卷数不详，始系于
　　　　此）。

◉ 卒岁：

任道镕　头品顶带，原任浙江巡抚。正月卒年八十四。

江召棠　三品衔在任补用知府，江西南昌县知县。正月于天主堂遇刺卒年六十二。赠太仆寺卿。

杨昌魁　记名提督，贵州威宁镇总兵。正月卒。

永　隆　字子茂。江宁将军。正月卒。

李维实　字虚谷。福建同安人。袭三等壮烈伯。正月二十六日卒。

方友升　浙江衢州镇总兵。二月初二日卒。

孙多庆　浙江海门镇总兵。三月初十日卒。

吴长纯　直隶天津镇总兵。三月十三日卒。

杨金龙　江南提督。四月十九日卒。

许应骙　原任闽浙总督。六月初二日卒年七十七。

牛师韩　安徽怀宁人。甘肃宁夏镇总兵。六月卒。

李经纶　记名总兵，江苏扬州营参将。六月二十九日卒。

夏　旹　原任陕西巡抚。七月初三日卒年七十。

连　顺　满洲镶蓝旗。镶蓝旗蒙古都统，前任乌里雅苏台将军。七月初八日卒。

緜　文　礼部右侍郎，宗室。七月十七日卒年六十。

蔡　标　字锦堂。贵州人。广东琼州镇总兵。七月卒。

刘永庆　兵部侍郎衔署理江北提督，镶白旗汉军副都统。七月二十三日卒年四十五。

陈玉树　大挑教谕，江苏盐城县举人。八月初四日卒年五十四。

豫　师　原西宁办事大臣。九月十一日卒年八十二。

汪宗沂　在籍五品卿衔，山西即用知县。十月十四日卒年七十。

胡燏棻　邮传部右侍郎。十月三十日卒年七十一。

顾肇新　农工商部右侍郎。十二月初十日卒年六十五。

李桂馨　记名总兵。十二月十一日卒年六十。

俞　樾　赏复翰林院编修。十二月二十三日卒于苏州年八十六。入国史儒林传。

蒋庆第　候选内阁中书，原任山东章邱县知县。卒年八十四。

易佩绅　原任江苏布政使。卒年八十一。

赵以炯 丁忧翰林院修撰。卒。

章寿康 降调湖北嘉鱼县知县。卒年五十七。

何长清 广东香山人。前广东水师提督。卒。追复原官（复官在宣统三年闰六月）。

光绪三十三年丁未（公元一九〇七年）

◉ **恩遇：**

赫　德　英国人。总税务司。十二月赏给尚书衔。

裴式楷　英国人。副总税务司。十二月赏给布政使衔。

张亨嘉　礼部左侍郎。其母以年届百龄，十月赐匾额。

　　十二月对以下军机大臣赐御书匾额：

奕　劻　庆亲王；

载　沣　醇亲王；

世　续　大学士；

那　桐　大学士；

张之洞　大学士；

鹿传霖　协办大学士。额曰"温仁受福"；

袁世凯　外务部尚书。

◉ **著述：**

叶德辉　撰《消夏百一诗》二卷成，见五月自序。

震　钧　撰《国朝书人辑略》十二卷成，见十一月自序。

◉ **卒岁：**

刘永亨　仓场侍郎。正月十口日卒年五十八。

赵　伟　云南人。云南普洱镇总兵。正月二十五日卒。

德　峰　蒙古镶黄旗。镶蓝旗蒙古副都统。正月三十日卒。

张百熙　邮传部尚书。二月十七日卒年六十一。赠太子少保衔，
　　　　谥文达。

陈万清　贵州古州镇总兵。三月十一日卒。

溥　兴　正白旗汉军都统，前任刑部尚书，宗室。三月二十三
　　　　日卒。照尚书例赐恤。

崑　冈　赏食全俸，原任文渊阁大学士，宗室。三月二十五日
　　　　卒年七十二。赠太子少保衔，入祀贤良祠，谥文达。

徐　郙　太子少保衔，致仕协办大学士，礼部尚书。四月二十

五日卒年七十二。追谥文慎。

载　卓　奉恩辅国公，原任荆州将军，正红旗宗室。五月初三日卒。

崇　礼　太子少保衔，原任文渊阁大学士。五月十二日卒年七十四。入祀贤良祠，谥文恪。

恩　铭　头品顶带，安徽巡抚。五月二十六日于巡警学堂，以被刺受伤卒年六十二。谥忠愍。

邹馨兰　原任云南按察使。六月二十八日卒。

汪鸣銮　前吏部右侍郎。七月初六日卒年六十九。

敬　信　赏食全俸，原任体仁阁大学士。七月十六日卒年七十六。赠太子少保衔，入祀贤良祠，谥文恪。

杨玉书　字瑞生。湖南湘潭人。提督衔云南鹤丽镇总兵。七月二十日卒于热河防营。

李有棻　总办江西铁路事宜，头品顶带，原任江宁布政使。八月二十四日以舟覆溺于南康江中年六十六。

管廷鹗　大理寺卿。九月卒。

松　溎　荆州将军，前任工部尚书。十月初三日卒。

李端棻　开复原衔，前礼部尚书。十月十二日卒年七十五。追复原官（复官在宣统元年十月）。

蓝斯明　河南归德镇总兵。十月二十四日卒年七十五。

柏　梁　乍浦副都统。十一月卒。

色普徵额　满洲正蓝旗。原任宁夏将军，十一月卒。

黄绍箕　湖北提学使。十二月卒年五十四。

王家枚　度支部候补主事。十二月十五日卒年四十二。

光绪三十四年戊申（公元一九〇八年）

● 恩遇：

王文韶　原任大学士。以辛亥年乡举重逢。（按：辛亥为咸丰元年恩科，循旧例应于明年己酉正科重赴鹿鸣筵宴，故礼臣先期奏闻也，下同。）正月晋太子太保衔。

铭　安　原任吉林将军。以辛亥重逢，正月加太子少保衔。

孙家鼐　大学士。以辛亥乡举重逢，二月加太傅衔。

邓华熙　头品顶带，原任贵州巡抚。以辛亥乡举重逢，三月加太子少保衔。

唐　炯　巡抚衔，原任督办云南矿务大臣。以明年为道光己酉科乡举重逢，三月加太子少保衔。

王闿运　湖南湘潭县举人。三月特赏翰林院检讨。

郭鑑襄　在籍二品顶带，原署山东粮道。以辛亥年乡举重逢，四月赏三品卿衔。

尹　果　原任内阁中书。以明年为道光己酉科乡举重逢，赏内阁侍读衔。

黄元善　原任贵州粮道。以辛亥乡举重逢，四月掌内阁学士衔。

田在田　提督衔，原任甘肃肃州镇总兵。以辛亥乡举重逢，（按：旧例应重赴鹰扬筵宴），五月加太子少保衔）。

丁津安　在籍同知衔，湖南大挑知县。以"笃学励行"赏内阁侍读衔。

曹元弼　分部郎中。以进呈所著《礼经校释》五月特赏翰林院编修。

王先谦　原任国子监祭酒。以进呈所著《尚书孔传参正》、《汉书补注》、《荀子集解》、《日本源流考》四书，赏内阁学士衔。

袁世凯　外务部尚书。八月以五十生辰，赐匾额。

顾炎武、王夫之、黄宗羲　已故名儒。九月均从祀文庙。

胡　斌　原任福建永春直隶州知州。以辛亥乡举重逢，十月赏加运同衔。

爱新觉罗溥仪　醇亲王载沣长子。十月二十一日承继为穆宗皇子并兼祧大行皇帝，于十一月初九日嗣登大位，改明年为宣统元年。十月醇亲王载沣为摄政王。

十一月：

张之洞　军机大臣，大学士。晋太子太保。

袁世凯　外务部尚书。晋太子太保。

鹿传霖　协办大学士。加太子少保衔。

● **著述：**

张鸣珂　撰《寒松阁读艺琐录》六卷成，见正月自序。

胡薇元　撰《霜菉亭易说》一卷成，见李大钧序。

● **卒岁：**

夏辛酉　山东人。会办江防事宜云南提督。正月初一日卒于山东钜野防营。谥壮武。

董福祥　前太子少保，尚书衔甘肃提督，骑都尉兼一云骑尉。正月初九日卒年七十。

牛允诚　调署伊犁镇总兵，正任巴里坤镇总兵。正月初九日卒。

刘元亮　翰林院撰文。正月卒年四十八。

吴元恺　江苏金坛人。江南狼山镇总兵。二月卒。

庆　恒　记名副都统，吉林陆军第二标统带官。二月二十日卒。

邹代钧　原任学部员外郎。三月初六日卒年五十五。

刘恩溥　原任仓场侍郎。三月卒年七十四。

庄守和　顺天大兴人。二品衔，太医院院使。三月卒。

常　善　原任福州将军。四月卒年七十口。

张赞诚　二品顶带，湖北候补道。四月卒。

陆宝忠　原任都察院都御史。四月二十口日卒年五十九。谥文慎。

孙诒让　在籍刑部候补主事。五月卒年六十一。入国史儒林传。

李绂藻　仓场侍郎。五月二十日卒年六十六。

丰绅泰 甘肃布政使。六月初六日卒。

党　蒙 云南临安府知府。六月卒年七十。

白金柱 云南人。云南开化镇总兵。六月卒。谥忠果。

费道纯 二品衔，河南候补道，川汉铁路总公司总董。六月卒
　　　于兴山县属途次。

姚绍书 广西太平思顺道。七月十二日卒。

何雄辉 广东连州人。原任云南昭通镇总兵，署理贵州提督。
　　　七月十六日卒。

继　昌 调授甘肃布政使，由江宁布政使调补未赴任，命护理
　　　安徽巡抚。八月初二日卒于安庆抚署年五十六。

联　福 满洲镶黄旗。安徽颖州府知府。八月卒。

英　华 满洲正白旗。山西朔平府知府。八月卒。

奎　格 山东曹州府知府。八月卒。

保　成 原任三姓副都统。八月卒。

绰哈布 成都将军。八月十八日卒年五十六。赠太子少保，谥
　　　武勤。

马玉崑 太子少保衔直隶提督，云骑尉。八月十九日卒年七十
　　　一。赠太子太保，予二等轻车都尉世职，谥忠武。

董履高 安徽人。记名提督，安徽寿春镇总兵。八月二十三日
　　　卒。

张仁黼 丁忧吏部右侍郎。八月二十五日卒年六十一。

徐用福 侍读衔，候选内阁中书。八月二十七日卒年八十。

张鹤龄 奉天提学使。九月初五日卒年四十二。

庄　山 汉军正白旗。原任镶白旗汉军副都统。九月卒。

方元衡 安徽桐城人。试用训导，安徽桐城县贡生。九月卒。
　　　赠五品卿衔（赠衔在宣统元年五月）。

爱新觉罗载湉 大行皇帝光绪。十月二十一日崩，圣寿三十有
　　　　八。尊谥曰景，庙号德宗。

景　清 湖北黄州府知府。十一月初一日卒。

傅廷臣 山东昌邑人。湖北宜昌镇总兵。十一月十四日卒。

王文韶　太子太保衔，原任武英殿大学士。十一月二十二日卒年七十九。赠太保，谥文勤。

周芳名　湖南湘乡人。湖北汉阳镇总兵。十一月卒。

苏元春　字子熙。广西永安人。前太子少保衔，广西提督，二等轻车都尉。十一月以遣戍释回卒于甘肃迪化途次，开复原官。

谷振傑　甘肃阿克苏镇总兵。十二月初七日卒。

杨文莹　在籍翰林院编修。卒年七十一。

张鸣珂　原任江西玉山县知县。卒年八十。

宣统元年己酉（公元一九〇九年）

● 恩遇：

赵尔巽　四川总督。以捐廉赡族，三月赐匾额。

郭鑑襄　二品顶带，三品卿衔，原署山东粮道。以壬子年甲榜重逢（按：壬子为咸丰二年恩科，循旧例应于明年庚戌正科重赴恩荣筵宴），四月赏加头品顶带。

田在田　太子少保提督衔，原任甘肃肃州镇总兵。以壬子年为甲榜重逢。（按：壬子为咸丰二年恩科，循旧例应于明年庚戌正科重赴会武筵宴）。五月赏加都统衔。

程志和　在籍四品衔工部候补员外郎。六月赏加五品卿衔。

　　十月以恭题孝钦显皇后神主：

荣　庆　协办大学士，学部尚书。加太子少保衔；

鹿传霖　大学士。晋太子太保衔。

● 著述：

张　预　自订《崇兰堂骈体文初存》二卷成，见闰二月自序。

吴荫培　辑《新安吴氏诗文存》一卷成，见三月自序。

胡薇元　自编《湖上草堂诗》一卷成，见春日刘光濚序。

庞元济　撰《虚斋名画录》十六卷成，见六月自序。

端　方　撰《陶斋金石续录》二卷成，见十一月自序。

● 卒岁：

黄忠立　广西人。广西左江镇总兵。正月初八日卒。

王得胜　记名提督，原任甘肃河州镇总兵。正月卒。

溥　顾　原任吏部右侍郎，宗室。正月卒。

唐　炯　太子少保，赏还巡抚原衔，前云南巡抚。二月卒年八十一。

胡　峻　在籍翰林院编修。二月卒。赠五品卿衔。

果　权　呼兰副都统。二月卒。

高凤岐　盐运使衔广西候补知府，原署梧州府知府。二月十三日卒年五十二。

沈　桐　奉天东边道。二月二十九日卒年五十六。

图瓦强阿　头品顶带，记名副都统，致仕额鲁特游牧领队大臣。闰二月二十日卒年八十。

朱之榛　头品顶带，江南淮扬海道。三月十四日卒年七十。

安　成　满州镶白旗。原任伊犁副都统。四月卒。

濮子潼　原任江苏布政使。四月二十三日卒年六十四。

丁惠康　广东丰顺县附贡生。四月三十日卒年四十三。

陈启泰　江苏巡抚。五月初三日卒年六十三。

杨士骧　直隶总督。五月初十日卒年五十。赠太子少保，寻削，谥文敬。

连培基　湖南永顺府知府。五月十九日卒。

黄贯三　河南河北镇总兵。六月卒。

庆　桂　云南昭通府知府。六月卒。

周以翰　浙江衢州府知府。六月二十八日卒。

王懋勋　安徽六安直隶州知州。七月卒。入国史循吏传。

长　春　原任西安将军。七月卒。

永　麟　司幄衔颐和园八品苑副。七月以言事自尽。

沈　鹏　前翰林院编修。七月二十二日卒年四十。

庞鸿文　三品衔，原任通政司副使。卒年六十五。

多罗特色楞　御前行走，阿拉善亲王。八月卒。

载　滢　宣宗皇孙，前郡王衔多罗贝勒。八月卒年四十九。

善　旌　正黄旗蒙古副都统，镶白旗宗室。八月卒。

张之洞　太子太保衔，体仁阁大学士，军机大臣。历任湖北学政，詹士府左中允。八月二十一日卒年七十三。赠太保，入祀贤良祠，谥文襄。

伊立布　字子受。满洲正黄旗，张佳氏。正白旗护军统领。九月卒。

马　亮　汉军正黄旗。成都将军。九月卒。谥勇僖。

吴　杰　浙江衢州镇总兵。九月卒。

孙家鼐　太子太傅衔，武英殿大学士。十月十七日卒年八十三。赠太傅，入祀贤良祠，谥文正。

丁体常　头品顶带，原任广东布政使。十月三十日卒年六十九。

海　福　安徽太平府知府。十一月卒。

萨　廉　盛京兵部侍郎。十一月卒年六十四。

李树棠　湖北按察使。十一月卒。

杨　树　甘肃甘凉道。十一月卒。

丰陞阿　密云副都统。十一月卒。

周家禄　原任江苏江浦县训导。十一月二十七日卒年六十四。

濮文暹　三品衔升用道，原任河南南阳府知府。十二月初九日卒年八十。

岑春煦　广西西林人。河南开封府知府。十二月卒。

符　珍　满洲正蓝旗。正白旗满洲都统，固伦额驸，袭一等公。十二月卒。

陆元鼎　在籍候补三品京堂，前任江苏巡抚。十二月二十三日卒年七十一。

景　星　资政院协理大臣，前任福州将军。十二月二十七日卒年六十二。

张庆云　安徽人。头品顶带，湖南永州镇总兵。十二月二十九日卒。

杨崇伊　前浙江候补道，前任陕西汉中府知府。卒年六十。

徐嘉禾　江西南昌府知府。卒年六十二。

宣统二年庚戌（公六一九一〇年）

◉ 著述：

缪荃孙　编《续碑传集》八十六卷成，见四月自序。

沈口口　编《国朝文汇五集》一百口口卷，见九月自序。

顾　莲　撰《素心镂集》六卷成。（按：此集于莲卒后为其婿高
　　　　夑编定付梓，今系于九月之前）。

缪荃孙　自编《艺风堂文续集》八卷成。（按：此书无序以庚戌
　　　　付刻，今即系于此年）。

◉ 卒岁：

重　燠　字旸谷。满洲正白旗。直隶顺德府知府。正月卒。

崧　杰　袭多罗克勤郡王，宗室。正月卒。谥曰顺。

戴鸿慈　协办大学士，尚书，军机大臣。正月十三日卒年五十
　　　　五。赠太子少保衔，入祀贤良祠，谥文诚。

夏毓秀　字琅溪。云南昆明人。湖北提督。正月十六日卒。追
　　　　谥勇恪（追谥在八月）。

沈　潜　湖北按察使。二月卒年五十八。

金文同　陕西兴安府知府。二月卒年六十六。

葛宝华　礼部尚书。二月十八日卒年六十七。谥勤恪。

宋　衡　浙江平阳县诸生。卒年四十九。

马维骐　云南阿迷人。头品顶带，四川提督。三月卒。谥果肃。

刘元弼　云南迤西道。五月二十八日卒年五十。

陶大均　字杏南。浙江人。江西提法使。七月卒年五十三。

谈文烜　浙江海盐县举人。七月十七日卒年三十六。

陈　豪　原任湖北汉川县知县。七月十九日卒年七十二。入国
　　　　史循吏传。

鹿传霖　太子太保，东阁大学士，军机大臣。七月二十二日卒
　　　　年七十五。赠太保，入祀贤良祠，谥文端。

张　预　江苏候补道，前任徐州府知府。七月二十二日卒年七

十一。

沈寿祺 员外郎衔候选主事，江苏昭文县监生。七月二十五日卒年六十九。

魁　福 汉军正蓝旗。原任察哈尔副都统。八月卒。

范德元 贵州镇远镇总兵。八月卒。

孚　恒 江南南安府知府。八月卒。

多　文 字锡三。正红旗宗室。盛京副都统。八月卒。

锡　恒 汉军镶黄旗。头品顶带，署伊犁副都统，科布多参赞大臣。八月卒。

曹鸿勋 协理资政院事务，前任陕西巡抚。九月初九日卒年六十五。

顾　莲 候选员外郎，前任四川梁山县知县。九月二十四日卒年七十。

吴　匡 总办吉林全省官运盐务，降调山西布政使。十月初七日卒年六十三。追复原官（复官在三年八月）。

王英楷 正黄旗蒙古副都统。十月十九日卒年四十八。

何彦昇 甘肃新疆巡抚。十月卒年五十。

英　瑞 满洲正白旗。原任青州副都统。十月卒。

廷　杰 法部尚书。十二月卒年七十。

删光典 候补四品京堂，前任江苏淮扬海道。十二月卒年五十四。

张亨嘉 原任礼部左侍郎。十二月二十一日卒年六十四。宣统中追谥文口。

史念祖 副都统衔，前头品顶带，广西巡抚。卒年六十八。追复原官（复官在三年四月）。

张绍毕 原任山西布政使。卒年七十九。

黄嗣东 原任陕西陕安道。卒年六十五。

宣统三年辛亥（公元一九一一年）

● 恩遇：

朱昌琳 湖南长沙人。头品顶带，候补三品京堂。以急公好义
　　　　寿近期颐，正月赏内阁学士衔。

邵　章 四品衔翰林院编修。以办学卓有成绩，三月赏四品卿
　　　　衔。

李广绶 五品衔，原任陕西朝邑县知县。以明年为咸丰壬子科
　　　　乡举重逢，闰六月赏加知府衔。

李滋然 学部七品小京官。以进呈所著经学书四种，七月赏主
　　　　事衔。

刘引之 前浙江诸暨县知县。以本年为咸丰辛亥科乡举重逢，
　　　　八月赏复原官。

冯国璋 第一军军统。十月以克复汉阳功封二等男。

世　续 大学士。十月授太保。

徐世昌 大学士。十月授太保。

● 著述：

张慎仪 撰《方言别录》四卷成，见秋日自序。

叶德辉 撰《书林清话》十卷成，见十二月自序。

谭新嘉 字志贤。浙江秀水人。辑《碧漪集》四卷成，见八月
　　　　鲁宝清序。

● 卒岁：

戴恩溥 原任广西右江道。正月十四日卒年八十五。

聂缉椝 湖南衡阳人。原任浙江巡抚。二月初二日卒。

康寿桐 以府经历县丞用，降调四川彭山县知县。二月初四日
　　　　卒年六十三。

孚　琦 字璞孙。满洲正蓝旗，西林觉罗氏。兼署广州将军，
　　　　广州满洲副都统。三月初十日遇害。赠太子少保，谥
　　　　恪愍。

庆　禄　京口副都统。四月卒。

何乃莹　前都察院左副都御史。六月初二日卒年六十九。

何秀林　云南临元镇总兵。六月卒。

恒　顺　满洲正红旗。镶红旗满洲副都统。六月卒。

陆嘉晋　三品顶带，内阁侍读。六月卒年四十九。

铭　安　太子少保，原任吉林将军。闰六月十七日卒年八十四。
　　　　赠太子太保，谥文肃。

钱明训　直隶津海关道。闰六月卒。

李廷飏　甘肃甘州府知府。七月卒。

祥　普　字博泉。蒙古正蓝旗。正黄旗满州副都统。七月卒。

赫　德　字鹭宾。太子少保，尚书衔总税务司（英国人）。七月
　　　　卒年七十七。赠太子太保。

张煜南　头品顶带，侍郎衔，候补三品京堂，考察南洋商务大
　　　　臣。七月十九日卒。

杨文会　安徽石埭县布衣。八月十口日卒年七十五。

黄忠浩　统领湖南防营，原任广西右江镇总兵。九月初一日于
　　　　长沙遇害年五十三。

克蒙额　满洲镶蓝旗。西安右翼副都统。九月初二日阵亡。

文　瑞　满洲镶黄旗，彦桂氏。西安将军，袭二等男。九月初
　　　　二日殉难。

承　燕　满洲正黄旗。西安左翼副都统。九月初二日殉难。

凤　山　广州将军。九月初四日以到省赴任，被炸伤亡年五十
　　　　三。赠太子少保，谥勤节。

陆锺琦　山西巡抚。九月初八日遇害年六十四。赠太子少保，
　　　　谥文烈。

陆光熙　翰林院侍讲。九月初八日以省亲于山西抚署遇害年三
　　　　十四。赠三品京堂，谥文筇。

世　增　字益三。汉军正白旗，祖氏。调授甘肃布政使（由云
　　　　南布政使调补）。九月初九日于云南遇害。赠巡抚，谥
　　　　忠愍。

锺麟同　陆军副都统衔，第十九镇统制官。九月初十日于云南遇害。赠副都统，谥忠壮。

张舜琴　云南昆明县训导。九月初十日殉难。

杨宜瀚　四品衔，署陕西华州知州，正任宝鸡县知县。九月初十日殉难年五十七。

杨调元　在任候补道，署陕西渭南县知县，正任华州知州。九月十一日殉难年六十一。

孔繁琴　统领滇南防营，云南候补知府。九月十口日于蒙自遇害年三十三。

杨让梨　字劭钦。湖南湘乡人。副将衔，补用参将，湖南镇篁中营游击。九月十口日以被执至常德遇害。

汪康年　内阁中书。九月十三日卒年五十二。

吴禄贞　字绶卿。湖北云梦人。新授山西巡抚。九月十六日于石家庄被戕。

何永清　字泽溥。四川新津人。湖南嘉禾县典史。九月十八日殉难。

载　穆　字爱棠，字敬修。京口副都统，宗室。九月十九日殉难。

松　寿　闽浙总督。九月十九日于福州殉难年六十三。赠太子少保，谥忠节。

朴　寿　福州将军。九月二十一日遇害。赠太子太保，谥忠肃。

冯汝骙　江西巡抚。九月于九江殉难年四十九。赠太子少保，谥忠愍。

吉　陞　字允中。满洲镶黄旗。"海筹"兵舰帮管带官。九月于九江殉难。

褚成博　原任广东惠潮嘉道。九月二十八日卒年五十八。

来　秀　福建汀州府知府。十月殉难。

刘念慈　福建永安县知县。十月殉难。

王荣绶　福建连江县知县。十月遇害。

端　方　署四川总督，候补侍郎，督办粤川汉铁路大臣，前直隶总督。十月初七日于资州遇害年五十一。赠太子太保，予二等轻车都尉世职，谥忠愍。

端　锦　满洲正白旗，托活络氏。三品衔河南候补知府，前任许州直隶州知州。十月初七日于四川资州遇害。追谥忠惠（追谥在十二月）。

王有宏　字星伯，号金波。直隶天津人。提督衔记名总兵。十月初八日于江宁孝陵卫阵亡。赠太子少保，予骑都尉兼一云骑尉世职。

玉　寿　字松岩。满洲正黄旗。河南归德镇总兵。十月初十日卒年八十一。

恒　龄　署荆州左翼副都统，前任宁夏副都统。十月二十日殉难年五十一。赠太子少保，谥壮节。

汪承第　字棣圃。江苏太仓人。四品衔，署四川双流县知县。十月二十日于北乡遇害。赠知府。

徐昭益　四川威远县知县。十月遇害。

章　庆　四川西昌县知县。十月遇害。

曹彬孙　四川口口知县。十月遇害。

赵国贤　字良臣。河南项城人。记名提督，广东潮州镇总兵。十一月初五日遇害。赠太子少保，予骑都尉世职，谥忠壮。

志　锐　尚书衔伊犁将军。十一月二十日遇害年五十九。赠太子少保，谥文贞。

赵尔丰　字季和。汉军正蓝旗。署四川总督，督办川滇边务大臣。十二月初五日遇害。

良　弼　字赉臣。满洲镶黄旗（一作正白）。军谘府军谘使，镶白旗汉军副都统。十二月十一日以被炸受伤卒。

世　铎　宗人府宗令，正黄旗满洲都统，袭和硕礼亲王，宗室。十二月十三日卒年六十九，谥曰恪。

明　惠　原任凉州副都统。十二月十四日卒。

恩　顺　弼德院顾问大臣，原任理藩部右侍郎，十二月十八日卒。

希　廉　字绍甫。原任泰宁镇总兵，总管内务府大臣，正红旗宗室。十二月二十日卒。

蒋　黼　学部候补郎中。卒年四十六。

孙葆田　五品卿衔，原安徽宿松县知县。卒年七十二。

金佐葵　广西北流县知县。殉难。赠道员，谥节愍。

周学铭　原任湖南候补道。卒。

罗长裿　驻藏左参赞。遇害。

附 录 一

卒年在民国年间的人物

前书编定瞬阅卅年，世变频经胜流凋谕。凡殁于宣统三年后者自应志其卒岁，藉以贯彻始终。兹仿义熙甲子例逐年记录于后，惟官职仍以辛亥冬为止，其有出仕民国者则以"△"为标识（简任以上并注明官职）聊示区别，阅者鉴之。（按：此表于恩遇一栏已不复录，惟有重遇乡举及甲科者，现皆于原表中补行载入，附记于此。另清代人物卒于民国者，数量很多且遍及全国，现就仅知者收录于后。）

民国元年壬子（公元一九一二年）

谢宝胜　调署河南南阳镇总兵，正任河北镇总兵。正月初三日于裕州殉难年五十四。

贺　涛　刑部候补主事。五月初一日卒年六十四。
　　　　（按：原书于京外候补人员乞假离职者均以在籍书之。民国后官制既改，候补之人自皆回籍故即皆书在籍字样，今记于此）。

许秉琦　头品顶带，原任宗人府府丞。卒年四十七。

饶宝书　原任外务部郎中。卒年五十五。△

蒋廷黻　原任广东韶州府知府。卒年六十三。

张心镜　原任甘肃阶州直隶州知州。卒。

民国二年癸丑（公元一九一三年）

沈家本　原任司法大臣。三月卒年七十四。

朱联沅　原任学部小京官。三月卒年二十九。

吕佩芬　原任直隶永定河道。九月初三日卒年五十九。

唐景崇　原任学务大臣。卒年六十七。谥文简。

俞廉三　原任仓场侍郎。卒年七十一。谥敏僖。

寿　勋　原任陆军副大臣。卒年五十七。

王仁俊　湖北候补知府。卒年四十八。

章高元　原任四川重庆镇总兵。卒年七十一。

顾印愚　四川成都县举人。卒年五十九。

民国三年甲寅（公元一九一四年）

袁树勋　原署两广总督。三月卒年六十九。

李本方　工部候补郎中。卒年六十三。

杨守敬　候选内阁中书，原任湖北黄冈县教谕。卒年七十六。

朱丙寿　二品顶带，记名补用道，原任广东潮州府知府。卒年七十九。

蒋学坚　浙江海宁州诸生。卒年七十。

赵秉钧　字智庵。河南人。原任民政部大臣。卒。谥恭勤。

潘　江　二品衔口口候补道，原任广西南宁府知府。卒。

玉　春　原任监察御史。卒。谥忠节。

朱　江　原任内阁中书。卒。谥忠愍。

民国四年乙卯（公元一九一五年）

陆润庠　太保衔，原任东阁大学士，弼德院顾问大臣。卒年七十五。赠太傅，谥文端。

汪　洵　原任翰林院编修。四月卒年七十。

诚　勋　原任弼德院顾问大臣。五月初十日卒年六十四。

奎　俊　原任镶红旗满洲都统，内务府大臣，口部尚书。卒年七十四。谥慤靖

于式枚　原任学部右侍郎。卒年六十。谥文和。

宋书升　五品卿衔，翰林院庶吉士。卒年七十二。

邓嘉缜　原任奉天巡察道。卒年七十一。

瑞　澂　前湖广总督，卒。

赵元礼　直隶天津廪贡生。卒年七十二。

孟广慧　直隶天津县诸生。卒年七十二。

邓华熙　太子太保，原任贵州巡抚。卒年九十二，谥和简。

李敬益 原山东观城县训导。卒。

民国五年丙辰（公元一九一六年）

荣　庆 太子少保衔，原任协办大学士，弼德院顾问大臣。三月卒年五十八。谥文恪。

盛宣怀 太子少保衔，前邮传部尚书。三月卒年七十三。

袁世凯 太子太保衔，原任内阁总理大臣，民国大总统。五月卒年五十八。△

徐　坊 原任国子监丞。八月卒年五十三。谥忠勤。

林绍年 原任弼德院顾问大臣，前任民政部右侍郎。卒年六十八。谥文直。

王闿运 侍讲衔，原授翰林院检讨。卒年八十五。

何震彝 内阁候补中书。卒年三十七。

许　珏 四品卿衔，原任出使意国大臣。卒年七十四。

熊方燧 原任翰林院侍读。卒年六十四。

民国六年丁巳（公元一九一七年）

奕　劻 原任弼德院院长　和硕庆亲王。正月卒年八十。谥曰密。

乔树枏 原任学部左丞。三月卒年六十八。

朱兴汾 原署贵州高等审判厅长。六月卒年四十九。

叶昌炽 原任翰林院侍讲。九月二十二日卒年六十九。

王先谦 内阁学士衔，原任国子监祭酒。十一月卒年七十七。

裕　厚 原任民政部左丞。卒年五十八。

刘树屏 安徽候补道。卒年六十一。

刘嶽云 原任浙江绍兴府知府。卒年六十九。

顾家相 原任河南彰德府知府。卒年六十五。

王祖畲 原任河南汤阴县知县。卒年七十七。

堃　岫 原任绥远城将军。卒年七十六。

周斯亿 原任直隶任邱县知县。卒年七十二。

民国七年戊午（公元一九一八年）

江春霖　原任掌新疆道监察御史。正月初五日卒年六十四。

锡　良　原任热河都统，前任东三省总督。正月卒年六十六。谥文诚。

施启宇　开复知府衔，湖南郴州直隶州知州。五月十九日卒年六十三。

吴重熹　原任河南巡抚。六月卒年八十一。

沈云沛　原任吏部右侍郎。六月卒年六十二。

沈瑜庆　原任贵州巡抚。九月初二日卒年六十一。谥敬裕。

瞿鸿机　原任协办大学士，外务部尚书。卒年六十九。谥文慎。

徐　琪　三品职衔，前内阁学士。卒年七十。

恽毓鼎　二品衔，原任翰林院侍读学士。卒年五十六。

梁　济　原任民政部员外郎。以忧愤投水。卒年六十。谥贞端。

郑文焯　原任内阁中书。二月二十八日卒年六十三。

俞明震　原署甘肃提学使。卒年五十九。

冯金鑑　原任四川川北道。卒年七十七。

姜　筠　安徽举人卒年七十三。

朱兴沂　原任广东雷州府知府。卒年五十三。

民国八年己未（公元一九一九年）

卢福基　浙江桐乡县诸生。正月初二日卒年六十四。

朱孔彰　江苏元和县举人。十一月十一日卒年七十八。

朱福诜　二品衔，原任翰林院侍讲学士。十月二十七日卒年七十八。

缪荃孙　四品卿衔，学部候补参议，翰林院编修。十一月初一日卒年七十六。

梁鼎芬　候补三品京堂，原任湖北按察使。卒年六十一。谥文忠。

冯国璋　原任察哈尔都统，一等男，民国大总统。卒年六十二。

△ ▮▮▮▮▮▮▮▮▮   ▮▮▮▮▮▮▮▮▮▮▮

詹天佑 生于广东南海。原籍安徽婺源。卒年五十九。

孙振濂 原任江西玉山县训导。卒年六十一。

民国九年庚申（公元一九二〇年）

恽彦彬 原任工部右侍郎。卒年八十三。谥文简。

延　清 原任翰林院侍读学士。七月卒年七十五。

李瑞清 原署江宁提学使，江苏候补道。七月卒年五十四。谥
文洁。

曾广銮 原任口口口。卒年四十八。

易顺鼎 原任广东高廉钦道。卒年六十三。

震　钧 江苏候补知县。卒年六十四。

陈作霖 候选知县，江苏丹徒县举人。卒年八十四。

朱之桢 两淮候补知事。卒年八十三。

陆　恢 江苏口口县画师。卒年七十。

民国十年辛酉（公元一九二一年）

张曾敫 原任山西巡抚。正月卒年七十九。

周炳蔚 直隶候补道。二月卒年六十九。

陈廷黻 原任翰林院编修。六月卒年八十七。

劳乃宣 原任京师大学堂总监督。六月卒年七十九。

周　馥 原任两广总督。九月卒年八十五。谥悫慎。

世　续 太保，原任文华殿大学士。十月卒年六十九。赠太傅，
谥文端。

溥　良 原任热河都统，前任礼部尚书，宗室。卒年六十八。

王　荟（原名景沂）原任广东口口县知县，民国国务院秘书。
卒。△

姜桂题 原任直隶提督，民国热河都统。卒年七十九。△

严　复 海军部参事。卒年六十九。

善　耆 袭和硕肃亲王，民政部尚书。卒。谥曰忠。

沈士鑅 奉天候补知府。六月卒年七十。

民国十一年壬戌（公元一九二二年）

胡思敬 原任掌广东道监察御史。四月三十日卒年五十三。
沈曾植 原任安徽提学使。十月卒年七十三。追谥诚敏。
翁斌孙 原任直隶提法使。十二月卒年六十四。
曹元弼 原任翰林院编修。卒年五十四。
何维朴 江苏候补道。卒年八十一。
王振声 原任安徽徽州府知府。卒年八十一。
曹元忠 江苏吴县优贡生。正月初一日卒。

民国十二年癸亥（公元一九二三年）

周自齐 原任度支部副大臣，民国口部总长。卒年五十五。Δ
邵松年 原任翰林院编修。卒年七十六。
方守彝 候选太常寺博士。卒年七十八。
李经羲 原任云贵总督。卒年六十四。
沈守廉 原任四川永宁道。卒年八十二。
陈泽霖 原任工部主事。卒年七十。
高觐昌 原任广东广州府知府。卒年六十八。
张　勋 原署江苏巡抚。卒年七十。谥忠武。
姚永概 安徽桐城县举人。卒年五十八。
桂　春 原任仓场侍郎。五月初二日卒年六十七。
方汝霖 直隶候补直隶州知州。卒年七十二。

民国十三年甲子（公元一九二四年）

吴庆坻 原任湖南提学使。三月十一日卒年七十七。
梁敦彦 原任外务部大臣，民国口部总长。卒年六十七。Δ
钱能训 原任陕西布政使，民国国务院总理。五月卒年五十六。

左孝同 原任江苏提法使。十月十八日卒年六十八。

田文烈 原任陆军部副大臣，民国口部总长。卒年六十七。△

杨　晨 原任口科给事中。卒年七十九。

夏曾佑 原任安徽泗州直隶州知州。卒年六十二。

林　纾 福建口口县举人。卒年七十三。

熙　彦 原任农工商副大臣，民国蒙疆副口口。十一月二十四
　　　　日卒年五十八。

瑞　丰 原任仓场侍郎。卒年五十八。

谢元洪 原任江苏海州知州。卒年六十五。

民国十四年乙丑（公元一九二五年）

陈邦瑞 原任弼德院顾问大臣，前任度支部右侍郎。正月卒年
　　　　七十五。

张英麟 原任都御史。十一月卒年八十八。

那　桐 原任文渊阁大学士。卒年六十九。

夏同龢 原任翰林院修撰。卒年五十一。

周树模 原任黑龙江巡抚，民国平政院院长。卒年六十六。△

沈金鑑 原署安徽提法使，民国浙江巡按使。卒年六十。△

王舟瑶 广东候补道。卒年六十八。

杨同棣 直隶候补直隶州知州。卒年七十五。

陈惟方 四品卿衔，湖南财政监理官，前任江苏候补道。卒年
　　　　七十。

民国十五年丙寅（公元一九二六年）

徐宗溥 原任法制院参议。六月卒年六十五。

吕海寰 原任外务部尚书。十二月卒年八十五。

张　睿 原任农工商部大臣。卒年七十四。△

朱佩珍 原任农工商部左丞。卒年七十九。

曾习经 原任度支部右丞。卒年六十。

李士鉁 原任翰林院侍读学士。卒年七十六。

冯汝裕　江苏候补同知。七月卒年五十五。

石毓兰　山东茌平县诸生。卒年八十三。

民国十六年丁卯（公元一九二七年）

张人骏　原任两江总督。正月卒年八十二。

金兆棻　三品衔候选知府，原任两淮通州司通判。正月十五日
　　　　卒年八十六。

叶德辉　吏部候补主事。三月初十日遇害年六十四。

王国维　食五品俸，南书房行走。五月初三日以忧愤投水卒年
　　　　五十一。谥忠悫。

冯　煦　原任安徽巡抚。七月卒年八十五。

赵尔巽　原任东三省总督。八月卒年八十四。

吴俊卿　江苏候补知县。十月卒年八十四。

康有为　前工部候补主事。卒年七十。

高云麟　候选内阁中书。卒年八十二。

阮　强　安徽桐城县孝廉方正。卒年八十三。

民国十七年戊辰（公元一九二八年）

张作霖　东三省巡阅使，民国大元帅。四月乘火车回沈阳，行
　　　　至皇姑屯为日本人炸伤，卒年五十四。

陈　璧　前邮传部尚书。卒年七十五。

郭曾炘　原任典礼院副掌院学士。卒年七十四。赠太子少保，
　　　　谥文安。

汪大燮　原任邮传部左侍郎，民国国务总理。卒年七十。△

左绍佐　原任广东南韶连道。卒年八十二。

查光华　原任安徽望江县知县。卒年八十三。

那　晋　原任正白旗蒙古副都统。九月二十二日卒年六十五。

赵晋臣　礼部候补郎中。十二月初四日卒年六十七。

民国十八年己巳（公元一九二九年）

陈庆年　原任江苏江浦县教谕。六月初三日卒年六十八。

陈名侃　原任副都御史。九月十八日卒年八十二。

陈　浏　前福建盐法道。民国口口部秘书。十一月十二日卒年
　　　　六十七。△

马其昶　学部候补主事。十二月十四日卒年七十五。

严　修　原任度支部大臣。卒年七十。

胡　濬　原任大理院推事。卒年七十四。

梁熙超　原任法部副大臣。卒年五十七。

张恕琳　侍读衔，原任翰林院编修。卒年四十五。

金蓉镜　原任湖南永顺府知府。卒年七十四。

民国十九年庚午（公元一九三〇年）

顾麟士　江苏口口县画师。四月卒年六十六。

钱俊祥　二品衔，原任翰林院侍读。四月卒年八十三。

王士珍　原任陆军部大臣，民国国务总理。六月卒年七十。△

章　华　原任邮传部郎中。八月卒年五十九。△

孙宝琦　原任山东巡抚，民国国务总理。十二月卒年六十四。
　　　　△

姚锡光　原任弼德院顾问大臣，前陆军部右侍郎。卒年七十七。
　　　　△

陈伯陶　原任江南提学使。卒年七十六。谥文良。

卓孝复　原任湖南岳常礼道。卒年七十六。

朱　锦　原任江西赣州府知府。卒年七十六。△

黄维翰　原任黑龙江呼兰府知府。卒年六十一。

民国二十年辛未（公元一九三一年）

李　详　江苏兴化县诸生。五月十九日卒年七十三。

升　允　原任陕甘总督。七月卒年七十四。谥文忠。

王式通　原任大理院民科推丞，民国国务院秘书长。八月卒年
　　　　六十八。△

朱祖谋　原任弼德院顾问大臣，前任礼部右侍郎。十一月二十
　　　　三日卒年七十五，谥文直。

樊增祥　前江宁布政使。卒年八十六。

钱绍桢　湖北候补道。卒年七十九。

王甲荣　湖南大挑知县。卒年八十一。

廖　平　原四川龙安府教授。卒年八十。

耆　龄　满洲正红旗。内务部大臣，原任正蓝旗汉军副都统。
　　　　三月十六日卒年六十二。谥勤恪。

民国二十一年壬申（公元一九三二年）

刘彭年　原任民政部右丞。卒年七十六

宋伯鲁　前山东道监察御史。卒年七十九。

耿道冲　原任度支部员外郎。卒年七十八。

杨道霖　原任广西柳州府知府。卒年七十六。

魏家骅　原任云南迤西道。卒年六十九。

翟凤翔　候补知府。卒年六十五。

民国二十二年癸酉（公元一九三三年）

柯劭忞　原任典礼院学士。卒年八十四。

吴士鑑　原任翰林院侍读。卒年六十六。

陈宝琛　原任云南曲靖府知府。卒年六十六。

杨增荦　原任京师地方审判厅推事。卒年七十四。

民国二十三年甲戌（公元一九三四年）

寿　耆　原任荆州将军，前任理藩部大臣，宗室。七月卒年七
　　　　十六。

李经方　原任邮传部左侍郎。八月十七日卒年八十。

胡惟德　原任外务部副大臣，民国国务总理。卒年七十二。△

刘锦藻 内阁侍读学士，候补五品京堂。卒年七十三。

盛　沅 浙江秀水人。江苏候补道。卒年八十九。

民国二十四年乙亥（公元一九三五年）

陈宝琛 太傅，原任弼德院顾问大臣。卒年八十八。赠太师，
　　　谥文忠。

袁励准 原任翰林院侍讲。卒年六十。

夏寿田 原任翰林院编修。卒年六十六。△

孙　雄 吏部候补主事。卒年七十。

锺　镛 前内阁候补中书。卒年六十。△

赵启霖 原署四川提学使。卒年七十六。

高　树 原任奉天奉天府知府。卒年八十二。

丁　槐 原任口口提督，民国奋威将军。卒年九十七。

袁大化 原任甘肃新疆巡抚。十二月卒年八十五。谥贞毅。

民国二十五年丙子（公元一九三六年）

宝　铭 原任内阁叙官局局长，宗室。卒年七十。

吴敬修 原任吏部右参议。卒年七十三。△

王树枏 原任新疆布政使。卒年八十六。

李盛铎 原任山西布政使。卒年七十八。谥文和。

刘嘉琛 原任四川提学使。卒年七十六。

黄曾源 原任济南府知府。卒年七十九。

贵　福 原任安徽宁国府知府。十二月卒年六十八。

戴姜福 原任四川夔州府通判。卒年六十七。

瑞　洵 前科布多参赞大臣。卒年七十八。

徐绍桢 前江苏苏松镇总兵。卒年七十六。

段祺瑞 原署湖广总督，民国国务总理。卒年七十二。△

顾震福 江苏山阳县举人。卒年六十五。

民国二十六年丁丑（公元一九三七年）

朱益藩 少保衔，原任副都御史。卒年七十七。赠太保，谥文
　　　诚。

陈三立 前吏部候补主事。卒年八十五。

陈　衍 原任学部主事。卒年八十二。

章　钰 外务部候补主事。卒年七十三。

林开謩 江苏候补道，原署江西提学使。卒年七十五。

王守恂 原任河南巡警道。卒年七十四。

恽毓龄 安徽候补道。卒年八十。

沈颂清 原任浙江余姚县训导。卒年八十六。

曹秉章 奉天候补知府，民国国务院参议。卒年七十四。△

儒　林 原任山海关副都统。卒年七十九。

周　进 浙江候补道。卒年四十五。

民国二十七年戊寅（公元一九三八年）

郑孝胥 内务府大臣，前任湖南布政使。二月卒年七十九。谥
　　　襄勤。

铁　良 原任江宁将军，前任陆军部尚书。五月十一日卒年七
　　　十六。谥庄靖。

李家驹 原任资政院议长。卒年六十九。

文　海 前任内阁学士。卒年七十七。

高润生 原任给事中。卒年七十九。

朱崇荫 二品衔，内阁候补侍读。卒年七十六。

孟锡珏 原署奉天提学使，翰林院编修。卒年六十九。

程良驭 候补道。卒年八十二。

吕　钰 安徽候补道，民国蒙自关监督。卒年七十。△

姚炳熊 原任太仓直隶州知州。卒年八十四。

胡宗楙 江苏候补直隶州知州。卒年七十一。

马　良 江苏丹徒县布衣。卒年九十。

民国二十八年己卯（公元一九三九年）

徐世昌　太保，原任体仁阁大学士，民国大总统。四月卒年八十五。△

阿　联　原任翰林院侍讲。卒年七十八。

温　肃　原任掌湖北道监察御史。卒年六十二。谥文节。

李　准　原任广东提督。卒。

姚大荣　三品衔，直隶候补道，民国平政院口口。卒年八十。△

民国二十九年庚辰（公元一九四○年）

口守廉　原任河南候补道。正月初一日卒年九十三。

吴郁生　原任弼德院顾问大臣，前任邮传部右侍郎。卒年八十七。谥文安。

陈懋鼎　原任外务部左参议。卒年七十一。△

罗振玉　原任学部参事。卒年七十五。谥恭敏。

胡玉缙　原任学部员外郎。卒年八十二。

喻长霖　原任翰林院编修。卒年八十四。

杨锺羲　食三品俸，南书房行走，原任江南江宁府知府。卒年七十六。谥文敬。

沈翊清　江苏候补知府。卒年八十六。

三　多　原署库伦办事大臣。卒年七十。

孟继埏　头品顶带，在籍江苏候补道。卒年八十九。

陈　宦　四川督军。卒年七十。

民国三十年辛巳（公元一九四一年）

文　烁　原任山海关副都统　正月初一日卒年九十一。

杨鑑莹　原任驻英使馆二等书记官，　六月二十一日卒年六十七。

夏孙桐　候选道，原任浙江湖州府知府。十二月卒年八十五。

刘春霖　原任翰林院修撰。卒年七十。

王人文　原任督办川滇边务大臣，前任四川布政使。卒年七十九。

韩国钧　原任奉天交涉使。卒年八十五。

金以全　员外郎衔，法部候补主事。卒年六十七。

顾祖超　记名道府商部郎中。卒年七十三。

许树枌　江苏如臯县廪生。正月卒年八十一。

民国三十一年壬午（公元一九四二年）

华世奎　原任内阁阁丞。三月卒年七十九。谥贞节。

宝　熙　内务府大臣，原任学部左侍郎，宗室。卒年七十五。谥文靖。

朱仁寿　原任法部员外郎。七月十九日卒年七十七。△

赵椿年　农工商部口口行走，民国审计院副院长。卒年七十五。△

张朝铺　候选知府。卒年八十三。

民国三十二年癸未（公元一九四三年）

张一麐　原任弼德院参议，民国教育部总长。卒年七十七。△

周　冕　直隶候补道。卒年九十八。

民国三十三年甲申（公元一九四四年）

增　崇　原任内务府大臣，前任吏部侍郎。卒年八十一。

文　斌　原任翰林院侍讲。十月卒年七十二。

杨寿枢　原任内阁制诰局局长。卒年八十二。谥简慎。

吴震春　原任翰林院编修。卒年七十五。民国教育口口。△

田步蟾　原农工商部员外郎。民国农工商部次长。卒年八十二。△

吴口绍　原任内阁中书，民国蒙口口佥事。卒年七十七。△

吴　煦　原任广东惠潮嘉道，民国行政院评事。卒年八十四。

徐鼐霖　原任奉天兴东道，民国吉林巡按使。卒年八十。△

程祖福　福建候补道。卒年八十二。

江朝宗　原任陕西汉中镇总兵，民国步军统领。卒年八十四。
　　　△

民国三十四年乙酉（公元一九四五年）

沈　卫　原任翰林院编修。卒年八十四。

民国三十五年丙戌（公元一九四六年）

郭则沄　原任浙江温处道，民国国务院秘书长。卒年六十五。
　　　△

民国三十六年丁亥（公元一九四七年）

周学熙　原任口口口，民国财政总长。卒年八十三。△

民国三十七年戊子（公元一九四八年）

蒋学祎　原任邮传部员外郎。三月卒年七十二。

董　康　原任大理院刑科推丞，民国口口总长。四月卒年八十
　　　二。△

卢　靖　原任奉天提学使。七月卒年九十二。

按：　附录一中所列人卒后的谥号，均为辛亥革命后的清室人
　　　员所给。

附　录　二

朝鲜、安南（越南）及琉球国王资料

（按：清政府当时曾是朝鲜、安南、琉球等三国的保护国，在其国王去世时清廷曾向他们赠谥号。故原稿将其国王资料收入在正文中。现单列于附录中。）

李　倧　朝鲜国王。顺治六年（公元一六四九年）卒。谥庄穆。

李　淏　朝鲜国王。顺治十六年（公元一六五九年）五月初四日卒。谥忠宣。

尚　质　琉球国王。康熙七年（公元一六六八年）十一月十七日卒。

李　棩　朝鲜国王。康熙十三年（公元一六七四年）卒。谥庄恪。

黎维正　安南国王。康熙五十七年（公元一七一八年）卒。

李　焞　朝鲜国王。康熙五十九年（公元一七二〇年）九月卒。谥僖顺。

李　昀　朝鲜国王。雍正二年（公元一七二四年）卒。谥恪恭。

黎维祎　安南国王。乾隆二十六年（公元一七六一年）二月卒。

李　昑　朝鲜国王。乾隆四十一年（公元一七七六年）三月初五日卒。谥庄顺。

李　漳　朝鲜国王世子。乾隆四十一年（公元一七七六年）卒。追封王爵，谥恪愍。

黎维禟　安南国王。乾隆五十一年（公元一七八六年）七月十七日卒。

阮光平　安南国王。乾隆五十五年七月以入觐，赐御制诗。

阮光平　安南国王。乾隆五十七年（公元一七九二年）九月卒。谥忠纯。

李　祘　朝鲜国王。嘉庆五年（公元一八〇〇年）卒。谥恭宣。

阮福映　越南国王。嘉庆二十五年（公元一八二〇年）卒。

李　珳　朝鲜国王。道光十五年（公元一八三五年）二月卒。
　　　谥宣恪。
阮福暶　越南国王。道光二十八年（公元一八四八年）正月卒。
李　鱼　朝鲜国王。道光二十九年（公元一八四九年）卒。谥
　　　庄肃。

附 录 三

入祀历代帝王庙人员

历代配享庙庭诸臣，向皆以勋绩为重，至考其生平行谊，则多有不孚众望者。我朝于历代帝王庙从祀功臣，经礼臣公同集议，审核极严，故祀典所垂，最为允当。按顺治十七年所议定者为：

黄帝臣：风后、力牧。

唐虞臣：皋陶、夔龙、伯夷、伯益。

商臣：伊尹、傅说。

周臣：周公旦、召公奭、太公望、召虎、方叔。

汉臣：张良、萧何、曹参、陈平、周勃、邓禹、冯异、诸葛亮。

唐臣：房玄龄、杜如晦、李靖、郭子仪、张巡、许远、李晟。

宋臣：曹彬、（按：原祀尚有潘美、张浚二人，至是年以御史顾如华奏请罢祀，因撤去）。韩世忠、岳飞。

金臣：斡鲁粘没喝、斡离不。

元臣：木华黎、伯颜。

明臣：徐达、刘基。

至雍正初，遵圣祖遗命，复议增：

黄帝臣：仓颉。

商臣：仲虺。

周臣：毕公高、吕侯、仲山甫、尹吉甫。

汉臣：刘章、魏相、丙吉、耿弇、马援、赵云。

唐臣：狄仁杰、宋璟、姚崇、李泌、陆贽、裴度。

辽臣：耶律曷鲁。

宋臣：吕蒙正、李沆、寇准、王曾、范仲淹、富弼、韩琦、文彦博、司马光、李纲、赵鼎、文天祥。

元臣：不忽木、脱脱。

明臣：**常遇春、李文忠、杨士奇、杨　荣、于　谦、李　贤、刘大夏。**

同治中，又增：

周臣：**散宜生。**

北魏臣：**高　允。**

以上合之共八十一人。

按：此文系转自本书编者之另一部著作《旧典备征》书中卷二之"历代从祀功臣"一节。从祀功臣顺治十八年最初议定为三十九人，后撤去二人为三十七人。至雍正初年又增加四十人共为七十七人。至同治中又增加二人实际入祀为七十九人。

附　录　四

入祀贤良祠人员

　　京师贤良祠之设，始于雍正八年。其应入祀之员，特命阁部公同详议，至雍正十年十月开单奏定，合以明谕所指者，共得四十余人。嗣是续祀诸臣，则皆于恩旨饰终时随颁示矣。（然亦有追加者）。兹将祠祀人员自国初以迄近今备记职名于下：

　　达文成海　　赐号巴克什。赠大学士，天聪六年卒。

　　孟忠毅乔芳　少保，川陕总督，三等男。赠太保，顺治十一年卒。

　　李敏壮国翰　定西将军，镶蓝旗汉军都统，三等侯。赠太子太保，顺治十五年卒。

　　额文恪色赫　少师，保和殿大学士，顺治十八年卒。

　　哈恪僖什屯　太子太保，内大臣，一等男，康熙二年卒。乾隆二年入祀，后追封一等公。

　　（注：凡卒于雍正十年十月以前未经汇请入祀后复加入者，今　　　皆注明。又入祀后加赠及追封者，别注于下）。

　　爱敬康星阿　少保，领侍卫内大臣，袭一等公，康熙三年卒。

　　宁文毅完我　少傅，国史院大学士，康熙四年卒。

　　范文肃文程　太傅，秘书院大学士，一等子，康熙五年卒。

　　李勤襄国英　太子太保，四川总督。赠二等男，康熙六年卒。

　　米敏果思翰　户部尚书，袭一等男，康熙十三年卒。乾隆元年入祀，后追封一等公。

　　褚襄壮库　　正红旗蒙古副都统，康熙十四年卒。

　　姚端恪文然　刑部尚书，康熙十七年卒。

　　莽衣图　　　镇南将军，护军统领，康熙十九年卒。谥襄壮。

　　（注：凡先未得谥，因入祀后特予追谥者，其谥号别注于下）。

　　傅忠毅弘烈　太子太保，抚蛮灭寇将军，广西巡抚，赠太子太师，康熙十九年卒。乾隆五十七年入祀。

　　图文襄海　　太子太傅，中和殿大学士，三等公。赠太师，一等公，康熙二十年卒。

佛尼埒　　　西安将军。康熙二十一年卒。谥恭靖。

于清端成龙　两江总督。赠太子太保，康熙二十三年卒。

张襄壮勇　　少傅，靖逆将军，甘肃提督，一等侯。赠少师，
　　　　　　康熙二十三年卒。

赉襄毅塔　　正白旗满洲都统，追封一等公，康熙二十三年卒。

王忠勇进宝　奋威将军，陕西提督，三等子。赠太子太保，康
　　　　　　熙二十四年卒。后追晋一等子。

魏裔介　　　太子太傅，保和殿大学士，康熙二十五年卒。谥
　　　　　　文毅。

魏敏果象枢　刑部尚书，康熙二十六年卒。

汤　斌　　　工部尚书，康熙二十六年卒。谥文正。

靳文襄辅　　河道总督，赠太子太保，工部尚书，康熙三十一
　　　　　　年卒。

根襄壮特　　镶蓝旗满洲都统，一等男，康熙三十二年卒。

傅清端腊塔　两江总督，赠太子太保，康熙三十三年卒。

李文襄之芳　文华殿大学士，康熙三十三年卒。

施襄壮琅　　太子少保，福建提督，靖海侯，赠太子少傅，康
　　　　　　熙三十五年卒。

赵忠襄良栋　勇略将军，云贵总督，一等子，康熙三十六年卒。
　　　　　　后追封一等伯。

阿文清兰泰　武英殿大学士，赠少保，康熙三十八年卒。

孙襄武思克　太子少保，振武将军，甘肃提督，赠太子太保，
　　　　　　一等男，康熙三十九年卒。

于襄勤成龙　河道总督，康熙三十九年卒。

费襄壮扬古　领侍卫内大臣，一等公，康熙四十年卒，

王文靖熙　　少傅，保和殿大学士，康熙四十二年卒。

励文恪杜讷　刑部侍郎，赠礼部尚书，康熙四十二年卒。后加
　　　　　　赠太子太傅。

伊文端桑阿　文华殿大学士，康熙四十二年卒。乾隆十二年入

祀。

吴文端琠　保和殿大学士，康熙四十四年卒。

张文端英　文华殿大学士，赠太子太傅，康熙四十七年卒。
　　　　　后加赠太傅。

顾文端八代　礼部尚书，赠太傅，康熙四十七年卒。后加赠太
　　　　　师。

富　善　太子太保，领侍卫内大臣，袭一等公，康熙四十
　　　　　七年卒。谥恭懿。

张文贞玉书　文华殿大学士，赠太子太傅，康熙五十年卒。

徐　潮　吏部尚书，康熙五十四年卒。谥文敬。

李文贞光地　文渊阁大学士，赠太子太傅，康熙五十七年卒。

陈清端瑸　福建巡抚，赠礼部尚书，康熙五十七年卒。

冯国相　正蓝旗汉军都统，康熙五十七年卒。谥桓僖。

玛尔汉　吏部尚书，赠太子太傅，康熙五十七年卒。谥恭
　　　　　勤。

赵恭毅申乔　户部尚书，赠太子太保，康熙五十九年卒。

阿億恪喇纳　巴里坤副将军，镶红旗蒙古都统，袭一等子，赠
　　　　　三等伯，雍正二年卒。

张文端鹏翮　太子太傅，武英殿大学士，赠少保，雍正三年卒。

杨清端宗仁　太子太傅，湖广总督，赠少保，雍正三年卒。

高文恪其位　太子少傅，文渊阁大学士，雍正五年卒。雍正十
　　　　　二年入祀。

音愨敬德　领侍卫内大臣，袭二等公，雍正五年卒。

田文端从典　太子太师，文华殿大学士，雍正六年卒。雍正十
　　　　　二年入祀。

富文恭宁安　太子太傅，武英殿大学士，雍正六年卒。

齐勤恪苏勒　太子太傅，河道总督，雍正七年卒。

允　祥　和硕怡贤亲王，雍正八年卒。

（按：以上各员均于雍正十年入祀，其追加者已分别注明）。

蔡文勤世远　礼部侍郎，赠礼部尚书，雍正十一年卒。乾隆四

年入祀。后加赠太傅。

杨文定名时　礼部尚书衔领国子监事，赠太子太傅，乾隆元年入祀。

（注：凡以下不书卒者，皆于所卒之前入祀）

朱文端轼　太子太傅，文华殿大学士，赠太傅，乾隆元年入祀。

李敏达卫　太子少傅，直隶总督，乾隆三年卒。乾隆五年入祀。

马文穆齐　太保，保和殿大学士，二等敦惠伯，赠太傅，乾隆四年卒。乾隆十二年入祀。

徐士林　江苏巡抚。乾隆六年入祀。（按：入祀诸臣中未得谥者仅徐公一人）。

徐文定元梦　太子少保，尚书衔礼部侍郎，赠太傅，乾隆六年入祀。

鄂文端尔泰　太傅，保和殿大学士，军机大臣（按：凡直枢廷者眷遇最优，故兼著其职，若已退则不书。）三等襄勤伯，乾隆十年入祀。乾隆二十年撤祀。

徐文穆本　太子太傅，东阁大学士，赠少傅，乾隆十二年卒。乾隆五十一年入祀。

那恪勤苏图　太子太保，直隶总督，赠太子太傅，乾隆十四年入祀。

策　凌　和硕超勇襄亲王，乾隆十五年入祀。（并配享太庙）。

拉壮果布敦　左都御史，赠一等伯，乾隆十五年入祀。

傅襄烈清　驻藏都统，赠一等伯，乾隆十五年入祀。

陈文肃大受　太子太保，两广总督，乾隆十六年入祀。

潘敏惠思榘　福建巡抚，乾隆十七年入祀。

高文定斌　江南河道总督，赠内大臣，乾隆二十年卒。乾隆五十一年入祀。

福文端敏　太傅，武英殿大学士，乾隆二十一年入祀。后加赠太师。

和武烈起　宁夏将军，赠一等伯，乾隆二十一年入祀。

喀庄恪尔吉善　太子太保，闽浙总督，乾隆二十二年入祀。

鹤文勤年　两广总督，赠太子太保，兵部尚书，乾隆二十二年入祀。

汪文端由敦　太子太傅，吏部尚书，赠太子太师，乾隆二十三年入祀。

黄文襄廷桂　少保，武英殿大学士，陕甘总督，三等忠勤伯，乾隆二十四年入祀。

蒋文恪溥　太子少保，东阁大学士，赠太子太保，乾隆二十六年入祀。

李勤恪元亮　户部尚书，赠太子太保，乾隆二十六年入祀。

史文靖贻直　太子太傅，文渊阁大学士，赠太保，乾隆二十八年入祀。

鄂勤肃弼　四川总督，赠尚书衔，乾隆二十八年入祀。

梁文庄诗正　太子太傅，东阁大学士，赠太保，乾隆二十八年入祀。

来文端保　太子太傅，武英殿大学士，军机大臣，赠太保，乾隆二十九年入祀。

兆文襄惠　太子太保，协办大学士，户部尚书，一等武毅谋勇公，赠太保，乾隆二十九年入祀。

方恪敏观承　太子太保，直隶总督，乾隆三十三年卒。乾隆五十一年入祀。

董文恪邦达　礼部尚书，乾隆三十四年卒。嘉庆十二年入祀。

沈文悫德潜　太子太傅，尚书衔礼部侍郎，乾隆三十四年入祀。乾隆四十三年撤祀。

阿襄壮里衮　太子太保，协办大学士，户部尚书，袭一等果毅公，乾隆三十四年入祀。

傅文忠恒　太保，保和殿大学士，军机大臣，一等忠勇公，乾隆三十五年入祀。后赠郡王。

尹文端继善　太子太保，文华殿大学士，赠太保，乾隆三十六年入祀。

陈文恭宏谋　太子大傅，东阁大学士，乾隆三十六年入祀。

吴勤毅达善　陕甘总督，赠太子太保，乾隆三十六年入祀。

刘文定伦　　太子太保，文渊阁大学士，赠太子太傅，乾隆三十八年入祀。

刘文正统勋　太子太保，东阁大学士，赠太傅，乾隆三十八年入祀。

钱文端陈群　太子太傅，尚书衔刑部侍郎，赠太傅，乾隆三十九年入祀。

何恭惠煟　　总督衔管河南巡抚事，赠太子太保，乾隆三十九年入祀。

舒文襄赫德　太子太保，武英殿大学士，赠太保，乾隆四十二年入祀。

高文端晋　　太子太傅，文华殿大学士，两江总督，乾隆四十三年入祀。

于文襄敏中　太子太保，文华殿大学士，军机大臣，乾隆四十四年入祀。乾隆五十一年撤祀。

李恭毅湖　　广东巡抚，赠尚书衔，乾隆四十六年卒。乾隆四十九年入祀。

袁清懿守侗　直隶总督，赠太子太保，乾隆四十八年入祀。

英文肃廉　　太子太保，东阁大学士，乾隆四十八年入祀。

伊襄武勒图　伊犁将军，赠一等伯，乾隆五十年卒。五十一年入祀。

萨诚恪载　　太子少保，两江总督，赠太子太保，乾隆五十一年入祀。

奎武毅林　　成都将军，一等男，乾隆五十七年入祀。

福文襄康安　太子太保，武英殿大学士，闽浙总督，忠锐嘉勇贝子，赠郡王，嘉庆元年入祀。

阿文成桂　　太子太保，武英殿大学士，军机大臣，一等诚谋

英勇公，赠太保，嘉庆二年入祀。

鄂恪靖辉　太子少保，云贵总督，三等男，嘉庆三年入祀。
嘉庆四年撤祀。

金文简士松　兵部尚书，嘉庆五年入祀。

彭文勤元瑞　太子太保，工部尚书，赠协办大学士，嘉庆八年卒。嘉庆十二年入祀。

刘文清墉　太子少保，体仁阁大学士，赠太子太保，嘉庆九年入祀。

王文端杰　太子太傅，东阁大学士，赠太子太师，嘉庆十年入祀。

朱文正珪　太子太傅，体仁阁大学士，赠太傅，嘉庆十一年入祀。

戴文端衢亨　太子少师，体仁阁大学士，军机大臣，赠太子太师，嘉庆十六年入祀。

董文恭诰　太保，文华殿大学士，赠太傅，嘉庆二十三年入祀。

明文襄亮　太子太保，武英殿大学士，三等襄勇侯，道光二年入祀。

黎襄勤世序　太子少保，江南河道总督，赠太子太保，尚书衔，道光四年入祀。

汪文端廷珍　太子太保，协办大学士，礼部尚书，赠太子太傅，道光七年入祀。

玉文恭麟　太子太保，伊犁将军，赠太保，道光十三年入祀。

富文诚俊　太子太保，东阁大学士，赠太子太傅，道光十四年入祀。

曹文正振镛　太傅，武英殿大学士，军机大臣，道光十五年入祀。

托文定津　太子太傅，东阁大学士，赠太子太师，道光十五年入祀。

杨忠武遇春　太子太保，陕甘总督，一等昭勇侯，赠太子太傅，

道光十七年入祀。

长文襄龄　太傅，文华殿大学士，一等威勇公，道光十八年入祀。

卢文肃荫溥　太子太傅，体仁阁大学士，赠太子太师，道光十九年入祀。

陶文毅澍　太子少保，两江总督，赠太子太保，道光十九年入祀。

文文敬孚　太子太傅，文渊阁大学士，赠太保，道光二十一年入祀。

隆端毅文　户部尚书，军机大臣，赠太子太保，道光二十一年入祀。

黄勤敏钺　太子少保，户部尚书，赠太子太保，道光二十一年入祀。

王文恪鼎　太子太师，东阁大学士，军机大臣，赠太保，道光二十二年入祀。

陈文愨官俊　协办大学士，吏部尚书，赠太子太保，道光二十九年入祀。

杜文正受田　太子太傅，协办大学士，尚书，赠太师大学士，咸丰二年入祀。

潘文恭世恩　太傅，武英殿大学士，咸丰四年入祀。

文文端庆　太子太保，文华殿大学士，军机大臣，赠太保，咸丰六年入祀。

裕文端诚　太子太保，文华殿大学士，袭一等公，赠太保，咸丰八年入祀。

杜文端堮　太傅，尚书衔礼部侍郎，赠大学士，咸丰八年入祀。

胡文忠林翼　太子太保，湖北巡抚，赠总督，咸丰十一年入祀。

桂文端良　太子太保，文华殿大学士，军机大臣，赠太傅，同治元年入祀。

沈文忠兆霖　署陕甘总督，户部尚书，军机大臣，赠太子太保，

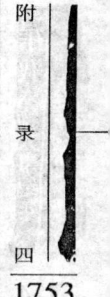

同治元年入祀。

翁文端心存　体仁阁大学士，赠太保，同治元年入祀。

祁文端寯藻　太子太保，体仁阁大学士，赠太保，同治五年入祀。

骆文忠秉章　太子太保，协办大学士，四川总督，赠太子太傅，同治六年入祀。

马端愍新贻　两江总督，赠太子太保，同治九年入祀。

官文恭文　太子太保，文华殿大学士，一等果威伯，赠太保，同治十年入祀。

倭文端仁　文华殿大学士，赠太保，同治十年入祀。

曾文正国藩　太子太保，武英殿大学士，两江总督，一等毅勇侯，赠太傅，同治十一年。

瑞文端常　太子少保，文华殿大学士，赠太保，同治十一年入祀。

瑞文庄麟　文华殿大学士，两广总督，赠太保，同治十三年入祀。

贾文端桢　太子太保，武英殿大学士，赠太保，同治十三年入祀。

文文忠祥　太子太保，武英殿大学士，军机大臣，赠太傅，光诸二年入祀。

英文勤桂　太子少保，体仁阁大学士，赠太子太保，光绪五年入祀。

沈文肃葆桢　两江总督，赠太子太保，光绪五年入祀。

沈文定桂芬　太子太保，协办大学士，兵部尚书，军机大臣，赠太子太傅，光绪六年入祀。

全文恪庆　太子少保，体仁阁大学士，赠太子太保，光诸八年入祀。

载文恪龄　太子少保，体仁阁大学士，赠太子太保，光绪九年入祀。

左文襄宗棠　太子太保，东阁大学士，二等恪靖侯，赠太傅，

光绪十一年入祀。

灵文恭桂　　太子少保，武英殿太学士，赠太保，光绪十一年入祀。

丁文诚宝桢　太子少保，四川总督，赠太子太保，光绪十二年入祀。

岑襄勤毓英　太子太保，云贵总督，赠太子太傅，光绪十五年入祀。

曾忠襄国荃　太子太保，两江总督，一等威毅伯，赠太傅，光绪十六年入祀。

张勤果曜　　太子少保，尚书衔山东巡抚，赠太子太保，光绪十七年入祀。

宝文靖鋆　　太子太傅，武英殿大学士，赠太保，光绪十七年入祀。

恩文慎承　　太子少保，东阁大学士，赠太子太保，光绪十八年入祀。

福文慎锟　　太子太保，体仁阁大学士，光绪二十二年入祀。

张文达之万　太子太保，东阁大学士，赠太保，光绪二十三年入祀。

李文正鸿藻　太子少保，协办大学士，吏部尚书，军机大臣，赠太子太傅，光绪二十三年入祀

麟文慎书　　武英殿大学士，赠太子太保，光绪二十四年入祀。

奕　䜣　　　和硕恭忠亲王，光绪二十四年入祀。

额文恭勒和布　太子太保，武英殿大学士，光绪二十六年入祀。

李文忠鸿章　太子太傅，文华殿大学士，直隶总督，一等肃毅伯，赠太傅一等侯，光绪二十七年入祀。

宋忠勤庆　　太子少保，尚书衔四川提督，赠三等男，光绪二十八年入祀。

刘忠诚坤一　太子太保，两江总督，赠太傅一等男，光绪二十八年入祀。

荣文忠禄　　太子太保，文华殿大学士，军机大臣，赠太傅一

等男，光绪二十九年入祀。

长忠靖顺　吉林将军，赠太子少保，光绪三十年入祀

裕文顺德　东阁大学士，光绪三十一年入祀。

昆文达冈　文渊阁大学士，赠太子少保，光绪三十三年入祀。

崇文恪礼　太子少保，文渊阁大学士，光绪三十三年入祀。

敬文恪信　体仁阁大学士，赠太子少保，光绪三十三年入祀。

张文襄之洞　太子太保，体仁阁大学士，军机大臣，赠太保，宣统元年入祀。

孙文正家鼐　太子太傅。武英殿大学士，赠太傅，宣统元年入祀。

戴文诚鸿慈　协办大学士，尚书，军机大臣，赠太子少保，宣统二年入祀。

鹿文端传霖　太子太保，东阁大学士，军机大臣，赠太保，宣统二年入祀。

　　按：本附录是转自编者另一部著作《旧典备征》书中卷二"入祀贤良祠"一节。转载时照前例将原书中官职打头改为姓名打头便于阅读。贤良祠中所有人物的资料，在本书的生辰、科第、恩遇、著述、卒岁各条目中均分别有记载。可对照参阅。

　　清政府设立贤良祠主要目的，是为了表彰和祭祀那些对政府有功人员。在入祀的人物中，有许多是为了中国的领土完整，发展经济文化事业和社会进步做了贡献。但其中有些人是为了维护清朝统治而参予镇压人民起义；或与外国侵略者订立丧权侮国、割地赔款等不平等条约的官员。这些人绝不能是"贤良"者。相反，在国难危机时挺身而出，抗击外国侵略者的民族英雄却未能入祀。所以贤良祠只是个历史产物。一些人只能一时得宠于朝廷，却不能流芳百世。这里单独刊出此文并不是宣扬他们，仅是做为史料供读者参阅。

附　录　五

从祀文庙人员

本朝理学名儒从祀文庙者：

孙奇逢　直隶容城。道光八年；

黄宗羲　浙江余姚。光绪三十四年；

陆世仪　江苏太仓。光绪元年；

张履祥　浙江桐乡。同治十年；

顾炎武　江苏昆山人。光绪三十四年；

王夫之　湖南衡阳人。光绪三十四年；

汤　斌　河南睢州人。道光三年；

陆陇其　浙江平湖人。雍正二年；

张伯行　河南仪封人。光绪四年。

　　凡九人。

　　按：本文转载自本书编者之另一著作《旧典备征》书中卷二之"从祀文庙"一节。原文为籍贯打头，转载时改为姓名打头。

附　录　六

配享太庙人员

本朝亲郡王配享太庙者：

敦　礼　武功郡王；

额尔衮　慧哲郡王；

界　堪　宣献郡王；

雅尔噶齐　通达郡王；

代　善　礼烈亲王；

多尔衮　睿忠亲王；

济尔哈朗　郑献亲王；

多　铎　豫通亲王；

豪　格　肃武亲王；

岳　讬　克勤郡王；

允　祥　怡贤亲王；

策　凌　超勇襄亲王；

僧格林沁　科尔沁博多勒噶台忠亲王；

奕　䜣　恭忠亲王；（按：恭亲王位次在超勇亲王之上，此依
时代书之。）

　　以上凡十四人。

大臣中配享者：

扬武勋古利　超等英诚公赠王爵；

费直义英东　一等大臣赠一等信勇公；

额宏毅亦都　一等大臣赠公爵；

图忠义尔格　内大臣，二等果毅公；

图昭勋赖　正黄旗满洲都统，一等雄勇公；

图文襄海　太子太傅，中和殿大学士，追封一等忠达公，追
赠太师；

鄂文端尔泰　太傅，保和殿大学士，三等襄勤伯；

张文和廷玉　太保，保和殿大学士，三等勤宜伯；

兆文襄惠　太子太保，协书大学士，刑部尚书，一等武毅谋
　　　　　　勇公，赠太保；
傅文忠恒　太保，保和殿大学士，一等忠勇公，追赠郡王；
阿文成桂　太子太保，武英殿大学士，一等诚谋英勇公，赠
　　　　　　太保；
福文襄康安　太子太保，武英殿大学士，闽浙总督，忠锐嘉
　　　　　　勇贝子，赠郡王；
　　以上凡十二人。
和　琳　太子太保，四川总督，一等宣勇伯，赠一等公。先
　　　　　　于嘉庆元年十一月配享，至嘉庆四年正月撤出。

　　按：本文系转自本书编者另一著作《旧典备征》卷二"配享
太庙"一节。原文系官职打头，转载时改为姓名打头。

附　录　七

清代官员品级表

正一品　太师、太傅、太保、内阁大学士、领侍卫内大臣、掌銮
　　　　仪卫事大臣、衍圣公。

从一品　少师、少傅、少保、太子太师、太子太保、协办大学士、
　　　　各部尚书、都察院都御史、总督加衔、都统、将军、提
　　　　督、内大臣。

一　品　头等驻使。

正二品　太子少师、太子少傅、太子少保、各省总督、巡抚加衔、
　　　　各部左右侍郎、大理院正卿、漕运总督、河道总督、副
　　　　都统、总兵、护军统领。

从二品　各省巡抚、内阁学士、翰林院掌院学士、各省布政使司
　　　　布政使、奉天左右参赞、散秩大臣、副将。

二　品　二等驻使。

正三品　都察院副都御史、副都御史巡抚加衔、宗人府府丞、翰
　　　　林院学士、各部左右丞、大学堂总监督、大理院少卿、
　　　　通政使、大理寺卿、太常寺卿、詹事、顺天府尹、各省
　　　　提学使、奉天交涉旗务民政三司司使、云南交涉司使、
　　　　奉天吉林黑龙江提法使、各省按察使、一等侍卫、参领、
　　　　参将。

从三品　各省盐运使、军机处领班章京、民政部内外城巡警总厅
　　　　厅丞、大理院检察厅厅丞、奉天度支蒙务二司司使、光
　　　　禄寺卿、太仆寺卿、游击。

三　品　三等驻使。

正四品　翰林院侍读学士、各部左右参议、通政副使、少卿、鸿
　　　　胪寺卿、少詹事、顺天府府丞、国子丞、各省道员、掌
　　　　印给事中、法部京师高等审判厅厅丞、法部京师高等检
　　　　察厅检察长、大理院推丞、二等侍卫、南苑总管、陵寝

副总管、佐领、都司。

从四品　军机处邦领班章京、侍讲学士、侍读学士、国子监祭酒、
　　　　各省知府、盐运司运同、法部京师内外城地方审判厅厅
　　　　丞、民政部内外城巡警总厅总务处金事、奉天吉林高等
　　　　审判厅厅丞、高等检察厅检察长。

四　品　二等参赞官、总领事。

正五品　钦天监监正、给事中、宗人府理事官、顺天府治中、各
　　　　部郎中、光禄寺少卿、左右春坊庶子、太医院院使、民
　　　　政府参事、内外城巡警厅金事、知事、邮传部金事、学
　　　　部参事、法院京师内外城地方检察厅检事长、大理院推
　　　　事、总检察厅检察官、各府同知、直隶州知州、奉天府
　　　　地方审判厅推事长、吉林府地方审判厅推事长、三等侍
　　　　卫、守备。

从五品　各道监察御史、翰林院侍读、侍讲、宗人府副理事官、
　　　　各部院员外郎、鸿胪寺少卿、洗马、各省知州、盐运使
　　　　司运副、盐科司提举、民政部五品警官、法部高等审判
　　　　厅推事、法部京师内外城地方审判厅推事、大理院都典
　　　　簿、看守所长、奉天府地方检察厅检察长、吉林府地方
　　　　检察厅检察长。

五　品　三等参赞官、二等通译官、商务委员、一等书记官、领
　　　　事、副领事。

正六品　内阁侍读、翰林院撰文、各部院主事、都察院都事、经
　　　　历、大理寺左右寺丞、詹事府左右春坊中允、各省通判、
　　　　五城兵马司指挥、京县知县、蓝领侍卫、

从六品　翰林院秘书郎、修撰、布政司经历、盐运司运判、各省
　　　　州同、大理院典簿、詹事府左右春坊赞善、法部京师初
　　　　级审判厅推事、京师初级检察厅检察官。

六　品　三等通译官、二等书记官。

正七品　翰林院编修、各部司库、各部院七品笔帖士、顺天府学
　　　　教授、顺天府学训导、内阁典籍、礼部读视官、赞礼郎、

鸣赞、民政部七品警官、大理院主簿、京县县丞、外县知县、按察司经历、各府学教授、圣庙启事、伴官、司乐、典籍。

从七品 翰林院检讨、中书科中书、内阁中书、銮仪卫经历、钦天监灵台郎、京府经历、布政司都事、盐运司经历、直隶州州判、州判。

正八品 各部院司务、钦天监主簿、五经博士、太医院御医、各部院八品笔帖士、大理院看守所官、布政盐运司库大使、盐道库大使、按察司知事、外府经历、外县县丞、盐科司大使、盐引批验所大使、四氏学学录、州学正、县教谕。

从八品 翰林院典簿、钦天监挈壶正、太医院吏目、布政司照磨、盐运司知事、府州县训导。

八 品 书记生。

正九品 会同馆大使、钦天监五官监侯、钦天监五官司书、礼部赞礼郎、各部院九品笔帖士、按察司照磨、府知事、同知知事、通判知事、县主簿。

从九品 翰林院待诏、法部司狱、钦天监博士、礼部序班、同知照磨、通判照磨、钦天监漏刻博士、宣课司大使、州吏目、道库大使、府税课司大使、按察司司狱、府司狱、同知司狱、通判司狱、巡检、布政司仓大使、府仓大使、同知仓大使。

未入流 翰林院孔目、礼部铸印局大使、京外县典吏官大使、府县仓大使、贵州长官司吏目、山西同知库大使、州县税课大使、各河闸官、广东河泊所所官。

注：清代各时期官员品级均有所变动，以上仅供参考。

附　录　八

清代官员俸禄

一　品　俸银一百八十两　京官俸米一百八十斛。（五斗为斛）

正二品　俸银一百五十两　京官俸米一百五十斛。

正三品　俸银一百三十两　京官俸米一百三十斛。

四　品　俸银一百零五两　京官俸米一百零五斛。

五　品　俸银八十两　京官俸米八十斛。

六　品　俸银六十两　京官俸米六十斛。

七　品　俸银四十五两　京官俸米四十五斛。

八　品　俸银四十两　京官俸米四十斛。

九　品　俸银三十三两一一四　京官俸米三十斛。

未入流　俸银三十三两一一四　京官俸米三十斛。

人物姓名笔画索引姓氏检字

人物姓名笔画索引姓氏检字

0003

清代人物大事纪年

淡	280	韩	291	阔	300	楞	306	塞	310
梁	280	朝	292	善	300	楼	306	窦	310
寅	282	植	292	普	300	赖	307	褚	311
谌	282	棍	292	道	300	甄	307	福	311
厄	282	惠	292	曾	300	雷	307		
屠	282	提	292	温	301	裘	307	**十四画：**	
隋	282	撲	292	游	302	龄	308		
隆	282	雅	292	富	302	虞	308	璘	312
颇	283	斐	292	裕	303	照	308	韬	312
绪	283	喇	292	禅	303	路	308	墙	312
绰	283	遏	293	禄	303	嗣	308	嘉	312
维	283	景	293	谢	303	嵩	308	赫	312
绷	283	喻	293	弼	305	锡	308	綦	312
巢	283	喀	293	强	305	简	309	慕	312
		黑	293	登	305	魁	309	蔡	312
十二画：		智	294			詹	309	蔺	314
		稽	294	**十三画：**		解	309	熙	314
琶	283	程	294			誇	309	臧	314
琳	283	策	296	瑟	305	廉	309	裴	314
琦	283	傅	296	瑚	305	裔	309	锺	315
塔	283	傑	297	瑞	305	靖	309	舞	315
博	283	集	297	鄢	306	新	309	管	315
喜	284	焦	297	靳	306	雍	310	毓	316
彭	284	储	297	蓝	306	慎	310	僧	316
期	286	舒	298	蒯	306	阙	310	豪	316
联	286	鲁	299	蒲	306	煜	310	遮	316
葛	286	敦	299	蒙	306	满	310	廖	316
董	286	斌	299	颐	306	溥	310	彰	317
葆	288	赓	299	椿	306	源	310	端	317
敬	288	童	299	楚	306	涂	310	精	317
蒋	288							漆	317

清代人物大事纪年

人物姓名笔画索引

二画

二达色 806。

二 格 517。

丁士一 431。

丁士彬 1286,1424。

丁士傑 466,734,750。

丁大业 539。

丁之栻 1473。

丁元正 316,547,688。

丁云锦 776。

丁日昌 1531,1591。

丁长胜 1508。

丁仁长 1473,1593。

丁文盛 59,120。

丁 丙 1249,1667,1673,
　　　1677。

丁田澍 670。

丁立中 1680。

丁立诚 1556。

丁立钧 1415,1580,1691。

丁立幹 1293,1536,1656。

丁立瀛 1356,1535。

丁永安 1184。

丁芑诒 1035,1252。

丁有成 974。

丁有美 793。

丁廷让 576。

丁廷烺 622。

丁廷楗 253。

丁 传 506,921,989。

丁传甲 542,896。

丁传经 1004。

丁兆祺 1040。

丁汝昌 1661。

丁守存 1094,1280。

丁寿昌 1146,1365。

丁寿昌 1208,1584。

丁寿祺 1200,1453,1564。

丁体常 1322,1719。

丁卓保 106,649,651。

丁希陶 1028,1302。

丁其誉 155。

丁取忠 1391,1400,1538,
　　　1552,1556,1563。

丁 杰 605,855,1055。

丁国宝 10,345。

丁 易 288。

丁宝祯 1155,1406,1523,
　　　1611。

丁宝铨 1622。

丁宗洛 786,1063,1224。

丁绍周 1166,1382,1546。

丁思孔 46,133,426,373。

丁彦臣 1146,1495。

丁津安 1713。

丁　泰 174,298。

丁　翔 19,287,315。

丁振铎 1350,1535。

丁　晏 938,1142,1162,
1168,1182（3）,1191
（2）,1192,1212（2）,
1218, 1224, 1240,
1337, 1346, 1359,
1366, 1370, 1417,
1425（4）,1433,1439,
1493,1507,1558。

丁　峻 1230。

丁峻飞 107。

丁　牲 738。

丁　浩 1099,1303。

丁浴初（见丁裕初条）。

丁家俊 865,1125,1393。

丁继昌（见丁士彬条）。

丁培镒 1395。

丁　爽 371。

丁授经 775,971,1008。

丁象震 1472,1582。

丁惟禔 1621。

丁琼选（见丁宝桢条）。

丁　堦 873。

丁　敬 375,756。

丁朝雄 543,941。

丁惠康 1520,1718。

丁棠发 338。

丁景鸿 101。

丁锐义 1168,1449。

丁　傑 826,1071。

丁善庆 913,1188,1527。

丁裕初 87。

丁裕彦 1197。

丁　槐 1309,1737。

丁陛良 1673。

丁　暐 287。

丁锦堂 1537。

丁腹松 414。

丁福保 1548。

丁殿宁 1112。

丁嘉葆 1302。

丁　蕙 56,225,395。

丁德泰 1233。

丁　澎 151。

丁　澐 1573,1578。

丁鹤年 1473。

丁鹤年 1473,1497。

丁履恒 781,1004,1256。

丁履端 706,841,1033。

丁　凝 463。

丁　鳌 687。

丁耀亢 235。

丁　镶 14,314。

丁麟年 1644。

丁麟兆 1211。

七十一 692。

七十五 1024。
七十四 592。
七 格 1065。
卜世俨 210。
卜宁一 612。
卜永泰 673。
卜兆龙 457。
卜陈彝 32,208,345。
卜俊民 457。
卜祚先 732。
卜峻超 306。
卜葆鈜 1023,1317,1354。
卜景超 288。
八 十 1267。
八十六 1275。
九 十 1114。
刁 包 30,236。
刁再濂 75,478。
刁承祖 247,476,615。
刁戴高 703。

三画

三 全 942。
三 多 1534,1739。
三 和 389,792,807。
三 宝 614,875。
三官保 508。
三 泰 641,720。
三 泰(见馨泰条)。
三 泰(正黄旗)715。

三都布 720。
三 格 716。
三 德 901。
干从濂 486,655,819。
干 图 184。
干建邦 400。
干 特 63,477。
于 广 444。
于之辐 400。
于从濂(见干从濂条)。
于公槐 883,1101。
于本宏 465。
于可讬 154,334
于四裳 87。
于汉翔 306。
于式枚 1429,1581,1728。
于式棱 1671。
于成龙 4,61,300,318。
于成龙 58,394,402。
于旭锺 1071。
于齐庆 1444,1608。
于观霖 1568。
于克家(见于克襄条)。
于克襄 1038。
于 辰 537。
于时兆 702。
于时跃 206。
于作霖 42,146,330。
于沛霖 37,240,350。
于沧澜 1568。

于君彦 1695。

于 枋 521,716。

于尚龄 882,1179。

于国柱 157。

于昌麟 1458。

于明宝 92。

于易简 862。

于朋举 113

于宗尧 118,251。

于宗尧 251。

于宗绥 1186,1431。

于宗瑛 692。

于宗潼 1489,1623。

于建章 1270,1504。

于荫霖 1300,1453,1704。

于栋如 239。

于觉世 8,180,356。

于 栻 471。

于 振 511,594。

于凌辰 1022,1343。

于 准 529,564。

于敏中 598,771,810,830,
　　　　 843。

于 琳 298。

于 琨 52,434。

于雯峻 691。

于 鼎 815。

于嗣登 86。

于锺岳 1508。

于锺霖（见于锺麟条）。

于锺麟 1566。

于德培 1061。

于德裕 841。

于衡霖 1550。

于蘅霖（见于衡霖条）。

土国宝 127。

才宇和 979,1202。

万飞鹰 1150。

万 云 982。

万方雍 1004。

万方熙 1162。

万正色 291,356。

万本端 1388,1659。

万邦荣 252,496,616。

万光炜 861。

万光泰 456,593,668。

万年茂 435,590,927,961。

万廷兰 679。

万 华 1071。

万寿祺 38,138。

万贡珍 952,1190。

万启心 998,1180。

万启昀 870,1071。

万青黎 1058,1315,1597。

万松龄 602。

万承风 685,855,1104。

万承芩 512。

万承苍 464。

万承宗 1109。

万承勋 237,516。

清代人物大事纪年

马先登 1365。

马传熙 1201,1453。

马 全 566,681,726,807。

马会伯 401,517,597。

马兆瑞 893。

马负书 595,766

马负图 303。

马 齐 128,372,419,507,
516,615。

马汝为 414。

马如龙 1640。

马如龙 30,249,394,407。

马寿金 1129,1315。

马进良 394,484。

马进宝(见马逢知条)。

马志爕 840,1069,1360。

马丽文 897,1189。

马步蟾 827,1086。

马步衢 1257。

马 钊 1098,1345,1466。

马利文(见马丽文条)。

马秀儒 912,1279。

马体仁 61,288,405。

马希爵 255。

马应国 1258。

马 沅 897,1233。

马宏琦 537。

马 良 1738。

马良柱 740。

马启华 1654。

马启泰 788。

马际伯 460。

马纬云 810。

马纯武 1592。

马 武 535。

马其昶 1423,1735。

马 虎 805。

马尚德 1569。

马国柱 47,119,146,211。

马国翰 938,1253,1442。

马昇平 1468。

马 昂 1319。

马昂霄 1281,1465。

马鸣佩 220。

马佩瑶 1129,1384。

马金门 512。

马金魁 1275。

马学易 1022,1252,1338。

马 宝 302。

马宗周 1222,1390。

马宗琏 1003,1020。

马定蕭 649,950。

马建纪 1199。

马承荫 291,298。

马承基 906。

马绍训 1260,1399。

马绍援 1004。

马绍曾 108。

马荣祖 327,567,682,735。

马荫荣 1702。

清代人物大事纪年

马德舒 1009。

马履泰 644,845,891,1236。

马 豫 431。

马翮飞 705。

马 燝 547。

马翼赞 513。

马 繡(见马骍条)。

马 骍 915,1354。

马麟辉 1379。

四画

丰 安 780。

丰讷亨 509,819。

丰伸布 966。

丰伸济伦 1055。

丰昇额 804,818,822,831。

丰 绅 1103。

丰 绅 1675。

丰绅泰 1474,1715。

丰绅殷德 1054,1079,1081。

丰陞阿 1719。

王一元 414。

王一导 384。

王一品 149。

王一骥 84。

王人文 1489,1610,1740。

王九鼎 26,195,309。

王九龄 305,448。

王乃斌 1254。

王乃徵 1472,1630。

王又旦 50,180,325。

王又朴 299,515,729。

王又汧 195。

王又曾 429,670,691,740。

王三锡 1384。

王士让 568。

王士任 514,646。

王士珍 1472,1735。

王士俊 502,577,704。

王士祜 42,238,301。

王士祯 46,171,259,281,
317,324,332,340,
355,376,381(2),401
(2),405(2),410,
440,447,450(2),
454。

王士陵 463。

王士棻 506,690,960。

王士雄 1400。

王士鹄 6,365。

王士禄 26,156,256。

王士毅 299,636。

王士禧 29。

王士骥 86。

王大贞 1555,1666,1689。

王大吕 363,784。

王大枢 92。

王大经 1094,1337。

王大钧 1693。

王大铬 1383。

清代人物大事纪年

王曰曾 253。

王曰温 78,225,329。

王中孚 725。

王见炜 904,1101。

王　仁 797,1030。

王仁东 1394。

王仁俊 1510,1643,1728,
　　　　1704(2)。

王仁堪 1373,1566,1650。

王仁福 1147,1518。

王化成 1612。

王化行(见殷化行条)。

王化南 612。

王化泰 296。

王化堂 1058,1397。

王化鹤 269。

王介锡 110。

王公辅 1207,1649。

王公弼 2。

王　月 175,185。

王丹枫 947。

王丹墀 839,1283,1285。

王凤生 822,1197,1274。

王凤仪 648。

王凤池 1505。

王凤祥 1466。

王凤翔 1324,1517。

王凤翰 1071。

王文在 1269,1520。

王文充 575。

王文治 552,723,1019。

王文奎(见沈文奎条)。

王文思 1243,1613。

王文浩 749,1118。

王文清 336,523,843。

王文雄 200,436,518。

王文雄 660,856,995。

王文湧 718。

王文锦 1277,1535,1664。

王文韶 1239,1397,1586,
　　　　1673, 1676, 1679,
　　　　1686, 1690, 1697,
　　　　1703,1713,1716。

王文璿 553。

王方田 1313,1537。

王方毂 9,290。

王为垣 223,471,563。

王为幹 1624。

王斗机 59,271,455。

王心安 1539。

王心敬 161,480,595,608,
　　　　609。

王尹方 254,373。

王引之 757,964,972,979,
　　　　1246,1275。

王以昌 554。

王以衔 730,945,1193。

王以锘 1003。

王以懋 1422,1629。

王允中 816。

王允中 859,1134。

王允诰 495。

王允辉 1000。

王允谦(见王宪曾条)。

王允楚 1039。

王允猷 399。

王玉廷 766。

王玉树 1006。

王玉麟 1636。

王玉璧 135,357。

王正中 56,228。

王正志 34,116。

王正谊 990,1251。

王正常 753。

王功成 113。

王世平 1063。

王世业 581。

王世仕 627。

王世芳 178,753,783,793,
　　　820。

王世枢 585。

王世绥 883,1148。

王世勋 536,760,843。

王世选 119,198。

王世清 1433。

王世琪 1461,1621。

王世琛 457,550。

王世睿 475。

王世耀 852,1180,1459。

王本梧 1022,1202。

王本嶓(见赵本嶓条)。

王可臣 282。

王可相 1537。

王可陞 1674。

王　丙 882,1109,1267。

王丕厘 1581。

王丕烈 537。

王龙文 1496,1658。

王龙光 273。

王东槐 1011,1305,1403。

王占鳌 1164。

王甲荣 1736。

王叶滋 305,537,597。

王　史(见王庭兰条)。

王史直 460。

王仕云 132。

王用予 382。

王用诰 1313,1497,1649。

王用宾 1210。

王尔达 363,772。

王尔烈 788。

王尔禄 72。

王立人(见王检心条)。

王　兰 911。

王兰生 285,500,503,534,
　　　603。

王兰谷 1194,1395。

王兰昇 1550。

王兰庭 1672。

王汉周 414。

王宁炜 906。

王宁焯（见王宁炜条）。

王　礼 1100,1579。

王　礼 1388,1680。

王　礼 264。

王　训 1303。

王　训 95,314。

王必达 1166,1337,1588。

王永吉 25,158,184。

王永年 260。

王永章 1239,1607。

王永清 241。

王永清 1653。

王永誉 420。

王弘祚 38,175,183,261。

王发桂 1021,1288,1533。

王发祥 151。

王发越 937,1210。

王驭超 885。

王邦玺 1244,1506。

王　玑 673。

王式丹 78,412,490。

王式金 51,441。

王式通 1496,1672,1736。

王式毅 339。

王寺龄 291。

王　吉 1587。

王吉武 78,269,531。

王吉相 271。

王芝祥 1452,1604。

王芝藻 146,386。

王协和 638。

王协梦 803,1109,1371。

王有壬 1052。

王有庆 1005。

王有宏 1725。

王有树 1189。

王有龄 1076,1478。

王达材 1432。

王成义 144。

王成璐 1188。

王尧衡 569。

王　师 347,556,673,675。

王师曾 1269,1453。

王光兴 214。

王光国 585。

王光燮 452,600,842。

王　同 1322,1567。

王同春 88,245。

王同愈 1423,1621。

王岂孙 697,898,857,1137。

王先吉 5,241,341。

王先谦 1330,1505,1590,
　　1600(2),1618,1638,
　　1686,1713,1729。

王廷议 112。

王廷言 529,1055。

王廷净 510。

王廷相 1388,1608,1682。

王廷琬 522。

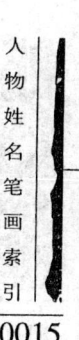

王际有 95。

王际华 482,638,804,824。

王 纮 400。

王 纲 129,235。

王奉曾 872。

王玮庆 1110,1332。

王武曾 1280。

王青莲 1015。

王 玥 919,1209。

王坦修 633,799,1074。

王 劼 1101。

王者政 1012,1233。

王若闳 1060。

王若常 566,941。

王茂松 1086。

王茂荫 969,1252,1508。

王 莘 178,431,498。

王英楷 1490,1721。

王 林 966。

王 枢 5,79,256。

王松年 769,1002,1219。

王松陵（见王兆松条）。

王 杰 528,731,861,916,
940,1016,1023,
1031,1042。

王虎臣 1408。

王 昊 29,290,293。

王 昙 723,939,1137。

王 果 1015。

王国才 1440。

王国光 136,161,242。

王国安 68,447。

王国均 992,1518。

王国栋 296。

王国栋 466,587。

王国维 1566,1734。

王昌胤 57。

王昌龄 115。

王 昕 1200,1481。

王明德 1388,1609。

王忠孝 301。

王忠武 280,483,705。

王 鸣 654。

王鸣诏 567,902。

王鸣珂 1455。

王鸣球 225。

王鸣盛 506,690,765,842,
894,967。

王 凯 994。

王凯泰 1185,1382,1557。

王图炳 232,457,636。

王季烈 1543,1702。

王秉仁 267。

王秉和 590。

王秉恩 1544。

王秉韬 648,1019。

王 岱 61。

王依书 83。

王金镕 1361,1594。

王命岳 151,226,228。

王荣绶 1724。

王荣瑄 1221,1462。

王荫长 1682。

王荫昌 1098,1317,1570。

王荫棠 1201,1424。

王　柄 1081。

王柏心 978,1342,1546。

王树枬 1388,1610,1626,
　　　　1627,1645,1737。

王厚庆 1003。

王　拯 1098,1324,1554。

王　点 2。

王临元 194,261。

王省三 1417。

王显绪 591。

王显曾 723。

王映斗 963,1342。

王星諴 1245,1455,1458。

王思训 431。

王思沂 1194,1406。

王思轼 307。

王　郧 75,240,418。

王　勋 673。

王贻桂 870,1133。

王贻清 1536。

王　钧 619。

王　选 1232。

王　复 647,967。

王复礼 436。

王复衡 63,530。

王　笃 920,1209,1427。

王笃庆 1016。

王笃祜 726。

王顺存 1625。

王泉之 1040。

王禹堂 1233。

王追琪 179。

王　俟 238。

王　俊 339。

王衍庆 926,1400。

王衍梅 822,1089,1242。

王衍绪 607,972。

王衍福 855。

王胤祚 86。

王亮教 61,176。

王　度 84。

王度昭 122,323,526。

王　庭 111,340,366。

王庭兰 905。

王庭兰 962,1178。

王庭华 758,982,1219。

王庭灿 128,300,544。

王庭筠 545,966。

王奕仁 464。

王奕清 214,353,604。

王奕鸿 445。

王彦威 1331,1531,1704。

王彦宾 134。

王恺伯 584。

王闻长 1659。

王闻远 203。

王闿运 1249,1439,1524,
　　　1527,1605,1627,
　　　1713,1729。

王　炳 1490。

王炳昆 83。

王炳勋 1325。

王炳燮 1561。

王炳瀛 869,1110。

王觉莲 612。

王　洁 55,356。

王　洛.573。

王　宣 909。

王　宬 627。

王　宪 1202。

王宪成 1351,1517。

王宪曾 1482。

王春煦 815。

王祖光 1534。

王祖同 1622。

王祖武 892。

王祖庚 408,537。

王祖培 1117,1314,1532。

王祖畬 1321,1595,1729。

王祖源 1176,1375,1511,
　　　1611。

王祚兴 226。

王　诰 384。

王　昶 519,690,710,986,
　　　1017,1018,1023(2),

　　　1041,1048。

王　郡 645,704。

王屏藩 295。

王　珏 280,471,662。

王统仁 1109。

王泰际 73,267。

王泰牷 523。

王　珙 1037。

王顼龄 68,269,288,415,
　　　516,530。

王　素 939,1571。

王起芬 **8**,391。

王起彪 97,117。

王起鹏 362,547。

王　埙 20,171,346。

王　埒 1443,1623。

王　桂 953,1231。

王　桢 369。

王　桢 84,341。

王　原 337。

王原祁 68,238,478。

王原直 357。

王原臞 6,242。

王殊渥 939。

王　翃 143。

王振声 1330,1549,1732。

王振声 979,1296,1509。

王振纲 1036,1303,1558。

王振荣 965。

王振隆 1325。

王　辂 514。
王恩祥 1130,1343。
王恩绶 1028,1376,1425。
王　峻 368,521,674。
王　钺 16,180,233,411。
王铁珊 1460,1622。
王　铎 17,115,125,138。
王积顺 964,1262。
王　隼 359。
王倍佑 1593。
王颂蔚 1368,1581,1655,
　　1662。
王　衮 1175,1407。
王站住 648。
王益朋 151。
王　涉 1206,1406,1513。
王　润 701,1256。
王　浚 1466。
王　宽 238。
王　宽 758。
王　宸 494,726,967。
王家启 123。
王家枚 1510,1653,1712。
王家珍 105。
王家栋 225。
王家相 736,1069,1170,
　　1306。
王家宾 743。
王家璧 1106,1342,1598。
王　恕 304,503,629。
王能爱 667。
王继文 417。
王继先 308。
王继香 1374,1623,1569。
王继庭 1123,1381,1554。
王继穀 1584。
王　琦 432。
王　埰 94。
王　基 798。
王　棻 1223,1515,1667,
　　1678。
王萦绪 462,709,876。
王梦尹 9。
王梦白 308。
王梦尧 488。
王梦庚 1101。
王梦弼 548。
王梦龄 1512。
王梦熊 1471。
王　检 574,807。
王　检 983。
王检心 1034,1203,1527。
王　梓(见王梓材条)。
王梓材 924,1271,1297。
王　掞 78,238,483,544。
王辅臣 259,271。301。
王辅运 94,221。
王辅铭 248,631,695。
王　勖 179,257。
王　崧 982。

王　崐 588,810,1048。

王崇铭 30,168。

王崇简 73,215,272,283。

王　铤 626。

王　铨 348。

王铭宗 634。

王得胜 1717。

王得禄 1072,1265,1305,
　　　1332。

王敛福 500。

王象无 96。

王庶善 39,204,365。

王康侯 96。

王　堃 1084,1280。

王　壂 1147,1345。

王惟询 1086,1204。

王　清 37,109,251。

王清弼 818,989。

王清瑞 1229。

王清穆 1460,1629。

王鸿仪 1004。

王鸿年 1270,1530。

王鸿绪 78,252,295,517。

王鸿翔 1694。

王淑元 898,1168。

王　寅 1232。

王寅清 1187,1483,1592。

王隆熙 79,427。

王绩著 840。

王绪曾 1490。

王　绰 1356,1550。

王　绳 1544。

王绳曾 555。

王维坤 194。

王维珍 1201,1462,1606。

王维珍 52,239,377。

王维钰 983。

王维祺 839,1441。

王维新 97。

王维德 467,618。

王维翰 1336,1551。

王维諴 809,1004,1063。

王　绥 854,1114。

王　绾 253。

王琴堂 1344。

王　琦 714,728。

王琦庆 860,1109。

王琼林 797。

王　琰 754。

王　琰（见王炎条）。

王　琼 613。

王　琛 1481。

王　琛 299,740。

王喆生 305,324,386,540,
　　　507。

王　彭 1566,1695。

王联星 926。

王联璧 1368,1568。

王敬之 1297。

王敬铭 229,464,505。

人物姓名笔画索引

0021

清代人物大事纪年

王　瑞 1290。

王瑞国 14,278。

王瑞徵 883,1110。

王聘珍 907。

王楚堂 781,1016,1312。

王　楷 1395。

王　楷 639。

王　樑 17,154。

王　煦 841,994。

王　照 1451,1652。

王　照 495。

王照圆 1041。

王嗣衍 384。

王嗣皋 111。

王嗣槐 290。

王嵩高 743。

王　鍈 11,108,213。

王　锟 834。

王锡九 963,1402。

王锡命 627。

王锡朋 882,1064,1327。

王锡奎 871。

王锡振（见王拯条）。

王锡康 644,1219。

王锡阐 32,204,311。

王锡韩 58,209,281。

王锡荣 1261,1493。

王锡蒲 1062。

王锡蕃 1405,1560。

王　锦 612。

王锦绣 1402。

王　筼 869,1169,1265,
　　　1273,1297,1370,
　　　1377,1378,1384,
　　　1385（2）,1392,1421。

王　简 937,1161,

王愈扩 239。

王鹏飞 1191。

王鹏寿 1330,1522。

王鹏运 1373,1531,1676,
　　　1704。

王腾蛟 648。

王亶望 665,849,858。

王　廉 1301,1535。

王新命 441。

王慎贤 1703。

王　猷 680。

王猷定 202。

王　煜 944,1178。

王　溥 1302。

王　源 100,363,451。

王溯维 400。

王福纶 920,1100。

王福保 1481。

王　瑶 573,726,951。

王瑶台 947。

王　韬 1600。

王嘉禾 1568。

王嘉会 600。

王嘉栋 1002。

清代人物大事纪年

王豫嘉 195。

王　燕 128,440。

王燕堂 962,1190。

王燕绪 723。

王　霖 430。

王赠芳 859,1086,1379。

王　镗 438,734。

王　赞 182。

王赞元 1399。

王　鑫 1200,1440。

王　凝 466。

王　澧 1,72,360。

王　缂 1261,1491。

王　璐 1116,1344,1519。

王　璪 1252。

王懋勋 1718。

王懋竑 229,487,622,623。

王懋赏 817,1018。

王　暮 430,673,699。

王　燮 1141,1378。

王　燮 1520。

王　燮 1681。

王翼孙 706,959。

王　藩 1208。

王　藩（见王崧条）。

王　瞻 453。

王　藻 362。

王　藻 903,1179。

王蘂修 1276,1595。

王　霭（见王寅条）。

王瀛洲 389,511,842。

王　瓒 488。

王耀辰 1060。

王　巍 778。

王　繻 142,497。

王鳌永 25,76。

王　露 397。

王　灏 1186,1399,1619。

王　懿 337,518。

王懿荣 1349,1580,1683。

王懿修 588,760,1072,1118,
　　　　1126。

王懿德 680。

王懿德 969,1190,1476。

王　鑑 279。

王　鑑 915。

王麟书 1551。

王麟书 1614。

王麟书 932。

王麟祥 1176,1454。

王麟瑞 1264。

王麟瑞 516。

王　邮 254。

王　斿 223,629。

井　在 179。

井　睦 254。

开音布 411。

开　泰 522,693,714,746。

开隆阿 1412。

元在功 1060。

元克中 519,621。

元展成 636。

韦业祥 1361,1504。

韦成贤 83。

韦运标 980。

韦应麒 1433。

韦陀保 1092。

韦佩金 835。

韦　坦 997,1289,1386。

韦　焞 878。

韦谦恒 707,742。

韦德成 1159。

韦　徵 74。

云天彪 829。

云　书 1543,1702。

云　生 1690。

云茂琦 919,1210,1379。

云　祥 1671。

云　麟 1111。

五　宁(见葆谦条)。

五　岱 941。

五　泰 817。

五　格 534,585,675。

五　福 812。

五　福(正白旗)1052,1525。

五　福(镶白旗)868。

支恒荣 1373,1566。

支清彦 1302。

区大典 1694。

区大原 1695。

区谔良 1536。

区湛森 1568。

尤兴诗 884。

尤秉元 347,471,662。

尤　侗 6,289,394,415,421。

尤　珍 91,306,472,504。

尤维熊 737,907,1074。

尤　渤 1403。

车万育 209,344,372。

车尔布 167,230。

车尔格 80。

车向荣 1154。

车　克 147,157,162,166,245。

车克登布 862。

车克慎 1057,1263。

车顺轨 1098,1315。

车凌乌巴什 909。

车敏来 471。

车鼎晋 384。

车腾芳 496。

车　瀛 1263。

扎　山 373。

扎木素 227。

扎　什 380,387。

扎兰泰 956。

扎克当阿 1508。

扎克桑阿 1236。

扎克塔尔 1023,1096。

扎拉丰阿 867。

扎拉丰阿（镶蓝旗）1674。

扎拉芬 812。

扎拉芬（正黄旗）1426。

扎郎阿 1103。

扎勒坚图 1465。

扎勒罕泰 1392。

扎隆阿 1247。

扎喀纳 184。

扎精阿 1468。

屯　齐 205。

屯　珠 170,490。

戈守智 495,666,888。

戈　英 182,415。

戈尚志 1432。

戈　岱 626。

戈宙襄 752,1218。

戈炳琦 1603,1636。

戈　载 1170。

戈　涛 670。

戈　源 605,692,996。

戈懋伦 459。

瓦　三 122,325。

瓦尔达 406。

瓦尔达（正黄旗）538。

瓦尔玛 135,189。

瓦尔喀 261。

瓦尔喀珠玛喇 136,143。

瓦克达 124,139。

瓦　岱 361。

贝和诺 91,504。

牛天申 502。

牛天畀 627,806。

牛天宿 112。

牛天宿 414。

牛凤山 1264。

牛允诚 1714。

牛师韩 1632,1709。

牛兆捷 71,323,373。

牛运震 429,576,715。

牛　坤 980。

牛　枢 194。

牛树梅 977,1324。

牛思任 476。

牛　钮（正白旗）603。

牛　钮（正蓝旗）100,241,
　　　294,313,329。

牛振声 1203。

牛　瑄 1239,1504。

牛稔文 752。

牛　镇 964,1151。

牛　鑑 878,1108,1450。

毛一骢 408,584。

毛　士 542,986,988。

毛大鹏 1247。

毛大瀛 588,996。

毛万龄 123。

毛上堠 798。

毛之玉 554。

毛元辂 471。

毛升芳 290。

清代人物大事纪年

长　叙 1599,1601。
长　琇 1081。
长　萃 1369,1568。
长　清 1290,1298。
长　喜 1332。
长　赓 1358。
长　善 1228,1627。
长　禄 1399。
长　瑞 1401。
长　龄 713,1170,1217,
　　　1223, 1224, 1246,
　　　1297,1306。
长　龄(见长麟条)。
长　臻 1426。
长　麟 1597。
长　麟 817。934, 1054,
　　　1091。
长　麟(镶蓝旗)1583。
仁　寿 1501。
仁　和 881。
仇　机 490。
仇廷模 453。
仇兆鳌 60,322,364,489。
仇炳台 1157,1481,1661。
仇恩荣 1101。
仇维桢 9。
介　山 16,377。
介孝琛 399。
介桑贾尔呼奇尔 27,115。
介锡周 502,755。

介　福 575,740。
公　图 386,403。
公　春(见恭泰条)。
仓圣脉 789。
仓景恬(见仓景愉条)。
仓景愉 1123,1303,1634。
丹　代 158,175。
丹　津 603。
丹　臻 214,411。
乌三泰 779。
乌大经 744,1032。
乌大魁 1212。
乌什哈达 973。
乌　丹 350。
乌尔纳 824。
乌尔图纳逊 1008。
乌尔恭阿 1246,1353,1359。
乌尔恭额 1102,1328。
乌尔恭额(宗室)1448。
乌尔卿额 1237。
乌尔棍泰 1440。
乌尔登 784。
乌尔登额 591。
乌兰泰 1401。
乌达禅 91,460。
乌库礼 215。
乌拉布 1349,1550,1635。
乌拉喜崇阿 1228,1432,
　　　　1661。
乌珍泰 1307。

清代人物大事纪年

文泰运 620,719,877。

文　格 1177,1343。

文哲珲(镶红旗)1448。

文哲珲(镶蓝旗)1562。

文　辂 1293。

文　晟 1151,1456。

文　海(镶红旗)1294,1483,
　　1680。

文　海(镶蓝旗)1480,1624,
　　1738。

文　祥 1139,1352,1498,
　　1516,1564。

文　彬 1200,1398,1584。

文　掞 66,407。

文　彩 1468。

文　炼 1739。

文　焕 1443,1582。

文　绶 875。

文　琳 1675。

文　琭 1683。

文超灵 270。

文　斌 1543,1671,1740。

文　祺 1502。

文　谦 1570。

文　瑞(字雪舫)1157,1478。

文　瑞(镶红旗)1099,1323。

文　瑞(镶黄旗)1723。

文　幹 872。

文　廉 1691。

文　廉(正白旗)1264。

文　煜 1601。

文　溥 1652。

文　福 1684。

文　蔚 1160,1426。

文德盛 1542。

文　澂 1277,1492,1584。

文　衡 1201,1399。

文　麟(正蓝旗)1564。

文　麟(字玉书)911,1124。

亢　保 626。

亢得时 185。

方于光 110。

方士庶 358,675。

方士淦 889,1059,1371。

方士超(见方潜条)。

方大湜 1612。

方大猷 56,185。

方元鹍 1003。

方元衡 1715。

方友升 1709。

方以智 64。

方正瑷 495。

方世举 263,714,721。

方世儁 611,784。

方东树 796,1211,1392。

方　申 891,1291,1297,
　　1305,1318,1320。

方用仪 903,1158。

方　台 1290。

方邦基 556。

方　振 1000。
方振声 1257。
方　积 907。
方　涛 962,1159。
方　浩 412,557,694。
方培之 1045,1278。
方培恺 1461,1609。
方　职 237,530。
方　晙 247,667。
方跃龙 112。
方象瑛 224,276,289。
方象璜 179。
方　绩 676,1126。
方维甸 713,854,1119。
方联聚 689,884,1164。
方　韩 271。
方　鼎 263,645。
方鼎录 1166,1389。
方鼎锐 1186,1399。
方　铸 1594。
方道章 412,658。
方　鹭 970,1446。
方瑞兰 1261,1484,1634。
方　楷 1309,1641。
方　溶 1152。
方殿元 208。
方粲如 248,431。
方　墉 944,1303。
方　错 1021,1231。
方熊祥 1166,1406。

方　觐 299,444,559。
方　潜 1036,1525。
方履中 1548,1695,1696。
方履篯 913,1141,1247。
方燕年 1630。
方　鲲 489。
方　凝 879,1347。
方　薰 589,973,989。
方懋禄 653。
方濬师 1238,1423,1563。
方濬颐 1122,1342。
方　骡 1194,1407。
方　耀 1632,1639。
计六奇 244。
计　本 24,245。
计　东 24,166,274。
尹之逵 56,166,483。
尹文炳 760。
尹文麒 776。
尹世衡 1089。
尹会一 352,522,607,622,
　　657(2),658。
尹庆举 1529,1659。
尹壮图 605。759,1065。
尹　均 474,692,895。
尹　辰 408,772。
尹序长 1551。
尹　良 1444,1604。
尹英图 647,893,1198。
尹　果 1145,1523,1713。

尹国珍 1364。

尹昌龄 1526,1643。

尹明廷 111,139。

尹佩苍 1383。

尹佩玱（见尹佩苍条）。

尹佩珩 764,1088。

尹佩棻 1041。

尹炳甲 1175,1482。

尹济源 1059。

尹　诰 453。

尹耕云 1116,1382,1570。

尹　秦 348。

尹　泰 608。

尹恭保 1530。

尹继善 375,512,614,661,
　　　754,794。

尹培立 1402。

尹铭绶 1496,1651。

尹惟日 134。

尹琳基 1300,1491。

尹彭寿 1637。

尹嘉铨 452,584,857。

尹德禧 922。

尹　衡 112,121。

巴　山 147,256。

巴什泰（见巴世泰条）。

巴世泰 135,138。

巴　本 136,184。

巴布泰 159。

巴尔巴图里尔 27,48。

巴尔图 259,687。

巴尔堪 55,297。

巴尔楚浑 159。

巴尔赛 136,382。

巴　汉 328,350。

巴宁阿 1104。

巴尼珲 678。

巴扬阿 1501。

巴扬阿（正黄旗）1565。

巴延三 951。

巴进泰 197。

巴克坦布（正蓝旗）966。

巴克坦布（敦甫）1654,1669。

巴灵阿 711。

巴杭阿 1242。

巴奇兰 51,54。

巴　忠 922。

巴　图 325。

巴　图（正白旗）1434。

巴　图（正黄旗）421。

巴图什里 1008。

巴图济尔噶勒 801。

巴栋阿 1477。

巴思哈 42,197。

巴　哈 136,147,157,166,
　　　235。

巴哈布 1299。

巴哈纳 147,157,158,221。

巴　拜 27,48。

巴笃理 48。

邓汉仪 290。

邓邦述 1520,1671。

邓再馨 873。

邓廷罗 123。

邓廷柟 1093,1342。

邓廷桢 814,1000,1311,
　　1360。

邓廷楠 1051,1272。

邓华熙 1194,1390,1713,
　　1728。

邓兆熊 1395。

邓　旭 94。

邓庆恩 997,1234。

邓汝功 817,825。

邓汝勤（见邓汝功条）。

邓安邦 1620。

邓志谟 329。

邓时敏 591。

邓应台 883,1124。

邓启元 536。

邓　纯 1170。

邓　牧 343,502。

邓秉恒 56,113,451。

邓承修 1473,1640。

邓绍良 999,1450。

邓荣佳 1606。

邓显鹤 826,1030,1392。

邓　浩 621。

邓基哲 150,406。

邓梦琴 509,680,1031,1065。

邓辅纶 1222,1375,1390,
　　1650。

邓联科 1458。

邓傅安 1039,1240。

邓曾�护 1672。

邓蓉镜 1536。

邓献璋 443。

邓锡礼 638。

邓筠玲 1130,1337,1446。

邓　瑶 1085,1295,1508。

邓嘉纯 1293,1581。

邓嘉缜 1349,1555,1728。

邓锺岳 499。

邓　瀛 1027,1232。

双　印 1591。

双　庆 575,795。

双　寿 1639。

双　来 1411。

双　林 1143。

双　顶 592。

双　福 1402。

双　福 1523。

孔广林 1103。

孔广栻 696,841,987。

孔广森 677,789,867,886,
　　887。

孔广荣 462,631。

孔广源 1248。

孔广镛 1139,1345。

孔有德 53,115,139。

孔　迈 155。

孔贞瑄 188。

孔光祖（见孔广源条）。

孔廷训 176。

孔传纶 839,1069,1164。

孔传坤 1387。

孔传经 866。

孔传炯 462,613,843。

孔传铎 586。

孔传堂 525。

孔自洙 109。

孔庆辅 1335,1498。

孔庆鍷 1012,1305,1411。

孔庆镕 787,1204。

孔庆鏏 1034,1288。

孔兴桂 634。

孔兴釪 240。

孔兴燮 52,228。

孔希贵 144。

孔尚先 385。

孔尚任 340。

孔　昭（见孔昭孔条）。

孔昭孔 775,1247。

孔昭虔 1000。

孔昭寀 1438,1623,1639。

孔昭焕 862。

孔昭慈 944,1264,1485。

孔衍植 98。

孔胤樾 88。

孔宪培 935。

孔宪彀 1206,1431。

孔宪彝 1291,1296,1326。

孔祥珂 1565。

孔祥霖 1567。

孔继尹 845,1111。

孔继汾 649,739,888。

孔继涑 532,770,917。

孔继涵 610,789,868。

孔继埭 741,1016,1104。

孔继鑅 1034,1289。

孔继镕 1012,1448。

孔毓文 691。

孔毓圻 165,454,518。

孔毓询 218,559。

孔繁琴 1576,1724。

孔繁灏 1408,1487。

书　山 820。

书　纶 860,1180。

书　洛 1011,1203。

书　铭 840,1284。

书　敏 766。

书　敬 1024。

书　麟 985,993,1007。

五画

玉　山 1289。

玉　山 1413。

玉　宁 1115。

玉　寿 1725。

玉　春 1728。

玉　栋 782。

玉　保 703,704。

玉　保(正黄旗) 717,855,
　　974。

玉　亮 1597。

玉　素 763。

玉　绶 833,1070。

玉　福 915。

玉　德 1066。

玉　麟 757,946,1204,1218,
　　1223,1266。

功宜布 645。

功　普 883,1135。

甘大璋 1496,1604,1624。

甘文奎 98。

甘文焜 42,257。

甘　禾 443,533,825。

甘立功 679。

甘立猷 846。

甘立德 759。

甘扬声 939。

甘汝来 316,466,614,615。

甘守先 1315。

甘运源 486,941。

甘国宝 450,577,831。

甘国璧 232,650。

甘　都 119,120。

甘家斌 933。

世　臣 538。

世　宗 447。

世　荣 1480,1659。

世　贵 453。

世　铎 1335,1600,1605,
　　1611,1614,1618,
　　1625,1626,1632,
　　1638,1645,1649,
　　1655(2),1661,1663,
　　1667,1673,1676,
　　1679,1725。

世　续 1404,1555,1708,
　　1711,1722,1731。

世　焜 1433。

世　禄 465。

世　增 1723。

艾元徵 85,272。

艾庆澜 1362,1562。

艾如文 1025。

艾芳曾 489。

艾　秀(见郑秀条)。

艾　茂 672。

艾　畅 890,1317,1502。

艾　图 136,159。

艾音塔睦(见爱音塔穆条。)

古尔布什 119,137,197。

古尼音布 1627。

本进忠 779。

本　格 1675。

本　智 1172。

本　锡 540。

札木阳 396。

札克丹 1277,1584。

左必蕃 300。

左乔林 969,1263。

左观澜 660,885,975。

左　秀 595。

左孝同 1438,1605,1733。

左　岘 241。

左念谦 1496,1646。

左　周 777。

左宝贵 1656。

左宗植 1027,1254。

左宗棠 1094,1254,1498,
　　　1523,1572,1599,
　　　1606。

左绍佐 1361,1581,1734。

左　浑 1374,1531,1541。

左　隽 1249,1453。

左　基 438,547,772。

左梦庚 102,148。

左　辅 669,932,1267。

左　瑛 1034,1351。

左　瑛 800。

左敬祖 107,257。

左　楷 1390。

左　霈 1559,1693。

左　潜 1538,1545,1552,
　　　1553。

左　衢 680。

厉士贞 241。

厉云官 1084,1336。

厉秀芳 938,1181,1518。

厉　荃 823。

厉恩官 1068,1314。

厉　煌 465。

厉　鹗 358,496,543,631,
　　　635,645,661,682。

石广钧 938,1209,1476。

石之玫 173。

石之珂 640。

石飞熊 841。

石天柱 18。

石元声 421。

石云倬 432,628。

石曰琮 118,354,450。

石长信 1437,1659。

石文炳 403。

石文桂 270。

石文晟 75,467,497。

石文焯 586。

石为崧 338。

石玉龙 1458。

石去浮 523。

石　申 87,257。

石礼哈 651。

石廷柱 135,167,197。

石　均 1440。

石　芳 379。

石时榘 955。

石　纶 781,1108。

石　杰 475。

龙廷槐 891。

龙汝元 1457。

龙汝言 852,1058,1089,
　　　 1108,1257。

龙汝霖 1358。

龙讷铭(见龙纳铭条)。

龙启涛(见龙起涛条)。

龙启瑞 1107,1322,1448。

龙纳铭 114。

龙尚御 609。

龙建章 1701。

龙　柏 949。

龙起涛 1249,1551,1681。

龙继栋 1350,1483,1680。

龙　瑛 865,1134。

龙　森 1476。

龙　翔 669,885,1283。

龙湛霖 1293,1481,1706。

龙锡庆 1445,1664。

龙　燮 290。

平圣台 690。

平　志 1040。

平步青 1249,1481。

平　恕 797,1032。

平　瑞 1501。

东　纯 1468。

占　泰 1476。

占阙纳 795。

卢士杰 1131,1405,1620。

卢元伟 914。

卢元昌 309。

卢元培 173。

卢元璟 676,907,1164。

卢见曾 347,501,714。

卢凤起 562,718,858。

卢文弨 482,678,894,916,
　　　 921,949,951。

卢世潅 25,144。

卢生甫 431。

卢圣存 744。

卢存心 347,716

卢光祖 163。

卢廷简 157。

卢廷璋 874,1138。

卢兴祖 228。

卢　轩 445,467。

卢伯蕃 557,558。

卢　纮 113。

卢　坤 796,984,1218,1272,
　　　 1284。

卢英偶(见卢昌诒条)。

卢昆銮 977,1178。

卢昌诒 1330,1536。

卢明楷 408,670,762。

卢　易 155。

卢秉纯 556。

卢秉政 1358,1498。

卢学源 1625。

卢定勋 1107,1323。

卢　宜 35,219,440。

卢荫溥 722,854,1152,1136,
　　　　1234,1265,1310,
　　　　1311。
卢　炳 339。
卢炳涛 1014。
卢宪观 599。
卢振新 1986。
卢　偀 181,274。
卢　高 134。
卢　浙 706,980,1241。
卢　崧 687。
卢　崟 1287,1536。
卢崇兴 205。
卢崇峻 125,407。
卢崇耀 411。
卢　琳 859,1263。
卢　琦 224,415。
卢　琨(见卢存心条)。
卢　植 874,1044。
卢道悦 240。
卢　焯 362,766。
卢　谦 462,881。
卢登科 121。
卢锡晋 339。
卢　靖 1437,1604,1741。
卢慎言 185。
卢福基 1430,1730。
卢　毅 680。
卢毓嵩 913,1160,1332。
业布冲额 1500。

帅仍祖 472。
帅方蔚 911,1208,1539。
帅远燡 1129,1363,1441。
帅　我 100,453,531。
帅念祖 512。
帅承瀚 1040。
帅承瀛 954,1326。
帅家相 601。
帅颜保 66,319。
归允肃 286。
归　庄 219,258。
归宣光 352,495,740。
归祚明(见归庄条)。
归　衔 797,1299。
归　鸿 413。
归朝煦 598,1082。
甲　毯(见申毯条)。
申大年 649。
申允恭 817。
申兆定 727,917。
申汝慧 758,939,1197。
申　甫 428,621,837。
申启贤 832,1016,1312。
申　保 858。
申涵光 8,255,276,277。
申涵盼 58,194,309。
申维翰 290。
申朝纪 103。
申　瑶 905。
申　毯 50,193,326。

叶一栋 592。

叶士宽 343,495,698。

叶大同 1506。

叶大涵 1609。

叶大遵 1356,1581。

叶大焯 1331,1522。

叶万青 1469。

叶元符 684,809,1033。

叶长扬 223,487。

叶长春 1440。

叶文馥 940。

叶文麟 543,1018。

叶方恒 172。

叶方蔼 178,294,309。

叶世倬 676,810,1192。

叶布舒 350。

叶申万 804,1039,1247。

叶申芗 844,1071。1224。

叶申棻 1015。

叶尔恺 1496,1643。

叶弘绥 353。

叶弘遇（见苏宏遇条）。

叶圭书 1047,1253。

叶　臣 57,104。

叶在琦 1610。

叶有词 612。

叶存仁 750。

叶成额 245。

叶先登 132。

叶廷甲 689,1256。

叶廷杰 1155,1353。

叶廷桂 17,90。

叶廷琯 1484。

叶　舟 6,96。

叶名沣 1083,1296,1457。

叶名琛 1051,1278,1377,
　　　1391,1446。

叶庆增 1308,1561。

叶观国 671。

叶观潮 866,1173。

叶观澜 621。

叶志诜 839。

叶蒂棠 1381,1658。

叶克舒 48,136,177。

叶　酉 612。

叶时茂 744。

叶伯英 1620。

叶启丰 655。

叶初春 33。

叶抱崧 728,756。

叶昌炽 1373,1621,1638,
　　　1729。

叶佩荪 561,690,875,876。

叶金寿 1484。

叶　法 1296。

叶宗元 1318。

叶承昌 1279。

叶绍本 1001,1054。

叶绍楏 932,1173。

叶　封 19,179,255,333。

田玉梅 1230,1468。
田本沛 72。
田兰芳 32,406。
田永桐 744。
田在田 1398,1713,1717。
田同之 496,628。
田兴奇 1467。
田兴胜 1475。
田兴恕 1294,1570。
田均随 684,1142。
田志勤 573。
田步蟾 1490,1693,1740。
田呈瑞 200,498。
田我霖 1357,1535。
田应科 1475。
田茂遇 166。
田雨公 1303。
田国俊 1309,1453。
田明德 1701。
田　庚 1443,1630。
田宝臣 925,1449。
田荃生 327。
田种玉 153,415,467。
田贺年 1085。
田起龙 134。
田逢吉 151。
田　润 1188。
田象坤 328,569。
田绪宗 134。
田维嘉 2,80。

田　喜 44,194,377。
田厥茂 83。
田　雄 158,196,205。
田　雯 50,208,410,349,
　　420。
田　畯 446。
田智枚 1496,1642。
田嵩年 897,1158。
田嘉穀 457。
田　需 286。
田毓瑶 1624,1694。
田舆梅 933。
田　震 429,668。
田翰墀 1175,1506。
田　懋 734,784。
田　霦 328。
田　麟 171。
史大成 13,150,310。
史天祥 1483。
史凤辉 547。
史以慎 216。
史允琦 94。
史申义 192,337。
史　朴 1290,1563。
史在甲 465。
史传选 732。
史纪功 211。
史孝咸 186。
史芳湄 392,595,902。
史克宽 1647。

史　评 1059。

史陆舆 287。

史　茂 522。

史国华 846。

史昌孟 515。

史鸣皋 671。

史秉直 1188,1360。

史佩玱 953,1262。

史念祖 1335,1721。

史念徵 1179。

史宝徵 1209。

史绍登 1033。

史荣椿 1457。

史　标 2,366。

史树骏 96。

史贻直 304,399,641,710,
　　　727,734,745。

史贻谟 638。

史保悠 1146,1344。

史奕昂 456,823,922。

史奕簪 548,654。

史　祐 955。

史　珀 269。

史　珥 692。

史　班 692。

史　载 84。

史致光 891,1225。

史致俨 722,979,1306。

史致谔 1012,1303,1541。

史致蕃 952,1189。

史积中 914。

史积容 652,788,1119。

史积琦 591,668。

史　调 590。

史梦兰 1098,1317,1637,
　　　1627,1675。

史梦琦 776。

史崧秀 1244,1430。

史逸裘 153。

史鸿义 610,840,1018。

史　淳 1314。

史　随 445。

史绪任 1609。

史　鹄 1112,1256。

史策先 1021,1262。

史善长 769,1242。

史善载 1338。

史殿元 1191。

史　谱 1038,1298。

史震林 601,603。

史鹤龄 224,273。

史履晋 1460,1631。

史　燧 110。

史　藻 1208,1376。

史　藻 817。

史　襄 305,468。

史麟善 879,1168。

冉觐祖 55,354,490。

四　格 792,824。

代　都 136,190。

代　善 53,104。
付　德(见富德条)。
仙鹤林 1104。
仪克中 953,1254,1299。
白乃贞 133。
白小子(见白硕色)。
白云上 519,673,917。
白凤池 1041。
白文治 1348。
白文选 200,230,265。
白尔克 433。
白尔赫图 210,227。
白让卿 1011,1178,1558。
白成龙 761。
白色纯 266。
白守廉 723,1225。
白夬彩 319。
白启明 203。
白明义 1089。
白金柱 1715。
白映棠 464。
白胤谦 72,196,205,211,
　　227,242,250,251。
白　洵 232,563。
白　济 314。
白　桓 1177,1491,1640。
白恩佑 1363。
白　琏 641。
白梦鼐 240。
白硕色 255。

白清额 242。
白　斑 165,508。
白遇道 1308,1549。
白　斌 204。
白惺涵 114。
白登明 79。
白锺山 714,734。
白锺镶 627。
白　潢 483,516,604。
白　镕 774,979,1334。
白　畿 150,339,505。
白　瀛 600,843。
白蘐卿 970,1232。
白　麟 743。
丛　澍 369。
印光任 516。
印宪曾 672。
印鸿纬 697,956,1066。
印　照 546,782,951。
务　友 447。
务达海 159。
包世臣 814,1063,1413。
包世荣 869,1169,1213。
包秉德 140。
包　炜 1058,1353。
包　括 432,636。
包　恺 892。
包祚永 537。
包泰兴 117。
包　涛 523。

包　愫 789。

乐又令 56,434。

乐　钧 1005,1127。

乐　拜 472。

乐　斌 1558。

乐　善 1312。

乐　善 1468。

乐　善(正黄旗)774,1312。

邝　露 121。

立　山 1330,1654,1682。

闪殿魁 1699。

兰　布 68,283。

兰第锡 588,665,967。

兰　蒯 285。

汉　岱(见韩岱条)。

宁之凤 84。

宁心祖 153。

宁古齐 1014。

宁古哩 205。

宁本瑜 1404,1593。

宁尔强 719。

宁兰森 879,1100,1151。

宁完我 147,157,161,215。

宁　枚 24,249,390。

宁曾纶 1077,1317,1478。

冯一梅 1563。

冯大山 556,619。

冯大中 981。

冯子材 1140,1605,1679,
　　　　1698。

冯　元 947,1043。

冯元方 522。

冯元钦 575。

冯元锡 1087。

冯元溥 585。

冯云骕 269。

冯云鹏 1183。

冯云骧 154。

冯文蔚 1321,1559,1664。

冯右京 92。

冯尔昌 1239,1491。

冯　汇 558。

冯汉炜 304,487,609。

冯　芝 1062。

冯协一 192,603。

冯达文 528,951。

冯成修 409,612,948,961。

冯光勋 1287,1505。

冯光裕 316,453,618。

冯光熊 649,1008。

冯光遹 1300,1548。

冯廷丞 542,678,876。

冯廷櫆 106,306,402。

冯　伟 633,791,922。

冯汝琪 1702。

冯汝裕 1734。

冯汝骙 1490,1595,1724。

冯　祁 598,716。

冯志沂 1108,1289,1519。

冯应寿 1313,1549。

冯应榴 617,731,753,934,
　　994。
冯　沛 1,124,212。
冯　杰 18,125。
冯国相 490。
冯国璋 1444,1722,1730。
冯秉仁 599。
冯秉忠 731。
冯秉彝 449,599,850。
冯佩实 307。
冯金伯 940。
冯金鑑 1330,1560,1730。
冯宗仪 43,351。
冯建功 1092。
冯绍唐 1672。
冯　经 783。
冯南斌 1656。
冯　标 1223,1519。
冯　标 131。
冯柏年 1310。
冯　钤 452,602,783,784。
冯俊焯 786,1171。
冯美玉 96。
冯　洽 562,1154。
冯祖悦 358,523,698。
冯祚泰 677。
冯　班 300。
冯晋祚 725。
冯　栻 1036,1351,1612。
冯桂芬 1067,1314,1474,

1553。
冯　哲 602。
冯　倿 110。
冯　浩 492,654,948,745,
　　754,1008。
冯　骏 232。
冯　培 833。
冯培元 1116,1341,1403。
冯　堉 789。
冯　勖 288,415。
冯　崑 1098,1345。
冯　铨 2,114,158,161,251。
冯敏昌 647,834,1048。
冯焌光 1238,1399,1573。
冯清聘 1061。
冯萼舒 171。
冯　甦 32,172,201,360。
冯鼎高 760。
冯　景 128.390,477(2)。
冯景夏 203,363,623。
冯集梧 676,854,973,1055。
冯　舒 97。
冯　詠 501,549。
冯善徵 1696。
冯登府 865,1080,1090,
　　1158,1171,1212,
　　1218,1234,1235,
　　1265,1272,1273,
　　1298,1328。
冯　煦 1335,1608,1734。

冯锡范 317。

冯誉骢 1200。

冯誉骥 1175,1341。

冯　溥 92,294,308,357。

冯源济 152。

冯锤岱 1388,1568。

冯端本 1228,1430,1657。

冯德材 1530,1688。

冯德馨 1027,1190,1525。

冯　毅 518。

冯遵祖 253。

冯履谦 543,709,951。

冯镜仁 1260,1530。

冯赞勋 1159。

冯　壅 223,337,420。

礼　敦 3。

讬云保 1459。

讬合齐 468。

讬克讬慧 256。

讬克塔哈尔 386,468。

讬　庸 362,771,792,805,
　　807。

永　山 1657。

永　宁 568。

永　宁(镶黄旗)1042。

永　庆 1043。

永　齐 578。

永　安 928。

永　寿 563。

永　芹 1205。

永　来 1081。

永　玮 896。

永　昌 896。

永　明 1049。

永　图 563。

永　贵 868。

永　顺 136,138。

永　顺 1396。

永　保 957,1066。

永　亮 634。

永　祚 1173。

永　泰 762。

永　珹 610,830。

永　恩 536,1042。

永　铎 1073。

永　浩 837。

永　海 1198。

永　璇 609。

永　琅 988。

永　常 693,699。

永　晧 901。

永　隆 1709。

永　琪 754,762。

永　琮 644,657。

永　喜 564。

永　理 676,908,1192。

永　瑞 780。

永　锡 1172。

永　福 862。

永　璓 910。

清代人物大事纪年

永　瑢 630,861,908,917。
永　慧 677。
永　瑆 676,824。
永　璜 561,667。
永　璿 598,900。
永　璋 728。
永　璇 644,984,1256。
永　德 875。
永　德(正红旗)975。
永　德(字俊马)1687。
永　瓒 895。
永　璘 757,1162,1163。
永　璧 783,800。
永　麟 1718。
司九诏 116。
司九经 491。
司马亶 871。
司马駧 546,987。
司为善 1016。
司百职 271。
司徒煦 1036,1262。
司徒照 1028,1232。
尼思哈 122,190。
尼　堪 102,114,124,140。
尼　堪 143,191。
尼　堪 159。
尼堪富什浑 680。
尼雅汉 402。
尼　满 235。
弘　丰 1019。

弘　历 577。
弘　庆 780。
弘　昆 667。
弘　畅 949。
弘　昇 694。
弘　昑 550。
弘　明 765。
弘　昉 801。
弘　春 581。
弘　昼 452,558,577,628,
　　　784。
弘　晋 468。
弘　晓 837。
弘　晊 792,819。
弘　晌 857。
弘　晈 558,750。
弘　晥 819。
弘　景 830。
弘　晼(见弘晥条)。
弘　普 631。
弘　曔 830。
弘　暾 544。
弘　曕 572,755。
弘　曣 667。
弘　昀 850。
皮宗瀚 1200,1454。
皮锡瑞 1589,1673(2)。
边大义 182。
边大绶 76。
边凤翔 1089。

边孔扬 1135。

边廷抡 709。

边廷英 1003。

边连宝 584。

边 果 503。

边鸣珂 1112。

边学海 718。

边宝树 964,1209。

边宝泉 1490,1675。

边保淳(见边葆诚条)。

边浴礼 1098,1341。

边继祖 655。

边葆诚 1108,1323。

边 樴 539。

发福礼 477。

弁塔哈 585,755。

弁塔海(见弁塔哈条)。

对哈纳 8,233,266。

台 布(正蓝旗)1043。

台 布(宗室)1356,1576。

台费荫 1025。

台斐音 1119。

台斐音阿 620,928。

台斐音保 1448。

台弼图 267。

台瞻斗 228。

六画

匡兰兆 83,144。

匡兰馨 109。

匡 源 1122,1315。

刑复诚 443,917。

邢士义 1390,1426。

邢天一 992,1455。

邢敦行 835,901。

邢福山 1160。

邢 端 1593,1703。

邢 澍 717,915。

吉士瑛 1015。

吉允迪 112。

吉尔杭阿 1434。

吉兰泰 506,1119。

吉 存 650。

吉 年 953,1180。

吉 庆 964,1019。

吉 兴 1418。

吉 纶 1214。

吉纶泰 1410。

吉林泰 1127。

吉 明 990,1190,1378。

吉思哈 59。

吉哈礼 26,302。

吉 恒 1071。

吉 陞 1724。

吉陞阿 1662。

吉 泰 1135。

吉 珩 1181。

吉 祥 1447。

吉 祥(镶蓝旗)1279。

吉勒通阿 1312。

吉勒塔布 386。

吉梦兰 545,708,728。

吉梦熊 679。

吉　善 718。

吉　禄 1040。

吉　廉 1281。

吉曦曜 358,728。

巩　安 35,310。

巩阿岱 138。

巩建丰 466。

巩　祚（见龚自珍条）。

朴　寿 1653,1724。

西　兰 121。

西　成 556。

西林布 1464。

西林布（正黄旗）1214。

西　拉 387。

西昌阿 1435。

西弥赉 563。

西　城 1018。

西津泰 966。

西凌阿 1424,1513。

西朗阿 1334。

西　铭 896。

西喇巴雅尔 119,198。

西喇布 3。

百　春 1219。

百　顺 1469。

百　顺（见百春条）。

百　祥 1173。

百　龄 652,798,1031,1079,
　　　　1102,1118(2),1127。

有　凤 1470。

有　庆 912,1133。

有　德 718。

存　诚 1542。

存　泰 929。

存　葆 998,1264。

夸　代 245。

夸　代 345。

夸　岱 550。

达三泰 975。

达瓦齐 721。

达尔布 157。

达尔占 467,497。

达尔汉 53,77。

达尔汉和硕奇 59,70。

达尔党阿 661,728。

达尔察 74。

达宁阿 366。

达自祥 1065。

达　庆 1091。

达　庆 1538。

达　寿 1529,1651。

达　运 135,245。

达克萨哈 326。

达里布 1611。

达青阿 720。

达　佳 433。

达　岱 314。

达春泰 1512。
达哈塔 302。
达哈塔(正白旗)44,135,
　　334。
达音布 21。
达洪阿 1332,1418。
达珠瑚 27,36。
达 都 310。
达都虎 295。
达凌阿 1242。
达 海 43。
达理善 204,265。
达勒精阿 1074。
达斯呼勒岱 1193。
达 椿 725,1019。
达 福 564。
达 镛 1141。
达麟图 640。
迈拉逊 901。
迈 图 350。
迈 柱 237,577,608。
迈 堪 265。
成大业 103。
成 山 1190。
成元震 439。
成 文 652,1193。
成文运 385。
成 允 1662。
成 书 722,873,861,1170,
　　1172。

成世瑄 911,1134,1332。
成 宁(见成龄条)。
成必超 1089。
成有馀 1244,1669。
成 刚 809,1370,1378。
成仲龙 40。
成多禄 1497,1603。
成观宣 944,1208。
成克大 187。
成克巩 72,157,183,276,
　　356。
成 孚 518。
成其范 194。
成 林 1137。
成 林(镶白旗)1221,1423,
　　1578。
成 昌 1443,1617。
成 明 1573。
成 明(正黄旗)1115。
成 凯 1476。
成 性 114。
成 城 494,725,936。
成 顺 1320。
成 亮 107。
成 桂(字月坪)1649。
成 桂(觉罗氏)702。
成 格 774,956。
成 宽 1056。
成衮扎布 794。
成康保 71,287,411。

成　琦 1131,1382,1601。

成　策 686。

成　善 1365。

成　瑞 1138。

成蓉镜（见成孺条）。

成　龄 1183。

成肇毅 113。

成肇麐 1361,1544,1614,
　　　1687。

成　德（正黄旗）727,1009。

成　德（正蓝旗）1018。

成　毅 1304。

成　额 309。

成　孺 1123,1385,1598。

托　云 1579。

托云泰 1199。

托尔托保 1055。

托尔欢 1154。

托伦布 1674。

托克推 81。

托克清阿 1146,1272,1493。

托克湍 1650。

托　时 729。

托明阿 1509。

托波克 243。

托浑布 978,1150,1338。

托浑泰（见托浑布条）。

托　津 696,1090,1112,
　　　1170,1284。

托　班 328,373。

托恩多 568,771,851。

托隆武 1333。

扩尔坤 266。

扬古利 48,57。

扬　奇 299,333。

扬　善 76。

扬　福 477。

毕力克图 162,255,301。

毕以田（见毕亨条）。

毕世持 281。

毕　至 1029,1278。

毕华珍 1370。

毕　亨 1053。

毕应辰 1156,1382。

毕　沅 552,723,857(4),867
　　　(5),874,908,958,
　　　966。

毕忠吉 52,172,366。

毕金科 1261,1439。

毕定邦 1442。

毕承昭 1050,1295。

毕星海 617,1006,1009。

毕贵生 833,1055。

毕保厘 1229,1462。

毕振姬 86,293。

毕　谊 488。

毕继曾 706,827,1082。

毕理格图（见毕力克图条）。

毕　棠 1194,1463。

毕喇希 54,90。

清代人物大事纪年

吕佰孙 1084,1303。

吕留良 35,314。

吕海寰 1330,1515,1733。

吕崇烈 72,220。

吕　铨 1353。

吕得科 1470。

吕　清 748,984,1173。

吕　琨 307。

吕葆中 429,437。

吕朝龙 1032。

吕朝瑞 1093,1405。

吕谦恒 142,444,544。

吕缉光 1544。

吕缉熙 999,1379。

吕锡蕃 1146,1375。

吕锦文 1221,1396。

吕慎多 86,292。

吕锺三 1229,1463。

吕　璜 826,1088,1225,
　　　 1307。

吕儁孙 1358。

吕履恒 122,370,376。

吕燕昭 792。

吕　辙 438,703。

吕　嶽 543,1007。

吕　燻 286。

吕缵祖 82。

吕耀斗 1222,1382,1662。

吕耀曾 285,432,596,631。

吕　瀗 691。

吕　燴 19,366。

吕瀗曾 316,464,668。

同　兴 1102,1220。

同　麟 933,1197。

刚阿泰 149。

刚　林 47,102,126。

刚　塔 910。

刚　毅 1655,1661,1663,
　　　 1667,1673,1676,
　　　 1684。

年希尧 609。

年　富 530。

年遐龄 525,540。

年　德 1205。

年羹尧 400,516,517,525,
　　　 530。

朱一凤 444。

朱一贯(见朱襄条)。

朱一是 69。

朱一新 1357,1560,1655。

朱一蜚 408,698。

朱士达 1135,1421。

朱士玠 450,686,794。

朱士珏 397,794。

朱士彦 786,1013,1307。

朱士容 106,527。

朱士琪 368,511,740。

朱士植 401。

朱士稚 191。

朱士端 883,1168,1417。

朱士瓒 423,794。

朱大任 240。

朱大勋 510,727,747。

朱大龄 218,393,582。

朱大源 1141,1334。

朱大韶 921,1151,1346,
　　1347。

朱与兰 40,330。

朱之佐 181。

朱之俊 18,162。

朱之桢 1731。

朱之琏 525,559。

朱之弼 13,83,334。

朱之瑜 311。

朱之锡 20,83,189,196,220。

朱之榛 1313,1545,1718。

朱之翰 95。

朱子春 1405,1595。

朱开嶽 1021。

朱天奇 1127。

朱天贵 91,314。

朱天保 466,489。

朱天章 150,622。

朱元庆 1107,1375,1597。

朱元钊 1140,1542。

朱元英 444,420。

朱元树 1702。

朱中理 429,620,901。

朱壬林 845,1087,1446,
　　1456。

朱仁寿 1510,1653,1740。

朱从举 1663。

朱凤仪 1314,1515,1674。

朱凤英 554。

朱凤标 991,1250,1433,
　　1526,1546。

朱凤森 822,1003,1247。

朱文江 1130,1382。

朱文劭 1586,1700。

朱文佩 741,971,1184。

朱文治 899。

朱文炌 898,1312。

朱文炳 379。

朱文卿 354。

朱文翰 846,914。

朱文镜 1535。

朱文藻 589,1049。

朱方蔼 900。

朱方增 827,1001,1240,
　　1242。

朱为弼 787,1040,1319。

朱以发 436,831。

朱以诚 412,599,628。

朱以宽 510,850。

朱以增 1277,1504。

朱允惇(见朱庆镛条)。

朱孔彰 1331,1589,1730。

朱　书 165,413,437。

朱正蒙 536,782,888。

朱世标 244,650。

朱世熙 193。

朱　本 731,1154。

朱丙寿 1287,1506,1728。

朱丕烈 654。

朱丕基 456,649,695。

朱右贤 1034,1290,1420。

朱右曾 991,1303,1359。

朱占科 1341,1594。

朱仕琇 474,656,849,850。

朱仕遇(见张仕遇条)。

朱仪训 1177,1407。

朱用纯 29,390。

朱尔汉 637,1055。

朱尔迈 43,365。

朱尔邺 230。

朱尔赓额 1197。

朱　兰 991,1230,1546。

朱兰枝 677,1320。

朱兰珍 669,1056。

朱兰泰 400。

朱兰馨 696,856,1114。

朱训诰 180。

朱记荣 1590。

朱永嘉 192,331,434。

朱弘仁(见朱宏仁条)。

朱匡维 251。

朱式璟 897,1231,1442。

朱百川 1176,1542。

朱百遂 1350,1549。

朱有龄 1293,1691。

朱有源 999,1223,1339。

朱成烈 845,1209。

朱光斗 614。

朱光亨 423,606,705。

朱光暄 610,1154。

朱廷抡 438,766。

朱廷采 37,478。

朱廷珪 185。

朱廷桂 526。

朱廷铉 307。

朱廷瑞 96。

朱廷璋 53,77。

朱廷璟 24,112,278。

朱休度 567,686,958,965,
　　　985,1097。

朱延庆 120。

朱延熙 1388,1608。

朱伦瀚 294,459,729。

朱向隆 758,1120。

朱名焵 1672。

朱庆时 1167,1399,1471。

朱庆松 1194,1390,1477。

朱庆祺 920,1252。

朱庆镛 1058,1263。

朱衣贵(见朱衣客条)。

朱衣客 203。

朱亦栋 770。

朱兴沂 1510,1617,1730。

朱兴汾 1526,1667,1729。

朱次琦 1050,1365,1586,

1588。

朱　江 1728。

朱　江 386。

朱汝珍 1529,1700。

朱阶吉 1132,1183。

朱如日 603。

朱观宾 13,298。

朱　约 249。

朱约淳 195。

朱寿朋 1526,1695。

朱运和 970,1488。

朱　圻 40,411。

朱孝纯 583,737,1009。

朱芫会 709。

朱克生 40,293。

朱克简 1,94,366。

朱步沆 969。

朱　岐 725。

朱秀文 383,837。

朱佐汤 557。

朱　攸 798。

朱希文 1648。

朱亨衍 358,453,720。

朱应元 1209。

朱应荣 753。

朱宏仁 515。

朱宏祚 37,101,402。

朱宏械 91,527。

朱宏模 150,439,491。

朱良裘 523。

朱启连 1405,1678。

朱张铭 153。

朱　纲 544。

朱　纶 446。

朱　玮 707,1097。

朱　坤 463,606,794。

朱其镇 897,1231。

朱若东 639。

朱若炳 601。

朱　英 188,496。

朱奇颖 123。

朱　果 580,935。

朱昆田 128,396。

朱国治 257。

朱国彦 24,357。

朱国桢 1693。

朱国淳 1148。

朱昌寿 898,1237。

朱昌祚 221。

朱昌泰 1240,1515,1628。

朱昌琳 1722。

朱昌颐 919,1208,1486。

朱昌龄 435,837。

朱昌毂 921,1319。

朱昌豫 1118,1471。

朱明镐 137。

朱昂之 697,

朱　典 239。

朱鸣凤 624,899,1121。

朱鸣英 898,1190。

朱鸣谦 63,357。
朱鸣雷 944,1477。
朱佩珍 1369,1733。
朱佩莲 625。
朱依炅 873。
朱依鲁 789。
朱　阜 239。
朱　径 395。
朱　受 847。
朱受新 705。
朱念祖 1509。
朱　炜 972。
朱学笃 1215,1452。
朱学章 202。
朱学勤 1185,1405,1556。
朱学聚 191。
朱泽澐 218,569。
朱宝瑩 1670。
朱宗大 956。
朱宗文 101,199。
朱宗城 749,1005,1049。
朱宗洛 725。
朱定元 464,667。
朱承受 1237。
朱承宠 871,893。
朱承陛 737,1164。
朱承鉽 1175,1423,1512。
朱承澧 1173。
朱　绂 113。
朱　绂 797。
朱绍凤 114。
朱春生 723。
朱春烜 689,1056。
朱　珊 306。
朱　垣 509,671,808。
朱埏之 809,1184。
朱　荃 602,667。
朱　栋 645。
朱　栋 706,973,986,1031,1184。
朱　栋 828,840。
朱挟鏉 112,246。
朱轸裔 36,233,391。
朱点衣 1701。
朱显廷 1380,1568。
朱显祖 89。
朱星炜 610,950。
朱　贵 1332。
朱　勋 1236。
朱贻坦 1291。
朱　钤 798,836。
朱　钧 1467。
朱秋魁 614。
朱泉徵 1208,1543,1613。
朱俎莘 757,1257。
朱亮采 20,166,366。
朱庭芬 1253。
朱奕森(见朱凤森条)。
朱美缪 925,1392,1442。
朱炳清 1196。

朱炳琦 1470。

朱洪章 1661。

朱祖谋 1437,1593,1736。

朱统鉴 220。

朱　泰 645,1193。

朱泰修 1093,1345,1590,
　　　 1615。

朱　珪 561,654,985,1016,
　　　 1030,1031,1042,
　　　 1049。

朱　珩 774,1013,1234,
　　　 1255,1386。

朱载黄 228。

朱都纳 249。

朱恭寿 840,1151,1420。

朱栻之 882,1178,1347。

朱桂桢 769,982,1312。

朱　桓 573。

朱　桓 933。

朱根仁 1575。

朱　夏 830,492。

朱　振 288,359。

朱振玉 533。

朱　轼 214,371,516,517,
　　　 493,543,597。

朱迪然 1287,1482,1592。

朱恩绂 1461,1617。

朱隽甲 1036,1295。

朱射斗 194。

朱射斗 630,994。

朱鬯侯 1051,1365。

朱逢辛 978,1231。

朱　衮 17,311。

朱益濬 1388,1567。

朱益藩 1472,1629,1738。

朱　浩 803,1306。

朱　涂 993。

朱宸枚 200,505。

朱家宝 1460,1643。

朱　陵 336,522,771。

朱能作 1132。

朱能恕 681。

朱骏声 897,1141,1391,
　　　 1197,1366,1370,
　　　 1378,1449。

朱　焘 1474。

朱　理 730,891,1153。

朱邌吉 832,1109,1299。

朱菜元 691。

朱　彬 684,947,1255,1273。

朱梦元 1093,1341,1512。

朱　虚 96。

朱崇庆 938,1180。

朱崇荫 1489,1618,1738。

朱铨达 79,233,378。

朱　偓 914。

朱象贤 682。

朱　垩 1022,1253,1511。

朱焕明 1620。

朱　鸿 757,1013。

朱鸿绪 573,817,961。
朱渐仪 38,478。
朱　淳 879,1231。
朱　渌 981。
朱绪曾 1181,1385,1470。
朱续经 511。
朱续埠 574。
朱维鱼 532,896。
朱　绶 904,1245。
朱　瑛 170,448。
朱　琦 1022,1279,1439,
　　　　1478。
朱　琰 439,683。
朱　琰 463,728,759,765,
　　　　851。
朱　琛 1330,1535。
朱超发 1664。
朱　彭 562,1024。
朱彭年 1293,1562。
朱彭寿 1526,1670。
朱联沅 1727。
朱董祥 264。
朱朝英 64,242。
朱葵之 853,1141,1393。
朱　楡 977,1202。
朱　雯 208。
朱紫贵 943。
朱鼎延 72。
朱景山 1469。
朱景肃 320。

朱　智 1215,1389,1661。
朱　稽 672。
朱程奎 717,967。
朱　舜 75,342。
朱赓飏 1566。
朱善张 1046,1501。
朱善旂 1245。
朱善祥 1340,1561。
朱道文 1441。
朱　煃 392,523,812。
朱　焜 589,1144。
朱漠烈 348,511,517。
朱　棨 1059。
朱裕观 479,686,867。
朱　缃 1397。
朱　缃 237,437。
朱瑞椿 713,933,1226。
朱瑞榕 751,948,1220。
朱葩恭 605。
朱　椿 449,875。
朱　樾(见闻斑条)。
朱　煦 529,830。
朱锡经 689,840,1082。
朱锡恩 1429,1652。
朱锡爵 899。
朱　锦 1423,1622,1735。
朱　锦 180,251。
朱锦琮 844,1470。
朱　筠 545,690,857,858。
朱　筠 741,1292。

朱　箕 487,965。

朱靖甸 1270,1454,1662。

朱　煌 796,1030。

朱福诜 1330,1580,1730。

朱福基 1505。

朱福铣（见朱福诜条）。

朱　瑶 754。

朱嘉徵 69,318。

朱　裴 85,402。

朱毓文 1189。

朱銮廷 923,1189。

朱　搴 386。

朱　瑾 591。

朱　璜 252,597。

朱　樟 393。

朱　峄 920,1149,1486。

朱墨林 1136。

朱稻孙 304,729。

朱德华 1148。

朱德澄 1288,1648。

朱德璲 1112。

朱　潮 1395。

朱潮远 211。

朱　澜 520,960。

朱　澄 1001。

朱澄澜 1129,1336。

朱寯瀛 1349,1483。

朱履中 660,1205。

朱履贞 993。

朱履亨 404,858。

朱　檠 524。

朱翰春 225。

朱　樗 612。

朱　霞 153。

朱曙荪 466。

朱　襄 402。

朱　襄 923,1159。

朱燮元 1078,1318,1487。

朱彝尊 35,227,281,289,
　　　328,332,395,405,
　　　425,426,440,447。

朱雕模 178,695。

朱攀龙 52,481。

朱　霖 299,409。

朱　艘 963,1233。

朱耀奎（见朱宝莹条）。

朱鹤年 722,1274。

朱鹤龄 184,315。

朱　瓒 618。

朱麟祺 1129,1365,1412。

朱　懋 366。

朱　潘 400。

先　福 1173。

廷　杰 1322,1561,1721。

廷　恺 1389。

廷　桂 1310。

廷　雍 1685。

廷　鐺 796,1163。

竹绿漪 155。

乔人傑 753。

乔于瀛 399。

乔士容 225。

乔大凯 687。

乔世臣 327,502,586。

乔可聘 18,265。

乔甲观 195。

乔用迁 897,1111,1384,
1393。

乔邦宪 970,1264。

乔光烈 601,755。

乔 汲 352,824。

乔阴甲 1407。

乔远炳 946。

乔远焕 730,914,1192。

乔沖杓 641,902。

乔松年 1116,1280,1557。

乔学尹 465。

乔树枏 1381,1544,1563,
1729。

乔映伍 85。

乔保衡 1636。

乔 莱 68,224,288,373。

乔晋芳 978,1278,1450。

乔崇让 218,332,373。

乔崇烈 430。

乔 楠 181,231。

乔 照 602。

乔履信 556。

乔履信 774,1048。

伍长华 852,1108。

伍尔衮布 1258。

伍应长 377。

伍拉纳 950。

伍忠阿 1365。

伍泽荣 538。

伍泽梁 591。

伍弥乌逊 1009。

伍弥泰 449,887。

伍绍棠 1269,1399。

伍铨萃 1496,1642。

伍涵芬 331。

伍毓崧 1671。

伍肇龄 1216,1363,1708。

延 茂 1336,1492,1683。

延 昌 1555,1695。

延 恺 1317。

延 清 1356,1550,1731。

延 绥 478。

延 弼 915。

延 楷 1389。

延 龄 840,1063。

延 煦 1221,1430,1615。

延 煜 1374,1544。

延 熙 1388,1576。

仲永檀 591,632。

仲弘道 355。

仲孙樊 1353。

仲孙懋 1465。

仲是保 632。

仲 湘 963。

仲鹤庆 691。

任大任 366。

任大椿 605,775,861,867,894,910。

任风厚 36,410。

任为琦 991,1252。

任尔琼 385。

任兰生 1301,1619。

任兰枝 275,464,645。

任式坊 1117,1407,1513。

任兆坚 1185,1397。

任兆炯 849。

任兆麟 823,867,886,894,900,956。

任观瀛 288。

任克溥 111,394,415,416,417。

任辰旦 19,225,360。

任时懋 285,495,616。

任伯寅 981。

任应烈 362,555,773。

任宏嘉 269。

任启运 237,574,489,636。

任际虞 489。

任陈晋 613。

任　玥 42,194,333。

任其昌 1239,1506,1685。

任　枫 17,225,302。

任学周 710。

任泽和 906。

任承恩 967。

任树森 1161。

任奕壦 353。

任　举 525,658。

任　珍 125(2)。

任　埈 152。

任　烜(见任煊条)。

任基振 775。

任衔蕙 892。

任绳隗 166。

任郎祜 751,1016,1283。

任郎祐(见任郎祜条)。

任　瑛 1012,1364,1597。

任联捷 1672。

任道镕 1187,1374,1708。

任裕德 565。

任　瑗 362,812。

任锡汾 1563。

任　煊 946。

任嘉我 1702。

任　塾 224。

任端书 598。

任德成 316,801。

任　潆 40,162。

任　璿 288。

伦　柱 1192。

华　丰 1528。

华日新 1342。

华长卿 1036,1245,1588。

华允谊 198。

华玉淳 581。

华世芳 1707。

华世奎 1496,1648,1740。

华　尔 1487。

华廷傑 1146,1352。

华庆远 233。

华　玘 321,493。

华希闵 547。

华希闵 248,495,675。

华　纲 703。

华金寿 1309,1548,1681。

华京智(见华宗智条)。

华学泉 79,493。

华宗智 1695。

华　珑 256。

华南田 761,808。

华　显 416,418。

华俊声 1630。

华奕祥 178。

华祝三 1083,1363。

华章志 180,374。

华　嵒 305。

华　善 277。

华　善(汉正白旗)417。

华　焯 1670。

华湛恩 1326。

华　聘 1119。

华　辉 1451,1594。

华翼纶 1122,1344,1616。

华蘅芳 1545,1590,1692。

伊　三 328,344。

伊丰额 1171。

伊什旺布 1474。

伊巴罕 330。

伊尔格德 144。

伊尔敦 487。

伊尔登 135,205。

伊尔登 316,662。

伊尔德 167,198。

伊乐尧 1078,1390,1485。

伊立布 1718。

伊兴额 1050,1475。

伊江阿 1007。

伊汤安 791。

伊玛喇 377。

伊志可 330。

伊克坦 1610。

伊克坦布 1387。

伊里布 1002,1338。

伊里布(见宜里布条)。

伊伯讷 1410。

伊应聚 36,455。

伊冲阿 1237。

伊松阿 793。

伊昌阿 1172。

伊　图 277。

伊　图 365。

伊秉绶 689,905,1120。

伊　柱 773。

伊　拜 136,175。

伊恒瓒（见伊朝栋条）。

伊　逊 70。

伊都立 393。

伊桑阿 1009。

伊桑阿 58,157,371,417。

伊勒图 880。

伊勒都齐 136,255,277。

伊勒慎 658。

伊勒慎 81。

伊崇额（见宜崇条）。

伊瑝额 1458。

伊朝栋 545,777,1055。

伊铿额 1164。

伊　禄 735。

伊龄阿 950。

伊福讷 557。

伊精阿 1528。

伊　霖 1271。

伊　阇 19,155,301。

伊　巇 23,172,372。

向万鑅 1349,1530。

向日贞 466。

向　荣 925,1434。

向德星 645。

向遵化 1041。

向　璿 305,565。

全玉贵 1470。

全　节 147,230。

全　庆 998,1231,1572,
　　　1531,1583,1591。

全　兴 1467。

全　兴 1666。

全吾骐 39。

全　柱 770。

全　奎 1089。

全　顺（正白旗）998,1232。

全　顺（正蓝旗）1432,1508。

全　保 1055。

全祖望 423,592,698。

全凌阿 1367。

全　龄 1386。

全　魁 672,922。

全　德 1026。

会　章 1374,1561,1691。

合信氏 1392。

众神保 1042。

兆　惠 438,710,714,719,
　　　745,750。

多　山（蒙正蓝旗）946。

多　山（满镶蓝旗）1425。

多　文 1721,

多尔吉 135,138。

多尔吉 276,360。

多尔机 386,529,579。

多尔济 740。

多尔济（正黄旗）80,104。

多尔济（镶蓝旗）135,160。

多尔济达尔汉诺颜 135,189。

多尔衮 53,69,76,120。

多尔博 251。

庄关和 665,1143。

庄宇逵 956,1097。

庄守和 1586,1714。

庄　论 466。

庄来仪 859,1193。

庄亨阳 328,487,645。

庄际盛 306。

庄纶仪 1651。

庄纶渭 462,626,813。

庄述祖 664,846,1047,1113,
　　　1126。

庄受祺 1077,1314。

庄　炘 583,770,886,1142。

庄诜男 1015。

庄陔兰 1700。

庄承篯 759。

庄经畬 599。

庄　柱 348,537,720。

庄　映 486,677,1008。

庄选辰 689,835,874,880。

庄复旦 871。

庄俊元 1093,1289。

庄勇成 510,995。

庄　振 701,1091。

庄隽甲 749,884,1065。

庄通敏 798。

庄遂吉 723,1104。

庄培因 690,721。

庄绳祖 482,665,922。

庄绥甲 809,1226。

庄朝生 114。

庄蒞民 792。

庄　楷 465。

庄　揩 238。

庄锡级 1201,1431。

庄　瑶 920,1133。

庄锺济 1610。

庄肇奎 686。

庄蕴宽 1636。

庄　鳞 129。

庆　山 1328。

庆　云 1304。

庆　玉 702。

庆　宁 566,667。

庆　成 957,1016,1096。

庆　至 1573。

庆　安(见庆祺条)。

庆　连 1468。

庆　昀 1508。

庆　和 1354。

庆　怡 1103。

庆　春 1639。

庆　春 664,807。

庆　勋 991,1231。

庆　复 614,645,662。

庆　保 1170。

庆　恒 1681。

庆　恒 1714。

庆　恒 572,842。

庆　陞 1573。

庆　桂 1718。
庆　桂 583,985,1031,1072,
　　　1095,1112,1126。
庆　恩(见庆恕条)。
庆　恩(宗室)1587。
庆　祥 1213。
庆　恕 1313,1562。
庆　隆 1529,1660。
庆　惠 1219。
庆　惠(宗室)1476。
庆　裕 1269,1662。
庆　祺 1034,1251,1456。
庆　禄 1111。
庆　禄 1723。
庆　瑞 1458。
庆　锡 1600。
庆　廉 1226。
庆　溥 1219。
庆　德 1418。
庆　霖 1048。
庆　霖(字雨苍)931。
庆　麟 1391。
刘　丁 14,360。
刘人睿 726。
刘三章 88。
刘于浔 1046,1271,1564。
刘士兰 87。
刘士壮 33,341。
刘士宏 558。
刘士奇 1657。

刘士铭 389,483,754。
刘大成 553,856,959。
刘大观 685,828。
刘大忠 1326。
刘大绅 647,798,1006,1226。
刘大宾 363,585,715。
刘大谟 131。
刘大櫆 389,548,568,843。
刘大懿 701,829,1192。
刘万程 1160。
刘　凡 269。
刘广国 112。
刘之仁 1009。
刘之屏 87,105。
刘之源 137,214,235。
刘之蔼 1160。
刘子壮 106,144。
刘子城 1094,1295,1310。
刘子铨 1228,1491。
刘子章 161,300,437。
刘子雄 1444,1617,1627,
　　　1628。
刘子镜(见刘子铨条)。
刘　开 870,1198。
刘开文 98。
刘开泰 1427。
刘天成 692。
刘元龙 460,517。
刘元勋 182。
刘元亮 1472,1623,1714。

刘元炳 576。

刘元浩 1657。

刘元琬 110。

刘元弼 1472,1630,1720。

刘元福 241。

刘元熙 639。

刘元慧 193。

刘元燮 405,555,772。

刘云会 1551。

刘五教 408,584。

刘友光 53。

刘中度 1357,1569。

刘中策(见刘纶襄条)。

刘长佑 1140,1375,1615。

刘长清 1161。

刘长槐 1527。

刘公言 303。

刘凤苞 1228,1505。

刘凤诰 904,1053,1118,
        1242。

刘凤起 1693。

刘文灿 525。

刘文忠 778。

刘文浩 558。

刘文彬 1468。

刘文淇 904,1150,1162,
        1359,1421。

刘文徽 562,790,965。

刘方至 105。

刘方蔼 537。

刘方璿 1030。

刘方璿 648,1030。

刘为先 24,204,355。

刘心源 1368,1560。

刘尹衡 981。

刘引之 1239,1390,1722。

刘以贵 338。

刘允孝 822,1333。

刘允桂 726。

刘　双 856。

刘书云 1243,1431,1607。

刘书年 1083,1351,1477。

刘玉珂 1608。

刘玉豹 1427。

刘玉麐 605,828,968。

刘正远 459。

刘正宗 33,143,158,162,
        201。

刘正品 1156,1432。

刘世宁 494,639,995。

刘世安 1394,1621。

刘世明 587。

刘世栋 605,1120。

刘世珩 1653。

刘世澍 347,496。

刘世薯 528。

刘本植 1362,1551。

刘可毅 1423,1643。

刘龙光 251。

刘龙光 640。

刘占魁 1596。

刘代英 1196,1376,1467。

刘仪恕 79。

刘用锡 853,1237。

刘汉中 14,407。

刘汉卿 113。

刘汉儒 18,216。

刘礼奎 1111。

刘礼淞 920,1124。

刘必显 131,360。

刘永庆 1480,1709。

刘永亨 1380,1567,1711。

刘永祺 145。

刘永锡 53,148。

刘弘绪 555。

刘召扬 644,870,1025。

刘台斗 984,1114。

刘台拱 669,791,1043。

刘 吉 474,655,842。

刘权之 610,723,1041,1089,
　　　1142。

刘有庆 963,1233,1274。

刘有铭 1035,1364,1564。

刘存厚 1434。

刘达善 1200,1344。

刘成万 919,1233。

刘成业 1044。

刘成玑 561,1091。

刘成忠 1396。

刘执玉 765,825。

刘师苍 1548,1666,1691。

刘师陆 864,1158。

刘师恕 400,673,704。

刘师培 1689。

刘光三 1110。

刘光斗 25,139。

刘光美 426。

刘光第 1451,1594,1673,
　　　1675。

刘光裕 1628。

刘光弼 257。

刘光蕡 1336,1556,1637,
　　　1699。

刘同缨 1045,1295,1409。

刘廷诏 1436。

刘廷英 979,1425。

刘廷枚 1146,1521,1606。

刘廷检 1279。

刘廷琛 1543,1651。

刘廷斌 1266。

刘廷楠 685,893,1164。

刘廷鑑 1363。

刘 伟 146。

刘 伟 323。

刘传莹 1140,1310,1371。

刘传祺 1146,1383。

刘传福 1349,1548。

刘仲珴 1251。

刘仲锦 148。

刘 华 1472,1623。

刘沛然 1580。

刘沂水 1191。

刘　汶 331。

刘宏发 1606。

刘宏遇 198。

刘良臣 103。

刘良佐 102,228。

刘良驷 1029,1296,1542。

刘良驹 963,1232,1513。

刘良璧 523。

刘启元 730,926,1212。

刘启瑞 1702。

刘启端 1472,1621。

刘　诏 374。

刘诏陞 777。

刘君辅 1138。

刘　纮 113。

刘纯炜 611。

刘　纶 452,594,745(2),
　　807。

刘纶襄 1308,1559。

刘奉璋 1415,1622。

刘　珏 915。

刘　武 175。

刘武元 143,149。

刘青芝 263,538,562,699。

刘青照 1301,1506。

刘青震 424。

刘青藜 207,431,448。

刘　坤 791。

刘坤一 1239,1676,1679,
　　1686,1691。

刘其年 1155,1362,1533。

刘其昌 1483。

刘其旋 627。

刘若珪 1102。

刘若曾 1460,1622。

刘若鼐 106,249,461。

刘若璪 872。

刘英傑 1474。

刘林青 462,862。

刘松山 1261,1532。

刘尚伦 1404,1594。

刘　果 1609。

刘　果 29,180,395。

刘果远 92。

刘国光 1239,1399。

刘国庆 906。

刘国轩 317,366。

刘国荣 1191。

刘国钦 108。

刘国宰 185。

刘国樑 693,936。

刘国黻 142,306,403。

刘　昌 25,125,158,162,
　　242。

刘昌五(见辛昌五条)。

刘昌臣 152。

刘昌言 5,182,251。

刘昌傑(见岳赵龙条)。

清代人物大事纪年

刘　城 120。

刘荣庆 874。

刘荣熙 904，1148。

刘荣黼 1061。

刘荫枢 55，270，496，518。

刘荫棠 1160。

刘　柏 520。

刘树屏 1438，1631，1729。

刘树棠 1619。

刘厚基 1537，1563，1569。

刘拱辰 1342。

刘显曾 1643。

刘星炜 486，653，800。

刘思敬 723，907，1226。

刘思敬 93。

刘钦邻 193，262。

刘种之 620，752，758，1082。

刘　复 537。

刘　顺 539，735。

刘俊邦 549。

刘俊德 1158。

刘　庠 1196，1389，1686。

刘奕煜 1001。

刘　恂 209。

刘首昂 17，342。

刘　炳 625。

刘　炳 848。

刘济川 676。

刘济宽 7，146，325。

刘　浔 1122，1263。

刘祖任 414。

刘神山 1294，1449。

刘祚远 152。

刘统勋 392，522，693，710，
　　771，792，807。

刘起龙 1242。

刘起振 118，593，657，674。

刘　埕 1，365。

刘恭冕 1195，1507，1576，
　　1598。

刘桂文 1322，1582。

刘桂枝（见刘岩条）。

刘　桐 1026。

刘校之 733。

刘振镛 1368，1562，

刘致中 655。

刘恩溥 1276，1504，1714。

刘恩澍 1294，1444，1640。

刘　羕 509，948，950。

刘乘龙 693。

刘　俸 875。

刘倬云 1698。

刘逢亮 1675。

刘逢禄 821，959，1041，1073，
　　1096，1109，1236。

刘馀庆 1432。

刘馀祐 2，115，125，144。

刘　益 621。

刘　斌 776，1044。

刘　涛 397，547，773。

刘　惠 1065。
刘惠恒 97。
刘雁题 726。
刘辉祖 348。
刘辉祖 733,819。
刘遇奇 260。
刘景云 83。
刘景芳 1588。
刘景昌 1044。
刘景荣 132。
刘景宸 1482。
刘　斌 1104。
刘　曾 1491。
刘曾璇 926。
刘　焕（见刘楚英条）。
刘　焯 731。
刘　焜 1548,1694。
刘　湛 14,391。
刘　湘 655。
刘　湘 880。
刘　湜 1072。
刘渭龙 39,219,273。
刘　滋 44,195,388。
刘　湄 566,775,1019。
刘富成 1426。
刘　棨 165,322,450,490。
刘裕鋆 952,1190,1413。
刘　祺 1639。
刘　谦 270。
刘谦吉 209。

刘登俊 970,1564。
刘缉尧 96。
刘瑞远 79。
刘瑞芬 1217,1645。
刘瑞祺 1260,1481,1640。
刘　蓉 1122,1546。
刘献廷 100,376,377。
刘楚英 1282。
刘　楷 287。
刘暐泽 404,554。
刘暐潭 555。
刘　愚 1271,1484。
刘　煦 1085,1295,1487。
刘嗣美 113。
刘嗣绾 736,1060,1164。
刘嵩龄 464。
刘锡五 855。
刘锡金 1491。
刘锡信 753。
刘锡鸿 1201,1376。
刘锡瑜 660,1319。
刘锡瑕 775。
刘锦棠 1340,1572,1596,
　　　 1599,1631,1632,
　　　 1625,1654,1656。
刘锦藻 1480,1652,1737。
刘　愈 307。
刘腾鸿 1157,1440。
刘　慥 435,600,767。
刘湔年 1176,1462,1641。

刘湝燔 1308,1423。

刘源长 273。

刘源渌 9,402,403。

刘源濬 1045,1279。

刘源濬 87。

刘源灏 953,1189,1509。

刘谨之 610,718,896。

刘　裨 97。

刘福姚 1496,1642。

刘殿衡 161,485。

刘嘉琛 1472,1658,1737。

刘嘉斌 1460,1660。

刘　墉 494,670,810,985,
　　　1033。

刘榖孙 1489,1700。

刘熙载 1098,1343,1408,
　　　1587。

刘　榛 51,351。

刘　榕(见刘衡条)。

刘锺琳 1636。

刘管城 906,1307。

刘毓崧 1139,1317,1518。

刘毓楠 1156,1398。

刘　銮 690。

刘　綮 1068,1253。

刘　墫 724。

刘醇骥 266。

刘德亮 1467。

刘德铨 1015。

刘遵陆 701,907,1197,1247。

刘遵海 853,1180,1410。

刘　澍 86。

刘　澐 937,1233。

刘　澂 1391。

刘　澜 87。

刘鹤翔 1427。

刘鹤龄 1661。

刘履芬 1217,1579。

刘履恂 884。

刘履旋 93。

刘燕翼 1540,1658。

刘　镛(见刘振镛条)。

刘　衡 993,1054,1291,
　　　1328。

刘錤宝 559。

刘　羲 926。

刘嶽云 1373,1609,1729。

刘嶽昭 1195,1597。

刘　燨 1491。

刘　濚 908。

刘翼明 341。

刘　璿 1031。

刘镮之 841,906,1102,1112,
　　　1162,1173。

刘　藻 404,595,745,762。

刘　霨 86。

刘麒祥 1668。

刘韵珂 913,1101,1502。

刘耀椿 879,1160。

刘　灏 200,337,460。

刘　鑑 673,922。
刘麟图 102,185。
刘麟趾 240。
齐大勇 558。
齐正训 804,982,1198。
齐正谊 730,1275。
齐世武 526。
齐世南 733。
齐布森 1219。
齐尔格申 136,256。
齐召南 412,595,650,734,
　　 772。
齐克唐阿 1371。
齐克新 118,197。
齐苏勒 534,550。
齐努浑 636。
齐忠甲 1496,1652。
齐周南 621。
齐建中 640。
齐承彦 1021,1223,1518。
齐彦槐 809,1059,1069。
　　 1327。
齐祖望 239。
齐哩克齐 988。
齐斌达(见琦昌条)。
齐普松武 1583。
齐　慎 815,1347。
齐嘉绍 915。
齐墨克图 80,103。
齐　鲲 1001。

齐耀珊 1503,1631。
齐耀琳 1480,1658。
充　保 321,390。
羊复礼 1314,1515。
羊焕然(见徐焕然条)。
关天培 1326。
关以镛 1562。
关圣保 1182,1354。
关　保 1528。
关冕钧 1651。
关联陞 987。
关赓麟 1702。
关遐年 873。
关　槐 660,846,823,1049。
关　腾 1119。
关　福 1479。
关榕祚 1404,1630。
米汉雯 193,289。
米兴朝 1487。
米思翰 42,262。
壮　德 591。
兴　世 1320。
兴　宁 688。
兴永朝 42,406。
兴　伦 1333。
兴　奎 1198。
兴　科 1312。
兴　泰 591。
兴　恩 1207,1398。
兴　常 1044。

0082

江　源 521。
江福山 1500。
江毓昌 1301,1544。
江蕴琛 1659。
江德量 676,846,935。
江　镠 996。
江　衡 1545。
江濬源 580,835,1065。
江　藩 730,875,1090,1103,
　　　1171,1183,1248。
江　璧 1506。
江　蘩 410。
池生春 970,1188,1291。
池剑波 1057,1353。
汤大绅 625。
汤大奎 542,744,849,887。
汤大宾 470,874,960。
汤之旭 430。
汤之锜 14,311。
汤子坤 1276,1561。
汤元苣 828。
汤云松 1077,1316。
汤文隽 652,1010。
汤世昌 670。
汤世培 1071。
汤世澍 1243,1692。
汤右曾 161,337,507。
汤占先 1312。
汤用中 1310,1370。
汤成烈 1245。

汤先甲 670。
汤　伟 348。
汤传榘 122,338,441。
汤自铭 358,825。
汤似瑄 1229,1454。
汤纪尚 1381,1680。
汤寿潜 1429,1642。
汤来贺 64。
汤若望 143。
汤金钊 796,979,1416,1434。
汤贻芬 832,1410。
汤　修 1084,1310,1538。
汤祖契 211。
汤　俀 475。
汤　准 244,587。
汤　宽 970,1425。
汤家相 114。
汤　球 1029,1588。
汤萼联 499,639,675。
汤萼棠 742。
汤储璠 1086。
汤　然 621。
汤　斌 29,133,289,334。
汤禄名 1029,1554。
汤　谦 946。
汤　聘 195。
汤　聘 591,778。
汤聘珍 1691。
汤　鹏 997,1188,1347。
汤　溥 123,359。

清代人物大事纪年

许之渐 152。
许之瑞 997,1203。
许之獬 219。
许王臣 879。
许王猷 343,464,773。
许开基（见许道基条）。
许天宠 97,282。
许元恺 1346。
许　云 504。
许日炽 476。
许仁沐 1331,1507。
许仁杰（见许仁沐条）。
许文谟 1198。
许邓起枢 1672。
许玉璩 1217,1497,1656。
许正阳（见许正绶条）。
许正绶 943,1231,1392,
　　　1479。
许世亨 900,909。
许世英 1543,1666。
许世昌 761。
许本塘 1027,1264。
许占魁 278。
许叶芬 1394,1621。
许叶笏 1702。
许　田 413。
许邦光 844,1086,1267。
许邦寅 899,1377。
许有麟 1276,1521。
许成麟 463,595,808。

许　贞 264,376。
许贞元 1454。
许贞幹 1380,1642,1600。
许光治 1400,1428。
许廷佐 145,308,451。
许廷桂 1260,1463。
许廷鑅 495。
许乔林 814,1052,1246。
许延邵 173。
许延俊 1035。
许自俊 241。
许兆棠 847。
许兆椿 797,1114。
许庆宗（见许宗彦条）。
许汝恪 944,1161。
许汝盛 575。
许汝霖 63,306,454,497。
许孙荃 63,239,341。
许寿身（见许彭寿条）。
许　均 487。
许　虬 171。
许作屏 730,1153。
许作梅 65。
许伯政 412,625。
许希孔 557。
许迎年 398。
许应虎 663。
许应骙 1238,1383,1709。
许应藻 1158。
许应鑅 1156,1406,1639。

清代人物大事纪年

许培荣 558。

许梦魁 1408。

许 樵 969,1263,1204,
　　　1547。

许得功 102,274。

许惟讷 398。

许惟模 393。

许 焕 93。

许鸿磐 855。

许涵度 1405,1562。

许彭寿 1166,1362,1512。

许 朝 611。

许 鼎 511。

许 鼎(见许鲁条)。

许鼎霖 1589。

许景澄 1349,1522,1681。

许 鲁 859,1333。

许赓飏(见许玉瑑条)。

许道培 1505。

许道基 554。

许道藩 953,1252。

许 遂 380。

许 焞 512。

许 湄 399,497。

许祺身 1641。

许 楣 990,1262。

许嗣兴 498。

许嗣隆 307,365。

许谨身 1263。

许 瑶 129。

许瑶光 1131,1375,1511,
　　　1538,1592。

许 縠 397。

许熙宇 109。

许 增 1196,1699。

许 镇 457。

许 镐 749,939,1299。

许 融 1158。

许儒龙 336。

许鐏身 1420。

许懋昭 717,1326。

许 瀚 962,1282,1354。

许缵曾 30,112。

农 起 881。

寻步月 931,1189。

寻銮炜 1397。

阮 元 748,905,927,958,
　　　972,973,986,993,
　　　1006,1023,1031,
　　　1112,1119,1182,
　　　1235,1265,1291,
　　　1305,1337,1359,
　　　1379。

阮玉堂 375,476,721。

阮尔恂 306,480。

阮芝生 709。

阮寿松 1365。

阮应商 414,490。

阮忠枢 1520,1624。

阮 和 562,1032。

牟廷相 947。
牟昌裕 647,914,1065。
牟荫乔 1222,1549。
牟　恒 371。
牟惇儒 1003。
纪大奎 841。
纪　山 675。
纪　元 154。
纪　龙 735。
纪　兰 915。
纪迈宜 471。
纪成斌 578。
纪庆曾 1283。
纪　昀 519,666,690,719,
　　　　720,793,811,861,
　　　　908,921,927,934,
　　　　949,973,1016,1041,
　　　　1042。
纪　昉 547,908。
纪　昊 442。
纪　昭 708。
纪复亨 680。
纪　晋 412,606,695。
纪容舒 463,750。
纪遂宜 247,513。
纪虚中 600。
纪淑曾 686。
纪堪荣 1624。
纪堪谨 1510,1624。
纪　暲 429,831。

纪　愈 224,360。
纪蔼宜 352,520,750。
纪遵宜 369。
纪　耀 84。
孙一元 871。
孙一致 171。
孙人龙 553。
孙士毅 494,731,738,849,
　　　　894,900,957,960。
孙大刚 689,1174。
孙大猷 987。
孙大儒 112。
孙之獬 18,98。
孙之騄 636。
孙子昶 287。
孙开华 1650。
孙天寅 520,587。
孙元衡 376。
孙友莲 1341,1652,1684。
孙友尊 1644。
孙日萱 952,1208,1425。
孙曰秉 566,733,1019。
孙见龙 327,464。
孙升长 796,1039。
孙长绂 1186,1432,1524。
孙凤起 1151。
孙凤翔 1482。
孙文焕 810。
孙允恭 109。
孙玉庭 676,817,1162,1170,

孙序贤 1160。

孙闳达 209。

孙　汶 1015。

孙良贵 612。

孙启贤 73。

孙　诏 459,579。

孙诒让 1369,1515,1541,
　　　1676,1714。

孙诒经 1207,1463,1531,
　　　1545,1634。

孙际昌 153。

孙陈典 547。

孙　珏 946。

孙若群 209。

孙枝蔚 11,291,334。

孙奇逢 2,102,1224,265。

孙叔谦 1381,1544,1688。

孙　卓 286。

孙国玺 503,615。

孙昌凯 1675。

孙昌龄 9,117。

孙鸣珂 1106,1341。

孙鸣皋 1652。

孙　岩 656。

孙和平 1264。

孙岳颁 60,305,376,401,
　　　439,441。

孙佩金 1550。

孙金彪 1707。

孙念祖 1229,1452。

孙　炘 1511。

孙学稼 301。

孙泽翘 1310。

孙　治 1302。

孙宝书 1313,1656。

孙宝琦 1514,1735。

孙宗夏 577。

孙宗锡 1566。

孙宗溥 598。

孙宗翰 1663。

孙宗濂 634。

孙宗彝 94,295,314。

孙定辽 98。

孙承泽 40,143,97,184,189,
　　　255,271,272。

孙承恩 170。

孙绍阳 1438,1629。

孙绍武 409,658。

孙绍武 409,658。

孙绍昌 476。

孙经世 865,1245,1256。

孙贯一 1088。

孙　奏 194。

孙珀龄(见孙伯龄条)。

孙荣枝 1659。

孙荣前 691。

孙树本 853。

孙显寅 1688。

孙星衍 684,875,891,900,
　　　928,949,965(2),973

(3),986,1017,1042,
1054,1047(2),1064,
1126, 1095, 1118,
1142。

孙 昭 515。

孙思克 30,276,358(2),380,
402。

孙思庭 737。

孙贻年 428。

孙钦昂 1200,1432。

孙钦晃 1287,1522。

孙胤裕 85。

孙胤骥 151。

孙养翼 130。

孙 诠 63,306,403。

孙宪绪 946。

孙泰溶 495,881。

孙起纶 240。

孙起蛟 929。

孙起端 1147。

孙晋墀 1316。

孙桐生 1398。

孙振濂 1731。

孙致弥 68,338,448。

孙效曾 742,1020。

孙家良 991,1290。

孙家贤 777。

孙家泽 1302。

孙家泰 1476。

孙家铎 1325。

孙家鼐 1215,1452,1599,
1663,1713,1708,
1706,1719。

孙家毅 1201,1432。

孙家醇 1364。

孙 继 9,386。

孙 焘 1032。

孙培元 1644。

孙梦逵 429,627,674,745。

孙 梅 776。

孙 爽 125。

孙 堂 1005,1118。

孙崇纬 1416,1595。

孙铭恩 1076,1279,1418。

孙银槎 760,986。

孙 偘 949。

孙得功 48(2)。

孙清元 848,1104。

孙维龙 562,724,806。

孙博雅 26,298。

孙期昌 131。

孙葆元 997,1233。

孙葆田 1313,1550,1660,
1726。

孙葆恬 938,1151,1327。

孙葆瑨 1461,1589。

孙朝让 40。

孙朝华 1368,1569。

孙 雄 1510,1652,1737。

孙鼎臣 1146,1351,1456。

孙景烈 428,613,734,862。

孙景燧 732,887。

孙智敏 1694。

孙　鲁 132。

孙善宝 786,1053,1409。

孙禄增 1536。

孙登标 759。

孙瑞珍 864,1188,1447。

孙　蒙 962,1202,1440。

孙颐臣 1362。

孙　楫 1217,1395,1674。

孙　暘 26,166。

孙　锡 933。

孙锡辂 1483,1601。

孙锡麐 809。

孙鹏仪 893。

孙鹏越 982。

孙源湘 722,1038,1235。

孙福清 1207,1390。

孙福谦 991,1441。

孙嘉乐 572,732,995。

孙嘉淦 312,465,614,688。

孙熙元 844,1030。

孙锵鸣 1129,1323,1654。
　　　1679,1685。

孙毓汶 1269,1430,1600,
　　　1605,1611,1614,
　　　1618,1625,1626,
　　　1632,1638,1645,
　　　1649,1655,1677。

孙毓溎 1022,1341,1517。

孙　銇 193。

孙肇兴 17,201。

孙　蕙 42,193。

孙　霈 702。

孙　镇 312,570。

孙徵淳 251。

孙徵灏 477。

孙　鋐 340。

孙　默 276,284。

孙　鏚 884,1378。

孙濩孙 203,510,503。

孙　濂 1078,1325。

孙翼谋 1186,1396。

孙璧文 1616。

孙　籀 107。

孙　勷 323。

孙缵功 306。

孙　灏 397,554,762。

孙灏元 832。

七画

寿　山 1461,1684。

寿　长 520。

寿以仁 109。

寿同春 482,896。

寿　昌 1320。

寿　昌(见寿长条)。

寿　勋 1438,1604,1727。

寿　耆 1452,1593,1736。

严守田 652,792,987。

严如煜 717,906,957,986,
　　　　1163,1182,1212。

严　观 830,964,1032。

严　辰 1176,1453,1650。

严我斯 207,294,390。

严　沆 5,151,282。

严良训 925,1250。

严　杰 741,1047。

严　果 509,782,850。

严昌钰 1003。

严　昉 1200,1431。

严学淦 821,1030。

严宗嘉 471,688。

严　荣 945,1173。

严树荂 580,994。

严思位 446。

严　复 1405,1731。

严　修 1460,1593,1735。

严保庸 1233。

严　衍 81。

严胤肇 193。

严　泰 374。

严　烺 809,1319。

严　烺 956。

严绳孙 20,290,410。

严　钤 1230,1507,1547。

严遂成 523。

严曾榘 60,208,402。

严瑞龙 489。

严虞惇 118,384,468。

严源焘 522。

严　福 605,815,929。

严　震 1437,1618。

严澍森 1318,1564。

严　璲 419,557,581。

严　镛（见严辰条）。

劳乃宣 1335,1537,1731。

劳大舆 123。

劳之辨 60,209,405,472。

劳　史 150,468。

劳　权 1139。

劳孝舆 547,577。

劳宗发 640。

劳树棠 872。

劳　格 1155,1498,1500。

劳　理（见劳树棠条）。

劳　萨 61,67。

劳崇光 1011,1251,1517。

劳肇光 1624。

劳　潼 753,940,1007。

克什图 135,197。

克什图（蒙正白旗）564。

克们泰 1657。

克　齐 122,508。

克兴阿 1579。

克兴额 1509。

克兴额（镶黄旗）1393。

克　明 1129,1344。

克星额（见德克精额）。

清代人物大事纪年

苏捷卿 1190。

苏崇阿 1237。

苏　铣 86。

苏　铨 56。

苏惇元 999，1297，1441。

苏清阿（正黄旗）1291。

苏清阿（镶白旗）1283。

苏　瑛 370。

苏敬衡 998，1288。

苏鲁迈 136，201。

苏　綖 691。

苏楞额 1219。

苏源生 1051，1295，1318，
　　　　1532。

苏　赫 159。

苏　赫 480。

苏　赫（宗室）359。

苏　舆 1702。

苏德胜 1634。

苏　霖 93。

苏霖泓 380。

苏霖润 600。

苏霖渤 515。

苏　鑛 182。

杜于藩 207，544。

杜天麟 1653。

杜文澜 1117，1474，1507，
　　　　1587。

杜允中 174，344。

杜玉林 542，691，896。

杜本崇 1452，1621。

杜业礼 504。

杜尔祜 159。

杜立德 72，183，204，250，
　　　　294，308，401，356。

杜　兰 127。

杜兆基 770，804。

杜庆元 1415，1581。

杜安诗 782。

杜如芝 1116，1382。

杜来锡 1058，1406。

杜　芥 4，365。

杜　彤 1510，1642。

杜　诏 223，457，459，558，
　　　　596。

杜努文 80。

杜　果 94。

杜受田 889，1187，1359，
　　　　1384，1401。

杜学礼 1342。

杜官德 640。

杜春生 1053。

杜南棠 892。

杜笃祜 183，257。

杜皇辅（见杜宸辅条）。

杜俊彦 79，216。

杜　度 70。

杜庭琛 1462，1513。

杜彦士 998，1188。

杜恒灿 102。

杨无咎 47,461。

杨元白（见杨重雅条）。

杨云服 523。

杨云霄 915。

杨日昇 14,277。

杨曰鲲 914。

杨中兴（见杨仲兴条）。

杨中讷 106,353,493。

杨中选 733。

杨长世 359。

杨长春 535。

杨长泰 571。

杨凤苞 684,1128。

杨文会 1295,1723。

杨文杰 1515,1556。

杨文定 1028,1262,1442。

杨文荪 859,1413。

杨文莹 1301,1567,1716。

杨文乾 305,544。

杨文彩 3,212。

杨文鼎 1405,1576。

杨方立 654。

杨方达 510。

杨方兴 59,119,167,216。

杨引祚 174。

杨以湲 788。

杨以增 890,1179,1427。

杨书绍 1003。

杨书香 1139,1364。

杨玉书 1615。

杨玉书 1712。

杨玉科 1605。

杨正中 172,315。

杨正泰 136。

杨世华 848,1105。

杨世纶 770。

杨世英 981。

杨世学 93。

杨世淦 536。

杨本仁 680。

杨本昌 983。

杨本濬 1062。

杨龙文 712。

杨尔淑 270。

杨尔德 488。

杨立旭 1626。

杨让梨 1724。

杨永宁 133,309。

杨永斌 237,393,619。

杨弘绪 503。

杨圣清 1609。

杨式穀 1036,1323,1486。

杨西狩 130。

杨有涵 679。

杨存理 413。

杨同桂 1663,1664。

杨同福 1331,1677。

杨同棚 1389,1562,1733。

杨先泽 1166,1384。

杨廷传 1349,1521。

杨廷纶 1695。

杨廷英 575。

杨廷栋 554。

杨廷选(见杨廷勳条)。

杨廷桂 925,1272。

杨廷桦 709,895。

杨廷理 828。

杨廷望 455。

杨廷瑛 828。

杨廷弼 1596。

杨廷锦 151。

杨廷璐(见杨廷望条)。

杨廷璋 343,745,771,792,
　　　795。

杨廷勳 500。

杨廷鑑 71。

杨传书 1595。

杨传第 1196,1376,1470。

杨传棨 826,971,1386。

杨延俊 1099,1365。

杨延亮 931,1158,1283。

杨仲兴 423,555。

杨仲愈 1240,1490,1579。

杨任光 1156,1337,1597。

杨　伦 647,854,921,1024。

杨行健 111,185。

杨兆杏 768,971,1311。

杨兆李 939。

杨兆鲁 129。

杨兆煜 769,972,1307。

杨兆鐄 832,1089,1354。

杨兆麟 1693。

杨名正 71,319。

杨名扬 576。

杨名时 187,353,596,(2)。

杨名飏 803,1063。

杨名高 160。

杨　庆 233。

杨庆琛 1159,1492。

杨庆麟 1206,1381,1578。

杨汝孙 1201。

杨汝梗 501。

杨汝榖 214,398,618。

杨守知 232,397,560。

杨守敬 1308,1483,1728。

杨如松 524。

杨如溥 709。

杨寿山 1657。

杨寿枢 1489,1624,1740。

杨寿枏 1520,1636。

杨寿楠 775。

杨运昌 87,277。

杨志远 151。

杨志信 872。

杨志洵 1155,1424。

杨志濂 1556。

杨　芾 1473,1623。

杨　芳 438,896。

杨　芳 781,1223,1224,1234
　　　(2),1265,1360。

杨芳灿 684,827,1054,1120。

杨芳春 789。

杨时化 9,148。

杨时荐 86,220。

杨时泰 1151。

杨岐珍 1294,1698。

杨　岘 1145,1424,1664。

杨　秀 1164。

杨　秀 557。

杨　佐 117。

杨佐国 58,195,345。

杨作桢 269。

杨希钰 921,1509。

杨希铨 1087。

杨彤如 963,1233。

杨应琚 714,719,766。

杨　灿 702。

杨沂孙 1099,1336,1587。

杨宏俊 471。

杨　补 169。

杨陆荣 484,497。

杨茂勋 366。

杨枝建 476。

杨述曾 389,625,766。

杨叔怿 1243,1424。

杨国华 618。

杨国声 604。

杨国勋 143。

杨国桢 860,1030,1379。

杨昌泗 865,1450。

杨昌魁 1709。

杨昌濬 1207,1611,1625,
　　　1654,1669。

杨明魁 1237。

杨秉璋 1430。

杨岳斌 1177,1498,1599,
　　　1634。

杨　岱 219。

杨佩璋 1566。

杨金龙 1709。

杨金榜 1477。

杨　庚 844,1101。

杨怿曾 741,1001,1266。

杨　炜 660,834,1113。

杨　炘 1476。

杨学皋 200。

杨泗孙 1185,1395,1628。

杨宗仁 192,529,530。

杨宗岱 83。

杨定泰 1112。

杨宜瀚 1423,1636,1724。

杨录之 1150。

杨迦怿 723,906,1327。

杨承照 1078,1296,1434。

杨　绍 446。

杨绍先 130。

杨绍和 1244,1504,1526,
　　　1538,1557。

杨春芳 261。

杨春和 1316。

清代人物大事纪年

杨惟翩 893。

杨清轮 872。

杨鸿吉 1185,1453,1565。

杨深秀 1373,1624,1675。

杨绳武 464。

杨维乔 181。

杨维谧 1015。

杨绿绥 79,323,468。

杨瑛昶 684。

杨　琳 526。

杨超曾 363,475,629。

杨彭龄 257。

杨惠元 1001。

杨　揆 722,846,1032。

杨鼎勋 1276,1524。

杨遇升(见杨裕深条)。

杨遇春 722,841,1102,1112,
　　　1162,1217,1234,
　　　1282,1298。

杨景仁 768,971,1170,1225。

杨景素 452,843。

杨景曾 1148。

杨嵋谷 685,1104。

杨　锐 1438,1604,1673,
　　　1675。

杨惺先 175。

杨道霖 1429,1644,1697,
　　　1736。

杨　敩 429,640,740。

杨湛露 367。

杨　渭 1693。

杨　棨 903,1202。

杨裕深 1029,1233。

杨　谦 432。

杨瑞莲 687。

杨　瑝 639。

杨　颐 1167,1504,1677。

杨　椿 268,488,688。

杨　愚 482,613,806。

杨　暄 269。

杨嗣沅 717,1171。

杨嗣曾(见徐嗣曾条)。

杨嗣璟 537,721。

杨锡绂 404,538,710,714,
　　　745,771,773。

杨　魁 862。

杨腾达 982。

杨宣骅 1108,1280,1507。

杨　靖 1194,1336。

杨　雍 288。

杨雍建 39,154,394,420。

杨　煊 1061。

杨福祺 1303。

杨福璋 1589。

杨福臻 1261,1582。

杨殿邦 826,1109,1458。

杨模圣 111。

杨　霁 1504。

杨　昌 770,1224。

杨锤广(见杨锤羲条)。

清代人物大事纪年

李士瑜 400。

李士鉁 1388,1582,1733。

李士瓉 1269,1561。

李大本 584,735。

李大有 1524。

李大壮 860,1059。

李万傑 1304。

李上崙 1454。

李广金 1253。

李广绶 1399,1722。

李广滋 1069。

李之芳 16,95,147,374。

李之素 272。

李　卫 327,549,586,608。

李王猷 1417。

李开叶 247,503,631。

李开郴(见李可泭条)。

李开优 1543,1666。

李开泰 219。

李天龙 488。

李天秀 575。

李天林 1074。

李天宠 475。

李天祥 414。

李天培 673。

李天植(见李确条)。

李天馥 50,173,364,396。

李元华 1146,1376。

李元直 465。

李元春 775,972,1420。

李元亮 735。

李元度 1167,1337,1511,
　　1573,1615。

李元振 56,207,493。

李元烺 920。

李元鼎 17。

李元绅 992,1376,1484,
　　1552。

李元模 854。

李云龙 984。

李云庆 1503,1642。

李友棠 638,916,973。

李日芃 158,160。

李日更 431。

李曰茂 890,1347。

李　中 444。

李中白(见李宗白条)。

李中简 653。

李见龙(见李给闻条)。

李长乐 1301,1628。

李长庚 664,791,1056。

李长森 871。

李长蕃 1239,1483,1602。

李仁元 1207,1364,1411。

李化龙 726,909。

李化楠 626,767。

李化熙 47,125,235。

李凤苞 1573。

李凤和 1161。

李凤翥 384,643。

清代人物大事纪年

李可爱 98。

李可琼 1038。

李可端 955。

李可蕃 1014。

李丕则 156。

李右文 1012,1245,1457。

李龙官 599。

李东宣 1242。

李旦华 755。

李　目 93。

李甲先(见李榕条)。

李生辉 793。

李仙根 13,192,230,349。

李仪古 113。

李白玉 1016。

李用清 1229,1505,1674。

李立元 1451,1629。

李　兰 488。

李永书 584。

李永芳 27,48。

李永和 227。

李永绍 323。

李永祺 635。

李发甲 317,485。

李发枝 165,384,597。

李圣祥 114。

李　台 725。

李　圭 1331,1698。

李吉言 1145,1382。

李　芍 610。

李芝绶 1100,1310。

李臣典 1301,1498,1500。

李在青 748,1086,1103。

李百龄 1190。

李有基 855。

李有棻 1331,1543,1712。

李有棠 1697。

李存汉 1449。

李成功 114,260。

李成虎 1123,1344,1426。

李成栋 115。

李成栋 181。

李成谋 1632,1646。

李成隆 893。

李尧文 828。

李尧栋 685,797,1173。

李师中 592。

李师白 214,615。

李师敏 528,709,812。

李师舒 933。

李光久 1445,1680。

李光云 789。

李光北 439。

李光甲 532,702,1074。

李光地 68,238,467,477,
　　490。

李光先 899。

李光廷 1094,1396。

李光里 769,1070。

李光时 848。

清代人物大事纪年

李汝霖 1233,1618。

李守诚 1117,1375,1448。

李守愚 1167,1389。

李　祁 1238,1389。

李阳械 799。

李如兰 316,651。

李如乔 123。

李如柏 466。

李如桂 5,101,301。

李如涝 181。

李如筠 891。

李如璋 992。

李如璐 458。

李观光 210。

李寿春 1317。

李寿蓉 1201,1430。

李寿演 525。

李　远 436,651。

李远烈 984。

李芳广 208。

李芳华 548。

李芳园 761。

李芳述 42,432,441。

李　杕 570。

李杏春 1427。

李　杓 674。

李来泰 129,289,319。

李来章 145,264,440,504。

李连仲 1644。

李　邺(见李承邺条)。

李邺嗣 16,259,298。

李　坚 624,799,868。

李肖筼 521。

李肖筼 873。

李呈祥 4,71,332,333。

李时宪 555。

李时谦 193。

李时溥 1181。

李岐生 580,901。

李岐生 848。

李秀发 1208。

李佐贤 1050,1279,1446,
　　　　1516,1565。

李佑厚 1271,1524。

李希圣 1497,1642,1707。

李希杰 1350,1544。

李希郊 1315,1476。

李希莲 1462,1674。

李希彬 1099,1323。

李希曾 991,1178。

李希增(见李希曾条)。

李孚青 207,287。

李含春 173。

李犹龙 40,144。

李　彤 566,1019。

李　彤 845。

李亨特 1120。

李应庚 1341,1623。

李应宗 98。

李应贵 1049。

李明睿 18。

李明墀 1185。

李明徹 1152,1171。

李　旼 304,594,746。

李　迥 208,377。

李岷琛 1335,1534。

李图南 268,496,570。

李秉衡 1238,1682。

李秉灏 781,1153。

李侍尧 745,861,893,901。

李佩铭 1582。

李质素 193。

李质颖 600,926,941。

李质粹 667。

李金镛 1634。

李念兹 1277,1562。

李念慈 172。

李周望 223,385,559。

李　炜 71,203,411。

李学裕 352,538,643。

李　法 409,808。

李治运 449,554,794。

李治国 488。

李宗文 653。

李宗孔 93。

李宗白 95。

李宗传 764,971,1319。

李宗沆 1111,1545,1552。

李宗昉 839,1013,1152,
　　　1360。

李宗宝 708。

李宗焘 1084,1342。

李宗焱(见李宗焘条)。

李宗渭 463。

李宗谟 1468。

李宗潮 419,593。

李宗羲 1139,1363,1601。

李宗瀚 774,933,247。

李宜青 592。

李　实 118,388。

李实秀 84。

李　诚 833,1100,1347。

李　祉 1243,1462。

李　详 1452,1735。

李建泰 25,120。

李录予 238。

李承尹 73。

李承先 1639。

李承邺 681,926。

李承恩 1631。

李承瑞 671。

李承霖 1116,1314。

李　绂 252,444,668。

李绂藻 1335,1536,1714。

李绅文 338。

李孟荃 1552。

李孟群 1221,1364,1456。

李绍芬 1381,1561。

李绍昉 1148。

李绍祖 848,995。

0112

李彦瑁 55,225,468。
李恒忠 246。
李　炳 546,1043。
李炳涛 1579。
李　炯 423,679,820。
李　炤 761。
李　洲 1052,1125。
李宣范 814,1333。
李宪乔 822,928。
李　祜 1146,1316。
李祖年 1651。
李祖陶 821,1042,1063,
　　　　1171,1255,1282,
　　　　1297,1450。
李祖望 1108,1588。
李祖惠（见沈祖惠条）。
李泰交 1160,1273。
李　珙 382。
李　珣 393。
李载文 1145,1344,1435。
李载熙 1099,1314,1459。
李　莹 1089。
李　莼 1190。
李桂林 1060。
李桂林 1340,1560。
李桂馨 1362,1709。
李　桓 1215,1633,1641。
李栖凤 188,211。
李　桐 512。
李根云 489。

李　翃 979。
李振文 680。
李振世 239。
李振钧 938,1230。
李振祜 827,1001,1359,
　　　　1370,1386。
李振庸 1069。
李振裕 239。
李振翥 803,1014。
李振藻 32,377。
李哲明 1529,1643。
李恩元 972。
李恩庆 952,1262。
李恩绎 1060。
李恩绶 786,1087。
李恩继 921,1210。
李恩霖 1264。
李　铎 743。
李牲麟 385。
李卿毂 963,1181,1418。
李逢辰 822,1110。
李逢亨 828。
李逢春 1457。
李凌云 640。
李凌霄 1523。
李　准 1739。
李　涛 78,269,484。
李　浃 85。
李　涟 415,587。
李　浩 1110。

李　清 40,315。
李清凤 999,1289,1457。
李清芬 1603。
李清芳 591。
李清时 423,625,771。
李清载 556。
李清植 347,522,635。
李清傑 1071。
李清藻 379,483。
李鸿宾 1003,1360。
李鸿逵 1505。
李鸿章 1185,1363,1492,
　　　　1498,1523,1552,
　　　　1577,1599,1611,
　　　　1638,1687。
李鸿瑞 730,972,1143。
李鸿雷 69,377。
李鸿裔 1244,1389,1606。
李鸿霆 208。
李鸿藻 1155,1395,1540,
　　　　1545,1586,1590,
　　　　1596,1625,1648,
　　　　1655,1661,1663,
　　　　1668。
李　淳 1317。
李　漾(见李为霖条)。
李　寅 47,420,422。
李　裀 168。
李续宜 1185,1494。
李续宾 1139,1449。

李　绮 65。
李绳远 45,442。
李绳武 711。
李　维 489。
李维实 1709。
李维寅 810。
李维醇 1083,1278。
李维諴 1394,1567。
李维藩 1021。
李　绥 462,671,922。
李　琰 516。
李超孙 948,1283。
李斯义 338,425。
李联芳 1373,1536。
李联奎 1556,1637。
李联珠 1537。
李联琇 1157,1351,1573。
李　萼 1210。
李　敬 94。
李敬益 1729。
李敬跻 708。
李朝云 102,206。
李朝仪 1353,1587。
李朝斌 1655。
李　椅 368,476,603。
李　确 45,250。
李　雯 69。
李翘燊 1701。
李辉祖 66,410。
李　棠 1372。

李　棠 209。
李　棠 626。
李棠阶 969,1179,1498,
　　　1509。
李棠馥 83。
李掌圆 431。
李　暎 1185,1537。
李鼎元 834。
李鼎徵 300。
李遇孙 751,965,1004,1182,
　　　1197,1266。
李景峰 939。
李景祥 1380,1660,1698。
李景铭 1576,1702,
李景淮 1063。
李景曾 792,1254。
李　崒 1161。
李　锐 804,1136,1137。
李　策 529,725,961。
李　集 479,743,941。
李儆儒 1694。
李鲁生 2,90。
李鲁杰 212。
李就山 1528。
李敦和(见茹敦和条)。
李赓芸 669,913,1136,1137。
李　惺 890,1134,1499。
李善兰 1078,1370,1439,
　　　1446,1456,1516,
　　　1592。

李翔凤 212。
李道平 898,1141,1273,
　　　1332,1347。
李道生 1288。
李道南 456,790,896。
李道悠 1645。
李湛田 1701。
李湛阳 1654。
李　湖 613,858。
李湘华 1052,1323。
李湘茞 809,1004,1151。
李湘棻 920,1251。
李　渭 321,503,694。
李　渡 1103。
李滋然 1722。
李溉之 30,251。
李富孙 748,927,965,1004,
　　　1018,1054,1103,
　　　1339。
李　谟 317。
李裕堂 1110。
李遐龄 352,511,712。
李絮飞 104。
李　絾 500。
李瑞章 1131,1324。
李瑞清 1514,1658,1731。
李瑞徵 271。
李　瑜 556。
李韫英 1072。
李颐学 583,738,837。

李　楷（见沈李楷条）。

李　楹 1194,1462。

李　煦 614,825。

李暄亨 369。

李　嵩 2。

李嵩阳 38。

李锡命 874,989。

李锡秦 520,695。

李锡恭 954,1120。

李锡龄 937,1125,1347。

李锡蕃 1187,1385,1387。

李　锦 475。

李锦源 1189。

李锦麟 1237。

李　榘 1701。

李魁春 279。

李　鈵 100,417。

李　遥 182。

李　鹏 946。

李腾蛟 561,856,994。

李肄颂 947。

李　愫 129。

李　慎 1215,1406,1599。

李慎修 457。

李慎修（见李慎彝条）。

李慎彝 1061。

李慈铭 1230,1582,1638,
　　　　1657。

李　煌 923,1133,1370。

李　滢 79。

李　溥 87,272。

李　源 87。

李　源 948。

李福泰 1052,1344,1538。

李福培 1181,1420。

李殿林 1350,1535。

李殿图 605,760,1097。

李　棨 797。

李　缙 627。

李嘉万 1467。

李嘉乐 1491,1637。

李嘉秀 1149。

李嘉端 1057,1231,1584。

李　毅 751,957,1320。

李熙龄 920,1232。

李　蔚 760。

李　模 181。

李　椐 1100,1411。

李　榕 1171。

李　榕 1396。

李　错 327,642,699。

李锺伦 203,364,433。

李锺珏 1614。

李锺旺 439,544。

李锺侨 343,457,570。

李锺泗 787,1005,1075。

李锺羡 431。

李锺俾 538。

李锺璧 1014。

李锺璧 332。

李　蟠 384。

李　馥 200,316,635,643。

李馥蒸 72。

李　蘧 816。

李　藻 1289。

李　藻 14,168。

李攀龙(见李光涵条)。

李　霨 24,86,183,250,308,
　　　294,318。

李黼平 781,1039,1257。

李　瀚 452,567,819。

李瀚昌 1563。

李　瀛 1005。

李骥元 697,872,988。

李馨国 1568。

李耀奎 1269,1390。

李　灌 45,272。

李　皭 123,213。

李　鑑 34,127。

李　鳣 453。

李　麟 544。

李衢亨 1229,1506,1564。

束维清 1558。

豆　斌 720。

豆　霱 1105。

励廷仪 232,398,549,569。

励守谦 638,811。

励杜讷 32,294,417。

励宗万 423,500,721。

来凤郊 1506。

来　仪 1127。

来　存 1469。

来　秀 1383,1724。

来学醇 882,1160。

来宗敏 956。

来　保 299,641,661,657,
　　　666,727,750。

来　祜 372。

来　珩 956。

来起峻 542,798,876。

来鸿瑨 1389,1625。

来集之 64,310。

来谦鸣 513。

忒　库 711。

连文冲 1583。

连　甲 1643。

连　成 1684。

连　庆 1632。

连肖光 363。

连　贵 1370。

连　顺 1709。

连培型 1444,1623。

连培基 1388,1582,1718。

折尔门 136,148。

折遇兰 725。

轩辕诰 611。

步际桐 1011,1231,1447。

步际逵 1251。

步毓岩 946。

呈　麟 1109。

清代人物大事纪年

清代人物大事纪年

吴　讲 1321,1550。

吴农祥 42,441。

吴观礼 1249,1535,1574。

吴寿昌 775。

吴进义 285,714,740。

吴　远(见邵远平条)。

吴　坛 731,850。

吴　均 1151,1421。

吴孝显 854。

吴孝铭 864,1069。

吴孝登 466。

吴志鸿 486,670,712。

吴芳培 872,1184。

吴李芳 14,210,422。

吴甫及 225。

吴甫生 371。

吴抡元 614。

吴时谦 371。

吴　秀 1486。

吴作霖 275,511,645。

吴应连 970,1169,1421。

吴应枚 522。

吴应和 707,1218,1259。

吴应咸 706,955,1074。

吴应奎 996。

吴应遴 948,1211。

吴应棻 475,618。

吴应熊 135,230,260。

吴怀清 1629。

吴　灿 1419。

吴　汧 680。

吴　沂 726。

吴宏洛 1336,1637,1668。

吴宏盛 1493。

吴启昆 187,501,579。

吴陈琰 178。

吴纬炳 1520,1658。

吴纳哈 603。

吴　玨 742。

吴坤修 1122,1542。

吴其彦 839,981,1193。

吴其泰 1158,1436。

吴其浚 839,1061。

吴其琰 546。

吴其濬 1132,1359,1360。

吴若准 1034,1323,1266。

吴茂华 221。

吴　英 55,425,436,460。

吴　苑 58,306,402。

吴　直 594。

吴　杰 1002。

吴　杰 1718。

吴郁生 1416,1566,1739。

吴奇贵 1138。

吴　非 344。

吴卓信 1192。

吴虎臣 733。

吴虎炳 842。

吴昆田 1057,1271,1592。

吴国正 136,315。

吴国龙 71,246。

吴国对 1,171,298。

吴国柄 121。

吴国章 1108,1656。

吴国鼎 72。

吴国缙 134。

吴昌寿 1076,1352,1518。

吴昌宗 849。

吴昌绶 1520,1666。

吴 昇 866。

吴 听(见吴树本条)。

吴明亮 1464。

吴 典 776。

吴 岩 708。

吴侍曾 1060。

吴育仁 1674。

吴 炜 101。

吴 炜 557。

吴 炎 205。

吴学礼 188,206。

吴宝林 1664。

吴宝恕 1249,1521。

吴宝龄 1580。

吴宗元 567,995。

吴宗兰 1117,1376。

吴宗孟 112。

吴 定 633,956,1075。

吴弥光 903,1272。

吴承绪 810。

吴承潞 1505。

吴 绂 600。

吴孟坚 349。

吴绍泽 584,895。

吴绍诗 392,792,823,824。

吴绍浣 833。

吴绍漋 633,815,836,949,
964,974。

吴绍麟 1193。

吴经世 749,1237。

吴春焕 1106,1271。

吴春照 864。

吴珂鸣 171。

吴 垣 323。

吴 垣 678,886。

吴 荣 1406。

吴荣光 804,980,1255,1337,
1338。

吴荫培 1388,1608。

吴荫培 1544,1717。

吴荫暄 892。

吴 相 414。

吴树本 788。

吴树声 1176,1345,1547。

吴树棻 1415,1581。

吴树梅 1356,1559。

吴树萱 847。

吴省兰 605,833,836,1080。

吴省钦 545,707,743,823,
1024。

吴 昺 353,451。

吴思树 790。

吴品珩 1452,1608。

吴　峋 1505。

吴贻詠 933。

吴　钫 1514,1643。

吴　拜 124,183,215。

吴　拜 459。

吴重熹 1300,1483,1730。

吴　修 749,1096,1212,
　　　1220。

吴修考 1207,1464。

吴保泰 1077,1315。

吴信中 1059。

吴　俊 798。

吴俊升 788。

吴俊民 1181。

吴俊卿 1341。

吴俊卿 1734。

吴胜兆 98。

吴庭芝 1422,1651。

吴庭煇 749,1088,1366。

吴养原 1201,1455,1499。

吴　炳 1451,1609。

吴　炳 429,601,825。

吴　炯 1404,1530。

吴　洪 437。

吴浔源 1208,1555,1699。

吴祖昌 1140,1323,1558。

吴祖昌 1532。

吴祖修 66,373。

吴祖椿 1362,1567。

吴　郡 473。

吴　泰 592。

吴　泰 680。

吴泰来 725,739,901。

吴　珩 1252。

吴晋夔 1702。

吴　栻 (见吴冯栻条)。

吴　烈 1666,1697。

吴振棫 924,1110,1533。

吴　晟 305。

吴　晟 50,269,378。

吴恩韶 1061。

吴　峻 510,649,838。

吴　钺 1234。

吴　阆 450,805。

吴　烜 892,1172。

吴凌云 648,1026。

吴　涛 488。

吴浚宣 1261,1536。

吴　宽 536,707。

吴家骐 487。

吴家榜 1649。

吴家懋 1158。

吴调元 88,167。

吴继昌 932,1159。

吴骏昌 1050,1342。

吴　焘 1388,1561。

吴梦龙 (见吴福年条)。

吴　梯 1005。

吴盛祖 14,277。

吴　堂 964,1298。

吴　铣 963,1231。

吴　铤 992,1258。

吴敏树 1035,1254,1545,
　　　1546。

吴象宽 294,514,628。

吴翙凤 624,934,959,1113,
　　　1154。

吴惟华 80,231。

吴焕采 1260,1530。

吴焕彩 529,725,1049。

吴　烺 670。

吴清皋 882,1101,1379。

吴清鹏 882,1132。

吴　鸿 670,746。

吴鸿甲 1373,1608。

吴鸿纶 1132,1690。

吴鸿恩 1260,1481。

吴鸿璧 1091。

吴　淇 172,265。

吴　淮 1386。

吴　涵 305,447。

吴隆元 370。

吴　绮 8,145,374。

吴绶诏 653。

吴　琠 181,401,427。

吴　琰 533。

吴　琯 13,283。

吴　堦 706,1172。

吴　超 1270,1568。

吴葆晋 931,1233。

吴敬修 1496,1651,1737。

吴敬恒 814,1132,1266。

吴敬梓 404,695。

吴敬舆(见吴树本条)。

吴敬羲 1022,1315。

吴惠元 1047,1342。

吴　雯 75,420。

吴雯清 132。

吴　棠 1181,1414。

吴　棠 1281,1565。

吴　鼎 634,674。

吴鼎元 1135。

吴鼎元 1383。

吴鼎臣 983。

吴鼎昌 1046,1324。

吴鼎雯 637,834,934。

吴景道 162。

吴景祺 1543。

吴　铸 57,303。

吴　锐 229,453。

吴　傑 883,1109,1291。

吴舒帷 834。

吴　鲁 1388,1629。

吴　敦 1094,1390,1656。

吴赓牧 979,1205。

吴道存(见吴赞诚条)。

吴道煌 111。

吴孳昌 64。

清代人物大事纪年

吴曾贯 1134。
吴　焯 1382。
吴　焞 268,579。
吴　湘 709,851。
吴裕垂 1211。
吴禄贞 1724。
吴谦铣 525。
吴登甲 1029,1245,1428。
吴　瑗 218,469。
吴　颐 1001。
吴　椿 781,1013,1310,
　　1354。
吴　楷 752。
吴槐炳 624,782,1137。
吴　煦 1472,1630,1740。
吴嗣富 612,908。
吴嗣爵 435,557,842。
吴嵩梁 758,992,1275。
吴　锜 1526,1630。
吴锡龄 815。
吴锡璋 1550。
吴锡麒 644,816,1143。
吴筠孙 1480,1651。
吴愈圣 130。
吴鹏南 626。
吴　颖 129,281。
吴颖芳 408,857。
吴慈鹤 833,1068,1213。
吴　煊 894。
吴源起 193。

吴　滔 1314,1662。
吴　骞 572,836,874(2),
　　886,894,900,927,
　　928,973,986,1018,
　　1054,1095,1105。
吴福年 1350。
吴嘉纪 2,315。
吴嘉淦 72,1302,1509。
吴嘉宾 1021,1303,1391,
　　1499。
吴嘉善 1156,1395,1484,
　　1493。
吴嘉瑞 1451,1623。
吴　墉 678。
吴熙载 979,1533。
吴熙曾 1001。
吴蔚光 630,846,1025。
吴锺峤 583,702,805。
吴锺俊 977,1250,1411。
吴锺善 1689,1696。
吴毓英 865,1085。
吴毓金 883,1124。
吴毓春 1229,1482,1639。
吴　旗 585。
吴肇元 670。
吴肇邦 1636。
吴　鼒 590。
吴　熊 1028,1318,1469。
吴熊光 664,770,1017,1224,
　　1266。

吴　璜 536,725,807。

吴　璆 1695。

吴　駧 885。

吴增甲 1695。

吴　彀 501。

吴蕃昌 11,164。

吴震方 75,286,415,420,
　　　421。

吴震生 375,779。

吴震春 1529,1670,1740。

吴　鼐 682。

吴　鼐 696,972,980,1096,
　　　1173。

吴　镇 1175,1463。

吴　镇 770。

吴　镐 1096。

吴　镕 898。

吴德信 433。

吴德旋 769,1247,1328。

吴德新 1353。

吴德溥 1168,1591。

吴德镇 1701。

吴德徵 923,1125。

吴徵鳌 1369,1550。

吴澍霖 1481。

吴　潮 1175,1397。

吴履泰 555。

吴　璈 647,833,993,1079,
　　　1125,1162,1184。

吴　璟 165,407。

吴燕绍 1652。

吴燕绪 1520。

吴　薿 638。

吴　霖 499,922。

吴　辙 68,307,361。

吴　曒 200,337。

吴　赞 1208。

吴赞诚 1186,1374,1602。

吴篯孙 1653。

吴衡照 786,1087,1225,
　　　1235。

吴　獬 1622。

吴　濂 761。

吴懋政 486,679,936。

吴懋清 809,1079,1338,
　　　1355。

吴　襄 192,464,517,586。

吴翼行 494,634,807。

吴瞻泰 426。

吴瞻淇 413。

吴　鏕 583,941。

吴　磨 352,801。

吴燨文 429,778。

吴　灏 718。

吴　镶 30,172,230。

吴　麟 312,439。

吴　翻 156,351。

时曰醇 1474。

时式敷 1133。

时庆莱 1549。

时　远 601。

时钧辙 574。

时亮工 393。

时起荃 598,1066。

时　徐 577。

时　铭 764,1040,1219。

旷敏本 590。

旷敩本 600。

旷楚贤 855。

员凤林 1249,1431。

岐　元 1229,1640。

岑光樾 1700。

岑建功 1370,1371。

岑春煦 1719。

岑春煊 1604,1706。

岑毓英 1228,1545,1618,
　　　 1625,1627。

岑毓宝 1668。

秀　宁(见秀塈条)。

秀　林 1081。

秀　塈 1002。

邱久华 575。

邱天民 547。

邱元武 179。

邱云锦 428,812。

邱日荣 743。

邱文恺 789。

邱　永 509,738,773。

邱民瞻 105。

邱仰文 379,576,830。

邱园卜 195。

邱鸣泰 939。

邱良功 1072,1138。

邱茂华 40。

邱　迵 247。

邱建猷 997,1281。

邱　柱 612。

邱树棠 786,1015,1248。

邱　勋 955,1066。

邱俊孙 71,330。

邱庭滢 798。

邱庭澍 737。

邱晋昕 1238,1582。

邱桂山 817,823。

邱恩荣 673。

邱家炜 1086。

邱理德 449,568,927。

邱　埰 891。

邱象升 35,152,345。

邱象随 289。

邱维屏 292。

邱联恩 1095,1456。

邱景湘 1067,1262。

邱　湛 210。

邱　煌 1038。

邱嘉穗 409。

邱锺仁 290,298。

何人龙 465。

何乃莹 1335,1581,1723。

何乃斌 1610。

何士祁 1180。

何大经 913,1190。

何之杰 14,396。

何天宠 224。

何天衢 884。

何　元 1205。

何元英 153。

何元泰 1670。

何元卿 961。

何元烺 730,891,1192。

何元锡 758,1042,1237。

何曰佩 708。

何曰愈 932,1542。

何长清 1710。

何长敦 815,993,1283。

何仁山 1095,1376。

何玉如 174。

何玉梁 312,513,675。

何世元 81。

何世仁 677,1048。

何世璂 218,445,549。

何可化 86。

何丙咸 1013。

何龙文 354。

何占鳌 1237。

何兰汀 1014。

何　讬 135。

何永清 1724。

何有焕 669,1153。

何达善 419,590,779。

何成浩 1510,1617。

何师俭 259,608。

何刚德 1568。

何廷俊 1563。

何廷谦 1107,1352,1574。

何兆瀛 1067,1358,1635。

何庆元 945,1280,1385。

何庆钊 1647。

何汝翰 1437,1583。

何汝霖 7,346。

何汝霖 852,1100,1203,
　　　　1358,1402。

何安邦 617,935。

何安泰 1499。

何　讷 10,154,402。

何如钟 719。

何如璋 1300,1521,1640。

何纪堂 584,941。

何寿朋 1520,1672。

何秀林 1723。

何作猷 1496,1670。

何彤云 1186,1342,1457

何彤然 890,1038,1275。

何应杰 1013。

何君佐 1258。

何其仁 1046,1316。

何其伟 393。

何其兴 911,1160。

何其忠（见和其衷条）。

何其葵 841。

何其盛(见何桂芬条)。
何其睿 598。
何若瑶 991,1322。
何　枢 1194,1432,1685。
何国宗 457,763。
何国琛 1021,1322,1553。
何国澧 1671。
何明礼 718。
何忠骏 1399,1449。
何和哩 9,23。
何　金 870。
何金寿 1269,1481,1591。
何金蔺 237。
何　采 107。
何学林 730,933,1137。
何　泌 892。
何治运 815,1053,1172。
何宗韩 280,524,636。
何定江 848,1066。
何建鳌 1508。
何承先 1041。
何承都 108。
何绍业 978,1312。
何绍京 1310。
何绍基 978,1288,1546。
何绍祺 998,1272。
何绍瑾 1084,1325。
何经文 263,715。
何奏篪 1603,1666。
何春英 465。
何荣章 1232。
何荣绪 1111。
何南钰 981。
何昭然 1350,1498。
何思钧 817。
何秋涛 1195,1351,1446,
1463,1486。
何　俊 761。
何　俊 963,1233。
何胜必 1509。
何　勉 299,682。
何彦昇 1473,1625,1721。
何炳彝 1089。
何洛会 115,126。
何冠英 962,1288,1476。
何　珣 1061。
何耿绳 897,1178。
何　栻 1123,1353,1542。
何桂芬 997,1350,1525。
何桂芳 1216,1397。
何桂珍 1130,1303,1427。
何桂清 1122,1279,1439,
1463,1487。
何桂馨 1157。
何逢僖 519,671,780。
何　浩 502。
何　琇 577。
何　彬 1205。
何梦莲 840,827。
何梦瑶 557,739。

佟国桢 437。

佟国维 344,493。

佟国聘 68,395。

佟国瑶 276,345。

佟图赖 135,162,176。

佟　岱 206。

佟　保 554。

佟养正 15。

佟养甲 104。

佟养性 14,43。

佟养量 160。

佟康年 318。

佟景文 821,1001,1291。

佟嘉年 345。

佟镇国 27,48。

佟　镕 548。

佟徽年 373。

佟攀梅 1305,1446。

佟　鑑 1413。

阜　保 1129,1351,1591。

阜　保 1137。

佛尔卿额 790。

佛宁额 597。

佛永辉 281。

佛尼埒 310。

佛　伦 407。

佛伦泰 819。

佛　安 1205。

佛克齐库 168。

佛　住 965。

佛　保 984。

佛济保 472。

佛隆武 1242。

余九榖 1270,1453。

余士璨 970,1281。

余上华 1229,1431。

余元遴 519,836。

余文仪 600,829,862。

余心儒 308,394。

余正健 384。

余正焕 1000。

余世本 828。

余本敦 981。

余龙光 1281,1511。

余达乾(见徐达乾条)。

余光倬 1123,1364,1570。

余廷灿 545,732,973。

余廷珍(见余炳焘条)。

余廷墢 855。

余廷球(见余廷墢条)。

余兆曾 322。

余庆长 519,665,994。

余庆远 957,783。

余汝侗(见余光倬条)。

余观和 809,1063,1327。

余步云 1254,1305,1333。

余　甸 431。

余际昌 1493。

余　坤 1034,1232。

余虎恩 1287,1667,1707。

余国柱 132。

余　京 619。

余　治 1068,1553。

余诚格 1430,1622。

余　珝 519,988。

余　栋 537。

余保纯 1015。

余　恂 132。

余炳文 1503,1659。

余炳焘 920,1169,1440。

余祖训（见余甸条）。

余泰来 306。

余培轩（见余培轩条）。

余萧客 567,714,739,838。

余　堃 1452,1629。

余焕文 1200,1461,1632,
　　　1646。

余联沅 1321,1566,1688。

余　集 605,759,800,1182,
　　　1193。

余鹏飞（见余鹏年条）。

余鹏年 885。

余腾蛟 640。

余　煌 971。

余　源 1069。

余　缙 4,133,345。

余肇康 1608。

余增远 235。

余霈元 757,980,1247。

余　撰 1201,1397。

余　鑑 1522。

佘一元 92。

佘文铨 865,1070。

佘志贞 287。

佘培轩 1186,1492。

希　元 1335,1656。

希尔根 136,255,292。

希当阿 1065。

希　廉 1623,1726。

希　福 137,139。

希　福 334。

希　福 396。

谷芝瑞 1700。

谷廷珍 752。

谷应泰 93,175。

谷际岐 617,816,1120。

谷振傑 1716。

谷资生 181,260。

谷　确 675。

谷景昌 1518。

谷善禾 826,1088。

孚　恒 1721。

孚　琦 1722。

邸飞虎 947。

狄三品 183。

狄　亿 353。

狄子奇 897,1240,1255,
　　　1271。

狄考文 1600,1638。

狄　听 912,1231。

狄尚絅 854,1242。

狄咏宜 692。

狄咏篪 671。

狄贻孙 458。

狄梦松 932。

狄 敬 107,297。

邹一桂 327,537,703,753,
　　　 792,793,801。

邹士随 537。

邹士璁 339。

邹云城 606。

邹升恒 487,628。

邹文苏 775,1247。

邹允飏 391。

邹孔揎 1591。

邹玉藻 759。

邹正杰（见邹峻杰条）。

邹世任 371。

邹石麟 1176,1383。

邹代钧 1416,1714。

邹汉勋 1036,1265,1377,
　　　 1390,1409,1413。

邹式金 64。

邹光涛 512。

邹汝鲁 353。

邹汝翼 769,1360。

邹志初 963,1296,1513。

邹伯奇 1147,1346,1417,
　　　 1527。

邹伯森 1596。

邹应元 670。

邹忠倚 20,129,149。

邹鸣鹤 931,1179,1337,
　　　 1370,1391,1409。

邹 峄 209。

邹峄杰 1191。

邹绍观 1040。

邹度珙 173。

邹度镛 225。

邹奕凤 430。

邹奕孝 542,707,935。

邹 恒 1078,1513。

邹炳泰 620,797,965,1072,
　　　 1079,1090,1163。

邹祗谟 173。

邹振岳 1250,1491,1649。

邹峻杰 1022,1314。

邹家燮 1000。

邹象雍 180。

邹植行 1039。

邹锡彤 593。

邹锡淳 879,1063。

邹福保 1608。

邹嘉来 1404,1609。

邹嘉琳 427。

邹 锺 1563,1600。

邹锺俊 1664。

邹馨兰 1712。

邹麟书 543,791,1097。

言朝标 696,846,905。

汪上埮 409,646。

汪之昌 1293,1516,1662。

汪之选 1136。

汪元方 1027,1262,1518。

汪元庆 1244,1398。

汪元亮 738。

汪云任 1134。

汪日宣 1150。

汪日章 752,1090。

汪曰桢 1093,1399,1492,
　　　1516,1588。

汪　中 633,827,940,941。

汪升英 398。

汪凤池 1555。

汪凤梁 1451,1630。

汪凤藻 1388,1594。

汪文台 954,1347。

汪文桂 118,564。

汪以庄 1596。

汪世杰 1503,1659。

汪世炳(见汪霖条)。

汪世隽 873,1113。

汪世樽 860,1188,1266。

汪本铨 1077,1231,1419。

汪　龙 624,885,1192。

汪由敦 358,521,661,693,
　　　714。

汪立本 566,791,935。

汪立名 410,479。

汪永瑞 96。

汪永锡 690,862。

汪弘禧 555。

汪有仁(见陆有仁条)。

汪有典 657。

汪存宽 690。

汪迈孙 1045,1393。

汪师韩 435,574,603,761,
　　　771,778,811。

汪光诰(见汪继坊条)。

汪光爔 751,1056。

汪廷屿(见汪廷玙条)。

汪廷玙 486,653,868。

汪廷珍 706,904,1191,1211,
　　　1219。

汪廷榜 791。

汪廷儒 1027,1341,1403。

汪仲洵 1195,1453。

汪仲鈖 520,665,687。

汪　价 189。

汪　份 150,410,413,504。

汪全德 865,1038。

汪兆柯 786,1089,1445。

汪汝淮 470。

汪汝璨 811。

汪守正 1586。

汪守和 954,1291。

汪守珍 1666。

汪　农 886,1359。

汪如洋 697,846,941。

汪如渊 979,1172。

汪如藻 816,811,968。

汪 观 155,191。

汪远孙 938,1124,1266,
　　　1291。

汪志伊 630,791,1142。

汪抡甲(见汪德容条)。

汪 轫 589,929。

汪应铨 487。

汪 沨 7,61,216。

汪 沆 419,877。

汪 启 1164。

汪启淑 811,908。

汪诒书 1444,1642。

汪 纯 313,541。

汪 坦 486,824。

汪国凤 1228。

汪昇远 1694。

汪明源 1671。

汪 昂 372。

汪 昉 977,1345,1570。

汪鸣相 953,1261。

汪鸣谦 883,1087。

汪鸣銮 1308,1504,1712。

汪秉健 943。

汪 阜 774,926,1354。

汪 郊 392,623。

汪学金 652,853,1032。

汪 河 852,1134。

汪宗沂 1294,1582,1660,
　　　1709。

汪承元 1405,1518。

汪承第 1725。

汪承霈 1043。

汪 绂 358,540,543,558,
　　　562,569,577,581,
　　　596,602,631,687,
　　　697,714,720,721。

汪孟鋗 499,739,760,783。

汪 绎 244,397,433。

汪荣宝 1666。

汪适孙 1028,1338。

汪叙畴 1244,1505。

汪彦博 769,871,892,1198。

汪炼南 129。

汪 炤 546,778,888。

汪洪度 402。

汪 洵 1356,1642,1728。

汪 济 1510,1617,1673。

汪 宪 499,639,795。

汪 祚 263,496。

汪泰来 458。

汪 莱 768,1052,1104。

汪晋徵 60,287,440,448。

汪 桂 701,979,1173。

汪桂月 1169,1393。

汪振甲 304,555,615。

汪振基 999,1250,

汪 恩 980。

汪 㑳 369。

汪 涛 680。

清代人物大事纪年

汪　润 964,1252。
汪润之 1000。
汪家禧 815,1127。
汪能肃 1063,1311,1328。
汪继坊 736,885。
汪继昌 5,111,315。
汪继培 814,1040,1103,1113。
汪继熿 275,439,544。
汪基远 121。
汪梧凤 532,795。
汪梅鼎 933。
汪康年 1460,1652,1724。
汪　堃 1099,1323。
汪惟宪 546。
汪　淮 644,1137。
汪　淦(见汪日宣条)。
汪　琳 878,1133。
汪　琬 22,152,184,289,317,351。
汪　越 424。
汪喜荀 882,1052,1366。
汪朝桀 1276,1432,1518。
汪　森 142,355,534。
汪　棣 494,1008。
汪援甲 495。
汪辉祖 552,816,867,880,921,927,934,940(2),958,993,1017,1023,1047,1055。
汪景龙(见汪炤条)。
汪景祺 530。
汪道诚 1072,1509。
汪道森 1045,1253。
汪道鼎 1439。
汪曾武 1653。
汪滋畹 906。
汪　桀 911,1150,1411。
汪巽东 1346。
汪瑞闿 1555,1666。
汪瑞高 1497。
汪勤光(见汪觐光条)。
汪献芝 724。
汪　楫 52,289,395。
汪腾龙 602,812。
汪　新 532,707,974。
汪　煜 322。
汪　缙 529,928。
汪嘉济 634。
汪嘉棠 1603。
汪　穀 939,1226。
汪　鉽 937,1387。
汪端光 791。
汪　滏 369,628。
汪肇龙 506,738,850。
汪　鋆 1124。
汪觐光 1280。
汪镐京 46,380,411。
汪德钺 652,954,1065。
汪德容 312,521,615。

汪　澍(见王澍条)。
汪潮生 827,948,1256。
汪鹤孙 254。
汪履基 849。
汪　薇 322。
汪　霖 1005。
汪　镛 815。
汪　諴 939,1154。
汪　璐 885,
汪懋麟 63,224,340。
汪　簠 1293,1619。
汪　霦 269,288。
汪　霭 620,824。
汪　灏 322。
汪　灏 412,415,439,497。
汪　鑑 1003。
汪　鑑 1308,1523。
沐特恩 1044。
沙尔虎达 136,184。
沙尔岱(见沙理岱条)。
沙克都林扎布 1668。
沙纳哈 333。
沙哈礼 376。
沙　济 319。
沙济达喇 163。
沙理布 184。
沙理岱 175,201。
沙　喀 493。
沙　澄 87。
沃　内 357。
沃　申 356。
沃　赫 251。
沃　赫(镶黄旗)63,135,
182,230,271,356。
沈一恒 138。
沈一葵 432。
沈一揆 270。
沈三曾 82,268。
沈士则 406。
沈士骏 732。
沈士逸 127。
沈士鏻 1732。
沈大成 397,794。
沈大铭(见沈西序条)。
沈上墉 253。
沈之夔 499,974。
沈　卫 1480,1651,1741。
沈元阳(见谢元阳条)。
沈元沧 218,424,483,578。
沈元泰 1051,1315。
沈　云 1344。
沈云沛 1437,1652,1730。
沈曰富 1058,1310,1450。
沈长春 841。
沈　凤 384,767。
沈文奎 59,191。
沈文镐 573。
沈以庠 14,381。
沈允城(见沈上墉条)。
沈玉桂 1511。

沈玉遂 1640。

沈世枫 533。

沈世炜 758。

沈世奕 152,325。

沈世屏 458。

沈世泰 743。

沈世楷 232,603。

沈可培 598,799,986,988。

沈 丙 817。

沈丙莹 1094,1352。

沈业富 566,690,1055。

沈史云 1175,1383。

沈令式 113。

沈用熙 1078,1678。

沈乐善 945。

沈 宁 239。

沈永令 101。

沈西序 1123,1343。

沈戌开 547。

沈在廷 866。

沈执中 393,837。

沈贞亨 132。

沈师孟(见倪师孟条)。

沈光邦 495。

沈廷文 336。

沈廷正 569。

沈廷芳 408,595,693,783,800。

沈廷杞 1563。

沈廷荐 568。

沈廷櫰 343。

沈 竹 476。

沈 伦 111,139。

沈华旭 946。

沈自南 156。

沈兆潆 865,1132,1132,1400,1456,1564。

沈兆霖 998,1288,1486。

沈旭初 78,269,315。

沈名荪 348,454。

沈庆曾 229,399,505。

沈齐义 482,634,812。

沈守廉 1330,1732。

沈孙琏 797。

沈寿民 265。

沈寿祺 1330,1721。

沈寿嵩 1129,1324。

沈 进 33,357。

沈赤然 637,770,1127。

沈志祥 61,105。

沈李楷 398。

沈辰垣 322。

沈步垣 854。

沈 岐 1060,1455,1485。

沈作朋 606,746。

沈近思 244,398,540。

沈 彤 336,657,683。

沈应彤 781。

沈应奎 1640。

沈启震 727。

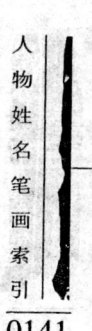

沈祖谏 1405。

沈祖惠 680。

沈祖燕 1510,1623。

沈祖懋 1098,1302,1532。

沈　珩 8,207,289,377。

沈　起 5,333。

沈起元 321,500,746。

沈起凤 770,921。

沈　栻 670。

沈桂芬 1130,1362,1540,
　　1545,1577,1585。

沈　桐 1415,1659,1718。

沈振鹏 624,847,1007。

沈恩嘉 1357,1515,1662。

沈　峻 633,810,1144。

沈峻曾 146,188。

沈爱莲 1385。

沈颂清 1738。

沈　益 948。

沈　烜 706,1184。

沈　烜 882,1224,1226。

沈　涛 1079,1170,1332,
　　1479。

沈家本 1313,1595,1727。

沈　菣 167。

沈　菜 155。

沈　彬 575。

沈梦兰 866,1031,1095,
　　1126。

沈　梓 1507。

沈　铨 384,762。

沈铭彝 1266。

沈翙清 1625,1739。

沈清任 679。

沈清瑞 891。

沈清藻 815。

沈　淑 389,512,529,540,
　　549,560。

沈　淮 1230,1376。

沈　涵 122,268,493。

沈维坤 873。

沈维诚 1373,1568。

沈维炳 2。

沈维鐈 832,1014。

沈　琪 730,1163。

沈　琳 545,732,888。

沈　琨 637,791,1065。

沈联芳 702。

沈葆桢 1155,1363,1579。

沈朝初 106,286,411。

沈棣辉 931,1434。

沈景修 1276,1507,1677。

沈景熊 873。

沈景澜 574。

沈策元(见沈鹏元条)。

沈　詠 594,948。

沈敦兰 1358。

沈善登 1238,1522,1692。

沈道宽 797,1159,1412。

沈曾桐 1609。

沈曾植 1380,1583,1732。

沈曾懋 399。

沈敦懋 506,643。

沈　谦 10,242。

沈乔云 247。

沈　瑞 302。

沈瑜庆 1444,1604,1730。

沈锡华 1574。

沈锡庆 1186,1352。

沈锡胙 79,451。

沈锡晋 1301,1549。

沈锡辂 487。

沈　筠 286,289。

沈　鹏 1529,1652,1718。

沈　鹏 931,1280。

沈鹏元 1117,1296。

沈　雍 58,410。

沈源深 1335,1462,1649。

沈谨学 992,1366。

沈嘉徽 579。

沈锺彦 145,493。

沈　端 992。

沈熊昭 497。

沈　肃 110。

沈镕经 1270,1522,1607。

沈德潜 252,493,562,607,
　　　611,661,681,687,
　　　710,719,738,753,
　　　779。

沈　铉 1200,1390。

沈遴奇 212。

沈　潜 1404,1594,1720。

沈　潮（见沈炳垣条）。

沈　澂 192,407。

沈　澜 574。

沈鹤龄 624,966。

沈慰祖 553。

沈　豫 852,1255,1282,1297
　　　(2),1393。

沈　翰 744,901。

沈　濂 1189。

沈懋华 515。

沈翼机 430。

沈巍皆 869,1133,1392。

沈　鏐 768,1147。

沈鏐彪（见沈鏐条）。

沈　麟 637,1009。

完颜伟 658。

完颜和 122,485。

宋士宗 533。

宋大业 322。

宋大樽 828,973。

宋广业 248。

宋之屏 87。

宋之盛 61,231。

宋之绳 71,115,235。

宋子玉 105。

宋元俊 474,595,801。

宋元徵 338。

宋韦金 453。

宋五仁 672。
宋从心 116。
宋文运 113,317,318。
宋书升 1340,1644,1728。
宋玉珂 1139,1343。
宋世荦 899。
宋可发 113。
宋占魁 1610。
宋必达 195。
宋永誉 69,81。
宋邦英 933。
宋邦绥 598,783。
宋邦儁 1201,1336,1557。
宋 权 25,114,138。
宋在诗 502。
宋有升 1637。
宋 至 161,413,530。
宋师祁 223。
宋师曾 380。
宋光国 605,762。
宋延春 1028,1262,1618,
　　　　1637,1650。
宋延清 974。
宋华国 583,1025。
宋华金 331,501,662。
宋 庆 1157,1632,1676,
　　　　1679,1690。
宋庆和 853,1071,1205。
宋庆常 898,1151。
宋如辰 323。

宋如林 828。
宋寿图 383,651。
宋 杞 86。
宋伯鲁 1416,1608,1736。
宋怀金 476。
宋沛霖 1209。
宋劭毂 1086。
宋其沅 983。
宋国永 1574。
宋国经 1111。
宋国荣 153。
宋鸣珂 848。
宋鸣琦 893。
宋牧民 84,293。
宋季丰 1506。
宋 受(见朱受条)。
宋育仁 1444,1610。
宋育德 1700。
宋学洙 94。
宋宗元 606。
宋宗璋 667。
宋实颖 14,123,427。
宋 宓 24,276。
宋承庠 1394,1543,1576,
　　　　1683。
宋 荦 46,215,250,317,
　　　　394,415,416,425,
　　　　433,439,450(2),
　　　　467,468。
宋 柟 379,556,651。

清代人物大事纪年

初元方 613。

初乔龄 892。

初尚龄 717,1152。

初彭龄 660,787,846,1204。

灵　桂 1116,1301,1577,
　　　1599,1606。

迟变龙 103。

迟　煌 129。

迟　煊 155。

改　琦 804,1227。

张一恒 52,307,357。

张一鹄 172。

张一鹏 1648。

张一麐 1514,1604,1696,
　　　1740。

张人骏 1356,1521,1734。

张九钧 573。

张九钺 499,738,1025。

张九键 607。

张九镒 599。

张九徵 6,94,319。

张九镡 834。

张九鑑 621。

张三甲 1672。

张三异 112。

张三纲 907,939。

张三宾 678。

张于廷 32,182,433。

张士元 697,899,1198。

张士伋 263,

张士佺 264。

张士珩 1444,1617。

张士坝 63,273。

张士宽 1036,1272。

张士琏 524。

张士捷 214,526。

张士第 25。

张士琦 493。

张士焕 1331,1523。

张士甄 22,109,366。

张士範 702。

张大本 146。

张大有 369,570。

张大昌 1625。

张大受 187,446,518。

张大受 392,779。

张大宗 1660。

张大经 673,807。

张大振 1199。

张大维 956。

张大鹏 1016。

张大猷 135,137。

张大镛 939,1291。

张万选 102。

张万清 984。

张广泗 641,657,658。

张广居 1076,1342。

张广居 363,699。

张广信 1457。

张之万 1083,1362,1600,

张文奇 744。

张文虎 1057,1606。

张文虎 860,1372。

张文明 87。

张文炳 331。

张文炳 84。

张文浩 1292。

张文焕 1446。

张文焕 355。

张文靖 954。

张文韬 134。

张文衡 103。

张文鳌 471。

张方理 791。

张为仁 155,292。

张为仪 574,636。

张为经 354。

张心镜 1727。

张 尹 590。

张允言 1520,1623。

张允垂 1004。

张允随 362,641,666,674。

张书云 1695。

张书绅 456,783。

张书勋 758。

张玉书 68,193,294,371,
　　389,454。

张玉龙 1104。

张玉册 890,1100。

张玉良 1477。

张玉树 580,733,935。

张玉裁 56,223,245。

张玉斡 873。

张玉藻 945,1223,1467。

张正椿 1155,1351。

张世昌 1562。

张世法 744。

张世莘 634。

张世彦 914。

张世恩(见张仁黼条)。

张世浣 829。

张世培 1659。

张世渌 724。

张世濂 872。

张世爵 455。

张 本 462,620,812。

张本枝 1015。

张可元 437。

张可立 156。

张可前 132。

张丙炎 1177,1452,1690,
　　1691。

张丙厚 218,369,526。

张丙震 664,847,1048。

张业南 982。

张四儿(见张照条)。

张四教 85。

张生洲(见张履条)。

张仕可 269,434。

张仕遇 513。

张令璜 446。

张用天 635。

张印塘 970,1151,1419。

张尔旦 925,1354,1355。

张尔宇 1316。

张尔岐 242,278。

张尔素 83,272。

张尔耆 1118,1628。

张尔温 293。

张玄锡 72,176。

张兰思 1520。

张兰皋 661。

张　汉 466。

张　汉 602。

张必刚 590。

张必科 97。

张必禄 1386。

张永茂 263。

张永贵 606。

张永祚 607。

张永铨 364。

张永祺 129。

张弘俊 13,92,206。

张召华 323。

张发生 539。

张圣愉 984。

张邦伸 718。

张邦柱 584。

张吉安 717,828,1237。

张　考 513。

张芝元 929。

张　朴 1245。

张　权 1480,1672。

张协忠 1264。

张西园 1357,1550。

张在辛 328。

张在清（见张士宽条）。

张百揆 1057,1314。

张百熙 1361,1549,1708,
　　　　1711。

张有光 152。

张有年 777。

张有傑 155。

张有誉 17,235。

张存仁 89,126。

张　达 1249,1656。

张　成 1074。

张成龙 1367。

张成孙 1291。

张成栋 1700。

张成勋 1405,1568。

张成修（见葛成修条）。

张成遇 397。

张成煦 1674。

张扩廷 1159。

张　贞 248,344,364,386,
　　　　433。

张贞生 11,172,251。

张师泌 980。

张师诚 736,870,914,1241。

张师载 375,483,642,746。
张光斗 1523。
张光豸 287。
张光亮 1558。
张光宪 724。
张光祖 114。
张光祖 437。
张光烈 1,156,221。
张光第 1012,1203,1532。
张光裕 483,829。
张光藻 1116,1432。
张先基 133,279。
张廷玉 247,400,517,548,
　　　549,562,585,602,
　　　666,614(2),615,
　　　650,698。
张廷让(见丁廷让条)。
张廷枢 145,306,426,550。
张廷岳 1553。
张廷选 1278。
张廷彦 1096。
张廷济 768,971,1370。
张廷珩 512。
张廷桂 725。
张廷璱 299,512,750。
张廷楷 1205。
张廷槐 574。
张廷镜 860,1063。
张廷燎 1549。
张廷璐 263,487,642。

张廷瓒 286,411。
张延阀 920,1110。
张仲炘 1567。
张仲第 136,274。
张仲敬 1311。
张华甫 598,788,935。
张华奎 1373,1624,1664。
张自超 145,413,485。
张自德 234。
张行孚 1530,1587。
张行科 1277,1499。
张兆凤 328。
张兆兰 1530。
张兆辰 1083,1325。
张兆栋 1168,1352,1616。
张兆璠 656。
张　旭 459。
张名振 1702。
张多学 283。
张庆云 1719。
张庆长 672。
张庆成 809,1267。
张庆荣 1045,1358。
张庆源 552。
张问达 219,291。
张问安 899。
张问政 357。
张问陶 749,915,1113。
张壮行 23。
张兴仁 1094,1324。

清代人物大事纪年

张希吕 707,899,1327。
张希良 322。
张豸冠 899。
张含辉 132。
张　彤 884。
张亨嘉 1361,1594,1711,
　　　　1721。
张应诏 300。
张应昌 911,1079,1416,
　　　　1439,1531,1554。
张应举 648,1153。
张应泰 90。
张应曾 732。
张应禄 1475。
张应瑞 156。
张　辛 1085,1371。
张怀玉 1664。
张怀涟 949。
张怀德 156。
张　忻 25,177。
张　灼 854。
张　汧 87。
张　沄 1012,1406。
张　沐 173,295。
张冲之 404,831。
张完臣 156。
张宏仁 709。
张宏敏 471。
张启後 1543,1700。
张启鹏 1045,1282,1597。

张启藩 1651。
张际亮 977,1296,1338。
张陈兴（见张陈典条）。
张陈典 299,629。
张陈典 590。
张纯熙 85,246。
张青云 827,1072,1419。
张青选 908。
张　玢 445。
张　坦 281。
张　坦 459。
张坦熊 453。
张其仁 1012,1210。
张其光 1664。
张其淦 1472,1651。
张其锦 1211。
张其镒 1503,1622。
张其翰 1181。
张其翮 1084,1272,1618。
张若采 914。
张若涵（见张涵条）。
张若淳 1019。
张若筠 584,976。
张若浒 412,555,879,896。
张若需 443,599,688。
张若震 510,704。
张若霈 439。
张若潭 592。
张若澄 638,784。
张若霭 462,573,646。

1393。

张学华 1631。

张学纯 241。

张学庠 445。

张学举 585。

张泽瑊 495。

张宗文 727。

张宗苍 327,687。

张宗栴 419,727,755。

张宗说 575。

张宗泰 1385。

张宗泰 664,907,1257。

张宗栻 454。

张宗崐 690。

张宗櫺 818,820。

张官劭 1623。

张诗日 1524。

张诚基 776,1127。

张建勋 1621。

张 诏 25。

张承召 175。

张承勋 1033。

张承烈 43,366。

张 绅 1258。

张孟球 192,322,619。

张绍先 2,160。

张绍华 1250,1550,1721。

张绍衣 1135。

张绍贤 445。

张绍学 982。

张绍渠 482,639,712。

张绍龄 890,1063,1516。

张 经 100。

张经田 854。

张经邦 905。

张春发 1638。

张春育 1099,1289。

张珍枭 889,1189。

张 垣 634。

张荐粲 883,1125。

张 茞 155,220。

张荫桓 1293,1684。

张树甲 1432。

张树声 1195,1590,1601。

张树珊 1206,1513。

张树屏 1639。

张树桢 1660。

张奎祥 547。

张 持 967。

张映斗 574。

张映汉 873,1242。

张映台 693。

张映辰 456,573,746。

张映蛟 939。

张星吉 1608。

张星灿 1250。

张星炳 1380,1580。

张星焕 860,1158,1274。

张星景 419,639。

张星鑑 1147,1516,1575。

清代人物大事纪年

张　夏 309,317。

张　烈 17,288,325,238。

张　烈（见陆张烈条）。

张顾行 26,226,365。

张振义 362,514。

张振金 1323。

张晖吉 798,818。

张恩斌 154。

张　钺 252,424,608。

张　钺 488。

张　铎 532,950。

张　铎 809,940,1183。

张积功 1141,1418。

张　倬 240。

张　玺 60,323,387。

张海珊 860,1168,1172。

张海鹏 696,1064,1096,
　　　1127。

张润民 226。

张家骏 1693。

张家槐 1506。

张家骧 1221,1481,1599,
　　　1607。

张祥云 893。

张祥会 1530。

张祥河 878,1159,1445,
　　　1464,1485。

张祥晋 1131,1296,1447。

张恕可 337。

张恕琳 1735。

张通渊 1216,1492。

张通谟 1697。

张能照（见张晖吉条）。

张能鳞 95。

张　预 1313,1593,1655,
　　　1717,1720。

张继伦 38,81。

张继辛 727。

张继良 1658。

张　骏 1094,1295。

张　骏 847。

张　焘 742。

张　埴 516。

张　培 742,753。

张培仁 1364。

张堉春 926。

张　萃 154。

张乾元 539。

张梦元 1228,1389。

张梦杨 640。

张　检 1496。1631。

张　敔 580,1024。

张盛藻 1145,1295。

张崇本 1383。

张崇俸 631,1143。

张崇懿 1211。

张　铣 1195,1389。

张　铣 1548,1695。

张　铨 978,1278。

张　铭 718。

张　铭 971。
张铭新 1680。
张逸少 369。
张鹿徵(见张怡条)。
张惟赤 152,273。
张惟寅 435,592,735。
张清华 1504。
张清亮 1220。
张凌霞 602,716。
张　鸿 1702。
张鸿运 549。
张鸿烈 289。
张鸿栩 1600。
张鸿猷 195。
张鸿畴 1653。
张鸿磐 284。
张鸿翼(见张鹏翼条)。
张　渠 453,619。
张淑郿 445。
张　淳 459。
张　梁 465。
张　涵 514。
张　寅 953,1178。
张隆基(见张诚基条)。
张　绩 1128。
张绪楷 1201,1463。
张维屏 844,1179,1458。
张　绶 856。
张符骧 502。
张　琴 1188。

张　琴 1285。
张　琴 1701。
张　琦 239。
张　琦 749,1101,1118,
　　1266。
张颉云 1132。
张颉辅(见张官劻条)。
张　彭 68,248,451。
张斯奎 1234。
张联元 1041。
张联元 354。
张联奎 947,1237。
张联桂 1206,1668。
张敬修 999,1279。
张朝午 485。
张朝龙 909。
张朝纲 1469。
张朝珍 296。
张朝晋 248,694。
张朝寀 78,254,334。
张朝墭 1460,1740。
张惠言 730,927,965,979,
　　1017,1019。
张雄图 621。
张斐然 993,1089。
张　棠 380。
张　鼎 1216,1390,1597。
张　鼎 737,907,1198。
张鼎延 17,185。
张鼎华 1566。

张鼎辅 1396。

张鼎彝 154。

张遇春 1499。

张遇清 1272,1435。

张景祁 1550。

张景星 930,1279。

张景烈 673。

张 翙 776。

张 锐 1089。

张 愡 9,374。

张 集 75,269,418。

张集馨 990,1231,1574。

张舜琴 1563,1724。

张敦仁 689,834,1006,1047,
　　　1054,1275。

张敦均 724。

张敦培 816。

张敦颐 796,1086,1142。

张斌授 525。

张赓飏 1357,1522。

张善准 954,1502。

张善继 226,260。

张 翔 1062。

张翔凤 354。

张 道 1168,1408,1417,
　　　1425,1488。

张道进 903,1251。

张道湜 107。

张 曾 576。

张 曾 764,1160。

张曾大 822。

张曾庆 354。

张曾敞 561,672,830。

张曾献 871。

张曾敩 1335,1536,1731。

张曾敦 770。

张曾褆 145,281,559。

张曾霭 1070。

张 湘 690。

张 湄 573。

张富年 1619。

张裕叶 948。

张裕钊 1187,1358,1657。

张裕莘 653。

张 谦 399,530。

张谦宜 459。

张登选 156,293。

张登举 58,153,283。

张登瀛 1277,1521。

张 琤 22,73,216。

张 瑊 829。

张瑞午 273。

张瑞徵 131。

张 瑗 353。

张蓉镜 1090。

张 楷 1535。

张 楷 225。

张 楷 237,409,635。

张甄陶 462,638,850。

张 鉴 768,1013,1371。

张　璐 1351。
张懋延 620。
张懋诚 332。
张懋建 408,584。
张懋能 431。
张　翱 1110。
张　燮 932。
张燮堂 1608。
张　謇 1404,1651。
张　璿 109。
张璿华 1192。
张瞻洛 429,887。
张　曜 1270,1625,1639。
张曜孙 1057,1336,1493。
张　藻 1636。
张　黼 624,922。
张黼华 1068,1223,1618。
张瀚中 970,1202。
张　瀛 1130,1383。
张　瀛 1461,1642。
张瀛皋(见张炳堃条)。
张　馨 640。
张　鳞 827,982,1283。
张鳞甲 475。
张　灏 538。
张　鑑 1193。
张　鑑 768,1004,1030,
1162,1254,1385,
1387。
张　鐩 1279。
张麟书 444。
张麟昭 30,421。
张　鑫 1687。
张　鋆 5,326。
张　腊 249。
张　翻 873。
陆广霖 428,611,850。
陆开荣 946。
陆天锡 606。
陆元年 283。
陆元纶 999,1337,1459。
陆元辅 5,356。
陆元烺 924,1135。
陆元鼎 1309,1550,1719。
陆元鋐 892。
陆仁恺 1396。
陆仁恬(见陆仁恺条)。
陆凤翔 1016。
陆凤藻 1052,1031。
陆　文 758,1214。
陆心源 1270,1455,1578,
1590,1627,1645,
1657。
陆尹耀 510。
陆以庄 954,1219。
陆以烜 (见陆以煊条)。
陆以湉 1012,1289,1433。
陆以谦 849。
陆以煊 879,1109,1435。
陆允镇 708。

陆世仪 102,250。

陆世楷 101。

陆生梯 550。

陆尔熙 1491。

陆芝祥 1349,1522,1557。

陆在新 219,334。

陆有仁 776,1019。

陆成本 741,1371。

陆尧松 1086。

陆尧春 1133。

陆　师 223,400,507。

陆光旭 132。

陆光熙 1572,1702,1723。

陆廷柱 961。

陆廷福 152。

陆廷黻 1276,1535。

陆向荣 939。

陆名时 438,824。

陆宇燝 8,318。

陆宇熽 205。

陆安国 437。

陆孙鼎 999,1253。

陆寿名 133。

陆苍霖 790。

陆求可 4,153,292。

陆时化 520,909,910。

陆我嵩 912,1179。

陆伯焜 624,804,846,1019。

陆位时 89。

陆希湜 1303。

陆　言 981,1256。

陆应榖 1252,1442。

陆　沅 883,1158。

陆张烈 399。

陆陇其 37,238,328,332,359
　　(2),360。

陆　纶 483。

陆肯堂 118,322,381。

陆鸣时 216。

陆鸣珂 155。

陆秉枢 1166,1362,1488。

陆秉笏 428,621,868。

陆　泌 955。

陆宝忠 1380,1561,1714。

陆宗楷 514,793,807。

陆建瀛 923,1178,1409。

陆绍琦 192,445,604。

陆经远 306。

陆荣登 238。

陆荫奎 1147。

陆树本 599。

陆奎勋 203,502,609。

陆　恢 1389,1731。

陆　炯 864,1158。

陆祖禹 349,442。

陆祖锡 428,547,631。

陆祚蕃 252。

陆　昶 805。

陆费琼 869,1064,1365,
　　1442。

陆费锡 194。
陆费墀 752,758,867,818,917。
陆费鬒 669,1104。
陆 恭 620,1144。
陆振芬 110。
陆 秩 611。
陆润庠 1321,1548,1728。
陆继辂 796,992,1171,1274。
陆继煇 1314,1534。
陆 培 328,524,683。
陆 彪 111。
陆鸿仪(见陆鸿彝条)。
陆鸿彝 1694。
陆 寅 338。
陆 堦 5,396。
陆 菜 37,224,288,329,395。
陆赐书 430。
陆 舜 208。
陆 湘 798。
陆 嵩 921,1470。
陆锡熊 580,732,739,805,927,928。
陆 溥 899。
陆殿鹏 1287,1562。
陆嘉晋 1489,1617,1723。
陆嘉淑 11,344。
陆嘉颖 574。
陆锺江 1294,1495。

陆锺琦 1368,1622,1723。
陆演藕 68,381。
陆 潏 75。
陆增炜 1543,1671。
陆增祥 1123,1381,1591。
陆 樟 1120。
陆敷树 296。
陆德元 270。
陆 毅 338。
陆遵书 499,718,896。
陆 燝 725。
陆懋宗 1321,1462。
陆懋勋 1520,1670。
陆黻恩 1310。
陆繁弨 51,318。
陆襄钺 1270,1445。
陆 燿 509,677,880。
陆耀遹 787,1169,1291(2)。
阿 三 578。
阿 山(正蓝旗)80,98。
阿 山(正蓝旗)636。
阿 山(镶蓝旗)425,467,473。
阿什达尔汉 57,70。
阿什坛 451。
阿什坦 135,315。
阿什图 267。
阿什岱 189,227。
阿巴泰 76,89。
阿玉玺 136,243。

清代人物大事纪年

阿尔泰(汉正红旗)265。

阿尔邦阿 1282。

阿尔多 356。

阿尔护(见阿尔虎条)。

阿尔沙瑚 73。

阿尔纳 508。

阿尔松阿 534。

阿尔虎 274。

阿尔迪 381。

阿尔图 484。

阿尔岱 41。

阿尔法 381。

阿尔荫朗 966。

阿尔津 135,175。

阿尔泰 496,745,805。

阿尔素纳 807。

阿尔筏 472。

阿尔精阿 1401。

阿尔赛 310。

阿尔赛 642。

阿尔赛(镶蓝旗)385。

阿兰图 472。

阿兰泰(蒙正白旗)729,697。

阿兰泰(镶黄旗)371,395。

阿兰珠 3。

阿兰葆 1008。

阿必达 633,922。

阿必达(蒙正白旗)597。

阿 成 1266。

阿扬阿 910。

阿那保 669,1299。

阿克丹 1260,1462,1698。

阿克东阿 1468。

阿克东阿(正黄旗)958,960。

阿克敦 321,444,661,693,
703。

阿克僖 167。

阿里浑 328,484。

阿里衮 745,779。

阿灵阿 845,1005,1439。

阿灵阿(钮祜禄氏)480。

阿纳达 266。

阿纳海 198。

阿林保 1074。

阿郁实 119,120

阿拉密 119,140。

阿迪斯 617,1121。

阿 岱 62。

阿 金 354。

阿郎阿 1114。

阿 肃 692,929。

阿弥远(见阿必达条)。

阿南达(蒙正白旗)406。

阿南达(镶蓝旗)219,296。

阿思哈 234。

阿思哈 435,824。

阿哈尼堪 127。

阿哈保 1043。

阿哈泰 214,292。

阿哈硕塞 256。

阿　拜 103。

阿彦达 999,1251。

阿济拜 139。

阿济格 53,76,97,127。

阿济格尼堪 119,120。

阿　桂 482,606,745,804,
　　　810,822,823,836,
　　　856,880,886,957,
　　　967。

阿积赖 160。

阿席熙 303。

阿　桑 97,245。

阿勒清阿 1369,1392。

阿　敏 65。

阿敏道 712。

阿　淑 320。

阿密达 447。

阿　琳 424。

阿　联 1480,1671,1685。

阿喇尼 371。

阿喇纳 526。

阿喇密 135,302。

阿喇善 160。

阿　鲁 618。

阿鲁阿(见阿禄哈条)。

阿禄哈 135,297。

阿　赖 136,255,283。

阿满泰 929。

阿慕古朗 136,168。

阿精阿 974。

阿　霖 1214。

阿穆尔图 257。

陈九龄 590。

陈三立 1405,1623,1738。

陈三辰 588,1096。

陈士枚 1210。

陈士杰 1194,1375,1646。

陈士桢 1111。

陈士翘 1277,1530,1675。

陈士雅 892。

陈士璠 348,595,704。

陈士鑛 165,490。

陈大化 654。

陈大文 799,1120。

陈大用 1026。

陈大玠 522。

陈大受 408,573,645,661,
　　　675。

陈大绂 656,910。

陈大复 389,625。

陈大章 338,467。

陈大辇 430。

陈大富 1475。

陈大瑜 611。

陈与冏 1581,1640。

陈才芳 1549。

陈万全 647,871,1018。

陈万里 617,849,1104。

陈万青 853。

陈万胜 1500。

陈万盛 321,675。

陈万清 1711。

陈万策 223,487,581。

陈上年 111,279。

陈上国 1435。

陈义晖 239。

陈广宁 751,1115。

陈之龙 105。

陈之闿 6,309。

陈之遴 56,125,158,220。

陈之彝(见卜陈彝条)。

陈之骥 991,1210。

陈子达 131。

陈王谟 458,459。

陈王路 291。

陈开选 1471。

陈天泽 889,1209。

陈天清 113,345。

陈 元 338。

陈元龙 128,322,375,425,
　　　433,484,577,596。

陈元焘 899。

陈元鼎 1362。

陈元燮 848。

陈 云 932。

陈云诰 1694。

陈云彪 1458。

陈中龙 435,612,948。

陈中孚 1000,1213。

陈中荣 577。

陈中浮(见陈中孚条)。

陈见智 239。

陈长镇 653,663。

陈 仁 574。

陈化龙 799。

陈化成 814,1333。

陈 仪 890,1101。

陈介眉 1058,1295。

陈介祺 1099,1350,1601。

陈介猷 1395。一

陈介璋 1208,1375,1389,
　　　1565。

陈丹赤 36,124,394,261。

陈凤友 523。

陈凤翔 1097。

陈凤翰 1111。

陈文在 477。

陈文远 594。

陈文述 786,993,1305。
　　　1354。

陈文组 707。

陈文焘 1046,1263。

陈文黻 1646。

陈文騄 1314,1549,1704。

陈以刚 459。

陈允恭 203,370,526。

陈允颐 1374,1544。

陈 书 300。

陈 书 770,1224。

陈书曾 1252。

陈邦选 54,76。

陈邦彦 280,413,436,683,
　　607(2)。

陈邦瑞 1388,1561,1733。

陈　玕(见陈阡条)。

陈　协 85,206。

陈有明 160。

陈存懋 1551。

陈成永 369。

陈至言 384。

陈贞慧 102,163。

陈师俭 538。

陈光祖 66,204,325。

陈同礼 1443,1594。

陈年毂 156。

陈先沆 1636。

陈廷庆 689,853,1104。

陈廷纶 399。

陈廷杰 828。

陈廷经 1051,1342。

陈廷珍 1221,1473。

陈廷桂 370,451。

陈廷桂 534。

陈廷桂 717,945,1256。

陈廷敬 60,174,401,425,
　　433,450,454,460。

陈廷献 792,1246。

陈廷黻 1731。

陈迁鹤 52,322,455。

陈乔枞 1067,1203,1306,

　　1318,1332,1485,
　　1528。

陈　伟(见薛陈伟条)。

陈传均 1108。

陈仲良 860,1063。

陈仲鸿 949。

陈伦炯 558,675。

陈自舜 47,455。

陈伊言 1041。

陈　会 446。

陈兆文 1389,1560。

陈兆崙 397,555,594,794。

陈兆葵 1610。

陈兆嵋 408,547,762。

陈兆瑜 435,607,950。

陈兆熙 829。

陈兆熊 1148。

陈名侃 1368,1555,1735。

陈名珍 1313,1595,1657。

陈名夏 71,114,125,148。

陈庆门 524。

陈庆升 656。

陈庆长 1222,1375。

陈庆年 1480,1617,1735。

陈庆松 1047,1323。

陈庆桂 1582。

陈庆偕 998,1278。

陈庆铺 945,1252,1359(2),
　　1447。

陈齐永 269。

清代人物大事纪年

陈应泰 201。

陈应聘 991,1262,1500。

陈 忱 146。

陈 灿 1568。

陈沂震 398。

陈 沆 524。

陈 沆 878,1147,1214。

陈 宏 195。

陈宏度 947。

陈宏谋 379,513,596,615,
　　　　628(3),631,714,
　　　　745,792,794。

陈启迈 962,1323。

陈启泰 1361,1521,1718。

陈启泰 260,376。

陈启辉 1701。

陈启源 332。

陈初哲 598,775,895。

陈奉兹 532,724,987。

陈其元 1545。

陈其荣 1515,1627,1645。

陈其泰 1310。

陈其嵩 539。

陈其焜 743。

陈其璋 1507。

陈其凝 555。

陈若霖 717,893,1256。

陈 枚 1051,1314。

陈 枚 686,812。

陈 杰 1338。

陈 杰 627,1049。

陈奇谟 119,293。

陈 卓 93。

陈尚古 331。

陈 杲 1002。

陈国华 1701。

陈国祥 1695。

陈国敕 702。

陈国瑞 1294,1592。

陈国璧 1624。

陈昌齐 630,789,1162,1164。

陈昌言 47,160。

陈昌图 758。

陈昌绅 1608。

陈昌期 360。

陈明志 1157,1434。

陈 昂 142,498。

陈 昉 1161。

陈忠靖 94。

陈忠德 1230,1500。

陈鸣夏 375,539,715。

陈鸣皋 91,248,421。

陈秉成 827,1124。

陈秉直 330。

陈秉和 1276,1536。

陈秉崧 1388,1582。

陈 岱 1014。

陈岱霖 1158。

陈 佩 145,403。

陈 佩 393。

陈金绶 1433。

陈金揆 1656。

陈念祖 1006,1017,1023,
　　　　1031,1064,1090。

陈　京 637,1020。

陈炎宗 655。

陈学诗 1032。

陈学洙 316。

陈学海 321,465,578。

陈学楙 1276,1481,1685。

陈学夔 233。

陈　法 466。

陈泽霖 1429,1622,1732。

陈治滋 464。

陈　宝 1270,1537,1574。

陈宝禾 1035,1279。

陈宝琛 1368,1521,1737。

陈宝璐 1374,1631,1736。

陈宝箴 1243,1390,1681。

陈宝璐 1630。

陈宗元 1046,1262,1433。

陈宗汭(见陈宗摅条)。

陈宗蕃 1702。

陈宗摅 1416,1582。

陈宗彝 1291。

陈官俊 1059,1365,1378。

陈　诗 835。

陈诗庭 723,984,1049。

陈　诜 71,249,425,508。

陈建侯 1300,1424,1541。

1616。

陈承裘 1238,1397。

陈　绍 1532。

陈　经 1103。

陈　经 364。

陈春英(见何春英条)。

陈垣弼 1095,1468。

陈荣昌 1480,1593。

陈荣绍 1195,1407,1542。

陈　标 693。

陈柄德 669,827,1212。

陈　枏 653。

陈树华 552,1008。

陈树勋 1694。

陈树莱 429,571。

陈树蓍 784。

陈树镛 1614。

陈厚耀 100,432,467,507。

陈显生 1378。

陈昭常 1520,1651。

陈　勋 270。

陈　钦 1196,1399。

陈　钦 1536。

陈钦铭 1276,1522,1639。

陈秋水 932。

陈科捷 654。

陈科錝 799。

陈俊千 1039。

陈　衍 1430,1589,1738。

陈胜元 1409。

陈亮畴 1405。

陈庭学 610,776,1024。

陈奕禧 100,448。

陈恒庆 1373,1609。

陈　恂 369。

陈炽昌 1596。

陈洪谏 182,396。

陈洪绶 140。

陈洪範 343,463,746。

陈　浏 1490,1603,1625,

陈济清 1677。

陈　宦 1739。

陈宪曾 969,1178。

陈祖范 268,511,674,695。

陈祚昌 153。

陈祚明 205,258。

陈　泰 158,159。

陈　泰 570。

陈泰初 1352。

陈　珣 371。

陈起龙 519,1033。

陈起诗 944,1231,1328。

陈聂恒 399。

陈恭尹 39,402。

陈　晋(见任陈晋条)。

陈桂生 764,906,1320。

陈桂芬 1146,1454。

陈桂芬 1523。

陈桂洲 428,627,784。

陈桂森 545,758,917。

陈桐生 1078。

陈顾潄 639。

陈振邦 1524。

陈振瀛 1250,1491。

陈　轼 64。

陈　辂 1345。

陈　倬 1207,1453。

陈　俶 375,573,615。

陈　皋 429,811。

陈　豹 204。

陈卿云 1206,1535,1689。

陈逢年 1087。

陈逢泰 160。

陈逢衡 833,1103,1204。
　　　　1235,1246,1318,
　　　　1428。

陈　訏 118,364,440,507,
　　　　569,570。

陈高翔 538。

陈　益 462,606,762。

陈　浩 375,522,793,801。

陈海梅 1672。

陈　澎 188。

陈　宽 1290。

陈宽居 1675。

陈家騄 1000。

陈　朗 777。

陈　预 914,1193。

陈继义 1069。

陈继业 1131,1397。

陈继昌 919,1157。

陈继聪 1530。

陈琇莹 1422,1560。

陈培锟 1671。

陈基德 726。

陈　菁 204。

陈莱孝 543,849,896。

陈黄中 419,694,740。

陈黄永 264。

陈　彬 1088。

陈梦元 692。

陈梦兰 1397。

陈梦说 470,656,876。

陈梦雷 238,372。

陈梦熊 723,1226。

陈　梓 313,721。

陈　捷 286。

陈常夏 195。

陈　冕 1451,1593,1650。

陈崇本 815。

陈崇光 1309,1665。

陈崇砥 1358,1558。

陈崇韫 947。

陈偕灿 925,1169。

陈　彩 130。

陈象沛 1106,1324。

陈象枢 379,556,688。

陈康祺 1314,1535,1583,
　　　　1587。

陈望曾 1422,1551。

陈惟方 1733。

陈　鸿 845,1069,1266。

陈鸿年 1503,1666。

陈鸿寿 769,1004,1184。

陈鸿宝 670。

陈鸿倬 1668。

陈鸿翊 1098,1302。

陈鸿渐 848。

陈鸿绩 290。

陈鸿翁 1208,1374。

陈鸿熙 453。

陈鸿墀 1038。

陈　淮 686,1081。

陈　淦 654。

陈　维 1300,1530。

陈维国 133。

陈维垣 1149。

陈维屏 1150。

陈维崧 24,288,272,310。

陈维新 17。

陈　琴 1348。

陈　琪 594。

陈　琪 751,945,989。

陈　琮 702。

陈超曾 980。

陈敬第 1559,1694。

陈韩遴 156。

陈朝书 506,896。

陈朝良 1334。

陈朝君 307。

陈惪正 557。

陈惪华 383,521,793,843。

陈惪荣 343,458,651。

陈　惠 637,813。

陈　确 278。

陈　㪺 845,1205。

陈紫芝 287。

陈　辉 210。

陈辉龙 1419。

陈辉甲 1159。

陈辉祖 867。

陈　鼎 1415,1581。

陈鼎雯 970,1251。

陈遇夫 348,450,489。

陈景云 237,416,426,540,
　　　650,651。

陈景仁 181。

陈景忠 397。

陈景亮 1077,1317。

陈景曾 1085,1295。

陈景锺 621,607。

陈景墀 1604。

陈景鎏 1373,1582。

陈　稔 753。

陈　策 591。

陈　筌 680。

陈　舒 111。

陈　鲁 1094,1316。

陈　斌 983。

陈　善 1005。

陈善同 1559,1694。

陈善诒 553,819。

陈　道 435,631,655,728。

陈道永（见陈确条）。

陈　曾 308。

陈曾寿 1586,1695,1697。

陈曾佑 1437,1623。

陈　焯 1086。

陈　焯 129。

陈　焯 573。

陈　燜 938,1253,1319。

陈　湜 1244,1664。

陈　湜（见郭金台条）。

陈　渼 873。

陈　寔 51,283。

陈登龙 810。

陈　瑚 69,137,266。

陈　瑒 1047,1494。

陈　瑜 1644。

陈　瑄 241。

陈　璙 931,1345。

陈　煦 814,1002,1326。

陈嗣龙 775,1056。

陈嗣虞 719。

陈嵩年 731。

陈嵩庆 1000。

陈　锟（见陈昉条）。

陈锡路 770,800。

陈锡嘏 46,269,333。

陈锡麒 1107,1482。

陈　锦 1168,1376,1569。
陈　锦 1221,1491,1616。
陈　锦 139。
陈　筠 671。
陈鹏年 203,353,517。
陈　新 730,940,1292。
陈　愹 210。
陈　煜 899。
陈源兖 1107,1302,1413。
陈源蓁（见郑源蓁条）。
陈　福 264,266。
陈　静（见陈廷敬条）。
陈　瑸 161,370,490。
陈　嘉 1606。
陈嘉言 1388,1621。
陈嘉树 882,1178。
陈嘉绩 204。
陈嘉善 110。
陈嘉谟 732。
陈　熙 769,940,1311。
陈熙晋 1151。
陈熙健 1180。
陈熙曾 1209。
陈　模 1047,1289。
陈鹗荐 400。
陈敱永 153,301。
陈　锷 611。
陈锺信 1461,1621。
陈锺琛 718。
陈锺麟 984。

陈毓秀 1504。
陈偁仪 392,558,683。
陈　銮 882,1157,1312。
陈　豪 1309,1530,1720。
陈　阊 1689。
陈　肇 924,1134。
陈肇昌 174。
陈肇镛 1085,1296。
陈　鼐 1364。
陈　熊 187,608。
陈　瑾 47。
陈　璜 134。
陈　璋 369。
陈增印 1159。
陈增新 101。
陈觐圣 173。
陈　舜 916。
陈　撰 480。
陈徵芝 1014。
陈　鋐 352,746。
陈　毅 1700,1655。
陈　毅 6,204,346。
陈　潮 999,1245,1285。
陈　澐 931,1134。
陈　鹤 706,954,1091。
陈鹤书 644,1081。
陈鹤龄 200,316,534。
陈履中 363,453,729。
陈履平 392,663。
陈履亨 1560。

陈遹声 1429,1609。

陈豫朋 369。

陈　澧 1076,1254,1370,
　　　1433,1446,1492,
　　　1516,1586,1590,
　　　1591。

陈　璞 1146,1390。

陈　璘 487,896。

陈　璙 1473。

陈儒亮（见陈仅条）。

陈澹然 1648。

陈　濂 759。

陈懋侯 1300,1560,1646。

陈懋鼎 1529,1630,1739。

陈懋龄 926,965。

陈霞蔚 873,1082。

陈　燮 971。

陈　濬 1363,1513。

陈　翼 1490。

陈　爌 83。

陈　璧 1416,1569,1734。

陈　彝 1215,1481,1680。

陈耀庚 1209。

陈　镳 533。

陈　燨 998,1251。

陈　骧 1423,1671。

陈夔龙 1437,1610。

陈夔麟 1422,1580。

陈　鳣 685,861,862,874,
　　　957,971,1006,1041,

1103,1113,1137。

陈　麟 263,683。

陈黉举 1208,1601。

努　三 837。

努　山 136,176。

努　赛 120。

邵大业 449,573,794。

邵大生 409,515,636。

邵之旭 343,446,779。

邵子彝（见邵子懿条）。

邵子懿 1175,1454。

邵元长 262。

邵友濂 1507,1648,1687。

邵曰濂 1222,1521。

邵长蘅 55,376,380,421。

邵凤依 1061。

邵文炜 251。

邵方平 63,373。

邵玉清 871。

邵正笏 912,1147。

邵世泰 471。

邵世恩 1322,1536。

邵甲名 897,1147。

邵永福 1334。

邵廷采 100,455。

邵廷烈 1204,1265,1272。

邵延龄 50,193,356。

邵自达（见邵自镇条）。

邵自昌 588,833,949,1104。

邵自悦 834。

邵自镇 486，733，910。

邵向荣 424。

邵名世 17，231。

邵齐烈 639，646。

邵齐焘 486，625，780。

邵齐然 654。

邵齐熊 519，648，995。

邵 灯 131，242，245。

邵 观 354。

邵远平 209，290，364，394。

邵志纯 701，956，987。

邵吴远（见邵远平条）。

邵希曾 677，908，1225。

邵亨豫 1131，1382，1597。

邵应邲 726，766。

邵 灿 1022，1251。

邵松年 1369，1593，1732。

邵昂霄 584。

邵 岷 362。

邵佳鉌 457，868。

邵 诗 1005。

邵树本 653。

邵 洪 790，1092。

邵陛陛 479，886。

邵 泰 347，500，716。

邵泰清 45。

邵晋之 702。

邵晋涵 630，788，800，960。

邵积诚 1356，1522。

邵培惠 873。

邵 基 331，500，603。

邵 辅 1345。

邵庚曾 620，732，886。

邵 章 1540，1694，1722。

邵渊耀 897，1101。

邵维埏（见邵友濂条）。

邵绶名 1036，1253。

邵 瑛 871，1118。

邵 琮 263，380，618。

邵葆初 833，1030。

邵葆祺 786，956。

邵葆锺 832，1038，1074。

邵葆醇 757，914。

邵曾可 185。

邵嗣尧 239，372。373。

邵嗣宗 449，631，679，765，766。

邵福瀛 1572，1666。

邵 璸 165，263，448。

邵嘉胤 156。

邵 潜 216。

邵鹤龄 1401。

邵儒荣 217。

邵 衡（见邵长蘅条）。

邵 勷 889，1179。

邵懿辰 1078，1245，1346，1478。

纳世通 755。

纳 布 135。

纳尔察 18。

纳延泰 661，739。

纳齐喀 218，530。

纳国梁（见国梁条）。

纳　泰 530。

纳都瑚 190。

纳　海 158，189。

纳穆扎尔 703，715。

纳穆生格 190。

纳穆泰 51(2)。

纶布春 1009。

八画

奉　宽 626，812。

武士宜 530，985。

武士选 1454。

武　亿 637，847，934，986，
　　　988。

武之亨 193。

武天亨（见武云衢条）。

武云衢 969，1262。

武凤来 1135。

武文衡 478。

武玉润 1460，1623。

武　训 1664。

武达禅 121。

武光琳 1275。

武廷珍 1382。

武自珍 1096。

武汝清 1046，1316，1605。

武访畴 1012，1253。

武进陞 754。

武灵阿 868。

武纳格 48，51。

武拉禅 167，228。

武国栋 1660。

武忠额 814，1062。

武　京 140。

武　肃 684，1225。

武绍周 336，514，735。

武　拜（见吴拜条）。

武凌汉 1005。

武理堪 28。

武隆阿 1218，1248。

武隆额 1512。

武朝聘 1677。

武　棠 912，1210。

武　善 77。

武登额 644，1237。

武　赖 136，139。

武　韬 88，116。

武蔚文 919，1210。

武　震 1261，1504，1649。

武默纳 350。

武穆笃 282。

武穆淳 796，1053，1256。

武攀龙 88。

武　瀛 1423，1624。

青　麚 1027，1324，1419。

卦　喇 274。

坤　　 136，255，334。

苗玉荣 1468。

苗沛霖 1494。

苗国琮 525，699。

苗胙土 17，90。

苗颖章 1195，1453。

苗　夔 865，1245，1311，
　　　　1326，1332，1391，
　　　　1392，1440。

英　元 1553。

英　文 1373，1562。

英　朴 1579。

英　年 1687。

英　华 1715。

英　艮 1599。

英　秀 1615。

英　良 884。

英　启 1277，1454。

英　和 786，933，1030，1031，
　　　　1102，1162，1196，
　　　　1224，1297，1319。

英　奎 1578。

英　贵 848。

英俄尔岱 97，103。

英　素 386，517。

英　桂 1281。

英　桂(字一山)999，1169，
　　　　1572，1579。

英格宜 376。

英　祥 1662。

英　绥 1320。

英　惠 1258。

英　傑 1244，1423。

英　善 1073。

英　瑞 1515。

英　瑞 1721。

英　瑞(正白旗)992，1320。

英　瑞(宗室)1034，1264。

英　煦 1330，1536。

英　廉 1632，1680。

英　廉(汉军镶黄旗)435，
　　　　567，823，860，861，
　　　　868。

英额理 314。

英　翰 1229，1376，1524，
　　　　1570。

茆泮林 1171(2)，1182，1191，
　　　　1197，1211，1218
　　　　(3)，1224，1234。

茆荐馨 35，286，301。

苑棻池 1195，1521。

范三纲 835。

范士楫 57。

范广衡 1388，1583。

范之杰 1540，1693。

范云威(见范必英条)。

范长发 370。

范从律 574。

范文程 135，147，221。

范允镔 399。

范玉琨 864。

范正脉 113。

范世勋 443。

范印心 96。231。

范必英 39,289,360。

范永祺 536,885,951。

范永澄 759。

范邦桢 1047,1318。

范光文 107。

范光阳 337。

范光宗 339。

范光遇 112。

范当世 1416,1705。

范廷元 112。

范廷楷 404,590,716。

范廷魁 156。

范　礽 88。

范寿金 1668。

范运鹏 1250,1431。

范志熙 1122,1473。

范来宗 816。

范时纪 837。

范时绎 623。

范时捷 608。

范时崇 203,498。

范时绶 863。

范鸣龢 1398。

范　图 105。

范　周 107。

范宜恒 966。

范建中 995。

范承式 471,811。

范承典 969,1315。

范承勋 66,359,364,420,
　　　472。

范承祖 970,1161。

范承斌 376。

范承谟 22,130,273,376。

范承谟 376。

范　咸 513。

范思皇 672。

范　炳 312,698,704。

范泰亨 1139,1375。1495。

范泰恒 436,640,820。

范泰衡 1022,1272,1612。

范　栻 759。

范桂尊 1672。

范　轼 1670。

范逢恩 891。

范　衷 787。

范家相 690,727。

范崇荣 606,972。

范　梁 1057,1316,1597。

范葆廉 1530。

范朝瑛 93。

范械士 449,678,778。

范鄜鼎 226,372,416。

范毓琦 483,675。

范毓觭(见范毓琦条)。

范德元 1721

范　緿 82,270,372。

范　鲲 165,455。
范凝鼎 687。
范　璨 294,522,762。
范懋柱 811。
范　鏊 630,846,1019。
范　缵 122。
茅元铭 797。
茅兆儒 281,309。
茅星来 280,503,659。
茅润之 1061。
茅　谦 1653。
茅　豫 893。
林士傅 997,1190。
林大中 532,910。
林大茂 791。
林之望 1117,1364。
林之蕃 72。
林之濬 430。
林开蓉 1489,1658,1738。
林天木 514。
林天茂（见林大茂条）。
林天洛 778。
林天培 984。
林天龄 1239,1461,1574。
林天潋 791。
林　元 443,762。
林　云 666。
林云京 107。
林云铭 171,340。
林　壬 1380,1567

林凤辉（见林式恭条）。
林文英 339。
林文察 1501。
林方标 1089,1387。
林正辉 452,738,858。
林世焘 1503,1700。
林世榕 233。
林古度 221。
林本直 187。
林东郊 1672。
林令旭 555。
林议雾（见林时益条）。
林召棠 882,1187。
林式恭 1406。
林芝生（见林源恩条）。
林有席 680。
林达泉 1240,1473,1574。
林扬祖 978,1232。
林尧华 146。
林尧英 194,326。
林则徐 878,1086,1370,
　　　　1386。
林廷选 1139,1352。
林廷禧 1123,1263,1435。
林乔荫 753。
林企俊 142,581。
林　旭 1555,1648,1673,
　　　　1675。
林庆贻 1405。
林兴珠 281。

林汝舟 1302。

林守鹿 680。

林　孙 1198。

林寿图 1185,1352,1678。

林志烜 1700。

林　芳 406。

林步随 1580,1695。

林时益 7,284。

林伯桐 815,1005,1204,
　　　1218,1240,1305,
　　　1311,1346,1347。

林　启 1331,1561,1685。

林君陞 698。

林其茂 591。

林其宴 790。

林苑生 1530。

林枝春 598。

林述训 1238,1383。

林国良 1066。

林国柱 1536。

林国赓 1643。

林国赞 1381,1623。

林昌彝 1084,1310,1408,
　　　1499。

林明伦 509,654,711。

林　昂 457。

林　佶 187,457。

林　侗 30,372,473。

林学易 692。

林宜春 1660。

林建鼎 681。

林建猷 1037,1435。

林　绂 962,1179。

林绍光 955。

林绍年 1374,1549,1708,
　　　1729。

林春溥 814,1015,1113,
　　　1126,1152(2),1162,
　　　1182(2),1211,1273,
　　　1306, 1326, 1346,
　　　1377, 1400, 1474,
　　　1479。

林　荔 727。

林树蕃 660,788,824。

林映棠 1058,1280。

林适中 506,649,961。

林　亮 207,541。

林炳章 1576,1652。

林洪烈 354。

林祖成 489。

林　逊 8,146,406。

林泰升 1656。

林起凤 1066。

林起龙 85,183,188,228。

林起宗 85。

林恩熙 1403。

林　隽 726。

林宾日 660。1219。

林　纾 1394,1589,1733。

林培田 665,1079。

林培厚 748,1060,1241。

林培基 1569。

林鸿年 1034,1288,1590,
　　　　1615。

林维造 104。

林彭年 1117,1461。

林　朝（见琳朝条。）

林景贤 1603。

林蒲封 554,668。

林颐山 1380,1643。

林嗣环 110。

林愈蕃 673。

林　源 393。

林源恩 1129,1336,1435。

林福祥 1487。

林锺岱 984。

林锺龄 642。

林肇元 1612。

林德镛 503。

林德馨 159。

林　澜 30,356。

林赞龙 533。

林懋勋 1288。

林　濬 401。

林灏深 1534,1660。

林麟焻 241。

松　长 926。

松　廷 1258。

松　寿 1373,1724。

松　林 1421。

松　林 1682。

松　峻 1149。

松　塸 1544。

松　葰（见柏葰条）。

松　森 1207,1504,1704。

松　椿 1668。

松　筠 676,973,985,1054,
　　　　1090,1102,1125,
　　　　1170,1245,1283。

松　湜 1463,1712。

松　德 801。

构　挈 220。

杭世骏 379,569,586,594,
　　　　805,807。

杭　奇 329。

杭奕禄 658。

杭　爱 314。

郁文初 167。

郁　禾 17,146,284。

郁永河 386。

郁宗海 1219。

郁　荪 472。

郁　崑 1534。

郁鼎锺 938,1210。

郁　耀 78。

奈　曼 539。

奇丰额 637,777,1049。

奇　臣 1104。

奇成额 1307。

奇成额 1433。

奇克坦泰 1557。

奇克塔善 1501。

奇彻布 711。

奇　昆 588,842。

奇明保 1339。

奇通阿 404,746。

奇塔特彻尔贝 97,212。

奋通阿 1639。

欧阳云 1406。

欧阳中鹄 1389,1544。

欧阳正焕 638。

欧阳旭 254。

欧阳利见 1202,1661。

欧阳凯 504。

欧阳泳 1037,1295,1347。

欧阳厚均 757,983,1354。

欧阳临 602。

欧阳勋 1217,1434。

欧阳保极 1249,1461,1532。

欧阳辂 764,939,1329。

欧阳烝 23,143。

欧阳基文 752。

欧阳熙 1473,1622。

欧阳瑾 577。

欧阳凝祉 884,1527。

欧堪善 600。

欧德芳 1535。

拔都海 189。

拆尔门(见折尔门条)。

拉什哈布 136,184。

拉世塔 190。

拉布敦 667。

拉　自(见拉色条)。

拉　色 157。

拉旺多尔济 1126。

拉哈达 30,417。

拉都立 370。

拉　锡 579。

招敬常 1304。

招镜蓉(见招敬常条)。

卓天寅 146。

卓布泰 136,210,276,282。

卓尔珲保 1220。

卓孝复 1422,1658,1735。

卓　罗 135,204,231。

卓秉恬 859,1016,1332,
　　　1427。

卓景濂 1244,1431,1620。

卓熙泰 1181。

卓　标 1051,1314,1441。

卓　彝 93。

卓麟异 35,146,231。

虎坤元 1250,1446。

贤　普 1682。

尚之孝 63,381。

尚之信 297。

尚之隆 230。

尚之廉 243。

尚开谟 1148。

尚开模　(见尚开谟条)。

尚可喜 53,115,264,273。

尚廷枫 456。

尚庆潮 1352。

尚　安(见宜縣条)。

尚那布 1052,1317,1466。

尚连城 1161。

尚其亨 1461,1644。

尚　贤 1350,1550。

尚昌懋 1599,1640。

尚秉和 1529,1694。

尚金章 112。

尚宗瑞 1645。

尚　建 74。

尚建宝 711。

尚居易 432。

尚勇德 1062。

尚维昇 909。

尚　善 13,283。

尚　潆 415。

旺扎尔 740。

果尔沁 136,211,242。

果　权 1717。

果齐思欢 768,1015,1226。

果　科 197。

果勒敏色 1081。

果　盖 190。

果　赖 127。

国多欢 792。

国兴阿 1091。

国　英 1600。

国　栋 626。

国　柱 638。

国　柱 766。

国　炳 1567,1606。

国炳中 874。

国　泰 862。

国　祥 1299。

国　琏 489。

国　梁 600。

国　霖 1024。

昌伊苏 1161。

昌　秀(见长秀条)。

昌　龄 515。

畅于熊 429,525,587。

畅泰兆 56,288,454。

昇　寅 736,906,992,1274。

明　山(见正蓝旗明善条)。

明　山(字鲁瞻)843。

明　山(镶蓝旗)1274,1484。

明　仁 819。

明　训 912,1160。

明　庆 1584。

明　兴 1055。

明　安 1691。

明　安(正白旗)480。

明　安(正黄旗)135,148

明　安(镶黄旗)1025。

明安达礼 135,210,234。

明安图 949。

明安泰 1447。

清代人物大事纪年

明　秀 1682。

明阿图 126。

明　宝 525,687。

明　春 1615。

明　叙 1184。

明　亮 588,822,958,1017,
　　1041,1072,1112,
　　1136,1152,1183。

明　泰 1114。

明　珠 50,294,308,328,
　　440。

明　晟 514。

明　谊 1149,1525。

明　绪 1512。

明　惠 1725。

明　善(正蓝旗)557。

明　善(汉军正蓝旗)1541,
　　1552,1553。

明　善(宗室)875。

明　善(镶黄旗)1403。

明　禅 1266。

明　瑞 719,771。772。

明　鼐 464。

明　德(正红旗)784。

明　德(正黄旗)1154。

明　徵 1690。

易之瀚 1297。

易子猷 1671。

易元善 748,1013。

易长华 1148。

易长桢 962,1232。

易文基 744。

易本杰(见易镜清条)。

易　贞 1623。

易良偲 827,1088,1367。

易佩绅 1207,1445,1709。

易学实 61。

易宗涒 304。

易宗瀛 275,547。

易顺鼎 1443,1556,1731。

易润坛 1146,1573。

易　棠 937,1232,1494。

易　简 458。

易德麟 1528。

易镜清 883,1087。

昂昆杜稜 48,73。

昂　洪 80,121。

固三泰 77。

固尔玛珲 302。

固宁阿 657,755。

固　庆 944,1223,1533。

固　鲁 135,198。

固鲁格 97,227。

固　鼐 142,175。

忠　廉 839,1124。

呼延华国 612。

呼延栻 1341。

呼　图(见瑚图条)。

呼实布(见祜里布条)。

鸣　起 1253。

呢玛善 1198。

呢阿布 1442。

罗人琮 194。

罗士菁 1158。

罗士琳 903,1391,1224,
　　　1255,1273,1359,
　　　1410。

罗士聪 738,1182。

罗大佑 1537。

罗　山 674。

罗天尺 594,734。

罗天池 1036,1210。

罗升梧 932。1149。

罗长祜 1374,1601。

罗长裿 1658,1726。

罗　什 124,125。

罗凤山 1172。

罗凤彩 514,800。

罗文思 607。

罗文俊 911,1177,1385。

罗文彬 1349,1535。

罗文瑜 156。

罗文鑑 897。

罗尹孚 1087。

罗以丰 1087。

罗以智 1011,1202,

罗玉斌 1448。

罗正钧 1444,1604。

罗正墀 798。

罗可铎（见罗科铎条）。

罗布西 274。

罗永符（见罗尹孚条）。

罗有高 567,753,842。

罗光炤 697,1275。

罗廷仪 514。

罗廷彦 915。

罗廷弼 960。

罗会恩 1033。

罗江泰 737,1043。

罗江鳞 917。

罗汝怀 1027,1295,1584。

罗孝连 1677。

罗志谦 982。

罗声高 1173。

罗近秋 1475。

罗应鳌 1386。

罗良鑑 1689,1696。

罗其贞 432。

罗英笏 614。

罗国俊 580,777,988。

罗　典 492,671,1054,1066。

罗鸣序 587。

罗秉伦 253,403。

罗泽南 1051,1391,1433。

罗定国 994。

罗宜诰 1161。

罗　经 524。

罗荣光 1271,1681。

罗思举 748,1319。

罗　勋 1202,1574。

岳庆德 1653。

岳兴阿 1418。

岳汝忠 1384。

岳　安 906。

岳寿渊 733。

岳　希（见经希条）。

岳宏誉 193。

岳　林 1612。

岳昇龙 416,468。

岳金堂 1492。

岳　炯 723,907,1154。

岳　起 660,791,1024。

岳　玺 1138。

岳诺惠 266。

岳维城 1188。

岳　琪 1229,1506。

岳超龙 570。

岳锺琪 327,525,529,549,
　　661(2),694。

岳锺璜 762。

岳　端 317。

岳震川 1002。

岳镇南 889,1178。

岳　濬 596,688。

岳　崷 254。

岱松阿 67。

岱　奇 629。

岱森保 995。

岱　豪 563。

岱　德 975。

依兰泰 641。

依克唐阿 1677。

依奇哩 1384。

依崇阿 1674。

金士松 545,724,994。

金士奇（见金志章条）。

金门诏 252,590。

金之俊 9,115(2),125,158,
　　182,188,242。

金开第 1134。

金元祥 105。

金云门 938,1263,1412。

金云槐 732。

金友理 1532。

金曰修 1194,1506。

金曰追 598,851。

金长溥 654。

金文田 1695。

金文同 1349,1582,1720。

金文淳 611。

金以成 487。

金以全 1740。

金玉和 76。

金世荣 425。

金世德 42,296。

金世爵 266。

金世鑑 91,345。

金石声 1159。

金汉蕙 111,140。

金式玉 814,1013,1019。

金芝原 841。

金　光 272。

金光杰 1158。

金光祖 351。

金光烈 752。

金光悌 647,847,1097。

金光筋 1123,1440。

金廷诉 846。

金廷栋 1004,1064。

金兆丰 1559,1693。

金兆槃 1331,1734。

金兆蕃 1520,1624。

金兆燕 486,760。

金汝砺（见金肇洛条）。

金汝珪 799。

金安澜 977,1232。

金　农 331,666,682,729。

金寿松 1287,1560,1635。

金运昌 1612。

金志章 510。

金声桓 115。

金声遥 136,185。

金连元 1290。

金吴澜 1156,1583,1619。

金佐葵 1726。

金应琦 871,1081。

金应麟 930,1210,1401。

金　启 405,559。

金抱一 114。

金国均 1106,1301。

金国泰 1499。

金国莹 859。

金国琛 1177,1578。

金忠济 532,691,811。

金忠淳 572,966。

金　和 1607。

金　侃 418。

金学诗 738。

金宝树 990,1303,1440。

金居敬 323。

金　城 1057。

金　荣 586。

金　相 537。

金星桂（见金寿松条）。

金昀善 1050,1302。

金　钧 1140,1344,1533。

金　顺 1612。

金　保 1192。

金保泰 1388,1535,1645。

金俊明 258。

金衍宗 844,992,1455,1469。

金衍照 970,1251,1435。

金　洁 519,760,876。

金洪铨 331,575,729。

金　洙 1071。

金　砺 136,161,201。

金振彪 1433。

金　姓 408,625,861,862。

金通宝 586。

金菁莪 803,1016,1114。

金黄裳(见金云门条)。
金捧阊 723,1081。
金　崑 467。
金　望 36,411。
金望欣 904,1124。
金　烺 66,411。
金　梁 1572,1703。
金　谔 865,1151,1469。
金维宁 219。
金维廷 119,120。
金维岱 680。
金维垣 234。
金维城 177。
金敬身(见龚敬身条)。
金　辉 842。
金　善 1093。
金　焜 584。
金　蓉 775。
金蓉镜 1430,1623,1735。
金　虞 495。
金锡桂 1274。
金锡鬯 764,1063,1298,
　　　1306。
金锡龄 1282,1618
金　简 823,941。
金　煜 58,174,374。
金　溶 423,557,831。
金福曾 1221,1646。
金殿安 848。
金　榜 583,752,797,940,

1008。
金　鹗 786,1124,1153。
金　鉽 1659。
金　鉽 280,578,618。
金肇洛 1035,1314。
金肇桢 371。
金　樟 398。
金　镇 16,69,325。
金德寅 486,763。
金德瑛 404,589,739。
金德嘉 306。
金德舆 664,995。
金　铉 131。
金鹤清 1122,1350,1419。
金慰祖 677,827,851。
金　橒 906。
金橒发(见金橒条)。
金　镜 130。
金　檀 543。
金蟾桂 656。
金　鑑 567,901。
受　庆 943,1180。
朋　春 230,271,405。
周二学 581。
周卜世 405。
周卜昌 401。
周卜政 733。
周人龙 445。
周人傑 685。
周人麒 613。

周世金 734。
周世科 117。
周世绩 855。
周世绪 678。
周世紫 626。
周世縈 817。
周龙甲 131。
周仪暐 826,1030,1360。
周令树 153。
周用锡 948。
周尔墉 943,1203,1442。
周　乐 1345,1689。
周　兰 1177,1490。
周　礼 111。
周　礼 601。
周训成 179。
周永年 552,789,800,921,
922。
周永绪 111,139。
周　弘 55,207,427。
周　召 264。
周发春 605,752,1092。
周邦彬 123。
周　玑 546,718,1152。
周吉士 358,522,675。
周吉图 1213。
周有全 1587。
周有声 660,946,1114。
周有贵 1508。
周有德 295。
周有篚 925,1263。
周而淳 130。
周达武 1217,1618,1655。
周贞亮 1702。
周　师 860,1111。
周光裕 782,1246。
周廷栋 799,1080。
周廷寀 971。
周廷揆 1361,1506。
周廷幹 1695。
周廷夔 521。
周仲墀 870,1190。
周自齐 1526,1654,1732。
周自超 934。
周全斌 210,243。
周兆基 706,872,1137。
周兆熊 1434。
周兆熊(见周宪曾条)。
周庆曾 193,289,319。
周齐曾 72,245。
周兴岱 633,788,1074。
周汝珍 644,1241。
周守一 419,639,735。
周如兰 1134。
周寿昌 1106,1350,1601,
1590(2)。
周寿椿 781,1039。
周寿龄 972。
周　进 1738。
周孝埙 741,1267。

周肃文 744。
周承勃 590。
周绍龙 512。
周绍昌 1652。
周　春 546,691,739,909,
　　　958,1006,1079,
　　　1118,1121。
周　垣 932。
周　城 562。
周树槐 1086。
周树模 1460,1621,1733。
周厚垍 811。
周厚辕 788。
周星诒 1261,1704。
周星誉 1206,1382,1602。
周　昱 649。
周思仁 584。
周贻徽 913,1133。
周　钦 520。
周　钧 1643。
周选青 1596。
周复兴 377。
周　俨 106,348。
周爱访 210。
周爱诹 1608。
周亮工 64,251。
周　彦 809,1150。
周恒祺 1396。
周炳绪 1132。
周炳蔚 1405,1544,1731。

周炳鑑 1107,1315。
周　济 852,1040,1255,
　　　1312。
周宣武 627。
周宣智 634。
周宣猷 576。
周宪曾 1095,1317,1411。
周　冠 1239,1463。
周祖荣 538。
周祖荫 870,1071。
周祖培 931,1148,1433,
　　　1507,1517。
周祖衔 1304。
周祖植 919,1148。
周既济 449,686,862。
周　珙 316,453,651。
周　顼 963,1160,1572,
　　　1577。
周起岐 130。
周起岐(见周起滨条)。
周起渭 214,370,473。
周起滨 1190。
周　莲 753。
周晋麒 1549。
周　栻 865。
周　栻 905。
周　桓 1217,1515,1691。
周根邨 193。
周振之 1047,1280,1312。
周振业 187,511,560。

周　钺 1002。

周　钺 275,623。

周　隽 884。

周徐綵 275,495,544。

周悦让 1363。

周悦胜 1337,1347。

周　准 705。

周资陈 590。

周　涛 883,1159。

周　涟 10,324。

周　宽 1615。

周宸藻 151。

周家勋 1244,1376。

周家禄 1356,1530,1719。

周家楣 1269,1453,1612。

周　寀 79,298。

周继炘 907。

周　焘 613。

周　球 157,313。

周　理 855。

周培之 748,1074。

周基昌 140。

周　彬 458。

周硕勋 496。

周盛传 1261,1599,1605,
　　　　1606。

周盛波 1620。

周　冕 1740。

周　崐 749,1169,1247。

周崇傅 1244,1521。

周铭恩 978,1251。

周敏政 156,450。

周象明 47,249,355。

周康禄 1546。

周清元 1244,1436。

周清原 288。

周清原 594。

周　渔 180。

周维垣 984。

周维城 291。

周维翰 1491。

周维翰(见周维垣条)。

周维藩 1672。

周　瑛 394。

周　琢 647,799,1025。

周　琼 816。

周　琰 362,513。

周斯亿 1729。

周斯盛 194。

周联奎 1079。

周辉武 1573。

周鼎枢 561,686,858。

周景从(见邬景从条)。

周景柱 547。

周景益 790。

周景涛 1642。

周景曾 1277,1561。

周道治 1364。

周道隆 776。

周道新 369。

周曾发 108。

周曾毓 945,1148,1457。

周　渤 1529,1671。

周　渼 639。

周　棨 567,835,900,901。

周　裕 778,916。

周　瑆 479。

周瑞清 1260,1453。

周蒲璧 306。

周　雷 591。

周辑瑞 1352。

周　龄 1567。

周　照 653。

周锡恩 1394,1594,1684。

周锡章 982。

周锡龄 1088。

周锡溥 817。

周锡瓒 1154。

周　筼 20,335。

周　靖 79,451。

周　煌 600,879,880。

周誉芬(见周星誉条)。

周源绪 1288。

周福高 1449。

周嘉猷 669,840,961。

周嘉猷 708,857,858。

周　模 526。

周　锷 892。

周毓麟 1015。

周　肇 166。

周增祥 1583。

周蕴良 1514,1694,1704。

周　樊 1644。

周震荣 552,678,929。

周震藻(见周宸藻条)。

周　颐 9,293。

周　颚 1021,1279。

周　镐 689,841,1193。

周　籲 1407。

周籲莲 553。

周　篆 68,434。

周德润 1249,1481,1646。

周　鹤 1206,1432。

周　樽 719。

周儒臣 1603。

周　濬 1482。

周翼洙 436,690,705。

周　颢 321,808。

周　馥 1294,1731。

周　彝 384。

周　灏 1077,1353。

周　霨 316,553。

鱼元傅 419,773。

鱼鸾翔 324。

鱼　翼 642。

庞大奎 923,1135。

庞大堃 890,1151,1447。

庞元济 1636,1717。

庞际云 1395,1612。

庞　垲 290。

郑时庆 577。
郑鸣骏 204。
郑　秀 131。
郑体椿 1149。
郑作相 1187,1600。
郑　言 1548,1700。
郑　忤 653。
郑　沅 1510,1651。
郑宏图 116。
郑际唐 776。
郑际熙 702。
郑　环 553,885,1018,1049。
郑其储 321,459,694。
郑奇树 782。
郑叔忱 1489,1630。
郑虎文 470,625,876。
郑贤坊 1201,1523。
郑　杲 1388,1583,1680,
　　　 1681。
郑　国 175,231。
郑国卿 641,975。
郑国鸿 827,1327。
郑国魁 1620。
郑制锦 726。
郑知同 1446,1627。
郑秉成 1356,1549。
郑秉恬 864,1177。
郑　佶 1235。
郑岱锺 680,1079。
郑侨生 224。

郑侨柱 426。
郑　性 214,631。
郑宗圭 69。
郑宗尧 352,568,596。
郑宗汝 701,1008。
郑宗洛 870。
郑宗彝 798。
郑绍忠 1664。
郑绍谦 919,1188。
郑　珍 1045,1265,1296,
　　　 1439,1445,1456,
　　　 1501。
郑相如 496。
郑　昱 240。
郑思贺 1550。
郑　勋 453。
郑　重 24,174,374。
郑复光 1359。
郑衍熙 1561。
郑　恂 122,323,560。
郑洛英 782。
郑济美 1398。
郑祖琛 889,1039,1384,
　　　 1392。
郑　晁 370。
郑兼才 713,971,1184。
郑润材 1704。
郑家麟 1069。
郑　培 389,762。
郑　基 471。

郑　基 499,824。

郑崑璧 174。

郑　敏 791。

郑敏行 873。

郑象占 449,784。

郑惟孜 82,287,498。

郑鸿逵 143,176。

郑鸿撰 679。

郑　梁 339。

郑寅谷 686。

郑琼诏 1130,1315。

郑辉堂 1263。

郑敦允 925,1110,1255。

郑敦亮 1190。

郑敦谨 1022,1278,1606。

郑赓唐 30,97。

郑善述 348。

郑道明 594。

郑瑞玉(见郑体椿条)。

郑瑞麒 889,1149。

郑献甫 997,1278,1425,
　　　1542。

郑嵩龄 1221,1521。

郑锡文 1251。

郑锡瀛 1352。

郑　锦 301。

郑魁士 1546。

郑鹏程 796,955,1173。

郑溥元 1505。

郑源焘 788。

郑嘉栋 102,184。

郑　端 61,182,313,359。

郑肇奎 600。

郑　璜 1079。

郑敷教 38,216。

郑德璜 1543。

郑德璇 1294,1507。

郑澍若 1017。

郑　澐 738,754。

郑　澂 789。

郑　燮 363,591,755。

郑　篔 17,367。

郑藻如 1215,1390。

郑缵绪 204,227。

郑　爔 708。

郑鑑元 470,1033。

郑　嶦 489。

单功擢 843。

单若鲁 85。

单国玉 133。

单　铎 639。

单　烺 438,613,824。

单畴书 385,550。

单登龙 157。

单　镇 1694。

单德菜 510,704。

单德谟 538。

单懋谦 1250,1578。

单懋德 1323。

法尔善 368,618。

法　礼 50,416。

法式善 684,848,986,1032,
　　　1103。

法伟堂 1335,1622,1637。

法运昌(见法式善条)。

法　良 634。

法坤宏 392,621,880。

法若真 83,382。

法　保 230。

法　海 244,371,603。

法　敏 629。

法　喀 506,581。

法　塞 91,450。

法福礼 931,1264。

法　谭 213。

法　檋 287。

波启善 1281。

泽　禄 1698。

治　麟 1568,1615。

宝　山 1573。

宝　丰 1380,1623,1683。

宝　宁 585。

宝　廷 1313,1521,1599,
　　　1633,1635。

宝　兴 826,1039,1369,
　　　1371。

宝　昌 1368,1549。

宝　询 1117,1324。

宝　柱 315。

宝　恩 833,1019。

宝　铭 1514,1660,1737。

宝　琳 941。

宝　森 1286,1463。

宝　善 1292。

宝　龄 952,1210。

宝　熙 1520,1642,1740。

宝　鋆 1051,1303,1417,
　　　1498,1511,1540,
　　　1577,1586,1590,
　　　1596,1639。

宗　智 404,632。

定　长 773。

定　成 1394,1595。

定　安 1215,1423。

定　寿 563。

定　住 1096。

定　昌 1685。

定　保 1084,1454。

宜尔都齐(见伊勒都齐条)。

宜永贵 228。

宜　成 1131,1376。

宜廷辅 315。

宜兆熊 564。

宜　兴 1074。

宜里布 135,282。

宜思恭 170,497。

宜　振 1166,1351,1587。

宜　崇 1150。

宜　緜 957,1097。

宜緜阿 1242。

清代人物大事纪年

孟乔芳 136,143,147。

孟传金 1206,1352。

孟庆荣 1404,1629。

孟志远 1483。

孟　住 1198。

孟　邵 725,1033。

孟述绪 156。

孟尚志 175。

孟明元 160。

孟周祚 368,794。

孟宗福 1502。

孟亮揆 238。

孟宪彝 1666。

孟　晟 981。

孟　羮(见猛羮条)。

孟继埙 1322,1544。

孟继笙 1739。

孟　琇 471,811。

孟超然 561,724,967。

孟锡珏 1529,1670,1738。

孟毓兰 1262。

孟毓藻 1189。

孟　额 411。

孟缵祖 150,330。

孟　麟 752,1266。

绍　昌 1444,1623。

绍　祺 1195,1431,1620。

绍　諴 1639。

经元善 1698。

经讷亨 819。

经　希 308,484。

九画

春　山(宗室)1418。

春　山(镶蓝旗)458。

春升保 1237。

春　宁 1056。

春　台 466。

春　佑 1464,1564。

春　英 1161。

春　辂 998,1279。

春　满 1706。

春　溥 1559。

春　熙 978,1278。

封荣九 489。

封　溏 14,272。

项一经 181。

项九皋 449。

项圣谟 177。

项廷纪 969,1192,1225,
　　　　1254,1272,1282,
　　　　1285。

项名达 904,1209,1246,
　　　　1255,1385。

项怀述 849。

项林皋 423。

项家达 788。

项惟贞 331。

项鸿祚(见项廷纪条)。

项　淳 731。

项景襄 32,155,302。

项 樟 404,576,739。

赵一清 694。

赵三元 873。

赵士英 430。

赵士骐 55,427。

赵士琛 1438,1643。

赵士魁 800。

赵士麟 35,210,395。

赵大淮 630,835,950。

赵大鲸 327,521,662。

赵 山 469。

赵之龙 102,148。

赵之符 24,181,329。

赵之随 271。

赵之鼎 225。

赵之谦 1230,1455,1498,
　　　　1601。

赵之鹤 526。

赵之壁 754,773。

赵王槐 492,621,974。

赵开心 47,211。

赵元礼 1728。

赵元益 1313,1617,1691。

赵元模 1342。

赵云鹏 1317。

赵友才 1449。

赵友襄 399。

赵曰冕 131。

赵 升 724。

赵长龄 913,1252。

赵仁基 903,1208,1327。

赵从蕃 1548。1652。

赵凤诏 337,489。

赵文哲 528,737,806。

赵文涵 953,1525。

赵文㬚 239。

赵文楷 736,954。

赵文濂 1047,1628。

赵文璧 255。

赵方观 244,409,597。

赵以炯 1437,1608,1710。

赵以焕 1629。

赵允怀 923,1203,1312。

赵 玉 982。

赵玉润 1398。

赵玉堂 1367。

赵未彤 915。

赵世玉 483,829。

赵世勋 432。

赵本敬(见赵本敩条)。

赵本敩 889,1064,1292。

赵本嶓 692。

赵龙田 1072,1367。

赵东阶 1671。

赵申乔 75,238,415,467,
　　　　497。

赵申季 385,441。

赵由仪 528,621,650。

赵由傲 649,678。

赵印川 1035,1272,1447。

赵尔丰 1725。

赵尔巽 1341,1549,1717,
　　　　1734。

赵尔震 1551。

赵宁静 428。

赵永吉 79,434。

赵永孝 328,613。

赵弘灿 479,484。

赵弘燮 161,426,477,507。

赵圣传 1641。

赵邦诏 710。

赵式训 637,770,1224。

赵吉士 32,123,433。

赵臣翼 1429,1610。

赵在翰 852。1203,1032。

赵有淳(见赵佑宸条)。

赵执诒 1687。

赵执信 200,286,447,607,
　　　　636。

赵　光 962,1158,1508。

赵光显 248。

赵光祖 870,1111。

赵光禄 1059。

赵光璧 1360。

赵光耀 182。

赵同春 775,1030。

赵同翮 573,753,951。

赵先雅 1133。

赵廷臣 196,234。

赵廷珍 1659。

赵廷标 101,345。

赵廷俊 1041。

赵廷恺 1397。

赵廷珪 238。

赵廷锡 195。

赵廷熙 1089。

赵　伟 1711。

赵延先 101。

赵庆桢 1400。

赵庆熺 923,1178。

赵庆麟 924。

赵齐婴 1208,1509。

赵汝翰 1437,1593。

赵进美 10,65,360。

赵　均 664,1064。

赵苍璧 55,307,373。

赵来章 744。

赵时俊 1534。

赵时腴 277。

赵时熙 1523。

赵　佑 536,679,841,994。

赵佑宸 1129,1430,1612。

赵作舟 20,288,378。

赵作宾 1168。

赵希璜 841。

赵应奎 310。

赵怀玉 647,846,1192。

赵灿英 349。

赵宏恩 596,715。

赵　洵 782。

赵济美（见赵继美条）。

赵既发 1493。

赵骅渊 233。

赵泰临 414。

赵　珣 145，305，478。

赵班玺 6，87，334。

赵　莘 368，597。

赵　晋 412，472。

赵晋臣 1734。

赵桢生 1288。

赵烈文 1250，1650。

赵振祚 1036，1278，1467。

赵致和 1252。

赵　晃 524。

赵　钺 832，1088，1379。

赵效曾 1194，1390。

赵　资 432。

赵　资 761。

赵　涟 1317。

赵润生 1404，1577，1707。

赵　宾 87，276，277。

赵祥星 365。

赵继元 1250，1521。

赵继序 621。

赵继美 181。

赵继鼎 18，185。

赵继鼎 64，257。

赵骏烈 226。

赵　焘 110，

赵　琏 310。

赵盛奎 1004，1312。

赵彪诏 331，778。

赵　崙 174。

赵崇庆 1156，1374。

赵　铭 1221，1530，1628。

赵　铭 717。

赵惟熙 1489，1630。

赵　清（见赵世玉条）。

赵鸿举 1177，1353，1627。

赵鸿猷 1341，1625。

赵　渊 1443，1631。

赵　渔 72。

赵　随 224。

赵绳男 509，1024。

赵植庭 1060。

赵　森 435，585，704。

赵景贤 1177，1345，1493。

赵舒翘 1368，1551，1676，
　　　1687。

赵　曾 722，908，1127。

赵曾向 1166，1396。

赵曾重 1357，1582。

赵　温 515。

赵瑞云 1551。

赵　瑜 833，993，1219。

赵　瑗 680。

赵　颐 640。

赵椿年 1520，1671，1740。

赵　楫 944，1288。

清代人物大事纪年

郝　傑 56,184。

郝腾蛟 1253。

郝　霖 524。

郝　潏 432。

郝懿行 706,900,916,928,
　　　940,949,984,1006,
　　　1031,1041,1054,
　　　1064,1073,1118(3),
　　　1205。

荆　山 484。

荆元实 270。

荆古尔达(见景固勒岱)。

荆如棠 656。

荆道乾 562,718,1018。

荐　良 451。

荀国樑 271。

荣文祚 1653。

荣尔奇 72,117。

荣　光 1672。

荣　庆 1452,1610,1703,
　　　1706,1717,1729。

荣庆均 1697。

荣　柱 1019。

荣　恒 1380,1531。

荣　陞 1466。

荣　第 1088。

荣维善 1527。

荣　禄 1286,1552,1660,
　　　1673,1676,1679,
　　　1686,1690,1698。

荣　颐 1669。

荣　毓 1669。

荣　麟 906,1284。

胡二乐 648。

胡于鋐 885,1127。

胡士著 209。

胡大成 981。

胡大任 1084,1303。

胡大勋 1693。

胡大猷 771。

胡与高 511。

胡义质 1187,1431。

胡义赞 1244,1544。

胡之彬 47。

胡开益 809,1013。

胡天格 1115。

胡天游 379,548,607,714。

胡元玉 1460,1600。

胡元仪 1587。

胡元杲 786,1079。

胡元博 1231,1478。

胡元熙 890,1168,1441。

胡中和 1601。

胡中藻 591。

胡长庆 1002。

胡长庚 952,1189。

胡长龄 904,1114。

胡文华 205。

胡文伯 837。

胡文英 867。

胡孚宸 1357,1567。
胡孚骏 1516。
胡应泰 1036,1278。
胡应潘 111。
胡宏先 188。
胡良作 1524。
胡良显 453。
胡启荣 786,1004,1306。
胡其偀 11,88,197。
胡茂祯 158,293。
胡林翼 1093,1288,1445,
　　1464,1474,1477。
胡　枚 946。
胡尚衡 130。
胡具庆 496。
胡国安 1470。
胡国英 879,1135。
胡国恒 1558。
胡昌基 908,1136。
胡昇猷 94,355。
胡忠本 414。
胡鸣玉 347,615,795。
胡钧璜 873。
胡季堂 546,916,985,993,
　　996。
胡季瀛 101。
胡秉虔 981,1214。
胡金兰(见胡宝璟条)。
胡金诰 1004。
胡泽潢 626。

胡宝铎 1340,1535。
胡宝璟 368,510,714,745。
胡宗绪 554。
胡宗棫 1738。
胡　定 576。
胡定泰 874。
胡建枢 1544。
胡承珙 821,1039,1255,
　　1257。
胡承诺 333。
胡承谋 398。
胡承墅 601。
胡孟奎 990,1612。
胡绍南 654。
胡绍勋 904,1295,1391,
　　1485。
胡绍瑛 925,1253,1469。
胡绍鼎 462,690,825。
胡经纶 641。
胡　珊 760。
胡　荣 816,836。
胡南藩 523。
胡树声 977,1283。
胡显高 1458。
胡　贵 729。
胡思敬 1529,1658,1732。
胡香山 513。
胡　泉 962,1391,1524。
胡禹冀 26,79,426,437。
胡俊章 1293,1562。

胡　胜 1294,1550。

胡　亮 231。

胡彦昇 555。

胡彦颖 475。

胡美彦 1149。

胡炳益 1693。

胡祖谦 1422,1555。

胡统虞 72,140。

胡泰福 1368,1522。

胡　珽 1177,1416,1479。

胡　格 483。

胡振声 1033。

胡　虔 956。

胡　晟(见明晟条)。

胡　峻 1659,1717。

胡　钰 892,1082。

胡高望 731,973。

胡　涛 580,910。

胡　润 353。

胡　浚 343,495,631,714,
　　　716。

胡家玉 1107,1322,1611。

胡祥麟 1101,1193。

胡　骏 1695。

胡　琁 97,163。

胡　珵 962,1209。

胡培系 1564。

胡培翚 860,1148,1142,
　　　1377,1378。

胡梦桧 655。

胡惟德 1489,1617,1736。

胡清瑞 1243,1492。

胡　淳 593。

胡密达 256。

胡　隆 145,535。

胡隆洵 1301,1490。

胡　琨 386。

胡　超 1379。

胡超龙 1280。

胡期恒 424。

胡　敬 774,1038,1126(3),
　　　1354。

胡揖滋(见胡应泰条)。

胡翘元 731。

胡　棠 894。

胡鼎彝 1643。

胡景桂 1357,1593,1707。

胡景曾 153。

胡蛟龄 512。

胡　斌 1243,1390,1714。

胡翔林 1636。

胡　焯 1028,1324。

胡　湘 1047,1418。

胡湘林 1451,1567。

胡　渭 45,405,415,433,
　　　472。

胡瑞澜 1176,1351,1612。

胡聘之 1504。

胡献瑶 133。

胡　煦 150,450,458,525,

543,595,596。

胡嗣瑗 1576,1693。

胡简敬 153。

胡魁楚 101,325。

胡　亘 107,233。

胡　溶 686。

胡　缙 840,1030。

胡嘉铨 1611。

胡　锺 630,828,1153。

胡毓筠 1249,1453。

胡肇智 1051,1295,1538。

胡蕙馨 1261,1515。

胡德迈 187,276,478。

胡德琳 679。

胡　澍 1200,1455,1526,
　　　 1541,1542。

胡　溧（见胡庆源条）。

胡薇元 1568,1680,1714,
　　　 1717。

胡霖澍 1117,1343。

胡熵棻 1287,1550,1709。

胡　濬 1429,1735。

胡　藻 1694。

胡　瀛 488。

胡　鑑 1111。

胡　鑑 883,1160,1256。

胡麟徵 354。

荫　桓 1670。

茹　珍 333。

茹　棻 696,871,1172。

茹敦和 494,691,921,922。

南一魁 183,261。

南天祥 623。

南天章 424。

南怀仁 340。

南昌龄 412。

南洙源 57。

南塔海 433。

南鼎铉 6,89,315。

柯永昇 341。

柯永盛 230,264。

柯永蓁 136,167,326。

柯乔年 414。

柯汝极 120。

柯汝霖 938,1169,1577。

柯劭忞 1380,1609,1736。

柯　辂 829。

柯　耸 11,112,291。

柯逢时 1349,1594。

柯崇朴 249。

柯维桢 264。

柯　煜 218,514,597。

柯　愿 208。

柯　瑾 691。

栋阿赉 126。

查人渶 943。

查士标 387。

查元偁 1060。

查日华 1316。

查文经 1210。

奎　郁 1249,1550。

奎　俊(正白旗)1330,1728。

奎　俊(正蓝旗)978,1232。

奎　恒 1685。

奎　格 1715。

奎　润 1228,1491,1633。

奎　章 1139,1352。

奎　绥(见奎俊条)。

奎　舒 1074。

奎　斌 1649。

奎　善 1631。

奎　照 911,1109,1338。

奎　濂 1654。

奎　耀 1088。

战效曾 566,718,961。

是　镜 362,779。

冒广生 1653。

冒　襄 69,366。

星　讷 89,119,261。

贵中孚 634。

贵　庆 983,1367。

贵　林 895。

贵　贤 1321,1562。

贵　昌 523。

贵　恒 1321,1537,1704。

贵　陞 1425。

贵　铎 1443,1555。

贵逢甲 799,1254。

贵　福 1526,1660,1737。

贵　徵 905。

界　堪 27。

哈　山 44,493。

哈丰阿 1290。

哈丰阿(镶黄旗)1292。

哈元生 608。

哈什屯 135,158,206。

哈　占 42,330。

哈尔松阿 313。

哈尔泰 446。

哈宁阿 105。

哈宁阿 721。

哈达哈 661,721。

哈当阿 988。

哈廷樑 681。

哈兴阿 1372。

哈克三 282。

哈青阿 881。

哈尚德 808。

哈国兴 681,778,801。

哈　岱 6,167,296。

哈郎阿 1379。

哈哈岱 1242。

哈　喇 148。

哈鲁堪 1103。

哈靖阿 640,935。

哈福纳 726,929。

哈　蕭 421。

哈攀龙 602,729。

贻　毅 1429,1643。

钦　拜 651。

清代人物大事纪年

保　宁 916。985,1023,
　　　1064。
保芝龄 1360。
保　成 1715。
保　成 974。
保　年 1675。
保　兴 974。
保　极 962,1180。
保　良 514。
保　昌 1369,1386。
保　恒 945,1502。
保　祝 650。
保　清 991,1263。
保　绥 434。
保　善 897,1160。
保　瑞 1134。
保　德 720。
保　麟 915。
保　麟(镶黄旗)782。
俄本代(见鄂本兑)。
俄尔介图 119,120。
俄奇尔桑(见鄂奇尔桑)。
俄莫克图 147。
俄莫克图 76。
俄琳奇岱青 69,73。
侯七乘 173。
侯于唐 130。
侯元棐 24,194,273。
侯云松 809,971,1410。
侯云登 1146,1325,1494。

侯方夏 87。
侯方域 7,124,149。
侯会同 1506。
侯名贵 1637。
侯抒愤(见侯抒愫条)。
侯抒愫 155,243。
侯良翰 86。
侯　坤 617,828,1007。
侯　杲 113。
侯学诗 788。
侯宗岘 474,765。
侯　度 979,1282,1426。
侯　桐 859,1158。
侯健融 872。
侯袭爵 30,341。
侯　康 969,1282,1298,
　　　1299。
侯　涵 11,213。
侯　瑜 445。
侯嗣达 555。
侯　璸 893。
侯嘉繙 683。
侯　潆 415。
俊　启 1606。
衍　秀 1175,1396,1532。
衍　潢 347,792,794。
须　洲 444。
俞一鹭 103。
俞大文 1116,1398,1391,
　　　1448。

俞锺銮 1394,1666。

俞德渊 1133,1284。

俞　澍 1458。

俞　樾 1167,1382,1511,
　　　1524,1531(2),1532,
　　　1537,1538,1541,
　　　1578,1689,1709。

俞　灏 171。

胜　保 1166,1317,1416,
　　　1494。

逢润古 1215,1505。

饶一辛 316,511,534。

饶士腾 1621,1655。

饶士端 1472,1642。

饶云服(见杨云服条)。

饶允坡 584。

饶芝祥 1473,1651。

饶廷钶 717,899,1065。

饶廷选 1029,1477。

饶宇栻 134。

饶应祺 1301,1483,1691。

饶鸣镐 576。

饶学曙 494,670,783。

饶宝书 1443,1644,1727。

饶绚春 1059。

饶　彝 730,995。

亮　焕 1065。

亮　禄 1025。

度尔伯 175。

施　山 1578。

施之博 1261,1504。

施世纶 178,324,507。

施世骠 416,425,504。

施光辂 770。

施则敬 1556。

施廷枢 470,716。

施廷翰 534。

施纪云 1594。

施　杓 905。

施何牧 36,339,455。

施作霖 1195,1375。

施作鳞 991,1169。

施闰章 6,108,289,211,271,
　　　313,314。

施启宇 1644,1730。

施补华 1276,1531,1633。

施国祁 1090。

施典章 1444,1561。

施念曾 546,650。

施学濂 759。

施绍武 781,1030。

施绍闿 450,785。

施昭庭 475。

施奕学 665,1079。

施彦士 814,1168,1152。

施彦恪 436。

施　琅 14,233,300,313,
　　　381。

施　淇 328,831。

施维翰 17,131,318。

施敬先 123。

施朝幹 743,967。

施˙愚 1670。

施 誉 291。

施 缙 994。

施 锷（见黄施锷条）。

施端教 259。

施肇元 108。

施履亨 892。

奕 山 1552,1574。

奕 仁 1553。

奕 功 1683。

奕 庆 1574。

奕 䜣 1249,1384,1439,
　　　1445,1474,1540,
　　　1541,1577,1586,
　　　1590,1596,1637,
　　　1654,1655,1661,
　　　1663,1667(2),1674。

奕 纪 1282,1495。

奕 纬 1247。

奕 纯 1126。

奕 纲 1207,1218。

奕 劻 1300,1614,1654,
　　　1667,1679,1697,
　　　1703,1706,1708,
　　　1711,1729。

奕 泽 1087。

奕 询 1374,1537,1538。

奕 详 1373,1611。

奕 绍 821,1182,1282,
　　　1292。

奕 经 1412。

奕 勋 1143。

奕 继 1229,1236。

奕 绮 1333。

奕 湘 1587。

奕 湄 1213。

奕 谟 1380,1626,1676,
　　　1707。

奕 絪 1650。

奕 詥 1340,1384,1525。

奕 榕 1640。

奕 毓 1112,1413。

奕 誌 1386。

奕 綵 1290。

奕 諒 1243,1463,1577,
　　　1583,1627。

奕 譓 1384,1569。

奕 纉 1172。

奕 譞 1313,1384,1526,
　　　1540,1552,1577,
　　　1599,1625,1635。

奕 灏 1339。

音济图 812。

音 泰 128,447,472。

音登额 1213。

音 德 540。

音德布 1446。

彦吉保 1119。

彦　昌 1123,1365。

彦　德 865。

恒　仁 462,650。

恒　文 711。

恒　训 1597。

恒　兴 1413。

恒　安 1413。

恒　寿 1590,1698。

恒　秀 987。

恒　昌 684,836。

恒　春 952,1161,1440。

恒　顺 1723。

恒　泰 1426。

恒　恩 1167,1336,1513。

恒　梧 1004。

恒　敏(见恒敬条)。

恒　敬 1258。

恒　惠 1570。

恒　鲁 506,801。

恒　斌 754。

恒　裕 561,782,863。

恒　祺 1513。

恒　瑞 1009。

恒　龄 1483。

恒　龄 1507。

恒　龄(正蓝旗)1473,1725。

恒　谨 1024。

恒　福 1485。

恽日初 45,284。

恽世临 1129,1351,1538。

恽光宸 1057,1302,1466。

恽寿平 45,351。

恽彦彬 1300,1534,1731。

恽彦琦 1243,1453。

恽祖翼 1301,1497,1690。

恽　格(见恽寿平条)。

恽鸿仪 1383。

恽　敬 706,866,1136,1137。

恽毓鼎 1489,1621,1730。

恽毓龄 1738。

恽毓嘉 1452,1642。

恽　敷 939,1235。

恽鹤生 439。

恽　燮 816。

闻人俊 761。

闻人熙 1069。

闻元晟 511。

闻星杰 677,907,1049。

闻　珽 492,677,910。

闻维埻 1181。

闻斯行 1053,1516。

闻　棠 590。

闻　韵(见闻嘉言条)。

闻嘉言 777。

养　善 452。

姜开阳 789。

姜天枢 251。

姜元衡 108。

姜日章 484。

姜长龄 1275。

洪思亮 1566。

洪 钧 1309,1520,1649,
　　1650。

洪亮吉 644,783,793,824,
　　850,857,867,875,
　　880, 900, 913, 940
　　(2),986,994,1024
　　(2), 1047, 1054,
　　1073,1074。

洪起元 17,382。

洪 莹 832,1068。

洪调纬 1200,1430,1501。

洪 梧 846,914。

洪 绪 1243,1453。

洪 琮 11,131,319。

洪颐煊 751,993,1004,1032,
　　1090,1095,1125,
　　1291,1299。

洪腾蛟 532,665,922。

洪 榜 770,823。

洪蕃锵 1184。

洪震煊 781,1100,1121。

洪瞻陛 969,1317。

洪 燿 1014。

洪 骜 1248。

洪齮孙 1027,1212,1223,
　　1459。

洞 鄂 91,433。

洞 福 620,928。

洗倬邦(见洗斌条)。

洗 斌 1147,1324。

洽世屯(见哈什屯)。

洛 讬 1,215。

济 三 80。

济 中(见济澂条)。

济尔哈朗 53,76,102,136,
　　159。

济 昌 1425。

济 星 534。

济 度 44,124,167,190。

济席哈 136,201。

济 锡 234。

济 澂 1595。

宣陈奎 913,1271,1338。

宣 宗 1102。

宣德仁 124,341。

宫尔劝 336,453,755。

宫伟镠 72。

宫兆麟 823,858。

宫思晋 1160。

宫梦仁 253,436。

宫焕文 575。

宫鸿历 161,430。

宫 焕 803,1060,1198。

宫增祜 492,687,1092。

宫懋言 413。

宪 德 619。

祜里布 138。

祜 塞 89。

祖大寿 163。

费扬古 147,243,585。

费扬古(正白旗)386,406。

费扬武 98。

费延厘 1277,1504,1649。

费孝昌 678。

费　宏 543。

费英东 9,11。

费国瑻 113,

费金吾 363,559。

费念慈 1422,1621,1707。

费庚吉 1148,1334。

费学曾 1230,1674。

费荫樟 1279。

费南英 742。

费　俊 161,339,518。

费振勋 605。817,1126。

费凌云(见费嘉树条)。

费　淳 610,742,993,1064,
　　　1091。

费　密 20,396。

费雅达 297。

费雅思哈 200,250。

费道纯 1715。

费锡章 870,1137。

费锡琮 192。

费锡璜 207。

费嘉树 1304。

费履升 971。

胥庭清 96,

胥　琬 194。

姚三辰 465,603。

姚士升 6,171,234。

姚士陛 364。

姚士藟 337,441。

姚大宁 1003。

姚大荣 1595,1739。

姚之骃 500,416,467。

姚之琅 607。

姚天成(见张姚成条)。

姚元之 821,1037,1400,
　　　1403。

姚文田 713,907,940,965,
　　　979,1031,1080,
　　　1219。

姚文光 307。

姚文栴 1452,1604。

姚文倬 1438,1631。

姚文然 11,72,282。

姚文燮 30,179,361。

姚孔鈵 574。

姚世荣 500。

姚世铼(见姚汝金条)。

姚世锡 727。

姚丙然 1415,1608。

姚　仪 377。

姚令仪 689,827,1074。

姚永朴 1653。

姚永年(见姚逢年条)。

姚永概 1510,1617,1732。

姚弘绪 353,581。

姚协赞 1356,1522。

姚成烈 479,638,886。

姚光发 977。

姚光晋 845,1470。

姚延启 114。

姚延著 111,199。

姚延福 1202。

姚 华 1702。

姚华国 1052,1392。

姚伊宪 903。

姚庆元 879,1069。

姚汝金 423,585。

姚连陞 1528。

姚体备 1077,1365,1488。

姚体俨 1047,1353,

姚近韩 1316。

姚启圣 22,203,295,315。

姚启盛 154。

姚际恒 91,394。

姚国庆 1592。

姚学塽 757,955,1213。

姚诗彦 1146,1383。

姚绍书 1715。

姚绍崇 1037,1607。

姚柬之 879,1178,1367。

姚炳熊 1738。

姚洙楷 804,922。

姚祖同 736,870,1333。

姚晋锡 506,671,888。

姚 莹 879,1062,1113,

1403。

姚配中 924,1347。

姚原绶 1039。

姚 晏 1080,1142。

姚逢年 856。

姚 翀 724。

姚培和 465。

姚培谦 618。

姚 棻 731,879,1007。

姚乾高(见姚清祺条)。

姚 椝 757,1002,1183。

姚清祺 1462。

姚淳焘 42,224,418。

姚淳熙 249。

姚 梁 775。

姚 谌 1277,1501。

姚 琨(见姚光晋条)。

姚 楗 883,1420。

姚景崇 713,1030。

姚舒密 1534,1651。

姚 焜 520。

姚缔虞 179,340。

姚 瑚 63,455。

姚斟元 606,941。

姚 颐 758。

姚 椿 826,1385,1410。

姚锡光 1415,1617,1735。

姚锡华 1028,1325,1532。

姚福增 1052,1250。

姚 鼐 561,743,842,927,

958,972,1079,1120。

姚熊飞 912,1180。

姚觐元 1207,1336,1556。

姚 範 408,625,793,794。

姚 衡 1032,1385,1387。

姚 燮 1035,1271,1265,
　　　1500。

姚 夔 146。

贺长龄 878,1059,1212,
　　　1371。

贺尔昌 1309,1522。

贺有章 349。

贺廷钦 1140,1606。

贺仲瑊 970,1366。

贺寿慈 1076,1322,1640。

贺运清 96。

贺良桢 1260,1445。

贺纶夒 1636。

贺贤智 685,872。

贺国昌 1648。

贺逢吉 1271,1578。

贺 涛 1373,1622,1727。

贺 宽 132。

贺维翰 1700。

贺瑞麟 1196,1637,1650。

贺熙龄 897,1109,1360。

骆成骧 1503,1658。

骆利锋(见骆敏修条)。

骆秉章 930,1251,1484,
　　　1492,1518。

骆复旦 17,101,326。

骆养性 80,117。

骆敏修 1195,1364。

骆朝贵 1081。

骆腾凤 782,1005,1328。

骆锺麟 23,89,274。

逊札齐 517,560。

逊 柱 118,517,578。

逊 塔 210,216。

十画

秦大士 474,678,830。

秦大成 506,742,868。

秦才管 93。

秦云爽 196,329。

秦仁管 93。

秦凤辉 624,868。

秦 布 631。

秦 弘(见周弘条)。

秦百里 672。

秦有伦 305,771。

秦廷塈 677。

秦 休 285,458,628。

秦兆雷 499,850。

秦 甸 538。

秦应逵 1358,1551。

秦松龄 56,154,288,415,
　　　473。

秦国龙 399。

秦金鑑 1045,1315,1500。

珠鲁讷 702,771。

珠 满 437。

敖右贤（见朱右贤条）。

敖 成 875。

敖名震 1322,1550。

敖 色 277。

敖 色（见敖塞条）。

敖 塞 281,325。

敖 德 169。

班布尔善 234。

班达尔沙 291,372。

班际盛 167。

班 岱 328。

班 肫 135,205。

班秩福 137,168。

班 第 687。

班 第（镶黄旗）657,693,
　　　697,699。

班惕思希布 167,256。

珲 锦 184。

素 丹 170,550。

素尔讷 397,792,868。

素 严 361。

素 图 563。

素 诚 754。

载 庆 1098,1253。

载 沣 1593。1711。

载 沛 1574。

载 卓 1712。

载 昌 1514,1629。

载 治 1585。

载 肃 1221,1383。

载 垣 1477。

载 勋 1686。

载 钢 1588。

载 洵 1603。

载 津 1451,1663。

载 涛 1614。

载 润 1572。

载 容 1587。

载 崇 1564。

载 铨 1420。

载 锐 1457。

载 鈊 1412。

载 敦 1635。

载 龄 1093,1324,1577,
　　　1597。

载 锡 1172。

载 滢 1472,1632,1718。

载 漪 1429,1654,1679。

载 澂 1443,1606。

载 澜 1430。

载 穆 1724。

载 濂 1422。

载 瀛 1451。

载 鸶 1570。

起哈尔 67。

袁乃湔 324。

袁士傑 503。

袁大化 1389。

清代人物大事纪年

贾田祖 470,830。

贾汉复 183,278。

贾弘祚 96。

贾廷兰 153。

贾廷诏 627。

贾延泰 452,567,875。

贾兆凤 431。

贾 壮 86。

贾声槐 984。

贾克慎 840,1158。

贾其音 240。

贾国维 429,432。

贾鸣玺 224。

贾 柱 136,291。

贾彦槐 764。

贾洪诏 1046,1316,1667,
　　　1673。

贾 桢 970,1208,1408,
　　　1516,1553。

贾致恩 1222,1639。

贾 铎 1167,1407。

贾 姓 466。

贾 润 20,396。

贾 瑚 1206,1453。

贾 瑜 1278。

贾 勤 157。

贾虞龙 686。

贾 煜 680。

贾履中 981。

贾 樾 1322。

贾 臻 1067,1252,1528。

夏一鹗 137。

夏力恕 501,657。

夏大观 752。

夏大霖 635。

夏之芳 513。

夏之盛 924。

夏之森 1691。

夏之蓉 383,574,595,877。

夏之翰 567。

夏子龄 1045,1289,1532。

夏子锡 1490。

夏云岫 1058,1253。

夏玉瑚 1308,1523。

夏成德 75,81。

夏同善 1243,1431,1584。

夏同龢 1555,1670,1733。

夏廷印 116。

夏廷芝 574。

夏廷桢 1252。

夏廷楫 1397。

夏廷榘 1083,1264。

夏庆云(见夏恒条)。

夏庆保 998,1203,1410。

夏纪堂 1162。

夏孙桐 1437,1643,1739。

夏寿田 1529,1670,1737。

夏寿康 1559,1694。

夏时芳 115。

夏辛酉 1714。

夏　沅 223。

夏启瑜 1514,1651。

夏诒钰 1221,1592。

夏味堂 829,1152。

夏国培 1061。

夏国琦 1179。

夏秉衡 674,686,

夏庚复 1380,1582,1601。

夏　炘 903,1203,1391,
　　　　1539。

夏宝全 978,1223,1486。

夏承煜 1323。

夏封泰 739。

夏　峕 1293,1497,1709。

夏修恕 821,1016。

夏　恒 904,1231,1312。

夏　炯 945,1273,1360。

夏家升(见夏家畴条)。

夏家泰 1352。

夏家淳(见夏家镐条)。

夏家畴 1145,1398。

夏家瑜 620,950。

夏家镐 1122,1406。

夏　冕 538。

夏　冕 595,735。

夏鸾翔 1187,1425,1500。

夏鸿时 768,972,1402。

夏寅官 1510,1630。

夏敬颐 1668。

夏鼎武 1619,1627,1632。

夏景梅 188,277。

夏策谦 393。

夏曾佑 1489,1630,1733。

夏献云 1217,1375。

夏献馨 1249,1431。

夏锡畴 567,866,975。

夏锡麒 1206,1431,1467。

夏慎枢 458。

夏熙泽 400。

夏毓秀 1720。

夏　銮 1419。

夏　銮 722,956,971,1236。

夏敷九 84。

夏　璞 119,357。

夏　霖 113。

夏　燮 991,1168,1319。

夏翼谋 832,1203,1333。

原承猷 593。

原峯峻 1195,1398。

原衷戴 537。

原奠邦 1305。

顾八代 441。

顾人龙 381,382。

顾九苞 855,858。

顾大申 129。

顾广圻 757,1283。

顾广誉 992,1377,1391,
　　　　1398,1499,1517。

顾之琎 280,393,642。

顾之逵 685,965。

顾承曾 1694。

顾栋高 285,501,657,674,
　　　682,710,721。

顾树屏 1293,1521。

顾厚焜 1595。

顾　奎 1243,1504。

顾奎光 638,750。

顾　昺 520。

顾祖荣 253,417。

顾祖禹 23,298。

顾祖超 1740。

顾祖镇 488。

顾柔谦(见顾隐条)。

顾　绛(见顾炎武条)。

顾耿臣 171。

顾　莲 1321,1581,1720,
　　　1721。

顾　莼 751,1013,1256。

顾　贽 522。

顾　钰 892。

顾　皋 741,1000,1246,
　　　1256。

顾豹文 154。

顾高嘉 174。

顾悦履 369,484。

顾　涛 343,763。

顾家相 1404,1562,1729。

顾梦游 189,190。

顾梦麟 144。

顾敏恒 892。

顾　堃 804。

顾惟讷(见许惟讷条)。

顾淳庆 1029,1253,1468。

顾　隐 216。

顾维铸 523。

顾　琮 321,695。

顾　葵 789。

顾　楗 412,766。

顾鼎铨 146。

顾景星 13,334。

顾　焯 270。

顾瑞清 1131,1399,1495。

顾　瑗 1540,1643。

顾　椿 1029,1180。

顾楷仁 214,398,586。

顾嗣立 214,364,386,394,
　　　410,426,457,497,
　　　508。

顾锡祉 822,1459。

顾锡鬯 592。

顾　鹏 172。

顾　煜 114。

顾嘉蘅 1058,1314。

顾蔼吉 489。

顾　熙 479,917。

顾肇新 1331,1562,1709。

顾肇熙 1497。

顾　璜 1444,1559。

顾　震 707,731。

顾震福 1540,1666,1737。

恩特亨额 1332。

恩　祥 1624。

恩　铭(正红旗)1060,1319。

恩　铭(镶白旗)1357,1544,
　　　1712。

恩　棠 1407。

恩　景 1286,1523。

恩　普 915,1048。

恩　龄 1565。

恩　锡 1116,1570。

恩　福 1597。

恩　麟 1034,1304。

峻　德 358。

钰　昶 1461。

钱人龙 765。

钱九韶 566,960。

钱三锡 270,396。

钱士云 639,888。

钱大昕 542,670,691,697,
　　　783,849(2),894,
　　　927,986,994,1018,
　　　1032,1033。

钱大经 707。

钱大昭 633,956,830,842,
　　　861,900,934,1105。

钱之青 593。

钱之焘 253。

钱之鼎 815,1078,1199。

钱王任 107。

钱王烱 229,714,721。

钱开仕 697,906,975。

钱开宗 132,176。

钱元功 142,603。

钱元昌 409。

钱中铣 818。

钱中谐 172,289。

钱文梓 634。

钱以同 1304。

钱以垲 200,338,562,570。

钱世锡 572,835,951。

钱本诚 537。

钱东垣 971,909,934,973,
　　　985。

钱仪吉 865,1060,1255,
　　　1378,1386。

钱　民 100,330。

钱师曾 796,926。

钱廷献 458。

钱廷熊 890,1100。

钱兆沆 399。

钱兆鹏 835。

钱名世 412。

钱庆善 1047,1488。

钱　江 112。

钱汝诚 506,653,843。

钱汝恭 536,648,812。

钱汝愍 545。

钱汝霖 702。

钱志骏 64。

钱芳标 219。

铁　良 1489,1706,1738。

铁　珊 1634。

铁　保 676,799,949,1197,
　　　1031(2)。

铁　祺 1308,1491。

铁　麟 882,1150。

特尔庆阿 1628。

特尔祜 8,175。

特成额 961。

特克什布 1044。

特克慎 1080。

特灵额 975。

特依顺 1378。

特　亮 1453。

特格慎 577。

特通阿 1031,1163。

特通额 779。

特清额 1092。

特普钦 1615。

特登额 1040,1416,1417。

特　锦 188,250。

积拉堪 1138。

积哈纳 713,875。

积　善 639。

积　善(镶蓝旗)446。

积　福 910。

积　德 682。

透纳巴图鲁 585。

倭　仁 1028,1231,1511,
　　　1538。

倭什布 1082。

倭什珲布 1051,1511,1513。

倭克精额 1413。

倭星额 717,1183。

倪文蔚 1186,1395,1634。

倪师孟 512。

倪会鼎 11,434。

倪我端 52,381。

倪彤书 1086。

倪应复 1316。

倪　灿 26,288,333。

倪良曜 925,1100,1421。

倪　杰 1029,1233。

倪国珍 483,622。

倪国琏 553,632。

倪定得 1049。

倪承茂 606。

倪承宽 456,690,867。

倪思淳 872。

倪济远 890,1135。

倪起蛟 781,940,1219。

倪恩龄 1369,1560。

倪高甲 690。

倪　涛 618。

倪　琇 1001。

倪　崧 821,1252。

倪象恺 424。

倪惟钦 1551。

倪鼎铨 753。

倪　锦 371。

倪　模 664,984,1170,1205。

倪　璠 424。

徐一范 34,105。

徐乃昌 1648。

徐三畏 1569。

徐士龙 482,678,819。

徐士芬 919,1147,1371。

徐士林 316,465,623。

徐士佳 1330,1569。

徐士俊 502。

徐士恺 1341,1699。

徐士骈 1331,1507。

徐士銮 1445。

徐士榖 1046,1288。

徐大用 144。

徐大枚 488。

徐大贵 167,175,292。

徐大容 841。

徐大椿 363,540,596,622,
　　635,710,720,727
　　(2),749,765,795。

徐大榕 647,798,1025。

徐上镛 977,1209。

徐广绂 937,1231。

徐广缙 1158,1377,1400,
　　1449。

徐之凯 172。

徐之斑 42,410。

徐之铭 1051,1289,1501。

徐子苓 1095,1281,1565。

徐丰玉 1099,1412。

徐开业 1150。

徐开法 220。

徐开厚 638。

徐天柱 580,775,935。

徐天骐 521。

徐天麒(见徐天骐条)。

徐天骥 743。

徐元文 46,178,356。

徐元正 322,425,498。

徐元肃 520。

徐元勋 1351。

徐元勋 54,189。

徐元琪 35,151,340。

徐元梦 150,254,614,623。

徐韦佩 1445。

徐云捷 368,705。

徐云瑞 457。

徐云瑞 882,1232。

徐日昍(见徐日暄条)。

徐日暄 339。

徐曰琏 707。

徐　午 810。

徐长发 789。

徐仁铸 1489,1621,1685。

徐仁彝 161,391。

徐化龙 85。

徐化成 13,262。

徐　介 30,391。

徐凤池 370。

清代人物大事纪年

徐庆超 947,1267。

徐　江 1061。

徐汝峄 306。

徐汝澜 669,848,1066。

徐如澍 815。

徐观光(见徐良条)。

徐观孙 443,584,901。

徐　寿 1140,1601。

徐寿朋 1309,1687。

徐寿春 1483。

徐　坊 1496,1729。

徐志导 1107,1344。

徐志晋 847。

徐志遴 520。

徐芳声 334。

徐　杞 321,458,755。

徐辰告 1050,1304。

徐步云 1062。

徐步云 737。

徐步蟾 672。

徐　郴 1084,1336,1587。

徐　坚 457,975。

徐时作 383,538,831。

徐时栋 1107,1358,1547。

徐时勉 191。

徐作肃 1,124,319。

徐孚远 69,125,216。

徐怀祖 376。

徐　灿 621。

徐　沅 1653,1696。

徐　良 419,567,812。

徐启文 1194,1396。

徐玮文 1560。

徐青照 912,1180。

徐　松 853,1037,1080,
1171,1197,1235,
1370。

徐　枋 16,69,373。

徐述岐 1029,1329。

徐尚介 163。

徐　昆 800。

徐国相 396。

徐国楠 932。

徐　昌 507。

徐昌绪 1222,1430,1646。

徐明弼 96。

徐昂发 397,489。

徐迪惠 972。

徐迪新 1294,1576,1677。

徐秉义 44,252,401,425,
454。

徐秉敬 770。

徐金生 945,1124,

徐金粟(见徐有壬条)。

徐金霖 487,886。

徐　夜 2,335。

徐　炘 774,926,1275。

徐学采 770。

徐学健 741,1338。

徐法绩 911,1132,1298。

徐　波 206。
徐泽醇 890,1161,1449。
徐治都 39,372,387。
徐宝治 1116,1383。
徐宝符 1068,1317,1574。
徐宝森 1088。
徐宝善 911,1159,1241,
　　　1306。
徐宝谦 1129,1583。
徐宗郑 1121。
徐宗诚 1626。
徐宗亮 1704。
徐宗幹 978,1160,1512。
徐宗溥 1480,1603,1624,
　　　1733。
徐定超 1594。
徐建寅 1350,1687。
徐承庆 702。
徐承庆 884。
徐承焜 1603。
徐承锦 1666。
徐承煜 1473,1687。
徐绍洵 585。
徐绍桢 1473,1654,1737。
徐　经 1149。
徐春和 669,1066。
徐　垣 611。
徐　荣 924,1288,1425。
徐　栋 925,1179,1509。
徐　相 1302。

徐柏龄 38。
徐树本 384。
徐树丕 366。
徐树钧 1321,1439。
徐树屏 459。
徐树铭 1194,1362,1680。
徐树敏 413。
徐树庸 353。
徐树楠 1465。
徐树毂 322。
徐　郙 1287,1481,1654,
　　　1661,1711。
徐咸清 350。
徐昭益 1725。
徐昭德 974。
徐思庄 930,1180。
徐恒曾 1177,1376。
徐养原 713,1005,1191,1204
　　　（2）。
徐养灏 1004。
徐　炟 110。
徐　炯 305。
徐宪武 324。
徐诰武 195,360。
徐　勇 137,139。
徐　珽 248,609。
徐　珩 438,929。
徐起元 2,115,176。
徐桂生 277。
徐　桐 1145,1382,1577,

1618，1626，1673，
　　1684。
徐　振 424。
徐振甲 546，1025。
徐振纲 1537。
徐致觉 107。
徐致祥 1301，1463，1677。
徐致善 1660。
徐致靖 1335，1561。
徐晓峰 1501。
徐　铎 363，590，715。
徐　倬 20，253，425，460。
徐　釚 52，289，415，441。
徐逢吉 581。
徐　玺 546。
徐　勋 209。
徐准宜 947。
徐资乾 1279。
徐海波 1624。
徐润第 947，1220。
徐家杰 1155，1364。
徐家鼎 1313，1522。
徐　宾 337。
徐　容 384。
徐陶璋 474。
徐　恕 671，843。
徐继恩 69，319。
徐继畲 944，1210，1545，
　　1370，1547。
徐继儒（见徐继孺条）。

徐继孺 1451，1629。
徐　骏 464，559。
徐培深 1132。
徐　堉 1421。
徐　菜 1093，1322，1605，
　　1655。
徐乾学 39，237，332，349，324
　　（2），372，373。
徐　彬 245。
徐　堂 653。
徐　康 1605。
徐惟锟 1309，1669。
徐　焕 1002。
徐焕然 522。
徐　烺 775。
徐淑嘉 194，450。
徐　淳 105。
徐寅亮 983，1092。
徐谓弟 134。
徐　绩 648，1054，1091。
徐绳甲 358，496，699。
徐　琪 1374，1581，1730。
徐　琳 432。
徐　琰 556。
徐　越 11，131，334。
徐联奎 552，760，1184。
徐葆光 457，503，597。
徐朝俊 959。
徐　鼎 465。
徐　鼎 793。

徐景轼 1217,1430。

徐景曾 554。

徐景福 1537。

徐景熹 611。

徐喈凤 172。

徐　颐 796,1037,1192。

徐　惺 112。

徐　善 40,272,357。

徐善建 106,531。

徐道焜 1567。

徐湛恩 248,476,699。

徐　渭 693。

徐渭仁 898。

徐　谦 1540,1693。

徐　谦 1594。

徐　缄 243。

徐瑞星 23,188,356。

徐槐庭 1281。

徐　榛 839。

徐嗣曾 742,917。

徐　嵩（见徐镕庆条）。

徐　锟 1334。

徐　锦 1271,1445,1488。

徐殿飏 933。

徐　璈 839,1110,1240,
　　　　1319,1326。

徐嘉禾 1369,1555,1719。

徐嘉炎 39,288,394,418。

徐聚伦 488。

徐锺恂 1701。

徐　端 677,1053,1096。

徐　蕱 1029,1448。

徐蕱霖 1503,1741。

徐熊飞 736,1030,1285。

徐　瑨 898,1132。

徐　璋（见徐玉章条）。

徐　樟 737,1165。

徐震甲 1131,1607。

徐　鼐 1076,1353,1446,
　　　　1474,1487。

徐镕庆 884。

徐德元 649。

徐德沆 1451,1622。

徐德修 1653。

徐　潮 91,254,401,415,
　　　　425,477。

徐　镛 1069。

徐　衡 593。

徐　潞 1700。

徐懋昭 208。

徐孺芳 180。

徐　瀚 1086。

徐　瀛 964,1289。

徐　耀 1021,1263。

徐　鑑 840,1038。

徐　鹑 1557,

殷元福 371。

殷化行 241,451。

殷华廷 1619。

殷兆镛 1046,1315,1597。

殷如璋 1217,1535。

殷寿彭 1027,1314。

殷李尧 1341,1560。

殷秉镛 926。

殷 岳 38,243。

殷树柏 774,1366。

殷 德 540。

殷攀龙 1583。

爱 仁 1245,1495。

爱必达 710,714,795。

爱松古 266。

爱星阿 200,211。

爱星阿 985。

爱星阿(蒙正黄旗)988。

爱音图 623。

爱音查 262。

爱音塔穆 162,295。

爱隆阿 763。

爱新保 1258。

爱新觉罗玄烨 圣祖 145,
　　196,508。

爱新觉罗弘历 高宗 452,
　　577,585,987。

爱新觉罗努尔哈赤 27。

爱新觉罗旻宁 宣宗 1162,
　　1385。

爱新觉罗皇太极 太宗 26,
　　73。

爱新觉罗胤禛 世宗 280,
　　587。

爱新觉罗奕詝 文宗 1243,
　　1384,1476。

爱新觉罗载淳 穆宗 1429,
　　1474,1553。

爱新觉罗载湉 德宗 1534,
　　1552,1715。

爱新觉罗溥仪 1708,1714。

爱新觉罗福临 世祖 58,73,
　　197,

爱新觉罗颙琰 仁宗 722,
　　908,948,1163。

爱新泰 1056。

奚大壮 1039。

奚 冈 645,1026。

奚应龙 1281。

奚 宾 876。

奚 寅 486,760,837。

奚 源 537。

奚 疑 786,1421。

翁大中 59,385,433。

翁与之 50,208,341。

翁广平 723,1169,1334。

翁元圻 669,854,1204,1213。

翁长庸 1,93,314。

翁方纲 572,679,771,793,
　　861,886,921,927
　　(2),949,958,1023,
　　1054,1112,1142。

翁心存 919,1178,1445,
　　1487。

清代人物大事纪年

417。

高万春 1184。

高万鹏 1269,1522,1628。

高　山 513。

高天喜 715。

高天爵 10,273。

高元崑 489。

高云麟 1357,1515,1734。

高不骞 280,750。

高曰聪 253。

高　午 1181。

高丹桂 83。

高凤台 1053。

高凤岐 1444,1589,1717。

高凤翰 312,632。

高文照 810。

高为阜 533。

高斗光 9。

高斗枢 33,242。

高斗魁 19,242。

高心夔 1276,1462,1598。

高以永 254。

高书勋 606。

高去奢 57。

高龙光 180。

高尔公 239。

高尔位 24,101,407。

高尔俨 64,125,149。

高尔修 113。

高　朴 837。

高而明 79。

高成龄 331。

高光启 589,995。

高光国 96。

高光夔 109。

高延祉 1077,1317,1393。

高延祜 1167,1405。

高延绶 1323。

高向台 225。

高　兆 201,230。

高观鲤 653。

高进库 216。

高贡龄 1028,1352。

高均儒 1093,1527。

高孝本 106,353,534,541。

高克临 297。

高　杞 1213。

高　辰 673。

高连陞 1527。

高钊中 1269,1560。

高应元 931,1100。

高辛传 325。

高层云 46,269,350。

高　玢 207,354,636。

高其伟 400。

高其名 783。

高其位 91,525,534,540。

高其佩 247,581。

高其倬 268,371,529,558,
　　　608。

清代人物大事纪年

清代人物大事纪年

唐德亮 129。

唐德盛 471。

唐 潮 1262。

唐赞衮 1416,1544。

唐黼廷 474,699。

唐 瀚 1570。

唐 鑑 832,1071,1391,
　　　1353,1474。

益 龄 1544。

凌之调 593。

凌玉垣 1085,1295,1310。

凌西峰 519,678,875。

凌存淳 462,850。

凌扬藻 723,1355。

凌廷堪 706,933,986,1031,
　　　1074。

凌仲鑛 1167,1344。

凌行均 1244,1454。

凌行堂 1260,1462。

凌如焕 304,475,662。

凌克阎 30,351。

凌松林 1407。

凌鸣喈 1014。

凌绍雯 338,468。

凌绍麟 300。

凌 柱 586,651。

凌树屏 613。

凌树棠 964,1271,1450。

凌泰交 803,1039。

凌泰封 864,1132。

凌卿云 1492。

凌 浩 799。

凌 堃 925,1245,1486。

凌 焕(见凌仲鑛条)。

凌 淦 1545。

凌福彭 1429,1658。

凌嘉印 43,391。

凌 曙 815,1064,1118,
　　　1152,1236。

凌 燽 463。

准 达 534。

准 良 1404,1593,1703。

准 塔 89,98。

浦文焯 431。

浦 鸥 47,403。

浦起龙 285,554,682。

浦 霖 759,950。

浦 铛 740。

海 山(见海善条)。

海尔图 301。

海 兰(宗室)159。

海 兰(觉罗氏)563。

海兰察 822,894,927,935。

海 宁 917。

海 朴 1190。

海 全 1485。

海兴阿 1056。

海时行 144。

海 青 451。

海 明 801。

海　金 497。
海　宝 370。
海　亮 1354。
海洪阿 996。
海　都 278。
海　望 614,699。
海喇逊 391。
海　善 631。
海　禄 922。
海　龄 1333。
海　龄(正蓝旗)1284。
海　福 1719。
海　锺 1389。
海潮龙 309。
涂士炳 549。
涂天相 413,616。
涂凤书 1555,1697。
涂文钧 1045,1232。
涂以辀 980。
涂庆澜 1308,1550。
涂国盛 1356,1582。
涂宗瀛 1094,1345,1656。
涂官俊 1309,1562,1657。
涂觉纲 1431。
涂逢震 610,720。
涂跃龙 738。
涂　瑞 443,649,813。
润　庠 866,1143。
宾　宁 994。
容　贵 1654。

容　照 1441。
寇赍言 856。
诸九鼎 242。
诸方庆 44,224,313。
诸以谦 637,817,1173。
诸允遴 283。
诸世器 542,824。
诸可宝 1350,1515,1563,
　　　　1611,1699。
诸定远 208。
诸重光 723。
诸神保 966。
诸起新 431。
诸徐孙 575。
诸舜发 93。
诸　锦 327,522,594,687,
　　　　703,780。
诸嘉乐 781,1039。
诸　镇 953,1124。
诸　豫 109。
诺木奇 136,160。
诺木奇(蒙正黄旗)70,80。
诺尔本 830。
诺尔逊 204。
诺　尼 426。
诺　迈 372。
诺罗布 118,484。
诺　岷 581。
诺孟达赖 135,234。
诺音讬和 615。

诺　敏 601。

诺　敏 78,365。

诺穆图 454。

诺穆亲 681,951。

祥　宁 1134。

祥　庆 743。

祥　奈(见祥鼐条)。

祥　厚 1410。

祥　保 1214。

祥　康 1338,

祥　普 1723。

祥　龄(见祥宁条)。

祥　福 1326。

祥　鼐 761。

祥　麟 1386。

祥　麟(正黄旗)1361,1551,
　　　1632。

谈文烜 1555,1720。

谈允诚 254。

谈　迁 163。

谈国楫 1529,1658。

谈庭棓 1625。

谈祖绶 892。

谈　泰 884。

陶士霖 943,1179。

陶土俣 515。

陶大均 1720。

陶元淳 82,337,390。

陶元藻 479,1010。

陶文烝 701,1171。

陶文彬 192,643。

陶文潞 963,1231,1579。

陶方琦 1350,1561,1601。

陶正中 512。

陶正靖 304,553,642(2)。

陶世凤 1422,1652。

陶必铨 696,1043。

陶　成 446。

陶贞一 457。

陶廷杰 869,1109,1435。

陶廷珍 791。

陶廷琡 854。

陶兆麐 463,968。

陶庆章 1310。

陶庆增 1068,1278,1379。

陶庆麒 992,1455。

陶寿玉 1177,1345。

陶克让 845,1088,1275。

陶作楫 181。

陶良骏 1244,1376。

陶青芝(见陶士霖条)。

陶其愫 532,680,762。

陶茂林 1634。

陶　易 678。

陶　岱(正黄旗)183,314。

陶　岱(正蓝旗)407。

陶金谐 536,655,858。

陶治元 1381,1617。

陶宝森 1207,1432。

陶定昇 1287,1634。

陶绍景 452,606,972,1007。
陶南望 666,683。
陶炯照 1666,1696。
陶恩培 1011,1278,1425。
陶家骀 1569。
陶崇雅 316,579。
陶惟焯 1133。
陶　敬 219。
陶　然 1497。
陶敦和 462,770,909。
陶福同 1350,1559。
陶福恒 943,1188。
陶福祥 1563。
陶福履 1473,1644,1633。
陶　模 1276,1522,1691。
陶　樑 796,1059,1291,
　　　　1337,1442。
陶　澍 832,1013,1240,
　　　　1282,1297,1311。
陶　澧 1022,1231。
陶濬宣 1563。
姬光璧 1002。
通　安 1281。
通　智 712。
通　嘉 326。
桑开运 154。
桑天显 150,578。
桑吉斯塔尔 1142。
桑　芸 190。
桑阿里 440。

桑春荣 998,1251,1586,
　　　　1592。
桑　格(正白旗)371,395。
桑　格(镶蓝旗)119,302。
桑调元 375,576,645,674,
　　　　682,694,697,698,
　　　　703,783,795。
桑　额 447,468。
桑　额(汉军镶蓝旗)329。
继　兴 1478。
继　志 1179。
继　昆 1402。
继　昌 1388,1568,1715。
继　昌 992,1237。
继　格 1216,1396。
继　恩 1683。
继　善 1476。
继　禄 1703。
琅　玕 1033。
基　溥 1517。
勒　贝 303。
勒方锜 1122,1295,1344,
　　　　1588。
勒尔贝 280,309。
勒尔森 755。
勒尔谨 641,858。
勒礼善 975。
勒克德浑 8,102,138。
勒伯勒东 1488。
勒　保 617。921,964,972,

1006,1016,1017,
1041,1072,1152,
1153。

勒　度 52,124,160。

勒恩扎勒诺尔赞 1706。

勒特浑 507。

勒　福 1339。

勒德浑 294,329,366。

十一画

黄乙生 787,1169,1193。

黄士珣 786。

黄士埙 252,333。

黄士焕 225。

黄士瀛 952,1189。

黄大元 1492。

黄大来 346。

黄大奎 1191。

黄大埙 1670。

黄大谋 693,989。

黄大鹤 1196,1375。

黄与坚 11,179,289。

黄万友 1532。

黄万鹏 1637,1667,1675。

黄义尊 744。

黄之隽 229,500,657。

黄之鼎(见赵之鼎条)。

黄飞鹏 1091。

黄习溶 1276,1576,1584。

黄子高 1223,1311。

黄子锡 250。

黄开运 173。

黄开基 1181。

黄开榜 1539。

黄天策 620。

黄元吉 672。

黄元圮 655。

黄元铎 515。

黄元宽 601。

黄元御 687。

黄元善 1206,1453,1713。

黄元衡(见姜元衡条)。

黄元灏 992,1151,1410。

黄云企 239。

黄云鹄 1146,1406。

黄友召 885。

黄少春 1654。

黄日祚 107。

黄　中 281。

黄中位 1002。

黄中通 111。

黄中理 370。

黄中傑 736,1014。

黄中模 1069。

黄仁勇 956。

黄丹书 948。

黄文莲 665,830。

黄文暘 588。

黄文辉 871。

黄文燨 1032。

清代人物大事纪年

黄庆光 1445。

黄庆同 1028,1262。

黄庆安 977,1252。

黄庆昌(见黄庆同条)。

黄齐焕 914。

黄兴仁 409,705。

黄汝成 979,1273,1298。

黄汝琳 739。

黄宅中 953,1178。

黄安涛 826,1068,1371。

黄安绥 1021,1351。

黄礽绪 224,245。

黄艮辅 571。

黄如瑾 171。

黄孙懋 589。

黄寿衮 1672。

黄寿龄 798。

黄均隆 1394,1561。

黄志遴 83。

黄　芳 1281。

黄芳世 271,282。

黄芳度 122,266。

黄芳泰 91,350。

黄　轩 787。

黄　岗 470,887。

黄岗竹 592。

黄　秀 200,502,675。

黄体立 1431。

黄体芳 1249,1490,1677。

黄应缴 560。

黄良栋 760。

黄良楷 920,1169,1519。

黄　茂 1014。

黄叔灿 506,754,783,1048。

黄叔琪 280,424,608。

黄叔琳 247,353,595,607,
　　　674(2),703。

黄叔琬 444。

黄叔璥 444,507(3),622。

黄卓元 1340,1549。

黄国瑾 1374,1560,1639。

黄国樑 856。

黄国翰 1398。

黄昌年 1631。

黄昌辅 1167,1390。

黄昌麟 1464。

黄明懿 599。

黄　易 633,959,1009。

黄忠立 1717。

黄忠浩 1452,1617,1723。

黄鸣傑 980,1328。

黄图安 57,185。

黄图南 1146,1406。

黄知彰 419,773。

黄秉中 145,459,489。

黄秉淳 887。

黄岳牧 513。

黄金山 1557。

黄金友 1476。

黄金台 903,1479。

黄培松 1583。

黄培杰 938,1203。

黄梦麟 322。

黄　梧 6,162,175,226,260。

黄捷山 654。

黄辅辰 970,1280,1513。

黄辅相 1353。

黄　堂 552,732,950。

黄崇兰 1023。

黄崇礼 1383。

黄崇光 1085。

黄铭先 1067,1280。

黄符綵 760。

黄商衡 275,623。

黄焕彰 503。

黄鸿中 488。

黄淳鸿 1467。

黄绳先 492,709,755。

黄维祺 155。

黄维翰 1529,1659,1735。

黄　琼 1011,1210,1493。

黄　越 446。

黄彭年 1186,1363,1635。

黄　斐 238,381。

黄　鼎 137。

黄　鼎 151。

黄　鼎 187,559。

黄鼎楣 324。

黄遇隆 627。

黄景仁 660,818,868。

黄鲁溪 826,1030。

黄道恩 709。

黄道暖 822。

黄曾源 1443,1630,1737。

黄焜望 954。

黄湘南 707,881。

黄富民 943,1202,1519。

黄登芳 104。

黄登贤 443,590,811,824。

黄登榖 600。

黄　瑞 848。

黄瑞麒 1580,1700。

黄槐森 1300,1481。

黄虞再 156。

黄虞稷 33,351。

黄　暄 1111。

黄照临 1301,1483。

黄嗣东 1357,1544,1661,
　　　1721。

黄锡彤 1195,1453。

黄腾达 733。

黄　靖 1466。

黄　慎 331。

黄福垔(见张福垔条)。

黄福楸 1429,1593。

黄群杰 1560。

黄　熙 14,174,311。

黄熙胤 40,242。

黄锺音 1027,1262,1441。

黄毓恩 1244,1504。

清代人物大事纪年

萧晋卿（见萧晋蕃条）。
萧晋蕃 1277,1504,1598。
萧浚兰 1176,1342,1547。
萧家芝（见萧家蕙条）。
萧家蕙 94。
萧培元 1123,1395,1547。
萧捷三 1426。
萧象韶 204,334。
萧惟豫 171。
萧　淦 1280。
萧维箕 123,478。
萧　雄 1645。
萧锦忠 1021,1350。
萧意文 1448。
萧福禄 1226。
萧　韶 1228,1483,1515,
　　　　1620。
萧　瑾 677。
萧　震 132,260。
萧　镇 983。
萧德宣 1111。
萧翰庆 1217,1467。
萧　镛 1551。
萧　穆 1277,1705。
萧徽声 345。
萧濬藩 1482。
萨玉衡 885。
萨布素 504。
萨布素（镶黄旗）407。
萨龙光 677,855。1142。

萨尔哈岱 721。
萨克丹布 1043。
萨克慎 1627。
萨苏喀 76。
萨迎阿 852,1063。
萨纶锡 476。
萨秉阿 769,1218,1258。
萨哈岱 793。
萨哈谅 471。
萨哈璘 54。
萨　载 649,861,886。
萨凌阿 1632。
萨　海 411。
萨彬图 848,1121。
萨隆阿 1312。
萨喇尔 693,697,719,728。
萨喇善 808。
萨　弼 32,159。
萨弼图 136,198。
萨　廉 1340,1582,1719。
萨　赛 190。
萨穆什喀 59,73。
萨穆哈 157,372,420。
萨穆哈 636。
梦　吉 776。
梦　麟 542,640,715。
梅士仁 438,936。
梅万青 1150。
梅之珩 323。
梅文鼎 44,201,259,281,

317,355,359（2），364
（2），402，410，416，
426（2），450，484，
503，505。
梅以燕 363。
梅立本 707。
梅成栋 992,1197。
梅光羲 1667。
梅廷对 465。
梅 冲 992。
梅启照 1395。
梅启熙 1208,1491。
梅 枚 502。
梅雨田 1482。
梅 庚 300。
梅 理 679。
梅 崧 45,231。
梅 清 20,146,355,388。
梅植之 937；1310,1338。
梅 棠 1289。
梅曾亮 882,1180,1433。
梅 鋗 567,665,831。
梅毂成 299,475,477,734，
738,746。
梅锺澍 1304。
梅 鋗 225,401。
曹一士 280,555,597。
曹三祝 1410。
曹土鹤 1316。
曹广权 1452,1648。

曹广桢 1534,1643。
曹广植（见曹广桢条）。
曹之升 855,949。
曹元忠 1653,1732。
曹元弼 1526,1659,1713，
1732。
曹云昇 408,601,699。
曹友夏 475。
曹曰玮 371。
曹仁先 167,185。
曹仁虎 561,707,732。894，
895。
曹凤甲 1454。
曹文埴 723,893,975。
曹允吉 98。
曹允源 1622。
曹玉珂 5,181,277。
曹玉树 848。
曹本荣 13,108,213。
曹丙辉 1222,1374,1399。
曹龙骧 710。
曹申吉 50,152,230,298。
曹叶卜 88。
曹尔成 259。
曹尔堪 129,292。
曹贞吉 46,209,328,332，
349,391。
曹师恕 1089。
曹兴仁 1289。
曹汝渊 981。

曹汝麟 1658。

曹　驯 1287,1535,1626。

曹克忠 1664。

曹辰容 38,370,518。

曹抡彬 446。

曹秀先 438,589,876。

曹言纯 764,1299。

曹亨时 678。

曹应旭 757,1333。

曹应琪 889,1379。

曹应毂 736,907,1334。

曹诒孙 1394,1580。

曹　坦 1603。

曹　坦 733。

曹典初 1693。

曹垂灿 95。

曹秉哲 1331,1504,1638。

曹秉章 1497,1738。

曹　炜 1490。

曹学闵 492,692,896。

曹学诗 384,653,808。

曹宗瀚 1101。

曹宜溥 290。

曹绍中 54,65。

曹　经 611。

曹　城 788,1019。

曹　荃 402。

曹　荣(见曹榕条)。

曹贻桂 947。

曹　顺 819。

曹庭枢 428,511,622。

曹庭栋 392,595,622,650,
　　　719,666,880。

曹彦栻 370。

曹　炯 1316。

曹洛裎 547,687。

曹泰曾 122,281,468。

曹恭诚 135,168。

曹振镛 696,853,1053,1102,
　　　1112,1170,1196,
　　　1218,1223,1234,
　　　1240,1272,1283。

曹恩绶 939。

曹恩漤 978,1347。

曹家甲 385。

曹培廉 467。

曹彬孙 1725。

曹梦龙 538。

曹衔达 990,1263,1371。

曹衔遇 931,1354。

曹　焕 528,957,1044。

曹鸿勋 1357,1559,1721。

曹　寅 170,433,461。

曹续祖 146,

曹绳柱 408,554,746。

曹维城 415。

曹　琪 109,190。

曹联桂 1277。

曹惪华 669,947,1055。

曹　森 912,1179,1410。

曹鼎望 6,181,365。

曹　锐 566,936。

曹　焜 545,742,935。

曹登庸 1155,1362。

曹　瑞 792。

曹蓝田 1296。

曹　槐 640。

曹楙坚 883,1252,1235,
　　　　1338。

曹锡宝 492,707,928。

曹锡龄 620,816。

曹廉锷 1229,1573。

曹源郁 244,364,540。

曹源郊 285,487,535。

曹　溶 57,317,324(2),326。

曹福元 1438,1594。

曹　瑸 511。

曹　榕 1321,1561。

曹毓英 1099,1295,1336,
　　　　1512。

曹　熊 1071。

曹　瑾 890,1053,1378。

曹德庆 1688。

曹澍锺 1011,1303。

曹履泰 911,1261。

曹燕怀 240。

曹　籀 990。

曹　勷 579。

曹鑑平 46,249,344。

曹鑑伦 106,286,454。

戚人铣 1308,1522,1640。

戚人镜 870,1072,1241。

戚士彦 1166,1382。

戚天保 1012,1363,1512。

戚令婉 224。

戚　扬 1460,1622。

戚　贞 1108,1315。

戚芸生 660,1143。

戚学标 856,908,934,1006,
　　　　1023,1042。

戚宗彝 1061。

戚叕言 392,556,628。

戚振鹭 554。

戚朝桂 492,665,928。

戚朝卿 1423,1595。

戚蓼生 777。

戚　藩 155。

戚麟祥 444,619。

硕云保 1043。

硕　色 331,693,721。

硕色纳 215,235。

硕　岱 36,460。

硕隆武 1225。

硕博会 261。

硕　詹 136,206。

硕　塞 32,76,114,124,149。

硕　鼐 460。

龚一发 474,665,805。

龚士烩 617,988。

龚士模 601。

龚大万 790。

龚之怡 123。

龚元玠 412,692,877。

龚元凯 1694。

龚元燮 648,1245。

龚文焕 870,1149。

龚文龄 1159。

龚文辉 889,1157。

龚心钊 1659。

龚　正 259,546。

龚在升 179。

龚廷历 131。

龚廷飏 414。

龚自闳 1145,1342,1578。

龚自珍 924,1224,1233,
　　　　1327。

龚自闉 1342。

龚守正 821,1014,1392。

龚丽正 764,954,1326。

龚　沦 610,885,988。

龚其裕 391。

龚国榜 583,1033。

龚明远 511。

龚易图 1301,1453,1664。

龚佳育 16,325。

龚学海 599。

龚学盛 710。

龚治安 660,1183。

龚宝莲 1116,1322,1436。

龚定国 1062。

龚承钧 1261,1490。

龚经远 860,1053,1458。

龚奏绩（见龚绩溪条）。

龚荣遇 133。

龚显祖 546,1043。

龚　烈 669,956,1091。

龚　铎 369。

龚积柄 1689。

龚绩溪 641。

龚维琳 925,1209,1298。

龚　绶 920,1089,1516。

龚骖文 744。

龚敬身 583,776,995。

龚鼎孳 47,257。

龚景瀚 647,790,1019。

龚　嵘 142,493。

龚翔麟 170,300,579。

龚　渤 592。

龚　裕 911,1132。

龚提身 738,825。

龚嘉儁 1238,1431。

龚镇海 713,1256。

龚镇湘 1308,1523。

龚　额 386,451。

龚　橙 1131,1319。

龚　镗 859,1069,1284。

龚　镜 294,547,783。

龚衡龄 1083,1324。

龚　鲲 154。

龚　鲲 926。

清代人物大事纪年

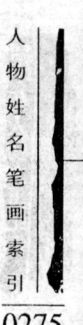

鄂顺安 904,1553。

鄂　恒 1011,1209。

鄂洛顺 425,427。

鄂　泰 292。

鄂　素 1494。

鄂莫克图 136,256。

鄂　海 530。

鄂容安 573,693,699。

鄂　硕 166。

鄂　敏(见鄂乐舜条)。

鄂斯瑚 900。

鄂　惠 1211。

鄂　斐 142,468。

鄂　辉 957,958,974。

鄂　善 293。

鄂　善 614,622。

鄂　弼 746。

鄂貌图 67,198。

崧　杰 1720。

崧　骏 1250,1445,1650。

崧　蕃 1293,1424,1707。

崑　冈 1286,1481,1632,
　　　 1711。

崑　寿 1439。

崔九围 123。

崔乃镛 501。

崔大同 1419。

崔万荣 1384。

崔万清 1344。

崔之瑛 133。

崔天华 1660。

崔元森 443,795。

崔龙见 620,732,1137。

崔甲默 82,307,382。

崔尔仰 24,171,245。

崔永安 1443,1580。

崔永福 983。

崔光前 67。

崔光笏 1022,1233,1436。

崔　华 188。

崔　华 42,182,365。

崔宇广 26,166,319。

崔如岳 289。

崔　纪 362,487,622,667。

崔志道 1249,1482。

崔连魁 1211。

崔抡奇 96。

崔应阶 771,851。

崔　述 617,737,1073,
　　　 1126。

崔国因 1243,1535。

崔国榜 1308,1523。

崔鸣鷟 194。

崔　侗 913,1253,1426。

崔映辰 835。

崔修绅 789。

崔胤弘 86。

崔起潜 459。

崔谊之 133。

崔　焘 938,1232。

崔　冕 205。

崔　偲 1062,1307。

崔维雅 88。

崔　琳 513。

崔景仪 722,872,1120。

崔　尃 87。

崔尊彝 1058,1337,1592。

崔渭源 259,424,559。

崔登鳌 1169。

崔锡华 1071。

崔福泰 1597。

崔蔚林 50,173,294,334。

崔肇琳 1671。

崔徵璧 60,238,472。

崔　澄 1560。

崔穆之 1195,1461。

崔　瀛 1569。

崔　埙 853,1085。

崇　文 1098,1262。

崇　文 1463。

崇　礼 1269,1654,1712。

崇　朴 20,434。

崇　光 1654,1681。

崇　安 423,579。

崇　寿 1443,1622,1683。

崇　芳 1461,1672。

崇　纶 1420。

崇　纫 924,1537,1557。

崇　实 1156,1383,1526,
　　　1565。

崇　厚 1207,1376,1524,
　　　1599,1649。

崇　勋 1506。

崇　保 1117,1344,1663,
　　　1703,1707。

崇　绚 1455。

崇　宽 1330,1581。

崇　绮 1229,1504,1540,
　　　1684。

崇　禄 1172。

崇　弼 1039。

崇　锡 1418。

崇　福 1387。

崇　熙 1512。

铨　林 1445。

铭　安 1222,1431,1713,
　　　1723。

铭　岳 1280。

铭　憩 1070。

笪重光 20,129,295,360。

符之恒 428,608。

符兆熊 546,950。

符　珍 1719。

符葆森 1045,1390,1439。

符　曾 336,729。

敏　憩 (见铭憩条)。

敏　勤 (见既勤条)。

偏　图 559。

偏　图 63,480。

象　曾 982。

章廷枫 871。

章　华 1540,1659,1735。

章合才 1645。

章　庆 1725。

章汝衡(见章嗣衡条)。

章寿康 1381,1710。

章寿麟 1261,1615。

章佑昌 575。

章　沅 1159。

章际治 1671。

章金牧 101。

章　炜 937,1232。

章学诚 605,834,1006,1009。

章学经 1161。

章宝传 626。

章宗源 884,996。

章宗瀛 816。

章　绅 614。

章钦文 8,366。

章钦允 29,333。

章　恺 638。

章炳森 1422,1617。

章洪钧 1331,1549。

章祖申 1572,1702。

章振萼 323。

章　钰 1503,1693,1738。

章倬标 1116,1364。

章高元 1336,1728。

章　楘 1473,1702。

章辅廷 1506。

章　铨 790。

章　琼 997,1324。

章　棠 718。

章钦承 298。

章　楩 575。

章　煦 637,798,1102,1152,1198。

章嗣衡 1342。

章　鋆 1155,1395,1558。

章履成 78,526。

章遹翰 429,886。

章藻功 413。

章攀桂 588,1025。

章　黼 845,1078。

章耀廷 1229,1463。

商思敬 593。

商衍鎏 1548,1700。

商衍瀛 1534,1693。

商　载 1000。

商　盘 404,554,762。

惟　勤 897,1071。

阎士璘 1701。

阎中宽 60,286,450。

阎长龄 1384。

阎介年 368,575。

阎文绣 447。

阎文熛 36,146,437。

阎正祥 951。

阎世绳 270。

阎尔梅 53,292。

彭庆锺 1315。

彭阳春 1384。

彭如芝 101。

彭如幹 580,760,1025。

彭孙贻 230,256,257。

彭孙遹 39,179,288,394,
403。

彭志德 1448。

彭声发 1458。

彭作邦 1111。

彭希口 717,1283。

彭希郑 749,906,1247。

彭希洛 713,891,1048。

彭希涑 730,857,885,935。

彭希韩 633,753,1048。

彭希濂 706,871,1153。

彭言孝 1394,1604。

彭启丰 404,536,793,823,
876。

彭 述 1608。

彭 侣 613。

彭泽春 1215,1462。

彭宗岱 943,1178。

彭定求 78,268,493。

彭始抟 338,436。

彭承尧 726,964,967。

彭绍升 617,731,841,959。

彭绍观 708。

彭绍咸 572,801。

彭绍谦 529,648,820。

彭 珑 180,344。

彭树葵 449,591,727,753,
819。

彭昱尧 1085,1318,1392。

彭洋中 1022,1223,1502。

彭 冠 708。

彭祖训 300。

彭祖贤 1145,1423,1572,
1607。

彭泰来 913,1101。

彭 辂 828。

彭润芳 1131,1431。

彭 浚 1037,1267。

彭家屏 502,711。

彭 宾 38。

彭崧毓 1021,1278。

彭清黎 1405,1595。

彭 淑 648,792,1055。

彭涵霖 1324。

彭 绩 624,880。

彭维新 431,721。

彭斯举 1146,1477。

彭朝龙 817,967。

彭朝佐 321,471,663。

彭舒尊 978,1231。

彭舜龄 111。

彭 煐 1141。

彭瑞淑 576。

彭瑞毓 1117,1395。

彭楚汉 1637。

彭虞孙 1698。

彭　鹏 55,188,381,420。

彭殿元 338。

彭毓橘 1217,1517。

彭肇洙 576。

彭蕴灿 845。

彭蕴章 924,1279,1487。

彭蕴辉 840,980,1074。

彭遵泗 602,628。

彭慰高 1083,1336。

彭翼蒙 834。

彭　爝 111。

期成额 819。

联　元 1330,1523,1682。

联　捷 1157,1324。

联　福 1715。

葛大宾 737,1170,1257。

葛天柱 1160。

葛天骅 111。

葛云飞 903,1191,1327。

葛长祚 323。

葛方音 1015。

葛斗南 414。

葛正华 731。

葛尔沁（见果尔沁条）。

葛成修 1701。

葛庆曾 897。

葛其仁 1151,1311。

葛鸣阳 810。

葛金烺 1294,1609,1587,

1633。

葛宝华 1340,1594,1697,

1720。

葛思泰 360。

葛俊起（见葛峻起条）。

葛　恒 443,831。

葛祖亮 589。

葛峻起 576。

葛景莱 1058,1323。

葛嗣浵 1480,1603,1617,

1634。

葛静远 1300,1531。

葛　震 56,219,365。

葛德润 404,574,794。

葛　麟 80。

董士锡 859,1101。

董大醇 982。

董大鲲 363,784。

董之铭 726。

董之燧 353。

董卫国 315。

董丰垣 673,745。

董天弼 456,568,806。

董元亮 1636。

董元度 681。

董元卿 403。

董元章 1216,1395。

董元醇（见董元章条）。

董凤高 1628。

董文涣 1260,1432。

董文焕（见董文涣条）。

董文骥 110。

董玉卿 1604。

董邦达 392，574，779。

董有声 98。

董达存 412，679，868。

董光甲 1072，1401。

董朱衮 112。

董似毂 1022，1303。

董兆奎 1176，1481。

董兆熊 1047，1391，1450。

董守谕 213。

董　讷 223，295，406。

董　玘 247，399，549。

董　芳 712。

董作模 999，1188。

董　含 193。

董　沛 1223，1568，1662。

董　诏 810。

董　果 733，876。

董国华 1059。

董秉纯 686。

董佩笈 307。

董金凤 836。

董金纯 1708。

董学礼 102，221。

董学成 103。

董学履 1129，1407。

董宗孟 159。

董承勋 548。

董承熹（见董承禧条）。

董承禧 1133。

董　孟 641。

董思恭 503。

董思凝 339。

董笃行 85，334。

董　俄 185。

董　俞 188。

董彦琦 439。

董　恂 1050，1314，1417，
　　　 1464，1511，1531，
　　　 1563，1646。

董祐诚 919，1141，1152，
　　　 1170，1171，1191，
　　　 1192。

董　诰 617，742，867，916，
　　　 985，1072，1095，
　　　 1143。

董　说 11，330。

董桂科 1189。

董桂新 804，1013，1033。

董桂敷 1038。

董振铎 952，1296，1402。

董　柴 916。

董　健 946。

董谅臣（见董基诚条）。

董教增 664，846，891，1184。

董基诚 903，1133。

董彩凤 955。

董　康 1514，1631，1741。

董淑昌 375,575,629。

董　淳 866。

董鹏飞(见董儁翰条)。

董新策 399。

董福祥 1309,1663,1714。

董　闾 254。

董儁翰 1238,1399。

董　毅 1240。

董　潮 545,742,687,750。

董　额(见洞鄂条)。

董履高 1715。

董　襄 112。

董瀛山 912,1161。

董　懿 207,663。

葆　初 1461,1684。

葆　谦 844,1029。

葆　谦(字吉生)1207,1396。

敬　和 1317。

敬　信 1249,1712。

敬　敏 1402。

敬　徵 879,1346,1392。

敬　穆 1366。

蒋一璁 724。

蒋士铨 528,708,880。

蒋士瑆 1510,1644。

蒋士骥 1261,1537,1674。

蒋大成 502。

蒋大镛 1085,1343,1547。

蒋万襛(见蒋蔚条)。

蒋之翘 228。

蒋元枢 718。

蒋元益 638。

蒋元溥 1035,1261。

蒋云宽 751,980,1183。

蒋云容 748,1004,1137。

蒋曰纶 545,725,1024。

蒋曰豫 1240,1557。

蒋中和 156。

蒋文庆 930,1111,1409。

蒋文淳 445。

蒋文源 170,645。

蒋文澜 276。

蒋方正 969,1190。

蒋允焄 601。

蒋予蒲 696,854,1154。

蒋玉龙 1493。

蒋龙光 153。

蒋东才 1301,1615。

蒋立镛 889,1085。

蒋礼恒(见蒋赫德条)。

蒋弘绪 209。

蒋弘道 35,181,294,417。

蒋式芬 1405,1568。

蒋　达 1051,1324,1509。

蒋师辙 1362,1636,1704。

蒋师爚 847。

蒋光焴 1200,1645。

蒋光弼 884。

蒋光煦 1098,1346,1433,
　　　1470。

蒋因培 769,1306。

蒋廷恩 677,1150,1184。

蒋廷锡 232,413,415,548。
　　　549,562,569(2)。

蒋廷黻 1381,1644,1727。

蒋　伊 39,253,426,332(2)。

蒋兆龙 354。

蒋兆奎 759,1018。

蒋兆鲲 1363。

蒋名登 20,390。

蒋庆均 1110。

蒋庆第 1185,1396,1709。

蒋兴苣 249。

蒋　艮 1581。

蒋观光 409。

蒋观涛 791,1143。

蒋志章 1108,1351,1539。

蒋志惇(见蒋志章条)。

蒋励宣 624,829,1143。

蒋励常 885。

蒋攸铦 757,872,1162,1203,
　　　1218,1224,1241。

蒋希宗 606。

蒋　彤 1326。

蒋应焜 392,613,695。

蒋汾功 248,514,688。

蒋宏任 404,543,628。

蒋良翊 692。

蒋良骐 672。

蒋启勋 1187,1463。

蒋启敫 943,1179,1434。

蒋陈锡 128,322,504。

蒋英元 1156,1395。

蒋　林 368,476,651。

蒋　杲 312,465,564。

蒋国柱 231。

蒋明远 883,1168。

蒋鸣玉 57,149。

蒋知让 846。

蒋知廉 676,828,922。

蒋　和 861,886,934,948。

蒋和宁 443,679,887。

蒋学坚 1349,1728。

蒋学祎 1741。

蒋学溥 1357,1556,1645。

蒋学镛 791。

蒋　泂 464。

蒋宗汉 1698。

蒋宗海 680。

蒋　诗 1038。

蒋奏平 810。

蒋春霖 1140,1525。

蒋荣昌 829。

蒋重光 438,772。

蒋胤修 95,295,310。

蒋　炳 389,533,750。

蒋洽秀 465。

蒋　洲 711。

蒋　祝 327,514,772。

蒋泰阶 1070。

蒋泰来 583,789,831。

蒋泰堦(见蒋泰阶条)。

蒋　珣 971。

蒋恭棐 347,500,694。

蒋振鹭 522,597。

蒋益澧 1261,1553。

蒋　涟 444。

蒋　宽 752。

蒋家驹 348。

蒋祥墀 736,914,1320。

蒋继勋 689,1235。

蒋继洙 1106,1381。

蒋继珠(见蒋继洙条)。

蒋继轼 229,465,609。

蒋　基 817。

蒋　棻 57,206。

蒋彬蔚 1131,1430,1546。

蒋常垣 1407。

蒋　偰 593。

蒋　翎 983,1080。

蒋　深 229,604。

蒋　寅 155。

蒋骐昌 617,1081。

蒋维钧 778。

蒋　瑛 170,328,382。

蒋琦淳(见蒋琦龄条)。

蒋琦龄 1123,1315。

蒋　超 22,92,256。

蒋超伯 1352,1511,1538。

蒋超曾 1087。

蒋赐勋 990,1337,1546。

蒋赐荣 580,1018。

蒋　策 1038。

蒋舒惠 1062。

蒋尊炜 1566,1701。

蒋曾炘 726。

蒋曾莹 811。

蒋　敩 354。

蒋湘南 952,1282。

蒋棻渭 1385。

蒋　楷 1218。

蒋棚熙 1636。

蒋　照 1035,1317,1493。

蒋照临 1196,1525。

蒋锡绶 1145,1295,1337,
　　　1476。

蒋锡震 200,444,615。

蒋雍植 494,670,731,783。

蒋　溥 438,553,548,666,
　　　694,734。

蒋福长 1441。

蒋赫德 157,183,243。

蒋　蔚 343,476,694。

蒋蔚远 1029,1280,1464。

蒋　肇 414。

蒋熊昌 743。

蒋　德 463,585,762。

蒋德昌 306。

蒋德瀴(见蒋元溥条)。

蒋　澜 805,823。

蒋　棚 670，765。

蒋　衡 247，614，622，631。

蒋凝学 1076，1574。

蒋　薰 53。

蒋懋勋 381。

蒋瞻岵 536，887。

蒋　黼 1510，1726。

蒋　骥 467。

蒋麟昌 611。

韩士修 68，254，277。

韩大信 1147。

韩日焕 307。

韩凤修 1161。

韩　文 102，257。

韩文显 939。

韩文钧 1331，1536。

韩文绮 741，945，1328。

韩孔当 246。

韩　机 136，190。

韩光基 683。

韩　竹 106，253，349。

韩自昌 1018。

韩孝基 207，400，673，687。

韩克均 758，955，1320。

韩辰旦(见任辰旦条)。

韩应陛 1116，1345。

韩　灿(见任辰旦条)。

韩良卿 618。

韩良辅 355，550。

韩纯玉 24，418。

韩　松 908。

韩国钧 1437，1576，1740。

韩国玺 160。

韩　岱 158。

韩　泳 341。

韩绍徽 1652，1682。

韩荣光 937，1101，1223，
　　　1417，1446，1467。

韩荩光 195。

韩是升 583，1112，1127。

韩　勋 632。

韩　钦 1432。

韩俊杰 1004。

韩庭芑 8，134，345。

韩彦曾 557。

韩载阳 1331，1674。

韩莱曾 634。

韩晋昌 1677。

韩积善 1072。

韩　海 268，577，587。

韩培森 1609，1684。

韩　菼 56，252，349，389，
　　　416，421。

韩梦周 545，708，974。

韩　崇 1325。

韩　超 991，1281，1573。

韩朝衡 758。

韩鼎晋 722，946，1247。

韩　對 713，827，1275。

韩　曾 362，533。

韩弼元 1176,1396。

韩 椿 938,1263

韩 锜 595。

韩锡胙 648。

韩锦云 1046,1316。

韩 豀 1。

韩 煇 701,907,1173。

韩嘉业 652,989。

韩嘉谟 1426。

韩肇庆 1360。

韩 蕃 187,400,472。

韩 遴(见陈韩遴条)。

韩 鑅 1033。

朝 琦 471。

植 璋 710。

棍楚克林心 1601。

棍楚克策楞 1367。

惠士奇 244,444,622。

惠 丰 1392。

惠世扬 2。

惠 吉 1354。

惠 伦 967。

惠 庆 1508。

惠 纯 1610。

惠 林(见惠泉条)。

惠周惕 313,353,378。

惠 栋 383,489,635,710,
　　　　661,694,715。

惠 泉 1462。

惠 恕(见惠周惕条)。

惠 龄 957,1032。

惠 端 832,1016,1284。

提 桥 18。

揆 叙 420,484。

雅 布 170,406。

雅布兰 220。

雅尔纳 136,163。

雅尔图 767。

雅尔哈齐 28。

雅尔哈善 521,720。

雅尔泰(正蓝旗)965。

雅希禅 14,20。

雅思哈 318。

雅 秦 126。

雅朗阿 572,941。

雅 赍 266。

雅 喇 162,251。

雅 赖 136,212。

雅满泰 1097。

雅 德 1009。

斐 苏 745。

斐洋古 387。

喇世塔 168。

喇 布 145,302。

喇布介 328,373。

喇沙里 276,291,292。

喇实塔(见喇世塔条)。

喇笃祜 190。

喇祜塔 319。

喇都海 116。

遏必隆 135,166,167,226,
　　229,257。

景士凤 496。

景　丰 1587。

景　元 1583。

景日畛 354。

景方昶 1438,1622。

景考祥 464。

景　庆 1562。

景江锦 798。

景　安 958,964,1152,1193。

景　寿 1239,1577,1627。

景其濬 1228,1395,1564。

景固勒岱 136,148。

景　厚 1361,1610。

景　星 1369,1577,1719。

景　星 1418。

景星杓 128,497。

景　润 1529,1701。

景　敏 1103。

景　清 1715。

景　善 1270,1492,1683。

景　禄 1173。

景　谦 701。

景　瑞 1492。

景　廉 1186,1396,1586,
　　1590,1596,1606。

景　福 679,868。

景　援 1461,1651。

景　熠 1090。

景　霖 1106,1280。

景　燮 971。

喻士藩（见喻溥条）。

喻元淮 1086。

喻升阶 758。

喻长霖 1437,1658,1739。

喻文鎋 828。

喻成龙 473。

喻兆藩 1480,1623。

喻明简 318。

喻宝忠 529,1049。

喻　鸿 1001。

喻　溥 1070。

喻增高 1021,1278。

喀　山 135,160。

喀　代 297。

喀尔吉善 657,693,711。

喀尔库 1464。

喀尔图 329。

喀尔钦 515。

喀尔塔喇 140。

喀尔楚浑 32,126。

喀兰图 244,256。

喀宁阿 917。

喀齐兰 396。

喀克都哩 36,48。

喀　住 390。

喀勒崇阿哈 1115。

喀喀木 119,231。

黑天池 446。

黑　色 386。

黑　噶 321。

智　林 963,1124。

嵇永仁 56,273。

嵇永福 154。

嵇宗孟 250。

嵇承志 782,1048。

嵇承谦 731。

嵇　珊 621。

嵇　瑛 568。

嵇曾筠 237,430,568,586,
　　　595,609。

嵇　璜 452,548,555,713,
　　　860,916(2),941。

嵇　瓒 635。

程三光 1181,1409。

程大中 709。

程大昌 253。

程万里 175。

程　川 529。

程川佑 1109。

程之章 724。

程开丰 685,1219。

程开业 523。

程元章 500,666,767。

程仁圻 502。

程文植 419,735。

程文彝 209,427。

程玉庭 1639。

程　功 264。

程世淳 605,788,1193。

程可则 129。

程甲化 194。

程仪洛 1569。

程必昇 155。

程　尼 135,140。

程邦宪 764,1014,1257。

程师恭 364。

程光钜 524。

程光柕 410。

程同文 913,979,1193。

程廷栋 599。

程廷祚 352,765(2)。

程廷鐄(见程晋芳条)。

程汝璞 96。

程寿龄 1013。

程志和 1717。

程志洛 321,688。

程志铨 452,772。

程芳朝 92。

程时彦 68,469。

程　邑 131。

程利川 1514,1643。

程伯銮 844,1038,1212。

程含章 736,926,1256。

程怀璟 1004。

程良驭 1438,1738。

程际盛 811,842,847。

程英铭 655。

程叔琳 1702。

程卓櫟 669,906,1241。

程国仁 749,979,1198。

程昌期 685,846,951。

程　易（见程瑶田条）。

程　岩 470,613,772。

程秉钊 1301,1629,1614，
　　　1640。

程　估 207,587。

程学启 1240,1499。

程宗伊 1701。

程荣寿 1483。

程　树 456,578。

程拱宇（见程同文条）。

程侯本 248,632。

程庭桂 953,1209,1524。

程庭鹭 953,1225,1319,1378
　　　（2），1433,1439，
　　　1450。

程　恂 595。

程祖庆 1346,1385,1392，
　　　1502。

程祖洛 982,1371。

程祖诰 1083,1382,1615。

程祖福 1489,1617,1741。

程恭寿 1029,1202,1310，
　　　1570。

程晋芳 486,737,788,829，
　　　876。

程桓生 1374。

程振甲 871,1213。

程恩泽 878,1087,1255，
　　　1298。

程　钰 1495。

程　浚 59,421。

程家督 1037。

程　焘 606。

程梦星 285,458,635,699。

程盛修 555。

程　铨 852,1111。

程焕采 897,1160。

程鸿诏 1156,1376,1554。

程鸿绪 701,1114。

程　密 383,546,683。

程维岳 846,1056。

程　琰（见程际盛条）。

程械林 1443,1622。

程鼎芬 1217,1375。

程景伊 611,850。

程智泉 1435。

程　敦 894。

程　湛 334。

程裔采 1086,1441。

程棥采 919,1109,1338。

程嗣立 336,635。

程嗣章 603。

程瑶田 528,782,811,956，
　　　1115。

程嘉谟 854,874。

程锺彦 575。

程锺龄 1062。

傅　戾 153,319。
傅继勋 979,1202。
傅勒赫 189。
傅　清 655。
傅　清 667。
傅　淦 758,907,1008。
傅　涵 263。
傅绳勋 930,1110。
傅维鳞 84,183,227。
傅　绥 1110。
傅　森 766。
傅　森(镶黄旗)1007。
傅　棠 1002,1154。
傅喇塔 16,273。
傅景星 57,235。
傅感丁 131。
傅　魁 711。
傅嘉年 1368,1582。
傅　聚 523。
傅锺麟 1286,1505。
傅　萧 275,609。
傅　萧 713,1091。
傅　璜 1088。
傅增淯 1526,1643。
傅增湘 1540,1670。
傅增濬 1701。
傅　德 381。
傅　德 570。
傅懋凯 1624。
傅麟瑞 908。

傑　书 78,183,387。
傑　纯 1478。
傑　都 262。
傑　殷 298。
集雅汉瞻 53,76。
焦云龙 1687。
焦友麟 1036,1262。
焦以厚 892。
焦尔厚 665。
焦廷琥 1183。
焦安民 89。
焦祁年 512。
焦和生 873。
焦春宇 1083,1343。
焦贾亨 101,318。
焦　荣 156。
焦祐瀛 1310,1614。
焦袁熹 187,380,405,586,
　　　　587。
焦维械 1150。
焦景新 1000。
焦　循 741,927,940,958,
　　　　965,973,986,1005,
　　　　1018,1054,1064,
　　　　1103(2),1118,(2),
　　　　1125,1136,1162,
　　　　1141(4),1142(3),
　　　　1163。
焦毓瑞 108,319。
储大文 214,501,632。

清代人物大事纪年

舒　赫 136,228。

舒赫德 449,661,745,804,
　　　810。

舒　赛 48,67。

舒　濂 922。

舒　瞻 613。

鲁一同 1037,1281,1446,
　　　1456,1495。

鲁九皋 567,788,941。

鲁士骧(见鲁九皋条)。

鲁士骧 777。

鲁之裕 496。

鲁用恩(见鲁荣恩条)。

鲁兰枝 776。

鲁成龙 506,655,766。

鲁华祝 546,743,1024。

鲁国男 199。

鲁垂绅 787,1039。

鲁秉礼 1210。

鲁　河(见鲁华祝条)。

鲁荣恩 775。

鲁　亭 424,659。

鲁　栗 72,266。

鲁　宾 237,631。

鲁　铨 915。

鲁　鸿 743,910。

鲁　淑 405,556,608。

鲁琪光 1216。1521。

鲁曾煜 500。

鲁　游 576。

鲁　瑗 323。

鲁嗣光 769,988。

鲁　缤 769,1132,1143。

鲁赞元 708。

敦凤举 1492。

敦达理 73。

敦　住 812。

敦　拜 162,189。

斌　宁(见宾宁条)。

斌　良 869,1367。

斌　静 1258。

赓　音 1120。

赓音布 996。

赓音岱 1299。

赓　泰 907。

赓　福 1030。

赓　福 1477。

童凤三 707,724,1007。

童叶庚 1484。

童　华 1140,1303,1627。

童　华 263,615。

童兆蓉 1300,1515,1707。

童秀春 1383。

童宗颜 859,1070。

童钦承 114,298。

童　钰 499,863。

童祥熊 1340,1594。

童能灵 312,642。

童添云 1420。

童　械 1166,1407。

1571。

曾纪瑞 1373,1584。

曾寿麟 1240,1497,1647。

曾克敬 1263。

曾　钊 903,1170,1171,
　　　1202,1218,1377,
　　　1421。

曾述棨 1490,1643。

曾国华 1176,1449。

曾国荃 1195,1438,1498,
　　　1625,1634。

曾国潢 1156。

曾国藩 1084,1304,1474,
　　　1498,1531,1541。

曾秉濬 1481。

曾　受 1242。

曾受一 607。

曾宗彦 1594。

曾承唐 691。

曾树椿 1594。

曾省三 1217,1396。

曾　胜 1275。

曾养性 309。

曾　炳 307。

曾宪德 1208,1375。

曾晖春 1003。

曾　炻 1070。

曾　培 1394,1631。

曾培祺 1536。

曾望颜 912,1178,1532。

曾　寅 254。

曾维藩 1689。

曾琼玮 915。

曾　詠 1343。

曾椿寿 1407。

曾　畹 166。

曾福谦 1609。

曾毓璜 1190。

曾　燠 722,855,1048,1153,
　　　1248。

曾璧光 1067,1382,1544,
　　　1557。

曾攀桂 959。

曾　鑑 1444,1604,1624。

曾麟书 912,1440。

温长湧 1408。

温予巽 869,1264。

温必联 592。

温有哲 656。

温　达 439,467,477。

温齐咯 175。

温汝适 696,872,1171。

温汝能 899。

温如玉 134。

温如玉 640。

温启鹏 878,1072。

温启鳌 897,1030。

温忠翰 1276,1481。

温　肃 1572,1695,1739。

温承志 1097。

温承恭 741，1164。

温承惠 697，828，1095，1256。

温绍原 970，1448。

温绍棠 1505。

温　春 1081。

温　恭 810。

温常绶 572，777，966。

温　敏 639。

温葆初 671。

温葆淳（见温葆深条）。

温葆深 990，1180，1572，
　　　　1583，1597。

温　福 804，806。

温睿临 424。

温肇江 1251。

温肇祥（见温葆深条）。

游士端 248，493。

游百川 1185，1481。

游光绎 905。

游光缵 847。

游昌灼 1096。

游明纯 336，619。

游绍安 513。

游　晟 536，1043。

游崇功 200，504。

游智开 1131，1390，1685。

富　文 657，663。

富尔祜伦 298。

富尔逊 1703。

富尔泰 75，406。

富尔敦 44，126。

富尔赛 975。

富　兰 1257。

富　宁 896。

富宁安 534，540，544。

富　永 1267。

富尼扬阿 903，1101，1354。

富尼雅扬阿 1427。

富尼雅杭阿 1123，1342。

富尼善 1019。

富夸禅（见富喀禅条）。

富　成 1161。

富　成 995。

富当阿 820。

富廷贤 533。

富　兆 1267。

富志那 1080。

富　明 998，1531。

富明安 801。

富明阿 1047，1592。

富明阿（镶红旗）1275。

富炎泰 691。

富　春 1459。

富　保 881。

富　俊 660，835，1211，1273。

富　亮 1275。

富　陞 1477。

富　陞 1635。

富　泰 1384。

富　起 548。

富　通 1114。
富勒浑 801。
富勒浑(正蓝旗)891。
富勒敦 1418。
富勒敦泰 1511。
富勒赫 673。
富　敏(见敷文条)。
富鸿业(见富鸿基条)。
富鸿基 13,171,360。
富　绥 71。124,235。
富　森 989。
富　森(见傅森条)。
富森布 702,
富森泰 709。
富喇克塔 117。
富喀禅 136,214,234。
富　善 380,440。
富登阿 1193。
富僧阿 818。
富僧德 1360。
富僧额 1073。
富察善 888
富　德 719,824。
富　德(正蓝旗)556。
富　翰 1097。
窝星额 1033。
裕　全 1327。
裕　诚 1399,1447。
裕　厚 1461,1604,1729。
裕　泰 897,1331,1366,

1384,1393。
裕　泰(见裕谦条)。
裕　恩 1360。
裕　祥 1389,1562。
裕　绥 343,618。
裕　禄 1569,1681。
裕　谦 930,1132,1328。
裕　瑞 1525。
裕　德 1361,1560,1707。
裕　麟 1619。
禅　布 297。
禅　代 197。
禄　义 1459。
禄　成 1225
禄　庆 740。
禄　康 1031,1079,1120。
禄　彭 1634。
谢乃果 338。
谢乃实 339。
谢于道 253。
谢之洪 271。
谢子元 1523。
谢子澄 1254,1413。
谢王生 379,667。
谢王宠 432。
谢元阳 299,556,596。
谢元洪 1733。
谢元福 1308,1534。
谢　升 549,558。
谢公洪(见谢之洪条)。

谢文浐 1,311。

谢文翘 1368,1582。

谢兰生 1014。

谢邦骅 58,374。

谢成贵 1214。

谢年丰 1449。

谢廷宾 106,493。

谢仲坑 511。

谢兆昌 224。

谢兴岅 853,1149。

谢阶树 1059,1213。

谢 观 112。

谢远涵 1652。

谢时选（见潘时选条）。

谢希铨 1340,1567。

谢启龙 577。

谢启光 2,114,147,175。

谢启华 1380,1582。

谢启昆 598,731,986,973,
　　　 993,1006,1019。

谢启祚 368,948。

谢国珍 1577。

谢 旻 675。

谢佩贤 1629。

谢质卿 1358。

谢金銮 707,899,1118,1163。

谢学崇 1013。

谢宝胜 1452,1727。

谢 垣 760。

谢荣埭 1289。

清代人物大事纪年

谢适初 4,198。

谢庭瑜 600。

谢济世 343,459,705。

谢祖源 1287,1560。

谢 陞 2,80。

谢泰阶 120。

谢起龙 218,582。

谢恭铭 891。

谢 晋 268,533,754。

谢桓武 1702。

谢振定 684,847,1074。

谢恩诏 624,1120。

谢 钺 1238,1454。

谢隽杭 1321,1581。

谢家禾 999,1254。

谢家福 1664。

谢宾王 87。

谢 宸 112。

谢 葵 925,1203,1513。

谢辅垆 1067,1453。

谢辅墀 1230,1408。

谢 崧 864,1037。

谢崇基 1610。

谢 堃 870,1332,1347。

谢章铤 1177,1569。

谢清问 709。

谢淑元 933。

谢绪璠 1672。

谢维藩 1269,1482,1573。

谢葆霖 637,792,1081。

谢朝恩 1328。

谢　斌 733,1074。

谢道承 501。

谢道垲(见谢荽条)。

谢棨照 1207,1375。

谢　聘 58,204,341。

谢锡佐 606。

谢　煌 1106,1363。

谢溶生 639,916,1006,1009。

谢　墉 492,670,679,950。

谢锺龄 524。

谢肇渚 790。

谢　增 1098,1381,1578。

谢　震 751,908,1033。

谢德彰 1285。

谢鹤翎 911,1189。

谢履忠 414。

谢履厚 445。

谢凝道 956。

谢膺禧 1085,1408。

谢溶畬 1662。

谢　鳌 482,994。

谦　福 1068,1279。

谦　禧 1634。

弼礼克 277。

强上林 1109。

强汝询 1194,1455,1656。

强克捷 1062,1103。

强　度 127。

强望泰 1135。

强　溙 1078。

登西克 81。

登　塞 145,526。

缊　布 1074。

十三画

瑟尔臣 375,667。

瑚　什 851。

瑚什布 140。

瑚世泰 842。

瑚尔起 779。

瑚尼勒图 928。

瑚里布 255,278。

瑚伸布禄 185。

瑚　沙 136,213。

瑚松额 797,1246,1265,
　　　 1367。

瑚　图 333。

瑚图礼 893,1114。

瑚图灵阿(见瑚素通阿条)。

瑚　宝 539,704。

瑚素通阿 893,1064。

瑞　丰 1514,1733。

瑞　元 937,1168。

瑞　元(正红旗)1403。

瑞　生 864,1029。

瑞　光 925,1189。

瑞　林 911,1070

瑞　昌 1478。

瑞　昌(正白旗)1552。

赖　士 200,569。
赖达库(见赍图库条)。
赖达哈 136,293。
赖际熙 1694。
赖荣光 1494。
赖　勋 983。
赖　晋 482,655,802。
赖清键 1357,1595。
赖　塔(见赍塔条)。
赖慕布 90。
赖鹤年 1642。
甄之璜 459。
甄汝舟 592。
甄汝翼 557,631。
甄　昭 385。
雷一龙 114。
雷　仁 1226。
雷风云 1449。
雷文模 1133。
雷以諴 943,1191,1572,
　　　1590,1602。
雷玉春 1664。
雷正绾 1632。
雷百里 1085。
雷成朴 1011,1232。
雷多寿 1580,1702。
雷　兴 47,144。
雷汪度 532,727,862。
雷补同 1460,1603,1617。
雷　纯 847。

雷　轮 776。
雷　鸣(见雷以諴条)。
雷学海 946。
雷学淇 1112,1235。
雷　铎 380。
雷　浚 1108,1596,1650。
雷翀宵 759。
雷继尊 405。
雷捷凯 1041。
雷惟霈 892。
雷焕章 993。
雷维翰 1050,1316。
雷景鹏 1088。
雷榜荣 1175,1430。
雷锺德 1535。
雷　鋐 383,573,729。
雷　鐏 738,1182,1235。
裘元复 846。
裘元俊 890,1134。
裘元淦 1040。
裘元善 1108。
裘曰修 456,611,719,804,
　　　806。
裘行简 689,818,1048。
裘充佩 249。
裘充美 271。
裘安邦 809,1041,1256。
裘君弼 385。
裘若宏 380。
裘宝善 970,1253,1546。

清代人物大事纪年

锡　祉 1279。

锡　珍 1361，1521，1611，
　　　 1628。

锡　珍（见锡钧条）。

锡　钧 1361，1567。

锡　保 628。

锡　恒 1721。

锡　恩 1595。

锡勒达 100，386，420，434。

锡　龄 1145，1325。

锡龄阿 1475。

锡　福 621。

锡　缜 1185，1431，1615。

锡　嘏 1543。

锡　嘏（宗室）1496，1659。

锡　翰 138。

锡　霖 1508。

锡　麟 1027，1233。

锦　布 143，310。

简　上 124，314。

简昌璘 709。

简　能 317。

简　斑 233。

简敬临 1528。

简朝亮 1637。

魁　玉 1037，1600。

魁　伦 994。

魁　保 1143。

魁　龄 1116，1397，1574。

魁　龄（镶白旗）1464。

魁　福 1721。

詹天佑 1473，1731。

詹文炳 693。

詹功显 1367。

詹肯构 612。

詹明章 33，497。

詹　易 593。

詹铨吉 446。

詹惟圣 133。

詹鸿谟 1331，1549。

詹嗣贤 1309，1550。

詹嗣禄 414。

詹肇堂 947。

解几贞 130。

解兆鼎 1610。

解秉智 495，709，975。

解崇辉 1676。

解　煜 1244，1490。

誇　扎 310。

誇　喀 432。

廉师敏（见廉兆纶条）。

廉兆纶 1084，1314，1519。

廉志勋 796，1100，1141。

廉　昌 1106，1324，1402。

廉　泉 1653。

廉　敬 1371。

廉　善 983，1193。

裔步鸾 1321，1582。

靖道谟 500。

新　柱 857。

0310

窦需书 592。

窦遴奇 93。

褚成博 1415,1581,1724。

褚廷珰 45。

褚廷璋 707,742。

褚 华 738。

褚汝航 1419。

褚克昌 1468。

褚 库 265。

褚 英 3。

褚荣槐 1208,1455,1573。

褚 峻 596,631,642。

褚菊书 463。

褚寅亮 474,670,874,917。

褚 禄 119,120。

褚 禄 573。

褚 登 1189。

褚 篆 394,403。

福长安 916,972,1137。

福什宝 439。

福 申 844,1089,1136,
1311。

福尔善 642。

福 宁 957,1114。

福 臣 1504。

福 存 214,403。

福 全 142,226,417。

福 庆 958,1154。

福 兴 1615。

福 安 606。

福 苍 618。

福克精阿 1284。

福 连 1447。

福 秀 698。

福灵安 765。

福 昌 1055。

福昌阿(见法福礼条)。

福明安 655。

福 诚 1402。

福 荫 1172。

福 咸 1186,1374,1469。

福 保 759。

福 济 1083,1262,1424,
1557。

福珠洪阿 1409。

福 润 1632。

福 祥 1284。

福勒洪阿 1236。

福 崧 934。

福 敏 252,385,614,628,
641,682,704。

福敏泰 1033。

福康安 823,861,874,894,
927,934,948,959。

福隆安 804,875。

福 彭 438,658。

福 敬 939。

福 智 1199。

福 赓 1419。

福 裕 1683。

福　禄 793,795。

福　瑞 1456。

福　梿 1438,1581,1620。

福　锟 1270,1454,1626,
　　　1648,1664。

福　魁 1441。

福僧阿 793。

福　縣 1248。

十四画

瑭古泰 851。

韬　塞 376。

墙见羹 790。

嘉　谟 830。

赫生额 887。

赫达色 453。

赫　庆 521。

赫　寿 493。

赫特贺 1036,1190。

赫特赫讷 970,1180,1479。

赫硕塞 372。

赫　赫 767。

赫　德 1686,1711,1723。

綦汝楫 153。

慕天颜 22,155,276,382。

慕克谭(见穆克谭条)。

慕荣斡 1286,1521,1614。

慕维德 1147。

慕　整 954。

蔡卜年 602。

蔡乃煌 1636。

蔡士英 259。

蔡大均(见蔡泰均条)。

蔡之定 652,932,1275。

蔡子璧 870,1158。

蔡元培 1510,1643。

蔡　云 1029,1142。

蔡云从 625。

蔡日逢 488。

蔡升元 128,305,508。

蔡长湜 449,746。

蔡方炳 329。

蔡以台 707。

蔡以封 678。

蔡以璋 1222,1522。

蔡正笏 347,613。

蔡世远 304,444,529,578。

蔡世佐 1581。

蔡世松 1087。

蔡世保 1454。

蔡世俊 1455。

蔡本俊 982。

蔡东祥 1487。

蔡仕舢 363。

蔡必昌 834。

蔡共武 855。

蔡而烷 132。

蔡而煊 173。

蔡成贵 668。

蔡扬宗 611。

蔡同春 1432。

蔡朱澄 585。

蔡　廷 371。

蔡廷治 63,437。

蔡廷衡 822,833。

蔡兆辂 1467。

蔡兆槐 1068,1406。

蔡观澜 474,622,881。

蔡寿祺 1316,1446。

蔡时田 625。

蔡时豫 375,646。

蔡含灵 6,97,216。

蔡应龙 1434。

蔡应彪 599。

蔡应嵩 1364。

蔡　良 550。

蔡启傅 8,237,313。

蔡其荣 1466。

蔡其骠 1458。

蔡若珍 1408。

蔡秉公 142,338,518。

蔡　侗 1672。

蔡金台 1608。

蔡念慈 1083,1322。

蔡学川 860,1133。

蔡学洙 430。

蔡宝善 1689,1696。

蔡宗茂 1021,1262。

蔡宗建 727。

蔡绍洛 1021,1180。

蔡　珑 321,762。

蔡　封 731。

蔡　标 1709。

蔡　勋 903,1101,1151。

蔡衍诰 475,480。

蔡　炯 955。

蔡祖庚 112。

蔡祖楔 317。

蔡祚熹 118,535。

蔡泰均 799。

蔡　珽 385,632。

蔡振武 1094,1289。

蔡逢年 1397。

蔡家玕 919,1148。

蔡　彬 398。

蔡鸿业 653,837。

蔡鸿儒 796。

蔡寅斗 649,682。

蔡　隆 266。

蔡维钰 955。

蔡维寅 286。

蔡　琳 1453。

蔡　琦 203,480。

蔡　琼 870,1101,1151。

蔡琼枝 96。

蔡　鼎 1258。

蔡赓良 1376。

蔡赓飓 953,1178。

蔡善述 854。

蔡曾源 1415,1630。

裴宗锡 456,842。

裴荫森 1187,1491,1662。

裴显相 907。

裴倬度 229,619。

裴宪度 195。

裴　褎 16,210,421。

裴维侒 1429,1581。

裴　谦 797。

裴　裘(见裴褎条)。

裴　鑑 1148。

锺文烝 1140,1358,1456,
　　　 1571。

锺文韫 848。

锺世臣 526。

锺世耀 943,1324,1485。

锺仪傑 209。

锺兰枝 654。

锺邦任 807。

锺光豫 494,910。

锺　怀 730,1029,1043。

锺启峋 1122,1350,1512。

锺君宠 880。

锺　灵 1582。

锺　英 1674。

锺　英 899。

锺　昌 878,1069,1257。

锺明进 109。

锺秉用 511。

锺佩贤 1146,1383,1676,
　　　 1691。

锺性朴 72,213。

锺宝华 1430。

锺　保 1252。

锺　音 592,792,805,837。

锺音鸿 963,1302。

锺　泰 1691。

锺　朗 179。

锺　祥 878,1062,1378。

锺骏声 1260,1461。

锺鸿坝 1177,1570。

锺　淮 1117,1296,1411。

锺　琪 1683。

锺　鼎 57。

锺　腕 368,539,801。

锺　裕 1022,1232。

锺谦钧 1036,1554。

锺锡潢(见锺锡璜条)。

锺锡璜 1671。

锺　狮 601。

锺德祥 1277,1561,1564。

锺　澪 1635。

锺　镛 1559,1648,1737。

锺　衡 553。

锺　濂 1335,1606。

锺　彝 463。

锺麟同 1724。

舞　格 558。

管一清 612。

管凤苞 446。

管世铭 605,834,973,975。

廖惟勋 1011,1262,1403。

廖鸿苞 1132。

廖鸿荃 869,1068,1492,
　　　1502。

廖鸿章 600。

廖鸿藻 1070。

廖　寅 676,841,1113,1197。

廖联翼 182。

廖敦行 1061。

廖赓谟 413。

廖腾煃 233。

廖鹤年 1350,1506。

廖　燕 75,427。

廖冀亨 348。

廖　翱 1210。

彰　库 441。

彰　宝 649,783,831。

彰　泰 52,349。

端木坦 1088。

端木杰 1109。

端木国瑚 803,1264,1299。

端木埰 1157,1358,1645。

端木煜 914。

端木缙 436。

端　方 1472,1589,1717,
　　　1724。

端　华 1477。

端　秀 1564。

端济布 734。

端　恩 1212。

端　绪 1696。

端　锦 1725。

精　济 116。

漆绍文 458。

漆　銮 893。

赛　玙 389,548,908。

赛沙畚 1466。

赛沖阿 685,1112,1162,
　　　1225。

赛枝大 305,559。

赛尚阿 1125,1557。

赛音伯尔格图 880。

赛　都 476。

赛喀纳 340。

赛弼汉 356。

赛弼翰 351。

赛　璋 239。

察　尼 66,341。

察杭阿 1584。

察哈泰 255,272。

察哈喇 54。

谭大勋 925,1202。

谭上连 1605,1633。

谭五格 539,772。

谭玉龙 1524。

谭　布 136,215。

谭　仪 1545。

谭吉璁 22,298。

谭贞良 71,104。

谭贞默 33,213。

清代人物大事纪年

熊希龄 1543,1652。

熊启谟 724。

熊其光 1131,1365,1427。

熊　枚 788,1066。

熊奋谓 2。

熊学鹏 556,843。

熊建益 1493。

熊郢宣 592。

熊起磻 1568。

熊晖吉 521。

熊恩紱 588,681,887。

熊家彦 1036,1303。

熊常錞 890,1070,1319。

熊遇泰 1061。

熊景星 920,1125,1436。

熊赐玙 174。

熊赐履 50,174,317,324,
　　　　349,416,419,436,
　　　　447。

熊赐璸 268。

熊德谦 1193。

熊璟崇 899。

翟云升 821,1179,1283,
　　　　1306,1346。

翟凤翔 1736。

翟凤纛 84,228。

翟文贲 83,220。

翟延初 180。

翟均廉 753。

翟伯恒 1286,1548,1668。

翟　诰 1254。

翟詠参 419,754。

翟登峨 1325。

翟　槐 815。

翟锦观 1039。

翟　灏 692,754,778,902。

缪元益 864,1284。

缪曰苣 512。

缪曰藻 305,474,577,735。

缪以贞 219。

缪玉铭 1070。

缪兆禧 1177,1546。

缪　彤 29,223,387。

缪　沅 247,444,550。

缪尚诰 1047,1317。

缪荃孙 1340,1561,1663,
　　　　1680,1720,1730。

缪树本 1052,1486。

缪庭槐 821,1040。

缪炳泰 633,871,1056。

缪祐孙 1608,1656。

缪祖培 835。

缪　晋 816。

缪润绂 1555。

缪　梓 1050,1223,1465。

缪　焕 538。

缪朝荃 1530。

缪敦仁 612。

缪慧远 95。

缪遵义 600。

清代人物大事纪年

黎士弘 6,146,387。

黎大刚 856。

黎大观 331。

黎大钧 1361,1595。

黎世序 803,954,1170,1197。

黎　申 1637。

黎永椿 1545。

黎吉云 937,1263,1417。

黎光曙(见黎吉云条)。

黎兆棠 1207,1432。

黎安理 669,1153。

黎应南 1141。

黎承惠(见黎世序条)。

黎经诰 1626。

黎荣翰 1356,1561。

黎树声 104。

黎　恺 898,1333。

黎　恂 878,1111,1494。

黎致远 268,445,564。

黎培敬 1206,1461,1591。

黎庶昌 1294,1484,1669。

黎　翔 1461。

黎湛枝 1534,1693。

黎　简 652,907,989。

黎　靖 1161。

黎　骞 290。

黎攀镠 1189。

篇　古 73。

縣　亿 984,1119。

縣　文 1361,1594,1709。

縣　伦 813。

縣　庆 1033。

縣　志 1274。

縣　护 1328。

縣　忻 1152,1226。

縣　性 1578。

縣　宜 1216,1396,1674。

縣　勋 1650。

縣　恺 1162,1307。

縣　洵 1448。

縣　恩 934,1183。

縣　课 1212。

縣　偲 821,1371。

縣　康 779。

縣　森 1524。

縣　惠 960。

縣　愉 1106,1162,1310, 1502。

縣　善 1277,1483。

縣　懋 1292。

縣　德 647,887。

縣　勳 1163。

縣　懿 1073。

德　元 686,1102。

德　云 1687。

德　长 1564。

德　风 681。

德　文 914,1153。

德　生 835。

德尔格勒 27,49。

德尔敏 735。

德　宁 987。

德　宁（见德厚条）。

德　成 569。

德　成（正黄旗）1008。

德成格 602。

德成额 1091。

德　光 966。

德　庆 1325。

德　兴 1135,1427。

德兴阿 1517。

德兴保 1199。

德　安 1457。

德　寿 1699。

德克登额 1487。

德克精布 1680。

德克精额 1253。

德　亨 1141。

德　沛 336,682。

德　坤 1426。

德　英 1552。

德英阿 1236。

德英额 1055。

德　昌（镶黄旗）817。

德　昌（镶蓝旗）1065。

德　明 569。

德　明 985,995。

德　明（正黄旗）818。

德　忠 1097。

德朋阿 1016。

德　诚 997,1210,1386。

德　建 1387。

德参济旺 48,97,104。

德　春 931,1149。

德　荫 1122,1343。

德　厚 1110。

德　昭 397,739。

德　保 492,601,909。

德　保（正蓝旗）625。

德保住（见德建条）。

德　胜 959。

德　亮 1439。

德　音 550。

德洪额 1690。

德珠布 1402。

德　格 1153。

德格类 51。

德格勒 240。

德　峰 1711。

德凌阿 1379。

德　海 1241。

德　祥 1410。

德勒克扎布 1073。

德　崇 1110。

德　敏 740。

德　隆 677。

德　绥 1474。

德　瑛 542,1053,1120。

德喜保（见德崇条）。

德　惠 997,1253。

德　舒 721。

德　普 312,550。

德　瑞 770。

德楞泰 637,958,985,993
　　　（2），1072，1006，
　　　1016，1017，1073。

德楞额 1164。

德　龄 476。

德　龄（正黄旗）953,1264。

德　龄（镶白旗）988。

德　新 476。

德　塞 128,242。

德　福（正白旗）862。

德　福（正黄旗）1066。

德　福（正蓝旗）779。

德璀琳 1611。

德　徵 1508。

德穆图 140。

德　懋 1484。

德　藩 1683。

德　灏 744。

徵　瑞 580,1119。

滕　纲 343,715。

滕家胜 1475。

滕嗣武 1669。

颜士璋 1176,1454。

颜　元 50,421。

颜以燠 911,1125,1401。

颜光敏 63,224,330。

颜光敔 178,339,390。

颜光猷 253。

颜伯焘 897,1110,1427。

颜希深 850。

颜鸣汉 726,1044。

颜宗仪 1175,1406,1588。

颜培文 1122,1296,1469。

颜培瑚 1077,1324。

颜　检 828,1023,1267。

颜崇㳇 834。

颜崇槼 782。

颜　敏 4,108,318。

颜　楷 1700。

颜　龄 406。

颜嗣徽 1286,1531。

颜懋伦 419,547。

颜　敫 101。

潘一奎（见潘挹奎条）。

潘乙震 591。

潘士权 778。

潘士良 2。

潘之善 578。

潘开甲 47,422。

潘天成 145,541。

潘见龙 193。

潘从律 353。

潘允敏 457。

潘世恩 774,932,1171,1192
　　　（2），1297,1305（2），
　　　1369,1370（2），1400,
　　　1408,1418。

十六画

清代人物大事纪年

鲍　超 1498,1612。

鲍　楹 380。

鲍　锟 775。

鲍源深 1093,1362,1601。

鲍嘉命 677,950。

鲍夔生 64,356。

凝　德 996。

禧　恩 1282,1402。

缴煜章 386。

十七画

璩廷祐 354。

璐　达 622。

戴三锡 713,932,1218,1241。

戴之泰 606。

戴子京(见戴京曾条)。

戴王纶 150。

戴天恩 467。

戴天溥 671。

戴风翔 840,1071。

戴文灯 707。

戴文英 1450。

戴心亨 815,901。

戴兰芬 870,1177。

戴永植 423,568,765。

戴永椿 513。

戴圣聪 8,390。

戴　玧 109,292。

戴有祺 352。

戴有禧(见严有禧条)。

戴光曾 1174。

戴　屺 1061。

戴兆春 1357,1566,1707。

戴兆祚 295。

戴名世 142,443,468。

戴汝槐 594。

戴　寿 230,234。

戴均元 644,816,1053,1136,
　　　 1161,1196,1204,
　　　 1218,1320,1224。

戴求仁 776。

戴　亨 503。

戴明安 146。

戴明说 47,191。

戴京曾 108。

戴於义 1109。

戴宗沇 1060,1266。

戴宗骞 1661。

戴　绂 353。

戴咸弼 1117,1337,1628。

戴钧衡 1107,1376,1427。

戴　亮 5,311。

戴姜福 1529,1689,1737。

戴宫桂 648,1019。

戴祖启 528,835,867。

戴振河 338。

戴恩溥 1217,1506,1722。

戴展诚 1514,1659。

戴　通 377。

戴彬元 1286,1580。

清代人物大事纪年

魏光焘 1686。
魏廷珍 232,464,656,581,
703。
魏　壮 432。
魏　观 432。
魏时钜(见魏景熊条)。
魏　男 322。
魏秀仁 1147,1358,1554。
魏希徵 268。
魏亨逵 945,1151,1409。
魏际瑞 10,278。
魏　坤 82,393,376,427。
魏茂林 1070,1291,1346。
魏　枢 556。
魏　拉 615。
魏国翥 560。
魏学诚 165,306,504。
魏学渠 101。
魏定国 280,431,699。
魏　绎 495。
魏经国 529,559。
魏迺勷 1276,1523。
魏家骅 1503,1670,1696,
1736。
魏　祥(见魏际瑞条)。
魏　菁 5,351。
魏梦龙 653。
魏象枢 4,87,317,334。
魏涵辉 463。
魏　绾 397。
魏　琯 57。
魏联奎 1373,1610。
魏敬中 1311。
魏景熊 1416,1621,
魏傚祖 856。
魏谦升 991。
魏锡祚 399。
魏锡曾 1588。
魏裔介 1,86,183,204,250,
264,329。
魏裔讷 193。
魏裔鲁 79。
魏　源 937,1212,1332,
1353,1424,1436。
魏　震 1526,1671。
魏　勰 270。
魏　禧 22,298。
魏　襄 1040。
魏麐徵 223。
魏　瀚 787,993,1127。
魏　麟 563。
魏麟徵(见魏麐徵条)。
魏　嵘 207,431,564。
縻奇瑜 907。
膺　保 1418。
濮子潼 1357,1567,1718。
濮文暹 1239,1506,1719。
濮庆孙 1099,1384。
豁　特 282。
豁隆武 960。